2nd EDITION

위암과 위장관 질환

Gastric Cancer and Gastrointestinal Disease

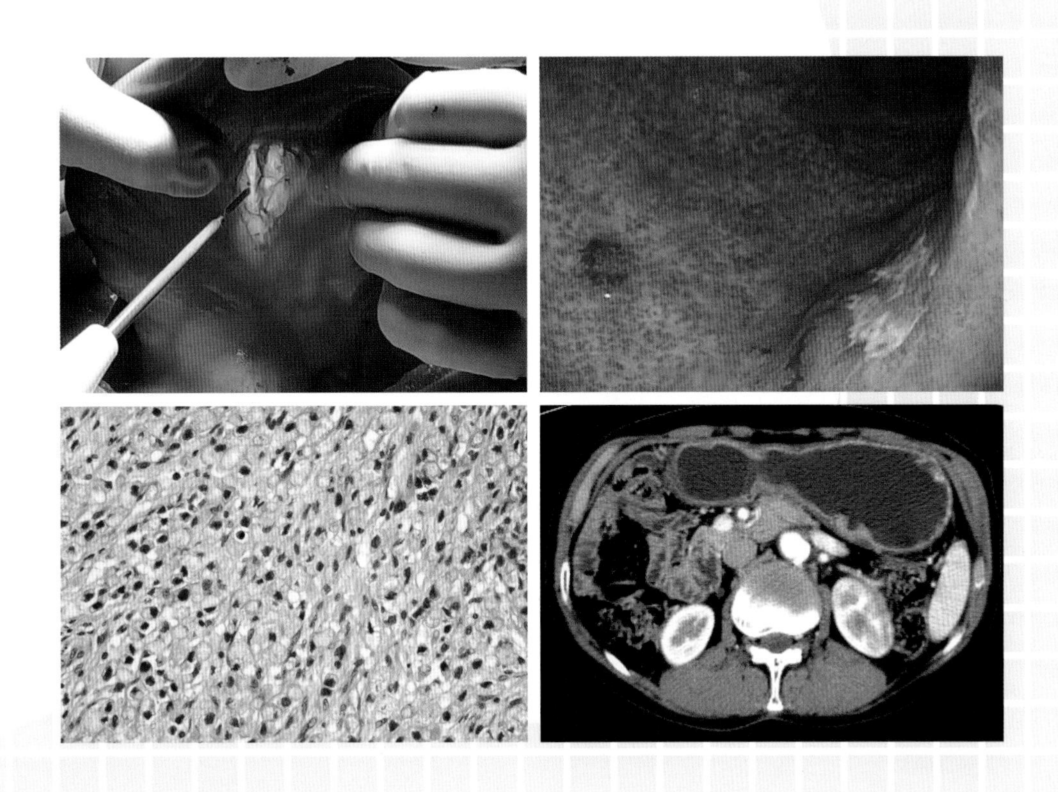

대한위암학회

군자출판사

위암과 위장관 질환 2nd EDITION

둘째판 1쇄 인쇄 | 2019년 08월 26일
둘째판 1쇄 발행 | 2019년 09월 10일

지 은 이 대한위암학회
발 행 인 장주연
출 판 기 획 한수인
편집디자인 유현숙
표지디자인 김재욱
발 행 처 군자출판사(주)
등록 제4-139호(1991. 6. 24)
(10881) **파주출판단지** 경기도 파주시 회동길 338(서패동 474-1)
전화 (031) 943-1888 팩스 (031) 943-0209
www.koonja.co.kr

ISBN 979-11-5955-477-3

정가 200,000원

2nd EDITION

위암과 위장관 질환

Gastric Cancer and Gastrointestinal Disease

발간사

대한위암학회는 창립 이후 20여년의 기간동안 회원 여러분의 적극적인 참여와 역대 회장님 및 이사장님의 지혜로운 리더십 그리고 상임이사진의 열정적인 헌신으로 위암 치료 및 연구를 선도하는 국제적인 학회로 성장하였습니다.

돌이켜보면, 지난 2011년 당시 노성훈 회장님과 이종인 전임 회장님을 중심으로 한 교과서편찬위원회가 주축이 되어 많은 집필진들이 수년간의 각고의 노력을 기울여 마침내 '위암과 위장관 질환' 교과서를 발간하여 소중한 지침서가 되어왔습니다.

그러나 초판이 발행된 지 8년여의 시간이 흐르면서 위암의 치료와 수술, 다양한 위장관 질환에 대한 연구들이 발표되고 새롭게 변경된 여러 최신 지식들이 축적되어 왔습니다. 이러한 흐름 속에 그 동안의 변화와 발전들을 정리하고, 특히 대한위암학회에서 주도적으로 시행한 임상연구 결과와 대한위암학회의 공식 학술지인 Journal of Gastric Cancer에 발표된 여러 성과들, 최근 위암치료의 핵심인 다학제 치료를 반영하고자 하는 필요와 요구에 부응하기 위해 대한위암학회에서는 2017년부터 '위암과 위장관 질환' 교과서의 개정판 집필을 위한 첫 발을 내딛었습니다. 2007년 교과서 초판 발간을 위한 Kick-off meeting때 교과서 편찬에 대한 발제를 했던 본인으로서는 대한위암학회의 역점사업 중 핵심과제로 교과서 개정판을 발간하게 되어 또 다른 감회를 갖습니다.

약 2년여의 기간 동안 개정판 원고집필과 여러 차례의 수정, 그리고 감수에 이르기까지 이번 교과서 개정판은 그 과정이 체계적이고 유기적으로 진행되어 왔으며, 편찬사업위원회를 중심으로 원고집필에 관한 모든 사항들을 관리하여 왔습니다. 길지 않은 준비 기간이었지만, 그럼에도 불구하고 이번 교과서 개정판은 위암과 위장관 질환에 대한 최신의 주요 임상 결과들을 반영하고, 국내 최고의 저자들을 선정하여 그 역량을 총망라한 요체라 할 수 있습니다.

'위암과 위장관 질환' 개정판이 출간되기까지 정재호 편찬사업위원장님을 비롯하여 편찬위원회 위원님들, 그리고 최선을 다하여 개정판 집필에 참여하여 주신 저자분들의 헌신에 깊은 감사를 드립니다. 또한, 교과서 발간 작업의 원활한 진행과 출판에 이르기까지 수고를 아끼지 않은 군자출판사 관계자 분들의 노고에도 고마움을 전합니다.

대한위암학회에서 역점사업으로 진행한 위암 치료 가이드라인 제정, 국제화의 영역 확장, 위장관 연관 학술대회 개최 그리고 대국민 홍보사업과 그 시기를 같이하여 '위암과 위장관 질환' 교과서 개정판이 출간되어 위암뿐만 아니라 다양한 위장관 질환에 대한 국내외의 많은 관심과 기대를 받게 되어 더욱 의미가 깊다고 생각합니다. 아울러, 신시경종(愼始敬終)의 자세로 집단지성의 품격있는 학회의 완성을 위해 지혜를 모았던 소중한 선례로 기억될 것입니다.

2019. 8.

대한위암학회 회장 김 성, 김 병 식

이사장 이 문 수

서문

대한위암학회는 회원 여러분들의 성원과 노력으로 2011년 전문의학국문교과서인 '위암과 위장관 질환'을 발간하였습니다. 초판 출간 후 우리학회 회원들의 주도하에 이뤄진 환자의 예후 및 삶의 질 증진을 위한 우수한 연구성과들이 저명한 세계적 학술지에 발표되는 결실을 맺게되었습니다. 또한, 지속적인 노력으로 임상의 새로운 표준을 제시하는 연구 결과들을 축적해왔습니다. 이에 우리 학회를 중심으로 이루어낸 연구성과와 빠르게 발전하고 있는 최신의학연구의 흐름을 소개하고자 축적된 지식을 집대성할 필요성이 대두되었습니다.

이러한 요구에 따라 학회에서는 위암 및 위장관 질환을 이해하는데 필요한 기초의학지식, 분자병태생리, 진단 및 치료와 예후 등에 대한 최신 정보와 실제 임상에서 환자 진료에 도움을 줄 수 있는 지식들을 망라한 새로운 교과서를 펴내게 되었습니다.

개정판 교과서의 편찬 목적은 의대생, 외과 전공의, 외과 전문의를 비롯하여 위암 및 위장관 질환에 관심이 있는 전문가들이 위암 및 위장관 질환을 이해하는 데 필요한 기초지식, 암분자생물학, 병태생리 및 중개연구방법론에 대한 최신 지견과 올바른 진단 및 치료에 중요한 다학제적 접근의 규범을 제시하는 것이었습니다. 이를 위해 하루가 다르게 발전하고 있는 위암과 위장관 질환 분야의 최신 연구 성과를 최대한 반영하고 미래 의료의 트렌드인 정밀의학, 암생존자프로그램(cancer survivorship)및 대사와 영양, 비만 등 최근의 주요한 임상적 이슈들을 개괄하기 위해 대한병리학회, 대한방사선종양학회, 대한비만대사외과학회, 대한소화기학회, 대한영상의학회, 대한종양내과학회, 대한위식도역류질환수술연구회, 대한암학회, 대한외과대사영양학회 등 유관학회와 공동집필 작업을 수행하였습니다.

2017년부터 지난 2년여 기간동안 진료, 교육 및 연구 등으로 바쁜 일정속에서 귀한 시간을 할애하여 전체 15부 73장 1,300여 쪽의 교과서 개정판 사업에 참여해주신 모든 저자분들과 코디네이터, 개정판 TF 위원 및 편찬위원회 위원분들, 특히 출판의 전과정에서 수고를 아끼지 않은 최윤영 간사에게 지면을 빌어 특별한 고마움을 전합니다. 더불어 교과서 개정판사업을 기획하고 추진하는 데 있어 많은 관심과 적극적인 성원을 보내주신 대한위암학회 회원 및 상임이사 분들과 김성, 김병식 회장님 그리고 이문수 이사장님께 다시 한번 깊은 감사를 드립니다. 끝으로 활자화된 지식의 가치와 개정판 교과서의 완성도를 위해 출판의 마지막 순간까지 최선을 다해 주신 군자출판사 관계자분들께 감사의 마음을 전합니다.

2019. 8.

대한위암학회 편찬사업위원장 **정 재 호**

집필진

편찬위원장 | 정재호

편찬위원 | 국명철 | 신철민 | 오성진 | 진성호

간사 | 최윤영

편찬코디네이터 | 국명철 | 김민찬 | 김종원 | 김찬규 | 김찬영 | 류승완 | 박성수 | 송교영 | 신동우 | 신운건 | 신철민 | 이한홍 | 이혁준 | 이혜승 | 허 훈

집필진 (가나다 순)

강경훈 | 서울의대 병리과
강동백 | 원광의대 외과
강윤구 | 울산의대 종양내과
강혜윤 | 차의대 병리과
고영혜 | 성균관의대 병리과
공성호 | 서울의대 외과
국명철 | 국립암센터 병리과
권성준 | 한양의대 외과
권오경 | 경북의대 외과
권인규 | 연세의대 외과
권현우 | 고려의대 핵의학과
금웅섭 | 연세의대 방사선종양학과
김갑중 | 한림의대 외과
김경미 | 성균관의대 병리과
김광하 | 부산의대 소화기내과
김광희 | 인제의대 외과
김나영 | 서울의대 소화기내과
김대용 | 국립암센터 방사선종양학과
김도훈 | 울산의대 소화기내과
김동진 | 가톨릭의대 외과
김동헌 | 부산의대 외과
김민규 | 한양의대 외과
김민찬 | 동아의대 외과
김백희 | 고려의대 병리과
김범수 | 울산의대 외과
김병식 | 울산의대 외과
김병욱 | 가톨릭의대 소화기내과
김상우 | 연세의대 의생명시스템정보학과
김상운 | 영남의대 외과
김성근 | 가톨릭의대 외과
김 성 | 성균관의대 외과
김성수 | 가톨릭의대 소화기내과
김성수 | 조선의대 외과
김성은 | 고려의대 핵의학과
김세형 | 서울의대 영상의학과
김수진 | 국립암센터 영상의학과
김영우 | 국립암센터 외과
김영훈 | 서울의대 영상의학과
김용일 | 이화의대 외과
김용진 | 에이치플러스양지병원 외과
김용호 | 경희의대 외과
김우호 | 서울의대 병리과
김 욱 | 가톨릭의대 외과
김유민 | 차의대 외과
김인호 | 가톨릭의대 종양내과
김재규 | 중앙의대 소화기내과
김정구 | 가톨릭의대 외과
김정선 | 국립암센터 암역학예방연구부
김종원 | 중앙의대 외과
김종한 | 고려의대 외과
김종훈 | 울산의대 방사선종양학과
김준미 | 인하의대 병리과
김지현 | 연세의대 소화기내과
김지훈 | 울산의대 외과
김진웅 | 조선의대 영상의학과
김진조 | 가톨릭의대 외과
김찬규 | 국립암센터 소화기내과
김찬영 | 전북의대 외과
김태한 | 경상의대 외과
김현기 | 연세의대 병리과
김현석 | 연세의대 의생명과학부
김현영 | 서울의대 외과
김형일 | 연세의대 외과
김형호 | 서울의대 외과
노성훈 | 연세의대 외과
라선영 | 연세의대 종양내과
류근원 | 국립암센터 외과
류민희 | 울산의대 종양내과
류성엽 | 전남의대 외과
류승완 | 계명의대 외과
류 훈 | 연세원주의대 외과
목영재 | 고려의대 외과
민영돈 | 조선의대 외과
민재석 | 동남권원자력의학원 외과
박도윤 | 부산의대 병리과
박도중 | 서울의대 외과
박성수 | 고려의대 외과
박영규 | 전남의대 외과
박영석 | 서울의대 외과
박원상 | 가톨릭의대 병리과
박재명 | 가톨릭의대 소화기내과
박재용 | 중앙의대 소화기내과
박조현 | 가톨릭의대 외과
박종재 | 고려의대 소화기내과
박중민 | 중앙의대 외과
박지연 | 경북의대 외과
박지호 | 경상의대 외과
박호성 | 전북의대 병리과
방휘재 | 연세원주의대 외과
배재문 | 성균관의대 외과

배정민 | 영남의대 외과
백광호 | 한림의대 소화기내과
백용해 | 동국의대 외과
서경원 | 고신의대 외과
서병조 | 인제의대 외과
서상혁 | 인제의대 외과
서안나 | 경북의대 병리과
서윤석 | 서울의대 외과
서호석 | 가톨릭의대 외과
설지영 | 충남의대 외과
손명원 | 순천향의대 외과
손상용 | 아주의대 외과
손영길 | 계명의대 외과
손진희 | 성균관의대 병리과
손태성 | 성균관의대 외과
손태일 | 연세의대 외과
송교영 | 가톨릭의대 외과
송금종 | 순천향의대 외과
송창호 | 전북의대 해부학교실
신동우 | 한림의대 외과
신성재 | 아주의대 소화기내과
신운건 | 한림의대 소화기내과
신철민 | 서울의대 소화기내과
심병용 | 가톨릭의대 종양내과
안상훈 | 서울의대 외과
안윤옥 | 대한암연구재단
안지영 | 성균관의대 외과
안혜성 | 서울의대 외과
양두현 | 전북의대 외과
양한광 | 서울의대 외과
엄방울 | 국립암센터 외과
오성진 | 인제의대 외과
오유진 | 고려의대
유문원 | 울산의대 외과
유완식 | 경북의대 외과
유정일 | 성균관의대 방사선종양학과
유창훈 | 울산의대 종양내과
육정환 | 울산의대 외과

윤영훈 | 연세의대 소화기내과
이근욱 | 서울의대 혈액종양내과
이무송 | 울산의대 예방의학과
이문수 | 순천향의대외과
이상길 | 연세의대 소화기내과
이상억 | 건양의대 외과
이선영 | 건국의대 소화기내과
이영준 | 경상의대 외과
이용찬 | 연세의대 소화기내과
이윤규 | 성균관의대 혈액종양내과
이은선 | 중앙의대 영상의학과
이인섭 | 울산의대 외과
이재은 | 연세의대 외과
이종석 | 울산의대 영상의학과
이종열 | 국립암센터 소화기내과
이주호 | 이화의대 외과
이준행 | 성균관의대 소화기내과
이준현 | 가톨릭의대 외과
이준호 | 성균관의대 외과
이중호 | 일산병원 외과
이창민 | 고려의대 외과
이청우 | 고려의대 가정의학과
이한홍 | 가톨릭의대 외과
이항락 | 한양의대 소화기내과
이혁준 | 서울의대 외과
이혜승 | 서울의대 병리과
이희성 | 한림의대 흉부외과
임도훈 | 성균관의대 방사선종양학과
임준석 | 연세의대 영상의학과
장대영 | 한림의대 혈액종양내과
장미수 | 서울의대 병리과
장보근 | 제주의대 병리과
장예림 | 단국의대 외과
장재영 | 경희의대 소화기내과
장 현 | 가톨릭관동의대 종양내과
전성우 | 경북의대 소화기내과
정대영 | 가톨릭의대 소화기내과
정미란 | 전남의대 외과

정상호 | 경상의대 외과
정재호 | 연세의대 외과
정혜경 | 이화의대 소화기내과
정훈용 | 울산의대 소화기내과
조미연 | 연세원주의대 병리과
조병철 | 연세의대 종양내과
조영민 | 서울의대 내분비내과
조 인 | 순천향의대 외과
조주영 | 차의대 소화기내과
주문경 | 고려의대 소화기내과
주 미 | 인제의대 병리과
지예섭 | 단국의대 외과
지의규 | 서울의대 방사선종양학과
진성호 | 한국원자력의학원 외과
진소영 | 순천향의대 병리과
진형민 | 가톨릭의대 외과
채현동 | 대구가톨릭의대 외과
최기돈 | 울산의대 소화기내과
최명규 | 가톨릭의대 소화기내과
최민규 | 성균관의대 외과
최승호 | 연세의대 외과
최원혁 | 한림의대 외과
최윤선 | 고려의대 가정의학과
최윤영 | 연세의대 외과
최일주 | 국립암센터 소화기내과
최창인 | 부산의대 외과
최혜진 | 연세의대 종양내과
하상윤 | 성균관의대 병리과
한동석 | 서울의대 외과
한상욱 | 아주의대 외과
한혜숙 | 충북의대 혈액종양내과
한혜승 | 건국의대 병리과
함기백 | 차의대 소화기내과
허윤석 | 인하의대 외과
허 훈 | 아주의대 외과
형우진 | 연세의대 외과
홍승모 | 울산의대 병리과
황순휘 | 부산의대 외과

목차

목차

목차

PART 01

위장관의 발생, 해부, 조직 및 생리

THE KOREAN GASTRIC CANCER ASSOCIATION

CHAPTER 01

위장관의 발생

원시창자(primordial gut)는 배아나이 4주 동안에 배아가 머리 쪽과 꼬리 쪽으로 접히고 가 쪽으로 접히면서 제소포(배꼽소포, umbilical vesicle)의 등 쪽 부위가 배아로 편입되어 형성된다(그림 1-1 A). 배아나이 4주 초에 원시창자의 머리 쪽은 입인두막(oropharyngeal membrane)으로, 꼬리 쪽은 배설강막(cloacal membrane)으로 닫힌다(그림 1-1 B). 원시창자의 내배엽은 소화관의 상피와 분비선조직으로 분화된다. 중간엽인자인 *FoxF* 단백질은 *Sbb*을 분비하는 내배엽상피의 증식을 조절한다. 소화관의 머리 쪽 끝과 꼬리 쪽 끝의 상피는 상대적으로 입오목(stomodeum)과 항문오목(proctodeum)의 외배엽에서 각각 만들어진다(그림 1-1 B).

섬유모세포성장인자(fibroblast growth factor, FGF)는 발생 초기에 배아의 앞뒤축을 중심으로 분화하는 데 관여하며, 인접한 외배엽과 중배엽에서 나오는 *FGF-4* 신호가 내배엽의 발생을 유도한다. 전환성장인자-베타(transforming growth factor-β)의 일종인 액티빈(activin) 같은 분비인자들은 내배엽의 형성에 관여한다. 또한 내배엽은 원시창자의 발생에 필수적이며 일시적인 위치 관련 정보를 제공한다. 소화관을 구성하는 근육과 결합조직 등은 원시창자를 둘러싸고 있는 내장중간엽(splanchnic mesenchyme)으로부터 분화된다. 분자학적 연구를 통해 *Shh*, *BMP*, *Wnt* 신호전달 신호뿐 아니라 *Hox*와 *ParaHox* 같은 유전자가 원시창자의 국소적인 분화를 조절한다고 알려져 있다.

1. 식도의 발생

식도(esophagus)는 원시인두(primitive pharynx)의 꼬리 쪽에 있는 앞창자(foregut)에서 발생한다(그림 1-1 B). 식도에서 기관식도중격(기관식도사이막, tracheoesophageal septum)에 의해 기관(trachea)이 나누어진다. 식도는 처음에는 짧지만 심장과 폐가 자라고 회전함에 따라 급격히 길어진다. 식도의 길이는 배아나이 7주에 이르면 비교적 일정하게 유지된다. 식도의 상피와 분비선들은 내배엽에서 형성된다. 상피세포들이 증식하여 부분적으로 또는 완전히 내강을 채우지만 배아나이 8주 말에 식도의 내강이 다시 통하게 된다. 식도의 위쪽 1/3 부분에 있는 횡문근(가로무늬근, striated muscle)은 넷째와 여섯째 인두궁(인두활, pharyngeal arch)의 중간엽에서 기원한다. 식도의 아래쪽 1/3 부분에 주로 있는 평활근(민무늬근, smooth muscle)은 주위의 내장 중간엽에서 발달한다. 최근 연구에 따르면 식도 위쪽 부분의 평활근이 근육발생조절인자(myogenic

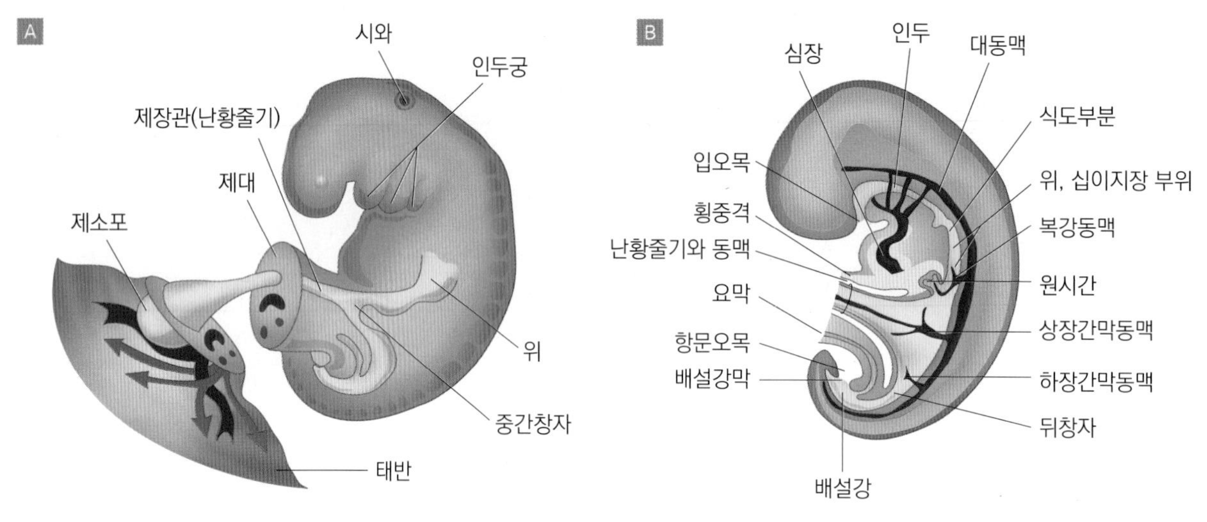

그림 1-1 **원시창자.**
A. 배아나이 4주 배아의 옆모습으로 원시창자와 전체 장관과의 관계를 보여준다.
B. 배아의 단면으로 초기의 소화기관과 혈관분포를 보여준다. 원시창자는 배아의 앞창자에 걸친 긴 관의 형태로 전체 장관에 분포한 혈관으로부터 혈액을 공급받는다.

regulatory factors)에 의해 횡문근으로 분화한다.

2. 위의 발생

소화기관으로 발생하게 되는 앞창자는 처음에는 단순한 관 모양으로 존재한다(그림 1-1 B). 원시위(primordial stomach)는 배아나이 4주 동안에 앞창자가 약간 팽창되면서 형성되기 시작한다. 앞창자의 꼬리 부분에서 방추형으로 늘어나며 초기에는 정중면에 위치한다(그림 1-1 & 2 B). 이후 2주 동안 원시위는 곧 앞뒤 방향으로 늘어나며 뒤쪽 부분이 앞쪽 부분보다 빨리 성장하여 위의 대만곡(큰굽이, greater curvature)을 형성하게 된다(그림 1-2 D).

1) 위의 회전

위는 점차 자라면서 장간막과 이웃장기들의 성장으로 인해서 원시위의 회전이 일어난다. 배아의 머리 쪽에서 보았을 때 위의 긴 축을 중심으로 시계방향으로 서서히 90° 회전하여 대만곡은 왼쪽에, 소만곡(작은굽이, lesser curvature)은 오른쪽에 위치한다(그림 1-2 C, F & 1-3). 따라서 원시위의 왼쪽면은 배쪽면(ventral side)이 되고, 오른쪽면은 등쪽면(dorsal side)이 된다. 회전과 함께 계속되는 분화를 통해 위는 몸의 중앙과 좌상복부에 위치하게 된다. 미주신경(vagus nerve)의 왼가지가 위의 앞면에 분포하고, 오른가지가 위의 뒷면에 분포하는 이유는 위의 회전 때문이다.

성인에서 위의 최종 위치는 식도위경계부와 위십이지장경계부의 위치에 따라 결정된다. 일반적으로 식도위경계부는 열째 흉추(T10)의 왼쪽모서리에 위치하며 이는 식도열공(식도구멍, esophageal hiatus)의 1~2 cm 하부에 해당한다. 그러나 위십이지장경계부는 첫째 요추(L1)의 정중앙에서 다소 오른쪽에 위치한다.

2) 위의 장간막

위는 원시 등쪽 위간막(primordial dorsal mesogastrium)에 의해 복강의 뒷벽에 매달려있다(그림 1-2 B, C & 1-3 A). 이 간막은 원래 정중시상면에 위치하였으나 위가 회전하면서 왼쪽으로 이동하여 망낭(그물막주머

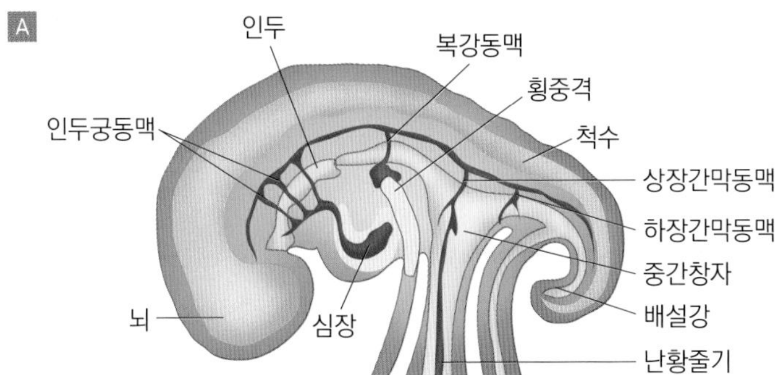

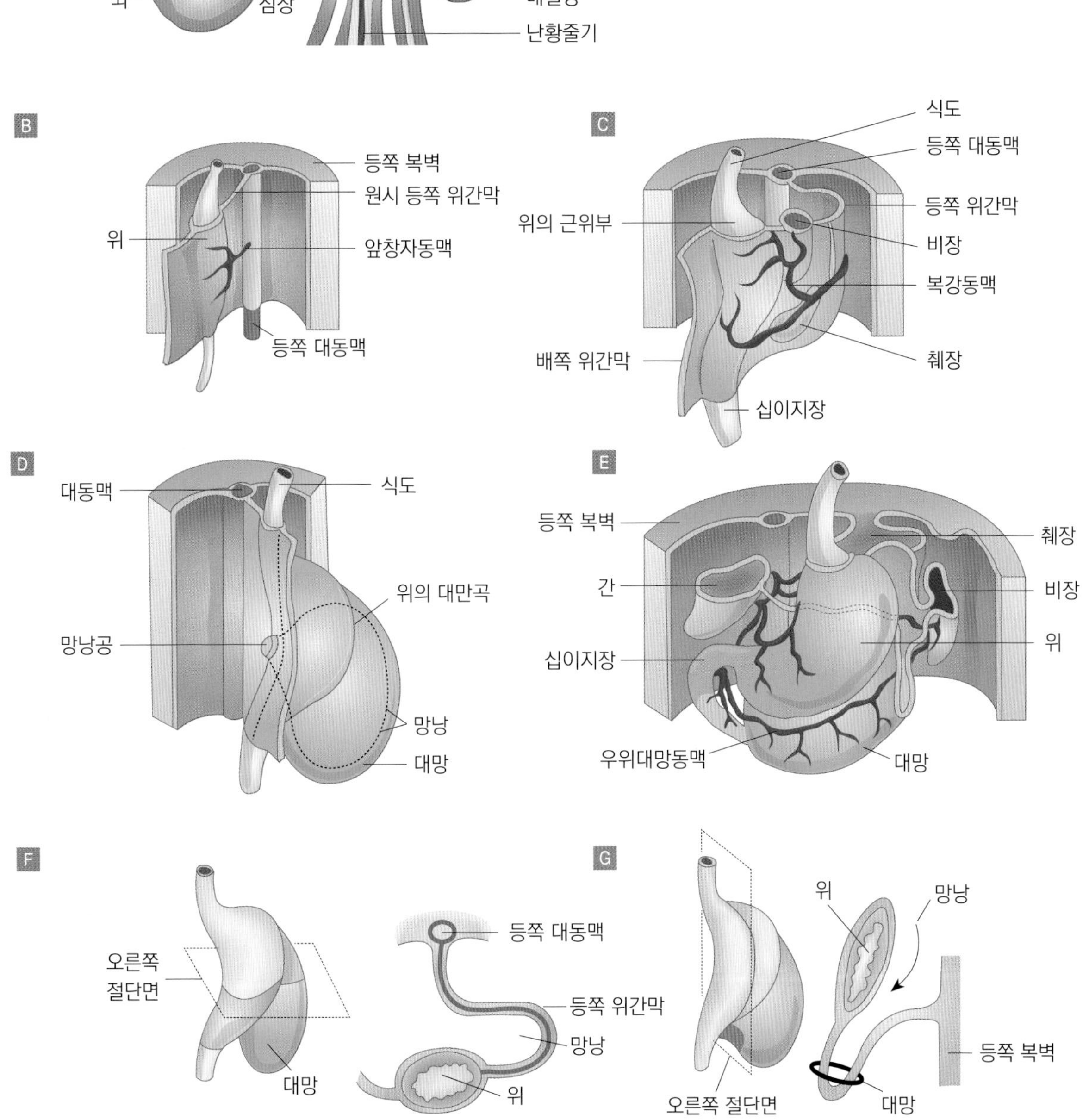

그림 1-2 **위의 발달, 회전, 망낭과 대망의 발생.**
A. 배아나이 28일 배아의 정중앙 단면 B. 배아나이 28일 배아의 절단면 C. 배아나이 35일 배아 D. 배아나이 40일 배아 E. 배아나이 48일 배아 F. 배아나이 52일 배아의 위와 대망의 옆면. 횡단면에서 망낭공과 망낭이 보인다. G. 시상단면에서 망낭과 망낭공이 보인다.

니, omental bursa) 혹은 소낭(작은주머니, lesser sac of peritoneum)을 형성하게 된다(그림 1-3 A, B, C, D, E). 이 등쪽 위간막 속에 비장과 복강동맥이 들어 있다. 원시 배쪽 위간막(primordial ventral mesogastrium)은 위에 부착되어 있고, 십이지장과 간, 앞복벽이 연결된다(그림 1-2 C & 1-3 A, B).

3) 망낭

두꺼운 등쪽 위간막(dorsal mesogastrium)의 중간엽에 독립된 열(틈새, cleft)들이 형성된다(그림 1-3 A, B). 이러한 열들은 곧 융합되어 하나의 강(공간, cavity)을 형성하는데 이것이 망낭이다(그림 1-3 C, D, G). 위가 회전하면서 등쪽 위간막을 왼쪽으로 당기게 되어 망낭이 늘어나 복강내에 큰 오목(recess)을 만들게 된다. 이 망낭은 가로와 세로 방향으로 확장되면서 위와 등쪽 복벽 사이에 위치한다(그림 1-3 H, I, J). 이 주머니 모양의 망낭은 위의 운동을 촉진시키는 역할을 한다. 망낭의 상부는 횡격막(가로막, diaphragm)이 발달하면서 분리되어 하나의 고립된 공간이 형성되는데 이것이 심장하낭(심장아래주머니, infracardiac bursa)이다. 심장하낭이 계속 남게 되면 오른쪽 폐(허파)의 중앙바닥에 위치하게 된다. 망낭 상부의 아래쪽은 망낭 상부오목(그물막주머니 위오목, superior recess of omental bursa)으로 남게 된다(그림 1-3 C). 위가 확장되면서 망낭도 확장되어 길어진 등쪽 위간막 사이에 대망(큰그물막, greater omentum)이라 불리는 망낭 하부오목(그물막주머니 아래오목, inferior recess of omental bursa)이 형성된다(그림 1-3 J). 이곳에 이후 생성되는 장들이 매달리게 된다(그림 1-3 F). 망낭 하부오목은 나중에 대망의 막들이 융합되면서 사라진다(그림 1-4). 망낭은 망낭공[그물막구멍, omental (epiploic) foramen]이라는 작은 구멍을 통해 복강으로 연결되며, 성인에서 망낭공은 소망(작은그물막, lesser omentum)의 자유연 뒤쪽에 위치하게 된다(그림 1-2 D, F & 1-3 C, F).

3. 소장의 발생

소장(작은창자, small intestine)은 중간창자(midgut)에서 유래하며 상장간막동맥(위창자간막동맥, superior mesenteric artery)에서 혈액공급을 받는다(그림 1-1 B & 1-5). 중간창자는 길어지면서 중간창자고리(midgut loop)라는 앞쪽으로 돌출한 U자 모양의 창자고리를 형성하며, 제대(탯줄, umbilicus)의 근위부에 있는 배아외체강(배아밖체강, extraembryonic coelom)의 나머지 공간으로 향하게 된다(그림 1-6 A). 이것이 중간창자고리가 배아나이 6주 초에 생기는 생리적 제대탈장(생리적 배꼽탈장, physiological umbilical herniation)이며 정상적으로 중간창자가 제대 속으로 이동한다(그림 1-6 A, B). 후에 중간창자고리는 태아나이 10주까지 좁은 제장관(배꼽창자관, omphaloenteric duct 또는 난황줄기, yolk stalk)을 통해 제소포(배꼽소포, umbilical vesicle)와 교통한다(그림 1-1 A & 1-6 A). 생리적 제대탈장은 복강에서 급속히 성장하는 중간창자를 수용할 충분한 공간이 없기 때문에 일어난다. 이 부족한 공간은 상대적으로 간과 신장(콩팥)이 급속히 성장하기 때문이다. 중간창자고리는 두측지(위고리, cranial limb)와 미측지(아래고리, caudal limb)를 가지며 긴 장간막인 등쪽 위간막(dorsal mesogastrium)에 의해 뒤쪽 복벽에 매달려 있다(그림 1-6 A). 제장관은 2개의 고리가 합쳐지는 중간창자고리의 꼭대기에 부착해 있다(그림 1-6 A). 중간창자고리의 두측지는 급속히 성장하여 소장고리를 형성한다(그림 1-6 B).

1) 중간창자의 회전

중간창자고리(midgut loop)는 제대 속에 있는 동안 앞쪽에서 보면 상장간막동맥을 축으로 시계 반대방향으로 90° 회전한다(그림 1-6 B, C). 이 결과 중간창자고리의 두측지(소장으로 분화)는 오른쪽으로, 미측지(대장으로 분화)는 왼쪽에 위치한다. 회전하는 동안 중

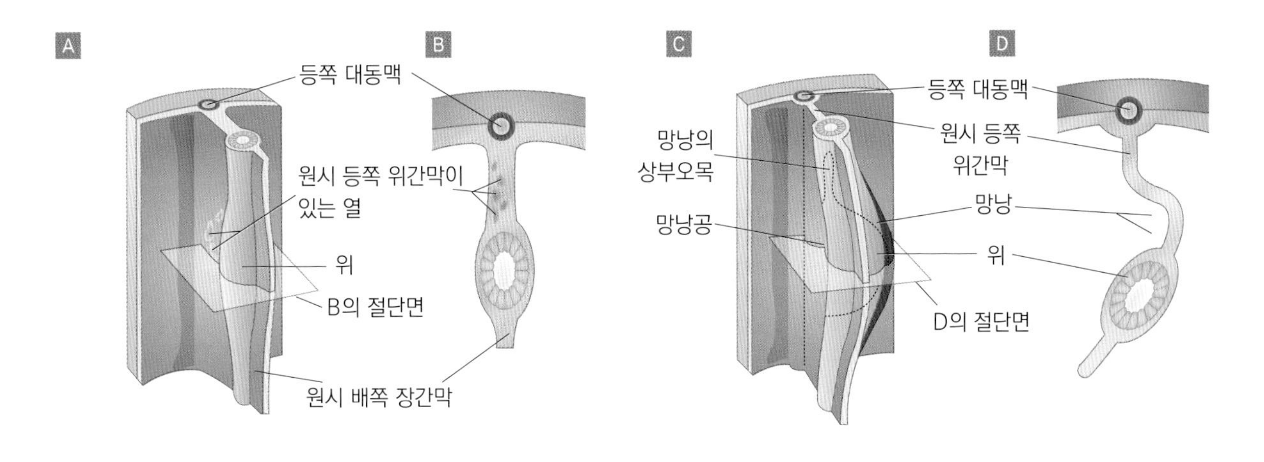

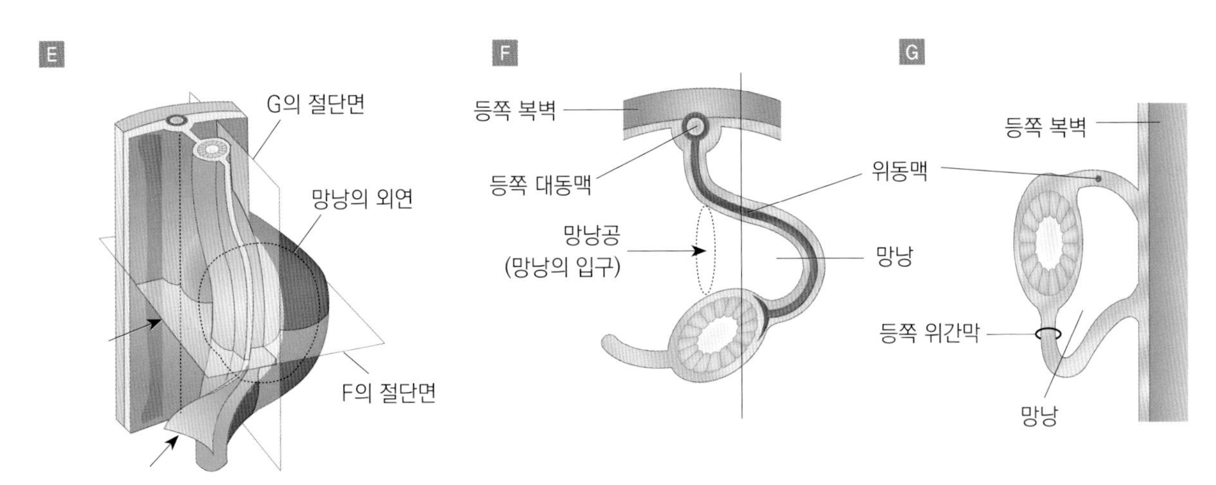

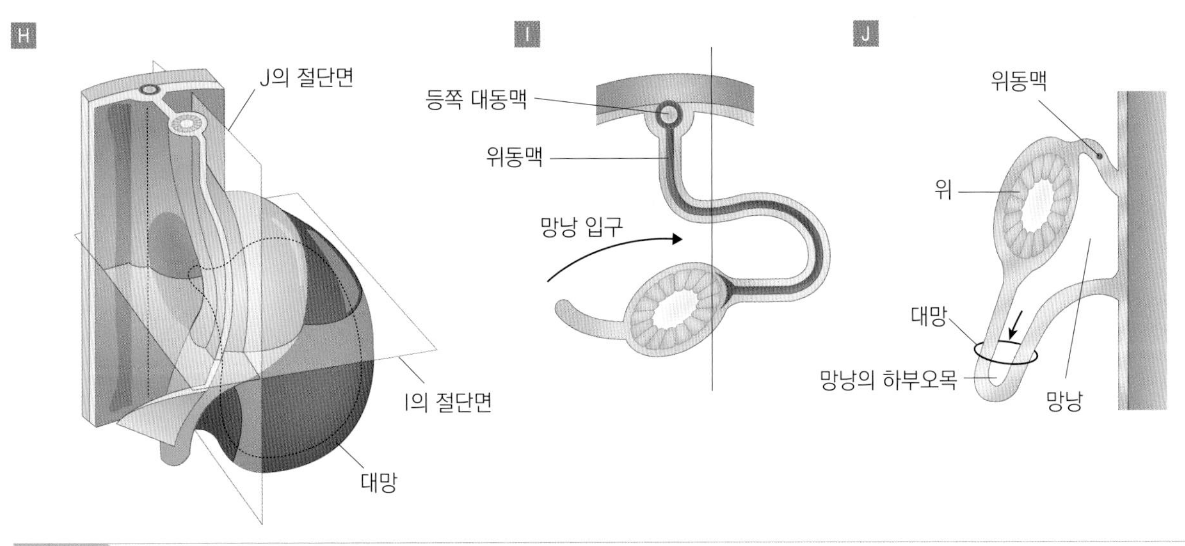

그림 1-3 **위의 발생과 장간막, 망낭의 생성.**
A. 배아나이 5주 B. 등쪽 위간막이 있는 열의 횡단면 C. 망낭을 형성하는 구개열의 융합이 이루어진 후의 단계 D. 망낭이 보이기 시작하는 초기의 횡단면 E. 등쪽위간막이 길어지고 망낭이 커진다. F, G. 등쪽 위간막이 길어지고 망낭이 팽창하는 모습을 보여주는 횡단면과 시상단면 H. 배아나이 6주에 대망과 망낭이 확장되는 모습 I, J. 망낭공과 망낭의 오목한 곳을 보여주는 횡단면과 시상단면

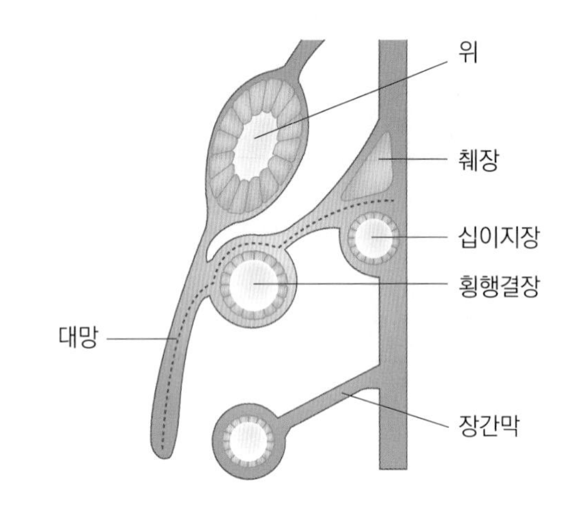

그림 1-4 **상·하행결장의 장간막이 사라지고 난 뒤의 시상단면 모습.**

간창자의 두측지는 길어져 소장의 고리들을 형성한다(예: 공장원기와 회장원기).

2) 중간창자의 복강 안으로 복귀

생리적 제대탈장이 일어났던 장은 태아나이 10주 무렵에 복강으로 되돌아가며 이를 중간창자탈장복귀(reduction of midgut hernia)라 한다(그림 1-6 C, D). 장이 복귀하는 이유는 정확히 모르지만 복강의 공간이 점차 커지고 간과 신장의 크기가 상대적으로 작아져 가능한 것으로 추정된다. 소장(두측지에서 형성된다)은 상장간동맥의 뒤쪽으로 돌아 복귀되어 복강의 중앙에 위치한다.

3) 소장의 고정

소장이 복강 안으로 들어온 후 등쪽 장간막의 뒤복벽 부착에 변화가 생긴다. 우선 등쪽 장간막이 정중앙 단면에 위치하게 된다. 장들이 길어지고 최종적인 위치에 자리함에 따라 장들의 장간막이 뒤복벽에 눌리게 된다. 위와 십이지장의 회전으로 인해 십이지장과 췌장은 오른편에 위치하며 확장된 결장에 의해 뒤복벽에 눌린다. 인접한 십이지장간막(duodenal mesentery)의 대부분은 흡수된다. 따라서 대부분의 십이지장(앞창자에서 기원하는 2.5 cm 제외)은 장간막이 부착되지 않고 복막의 뒤쪽에 위치한다.

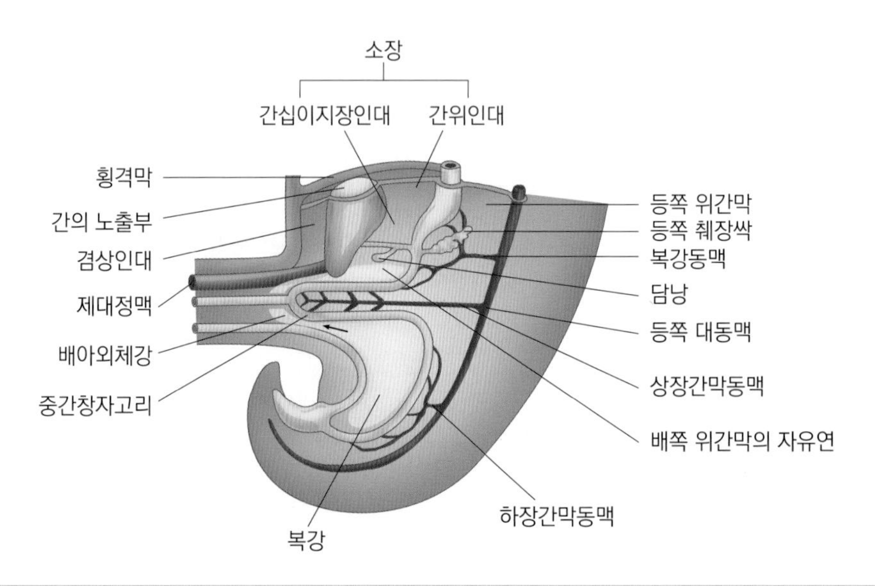

그림 1-5 **배아나이 5주에 간과 관련된 인대들을 보여주는 배아의 꼬리 쪽 정중단면 모습.**
화살표는 복강과 배아외체강의 연결을 가리킨다. 간과 중간창자고리가 급속히 자라 복강내에 모든 장관이 수용되기에 일시적으로 부족하여 제대의 근위부에 있는 배아외체강으로 들어가게 된다.

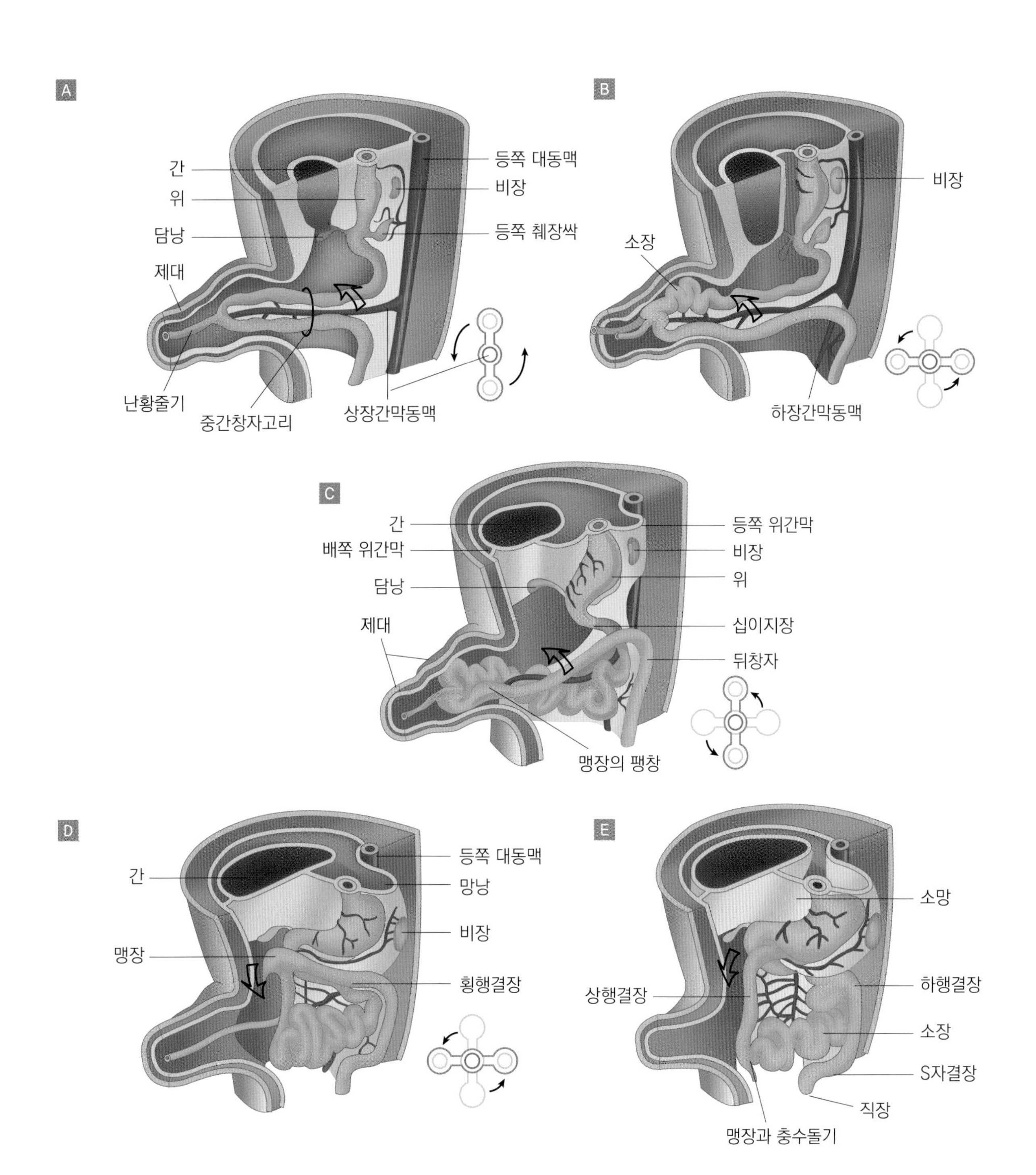

그림 1-6 **왼쪽에서 본 중간창자의 회전 모습.**
배아나이 6~12주에 일어난다.
A. 중간창자고리를 통한 횡단면으로 고리와 동맥 간의 관계를 보여준다.
B. 중간창자의 회전이 시작되는 단계. 작은 그림은 시계반대방향으로 90° 회전하여 중간창자의 머리 쪽이 오른쪽을 향한 모습이다.
C. 배아나이 10주에 장들이 복강내로 복귀한 모습이다. 작은 그림은 90° 더 회전한 모습이다.
D. 배아나이 11주에 장들이 복강내로 복귀한 후의 모습이다. 작은 그림은 90° 회전한 모습으로 총 270° 회전하게 된다.
E. 태생 후기에 맹장이 제 위치인 우하복부에 있는 모습이다.

참고문헌

1. 대한외과학회. 외과학. 둘째판, 군자출판사, 2017.
2. 대한위암학회. 위암과 위장관 질환. 일조각, 2011.
3. 대한체질인류학회 번역. 인체발생학. 범문에듀케이션, 2016(원저: Moore KL, Persaud TVN, Torchia MG. The developing human: Clinically oriented embryology. 10th ed. Elsevier, 2016.).
4. 박경한, 황영일, 김원규, 이경훈, 박매자, 송창호 등 번역. 사람발생학. 12판, 범문에듀케이션, 2013(원저: Sadler TW. Langman's medical embryology. 12th ed. Lippincott Williams & Wilkins, Wolters Kluwer Health, 2012.).
5. Belo J, Krishnamurthy M, Oakie A, Wang R. The role of SOX9 transcription factor in pancreatic and duodenal development. Stem cells Dev 2013;22: 2935-2943.
6. Bishop WP, Ebach DR. The digestive system. In: Marcdante KJ, Kliegman KJ, editors. Nelson essentials of pediatrics. 7th ed. Philadelphia: Saunders, 2015.
7. Bronshtein M, Blazer S, Zimmer EZ. The fetal gastrointestinal tract and abdominal wall. In: Callen PW, editor. Ultrasonography in obstetrics and gynecology. 5th ed. Philadelphia: Saunders, 2009.
8. Drake RL, Vogl AW, Mitchell AWM. Gray's Anatomy for Students. 3rd ed. Churchill Livingstone: Elsevier, 2015.
9. Heath JK. Transcriptional networks and signaling pathway that govern vertebrate intestinal development. Curr Top Dev Biol 2010;90:159-192.
10. Ledbetter DJ. Gastroschisis and omphalocele. Surg Clin North Am 2006;86:249-260.
11. Le Guen L, Marchal S, Faure S, de Santa Barbara P. Mesenchymal-epithelial interactions during digestive tract development and epithelial stem cell regeneration. Cell Mol Life Sci 2015;72:3883-3896.
12. Metzger R, Metzger U, Fuegel HC, Kluth D. Embryology of the midgut. Semin Pediatr Surg 2011;20:145-151.
13. Metzger R, Wachowiak R, Kluth D. Embryology of the foregut. Semin Pediatr Surg 2011;20:136-144.
14. Moore KL, Dalley AF, Agur AMR. Clinically oriented anatomy. 8th ed. Hong Kong: Wolters Kluwer, 2018.
15. Moore KL, Persaud TVN, Torchia MG. The developing human clinically oriented embryology. 10th ed. Elsevier, 2016.
16. Naik-Mathuria B, Olutoye OO. Foregut abnormalities. Surg Clin North Am 2006;86:261-184.
17. Rubarth LB, Van Woudenberg CD. Development of the gastrointestinal system: An embryonic and fetal review. Neonatal Netw 2016;35:156-158.
18. Sadler TW. Langman's medical embryology. 12th ed. Lippincott Williams & Wilkins, Wolters Kluwer Health, 2012.

CHAPTER 02 위장관의 해부

1. 식도의 해부

1) 일반적 특징

식도(esophagus)는 약 25~30 cm 길이의 근육관으로 척추 앞쪽에 위치하여 기도의 뒤쪽을 지나간다. 식도는 여섯째 경추(C6) 높이, 즉 윤상연골(반지연골, cricoid cartilage) 아래모서리에서 시작하며, 아래로 내려가면서 약간 왼쪽으로 치우친다. 이후 흉강(가슴안)의 상종격(위세로칸, superior mediastinum)과 후종격(뒤세로칸, posterior mediastinum)을 차례로 지난 다음 횡격막(가로막, diaphragm)을 통과하여 복강(배안)으로 들어가 열한째 흉추(T11) 높이에서 위의 분문(들문, cardia)과 연결되어 위식도접합부(gastroesophageal junction)로 끝난다(그림 2-1, 2).

정상적인 성인 식도의 내경은 약 2.5 cm인데, 식도조영술(esophagography)이나 식도경검사(esophagoscopy)에서 세 부분의 정상적인 협착 부위가 관찰된다. 위쪽의 협착 부위는 식도의 시작 부위로 윤상인두근(반지인두근, cricopharyngeal muscle)에 의해 생기며, 내경은 1.5 cm 정도로 식도에서 가장 좁은 부위이다. 중간의 협착 부위는 기관분지부 바로 아래쪽에서 좌주기관지(왼주기관지, left main bronchus)와 대동맥궁(대동맥활, aortic arch)이 지나가면서 식도의 앞 왼쪽 벽을 눌러 생기는 부위로 내경은 약 1.6 cm이다. 아래쪽의 협착 부위는 횡격막에 의해 형성되는 협착으로 내경은 1.6~1.9 cm 정도이다. 식도는 시작 부위와 끝나는 부위 두 군데에 고압지대가 존재하는데 위쪽과 아래쪽을 각

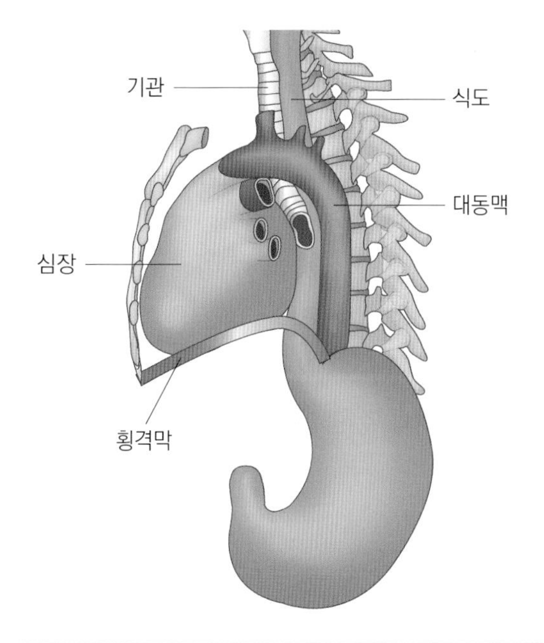

그림 2-1 식도의 경로.

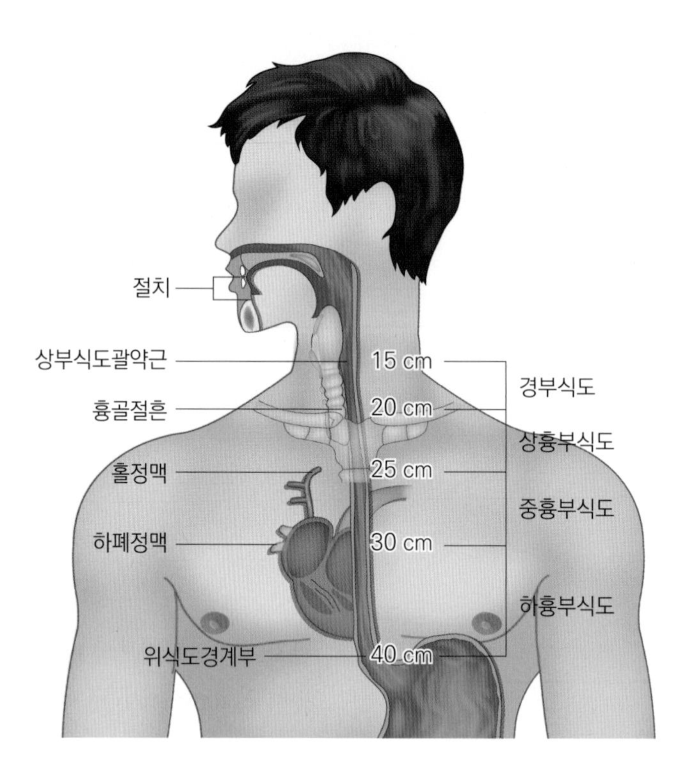

그림 2-2 **식도의 해부학적 구분.**
경부식도와 상, 중, 하 흉부식도의 범위를 절치에서 측정한 거리로 표시하였으나 실제 거리는 사람의 키와 체형에 따라 달라질 수 있다.

각 상부식도괄약근(위식도조임근, upper esophageal sphincter), 하부식도괄약근(아래식도조임근, lower esophageal sphincter)이라고 부른다(그림 2-3).

해부학적으로 식도는 크게 경부식도, 흉부식도, 복부식도의 3부분으로 구분한다(그림 2-2). 경부식도는 길이가 약 5 cm 정도로 여섯째 경추(C6) 혹은 윤상연골에서부터 첫째와 둘째 흉추(T1-2) 사이에 위치하며 기관(trachea)과 척추 사이를 통해 내려간다. 되돌이후두신경(recurrent laryngeal nerve)은 기관과 식도 사이의 양쪽 골을 따라 주행하는데 왼쪽신경이 식도와 더 가까이 주행한다. 양쪽에는 경동맥초(목혈관신경집, carotid sheath)와 갑상선의 양쪽 엽이 위치한다. 흉부식도는 길이가 약 20~25 cm 정도이며 흉곽입구(위가슴문, thoracic inlet)에서 식도열공(식도구멍, esophageal hiatus)에 이르는 부분이다. 상부는 기관 뒷벽과 척추앞근막(prevertebral fascia)과 밀접해 있다. 기관분기부(tracheal bifurcation) 직상부에서 식도는 대동맥의 오른쪽을 지나간다. 그 이후로 식도는 기관분기부, 좌주기관지, 좌심방의 심장막(pericardium) 뒤쪽을 지나 식도열공에 이르게 된다. 식도는 뒤쪽으로 척추 체부와 접해 있는데 여덟째 흉추(T8) 이후부터 척추와 떨어진다. 흉관(가슴관, thoracic duct)은 대동맥 뒤쪽, 횡격막의 우각(가로막의 오른각, right diaphragmatic crus) 아래로 척추 앞면을 따라 식도열공을 통해 지나가는데 흉강 내에서는 식도의 뒤쪽에서 홀정맥(azygos vein)의 왼쪽, 하행흉부대동맥(내림가슴대동맥)의 오른쪽 사이의 공간을 지나간다.

흉부식도는 다시 상, 중, 하 흉부식도로 나뉜다(그림 2-2). 상흉부식도는 흉골절흔(복장패임, sternal notch) 혹은 흉곽입구부터 홀정맥 혹은 기관분지부까지 5 cm의

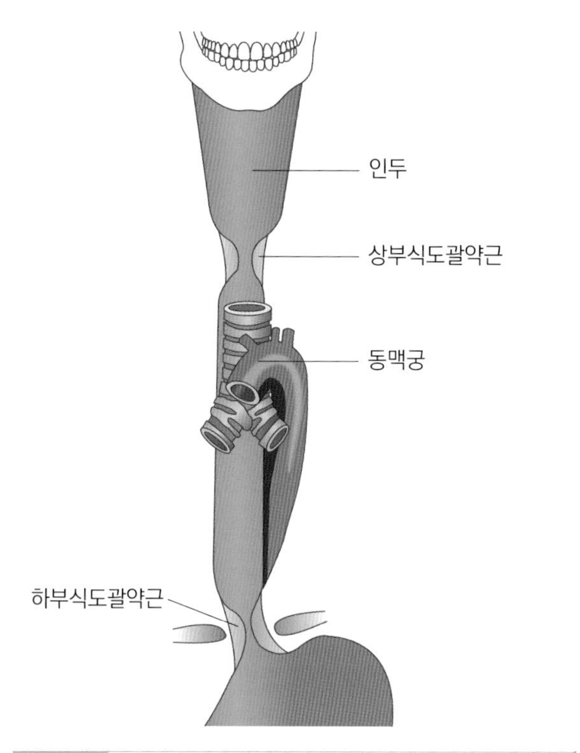

그림 2-3 식도의 세 협착 부위.

길이에 해당하는 부위이다. 중흉부식도는 홀정맥부터 하폐정맥(아래허파정맥, inferior pulmonary vein)까지 5 cm의 길이에 해당하는 부위이다. 마지막으로 하흉부식도는 하폐정맥으로부터 식도열공의 위쪽 끝까지 10 cm의 길이에 해당하는 부위이다.

복부식도는 길이가 약 2~3 cm 정도이며 식도가 식도열공을 통과할 때 시작되어 위식도경계부까지이다. 복강을 둘러싸고 있는 복횡근막(배가로근막, transversalis fascia)과 이어지는 횡격막하근막(가로막밑근막, subdiaphragmatic fascia)에서 기원한 탄력섬유인대(fibroelastic ligament)인 횡격막식도막(가로막식도막, phrenoesophageal membrane)에 둘러싸여 있다.

식도의 근육층은 바깥세로층(outer longitudinal layer)과 속돌림층(inner circular layer)으로 이루어져 있는데 속돌림층의 두께가 더 두껍다. 상부 2~6 cm의 식도 근육은 횡문근(가로무늬근) 섬유만으로 이루어져 있는데 이후로는 평활근(민무늬근) 섬유가 점차 많아진다.

2) 식도의 혈관계

식도는 많은 혈관과 림프관을 가지고 있어서 이것이 외과적인 안전망을 형성하기도 하지만, 이것이 암전이의 중요한 통로로 이용되기도 한다. 식도의 혈관분포는 크게 경부, 흉부, 복부의 3구역으로 나뉜다. 경부식도는 주로 하갑상동맥(아래갑상동맥, inferior thyroid artery)으로부터 혈액을 공급받는다. 좌하갑상동맥은 왼쪽의 갑상목동맥(thyrocervical trunk)으로부터, 우하갑상동맥은 오른쪽의 쇄골하동맥(빗장밑동맥, subclavian artery)으로부터 분지된다(그림 2-4). 식도의 입구를 이루는 윤상인두근은 상갑상동맥(위갑상동맥, superior thyroid artery)으로부터 혈액공급을 받는다. 흉부식도는 대동맥에서 분지하는 4~6개의 식도동맥과 좌우 기관지동맥(bronchial artery)의 식도분지들에서 혈액을 공급받는다. 또한 흉부식도는 하갑상동맥의 하행분지

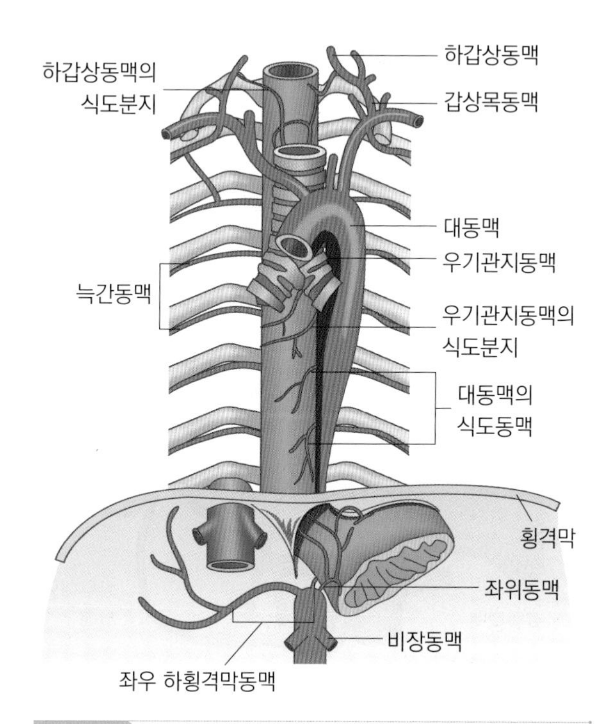

그림 2-4 식도의 동맥.

들과 늑간동맥(갈비사이동맥, intercostal artery)과 양쪽 하횡격막동맥(아래가로막동맥, inferior phrenic artery)의 상행분지들로부터 혈액공급을 받는다. 복부식도는 좌위동맥(왼위동맥, left gastric artery)의 상행분지와 양쪽의 하횡격막동맥으로부터 혈액을 공급받는다(그림 2-4).

식도의 모세혈관에서 혈액은 점막하정맥얼기(점막밑정맥얼기, submucosal venous plexus)와 식도정맥얼기(esophageal venous plexus)에 모여 식도의 정맥에 이르게 된다. 정맥혈은 경부식도에서 하갑상정맥에 모이고, 흉부식도에서는 기관지정맥(bronchial vein), 홀정맥 또는 반홀정맥(hemiazygos vein)에, 복부식도에서는 좌우 하횡격막정맥, 좌위정맥, 단위정맥에 모이게 된다(그림 2-5). 식도와 위의 점막하정맥얼기들은 서로 연결되어 있어서 간문맥폐쇄증이 있는 환자에서는 문맥혈이 홀정맥을 통해 상대정맥(위대정맥, superior vena cava)으로 들어가는 곁통로(collateral pathway) 기능을 한다.

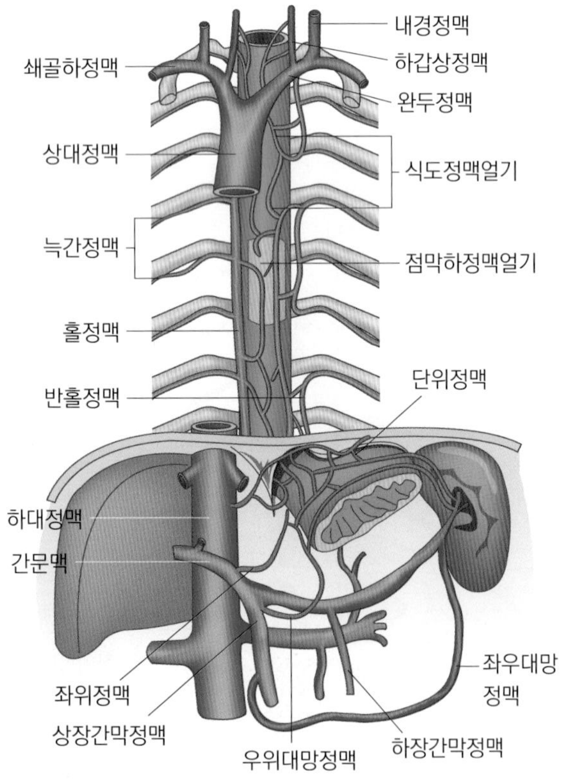

그림 2-5 **식도의 정맥.**

3) 식도의 림프관계

식도의 림프배출은 위쪽 2/3에서는 림프액이 대부분 머리 쪽 방향으로 흘러가고, 식도의 아래쪽 1/3에서는 발쪽 방향으로 흘러간다. 흉부식도에서 점막하림프얼기(점막밑림프얼기, submucosal lymphatic plexus)는 외막(바깥막, adventitia)에 있는 림프관에 도달하기 위해 근육층을 통과하기 전에 식도의 길이 방향으로 매우 길게 분포하게 된다. 이러한 비구획적(nonsegmental) 림프관계 때문에 원발암이 점막하림프얼기 내에서 머리 쪽이나 발쪽으로 상당히 멀리까지 침범할 수 있다. 결과적으로 유리 종양세포가 근육층을 지나 국소림프절에 도달하기 전에 점막하림프얼기 내에서 머리나 발쪽 방향은 상당히 멀리 전이될 수 있다. 이에 비해 경부식도에서는 국소림프절에 이르는 림프관계가 좀 더 구획적이기 때문에, 이 부위에 발생하는 병변은 점막하 침범이 상대적으로 적고 림프절 전이가 좀 더 국소화되는 경향이 있다.

경부식도의 림프액은 기관옆림프절(paratracheal lymph node)과 심경부림프절(깊은목림프절, deep cervical lymph node)로 흘러들어 가고, 상부흉부 림프액은 주로 기관옆 림프절로 흘러들어 간다. 하부흉부 림프액은 기관분지점아래림프절(subcarinal lymph node)과 하폐인대(아래허파인대, inferior pulmonary ligaments)에 있는 림프절로 흘러들어 간다. 상위 림프절(superior gastric lymph nodes)로는 복부식도와 이에 인접한 하부 흉부식도의 림프액이 흘러들어 간다(그림 2-6). 이러한 식도의 복잡한 림프관망은 목, 가슴, 배쪽으로 감염이나 암의 빠른 전파경로로 작용하기에 특히 식도암에 대한 수술적 치료에 어려움을 주는 중요한 요인이 된다.

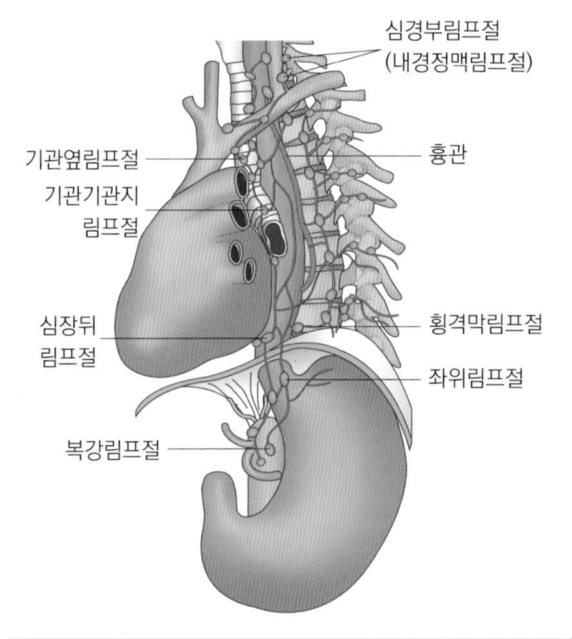

그림 2-6 **식도의 림프.**

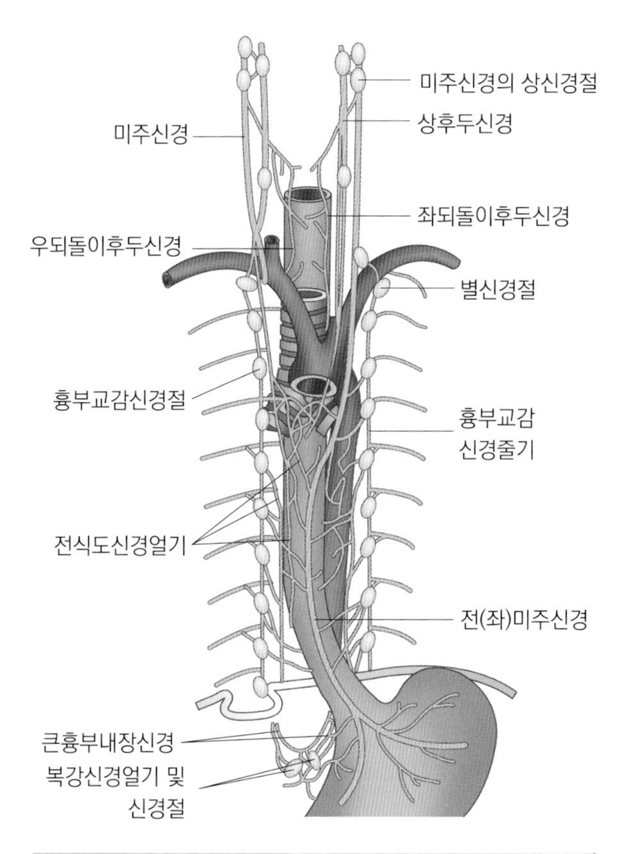

그림 2-7 **식도의 신경 분포.**

4) 식도의 신경계

식도의 신경지배는 교감신경계과 부교감신경계로 나눌 수 있는데(그림 2-7), 경부교감신경줄기(목교감신경줄기, cervical sympathetic trunk)는 목의 상신경절(위신경절, superior ganglion)에서 나와서 흉부 내로 들어올 때 식도의 바로 옆에 붙어서 내려와 경흉신경절(목가슴신경절, cervicothoracic ganglion)에서 끝난다. 이 과정에서 경부식도로 여러 개의 분지를 낸다. 흉부교감신경줄기(가슴교감신경줄기, thoracic sympathetic trunk)는 경흉신경절에서 계속 이어져 흉부식도를 앞뒤로 싸고 있는 식도신경얼기(esophageal plexus)로 분지를 낸다. 하부 흉부식도는 큰내장신경과 작은내장신경(greater & lesser splanchnic nerves)의 신경지배를 받는다. 복부에서는 교감신경섬유가 좌위동맥의 뒤쪽에 놓여 있다.

부교감신경계는 주로 미주신경의 지배를 받는데 미주신경에서 상후두신경(위후두신경, superior laryngeal nerve)과 되돌이후두신경(recurrent laryngeal nerve)을 분지한다. 상후두신경은 하인두수축근(아래인두조임근, inferior pharyngeal constrictor muscle)과 윤상갑상근(반지갑상근, cricothyroid muscle)의 운동지배와 후두의 감각을 지배하는 외 및 내후두신경을 분지한다(그림 2-8).

경부식도는 미주신경에서 기원한 양쪽 되돌이후두신경의 지배를 받는다. 이 중 우되돌이후두신경은 쇄골하동맥(빗장밑동맥, subclavian artery)의 아래쪽 끝에서, 좌되돌이후두신경은 대동맥궁(대동맥활)의 아래쪽 끝에서 시작한다(그림 2-7). 이 신경들은 각 혈관을 뒤쪽으로 감아 돌아 식도와 기관 사이의 골을 따라 위쪽으로 올라가며 신경분지를 내어 윤상인두근을 포함한 경부식도의 신경지배를 담당한다. 이 신경이 손상되면 성대 기능에 장애(목쉼)가 올 뿐만 아니라 윤상인두괄약근과 경부식도의 기능에도 장애가 생겨 음식을 삼킬

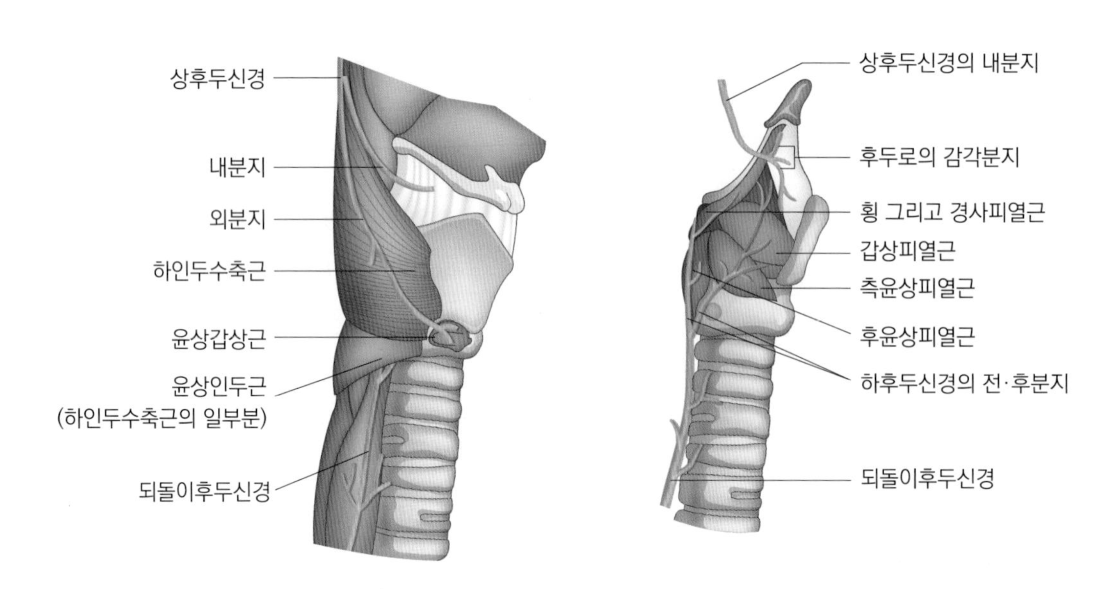

그림 2-8 **후두의 신경 분포.**

때 폐흡인(pulmonary aspiration)이 일어날 가능성이 높아진다.

식도로부터 감각통증 신경섬유는 교감신경과 미주신경을 통해 흉부 척수의 첫 네 분절에 직접 도달한다. 우미주신경은 뒤허파신경얼기를 형성한 후 주로 식도 뒷면을, 좌미주신경은 허파뿌리 아래에서 식도 앞면에 분포하는데 이들 신경은 나뉘어 식도를 둘러싸고 근육층에서 신경얼기를 형성한다. 식도가 횡격막을 통과하기 직전 신경얼기는 다시 앞뒤 2개의 미주신경줄기(vagal trunk)를 형성하며 식도 앞뒤에서 복강으로 들어간다.

2. 위의 해부

1) 일반적 특징

위(stomach)는 식도와 십이지장 사이에 위치하며 다량의 음식물을 저장할 수 있는 주머니다. 위로 들어온 음식물은 위에서 위액과 섞여 분쇄되어 암죽 상태가 된 후, 소장이 소화하고 흡수하기에 적절한 속도로 유문을 통해 십이지장으로 배출된다(그림 2-9). 식도위경계부(esophagogastric junction)는 보통 식도열공으로부터 아래쪽으로 약 2 cm 떨어진 열째 흉추(T10) 왼쪽에 위치한다. 위십이지장 연결 부위는 보통 첫째 요추(L1) 오른쪽에 위치하는데 음식물이 많이 차 있거나 서 있을 때는 아래쪽으로 많이 내려오게 된다. 위의 소만곡(작은굽이, lesser curvature)은 식도위경계부에서 유문까지 오른쪽의 오목한 경계를 말하는데 유문쪽 1/3 지점 부위에 비교적 경계가 명확하게 꺾어지는 부위를 위각부(angularis incisura)라고 한다. 위의 대만곡(큰굽이, greater curvature)은 식도위경계부에서 유문까지 왼쪽과 아래 방향의 볼록한 경계를 말하는데 소만곡 길이의 4배 정도로 길다.

위는 해부학적으로 분문부(들문부분, cardia), 저부(바닥, fundus), 체부(몸통부분, body), 유문부(날문부분, pylorus)의 4개의 부분으로 나누어진다(그림 2-9). 식도와 가까운 분문부는 가장 근위부로 생리학적으로 하부식도괄약근인 위식도접합부와 접해 있다. 위의 원위부 말단인 유문부는 십이지장의 근위부와 연결되어 있다. 이 두 부위에서 위는 고정되어 있으나 위 대부분을 차지하는 중간부위는 유동적이다. 유문부는 벽이 두

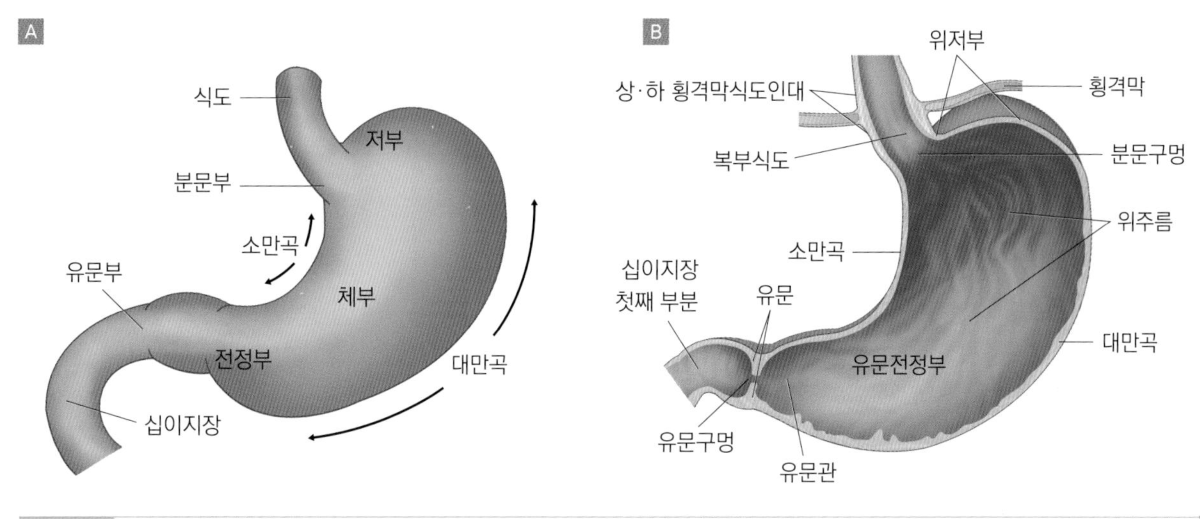

그림 2-9 **위의 해부학적 구분.**
외부(A)와 내부(B)

껍고 깔때기 모양이며, 다시 두 부분으로 나뉜다. 위의 체부 쪽을 유문전정부(날문방, pyloric antrum)라고 하며, 유문부 중에서 가장 넓은 부분이며, 유문전정부보다 좁은 부분은 유문관(날문관, pyloric canal)이라고 한다. 위벽이 두껍고 근육층이 두꺼운 유문부에서 음식물을 분쇄 혼합하여 위저부로 보낸다. 위저부에서 더 잘게 부서진 음식물 알갱이는 십이지장으로 내보내져 소화액에 의해 소화된다. 위의 원위부 끝에는 고리 모양의 내장근으로 된 두꺼운 밴드 모양의 유문괄약근(날문조임근, pyloric sphincter)이 있어 십이지장과의 경계를 이룬다. 이 괄약근은 수축 시 십이지장-위 역류를 방지하고, 전정부가 수축할 때에는 이완되어 음식물의 배출을 돕는다.

위는 뒷면에는 췌장(이자)이 위치하고 앞면은 간이 덮고 있다. 대만곡의 왼쪽에는 비장(지라)이 위치하고 아래쪽에는 횡행결장(가로잘록창자)이 지나간다. 총담관(온쓸개관, common bile duct)도 가까이 있는데 이는 유문부에서 몇 cm 이내의 십이지장 제1부위의 뒤쪽을 지나간다(그림 2-10).

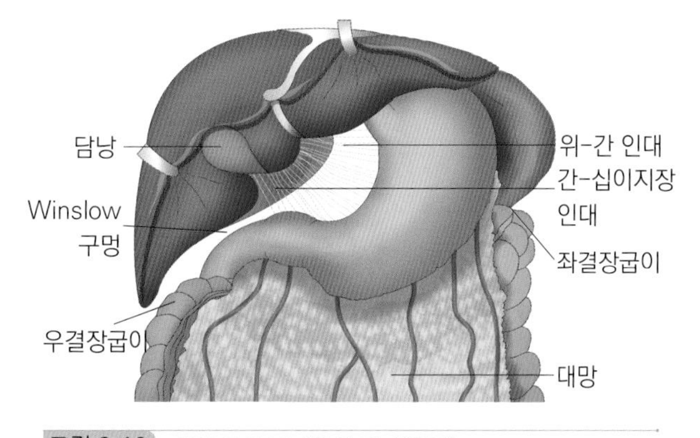

그림 2-10 **위와 주위 장기와의 관계(앞면).**

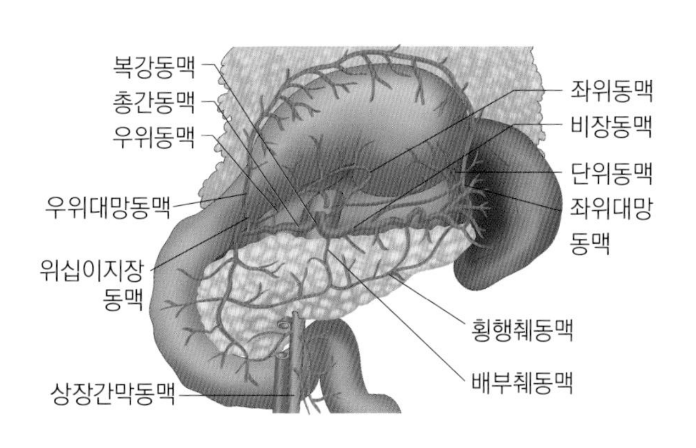

그림 2-11 **위의 혈액 공급.**

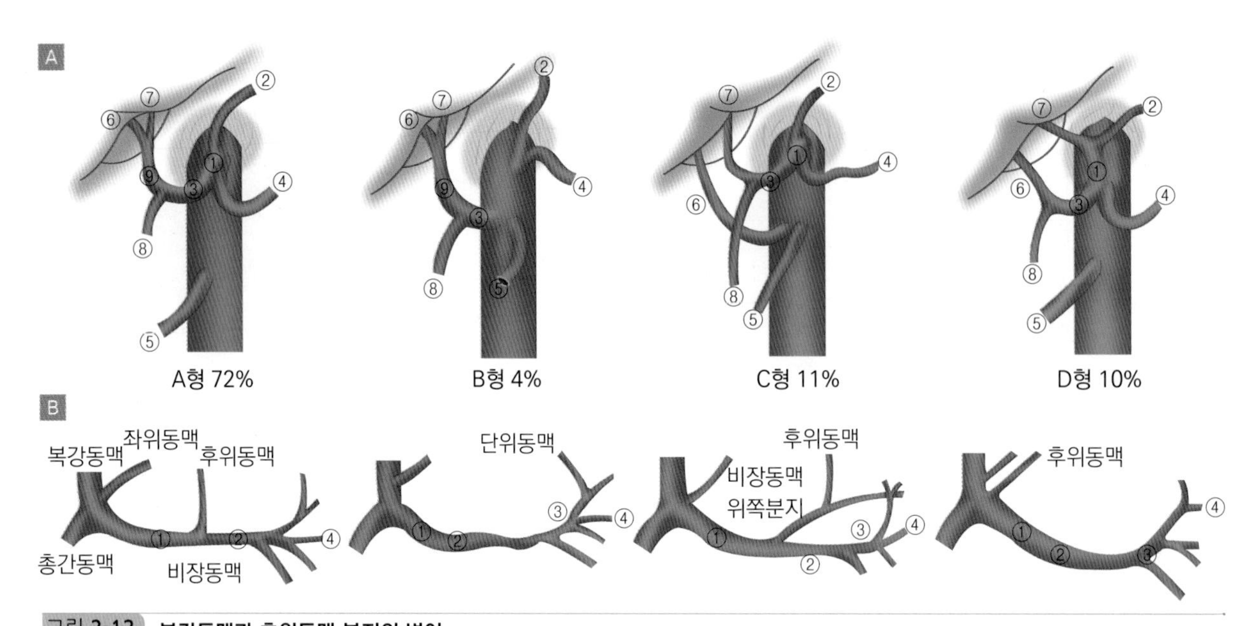

그림 2-12 복강동맥과 후위동맥 분지의 변이.
A. 복강동맥과 상장간막동맥 분지의 변이: ① 복강동맥, ② 좌위동맥, ③ 총간동맥, ④ 비장동맥, ⑤ 상장간막동맥, ⑥ 우간동맥, ⑦ 좌간동맥, ⑧ 위십이지장동맥, ⑨ 고유간동맥
B. 비장동맥과 후위동맥 분지의 변이: ① 비장동맥 췌장연 주행부, ② 췌장 등쪽 주행부, ③ 췌장 앞면 주행부, ④ 비문 주행부

2) 위의 혈관계

위는 주로 복강동맥에서 분지되는 4개의 동맥으로부터 혈액을 공급받으며 인체에서 혈류량이 가장 많은 장기 중 하나이다. 소만곡의 상부는 복강동맥(celiac artery)에서 기시하는 좌위동맥(왼위동맥, left gastric artery)으로부터, 하부는 간동맥(hepatic artery)이나 위십이지장동맥(gastroduodenal artery)에서 기시하는 우위동맥(오른위동맥, right gastric artery)으로부터 혈액을 공급받는다(그림 2-11). 복강동맥은 췌장의 경부 바로 위에서 대동맥으로부터 기시하여 바로 좌위동맥, 간동맥, 비장동맥으로 분지한다(그림 2-12). 간동맥은 췌장의 상부를 따라 오른쪽으로 주행하며 십이지장 제1부위에서 밑으로 내려가는 위십이지장동맥을 분지한 후 총담관과 간문맥을 따라 간으로 올라간다. 비장동맥은 췌장의 상부를 따라 왼쪽으로 주행하며 췌장의 체부와 미부를 지나 비장문(지라문, splenic hilum)에 이른다.

대만곡의 위저부는 비장동맥(지라동맥, splenic artery)에서 기시하는 단위동맥(짧은위동맥, short gastric artery)으로부터 혈액을 공급받고, 그 아래쪽은 위로부터는 비장동맥에서 기시한 좌위대망동맥(왼위그물막동맥, left gastroepiploic artery), 아래로부터는 위십이지장동맥에서 기시한 우위대망동맥(오른위그물막동맥, right gastroepiploic artery)으로부터 혈액을 공급받는다(그림 2-11). 대부분의 경우 좌우 양쪽의 위대망동맥은 서로 만나 대만곡의 대망동맥궁을 이룬다. 또한 비장동맥 중간부위에서 주로 기시하는 한두 개의 동맥이 위저부에 혈액을 일부 공급하는데 이를 후위동맥(뒤위동맥, posterior gastric artery)이라고 부른다(그림 2-12). 이 혈관들은 근육층에 혈액을 공급하고 점막하층에서 분지되어 최종적으로 위점막에 혈액을 공급한다.

위의 정맥들은 일반적으로 동맥들을 따라 분포하는데 간문맥(portal vein)이나 이의 분지인 비장정맥(지라정맥, splenic vein) 또는 상장간막정맥(위창자간막정

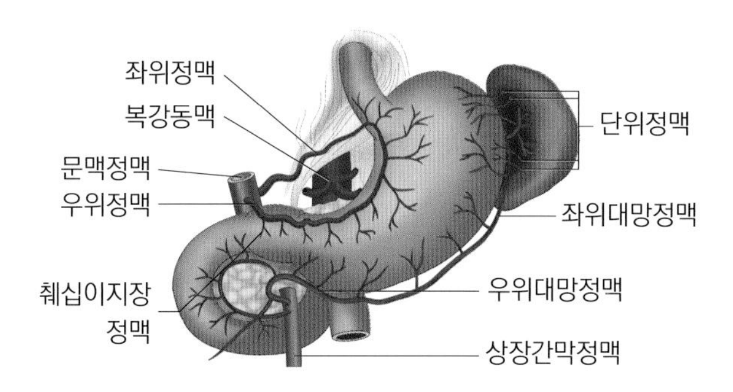

그림 2-13 위의 정맥.

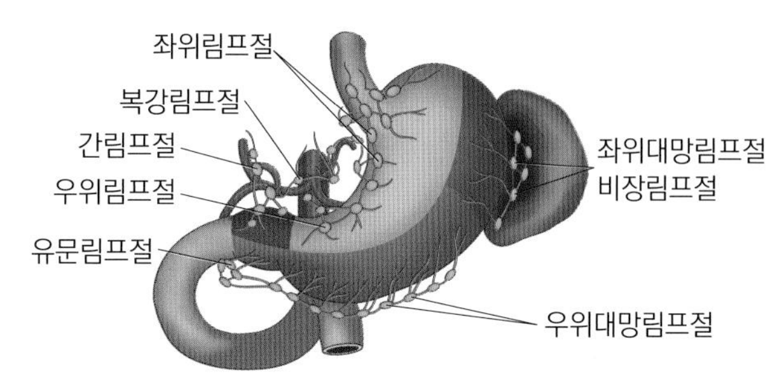

그림 2-14 위의 림프 흐름.

맥, superior mesenteric vein)으로 정맥혈이 모이게 된다(그림 2-13). 위 소만곡은 좌우 위정맥을 통해 정맥혈이 모이는데 좌위정맥(왼위정맥, left gastric vein)은 관상정맥(coronary vein)이라고도 불린다. 문맥계(portal system)에 속하는 좌위정맥은 하부식도정맥들과 자유롭게 문합되고 이들은 계속하여 상부식도정맥들과 자유롭게 문합해 결국 홀정맥을 통하여 대정맥계(caval venous system)와 연결된다. 이는 문맥계와 체순환계의 중요한 문합을 형성한다. 간경변 환자의 경우 문맥폐쇄로 인해 식도하부의 정맥이 늘어나 정맥류가 되어 파열되면 토혈(hematemesis)이 일어나는데, 이는 간경화의 중요한 증상 중 하나이다.

좌위대망정맥에는 위의 하부와 대만곡 일부의 정맥혈이 모인다. 우위대망정맥과 몇 개의 원위부 정맥은 위결장정맥(위잘록창자정맥, gastrocolic vein)이 되어 상장간막정맥에 이르게 된다. 좌위대망정맥과 단위정맥의 혈액은 비장정맥으로 모인다.

3) 위의 림프관계

위의 림프관은 정맥계를 따라 위치한다. 소만곡 위쪽의 림프액은 좌위림프절과 분문부 주위 림프절로 흘러들어 가고, 소만곡의 전정부쪽 림프액은 오른쪽 췌장상부 림프절로 흘러들어 간다(그림 2-14). 대만곡 위쪽의 림프액은 좌위대망림프절(왼위그물막림프절)과 비장림프절(지라림프절)로 흘러들어 가고 우위대망동맥 주

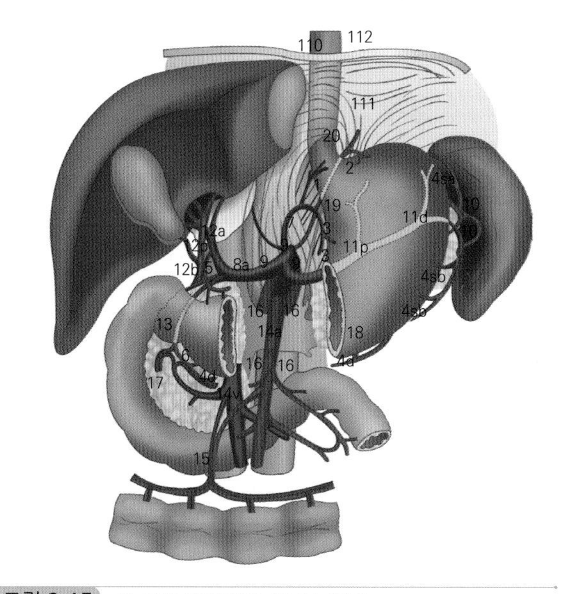

그림 2-15 위 주위 림프절의 JGCA 분류.

1: Rt. paracardial
2: Left paracardial
3: Lesser curvature
4sa: Short gastric
4sb: Lt gastroepiploic
4d: Rt. gastroepiploic
5: Suprapyloric
6: Infrapyloric
7: Lt, gastric artery
8a: Ant. common hepatic
8p: Post. common hepatic
9: Celiac artery
10: Splenic hilum
11p: proximal splenic
11d: distal splenic
12a: Hepatoduodenal ligament along the hepatic artery
12b: Hepatoduodenal ligament along the bile duct
12p: Hepatoduodenal ligament behind the portal vein
13: Retropancreatic
14v: Sup. mesenteric vein
14a: Sup. mesenteric artery
15: Middle colic
16: Para-aortic
17: Anterior surface of pancreatic head
18: Inferior margin of pancreas
19: Infradiaphragmatic
20: Esophageal hiatus
110: Paraesophageal in the lower thorax
111: Supradiaphragmatic
112: Posterior mediastinal

위의 림프액은 이 부위의 혈관 기시부에 분포하는 림프절로 흘러들어 간다. 각 림프절들이 위치한 구역에 따라 번호를 부여하여 세분하는데 일본위암학회의 분류는 그림 2-15와 같다. 이러한 림프관은 네트워크를 형성하고 있으며, 풍부한 벽내 얼기(intramural plexus)를 형성하고 있어 위암의 경우 1차 병변으로부터 멀리 떨어진 림프절에서 전이가 발견되는 경우도 있으므로 위암 수술 시 각 군의 림프절을 잘 구분하여 림프절제술을 시행하여야 한다.

4) 위의 신경계

위의 자율신경계는 교감신경계와 부교감신경계 양쪽의 지배를 받는다. 부교감신경계는 좌우 미주신경(vagus nerve)에 의해 형성되는데, 원위부 식도신경얼기에서 형성되어 식도열공을 통해 횡격막 아래로 내려온다. 좌미주신경은 보통 식도 앞면부에 밀착해 있고 우미주신경은 식도와 대동맥 사이의 공간을 주행한다. 좌미주신경은 간분지를 통해 간과 담관에 신경을 보내고 나머지 신경들은 위 소만곡을 따라 내려와 위 앞벽에 분포한다. 우미주신경은 복강분지를 내어 복강신경얼기(celiac plexus)를 이루고 나머지 신경들은 위 뒷벽에 분포한다(그림 2-16).

교감신경계는 T6~8 척추신경에서 주로 시작되는 신경절이전섬유(preganalionic fiber)에서 기원한다.

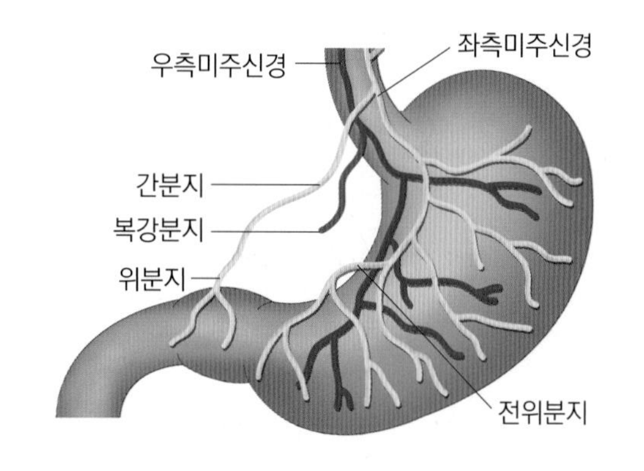

그림 2-16 **위의 신경 분포.**

이는 양쪽 복강신경절(celiac ganglion)에서 신경세포와 시냅스를 이루고 여기서 나오는 신경절이후섬유(postganglionic fiber)는 복강동맥 주위에서 복강신경얼기를 이룬다.

3. 소장의 해부

1) 일반적 특징

소장은 성인에서 약 6 m 정도의 길이를 가진 관형 구조로, 위의 유문에서 시작되어 맹장(막창자, cecum)에서 끝나며, 십이지장(샘창자, duodenum)과 공장(빈창자, jejunum), 회장(돌창자, ileum)의 3부분으로 구성되어 있다.

십이지장은 첫째 요추(L1)의 오른쪽의 유문에서 둘째 요추(L2) 바로 왼쪽의 십이지장공장각(샘빈창자각, duodenojejunal angle)까지 소장으로 C자 모양을 이루며 췌장의 두부를 둘러싸고 있다. 십이지장은 깊게 위치하고 고정되어 있으며 간과 췌장의 도관과 연결된다는 점에서 다른 부위의 소장과 구분된다. 십이지장은 제1부위인 상단부(위부분, superior division), 제2부위인 하행부(내림부분, descending division), 제3부위인 횡단부(수평부분, transverse division), 제4부위인 상행부(오름부분, ascending division)의 네 부분으로 나누어진다(그림 2-17). 제1부위는 주름이 없는 점막으로 이루어진, 약간 팽대된 십이지장구(샘창자팽대, duodenal bulb)로 되어 있다. 총담관(온쓸개관)은 십이지장구 바로 뒤쪽에서 췌장으로 들어가 췌장의 두부를 통과한다. 총담관과 주췌장관은 제2부위 중간 내측벽에 있는 간췌팽대[간이자관팽대(hepatopancreatic ampulla) 또는 파터팽대부(ampulla of Vater)]로 열린다. 제2부위는 담낭(쓸개주머니)이 경부와 인접한 부위에서 제1부위와 직각을 이루며 내려와 오른쪽 신장의 문부, 즉 요관이 시작되는 부위 앞을 지나 하십이지장궁(아래샘창자굽이, inferior duodenal flexure)에서 제3부위로

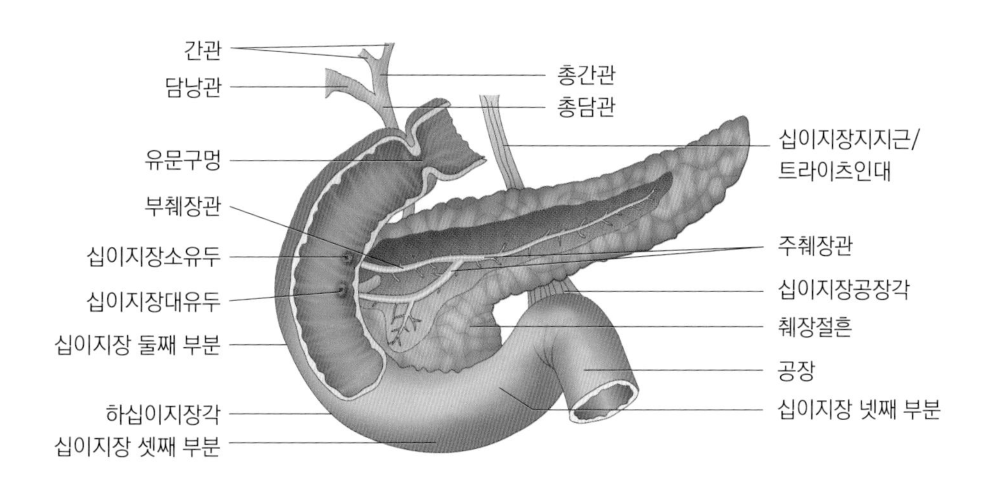

그림 2-17 십이지장의 내부와 주위 구조물.

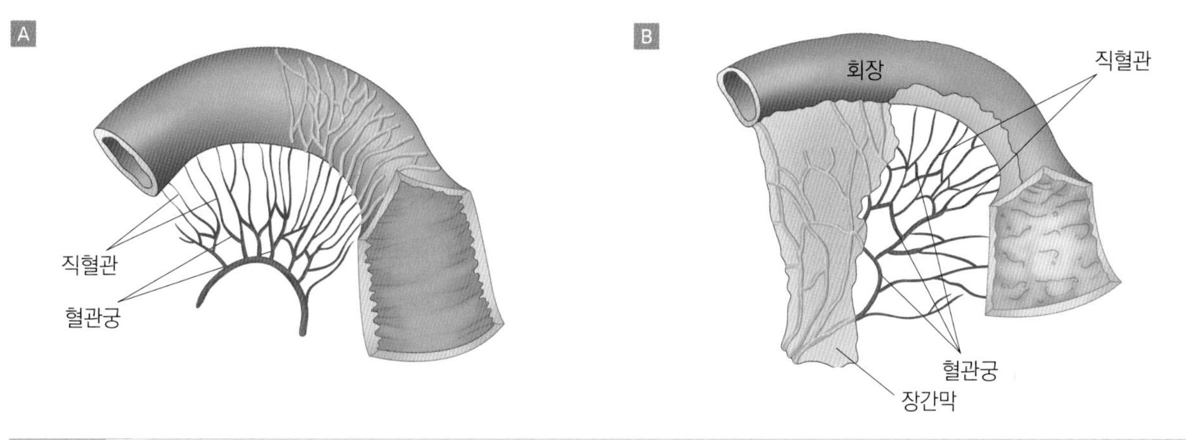

그림 2-18 공장(A)과 회장(B)의 혈관 구조.

이어진다. 제3부위는 요관(ureter), 하대정맥(아래대정맥, inferior vena cava), 요추와 대동맥의 앞쪽을 왼쪽으로 횡단하여 셋째 요추(L3)의 왼쪽에서 끝난다. 상장간막혈관들은 십이지장의 제3부위 앞을 지나 췌장 후부에서 나타난다. 제4부위는 십이지장공장각까지 상행하며 뒤복벽에 고정되어 있다.

공장은 십이지장공장각에서 시작되는데 이곳에 있는 복막의 주름을 십이지장지지근[샘창자걸이근(suspensory muscle of duodenum) 또는 트라이츠인대 (Treitz ligament)]이라고 부른다. 공장과 회장 사이에 뚜렷한 해부학적 경계선은 없는데 공장이 회장보다 직경이 크고 벽이 두꺼우며, 장간막(창자간막, mesentery)의 혈관 모양이 다르다. 공장에서는 1~2개의 혈관궁(활꼴동맥, arterial arcade)으로부터 길고 곧은 직혈관(곧은혈관, vasa recta)이 장에 이르는 반면, 회장에서는 4~5개의 혈관궁으로부터 짧은 직혈관이 나온다(그림 2-18). 일반적으로 공장 장간막보다 회장 장간막의 지방층이 훨씬 두껍다. 공장은 주로 상복부의 왼쪽을 차지하며 췌장, 비장, 결장, 왼쪽 신장, 부신과 접해 있다. 반면 회장은 주로 하복부의 오른쪽과 골반을 차지한다.

십이지장은 기시부 2.5 cm를 제외한 전장에 걸쳐 복막 뒤쪽에 위치하므로 앞면만 복막에 덮여있고, 뒷면은 뒤쪽에 있는 복벽에 붙어 있다. 십이지장을 제외하고 소장은 혈관과 림프관이 통과하는 장간막과 연결된 부위를 제외한 전체가 내장쪽복막[visceral peritoneum, 장막(serosa)]으로 둘러싸여 있다. 장간막은 복강의 후벽에 비스듬히 붙어 있는데 위쪽으로는 둘째 요추(L2) 척추의 왼쪽에서 시작해 사선으로 아래 오른쪽으로 내려와 오른쪽 엉치엉덩관절(sacroiliac joint)에 걸쳐 있다. 소장의 점막에는 특징적인 돌림주름(circular fold)이 있는데 이를 'plicae circulares' 또는 'valves of Kerckring'이라 부른다. 십이장구부나 원위부 회장에는 돌림주름이 없다.

2) 소장의 혈관계

십이지장의 혈액공급은 췌십이지장동맥을 통해 이루어진다. 상췌십이지장동맥(위이자샘창자동맥, superior pancreaticoduodenal artery)은 위십이지장동맥(위샘창자동맥)에서 기시하며 하췌십이지장동맥(아래이자샘창자동맥, inferior pancreaticoduodenal artery)은 상장간막동맥(위창자간막동맥, superior mesenteric artery)의 첫 번째 분지이다(그림 2-19).

복강동맥의 분지로부터 혈액을 공급받는 근위부 십이지장을 제외한 나머지 모든 소장에는 상장간막동맥이 혈액을 공급한다(그림 2-20). 상장간막동맥은 횡격막하대동맥의 두 번째 주 분지로 췌장의 갈고리돌기(uncinate process)의 앞쪽을 지나 췌장, 원위부 십이지장, 소장 전체, 상행결장과 횡행결장까지 혈액을 공급한다. 소장에는 장간막의 혈관궁이 공급하는 풍부한 곁혈류가 있지만 상장간막동맥 자체나 주 분지가 막히면 장이 괴사하므로 신속히 치료해야 한다.

정맥계는 동맥계를 따라 존재하는데 소장의 정맥혈은 상장간막정맥에 모이고 이는 췌장 경부 뒤쪽에서 비장정맥과 만나 간문맥을 형성하게 된다.

3) 소장의 림프관계

소장 림프계의 가장 큰 특징은 원위부 소장인 회장에 존재하는 무리림프소절[aggregated lymph node 또는 파이어반(peyer patch)]로, 이곳에 림프조직이 모여 있다. 소장의 림프계는 음식물에서 흡수된 지방이 혈관으로 운반되는 주된 경로이다. 림프액은 장간막에 있는 림프절을 거쳐 상장간막혈관 기시부에 있는 림프절에 도달하게 되고 이곳에서 가슴림프관팽대(cisterna

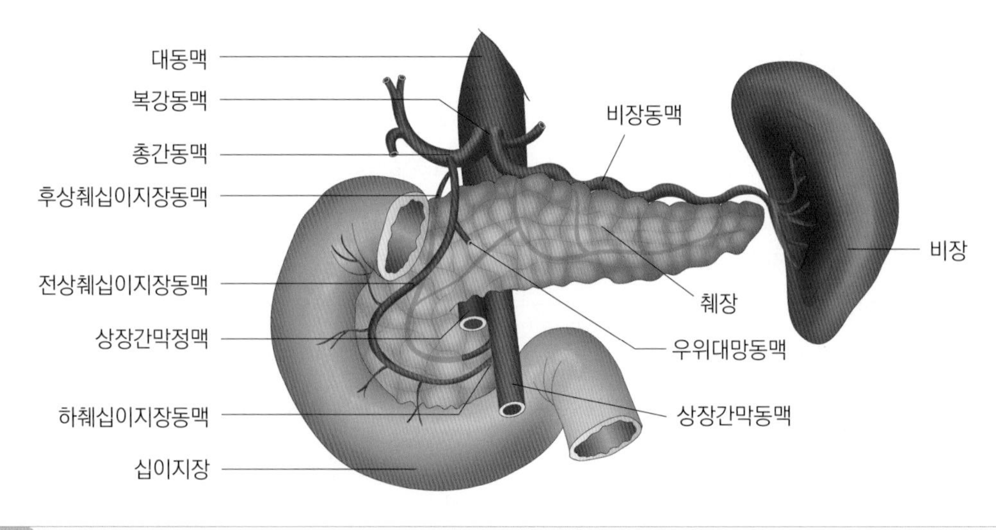

그림 2-19 **십이지장의 혈액공급.**

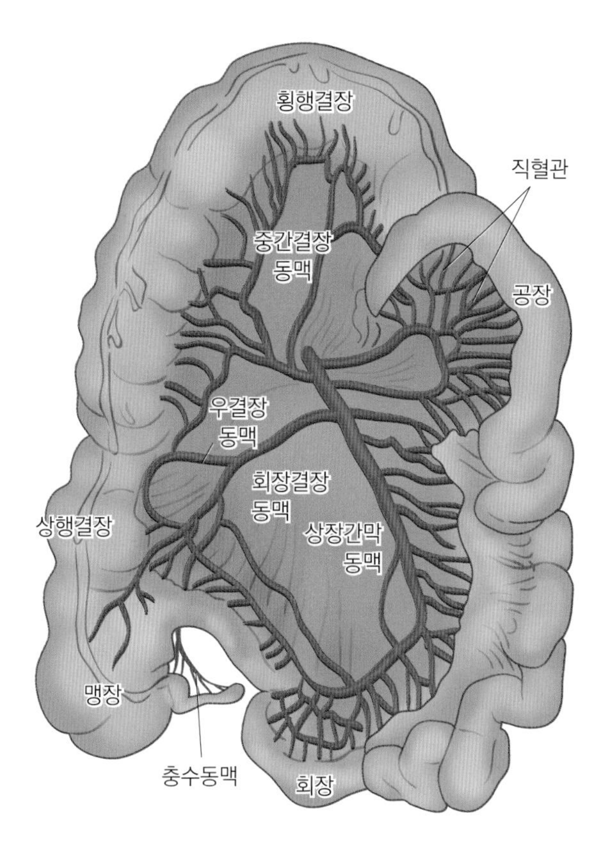

그림 2-20 **상장간막동맥과 분지들.**

chyli), 흉관(가슴관)을 거쳐 경부의 정맥계로 흡수된다. 소장의 림프계는 우리 몸의 면역방어에서 큰 역할을 하는 반면 장관의 암세포가 전이되는 주된 경로가 되기도 한다.

4) 소장의 신경계

소장의 신경계는 교감신경계와 부교감신경계 양쪽의 지배를 받는다. 미주신경에서 나와 복강신경절을 지나가는 부교감신경섬유는 분비, 장운동 및 거의 모든 장 활동에 영향을 준다. 교감신경은 내장신경(splanchnic nerve)에서 나오며 상장간막동맥 기시부 주위에 신경절이 존재한다. 이 중 운동섬유는 혈관운동뿐만 아니라 일부 분비 및 장운동에도 영향을 준다. 소장의 통증감각은 교감신경계의 일반내장구심섬유(general visceral afferent fiber)에 의해 전달된다.

참고문헌

1. 대한외과학회. 외과학. 둘째판, 군자출판사, 2017.
2. 대한위암학회. 위암과 위장관 질환. 일조각, 2011.
3. 대한해부학회. 국소해부학. 셋째판, 고려의학, 2017.
4. Agur AMR, Dalley AF. Grant's atlas of anatomy. 14th ed. Hong Kong: Wolters Kluwer, 2017.
5. Drake RL, Vogl AW, Mitchell AWM. Gray's anatomy for students. 3rd ed. Churchill Livingstone: Elsevier, 2015.
6. Japanese gastric cancer association. Japanese classification of gastric carcinoma: 3rd English edition. Gastric Cancer 2011;14:101-112.
7. McVay CB. Abdominal cavity and contents. In: Anson BJ, McVay CB, eds. Surgical anatomy. Philadelphia: Saunders, 1984:592-616.
8. Moody FG, Miller TA. Stomach. In: Schwarts SI, ed. Principles of surgery. New York: McGraw-Hill, 1994: 1123-1126.
9. Moore KL, Dalley AF, Agur AMR. Clinically oriented anatomy. 8th ed. Hong Kong: Wolters Kluwer, 2018.
10. Peters JH, Demeester TR. Esophagus and diaphragmatic hernia. In: Schwarts SI, ed. Principles of surgery. New York: McGraw-Hill, 1994:1043-1149.
11. Townsend CM, Thompson JC. Small intestine. In: Schwarz SI, ed. Principles of surgery. New York: McGraw-Hill, 1994:1153-1155.

CHAPTER 03

위장관의 조직

1. 식도

1) 점막

정상적인 식도점막(mucosa)은 편평상피(squamous epithelium), 고유판(lamina propria), 점막근육(muscularis mucosae)의 세 가지 층으로 나뉘어 있다(그림 3-1).

(1) 상피

식도점막의 상피(epithelium)는 여러 층의 비각질화(non-keratinizing) 중층편평상피(stratified squamous epithelium)로 이루어져 있으며, 혈관 및 연결조직으로 이루어진 유두(papilla)가 상피층 내부로 올라와 있다(그림 3-2). 식도점막의 상피는 크게 기저층(basal layer)과 표층(superficial layer)으로 나뉘는데, 기저층은 전체

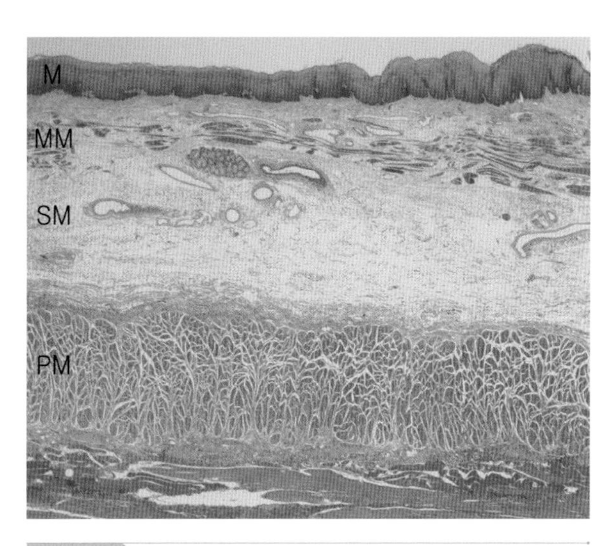

그림 3-1 **식도 전층.**
위에서부터 차례로 점막(M), 점막근육(MM), 점막하층(SM), 고유근층(PM). 점막과 점막근육 사이가 고유판이다.

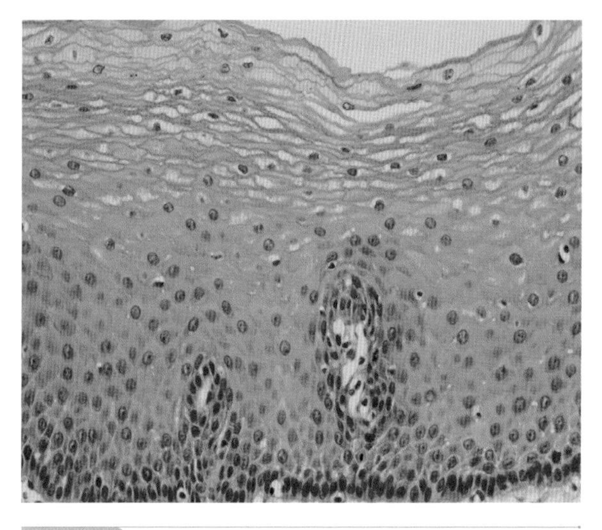

그림 3-2 **식도의 점막.**
비각질화 중층편평상피로 이루어져 있으며 혈관 및 느슨한 결합조직으로 구성된 유두가 관찰된다.

상피 두께의 약 10~15%를 차지하며 1~3개의 세포층에 해당한다. 그러나 임상적으로 정상적인 사람의 60%가량에서는 원위부 3 cm에 해당하는 부위에서 15% 이상의 두께로 기저층의 증식이 관찰될 수 있다. 기저층의 위쪽 경계는 임의로 핵 사이의 거리가 핵의 지름과 같아지는 부위로 정의한다.

표층부는 글리코겐(glycogen)이 풍부한 세포로 이루어져 있고 표면으로 갈수록 편평해진다. 정상인의 약 4~8%에서는 은친화성(argyrophilic) 내분비세포 및 멜라닌세포가 기저세포 사이에 흩어져서 관찰되기도 한다. 작은 수의 림프구가 상피내에서 관찰되며, 주로 표층부에 존재한다. 림프구는 인접한 상피세포와 상호교차하고 있어서 핵이 일그러져 보이므로 호중구와 혼동될 수 있다. 그밖에 항원제공세포 역할을 하는 랑게르한스세포(Langerhans cell)도 존재한다.

(2) 고유판

고유판(lamina propria)은 점막근육 위쪽에 존재하는 점막내 결합조직이다. 성긴 결합조직으로 이루어져 있고 혈관, 염증세포, 점액분비세포가 존재한다. 성인에서는 림프구와 형질세포의 침윤이 정상 소견이며 위산역류와는 상관관계가 없다고 보고되었다. 고유판이 손가락 모양으로 상피층 속으로 뻗어 있는 것을 유두(papilla)라고 부르는데, 정상상태에서 그 길이는 상피층 두께의 최대 50%에서 75%까지 보고되어 있다. 그러나 임상적으로 위식도역류가 없는 정상인에서도 식도 원위부 3 cm에서 유두의 길이가 더 높게 나타날 수 있다는 보고도 있다. 식도의 분문형 선(cardiac-type glands)은 식도의 전장에 걸쳐 미만성으로 흩어져 있으나 주로 근위부 및 원위부에 많이 분포한다. 사람에 따라 그 수에 차이가 크다. 분문형 선은 점액을 분비하여 윤활작용을 하며, 음식물이 잘 통과하도록 돕는다. 조직학적으로 이들 선구조물은 위의 분문선(cardiac gland)을 닮았으며 중성점액을 분비하는 세포로 이루어져 있다(그림 3-3). 간혹 유문선(pyloric gland)을 닮은 것도 있으며, 벽세포(parietal cell)와 주세포(chief cell)를 닮은 세포도 종종 관찰된다.

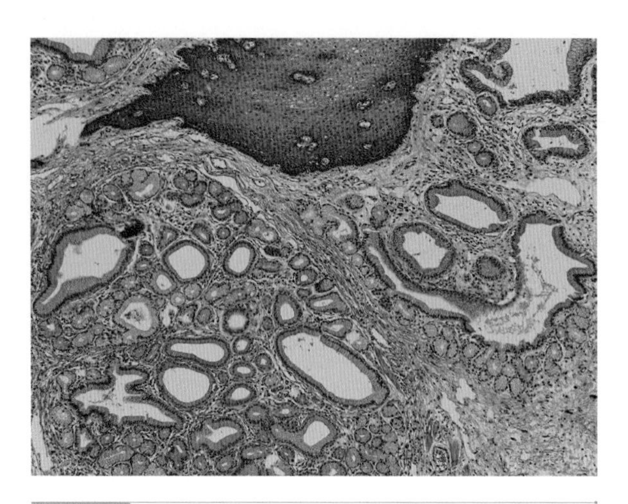

그림 3-3 **식도의 분문형.**
위의 분문형 선과 모양이 거의 같다.

(3) 점막근육

식도의 점막근육(muscularis mucosae)은 고리 방향과 길이 방향이 혼재한 위나 장과 달리 길이 방향으로 달리는 평활근 다발로 이루어져 있다. 점막근육은 인두(pharynx)의 윤상연골(cricoid cartilage) 부근에서 나타나기 시작하여 원위부로 갈수록 두꺼워진다. 식도위경계부(esophagogastric junction)에 이르면 아주 두터워져 작은 생검에서는 고유근층과 혼동되기도 한다. 이러한 세로 방향의 두터운 점막근육은 작은 생검조직에서 식도 부분임을 시사하는 증거로 쓰이기도 한다.

2) 점막하층

점막하층(submucosa)은 혈관, 림프관, 신경섬유 및 점막하선으로 구성되어 있다. 점막하선은 입인두의 소타액선의 연장으로 여겨지며, 식도의 전장에 흩어져 있으나 중간 부분보다 양쪽 끝부분에 집중적으로 분포한다. 점막하선은 대부분 점액세포이며, 장액세포가 약간

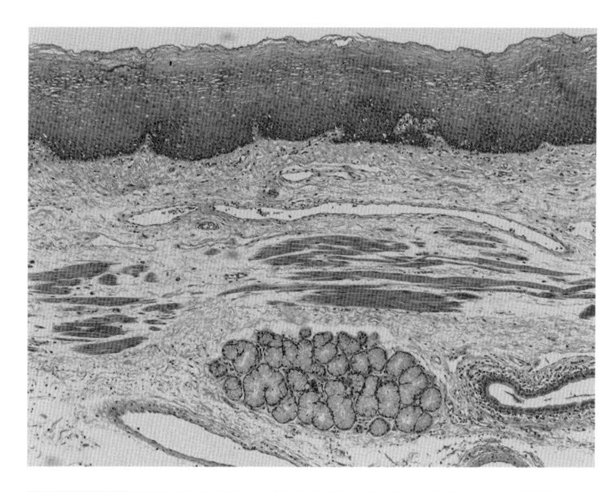

그림 3-4 **식도의 점막하선.**
점막근육 바로 아래에 존재하며, 선이나 관 주변의 만성 염증세포 침윤은 정상적인 소견이다.

섞여 있다(그림 3-4). 점막층에 분포한 선들과 달리 점막하선은 산성 점액을 분비한다. 이 선에서 생성된 점액은 한 층의 입방세포로 시작하여 중층편평상피로 이어지는 관을 통해 식도 내강으로 분비된다. 관 주변의 림프구 응집이나 관의 확장은 정상적인 소견이다. 점막하선은 위에는 없고 식도에만 있으므로 이 선이 관찰되면 식도 조직임을 알 수 있는데, 일반적인 내시경생검에서는 거의 보이지 않는다.

3) 고유근층

일반적으로 식도 근위부 1/4~1/3의 고유근층(mus-cul-aris propria)은 횡문근으로 되어 있다고 하나, 실제로 횡문근만으로 이루어진 부분은 아주 짧은 구간(약 5%)에 불과하다. 이 구간 직후부터는 횡문근과 평활근이 섞여 있으며 평활근이 보통 더 많이 분포한다. 원위부의 절반가량은 평활근으로만 구성된다. 식도의 고유근층은 이렇게 두 가지 다른 종류의 근육으로 구성되지만 기능적으로는 한 단위로 움직인다.

4) 장막

아주 짧은 구간의 가슴 및 배공간 부위만 흉막 및 복막에서 유래한 장막(serosa)으로 덮여 있고 나머지 구간에는 장막이 존재하지 않는다. 대부분의 식도는 근막으로 둘러싸여 있고, 둘레 쪽으로 갈수록 두꺼워져 근막집을 이룬다. 종격(mediastinum)의 윗부분에서는 이러한 근막이 인접 장기를 함께 둘러싸면서 지지구조를 이루게 된다.

2. 위

위의 점막은 크게 표층부의 점막이 함입되어 생긴 오목(foveolar)과 그보다 깊은 곳에 위치하며 오목의 바닥 부분으로 열리는 코일 모양의 선으로 이루어져 있다. 선층은 위의 해부학적 구역에 따라 그 모양과 기능이 다르다. 식도위경계부에는 점액을 분비하는 분문선이, 유문부에서 근위부 쪽으로는 유문선이 있으며 이 선도 역시 점액을 분비한다. 유문선이 분포하는 곳은 대략 삼각형으로 생겼는데 대만곡을 따라서 약 3~4 cm, 소만곡을 따라서 약 5~7 cm 가량의 영역이다. 유문선이 차지하는 구역은 전정부(antral region)와 일치하지는 않지만 흔히 혼용된다. 이 부분을 제외한 대부분의 위 점막은 바닥형(fundic type)이며 이곳에 있는 위저선은 위산과 펩신을 분비한다.

유문점막과 위저부 점막은 갑자기 바뀌지 않고 서서히 이행하며, 이행 구간에는 각각을 구성하는 선들이 섞여 있다. 이렇게 점막이 서서히 바뀌는 부분은 위에서 십이지장 점막으로 이행하는 유문부에도 있다. 반면 식도의 편평상피로 바뀌는 지점은 개인차가 크며, 보통은 육안적으로 관 모양의 식도가 주머니 모양의 위로 바뀌는 해부학적인 식도위경계부와 일치하지 않는다.

1) 표면상피

위의 점막은 키가 큰 원주형의 점액을 분비하는 세포로 덮여 있으며, 오목이 형성되어 있다(그림 3-5). 점막의 표면과 오목을 덮고 있는 세포는 위의 전역에 걸쳐서

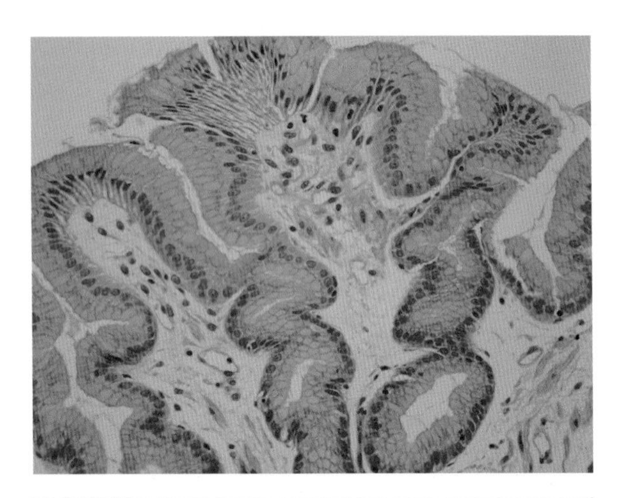

그림 3-5 위의 표면상피.
표면의 세포질 안은 점액으로 채워져 있으며 상피내 림프구가 흩어져서 관찰된다.

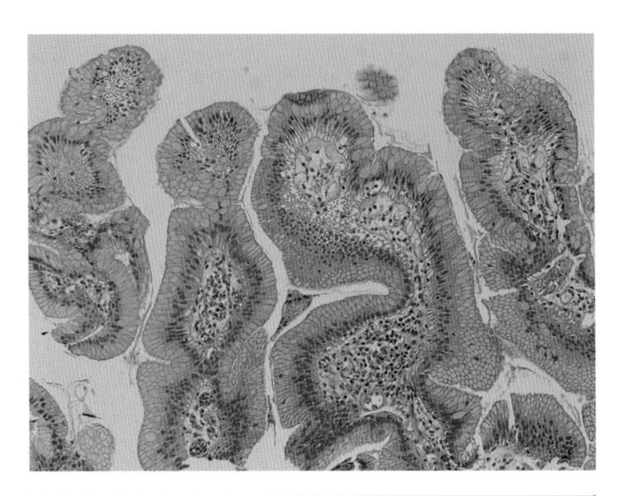

그림 3-6 위의 유문부 점막.
표면상피가 융모 같은 형태를 띤다.

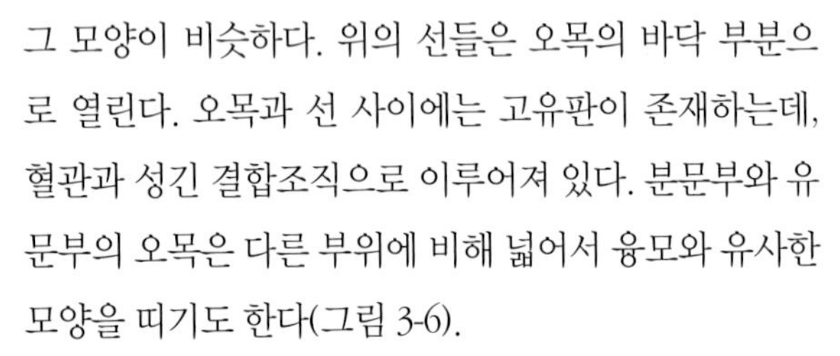

그 모양이 비슷하다. 위의 선들은 오목의 바닥 부분으로 열린다. 오목과 선 사이에는 고유판이 존재하는데, 혈관과 성긴 결합조직으로 이루어져 있다. 분문부와 유문부의 오목은 다른 부위에 비해 넓어서 융모와 유사한 모양을 띠기도 한다(그림 3-6).

표면상피(surface epithelium)와 오목을 덮고 있는 세포는 키가 큰 원주세포이며 핵은 바닥에 위치하고 표층부의 세포질은 점액으로 채워져 있다. 핵에는 염색질(chromatin)이 고루 분포하고 핵소체(nucleolus)는 보통 하나인데 뚜렷하지 않다. 헤마톡실린 에오신(hematoxylin and eosin, H&E) 염색에서 점액의 색상은 염색조건에 따라 투명하게 보이거나 호산성으로 보일 수 있다. 조직화학적으로 오목의 점액은 중성이며 PAS 염색(periodic acid-Schiff stain) 양성, pH 2.5에서 알시안블루(alcian blue) 음성으로 나타난다.

2) 분문부와 유문부의 점막

분문과 유문 주위의 점막에서는 오목 부분이 전체 점막 두께의 약 1/2을 차지한다(그림 3-6). 분문선과 유문선은 모두 점액을 분비하며, 풍부한 고유층 결합조직을 사이에 두고 느슨하게 배열되어 있다(그림 3-7). 점액분비선은 세포질의 경계가 불분명하며 거품 모양의 세포질을 가지고 있다. 이러한 모양은 십이지장의 브루너선(Brunner gland)을 닮았다. 때때로 하나씩 혹은 몇 개씩 모여 있는 벽세포들이 드물지 않게 관찰되는데, 특히 위저부 점막(fundic mucosa)과 만나는 접합부에서 자주 관찰된다. 그러나 소화효소를 분비하는 주세포는 위저부 점막이나 접합부가 아닌 곳에서는 잘 관찰되지 않는다. 유문선은 중성 점액을 분비하며, 분문선은 주로 중성 점액을 분비하면서 소량의 시알로뮤신(sialomucin)을 분비하기도 한다.

분문점막이 얼마만큼 분포하는지, 심지어 정상 식도위경계부에 존재하는지 아닌지조차도 아직 논란의 대상이다. 무작위로 추출한 성인 부검표본을 조사한 바에 따르면, 식도위경계부에서 한 절편만을 평가했을 때 27%에서만 순수한 분문점막을 확인할 수 있었으며, 44%에서는 분문선과 위저선이 섞여 있었고, 나머지에서는 위저선만 존재하였다. 분문선이 존재하는 영역은 불완전하여, 어떤 곳에서는 위저선과 식도의 편평상피세포가 바로 인접해 있기도 하였다. 분문선이 존재하는 영역의 길이는 평균 5 mm였으며, 최대 15 mm를 넘지 않았다고 한다. 또한 소아 및 태아의 부검례를 대상

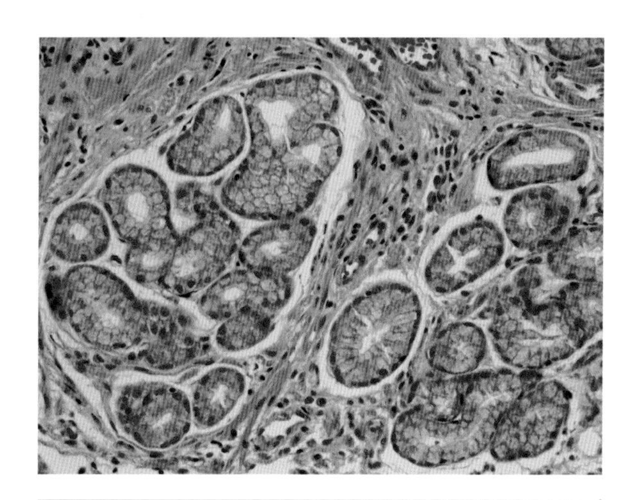

그림 3-7 **유문선의 현미경 소견.**
유문선을 구성하는 세포들은 거품 모양의 세포질을 가지고 있다.

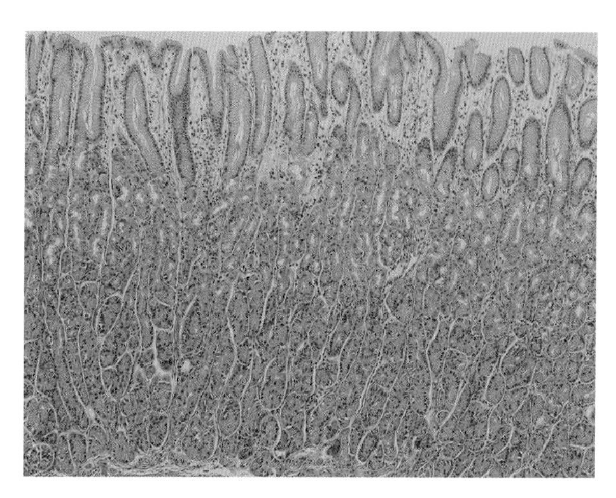

그림 3-8 **위저선의 점막.**
오목이 짧고 치밀하게 배열된 위저선은 오목에 비해 약 3배 정도 두껍다. 보라색을 띠는 효소원세포는 바닥 쪽에, 분홍색을 띠는 벽세포는 위쪽에 많이 분포한다.

으로 한 연구에서는 식도위경계부에 조직구축학적 검사(mapping)를 시행한 결과, 순수한 점액선으로 이루어진 '분문점막'은 없다고 보고하였다. 반면 태아 및 유소아를 부검한 결과 순수한 분문점막을 확인하였으며 그 구간의 길이가 1~4 mm (평균 1.8 mm)라고 보고한 연구도 있다. 이러한 연구결과들은 순수한 분문점막 및 분문-위저부 점막이 정상적으로 존재하나 그 길이가 예상보다 짧음을 시사한다.

3) 위저선 점막

위저선 점막(fundic gland mucosa)의 오목은 전체 점막 두께의 1/3 이하를 차지한다. 고유판의 결합조직을 사이에 두고 성글게 배열된 분문 및 유문 점막과는 대조적으로 위저선은 아주 빽빽하게 배열되어 있으며(그림 3-8), 보통 바닥(base), 목(neck) 및 잘룩(isthmus)으로 나뉜다. 바닥 부분은 펩시노겐(pepsinogen)을 분비하는 효소원세포(zymogenic cell)로 이루어져 있는데, 모양은 입방형이고 핵은 바닥에 위치하며 세포질은 희미한 회청색을 띤다(그림 3-9). 잘룩 부분은 주로 위산을 분비하는 벽세포로 이루어져 있는데, 기저막을 한

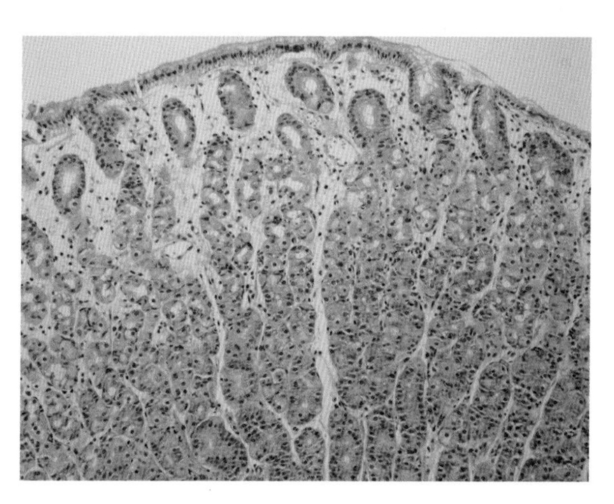

그림 3-9 **위저선의 바닥 부분.**
분홍색을 띠는 벽세포와 보라색을 띠는 효소원세포가 관찰된다.

변으로 하는 세포꼴을 띠고, 핵은 가운데에 위치하며 염색질이 고르게 분포하고, 세포질은 진한 분홍색이다(그림 3-9).

목 부분에는 효소원세포와 벽세포가 섞여 있고, 여기에 더하여 목점액세포(mucous neck cell)가 존재한다. 이 세포는 H&E 염색으로는 분간하기 힘들며, PAS 염색에 양성을 보여 분문선이나 유문선 같은 점액 분비세포

와 유사하다. 이러한 세포들은 특히 시알로뮤신을 분비하며 pH 2.5의 알시안블루에 염색된다. 목점액세포는 바닥 및 잘룩 부위에서도 소수가 관찰되며, 유문선에서도 간혹 볼 수 있다.

목점액세포는 위의 전장에 분포하며 증식 및 점막 재생이 주요 기능이라고 알려져 있다. 이러한 미분화 세포는 줄기세포(stem cell)로 작용하면서 위쪽으로는 오목 및 표면 상피세포를, 아래쪽으로는 주세포, 벽세포, 신경내분비세포를 재생산하는 것으로 생각된다.

4) 내분비세포

위에는 다양한 호르몬을 분비하는 세포들이 있다. 전정부(antrum)에서는 내분비세포(endocrine cells)의 절반 정도가 가스트린(gastrin)을 분비하는 G세포이고, 30% 정도가 세로토닌(serotonin)을 분비하는 장크롬친화세포(enterochromaffin cell), 15% 정도가 성장억제호르몬(somatostatin)을 분비하는 D세포이다. 위저부 점막에서는 대부분의 내분비세포가 장크롬친화유사세포(enterochromaffin-like cell)이고 히스타민(histamine)을 분비한다. 위저부 점막에서 이러한 세포들은 위저선에 분포하며 특히 점막의 아래 부위에 많다.

유문점막에서는 오목점막 바로 아래의 목 부위에 존재한다. 신경내분비세포의 호르몬 과립은 소화효소분비세포와 달리 핵과 기저막 사이 부분에 위치한다. 그러나 이 과립은 H&E 염색으로는 확인이 불가능하므로 특수염색이 필요하다. 분비된 호르몬들은 혈관 내로 들어가거나 인접한 다른 세포들에 작용한다. 장크롬친화세포나 장크롬친화유사세포는 은친화성(argentaffin) 과립을 갖고 있어서 폰타나-마송 염색(Fontana-Masson stain)이나 디아조(diazo) 염색법으로 볼 수 있다. 그러나 요즘은 은염색보다 더 예민한 면역조직화학염색이 널리 쓰인다.

가스트린이나 성장억제호르몬과 같은 개별 호르몬들은 각각이 특이하게 반응하는 항체로 염색할 수 있다. 한편, 상피세포 안에 존재하는 호르몬 이외에 위벽과 위점막 안에 있는 뉴런이나 신경말단부에서도 일부 호르몬이 발견된다. 혈관운동장펩타이드(vasoactive intestinal peptide)가 대표적인 예이다. 그 밖에 카테콜아민(catecholamine), 봄베신(bombesin), P물질(substance P), 엔케팔린(encephalin) 등이 있다.

5) 고유판

고유판(lamina propria)은 점막을 구조적으로 지지하며, 레티쿨린(reticulin), 아교질(collagen), 탄력섬유(elastic fiber)가 서로 얽혀 있다. 고유판은 특히 유문점막의 함입부 사이의 표층부분에 풍부하게 분포한다. 다양한 세포가 관찰되는데, 섬유모세포(fibroblast), 조직구(histiocyte), 림프구(lymphocyte), 형질세포(plasma cell) 및 비만세포(mast cell)가 있다. 그 밖에 혈관과 무수신경섬유(unmyelinated nerve fiber)도 있다.

원위부 방(antrum)에서는 소수의 평활근 섬유가 점막근육에서 표층부를 향해 뻗어 있는 경우도 있다. 위점막의 고유근판에 있는 림프구들은 대부분 B세포이며 IgA를 분비한다. 상피세포 안에도 소수의 림프구들이 존재하는데 이들은 T세포이다. 작은 림프구들의 집합체인 일차림프소절(primary lymphoid follicle)은 정상 위점막에서 소수 관찰될 수 있으나, 종자중심(germinal center)을 가진 이차 림프소절은 위염이 있을 때만 관찰된다.

6) 점막근육

점막근육(muscularis mucosae)은 안쪽의 돌림근층과 바깥쪽의 가로근층으로 구성되어 있으며, 얼마간의 결합조직이 있다. 얇은 평활근 다발이 가끔 고유판으로 들어가기도 하며, 상피세포의 기저막까지 뻗치기도 한다.

7) 점막하층

점막하층(submucosa)은 점막근육과 고유근층 사이에 있는 느슨한 결합조직으로서 위점막주름(gastric rugae)의 중심(core)을 형성한다. 마이스너 자율신경총(Meissner autonomic nerve plexus) 및 동맥, 정맥, 림프관이 분포한다.

8) 고유근층

위의 고유근층(muscularis propria)은 세 방향의 근섬유 다발로 이루어진다. 바깥쪽의 가로근층(longitudinal muscle layer), 안쪽의 돌림근층(circular muscle layer), 가장 안쪽의 비스듬근층(oblique muscle layer)이 그것이다. 바깥쪽의 근섬유는 식도의 가로근층과 이어진다. 안쪽의 돌림근층은 유문부에서 서로 뭉치면서 괄약근 덩어리를 만들고, 십이지장의 돌림근섬유와는 섬유성 격벽으로 분리된다. 비스듬근층은 위를 불완전하게 감싸고 있으며 분문부에서 가장 잘 관찰된다. 분문에 괄약근이 존재하는지는 불분명하다.

3. 소장

1) 점막

소장의 주요 기능은 내강에 있는 영양분을 흡수하는 것으로써 내강과 맞닿은 부분은 이러한 목적을 위해 특수하게 설계되어 있다. 몇 가지 구조물이 흡수면적을 극대화해준다. 육안적으로는 장의 길이방향과 직각으로 돌림주름(circular fold)이 존재하는데, 여기에는 점막하층으로 이루어진 중심(core)이 있고, 그 겉을 점막상피가 둘러싸고 있다(그림 3-10). 돌림주름은 장벽 내강을 빙 둘러싸며 돌출되어 있어 흡수면적을 늘리는 것 외에도 소화되고 있는 내용물이 앞으로 진행하는 것을 방해하여 점막과의 접촉시간을 늘리는 역할을 한다. 한편 점막부는 상피, 고유층, 점막근육으로 구성되며, 상피와 고유층은 함께 내강으로 돌출되는 구조물인 융모(villi)를 만든다(그림 3-11). 소장의 내강 전체를 뒤덮고 있는 융모는 흡수면적을 늘리는 가장 중요한 해부학적 구조이다. 융모의 표면은 한 층의 상피세포로 덮여 있고, 그 아래쪽으로는 고유층이 있는데 그 가운데에는 끝이 막힌 림프관과 혈관 얼기들이 있다. 융모의 사이 구역과 융모의 아래쪽에는 리베르퀸 움(crypts of Lieberkühn)이 있는데 이들은 융모 사이에서 열리고

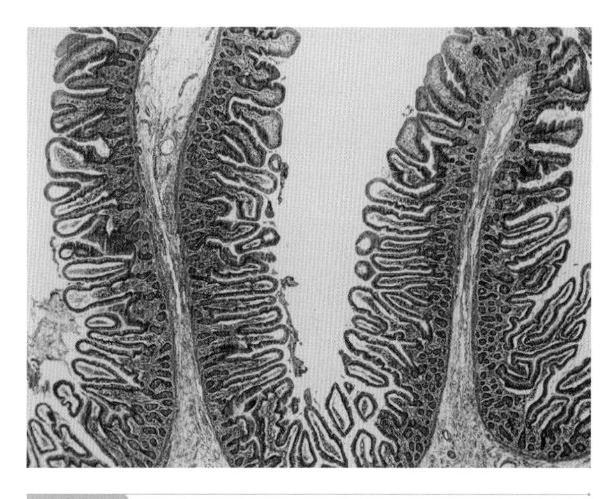

그림 3-10 소장의 돌림주름.
점막과 점막하중심으로 구성된다. 내강 쪽으로 점막이 융모 형태로 돌출하여 흡수면적을 최대화한다.

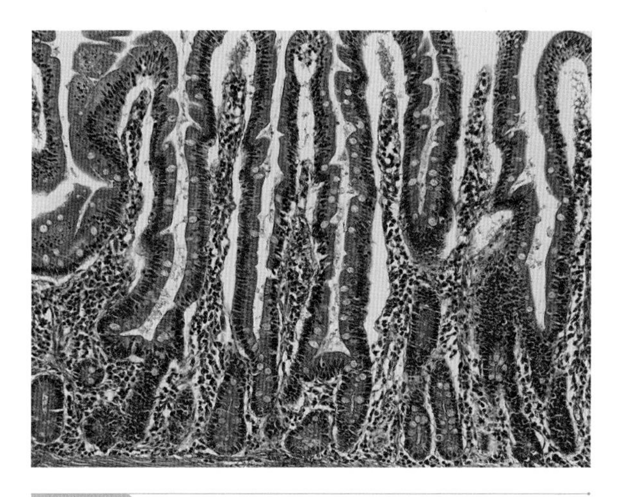

그림 3-11 정상 회장 융모.
융모는 길고 홀쭉하게 돌출된 구조물로서 고유판으로 이루어진 중심을 상피세포가 덮고 있다. 점막의 바닥 쪽에는 한 줄의 움이 있으며, 이 움은 인접한 융모 사이에 존재한다.

점막근육까지 내려간다. 융모와 움은 서로 이어져 있으며 융모의 길이와 움의 길이의 비는 3:1~5:1가량이다(그림 3-11).

(1) 상피

점막 상피(epithelium)는 융모와 움을 덮고 있는 부분으로 나뉜다. 비슷하게 생겼지만 기본적인 기능은 다르다.

융모상피는 대부분 흡수세포(absorptive cell)로 이루어져 있는데, 키가 크고 원주형이며 바닥 부분에 위치한 둥근 핵과 호산성 세포질을 가지고 있다. 꼭대기 쪽 면은 진한 호산성으로 염색되며, PAS 염색 양성인 솔가장자리(brush border)는 미세융모(microvilli)와 당질층(glycocalyx)으로 구성된다(그림 3-12). 미세융모는 전자현미경으로 잘 관찰되는데, 작은 돌기가 무수히 내강 쪽으로 뻗어 있어 흡수면적을 한층 더 넓혀준다(그림 3-13). 이 미세융모의 표면에서 다수의 실 모양 구조물이 나와서 당질층을 이룬다. 미세융모-당질층 복합체는 많은 소화효소를 지니고 있으며, 이물질과 미생물을 막아주는 장벽 역할도 하는 것으로 추정된다. 흡수세포의 사이에는 술잔세포(goblet cell)가 분포하는데 꼭대기 쪽에 점액과립(mucin droplet)을, 바닥 쪽에 작은 핵을 가지고 있다. 중성 및 산성 점액을 분비하며 내강을 촉촉하고 끈끈하게 만들어 준다. 소장의 산성 점액은 대부분 시알로뮤신이다. 술잔세포의 수는 원위부로 갈수록 증가한다. 내분비세포는 융모상피에 드문드문 존재하지만 움 내부에 더 많다. 상피내 림프구는 상피세포 사이에 흩어져 있는데 주로 기저막 바로 위에 위치한다. 정상에서는 상피세포 5개당 1개꼴로 관찰된다. 상피내 림프구는 대부분 CD8 양성인 억제/세포독성 T세포이다.

움상피는 주로 상피세포의 재생을 담당한다. 따라서 정상 움에서도 유사분열이 움 하나당 약 12개까지 관찰된다고 한다. 움에는 분화되지 않은 줄기세포가 있고

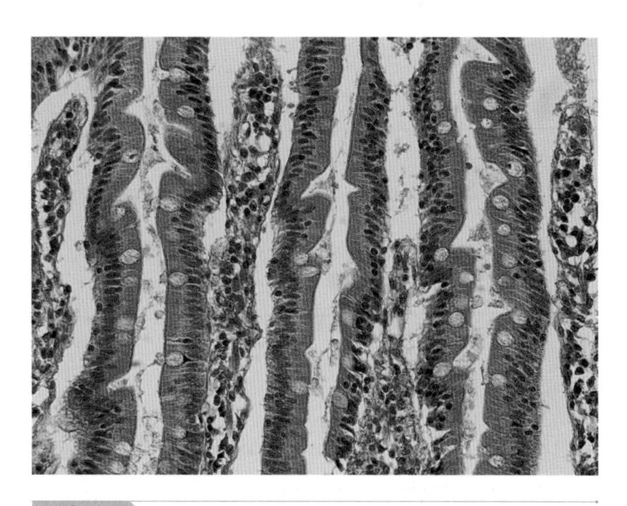

그림 3-12 **회장 융모의 고배율.**
원주형 흡수세포와 술잔세포가 융모 표면을 덮고 있다. 이 세포들은 바닥에 위치한 둥글거나 난원형의 작은 핵을 지니고 있다. 미세융모 혹은 솔가장자리가 흡수세포의 표면 쪽에 존재한다 상피내 림프구가 드문드문 관찰된다.

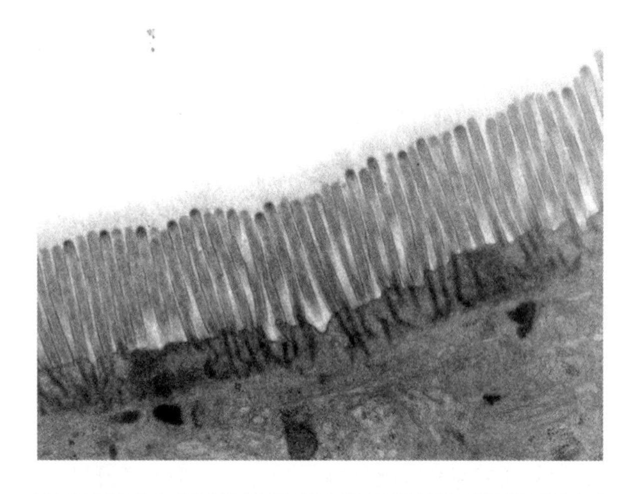

그림 3-13 **미세융모의 투과 전자현미경 소견.**
원주형 흡수세포의 표면에서 돌출한 미세융모를 관찰할 수 있다.

이 줄기세포로부터 흡수 · 술잔 · 내분비 · 파네트세포(Paneth cell)가 생긴다. 줄기세포는 움 바닥에서 융모 꼭대기까지 이동하는 5~6일 동안 분화 및 성숙하며, 융모의 꼭대기까지 이동한 세포는 내강 쪽으로 탈락한다. 그러나 파네트세포만은 움 바닥에 남는다. 움상피에는 내분비세포가 비교적 많이 분포하는데, 단일세포로 혹은 띄엄띄엄 무리지어 관찰된다. 내분비세포는

형태학적으로 두 부류로 나뉜다. '개방'형('open' type)은 꼭짓점이 내강 쪽을 향하는 모뿔 모양을 띠고 내강과 연결되며, '폐쇄'형('closed' type)은 방추 모양을 띠고 내강과 연결되지 않는다. '개방'형이 소장에서 가장 많이 보이고 그중 일부 세포는 핵 아래쪽에 호산성 과립을 가지고 있어서 H&E 염색에서 잘 보인다. 그러나 모든 내분비세포가 이렇게 잘 보이지는 않으며, 면역조직화학염색을 해야 더 잘 관찰할 수 있다. 소장에 분포하는 내분비세포의 종류는 적어도 16가지이며, 위치에 따라 분포 양상이 특징적이다. 예를 들면 콜레시스토키닌(cholecystokinin), 세크레틴(secretin), 위억제펩타이드(gastric inhibitory polypeptide), 모틸린(motilin)을 분비하는 세포들은 소장의 근위부에, 창자글루카곤(enteroglucagon), P물질(substance P), 뉴로텐신(neurotensin)을 분비하는 세포들은 회장(ileum)에 분포한다. 이 중 일부는 위장의 활동에 중요한 역할을 한다고 알려져 있는데, 세크레틴과 콜레시스토키닌이 음식물에 반응하여 각각 이자액의 분비와 담낭의 기능을 조절하는 것이 그 예이다. 그러나 대부분의 장내분비세포의 기능은 알려져 있지 않다. 파네트세포는 소장의 전장에 걸쳐서 움에서만 관찰되며, 충수(appendix), 맹장(cecum), 상행결장(ascending colon)에서도 드물게 관찰된다. 파네트세포의 기능은 완전히 규명되어 있지는 않으나, 줄기세포의 유지와 분열에 관여하는 것으로 추측되고 있다(그림 3-14).

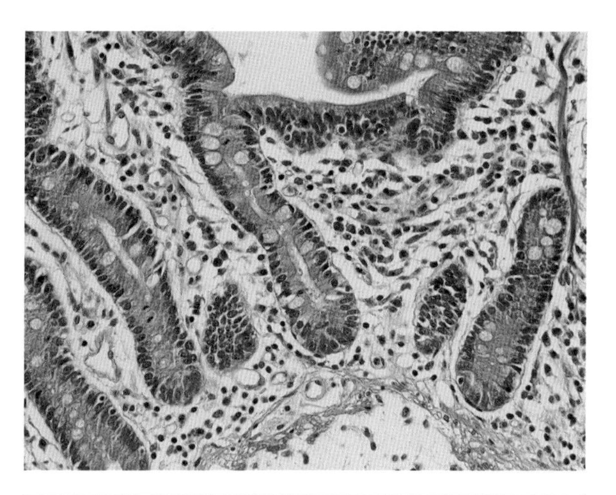

그림 3-14 **파네트세포.**
움 바닥 쪽에서 호산성 핵 위에 위치한 과립을 지닌 파네트세포가 관찰된다.

(2) 고유층

고유층(lamina propria)은 점막의 융모 및 움의 상피세포와 점막근육 사이에 존재하며, 구조적 · 면역학적 기능을 한다. 상피세포와는 얇은 호산성의 기저막으로 분리되어 있다. 고유층의 뼈대는 아교질 다발을 비롯한 각종 결합조직의 섬유, 섬유모세포, 평활근세포 등이 이루고 있다. 그 사이로 혈관, 림프관, 신경조직이 지나간다. 고유층에서 가장 두드러진 특징은 풍부한 면역세포 및 이주성 세포이다. 정상적으로 형질세포, 림프구, 호산구, 조직구, 비만세포 등 5가지 염증세포가 관찰된다. 호중구는 정상에서는 거의 관찰되지 않는다. 형질세포는 고유층에서 가장 많은 세포인데, 대부분은 세포질에 IgA를 가지고 있고, 일부는 IgM을 가지고 있다. 창자 이외의 조직과는 대조적으로 IgG를 가지고 있는 형질세포는 거의 없다. 림프구는 B세포, T세포 모두에서 관찰되는데, 그중 T세포는 대부분 T도움세포(T helper cell; CD4 양성)이다. 림프구는 고유층 전체에 걸쳐 분포하나 점막근육 바로 위에 더 많이 분포한다. 림프구의 모임이나 림프여포가 정상적으로 관찰되며 원위부로 갈수록 더 많아진다. 한편 조직구와 대식세포도 역시 고유층에서 보이지만, 림프구나 형질세포에 비해 수가 적으며 대부분은 융모의 끝부분에 위치한다. 이들은 기능적으로 T세포에게 항원을 제공하거나 탐식작용을 한다. 과립백혈구 중에는 호산구와 비만세포만이 정상적으로 존재하는데, 기능은 아직 알려지지 않았다.

(3) 점막근육

점막층의 가장 바깥층으로서 바깥쪽으로는 세로방향으로 안쪽으로는 돌림방향으로 배열된 탄력섬유와 평활근의 가느다란 다발로 이루어져 있다. 그러나 통상적인 H&E 염색에서는 뚜렷하게 구분되지 않으며, 간혹 평활근이 고유층과 융모 쪽으로 뻗어 나가기도 한다. 점막근육은 점막층을 지지해주는 중요한 구조물로서 표면상피가 융모의 형태를 유지하는 데 결정적인 역할을 한다.

2) 점막하층

점막하층(submucosa)은 점막근육과 바깥근층 사이에 세포가 별로 없는 성긴 결합조직으로서 아교질 섬유, 탄력섬유, 섬유모세포로 구성된다(그림 3-15). 그 외에 소수의 림프구, 조직구, 형질세포, 비만세포와 지방조직도 관찰된다. 점막하층은 혈관 및 림프관이 지나다니는 주요 경로로서 비교적 큰 소동맥, 소정맥, 림프관 등이 이곳에서 얼기를 만든다.

H&E 염색에서 혈관보다 벽이 더 얇고 내강에 적혈구가 없으면 림프관으로 감별하지만, 혈관과 림프관을 정확하게 구별하려면 podoplanin이나 factor Ⅷ-related antigen 등의 면역조직화학염색을 하거나 전자현미경 검사를 해야 한다.

신경조직도 점막하층에 풍부한데, 마이스너신경총(Meissner plexus)은 신경돌기로 연결된 신경절망을 형성한다. 신경절은 뉴런의 치밀한 응집으로 이루어져 있는데, H&E 염색에서 크고 난원형을 띠며 분홍색의 세포질이 풍부하게 보이며 핵은 소포형이고 뚜렷한 호산성 핵소체가 1개 있다. S-100 양성인 슈반세포(Schwann cell)도 이 신경총에 존재한다. 정상적인 신경총에는 혈관조직이나 염증세포가 존재하지 않는다. 아울러 마이스너신경총은 아우어바흐신경총(Auerbach plexus) 및 외부 신경돌기와도 연결된다.

3) 외부근층

외부근층(muscularis externa)은 점막하층을 둘러싸는 두꺼운 평활근 다발이다. 그 밖은 장막하층의 결합조직이 둘러싸고 있으며 대부분은 장막으로 덮여 있다. 다발의 방향에 따라 바깥쪽의 세로층과 안쪽의 돌림층으로 나뉜다. 근육다발 사이에는 약간의 아교질과 혈관, 림프관, 신경 등이 분포한다. 그러나 정상적으로는 섬유조직이 거의 없으므로, 약간의 섬유조직 증가도 의미 있는 소견이 된다.

아우어바흐신경총은 장신경계의 주요 구성요소로서

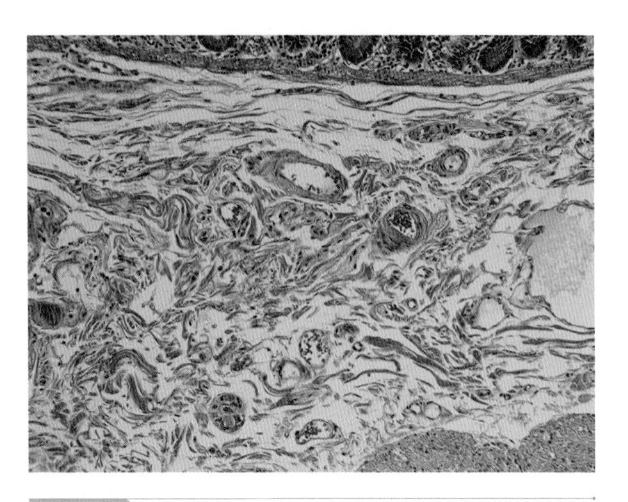

그림 3-15 **소장의 정상 점막하층.**
세포 수가 적으며, 느슨한 결합조직이 분포하고 혈관이 풍부하다. 마이스너신경총의 신경절세포가 아래쪽에서 보인다.

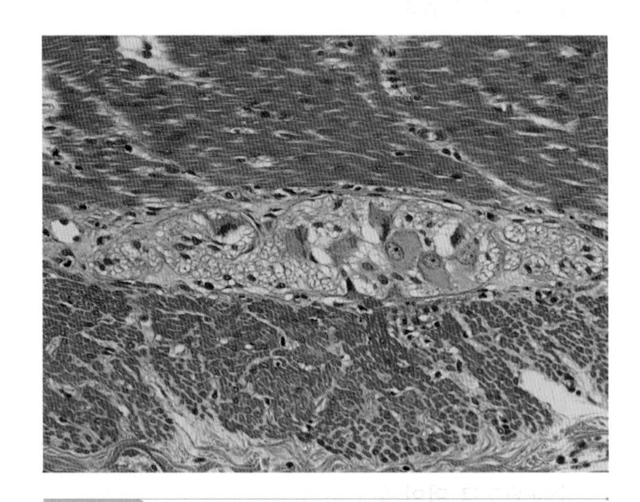

그림 3-16 **아우어바흐신경총.**
안쪽 돌림근층과 바깥쪽 세로근층의 사이에 존재한다. 신경절세포는 다각형이며, 세포질은 분홍색이고 핵은 한쪽으로 치우쳐 있다. 슈반세포들이 신경절세포를 둘러싸고 있다.

바깥쪽 세로근층과 안쪽 돌림근층 사이에 분포한다(그림 3-16). 아우어바흐신경총은 조성 면에서 점막하신경총과 비슷하나 신경절이 더 크고 뉴런이 더 많으며 얼기가 더 치밀하다. 신경총과 근육사이에 전기신호 전달을 담당하는 카할기질세포(interstitial cell of Cajal)가 존재하는데, 이 세포는 CD117 양성인 특징이 있으나 H&E 염색에서는 쉽게 구별되지 않는다.

4) 장막 및 장막하층

소장의 바깥쪽 표면의 대부분은 장막이 둘러싸고 있다. 가장 바깥쪽은 한 층의 입방형 중피세포(mesothelial cell)로 이루어져 있으며 그 아래쪽으로 얇은 결합조직이 분포한다. 결합조직 내부 역시 혈관, 림프관, 신경으로 이루어져 있다.

5) 소장의 구역에 따른 특징

(1) 십이지장

위십이지장(duodenum)경계부는 육안적으로는 뚜렷하지만 조직학적으로는 서서히 이행한다(그림 3-17). 상피세포의 유형이 서서히 이행하면서 ① 유문점막과 같은 방형(antral type) 점막, ② 흡수세포와 흩어져 있는 술잔세포로 덮인 융모를 보이는 소장형(small intestinal type) 점막, ③ 방형 점막과 소장형 점막의 형태를 동시에 보이는 이행형 점막의 세 가지 아형으로 나뉜다. 위십이지장경계부에서 해부학적 십이지장의 약 1~2 mm 구간에는 방형 점막이 불규칙하게 존재하며, 바로 2~3 mm 구간의 이행형 점막으로 이어진다. 이행형 점막의 원위부 쪽으로는 소장형 점막만이 존재한다. 십이지장의 원위부와 십이지장을 제외한 다른 소장 점막에서 이행형 점막이 관찰되는 경우는 위화생(gastric metaplasia)이라고 부른다.

십이지장에서 융모 대 움의 비율은 3:1~5:1이지만 근위부, 특히 첫째 부위에서는 융모가 짧고 넓으며 분지하

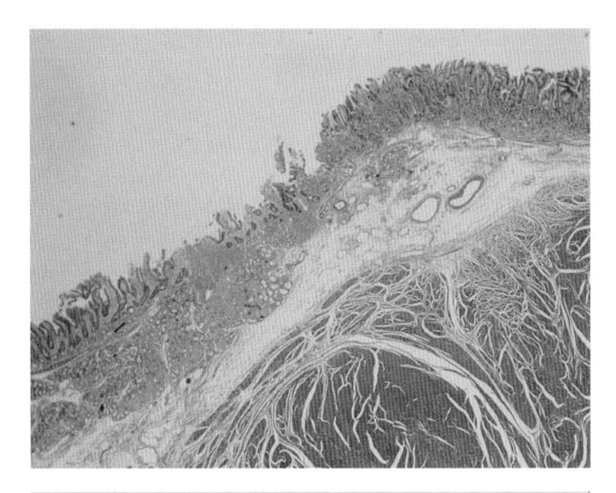

그림 3-17 **위십이지장경계부의 저배율.**
위의 유문점막에서 십이지장 점막은 서서히 이행한다. 이와 더불어 브루너선의 출현이 관찰된다.

는 모양을 보이기도 한다. 이와 더불어 고유층의 단핵구 수도 다른 근위부의 소장보다 많다. 이러한 여러 특징들은 정상소견이며 아마도 산성 위내용물의 영향 때문일 것이라 생각되고 있다.

십이지장에 존재하는 고유의 점막하선인 브루너선(Brunner gland)은 위십이지장경계부 직후부터 가장 많고, 원위부로 갈수록 그 양이 줄어든다. 파터팽대부(ampulla of Vater)를 지나가면 그 원위부에서는 드문드문 흩어진 정도로만 관찰된다. 브루너선은 점막하층에 위치한 소엽상의 점액을 분비하는 선조직인데, 종종 점막근육을 뚫고 점막의 깊은 곳까지 이르기도 한다(그림 3-18). 평균적으로 브루너선의 약 1/3이 점막내에 있다. 브루너선은 입방형 또는 원주형이며, 투명한 세포질과 바닥에 위치한 난원형 핵을 가지고 있다. 세포질에는 중성점액이 있는데 전분효소에 반응하지 않는 PAS 염색 양성소견을 보인다. 브루너선은 이들과 비슷한 세포로 이루어진 관을 따라 점막근육을 뚫고 움을 통해 내강으로 점액을 분비한다.

브루너선은 대부분 점액분비세포로 이루어져 있지만 가끔 내분비세포도 관찰된다. 이 세포들은 바닥에 호산성 과립이 있으므로 H&E 염색으로도 구분할 수

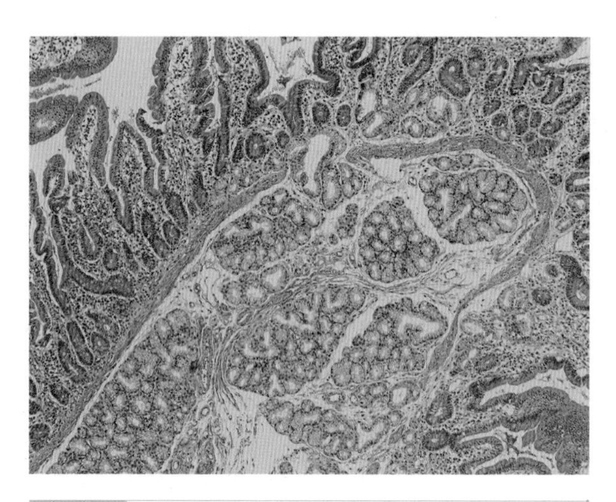

그림 3-18 **점막하층에서 관찰된 브루너선.**
때로는 점막근육층을 뚫고 고유판까지 올라오며, 이어지는 관은 움의 바닥 쪽으로 개구한다. 이 같은 소견은 십이지장에서만 볼 수 있다.

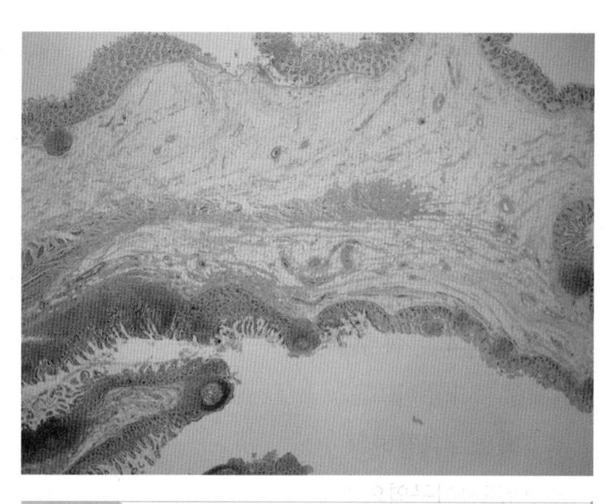

그림 3-19 **회맹장경계부.**
점막의 상피세포는 아래쪽에 보이는 회장에서 위쪽의 맹장으로 서서히 이행하며, 점막하층에는 정상적으로 지방조직이 존재한다.

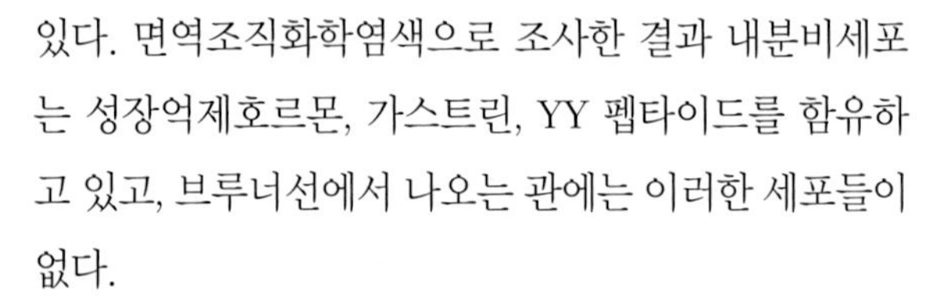

있다. 면역조직화학염색으로 조사한 결과 내분비세포는 성장억제호르몬, 가스트린, YY 펩타이드를 함유하고 있고, 브루너선에서 나오는 관에는 이러한 세포들이 없다.

브루너선의 기능이 완전히 밝혀지지는 않았지만, 브루너선이 분비하는 점액이 산성의 위내용물로부터 십이지장을 보호하는 역할을 하는 것으로 생각된다.

(2) 공장

공장(jejunum)은 소장 중 가장 특징이 없는 곳인데, 그나마 특정적인 점은 돌림주름(plicae circulares)이 잘 발달했다는 것이다. 공장은 소장 중 돌림주름이 가장 키가 크고 밀집한 부분이다. 조직학적으로 공장의 융모는 키가 아주 커서 융모 대 움의 비율이 3:1~5:1에 달한다. 키가 작은 회장의 융모나, 나뭇잎 모양 또는 가끔씩 분지하는 뭉툭한 모양을 띠는 십이지장의 융모와 달리 공장의 융모는 날씬한 손가락 모양을 띠고 있다. 융모는 근위부에서 원위부로 가면서 모양이 서서히 변하므로 회장과 공장의 경계가 모호하다.

(3) 회장

회장(ileum)과 맹장 사이에는 약 2~3 cm 정도 내부로 돌출된 구조물이 있는데 이를 회맹판막(ileocecal valve)이라 한다. 회맹판막은 대장의 점막으로 둘러싸여 있는데 그 모습이 자궁목과 질의 관계와 유사하다. 이곳에서는 괄약근과 인대의 지지를 받아 회장의 내용물이 역류하지 않고 대장으로 진행한다. 점막의 상피는 맹장 내부에 위치한 회장 부위의 다양한 길이에 걸쳐 융모가 서서히 소실되고, 대장의 점막으로 교체된다. 회맹장 부위에는 정상적으로 점막하층에 지방조직이 분포하며, 그 양은 복강내의 지방조직 양에 비례한다(그림 3-19).

공장 및 십이지장과 비교해보면, 회장점막은 돌림주름이 더 짧고 수가 적으며 상피세포에서 술잔세포가 차지하는 비중이 높다. 융모는 손가락처럼 생겼으며 근위부 소장의 융모에 비해 키가 작다. 원위부로 갈수록 림프구 결절이 더 많아진다. 파이어반(Peyer patch)은 소장 중 회장에서 가장 많이 관찰된다.

파이어반은 소장에서 장간막 반대편을 따라 분포한

다. 태아기에 약 5~900여 개의 림프여포로 이루어져 청소년기까지 그 수가 점점 증가하다가 그 이후로는 감소하는데, 나이가 아주 많이 들어서도 여전히 남아 있다. 대체로 육안으로는 잘 보이지 않는데, 아동에서는 회맹장경계부 근처에서 육안으로 관찰되기도 한다. 일부 아동에서 말단 회장 부위에 파이어반이 과형성되기도 하는데, 회맹장 구역에서 발생하는 특발성 장중첩증 환아의 1/3 이상이 이와 연관된다.

현미경으로 관찰하면 파이어반은 여포, 돔, 여포연관상피, 여포사이구역의 네 가지로 구성된다(그림 3-20). 파이어반 내부에 있는 림프구 여포는 대부분 수많은 표면 IgA 양성인 B세포를 함유한 발생중심을 가지고 있다. 림프구 여포를 둘러싼 외투막구역(mantle zone)에는 표면 IgD와 IgM 양성인 작은 B세포들이 분포한다. 돔은 림프구 여포와 상피세포 사이의 공간인데, 이 구역에는 IgD를 제외한 다양한 면역글로불린동형을 가진 B세포와 대식세포, 형질세포가 섞여 있다. 여포연관상피는 주변의 융모상피와 달리 술잔세포가 적고, 흡수세포 사이에 M세포(M cell or microfold cell)가 분포한다. M세포는 Lgr5+ 줄기세포로부터 분화된 원주상피세포로서 박테리아 항원을 주위의 B세포 또는 수지세포에 전달하여 인식하도록 하는 기능이 있다. 형태학적으로 M세포는 솔가장자리가 감소하고, 알칼리성 인산분해효소의 염색성이 감소하며, 핵은 바닥에 위치하고 꼭대기 쪽 세포질은 얇다(그림 3-21). 또한 여포연관상피에는 일반적인 융모상피세포에 비해 상피내 림프구의 수가 더 많으며 CD4 양성 T세포의 비율이 높다. 여포사이구역은 림프절의 그것과 비슷하며 대부분이 T세포인데 그중 CD4 양성 T세포가 CD8 양성 T세포보다 7배 정도 더 많다.

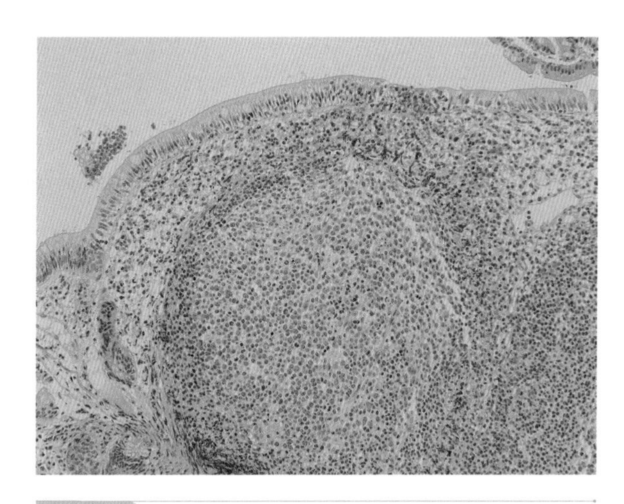

그림 3-20 **파이어반에서 관찰되는 림프구 여포.** 파이어반을 구성하는 요소로서 발생중심을 가진 림프구 여포, 위를 덮고 있는 여포연관상피, 그리고 그 사이에서 상대적으로 희미하게 염색된 돔 구역이 관찰된다.

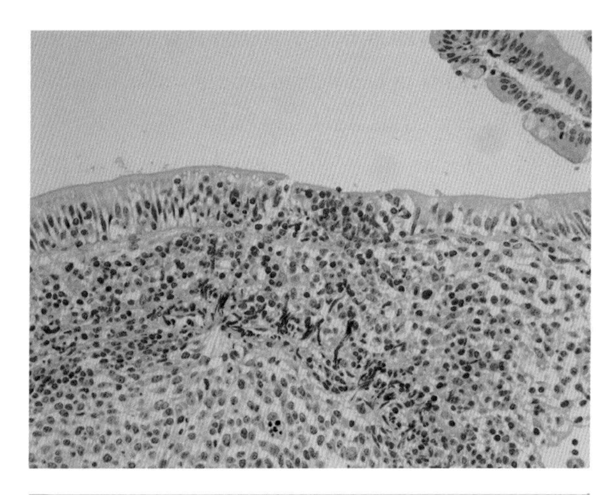

그림 3-21 **파이어반에서 림프절 여포의 윗부분을 확대한 사진.** 림프절 여포와 표면상피세포 사이를 돔 구역이라 부르며 여기에 림프구, 형질세포, 대식세포가 분포한다. 여포연관상피는 특정적으로 술잔세포가 거의 없으며 전자현미경으로 관찰하면 M세포임을 알 수 있다.

파이어반에서 형질세포는 주위의 다른 고유층과 비교하여 그 수가 적다. 파이어반은 고유층에 면역능이 있는 표면 IgA 양성인 B세포를 공급하고 이 세포들이 면역글로불린을 분비하는 형질세포가 되므로, 파이어반은 점막 면역반응을 일으키는 데 중요한 역할을 하는 것으로 여겨지고 있다.

참고문헌

1. Axelsson C, Andersen JA. Lipohyperplasia of the ileocaecal region. Acta chirurgica Scandinavica 1974;140:649-654.
2. Bjerke K, Brandtzaeg P, Fausa O. T cell distribution is different in follicle-associated epithelium of human Peyer's patches and villous epithelium. Clinical and experimental immunology 1988;74:270-275.
3. Bosshard A, Chery-Croze S, Cuber JC, Dechelette MA, Berger F, Chayvialle JA. Immunocytochemical study of peptidergic structures in Brunner's glands. Gastroenterology 1989;97:1382-1388.
4. Bowden REM, El-Ramli HA. The anatomy of the oesophageal hiatus. British Journal of Surgery 1967; 54:983-989.
5. Brown LF, Goldman H, Antonioli DA. Intraepithelial eosinophils in endoscopic biopsies of adults with reflux esophagitis. Am J Surg Pathol 1984;8:899-905.
6. Cerf-Bensussan N, Schneeberger EE, Bhan AK. Immunohistologic and immunoelectron microscopic characterization of the mucosal lymphocytes of human small intestine by the use of monoclonal antibodies. Journal of immunology 1983;130:2615-2622.
7. Chandrasoma TP, Der TR, Ma TY, Dalton TP, Taira TM. Histology of the Gastroesophageal Junction: An Autopsy Study. The American Journal of Surgical Pathology 2000;24:402-409.
8. Clevers HC, Bevins CL. Paneth cells: maestros of the small intestinal crypts. Annu Rev Physiol 2013;75: 289-311.
9. Cornes J. Number, size, and distribution of Peyer's patches in the human small intestine: Part I The development of Peyer's patches. Gut 1965;6:225.
10. Dandalides SM, Carey WD, Petras R, Achkar E. Endoscopic small bowel mucosal biopsy: a controlled trial evaluating forceps size and biopsy location in the diagnosis of normal and abnormal mucosal architecture. Gastrointestinal Endoscopy 1989;35:197-200.
11. Dobbins WO. Human intestinal intraepithelial lymphocytes. Gut 1986;27:972-985.
12. Ferguson A, Murray D. Quantitation of intraepithelial lymphocytes in human jejunum. Gut 1971;12:988-994.
13. Ferguson A, Sutherland A, Macdonald TT, Allan F. Technique for microdissection and measurement in biopsies of human small intestine. Journal of Clinical Pathology 1977;30:1068-1073.
14. Filipe MI. Mucins in the human gastrointestinal epithelium: a review. Investigative & cell pathology 1979;2:195-216.
15. Geboes K, Wolf-Peeters C, Rutgeerts P, Janssens J, Vantrappen G, Desmet V. Lymphocytes and Langerhans cells in the human oesophageal epithelium. Pathological Anatomy and Histopathology 1983;401: 45-55.
16. Genta RM, Hamner HW, Graham DY. Gastric lymphoid follicles in *Helicobacter pylori* infection: Frequency, distribution, and response to triple therapy. Human Pathology 1993;24:577-583.
17. Gołab B, Szkudlarek R. Lymphatic vessels of the duodenum - deep network. Folia morphologica 1981; 39:263-270.
18. Goldman H, Ming SC. Mucins in normal and neoplastic gastrointestinal epithelium. Histochemical distribution. Archives of pathology 1968;85:580-586.
19. Goldman H, Antonioli DA. Mucosal biopsy of theesophagus, stomach, and proximal duodenum. Human Pathology 1982;13:423-448.
20. Goyal RK, Crist JR. Neurology of the gut. In: Sleisenger M, fordtran IS, eds. Gastrointestinal disease; Pathophysiology, Diagnosis, Management. 4th ed. Philadelphia: WB Saunders, 1989:21-52.
21. Goyal RK. Columnar cell-lined (Barett's) esophagus: a historical perspective. In: Spechler SJ, Goyal RK, eds. Barett's esophagus, pathophysiology, diagnosis and management. New York: Elsevier, 1985:1-17.

22. Groben PA, Siegal GP, Shub MD, Ulshen MH, Askin FB. Gastroesophageal reflux and esophagitis in infants and children. Perspectives in pediatric pathology 1987;11:124-151.
23. Holmes R, Hourihane DOB, Booth CC. The Mucosa of the Small Intestine. Postgraduate Medical Journal 1961;37:717-724.
24. Kagnoff MF. Immunology and disease of the gastrointestinal track. In: Sleisenger MH, Fordtran JS, eds. Gastrointestinal Disease. 4th ed. Philadelphia: WB Saunders, 1989:114-144.
25. Kamiya R. Basal-Granulated Cells in Human Brunner's Glands. Archives of Histology and Cytology 1983;46:438-443.
26. Korn ER, Foroozan P. Endoscopic biopsies of normal duodenal mucosa. Gastrointestinal Endoscopy 1974; 21:51-54.
27. Kreuning J, Bosman FT, Kuiper G, Wal AM, Lindeman J. Gastric and duodenal mucosa in 'healthy' individuals. An endoscopic and histopathological study of 50 volunteers. Journal of Clinical Pathology 1978;31:69-77.
28. Krishnamurthy S, Schuffler MD. Pathology of neuromuscular disorders of the small intestine and colon. Gastroenterology 1987;93:610-639.
29. Lang IM, Tansy MF. Brunner's gland. In: Young JA, ed. Gastrointestinal physiology. IV. International Review of Physiology. Vol28. Baltimore: University Park Press, 1983:85-102.
30. Lawson HH. Definition of gastroduodenal junction in healthy subjects. Journal of clinical pathology 1988; 41:393-396.
31. Lee FD, Toner PG. Biopsy pathology of the small intestine. Vol 1. Philadelphia: Lippincott Williams & Wilkins, 1980.
32. Lewin KJ. The endocrine cells of the gastrointestinal tract: The normal endocrine cells and their hyperplasias. In: Sommers SC, Rosen PP, Fechner RE, eds. Pathology Annual. Part I. Norwalk, CT: Appleton-Century-Crofts, 1986:1-27.
33. Lewin KJ, Riddell RH, Weinstein WM. Normal structure of the stomach. In: Lewin KJ, Riddell RH, Weinstein WM, eds. Gastrointestinal Pathology and its Clinical Implications. New York: Igaku-Shoin, 1992: 496-505.
34. Lipkin M. Proliferation and differentiation of normal and diseased gastrointestinal cells. In: Johnson LR, ed. Physiology of the Gastrointestinal Tract. 2nd ed. New York: Raven Press, 1987:255-284.
35. Lord M, Valies P, Broughton AC. A morphologic study of the submucosa of the large intestine. Surgery, Gynecology & obstetrics 1977;145:55-60.
36. Macdonald TT, Spencer J, Viney JL, Williams CB, Walker-Smith JA. Selective biopsy of human Peyer's patches during ileal endoscopy. Gastroenterology 1987;93:1356-1362.
37. Matsuyama M, Suzuki H. Differentiation of Immature Mucous Cells into Parietal, Argyrophil, and Chief Cells in Stomach Grafts. Science 1970;169:385-387.
38. Meyer GW, Austin RM, Brady CE, Castell DO. Muscle Anatomy of the Human Esophagus. Journal of Clinical Gastroenterology 1986;8:131-134.
39. Mills SE. Histology for pathologists. 3rd ed. Philadelphia: Lippincott Williams & Wilkins, 2007:573.
40. Muhletaler CA, Lams PM, Johnson AC. Occurrence of oesophageal intramural pseudodiverticulosis in patients with pre-existing benign oesophageal stricture. The British journal of radiology 1980;53:299-303.
41. Netter FH. The CIBA collection of Medical Illustrations: A Compilation of Pathological and Anatomical Paintings. Vol 3. Digestive System. Part1:Upper Digestive Tract. Summit, NJ: CIBA-Geigy, 1957.
42. Neutra MR, Padykula HK. The gastointestinal tract. In: Weiss L, ed. Modern Concepts of Gastrointestinal Histology. New York: Elsevier, 1984:658-706.
43. Ohno H. Intestinal M cells. The Journal of Biochemistry 2016;159:151-160.

44. Pang L-C. Intussusception Revisited: Clinicopathologic Analysis of 261 Cases, With Emphasis on Pathogenesis. Southern Medical Journal 1989;82:215-228.
45. Park YS, Park HJ, Kang GH, Kim CJ, Chi JG. Histology of gastroesophageal junction in fetal and pediatric autopsy. Archives of Pathology & Laboratory Medicine 2003;127:451-455.
46. Parks DA, Jacobson ED. Physiology of the splanchnic circulation. Archives of internal medicine 1985;145:1278-1281.
47. Perera DR, Weinstein WM, Rubin CE. Symposium on pathology of the gastrointestinal tract-Part II. Small intestinal biopsy. Human pathology 1975;6:157-217.
48. Petras RE. Nonneoplastic intesinal desease. In: Sternberg SS, ed. Diagnostics Surgical Pathology. Vol.2. Philadelphia: Lippincott Williams & Wilkins, 2004:1475-1542.
49. Poley RJ. Loss of the Glycocalyx of Enterocytes in Small Intestine: A Feature Detected by Scanning Electron Microscopy in Children with Gastrointestinal Intolerance to Dietary Protein. Journal of Pediatric Gastroenterology and Nutrition 1988;7:386-394.
50. Robertson H. The pathology of Brunner's glands. Arch Pathol 1941;31:112-130.
51. Rosenberg CJ, Didio JAL. Anatomic and clinical aspects of the junction of the ileum with the large intestine. Diseases of the Colon & Rectum 1970;13:220-224.
52. Rubin W. The epithelial "membrane" of the small intestine. The American journal of clinical nutrition 1971;24:45-64.
53. Sandow MJ, Whitehead R. The Paneth cell. Gut 1979;20:420-431.
54. Selby WS, Janossy G, Bofill M, Jewell DP. Lymphocyte subpopulations in the human small intestine. The findings in normal mucosa and in the mucosa of patients with adult coeliac disease. Clinical and experimental immunology 1983;52:219-228.
55. Sjölund K, Sanden G, Håkanson R, Sundler F. Endocrine cells in human intestine: an immunocytochemical study. Gastroenterology 1983;85:1120-1130.
56. Sony PK, Adrian HO, Terry LG, Thomas WR, Joel ER, Gary WF, et al. The gastric cardia: fact or fiction? American Journal of Gastroenterology 2000;95:921-924.
57. Spencer J, Finn T, Isaacson PG. Human Peyer's patches: an immunohistochemical study. Gut 1986;27:405-410.
58. Tang P, McKinley M, Sporrer M, Kahn E. Inlet Patch: Prevalence, Histologic Type, and Association With Esophagitis, Barrett Esophagus, and Antritis. Archives of Pathology & Laboratory Medicine 2004;128:444-447.
59. Treasure T. The ducts of Brunner's glands. Journal of anatomy 1978;127:299-304.
60. Walsh JH. Gastrointestinal peptide hormones. In: Sleisenger MH, Fordtran JS, eds. Gastrointestinal Disease. 4th ed. Philadelphia: WB Saunders, 1989:78-107.
61. Weinstein WM, Bogoch ER, Bowes KL. The normal human esophageal mucosa: a histological reappraisal. Gastroenterology 1975;68:40-44.
62. Williamson RC. Intestinal adaptation (first of two parts). Structural, functional and cytokinetic changes. The New England journal of medicine 1978;298:1393-1402.
63. Wilson JP. Surface area of the small intestine in man. Gut 1967;8:618-621.
64. Wolf JL, Bye WA. The membranous epithelial (M) cell and the mucosal immune system. Annual review of medicine 1984;35:95-112.
65. Zhou H, Greco MA, Daum F, Kahn E. Origin of Cardiac Mucosa: Ontogenic Consideration. The Official Journal of the Society for Pediatric Pathology and the Paediatric Pathology Society 2001;4:358-363.

CHAPTER 4

위장관의 생리기능 및 면역작용

1. 생리기능

1) 식도

식도는 구강 및 인두와 협력하여 음식을 입에서 위까지 전달하는 기관일 뿐 소화액의 분비나 영양분의 흡수에 관여하지 않는다는 점에서 기타 소화기관과 매우 다르다. 하지만 식도 전 구조인 구강과 인두는 호흡과 연하(swallowing)를 동시에 진행하기에 매우 정교하고도 정확한 기능을 담당한다. 또한 이들 구조는 구토나 트림 시 일어날 수 있는 소화 내용물(digestive contents)의 역류(back flow)를 감당하는 도관(conduit)이기도 하다. 이러한 비정상적인 상황이 벌어지게 되면 인두는 평소의 호흡기관 체제에서 소화기관 체제로 즉각적인 전환이 필요한데 이를 위해서 인두는 여러 가지 특별한 반사기전을 이용한다. 또한 상부식도조임근은 위 내용물이 인두나 후두로 역류하는 것을 막고, 하부식도괄약근 역시 위산 역류를 막는 동시에 삼킨 음식이 위로 들어가게 하는 기능을 충실히 이행해야한다. 이처럼 연하과정은 여러 가지 정교한 반사작용을 동원하여 이루어지지만 이들 각 반사에 대해서는 아직 충분히 밝혀지지 않은 상태이다.

이러한 기능에 문제가 생길 때 생길 수 있는 증상으로는 연하장애(dysphagia), 가슴통증, 역류현상이 있다. 이들은 모두 삼킨 음식과 침을 호흡기관에서 분리하여 위로 이동시켜 기도를 보호하고 위산 역류를 방지함으로써 기도와 식도를 위산과 펩신으로부터 보호하는 본연의 기능을 충실히 이행하지 못할 때 생기는 증상들이다. 즉 식도의 가장 중요한 기능이 상부 및 하부식도괄약근의 긴장(tone) 유지와 식도체부운동(esophageal contraction)임을 시사하는 것이다. 그 외 두 가지 분비선(secretory gland)에서 나오는 점액과 중탄산염(bicarbonate-laden fluid)이 이들 식도 기능을 보완해준다. 하지만 표면적인 단순 정의에 비해 정상적 식도 기능을 유지하는 기전은 매우 복잡한데 예를 들어, 수의근인 횡문근에서 불수의근인 평활근으로 이행(transition)하는 부위가 있고 이는 뇌에서 직접 지배를 받고 있는 구조에서 외인성 신경(extrinsic nerve), 내인성 신경(intrinsic nerve), 장 호르몬(enteric hormone)이 상호작용하여 기능을 유지하는 부위로 이행하는 부위이기도 하기 때문이다. 이 장에서는 상 · 하부식도조임근과 연하, 연동운동으로 나누어 식도 생리를 설명하고자 한다.

(1) 상 · 하부식도조임근

식도의 위 · 아래는 폐쇄를 위한 조임근 구조를 취하는데 긴장성 수축(tonic contraction)으로 3~4 cm에 걸쳐 내강을 폐쇄하고 있다가 연하과정이 일어나면 반사적으로 이완한다. 이후 일차 연동파(primary peristaltic wave)가 내려오면 여기에 맞추어 순차적으로 수축한다. 식도 입구는 횡문근인 상부식도조임근(upper esophageal sphincter, UES)에서 시작되는데 상부식도조임근은 상절치로부터 15~18 cm에 위치하며 길이는 2~3 cm이고 안정 시에 20~80 mmHg를 유지하고 있어 들여 마신 공기가 식도로 들어가지 않도록 막아준다. 이러한 상부식도조임근으로부터 식도벽은 내윤상근과 외종주근으로 갈라져 식도체부를 구성하게 된다.

식도체부는 횡격막(crural diaphragm) 식도열공 부위에서 하부식도조임근(lower esophageal sphincter, LES)으로 끝나는데 하부식도조임근은 3~4 cm의 비대칭성으로 두꺼워진 내윤상 평활근으로 구성되어 긴장성 수축 상태를 유지하게 된다. 또한 하부식도는 횡격막 부근에서 교원질과 탄성섬유로 구성된 막으로 싸여 있는데 이 막은 횡격막의 복횡근 근막(transversalis fascia)에서 기원한 횡격막-식도인대(phrenicoesophageal ligament)로 식도열공 변연에서 횡격막 상하부의 식도 주변으로 부착하여 하부식도조임근을 식도열공 내에 고정시키는 역할을 한다. 이와 같은 고정은 하부식도조임근 고압대를 유지하는 데 도움이 되는데 이러한 고정은 나이가 들수록 느슨해져 이들 섬유 사이로 지방 침착과 함께 열공 탈장이 유발되기도 한다. 하부식도조임근은 평상시 약 15~35 mmHg의 고압대를 형성하여 음식물이 위에서 식도로 역류하는 것을 막아준다.

(2) 연하

식도는 거의 대부분 이완된 상태로 있으나 공복 시 70회/시간, 식사 시 200회/시간, 수면 시 10회/시간 빈도로 연하가 일어난다. 통상 연하과정을 구강, 인두(pharyngeal), 식도의 세 단계로 나누며 이는 다시 수의적(voluntary), 불수의적 단계(involuntary phase)로 구분할 수 있다. 구강의 수의적 과정은 저작, 침과 식괴(food bolus)를 섞는 과정, 적절한 크기로 된 음식물을 혀의 등(dorsum)으로 위치시키는 과정으로 구성된다. 구강의 불수의적 과정은 구강에서 인두를 분리시키는 설구개(glossopharyngeal gate)의 개구와 혀의 전면에서 시작하여 경구개 쪽으로 식괴를 밀어내는 유사파동 수축(wave like contraction)을 포함한다. 인두 단계는 인두와 상부식도조임근에 의한 식괴의 이동으로 구성되고, 식도 단계는 음식 식괴의 식도체부 및 하부식도조임근에 의한 이동을 포함한다. 반복적 연하(repetitive swallowing)는 저장성(hypotonic) 식도 상태를 유발하는데 이에 의해 다량의 부피가 연하될 수 있다. 하부식도조임근의 압력유지는 평활근 자체와 이의 외인성 신경 분포에 영향을 받게 되는데, 따라서 여러 근육성 인자, 복강내 압력, 위의 확장, peptides, 호르몬, 음식물, 여러 약제들이 하부식도조임근 압력에 영향을 미치게 된다(표 4-1). 일반적으로 위내 압력에 대한 하부식도조임근압이 0~4 mmHg일 경우 자연적인 역류가 발생할 수 있다고 알려져 있다.

(3) 식도 연동운동

식도체부의 연동운동에는 1차 연동운동(primary peristalsis)과 2차 연동운동(secondary peristalsis)으로 나눌 수 있는데 1차 연동운동에는 연하의 인두 단계와 상부식도조임근의 이완이 있으나 2차 연동운동에는 이러한 과정이 없는 것이 특징이다. 1차 연동운동 시의 고식적 식도내압검사 소견 그림 4-1을 보면 연하에 의해 상부식도조임근과 하부식도조임근은 이완하고 연동운동 수축파는 횡문근과 평활근을 자연스럽게 진행한다. 상부식도의 수축은 연하 후 1~2초 이내에 일어나고 중부식도는 3~5초에, 하부식도는 5~8초에 일어난다. 식도 수축의 진폭(amplitude), 속도, 기간은 사람과

표 4-1. **하부식도조임근 압력과 기능에 영향을 미치는 인자들**

	Increase LES pressure	Decrease LES pressure	Increase transient LES relaxations	Decrease transient LES relaxations
Foods	Protein	Fat Chocolate Ethanol Peppermint	Fat	
Hormones	Gastrin Motilin Substance P	Secretin Cholecystokinin Glucagon Gastric inhibitory polypeptide Vasoactive intestinal polypeptide Progesterone	Cholecystokinin	
Neural agents	α-Adrenergic agonists β-Adrenergic antagonists Cholinergic agonists	α-Adrenergic antagonists β-Adrenergic agonists Cholinergic antagonists Serotonin	L-arginine	L-NAME Serotonin
Medications	Metoclopramide Domperidone Prostaglandin F2 Cisapride Bethanecol	Nitrates Calcium channel blockers Theophylline Morphine Meperidine Diazepam Barbituates	Sumatriptan	Atropine Morphine Loxiglumide Baclofen

LES, lower esophageal sphincter.

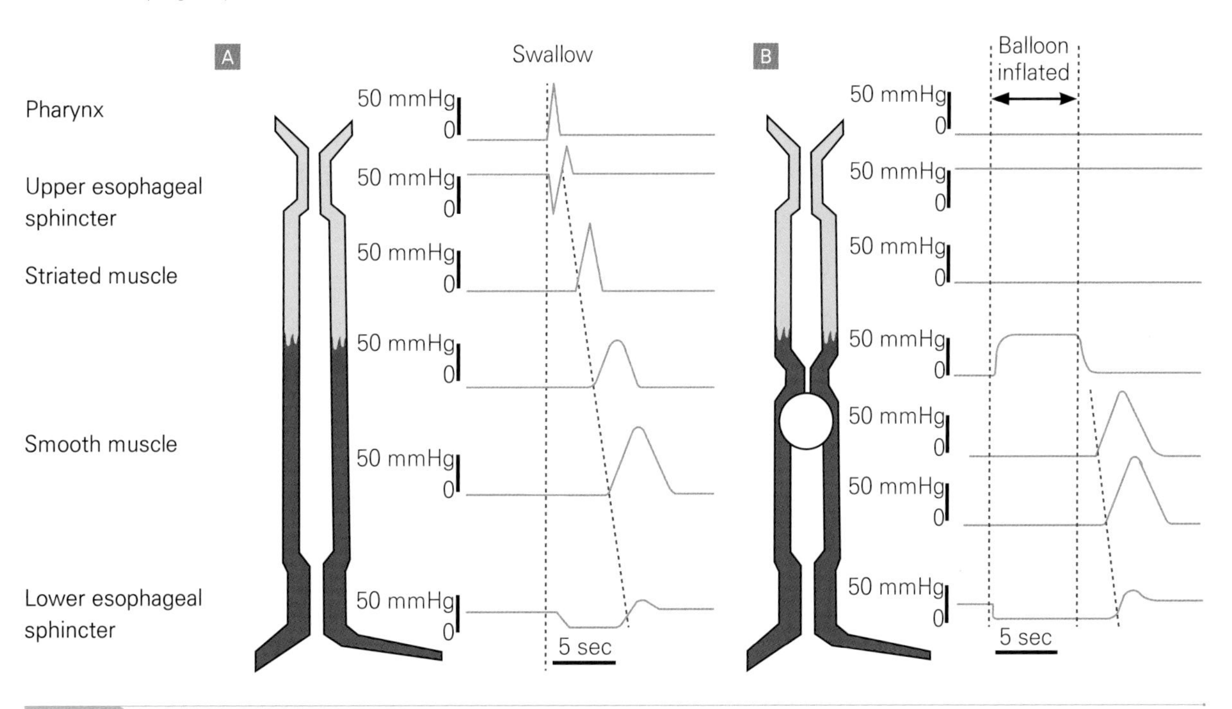

그림 4-1 1차 식도연동운동(A)과 2차 식도연동운동의 식도내압검사 소견(B).

식도 위치에 따라 다르나 평균 속도는 5 cm/sec, 수축 기간은 6~7초이다. 하부식도의 진폭은 50~150 mmHg로 상부의 40~120 mmHg보다 크며 중부식도는 20~80 mmHg로 가장 낮은데 중부식도는 횡문근이 평활근으로 이행하는 부위이기도 하다. 연동수축파의 속도는 횡문근에서 느리고 평활근에서 빠른 반면 수축 기간은 그 반대이다.

2차 연동운동은 비효과적인 1차 연동운동 후 식괴가 식도에 머물러 있거나 위산 역류가 일어나면 발생한다. 2차 연동운동이 일어나는 상황을 풍선 신전(balloon distension) 시의 식도내압검사 소견으로 보면 풍선을 팽창한 위치의 근위부에서는 수축이 일어나고 풍선 원위부와 하부식도조임근에서는 이완이 일어나며 풍선의 공기를 빼면 수축이 원위부로 전달된다(그림 4-1 B).

(4) 식도내압검사

19세기 후반에 공기풍선과 외부압력변환기를 이용하여 최초로 식도내압검사가 이뤄진 후 고식적 식도내압검사가 개발되었고 이후 2000년대에 들어 고해상도 식도내압검사가 개발되어 식도 생리반응 연구와 식도 질환 진단에 도움을 많이 주고 있다.

① 전통적인 식도내압검사

전통적인 식도내압검사는 대개 8개의 측공으로 이루어진 관류측정관을 이용하여 식도내압을 측정하는 방법이다. 공기풍선과 외부압력변환기를 이용하여 불연속당김법(station pull through technique)을 이용하여 상·하부식도조임근과 식도본체 압력을 측정하게 되었다. 전 세계적으로 많이 행해져 오고 있는 방법이나 도관이 90° 방향으로 나선하게 배치된 측공이 8개로 적고 위치가 최적화되어 있지 않아 상·하부식도조임근 측정이 정확하지 않다는 단점, 식도운동의 한 순간만을 측정하기 때문에 간헐적으로 발생하는 식도운동의 이상을 측정할 수 없다는 점, 이상소견에 대한 분류가 너무 단순하여 아칼라지아(achalasia)와 심한 미만성 식도경련(diffuse esophageal spasm)을 제외한 다른 이상 소견에 대한 임상적 의의가 불명확하고 판독자 간의 진단 일치율이 높지 않다는 문제점이 지적되어 왔다.

② 고해상도 식도내압검사

전통적인 식도내압검사의 단점을 보완하여 36개의 감지기가 1 cm 간격으로 배열되어 있는 고형측정관을 이용하여 불연속당김법 없이 비교적 간단하게 시행할 수 있는 고해상도 식도내압검사가 임상에 도입되어 사용되고 있다. 인두부터 위까지의 내압을 거의 연속적으로 불연속당김법 없이 비교적 간단하게 측정할 수 있다. 측정한 결과는 시공적인 방법으로 나타나기 때문에 쉽게 한눈에 이상 유무를 확인할 수 있다(그림 4-2). 고식적인 방법에 비해 고해상도 식도내압검사의 장점은 다음과 같다: 첫째, 상부식도조임근의 역동적인 기능을 잘 측정할 수 있다. 둘째, 식도연동운동의 각 분절의 특징과 위식도접합부의 기능적인 해부를 안정적으로 측정할 수 있다. 셋째, 시공적인 그림을 통해 식도 내의 음식물(bolus)을 이동시키는 힘을 보다 객관적으로 측정할 수 있어 음식물의 이동 여부를 보다 정확하게 예견할 수 있다. 다만 기계 가격이 매우 비싸서 일반 병원에서는 구입하기 어렵다는 단점이 있다.

2) 위

위의 일차적인 기능은 식도에서 받은 음식을 저장하다가 소화과정을 거친 후 적정한 양의 음식물을 십이지장으로 넘어가도록 하는 것이다. 위 기저부 및 체부에 음식이 머무르는 동안 위산과 펩신이 분비되어 저류된 음식물을 반 유동성 미즙(chime)으로 바꾸어 소화되기 쉬운 상태로 만든다. 이러한 과정은 기계적 과정인 소화운동과 화학적 가수분해과정인 소화로 편의상 나눌 수 있으나 이들 두 가지 과정은 긴밀하게 연관되어 유기적으로 이루어진다.

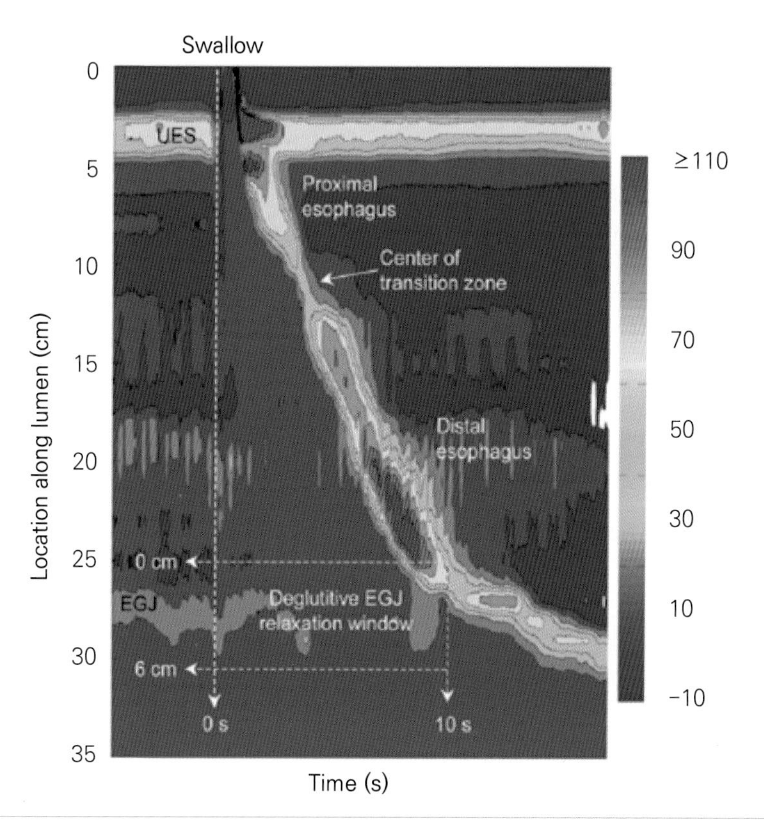

그림 4-2 **인두에서 위까지 삼킴 후의 내압을 나타내고 있는 고해상도.**
UES, upper esophageal sphincter; GES, gastro-esophageal junction. (Adapted from Pandolfino JE, et al)

⑴ 운동기능

음식물을 먹게 되면 위 상부에서는 수용성 이완작용(receptive relaxation)과 적응성 이완작용(adaptive relaxation)이 나타나고, 위 하부에서는 음식물을 분쇄하는 작용과 위산 및 소화효소를 음식물과 혼합하는 작용이 나타난다.

① 수용성 이완작용과 적응성 이완작용

수용성 이완작용이란 음식을 삼킬 때 구강과 인두의 자극이 미주신경을 통하여 위로 전달되어 위기저부가 확장되면서 음식물을 받아들일 준비를 하는 단계로 위 확장의 첫 수초에 일어나며 하부식도조임근의 이완이 동시에 나타나는 과정을 일컫는다. 적응성 이완작용이란 위 안으로 음식물이 들어가면 음식물에 의해 위가 팽창하면서 기계적 수용체(mechanical receptor)를 자극하고 이는 미주신경 반사를 유발하게 되는데 이로 인해 위의 긴장도가 억제되고 위상파 수축 억제가 나타나 위의 용적이 2~3배 정도로 다소 느리게 확장하는 과정을 일컫는다. 이처럼 위 적응이 일어나는 현상에 대해서는 다음과 같은 동물실험에서 제기된 기전이 설득력을 얻고 있다. 즉 미주신경에 의해 신호가 전달되면 중추신경계 연수에 있는 고속핵(nucleus tractus solitaries)을 거쳐 미주신경반사로 상부 위의 장관신경계에 있는 억제성 운동신경을 활성화하여 산화질소(nitric oxide, NO)를 분비하여 상부 위의 평활근 이완을 일으키는 것으로 생각되고 있다. 이러한 이완에 의해 위 상부에 머물렀던 음식물은 위저부의 긴장성 수축작용(tonic contraction)에 의해 위 하부로 이동된다.

② **위전정부의 분쇄작용과 소화효소와의 혼합작용**

위체부에서 시작되는 연동운동성 수축작용(peristaltic contraction)이 하부로 진행하여 내려오면 유문부가 닫히게 되며 위 전정부에 50~100 mmHg의 강한 압력이 발생하면서 음식물이 부서진다. 이러한 연동운동성 수축작용은 위체부 대만부(상 2/3)에 존재하는 박동조율기(pacemaker)에 의해 조절을 받고 있는데, 이 박동조율기는 탈분극의 전기자극을 분당 3회씩 규칙적으로 발생시키는데(3 cycles per minute; 3 cpm), 심장의 박동에 필요한 전기 활성도에 비해 매우 느려서 이를 위서파(slow wave)라 한다. 이러한 위서파가 위수축의 속도를 결정하지만 모든 위서파가 위근육의 수축을 유발하는 것은 아니며 위서파 위에 가시전압(spike potential)이 겹쳐서 일어날 때만 전정부의 수축운동이 일어난다. 분쇄작용은 유문부의 국한 수축파(isolated pyloric contractile wave)가 현저해지면서 고형 음식물이 잘게 부서지는 것으로 고형 음식물이 액상성분으로 바뀌게 될 때까지 위배출은 억제된다.

③ **위배출**

고형성분의 음식물은 직경 1 mm 미만의 작은 크기로 분쇄되어야 유문부를 통과하여 십이지장으로 이동할 수 있는데 음식물이 십이지장으로 빠져나가기 전까지를 위배출의 지연기(lag phase)라고 한다. 배출기가 시작되면 거의 일정한 속도로 위배출이 일어나는데 분쇄된 음식물의 소장으로 이동은 위 전정부와 유문부, 십이지장의 운동이 조화롭게 작용(antro-pyloric-duodenal coordination)하여야 잘 이루어질 수 있고 이 기간 동안 유문부의 국한 수축파는 감소한다.

④ **조절기전**

음식물의 소화 및 흡수에 관여하는 위기능 조절에 관여하는 여러 인자를 다음과 같이 정리할 수 있다.

i) 근원성 조절

(i) 내장 평활근

(ii) 위서파(gastric slow wave)

(iii) 카잘의 간질세포(interstitial cells of Cajal)

ii) 신경성 조절

(i) 내장 뇌(visceral brain): 근신경총(Auerbach's myenteric nerve plexus), 점막하신경총(Meissner's submucosal nerve plexus)

(ii) 신경전달물질: 아세틸콜린(acetylcholine), 혈관작용 장펩타이드(vasoactive intestinal peptide, VIP), 산화질소(nitric oxide, NO)

(iii) 외인성 신경(extrinsic nerve): 미주신경, 교감신경(sympathetic nerve), 구심신경(afferent nerve)

(iv) 위장관 반사: 짧은 신경반사 경로(short neural reflex pathway), 긴 신경반사 경로(long neural reflex pathway), 척추전신경절 반사(prevertebral ganglion reflex)

iii) 호르몬에 의한 조절

모틸린(motilin): 공복기에 매 1.5~2시간마다 위와 십이지장에서 이동성 위장관 복합운동(migrating motor complex, MMC)을 일으킨다.

(2) 분비

위에서 일어나는 분비중에서 위산분비가 가장 중요한 내용이나 이 외에도 펩시노겐, 점액, 중탄산염, 프로스타글란딘, 조절 펩타이드(regulartory peptide), 내인성요소(intrinsic factor), 화학적 매개자(화학적 전령)(chemical messenger) 등이 있다.

① **위산**

i) 위산분비

위산(gastric acid)은 위체부에 존재하는 벽세포(parietal cell)에서 분비되는데 벽세포는 산분비성 위선(oxyntic gastric gland)에 분포하며(그림 4-3), 위산분비

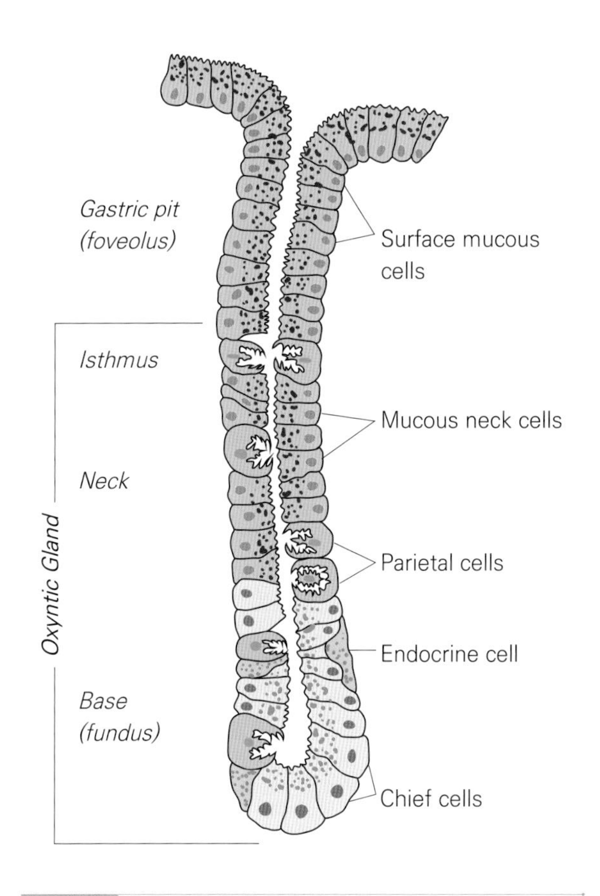

그림 4-3 산분비성 위선(oxyntic gastric gland) 구조.

는 벽세포내의 H^+-K^+-ATPase에 의해 이루어진다. 벽세포는 자극여부에 따라 그 모양이 매우 달라지는데 자극되지 않은 휴식기(resting stage)에는 H^+-K^+-ATPase가 소위 관소포(tubulovesicle) 상태로 존재하는 반면, 자극을 받으면 위산이 세포 밖으로 분비될 수 있는 분비성 소관(secretory canaliculi)이 급격히 만들어진다(그림 4-4). 벽세포의 특징으로는 많은 미토콘드리아, 고농도의 탄산탈수효소, 분비성 소관을 들 수 있다. 벽세포도 다른 세포와 같이 세포 내 pH는 7.2 정도이나 1:1,000,000 정도의 높은 수소이온 농도 경사를 만든 결과 위산분비 시의 세포외 pH는 등장성(H^+150 mM)이 된다. 위산의 수소이온은 물이 해리되어 생긴 것으로 분비성 소관막에 있는 H^+-K^+-ATPase가 수소이온과 칼륨이온을 교환하면서 분비되는 것이다(그림 4-5). 한편 이산화탄소와 물이 탄산탈수효소(carbonic anhydrase)의 도움을 받아 탄산을 거쳐 중탄산이온과 수소이온이 생기는데 중탄산이온은 기저외측막(basolateral membrane)에 있는 중탄산이온/염소이온 교환기전으로 혈액으로 분비된다. 물이 분해되면서 수소이온과 같이

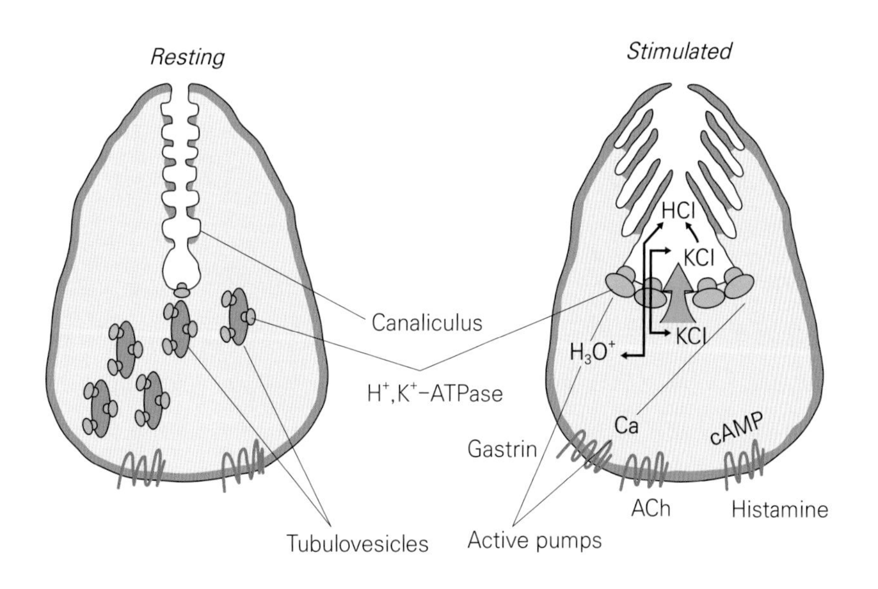

그림 4-4 벽세포 구조.
세포질 내의 소위(tubulovesicle) 상태로 존재하는 휴지기의 벽세포(A) 및 자극 후 급격히 생성된 분비성 소관(secretory canaliculi) 상태(B).

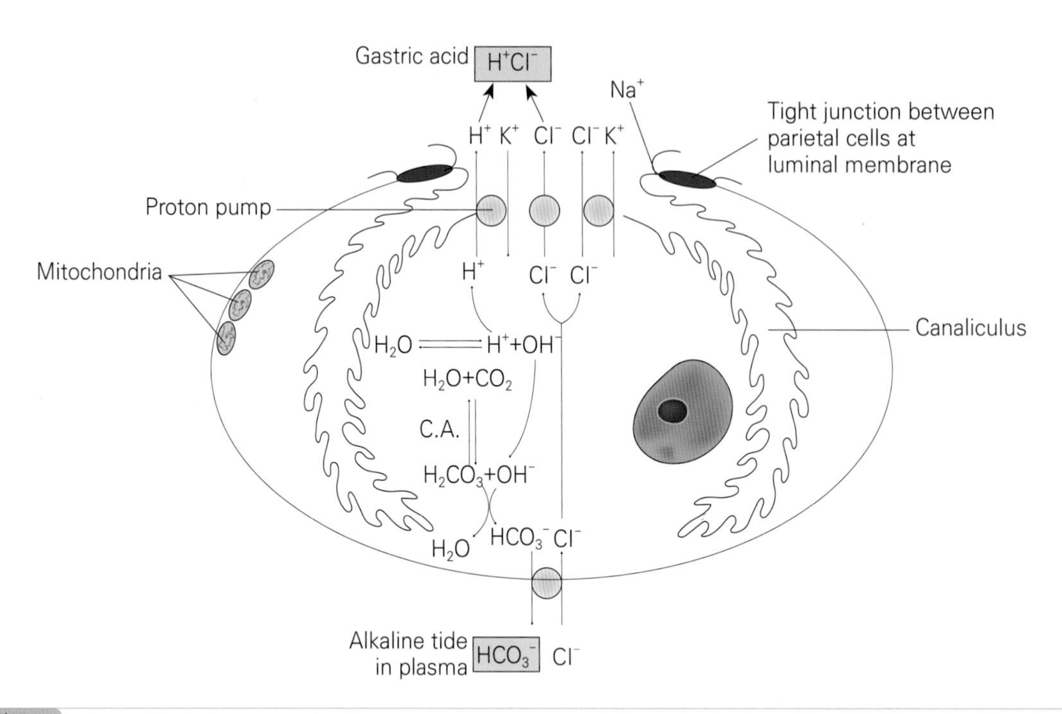

그림 4-5 **벽세포에서의 위산분비 과정 모형.**

발생된 하이드록실 이온(OH)은 중탄산이온과 같이 만들어진 수소이온과 결합함으로써 물로 되면서 세포독성을 일으키는 하이드록실 이온을 중화시켜버린다. 이처럼 세포내로 이동된 염소이온이 위강 내로 분비되는데에는 에너지가 필요한 능동적 이동기전이 관여하는 것으로 알려져 있다.

ii) H^+-K^+-ATPase

위산은 벽세포 분비성 소관막에 있는 수소이온펌프(H^+-K^+-ATPase)에 의해 분비되는데 H^+-K^+-ATPase는 α-subunit와 β-subunit로 이루어진다(그림 4-6). α-subunit는 약 100 kd의 단백질로 세포막 속에 존재하는 8개의 transmembrane domain으로 구성되는데 H^+이온 분비에 관여하는 ATP 결합 부위, 인산화 부위, 에너지 전달부위(energy transduction site)가 있는 것으로 생각되고 있다. β-subunit는 60~85 kd이나 그 기능에 대해서는 아직 정확히 규명되지 않았다.

iii) 위산분비 조절

위산분비의 조절에는 콜린성 신경세포들이 분포하는 뇌상(cephalovagal arc)과 위상(intragastric reflex arc) 그리고 같은 세포상위(supracellular) 영역과 가스트린이나 히스타민과 같이 세포막 수용체에 직접 작용하는 paracrine 영역이 있다. 결과적으로 벽세포 세포막 수용체에 작용하여 위산분비를 자극하는 물질로는 아세틸콜린, 가스트린, 히스타민이 있고(그림 4-7), 위산분비를 억제하는 물질로는 소마토스타틴(somatostatin), 세크레틴(secretin), 지방 그리고 고장성(hypertonicity), 위억제호르몬(gastric inhibitory peptide, GIP), 혈관작용 장펩타이드가 있다(그림 4-7).

위산분비 측정에는 자극이 없는 상태에서 측정하는 기저산배출량(basal acid output, BAO)과 펜타가스트린(pentagastrin)으로 자극을 주는 동안 분비된 위산배출량을 측정하는 최대산배출량(maximal acid output, MAO; 15분간 4회 반복한 총합)과 최고산배출량(peak acid output, PAO; 15분 단위로 4회 check하여 측정된 위산배출량 중 가장 높은 수치 2번을 합한 후 2배)이 있다.

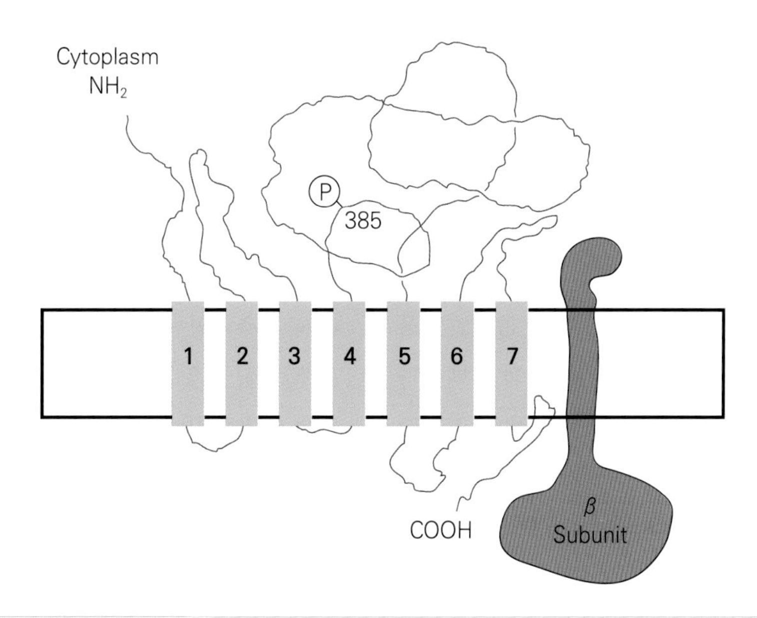

그림 4-6 **벽세포에서의 위산분비를 담당하는 H^+-K^+-ATPase 구조 모형.**

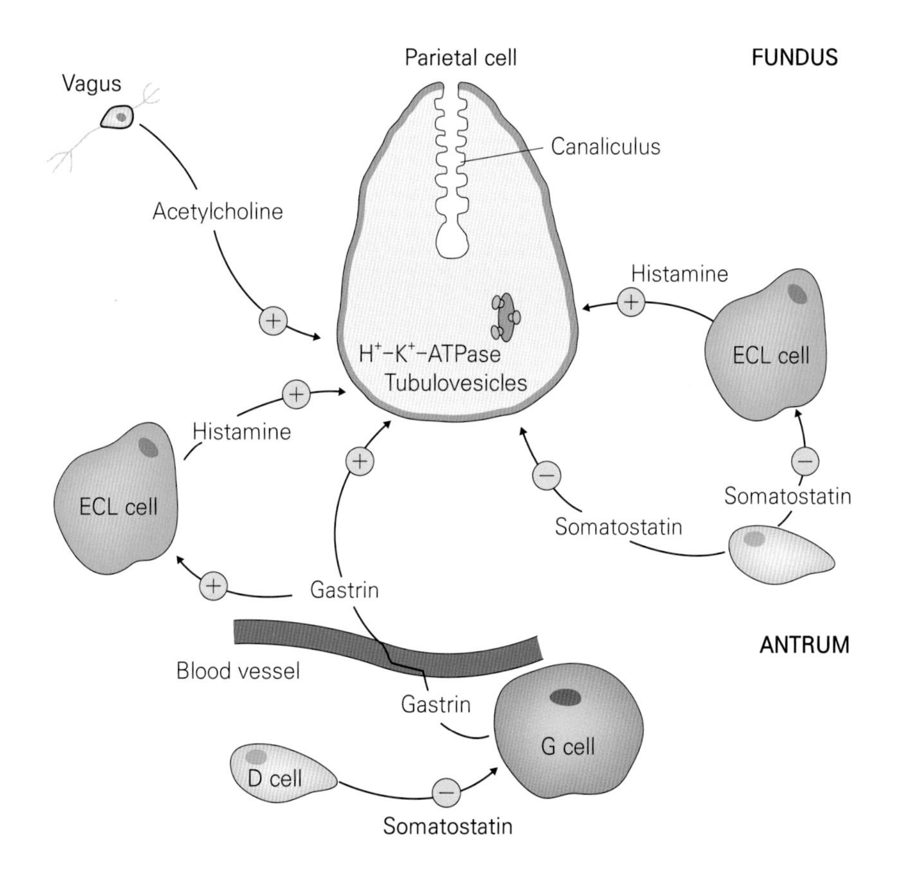

그림 4-7 **위산분비 과정.**
D cell, somatostatin cell; G cell, gastrin cell; ECL cell, enterochromaffin-like cell.

iv) 위산분비에 관여하는 상(phase)

이 세 가지는 위산분비 자극이 유래하는 부위를 언급하는 것으로 순차적으로 일어나기 보다는 동시에 이뤄지는 측면이 있다.

(i) 뇌상(cephalic phase): 시각, 후각, 미각에 의해 이뤄지는 것이다.

(ii) 위상(gastric phase): 음식이 위에 들어가면서 이루어지는 것인데 음식에 위 팽창과 단백질과 같은 화학물질이 위세포와 반응하면서 이뤄지는 두 가지 기전이 있다.

(iii) 장상(intestinal phase): 미즙(chyme)이 소장으로 들어가면서 위산분비 자극이 일어나는데 구체적으로 소장 팽창, 단백질, 단백질 분해산물에 의한다.

② 펩시노겐 분비

펩시노겐은 산분비성 선 기저부에 존재하는 주세포(chief cells)에 의해 분비되고(그림 4-3), 면역학적 성격에 의해 펩시노겐 I과 펩시노겐 II로 구별되나 두 가지 모두 위산(pH 2~3.5)에 의해 펩신으로 바뀌어 단백질 분해에 관여하다가 pH가 5 이상으로 상승하면 다시 비활성화 상태로 된다.

혈청에서 측정되는 펩시노겐 I(이하 PG I)은 위저부와 체부의 주세포에서 생성되는데 반해 펩시노겐 II(이하 PG II)는 전체 위점막의 주세포 및 점액세포(mucous neck cell)에서 생성된다. 따라서 PG I은 위저부의 위산분비 상황을 잘 반영하여 위축위염이 있는 경우 감소하게 되는데 특히 PG I/II ratio는 위축위염을 잘 반영한다고 알려진 바 있다. 펩시노겐 측정방법으로는 과거에는 방사성면역측정법(radioimmunoassay)이나 효소면역측정법(enzyme immunoassay)이 주로 사용되었지만 최근 방사성면역측정법이 더 이상 사용되고 있지 않고 대신 라텍스응집면역비탁법(Latex-enhanced Turbidimetic Immunoassay) (HBi Corp, Seoul, Korea, imported from Shima Laboratories, Tokyo, Japan)과 enzyme-linked immunosorbent assays 방법(Biohit ELISA kit; Biohit, Helsinki, Finland)이 한국에서 많이 쓰이고 있다. 일본에서는 위축위염 단계를 거치는 장형 위암이 많아 PG I 70 ug/L, PG I/II ratio 3.0이 위암 바이오마커로 사용되고 있으나 우리나라에서는 장형이 60%, 위축위염이 심한 경우가 드문 미만형 위암이 40%에 달하고 위암 환자 연령도 일본보다 10세가량 낮아서인지 PG I/II ratio 3.0의 위암 진단 민감도, 특이도가 60~70%로 낮아 아직은 위암 바이오마커로 사용에 한계가 있다.

③ 그 외 위에서 분비되는 물질들

i) 가스트린

전정부에는 가스트린을 분비하는 G세포가 존재하며 가스트린을 포함하는 과립을 세포질 내에 가지고 있는데 가스트린은 위산분비를 자극하는 생리적으로 매우 중요한 역할을 수행한다. 위가 팽창하거나 미주신경의 자극이 있는 경우, 또는 아미노산을 섭취하게 되면 세포 선단에서 과립이 분비되어 가스트린이 위 내부로 분비된다.

ii) 소마토스타틴(somatostatin)

소마토스타틴을 분비하는 세포를 D세포라고 부르고 G세포 주변에서 관찰되는데 여기서 분비되는 소마토스타틴은 가스트린 분비 억제제이며 위산분비도 간접적으로 억제하는 것으로 생각되고 있다.

iii) 히스타민(histamine)

벽세포의 H_2receptor에 binding하여 위산분비를 촉진하는 히스타민을 분비하는 세포는 은에만 염색되는 유사 장크롬친화성세포(enterochromaffin-like cell, ECL)인데 가스트린에 의해 자극된다. 위산분비 자극에 있어 매우 중요한 물질로 특히 밤사이 위산분비를 자극하여 야간 위산분비(nocturnal acid breakthrough) 발생에 매우 중요하다.

iv) 점액(mucus)

점막은 표면을 덮고 있는 점액겔(mucous gel)에 의해 보호받는데 점액겔은 점액, 중탄산염(bicarbonate), 표면 인지질(phospholipid), 물로 구성되며 위강의 pH 2에도 불구하고 점막세포 표면이 pH 7로 유지되는데 결정적인 역할을 한다(그림 4-8). 점액은 고분자량의 당단백질(glycoprotein)로서 세 가지 위점액세포(표면 점액세포, surface mucous cell), 경부 점액세포(mucous neck cell, glandular mucous cell)에서 분비된다. 그 기전에 대해서는 히스타민, 가스트린, carbacol과

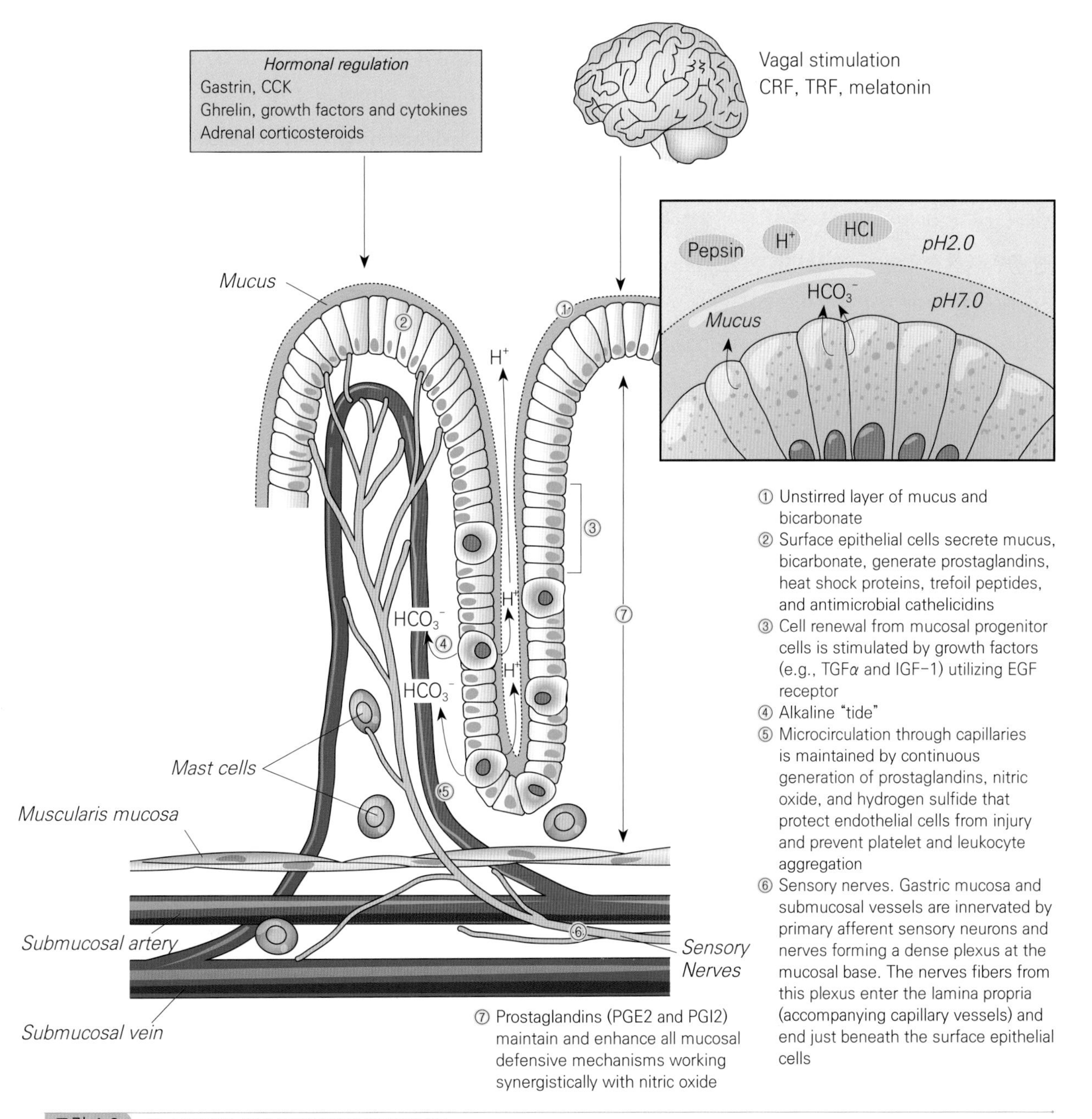

그림 4-8 위·십이지장 점막 저항구조와 방어인자들.
위점막 저항기전에서 점액이 가장 중요하고 그 외 여러 가지 물질들과 혈액순환 등이 강산으로부터 위점막을 보호한다.

같은 위산분비를 자극하는 분비촉진물질(secretagogues)이 동시에 점액세포를 자극하면 칼슘을 매개로 하는 세포내 신호전달이 작동하여 점액이 분비된다고 설명되고 있다. 사람의 정상적인 위에는 MUC1, MUC5AC, MUC6의 세 가지 점액이 존재하는데 장상피화생이 진행하면 MUC2, MUC3가 나타나게 된다.

v) 중탄산염(bicarbonate)

중탄산염은 미주신경 및 위산에 자극을 받아 surface mucous cell에서 분비되는데 점액과 함께 점액-중탄산염 방어막(mucus-bicarbonate-barrier)을 형성하여 위점막의 pH gradient를 유지하는 데 매우 중요한 역할을 한다(그림 4-8). 위산 자극은 동시에 벽세포에서 만들어진 중탄산염을 상행 점막 모세혈관(ascending mucous capillary)을 따라 점막표면으로 이동하게 함으로써 위산분비와 동시에 중탄산염의 분비가 이루어지도록 하고 있다.

vi) 내인성 요소(intrinsic factor)

내인성 요소는 위산분비액에 존재하는 45-kd의 당단백질로서 회장 말단부(terminal ileum)에서의 cobalamin (vitamin B_{12}) 흡수에 필수적인 성분인데 벽세포에서 생성된다.

vii) 프로스타글란딘

프로스타글란딘은 20-carbon 지방산 유도체(derivative)로 arachidonic acid에서 유래하는데(그림 4-9), 벽세포뿐 아니라 점액세포(mucous cell), 주세포(chief cell)에서도 생성됨이 알려진 바 있다. 프로스타글란딘은 벽세포에서의 위산분비를 직접적으로 억제하기도 하고 점막세포 방어체계를 증강하여 보호하기도 한다. 이들 증강효과로는 점액생성 증가, 인지질 및 중탄산염 분비 증가, 점막혈류 증가, 점막에서의 H^+이온 역확산(back-diffusion) 감소, 점막세포 회전(turnover) 증가 등을 들 수 있다.

2. 면역작용

사람의 위장관은 지속적으로 섭취한 음식물에 들어있는 외부 항원 및 위산과 펩신에 노출되고 있어 이에 대처하기 위한 복잡하고도 고유한 면역작용 및 비면역작용 기전을 구사하고 있다. 비면역작용에 관여하는 인자로는 점액과 상피세포 인지질 방어막, 점막 미세순환, 점막 치유기전의 신경, 면역, 염증 매개자를 들 수

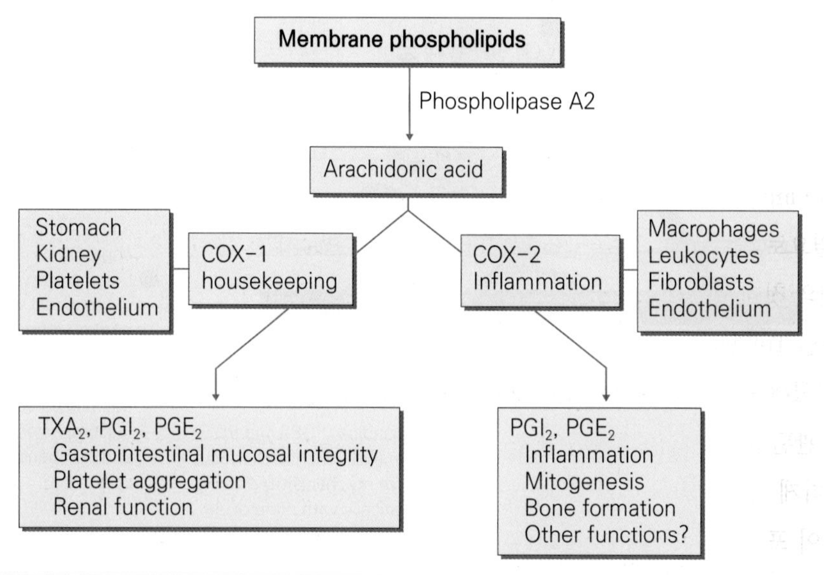

그림 4-9 프로스타글란딘 E_2와 PGI_2의 생성과 COX-1, COX-2. TXA_2, thromboxane A2.

있는데 이들은 대부분 궤양이나 미란 치유와 직접적인 관계가 있다. 병원균에 대처하기 위한 점막 방어인자 면역망(network)을 gut associated lymphoid tissue (GALT)라고 부르는데 GALT는 B세포, T세포, 식세포(phagocytes)의 등의 세포들로 이루어져 있다. GALT는 follicle associated epithelia (FAE)라는 특별한 상피를 이용하여 내강의 항원을 모집하면서 면역세포와 비면역 점막 장벽(barrier) 구성성분 간의 기능을 조화롭게 조절하게 된다. 이처럼 면역과 비면역 기전은 위장관 항상성이라는 목적을 이루기 위해 상호 긴밀하게 연대한다고 할 수 있겠다. 한편 세균과 상존해야 하는 소장, 대장에서의 면역기전에 대해서는 많이 알려져 있으나 위산으로 인해 세균침입이 어려운 위의 경우에는 위에 생존하는 *Helicobacter pylori* (*H. pylori*)에 대한 면역기전이 가장 많이 알려져 있다. 외부 침입자인 *H. pylori*가 위에 장기간 증식하면서 질환을 일으킨다는 것은 이들 세균을 제거하기 위한 면역기전이 실패했음을 의미하는 것이고 수십 년간 지속되는 염증은 면역작용이 적절히 반응하지 못했음을 의미한다. 여기서는 전반적인 위장관 면역기전에 대한 소개 후 *H. pylori*에 대한 면역기전에 대해 좀 더 자세히 알아보고자 한다.

1) 전반적인 위장관 면역기전

(1) 선천면역

선천면역(innate immunity)이란 후천적인 면역자극에 대한 노출을 필요로 하지 않는 면역반응으로 병원균에 대한 방어기전의 첫째 관문을 담당한다. 선천면역의 대표적 매개인자인 Toll like receptor (TLR)는 발생학적으로 보존된 진핵세포 수용체의 하나로 세균의 병원성이나 세균과 연관된 분자양태를 제일 먼저 인지한 후 면역체계를 가동하게 하는 역할을 한다. 11가지 이상의 다양한 TLR 아형이 포유류에서 발견되었으며 11개 모두 다른 생물학적 인자를 인지한 후 선천반응을 유도하는데, TLR 수용체를 통한 신호전달은 궁극적으로 NF-κB 활성화를 통한 전염증성 유전자를 활성화한다(그림 4-10). 선천면역은 적응면역을 활성화하는 역할도 담당하는데 외부 미생물 노출에 대해 즉각적인 반응을 하지만 그 반응이 오래 지속되지는 않는다.

미생물 자극에 의해 유발되는 비특이적 면역반응인 선천면역은 세포 및 complement system과 사이토카인으로 구성되며 중요한 항미생물 효과(antimicrobial effects)를 발휘하지만 동시에 사이토카인, 반응성 산소군(reactive oxygen species), 산화질소와 같은 염증성 매개자의 유리(release)로 인해 숙주세포의 염증과 손상을 유발한다. 그 가장 대표적인 예가 궤양성 대장염과 크론병이다.

(2) 적응면역

적응면역(adaptive immunity)이란 과거 알려진 면역자극에 대한 반응으로 특정 병원균에 특이적이고 면역기억에 의존한다. 하지만 적응면역 또한 항원을 표현하는 대식세포(macrophage)와 수지상세포(dendritic cells, DCs)의 자극으로 림프구가 활성화되고 동원(recruitment)되며 T-helper (Th) 세포-특이 반응 발생을 유도한다는 점에서 선천면역과 비슷한 측면을 지닌다. 고전적인 설명에 의하면 T세포 수용체의 참여(engagement)에 의한 클론(clone)이 확장(expansion)되면서 Th세포의 분화가 시작된다. 즉 Th세포는 Th1과 Th2의 2개로 대별되는데 Th1세포는 interferon (IFN)-γ, interleukin (IL)-2와 같은 사이토카인을 생성하고 Th2세포는 IL-4, IL-5, IL-10, IL-13과 같은 사이토카인을 생성하고 B세포 활성화와 분화에 관여한다. Th1세포는 세포매개성 면역반응을 유발하는데 세포내 기생충 레슈마니아(*Leishimania*) 내지 톡소플라즈마 곤디이(*Toxoplasma gondii*)와 같은 원충(protozoa)에 중요하다. 반면 Th2세포는 체액반응(humoral response)을 담당하며 장내 기생충에 대한 방어에 관여한다.

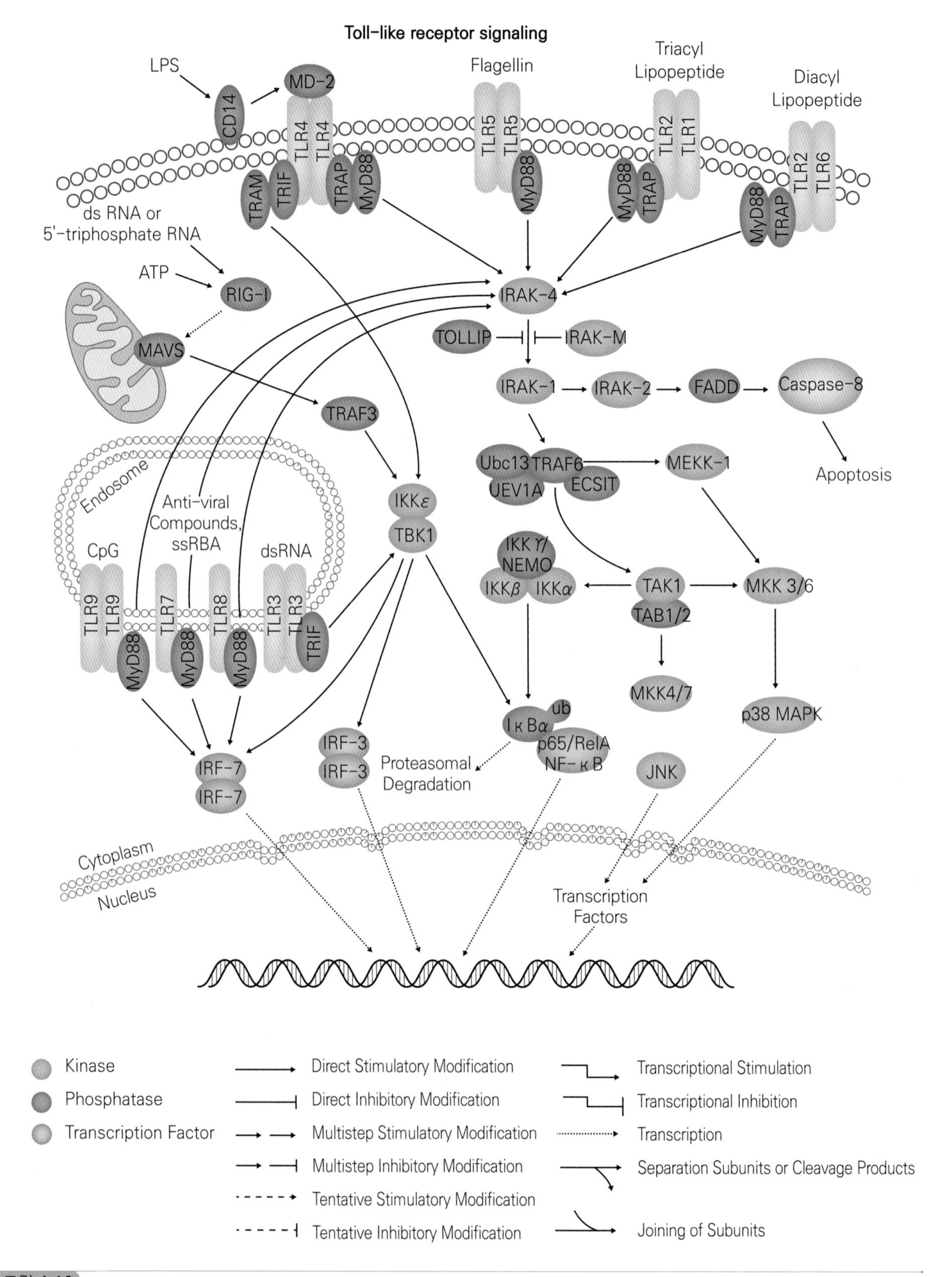

그림 4-10 선천면역에서의 미생물에 대한 Toll-like receptor signaling.
TRIF, TIR-domain-containing adaptor-inducing IFN-β; TRAM, TRIF-related adapted molecule.

(3) 면역회피

여러 질환에서의 중요한 주제는 바이러스, 세균, 기생충 감염으로 인한 만성적인 숙주 염증반응에 의해 암성 형질전환(neoplastic transformation)에 이른다는 것이다. 이러한 예로는 *H. pylori* 감염에 의한 위암 발생이 대표적인 경우이고 이외에도 인간 유두종 바이러스(human papilloma virus)에 의한 자궁경부암, B형이나 C형 간염에 의한 간암, 엡스타인-바 바이러스(Epstein-Barr virus)에 의한 비인두암, *Opisthorchis viverrini* 감염에 의한 담관암, *Schistopsoma haematobium* 감염에 의한 방광암 등을 들 수 있다. 선천면역과 적응면역에 대한 발견이 지속되면서 이들 감염을 제거하는 데 필요한 숙주저항기전으로 미생물 산물에 의한 다양한 TLR이 자극되면 항원 특이적인 경로를 통한 적응면역은 물론이고 선천면역도 활성화된다고 생각되고 있다. 하지만 이들 세균이나 바이러스도 계속 진화하여 교묘한 면역회피(immune evasion) 기전을 구사함으로써 만성 염증을 유발한 결과 위암이나 간암 등의 발생이 지속되는 것이다.

2) *Helicobacter pylori*에 대한 면역기전

(1) *H. pylori*의 숙주 면역회피 기전

*H. pylori*가 숙주인 인간 위점막에서 장기간 생존하기 위해서는 숙주의 면역반응을 피하는 것이 가장 중요한데 선천면역과 적응면역을 조절하는 방법을 취하고 있다. 선천면역 억제에 있어 대표적인 요소는 Toll-like receptors를 자극하지 않는 지다당류(lipopolysaccharide)와 편모(flagella)를 지닌다는 것인데 예를 들면, TLR4는 *E. coli*와 같은 그람음성 세균의 지다당류를 인지하지만 *H. pylori*의 지다당류에 대해서는 면역학적으로 무반응(anergy)을 보인다. 또한 점막 병원균인 *Salmonella*나 *E. coli*가 보유한 편모소(flagellin)가 TLR5를 활성화시키는 것과 달리 *H. pylori* 편모소는 분비되지 않으며 염증반응을 유발하지 않았다. 적응면역을 변형시킴에 있어서는 *H. pylori*의 대표적인 독소인 CagA [a product of the cytotoxin-associated gene (*cag*) pathogenicity island]와 VacA (vacuolating cytotoxin)를 이용하는데 CagA는 B림프구의 증식을 억제하는 작용을 하는데 반해 VacA는 T림프구의 증식을 억제함으로써 지속적인 생존(colonization)에 필요한 숙주면역기전을 변경한다(그림 4-11). 그 외에도 보통 세균에서는 보기 힘든 여러 가지 면역회피기전을 동원하여 대부분의 세균이 살기 힘든 위점막을 점령하는 수완을 발휘한다.

*H. pylori*에 의해 자극을 받은 대식세포는 iNOS와 NOS2에 의해 전염증성 물질인 산화질소를 생성하는데 *H. pylori*는 동시에 NO의 살균작용을 무력화하는 방안의 하나로 *rocF* 유전자를 가지고 있다. 즉 *rocF* 유전자는 arginase 분해효소를 코딩하여 arginine을 사용함으로써 대식세포의 iNOS의 기질(L-arg)을 상대적으로 고갈시킴으로써 대식세포에 의한 산화질소 생산이 상대적으로 감소하여 전염증성 물질을 이용한 숙주 공격으로부터 자신을 방어할 수 있다(그림 4-12). 즉 또 하나의 면역회피 기전이라 하겠다.

(2) *H. pylori*에 대한 면역기전

*H. pylori*는 humoral 및 세포면역반응을 유발하는데 전신 또는 국소 면역반응을 일으켜서 IgA, IgM, IgG를 생산하며 다핵구 및 단핵구에 의한 염증반응을 주도하며 여러 가지 사이토카인 즉 IL-1b, tumor necrosis factor alpha (TNF-α), IL-8, IL-6를 분비한다. 특히 대식세포와 수지상세포에서 IL-12가 분비되면 Th1세포가 활성화되고 이 세포에서 IFN-γ와 같은 사이토카인이 분비된다(그림 4-13). 대부분 세포내 세균은 Th1 반응을 유발하고, 세포외 세균은 Th2 반응을 유발하기에 위점막에 부착(adhesion)되어 증식하는 *H. pylori*의 경우 위점막에서 Th2 반응이 주로 일어날 것으로 예측하였으

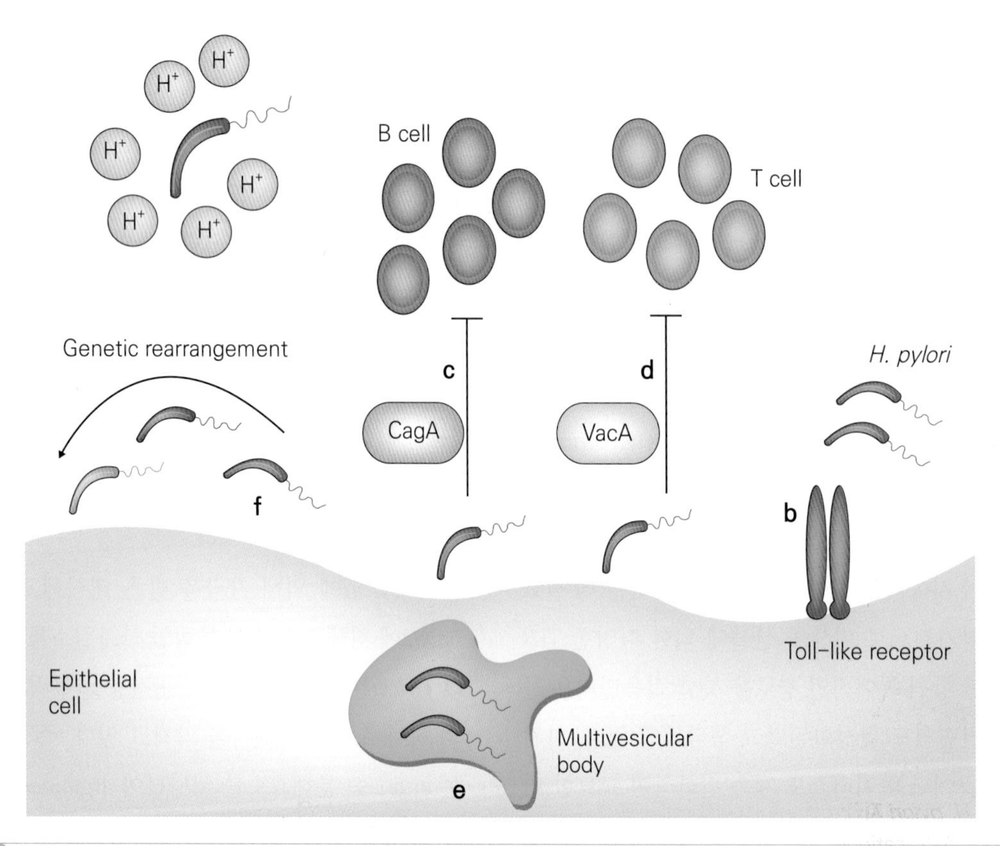

그림 4-11 감염을 지속적으로 유지하기 위해 *Helicobacter pylori*가 구사하는 6가지 기전.
(a) 세균이 선천면역을 극복하기 위해 위산을 중화시킨다. (b) Toll-like receptors를 자극하지 않는 지다당류와 편모(flagella)를 지닌다. (c) 적응면역을 변형시킴에 있어 CagA (a product of the cytotoxin-associated gene (*cag*) pathogenicity island)를 이용하여 T림프구의 증식을 억제한다. (d) 적응면역을 변형시킴에 있어 VacA (vacuolating cytotoxin) 독소를 이용하여 T림프구의 증식을 억제시킨다. (e) 지속적인 생존(colonization)에 필요한 숙주 면역기전을 변경하여 세포내에 생존한다. (f) 유전적 재배치(genetic rearrangement)를 구사한다.

나, *H. pylori*에 감염된 위점막에서 추출된 *H. pylori* 항원 특이 T세포 클론의 대부분은 IL-4보다는 IFN-γ를 생산하며 IL-12 생산을 유도하는 등 Th1 분화를 촉진시켰다. 특히 Th1 반응이 주로 일어나는 C57/BL6 마우스에서 Th1 반응이 일어나고 광범위한 위점막 염증을 일으키지만, Th2 반응을 일으키는 BALB/c 마우스에서 *H. felis*를 감염시키면 미미한 염증만 일어남으로써 간단히 이분화시켜서 이해하기는 곤란함을 시사한다고 하겠다. Th1/Th2 면역반응의 균형은 *H. pylori*와 연관된 질환의 병인과 숙주의 방어기전에서 매우 중요하다. 즉, Th1 면역반응이 우세하면 조직손상이 심해지면서 *H. pylori*가 박멸되기도 하지만 Th2 면역반응은 위 염증반응에 대한 방어기전을 일으켜 위상피세포를 덜 파괴당하게 하는 동시에 *H. pylori*가 생존할 수 있는 길을 열어놓아 결과적으로 만성감염에 이르게 한다. 면역조절세포(T_{reg}세포)는 적응면역반응을 조절하는 데 중요한데, T_{reg}세포는 *H. pylori* 세균에 의해 일어나는 위상피에서의 병리학적 변화를 조절하고 보호할 뿐 아니라 감염의 만성화를 일으킨다.

(3) 장기적 만성위염에 의한 임상적 결과

H. pylori 감염에 의한 장기적인 염증은 소화성궤양이나 MALToma뿐 아니라 위암 발생 가능성을 높인다. 이처럼 위암 발생이 증가하는 이유에 대해서는 *H.*

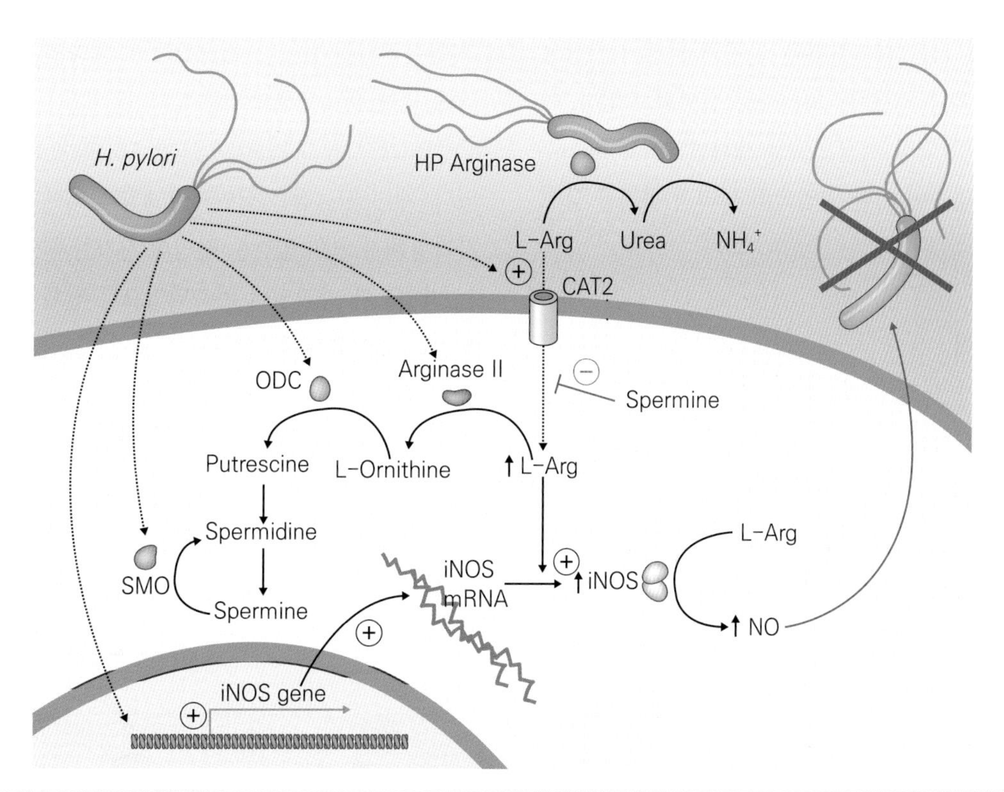

그림 4-12 ***H. pylori*** **자극에 대한 대식세포의 iNOS 생성과 산화질소(NO) 생성 조절 반응 모식도.**
CAT2, cationic amino acid transporter 2.

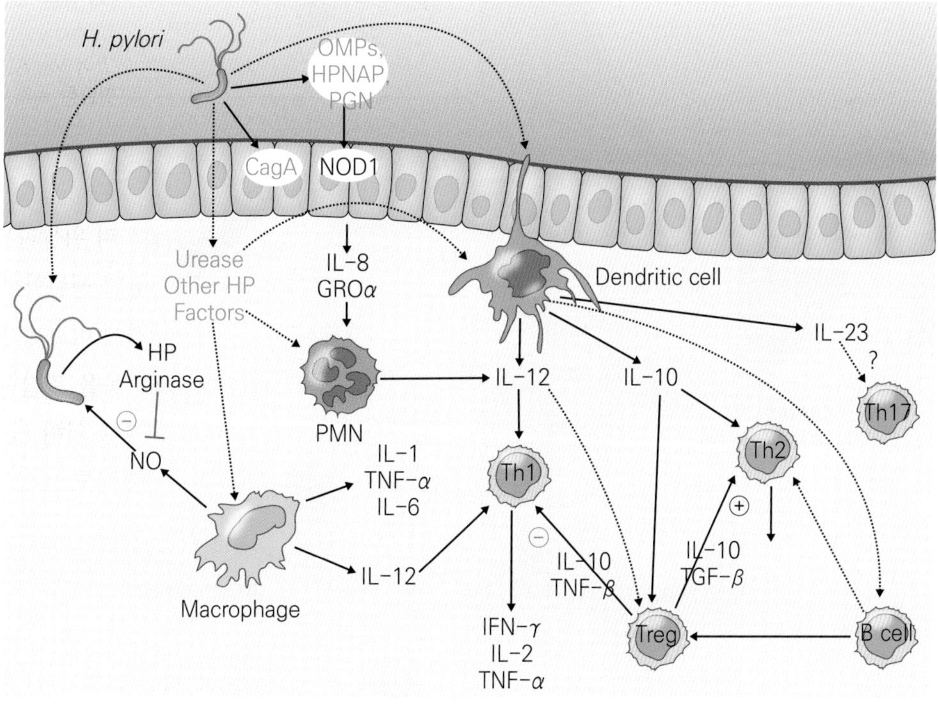

그림 4-13 ***H. pylori*****의 면역반응을 도식화하여 Th1과 Th2 반응을 설명한다.**
OMPs, outer membrane proteins; HP-NAP, *H. pylori* neutrophil activating protein; PGN, peptidoglycan.

pylori 감염에 의한 위축위염과 그 결과 발생하는 장상피화생, 이형성증 및 위암 cascade로 설명되고 있다. 이에 이르는 면역학적 기전으로는 자가면역(autoimmunity)과 만성염증에 의한 위점막의 생리적 변화를 들고 있다.

① **자가면역**

H. pylori 감염에 의한 위축위염은 벽세포 소관(canaliculi)에 존재하는 H^+-K^+-ATPase 항체가 관찰되는 자가면역성 위축위염과 몇 가지 공통점을 지니는데 그중 가장 중요한 것으로는 *H. pylori* 감염에 의한 염증 환자에서도 H^+-K^+-ATPase α, β subunit에 대한 자가항체가 자주 관찰된다는 점이다. 최근 연구에 의하면 *H. pylori* 감염에 의한 위축위염에서는 당화 상태가 아닌 nonglycosylated H^+-K^+-ATPase에 대한 자가항체로 밝혀진 바 있다. 재미있는 점은 십이지장궤양 환자에서는 이러한 자가항체가 거의 없다는 것인데 자가항체가 있는 경우는 벽세포가 파괴되어 위축위염으로 진행하면서 위산분비가 감소되는 것으로 해석되고 있다.

② **만성염증에 의한 위점막의 생리적 변화**

H. pylori 감염에 의한 사이토카인과 chemokine의 생성은 산 평형(acid homeostasis)을 교란시키고 이로 인해 위에서의 *H. pylori* 분포가 달라지며 더 나아가

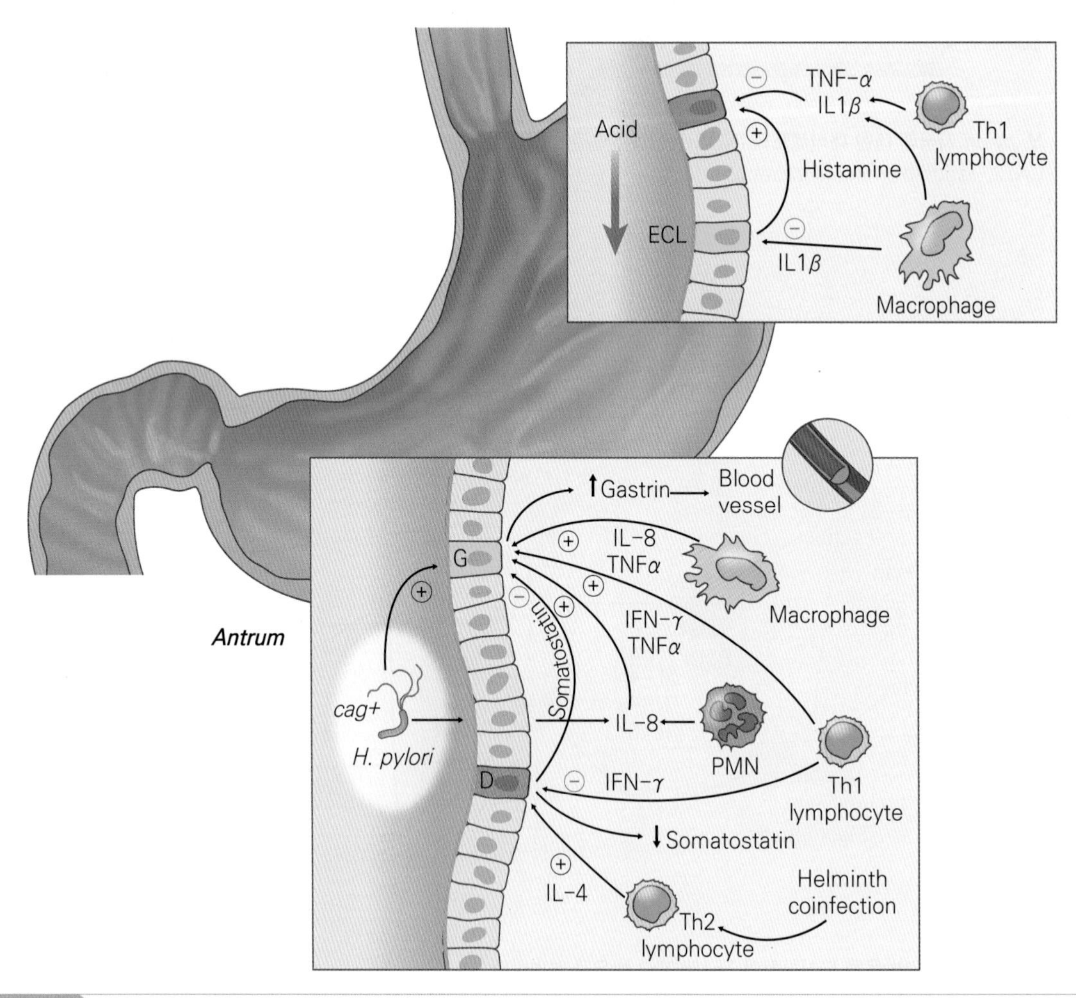

그림 4-14 ***H. pylori*** **감염의 면역기전에 의한 가스트린과 소마토스타틴 분비 변화.**

*H. pylori*에 의한 위염의 정도도 달라지는 것으로 설명되고 있다. *H. pylori* 감염에 의해 증가하는 IL-1β와 TNF-α의 증가는 위산분비를 억제시키는데 IL-1β는 동시에 유사 장크롬친화성(enterochromaffin-like) 세포에서의 히스타민 분비도 감소시킨다(그림 4-14). 물론 이로 인해 체부에서 *H. pylori* 증식은 충분히 활발해지게 되고 벽세포는 *H. pylori* 공격을 받게 되어 위산분비 감소에 기여를 하게 된다. 동시에 *H. pylori* 감염에 의해 가스트린 분비가 증가하면서 가스트린의 혈중농도도 증가하는데 이를 견제할 수 있는 소마토스타틴마저 Th1 면역반응에서 분비되는 IFN-γ 및 TNF-α에 의해 그 분비가 억제됨으로 가스트린 분비는 더욱 증가한다. 이처럼 위산분비, 위축위염 발생, 혈중 가스트린 농도 증가로 인한 세포증식 유발 등은 위암 발생 가능성을 높이는 필요조건을 제공하게 된다.

참고문헌

1. 김나영. 헬리코박터 파일로리 감염에 의한 면역반응. In: 김나영 eds. 헬리코박터 파일로리. 서울: 대한의학서적; 28-39.
2. 박무인. 식도내압검사. In: 대한소화관운동학회 eds. 위식도역류질환. 서울: 대한의학서적; 100-113.
3. 박효진, 김지현, 이광재. 병태생리. In: 대한소화관운동학회 eds. 위식도역류질환. 서울: 대한의학서적; 38-53.
4. Biancani P, Behar J. Esophageal motor function. In: Yamada T, Alpers DH, Owyang C, Powell DW, Silverstein FE, eds. Textbook of Gastroenterology. Philadelphia: J.B. Lippincott, 1995:158.
5. D'Elios MM, Andersen LP. Inflammation, immunity, and vaccines for *Helicobacter pylori*. Helicobacter 2009;14:21-28.
6. Goyal RK, Rattan S. Genesis of basal sphincter pressure: effect of tetrodotoxin on lower esophageal sphincter pressure in opossum in vivo. Gastroenterology 1976;71:62-67.
7. Iijima K, Abe Y, Kikuchi R, Koike T, Ohara S, Sipponen P, et al. Serum biomarker tests are useful in delineating between patients with gastric atrophy and normal, healthy stomach. World J Gastroenterol 2009;15:853-859.
8. Kandulski A, Malfertheiner P, Wex T. Role of regulatory T-cells in *H. pylori*-induced gastritis and gastric cancer. Anticancer Res 2010;30:1093-1103.
9. Kang JM, Kim N, Yoo JY, Park YS, Lee DH, Kim HY, et al. The role of serum pepsinogen and gastrin test for the detection of gastric cancer in Korea. Helicobacter 2008;13:146-156.
10. Merrell and Falkow S. Frontal and stealth attack strategies in microbial pathogenesis. Nature 2004;430:250-256.
11. Miki K, Ichinose M, Kawamura N, Matsushima M, Ahmad HB, Kimura M, et al. The significance of low serum pepsinogen levels to detect stomach cancer associated with extensive chronic gastritis in Japanese subjects. Jpn J Cancer Res 1989;80:111-114.
12. Noyar DS, Khandwala F, Achkar E, Shay SS, Richter JE, Falk GW, et al. Esophageal manometry: assessment of interpreter consistency. Clin Gastroenterol Hepatol 2005;3:218-224.
13. Pandolfino JE, Fox MR, Bredenoord AJ, Kahrilas PJ. High-resolution manometry in clinical practice: utilizing pressure topography to classify oesophageal motility abnormalities. Neurogastroenterol Motil 2009;21:796-806.
14. Pandolfino JE, Kwiatek MA, Kahrilas PJ. The pathophysiologic basis for epidemiologic trends in gastroesophageal reflux disease. Gastroenterol Clin North Am 2008;37:827-843.

15. Peek RM Jr, Crabtree JE. *Helicobacter pylori* infection and gastric neoplasia. J Pathol 2006;208:233-248.
16. Pier GB. Molecular mechanisms of microbial pathogenesis. In: Anthony SF, Dennis LK, Dan LL, Braunwald E, Stephen LH, Larry J, et al, eds. Harrison's Principles of Internal Medicine. 18th ed. New York: McGraw Hill, 2011:1018.
17. Ren JS, Kamangar F, Qiao YL, et al. Serum pepsinogens and risk of gastric and oesophageal cancers in the general population nutrition intervention trail cohort. Gut 2009;58:636-642.
18. Samloff IM, Varis K, Ihamaki T, Siurala M, Rotter JI. Relationships among serum pepsinogen I, serum pepsinogen II, and gastric mucosal histology. A study in relatives of patients with pernicious anemia. Gastroenterology 1982;83:204-209.
19. Valle JD. Peptic ulcer disease and related disorders. In: Anthony SF, Dennis LK, Dan LL, Braunwald E, Stephen LH, Larry J, et al, eds. Harrison's Principles of Internal Medicine. 18th ed. New York: McGraw Hill, 2011:2038.
20. Wilson KT and Crabtree JE. Immunology of *Helicobacter pylori*; insights into the failure of the immune response and perspectives on vaccine studies. Gastroenterology 2007;133:288-308.

PART 02

위장관 질환의 진단

THE KOREAN GASTRIC CANCER ASSOCIATION

CHAPTER 5 위장관 질환의 증상, 병력 및 이학적 검사

증상과 병력을 정확하고 자세히 청취하고 이학적 검사를 세밀하고 정확하게 하면 보다 집중적이고 효율적으로 환자를 평가하고 임상 추론의 방향을 제시할 수 있다. 병력과 이학적 검사를 정확하게 수행하면 임상에서 다음 단계의 진료와 치료계획을 적절한 방향으로 잡아 나갈 수 있다. 술자는 문제가 되는 주증상과 임상소견을 확인하고, 발견한 소견을 병태생리의 기본과정과 연관 지어 임상적인 가설을 설정해 검증하는 과정을 거치면서 개개 환자에게 적절한 진단과 치료방향을 제시할 수 있다.

1. 주증상

환자가 편안한 분위기에서 쉬운 표현으로 자신의 증상을 설명할 수 있도록 유도하며, 가급적 환자의 말을 그대로 인용할 수 있도록 한다.

2. 병력청취

1) 현병력

이 부분은 환자가 의료진을 찾아가게 만든 문제들이다. 가급적 간결하게 시간순으로 기술해야 한다. 시작과 발생한 상황, 발현 양상, 그간의 치료 종류에 대한 내용도 포함한다. 기본적인 증상으로는 환자를 불편하게 하는 부위, 통증이나 불편감의 질, 양 또는 심도, 통증의 시작 시기, 기간과 빈도를 포함한 시차적 특성, 발생 상황, 증상을 악화 또는 경감시키는 인자, 동반 인자 등을 기술한다. 환자가 상용하는 약제를 파악하는 것이 중요하며, 흉통을 호소하는 환자의 경우에는 관상동맥질환 등의 심혈관 위험인자 등이 있는지 알아본다. 복용 중인 약제의 이름, 용량, 사용빈도 등도 기술한다. 환자에게 처방전이나 복용하는 약제를 가져오라고 하면 더 정확하게 판단할 수 있다. 피부 발진, 구역 같은 특정 의약물에 대한 반응뿐만 아니라 음식, 곤충, 환경 인자 등에 대한 알레르기 반응 등을 기술한다. 한편, 음주력과 흡연력 등도 상세히 기술한다.

2) 과거력

아동기에 홍역, 풍진, 백일해, 수두, 류마티스열, 소아마비 등을 앓았는지 확인한다. 성인 질환과 연관될 수 있는 내과계(당뇨, 고혈압, 간염, 천식, 입원력 등), 외과계(수술력, 수술 이유, 수술일자 등), 산부인과계(관계된 분만력, 생리, 피임, 성기능 등), 정신과계(일자, 진단, 입원력, 치료력 등) 등의 정보를 가능한 알아두는 것이 좋다.

3) 가족력

부모, 조부모, 배우자, 형제, 자매, 자녀, 손자녀까지의 연령, 건강상태 또는 연령과 사망 여부를 알아야 한다. 가족관계에서 고혈압, 관상동맥질환, 고지혈증, 뇌졸중, 당뇨, 갑상선질환, 신장질환, 암종증(암 종류 확인), 관절염, 결핵, 천식, 폐질환, 두통, 간질환, 정신질환, 자살, 음주 또는 약물중독 등의 병력을 확인한다.

4) 개인력과 사회력

환자의 성격, 취미, 수입, 적응 태도, 체력, 감정 상태 등을 확인한다. 직장과 최종학력, 가정환경, 장 · 단기 스트레스의 원인들, 군복무 경험, 직업력, 경제력, 직장력 등 인생의 중요한 경험들, 종교생활, 일상생활 등을 조사하여 환자의 사회력과 현재 증상의 연관성을 파악한다. 또한 건강을 증진하거나 해를 끼칠 수 있는 운동, 식이생활, 안전에 관한 습관 등도 알아본다.

3. 문진검사

1) 증상

식욕부진, 구역, 구토 등은 여러 가지 소화기질환의 공통된 발현 증상이다. 임신이나 당뇨병케톤산증, 부신기능부전증, 고칼슘혈증, 요독, 간질환 또는 약물 부작용 때문에도 발생할 수 있다. 타거나 뜨거운 느낌이 흉골 뒤 또는 명치 부위에서 발생하여 목으로 뻗치는 듯한 증상(가슴쓰림, heartburn)은 식도질환이 있을 때 주로 발생한다. 그러나 심장질환에서도 유사한 증상을 호소하는 경우가 있으므로 유념해야 한다. 특히, 일부 환자들은 심근경색이나 관상동맥질환의 증상을 소화불량과 유사하게 호소하므로 주의를 요한다.

환자의 증상을 문진할 때에는 증상을 악화 또는 완화하는 임상요인들을 찾아내야 한다. 등산을 하거나 육교를 오르내리거나 운동을 하면 증상이 악화되고, 쉬면 완화된다면 심인성 흉통을 감별해야 한다. 위식도역류로 오는 전형적인 증상인 가슴쓰림은 종종 과식하거나 식후에 곧바로 눕거나 앞으로 몸을 숙였을 때 유발되기도 하며, 오렌지주스, 아스피린 또는 비스테로이드항염증제(non steroidal antiinflammatory drugs, NSAIDs)의 복용으로 악화될 수 있다. 복부 팽만감이나 과다한 위확장이 동반되지 않는 트림은 정상적인 공기삼킴증(aerophagia)으로도 발생할 수 있으며 콩 종류나 가스를 유발하는 식품의 섭취, 장관내 유당분해효소결핍, 과민성장증후군이 있을 때도 발생할 수 있다. 정상량의 식사를 한 후에 발생하는 복부 팽만감, 조기 포만감 등을 호소하는 경우에는 당뇨병성위무력증, 항콜린제 복용, 양성 · 악성질환으로 인한 유문부 폐색 등을 고려해야한다. 식욕부진이 있다면 특정한 음식에 대해서 나타나는지 또는 섭취 후 예상되는 불편감 때문에 식사에 대한 저항감이 발생하여 나타나는지를 확인해야 한다. 구토, 구역 또는 구역감의 동반 없이 위내용물이 식도나 그 이상으로 올라오는 경우를 역류(reflux)라 한다.

역류는 식도협착, 식도암 또는 식도위경계부 괄약근의 부적절한 기능 때문에 발생할 수 있다. 구토물이나 역류한 음식물에 대해서 환자에게 질문하고, 가능하면 관찰하는 것도 도움이 된다. 구토물의 냄새, 양, 출혈은 동반되지 않았는지 등을 점검한다. 위액은 맑거나 점액성이고 소량의 황색 또는 녹색의 담즙액이 섞일 수 있다. 커피색 또는 진한 갈색 구토액은 위산에 의하여 산화된 것인 경우가 많다. 혈액을 동반한 구토인 토혈(hematemesis)은 위십이지장궤양, 식도염, 식도 및 위정맥류, 출혈성위염 등으로 인해 발생할 수 있다. 고령이나 쇠약한 환자의 경우 지속되는 구토, 다량의 출혈로 인한 탈수나 전해질 이상 유무 등을 관찰해야 한다. 가벼운 두통이나 졸도와 같은 출혈로 인한 증상은 출혈의 속도와 양에 좌우된다.

2) 복통

복통은 원인과 임상양상이 다양하므로 주의해야 한

다. 우선 환자가 자신의 통증을 스스로 설명하도록 유도하고, 가급적 반복해서 질문해야 필요한 정보를 얻을 수 있다 이때 중요한 세부사항을 유추할 수 있으므로 통증이 시작된 부위, 통증이 어떻게 퍼지거나 이동하는지 등을 물어본다. 환자가 통증을 표현하기 어려워하면 환자에게 다항식의 질문을 해서 선택하게 하는 것도 한 방법이다. 통증의 세기에 대한 기술은 통증에 대한 환자의 반응과 생활 전반에 미치는 영향에 대한 정보를 주지만 원인 질환의 평가에 항상 도움이 되지는 않는다. 통증의 민감도는 다양하며 연령이 높아질수록 감소한다. 통증의 시차 연관성은 진단에 도움이 될 수 있다. 통증이 갑자기 혹은 점진적으로 시작했는지, 언제 시작했으며 얼마 동안 지속했는지, 일주일 또는 한 달에 몇 차례나 통증이 발생했는지, 급성 또는 만성인지 등을 확인한다. 통증을 악화 또는 호전시키는 요인을 알아보고, 통증이 배변, 배뇨, 생리 등과 연관이 있는지 또는 열, 오한 등과 연관이 있는지 알아본다.

일반적으로 복통은 기인하는 부위에 따라 크게 다음의 세 가지로 분류한다.

(1) 내장통증

내장통증(visceral pain)은 위장관이나 담도계 등의 공동형 복강내 장기가 비정상적으로 격렬하게 수축하거나 팽창할 때 발생한다. 간처럼 속이 비지 않는 장기에서는 표면의 피막이 늘어나서 통증이 발생한다. 내장통증은 양상이 다양하며 통증이 심해지면 발한, 창백, 구역, 구토 및 초조 등의 증상이 나타나기도 한다. 예를 들어, 초기 충수염 환자에서 염증이 생긴 충수가 팽창하면서 배꼽 주변에서 내장통증이 나타나고 점차적으로 충수 주변의 벽측복막으로 염증이 파급되어 우하복부의 벽측통증으로 변한다.

(2) 벽측통증

벽측통증(parietal pain)은 염증으로 인하여 벽측복막에 발생하는 통증이다. 고정된 부위에 쑤시는 듯한 통증이 나타나며 대부분 내장통증보다 정도가 심하다. 질환과 연관된 장기 주변의 통증이 좀 더 심하다. 움직이거나 기침을 하면 통증이 악화된다.

(3) 연관통

연관통(referred pain)은 통증을 유발하는 장기와 떨어진 부위에서 느끼는 통증이다. 이는 같은 수준의 척수에서 신경자극을 받기 때문이다. 연관통은 종종 초기 통증으로 발생하여 좀 더 강해진 후 통증이 시작된 부위에서 퍼지거나 이동하는 것처럼 느껴지기도 하고, 표면적으로 또는 깊은 곳에서 느껴지기도 하는데 대부분 국한되어 나타난다. 십이지장이나 췌장에서 발생한 통증의 연관통은 등쪽에서, 담도계에서 생긴 통증의 연관통은 오른쪽 견갑부나 오른쪽 후체부 쪽에서 나타난다.

3) 연하곤란 및 연하통

연하곤란은 식도질환이지만 환자가 입에서 음식물을 넘기기 어려움을 호소하는 증상이다. 목에 이물감을 호소하거나 가슴이 답답하다고 느끼는 것은 연하곤란이 아니다. 연하곤란을 호소하는 환자에게는 어떤 종류의 음식을 먹을 때 연하곤란이 발생하는지, 즉, 고기 같은 딱딱한 음식을 먹었을 때인지, 부드러운 음식을 먹었을 때인지 뜨겁거나 차가운 액체를 마셨을 때인지 물어보고 연하곤란과 아울러 통증도 수반되는지 물어본다. 또한 연하곤란이 언제 시작되었으며 증상이 간헐적인지 계속 진행하는 양상인지, 연하곤란 외에 다른 증상이 있는지 등 시간과의 상관성을 알아본다. 연하통은 삼킬 때 통증을 느끼는 증상으로, 날카롭고 타는 듯한 느낌 또는 쥐어짜는 듯한 느낌의 두 가지 형태로 나타난다.

4) 변비 및 설사

장의 기능을 평가할 때는 장운동의 빈도, 장운동의

상태 변화 등을 확인해야 한다. 변비에 대해서는 장운동의 빈도가 감소했는지, 딱딱한 변이 나오는지, 변을 볼 때 아프지 않은지, 배변 후에도 묵직한 느낌이 있는지, 색깔과 양은 어떠한지 등을 확인한다. 연필처럼 가는 변이 나오면 구불결장에 결장암 등의 폐쇄성 병변이 있을 수 있다. 변의 색깔도 살펴본다. 까만색 변인 흑색변(melena), 피가 묻어 있는 혈변(hematochezia)이 있는지, 있다면 증상이 나타난 기간, 빈도와 정도 등을 확인한다. 양을 가늠하고 변에 피가 섞여 있다면 변을 닦을 때 피가 화장지에 묻는지 확인한다.

설사는 형태가 갖추어지지 않은 액체 상태의 변이 과다하게 많이 나오는 증상을 말한다. 설사의 빈도, 변의 양 등을 확인한다. 소장 또는 상부대장에 병변이 있는 경우에는 상당량의 설사를 보게 되며, 왼쪽대장이나 직장에 병변이 있는 경우에는 긴박하게 소량의 변을 자주 보게 된다. 기름기가 있는지, 심한 냄새가 나는지, 점액 또는 혈변이 동반되었는지 등을 확인한다. 양이 많고 노란색 또는 흰색을 띠며 기름기 냄새가 나면서 거품이 많이 나고 변기에 뜨면 지방변이며 이는 소화관흡수장애가 있을 때 많이 볼 수 있다. 관련요인으로 설사로 인해 밤에 잠을 깨는 야간설사인지 그리고 이의 악화 또는 호전인자는 무엇인지, 배변 후 증상이 호전되는지 등을 조사한다. 여행, 스트레스, 약물복용력, 가족력, 동반증상 등을 알아본다.

5) 간질환

황달 증상은 혈중 빌리루빈이 상승했음을 의미한다. 황달은 빌리루빈 생산의 증가, 간세포에 의한 빌리루빈의 섭취 감소, 빌리루빈포합효소 부전, 빌리루빈의 담즙배설 감소 등으로 인해 일어난다. 특히 바이러스간염, 간경변, 원발담즙경화, 약물(경구용 피임약, methyltestosterone, chlorpromazine)로 인한 담즙 정체인 경우에는 포합빌리루빈의 배설장애 유발로 인해 발생한다. 간내성 황달은 간세포의 손상으로 인한 간세포성과 간세포 또는 간내 담도의 손상으로 인한 담즙 정체성으로 나누어진다. 간외성 황달은 간 담도가 폐쇄되어 발생하는데, 대부분 총담관 또는 담낭관 등이 폐쇄되어 일어난다. 황달 환자를 대하면 연관 증상과 일어난 상황을 주의해서 문진한다. 포합빌리루빈은 소변으로 배출되므로 소변이 진한 갈색을 띠지만, 불포합빌리루빈은 수용성이 아니므로 소변으로 배설되지 않는다. 빌리루빈으로 인한 검은색 소변은 위장관으로의 빌리루빈 배설장애를 암시한다. 대변의 색도 중요하다. 담즙이 장내로 배설되지 않으면 대변의 색조가 희거나 밝은 색을 띤다. 설명할 수 없는 피부 가려움증은 담즙 정체 또는 폐쇄성 황달로 인한 소양증 때문일 수 있다. 확장된 간피막으로 인한 동통도 올 수 있다.

4. 이학적 검사

1) 준비

준비과정에서는 일반적인 진단학의 기본원칙을 따른다. 조명 상태가 양호하고 환자가 편안하고 이완된 상태여야 하며 검상돌기에서부터 치골결합 부위까지 완전히 노출시켜야 한다. 물론 생식기 부위는 가려야 한다. 환자를 앙와위로 눕히고 머리와 무릎 사이에 베개를 두어서 편안한 상태를 만든다. 환자의 허리에 손을 넣어보아서 충분히 이완된 상태인지 확인한다. 환자의 팔은 옆에 가지런히 두거나 가슴에 포개도록 한다. 손과 청진기를 차갑지 않게 하며 천천히 환자에게 접근하고 갑작스러운 동작은 가급적 피한다. 촉진할 때는 환자가 가장 아파하는 부위를 마지막에 검진한다. 이야기나 질문으로 환자의 주의를 끄는 것도 좋은 방법이다.

2) 복부 진찰

복부 진찰은 일반적으로 환자의 오른쪽에서 시진, 청진, 타진, 촉진의 순서로 진행한다.

(1) 시진

복부의 형태를 볼 때 연동운동을 지켜볼 수도 있다. 피부에 있는 흉터의 위치를 묘사하거나 그림으로 그려 놓는다. 확대된 정맥이나 비정상적으로 관찰되는 정맥, 발진 또는 피부 병변을 찾아본다. 배꼽의 형태와 위치 또는 염증, 탈장의 징후를 관찰한다. 복부의 형태 역시 중요하다. 표면에 요철상이나 돌출 부위가 있는지, 전체적으로 대칭형인지 등을 관찰한다. 경우에 따라서는 육안으로 간이나 비장이 커진 모습을 볼 수도 있다. 드물게 정상인에서도 대동맥의 박동이 관찰될 수 있다.

(2) 청진

청진은 위장관 운동에 중요한 정보를 제공한다. 청진에 앞서 타진, 촉진 등을 시행하면 위장관의 연동운동에 영향을 주어서 장음이 변할 수 있으므로 타진, 촉진을 하기 전에 청진을 먼저 한다. 처음에는 정상 장음을 잘 들을 수 없는 경우도 있으므로 많은 경험이 중요하다. 심잡음과 유사한 잡음이 복부 대동맥이나 다른 혈관 위에서 들리면 복강내 동맥의 폐쇄성 혈관질환을 시사한다. 청진할 때는 복부 위에 청진기를 살짝 올려놓고 장음을 들으면서 장음의 빈도와 특성을 기록한다. 청진할 때 창자가스소리(borborygmi)가 들리는 경우가 있는데 이는 보통 위가 과다하게 연동할 때 길게 들리는 장음이다. 장음은 복부 전체에 걸쳐 들릴 수 있으므로 한 부분에서만 청진해도 별 문제가 없다. 고혈압 환자에서 혈류음을 듣고자 할 경우에는 심와부와 복부 4구역 전역에서 모두 청진하는 것이 좋다. 마지막에는 환자를 앉게 한 다음 늑골척추각에서 청진을 시행한다. 수축기에 심와부에서 들리는 혈류음은 정상인에서도 관찰된다. 하지의 동맥부전증이 의심되는 경우에는 대동맥, 장골동맥, 대퇴동맥 위에서 혈류음이 있는지 관찰한다. 수축기에 들리는 혈류음은 비교적 흔하므로 폐쇄질환을 의심할 필요는 없다. 그러나 수축기와 이완기 양쪽에서 들리는 잡음은 부분적으로 좁아진 혈관을 의미할 수 있다.

(3) 타진

타진은 복부 가스의 양과 분포를 평가하고 고형 종양이나 액체가 찬 종괴를 찾는 데 도움이 된다. 간과 비장의 크기를 추정할 때에도 많이 이용한다. 공명음과 탁음의 분포를 평가하기 위해 모든 4분역을 가볍게 타진한다. 위장관에는 가스가 있으므로 항상 공명음이 더 넓게 분포하며 탁음은 장내용물이나 체약 때문에 일반적으로 산재한다. 전반적으로 공명음이 들리면서 복부가 돌출된 경우는 장폐색을 의미한다. 넓은 영역에서 나는 탁음은 밑에 있는 종괴나 커진 장기(임신자궁, 난소종양, 간종대, 비장종대 등)를 의미하므로 주의가 필요하다. 융기된 복부의 양편에서 복부 공명음이 탁음으로 변한다면 복수 유무를 확인해야 한다. 위로는 폐와 아래로는 늑골 모서리 사이의 전흉부 하부를 가볍게 타진한다. 오른쪽에서는 간의 탁음을, 왼쪽에서는 위의 공기와 대장 비장만곡부의 공명음을 들을 수 있다. 내장역위증이 있으면 장기들이 역위되어 오른쪽에서 공기방울 소리가, 왼쪽에서 간 탁음이 들린다.

(4) 촉진

촉진 시에는 복부의 압통, 근육저항, 표면의 장기나 종괴를 찾는다. 가급적 환자를 안심시키고 환자가 편안하게 느끼도록 노력한다. 손과 양팔을 수평으로 유지한 채로 손가락을 모아 복벽에 편평하게 대고 복부를 가볍고 부드럽게 촉진한다. 촉진 위치를 바꿀 때는 복벽에서 손을 살짝 떼고 다른 부위로 부드럽게 이동한다. 만일 표면의 저항이 만져지면 이것이 근육의 수의적인 긴장인지, 불수의적인 긴장인지를 구별해야 한다. 환자에게 심호흡을 시키고 악관절을 열게 하여 구강호흡을 유도하면 호기 시에 복벽이 이완된다. 이 같은 방법을 사용하면 수의적인 근육긴장은 감소한다. 이렇게 해도 불수의적인 경직(근육경직)이 존재하면 이는 복막염을 시사한다.

복부종괴의 윤곽을 그리기 위하여 깊게 촉진을 시 행한다. 손가락을 이용하여 모든 4분역을 느낄 수 있도록 노력한다. 종괴가 발견되면 위치 크기, 모양, 견고함, 압통, 박동성, 호흡이나 검진하는 손에 의한 유동성 등에 주의를 기울인다. 복부종괴는 생리적(임신자궁), 염증성(대장의 게실염), 혈관성(복부대동맥류), 신생물(위암, 대장암, 소장암 등), 폐쇄성(팽창된 방광 혹은 위장관의 확장된 고리) 등으로 분류할 수 있다. 기침하거나 가벼운 타진에도 환자가 복통을 호소하면 복막염을 의심한다. 가능한 정확하게 아픈 부위를 찾아야 한다. 우선 촉진하기 전에 환자에게 기침을 유도하여 어느 부위가 아픈지를 알아낸다. 다음에 부드럽게 만져보거나 가볍게 배를 두드렸을 때 나타나는 통증으로 아픈 위치를 알 수 있다. 경우에 따라서는 반발압통(rebound tenderness)을 이용해서 아픈 부위를 알아낼 수 있다. 손가락으로 확실하게 그리고 천천히 배를 누른 다음 빠르게 손가락을 떼며, 아픈 부위를 유심히 관찰하며 환자에게 눌렀을 때와 떼었을 때 어느 때가 더 아픈지 물어본다. 뗄 때 더 아프다면 반발압통이다.

3) 간

간의 크기와 모양은 타진과 촉진을 이용하여 알 수 있다. 촉진을 하면서 간 표면의 굴곡 여부, 경도 및 동통 여부 등을 알 수 있다.

(1) 타진

오른쪽 쇄골 중심선에서 간을 타진했을 때 둔탁한 소리가 나므로 이 방법으로 간의 수직 직경을 잰다. 배꼽 아래 부분에서 간을 향해 조심스럽게 타진해 나가면서 간의 하부 경계를 확인한다. 다음으로 쇄골 중심선에서부터 타진해 나가면서 폐의 공명음이 간의 둔탁한 소리로 바뀌는지를 확인해 간의 상부 경계를 알아본다. 간이 작아지거나 장이 파열했거나 유출된 공기가 횡격막 아래에 존재하면 간 둔탁음의 범위가 줄어든다. 간염이 호전되거나 울혈성심부전이 호전되거나 전격성 간염이 진행할 때는 간 둔탁음의 범위가 점차 줄어든다. 공명음에서 둔탁음으로 변하는 두 지점의 거리를 재면 그것이 간의 크기이다. 대장 가스는 복부의 우측위 1/4 지점에서 고음을 만들 수 있는데, 이를 간의 둔탁음과 혼동하거나 이 때문에 간 크기를 실제보다 작게 측정할 수 있으므로 주의한다.

(2) 촉진

오른쪽 11, 12번째 갈비뼈 부분에서 왼손을 환자의 등에 놓는다. 배 쪽으로 왼손에 힘을 가하면 오른손으로 간을 촉진하기 쉬워진다. 오른손을 배의 오른쪽 부분에 놓고 손가락 끝을 간 아래 경계에 놓는다. 환자로 하여금 숨을 깊게 들이쉬라고 한다. 간 아래 경계가 손가락 끝에서 만져지는 것을 느낀다. 다음에 왼손에 힘을 가해 손가락 끝에서 간이 미끄러져 나가는 것을 느끼면서 간의 표면, 모서리 상태 등을 조사한다.

정상 간의 모서리는 연하고 날카롭고 균일하며 표면은 부드럽다. 간이 단단하고 가장자리가 무뎌지면서 간 표면이 불규칙해지는 소견은 간의 이상을 시사한다. 간을 느끼기 위해서는 복벽의 두께와 저항에 따라 복부를 누르는 힘을 달리한다. 폐쇄된 팽창한 담낭은 간 가장자리 아래의 동그란 종괴를 형성한다. 타진하면 둔탁음이 들린다. 복부비만의 환자에게는 'hooking technique'이 유용할 수 있다. 환자의 흉부 오른쪽에 선 다음 양손을 나란히 간의 둔탁음이 느껴지는 경계부 아래에 놓고 늑골 쪽으로 힘을 주어 누른다. 환자에게 깊게 숨을 들이쉬게 하면 손가락 끝에 간 아래 경계 부위가 만져진다. 간이 만져지지 않으면 왼손을 오른쪽 늑골 아래에 편평하게 올린 다음 주먹 쥔 오른손으로 척골 쪽을 부드럽게 때려본다. 왼쪽도 똑같은 방법으로 촉진한 후 양쪽의 느낌을 환자가 비교하게 한다.

4) 비장

비장이 커지면 비장이 아래쪽, 안쪽으로 내려오면서 위와 대장의 공명음이 고형 장기의 둔탁음으로 바뀐다. 타진으로 비장종대를 의심할 수 있으며 촉지로 비장종대를 확진할 수 있다. 그러나 늑골하연 이하로 내려오지 않는 비장종대는 놓칠 수 있다.

(1) 타진

폐공명 부위와 늑골 사이의 좌하 전흉부벽(Traube's space)을 촉진한다. 늑골 안에서 시작해서 바깥쪽으로 타진해 나가면서 공명음을 비교해서 비장의 크기를 가늠한다. 왼쪽 앞 액와선에서 가장 아래의 공간을 타진해본다. 이 부위에서는 보통 청명음이 들리며 환자가 깊게 호흡하더라도 탁음이 들리지 않는다. 고음에서 둔탁음으로 변하면 이는 비장비대를 시사한다.

(2) 촉진

왼손으로는 환자를 지지하고 왼쪽 아래 늑골과 주변 부위를 누른다. 오른손을 왼쪽 늑골 경계에 놓고 비장 쪽으로 누른다. 환자로 하여금 깊게 숨을 들이마시도록 한 뒤 손끝에 닿는 비장의 끝과 경계를 느낀다. 압통이 있는지 확인하고 비장 형태를 검토한다. 정상 성인 중 횡격막이 낮고 편평한 경우에는 깊은 호흡을 하면 횡격막이 하강해 비장의 끝을 촉진할 수 있다.

5) 특별한 수기

(1) 복수의 진단

복부가 팽만해지면서 양쪽 옆구리가 튀어나오면 복수를 의심해야 한다. 복수는 중력에 의해 가라앉고, 가스가 차는 장은 위로 뜨게 되므로 복부의 의존적 영역(dependent portion)을 따라 타진하면 탁음을 느낄 수 있다. 공명음이 들리는 복부의 중앙에서 여러 방향으로 타진해서 이와 같은 양상을 확인하고 공명음과 둔탁음의 경계를 확인한다.

① **이동탁음**(shifting dullness)

공명음과 둔탁음의 경제를 그린 후 환자를 옆으로 눕히고 다시 공명음과 둔탁음의 경계를 그린다. 복수가 없으면 이 경계가 일치하지만 복수가 있으면 둔탁음이 의존적인 방향으로 이동하므로 경계의 변화로 미루어 복수를 진단한다.

② **액체파**(fluid wave)

환자나 진찰 보조원에게 양손을 세워 복부의 중앙을 세게 누르게 한다. 이는 피하지방을 통한 파동의 전달을 막기 위한 것이다. 검사자의 한쪽 손가락 끝으로 환자의 옆구리를 타진하고 반대편 옆구리에서 진동을 느낀다. 쉽게 전달되는 파동은 복수를 의미한다.

(2) 충수염의 평가

환자에게 최초로 통증이 시작된 부위와 현재의 통증 부위를 가리키게 한다. 충수염으로 인한 통증은 전형적으로 배꼽 근처에서 시작하여 우하복부로 이동하며, 기침을 하면 통증이 커진다. 노인의 경우 이 같은 현상이 적다. 우하복부나 오른쪽 옆구리에서 국소적으로 압통이 있으면 충수염을 의심해야 한다. 직장을 진찰하고, 여성일 때는 골반도 진찰한다. 오른쪽 직장압통은 충수염 이외에 자궁부속기의 염증이나 정낭염으로 인해서도 발생할 수 있다. 압통이 있는 부위에서 반발압통이 있는지 알아본다. 반발압통은 충수염으로 인해 복막에 염증이 생겼음을 의미한다.

① **로브싱징후**(Rovsing's sign)

좌하복부를 눌렀을 때 우하복부에 통증을 느끼는 경우는 충수염을 시사하는 양성 로브싱징후이다. 손을 재빨리 뗄 때 우하복부에 통증이 느껴지는 경우는 전이 반발 압통소견 양성이다.

② **요근징후**(psoas sign)

환자의 오른쪽 무릎에 검사자의 손을 올려놓고 환자에게 오른쪽 허벅지를 들어 올리게 한다. 왼쪽 다리도 같은 동작을 반복하게 한다. 환자의 오른쪽 고관절을 충분히 신전시킨 후 오른쪽 고관절을 굴전시켜 요근을 수축시키고 고관절을 신전하여 요근을 이완시킨다. 이와 같은 방법으로 복통이 증가하면 요근징후 양성이다. 이는 염증이 일어난 충수에 의해 요근이 자극을 받기 때문이다.

③ **폐쇄근징후**(obturator sign)

환자의 오른쪽 고관절을 신전시키고 슬관절을 굴전시킨 후 오른쪽 고관절을 내회전시킨다. 이렇게 하면 내폐쇄근이 늘어난다. 오른쪽 우하부 통증이 일어나면 폐쇄근징후 양성이다. 이는 염증이 있는 충수에 의해 폐쇄근이 자극을 받기 때문이다.

(3) 급성담낭염의 평가

우상복부에 동통과 압통이 있으면 급성담낭염을 의심한다. 검사자의 왼쪽 엄지손가락이나 오른쪽 손가락을 복직근의 바깥쪽 경계와 늑골 경계가 만나는 부위에 밀착시키고 환자에게 심호흡을 시키면서 압통의 변화를 관찰한다. 압통이 갑자기 증가하여 호기 시 숨을 갑자기 멈추게 되면 머피징후(Murphy sign) 양성이다. 간으로 인한 압통의 경우에는 급성담낭염에 비해 범위가 좀 더 넓은 편이다.

(4) 복벽 종괴

복강내 종괴와 복벽의 종괴를 구별하기 위해서 환자에게 머리와 양어깨를 들어 올리게 하여 복근을 강직시킨 후 종괴를 관찰한다. 복벽에 있는 종괴는 계속 촉진되나 복강내 종괴는 근육이 수축해 불분명해진다.

참고문헌

1. Bickley LS, Szilagyi PG. Bates' Guide to Physical Examination and History Taking. 9th ed. Philadelphia: Lippincott Williams & Wilkin, 2007.
2. Feldman M, Friedman LS, Sleisenger MH. Gastrointestinal and Liver Disease Pathophysiology, Diagnosis, Management. 7th ed. Philadelphia: Saunders, 2002.
3. Silen W, Cope Z. Cope's Early Diagnosis of Acute Abdomen, 21st ed. Oxford and New York: Oxford University Press, 2005.
4. Yamamoto W, Kono H, Maekawa H, et al. The relationship between abdominal pain regions and specific diseases: an epidemiologic approach to clinical practice. J Epidemiol 1997;7:27-32.

CHAPTER 6

위장관의 내시경 및 내시경초음파검사

1. 상부위장관내시경

위장관 질환이 많은 우리나라에서는 위장관 내시경 검사가 소화기 질환의 기본검사이자 많이 시행하는 검사 중 하나이다. 우리나라는 위암의 발생률과 이로 인한 사망률이 높으므로 상부위장관내시경검사는 정확한 감별진단을 위해 꼭 필요한 검사이다. 상부위장관 내시경검사에서 관찰되는 구조는 구강, 인후부, 식도의 윤상인두괄약근(cricopharynleal sphincter), 식도 내강 위 체부와 전정부(antrum), 분문부(cardia), 기저부(fundus), 소만곡(lesser curvature), 유문부(pylorus), 십이지장의 구부(duodenal bulb)와 두번째 부위(second portion)이다. 이 부위들은 내시경을 빼면서 다시 반복해서 관찰하게 된다.

1) 상부위장관내시경검사의 적응증

진단 목적으로 시행하는 상부위장관내시경검사의 적응증을 살펴보면 적절한 치료에도 불구하고 지속되는 상복부 불편감이 있을 때, 심각한 질환을 암시하는 증상 및 징후와 관계된 상복부 불편감이 있는 경우(예: 식욕부진과 체중감소), 연하곤란 또는 연하통의 증상이 있는 경우, 적절한 치료에도 위식도역류 증상이 반복되는 경우, 이유를 알 수 없는 구토가 지속되는 경우, 상부위장관의 병변 때문에 다른 전신질환의 치료계획을 수정해야 하는 경우(예: 항응고제 사용, 관절염에 대해 NSAID 사용 등), 가족성선종용종증(familial polyposis coli)이 있는 경우를 들 수 있다. 그 외 영상학적 소견상 종양이 의심되어 확진이나 특수 조직학적 진단의 목적으로 시행할 수 있고, 상부위장관조영술에서 위장과 식도의 궤양, 협착, 폐색 등의 증거가 관찰된 경우에도 시행할 수 있다. 급성 위장관출혈이 있으면 대부분 상부위장관 내시경검사를 시행하게 되며, 급성 출혈 외에도 수술치료가 계획된 경우, 급성 출혈 후 재출혈이 생긴 경우, 문맥고혈압(portal hypertension)이나 대동맥장관루(aortoenteric fistula)가 형성된 경우에도 시행한다(표 6-1).

2. 색소내시경

색소내시경(chromoendoscopy)은 상부위장관내시경검사 중에 색소액을 사용하는 검사법으로 통상적인 내시경 영상에서 병변을 찾기 힘든 경우, 점막 색조의 변화, 요철 등을 보기 쉽게 할 목적으로 사용된다. 흔히 사용되는 색소는 루골액(Lugol's solution), 메틸렌블루

표 6-1. 상부위장관 내시경검사의 적응증

1. 적절한 치료에도 불구하고 지속적인 상복부 불편감이 있는 경우
2. 심각한 기질적 질환을 암시하는 증상 및 징후와 관계된 상복부 불편감이 있는 경우(예: 식욕부진과 체중감소)
3. 연하곤란 또는 연하통의 증상이 있는 경우
4. 적절한 치료에도 위식도역류 증상이 지속되고 반복되는 경우
5. 이유를 알 수 없이 구토가 지속되는 경우
6. 상부위장관의 병변 때문에 다른 전신질환의 치료계획을 수정해야 하는 경우(예: 상부위장관출혈의 과거력이 있는 환자에게 장기를 이식하기로 계획된 경우, 항응고제를 장기간 사용해야 하는 경우, 관절염에 대해 만성적인 비스테로이드성 진통제를 투여해야 하는 경우)
7. 가족성선종용종증이 있는 경우
8. 영상학적 검사에서
   a. 종양이 의심되어 확진 이나 특수 조직학적 진단의 목적으로 시행
   b. 위장과 식도의 궤양, 협착 혹은 폐색의 증거가 있는 경우
9. 위장관출혈
   a. 대부분의 급성 출혈
   b. 수술치료가 계획된 경우
   c. 급성 출혈 후 재출혈이 생긴 경우
   d. 문맥고혈압이나 대동맥장관루가 형성된 경우

(methylene blue), 콩고레드(Congo red), 인디고카민(indigocarmine)이다. 요오드가 함유된 루골액은 정상 식도 편평상피 내에 있는 글리코겐과 반응하여 상피를 흑갈색으로 변색시킨다. 이 검사법으로 식도암을 조기에 발견할 수 있다(그림 6-1). 환자가 과민성을 보이거나 흉부 불쾌감 등을 호소할 수 있으므로 주의한다. 검사가 끝난 후에 5% sodium thiosulfate 용액으로 중화하면 부작용을 완화할 수 있다. 메틸렌블루는 바레트식도(Barrett esophagus), 위암이나 위점막의 장상피화생을 염색할 때 이용하는 색소로, 장점막세포가 색소를 흡수한다. 콩고레드 염색법은 위산 분포에 따라 색조가 변하는 것을 이용한 검사법으로, 적색의 시약이 흑청색으로 변한다. 위축위염 부위를 확인하는 데 유용하다. 인디고카민은 점막 표면의 요철을 따라 고이므로 병변을 대조하기 쉽게 만들어준다(그림 6-2).

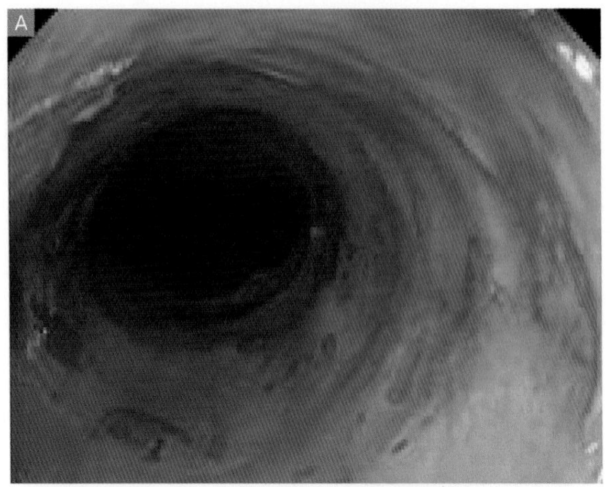

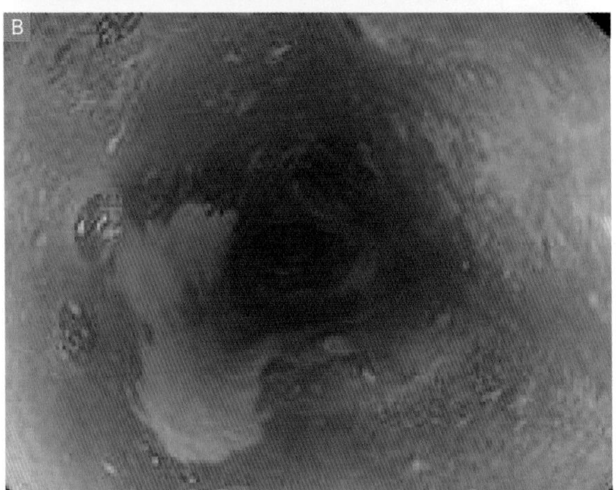

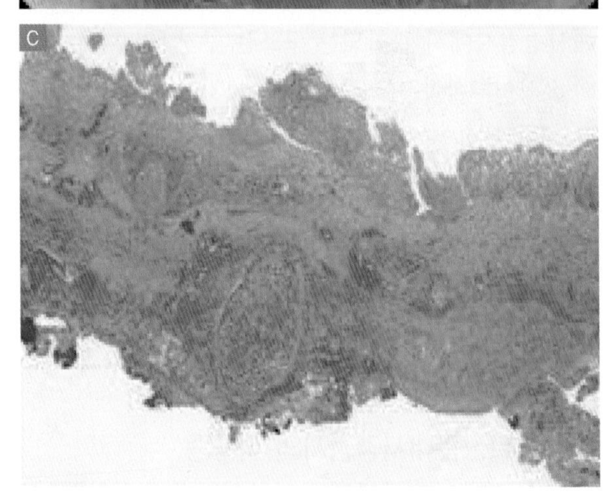

그림 6-1 식도암의 색소내시경 소견.
A. 일반내시경검사에서 식도의 미란성 병변이 관찰된다.
B. 루골액을 산포하자 착색되지 않는 병변이 보인다.
C. 조직검사 결과 상피세포암으로 진단되었다.

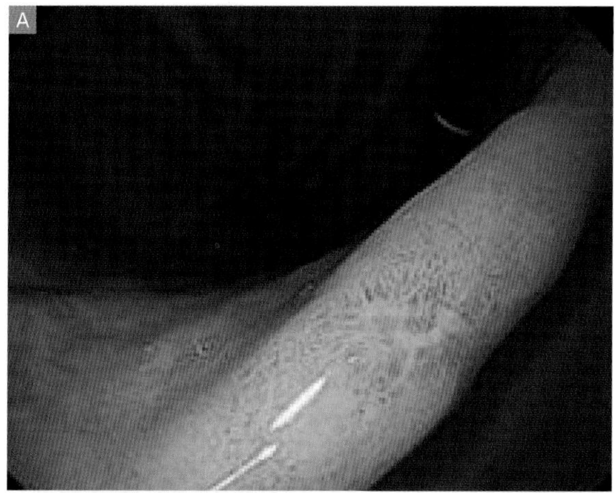

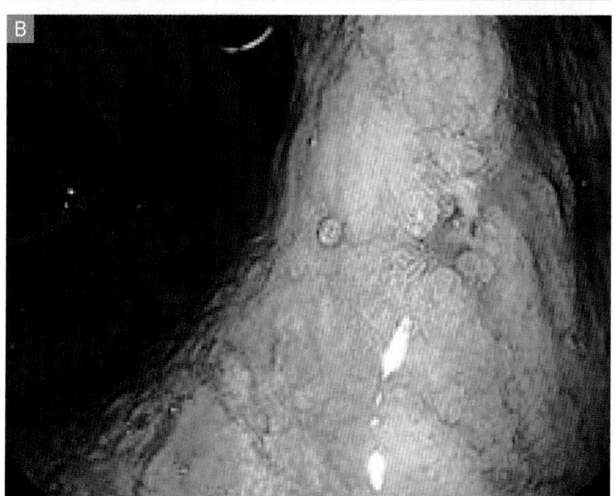

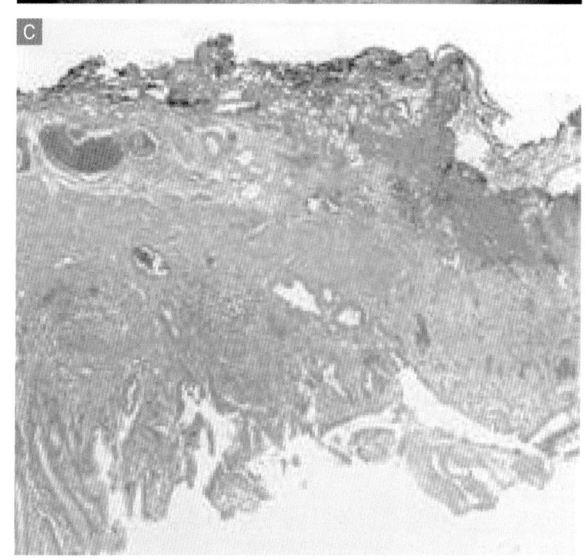

그림 6-2 조기위암의 색소내시경 소견.
A. 일반내시경검사 소견
B. 1.5% 아세트산과 인디고카민을 이용한 색소내시경검사에서 착색되지 않은 병변이 관찰된다.
C. 조직검사 결과 선암으로 진단되었다.

3. 특수 내시경

현대의학에서 전암성 병변 및 암의 조기진단은 의학자와 과학자들의 중요한 관심사이다. 현재까지 위장관암의 진단에는 백색광을 이용한 통상적인 내시경 영상과 최종 확인을 위한 조직생검이 주로 이용되고 있으나, 내시경 영상의 기술적 발전에도 불구하고 위장관의 선종성 용종과 비선종성 용종의 진단 및 감별, 바레트식도나 만성 궤양성대장염 환자에게 동반되는 이형성, 조기암 등을 내시경검사로 진단하는 데는 아직까지 한계가 존재한다. 게다가 최종확인을 위한 병리학적 검사는 시간이 걸리고, 침습적이라는 제한점도 있다.

이를 극복하기 위하여 최근 두 방면의 영상기술이 개발되었다. 하나는 점막 표면을 더 확대하거나 해상도를 높임으로써 내시경 영상의 민감도와 정확도를 향상시키는 영상기술로서, 확대내시경(magnifying endoscopy)과 협대역 영상(narrow band imaging, NBI)이 이에 해당한다. 다른 하나는 광학분석기술의 개발로 발전된 다양한 광학영상술로, 통상적인 내시경 영상과는 달리 조직의 미세구조나 분자 단계에서의 화학적 특정을 평가할 수 있다. 광학영상술은 신속한 조직학적 진단이 가능할 뿐만 아니라 병변경계부 결정, 의심되는 병변의 조직생검 민감도를 높일 수 있으며 조직생검의 위험성과 비용, 불필요한 용종절제술 등을 피할 수 있다. 최근까지 연구되고 있는 광학 영상검사는 자가형광관찰장치(autofluorescence imaging), 동일초점현미경검사(confocal microscopy) 등이다.

1) 고해상 확대내시경

내시경 영상 해상도는 서로 근접한 두 물체를 자세히 구분할 수 있는 능력을 말한다. 디지털 비디오 영상에서의 해상도는 화소수(pixel density)에 좌우되는데 전통적인 내시경은 보통 10~20만 화소의 전하결합소자(charge-coupled device, CCD)를 사용한다. 반면에 고해상도 내시경은 높게는 85~200만의 고화소 CCD를 사용한다. 확대내시경은 기존 내시경의 선단에 있는 렌즈와 CCD 사이에 확대 레버(zoom lever)로 위치 조절이 가능한 줌렌즈를 추가하여 1.5~150배까지 확대된 영상을 얻을 수 있도록 개발된 내시경이다.

고해상 확대내시경은 고해상도 내시경과 확대내시경을 접목한 것으로, 위장관의 확대영상을 얻어 점막 미세구조를 관찰할 수 있다. 고해상 확대내시경검사를 할 때는 주로 아세트산(acetic acid), 인디고카민, 메틸렌블루, 루골액 등을 이용한 색소내시경검사를 같이 시행한다. 정상 식도의 확대내시경 소견은 점막하 혈관이 규칙적이고 미세한 혈관망(나뭇가지 모양 혈관, arborescent vessel)을 형성하면서 점막층으로 확장된 유두내모세혈관고리(intrapapillary capillary loop, IPCL)가 특징인데(그림 6-3), 이형성이나 암일 때는 이러한 규칙적인 유두내모세혈관고리가 소실되고 확장, 사행(weaving), 구경부동(changing caliber), 형상불균일(difference in shape)이 동반되므로 조기진단이 가능하다(그림 6-4). 또한 유두내모세혈관고리의 특징적인 이상소견으로 조직학적 침윤도를 예측할 수 있다. 즉 침윤도가 m1일 때는 유두내모세혈관고리의 확장, m2일 때는 유두내모세혈관고리의 확장 및 연장, m3일 때는 유두내모세혈관고리와 종양혈관이 혼합되어 나타난다. 유두내모세혈관고리가 모두 종양혈관으로 대치되어 보일 때는 점막하 침윤이 있음을 예측할 수 있다.

또한 확대내시경은 위식도역류질환에서 바레트식도 진단을 위한 선별검사(screening test)와 바레트식도에서 이형성 혹은 암의 동반 여부를 발견하는 추적감시(surveillance)에도 이용된다. 그러나 바레트식도의 확대내시경 소견에 대해서 아직까지 일관된 정설은 없고 연구자에 따라 다양한 분류법이 제안되고 있다. 여러 연구에서 소구형태(pit pattern)가 융기형(ridged), 관상형(tubular) 또는 융모형(villous)을 띠는 경우 바레트식도의 가능성이 높으며, 소구형태가 불규칙하거나 파괴되어 있으면 고도이형성이 동반된 경우가 많다(그림 6-5).

확대내시경검사로 위 병변을 진단할 때는 표면의 구

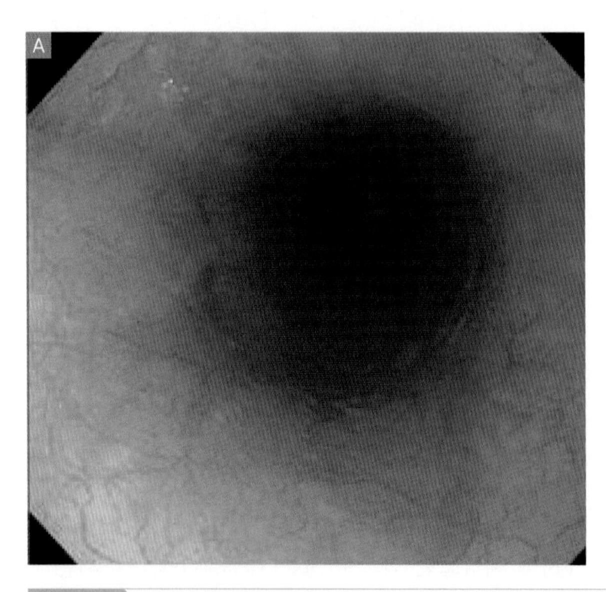

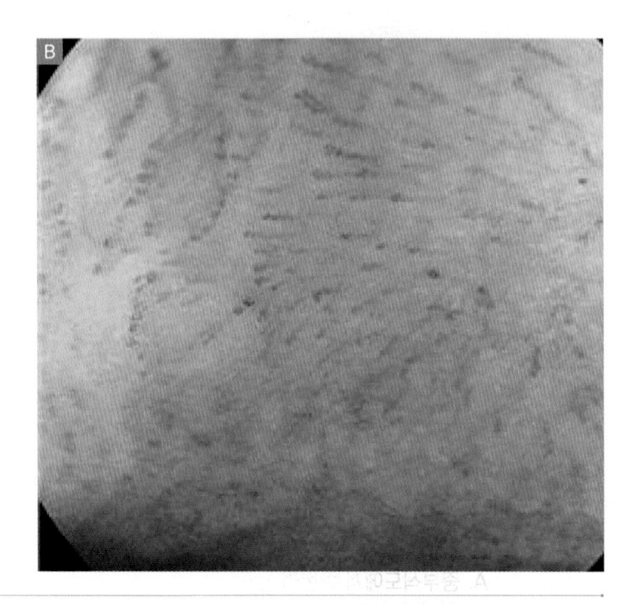

그림 6-3 정상 식도의 내시경 소견.
A. 식도 점막하 혈관의 내시경 소견에서 나뭇가지 모양 혈관이 관찰된다.
B. 확대내시경검사에서 유두내모세혈관고리가 관찰된다.

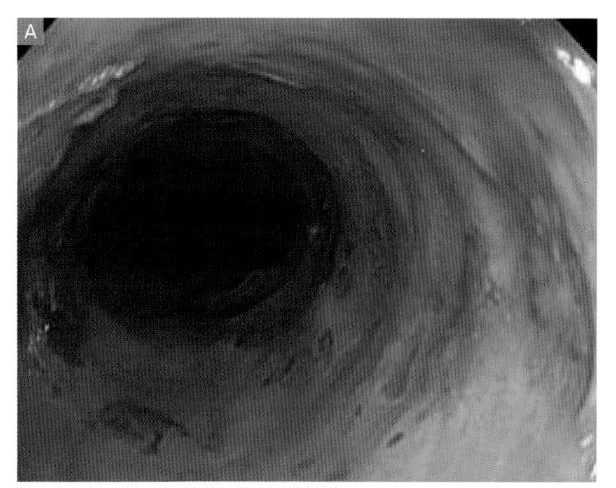

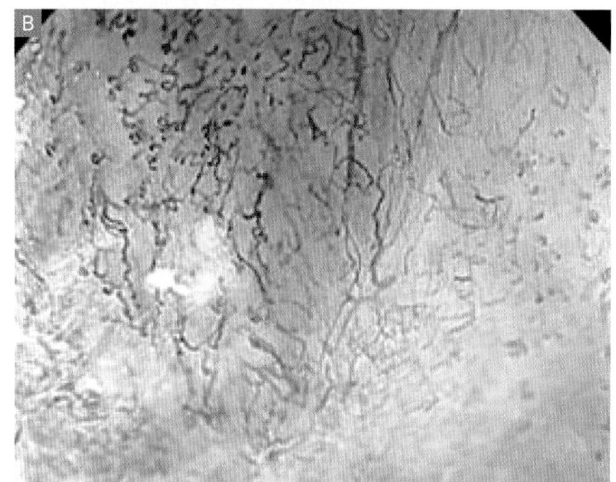

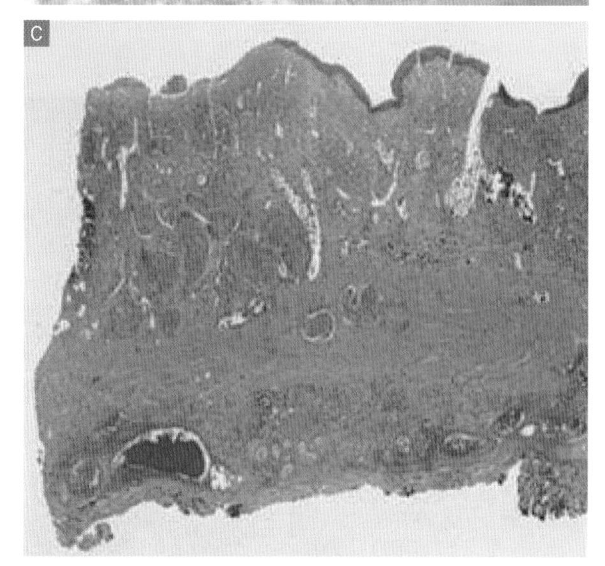

그림 6-4 **식도암의 확대내시경 소견.**
A. 중부식도에서 병변이 관찰된다.
B. 확대내시경검사에서 유두내모세혈관고리의 변형이 관찰된다.
C. 조직검사 결과 편평상피암으로 진단되었다.

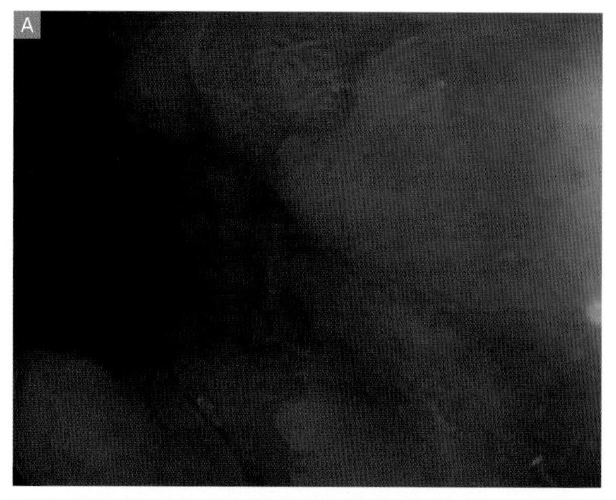

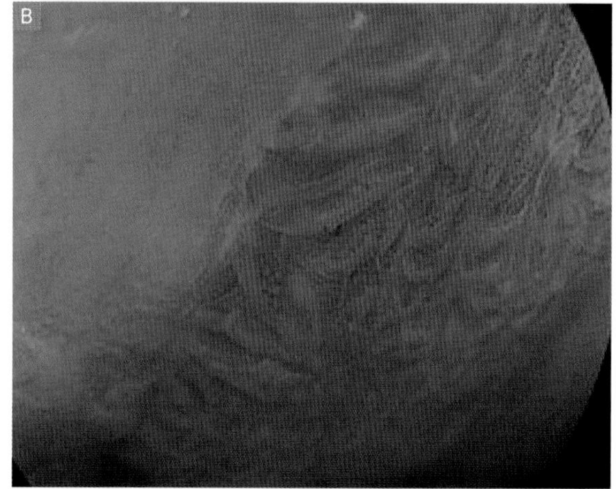

그림 6-5 **바레트식도의 내시경 및 확대내시경 사진.**
A. 식도위경계부에서 바레트식도로 의심되는 병변이 보인다.
B. 확대내시경에서 융모형의 소구형태가 관찰된다.

조, 특히 소구형태나 미세혈관의 형태를 관찰하는데, 정상조직의 미세혈관은 규칙적인 상피하모세혈관망(subepithelial capillary network, SECN) 형태를 띠는 것이 특징이다. 확대내시경 소견으로 양·악성 용종의 감별, 조기 평탄형 혹은 함요형 암의 진단, 분화 정도 및 침윤 정도를 평가할 수 있다.

일반적으로 분화형 점막내 조기위암은 확대내시경으로 관찰했을 때 상피하모세혈관망의 소실, 암과 비암성 부위의 미소혈관 구축 차이에 의한 명료한 경계선과 불규칙한 미소혈관상을 보인다. 미분화형 암은 상피하모세혈관망의 밀도가 감소 또는 소실된 소견을 보이며 점막내에서는 고유간질증식을 동반하지 않고 침윤성으로 증식하는 형태를 취한다. 선구 표면의 구조가 파괴되어 비구조적 형태로 보이면 점막하 침윤을 의심할 수 있다. 따라서 조기위암의 경우 확대내시경검사를 통해 미세한 조기위암 병변을 초기에 발견하고 조직 분화도와 침윤도를 예측하여 내시경점막절제술의 시술여부를 결정하거나 병변의 경계를 정확히 구분할 수 있다 (그림 6-6).

2) 협대역내시경

위장관 점막으로의 투과 깊이는 투여되는 빛의 파장에 따라 달라진다. 일반 전자내시경의 400~700 nm의 가시광선을 투과하는 RGB 필터를 보다 짧은 파장의 빛을 통과시키는 필터(red: 485~515 nm, green: 430~460 nm, blue: 400~430 nm)로 바꾸어 내시경 영상을 얻는 것을 협대역 영상(narrow band inaging, NBI)이라고 한다. 빛의 파장이 짧을수록 조직 내 투과 깊이가 낮으므로 협대역 영상을 이용하면 점막 표면 및 미세혈관의 구조를 보다 선명하게 관찰할 수 있다. 확대내시경을 이용하여 식도 편평세포 상피를 관찰하면 유두내모세혈관고리를 관찰할 수 있다. 바레트식도 환자를 대상으로 일반 확대내시경과 협대역 영상을 이용한 조직생검 결과를 비교한 연구에 따르면 바레트식도의 진단율은 일반 확대내시경 40%, 협대역 영상 확대내시경 90%로 일반 확대내시경보다 협대역 영상을 이용한 확대내시경이 바레트식도의 진단에 더욱 유용하다. 또 식도의 표재성 식도암과 고도 이형성증의 진단에도 조직생검 결과와 협대역 영상, 확대내시경 영상을 비교해보면 협대역 영상을 이용한 경우가 확대내시경만을 사용한 경우보다 진단율이 더 일치했다는 결과도 있다(85.2% vs. 81.5%). 또한 협대역내시경으로는 일반 내시경으로 관찰할 수 없는 위점막의 모세혈관 및 위 소구(pit) 형태를 관찰할 수 있다.

함몰형 조기위암 환자 165예 중 분화형 조기위암의 66%는 미세혈관이 미세한 망상구조의 규칙적인 형태를 띠었으나 미분화형 조기위암 환자의 경우는 86%가 미세혈관이 불규칙한 형태를 보여 협대역내시경검

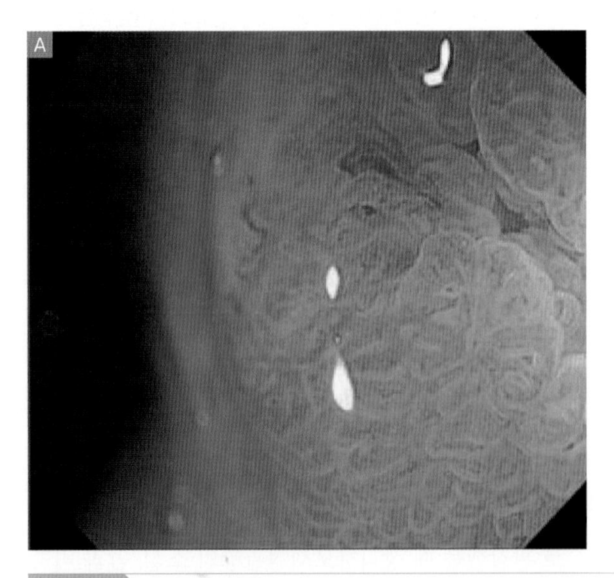

그림 6-6 조기위암의 확대내시경 소견.
A. 암 병변과 비암성 병변의 경계를 명확히 관찰할 수 있다.
B. 확대내시경 영상에서 소구 형태의 소실이 관찰된다.

사로 위암의 조직학적 분화도를 예측할 수 있음을 알 수 있다. 또한 일반내시경으로 진단하기 쉽지 않은 장상피화생을 협대역내시경으로 관찰하면 청색 융기가 보이는데, 이는 조직학적으로 CD10 양성, 알시안블루(alcian blue) 양성과 관련이 깊어 민감도와 특이도가 각각 89%와 93%로 높았다(그림 6-7).

3) 자가 형광관찰장치

생체 조직에 자외선이나 단파장 가시광선(375~478 nm)을 비추면 쏘인 빛의 파장보다 좀 더 긴 파장의 형광을 발광하게 되는데 이를 형광단(fluorophores)이라 부른다. 소화기계에 존재하는 대부분의 형광단에는 결합조직(collagen, elastin), 조효소(NADH, FAD), 아미노산(tryptophan, tyrosine, phenylalanine), 포르피린(porphyrin), lipopigments (lipofuscin, ceroids) 등이 있다. 정상조직과 종양조직은 자가형광 검출량이 다른데, 종양조직의 상피세포가 정상 상피세포보다 두꺼워져 형광물질을 자극하는 빛을 차단하거나 흡수하기 때문이다. 또한 종양병변의 혈류량이 증가하여 자가형광 검출량이 달라질 수 있는데, 조직은 형광 방출 없이 빛을 흡수하는 발색단(fluorophore)이라는 내부물질을 포함하고 있다. 가시광선 내에서 중요한 발색단은 헤모글로빈이며 이것이 단파장 가시광선을 흡수하는 작용을 한다. 이러한 원리를 바탕으로 종양에서 발생하는 특이적인

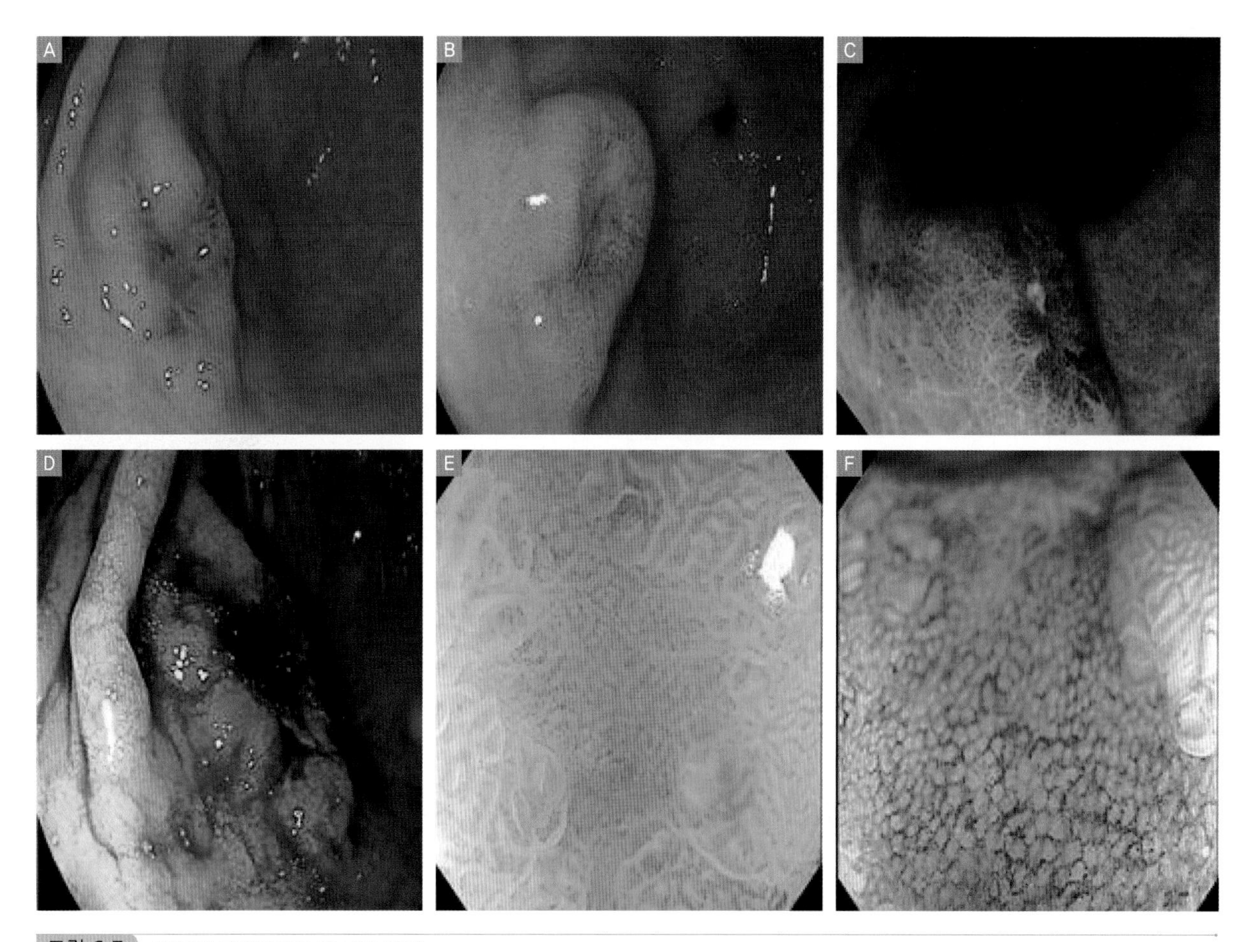

그림 6-7 **분화형 조기위암의 내시경 사진.**
A. 일반 내시경 B. 영상강조 내시경 C. 협대역내시경 D. 색소내시경 E. 확대내시경 영상 F. 협대역내시경의 확대내시경 영상. 미세망상구조가 관찰된다.

자가형광을 검출하여 진단하는 장치가 자가형광관찰장치(autofluorescence imaging, AF)이다.

정상조직은 밝은 자가형광을 방출하기 때문에 녹색으로 나타나며 종양조직은 자가형광을 흡수하기 때문에 녹색의 보색인 보라색으로 나타난다. 헤모글로빈이 자가형광과 녹색광을 모두 흡수하기 때문에 혈관은 청색으로 나타나며, 적색 반사광은 거의 흡수되지 않기 때문에 전체적인 밝기와 점막의 원근감을 나타낸다. AF 영상에서 식도의 정상 편평상피와 이형성증이 없는 바레트식도 상피는 녹색을 띠고, 이형성증이나 암이 동반된 바레트식도 상피는 보라색을 띤다. 위 유문부 점막과 위축위염이 있는 부위는 녹색을 띠며, 분문부 점막은 보라색을 띤다. AF 영상에서는 병변이 궤양형이거나 궤양 흔적이 있는 경우, 염증이 심한 경우에 병변의 범위가 과장되게 나타나는데, 염증이 있는 경우 종양조직과 같이 보라색을 띠기 때문이다. 위암세포의 조직학적 차이도 AF 영상에서 구분되는데 미만성 위암은 녹색, 장형 위암은 보라색을 띤다. 하지만 위양성도가 높고 해상도가 낮은 점은 개선해야 할 문제이다(그림 6-7).

4) 동일초점 현미경내시경

일반적으로는 내시경검사 시 백색 광원을 사용하여 위장관의 점막표층을 관찰해서 병변을 찾아 육안 소견만으로 감별진단을 하고, 확진하기 위해 조직검사를 시행한다. 하지만 조직검사는 출혈 및 감염의 위험성이 있으며, 정확하지 못한 조직생검은 진단에 오류를 일으킬 수 있다. 무작위 생검은 시간이 많이 소요된다. 따라서 내시경을 시행하는 동시에 조직 소견을 확인하기 위한 연구가 진행되었고 기기도 개발되었다.

생명과학 분야에서 유용하게 사용하고 있는 동일초점영상시스템은 조직을 절단하지 않고도 비침습적으로 생체조직의 삼차원 구조를 알 수 있는 기술이다. 이를 내시경에 접목하여 조직을 절단하지 않고도 생체 내 조직 및 세포 형태를 관찰하고자 하는 연구가 진행되어 왔다. 최근에는 조명원(illumination point source)과 검출기 및 조리개를 동시에 장착할 수 있는 단일 광섬유가 개발되어서 내시경 선단부에 동일초점현미경을 장착할 수 있게 되었다. 동일초점현미경내시경(confocal endomicroscopy)은 조직에서 반사되는 빛을 관찰하거나 조직 자체 또는 외부에서 투여한 형광체에 의한 형광을 관찰하는 방법이다. 1~5 μm의 해상도로 1,000배의 확대영상을 얻을 수 있어 실제 조직을 절단하지 않고 고정이나 염색 없이 광학적 절단(optical section)만으로 세포와 핵을 구별할 수 있다. 현재 위장관 질환의 생체검사에 이용할 수 있는 동일초점 영상 시스템은 조직반사(tissue reflection)를 이용한 동일초점 영상획득방법(reflection type)과 조직 내 형광체의 형광을 이용한 동일초점 영상획득방법(fluorescence type)이다.

고해상도 영상을 얻기 위해 생체에 사용할 수 있는 형광물질로는 대부분 정맥주사로 투여되는 플루오레신(fluorescein)과 국소 도포할 수 있는 아크리플라빈(acriflavine)을 사용한다. 플루오레신은 혈청 알부민과 결합하고 결합되지 않은 플루오레신은 전신 모세혈관을 통하여 전체 조직에 침윤된다. 조영제가 장상피세포의 핵에는 모이지 않기 때문에 핵을 관찰하기는 어려우나 전 점막층에 퍼져 결체조직과 모세혈관망을 강하게 대비시키기 때문에 세포나 혈관, 결체조직을 고해상도로 감별해낼 수 있다. 플루오레신은 조영제 주입 후 20초 이내에 동일하게 분포되기 시작하여 30분까지 효과가 지속되어 점막 표면부터 250 μm 심부점막층까지 전체면을 관찰할 수 있다. 이와 대조적으로 아크리플라빈은 국소적으로 산포하여 핵과 세포질을 염색하는 데 이용되며, 산포후 몇 초 내에 흡수되어 점막층의 표층 100 μm 이내에 국한되어 나타나 상피내종양이나 암으로 발전할 수 있는 핵 구조를 판단하는 데 도움이 된다. 이 두 형광물질의 특성을 이용해 이들을 동시 투여하여 표면상피세포와 점막고유층까지 심부영상을 관찰할 수 있다. 그러나 아크리플라빈은 드물지만 돌연변이(mutagenic activity)의 위험이 있기 때문에 신중히 사용해야 한다.

생체 내 광학적 생검(optical biopsy)은 기존의 병리조직검사와 차이가 있다. 생체 내 조직검사는 항상 점막의 횡단면만 얻을 수 있는 반면, 기존의 병리조직검사는 종단면으로 잘라서 검사를 하게 된다. 영상면의 깊이도 생체 내 조직검사는 250 μm까지만 기능해 점막층만 관찰할 수 있고 점막하층의 관찰이 불가능하다. 또한 플루오레신의 역동학적 특성상 핵을 관찰할 수 없으므로 암성 병변의 등급, 즉 저분화에서 고분화에 이르는 상피내암의 분화도를 현재의 플루오레신을 이용한 동일초점 현미경내시경으로는 판단할 수 없다. 그러나 동일초점 현미경내시경의 해상도가 현저히 높기 때문에 종양성 병변과 비종양성 병변을 빨리 감별할 수 있다(그림 6-8).

4. 소장내시경

위장관내시경의 검사기구와 기술이 발달하면서 전 위장관을 관찰하려는 시도가 있어 왔다. 그러나 내시경은 주로 식도, 위, 대장 및 십이지장과 회장의 일부분

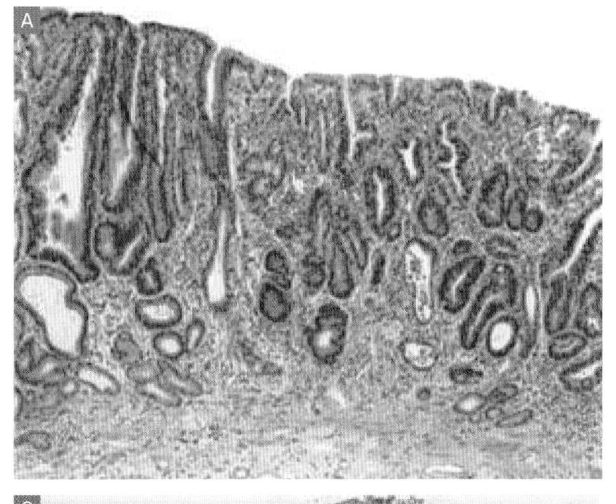

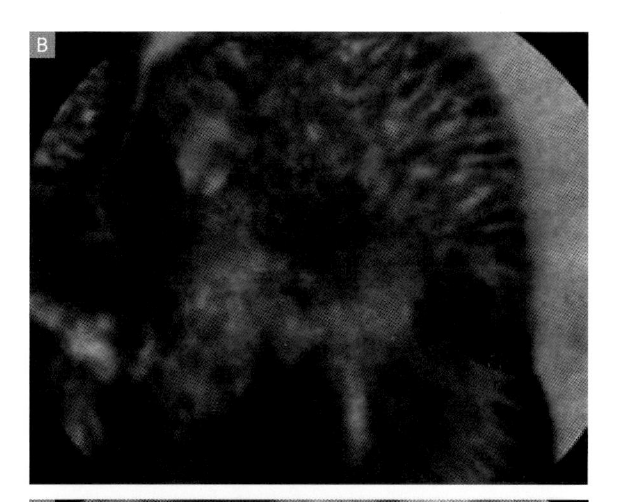

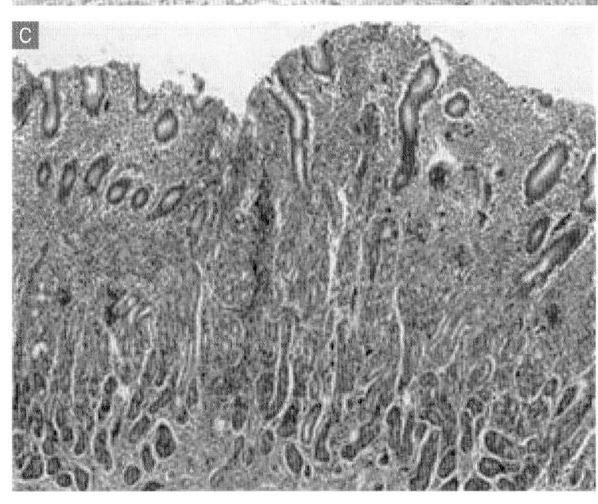

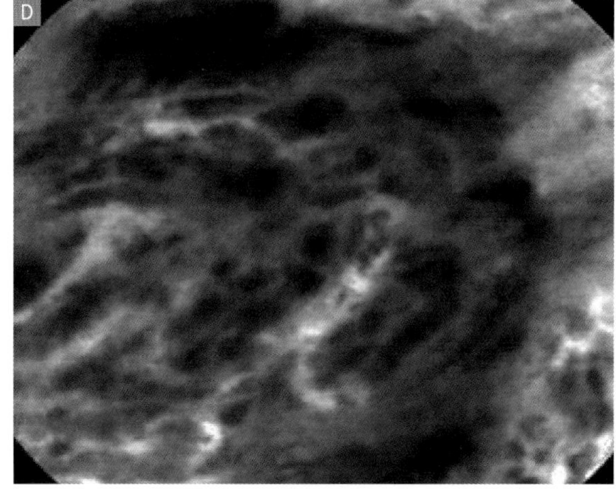

그림 6-8 **분화암(A, B)과 미분화암(C, D)의 동일초점 현미경내시경 영상(B, D)과 병리조직 사진(A,C)의 비교.**
분화암의 경우 동일초점 현미경내시경 영상에서 세포핵은 보이지 않으나 위선구조의 변화가 관찰된다. 미분화암의 경우 위선구조의 소실이 관찰된다. 영상에서는 미세망상구조가 관찰된다.

에 대한 진단과 치료에서 중요한 역할을 할 수 있었을 뿐, 소장의 경우에는 해부학적 구조와 위치상의 이유로 접근이 용이하지 않아 소장질환의 진단과 치료는 적으로 뒤처져 왔다. 기존의 소장검사방법으로 밀기법 소장내시경검사(push enteroscopy)는 2.1~2.5 m의 내시경 길이로 전 공장을 관찰 할 수 있고 그 이하의 소장은 Rope-way 또는 Sonde 방식으로 관찰이 가능하나, 시술하기가 어렵고 환자의 통증을 수반하므로 잘 시행되지 않고 있다. 영상의학적 방법은 편평하고 작거나 침윤성 혹은 염증성 병변에 대해서는 비교적 감수성이 떨어진다. 이렇게 소장 같이 접근하기 어려운 위장관을 검사하기 위해 캡슐내시경 및 소장내시경이 개발되었다. 소장내시경은 캡슐내시경과 달리 검체 채취와 치료를 병행할 수 있다. 소장내시경은 원인불명의 위장관출혈, 크론병, 소장종양 등의 진단 및 치료에 이용되며 복강질환(celiac disease), NSAID 유발소장병(NSAID induced enteropathy) 및 만성 복통과 설사의 진단에도 유용함이 증명되고 있다. 이 외에 수술 후 일반적인 상부위장관 내시경검사가 어려운 경우나 내시경췌담도조영술 및 대장내시경검사가 어려운 경우도 소장내시경으로 검사를 시행할 수 있다(그림 6-9).

5. 캡슐내시경

캡슐내시경은 직접 내시경을 조작하거나 진정제 등을 투약하지 않아도 검사가 가능하므로 내시경검사로 인한 감염의 가능성이 없고, 환자가 검사기간 동안 일상생활을 할 수 있으며, 비침습적이기 때문에 고통이나 부담을 주지 않으면서 위장관을 관찰할 수 있는 검사법이다. 가장 흔한 적응증은 상부위장관내시경, 대장내시경, 소장조영술 등의 검사에서 원인불명의 위장관출혈, 만성 복통 및 설사, 크론병과 같은 염증성 장질환, 용종증 증후군의 추적검사 등이다. 소장질환 외에도 식도, 대장검사용 캡슐내시경이 개발되어 적용 범위가 확대되고 있다.

캡슐내시경은 안전성이 높다고 알려져 있다. 5% 미만의 환자에서 캡슐이 대장을 통해 배출되지 않을 수 있으나 임상적으로 큰 문제는 없다. 절대적 금기증은 위장관 폐쇄, 협착, 누공 등이 의심되거나 진단된 경우, 연하곤란으로 캡슐을 삼키지 못하는 경우이며, 이 외에 임신, 젠커게실(Zenker diverticulum), 장 가성폐쇄 등도 금기증이다. 인공박동조율기, 제세동기 등 기타 의학적 전자장치를 몸속에 삽입한 경우도 금기증으로 알

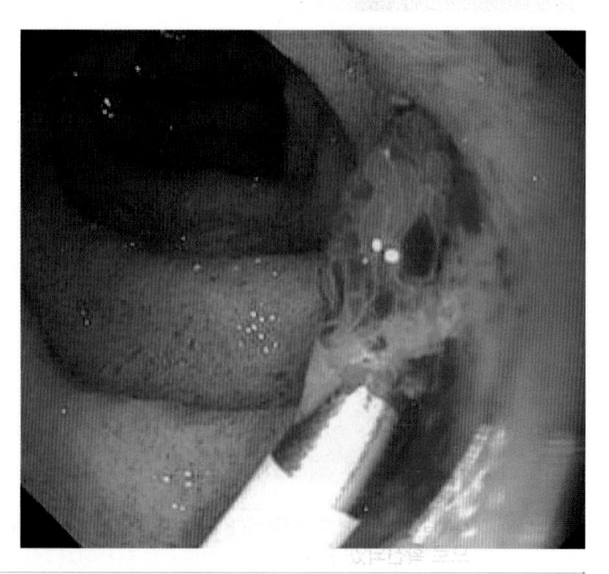

그림 6-9 소장내시경으로 확인한 트라이츠인대 상방에 있는 동정맥 기형으로 인한 공장출혈.

려져 있으나 양극성 박동조율기(bipolar pacemaker)일 때는 간섭이나 위험의 증거가 없어서 캡슐내시경검사가 가능하다. VVO 모드의 인공박동조율기일 때는 직접적인 간섭이 보고되었다. 일반적으로 복부에 박동조율기와 배터리가 삽입된 경우가 흉부에 삽입된 경우보다 캡슐내시경검사의 위험성이 더 높다. 소아에서도 6세 이상이면 비교적 안전하게 검사할 수 있다고 보고되어 있으며 11~17세에게는 캡슐내시경을 시행해도 무방하다. 캡슐내시경의 단점은 조직검사 없이 병변 관찰만으로 진단해야 하며, 병변을 지속적으로 관찰할 수 없고 내시경치료가 불가능하다는 점이지만 이 같은 문제를 해결하기 위한 노력이 계속되고 있다(그림 6-10).

6. 내시경초음파

내시경초음파(endosopic ultrasonography, EUS)는 내시경 선단에 초음파 탐촉자(ultrasound transducer)를 장착하여 위장관내에서 병변을 관찰하는 검사법으로, 다른 영상검사로 하기 어려웠던 위장관 벽과 주위 장기의 자세하고 체계적인 관찰이 가능하다. EUS의 영상학적 유용성은 이미 잘 알려져 있으며, 병변의 조직을 채취해 확진할 수 있어서 최근 각종 소화기

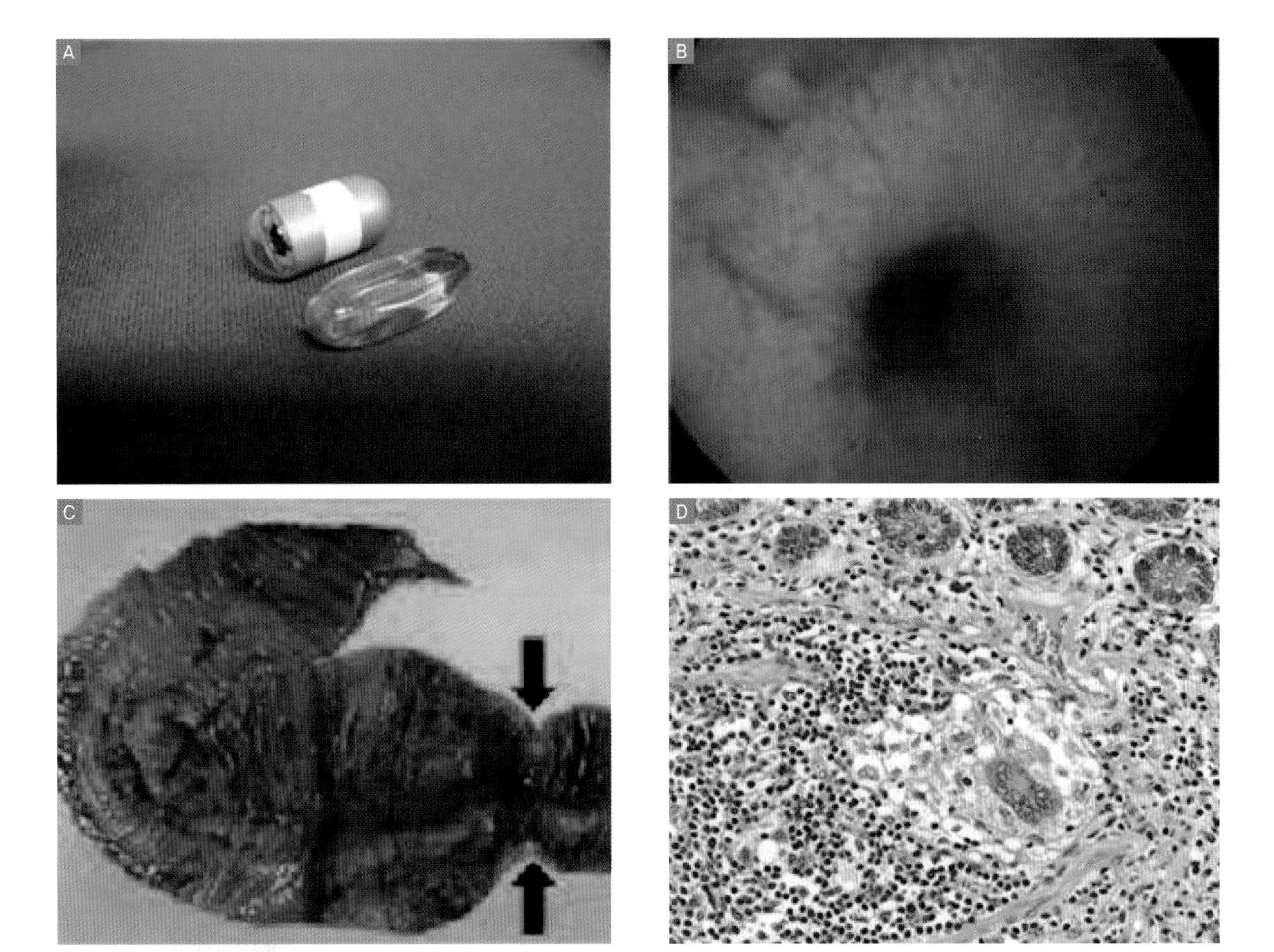

그림 6-10 A. 캡슐내시경 B. 캡슐내시경 영상으로 확인된 소장협착 C. 소장절제술로 확인된 협착 부위 D. 병리조직검사에서 크론병으로 확진되었다.

질병 진단검사법에 내시경초음파가 추가되는 추세이다. 내시경초음파에는 두가지 방식의 영상형태가 있다. 방사형(radial EUS)은 내시경 기기 장축의 수직방향으로 360°의 초음파 영상을 볼 수 있다. 일반적으로 5, 7.5, 12, 20 MHz의 주파수를 사용한다. 주파수가 높을수록 고해상도로 근접한 조직을 볼 수 있으며, 낮은 주파수는 주변 구조물까지 깊이 볼 수 있다는 것이 장점이다. 선형(linear EUS)은 내시경이 장축을 따라서 부채꼴의 약 100°의 초음파 영상을 보여주며 도플러 기능을 갖추고 있다. 이 내시경초음파기기는 내시경의 장축에 평행해서 초음파 영상을 제공하므로 약 8 cm까지 천자바늘을 직접 영상으로 볼 수 있다. 따라서 선형 내시경초음파는 실시간으로 위장관에 인접한 종괴나 림프선에 대한 세침흡인천자검사를 시행할 때 절대적으로 필요한 기구이다.

최근 세경초음파 장비가 개발되어 일반 내시경으로도 내시경초음파를 할 수 있게 되었다. 이 도관을 내시경 기기의 보조겸자공을 통해 삽입하면 점막 및 점막하에 위치한 작은 병변의 영상을 최대 20 MHz의 주파수로 볼 수 있다. 그러나 초음파기기의 직경이 작기 때문에 일반적인 초음파 투과 깊이는 약 1~2 cm에 불과하다.

1) 식도암

치료방침을 결정하고 예후를 예측하려면 먼저 식도암의 병기를 정확히 결정해야 한다. 식도암의 5년 생존율은 N0일 때 40~60%이나 N1이면 17%로 감소한다. 국소 진행된 IIB~III기일 때는 수술 전 화학방사선요법 이 생존에 도움을 줄 수 있으므로 내시경초음파검사가 중요하다. 내시경초음파는 CT, MRI, PET 등의 검사를 시행하여 원격전이가 없음을 판정한 후 병기를 판정할 때 사용하게 된다. TNM 시스템에서는 식도를 경부, 상흉부, 중흉부, 하흉부/복부식도로 4등분하였다. 흉부식도암에서 경부림프절이나 복강축(celiac axis)림프절이 있으면 절제가 불가능하고 예후가 불량하여 원격 림프절(M1a)로 분류한다. 내시경초음파에서 CT로 발견하기 힘든 간전이, 복강림프절이 발견되면 내시경초음파 유도하 세침흡인(endoscopic ultrasonography guided fine needle aspiration, EUS - FNA)으로 확진할 수 있다. 식도암에서 EUS T병기의 정확도는 80~85%로 최근의 나선형 CT와 비교해도 내시경초음파는 T병기 진단에 가장 유용한 도구이다. PET와 비교해보아도 병변 주변이나 복강림프절에 대한 민감도는 PET보다 더욱 높고 특이도도 내시경초음파-유도하세침흡인 trucut 생검을 한 경우 100%에 가까운 성적을 보여준다. 하지만 협착을 동반한 식도암일 때는 기기가 식도를 통과하기 어려워 병기가 과소평가 되기쉽다. 협착이 있는 경우 확장술을 시행한 후 내시경초음파를 했을 때 그중 19%가 T4, M1a로 진단되었다는 보고가 있으므로 확장술 후 내시경초음파를 실시해 그 결과를 보고 치료방법을 결정해야 한다. 이때 세경초음파 탐촉자를 이용하기도 하지만 주위 림프절을 관찰하기 힘들고 복강림프절의 내시경초음파-유도하세침흡인을 시행할 수 없다는 문제점이 있다.

종격동의 정상 림프절은 삼각형, 편평형이지만 악성 림프절은 1 cm 이상, 원형, 뚜렷한 외연, 균질한 저에코 소견이 특징이다. 국소림프절에 대한 내시경초음파의 민감도는 50~75%, 정확도는 65%이다. 내시경초음파상 림프절 개수와 예후는 비례하고 내시경초음파-유도하세침흡인으로 조직검사를 추가하면 정확도는 93%로 높아진다. 하지만 5 mm 이하의 동일에코 복강림프절의 44%에서도 수술 후 림프절 전이가 발견되므로 주의가 요망된다. M병기에서 장기의 전이(M1b)를 확인하는 데는 CT가 보편적이나 원격 림프절의 전이(M1a)를 확인하는 데는 내시경초음파가 우선적으로 사용된다. 표재성식도암(superficial esophageal cancer, SEC)이나 고도이형성의 경우 최근 내시경점막절제술(endoscopic mucosal resection, EMR)로 제거하는 경우가 증가하여 T병기의 정확도가 무엇보다 중요하다. 이런 경우 20 MHz의 세경초음파 탐촉자로 병변을 자세히 관찰하여 치료의 적응증 여부를 확인할 수 있다. 화학방사선요법 후 병기를 재판정할 때는 실제 종양의 침윤과 치료로 인한 염증, 섬유화를 구분하기 어렵다. 이때 종양의 최대 단면적을 측정하여 50% 이상 감소했다면 치료에 반응하는 것으로 판단한다(그림 6-11).

2) 바레트식도

바레트식도(Barrett esophagus)에 고도이형성이 동반된 경우 수술, 내시경점막절제술이나 광역학요법(photodynamic therapy, PDT) 등의 치료방법을 선택할 때 내시경초음파를 시행한다.

고도이형성의 약 30%에서 수술 후 암이 발견되므로 고도이형성이나 표재성 암의 경우 식도절제술과 주위 림프절 제거가 치료의 원칙이다. 하지만 수술 후 사망률이 3~5%에 달하므로 FDA에서는 바레트식도에 고도이형성이 동반된 경우 내시경점막절제술과 광역학요법을 치료법으로 승인하였다. 바레트식도의 내시경초음파소견은 이형성에 관계없이 제2층인 점막층과 제3층인 점막하층의 비후지만, 식도염도 같은 소견을 나타낸다. 림프절 전이는 표재성 병변에서는 적으나 T1m일 때 5%, T1sm일 때 25%로서 내시경초음파는 점막하층이나 주위 림프절의 침범 유무를 판단하여 내시경치료를 계획할 때 유용하다. 고도이형성의 자연경과는 예측이 불가능하므로 고도이형성을 동반한 바레트식도일 때 내시경초음파의 역할은 암이 동반되었는지를 규명하는 것이다. 12~20 MHz의 탐침자를 사용하면 바레트식도에 동반된 암 진단의 민감도는 82%, 특이도는 97%이고 위양성률은 13%이다.

3) 위암

내시경초음파에서 정상 위벽은 7.5~12 MHz의 탐촉자를 사용하여 관찰했을 때 5층 구조로 보이며 조직학적 소견과 잘 일치한다. 5층 구조는 위내강부터 시작

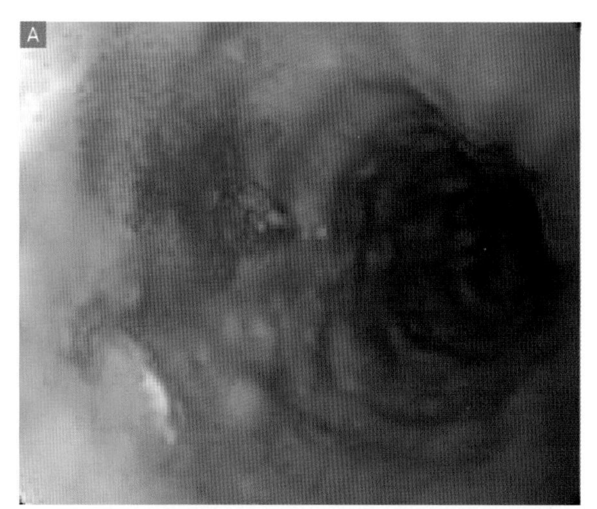

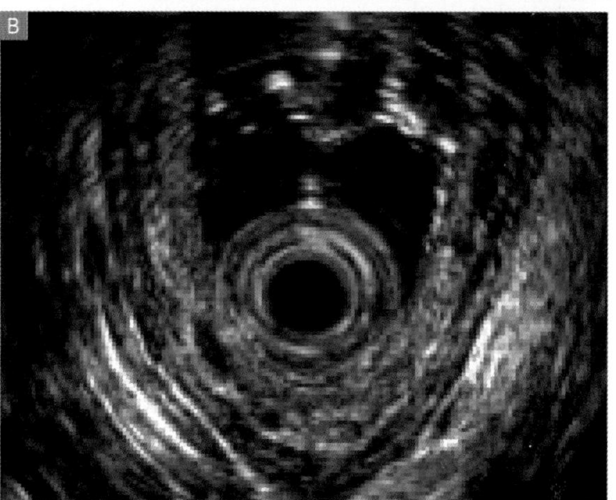

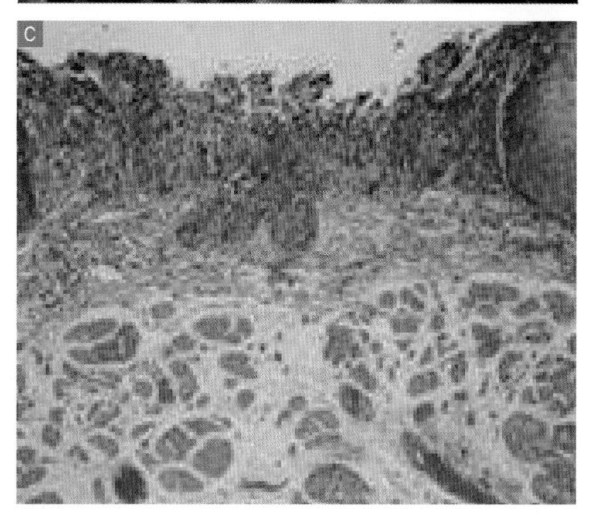

그림 6-11 **식도암의 내시경초음파 영상.**
A. 중부식도에서 미란성 병변이 관찰된다.
B. 점막층에서 기원한 저에코성 병변이다.
C. 내시경절제술 후 병리조직검사에서 점막층까지 침범한 편평상피암으로 진단되었다.

해서 1층(고에코)은 위내강과 점막 사이의 경계 에코 2층(저에코)은 점막근층, 3층(고에코)은 점막하층, 4층(저에코)은 고유근층, 5층(고에코)은 장막하 조직 및 장막에 해당한다. 위암은 내시경초음파에서 정상 위벽층을 파괴한 저에코 또는 혼합에코로 관찰된다. 내시경초음파는 CT와 함께 위암 병기를 결정하여 치료방침을 결정하는 데 중요한 검사방법이다. 내시경초음파 병기도 TNM 분류를 따른다. 내시경초음파는 조기위암의 병기를 결정하는 데 매우 유용하다. 세경초음파검사에서 고주파(20MHz)를 사용했을 때 작은 병변의 정확도는 92%까지 높았으나 병소의 크기가 2 cm 이상일 때는 정확도가 약 50%까지 감소하였다. 형태에 따른 정확도는 융기형일 때 91%, 고분화암일 때 86%로 높은 반면 함몰형일 때는 56%, 미분화암일 때는 18%로 낮다. 특히 내시경초음파로는 위장관 벽의 계층구조를 볼 수 있으므로 조기위암일 때 내시경점막하박리술(endoscopic submucosal dissection, ESD) 시행여부를 결정하는 데 유용한 정보를 얻을 수 있다. 내시경점막하박리술은 림프절 전이의 기능성이 최소(화)인 경우에 치료 목적으로 이용되며, 진단 목적으로도 사용될 수 있다. 따라서 내시경점막하박리술을 시행하기 전 내시경초음파검사는 병소의 침습 깊이를 진단하는 것뿐만 아니라 혈관구조나 인접장기와 병소의 상관관계를 파악하는 목적으로도 필요하다(그림 6-12).

진행성 위암의 경우 내시경초음파의 역할은 치료 조건에 따라 다르다. 내시경초음파는 장막층과 장막하층을 구분하지 못하기 때문에 식도암보다 위암의 병기를 결정할 때 정확도가 다소 떨어진다. 수술 전 내시경초음파로 조직학적 T병기를 80%(69~92%), N병기를 77%(50~88%)까지 예측할 수 있다. 그러나 내시경초음파는 미소암 침윤을 저평가하거나 암으로 인한 섬유화와 염증소견으로 고평가할 수 있다. 그리고 림프절은 암성 전이 이외에 염증성 변화로도 커질 수 있음을 고려해야 한다. 위암에서 내시경초음파의 림프절 진단 정확도는 N1 림프절에서 60~80%이나 N2 림프절에서는 50% 정도로 낮다(그림 6-13).

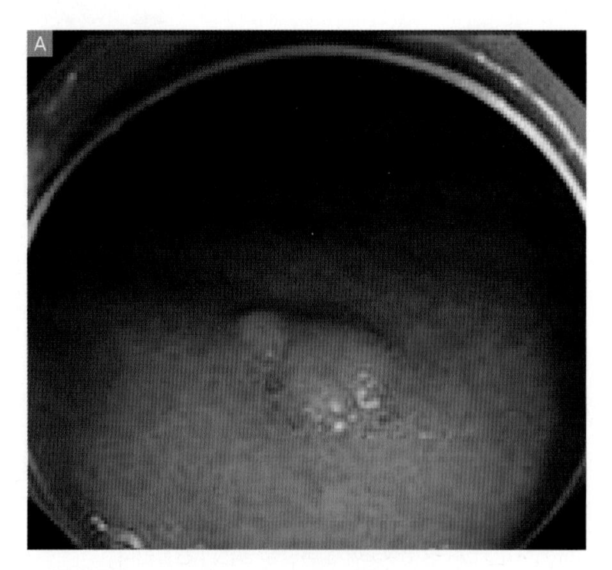

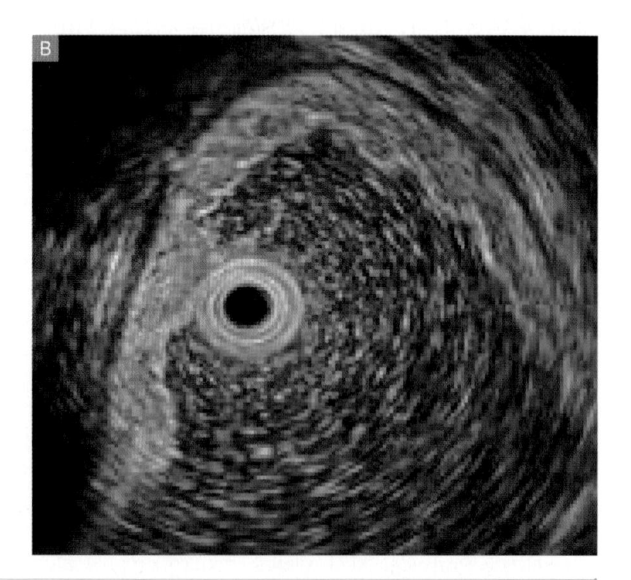

그림 6-12 **조기위암의 내시경초음파 영상.**
A. 위전정부에서 융기형 병변이 관찰된다.
B. 내시경초음파에서 제2층(점막근층)에서 기원하는 저에코성 병변이 관찰된다.

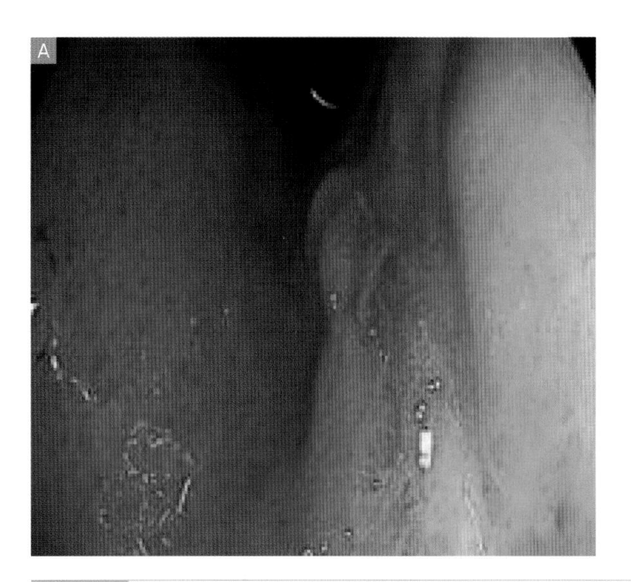

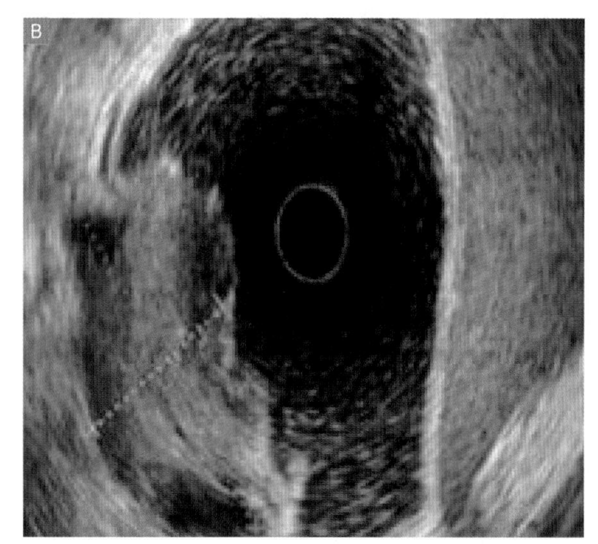

그림 6-13 진행성 위암의 내시경초음파 영상.
A. 위체부에서 궤양침윤형 병변이 관찰된다.
B. 내시경초음파에서 저에코성 병변이 위벽 전층을 파괴하는 소견이 보이며 위벽 밖에 다수의 림프절이 저에코성 병변으로 관찰된다.

4) 위장관기질종양

내시경초음파는 소화기 점막하종양을 진단할 때 중요한 검사방법이다. 특히 내시경초음파-유도하세침흡인을 시행하면 조직학적 진단이 가능하다. 소화기 중간엽종양(mesenchymal tumor)에는 지방종, 과립세포종, 신경종, 위장관기질종양(gastrointestinal stromal tumor, GIST) 등이 있으나 위장관기질종양이 가장 흔하여 소화기 점막하종양의 약 반수를 차지한다. 위장관기질종양은 대부분 제4층에 유래하나 점막근층에서도 유래하여 제3층에 있는 경우도 볼 수 있다. 내시경초음파상 난형(oval shape)으로 저에코, 간유리에코이다. 위장관기질종양의 1/5정도가 악성이므로 악성과 양성을 반드시 구분해야 한다. 4 cm 이상, 불규칙한 외연, 내부의 낭종 병소(>4 mm), 내부의 고에코 병소(>3 mm) 등의 4가지 소견은 악성 소견이며, 3 cm 이하, 부드러운 외연, 균등한 에코는 양성 소견이다. 위장관기질종양 환자의 75%는 내시경초음파-유도하세침흡인으로 진단할 수 있는데 세침흡인을 여러 번 해야 한다. 내시경초음파 유도하 Trucut 조직검사(EUS-guided trucut biopsy, EUS-TCB)는 많은조직을 얻을 수 있어 양성 · 악성을 구분하는 데 유용하다(그림 6-14).

5) 점막연관 림프조직림프종

위에서 점막연관 림프조직림프종(mucosa-associated lymphoid tissue lymphoma, MALT lymphoma)은 위선을 침범하여 내시경 소견이 매우 다양하고 조직검사도 진단율이 떨어져서 여러 번 내시경검사를 추적한 뒤 진단되는 경우가 많다. 위림프종에서 내시경초음파의 역할은 점막의 변화와 함께 점막 아래 내부의 변화와 비후를 관찰하여 조직검사 결과가 음성으로 나온 림프종을 진단하는 데 도움을 주고, 주위 림프절과 위장관 다른 부위의 침범 여부를 확인하는 것이다. 내시경초음파의 림프종 침범깊이에 대한 민감도는 89%, 특이도는 97%, 진단 정확도는 95%이다. MALT 림프종은 주로 위벽의 2층과 3층이 비후되며, 원발성 림프종은 주로 3, 4층이 비후된다. 내시경초음파로 *Helicobacter pylori* 제

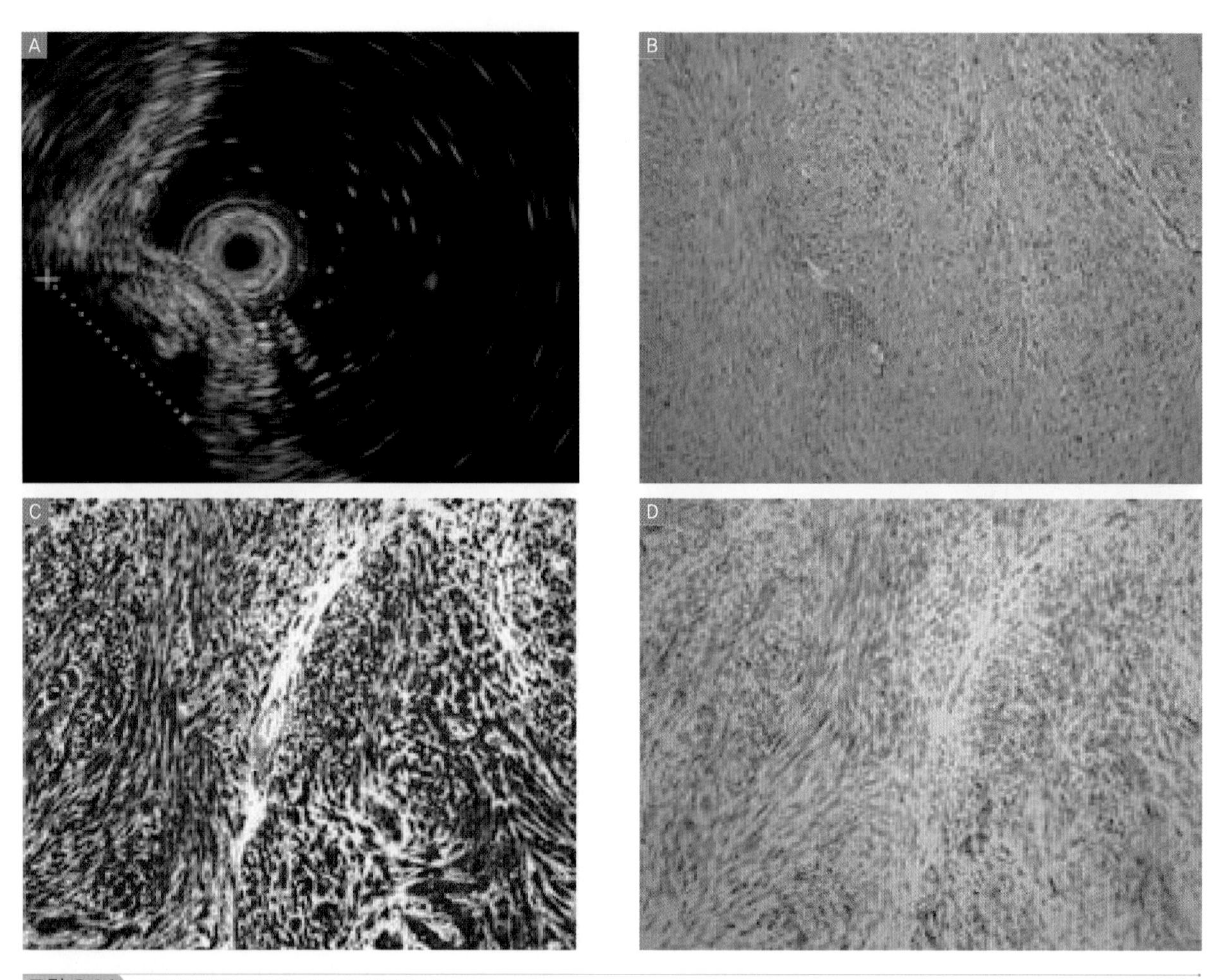

그림 6-14 **위장관기질종양의 영상 및 병리소견.**
A. 내시경초음파에서 내부에 고에코를 보이면서 불균일한 외연을 가진 점막하종양이 관찰된다.
B. 병리조직검사 결과 방추세포로 구성된 종양이 확인된다.
C, D. 면역조직화학염색에서 CD34 (C)과 CD117 (D)에 양성 소견을 보인다.

균치료 효과를 판단할 수 있으나 제균치료와 내시경초음파 병기 호전이 항상 비례하지는 않는다. 제균치료로 완전관해를 보인 MALT 림프종은 병변이 점막이나 점막하층에 국한된 예이며 그 이상 침범한 예의 완전관해는 아주 드물다. 내시경초음파 TNM 병기에 따른 제균치료 성적을 살펴보면, T1m N0의 75%, T1sm N0의 58%에서 완전관해가 이루어졌으나 T1N1의 50%, T2N0의 25%에서만 완전관해가 이루어졌고 T2N1에서 완전관해는 한 예도 없었다. 제균치료 후 내시경초음파에서 계속 위벽의 비후가 보이면 조직검사 결과가 음성이더라도 MALT 림프종의 잔류 가능성이 높다.

7. 내시경 및 부속기구로 인한 우발증의 종류 및 대처방안

1974년 미국소화기내시경학회(American Society For Gastrointestinal Endoscopy, ASGE)의 조사에 따르면 상부위장관 내시경의 합병증 발생률은 0.13%, 사망률은 0.004% 이다.

1) 심폐우발증

진정제와 통증완화제로 인한 심폐우발증은 진단적 내시경검사의 가장 흔한 우발증이다. 1991년 미국소화기내시경학회의 보고에 따르면 내시경검사를 받은 전체 환자 중 40%에서 발생한다. 증상은 생체 활력징후의 변화에서부터 심근경색, 호흡곤란, 쇼크나 저혈압 등 다양하다. 내시경검사 중에 70% 이상의 환자에서 저산소증이 발생한다. 환자의 연령이 높거나 동반된 심폐질환이 있는 경우 호발하나 심각한 상황이 발생하는 경우는 매우 드물다. 이는 주로 전처치로 사용하는 마취제 및 진정제의 영향과 내시경이 하인두에 진입할 때 혈관미주신경 반사(vasovagal reflex)가 일어나 발생하며, 내시경의 크기와 진정제의 종류에 따라 정도의 차이가 있다. 구강내용물이나 위액의 흡인은 국소인두마취, 진정제의 사용, 환자의 자세 때문에 일어날 수 있다. 기침 등의 반사가 없다면 환자의 자세를 바꾸어 기침을 시키고 인위적인 흡인을 시행한다. 상부위장관내시경검사 중 심전도 변화가 일어나는 경우는 7~50%까지 보고되었다. 주로 동성빈맥, 조기심실수축, 조기심방수축, ST 변화 등이며 대개 일시적인 현상으로 시술 후 자연스럽게 소실된다. 그러나 만성폐쇄성폐질환이나 관상동맥질환이 있는 경우 부정맥이 생길 수 있으며, 부정맥 발생은 저산소증과 전처치 약물 투여로 더욱 쉽게 유발될 수 있다. 심폐우발증의 발생위험성이 높을 때는 혈압, 심전도, 산소 포화도를 지속적으로 감시하면서 검사한다. 우발증이 발생하면 즉시 응급소생술 등을 시행한다.

2) 감염

환자 간의 감염 전파는 이론적으로 가능하지만 실제로는 매우 적다. *Salmonella, Pseudomonas, Clostridium difficile*의 전파가 보고되었고, HBV, HCV와 HIV도 전파될 수 있다. 상부위장관내시경검사 후 일시적인 균혈증은 간혹 나타날 수 있으며 치료내시경의 경우 발생빈도가 더 높다. 상부위장관내시경의 경우 4.2%이며, 식도확장술(12~22%), 식도 경화요법(1~25%)은 발생빈도가 높다. 중대한 합병증의 하나인 세균심내막염의 빈도는 매우 낮아 인구 1백만 명당 1~5명꼴로 발생한다. 심내막염을 예방하기 위한 예방적 항생제 사용에 대해 2003년 미국소화기내시경학회는 기존의 선천성 또는 후천성 심질환(인공판막, 심내막염의 병력이 있는 환자, 심판막질환) 등의 고위험군에 대해 특수한 상황에서만 사용하도록 권고하였다. 감염을 예방하기 위해서 내시경기기를 철저히 소독해야 하며, 식도확장술이나 식도정맥류 경화요법, 담도폐쇄에 대해 내시경역행담췌관조영술 등을 시행할 경우 예방적 항생제 투여를 고려한다.

3) 천공

상부위장관내시경검사 중에 천공이 발생할 확률은 0.03%, 이환율은 0.001%로 비교적 낮지만 식도천공은 사망률이 25%에 이르는 매우 중요한 합병증이다. 전경부 뼈곁돌기(anterior-cervial osteophytes), 젠커게실, 식도협착, 종양이나 염증이 있는 경우에 호발하며, 치료내시경 시 주로 발생한다. 진단내시경의 경우 경부식도와 하인두에서 주로 발생한다. 내시경검사에 숙련되지 못한 의사가 내시경을 맹검법으로 넣거나, 공기를 과도하게 주입하거나 또는 강한 힘으로 무리하게 내시경을 진입시키다가 식도의 천공이 발생할 수 있다. 치료내시경의 경우 식도확장술의 천공 발생빈도는 0.25~2.2%이며, 협착의 종류와 사용한 방법에 따라 차이가 있다. 부식성 식도협착이나 암성 협착인 경우 각각 17%와 10%로 빈도가 높으며, 맹검법으로 Maloney 부지 확장기(Maloney bougie dilator)를 식도로 통과시킬 때 천공 발생률이 높다.

식도무이완증 환자에게 풍선확장술을 시행한 경우 천공 발생빈도는 3.3~5.6%이다. 사용한 풍선의 크기가 클수록 빈도가 높아지는데, 최근 연구에 의하면 15

mm 이상 확장할 경우 4~6.7%로 위험성이 증가하였다. 식도정맥류 경화요법(2~5%), 정맥류 결찰요법(0~2%), 위장관출혈의 지혈요법(0.6%) 등을 시행할 때도 천공이 발생할 수 있다. 상부 내시경에 의한 식도천공은 조기에 진단하면 생존율이 향상되므로 빠른 진단과 치료가 필요하다. 경부나 흉부 통증, 연하곤란, 연하통, 피하기종을 호소하고 발열과 호흡곤란이 동반되기도 한다. 피하 마찰음, 하만징후(hamman sign)와 방사선검사에서의 특징적 소견으로써 진단하나, 하부식도천공처럼 진단하기 어려운 경우에는 수용성 조영제를 이용한 식도조영술이 필수적이며, 흉부 CT를 하기도 한다.

식도천공 치료의 원칙은 수술이지만, 조기진단되거나 종격동이나 늑막의 침범이 없거나 염증이 심하거나 패혈증이 동반되지 않은 경우에는 내과적 치료(비경구 영양공급, 광범위항생제 사용)를 시행한다. 내시경점막절제술 후 발생한 천공에는 수술치료가 원칙이나, 헤모클립(hemoclip)을 이용한 비수술적 방법과 보존적 요법을 시행하면서 경과를 관찰할 수도 있다.

4) 출혈

진단내시경검사 중에 출혈이 발생할 확률은 0.03%로 매우 낮다. 기저응고장애나 혈소판감소증 등 특히 간질환이 있을 때 호발하나, 혈소판이 20,000개 이상일 때는 안전하다. 치료내시경검사 시 출혈의 발생빈도는 0.8~8%이며 내시경용종절제술, 식도정맥류 경화요법 및 협착증의 확장술을 시행할 경우 빈도가 좀 더 올라간다. 내시경생검 또는 치료 도중 발생한 출혈은 기본적으로 위장관출혈 환자의 치료와 동일하다. 에탄올이나 고장 생리식염수-epinephrine 국소주사요법, 헤모클립 지혈술, 열탐침자(heat probe) 지혈법 등이 비수술치료법으로 이용된다.

5) 약물반응

내시경을 시행하기에 앞서 투여하는 전처치 약물은 국소마취제, 항경련제, 진정제 및 진통제 등이다. 드물지만 약물에 대한 알레르기 반응 등의 문제점이 0.02% 정도에서 발생한다. 위장관 운동과 분비능력을 억제하기 위하여 atropine, scopolamine, glucagon 등의 진경제를 투여하는데, 장운동을 떨어뜨려 장내가스가 축적되고 이로 인해 복부팽만이 유발되면서 루프 형성을 촉진한다. 진정제로 사용하는 diazepam 등의 benzodiazepine계 약물은 중추신경계를 과도하게 억제할 수 있다.

6) 내시경 정맥류 경화요법

전체적인 합병증 발생률은 35~78%, 이환율은 1~5%로 높다. 합병증으로는 식도궤양이 50~78%를 차지하며, 협착증, 천공, 농양, 패혈증, 장간막정맥혈전증, 일시적인 연하곤란 및 연하통, 흡인성 폐렴, 성인호흡곤란증후군 및 쇼크 등이 발생할 수 있다. 합병증 발생률을 줄이기 위해서는 경화제의 주입 부위를 정확히 구별하고, 적절한 용량을 사용한다.

7) 내시경정맥류결찰술

정맥류 경화요법보다 합병증의 발생빈도가 훨씬 낮다. 식도궤양의 발생률은 5~15%이며, 식도천공의 발생률은 0.7%이다.

참고문헌

1. 순천향대학교 소화기연구소. 계통별 강의를 중심으로 한 소화기학. 서울: 고려의학. 2000.
2. 민영일. 소화기 시경 검사의 합병증과 대책. 제1회 대한소화기내시경학회 세미나 1989:335-346.
3. 심찬섭. 복부초음파진단학. 개정3판. 서울: 어문각 2007:499-587.
4. 유종선. 상부위장관 치료내시경 우발증 및 대책. 대한소화기내시경 학회세미나 모음집. 2000:415-419.
5. 정현용. 내시경 및 부속기구에 의한 우발증의 종류 및 대처방안. 대한소화기내시경학회지 2004;29:192-198.
6. 최석렬. LIFE (light induced fluorescence encloscopy). 제30회 대한소화기내시경학회 세미나 2004;28:107-110.
7. Chak A. EUS in submucosal tumors. Gastrointest Endosc 2002;56:43-48.
8. Davila RE, Faigel DO. GI stromal tumors. Gastrointest Endosc 2003;58:80-88.
9. Eisen GM, Baron TH, Dominitz JA, Faigel DO, Goldstein JL, Johanson JF, et al. Complications of upper GI endoscopy. Gastrointest Endosc 2002;55:784-793.
10. Endo T, Awakawa T, Takahashi H, Arimura Y, Itoh F, Yamashita K, et al. Classification of Barrett's epithelium by magnifying endoscopy. Gastrointest Endosc 2002;55:641-647.
11. Fukui H, Shirakawa K, Nakamura T, Suzuki K, Masuyama H, Fujimori T, et al. Magnifying pharmacoendoscopy: response of microvessels to epinephrine stimulation in differentiated early gastric cancers. Gastrointest Endosc 2006;64:40-44.
12. Hoffman A, Goetz M, Vieth M, Galle PR, Neurath MF, Kiesslich R. Confocal laser endomicroscopy: technical status and current indications. Endoscopy 2006;38:1275-1283.
13. Inoue H, Cho JY, Satodate H, Sakashita M, Hidaka E, Fukami S, et al. Development of virtual histology and virtual biopsy using laser-scanning confocal microscopy. Scand J Gastroenterol Suppl 2003:37-39.
14. Jang JY, Jung IS, Kim JO, Cho JY, Lee JS, Lee MS, et al. Correlation of magnifying endoscopy with histology in the gastric mucosal elevated lesions. Korean Journal of Gastrointestinal Endoscopy 2003;26:61-67.
15. Ji JS, Choi H, Choi KY, et al. Usefulness of double balloon enteroscopy in patients with gastrointestinal bleeding. Lntestinal Research 2004;2:102-106.
16. Kara MA, Peters FP, Fockens P, ten Kate FJ, Bergman JJ. Endoscopic video-autofluorescence imaging followed by narrow band imaging for detecting early neoplasia in Barrett's esophagus. Gastrointestinal endoscopy 2006;64:176-185.
17. Kitabatake S, Niwa Y, Miyahara R, Ohashi A, Matsuura T, Iguchi Y, et al. Confocal endomicroscopy for the diagnosis of gastric cancer in vivo. Endoscopy 2006;38:1110-1114.
18. Kumagai Y, Inoue H, Nagai K, Kawano T, Iwai T. Magnifying endoscopy, stereoscopic microscopy, and the microvascular architecture of superficial esophageal carcinoma. Endoscopy 2002;34:369-375.
19. Lee SH, Ryu CB, Jang JY, Cho JY. Magnifying endoscopy in upper gastrointestinal tract. Korean J Gastroenterol 2006;48:145-155.
20. Mini-atlas of confocal laser endomicroscopy. Pentax, 2005.
21. Mishkin DS, Chuttani R, Croffie J, DiSario J, Liu J, Shah R, et al. ASGE technology status evaluation report: wireless capsule endoscopy. Gastrointestinal endoscopy 2006;63:539-545.
22. Moreto M. Diagnosis of esophagogastric tumors. Endoscopy 2001;33:1-7.
23. Murata Y, Napoleon B, Odegaard S. High-frequency endoscopic ultrasonography in the evaluation of superficial esophageal cancer. Endoscopy 2003;35:429-436.
24. Nakayoshi T, Tajiri H, Matsuda K, Kaise M, Ikegami

M, Sasaki H. Magnifying endoscopy combined with narrow band imaging system for early gastric cancer: correlation of vascular pattern with histopathology (including video). Endoscopy 2004;36:1080-1084.

25. Newcomer MK, Brazer SR. Complications of upper gastrointestinal endoscopy and their management. Gastrointestinal Endoscopy Clinics of North America 1994;4:551-570.
26. Penman ID, Shen EF. EUS in advanced esophageal cancer. Gastrointestinal endoscopy 2002;56:2-6.
27. Rey J, Ladas S, Alhassani A, Kuznetsov K, null, Committee tEG. European society of gastrointestinal endoscopy (ESGE) video capsule endoscopy: update to guidelines (May 2006). Endoscopy 2006;38:1047-1053.
28. Rosch T, Classen M. Gastroenterologic endosonography. Stuttgart, Germany and New York: Thieme Medical Publishers, 1992:85.
29. Sugano K, Yamamoto H, Kita H. Double Balloon Endoscopy. Springer, 2006.
30. Uedo N, Iishi H, Tatsuta M, Yamada T, Ogiyama H, Imanaka K, et al. A novel videoendoscopy system by using autofluorescence and reflectance imaging for diagnosis of esophagogastric cancers. Gastrointestinal endoscopy 2005;62:521-528.
31. Uedo N, Ishihara R, Iishi H, Yamamoto S, Yamada T, Imanaka K, et al. A new method of diagnosing gastric intestinal metaplasia: narrow-band imaging with magnifying endoscopy. Endoscopy 2006;38:819-824.
32. Wi JH , Kim JO, et al. Usefulness of double balloon endoscopy in small bowel disease. Intest Res 2005;3:140-144.
33. Yagi K, Aruga Y, Nakamura A, Sekine A, Umezu H. The study of dynamic chemical magnifying endoscopy in gastric neoplasia. Gastrointestinal endoscopy 2005;62:963-969.
34. Yamamoto H, Sekine Y, Sato Y, Higashizawa T, Miyata T, Iino S, et al. Total enteroscopy with a nonsurgical steerable double-balloon method. Gastrointestinal endoscopy 2001;53:216-220.
35. Yao K, Iwashita A, Kikuchi Y, Yao T, Matsui T, Tanabe H, et al. Novel zoom endoscopy technique for visualizing the microvascular architecture in gastric mucosa. Clinical Gastroenterology and Hepatology 2005;3:23-26.
36. Yasucla K, Kiyota K, Mukai H, et al. Endoscopic ultrasonography in the diagnosis of upper digestive lract disease. Gastroenterol Endosc 1986;28:253-259.

CHAPTER 7

위장관의 영상의학적 검사

위장관 질환의 진단에는 바륨을 이용한 위장관조영술과 내시경검사가 주로 이용되고 있다. 그러나 이 방법들은 병변을 직접 관찰할 수 있는 장점은 있지만 병변의 침윤 깊이를 정확히 평가할 수 없고 더구나 주위로의 파급이나 원격전이 등을 알 수 없다. 이러한 단점을 극복할 수 있는 검사방법으로 복부초음파(transabdominal US), 내시경초음파(endoscopic US), 전산화단층촬영술(CT), 자기공명영상(MRI) 등이 있다. 초음파는 시행하기 쉬운 장점이 있으나 위장관내의 공기 등으로 인하여 음창이 좋지 않은 경우가 많으며, 객관성이 부족하고, 검사자의 숙련도에 따라 차이가 많이 나는 단점이 있다.

내시경초음파는 병변의 위치와 깊이를 정확히 알 수 있으나 다른 장기와 원위부 림프절 전이를 알 수 없다. CT는 병변의 발견 및 종양의 침윤 정도뿐 아니라 림프절 전이 및 원격전이를 비교적 객관적으로 판단할 수 있다는 장점이 있다. 1980년대 후반 나선식 CT의 출현과 1990년대 후반 다중검출기(multidetector row) CT의 개발로 인해 고형장기의 질환뿐 아니라 위장관 질환의 평가와 병기결정에 CT의 역할이 더욱 중요하게 되었다. 최근 빠른 자기공명영상 획득 기법의 도입과 다양한 경구용 MRI 조영제의 사용으로 위장관 질환의 진단에 MRI가 사용되는 경우가 보고되고 있으며, 특히 소장 및 직장 병변에서 활용도가 증가하고 있다.

본 장에서는 위장관 질환에 이용되는 여러 가지 영상진단 기법에 대해 알아보고자 한다.

1. 단순복부방사선촬영술

단순복부촬영(plain abdominal radiography)은 비교적 간단한 검사이나 정확한 촬영법과 판독법을 알고 있으면 복통을 호소하는 환자에서 위장관 질환에 대한 귀중한 정보를 쉽게 얻을 수 있는 검사이다. 앙와위(supine)와 직립위(erect) 두 장의 사진을 촬영하는 것이 보통이다. 환자의 상태가 위중하여 일어설 수 없는 경우에는 우측을 위로하는 측와위(lateral decubitus)를 촬영하거나 환자가 누운 상태에서 수평 X선을 사용한 측위(transtable lateral)를 촬영한다. 단순복부촬영 시 반드시 양측 횡격막을 포함하여 촬영해야 한다. 위장관내에는 정상적으로 상당량의 공기가 존재한다. 이 중 대부분은 연하운동을 통해 들어간 공기이며 일부는 장내 세균에 의해 발생한다. 따라서 단순촬영상 공기는 위, 소장, 대장 어디에서나 관찰될 수 있으나 소장 내에서는 이동이 빠르므로 대부분 위와 대장에서만 관찰되며 소장에서 관찰될 때도 5~8 cm 이상의 길이를 가지는 경우는 드물다.

1) 천공

복강내에서 위장관 외부에 공기가 존재하는 경우 대부분은 위장관 천공에 의한 것이다. 천공의 원인은 소화성궤양이 대부분이나 악성종양, 게실, 외상 등도 원인이 될 수 있다. 영상의학적 소견은 기립위에서는 횡격막 직하부에 위치한 초승달 모양의 방사선 투과성 음영으로 보인다(그림 7-1). 복강내 공기는 위의 기저부에 정상적인 공기가 있는 좌측보다는 우측에서 더 발견하기 쉬우며 좌측에서 위장 내 공기는 위벽 및 횡격막에 의해 폐와 구별되는 반면 자유공기(free gas)는 횡격막에 의해서만 경계 지어지므로 경계층이 훨씬 얇다(그림 7-1). 앙와위에서는 장의 내벽과 외벽이 모두 보이는 double wall sign이 있거나 전복벽의 후면에 있는 겸상인대(falciform ligament)나 제동맥삭(umbilical ligament)들이 공기에 의해 보이는 경우 진단할 수 있다(그림 7-2).

2) 장폐쇄

장폐쇄가 발생하면 수분과 공기가 저류되어 기립 혹은 측와위에서 촬영할 경우 공기-물 경계면(air-fluid level)을 형성하게 된다. 정상인에서 위와 십이지장에서 흔히 공기-물 경계면을 보게 되므로 3개 이상의 공기-물 경계면을 관찰할 경우 비정상을 의심하는 소견이다(그림 7-3). 또한 폐쇄 근위부의 장의 직경이 늘어난다. 소장은 3 cm 이상, 대장은 9 cm 이상이면 비정상이다. 소장은 대장보다 중앙부에 위치하며 미세한 톱니 형태의 외연과 내경 전체를 둘러싸는 윤상주름(valvulae conniventes)을 가지고 있는 반면(그림 7-4), 대장은 특징적인 팽기(haustration)를 가지고 있고 소장보다 주변부에 위치한다. 늘어난 2개의 장이 인접해 있을 경우 두 소장의 장내 공기를 구분하는 연부조직은 소장벽의

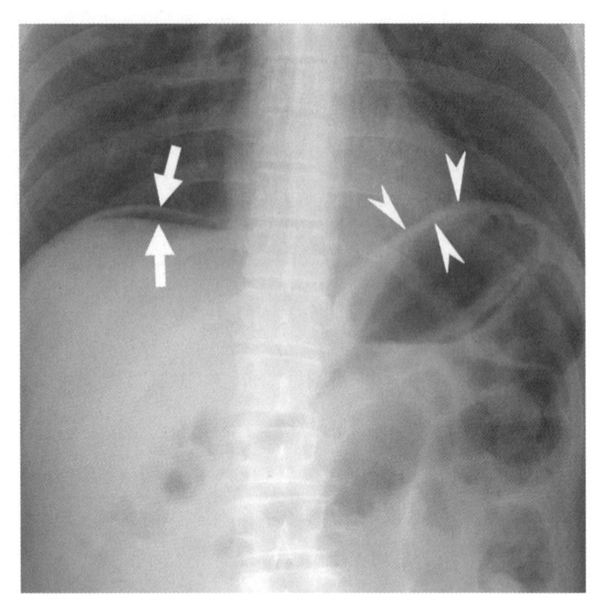

그림 7-1 천공.
단순복부촬영 기립위 영상에서 우측 횡격막 아래쪽에서 초승달 모양의 공기 음영(화살표)을 잘 볼 수 있다. 초승달 모양의 복강내 유리 공기(free gas)와 폐 기저부 공기 사이의 가는 띠 모양이 횡격막인데 그 두께와 비교하여 좌상복부 공기 음영과 폐 음영 사이의 두께(화살촉)가 더 두꺼운 것을 알 수 있고 이는 횡격막과 위벽이 합쳐졌기 때문이다.

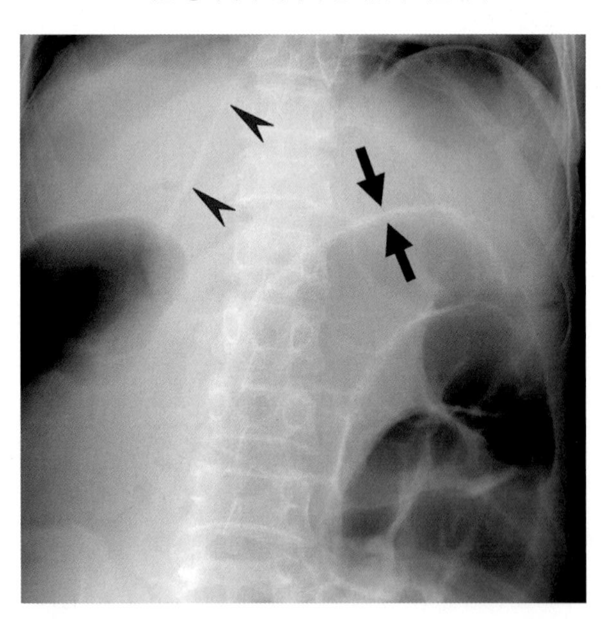

그림 7-2 천공.
단순복부촬영 앙와위 영상에서 장관의 벽이 장내 공기와 복강내 공기에 의해 뚜렷이 보이는 double wall sign(화살표)이 잘 보인다. 중심부에서 우상복부로 가로지르는 겸상인대(화살촉)가 주변 복강내 공기에 의해 뚜렷이 경계 지어져 보인다.

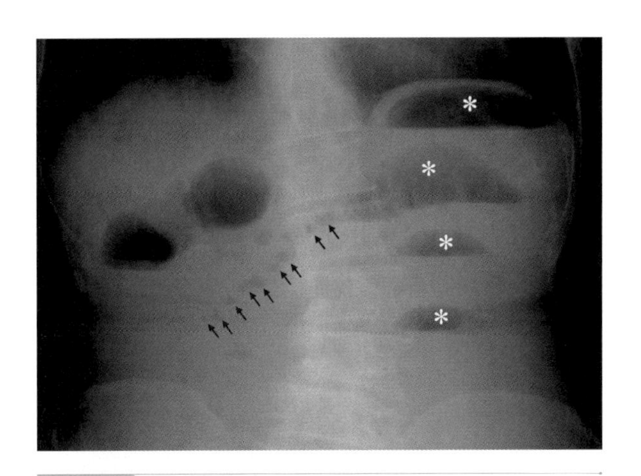

그림 7-3 **소장 폐쇄의 단순복부촬영 소견.**
기립위에서는 공기-물 경계면(air-fluid level)을 가진 늘어난 장들(*)이 여러 개 있다. 복부 중심부에는 여러 개의 공기방울이 소장 주름 밑에 한 줄로 구슬 모양(string of bead) (화살표)으로 배열되어 있다.

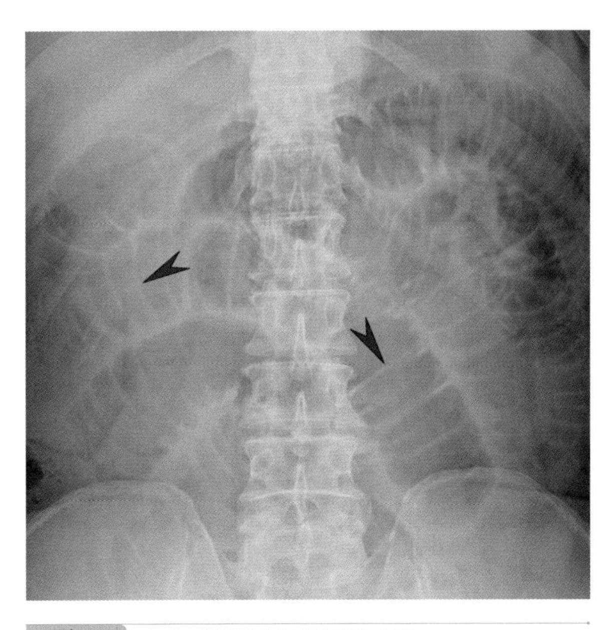

그림 7-4 **소장 폐쇄의 단순복부촬영 소견.**
앙와위 소견상 늘어난 소장이 보이며 대장에는 공기가 없다. 소장에 미세한 톱니 형태의 윤상주름(valvulae conniventes) (화살촉)이 잘 보인다.

두께를 짐작할 수 있다. 단순 장폐쇄의 경우 그 두께는 장이 늘어날수록 얇아지므로 수 mm를 넘지 않는다. 만일 인접한 공기 간의 거리가 증가하는 경우에는 소장벽의 비후를 가져올 수 있는 조건, 즉 부종, 출혈, 괴사 등이나 복수를 시사하며 교액성 장폐쇄(strangulated obstruction)의 가능성을 생각해야 한다. 마비성 일레우스보다 폐쇄성 일레우스를 더 시사하는 소견으로는 한 개의 소장고리(loop) 내에서 높이가 다른 공기-물 경계면을 보이는 경우, 장의 확장이 매우 심한 경우, 공기-물 경계면의 수가 많은 경우, 작은 공기방울들이 소장 주름들 밑에 한 줄로 배열된 구슬 모양(string of bead)으로 보이는 경우 등이 있다(그림 7-3).

3) 종괴

간혹 위장관에 종양이 있을 경우 공기로 팽창된 내강이 좁아지거나 내강 내로 돌출하는 종괴 소견을 관찰할 수 있다(그림 7-5). 간혹 점액성 위암의 경우 두꺼워진 위벽에서 점상 석회화를 관찰할 수 있다(그림 7-6).

4) 복수

복수는 양 측면, 즉 대장 주위(paracolic gutter)를 따라 고이기 시작하며, 양이 많아짐에 따라 복부음영이 점차 증가하여 간, 비장, 신장 등의 음영을 구분할 수 없게 된다. 또한 소장 공기 간의 거리(정상에서는 소장벽 두께의 2배)가 증가하며 복막전 지방층(properitoneal fat line)이 바깥쪽으로 불룩해진다(그림 7-7 A). 기립위에서 촬영한 사진상 복수는 중력을 따라 아래로 이동하므로 골반강의 음영이 비정상적으로 증가하며 공기를 포함한 소장은 복수에 의해 뜨게 되므로 골반강 내에서 소장 내 공기를 관찰할 수 없게 된다(그림 7-7 B).

2. 위장관 바륨조영술

지난 수십 년간 위장관 질환의 진단에 있어 바륨조영술이 내시경 못지않게 사용되어왔으나 내시경의 발전에 따라 바륨조영술의 빈도는 상당히 감소하였다. 바륨조영술은 점막 표면의 병변을 검사하기 위해 다음과 같은 세 가지 방법을 사용한다. 첫째, 점막이완 검사는 적

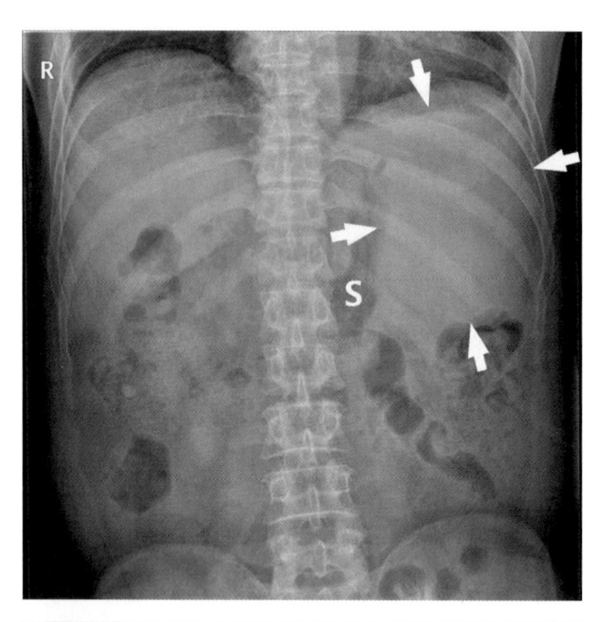

그림 7-5 **위 간질종양.**
단순복부촬영 앙와위 영상에서 좌상복부에 연부조직 음영의 큰 종괴(화살표)가 있고 이로 인해 공기가 찬 위(S)가 오른쪽으로 밀려있다.

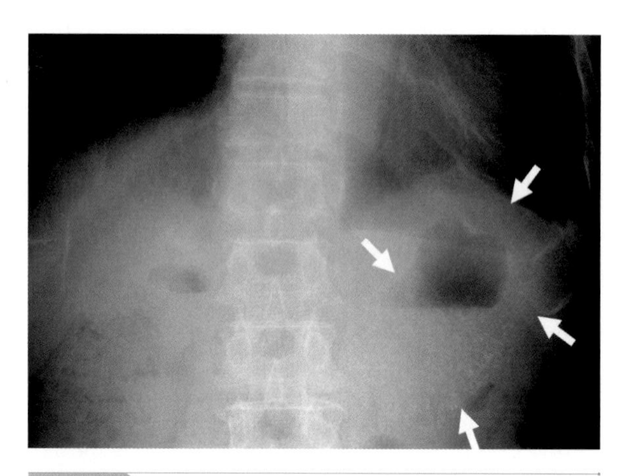

그림 7-6 **위의 점액성 선암.**
단순복부촬영 기립위 영상에서 두꺼워진 위벽음영 내에 점상의 석회화들(화살표)이 관찰된다.

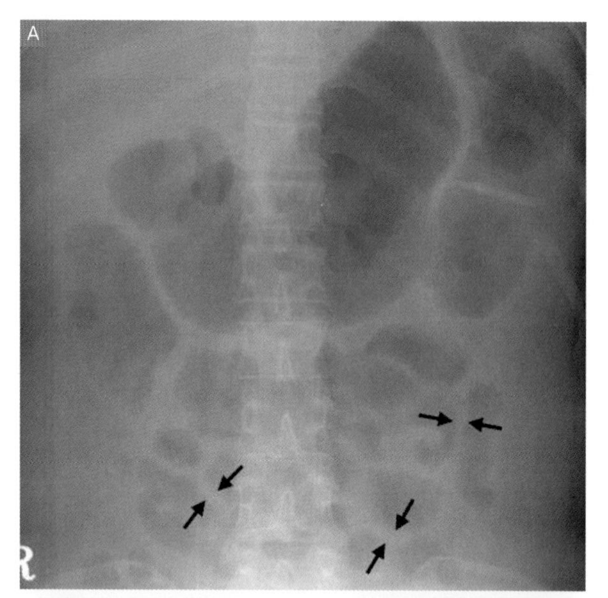

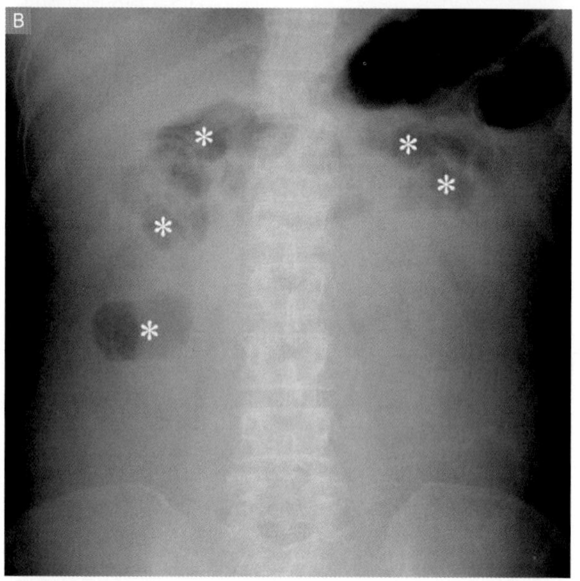

그림 7-7 **복수.**
A. 단순복부촬영 앙와위 영상에서 복강내 소장의 공기 음영이 중앙 부위에 모여 있으며, 소장 공기 간의 거리(화살표)가 증가하였다.
B. 기립위 영상에서는 복수가 아래로 이동하여 하복부 및 골반강의 음영이 증가하고 공기를 포함한 소장(*)은 위로 밀려있다.

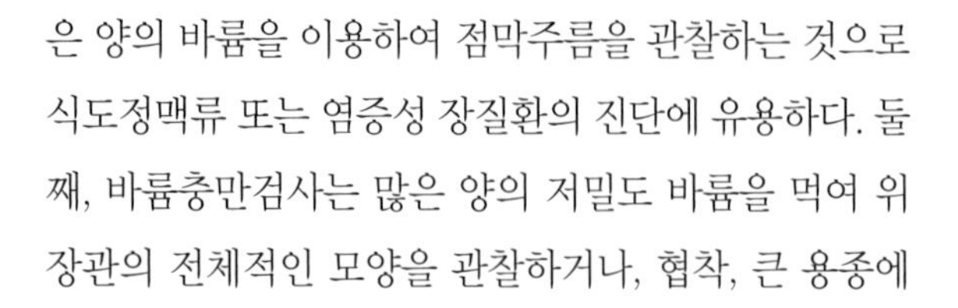

은 양의 바륨을 이용하여 점막주름을 관찰하는 것으로 식도정맥류 또는 염증성 장질환의 진단에 유용하다. 둘째, 바륨충만검사는 많은 양의 저밀도 바륨을 먹여 위장관의 전체적인 모양을 관찰하거나, 협착, 큰 용종에 의한 충만결손을 발견하는 데 유용하다. 셋째, 이중조영검사는 환자에게 고농도의 바륨을 먹인 후 공기 등으로 위장관을 팽창시키면서 바륨을 점막에 도포한 후 공기와 바륨에 의한 이중조영효과를 이용하는 기법이다.

이는 작은 종양이나 염증성 장질환 등 미세한 점막 변화를 보는 데 특히 유용하기 때문에 가장 자주 쓰이는 기법이다.

1) 검사방법

(1) 위장 이중조영바륨검사

위장(stomach) 이중조영바륨검사(double contrast barium study) 순서는 먼저 0.1 mg의 글루카곤 혹은 20 mg의 부스코판을 정맥내 주사하여 위와 십이지장의 긴장을 감소시키고 소장으로의 바륨 통과를 지연시킨다. 직립위(upright) 상태에서 발포제를 소량의 물과 함께 먹여 위장을 팽창시킨다. 이후 중밀도(140% weight/volume) 혹은 고밀도(250%), 저점도(viscosity) 바륨 100~150 ml를 환자에게 주고 한 모금 마시게 한 후 식도의 전체적인 윤곽과 연동운동을 살핀다. 추가로 바륨을 먹이고 테이블을 눕혀 환자를 테이블 위에서 여러 차례 구르게 하여 위점막이 바륨으로 고루 도포되도록 한 후, 다양한 각도로 자세를 바꿔가며 투시 유도하에 위의 각 부위를 촬영한다. 이후 테이블을 세워 직립위 상태에서 남은 바륨을 먹여 위를 바륨으로 충분히 채우고 바륨충만검사를 한다. 마지막으로 직립위 상태에서 압박기구(compression device)를 이용하여 병변이 의심되거나 추가로 관찰하고자 하는 위장 부위가 기구와 척추 사이에 오도록 하여 압박검사(compression study)를 시행하고 검사를 종료한다. 병변이 강하게 의심되지만 압박검사까지 마쳐도 병변의 검출이나 특성화(characterization)가 안 될 경우 다시 테이블을 눕혀 이중조영검사를 반복할 수도 있다.

(2) 소장 바륨조영술

바륨을 이용한 소장조영술에는 소장바륨추적검사(small bowel follow-through examination, small bowel series), 변형(modified) 소장바륨추적검사, 소장고위관장술(enteroclysis) 등이 있다. 이중 소장고위관장술이 가장 정확한 방법이라 할 수 있으나, 이 검사는 카테터 삽관에 의한 환자의 불편함, 긴 투시 시간, 많은 방사선 조사량 등의 문제점이 있다. 카테터 삽관에 의한 불편함은 국소마취, 경구용 혹은 경정맥용 안정제를 사용하여 완화시킬 수 있고, 간편한 삽관방법이 연구되어 투시 시간을 줄일 수 있고, 바륨과 메틸셀룰로스를 자동 펌프를 이용하여 주입하면 검사시간을 줄이고 좋은 영상을 얻을 수 있다.

소장바륨추적검사는 중밀도(140% weight/volume) 바륨용액 약 300 ml를 마시게 한 후 30분 내지 1시간 간격으로 복부촬영을 하여 바륨이 회맹판에 도달하면 투시촬영으로 회장 말단부와 회맹판을 검사하는 방법이다. 소장바륨추적검사는 매우 간편하나 소장의 팽창이 적고 소장고리들끼리 겹치는 현상(overlap)이 커서 병변 발견의 민감도가 낮은 단점이 있다. 소장바륨추적검사의 이러한 단점을 보완하면서 소장고위관장술의 이중조영효과를 일부 얻기 위해 고안된 것이 바로 변형 소장바륨추적검사이다. 먼저 150 ml의 저밀도(70%) 바륨 용액을 마신 후 5분간 오른쪽이 밑으로 오도록 측와위 상태로 누워 있다가 추가로 0.5% 메틸셀룰로스(methylcellulose) 용액 600 ml를 마시고, 30분 혹은 1시간 간격으로 복부촬영을 한다. 박 등은 상기 방법을 사용할 경우 소장의 팽창이 적절하게 유지되고 소장의 이중조영효과로 인해 검사의 80% 이상에서 만족할 만한 영상의 질을 확보할 수 있었고 진단율도 향상시킬 수 있었다고 보고하였다.

소장고위관장술은 검사용 특수 카테터를 코를 통해 십이지장까지 삽입해야 하므로 다소 침습적인 검사법이라 하겠다. 먼저 코 속을 국소마취제를 사용하여 마취시킨 후 끝에 풍선이 달린 13-French 고위관장용 카테터를 코로 삽입하고, 위 천정에 도달하면 유도철사를 이용하여 십이지장 제4부 혹은 근위부 공장까지 삽입하고 풍선을 부풀려 조영제가 뒤로 역류되지 않도록 고정시킨다. 혈액투석용 자동펌프를 이용하여 80% 바륨 200 ml를 초당 1 ml 속도로 주입하고, 이어서 1,500~2,000 ml의 0.5% 메틸셀룰로스 용액을 초당 2 ml 속도로 주입하여 원위부 회장까지 이중조영 사진을 얻는다.

2) 검사소견

(1) 용종

위장관의 용종성 병변은 환자의 체위, 용종의 모양, X선 방향과의 각도에 따라 여러 가지 모양으로 보인다. 무경성 용종(sessile polyp)은 바륨 웅덩이에 잠길 경우 원형의 충만 결손으로 보이며 장벽과 비스듬한 각도에서 보면 두 개의 환상음영으로 보이는 "Bowler hat sign"으로 나타난다(그림 7-8). 경stalk을 가진 유경성 용종(pedunculated polyp)의 경우는 측면상에서는 특징적인 용종 모양을 보이나 정면상에서는 두 개의 크고 작은 환상음영이 겹쳐서 보이는 "Mexican hat sign" 또는 과녁 모양으로 보인다.

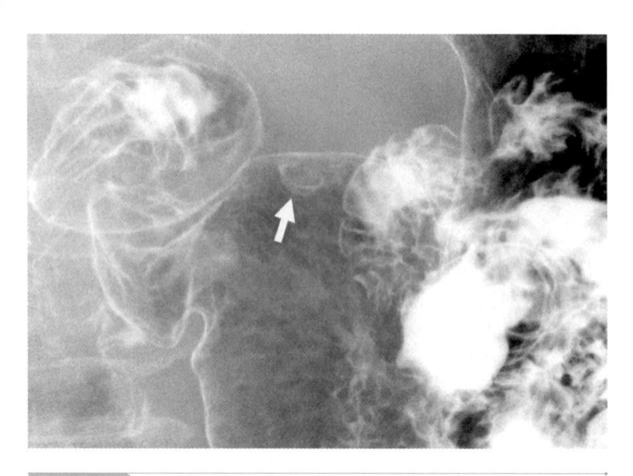

그림 7-8 **위 용종.**
이중바륨조영술에서 위 전정부 소만곡 부위에 두 개의 환상 음영(bowler hat sign)으로 보이는 작은 용종(화살표)이 관찰된다.

(2) 궤양

궤양(ulcer)은 바륨조영술상 바륨이 국소적으로 고여있는 형태로 보인다. 양성 궤양은 대부분 원형이거나 난원형이고 경계가 뚜렷하다(그림 7-9). 궤양 주위에는 동반된 부종에 의해 어느 정도 종괴를 만들 수 있는데, 이를 궤양 둔덕(ulcer mound)이라 한다. 궤양 둔덕은 양성의 경우 궤양이 둔덕의 중심부에 위치하고, 둔덕은 정상 부위로 비교적 서서히 이행하나 악성종양에서는 궤양이 둔덕의 중심부에 위치하지 않는 경우가 많고, 둔덕의 경계는 뚜렷하며 결절상을 보인다. 양성 궤양은 정상 위벽을 이은 연장선상의 바깥쪽까지 돌출하는, 넓이에 비해 비교적 깊이가 깊은 형태로 보이는 것이 악성 궤양과의 감별점이다(그림 7-9). 악성 궤양은 종괴 한쪽에 치우쳐있는 불규칙한 연을 갖는 궤양이며,

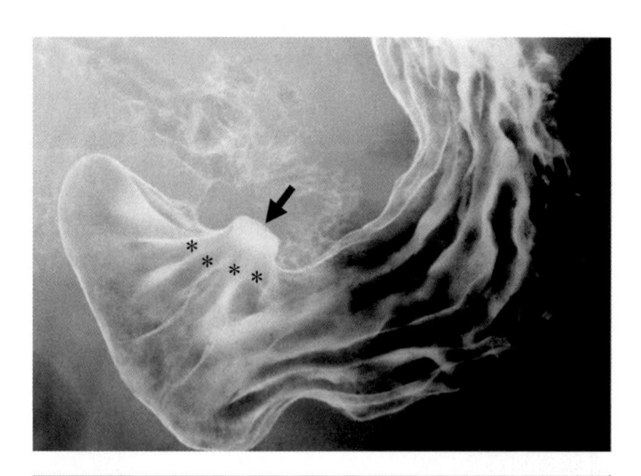

그림 7-9 **양성 위궤양.**
이중바륨조영술에서 큰 궤양이 위 전정부 소만곡 부위에 있다. 궤양(화살표)은 경계가 뚜렷하며, 정상 위벽을 이은 연장선상의 바깥쪽으로 돌출되어 있다. 점막주름(*)들이 궤양주위까지 잘 끌려온다.

측면에서 보았을 때 궤양이 정상 위벽을 이은 연장선상의 바깥으로 돌출되지 않고 종괴 내에 국한되어 있다(Carman's meniscus sign) (그림 7-10). 양성 궤양의 경우 위의 점막주름들은 궤양의 중심으로 끌리게 되어 수레바퀴살 모양의 방사성 형태를 이루게 된다. 점막주름들은 궤양의 주변까지 잘 추적할 수 있고 악성 궤양에서 보이는 단절(cut-off), 융합(fusion), 말단비후(club-

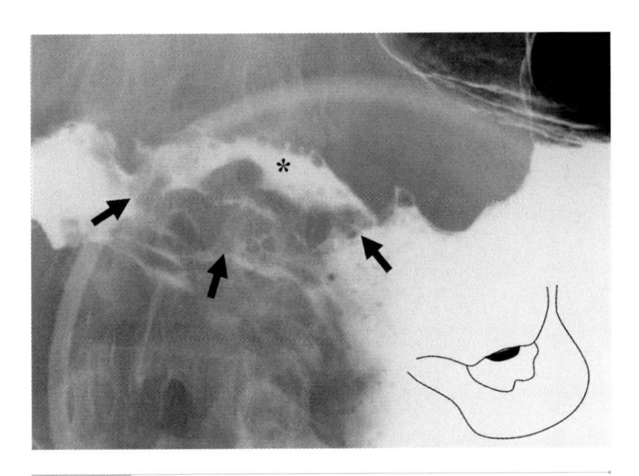

그림 7-10 **악성 위궤양.**
위 전정부 소만곡 부위에 충만결손을 보이는 종괴(화살표)가 있고, 그 내부에 불규칙한 변연을 갖는 반달 모양(carman's meniscus sign)의 궤양(*)이 보인다. 궤양은 정상 위벽을 이은 연장선상의 바깥으로 돌출되지 않고 종괴 내에 국한되어 있다.

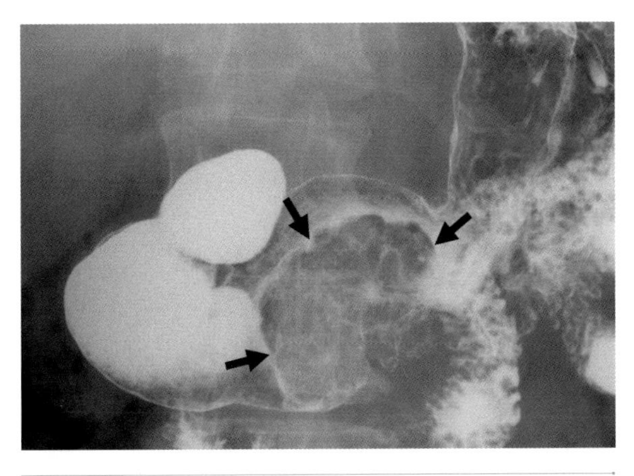

그림 7-11 **Borrman 1형 진행성 위암(폴립형).**
위 전정부 대만곡 부위에 표면이 울퉁불퉁하며 내강내로 돌출되어 있는 경계가 좋은 폴립형 종괴(화살표)가 있다.

bing) 등의 소견은 관찰되지 않는다(그림 7-9).

(3) 선암

① **위장**

진행성 위암은 육안소견에 따라 폴립형, 경계가 분명한 궤양성 종괴형, 주변부 침윤이 있는 궤양성 종괴형, 뚜렷한 종괴 없이 주위로 퍼져나가는 형태로 나뉜다(그림 7-11, 12). 진행성 위암에서 공통적으로 볼 수 있는 방사선학적 소견은 침범된 부위가 뻣뻣해지는 연동운동의 소실과 압박검사 혹은 촉진상 보이는 종괴이다. 주위의 점막주름은 심한 파괴 혹은 변형을 보여 불규칙하게 두꺼워진다. 점막주름은 궤양을 중심으로 끌리는 양상을 보이며 점막주름의 변화 정도는 위암의 침범 정도가 깊을수록 더 뚜렷해지는 경향을 보인다. 점막주름은 궤양 주변까지 오기 전에 끊어지거나(cut-off) 서로 융합하며(fusion) 굵기도 급격히 가늘어지거나(tapering) 선단 부위가 굵어지는(clubbing) 등 불규칙한 변화를 보인다(그림 7-13). 진행성 위암 중 경화성 암(scirrhous carcinoma)은 특징적인 침윤성 암으로 뚜렷한 종괴 형성 없이 위벽을 따라 자라는 형태이다. 위벽이 전체적으로 두꺼워지며 연동운동이 소실되며 정상 부위에 비해 뻣뻣해져 가스나 바륨으로 채웠을 때 잘 늘어나지 않는다. 이 형태를 증식성위벽염(linitis plastica) 혹은 Borrman 4형이라 부른다(그림 7-12).

조기위암은 육안소견에 따라 I형은 융기형, II형은 표면형, III형은 함몰형으로 분류하고 II형을 다시 표면융기형(IIa형), 표면평탄형(IIb형), 표면함몰형(IIc형)으로 세분한다. I형과 IIa형과의 구분은 높이가 5mm 이상이면 I형, 5 mm 이하면 IIa형으로 분류하며 함몰형 병변도 같은 기준으로 III형과 IIc형을 구별한다. 조기위암은 함몰형 병변이 가장 흔하며 IIc형 및 IIc + III형을 합한 것이 전체의 과반수를 차지한다. IIb형의 진단이 가장 어렵다. 조기위암과 진행 위암의 구별은 진행 위암은 고유근층 이상의 침범이 있으므로 침범 부위에서 벽이 뻣뻣해지며 연동운동이 소실된다. 또한 종괴를 형성하는 경향이 커지고 점막의 변화도 침범의 깊이가 깊을수록 뚜렷해진다. 3개 이상의 점막주름이 융합되는 댐(dam) 형성은 진행성 위암에서 보이는 소견이다(그림 7-14).

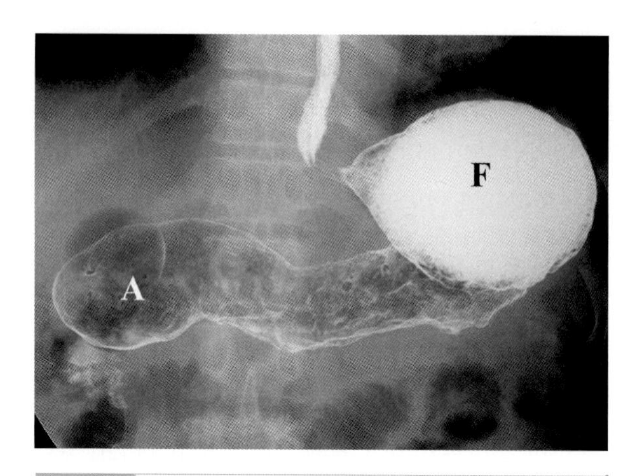

그림 7-12 **Borrman 4형 진행성 위암.**
기저부(F)와 전정부(A) 일부를 제외한 나머지 위벽이 전체적으로 두꺼워지고 연동운동이 소실되며 정상 부위에 비해 뻣뻣한 소견을 보인다. 잘 늘어나지 않은 위장은 가죽물병(leather bottle)처럼 보여 증식성위벽염(linitis plastica)이라고도 불린다.

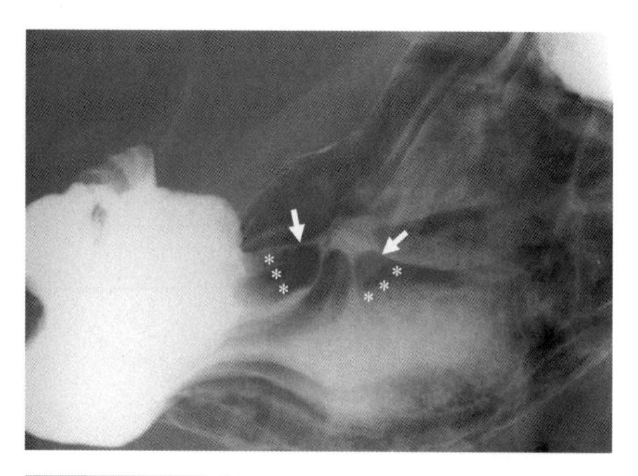

그림 7-14 **진행성 위암.**
위 하체부 후벽에 바륨이 국소적으로 고인 궤양이 있다. 궤양 주위로 3개의 주름(*)이 모여 댐을 형성하는 소견들(화살표)이 보여 진행성 위암임을 시사한다.

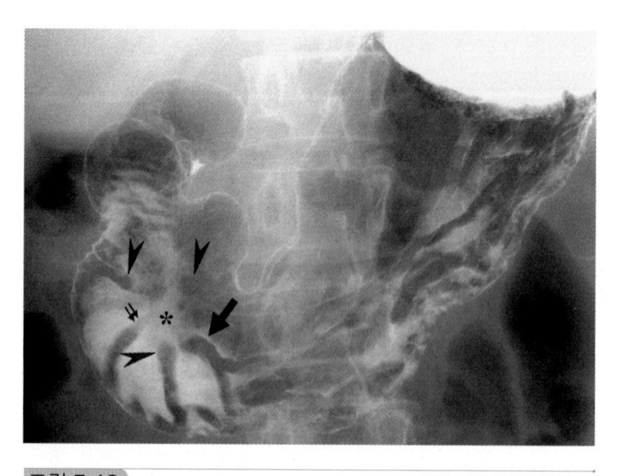

그림 7-13 **악성 위궤양.**
위 전정부 후벽에 바륨이 국소적으로 고인 궤양(*)이 있다. 궤양의 경계는 불규칙하며, 궤양 쪽으로 끌려오는 점막주름의 끝은 융합(화살표), 말단비후(화살촉), 단절(이중 화살표)을 보인다.

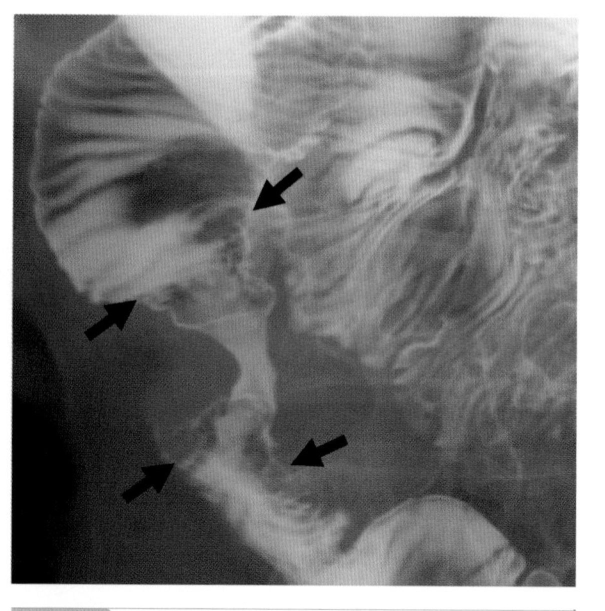

그림 7-15 **소장 선암.**
변형 소장바륨추적검사에서 원위부 공장에 사과속(apple core) 모양의 침윤성 종괴(화살표)가 관찰된다.

② 소장

소장 선암은 가장 흔한 일차성 악성종양으로 주로 십이지장 특히 팽대부 근처에서 잘 생기며, 나머지는 근위부 공장에서 잘 생긴다. 바륨조영술상 윤상형 사과속(apple core) 모양을 보이는 것이 전형적이다(그림 7-15). 짧은 장 분절을 침범하는 어깨모양의 가장자리를 갖는 국소적인 장벽 비후, 상부 장관의 확장을 동반하는 불규칙한 장 내강의 협소, 결절성 종괴 등으로 보

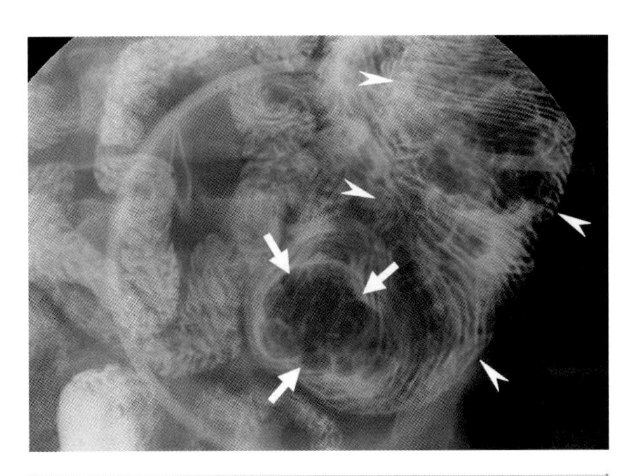

그림 7-16 **소장 선암과 동반된 장중첩증.**
소장바륨추적검사에서 근위부 공장에 엽상 경계를 갖는 내강 내로 돌출하는 폴립형 종괴(화살표)가 관찰된다. 종괴는 장중첩증을 유발하여 근위부로 중첩된 장에 의한 용수철(coil spring) 소견(화살촉)이 동반되어 있다.

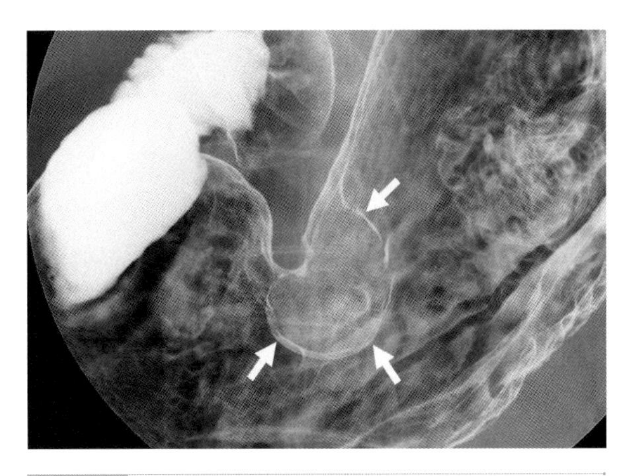

그림 7-17 **위 양성 간질종양.**
이중바륨조영술에서 위각(gastric angle)에 경계가 좋고 평활한 점막 표면을 지니며, 위벽과 둔각을 이루는 종괴(화살표)가 있다.

이며 종괴 내에 궤양이 드물지 않게 생긴다. 점차적으로 기계적인 장폐쇄를 일으키며, 작은 폴립양 병변은 장중첩을 초래할 수도 있다(그림 7-16). 십이지장에서는 폴립양 또는 유두상의 모양을, 더 원위부 소장에서는 윤상형의 모양을 보이는 경향이 있다.

(4) 점막하종양

대부분은 위장관 내부로 자라지만 일부에서는 위장관 바깥쪽이나 내외로 아령형으로 자라기도 한다. 바륨조영술상 경계가 좋고 평활한 점막 표면을 지니며 위벽과 수직 혹은 약간 둔각을 이루고 표면을 덮고 있는 정상 점막을 볼 수 있다(그림 7-17). 종괴가 커지면 정점에서 점막에 궤양을 일으켜 출혈을 일으키기도 한다. 궤양이 심해지면 종양 내부에 괴사가 일어나며 소 눈알(bull's eye) 모양 혹은 과녁(target) 모양으로 보이게 된다(그림 7-18). 종괴의 크기가 커지고 괴사가 진행할 경우 위장관 밖으로 커다란 바륨이 고이는 공동(cavity)을 만들 수 있다(그림 7-19).

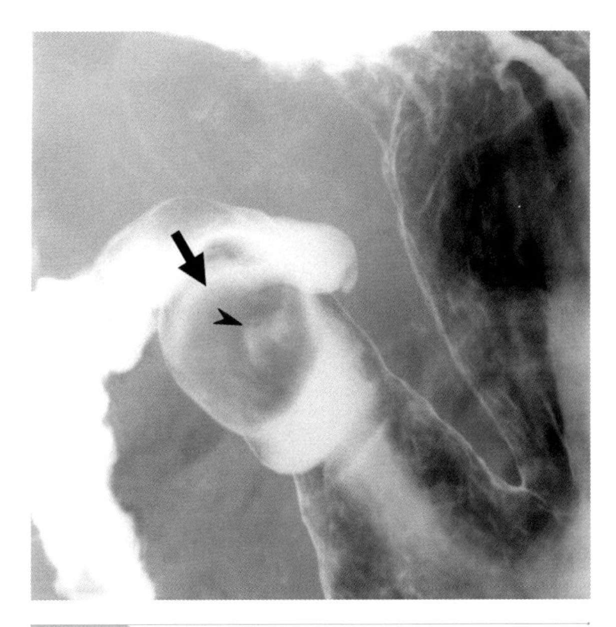

그림 7-18 **위 양성 간질종양.**
이중바륨조영술 영상에서 위 전정부의 경계가 좋은 점막하종양(화살표) 내 바륨의 저류로 보이는 궤양(화살촉)이 관찰된다.

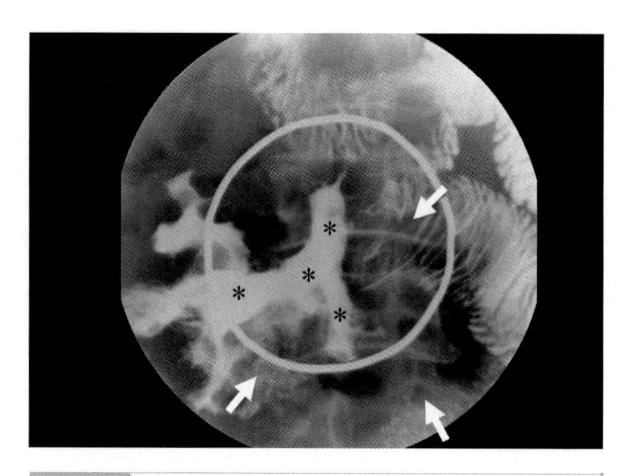

그림 7-19 **회장 악성 간질종양.**
소장바륨추적검사에서 말단회장에 괴사로 인한 큰 공동(*)에 바륨이 고인 종괴(화살표)가 있다.

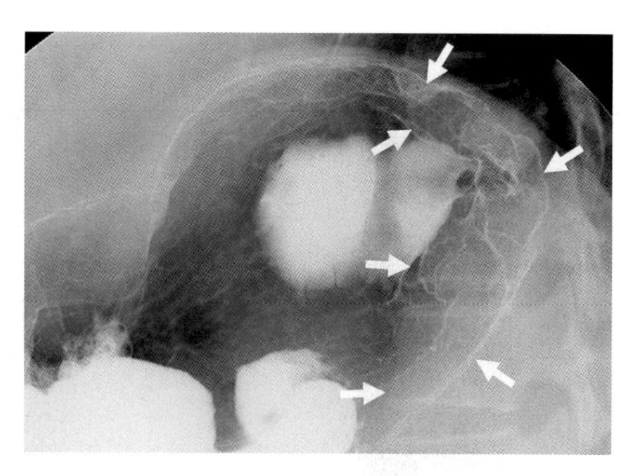

그림 7-20 **위 림프종.**
이중바륨조영술에서 위 기저부에 뚜렷한 종괴나 궤양은 관찰되지 않으나 위 주름이 심하게 비대해진 소견(화살표)이 있다.

(5) 림프종

① **위장**

위 림프종의 바륨조영술 소견은 다발성의 산재성 종괴, 위 주름의 비대(그림 7-20), 소 눈알 혹은 과녁 모양의 병변(그림 7-21) 등이 있으며, 위선암과 서로 영상소견이 겹치는 경우가 많아 감별이 어려운 경우가 많다. 그러나 위선암과 달리 결합조직형성(desmoplasia)이 없으므로 미만성 위벽 비후에도 불구하고 위내강의 협착이나 폐쇄를 일으키지 않는 점과 십이지장으로의 파급이 흔한 점 등이 감별에 도움을 줄 수 있다.

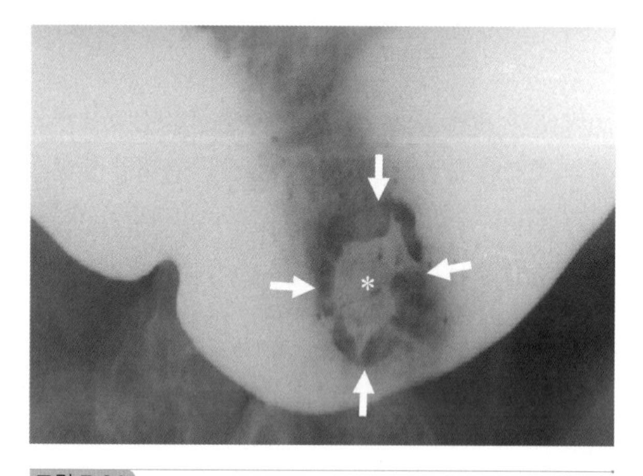

그림 7-21 **위 림프종.**
바륨조영술 압박 영상에서 위 전정부에 궤양(*)을 동반한 소 눈알 모양 혹은 과녁 모양의 종괴(화살표)가 보인다.

② **소장**

소장 림프종은 Peyer's patch 내의 점막하 림프계 및 풍부한 점막관련림프조직(mucosa-associated lymphoid tissue)에서 발생한다. 따라서 공장이나 십이지장 보다는 회장에서 발생빈도가 높다. 바륨조영술상 다발성 소결절, 폴립양 종괴, 침윤성 종괴, 관강 안과 바깥으로 동시에 자라는 아령형 종괴, 장간막을 침습하는 관강외 종괴 등으로 나타난다. 침윤성 종괴의 형태가 가장 흔하며, 종종 윤상주름이 유지되는 형태의 장벽 비후로 나타나기도 한다. 장벽의 고유근이 림프종으로 치환되어 장벽이 국소적으로 팽창되는 동맥류성 확장(aneurysmal dilatation)을 보이는 것이 특징이다(그림 7-22). 선암과 달리 관강의 협착이나 폐쇄는 잘 초래하지 않는 것이 특징이나, 가끔 호지킨병(Hodgkin's disease)에서는 동반되기도 하며, 병변이 폴립양 종괴일 경우 장중첩으로 인한 장폐쇄를 일으킬 수 있다. 심한 후복막 림프절 비대 또한 림프종을 시사하는 소견이다. 커다란 종괴가 괴사나 공동을 형성할 경우엔

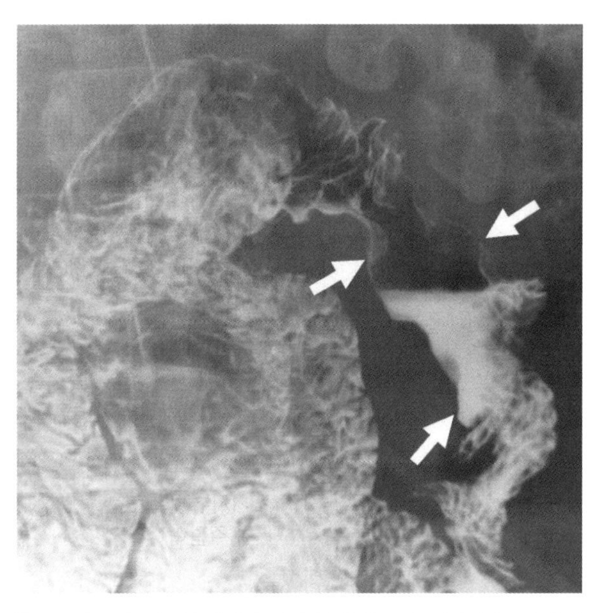

그림 7-22 소장 림프종.
소장바륨추적검사에서 근위부 공장에 동맥류성 확장을 동반한 불규칙한 종괴(화살표)가 관찰된다. 그러나 상부 공장의 확장은 관찰되지 않아 소장 폐쇄의 소견은 보이지 않는다.

악성 위장관 간질종양(gastrointestinal stromal tumor, GIST)과 감별이 어려운 경우도 있다.

3. 초음파촬영술

위장관 질환과 연관된 모호한 증상을 호소하는 환자에서 초음파가 종종 일차적으로 시행되고 있다. 그러나 복부초음파검사에서 위장관은 위장관내의 액체 혹은 음식 찌꺼기나 변으로 인해 가성 병변(pseudolesion)이 보이거나 위장관내 공기에 의한 인공음영(artifact)으로 인해 정확한 검사가 힘든 경우, 그리고 검사자의 미숙함 등의 이유로 제대로 검사가 시행되지 못하는 경우가 많다. 따라서 대부분의 영상의학과 의사들은 위장관 질환의 CT 소견에는 익숙해져 있는 반면, 초음파 소견에는 친숙하지 않다. 위장관내 가스나 연동운동이 위장관 초음파를 어렵게 만드는 큰 이유 중의 하나이지만, 병변이 있는 장관에서는 전형적으로 장관벽이 두꺼워지고, 내강이 좁아지며, 연동운동이 저하되어 초음파검사가 쉬워지는 경우도 많다.

1) 검사방법

대개 급성질환의 경우 금식에 관계없이 초음파를 시행해도 문제는 없으나 위장관내 공기와 액체를 최소화하기 위해 최소한 6시간 이상의 금식을 하는 것이 바람직하다. 위장관 초음파는 대개 복부 고형장기의 기본 검사를 끝낸 후 시행한다. 환자의 체형에 따라 다르긴 하나 대개 3-5 MHz 탐촉자를 사용하여 시작하고 이상이 발견되거나 환자가 통증의 위치를 짚으면 그 부위를 5-10 MHz 직선형 탐촉자를 이용하여 세밀하게 검사하는 것이 필요하다. 소장은 내강이 액체로 차있을 경우 윤상주름이 잘 보이고 이 경우 쉽게 소장임을 확인할 수 있다.

2) 위장관의 정상 초음파 소견

정상 위장관 조직은 고에코와 저에코가 번갈아 가며 보이는 5개 층으로 구성되어 있다. 내강면부터 살펴보았을 때, 내강 내 액체와 점막 사이의 경계면에 의한 고에코층, 심부점막(deep mucosa)과 점막 근육층(muscularis mucosa)에 의한 저에코층, 점막하층에 의한 고에코층, 고유근(proper muscle)층인 저에코층, 장막 혹은 외막(adventitia) 조직층인 고에코층으로 나눌 수 있다(그림 7-23). 그러나 대개의 복부 탐촉자로는 5개 전층을 관찰하는 경우는 드물며, 저에코의 점막, 고에코의 점막하층, 저에코의 근육층을 포함한 3층을 보거나, 고에코의 점막하층, 저에코의 근육층의 두 층만을 볼 수 있게 된다. 정상 위벽의 두께는 위저부와 체부에서는 2~4 mm, 전정부와 유문동에서는 3~5 mm로 위치에 따라 약간의 차이가 있다. 위가 수축될 경우 최대 6 mm까지 두꺼워질 수 있으며 충분히 팽창되면 3 mm 정도로 얇아진다. 10 mm 이상 위벽 비후가 보일 때는 병변을 의심해야 한다. 소장과 대장의 해부학적 차이

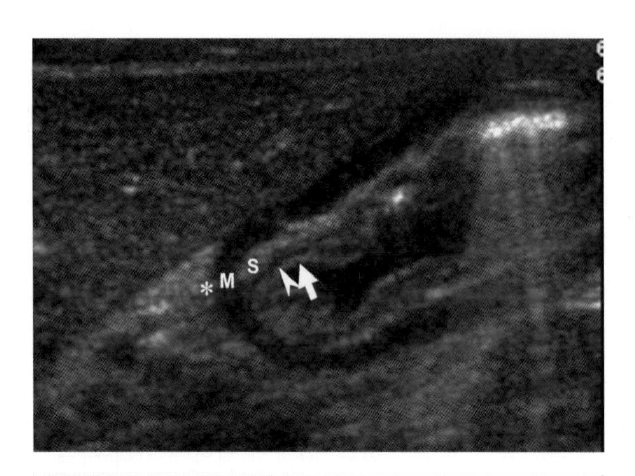

그림 7-23 **정상 위벽의 초음파소견.**
시상면 영상에서 위 전정부가 액체와 가스로 약간 팽창되어있다. 안쪽부터 고유점막층의 고에코층(화살표), 점막근층의 저에코층(화살촉), 점막하층의 고에코층(S), 고유근층의 저에코층(M), 장막층의 고에코층(*)이 차례로 관찰된다.

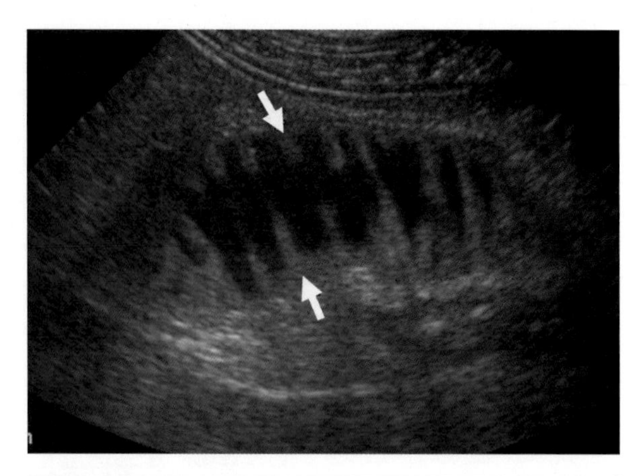

그림 7-24 시상면 초음파에서 정상 공장(화살표)이 액체로 가득 차 있으며 내부에 3~5 mm 간격의 윤상주름이 마치 피아노 건반(keyboard sign)처럼 보인다.

는 각각 윤상주름과 팽기이다. 윤상주름은 공장에서는 3~5 mm 길이에, 3~5 mm 간격으로 존재하며, 회장으로 갈수록 점점 줄어들어 말단회장에서는 없거나 드문 형태를 보인다. 특히 소장이 액체로 차있을 경우 잘 관찰되는데 마치 피아노 건반처럼 보여 피아노 건반징후(keyboard sign)라고도 한다(그림 7-24). 이에 비해 팽기에 의한 압흔은 3~5 cm 간격으로 존재한다.

3) 위장관의 비정상 초음파 소견

위장관 질환은 초음파에서 대개 장벽비후, 종괴, 주변 장간막 변화 등 3가지 형태로 나타나게 된다.

(1) 벽 비후

장벽이 두꺼워지는 원인에는 부종, 출혈, 염증, 종양 등이 있는데, 부종의 경우, 장벽의 각 층이 유지되면서 윤상주름이나 팽기도 함께 두꺼워지고, 염증에 의한 경우, 초기에는 장벽이 유지되지만, 염증이 심해지거나 만성으로 진행될 경우 장벽의 정상층을 파괴시킬 수 있다(그림 7-25). 종양성 병변도 초기에는 층이 유지되나 진행되면서 특징적으로 장벽이 파괴된다. 초음파에서 두꺼워진 장관벽과 가스 찬 장 내강이 종단면으로 잘릴 경우는 가성신장(pseudokidney) 징후, 횡단면으로 잘릴 경우는 과녁 징후를 보이는데 가운데 고에코 부위는 장관내강을 나타내며 바깥 저에코 부위는 두꺼워진 장벽을 나타낸다(그림 7-26). 그러나 악성종양의 특이 소견은 아니다.

(2) 종괴

위장관 강내 종괴는 위장관내에 다양한 에코를 갖는 융기성 병변으로 관찰되며 주변 장관벽 비후를 동반할 수 있다. 위장관내에 생기는 벽 내 종괴는 대부분 종양성 병변으로, 간질성종양, 림프종, 선암 등이다. 위암은 정상 위벽층 파괴를 동반한 국소적 혹은 미만성 저에코의 종괴로 보이며(그림 7-27), 주위 림프절이 침범되면 둥글고 큰 저에코의 림프절을 확인할 수 있다. 진행성 위암의 경우 췌장으로의 침범 여부를 확인하기 위해 간혹 초음파를 실시하는데 호흡에 따라 위암과 췌장이 서로 미끄러지는지(sliding sign) 여부를 봄으로써 비교적

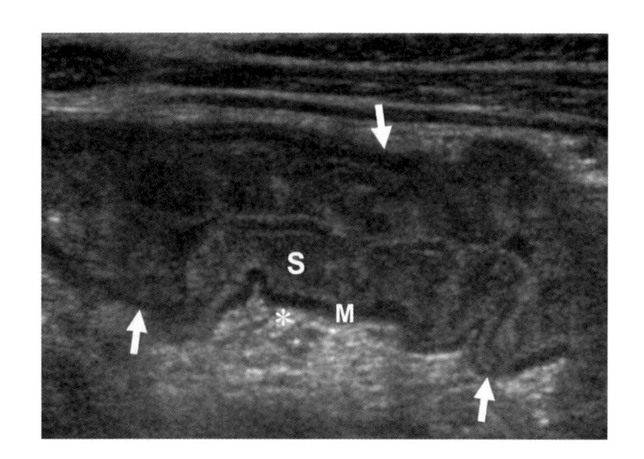

그림 7-25 **궤양성 대장염.**
급성기의 궤양성대장염 환자에서 원위부 횡행결장의 장벽이 현저히 비후되어 있으나(화살표) 내부에 5개의 장벽을 구성하는 층은 모두 구별이 된다. 특히 점막하층(S)의 비후와 저에코의 염증 침윤이 현저하다. 이에 비해 고유근층(M)이나 장막층(*)의 두께는비교적 정상이며 침윤 등은 보이지 않는다.

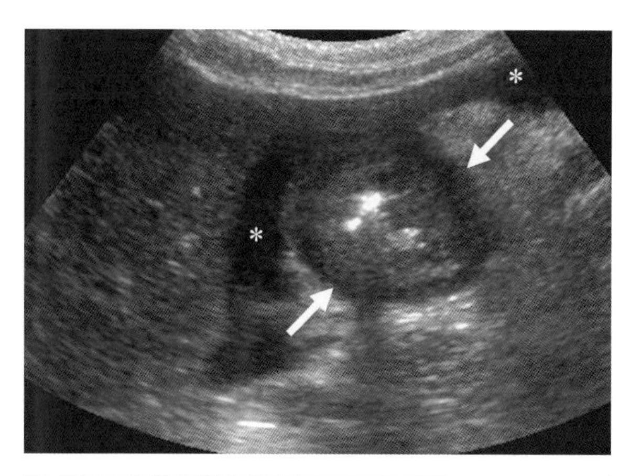

그림 7-27 **진행성 위암.**
위 전정부의 시상면 영상에서 위벽이 심하게 두꺼워져 있으며(화살표), 정상 벽층 구조가 소실되어 있다. 앞쪽으로 소량의 복수(*)가 보인다.

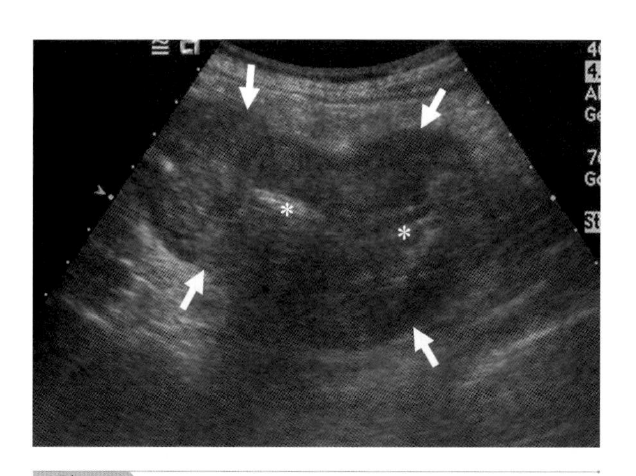

그림 7-26 **비장 만곡에 생긴 대장암.**
종괴(화살표)의 장축과 평행하게 스캔한 종단면 영상에서 종괴가 마치 정상 신장과 유사한 모양을 보인다(pseudokidney sign). 가운데 가스에 의한 고에코부위(*)는 신장동(renal sinus)의 고에코를, 바깥쪽 암으로 두꺼워진 저에코의 장벽은 신장 피질(renal cortex) 및 수질(medulla)의 저에코를 닮았다.

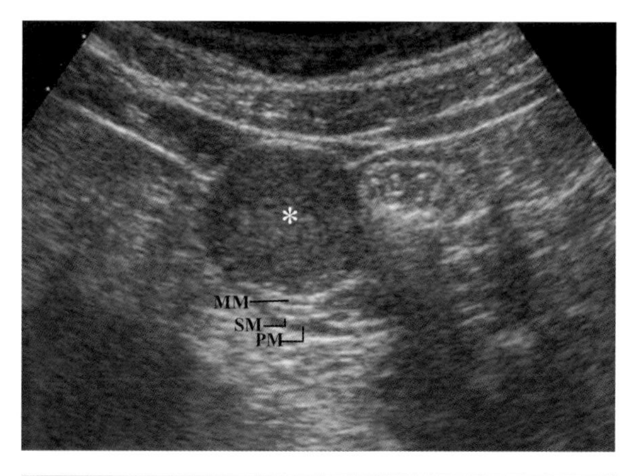

그림 7-28 **위 양성 간질종양.**
시상면 초음파 영상에서 위 하체부 전벽에 비교적 균일한 저에코를 띤 종괴(*)가 보인다. 종괴는 위벽과 붙어있으며 위벽의 고유근층에 위치해 있다. 정상 고유 점막층의 고에코는 뚜렷하지 않지만 점막근층의 저에코, 점막하층의 고에코, 고유근층의 저에코가 잘 보인다.

정확히 진단할 수 있다. 위의 간질종양은 점막하층 혹은 고유근층에 위치하는 다양한 에코의 종괴로 특징적으로 정상 점막이 유지되어 있다(그림 7-28). 그러나 종괴가 커지면서 중심부에 괴사를 동반하며 이러한 부위가 내강과 교통하면 종괴 내 큰 궤양이나 동공을 형성할 수 있으며 이 경우 정상 점막을 보기가 어려워진다(그림 7-29).

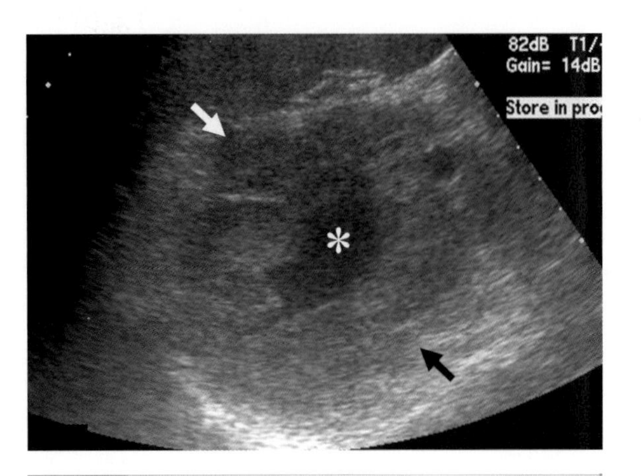

그림 7-29 **악성 위 간질종양.**
위 체부 앞쪽으로 크기가 매우 큰 저에코의 종괴(화살표)가 있으며 중심부는 괴사로 인해 저에코(*)가 보인다. 그러나 이처럼 종괴가 클 경우 종괴의 기원이 어디인지는 초음파에서 확실히 알 수 없는 경우가 종종 있다.

(3) 주변 장간막 변화

위장관 벽에 생기는 다양한 병변은 주위 장간막 혹은 장주위 지방조직에 변화를 초래한다. 이러한 변화는 초음파상 종괴 효과를 보이는 경계가 불분명한 고에코 병변으로 보이는데 이러한 소견이 병변이 있는 장분절을 찾는 단서를 제공하기도 한다. 주변에 커진 림프절은 종양성, 염증성 병변 등에서 동반될 수 있다.

4. 컴퓨터단층촬영술

1970년대 후반 CT가 처음 도입될 당시에 10 mm 두께의 CT 한 장 영상을 얻는 데 15초 이상이 소요되었으며 재구성하는 데는 적어도 60초가 소요된 관계로 심한 호흡 및 움직임 허상이 불가피하여 움직임이 적은 머리나 팔다리 영상에만 국한적으로 사용할 수 있었다. 1980년대 후반에 나선식 CT의 개발로 인해 빠른 스캔이 가능해졌고, 3 mm 두께의 얇은 절편을 빠른 시간에 재구성할 수 있게 되어 CT는 더 이상 축상면 영상의 절편들이 아닌 체적(volume)의 개념으로 인식되기 시작했다. 그러나 여전히 위아래로 길게 연결되고, 연동운동으로 인한 움직임이 활발한 위장관에서 CT의 사용에는 한계가 있었다.

1990년 후반 다중검출기 CT의 도입은 X선을 발생하는 튜브가 환자 테이블을 한 바퀴 회전하는 동안 단일검출기 CT에 비해 4배(4채널 다중검출기 CT의 경우)~64배(64채널 다중검출기 CT의 경우) 많은 영상을 얻을 수 있게 됨에 따라 더 빠르고, 더 촘촘하고, 더 많은 영역을 스캔할 수 있게 되었다. 이러한 하드웨어의 발전에 힘입어 CT는 바륨조영술이 차지했던 위장관 영상진단의 많은 부분을 담당하게 되었으며, 가상 CT 내시경기법을 이용한 삼차원 영상은 광학내시경 영상을 일부 재현해 냄으로써 CT가 위장관 질환 진단에 있어 그 영역을 더욱 확장시켜주는 계기가 되고 있다.

1) 검사방법

CT를 이용한 정확한 위장관 질환 진단에 있어 위장관의 적절한 팽창은 필수적이다. 허탈된 위장관은 병변을 가릴 수 있으며 반대로 가성병변의 원인이 되기 때문이다(그림 7-30). 위장관을 팽창시키기 위해 과거에는 희석 바륨이나 요드(iodine) 등의 양성 경구용 조영제(positive oral contrast agent)를 사용하였으나, 나선식 CT가 도입된 이후로는 위내강을 어둡게 하여 조영증강되는 위벽과의 대조도를 높이기 위해 물이나 공기와 같은 음성(negative) 조영제를 주로 사용한다. 물은 추가 비용이 들지 않고, 복용이 쉬우며, 위장관 내강과 장벽의 대조도를 충분히 살려주므로 가장 많이 사용하지만 가상 내시경 영상을 만들 수 없는 단점이 있다. 공기 역시 싸고, 복용이 쉬우나 주변에 인공음영을 유발하여 장벽의 층간 구별을 어렵게 할 수 있다. 또한, 소장의 경우 비침습적으로 공기를 소장에 골고루 주입하는 것이 힘든 단점이 있다. 그러나 위장관 강내와 장벽의 대조도를 가장 크게 하므로 가상 내시경 영상을 만들고자 할 경우 공기의 사용은 필수적이다.

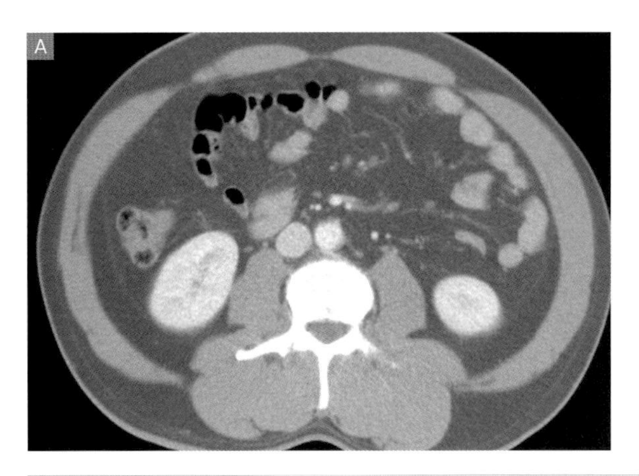

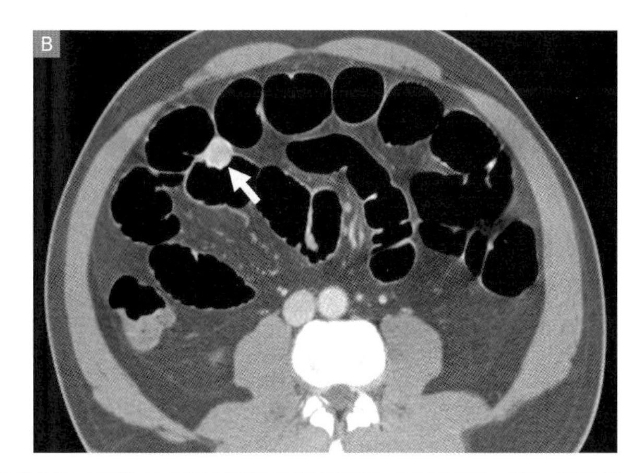

그림 7-30 **혈변을 주소로 내원한 54세 남자 환자에서 발생한 소장 양성 간질종양.**
A. 소장이 모두 허탈된 상태에서 촬영한 조영증강 CT에서 소장에 벽 비후나 종괴는 관찰되지 않았다.
B. 같은 환자에서 소장고위관장술용 카테터를 근위부 공장까지 삽입한 후 공기를 주입하고 시행한 CT 소장고위관장술에서 근위부 회장에 강한 조영증강을 보이고 경계가 분명한 작은 종괴(화살표)가 있다. 종괴를 감싸는 장의 점막이 잘 유지되어 있어 점막하 병변임을 시사한다.

위장 CT영상에서 물을 경구용 조영제로 사용할 경우 검사 15분 전에 500~800 mL를 마시게 하고 검사를 시작하며, 공기는 검사 직전 CT 테이블 위에서 발포제를 먹게 하여 발생시킨다. 경구용 조영제에 더해 정맥 조영제의 사용 역시 필수적인데, 적절한 위장관 벽의 조영증강은 물론 염증 및 종양성 병변의 검출 및 특성화에 도움을 주기 때문이다. 정맥 조영제는 300~370 mg · I/mL 농도의 조영제 120~180 mL를 초당 3~5 mL의 속도로 주입하며, 조영제 주입 후 60~70초 후에 영상을 얻는다. 환자의 체위는 앙와위가 기본이며 경우에 따라서는 복와위나 측와위를 추가하기도 한다. 영상 절편은 5 mm 두께 이하를 권장하며, 가상 내시경 영상 등 3차원 영상을 만들고자 할 때에는 1 mm 이하 두께를 권장하나 적어도 3 mm 이하의 두께로 재구성해야 한다.

2) 위장관의 정상 CT 소견

CT상 위벽은 2~3개의 층으로 구별되는데 점막층은 강한 조영증강을 보이고 가운데 점막하층은 저음영을 보이며 바깥쪽 근육층과 장막층은 중등도의 조영증강을 보인다(그림 7-31). 이와 같이 3개 층으로 보이는 경우도 있고, 부위에 따라서는 2개 층만으로 보여 내측 점막층은 고음영으로, 나머지 층은 외측 저음영으로 나타난다. 적절히 팽창되었을 경우 위장관 벽의 두께는 3 mm를 넘지 않으며, 위 유문(pylorus)과 직장은 정상에서도 이보다 약간 두꺼울 수 있다.

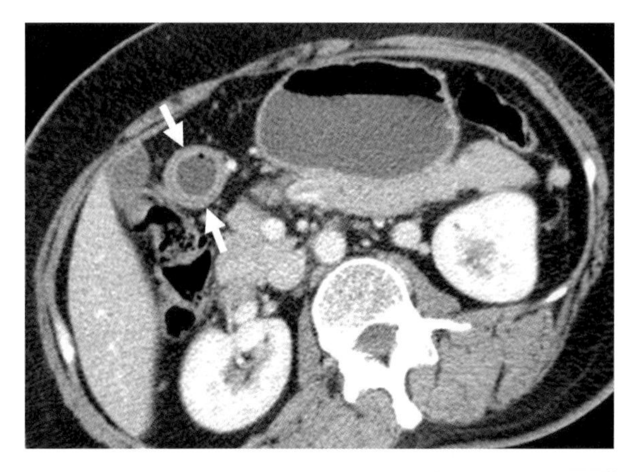

그림 7-31 **정상 위벽의 CT 소견.**
위 전정부(화살표) 스캔에서 안쪽부터 점막층은 강한 조영증강을 보이고 가운데 점막하층은 저음영을 보이며 바깥쪽 근육층과 장막층은 중등도의 조영증강을 보인다.

3) 위장관의 비정상 CT 소견

(1) 선암

① 위

경정맥 조영제를 급속 주사하고 CT를 시행할 경우 위선암은 6 mm 이상의 벽 비후와 현저한 조영증강을 보인다(그림 7-32). 이러한 조영증강은 병변을 발견하고 종양의 침윤 정도를 결정하는 데 도움을 준다. 위벽에서 3개의 층을 볼 경우 위암의 침윤 정도를 결정하는 것은 비교적 용이하며, 병변 부위에서 저음영의 점막하층이 잘 보존되어 있는 경우 조기위암을 쉽게 진단할 수 있다(그림 7-33). 조기위암의 경우 점막하층의 비후를 자주 동반하고, 이것은 부종과 지방 침윤으로 설명을 하고 있으며 이러한 소견은 위암의 병기결정을 하는 데 도움이 된다. 그러나 CT 스캔 시 부분용적 효과(partial volume averaging effect)와 비스듬히 스캔되는 부위에서는 위벽의 층을 정확히 볼 수 없기 때문에 종양의 침윤 깊이를 결정하기 어려울 수 있다. 또한 점막하층이 잘 보존되어 보일지라도 병리조직학적으로는 부분적으로 고유근층으로 침윤을 보일 수 있기 때문에 조기위암과 진행위암의 CT를 이용한 구별은 어려울 때가 많다. 간혹 3D 표면연출(surface-rendering) CT 위장조영술(gastrography) 기법을 시행할 경우 위벽의 얕은 궤양과 주변의 악성 점막주름 변화를 관찰하여 조기위암을 진단할 수도 있다(그림 7-34). 진행위암의 조영증강 정도는 조영제의 양, 주입방법, CT 스캔방법, 종양의 조직학적 양상에 따라 차이가 있으며, 인환세포형(signet ring cell type) 위암은 조영증강이 잘되는 반면에, 점액성(mucinous) 위암의 경우 병변 내 미세석회화를 자주 동반하고 조영증강이 잘 안 되는 것이 특징으로, 이는 세포 외 다량의 점액분비에 의한 것으로 알려져 있다(그림 7-35).

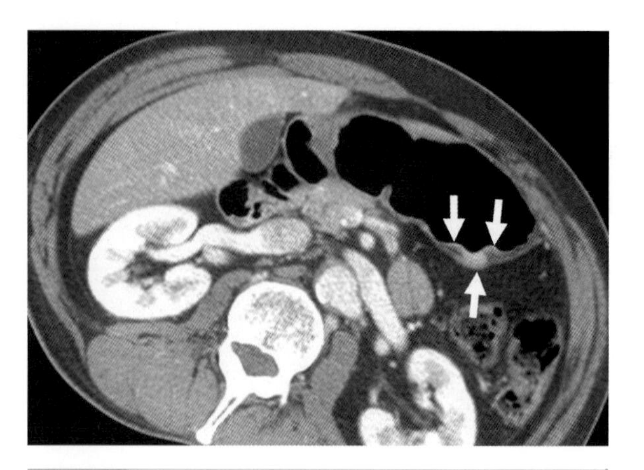

그림 7-32 **위선암.**
위 하체부 전벽에 위벽의 거의 전층을 침범하는 조영증강이 잘되는 벽 비후(화살표)가 관찰된다.

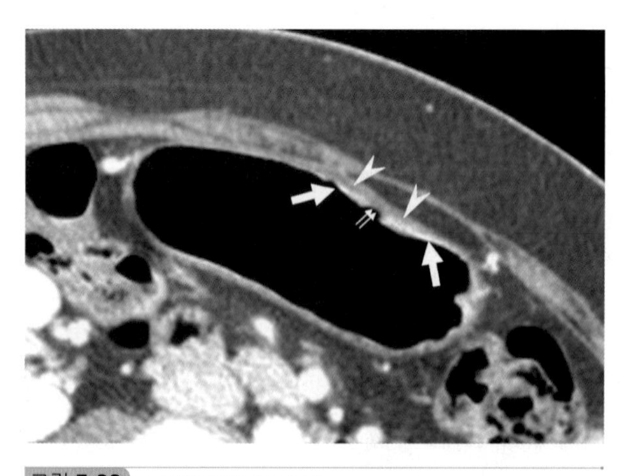

그림 7-33 **조기위암의 CT 소견.**
위 하체부 전벽에 조영증강되는 두꺼워진 위점막(화살표)이 보이나 그 아래쪽 저음영을 보이는 점막하층의 띠(화살촉)는 유지되어 있어 고유근층 침범이 없는 조기위암임을 알 수 있다. 위암 내 작은 궤양(이중 화살표)도 관찰된다.

② 소장

소장의 선암은 CT에서는 근위부 공장에 단일 연부조직 종괴로 나타나며, 동심성(concentric) 혹은 편심성(eccentric) 장협착과 폐쇄를 동반한다(그림 7-36). 불균질하고, 중등도의 조영증강을 보이며, 주위 림프절, 간 전이, 복막 및 난소로의 전이를 진단할 수 있다. 크론병(Crohn's disease)과의 감별점은 병변의 범위가 짧고,

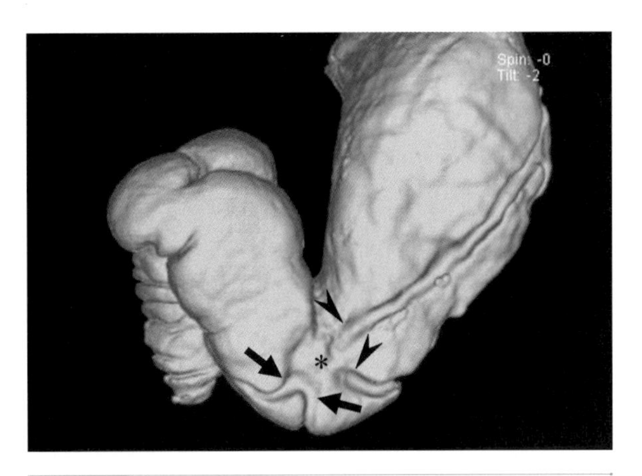

그림 7-34 **조기위암의 CT 위장조영술 소견.**
위전정부 전벽에 경계가 불규칙한 얕은 궤양(*)이 관찰된다. 주변 점막주름은 궤양 쪽으로 끌려와 있으며, 융합(화살표), 말단비대(화살촉) 소견을 보여 IIc형의 조기위암임을 시사한다.

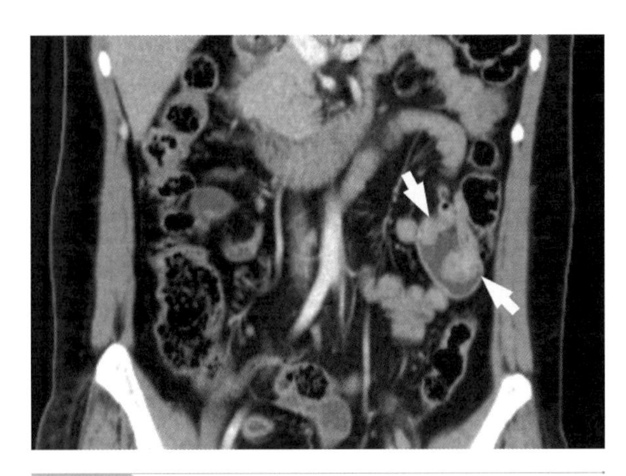

그림 7-36 **소장 선암.**
조영증강 CT 관상면 영상에서 원위부 공장에 비교적 균질한 조영증강을 보이는 동심성 소장벽 비후(화살표)가 관찰되며, 상부로 폐쇄 소견은 보이지 않는다.

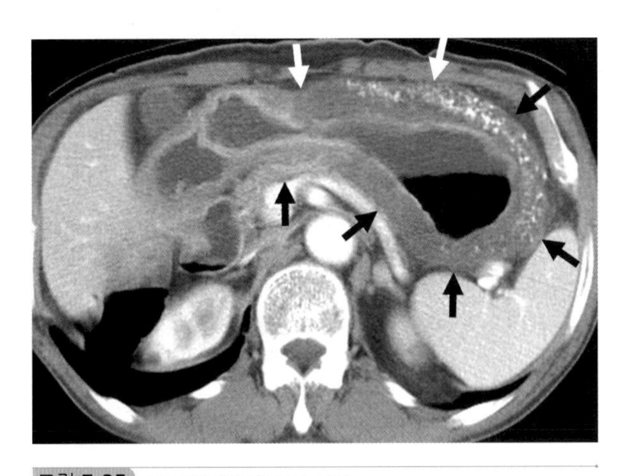

그림 7-35 **점액성 위암의 CT 소견.**
위벽이 전반적인 비후(화살표)를 보이며 정상 층 구분이 소실되어 있다. 벽 비후는 조영증강이 미미하여 저음영을 보이고 미세석회화가 동반되어 있어, 세포 외 다량의 점액분비를 하는 점액성 선암(mucinous adenocarcinoma)임을 시사하는 소견이다.

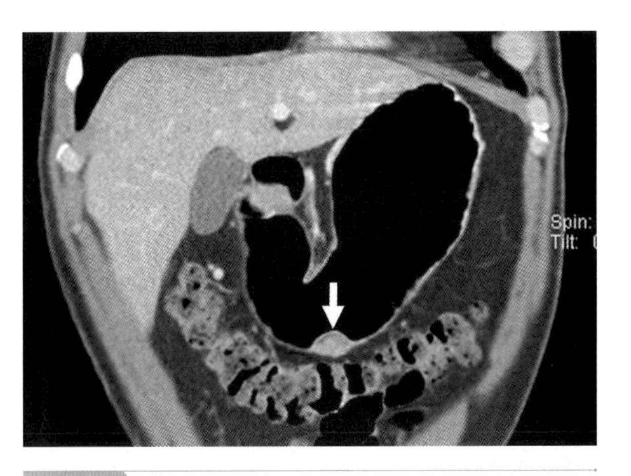

그림 7-37 **양성 위 간질종양.**
위각 대만곡 부위에 경계가 좋고 조영증강이 균질하게 되는 종양이 있다. 종양을 덮고 있는 점막층(화살표)은 잘 보존되어 있다.

단일한 협착의 경우 암종의 가능성이 높다.

(2) 점막하종양

위장관 간질종양이 위장관 점막하종양의 가장 많은 빈도를 차지하며, 종양을 덮고 있는 점막층이 잘 보존된 경우 점막하종양을 시사하는 소견이다(그림 7-37). CT상 위장관 벽에 둥글고 경계가 좋은 매끈한 종괴로 보이며 대부분 균일한 조영증강을 보인다. 그러나 강한 조영증강을 보여 다른 과혈관성 종양으로 오인되는 경우도 있고 반대로, 종괴의 크기가 커지면서 출혈 및 괴사에 의한 큰 낭성 공동을 형성하여 종괴의 대부분이 조영증강되지 않아 장간막 및 위장관의 낭성 병변과 감별이 어려운 경우도 있다. 이러한 괴사성 위장관 간질종양의 경우 조영증강되는 테두리가 더 두껍고, 불규칙하며 일부에서는 좀 더 큰 고형성 종양성분을 동반하는 경우가 많다. 크기가 크거나, 괴사가 동반되거나, 주위 장막으로 침윤이 있거나, 종괴의 경계가 엽상이거나, 괴사가 동반될 경우 악성을 시사하는 소견이다(그림 7-38). 위장관 벽 밖으로 자랄 경우 췌장, 대장, 횡격막 등을 침범할 수 있으며 복강내 전이, 간, 폐, 골격으로의 혈행성 전이가 가능하나 주변 림프절로의 전이는 드물다. 간혹 내부에 석회화를 동반하기도 한다. 3D 표면연출 CT 위장조영술에서 종괴를 덮고 있는 정상점막주름이 종양을 가로질러 지나가면서 종양의 중심으로 갈수록 퍼져서 안 보이는 교주름징후(bridging fold sign)를 볼 수도 있다(그림 7-39).

(3) 림프종

① 위

림프종은 위선암과 서로 영상소견이 겹치는 경우가 많아 위선암과의 감별이 어려우나, 다음과 같은 감별점이 도움이 될 수 있다. 첫째, 림프종의 경우 대부분에서 림프절 비대를 동반하며 위선암에 의한 것보다 더 덩어리 모양을 하고, 신문부(renal hilum) 아래 부위까지 침범하는 경우가 많다. 둘째, 림프종에 의한 위벽의 두께는 2.5~8 cm (평균 5 cm)로 위암(1~3 cm)에 비해 더 두껍다. 셋째, 위암과 달리 결합조직형성(desmoplasia)이

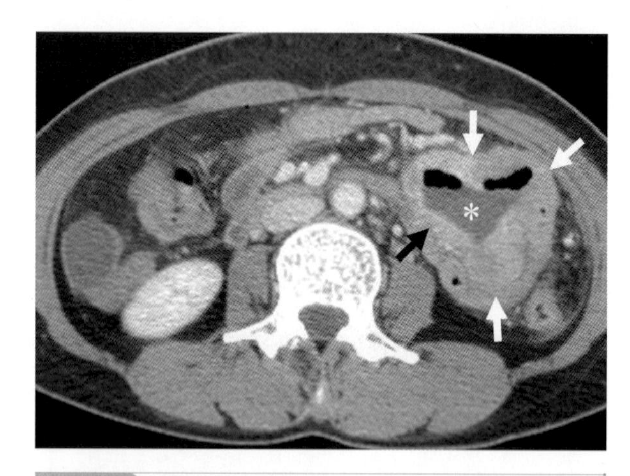

그림 7-38 **악성 소장 간질종양.**
소장에 인접하여 조영증강이 비교적 잘되는 큰 엽상 종괴(화살표)가 있다. 종괴는 괴사되어 큰 낭성 공동(*)을 형성하며, 소장과 누공을 형성하여 괴사된 공동 내에 공기-물 경계면을 동반하고 있다.

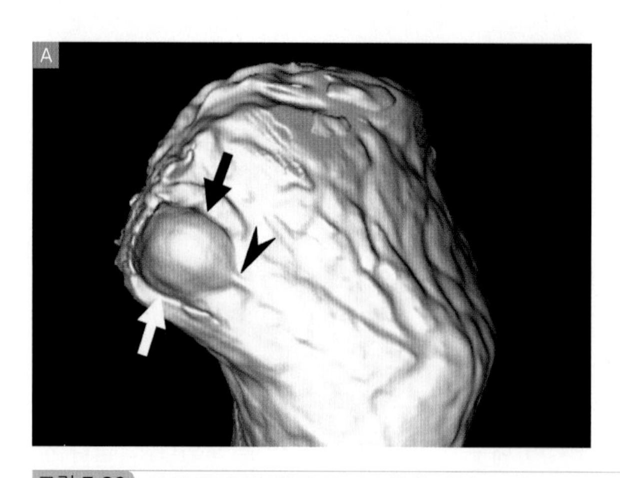

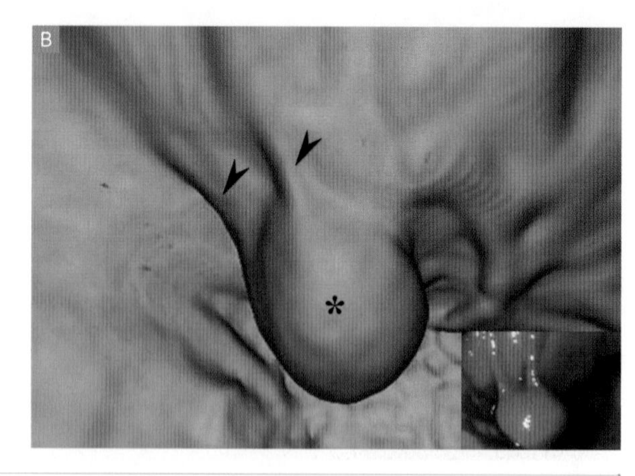

그림 7-39 **양성 위 간질종양의 3D CT 위장조영술 소견.**
A. 표면연출방식(surface-rendering mode) 3D CT 위장조영술상 위 기저부에 경계가 좋은 점막하종양(화살표)이 있다. 종괴의 변연부로 정상점막주름의 교주름징후(bridging fold sign) (화살촉)도 관찰된다.
B. 가상내시경방식(virtual endoscopy mode) 3D CT 위장조영술에서 정상점막층의 파괴를 동반하지 않은 매끈한 점막하종양(*)이 잘 보이며, 교주름징후(화살촉)도 뚜렷이 관찰된다. 이러한 소견은 고식적 내시경 소견(오른쪽 하단)과 일치한다.

없으므로 미만성 위벽 비후에도 불구하고 위 내강의 협착이나 폐쇄를 일으키지 않으며, 드물게 증식성위벽염 모양의 침윤을 보일 수 있으나 역시 위내강의 협착은 드물다. 넷째, 조영증강 CT에서 림프종은 위 선암에 비해 병변 부위가 더 균질하고 조영증강이 잘 안되며 비교적 매끈한 바깥쪽 경계를 보이는 경우가 많다(그림 7-40).

② 소장

소장 림프종은 침윤형의 경우 CT상 장벽을 둘러싸는 균질한 저음영의 장벽 비후로 보여 소시지 모양의 종괴로 보이고, 조영증강은 미약하다. 고유근층을 침습할 경우 특징적인 동맥류성 확장을 보일 수 있으며, 이 경우 장간막 반대쪽 부위로 더 확장된다(그림 7-41). 다양한 길이의 분절이 침습될 수 있고, 점막주름의 비후 및 소실이 동반될 수 있다. 결절형의 경우 병변이 주로 점막하에 위치하며 두 가지 타입으로 나타날 수 있다. 첫째, 2 cm 이상 크기의 종괴로 내부에 궤양을 동반하여 소 눈알 혹은 과녁 모양으로 보이며, 파종형 분포가 많고 위나 십이지장에서 흔히 보인다. 둘째, 림프종성 폴립증(lymphomatous polyposis)으로 다양한 크기의 폴립양 병변으로 보인다. 주로 장간막에 침윤하는 내강외(extraluminal) 종괴로 나타날 경우 소장이 주변 장간막 림프절 비대에 의해 눌리고 전위되어, 소장의 폐색을 일으킬 수 있다. 장간막 림프절 비대는 특징적인 샌드위치 징후(sandwich sign)를 보일 수 있다(그림 7-42).

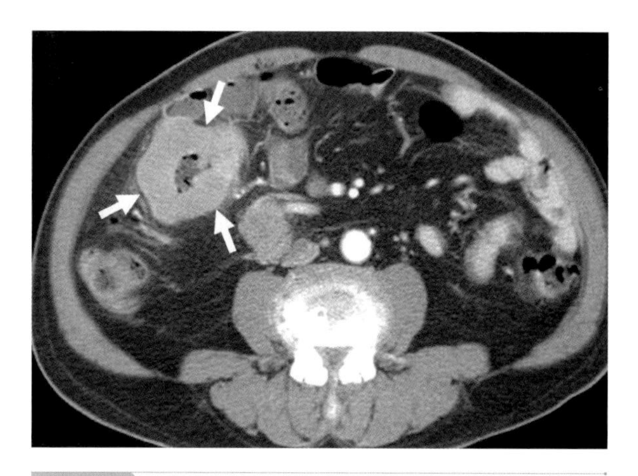

그림 7-41 **소장 림프종.**
원위부 회장에 균질한 저음영을 보이는 장벽 비후(화살표)가 관찰된다. 소장 벽이 동심성으로 비후되었음에도 불구하고 내강이 늘어나 있는 특징적인 동맥류성 확장 소견이 보인다.

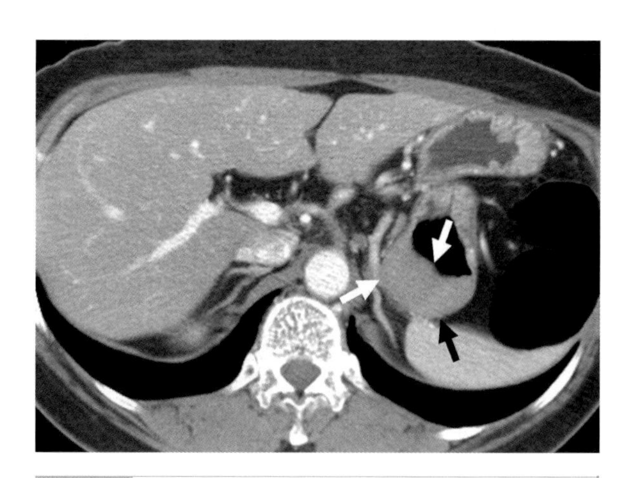

그림 7-40 **위 림프종.**
위 기저부에 균질한 저음영을 보이는 벽 비후(화살표)가 관찰되며 바깥쪽 경계는 비교적 매끈하다.

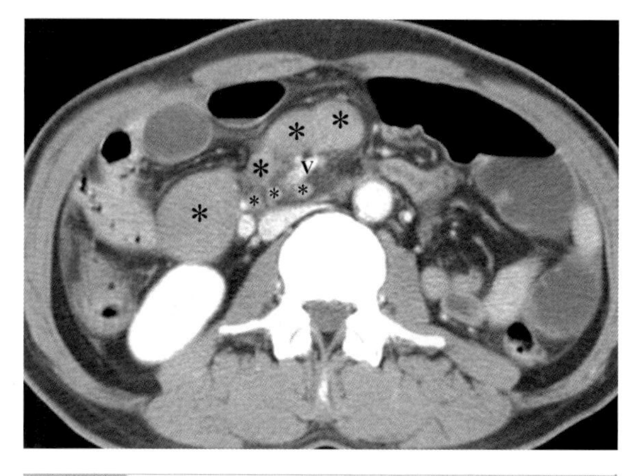

그림 7-42 **장간막 림프절 비대를 동반한 소장 림프종.**
회결장 정맥(ileocolic vein) (V) 주위로 다양한 크기의 림프절 비대(*)가 관찰된다. 림프절은 크기가 큼에도 불구하고 균질한 저음영을 보여 림프종 침범에 의한 림프절 비대임을 시사한다.

참고문헌

1. 박광보, 하현권, 김지훈 등. 소장 질환의 진단에서 경구 메틸셀룰로스를 사용한 바륨소장추적 검사의 유용성. 대한영상의학회지 1998;38:99-105.
2. 최병인, 한준구. 복부. In: 한만청 편집. 진단방사선과학. 서울: 일조각, 2003:86-96.
3. Abu-Yousef MM, Benson CA, Lu CH, et al. Enteroclysis aided by an electric pump. Radiology 1983;147:268-269.
4. Baker SR. The abdominal plain film. What will be its role in the future? Radiol Clin North Am 1993;31:1335-1344.
5. Buckley JA, Fishman EK. CT evaluation of small bowel neoplasms: spectrum of disease. Radiographics 1998;18:379-392.
6. Buy JN, Moss AA. Computed tomography of gastric lymphoma. AJR Am J Roentgenol 1982;138:859-865.
7. Craig O, Gregson R. Primary lymphoma of the gastrointestinal tract. Clin Radiol 1981;32:63-72.
8. Fleischer AC, Dowling AD, Weinstein ML, et al. Sonographic patterns of distended, fluid-filled bowel. Radiology 1979;133:681-685.
9. Gelfand DW, Chen YM, Ott DJ. Multiphasic examinations of the stomach: efficacy of individual techniques and combinations of techniques in detecting 153 lesions. Radiology 1987;162:829-834.
10. Kim SH, Han JK, Lee KH, et al. Computed tomography gastrography with volume-rendering technique: correlation with double-contrast barium study and conventional gastroscopy. J Comput Assist Tomogr 2003;27:140-149.
11. Laufer I, Kressel HY. Principles of double contrast diagnosis. In: Laufer I, Levine MS, eds. Double contrast gastrointestinal radiology. Philadelphia: Saunders, 1992:9-54.
12. Lee DH, Seo TS, Ko YT. Spiral CT of the gastric carcinoma: staging and enhancement pattern. Clin Imaging 2001;25:32-37.
13. Levine MS. Peptic ulcers. In: Gore RM, Levine MS, eds. Textbook of gastrointestinal radiology. Philadelphia: WB Saunders, 2000:514-545.
14. Levine MS. Plain film diagnosis of the acute abdomen. Emerg Med Clin North Am 1985;3:541-562.
15. Levine MS, Creteur V, Kressel HY, et al. Benign gastric ulcers: diagnosis and follow-up with double-contrast radiography. Radiology 1987;164:9-13.
16. Lim HK, Kim S, Lim JH, et al. Assessment of pancreatic invasion in patients with advanced gastric carcinoma: usefulness of the sliding sign on sonograms. AJR Am J Roentgenol 1999;172:615-618.
17. Maglinte DD, Lappas JC, Chernish SM, et al. Improved tolerance of enteroclysis by use of sedation. AJR Am J Roentgenol 1988;151:951-952.
18. Maglinte DD, Lappas JC, Kelvin FM, et al. Small bowel radiography: how, when, and why? Radiology 1987;163:297-305.
19. Maglinte DDT, Kelvin FM, Herlinger H. Malignant tumors of the small bowel. In: Gore RM, Levine MS, eds. Textbook of gastrointestinal radiology. Philadelphia: WB Saunders, 2000:575-600.
20. Menuck LS. Gastric lymphoma, a radiologic diagnosis. Gastrointest Radiol 1976;1:157-161.
21. Nelson SW. The discovery of gastric ulcers and the differential diagnosis between benignancy and malignancy. Radiol Clin North Am 1969;7:5-25.
22. Shin KS, Kim SH, Han JK, et al. Three-dimensional MDCT gastrography compared with axial CT for the detection of early gastric cancer. J Comput Assist Tomogr 2007;31:741-749.
23. Shirakabe H, et al. Principles and application of double contrast radiography. In: Shirakabe H, et al., eds. Atlas of X-ray diagnosis of early gastric cancer. Tokyo-New York: Igaku-Shoin, 1982:19-43.

CHAPTER 8

위장관의 운동기능검사

위장관기능검사의 목적은 환자가 호소하는 증상을 평가하고 기능이상을 구체적으로 규명하여 적합한 치료계획을 세울 수 있도록 하는 것이다. 위암의 진단과정에서 운동기능검사는 행할 필요가 없다. 위를 절제한 후에는 음식을 잘게 부수고 서서히 배출하는 위 본연의 기능이 손상되어 여러 위장증상이 발생할 뿐만 아니라 저혈당으로 인한 전신증상과 일반적인 안녕감의 저하가 동반된다. 위절제 후 음식의 세균과 장내세균을 억제하는 위산, 장운동, 장관에 존재하는 면역 또는 정균분비물 등의 방어인자가 소실되고 수술 중 형성된 맹관(blind loop) 등이 소장세균과다증식증(small intestinal bacterial overgrowth, SIBO)을 일으킬 수 있다. 위절제후증후군(postgastrectomy syndrome)은 여러 병태생리가 관여하지만 일부는 운동이상과 관련되어 일어나므로 운동기능검사가 진료에 도움이 될 수 있다(표 8-1).

1. 식도의 기능검사

1) 식도조영술

식도조영술(esophagography)은 위암의 식도침범과 같은 기질적인 협착뿐만 아니라 기능적인 협착도 평

표 8-1. **위절제후증후군의 진료에 도움이 되는 운동기능검사들**

증상/증후군	위장관기능검사	목적
위식도역류질환	식도임피던스내압검사	하부식도괄약근과 식도운동을 평가
	24시간 임피던스 pH검사	위액역류(위산 및 알카리역류)의 진단
위마비	신티그라피 위배출검사	덤핑증후군과 위마비의 진단
	유동식부하검사	위적응의 평가, 소화불량증 증상의 정량화
덤핑증후군	신티그라피 위배출검사	빠른 위배출 및 배출지연 진단
	경구포도당부하검사	당부하 후 저혈당이 유발되면 덤핑증후군을 진단
소장세균이상증식	수소호기검사	당부하 후 호기에서 수소가스가 증가하면 소장세균 이상증식을 진단

가할 수 있다. 식도조영술에서 식도이완불능증(achalasia)은 특징적인 새부리 모양(birdbeak appearance)의 하부식도 협착상을 보이고 광범위식도연축(diffuse esophageal spasm)은 염주알 모양 식도(corkscrew esophagus)의 특징적인 방사선 소견을 보인다.

2) 식도내압검사

식도내압검사(esophageal manometry)는 위장관내강의 압력을 직접 측정하는 방법으로 위장관운동질환을 평가할 수 있다. 식도내압검사는 식도이완불능증이나 광범위식도연축의 진단, 전신질환의 식도침범, 식도 pH검사 탐침의 위치 결정, 항역류수술 전의 식도운동 평가 목적으로 사용된다.

식도내압검사의 원리는 검사관의 가는 구멍에서 일정한 속도로 흐르고 있는 물이 식도근육의 수축으로 인해 막히게 되면 측정관 내의 압력이 올라가고 압력변환기가 이를 감지하여 수축파로 기록하는 것이다. 내압검사관에는 여러 개의 측공들이 일정한 간격으로 배열되어 있다. 환자가 물을 삼키면 수축파가 순차적으로 하부로 진행되는 연동운동을 기록한다(그림 8-1). 식도내압검사로는 연하시 억제, 식도근육의 수축과 이완의 조화, 연동수축운등을 평가할 수 있어 식도운동이상질환을 진단할 수 있다(그림 8-2). 수축파 압력이 30 mmHg 미만으로 낮은 경우는 피부경화증(scleroderma)과 같은 평활근병증을 의미한다.

3) 식도임피던스내압검사

임피던스검사는 음식, 위산, 가스 등과 같은 물질이 한 쌍의 인접한 전극사이를 통과할 때 두 전극사이에 흐르는 전류에 대한 임피던스(impedance)의 변화를 측

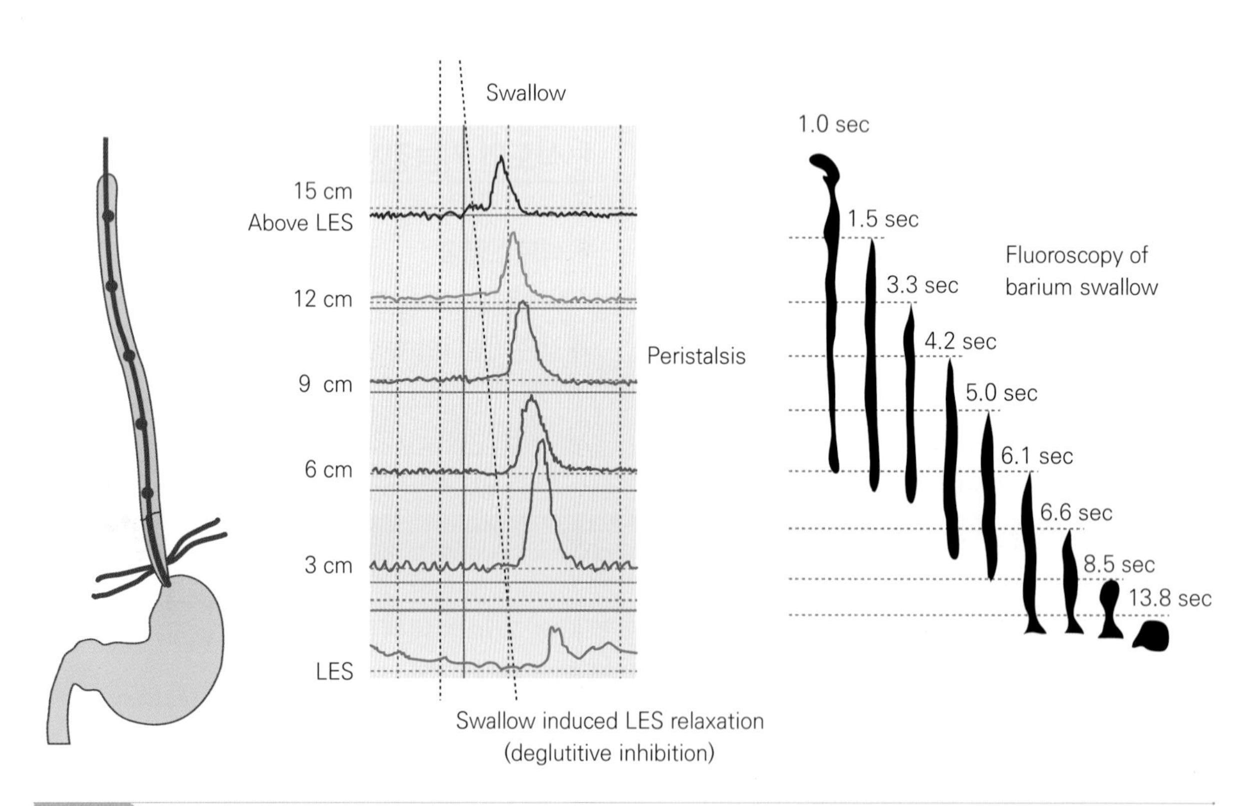

그림 8-1 **정상식도내압검사.**
환자가 물을 삼키면 수축파가 순차적으로 하부로 진행되는 연동운동을 기록할 수 있다. 수축파의 정점에 일치하여 바륨조영제가 아래로 이동한다.

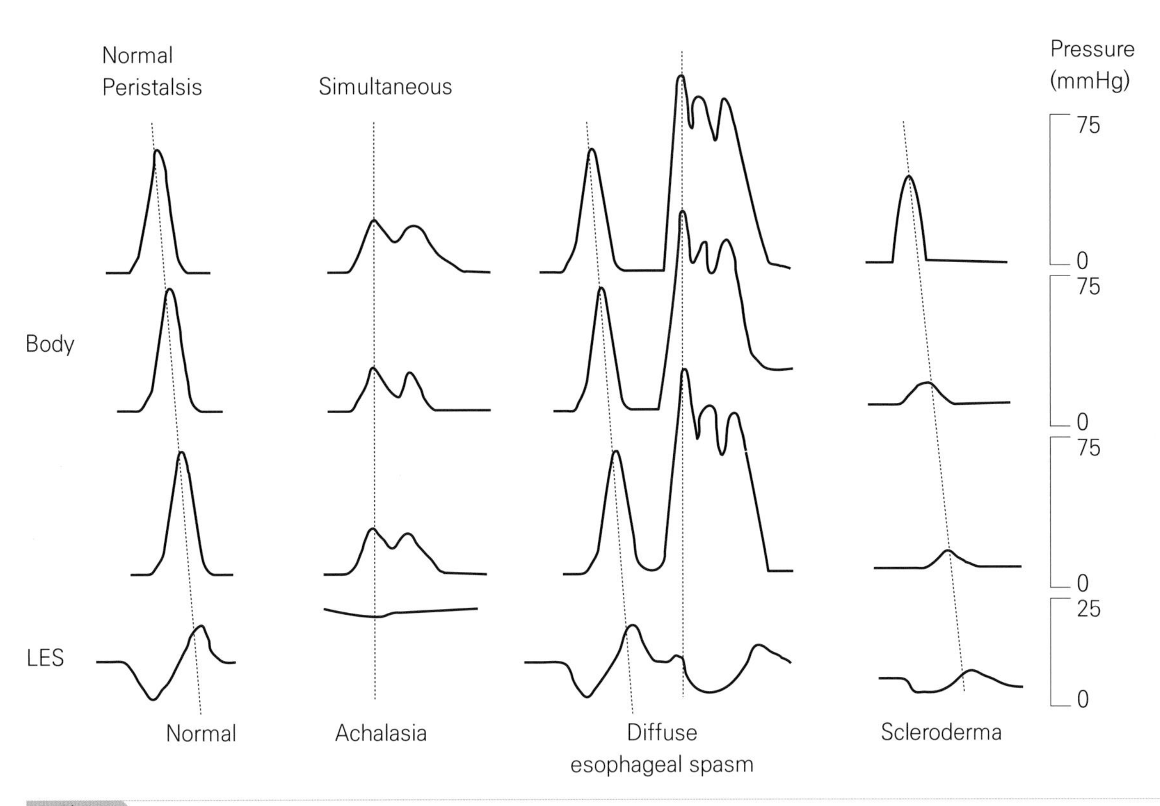

그림 8-2 **식도의 운동질환과 식도내압검사 소견.**

정하는 검사이다. 식도점막과 공기는 임피던스가 높고, 전류가 잘 흐르는 높은 이온 농도를 가진 음식, 타액, 위액 등은 임피던스가 낮다. 액체 덩어리(bolus)를 삼키면 식도점막과 공기 때문에 기저선 임피던스(baseline impedance)가 높게 측정되다가 액체 덩어리가 임피던스 전극을 통과하는 동안은 임피던스가 0에 가깝게 낮아진다. 액체 덩어리가 임피던스 전극을 통과한 후에는 임피던스가 다시 높게 회복된다. 임피던스가 기저선으로 회복되지 않고 계속 낮게 측정되면 액체덩어리가 완전히 통과하지 못하고 남아 있는 것을 의미한다. 임피던스내압검사는 식도 수축뿐만 아니라 음식 덩어리의 움직임을 동시에 평가할 수 있으므로 식도질환의 병태생리 진단과 약제의 효능 평가에 유효하다.

4) 보행성 pH검사

식도점막에 손상이 있으면 내시경으로 위식도역류질환을 쉽게 진단할 수 있지만 대부분 환자들의 내시경 소견은 정상이다. 비미란성 위식도역류질환을 진단하는 데는 24시간 식도 pH검사가 가장 좋은 검사법이다. 24시간 식도 pH검사는 위산역류의 정량화가 가능하고, 식도점막 손상의 중요한 지표인 pH 4이하의 백분율을 구할 수 있으며 식도에 산이 노출될 때 증상과의 관련성을 판단할 수 있는 방법이다. 카테터 식도 pH검사법은 코와 인후두가 자극을 받아 환자가 평소의 식사를 하지 못하고 일상생활을 유지하지 못하여 민감도가 낮다는 단점이 있었다. 최근에 개발된 브라보 무선캡슐 pH검사법은 카테터검사법에 비해 환자가 편할 뿐만 아니라 진단의 정확도 및 민감도가 높고, 48시간 이상 장시간 측정이 가능하다. 식도 pH검사는 역류물에 의해 식도내 pH가 4미만으로 감소하는 것으로 위산식도역류를 진단한다. 위절제술을 받은 환자의 경우에는 역류액의 pH가 높기 때문에 기존 pH검사법으로 역류를 진단할 수 없으며 최근에 개발된 임피던스 pH검사가 유용하다. 임피던스 pH 카테터는 전기임피던스와 pH를 측정하여 알칼리역류뿐만 아니라 역류물이 공기인지 액체인지까지도 감지할 수 있다. 임피던스 pH검사에 사용되는 카테터는 6개의 임피던스 측정구획과 안티모니 pH 센서를 가지고 있다. 임피던스 pH검사에서는 식도내강의 임피던스가 역방향으로 점진적으로 움직이는 것을 역류로 판단한다. 임피던스 pH검사는 비산역류(non-acid reflux)를 포함한 모든 형태의 역류를 감지할 수 있다. 그림 8-3은 역류가 일어날 때 pH가 4미만으로 감소하지 않는 비산역류를 보여준다. 임피던스 pH검사는 비산역류 또는 알칼리역류의 가능성을 생각해야 하는 경우, 즉 위산억제치료에도 불구하고 증상이 지속되는 환자, 또는 무산증 또는 위축위염 환자, 위절제술 후 환자에서 위식도역류질환을 진단할 때 도움이 된다.

2. 위의 운동기능검사

1) 정상인에서 위의 운동

(1) 공복 시의 위와 소장의 운동

공복 시에는 위와 소장에서 주기적인 운동이 일어난다. 이를 MMC (migrating myoelectric complex) 주기라 한다. MMC 주기는 3가지의 뚜렷한 수축운동양상이 반복적으로 나타난다. phase I: 운동이 전혀 일어나지 않는 휴식기(quiescence), phase II: 산발적인 수축이 일어나면서 점점 빈도가 늘어나며, 수축파압력이 높아지는 시기, phase III: 위의 수축이 일어날 수 있는 최대의 빈도인 분당 3회의 위의 수축운동이 일정기간 동안(2~12분), 단절되지 않고 규칙적으로 일어나는 시기로 나타난다. MMC phase III는 위나 소장 상부에서 시작하여 장내신경총을 통해 하부소장으로 전파되며 10%는 회장말단까지 전달된다. MMC phase III의 생리적 의의는

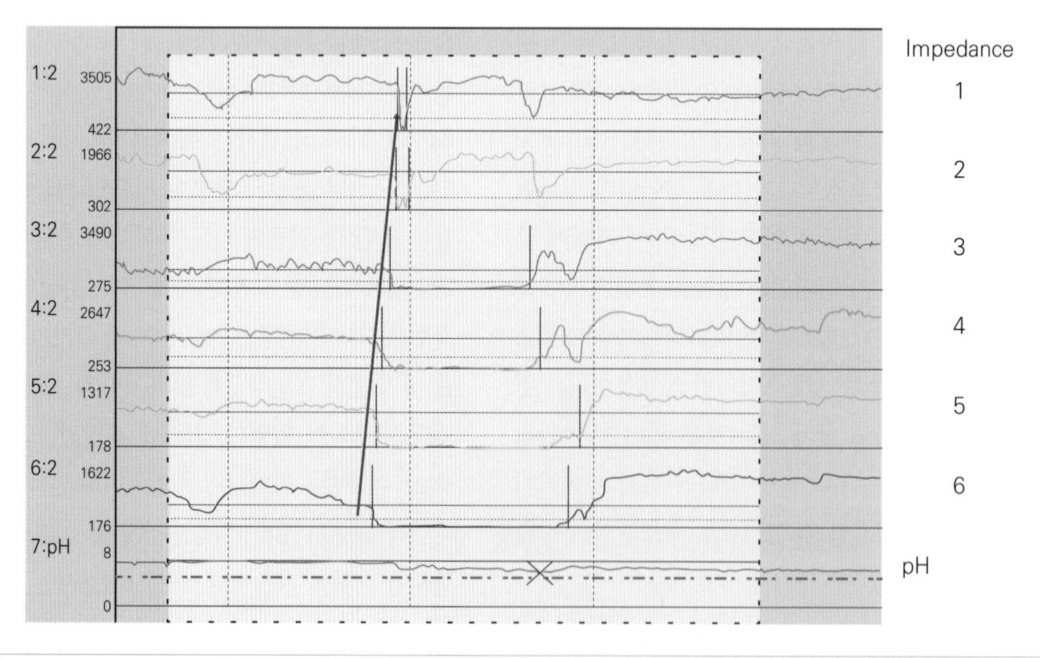

그림 8-3 임피던스 pH검사.
임피던스의 저하가 상방으로 움직이는 역류(화살표)가 확인되며 이때 pH는 4미만으로 감소하지 않아 비산역류로 진단된다.

기계적인 운동에도 부서지지 않은 음식을 하부 소장으로 보내주는 즉 청소(housekeeping) 하는 것으로, 음식물 정체로 인해 발생할 수 있는 장내세균의 이상증식을 방지한다. 정상 MMC 주기는 하루 4.1회 일어나며 motilin에 의해 조절된다. erythromycin (motilin receptor에 작용)과 somatostatin (octreotide)같은 약제는 MMC phase III를 유도할 수 있다(그림 8-4).

(2) 식후의 위와 소장의 운동

식사를 하게 되면 MMC 주기가 차단되고 불규칙한 수축운동이 계속되는 식후패턴(fed pattern)으로 즉각 바뀐다. 상부 위는 확장하여 음식을 받아들이고(위적응), 하부 위는 음식을 잘게 부수어 십이지장으로 보낸다(위배출). 위적응(accommodation)은 식사를 하면 상부 위가 확장하는 생리작용으로 위내압이 상승하지 않도록 하여 위내용물이 소장으로 급격히 배출되거나, 식도로 역류되지 않도록 한다. 위적응이 제대로 일어나지 않으면 조금만 먹어도 배가 부르는 조기 포만감, 식후 불쾌감을 일으킬 수 있다. 하부 위는 수축파의 빈도와 압력이 모두 증가하며, 고형식을 잘게 부숴 1 mm 이하의 작은 입자를 만들어 십이지장 내로 배출시킨다. 위체부의 박동조율기(pacemaker)에서 시작하는 위수축은 하부로 이동하며 전정부 수축파들은 50 mmHg 이상으로 증가하면서 수축빈도도 분당 3회에 가까워진다. 이 때 유문이 닫히며 높은 압력이 발생하여 음식물이 잘게 부서지고 1~2 mm의 작은 입자만 십이지장으로 배출된다(antro-pyloro-duodenal co-ordination). 음식물이 소장에 도달하면 장내신경총과 호르몬을 통하여 위배출을 억제한다(inhibitory feedback; peptide YY, GLP-1).

2) 위배출검사법

위배출검사는 위운동이상이 의심되는 환자를 평가할 때 일차적으로 시행하는 검사이다. 여러 가지 위배

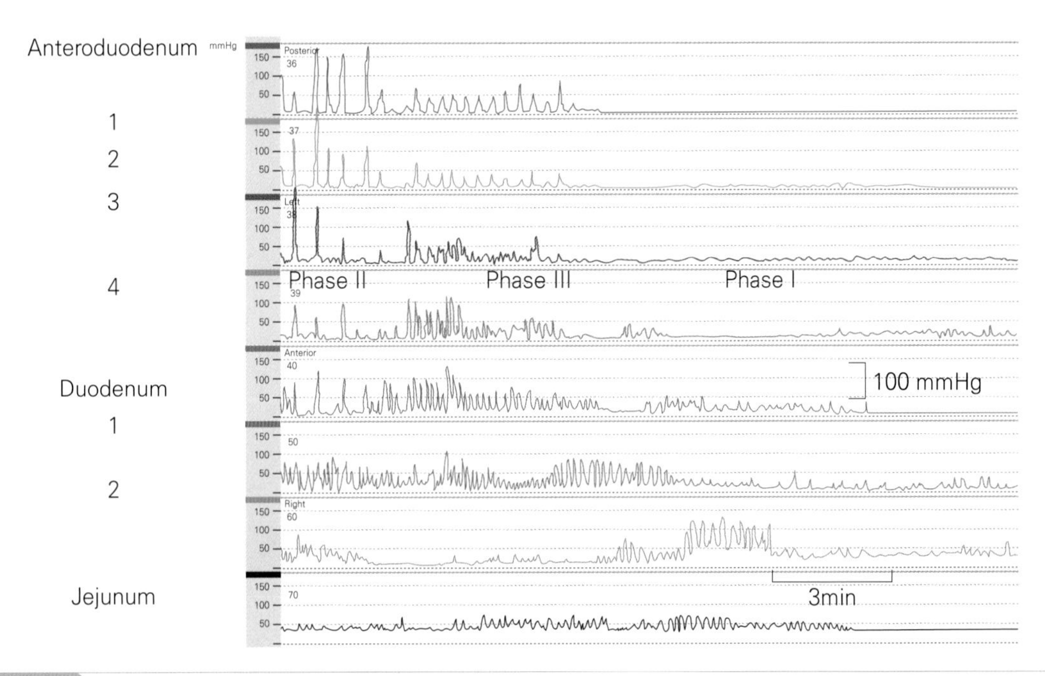

그림 8-4 공복 시의 위소장내압검사 소견(MMC).
phase I: 운동이 전혀 일어나지 않는 휴식기(quiescence).
phase II: 산발적인 수축이 일어나면서 빈도가 늘어나고 수축파압력이 높아지는 시기.
phase III: 위의 수축운동이 최대의 빈도인 분당 3회로 일정기간 동안 단절되지 않고 지속적으로 일어나는 시기.

출검사방법이 개발되어 있지만 신티그래피 위배출검사가 표준검사법이다.

(1) 신티그래피 위배출검사

신티그래피 위배출검사는 환자에게 방사선동위원소를 부착한 표준식을 먹게 한 후 위 내에 남아 있는 방사선동위원소량(잔위량, gastric residual)을 시간에 따라 신티카메라로 측정하여 위배출을 계산하는 방법이다. 방사성동위원소 표지자를 펠릿(pellet)에 부착하여 (^{99m}Tc – labeled Amberlite 410 resin pellets) 계란 흰자에 섞은 표준 아침식사(50 g의 식빵 두 조각, 계란 2개, 무가당 오렌지 주스 300 Kcal)를 환자에게 먹게 한 후 신티카메라로 위에 남아 있는 방사성동위원소 양을 측정하고 반감기를 보정한다. Modified power exponential model에 의거해 lag phase와 반위배출시간(half gastric emptying time, $t_{1/2}$)을 계산한다(그림 8-5). 신티그래피 위배출검사는 시간에 따른 위배출량을 정확하게 정량할 수 있고 사용하는 방사선량이 적어 안전하며 방법이 표준화되어 있다. 그러나 표준식의 구성이나 표지자(펠릿, 계란 흰자)의 종류, 촬영방법 등에 따라 검사실마다 정상치가 다를 수 있다. 신티그래피 위배출검사의 단점은 신티카메라가 고가이며 이를 설치할 공간과 유지할 기사가 필요하다는 점이다. 위배출 신티그래피 검사의 결과에 따라 위배출이 빠른 경우와 느린 경우의 질환을 진단할 수 있다.

① **빠른 위배출질환**

빠른 위배출질환(rapid gastric emptying disorder, dumping syndrome)은 식도, 위절제, 비만수술을 받은 환자에서 흔히 일어난다. 식후에 일어나는 저혈당과 설사가 특징적인 임상증상이다. 위를 절제한 환자에서 섭취한 음식물이 한꺼번에 소장으로 들어가면 체액이 급히 장관내로 이동하게 되어 식후 수분에서 수십 분 내에 복부팽만, 복통, 오심, 구토, 빈맥, 어지러움, 발한 등이 나타난다(early dumping-gastrointestinal and vasomotor symptoms). 식후 90분 후에는 식은땀, 떨리고 빙빙도는 느낌, 빈맥, 정신이 혼미한 증상이 나타나는데 탄수화물이 많은 식사가 소장으로 들어와서 갑자기 혈당을 높이고 인슐린 분비가 많아져 나타나는 저혈당증상(late dumping)이다. Insulin과 소화에 관련된 호

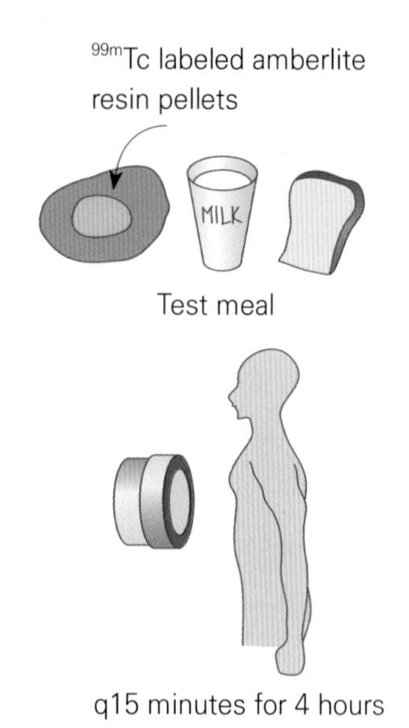

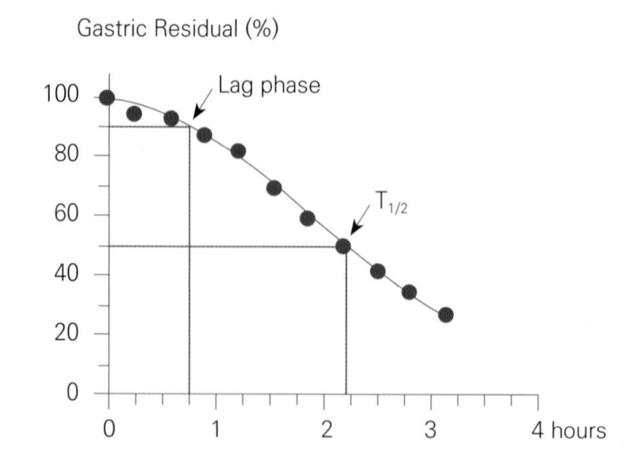

그림 8-5 **신티그래피 위배출검사.**

르몬은 혈중에서 수시간 지속되나 음식물은 이미 소장을 통과하였으므로 식후 저혈당이 발생한 것이다. 그러나 저혈당증상은 다른 위장증상이 병합되어 나타남으로 환자마다 다양하게 경험하게 되고 설문조사만으로는 덤핑증후군에 의한 저혈당을 진단하기 힘들다. 진단은 경구 당부하검사(oral glucose tolerance test)에서 저혈당을 증명하면 진단할 수 있다. 신티그래피 위배출검사로 빠른 위배출을 확인할 수 있으나 실제 임상에서 시행하기는 힘들다.

② 위배출 지연질환(위마비, gastroparesis)

위에서 음식을 배출하지 못하여 조기 포만감, 식후 불쾌감, 팽만이 생길 수 있고, 심하면 구역, 구토를 일으킨다. 식사하고 수시간 후에 소화되지 못한 음식물을 토하는 것이 특징적인 소견이다. 위절제 환자는 전정부와 유문이 소실되어 고형식을 잘게 부숴 배출하지 못하므로 고형식의 위배출지연이 흔히 동반된다. 수술 후 추적내시경검사에서 전날 먹은 음식이 남아 있으면 위마비로 진단할 수 있다. 신티그래피 위배출검사로 위배출지연을 진단할 수 있다. 아전위절제술 환자에서 내시경검사를 시행할 때 남아 있는 음식으로 인해 관찰이 불가능한 경우 저용량의 erythromycin(1~3 mg/kg)을 투여하여 위마비를 개선시켜 검사를 시행할 수 있다.

(2) 간접적 위배출검사법

간접적 위배출검사법은 위에 남아 있는 식사의 양을 직접 측정하지 않고 위에서 배출된 후 소장에서 흡수되어 혈액이나 환자의 호기로 배출되는 표지자의 양을 측정하는 방법이다. 아세트아미노펜 위배출검사는 유동식의 위배출만 평가할 수 있으므로 널리 사용되지 않는다. ^{13}C-substrate 위배출검사는 표준식이 소장에서 흡수되어 간에서 산화되어 호기로 배출되는 $^{13}CO_2$ 양을 측정하여 위배출을 계산하는 방법이다. ^{13}C-위배출검사는 방사선이 없는 안정된 원소이므로 임신부나 아이들에게도 시행할 수 있고 표준식을 먹인 후 환자의 호기를 모으는 단순한 방법이어서 중환자나 병실에서도 검사할 수 있으나 우리나라에는 아직 도입되어 있지 않다. 초음파, CT나 MRI를 이용하여 위의 용적 변화를 계산하는 방법이 위배출검사로 소개되었으나 고가이며 정확성이 입증되지 않아 연구목적으로만 사용되고 있다.

3) 위전도

위전도는 복벽 위에 전극을 부착하여 심전도처럼 위의 전기적 리듬을 측정한다. 최근 들어 좋은 필터가 개발되고 Fourier transformation 등의 분석기법이 발달하여 위의 서파를 기록할 수 있게 되었다. 건강인은 공복 시에 분당 3회의 위서파가 규칙적으로 나타나며 식사 후에는 분당 3회의 위서파의 진폭(amplitude)이 증가한다. 분당 3회인 정상 위서파가 소실되거나 위빈맥(tachygastlia) 또는 부정맥(arrhythmia)으로 대치되거나 식사 후에 진폭이 증가하지 않으면 이상소견으로 분류한다. 위전도는 방법이 간단하고 재현성이 높지만 위서파가 위의 수축운동과 일치하지 않으며 복잡한 분석기법을 통해 얻어지는 위서파의 기록이 얼마나 정확한가에 대해서는 아직 논란의 여지가 있다. 위전도는 위운동이상의 선별검사로 유용할 것이라는 의견이 있으나 환자를 진단하고 치료계획을 세우는 데 있어 신티그래피 위배출검사를 대치할 수 있는가에 대해서는 회의적인 시각이 많다. 위전도는 위절제 환자에게 적용할 수 없다.

4) 위십이지장 내압검사

위장관 내강의 압력을 직접 측정하는 방법으로 위장관운동질환을 평가할 수 있다. 특히 운동이상의 원인으로 신경병증(neuropathy)과 근병증(myopathy)을 감별할 수 있다. 공복 시의 migrating myoelectric complex (MMC) 주기는 24시간에 평균 4~6회 일어난다. 수면 시는 MMC 주기 중 phase II가 생략되거나 감소되어 주로 phase I과 phase III만 일어나며 MMC 주기 간격은 낮보다 짧다. MMC phase III는 위나 소장상부에서 시작하여 하부의 소장으로 전파가 일어나고 곧이어 phase I의 휴식기가 나타나는 것이 중요한 정상 소견이다. 식사를 하게 되면 MMC 주기가 차단되고 불규칙한 수축운동이 계속되는 fed pattern으로 즉각 바뀐다. 식사 후에는 수축파의 빈도와 압력이 모두 증가하여 전정부 수축파들은 50 mmHg 이상으로 증가하며 수축빈도도 분당 3회에 가까워진다. 소장의 수축파들도 압력이 증가되며 최대 분당 12회 수축한다. 500 kcal 이상의 식사 후에는 fed pattern이 최소 2시간 이상 지속된다. 식사 후에도 MMC 주기가 계속되거나 식후 2시간 이내에 MMC phase III가 나타나면 신경병증(예: 당뇨병, 미주신경절단술)으로 진단할 수 있다. 위소장내압검사는 정상 소견과 운동이상의 진단기준이 잘 확립되어 있다. 이 검사의 단점은 검사시간이 길고(최소한 4시간), 침습적인 방법이므로 환자에게 고통을 주며 내압검사관을 위치시키는 데 방사선조사가 필요하고, 검사 도중에 내압검사관이 위 내로 빠지기 쉬워 종종 위 전정부의 기록을 얻을 수 없다는 점이다.

5) 위적응의 검사

위적응은 음식을 섭취하면 상부 위가 확장하는 생리작용을 말한다. 위적응이 제대로 일어나지 않으면 조금만 먹어도 배가 부르는 조기 만복감, 식후 불쾌감, 포만감, 상복부 불쾌감, 트림, 식후 상복부 통증을 일으킬 수 있다. 위적응은 미주신경을 통해 일어나므로 위절제 후 덤핑증후군의 원인이 된다. 위적응을 평가하는 방법으로 바로스타트(barostat)가 가장 널리 사용된다. 바로스타트의 원리는 위장관에 위치시킨 풍선의 압력을 일정하게 유지시켜주는 것이다. 위장관이 확장해 풍선의 압력이 떨어지려 하면 공기를 풍선 내로 넣어주고 위장관이 수축해 풍선의 압력이 오르려고 하면 풍선 내의 공기를 흡입하여 풍선 내의 압력을 일정하게 유지한다. 즉, 바로스타트는 위장관의 긴장도를 풍선의 공기 용적의 변화로 변환해 기록해주는 장치이다. 바로스타트로 측정되는 긴장도로 위적응을 정량화할 수 있다. 바로스타트는 풍선의 압력 변화에 따른 용적 변화를 계산하여 위장관의 순응도(compliance)를 구할 수 있으며 팽창자극을 무작위적으로 줄 수 있어 감각능을 평가할 수 있다. 그러나 풍선이 달린 굵은 검사관을 삽입하기 때문에 환자가 고통스럽고 방사선투시가 필요하다는 단점이 있다.

단일광자방출컴퓨터단층촬영술(single photon emission computed tomography, SPECT)은 ^{99m}Tc-pertechnetate가 위벽세포와 점막세포에 흡수되는 성질을 이용하여 SPECT로 동영상을 촬영한 후 삼차원으로 재구축하여 위의 용적을 평가하는 방법이다. 바로스타트에 비해 비침습적이라는 장점이 있으나 위의 감각능을 평가할 수 없고 비용이 비싸 연구목적으로 사용된다.

6) 유동식부하검사

유동식(1 kcal/㎖)을 분당 22.5 ㎖의 속도로 환자가 최대한 마실 수 있을 때까지 마시게 한 후 환자가 느끼는 감각을 시각적 선형척도로 측정하는 방법이다. 검사 중에 환자가 포만감을 느끼는 용적과 최대한 마실 수 있는 용적을 기록한다. 최대 섭취량과 환자의 증상 간에 뚜렷한 상관관계가 있으며 위적응을 반영한다.

이 방법은 복잡한 기구가 필요 없으므로 임상이나 연구목적으로 쉽게 사용할 수 있으며 위적응을 간접적으로 평가할 수 있다는 것이 장점이다. 그러나 일부 환자는 포만감을 느끼기 전에 다른 이유로 유동식을 중단할 수 있다. 이 검사는 위절제술후증후군 환자의 위장증상을 정량화할 수 있을 것으로 보이며 장기적인 추적이나 약제의 효과를 판정할 때 유용하게 사용될 것으로 기대된다.

7) 위감각능 평가법

위의 감각능을 평가하는 가장 보편적인 방법은 풍선을 이용하여 팽창자극을 준 후 환자가 느끼는 통증을 보고하게 하여 감각역치를 결정하거나 증상의 강도가 변하는 것을 관찰하는 것이다. 팽창자극을 반복하여 주게 되면 환자가 통증 자극에 대해 학습하거나 통증에 대한 공포심을 갖게 되어 오류가 생길 수 있다. 이러한 오류를 줄이기 위하여 컴퓨터 프로그램을 이용해 무작위적으로 통증 자극을 줄 수 있는 바로스타트를 사용한다. 바로스타트는 풍선의 압력과 용적을 정확하게 조절할 수 있고 무작위로 일정한 속도의 공기를 주입할 수 있으므로 위감각능검사에 필수적인 장치이다. 통증이란 환자 개인이 느끼는 감각이므로 감각능검사법에서는 환자의 협조가 필수적이다. 환자가 보고하는 통증에 의존하지 않고 통증 자극을 준 후 PET, SPECT 또는 functional MRI를 이용하여 대뇌의 혈류 변화를 측정하는 방법도 개발되고 있다. Functional MRI나 PET는 중추의 감각영역과 감각을 인지하는 정도를 정량화할 수 있다는 점에서 활용이 기대된다.

8) 수소호기검사

위절제 환자에서 심한 설사 또는 지방변을 호소하면 소장세균과다증식(small intestinal bacterial overgrowth, SIBO)을 의심할 수 있다. 위절제 후에는 SIBO를 방지하는 여러 가지 기전들이 결여되기 때문에 SIBO가 발생하기 쉽다. 소장세균이 담즙산을 분해(deconjugation)하면 영양분이 흡수되지 못하여 지방변을 포함한 심한 설사가 생기고 영양불량(malnutrition)까지 이르게 되는데, 이것이 전형적인 SIBO의 증상이다. 위절제술에 의한 blind loop syndrome 환자에서 항생제로 SIBO 치료를 하면 증상이 호전된다. 최근 SIBO는 과민성장증후군의 중요한 원인 중 하나로 규명되었으므로 위절제 환자에서 흔히 동반되는 복통과 배변습관의 변화는 SIBO가 원인일 수 있다. 국내연구에서 위절제술

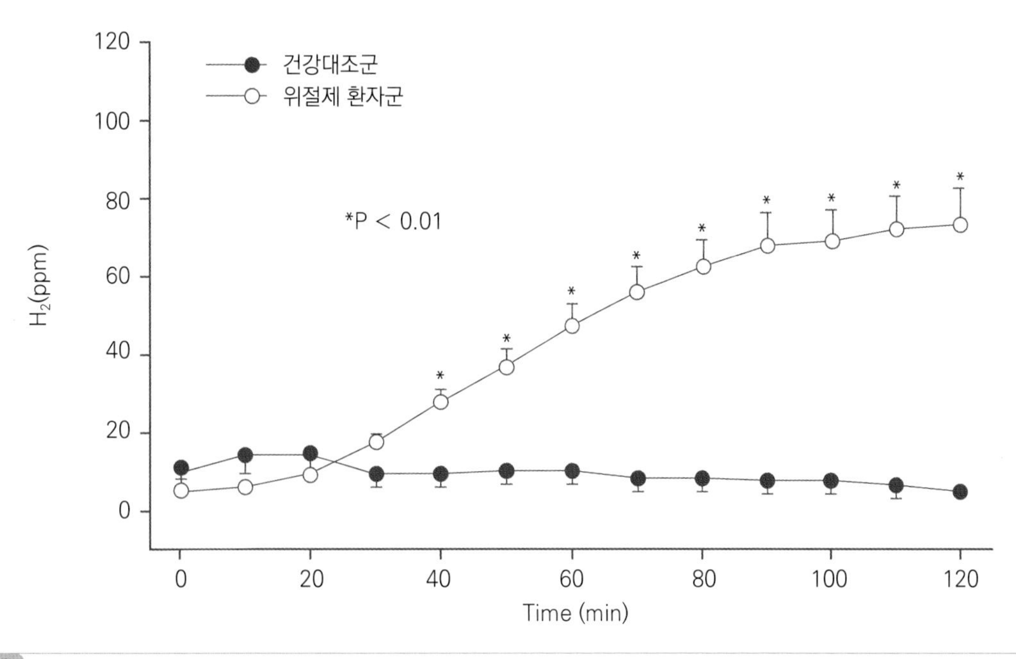

그림 8-6 위절제 환자에서 포도당 수소호기검사.
12시간 이상 금식한 후 검사시료로 포도당(glucose)액 75 g을 투여하고 복용 후 매 10분, 120분간 수소가스, 메탄가스를 측정하였다. 건강대조군에서는 수소가스의 상승이 없지만 위절제 환자군에서 복용 후 40분부터 뚜렷하게 수소가스 농도가 높아져 SIBO가 흔히 발생한다는 것을 보여준다.

환자에서 수소호기가스검사를 시행한 결과 SIBO가 흔히 일어나고 위장관 증상의 동반 비율이 높음을 보고하였다. 또한 SIBO로 진단한 환자에서 저혈당 유발이 흔히 동반되므로 SIBO가 덤핑증후군의 원인이 될 수 있음을 제시하였다(그림 8-6).

SIBO는 소장액을 채취한 후 세균배양을 하여 진단할 수도 있지만, 포도당 또는 락툴로오스 수소호기검사나 ^{14}C-d-xylose 호기검사로 간편하게 진단할 수 있다. 수소호기검사는 포도당이나 락툴로오스를 경구로 섭취하게 한 후, 10~15분 간격으로 호기에서 수소가스농도를 측정한다. 기저치보다 수소가스가 20 ppm 상승하면 소장세균과다증식으로 진단할 수 있다.

9) 기타 검사법

위장관기능검사법을 시행할 수 없는 의료기관에서 위장관운동이상이 의심되는 환자를 접했을 때 약제를 투여해보고 그 효과를 관찰하여 병태생리를 유추할 수 있는 시험적 치료가 좋은 진단법이 될 수 있다. 예를 들어 SIBO가 원인으로 추정되는 경우 시험적 항생제투여가 좋은 진단 및 치료법이 된다.

참고문헌

1. 최명규. 소화관운동기능검사. 서울: 대한의학서적, 1999.
2. Bouras EP, Delgado-Aros S, Camilleri M, et al. SPECT imaging of the stomach: comparison with barostat, and effects of sex, age, body mass index, and fundoplication. Single photon emission computed tomography. Gut 2002;51:781-786.
3. Choi MG, Camilleri M, Burton DD, et al. [13C]octanoic acid breath test for gastric emptying of solids: accuracy, reproducibility, and comparison with scintigraphy. Gastroenterology 1997;112:1155-1162.
4. Frazzoni M, de Bortoli N, Frazzoni L, et al. Impedance-pH monitoring for diagnosis of reflux disease: new perspectives. Dig Dis Sci 2017;62:1881-1889.
5. Gyawali CP, Kahrilas PJ, Savarino E, et al. Modern diagnosis of GERD: the Lyon Consensus. Gut 2018;67:1351-1362.
6. Homma S, Shimakage N, Yagi M, et al. Electrogastrography prior to and following total gastrectomy, subtotal gastrectomy, and gastric tube formation. Dig Dis Sci 1995;40:893-900.
7. Jun BY, Choi MG, Lee JY, et al. Premedication with erythromycin improves endoscopic visualization of the gastric mucosa in patients with subtotal gastrectomy: a prospective, randomized, controlled trial. Surg Endosc 2014;28:1641-1647.
8. Kahrilas PJ, Clouse RE, Hogan WJ. American Gastroenterological Association technical review on the clinical use of esophageal manometry. Gastroenterology 1994;107:1865-1884.
9. Paik CN, Choi MG, Lim CH, et al. The role of small intestinal bacterial overgrowth in postgastrectomy patients. Neurogastroenterol Motil 2011;23:191-196.
10. Pandolfino JE, Kahrilas PJ. AGA technical review on the clinical use of esophageal manometry. Gastroenterology 2005;128:209-224.
11. Parkman HP, Hasler WL, Fisher RS. American Gastroenterological Association technical review on the diagnosis and treatment of gastroparesis. Gastroenterology 2004;127:1592-1622.
12. Phillips SF, Camilleri M. Antroduodenal manometry. Dig Dis Sci 1992;37:1305-1308.
13. Smout AJ, Jebbink HJ, Akkermans LM, et al. Role of electrogastrography and gastric impedance measurements in evaluation of gastric emptying and motility. Dig Dis Sci 1994;39:110-113.

14. Tack J, Caenepeel P, Piessevaux H, et al. Assessment of meal induced gastric accommodation by a satiety drinking test in health and in severe functional dyspepsia. Gut 2003;52:1271-1277.
15. Vardar R, Keskin M. Indications of 24-h esophageal pH monitoring, capsule pH monitoring, combined pH monitoring with multichannel impedance, esophageal manometry, radiology and scintigraphy in gastroesophageal reflux disease?. Turk J Gastroenterol 2017;28:16-21.
16. Whitehead WE, Delvaux M. Standardization of barostat procedures for testing smooth muscle tone and sensory thresholds in the gastrointestinal tract. The Working Team of Glaxo-Wellcome Research, UK. Dig Dis Sci 1997;42:223-241.

CHAPTER 09

위장관 질환의 검체검사

이 장에서는 진료과정에서 얻어진 검체에 대해서 검사하는 내용을 다룬다. 여러 가지 검체가 있으나 위암 증례의 절제술 검체를 대상으로 기술하였다. 마지막에는 여러 가지 혈액검사 중에서 위암 환자에서 유용하게 사용되는 종양표지자검사에 대해서 기술하였다.

1. 육안 검사 및 파라핀블록 제작

1) 검체 확인

육안검색의 첫 단계로 검체의 장기와 방향성을 확인한다. 위절제 검체는 일반적으로 대만곡을 따라 절개하여 위를 열고 원위부를 왼쪽으로 향하게 놓고 사진촬영과 검색을 하게 된다. 대만곡에 병변이 있는 경우는 소만곡을 따라 절개한다. 원위부가 어디인지를 확인하게 되면 검체의 다른 방향도 함께 파악이 되므로 검체 내에서 병변의 위치와 절제면(resection margin)을 정확하게 기술할 수 있게 된다. 위전절제술(total gastrectomy)이나 위아전절제술(subtotal gastrectomy)의 검체는 십이지장과 유문부(pylorus)를 보고 쉽게 원위부를 확인할 수 있으나, 최근 빈도가 증가하고 있는 기능보존수술이나 내시경절제술의 검체에서는 이를 파악하기 힘들다. 따라서 이러한 경우에는 시술자가 검체에 방향을 표시해주어야 한다(그림 9-1 A).

함께 포함되어 온 주변 장기가 있는지 확인하여야 하며 이는 특히 위암이 주변 장기로 침범하였는지를 판정할 때 중요하게 된다. 특히 결장간막(mesocolon)은 종양침범 부위에서는 위 주변의 지방조직과 함께 유착되어있어서 육안적으로나 조직학적으로 장막하층(subserosa)과 구별이 되지 않으므로 이 부위를 수술 시 확인할 수 있는 외과의사가 검체에 표시해주어야 정확한 종양 침범 깊이를 확인할 수 있다(그림 9-1 B).

2) 병변 확인

병변을 발견하였을 때는 병변의 위치, 크기 및 육안적 유형을 기술한다. 병변의 육안형을 기술하는 내용은 "21장 위암의 병리"에서 설명한다. 위에서 병변의 위치를 기술할 때는 둘레 방향에서의 위치와 길이 방향에서의 위치를 함께 기술한다. 둘레 방향에 따른 부위는 소만곡(lesser curvature), 대만곡(greater curvature), 전벽(anterior wall), 후벽(posterior wall)으로 나눈다(그림 9-2 A). 길이 방향에 따라 부위를 구별하는 방법은 2가지 방법이 있다. 한 가지는 위를 삼등분하여 기술하는 방법이다. 소만곡과 대만곡을 따라 각각 삼등분 되는 점을 연결한 선을 경계로 하여 위

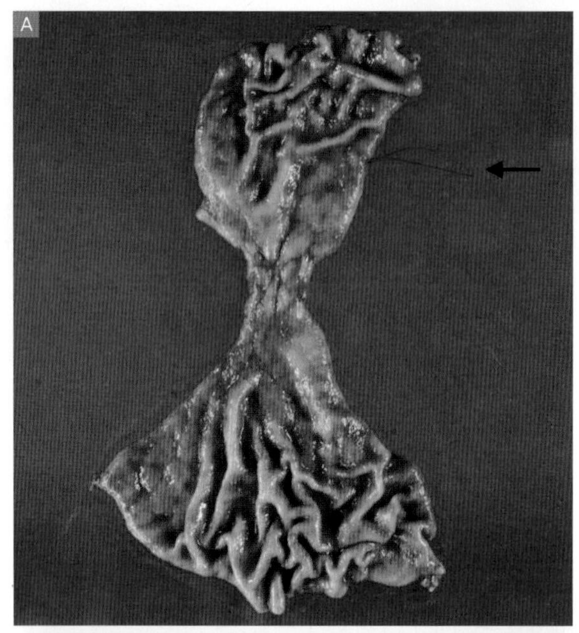

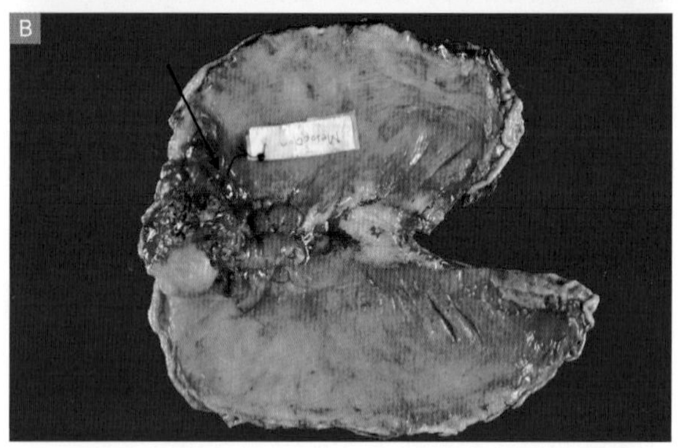

그림 9-1 **검체 부위 확인.**
A. 유문보존 위절제술 검체에서 방향을 확인할 수 있도록 근위부 쪽에 실로 표시를 하였다(화살표).
B. 종양의 장막면에 유착된 결장간막을 구별할 수 있도록 실로 표시를 하였다(화살표).

를 상부, 중부 및 하부 1/3 (upper, middle and lower third)로 구분한다(그림 9-2 B). 실제로는 십이지장과 식도까지 포함하여 5부분에 관해 기술하게 된다. 이 방식에서는 병변이 침범한 부위를 모두 기술하는데 가장 많이 침범한 부위 순서로 기술한다. 이러한 방식은 종양의 위치에 따라 림프절 전이의 분포가 달라지는 개념을 반영할 수 있는 장점이 있다. 다른 방식은 위를 해부학적 구분에 따라 분문부(cardia), 저부(fundus), 체부[body (high, mid, low)], 전정부(antrum), 유문부(pylorus)로 나누어 기술하는 방법이다(그림 9-2 C). 이 중 분문부는 식도위경계부에서부터 2 cm 원위부까지로 정의된다. 이때 병변의 위치는 3등분 방식과는 달리 병변의 중심부가 어디인지를 판단하여 한 부위만을 기술한다. 이는 병변이 발생한 기원 부위를 기술하고자 하는 목적이 있기 때문이다. 따라서, 두 가지 기술방법은 서로 다른 의미가 있으므로 둘 다 사용하는 것이 바람직하다.

3) 포르말린 고정

검체 종류와 병변을 확인한 후 검체를 10% 중성 포르말린(neutral buffered formalin, NBF) 용액에 고정한다. 포르말린에 의해 단백질의 곁사슬 간, 또는 단백질과 핵산 간에 교차결합이 형성되는데, 이 결과 분해효소들의 작용은 억제되고 세포골격(cytoskeleton)의 결합이 견고해진다. 포르말린을 이용한 고정 과정은 단백질이나 핵산 등 세포 물질들의 변성과 소실을 막고 조직형태를 유지시켜서 후속 검사를 진행하기 위한 것이다. 검체 채취 후 고정 시작 때까지의 시간이 지연되거나 고정시간이 충분치 않으면 이후 현미경검사에서 조직 형태가 좋지 않게 나오게 되며 면역염색이나 분자검사에서 검출하려는 대상 물질이 많이 소실되어 검사가 위음성으로 나올 수 있다.

포르말린에 의한 교차결합은 24~48시간이 필요한 느린 과정이므로 24시간 이내로 고정을 할 경우 조직 내에 고정이 덜 된 부위가 있을 수 있다. 이 부위는 이후 탈수과정에 사용되는 알코올에 의해 전혀 다른 기전의 고정이 일어나거나 아예 고정이 안된 상태가 되어서 이후 면역검사 등에서 부위별로 차이를 보이는 원인이 될 수 있다. 반면, 포르말린 고정에 의해 단백질이나 핵산에 원래는 존재하지 않는 교차결합이 발생하여 신선조직과는 다른 검사결과를 보일 수 있다. 포르말린 고정을 너무 오래할 경우에는 과도한 교차결합으로 인해 면

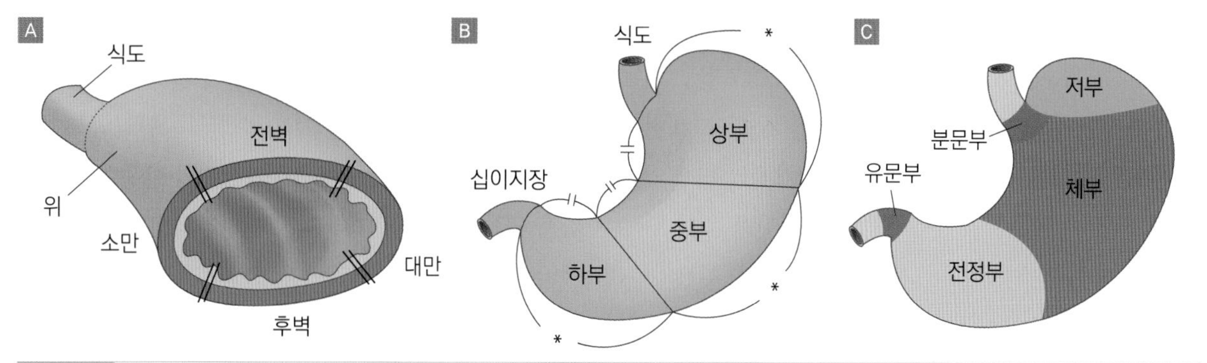

그림 9-2 **위의 부위 구분 방법.**
A. 둘레방향에 따른 부위 B. 3등분방법에 따른 길이방향 부위 C. 해부학적 방법에 따른 길이방향 부위.

역염색이 음성으로 나올 수 있는데, 이런 현상의 유무는 각 항원결정인자(epitope)의 특성에 따라 결정된다. 이러한 사항들을 고려하여 효과적인 포르말린 고정을 위해서는 절제된 후 30분 이내에 고정을 시작하고 최소 24시간 동안 고정하며 48시간 이상의 고정을 피할 것을 권장하고 있다. 단, 내시경생검 같은 작은 크기의 조직은 수 시간이면 충분히 고정된다.

4) 절편 채취

포르말린 고정이 끝난 후 다시 육안검색을 하여 병변으로 생각되는 부위에서 조직을 잘라내어 현미경검사를 위한 처리를 진행한다. 내시경절제술 검체이거나 조기위암 검체에서는 병변 전체를 절편으로 취하여 조직구축학적검사(mapping)를 시행한다. 조직구축학적검사는 병변 전체를 일정한 간격으로 절편하여 현미경검사를 시행하는 것이다. 이는 조기위암에서 미세한 침범이나 육안적으로 확인하기 어려운 종양의 경계 등을 확인하기 위한 방법이다. 진행성 위암인 경우는 병변의 대표적인 부위를 절편으로 취한다.

대표적인 절편을 취하는 부위와 절편 수는 정해져 있지 않으나, 일반적으로 종양의 가장 큰 단면, 가장 깊이 침범한 부분, 종양과 정상조직과의 경계부위 및 절제면을 포함한 부분 등을 채취하며 이와 별도로 위의 소만곡을 따라 절단면을 채취한다.

장막 침범 여부는 병기를 결정하는 데 매우 중요한 사항으로 이 부위의 절편을 정확히 채취하는 것이 중요하지만, 장막은 단일세포층으로 이루어진 조직이며 수술 시 조작으로 탈락이 잘 되어서 관찰하기 매우 힘든 부위 중 하나이다. 장막을 현미경검사에서 잘 확인하기 위해 위절제검체에서 해당 부위를 별도의 잉크로 표시하도록 하고 있다. 그러나 장막하층으로의 종양침범 때 섬유화와 염증반응이 동반되면서 원래의 장막층이 보존되어있지 않은 경우가 많아서 확인이 어려우며 이러한 이유로 실제 장막침범이 일어났었더라도 현미경검사에서는 장막하층 침범만으로 진단되는 경우가 발생한다.

5) 파라핀블록과 슬라이드 제작

조직을 현미경관찰용 슬라이드로 제작하기 위해서는 조직을 얇게 깎을 수 있는 상태로 만들어야 하며 이를 위해 파라핀에 포매하게 된다. 조직을 저농도에서 고농도의 알코올에 순차적으로 처리해서 탈수(dehydration)한 후, 자일렌에 처리하여 알코올을 제거하고(투명화, clearing) 파라핀을 조직 내로 침투시킨다. 파라핀 처리가 완료된 조직절편을 블록 틀 속에서 파라핀에 포매하여 블록으로 제작한다. 파라핀블록을 현미경관찰이 가능한 얇은 두께로 절편하여 유리 슬라이드에 붙인 후 이를 염색하여 현미경검사를 시행한다(그림 9-3).

이러한 과정을 거쳐 제작된 포르말린고정-파라핀포매(formalin-fixed paraffin-embedded, FFPE)조직은 쉽게 추가적인 염색 및 분자검사에 사용될 수 있고, 적절한 온도와 습도를 유지해주면 조직을 추가적인 변성 없이 장기관 보관할 수 있어서 환자 추적관찰을 위한 보관 및 후향적 연구용 검체로서 활용도가 높다. 다만 처리과정 중 단백이나 핵산의 분절화(fragmentation) 및 교차결합(cross-linkage) 등의 변형이 발생하므로 신선동결조직과 다른 결과를 보일 수 있다. 면역염색이나 핵산 검출 등의 검사에는 고정과정에서 발생한 교차결합을 되돌리기 위해 여러 가지 전처리과정을 검사 절차에 추가하게 된다.

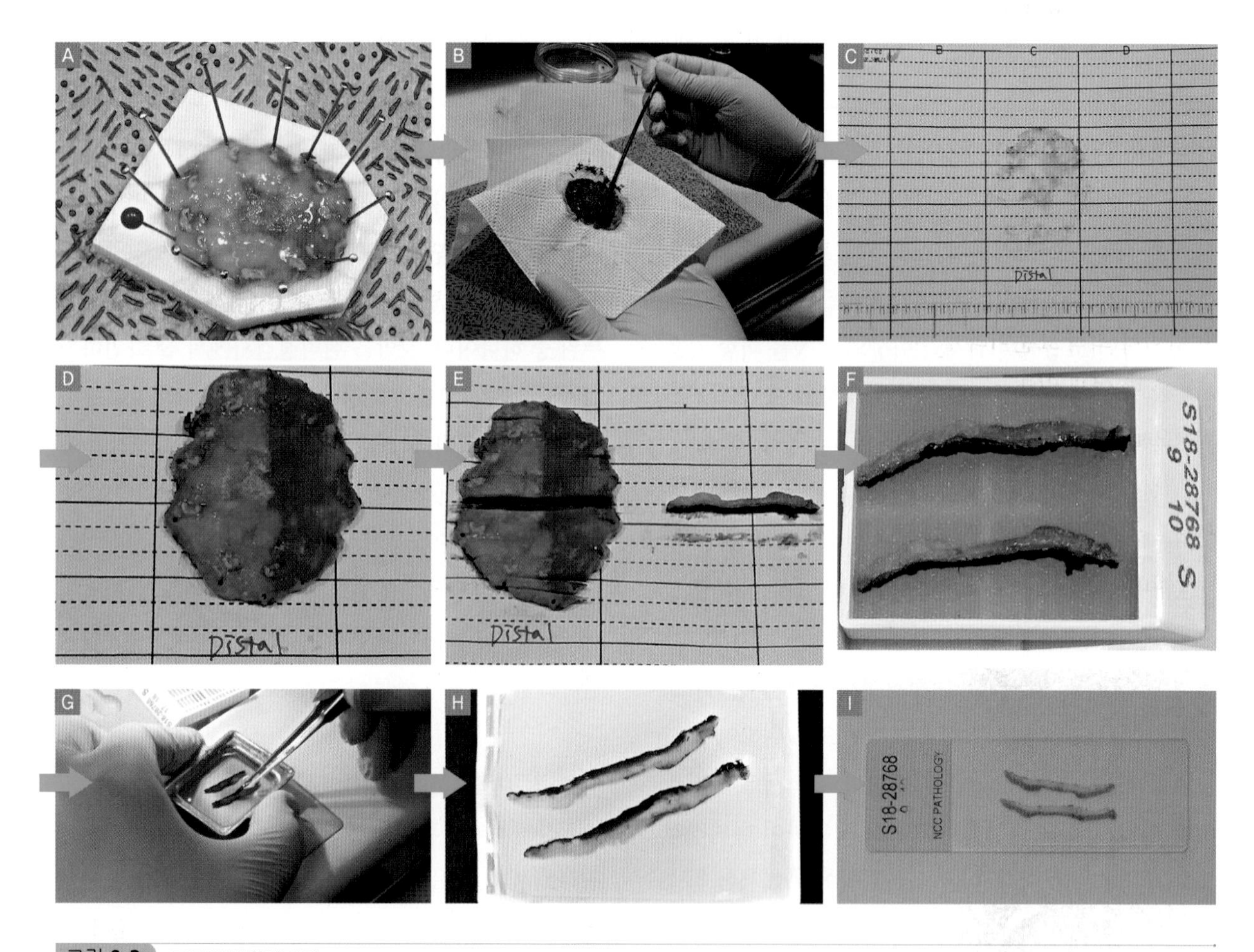

그림 9-3 **조직검체처리과정.**
A. 포르말린에 고정된 내시경절제검체. 원위부가 빨간색머리가 있는 핀으로 표시되어있다.
B. 부위별로 잉크칠을 하여 표시한다. 점막하절제면을 검정색잉크로 표시하고 있다.
C. 검체의 육안사진을 1:1 배율로 mapping 용지에 인쇄한다.
D. 검체를 mapping 용지의 육안사진에 맞추어 올린다.
E. mapping 용지의 줄에 맞추어 일정한 간격으로 절편하고 순서대로 절편번호를 매긴다.
F. 절편을 카셋트에 넣고 자동조직처리기에서 알코올-자일렌-파라핀침투 과정을 거친다.
G. 파라핀침투처리가 된 절편을 틀에 넣고 파라핀에 포매한다.
H. 절편을 포매하여 완성된 파라핀블록.
I. 파라핀블록을 얇게 절편한 후 유리슬라이드에 붙여서 H&E 염색을 시행한다.

2. 현미경검사

육안검사에서 선택된 조직절편에 대한 현미경검사를 통해 증례의 조직학적 진단, 침범 깊이, 림프절 침범 여부 등 병리보고서 기재사항들에 대한 최종판정을 내리게 된다. 현미경검사는 H&E 염색을 통해 기본적인 검사가 이루어지며 추가로 특수염색, 면역염색, 제자리부합법 등이 시행될 수 있다.

1) H&E 염색

헤마톡실린(hematoxylin)과 에오신(eosin), 두 가지 염색약을 사용하는 염색법이다. 조직관찰의 가장 기본적인 염색법으로 모든 현미경 소견은 이 방법으로 염색된 소견을 바탕으로 기술하며 현재 모든 조직관찰 연구에 있어서 최적 표준이라 할 수 있다. 헤마톡실린은 음전하를 띤 염색질(chromatin)에 결합하여 핵을 짙은 파란색으로 염색하고, 에오신은 양전하를 띠고있는 단백질의 곁사슬에 결합하여 세포질이나 세포외기질을 분홍색으로 염색한다. 세포 종류와 결체조직의 성분에 따라 이러한 염색 정도가 다양하게 나타나기 때문에 조직을 구성하는 세포성분을 구별할 수 있다. 또한 세포내의 핵소체, 골지, 리보솜, 분비과립 등 세밀한 세부 구조도 구별할 수 있어서 H&E 염색 한 가지로 매우 많은 해석을 얻을 수 있다.

2) 특수염색

H&E 염색 이외에 상황의 필요에 따라 추가하게 되는 염색을 일컫는 용어이며 일반적인 조직소견 이외에 특정 대상의 존재를 확인하고자 할 때 주로 사용하게 된다. 염색하고자 하는 대상 물질의 화학적 특성을 이용하여 다양한 종류의 염색약과 염색법이 개발되어 있다. 위장관 계통에서 특수염색이 사용되는 대표적인 예는 헬리코박터를 검출할 때 Giemsa, Toludine blue, Diff-Quik, Silver (Warthin-Starry) 등을 사용하며, 점액성분을 확인할 때 PAS (periodic acid-Schiff), Alcian blue, Mucicarmine 등을 사용한다(그림 9-4).

3) 면역염색 및 제자리부합법

면역염색(immunostaining)은 특정 단백질에 대해 특이 항체를 결합시키고 이를 검출해내는 검사법이며,

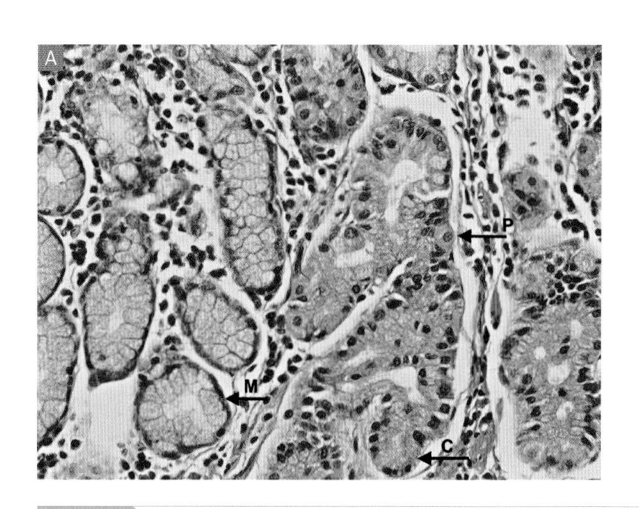

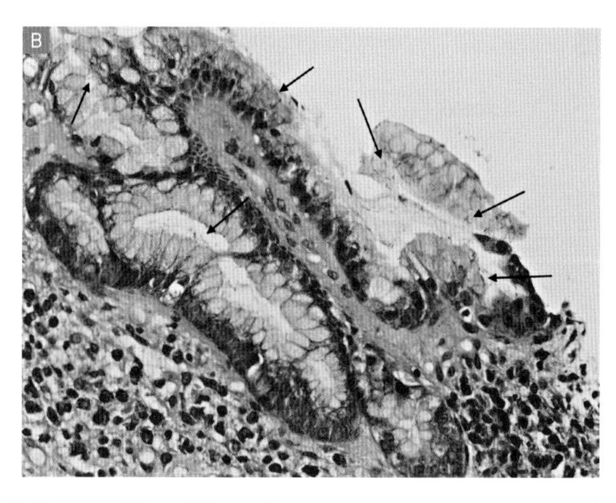

그림 9-4 **슬라이드 염색 소견.**
A. 위 기저부 정상조직 H&E 염색. 세포질의 성분에 따른 염색성의 차이. 점액세포(M)는 점액성분에 의해 투명하거나 옅은 분홍색으로 염색된다. 벽세포(P)는 많은 미토콘드리아에 의해 진한 분홍색으로 염색된다. 주세포(C)는 과립세포질그물(rough endoplasmic reticulum)이 많아서 보라색으로 염색된다.
B. 위 조직의 Giemsa 염색. 상피세포의 표면과 점액에서 Helicobacter (화살표)가 관찰된다.

제자리부합법(in situ hybridization, ISH)은 특정 DNA나 RNA에 대해 특이 탐촉자(probe)를 결합시키고 검출하는 검사법이다. 이러한 검사기법을 이용해 세포내에 존재하는 특정 단백이나 유전자의 유무와 양을 관찰할 수 있게 되어서 현미경검사의 수준이 기존의 형태학적 분석에서 분자학적 분석으로 발전되었다.

면역염색을 항원-특이항체 반응 후 이 결합물을 시각화하기 위한 발색 방식에 따라 효소와 발색원(chromogen)을 사용하는 면역조직화학법(immunohistochemistry, IHC)과 형광단(fluorophore)을 사용하는 면역형광법(immunofluorescence, IF)으로 나눌 수 있다(그림 9-5). 또는 이러한 시각화 물질을 특이항체에서 붙여서 하느냐, 추가적으로 이차항체를 사용하느냐에 따라 직접법(direct method)과 간접법(indirect method)으로 나누기도 한다. 진료과정에서의 검사에는 신호증폭기법이 발달되어 있고 광학현미경에서 관찰할 수 있는 면역조직화학법이 대부분의 경우에 사용되고 있다. 제자리부합법도 마찬가지 방식으로 발색원성 제자리부합법(chromogenic in situ hybridization, CISH)과 형광제자리부합법(fluorescence in situ hybridization, FISH)으로 나눌 수 있다.

위암에서의 대표적인 검사는 현미부수체 불안정성(microsatellite instability, MSI)을 판정하기 위한 MLH1 등 불일치복구단백질(mismatch repair protein)에 대한 염색, 림프관 침범을 보기 위한 D2-40 염색, HER2 과발현을 판정하기 위한 HER2 염색 및 HER2 제자리부합법 검사, EBV 위암을 진단하기 위한 EBER 제자리부합법 검사 등이 있다.

3. 유전자변이검사

분자의학적 연구결과가 진료에 반영되면서 유전자변이 유무를 진단, 예후 판정, 치료방침결정 등에 사용하게 되는 상황이 점차 증가하고 있다. 임상검사로 확립된 대부분의 종양유전자변이검사는 각 종양별로 잘 알려져 있는 특정 변이서열을 찾는 검사이다. 이 경우는 대상이 되는 변이서열에 특이적인 시발체(primer)를 사용한 중합효소연쇄반응(polymerase chain reaction, PCR)방법을 통해 해당 유전자변이를 검출한다. 종양유전자변이 검출 외에도 림프종 확진을 위해서는

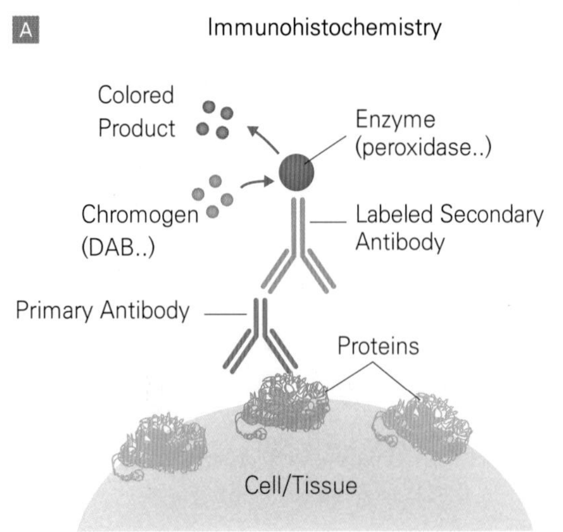

그림 9-5 **발색 방식에 따른 면역염색검사의 종류.**
A. 발색원과 효소를 이용하는 면역조직화학법.
B. 형광단을 이용하는 면역형광법.

면역글로불린중쇄(immunoglobulin heavy chain)의 가변부위(variable region)에 대한 시발체를 사용하여 중합효소반응을 시행하고 증폭산물의 길이가 단클론성을 보이는지를 확인한다. 현미부수체불안정성(microsatellite instability, MSI)검사에서는 현미부수체에 대한 시발체로 검사하여 현미부수체의 반복 길이가 다형성을 가지는지를 확인하여 불안정성을 판정하게 된다. 대상 유전자에 대해 변이서열을 특정하지 않거나 매우 다양한 변이가 있는 경우에는 염기서열분석(sequencing)기법을 이용하여 검사하게 된다. 전통적인 기법은 Sanger sequencing 후 특정 뉴클레오티드의 형광표지를 모세관전기이동(capillary electrophoresis)을 시행하여 분석하는 방법이다. 위장관기질종양(gastrointestinal tumor, GIST)에서 시행하는 c-kit 유전자변이검사가 대표적인 예이다. 최근에는 표적치료제의 종류가 다양해지고 검사대상 유전자와 변이서열이 증가함에 따라, 차세대 염기서열분석(next generation sequencing, NGS) 기법을 도입하여 수십 가지 이상의 유전자를 한번에 검사하는 방식이 환자 진료에도 사용되게 되었다.

4. 세포검사

담즙(bile)과 같은 분비물이나 복수(ascites)와 같은 체액에는 조직에서 탈락되어 나온 세포들이 포함되어 있다. 이를 슬라이드에 도말하거나 원심분리 후 침전물을 슬라이드에 도말하여 현미경으로 세포를 검사할 수 있다. 경우에 따라 종괴에서 직접 세포를 얻어내는 세침흡인세포검사(fine needle aspiration cytology)를 시행할 수도 있다. 세포성분이 많은 경우는 침전물의 양이 많기 때문에 이 중 일부를 파라핀에 포매하여 파라핀블록으로 제작할 수 있다(세포블록, cell block). 이러한 파라핀블록은 조직 검체에서 제작된 파라핀블록과 마찬가지로 면역염색 등 여러 번의 추가검사를 시행할 수 있는 장점이 있다.

세포검사는 조직검사에 비해 비침습적인 장점이 있다. 그러나 세포들이 배열되는 구조적인 이상소견까지 함께 관찰할 수 있는 조직검사에 비해 암세포 개개의 이형성(atypism)만을 관찰할 수 밖에 없는 세포검사는 매우 제한된 정보로 진단을 하게 된다. 따라서, 세포검사 자체가 가지는 부정확성에 대해서 감안을 해야 하며 주로 이미 조직검사로 진단된 바 있는 환자에서 전이 유무를 판단하거나, 검진에서 선별검사로 사용하고 이후 추가적인 조직검사로 확진하는 방식으로 사용하는 것이 바람직하다.

5. 동결검사

수술 중에 수술방침을 결정하기 위해 조직소견을 확인해야만 하는 경우가 있는데 이런 경우 동결절편(frozen section)검사를 시행한다. 위절제술 도중 절제면의 종양침범 여부를 확인하는 것이 대표적이다. 파라핀블록은 검체를 파라핀에 포매하여 깎을 수 있는 상태로 만드는 것에 비해 동결절편검사는 검체를 단단하게 얼려서 깎을 수 있는 상태로 만든다. OCT (optimal cutting temperature) media라는 물질에 검체를 포매하고 이를 급속 냉동 시켜서 딱딱하게 만든 후 절편을 자르고 H&E 염색을 하여 관찰한다(그림 9-6). 동결절편은 이러한 진료용 목적 외에 연구용 목적으로 사용되기도 한다. 이 경우는 검사의 신속성 때문이 아니라 FFPE 검체를 만들 경우 손상되거나 변성될 우려가 있는 표적에 대해 검사하려는 목적으로 선택하는 것이며, 또 다른 경우는 신선조직으로 분자학적 실험을 진행할 때 해당 검체내의 세포성분을 확인하고 실험을 진행하고자 하는 목적으로 사용된다.

동결절편은 파라핀블록에 비해 결과를 빨리 알 수 있고 변성이 안된 신선한 상태의 조직을 사용한다는 장점이 있다. 그러나 파라핀블록에 비해 형태학적 관찰의 질은 매우 떨어지므로 진단의 정확도가 낮다.

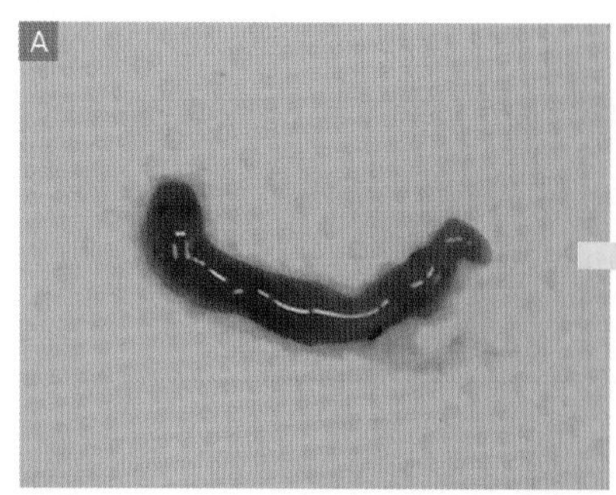
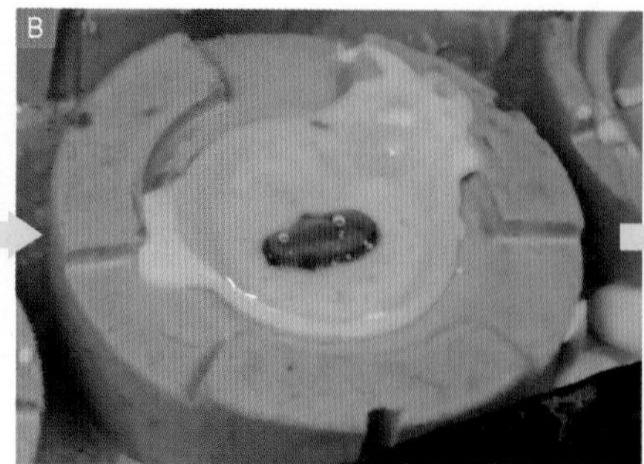
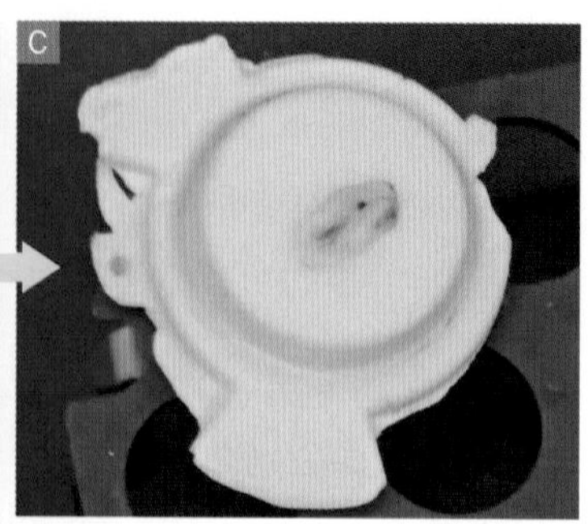
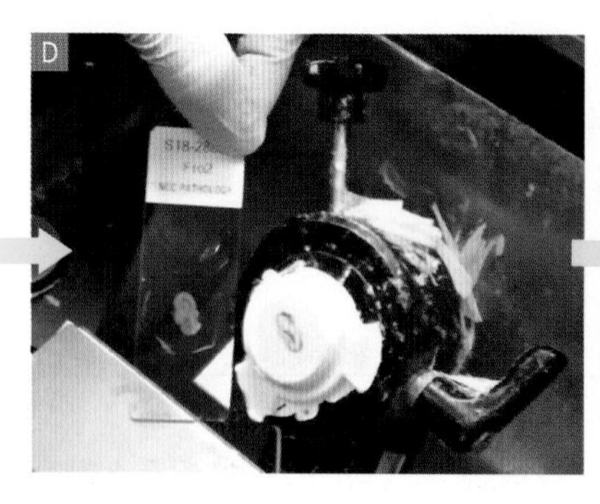

그림 9-6 **동결검사 과정.**
A. 위절제면의 신선조직이 보내진다.
B. 조직에 OCT media를 덮고 급속냉동한다.
C. 냉동완료되어 제작된 동결블록.
D. 동결조직절편기에서 얇게 절편한 후 유리슬라이드에 붙인다.
E. H&E 염색을 시행하여 제작완료된 동결검사 H&E 염색슬라이드.

분화가 좋은 암은 정상 위선과 감별이 어려울 수 있으며, 분화가 나쁜 암은 염증세포나 결체조직과 유사하게 관찰될 수 있다. 따라서, 정확성이 우선시 되는 진단검사 목적으로는 되도록 사용하지 않아야 하며, 일반적인 조직생검이 가능하지 않고 수술 도중 결과를 확인해야 하는 상황에서만 사용하는 것이 바람직하다.

6. 종양표지자검사

종양세포에서는 정상세포에서 발현되지 않거나 발현량이 매우 낮은 단백질이 발현되는 경우가 있다. 이러한 물질들은 종양의 조기발견 및 추적관찰에 사용될 수 있다. 위암에서 사용되는 대표적인 종양표지자는 CEA, CA19-9, CA72-4이며 위암 환자에서의 양성률은 각각 21.2%, 27.8%, 30.0%이다. I병기에서는 양성률이 13.7%, 9.0%, 12.0%로 낮아서 진단목적으로는 사용하지 않지만 병기가 높아질수록 양성률이 증가하며 치료 후 추적관찰에 유용하다. 120명의 재발 증례에 대해 분석한 연구결과에서 재발에 대한 민감도는 CEA 65.8%, CA19-9 55.0%, CEA와 CA19-9 함께 사용할 경우 85%였다. 이러한 종양표지자는 양성질환에서도 양성을 보이는 경우가 있으므로 주의하여 감별진단해야 한다. 흡연자 또는 기관지염, 간질환, 췌장염, 담관염, 당뇨, 신부전 같은 만성질환에서 수치가 상승할 수 있으며, 대부분의 경우에서 처음 수치 상승이 관찰된 후 1~2개월 내에 정상화되는 소견을 보인다.

참고문헌

1. 한국임상병리학과 조직세포학 교수회. 조직검사학(5판). 서울: 고려의학, 2012.
2. Kim WH, Park CK, Kim YB, Kim YW, Kim HG, Bae HI, et al. A standardized pathology report for gastric cancer. Korean Journal of Pathology 2005;39:106-113.
3. Japanese Gastric Cancer Association. Japanese classification of gastric carcinoma: 3rd English edition. Gastric cancer 2011;14:101-112.
4. Amin MB. AJCC Cancer Staing Manual. 8th ed. Switzerland: Springer Nature, 2017.
5. Werner M, Chott A, Fabiano A, Battifora H. Effect of Formalin Tissue Fixation and Processing on Immunohistochemistry. The American Journal of Surgical Pathology 2000;24:1016-1019.
6. The study group for gastrointestinal pathology. Guidelines for Pathologic study of gastric cancer. Korean J Pathol 1992;26:154-163.
7. Lei G, Yang H, Hong T, Zhou C, Li J, Liu W, et al. Elastic staining-a rejuvenated method to reassess prognosis and serosal invasion in patients with pT3N0M0 gastric cancer. Hum Pathol 2017;65:79-84.
8. Kumar GL, Kiernan JA. Education Guide-Special Stains and H&E: Pathology. Dako North America, 2010.
9. Idowu MO, Dumur CI, Garrett CT. Molecular Oncology Testing for Solid Tumors: A Pragmatic Approach. Springer, 2015.
10. Shimada H, Noie T, Ohashi M, Oba K, Takahashi Y. Clinical significance of serum tumor markers for gastric cancer: a systematic review of literature by the Task Force of the Japanese Gastric Cancer Association. Gastric cancer 2014;17:26-33.
11. Takahashi Y, Takeuchi T, Sakamoto J, Touge T, Mai M, Ohkura H, et al. The usefulness of CEA and/or CA19-9 in monitoring for recurrence in gastric cancer patients: a prospective clinical study. Gastric Cancer 2003;6:142-145.
12. Ohtsuka T, Sato S, Kitajima Y, Tanaka M, Nakafusa Y, Miyazaki K. False-positive findings for tumor markers after curative gastrectomy for gastric cancer. Dig Dis Sci 2008;53:73-79.

CHAPTER 10

진단복강경검사

위암으로 일단 진단된 후 효과적인 위암치료의 결정은 암의 진행 정도와 절제가능성 여부에 따라 달라진다. 수술 전 암 진행정도의 평가가 정확하지 않은 경우 불필요한 개복술로 인하여 이환율 혹은 사망률이 높아지며, 불필요한 비용이 증가하게 된다. 따라서 수술 전 자세하고 정확한 TNM 병기결정은 매우 중요하다. 수술 전 병기결정은 주로 컴퓨터단층촬영(CT), 초음파(US), 자기공명영상(MRI), 양전자방출단층촬영(PET/CT) 등 여러 영상학적 검사와 내시경초음파/복강경초음파(EUS or LUS), 진단복강경(diagnostic laparoscopy, DL)검사 등을 병행하여 시행할 수 있다. 직접 눈으로 관찰하며 정확한 진단을 하는 검사방법인 진단복강경의 장점은, 복강내 복막 및 횡격막 혹은 간의 크기가 작은 전이를 진단 가능하고, 조직검사가 가능하며, 동시에 복강경초음파검사가 가능하다는 것과 세포학적 검사를 위한 복강액 혹은 복수의 채취가 가능하며, 복강내 항암치료제 투여가 가능하다는 것이다.

1. 검사 진단의 정확도

위암의 술전 병기결정에 가장 많이 이용되는 검사는 CT로, 복막질환에 매우 높은 특이도를 보이지만, 복막전이를 발견하거나 배제하는 민감도는 그리 높지 않았다. 25%가 수술 당시 CT에 보이지 않던 전이가 있었고, 복막전이 혹은 간전이 있는 환자의 30~45%가 CT에서 발견되지 않았다.

18 FDG-PET/CT 검사의 장점은 림프절 병기결정에서 CT나 MRI보다 림프절 전이 발견에 대한 특이도가 86~100%로 높아 국소전이 위암에서 숨어있는 전이 병변을 찾는 데 이로울 수 있다는 것이다. 그러나 림프절 전이 발견 민감도는 41~51%로 낮은 편이다. 복막전이가 5 mm 이내로 작은 경우 혹은 병변 주변에 심한 섬유화가 있으면 정확하게 나오지 않아서 민감도가 떨어질 가능성이 있다. PET/CT 스캔은 염증 부위에 섭취(uptake)되는 위양성 반응 때문에 루틴으로 검사하지는 않는다. 또 조기위암이나 조직학적 분류 중 점액성 선암(mucinous adenocarcinomas)이나 인환세포암종(signet ring cell tumors)에서는 섭취가 낮아 위음성이 나오기도 해서 위암에서는 제한적으로 사용된다.

내시경초음파(EUS)는 T staging에서 가장 정확한 비수술적 검사방법으로 진단율이 위벽 침윤(T staging)의 경우 약 75%(pooled accuracy), 림프절 전이 병기(N staging)의 pooled accuracy 약 64%로, 림프절 전이 평가보다는 위벽 침윤 정도 평가에 최적이다. 소화성궤양 후 위 조직이 변형이 온 경우 진단 정확도가 떨어지며, 술자에 따라 결과가 다양하고, 긴 시간의 수련과 경험이 필요하다는 것이 단점이다.

위암의 병기결정에서 진단복강경의 정확도를 보면, 림프절 전이(N stage)보다는 침윤 정도인 T staging과 잘 맞았다. 원격전이인 M staging에서는 진단복강경의 정확도, 민감도, 특이도가 각각 85~98.9%, 64.3~94%, 80~100%로 나타났다. 진단복강경검사를 시행 후 8.5~59.6%에서 치료가 달라졌으며, 8.5~43.8%에서 불필요한 개복술을 피할 수 있었다.

2. 진단복강경검사 방법

전신마취하에 환자를 앙와위로 누이고, 10~12 mmHg의 기복을 만든 후 배꼽을 통하여 30° 복강경을 삽입한다. 필요에 따라 배꼽 좌우측 복벽에 5 mm 트로카를 삽입하고 겸자를 이용하여 장을 이동시키면서 복강내 복막전이 및 복수 유무를 확인한다. 복강 사분면을 다 확인하고, 전이 부위가 발견되지 않으면, 간 좌엽을 들어 위 전체를 노출시키고, 위암이 장막층을 넘어 주변 조직으로 침윤되었는지 확인한다. 위 후벽 병변인 경우 작은 복막주머니(lesser sac)를 노출시켜 암을 관찰한다. 복수가 발견되면 채취 후 종양표지자를 측정하고 유리 암세포(intraperitoneal free cancer cells, IPFCC)에 대한 세포학적 검사를 시행한다. 간위인대(hepatogatric ligament)와 간 문맥(porta hepatis)을 관찰해야 한다. 복강경초음파를 이용하면 간엽 내의 전이 병변을 확인할 수 있다.

3. 복강경보조 복강액 세포검사

복수가 없는 경우 위암 병기결정에서 복강경보조 복강액 세포검사(laparoscopy-assisted peritoneal cytology in GC staging)를 시행할 수 있다. 복강 세척(laparoscopic peritoneal lavage)을 통한 복강액 세포검사(peritoneal cytology)는 육안적 전이가 없는 상태에서 현미경적으로 복부 전이가 있는지 알기 위하여 복강내 유리세포(IPFCC)를 발견하는 것이 목적이다. 복수가 없을 때 200 cc 생리식염수로 복강을 골고루 세척한 다음 골반과 양쪽 횡격막 하방에서 세척액을 채취하여 종양표지자와 유리 암세포 IPFCC 검사를 보낸다. 세척액에서 암세포를 발견하는 방법은 기존의 세포검사법(conventional cytology)이나 혹은 rt-PCR을 사용한다. 기존의 세포검사법은 채취한 액을 원심분리한 다음 침전물을 슬라이드에 도포하고 Papanicolaou 방법으로 염색한 다음 암세포 하나라도 발견된다면 양성이다.

과거에는 세포검사법으로 암세포가 발견되는 경우 치료목적의 수술이 별 의미 없다고 생각했으나, 최근에는 복막의 M1을 좀 더 세분화하여 P+(육안적으로도 복막 암전이가 보이는 명백한 전이)와 Cyt+(세척액에서 IPFCC 양성을 보이는 경우)로 나눈다. 따라서 국소전이 위암을 복막전이 여부에 따라 4가지의 아형, P+/Cyt+, P+/Cyt−, P−/Cyt+, P−/Cyt− 으로 구분한다.

진단복강경검사에 명백한 전이를 보이는 P+ 질환은 완화치료(palliative care)를 하고, 반면 육안적 전이 소견 없이 세포검사 양성을 보이는 P−/Cyt+에 대한 치료는 아직 정립이 되어 있지 않으나 일반적으로 항암치료를 하고 이차 진단복강경검사를 한 다음 그 결과에 따라 결정한다.

예전에는 육안적 전이가 없더라도 세포검사 양성으로 나온 경우 근치적 절제술의 금기로 여겼으나, 최근에는 P−/Cyt+환자가 P+/Cyt+환자보다, 그리고 선행보조항암요법으로 P−/Cyt+가 P−/Cyt−로 전환되는 경우 수술 후 훨씬 예후가 좋다는 것이 보고되고 있다.

따라서 진행위암에서 진단복강경과 복강액 세포검사를 한 후 먼저 선행보조화학요법을 하고, 3~6개월 뒤 2차 진단복강경과 복강액 세포검사를 시행하여 재평가를 한 다음, P−/Cyt−로 변형된 환자에서 수술이 가능하다면 위절제를 시행하는 것이 좋겠다.

위암에서 기존 세포검사의 정확도가 22~30%밖에 되지 않는데 그 이유는 표준방법이 없고, 판독의 간의 편차 등이 존재하기 때문이다. 최근 복강액에 rt-PCR을 시행하여 검사의 민감도를 37%에서 72%로 현저히 증가시켰다. 또한 항암제의 발전으로 복강액 세포검사 양성(cytology-positive) 위암의 생존율이 증가하고 있으므로, 복막전이가 있더라도 적은 경우 수술과 다양한 항암치료의 병합치료만이 완치할 수 있는 가능성을 제공한다.

3. 적응증

진단복강경검사는 다른 검사방법보다 복막전이, 미세 간전이 및 복막으로의 작은 전이를 발견하는 데 더 효율적이고 진단 정확도가 높다. 그러나 진단복강경검사가 위암 환자 검사에 중용한 역할을 하고, 적절한 치료를 결정하는 데 많은 도움을 준다는 보고에도 불구하고 아직 표준화된 과정은 없으며, 여러 학회마다 다른 권고안을 갖고 있다. 미국내시경복강경학회(SAGES)에서는 수술 전 고화질의 영상에서 N+/M+ 증거가 없는 cT3-cT4 환자를 적응증으로 하고 있으며, 반면 폐색, 출혈, 천공 등 고식적 수술이 필요한 합병증을 일으킨 경우, T1/T2 tumor로 바로 절제가 가능한 early stage 위암, 예전 상복부 수술로 심한 유착이 의심되는 환자에서는 하지 말 것을 권고하였다.

영국 및 아일랜드에서는 모든 위암 환자와 위 상부암 및 식도암 환자에 시행할 것을 권고하고 있으며, 유럽암학회(ESMO)는 절제가 가능한 모든 위암에서 진단복강경검사를 권고하고 있으며, 일본위암학회(JGCA)에서는 선행보조 항암요법(neoadjuvant chemotherapy) 시작하기 전의 임상병기 II-III 환자에게 권하고 있다.

이를 좀 더 구체화하여 종합하면, 종양이 위장 전체를 침범하거나 상부에 있는 경우, cT3 or cT4 이거나, stage M1이 의심되나 확인이 안되었을 때, 림프절 크기가 1 cm 이상인 경우 원격전이가 호발하므로 반드시 복강경검사를 실시하며, 가능하면 모든 진행성 위암 환자에게 시행하는 것이 바람직하다. 위암의 합병증, 예컨데 출혈이나 폐색, 천공의 경우 진단복강경보다는 고식적 수술이 적응이 된다.

4. 진단복강경검사의 2단계 접근방법

진단복강경의 다른 장점은 항암치료 후 절제가능성의 평가이다. 뉴욕 Memorial Sloan Kettering Cancer Center에서 선행보조항암화학요법(neoadjuvant therapy) 후 이차 진단복강경검사 필요성에 대하여 평가하였는데, M1 질환인 276명의 환자 중 244명이 선행보조항암요법 후 105일 이내에 수술이 진행되었으며, 164명은 이차 진단복강경검사를 시행했는데, 검사에서 위음성으로 나와 불필요한 개복술을 시행한 환자는 1.8% 밖에 되지 않았다. 따라서 선행보조 항암요법 후 잠재적으로 근치절제가 가능한 국소전이 환자를 판명하는 데 진단복강경검사가 매우 중요하다고 보고하였다.

5. 결론

위암에서 진단복강경에 의한 복강내 질환의 정확한 진단은 가장 적절한 치료방법을 찾기 위하여 필수이다. 수술 전 복강경을 함으로써 조직검사가 가능해지고, 필요시 복강경초음파검사가 가능하며, 불필요한 개복술을 줄이면서 복강경으로 고식적 치료도 가능하게 한다. 진단복강경으로 눈으로 보지 않으면 진단할 수 없는 복막질환을 일찍 발견할 수 있고, 복강내 전이가 보이지 않더라도 복막세척에 의하여 M1 질환이 확인되면, 복강내 항암치료, 선행보조화학요법 시행 후 다시 이차 진단복강경을 시행하여 절제 가능한 환자를 찾아 내거나 불필요한 개복술을 줄일 수 있다.

참고문헌

1. Burbidge S, Mahady K, Naik K. The role of CT and staging laparoscopy in the staging of gastric cancer. *Clin Radiol* 2013;68:251-255.
2. Cardoso R, Coburn N, Seevaratnam R, et al. A systematic review and meta-analysis of the utility of EUS for preoperative staging for gastric cancer. *Gastric Cancer* 2012;15:19-26.
3. Filik M, Kir KM, Aksel B, et al. The Role of 18F-FDG PET/CT in the Primary Staging of Gastric CancerMide Kanserinin Primer Evrelemesinde 18F-FDG PET/BT'nin Rolü. *Mol Imaging Radionucl Ther*. 2015;24:15-20.
4. Herrmann K, Ott K, Buck AK, Lordick F, Wilhelm D, et al. Imaging gastric cancer with PET and the radiotracers 18FFLT and 18F-FDG: A comparative analysis. J Nucl Med. 2007;48:1945-1950.
5. https://www.sages.org/publications/guidelines/guidelines-for-diagnostic-laparoscopy/, Board of Governors of the Society of American Gastrointestinal and Endoscopic Surgeons (SAGES), 2010.
6. Jamel S, Markar SR, Malietzis G, Acharya A, Athanasiou T. Prognostic significance of peritoneal lavage cytology in staging gastric cancer: systematic review and meta-analysis. *Gastric cancer* 2018;21:10-18.
7. Leake PA, Cardoso R, Seevaratnam R, et al. A systematic review of the accuracy and indications for diagnostic laparoscopy prior to curative-intent resection of gastric cancer. *Gastric cancer* 2012;15:38-47.
8. Lee SD, Ryu KW, Eom BW, Lee JH, Kook MC, Kim YW. Prognostic significance of peritoneal washing cytology in patients with gastric cancer. *Br J Surg* 2012;99:397-403.
9. Machairas N, Charalampoudis P, Molmenti EP, et al. The value of staging laparoscopy in gastric cancer. *Ann Gastroenterol*. 2017;30:287-294.
10. Virgilio E, Giarnieri E, Giovagnoli M, Montagnini M, Proietti A, et al. Gastric Cancer Cells in Peritoneal Lavage Fluid: A Systematic Review Comparing Cytological with Molecular Detection for Diagnosis of Peritoneal Metastases and Prediction of Peritoneal Recurrences. Anticancer research 2018;38:1255-1262.

PART 03

위암의 역학, 발병요인 및 종양생물학

THE KOREAN GASTRIC CANCER ASSOCIATION

CHAPTER 1

위암 연구 및 치료의 역사

1. 위암의 역사

위암과 관련한 역사의 첫 문헌은 기원전 1600년에 쓰인 이집트 의학서적 Ebers papyrus (그림 11-1)에 있는 위암 환자의 기록이었다. 그 후 히포크라테스의 자료에서 기원후 2세기경 로마시대에 갈렌(Galen)이 발표한 위암과 관련된 기록이 있다. 히포크라테스는 처음으로 암(cancer, carcinoma)이란 용어를 사용하였고, 암은 병적인자가 외부에서 신체를 공격하여 발생하는 것으로 생각되었다. 당시 가톨릭이 지배하던 10세기 동안에는 인체의 해부연구가 금기시되었고, 갈렌(Galen)의 원숭이 해부학이 인체해부학과 다르지 않다고 여겼다. 이런 의학적 지식은 18세기 르네상스 시대에 이르러서 근본적으로 변하여 암의 근원 이론도 바뀌었다.

1774년 Peyrile이 “Disseratio Accademica de Cancro”를 리옹 아카데미에서 출판하였고, 이는 현대종양학의 기원이 되었음에도 불구하고 위암에 관한 내용은 크게 발전하지 못하였다. 그 후 1821년 세인트헬레나 섬에서 유배중 사망한 프랑스 황제 나폴레옹의 사체 부검을 통하여 사인이 위암이란 것이 밝혀지게 되면서 위암에 대한 관심을 갖게 되었다. 사망 전 나폴레옹의 의료기록을 보면 1819년 열, 복부통증, 딸꾹질, 구토 등이 반복되는 증상을 앓다가 1820년 증상이 악화되어 거의 매일 구토, 복통, 설사, 발열 등으로 고통을 받았던 것을 알 수 있다. 1821년 나폴레옹은 주치의인 안톤마치(Antonmarchi)에게 자신이 죽은 후 부검을 하여

그림 11-1 Ebers papyrus.

이에 대한 상세한 리포트를 아들에게 전달하도록 요청하였고, 당시 8명의 의사가 부검에 참여하였다. 당시는 현미경이 발달되지 않았던 시대여서 육안 소견에 의존하였고, 부검기록에는 두꺼운 위벽과 소만 측에 발생한 천공과 천공 부위를 덮고 있는 간, 커피 찌꺼기 같은 액체, 위의 중앙부에 있는 악성 궤양 등 위암과 관련된 기록이 있다. 그후 19세기 말부터 현재까지 많은 사람들이 위암으로 사망하였고, 20세기에 이르러 위암으로 사망한 가장 유명한 환자는 교황 요한 23세였다. 수 세기 동안 한국, 중국, 일본에서 위암은 주요 사망원인이었고, 한국을 비롯한 아시아의 나라들은 위암이라는 질병과 임상적 진보의 리더로서 역할을 하고 있다.

2. 위암의 수술적 치료

1) 위아전절제술 및 위전절제술

위와 관련된 최초의 수술기록으로 1849년 Sédillot가 시행한 위루조성술이 있다. 역사상 최초의 위절제수술은 1879년 4월 9일 프랑스에서 Jules Emile Péan이 시행한 것으로, 환자는 수술 후 5일째 사망하였다. 1880년 11월 6일에는 폴란드 크라코프대학의 Ludwig R. von Rydygier가 유문부 협착이 있는 위암 환자에게 위절제수술을 시행하였으나 환자는 수술 당일 밤에 사망하였다. 그 후 Rydygier는 1882년 유문부 협착이 있는 위궤양 환자에게 유분부 절제에 성공하였다. 오스트리아 비엔나대학 제2외과 Theodor Billroth는 개의 위절제술 실험을 성공한 후 1881년 1월 22일 헬러(Therese Heller)라는 43세의 여자 위암 환자에게 위아전절제수술을 시행하였다. 당시 진료기록을 보면 환자는 유문부 폐쇄가 있고, 상복부에서 위암이 만져졌던 진행암이었다. 수술은 약 11 cm의 비스듬한 절개를 통해 시행되었고, 종양의 절제는 종양 상부로 3 cm, 종양 하부로 2 cm의 절제연 경계를 두고 시행하였다. 절제 표본의 크기는 소만측이 10 cm, 대만측이 14 cm이었다. 문합은 위와 십이지장을 연결한 최초의 수술이었으나, 문합 위치는 절단면의 대만측을 폐쇄하고 소만측에 십이지장을 연결하는 문합이었다. 총 54개의 봉합을 이용해 문합하였으며, 그 후의 환자들에게는 지금과 같은 소만측 절단면을 폐쇄하고 대만측 절단면에 십이지장을 연결하였다. 당시 환자의 암병기는 T3N+, Stage IIIb로 추정되며, 같이 제거된 림프절에는 모두 전이가 있었고, 주병변은 점액성 위선암이었던 것으로 보인다. 환자는 수술 후 26일에 퇴원하였다가, 4개월 후 암의 파종으로 사망하였다. 이후 Theodor Billroth는 14년간 257예의 수술을 시행하였다. 현재도 Billroth가 시행한 위와 십이지장을 연결하는 수술법을 Billroth I 술식이라고 부르고 있다. 이후 Billroth의 문하생인 Wölfler가 폐쇄성 하부위암 환자에게 위공장문합술을 시행하였으며, 1885년에는 위를 절제하기 전에 위공장문합술을 시행한 후에 이차적으로 위 하부를 제거하고 십이지장을 봉합하는 수술을 시행하였다. 이 수술방법은 후에 Billroth II 술식으로 잘 알려졌고, 1890년까지 Billroth 클리닉에서 41예의 위암 환자가 수술을 받았다.

위전절제술은 1883년 Conner가 처음으로 시도하였으나 환자는 수술 중 사망하였다. 1897년에는 취리히의 Karl Schlatter가 처음으로 위전절제술을 시행하였는데, 환자는 쟌디스(Anna Zandis)라는 56세 여자로, 미만형(diffuse type) 위암이었다. 수술은 위전절제를 시행하고, 문합은 식도공장문합술을 하였다. 환자는 14개월 동안 병원생활을 하면서 영양공급과 장운동연구를 받다가 종양의 재발로 사망하였다. 이후 위전절제술은 대서양을 넘어 방법의 차이는 있었으나 샌프란시스코의 Charles B. Brigham과 보스톤의 Richardson에 의해서 성공적으로 시행되었다. 동양에서의 기록은 1899년 제1회 일본외과학회 총회에서 발표된 분문측 위절제술 2예의 보고가 있다.

2) 위암의 근치적 위절제술 및 림프절절제술

20세기에 들어서 위암에 대한 수술은 적극적으로 시행되었으나 모든 진행암에서 좋은 결과를 보이진 않았다. 1902년 Frouin은 위전절제와 비장합병절제를 보고하였고, 1910년 Grobes는 위절제 시 대망절제의 중요함과 더불어 부검예의 검색에서 침윤장기의 합병절제 및 림프절절제의 필요성을 인식하였다. 1944년 Kajitani도 광범위 림프절절제의 중요성을 지적하였고, 1948년 Brunschwig는 위상부암에서 위전절제와 동시에 비장의 합병절제가 필요하다고 기술하였다. 1953년 Ranson은 위암 절제범위의 확대와 주변 림프절의 절제로 근치성이 향상된다며 이를 초광범위수술(ultra radical operation)이라 불렀다. 1961년 Zinuchi는 위절제범위의 확대와 동시에 대망절제, 비문부, 간문부, 복강동맥 주변, 결장간막근부, 췌장 상하연의 후복막까지 광범위 림프절절제를 하는 확대근치수술(extended radical operation)을 제창하였다. 일본에서는 1962년 위암연구회가 발족되었고, 위암치료 성적향상을 위한 통일된 분석을 목적으로 위암취급규약 제1판이 출간되었다. 1970년에는 Wada가 복강동맥 근위부 및 주변 림프절절제를 시행하는 Appleby 수술을 시행하였고, 1969년 Gilbertsen이 광범위 림프절절제술(extensive lymph node dissection)을 받은 환자들의 생존율이 오히려 감소하고 수술 후 사망률이 증가하였다고 보고하면서 광범위 림프절절제술은 공감을 얻지 못하였다. 1980년대에 Takahashi, Sawai 등이 초확대 림프절절제술(super extensive lymph node dissection, D4 림프절절제술)을 시행하였고, Kajitani 등이 좌상복부내장전적출술(left upper abdominal evisceration)을 시행하였다. 1987년에는 Shiu 등이 종양의 위치, 림프절 전이, 림프절절제술의 범위 등이 예후와 관련이 있는 독립적인 변수라고 보고하여 림프절절제에 대한 논쟁이 있었다. 2010년 Dutch trial 15년 추적검사 결과는 D2 림프절절제술이 D1보다 국소재발이나 위암사망률은 낮았고, 수술 후 유병률, 사망률, 재수술률은 높았다. 또한 비장보존 D2 수술은 안전하기 때문에 많은 위암 수술을 하는 기관에서는 근치적 절제가 가능한 위암에서 권장 수술방법으로 결론내렸다.

3) 위절제술의 표준화

일본의 경우 1962년에 일본위암연구회가 발족하면서 D2 림프절절제술을 표준술식으로 채택하여 생존율이 향상되었으며, 한국에서도 1970년대부터 D2 림프절절제술을 도입하여 현재까지 표준술식으로 적용하고 있다. 비장동맥 주변의 림프절절제 시 필수적이라고 생각되었던 비장절제술과 췌장절제술은 수술 후 합병증과 사망률의 중대한 위험인자로 인식되어왔다. 1994년 Robertson 등은 위전절제술이 위아전절제술과 비교하여 생존율을 향상시키지 못했다고 보고하였으며, 1999년 Bozzetti 등도 위전절제술이 생존율을 향상시키지 못한다고 보고하였다. 이에 따라 하부위암의 수술로 영양상태나 삶의 질 측면에서 결과가 더 나은 위아전절제술이 선호되고 있다.

2012년 대한위암학회를 포함한 11개 유관학회에서 위암표준진료권고안이 만들어졌다. 수술적 치료는 ① 위암 수술의 원칙, ② 조기위암의 수술, ③ 진행위암의 수술로 구분하였고, 수술권고를 포함하여 총 23개의 권고가 들어있다. 위암의 표준수술은 중하부 위암의 경우 위아전절제술, 중상부 위암의 경우 위전절제술이며, 위주변의 광범위한 림프절절제를 함께 시행하도록 하였다. 조기위암에서 축소된 림프절절제가 가능하나 전이가 의심되는 경우 광범위 림프절절제를 권장하였다. 원격전이가 없는 위선암의 모든 조기위암 환자는 위절제술과 림프절절제 치료의 적응증이 되나, 림프의 전이가 없는 점막에 국한된 분화암의 경우 내시경적 점막절제술을 시행할 수 있도록 하였다.

2017년 일본위암학회에서 발표한 가이드라인(Japanese gastric cancer treatment guidelines 2014 ver. 4)

에는 근치적 위절제술을 표준위절제(standard gastrectomy)와, 비표준위절제(non-standard gastrectomy, 축소수술, 확대수술)로 분류하여 정의하였다. 근치적 표준위절제(curative standard gastrectomy)는 근치적 목적으로 시행하는 원칙적인 수술방법으로, 최소 위의 2/3 절제와 D2 림프절절제를 하는 것으로 정의하였다. 근치적 비표준절제는 위절제의 범위와(또는) 림프절절제의 범위를 암병기에 따라 변경하는 것으로 정의하였다. 축소수술은 위의 절제범위와(또는) 림프절절제를 축소하여 시행(D1, D1+)하는 것으로 정의하였고, 확대수술은 ① 위절제와 더불어 인접장기를 합병절제하는 수술과 ② 위절제와 더불어 D2를 넘는 림프절절제를 동시 시행하는 것으로 정의하였다. 개복수술은 조기위암이라도 임상적으로 림프절 전이가 의심되는 경우나 근층 이상의 침윤이 있는 진행함에서 모두 시행하도록 하는 것을 표준치료로 하였다.

현재 유럽이나 미국 등에서도 ESMO, NCCN 가이드라인을 통해 위암의 표준치료가 발표되고 있으나 주로 위암치료의 항암요법이나 방사선치료에 치중한 측면이 많고, 현실적으로 위암 수술이 많은 한국, 중국, 일본에서 최근 시행되고 있는 위암 수술 또는 수술 후 항암요법 등의 무작위 임상시험을 통한 결과가 포함되지 않고 있다. 지난 수십 년간 위절제의 술기와 장비의 발전으로 위암 수술의 표준화에도 변화가 일고 있다. 수술 후 합병증 및 사망률이 현저하게 감소하였고 생존율도 점차 향상되어가고 있다. 더욱이 삶의 구조나 의료에 대한 의식의 변화는 조기위암 환자의 증가, 고령 환자의 급증으로 다양한 맞춤치료의 개발로 이어지고 있다. 2018년 현재 대한위암학회는 위암치료에 대한 새로운 가이드라인을 준비하고 있고 향후 가이드라인을 통해 더욱 표준화된 치료로 위암치료의 발전된 결과가 기대된다.

3. 조기위암의 맞춤치료: 최소침습 및 기능보존수술

1) 내시경절제술

내시경점막절제술(endoscopic mucosal resection, EMR)은 점막 부위에서 발현되는 종양의 진단과 치료를 위한 목적으로 개발되었다. 현재와 같은 내시경점막절제술은 1984년 Tada 등이 만성위염을 진단하기 위해 많은 양의 위점막을 절제해내기 위해 절제법(strip biopsy)을 개발하여 시행한 것으로 시작되었다. 그 후 고장액 식염수-에피네프린 용액 국소주입 후 절개법(endoscopic resection with local injection of hypertonic saline-epinephrine)으로 내시경 끝에 캡을 장착하여 캡 내로 병변을 흡입하는 방법이 Hirao 등에 의해 1988년 소개되었다. 현재와 같은 내시경점막하박리술(endoscopic submucosal dissection)은 1999년 Ono 등이 IT knife (insulation-tipped diathermic knife)를 이용한 내시경점막하박리술(endoscopic submucosal dissection)을 소개한 후 현재 많이 이용되고 있다. 그 적응증과 자세한 내용은 24장에서 다룰 것이다.

2) 기능보존수술

1990년대 이후 위암 수술의 근치성을 유지하면서 위절제술 후의 여러 합병증을 예방하고 환자의 삶의 질을 높이는 기능보존수술이 연구되고 시행되었다. 위절제범위를 축소하거나 미주신경(vagus nerve) 보존, 유문괄약근(pyloric sphincter) 보존 등을 통해 남은 위의 기능을 보존하기 위한 수술방법들이 소개되었는데 여기에는 쐐기절제술(wedge resection), 위구역절제술(segmented gastrectomy), 근위부위절제술(proximal-gastrectomy), 유문보존 위절제술(pylorus preserving gastrectomy), 미주신경보존 위절제술(vagus preserving gastrectomy), 감시림프절 추적수술(sentinel lymph node navigation surgery) 등이 있다.

3) 복강경 위절제술

조기위암의 경우 수술 후 5년 생존율이 90% 이상에 이르고 있어 위암 환자의 수술 후 삶의 질 향상을 위한 노력의 일환으로 최소침습수술이 시도되었다. Ohgami 등이 1991년 복강경 쐐기절제술(laparoscopic wedge resection)을 보고하였고 이것이 복강경수술을 위암에 적용한 첫 사례이다. 1994년에는 Kitano 등이 위암 환자에서 복강경보조 원위부위절제술(laparoscopy assisted distal gastrectomy, LADG)을 림프절절제를 포함하여 성공적으로 시행하였음을 보고하였다. 이후 이 수술방법은 전 세계적으로 확대되어 시행되고 있다. 우리나라에서도 1995년 시작된 이후 급속도로 증가하고 있으며 대한복강경위장관연구회(Korean Laparoscopic Gastrointestinal Surgery Study Group)가 2005년 결성된 이후 체계적인 연구활동과 수술법의 표준화 노력으로 훌륭한 성과를 거두고 있다. 2016년 김 등은 조기위암 수술의 경우 개복수술에 비해 복강경수술이 수술 후 합병증이 적음을 보고하였다. 조기위암 수술 후 종양학적 결과 역시 개복술에 비교하여 차이가 없음을 전향적 연구를 통해 증명한 바 있다. 복강경수술은 고전적인 개복수술에 비해 수술 후 통증 감소, 빠른 위장관기능 회복, 짧은 재원기간, 뛰어난 미용적 효과 등의 장점으로 환자의 만족도가 높다. 현재는 조기위암을 넘어 진행성 위암의 수술법으로 영역을 넓히고 있으며 29장에서 자세하게 설명될 것이다.

4) 로봇수술

최소침습수술방법 중 최근에 도입된 수술법으로 수술용 로봇을 활용한 수술법이 있다. 다빈치(da Vinci Surgical System)로 불리는 수술 로봇이 흔히 사용되고 있다. 로봇보조 위절제술(robotic-assisted Gastrectomy)은 2003년 Hashizume가 첫 번째로 보고하였다. 이 로봇수술은 3D로 구현되는 화면, 기구의 높은 자유도, 손떨림 방지 등의 장점으로 수술의 정확도를 높이는 효과가 있는 것으로 보고되고 있다. 국내에서는 2005년부터 도입되어 현재 많은 수술이 진행되고 있다. 자세한 내용은 29장에서 설명할 것이다.

4. 국내의 위암 연구

1) 국내 위암 관련 학회 및 연구회

(1) 대한위암학회

대한위암학회는 1993년 출범한 대한위암연구회를 계승하여 1996년 창립되었다. 위암 환자의 데이터 관리의 용이성과 연구로의 연결성을 위하여 1992년과 2002년에 각각 위암 기재 요약집과 위암 기재사항 설명서를 발간하였다. 2001년 3월에는 대한위암학회지를 출간하였고, 2004년 3월 대한위암학회가 대한의학회 정식 회원 학회로 가입하였다. 위암을 연구하는 연구자들을 위한 장이 되고 있는 대한위암학회 학술대회는 2000년부터 시작되어 매년 연구자들이 모여 서로의 결과를 공유하고 토론하는 자리가 되어오다가 2014년부터 Korean International Gastric Cancer Week (KINGCA)라는 이름으로 학술대회 명칭을 변경하여 국제학회로 탈바꿈하여 20여 개국에서 700명 이상의 인원이 모이는 명실공히 위암 연구의 세계적인 장이 되었다. 위암학회는 국내 회원들의 연구를 독려하기 위하여 연구위원회를 만들어 여러 연구회들의 활동을 임상연구 진행을 지원하고 있으며 대한위암학회 회원을 대상으로 연구를 공모 받아 연구에 대한 지원 또한 진행하고 있다. 복강경위장관연구회(KLASS)가 2004년 6월에 창립되어 위암의 복강경수술의 저변을 넓히고 복강경수술의 임상적 근거를 마련하고자 하는 임상연구를 주도하고 있다. 이외에도 현재 대한위암학회 산하에 대한위식도역류질환수술연구회, 대한외과위내시경연구회, 위암 환자 삶의질연구회, 위식도경계부암 수술연구회 등이 활동하고 있다.

(2) 대한종양내과학회

최근 암 관련 분야의 비약적인 발전에 힘입어 암 생존율은 지속적으로 상승하고 있으나 암치료 특히 항암치료 분야에 있어서는 아직도 효과적인 약제가 부족하기 때문에, 항암치료법의 개발 및 이를 통한 비용 절감은 국가적으로 해결해야 할 중요한 문제 중 하나이다. 이러한 새로운 항암치료법의 개발을 위해서는 과학적이고 윤리적인 임상연구가 필수적이다. 위암 분야의 항암치료법과 관련하여 국내 연구자가 주도한 수많은 임상연구들이 있었고, 이 중 많은 임상연구들이 진행성 위암 환자의 완치율, 생존기간 및 삶의 질을 유의하게 개선시키는 데 중요한 역할을 하였다.

이러한 암 관련 임상연구들을 원활히 시행하고 발전시켜나가기 위해서는 임상종양학 및 임상연구에 대한 지식 증진 및 전문가간 상호협력과 교류가 매우 중요하다. 이러한 목적으로 창립된 조직이 대한항암요법연구회(Korean Cancer Study Group)와 대한종양내과학회(Korean Society of Medical Oncology)이다. 이 중 대한항암요법연구회는 국내 연구자들이 주축이 되어 암 관련 임상연구를 주체적으로 수행함으로써 종양학의 발전에 기여하고 항암치료법의 개발과 임상연구 응용에 대한 합리적인 정책안을 제시하여 국민보건향상에 기여하는 것을 목적으로 하고 있다. 현재 대한항암요법연구회는 암 진료 및 연구와 관련된 다양한 분야에서 일하고 있는 약 850명의 회원으로 구성되어 있고, 데이터센터를 포함한 9개 위원회와 10개 질병분과위원회로 구성된 국내 유일의 항암요법 연구기관이며, 위암분야에서는 90여 명의 위암관련 전문가들이 위암질병분과위원회의 위원으로 소속되어 여러 다기관 임상연구들을 활발히 진행하고 있으며 이를 통해 근거중심의 위암치료를 발전시키고 위암의 치료성적을 향상시키기 위해 노력하고 있다.

(3) 대한소화기내시경학회 및 대한상부위장관-헬리코박터학회

대한소화기내시경학회는 1976년 창립되어 위암의 진단 및 치료연구에 중요한 역할을 수행하여 왔다. 내시경점막절제술(EMR)이 1990년대 초반 대한소화기내시경학회 세미나에서 처음 소개되어 이후 많은 증례들이 보고되었고, 2005년 EMR 연구회를 산하 연구회로 신설하였다. 내시경점막하박리술(ESD)이 개발된 후 2006년 제1회 내시경점막절제술 심포지엄 및 시연회를 개최하였고, 기존의 EMR 연구회를 2007년 ESD 연구회로 변경하여 활발한 활동을 보이고 있다.

대한상부위장관-헬리코박터학회는 1997년 창립되어 위암의 주된 원인으로 알려진 *H. pylori*에 대한 연구들을 주관하고 있다. 대표적인 연구는 *H. pylori* 제균치료가 위암을 예방할 수 있는지에 대한 연구이다. 이 연구는 2014년부터 시작되어 전국적으로 총 12개의 기관이 참여하여 진행되는 연구로 2027년 연구가 종료될 예정이다. 이 연구는 *H. pylori* 제균치료 후 2년 간격으로 10년간 추적내시경검사 등을 시행하는 연구로, 건강 검진을 받고 있는 11,000명의 대상자를 모집하여 진행 중인 연구이다. 또한 암정복사업의 일환으로 현재 사용하고 있는 *H. pylori* 제균 약제의 제균율이 적절한지 확인하기 위해 표준 삼제요법과 새로운 제균요법을 비교하는 연구, *H. pylori*의 항생제 내성률을 확인하는 연구, *H. pylori* 제균치료가 위암 발생과 사망에 미치는 영향 등이 동시에 진행되었고 2019년 그 결과가 발표될 예정이다.

(4) 대한방사선종양학회

방사선종양학 분야는 대한방사선종양학회를 중심으로 활발한 연구를 진행하고 있다. 1982년 대한치료방사선과학회가 창립되었고 1995년 이를 계승하여 대한방사선종양학회로 개편되었다. 창립 이후 다양한 암의 국내 치료현황 조사 및 전국적인 survey를 실시하였으며 다기관-다학제 연구에 활발하게 참여하고 있다.

(5) 대한병리학회

대한병리학회 내에는 소화기병리를 전문으로 하는 회원들을 중심으로 소화기병리학연구회가 결성되어 활동하고 있다. 소화기병리학연구회는 1990년 위장관 및 간담췌 병리를 다루는 연구회로 창립되어 우리나라에서 가장 빈번하게 발생하는 질환인 소화기계 질환에 대해 병리전문의들의 학문적 역할을 증대시키는 데 기여하고 있다. 매년 정기 집담회와 소화기 분야에 대한 워크샵 및 연수교육 등을 진행하고 있으며, 특히 소화기암에 대한 등급체계 및 취급기준안을 개발하여 제시함으로써 전국적으로 통일된 기준의 병리진단이 유지될 수 있도록 힘쓰고 있다. 또한 각종 임상학회와의 공동활동에도 적극적으로 참여하여 다기관임상연구 및 진료가이드라인 개발에 역할을 담당하고 있다.

2) 중요 사업 및 연구성과

복강경위장관연구회를 중심으로 현재까지 KLASS01, 02, 03, 06과 같이 복강경수술의 정당성을 증명하기 위한 연구부터 KLASS04와 05과 같이 유문보존수술과 근위부 절제술 등 기능보존 수술의 유효성을 보고자하는 연구까지 다양하게 시행이 되고 있다(표 11-1). 국립암센터에서 cT1N1, cT2N0, cT2N1 위암 환자를 대상으로 D2 림프절절제술과 비교한 D1+ 절제술의 유효성에 관한 연구인 ADDICT 연구와 내시경절제술과 위절제술의 중간영역에 있는 환자를 대상으로 한 감시림프절 절제 및 축소 위절제에 대하여 연구중인 SENORITA 연구도 전국적으로 각각 49개, 7개의 기관들이 각각 참여하여 활발하게 진행 중에 있다. 위암 수술과 관련된 연구는 국내단독연구에만 그치지 않고 국제적인 교류를 통해 활발하게 진행되었다. 전이성 위암 환자에서 고식적 위절제술 후 항암치료를 시행하는 전략과 항암치료를 우선적으로 시행하는 치료전략을 비교하는 연구인 REGATTA 연구는 일본위암학회와 공동으로 진행하여 의미 있는 결과를 발표하였다. 수술과 관련된 영역뿐 아니라 항암치료와 관련된 연구도 활발하게 진행되었다. 현재 근치적 위절제수술 후 인정되는 두 개의 보조항암요법중 XELOX 항암요법의 경우 국내 연구진들을 중심으로 시행된 CLASSIC 연구로 임상적인 유효성이 증명이 되었다. CLASSIC 연구에서 수집되었던 조직에서 유전자 검색을 시행하여 수술 후 보조항암요법이 유용한 환자군을 추려낼 수 있는 정밀의학연구까지로 확장시킨 연구를 Lancet Oncology에 발표하는 등 현시점에도 여러 부분에서 활발한 연구가 이루어지고 있다.

국내에서 1990년대 시행된 진행성 위암의 고식적 항암화학요법으로 5-FU의 단독투여와 타 약제와의 병용요법을 비교한 3상 연구결과를 바탕으로, 5-FU와 cisplatin 병용요법이 1차 고식적 항암화학요법으로 가장 흔하게 사용되어왔고 현재까지도 치료의 근간을 이

표 11-1. **대한복강경위장관 연구회 진행 임상연구**

명칭	내용
KLASS01	수술전 1기 위암에서 복강경과 개복 원위부 위절제술의 비교
KLASS02	수술전 국소 진행성 위암에서 복강경과 개복 원위부 위절제술의 비교
KLASS03	수술전 근위부 조기위암에서 복강경 위전절제술의 안정성연구
KLASS04	수술전 중부 조기위암 환자에서 유문보존 위절제술과 원위부 위절제술과의 비교
KLASS05	수술전 근위부 조기위암에서 복강경 위전절제술과 복강경 근위부 절제술 및 이중통로수술의 비교
KLASS06	수술전 근위부 진행성 위암에서 개복 위전절제술과 복강경 위전절제술의 비교
KLASS07	원위부 위절제술 시 전복강경 문합과 복강경 보조 문합과의 비교

루고 있다. 그 이후 치료효과 및 독성을 고려하여 경구용 5-FU 유도체가 5-FU를 대체할 수 있는지에 대한 3상 임상연구들이 이루어졌고 그 중 하나가 국내 연구자 주도로 이루어진 ML17032 연구로서, capecitabine과 cisplatin 병용요법이 5-FU와 cisplatin 병용요법에 비해 열등하지 않음을 증명하였다. 현재 이러한 연구들을 바탕으로 진행성 위암의 1차 고식적 항암요법으로 fluoropyrimidine과 platinum 2제 병용요법이 표준치료로 자리잡게 되었다. 근치적 절제가 불가능한 국소 진행성 또는 전이성 위암에서 항암화학요법의 시행이 위암 환자의 생존율을 유의하게 향상시켰으나, 여전히 생존기간의 중앙값은 12개월을 넘지 못하고 있었다. 이러한 가운데 기존의 항암화학요법에 분자표적치료제를 병용하여 생존기간의 의미있는 증가를 증명한 연구가 국내 연구자 주도로 이루어진 ToGA 연구이다. ToGA 연구는 전 세계 24개국의 연구자들이 참여한 대규모 3상 임상연구로, HER2 과발현 진행성 위암에서 trastuzumab과 항암화학요법의 병용요법을 항암화학요법과 비교하여 trastuzumab 병용요법의 유의한 생존기간의 증가를 입증하였다. 본 연구는 진행성 위암에서 분자표적치료제의 효능을 입증한 최초의 연구이자 중앙생존기간이 1년을 넘어선 최초의 대규모 연구라는데 그 의의가 크다고 하겠다. 이에, ToGA 연구를 근간으로 HER2 과발현 진행성 위암의 경우 trastuzumab과 항암화학요법의 병용요법이 표준 1차 고식적 전신항암요법으로 자리잡게 되었다. 또한, 1차 고식적 전신항암요법에 실패한 환자를 대상으로 2차 이상의 고식적 항암화학요법을 시행하는 것에 대한 근거가 부족한 실정에서, 1차 고식적 항암화학요법 후에 진행된 국내 위암 환자들을 대상으로 최적의 지지요법에 비해 2차 이상의 고식적 항암화학요법을 하는 것이 유의하게 생존이 연장될 수 있음이 3상 연구를 통해 입증되어, 현재 진행성 위암 환자에게 2차 이상의 고식적 항암화학요법은 표준치료로 시행되고 있으며 이러한 적극적인 고식적 항암화학요법의 시행이 진행성 위암 환자의 생존율 향상에 중요한 역할을 하였다. 앞서 언급한 전신항암요법의 표준치료를 정립한 몇몇 주요한 임상연구들 이외에도, 다학제진료와 관련된 수술 전후 보조요법, 기존 항암제의 새로운 요법에 대한 시도, 새로운 항암제를 이용한 치료법의 개발, 분자표적치료제의 도입, 유전적 특성에 맞춘 맞춤치료의 개발 등 진행성 위암의 전신항암요법과 관련된 수많은 연구들이 국내 종양내과 연구자들의 주도로 활발히 이루어지고 있다.

방사선요법과 관련하여, 삼성서울병원에서는 D2 절제술을 받은 위암 환자를 대상으로 수술 후 항암화학방사선병용요법의 역할을 검증하는 ARTIST 연구를 진행하였다. 하위그룹 분석에서 효과를 보였던 림프절 전이 동반 위암을 대상으로 ARTIST-II 연구가 진행 중으로, 전국적으로 8개 기관이 참여하고 있다(NCT01761461). 이외에, 세브란스병원에서는 국소 및 영역 림프절 진행성 위암의 치료성적 향상 및 근거 마련 목적으로, 진행성 위암에서 수술 전 유도항암요법과 항암화학방사선병용요법의 안전성과 유효성에 대한 연구를 수행하였고(NCT02495493), 위의 장막(serosa)을 침범한 위암에서 수술 전 항암화학방사선 병용요법의 안전성과 유효성에 대한 연구가 진행되고 있다(NCT03814759).

한편, 국내 연구자들은 최신 분자학적 기법을 이용한 연구에 있어서도 세계적인 성과를 이루고 있다. 위암에 대한 TCGA 연구에 국내 기관들의 참여가 큰 기여를 하였으며, 삼성서울병원의 연구자들을 중심으로 한 Asian Cancer Research Group의 연구결과로 위암의 분자학적 분류법을 제시하였고 이 분류법은 분자학적 기전뿐만 아니라 예후와의 상관성을 갖고 있어서, TCGA 분류법과 함께 대표적인 분자학적 위암분류법으로 인정받고 있다.

위암에 대한 병리진단의 표준화를 위해 1992년 위암의 병리학적 취급규정을 공표하여 검체취급과 병리진단의 기본방침을 제시하였고, 2005년 병리보고서 기재사항의 표준화안을 개발하여 이후 이를 기반으로 한 병리진단이 이루어지고 있다. 2013년 소화기계의 신경내분비종양에 대한 병리보고서 표준안을 제시하였다. 소화기계 암등록을 위한 질병분류표준화지침을 2008년에 개발하였고 2012년에는 이를 개정된 세계보건기구의 종양분류법에 적합하게 갱신하였다.

참고문헌

1. 위암표준진료권고안, 대한의학회. 2012.
2. 近藤次繁:胃外科手術 について實驗 日外科會誌 1: 234, 1899.
3. 陣内伝之助, 小野正員, 榊原宣ほか. 胃癌に対する擴大根治手術について. 手術 15:917, 1961.
4. 和全達雄, 松本喜幹, 岡本 尭, ほか. 胃癌に対するきわめて根治的な 胃全摘術-Appleby術式の提唱. 日外會誌 71:1248, 1970.
5. Billroth T: Behandlung von Verengerungen des Verdauungs-traktes durch Carcinom. Wien Med Wschr 1881;31:272.
6. Brunschwig A. Pancreato-total gastrectomy and splenectomy for advanced carcinoma of the stomach. Cancer 1948;1:427.
7. Cheong JH, Yang HK, Kim H, Kim WH, Kim YW, Kook MC, et al. Predictive test for chemotherapy response in resectable gastric cancer: a multi-cohort, retrospective analysis. Lancet Oncol 2018;19:629-638.
8. Fujitani K, Yang HK, Mizusawa J, Kim YW, Terashima M, Han SU, et al. Gastrectomy plus chemotherapy versus chemotherapy alone for advanced gastric cancer with a single non-curable factor (REGATTA): a phase 3, randomised controlled trial. Lancet Oncol 2016;17:309-318.
9. Hirao M, Masuda K, Ananuma T, et al. Endoscopic resection of early gastric cancer and other tumors with local injection of hypertonic saline-epinephrine. Gastrointest Endosc 1988;34:264-269.
10. Hyung WJ, Yang HK, Han SU, Lee YJ, Park JM, Kim JJ, et al. A feasibility study of laparoscopic total gastrectomy for clinical stage I gastric cancer: a prospective multi-center phase II clinical trial, KLASS 03. Gastric Cancer 2018.
11. Japanese gastric cancer treatment guidelines 2014 (ver. 4). Japanese Gastric Cancer Association: Gastric Cancer 2017;20:1.
12. Kim HH, Han SU, Kim MC, Hyung WJ, Kim W, Lee HJ, et al. Prospective randomized controlled trial (phase III) to comparing laparoscopic distal gastrectomy with open distal gastrectomy for gastric adenocarcinoma (KLASS 01). J Korean Surg Soc 2013;84:123-130.
13. Kim HI, Hur H, Kim YN, Lee HJ, Kim MC, Han SU, et al. Standardization of D2 lymphadenectomy and surgical quality control (KLASS-02-QC): a prospective, observational, multicenter study [NCT01283893]. BMC Cancer 2014;14:209.
14. Kim HH[1], Han SU, Kim MC, Hyung WJ, Kim W, et al. Long-term results of laparoscopic gastrectomy for gastric cancer: a large-scale case-control and case-matched Korean multicenter study. J Clin Oncol 2014;32:627-633.
15. Kim W, Kim HH, Han SU, Kim MC, Hyung WJ, Ryu SW, et al. Decreased morbidity of laparoscopic distal gastrectomy compared with open distal gastrectomy for stage I gastric cancer: short-term outcomes from a multicenter randomized controlled trial (KLASS-01) Ann Surg 2016;263:28-35.
16. Kitano S, Iso Y, Moriyama M, Sugimachi K. Laparoscopy-assisted Billroth I gastrectomy. Surg Laparosc

Endosc 1994;4:146-148.
17. Lee S, Son T, Kim HI, Hyung WJ. Status and prospects of robotic gastrectomy for gastric cancer: our experience and a review of the literature. Gastroenterol Res Pract 2017;2017:7197652. doi: 10.1155/2017/7197652. Epub 2017 May 23.
18. Hashizume M, Sugimachi K. Robot-assisted gastric surgery. Surgical Clinics of North America 2003;83:1429-1444.
19. Noh SH, Park SR, Yang HK, Chung HC, Chung IJ, Kim SW, et al. Adjuvant capecitabine plus oxaliplatin for gastric cancer after D2 gastrectomy (CLASSIC): 5-year follow-up of an open-label, randomised phase 3 trial. Lancet Oncol 2014;15:1389-1396.
20. Ohgami M, Otani Y, Kumai K, Kubota T, Kitajima M. Laparoscopic wedge resection of the stomach for early gastric cancer using a lesion-lifting-method: curative and minimally invasive treatment]. Zentralbl Chir 1998;123:465-468.
21. Ono H, Kondo H, Gotoda T, et al. Endoscopic mucosal resection for treatment of early gastric cancer. Gut 2001;48:225-229.
22. Park JY, Kim YW, Ryu KW, Nam BH, Lee YJ, Jeong SH, et al. Assessment of laparoscopic stomach preserving surgery with sentinel basin dissection versus standard gastrectomy with lymphadenectomy in early gastric cancer-A multicenter randomized phase III clinical trial (SENORITA trial) protocol. BMC Cancer 2016;16:340.
23. Ranson HK. Cancer of the stomach. Surg Gynecol Obstet 1953;96:257.
24. Rydygier L. Die erste Mageneresktion beim magengeschwUr. Berl Klin Wsschr 1882;19:36.
25. Saito T, Kurokawa Y, Takiguchi S, Mori M, Doki Y. Current status of function-preserving surgery for gastric cancer. World J Gastroenterol 2014;20:17297-17304.
26. Schlatter C. A unique case of complete removal of the stomach. Successful esophagusenterostomy. Recovery Med Res 1987;52:907.
27. Songun I, Putter H, Kranenbarg EM, Sasako M, Van de Velde CJ. Surgical treatment of gastric cancer: 15-year follow-up results of the randomised nationwide Dutch D1D2 trial. Lancet Oncol 2010;11:439.
28. Tada M, Shimada M, Murakami F, et al. Development of strip-off biopsy. Gastroenterol Endosc 1984;26:833-839.
29. Wölfer A. Gartoenterostomie. Abl Chri 1881;8:705.

CHAPTER 12

위암의 역학적 특성

전 세계적으로 매년 발생하는 암은 2018년 현재 약 1,800만 건, 암으로 사망하는 사람은 950만 명으로 추정된다(표 12-1). 가장 흔하게 진단되고 사망하는 암은 폐암이다(암 발생 예 중 11.6%, 암 사망자 중 18.4%). 위암은 전체 암 사망자의 8.2%로 사망자 규모에 있어서는 폐암(18.4%), 대장직장암(9.0%) 다음이며, 발생에 있어서는 5위이다(표 12-1). 전 세계적으로 연간 남자 암 발생자 950만 명 중 위암은 7.2%, 암 사망자 540만 명 중 9.5%를 차지하며, 여자 암 발생자 860만 명 중 4.1%, 420만 명 중 위암 사망자는 6.5%로서, 남자에서 호발하는 암이다(그림 12-1). 아래에서는 전 세계적으로 위암의 역학적 특성을 기술하고, 우리나라의 역학적 특성 및 변화 추세를 기술한다.

표 12-1. **2018년 전 세계적 암 발생자 및 사망자 수(추정치)**

암종	암 발생자 수(%)	암 사망자 수(%)
폐암	2,093,876 (11.6)	1,761,007 (18.4)
유방암	2,088,849 (11.6)	626,679 (6.6)
대장직장암	1,800,977 (10.0)	861,663 (9.0)
전립선암	1,276,106 (7.1)	358,989 (3.8)
위암	**1,033,701 (5.7)**	**782,685 (8.2)**
간암	841,080 (4.7)	781,631 (8.2)
식도암	572,034 (3.2)	508,585 (5.3)
자궁경부암	569,847 (3.2)	311,365 (3.3)
갑상선암	567,233 (3.1)	41,071 (0.4)
전체	18,078,957	9,555,027

1. 위암 발생과 사망의 국제적 현황

질병의 발생수준을 비교하는 지표에는 연령 보정 발생률(age-standardized rate, ASR)과 64세 또는 74세까지의 누적 발생률(cumulative incidence rate, CR)이 있다. 비교하는 인구집단의 연령구조가 다르면 비교하고자 하는 집단 각 연령층의 발생률이 서로 같다고 하더라도 전체적 발생률은 다르게 산출된다. 그러므로 이러한 실제 발생률(crude incidence rate)로써 집단들을 직접 비교할 수 없다. 비교하는 인구집단의 연령구조가 같도록 하여 비교 목적의 가상적인 전체 발생지표(이를 연령 보정 발생률이라 한다)를 산출된다. 통상적으로 세계 인구의 연령구조를 표준으로 연령 보정 발생률(ASR: 인구 10만 명당)을 산출하여 국제 간의 비교에 사용한다. 누적 발생률은 각 연령집단의 실제 발생률을 0세부터 74세까지 누적 합산한 수치로서 보통 % 단위로 표시한다.

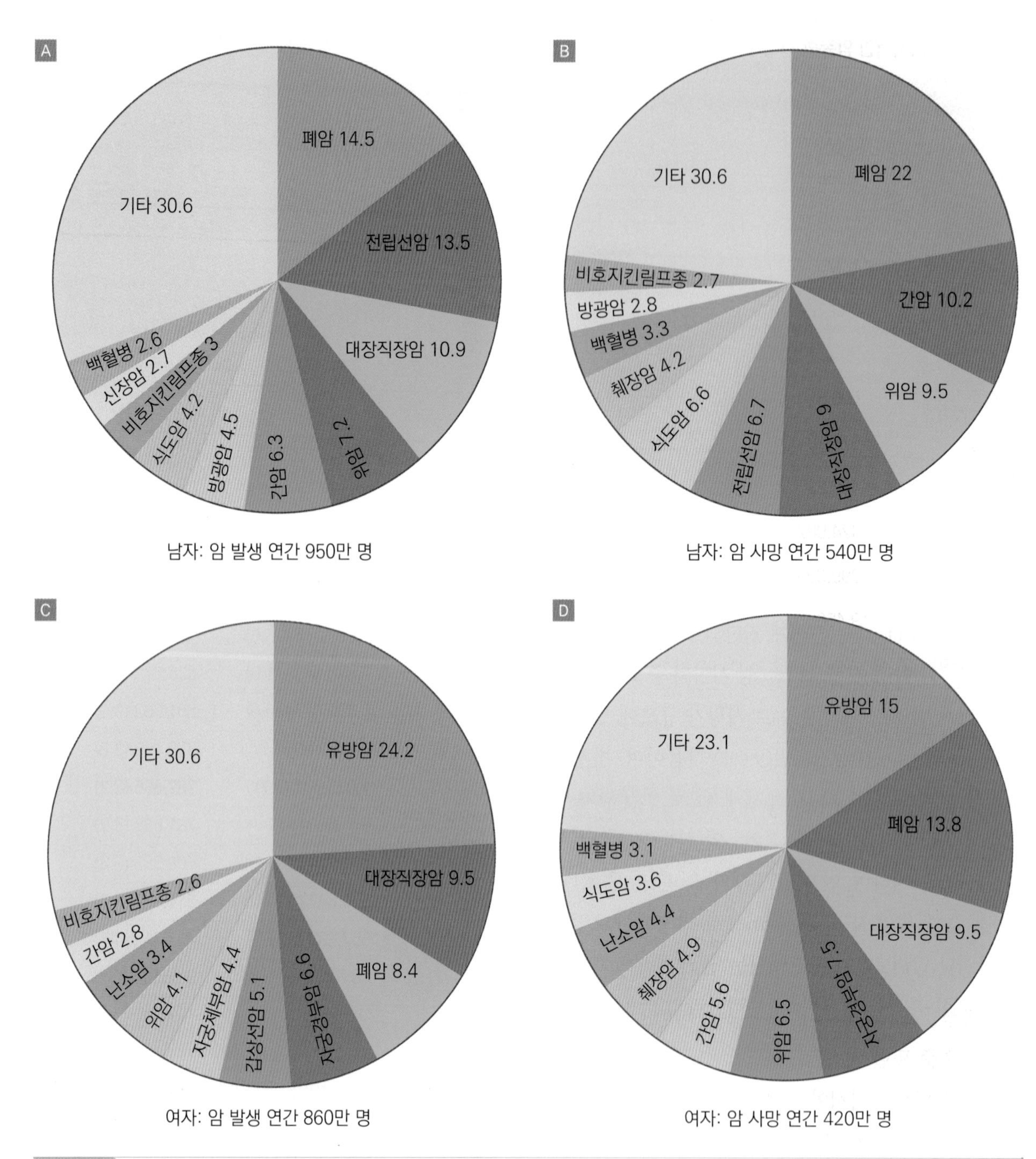

그림 12-1 **암 발생 및 사망의 부위별 점유율(%).**

2018년 현재 주요 암종별 연령 보정 발생률 및 누적 발생률(74세)은 표 12-2와 같다. 남자 위암의 연령 보정 발생률은 10만 명당 15.7명, 74세까지의 누적 발생률은 1.87%이며, 여자는 각각 7.0, 0.79%이다. 남자의 경우 50명 중 1명 정도는 74세까지 위암에 걸리고, 여자는 100명에 1명 정도가 위암 진단을 받는다.

암 등록사업이 수십 년 이상 지속적으로 수행된 미국, 덴마크, 스웨덴 등 선진국의 경우를 보면 위암 발생

표 12-2. **전 세계적인 암종별 발생 환자 숫자, 연령 보정 발생률(ASR), 누적발생률(CR) (2018년 추정치)**

부위	남자			여자		
	숫자	ASR[1)]	CR74[2)]	숫자	ASR	CR74
폐암	1,368,524	31.5	3.80	725,352	14.6	1.77
유방암	-	-	-	2,088,849	46.3	5.03
전립선암	1,276,106	29.3	3.73	-	-	-
위암	**683,754**	**15.7**	**1.87**	**349,947**	**7.0**	**0.79**
자궁경부암	-	-	-	569,847	13.1	1.36
간암	596,574	13.9	1.61	244,506	4.9	0.57
대장암	575,789	13.1	1.51	520,812	10.1	1.12
직장암	430,230	10.0	1.20	274,146	5.6	0.65
방광암	424,082	9.6	1.08	125,311	2.4	0.27
식도암	399,699	9.3	1.15	172,335	3.5	0.43
전체 암	9,456,418	218.6	22.41	8,622,539	182.6	18.25

1) 연령 표준화율(10만 명당, age-standardized rate)
2) 74세까지의 누적발생률(cumulative incidence until age 74)

률은 1950년대 이후 지속적으로 감소하고 있지만(그림 12-2), 최근까지도 남성 암 사망원인 중 3위를 차지하고 있다. 유럽 국가 중 위암 발생이 상대적으로 높은 이탈리아의 발생 수준보다 일본, 한국의 발생 수준은 2~3배 이상 높고 한국의 경우 세계적으로 가장 높은 위암 발생률을 나타낸다.

사망 수준 또한 지속적으로 감소하고 있으며, 유럽, 미국 등에 비하여 아시아 국가의 사망률이 2배 이상 높다(그림 12-3). 또한 한국은 남녀 모두 세계에서 위암 사망이 가장 높은 국가이다.

위암은 연령, 성별, 사회경제적 수준 및 지역에 따라 상당한 변이를 보이는데, 남자가 여자에 비해 2배 이상 발생률이 높고, 지역적으로는 일본, 한국, 몽고 등 동아시아의 발생 수준이 높다. 특히 2008~2012년 현재 한국의 위암 발생률은 남녀 각각 10만 명당 63.2, 25.0이며, 2018년 현재 추정치에 의하면 남자는 57.8, 여자는 23.5로, 세계적으로도 제일 높다(표 12-3, 그림 12-4). 한편 Cancer Incidence in Five Contients Vol XI에 따르면 체계적 암등록사업이 수행되는 지역 중 위암의 연령 보정 발생률이 높은 국가와 그 지역은 표 12-3과 같다. 한국 남자 100명 중 8명, 여자 100명 중 3명 정도는 74세가 되기까지 위암에 걸리는 것으로 추정된다.

반면 유럽과 북미 등의 선진국은 매년 10만 명당 10명 미만의 낮은 발생률을 보인다. 분문 이외(noncardia) 위암의 발생률은 지난 50년 동안 감소하는 양상을 보이는데 헬리코박터(*Helicobacter pylori*) 감염의 감소, 음식 보존과 저장기술의 발전 등을 포함하여 '예방의 의도하지 않은 승리(unplanned triumph of prevention)'라고도 한다. 분문(cardia) 부위의 위암은 식도암과 유사한 역학적 양상을 보인다.

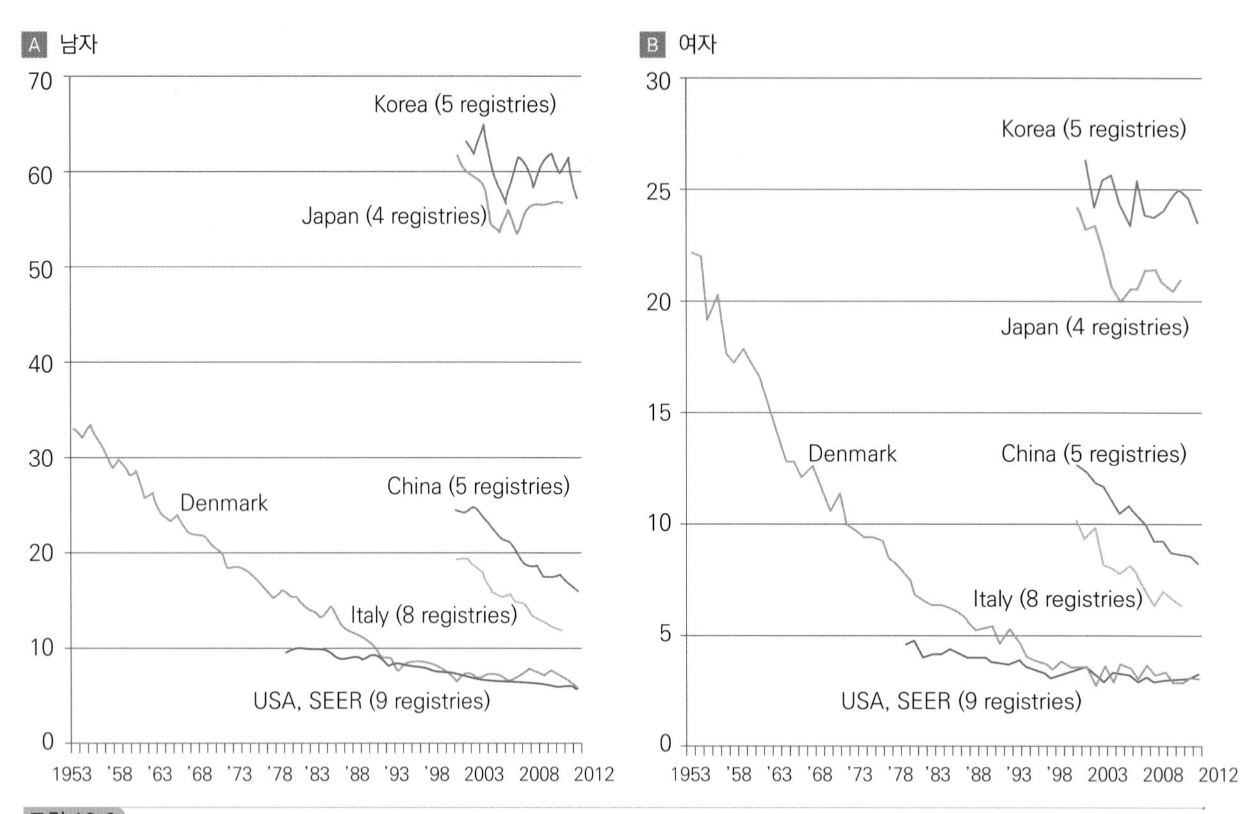

그림 12-2 국가별 위암 발생률(연령 표준화 발생률, 10만 명당)의 연도별 변화 추세.

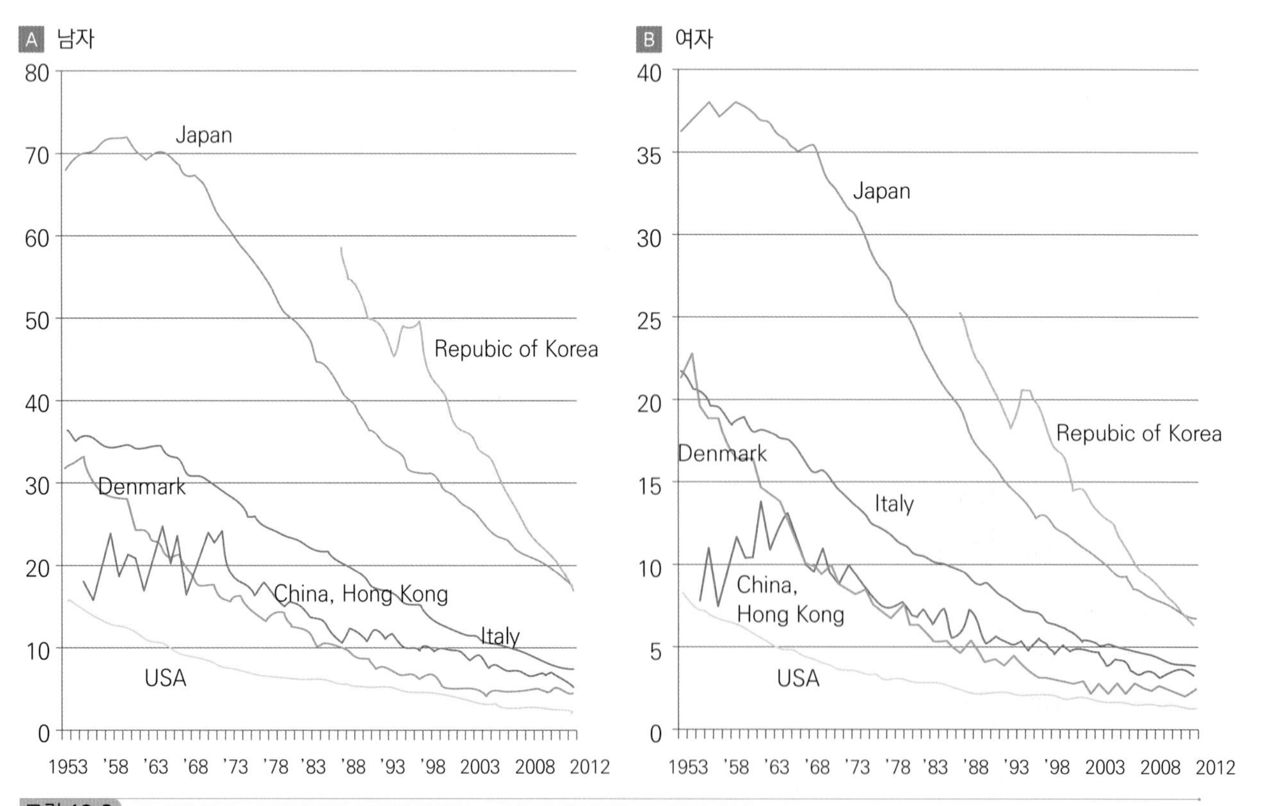

그림 12-3 국가별 위암 사망률(연령 표준화 발생률, 10만 명당)의 연도별 변화 추세.

표 12-3. **전 세계 일부 국가/지역의 연 평균 위암의 연령 보정 발생률(ASR) 및 0~74세 누적 발생률(2008~2012년)**

	남자		여자	
국가/지역	ASR[1)]	CR74[2)]	ASR	CR74
중국/Shexian County	151.9	19.14	58.7	7.50
일본/Yamagata	77.4	9.43	27.1	3.09
대한민국	**63.2**	7.76	**25.0**	2.89
인도/Mizoram	47.2	5.78	21.3	2.74
칠레/Bio Bio	41.4	4.88	14.8	1.67
터키/Erzurum	39.4	5.01	19.5	2.47
러시아/Karelia	37.5	4.40	15.2	1.81
미국/LA 한국계	24.4	2.86	13.5	1.52
미국/전체	5.7	0.66	2.8	0.32
영국	7.6	0.85	3.2	0.34

1) 연령 표준화율(10만 명당, age-standardized rate)
2) 74세까지의 누적발생률(cumulative incidence until age 74)

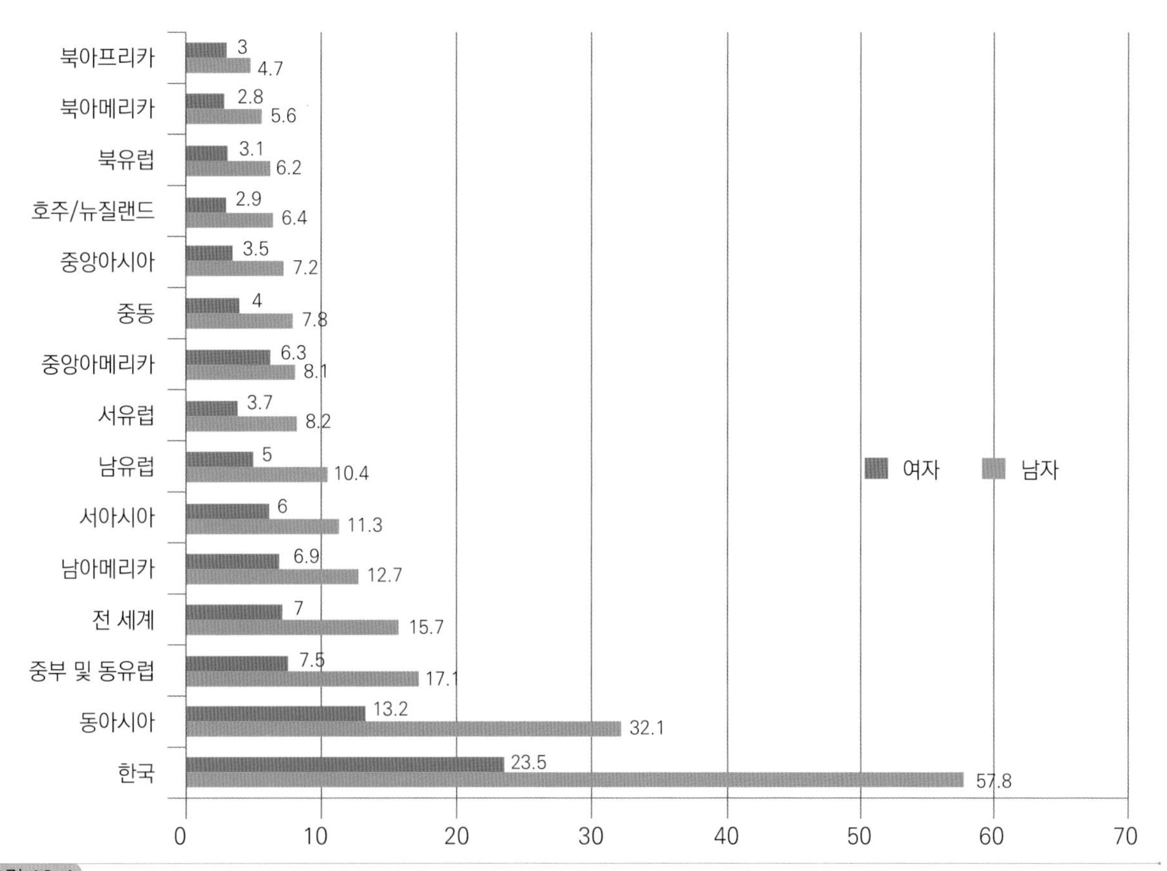

그림 12-4 **위암 발생 수준(10만 명당 연령 표준화 발생률) 지역적 양상(2018년 추정치).**

2. 우리나라의 위암 발생양상 및 사망률 추이

1) 위암의 발생 및 사망

1996년부터 2017년까지 우리나라의 전체 위암 발생 및 사망률 추이는 그림 12-5와 같다. 각 연도의 실제 위암 발생률 및 사망률을 2000년도 우리나라 인구 규모로 표준화하여 비교한 결과이다. 위암의 사망률과 발생률은 남녀 모두 지속적으로 감소하는 경향을 보이고 있다. 남자의 경우 1996년 표준화 사망률이 10만 명당 53.0에서 2017년 14.5로 1/4 수준으로 감소하였으며, 발생률은 1999년 68.4에서 2015년 현재 50.6으로 70% 수준으로 감소하였다. 여자의 사망률은 2017년 5.9, 발생률은 2015년 현재 10만 명당 22.1명으로 추정되어 사망이 발생의 1/4 정도로 추정되었다.

위암의 발생률은 1999년부터 2015년에 걸쳐 지속적으로 감소하고 있지만, 남자의 경우 간암과 폐암은 감소하는 경향, 전립선암, 대장직장암은 증가하는 경향을 보인다(그림 12-6). 여자의 경우에도 위암 발생과 자궁경부암, 간암 발생률은 감소하고 있으며, 유방암, 폐암 및 갑상선암은 증가하는 경향을 보인다. 최근 갑상선암의 급증은 실제 발생이 증가한 이유도 있겠지만, 진단 기회의 증가 등이 그 변화의 주요 원인으로 생각된다.

위암의 사망률은 위암의 조기진단이 증가하고 치료법의 발달로 인해 남자는 1996년 연간 10만 명당 53.0에서 2017년 14.5, 여자는 1996년 21.6에서 2017년 5.9로 발생에 비해 급격하게 감소하고 있다(그림 12-7). 또한 위암의 5년 생존율 또한 1990년대 50% 수준에서 2010년대에는 75% 수준으로 급격하게 증가하였다.

위암의 발생은 남녀 모두 그림 12-8에서와 같이 30세 이후 급격히 증가하는 양상이지만, 80세 이후 감소하는 출생 코호트 효과가 나타난다. 고령에서 진단 기회의 감소, 출생시기가 다르기 때문인 것으로 생각된다.

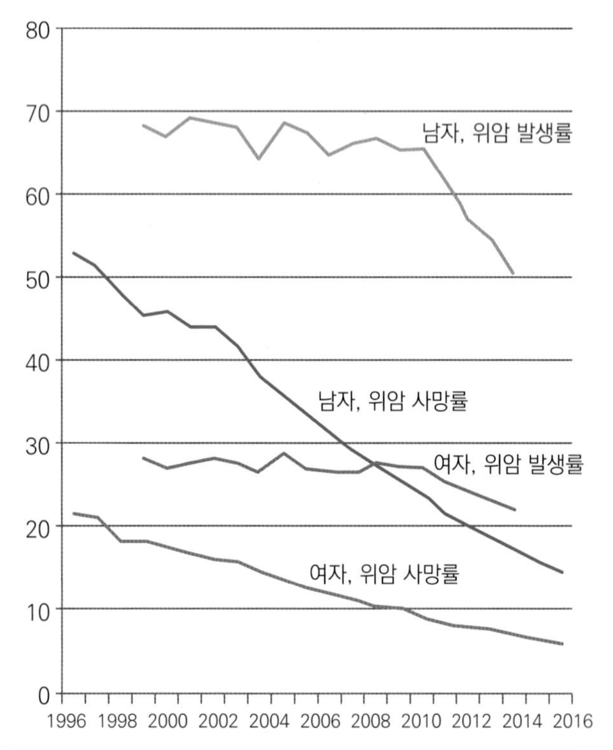

그림 12-5 한국의 연도별 위암 발생과 사망 수준(10만 명당 연령 표준화율: 표준인구는 2000년 한국 인구)의 변화 추세.

2) 발생 부위, 조직학적 특징 및 병기의 분포

1999년부터 2014년까지의 우리나라 암 등록 통계 사업 자료에 따르면(표 12-4), 2014년 현재 50.6%가 유문부(antrum/pylorus)이고, 위 몸통(gastric body)은 43.2%, 분문부(cardia/fundus)가 6.2%를 차지한다. 최근 15년에 걸쳐 위 몸통의 위암이 증가하고 유문부 위암이 감소하는 경향이 관찰된다.

2006년과 2014년 발생한 위암의 발생 부위별 병기 분포(surveillance epidemiology and end results, SEER 기준)는 표 12-5와 같다. 2006년과 비교할 때 2014년 현재 위장에 국한된 암의 비율이 54%에서 66%로 증가하였다. 또한 분문부 위암은 원격 전이율이 상대적으로 높고, 30대에 발견된 위암은 원격 전이율이 약 20.2%로 40세 이후 발생한 위암의 11.2%에 비해 두 배 정도 높다.

우리나라에서 발생하는 위암의 형태학적 분포는 표 12-6과 같다. 2014년 현재 관상선암(tubular adenocarcinoma)이 전체 위암의 3/4를 차지하며, 반지세포

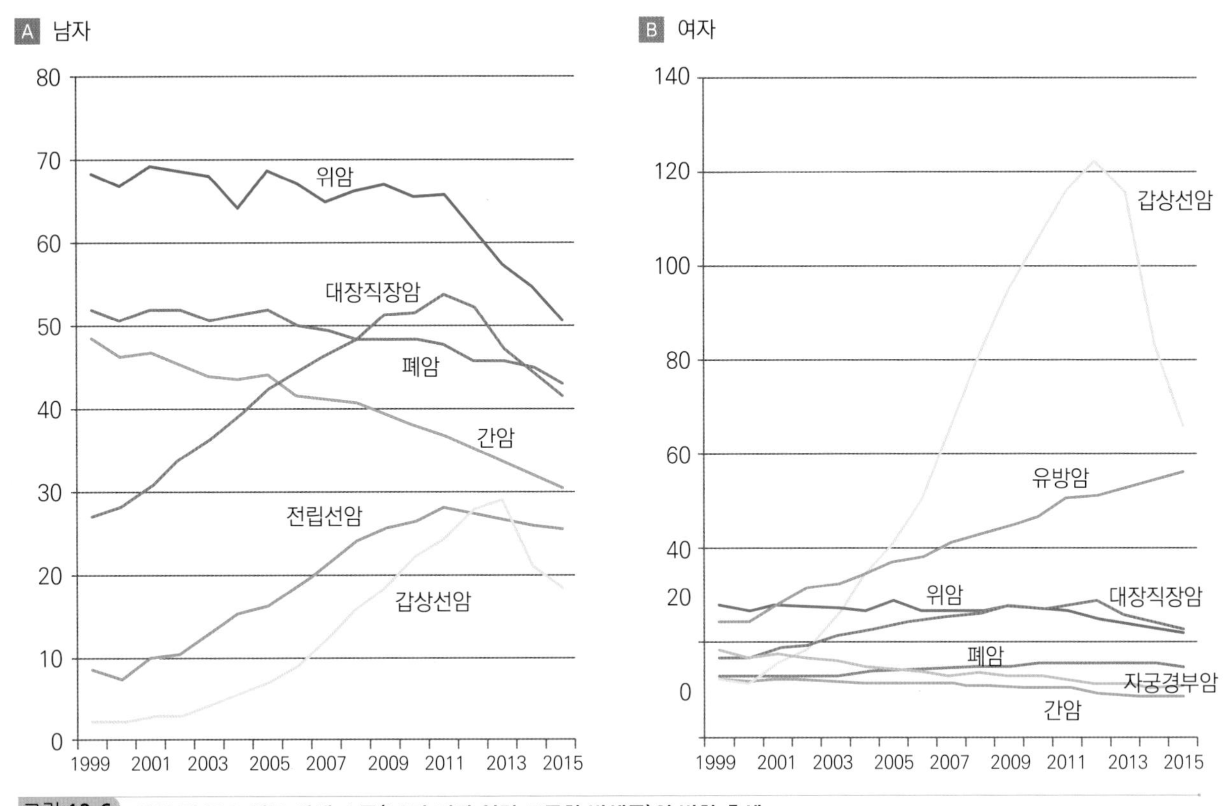

그림 12-6 위암 및 주요 암종 발생 수준(10만 명당 연령 표준화 발생률)의 변화 추세.

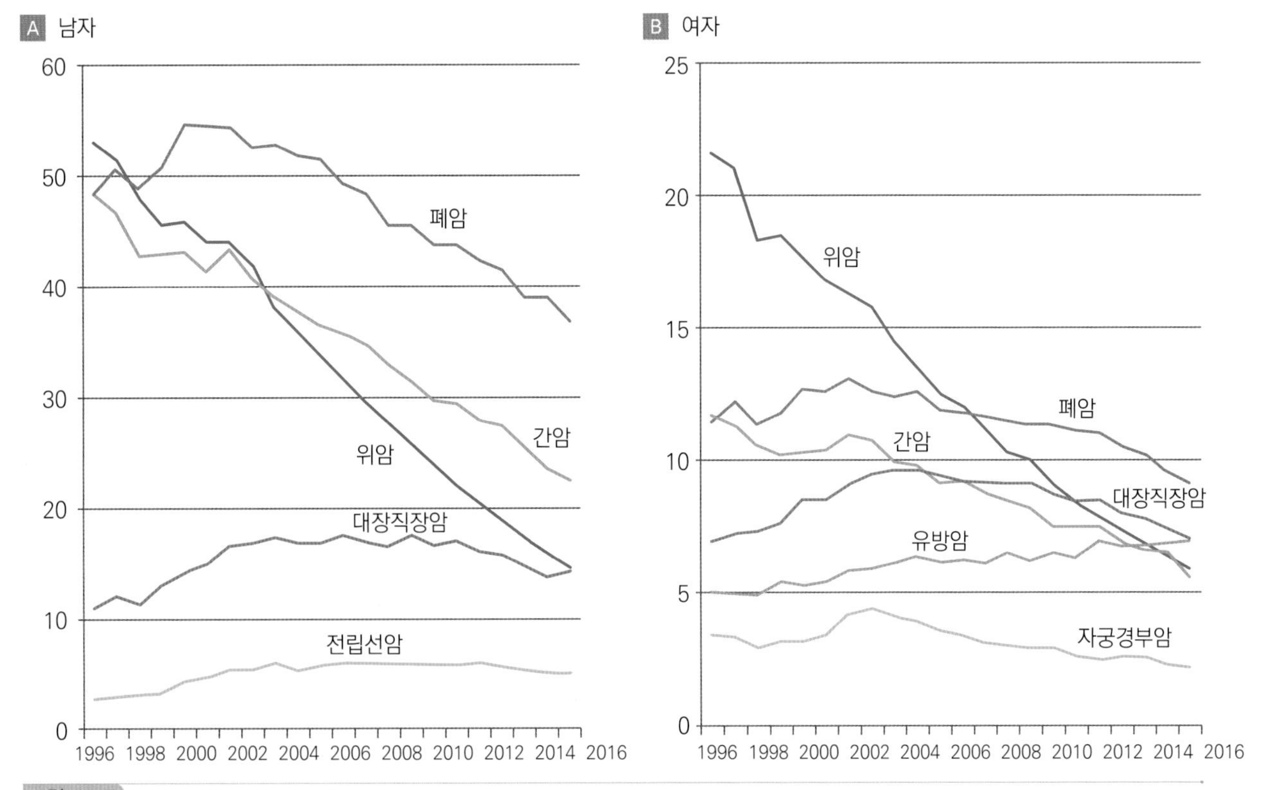

그림 12-7 위암 및 주요 암종 사망 수준(10만 명당 연령 표준화 사망률)의 변화 추세.

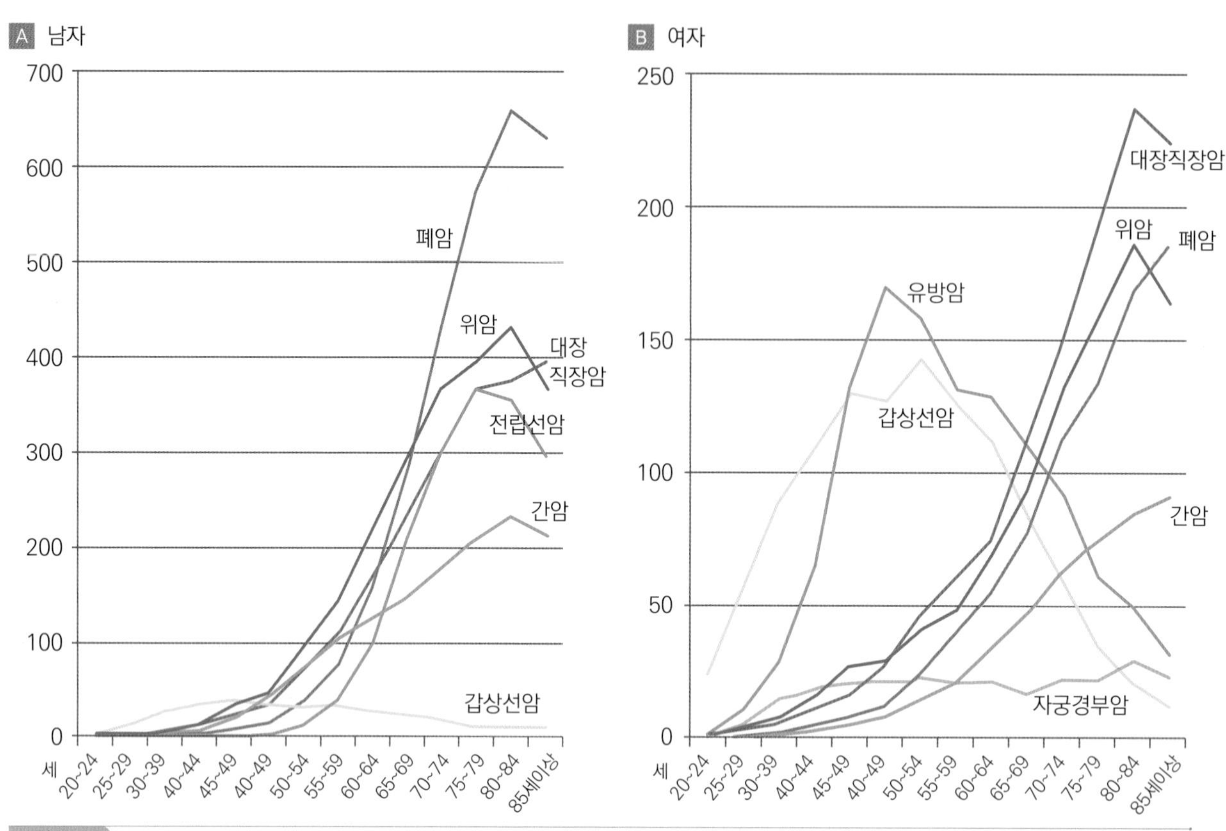

그림 12-8 **우리나라 주요 암종의 연령별 발생률(2015년 현재, 10만 명당 발생자 수).**

표 12-4. **위암의 발생부위별 분포**

연도	전체		분문부 (cardia/fundus)		체부 (body)		유문부 (antrum/pylorus)	
	숫자	ASR*	숫자(%)	ASR	숫자(%)	ASR	숫자(%)	ASR
2000	20,972	42.3	813 (7.1)	1.7	4,067 (35.5)	8.1	6,591 (57.5)	13.4
2005	26,367	44.4	1,114 (6.3)	1.9	6,816 (38.4)	11.5	9,806 (55.3)	16.6
2010	30,680	42.6	1,495 (6.2)	2.1	9,534 (39.6)	13.4	13,056 (54.2)	18.2
2014	29,854	35.8	1,566 (6.2)	1.9	10,981 (43.2)	13.6	12,849 (50.6)	15.2

* 연령-보정 발생률(age-standardized rate)

선암(signet ring cell adenocarcinoma)이 약 1/5, 나머지 5.5%가 다른 조직학적 형태를 가진 위암으로 보고되었다.

대한위암학회(Korean Gastric Cancer Association, KGCA)에서 수행한 2014년 위암 역학조사에서는 2014년 69개 기관에서 수술받은 15,613명의 위암 환자에 대하여 임상 및 병리적 양상을 조사하였다. 위장의 근위부암이 1995년 11.2%에서 16.0%로 증가하였으며, 조기위암은 61.0%를 차지하였다. 2004년과 2014년 2차에 걸친 위암 역학조사에서 조사된 수술받은 위암

표 12-5. **위암의 발생 부위별 병기 분포**

발생 부위	SEER 병기	2006	2014
전체	국한(localized)	11,712 (53.9)	18,572 (66.0)
	국소(regional)	6,819 (31.4)	6,335 (22.5)
	원격(distant)	**3,213 (14.8)**	**3,242 (11.5)**
	미상(unknown)	4,690	1,705
분문부 (cardia/fundus)	국한(localized)	466 (44.4)	799 (54.2)
	국소(regional)	392 (37.3)	453 (30.8)
	원격(distant)	**192 (18.3)**	**221 (15.0)**
	미상(unknown)	158	93
체부 (body)	국한(localized)	3,497 (55.6)	6,999 (66.1)
	국소(regional)	1,952 (31.0)	2,447 (23.1)
	원격(distant)	**841 (13.4)**	**1,136 (10.7)**
	미상(unknown)	883	399
전정부 (antrum/pylorus)	국한(localized)	5,308 (59.3)	8,728 (70.8)
	국소(regional)	2,671 (28.8)	2,589 (21.0)
	원격(distant)	**972 (10.9)**	**1,010 (8.2)**
	미상(unknown)	1,435	522
연령군			
30~39세	국한(localized)	508 (45.3)	453 (55.5)
	국소(regional)	375 (33.4)	198 (24.3)
	원격(distant)	**239 (21.3)**	**165 (20.2)**
	미상(unknown)	128	21
≥40세	국한(localized)	11,130 (54.4)	18,076 (66.4)
	국소(regional)	6,396 (31.3)	6,118 (22.5)
	원격(distant)	**2,931 (14.3)**	**3,048 (11.2)**
	미상(unknown)	4,533	1,680

환자의 조직병리학적 특징은 표 12-7과 같다. 2004년과 비교할 때 종양의 크기가 감소하고, 관상선암이 감소하는 경향이 있었다.

한편 2009년 3차 조사와 2014년 4차 조사에서 수술 환자의 AJCC 분류(7판)에 따른 분포는 표 12-8과 같다. 대부분의 위암은 장막하층 이하의 침범도를 나타냈지만, 15% 정도는 장막과 인접 장기까지 침범하는 소견이었으며 5% 정도는 수술 당시 원격 전이된 상태였다. 80% 정도는 병기 2 이하에서 진단되었지만 3기와 4기인 위암 환자가 전체의 20~25%를 차지하였다.

표 12-6. **우리나라 위암의 형태학적 분포**

연도	관상선암 (tubular adenocarcinoma)	반지세포암 (signet ring cell adenocarcinoma)	기타 암종 (other carcinoma)	유암종 (carcinoid tumor)	비상피성암 (non-epithelial tumor)	미분류 (unclassified)
2000	13,553 (75.8)	3,443 (19.3)	672 (3.8)	49 (0.3)	156 (0.9)	3,099
2005	18,357 (75.5)	4,755 (19.6)	832 (3.4)	128 (0.5)	232 (1.0)	2,063
2010	22,526 (76.4)	5,577 (18.9)	867 (2.9)	217 (0.7)	310 (1.1)	1,183
2014	21,430 (74.0)	5,947 (20.5)	902 (3.1)	277 (1.0)	395 (1.4)	903

표 12-7. **위암의 조직병리학적 특징: 위암 역학조사결과(2004년 3차 조사, 2014년 5차 조사)**

요인	범주	2004년 숫자(%)	2014년 숫자(%)
위치*	하부	5,347 (49.6)	7,959 (53.8)
	중간	3,635 (33.7)	4,233 (28.6)
	상부	1,493 (13.9)	2,365 (16.0)
	전체	299 (2.8)	244 (1.6)
종양 크기(cm)	<2.0	2,675 (24.8)	3,300 (22.3)
	2.0~3.9	3,528 (32.7)	5,751 (38.8)
	4.0~5.9	2,235 (20.7)	2,990 (20.2)
	6.0~7.9	1,215 (11.3)	1,359 (9.2)
	8.0~9.9	626 (5.8)	670 (4.5)
	≥10.0	508 (4.7)	754 (5.1)
육안소견(조기위암)	I	253 (5.9)	401 (4.6)
	IIa	435 (10.2)	1,222 (13.9)
	IIb	902 (21.1)	1,938 (22.1)
	IIc	2,346 (54.9)	4,757 (54.1)
	III	339 (7.9)	470 (5.3)
육안소견(진행성 위암)	B1	198 (3.6)	274 (5.0)
	B2	1,165 (21.3)	1,242 (22.5)
	B3	3,377 (61.8)	3,338 (60.4)
	B4	720 (13.2)	674 (12.2)
조직병리	유두선암	61 (0.6)	86 (0.6)
	관상선암	8,329(80.4)	10,559(70.3)
	고분화	1,517 (14.7)	1,733 (11.5)
	중분화	3,091 (29.9)	4,538 (30.2)
	저분화	3,721 (35.9)	4,288 (28.5)
	약응집암(반지세포암)	1,597 (15.4)	2,715 (18.1)
	점액선암	249 (2.4)	380 (2.5)
	혼합암	-	714 (4.8)
	기타	118 (1.1)	573 (3.8)

* 일본 지침에 따름(source: Japanese Gastric Cancer Association. Japanese classification of gastric carcinoma: 3rd English edition. Gastric Cancer 2011;14:101-112.).

표 12-8. **위암의 조직병리학적 특징: 위암 역학조사결과(2004년 3차 조사, 2014년 5차 조사)**

요인	범주	2009년 숫자(%)	2014년 숫자(%)
침범 정도	T1a (점막)	4,507 (32.0)	5,145 (34.6)
	T1b (점막하층)	3,618 (25.7)	3,935 (26.4)
	T2 (고유 근육층)	1,726 (12.3)	1,668 (11.2)
	T3 (장막하층)	2,038 (14.5)	1,822 (12.2)
	T4a (장막)	1,799 (12.8)	1,890 (12.7)
	T4b (인접 장기)	388 (2.8)	421 (2.8)
림프절 전이	N0	9,176 (65.5)	10,201 (68.1)
	N1 (1~2)	1,516 (10.8)	1,629 (10.9)
	N2 (3~6)	1,361 (9.7)	1,276 (8.5)
	N3a (7~15)	1,165 (8.3)	1,072 (7.2)
	N3b (≥16)	792 (5.7)	793 (5.3)
원격전이	M0	13,511 (94.5)	14,404 (95.5)
	M1	788 (5.5)	684 (4.5)
병기(AJCC 7판)	Ia	7,127 (50.5)	8,051 (53.4)
	Ib	1,461 (10.3)	1,582 (10.5)
	IIa	1,129 (8.0)	1,160 (7.7)
	IIb	1,020 (7.2)	996 (6.6)
	IIIa	806 (5.7)	772 (5.1)
	IIIb	867 (6.1)	862 (5.7)
	IIIc	919 (6.5)	981 (6.5)
	IV	788 (5.6)	684 (4.5)

참고문헌

1. 통계청. KOSIS 국가통계포털 [Internet]. 대전: 통계청; 2017 [cited 2017 Jan 28]. Available from: http://kosis.kr.
2. Antoni S, Soerjomataram S, Møller B, Bray F, Ferlay J. An assessment of GLOBOCAN methods for deriving national estimates of cancer incidence. Bull World Health Organ 2016;94:174-184.
3. Bray F, Colombet M, Mery L, Piñeros M, Znaor A, Zanetti R, et al. Cancer incidence in five continents, Vol. XI (electronic version). Lyon: International Agency for Research on Cancer. 2017. Available from: http://ci5.iarc.fr, accessed 2017:28.
4. Bray F, Ferlay J, Soerjomataram I, Siegel RL, Torre LA, Jemal A. Global cancer statistics 2018: GLOBOCAN estimates of incidence and mortality worldwide for 36 cancers in 185 countries. CA Cancer J Clin 2018. http://dx.doi.org/10.3322/caac. 21492.
5. Eom BW, Jung KW, Won YJ, et al. Trends in gastric cancer incidence according to the clinicopathological characteristics in Korea, 1999-2014. Cancer Res Treat 2018. doi: 10.4143/crt. 2017:464.
6. Howson CP, Hiyama T, Wynder EL. The decline in gastric cancer: epidemiology of an unplanned triumph. Epidemiol Rev 1986;8:1-27.
7. Information Committee of Korean Gastric Cancer Association. Korean Gastric Cancer Association Nationwide Survey on Gastric Cancer in 2014. J Gastric Cancer 2016;16:131-140.
8. Jung KW, Won YJ, Kong HJ, Lee ES. Cancer statistics in Korea: incidence, mortality, survival, and prevalence in 2015. Cancer Res Treat 2018;50:303-316.

CHAPTER 3

위암의 발병요인

1. 일반적인 위암 발병요인

1) 위암 발병요인의 일반적 분류

위암의 발병요인은 크게 세 범주인 환경요인(environmental factors), 개체요인(host factors), 전구병변 요인(antecedent conditions)으로 분류된다. 환경요인을 다시 식이요인과 비(非)식이요인으로 구분할 수 있는데, 식이요인이 가장 큰 비중을 차지한다. 개체요인은 주로 유전요인이며, 전구병변 요인에는 만성위축성 위염(chronic atrophic gastritis), 장상피화생(intestinal metaplasia), 위소장문합술, 만성 헬리코박터 파일로리(*Helicobacter pylori*) 감염 등이 있다(표 13-1).

2) 환경요인

(1) 식이요인

식이요인은 개선 가능한 암 발생 위험요소 중 하나로, 암을 유발하는 모든 원인들 중 무려 35%나 차지한다. 따라서, 암과 관련된 식이요인을 밝혀내는 것이 중요하다. 세계암연구기금(World Cancer Research Fund, WCRF)의 Continuous Update Project (CUP)에서는 특정 식품들의 섭취가 위암 발생과 밀접하게 연관되어 있다고 밝혔다(표 13-2). 본 연구에서는 전향적 연구에 해당하는 코호트(cohort), 환자-코호트(case-cohort), 그리

표 13-1. **지금까지 밝혀진 위암의 일반적인 발병요인**

환경요인
- 식이요인(충분한 근거, 제한적 근거) - 기타 환경요인(비만과 신체활동, 사회경제적 요인, 흡연, 직업적 노출, 전리방사선)
개체요인
- 인구통계학적 요인 - 가족력과 유전적 요인
전구병변 요인
- 만성위축성위염 - 장상피화생 - 위소장문합술 - 만성 헬리코박터 파일로리 감염

표 13-2. **세계암연구기금(WCRF) 연구결과 요약**

근거 수준		위험감소	위험증가
강함	확실	-	-
	가능성 있는	-	주류 절임 음식 가공육(비분문부) 체질량지수(분문부)
제한적	제한적인	감귤류 (분문부)	육류와 어류 바베큐 적은 양의 과일 섭취

고 코호트 내 환자-대조군 연구(nested case-control)만 을 포함해 메타분석(meta-analysis)한 결과들을 토대로 연관성에 대한 근거를 도출했다.

① **충분한 근거**(strong evidence)

i) 주류 섭취

하루 세 잔 이상의 주류(alcoholic drinks)를 섭취할 경우(>45 g/day), 위암 발생위험이 증가한다는 충분한 근거가 밝혀졌다. 23건의 코호트 연구가 포함된 선형 용량-반응(linear dose-response) 메타분석 연구결과, 알코올 섭취가 지나치게 높은 한 연구를 제외한 경우, 알코올 섭취가 10 g 증가했을 때, 위암 발생위험이 약 3% 증가한다는 결과가 나타났다[relative risk (RR) 1.03, 95% CI (95% confidence interval) 1.01~1.04]. 비선형 용량-반응(non-linear dose-response) 메타분석 결과, 알코올 섭취가 일 45 g을 초과했을 때, 위암 발생위험이 통계적으로 유의하게 증가하였다.

ii) 염장식품 섭취

염장식품(foods preserved by salting)의 섭취가 위암 발생위험과 밀접하게 연관이 되어있다는 충분한 근거가 있다. 이 근거는 염장식품, 채소, 어류에 기반하며, 특히 아시아계 전통 식품들, 예를 들면 염장 채소, 염장 건어물에서 흔히 찾아볼 수 있다. 염장식품과 위암 발생에 관한 9건의 전향적 연구(아시아 연구 8건, 유럽 연구 1건)를 포함한 선형 용량-반응 메타분석 연구에 의하면, 염장식품의 섭취가 0.5 serving (20 g) 증가했을 때, 위암 발생위험이 약 9% 유의하게 증가하였다(RR 1.09, 95% CI 1.05~1.13).

iii) 가공육 섭취

가공육(processed meat)의 섭취가 비분문부(non-cardia) 위암의 위험을 증가시킨다는 충분한 증거가 밝혀졌다. 세계암연구기금에서 제시한 가공육의 정의는 훈연, 염지, 염장, 또는 방부제를 첨가하여 보존한 육류이다. 햄, 베이컨, 파스트라미, 핫도그, 소시지 등이 이에 해당한다. 비분문부 위암과 가공육에 대한 3건의 전향적 연구들이 선형 용량-반응 메타분석에 포함되었으며, 가공육의 섭취가 50 g 증가하였을 때, 위암 발생위험이 약 18% 유의적으로 증가하였다(RR 1.18, 95% CI 1.01~1.38).

② **제한적 근거**(limited evidence)

i) 육류와 어류 바베큐 섭취

육류와 어류 바베큐가 위암 발생위험을 증가시킨다는 제한적 근거가 밝혀져 있다. 육류와 어류 바베큐에 대하여 기존에 발표된 전향적 연구는 구운 어류에 대한 연구 2건, 구운 육류에 대한 연구 1건으로 총 연구 건수가 적으므로, 메타분석이 불가능했다. 그러나 타당한 메커니즘이 CUP 패널들에 의해 확인되었다. 바베큐의 제조과정에 생기는 유해물질의 종류로는 육류의 분해산물인 아미노산이 식품 보존제인 nitrite 또는 nitrate와 반응하여 생기는 N-nitroso 화합물과 고온조리 중 생기는 육류 부산물인 다환 방향족 탄화수소(polycyclic aromatic hydrocarbons, PAHs), 헤테로사이클릭아민(heterocyclic amines, HCAs)이 있다.

ii) 과일 섭취

과일을 덜 섭취하면 위암 발생위험이 증가한다는 제한적 근거가 있다. 13개의 전향적 연구들이 선형 용량-반응 메타분석에 포함되었으며, 과일 100 g 섭취 증가와 위암 발생위험 간의 연관성은 밝혀지지 않았다. 그러나 비선형 용량-반응 메타분석 결과, 과일의 하루 섭취량이 45 g 미만일 때, 위암 발생의 위험이 유의하게 증가하였으며, 과일 섭취가 45 g 이상이었을 때에는 위암 발생위험이 유의하게 감소하였다.

iii) 감귤류 섭취

감귤류(citrus) 과일이 분문부(cardia) 위암 발생을 감소시킨다는 일부 근거가 밝혀졌다. 3건의 전향적 연구들이 선형 용량-반응 메타분석에 포함되었으며, 감귤류 과일 100 g 섭취 증가에 따라 분문부 위암 발생위험이 약 24% 감소하였다(RR 0.76, 95% CI 0.58~0.99). 비분문부 위암에 관한 5건의 연구들이 선형 용량-반응 메타분석에 포함되었지만, 통계적으로 유의한 연관성은 찾을 수 없었다.

(2) 기타 환경요인

① **비만과 신체활동**

세계암연구기금에 의하면, 과체중과 비만[판정기준: 체질량지수(body mass index, BMI)]가 분문부 위암 발생위험을 증가시킨다는 강력한 근거가 있다. 7건의 전향적 연구가 선형 용량-반응 메타분석에 포함되었으며, 체질량지수가 5 kg/m^2 증가할 때마다 분문부 위암 발생이 유의하게 증가하였으나(RR 1.23, 95% CI 1.07~1.40), 비분문부 위암과는 연관성을 찾을 수 없었다. 비선형 용량-반응 메타분석 결과, 분문부 위암과 높은 체질량지수(>26 kg/m^2) 간에 유의한 연관성이 나타났다. 체지방이 위암에 영향을 미치는 정확한 생물학적 메커니즘은 아직 밝혀지지 않았으나, 예상되는 메커니즘으로는 식도역류, 인슐린 저항성, 아디포넥틴과 렙틴의 수치변화, 재생인자, 성호르몬과 글루코코르티코이드, 비만과 관련된 염증표지, NF-kβ, 그리고 산화 스트레스 등이 있다. 몇몇 연구들에 의하면, 신체활동과 위암 발생 간에는 반비례 관계가 있는 것으로 밝혀졌다. 유럽 10개국의 다기관(multi-center) 코호트 연구에 의하면, 신체활동 점수가 높을수록 전체 위암 및 비분문부 위암의 위험이 감소하는 것으로 나타났다.

한 일본 연구에 의하면, 여성에서만 총 신체활동 점수[일간 총 대사당량(metabolic Equivalents, METs)]가 높을수록 위암 발생위험이 감소하는 것으로 나타났다. 미국의 한 코호트 연구에 의하면, 지난 12개월간 격렬한 신체활동(주간 5회 초과 vs. 전혀 하지 않음), 15~18세 동안 전형적인 신체 활동과 스포츠활동(주간 7시간 초과 vs. 주간 1시간 미만) 모두 비분문부 위암 발생과 유의하게 반비례하였으나, 분문부 위암과는 연관성이 확인되지 않았다. 16건의 연구들(코호트 연구 7건, 환자-대조군 연구 9건)을 메타분석한 결과, 가장 신체활동이 활발한 그룹의 사람들이 가장 활발하지 않은 집단의 사람들에 비해 위암 발생위험이 약 21% 낮게 나타났으며(OR 0.79, 95% CI 0.71~0.87), 성별, 연구디자인, 연구의 질, 그리고 지리적 위치에 따라 층화 분석하였을 때의 경향도 이와 동일하였다. 이 결과에 의하면, 신체활동을 증진시키는 중재법은 아마 전 세계적으로 위암 발생의 위험을 감소시키는 데 도움이 될 것이라고 제안해볼 수 있다.

② **사회경제적 요인**

낮은 사회경제적 지표들, 예를 들면, 낮은 소득수준, 낮은 교육수준, 높은 출산율, 낮은 직업 수준은 비분문부 위암과 더 연관이 깊은 반면에, 높은 사회경제적 지표들은 분문부 위암과 더 관련이 높다. 위암 발생에 영향을 주는 많은 위험요인들 중에서는 특히 헬리코박터 파일로리균 감염이 위암과 연관성이 높은데, 이는 사회경제적 요인과 위암 발생위험성 사이에서 교란변수(confounder)로 작용할 수 있다. 유럽에서 진행된 한 코호트 내 환자-대조군 연구에 의하면, 헬리코박터 파일로리 혈청 유병률을 보정하였을 때 교육수준과 위암 발생위험성 사이의 반비례한 연관성이 사라졌다. 36건의 연구들(코호트 연구 13건, 환자-대조군 연구 23건)을 메타분석한 연구에 따르면, 위암 발생위험은 교육수준[relative index of inequality (RII) 2.97, 95% CI 1.92~4.58], 직업(RII 4.33, 95% CI 2.57~7.29), 복합적 사회경제적 수준(RII 2.64, 95% CI 1.05~6.63)과 연관이 있었으나, 소득수준과는 통계적으로 유의한 연관성이 나타나지 않았다. 본 연구에서 직업군은 Erikson-Goldthorpe의 5그룹 도식에 따라 분류하였다: ① class I, 고수준 고용인, ② class II, 중간수준 고용인, ③ class III, 저수준 고용인, ④ class V/VI, 숙련된 노동자, ⑤ class VII, 비숙련 노동자.

③ 흡연

국제암연구소(IARC)의 단행본(monograph)에 의하면, 담배는 16종의 발암물질을 함유하고 있다: benzo[α]pyrene (BaP), arsenic, 4-(methylnitrosamino)-1-(3-pyridyl)-1-butanone (NNK), 2-naphthylamine, benzene, N′-nitrosonornicotine (NNN), vinyl chloride, beryllium, 4-aminobiphenyl, formaldehyde, 1,3-butadiene, nickel compounds, ethylene oxide, cadmium, chromium VI, and polonium-210. 인체연구에서 흡연이 위암을 포함한 다양한 암을 유발한다는 충분한 증거들이 밝혀졌기 때문에, 국제암연구소는 흡연을 1급 인체 발암물질로 분류하였다. 한 체계적 문헌고찰(systematic review) 결과에 의하면, 흡연은 분문부 위암(RR 1.87, 95% CI 1.31~2.67) 및 비분문부 위암(RR 1.60, 95% CI 1.41~1.80)의 위험을 모두 유의적으로 증가시키는 것으로 나타났다.

④ 직업적 노출

특정 환경에 직업적으로 노출되는 일 또한 위암 발생의 위험요인이다. 스페인 남동부에서 진행된 한 환자-대조군 연구에 의하면, 고온 및 고분진 작업환경이 미만형(diffuse-type) 위암의 발생위험을 증가시키는 것으로 나타났다.

⑤ 전리방사선

전리방사선(ionizing radiation) 피폭도 위암 발생의 위험요인 중 하나이다. 고농도 방사능에 피폭된 일본 히로시마와 나가사키의 원폭 생존자에 대한 장기간의 추적연구에서도 위암 발생이 유의하게 증가하였음이 확인된 바 있으며, 소화성궤양(peptic ulcer disease) 또는 고환암(testicular cancer) 치료를 위해 15~30 Gy의 방사선요법을 받은 환자들에서도 위암 발생위험이 2~4배 증가했다.

3) 전구병변 요인

(1) 만성위축성위염

만성위축성위염(chronic atrophic gastritis)은 해당 환자에서 위암(특히 장형 위암) 발생위험도가 높아지는 일종의 전구병변(precursor lesion)으로, 위암까지의 진행 소요기간은 16~24년이라는 보고가 있다. 만성위축위염은 성상에 따라 구분되는데, 분비과다형(hypersecretory), 자가면역형(autoimmune), 환경형(environmental)이 있다. 이 중에 악성빈혈(pernicious anemia)과도 연관이 있는 자가면역형과 환경형이 위암으로의 진행 위험도가 높고, 분비과다형은 위암과 무관하다고 알려져 있다.

(2) 장상피화생

위점막세포의 장상피화생(intestinal metaplasia)은 위의 상피세포가 소장이나 대장의 상피세포와 유사한 장형세포로 대치되는 현상으로, 장형 위암의 발생위험도가 높아진다. 인구집단을 대상으로 한 역학연구에서뿐만 아니라 동물실험 연구에서도 이를 뒷받침하는 증거들이 보고된 바 있다.

(3) 위소장문합술

위소장문합술(gastroenterostomy)이란 위의 양성질환에 대한 수술로서 위와 소장을 이어주는 수술을 한 후 최소 20년이 경과한 후에 위암의 발병 위험도가 3~5배 정도 높아진다. 특히 위와 십이지장을 잇는 Billroth I 방법보다 공장과 위를 연결하는 Billroth II 방법의 위암 발병 위험도가 높은 것으로 알려졌는데 알칼리성 담즙과 췌장액의 역류가 주요한 이유로 생각되고 있다.

(4) 만성 헬리코박터 파일로리 감염

헬리코박터 파일로리(*Helicobacter pylori*)는 위점막에서 서식하는 나선형(spiral-shaped)의 그람음성(gram-negative) 세균으로, 만성위염과 소화성궤양뿐만 아니라 위암의 주요 위험요인으로 알려져 있다. 위에서 분비되는 위산(HCl)은 식품이나 물에서 유입되는 병원체들로부터 신체를 보호하는 데 필수적인 역할을 한다. 그러나 헬리코박터 파일로리 같은 몇몇 세균성 병원체들은 적응 메커니즘을 개발하여 산성환경에서도 생존할 수 있다. 국제암연구소 단행본에 의하면, 헬리코박터 파일로리 만성감염증은 비분문부 위암과 저등급 MALT 림프종(low-grade mucosa-associated lymphoid tissue lymphoma)의 위험을 높인다는 충분한 증거가 있다고 알려져 있으며, 따라서 1급 인체 발암물질로 분류되었다. 12건의 코호트 내 환자-대조군 연구들을 종합한 한 연구에 따르면, 헬리코박터 파일로리 감염은 비분문부 위암에서만 연관성이 있었으며(OR 3.0, 95% CI 2.3~3.8), 특히 이 연관성은 감염을 확인하기 위한 혈청검사 시점과 위암 진단 시점 사이의 기간이 10년 이상이었을 때 더 높게 나타났다(OR 5.9, 95% CI 3.4~10.3).

헬리코박터 파일로리 감염이 위암 발생에 영향을 주는 경로는 두 가지로, 감염이 간접적으로 위상피세포에 염증을 유발하거나, 상피세포에 대해 특정한 독성인자(virulent factor)가 직접 작용할 수도 있다. 독성인자 중 특히 cytotoxin-associated gene A (*cagA*)는 위암 발생과 밀접히 연관되어 있는 것으로 알려져 있다. 16개의 연령과 성별을 매칭한 환자-대조군 연구들을 메타분석한 연구결과에 의하면, 헬리코박터 파일로리에 감염된 대상자들 중에서 *cagA* 양성인 대상자들에서 위암 발생위험이 증가하였으며(OR 1.64, 95% CI 1.21~2.24), 비분문부 위암의 발생도 증가하였다(OR 2.01, 95% CI 1.21~3.32). 현재까지는 헬리코박터 파일로리 감염이 위암을 유발하는 두 경로(직간접적 조절) 사이의 연관성이 명확하지는 않지만, 두 경로 모두 복합적으로 작용하여 위암 발생을 높일 것으로 예측된다.

4) 개체요인

(1) 인구통계학적 요인

위암 발생률은 연령에 따라 꾸준하게 증가한다. 미국에서 2010년과 2014년 사이에 진단된 위암 케이스들 중에 1.8%는 35세 이하에서 발생한 데 반해, 34.5%는 75세 이상에서 발생하였다. 이 시기에 진단된 연령의 중앙값은 68세였다. 위암 발생률은 성별에 따라 차이가 있다. 분문부 위암의 발생률은 남성에서 여성에 비해 3배가량 높았으나, 비분문부 위암은 약 2배가량 높았다. 남성에서 위암 발생률이 높은 이유는 아직 밝혀져 있지 않으나, 그 원인은 전 세계적으로 남성에서 위암의 중요한 위험요인인 헬리코박터 파일로리의 감염률이 높기 때문인 것으로 예측된다. 위암의 다른 주요 위험요인 중 하나인 흡연이 남성에서 높은 것이 위암 발생률에 영향을 주는 것으로 예측되었지만, 흡연자와 비흡연자에서 모두 위암 발생 남녀 비율이 남성에서 더 높게 나타났으므로, 남성에서 흡연 발생이 높은 원인이 흡연력으로 충분히 설명되기 어려울 수도 있을 것으로 예상된다. 여성에서 위암 발생위험이 낮은 다른 원인으로는, 여성이 난소나 외인적 요인에 기인한 에스트로겐에 오래 노출되었기 때문일 수도 있다. 에스트로겐은 특정 조직에서 염증반응과 사이토카인 생성을 억제시키고, 아마 상부위장관에서도 이와 유사한 효과를 나타내며, 이로 인해 여성에서의 위암 발생률이 남성에 비해 17.3년 늦어졌을 것으로 예측된다.

미국의 위암 발생률을 인종 별로 비교했을 때, American Asians/Pacific Islanders (APIs)의 분문부 위암 발생률은 거의 흑인과 비슷하였고, 거의 대부분의 연령대에서 백인에 비해 낮았다. 그러나 80세 이상의 대상자들에서 APIs 분문부 위암 발생률은 흑인과 백인에 비해 높았다. 반면, APIs에서 비분문부 위암의 발생률은 모든 연령대에서 흑인과 백인에 비해 높았다. 이러한 인종과 연령에 따른 발생 패턴 차이는 남녀 모두에서 나타난다. 그러나 위암 발생의 민족적 차이는 젊은 시기의 환경적 요인에 크게 영향을 받는 것으로 알려져 있다. 이주민 연구결과에 의하면, 위암 발생률이 높은 국가(일본)에서 낮은 국가(미국)로 온 1세대 이주자들은 본 국가의 위험을 공유하지만, 몇 세대를 거치면서 이주해 온 국가의 발생률과 점차 유사해진다.

(2) 가족력과 유전적 요인

약 10% 정도의 위암이 가족집적성(familial clustering)에 기인하는데, 그중 단 1~3%만이 유전에 의한 위암이다. 가장 흔히 발견되는 암종은 유전성 미만형 위암이며, 이 환자들 중 30~50%에서 *CDH1* 유전자의 생식세포 변이(germline mutation)가 발견된다. 다른 케이스들은 산발적으로 발생하는데, 이것이 시사하는 바로는 아직까지 위암의 주요 고침투성(high penetrance) 유전자는 밝혀진 바가 없으며, 유전적 요인과 환경적 요인의 복잡한 상호작용에 의한 다인성 질환이라는 것이다. 산발적 케이스들은 또한 후천적 유전적 기형(acquired genetic abnormalities)이라 불리기도 하는데, 몇 개의 유전적 요인들[예: 염색체의 불안정성, 부수체(microsatellite)의 불안정성, 후생적 또는 microRNA profile의 변화, 체세포 유전인자의 돌연변이]에 기인하며, 이 중 어느 한 메커니즘을 통하더라도 신호전달체계의 조절에 문제가 생기거나, 숙주-환경 상호작용이 달라지거나, 세포의 주기, 성장, 증식, 사멸에 혼란이 유발되고, 결과적으로 위암 발생위험이 증가할 수 있다. 가족력과 위암 사이의 연관성을 조사한 15건의 환자-대조군 연구들에 대한 리뷰논문에 의하면, 모든 연구들에서 유의한 연관성이 나타났으며, 따라서 가족력이 위암 발생의 중요한 위험요인일 것으로 생각된다. 그러나 이 연구에서는 가족집적성에 대한 분자수준의 메커니즘이 밝혀지지 않았으므로, 비(非)유전적 요인들(예: 생활습관, 사회경제적 수준, 흡연, 헬리코박터 파일로리 감염 등)이 유전적 요인들과 독립적으로 또는 상호작용하여 위암의 발생에 영향을 줄 것으로 예측된다.

유전적 다형성(genetic polymorphism) 또한 위암 발생에 미치는 요인 중 하나이며, 복잡한 분자 경로와 관련된 효소의 활성을 변경하는 과정에 관여하는 것으로 생각된다. DNA 합성과 복구에 관여하는 유전자인 *MTHFR* (methylene tetrahydrofolate reductase), 발암물질의 대사에 관여하는 유전자인 *GST* (glutathione-S-transferase)와 *NAT* (*N*-acetyl transferase), 염증반응에 관여하는 유전자인 *IL-1B* (interleukin-1 beta), 종양억제에 관여하는 유전자인 p53 등이 이에 해당한다.

2. 우리나라의 위암발병 식이요인

1) 염장식품 섭취

나트륨을 직접적으로 섭취하는 것은 위 내벽(stomach lining)을 손상시켜 니트로소 화합물(nitroso compound) 생성 및 헬리코박터 파일로리 감염을 촉진하여, 결과적으로 위암 발생위험이 증가할 수 있다. 국민건강영양조사에 의하면, 나트륨은 충분섭취량의 253.3%를 섭취하는 것으로 조사되었다. 나트륨은 목표섭취량 대비로도 190.4%를 섭취하는 수준이며, 연령, 거주지역, 소득수준과 상관없이 모든 군에서 과다 섭취하는 것으로 평가되었다. 남자의 나트륨 섭취량은 여자의 1.5배 수준이었다. 나트륨의 주요 급원식품군은 양념류(전체 섭취량의 46.8%), 채소류, 곡류이고, 주요 급원식품은 소금, 배추김치, 간장, 된장, 라면 등이었다. 식습관이 비슷한 일본인과 한국인을 대상으로 한 전향적 연구들을 메타분석한 결과에 의하면, 신선한 야채를 많이 섭취할수록 위암 발생위험이 약 38% 유의하게 감소하는 것으로 나타난 반면, 염장채소를 많이 섭취할수록 위암 발생위험이 약 28% 증가하는 것으로 나타났다. 이 결과를 토대로, 위암을 예방하기 위해서는 가급적이면 야채를 염장하여 섭취하는 것을 피할 필요가 있는 것으로 밝혀졌다. 한국의 4개 지역에서 24시간 소변 수집법을 이용한 나트륨 함량 측정결과와 위암 발생 및 사망률을 비교한 생태학적 연구(ecological study) 결과에 의하면, 나트륨 섭취와 위암 발생 및 사망률 사이에는 양의 상관관계가 나타났다. 한국인 22,248,129명을 대상으로 한 코호트 연구결과에 의하면, 소금 선호도가 높을수록 위암 발생위험이 약 1.1배 유의하게 증가하는 것으로 나타났다. 몇몇 환자-대조군 연구들에 의하면, 나트륨 함량이 높은 김치의 섭취를 많이 하거나 섭취 빈도가 높을수록 위암 발생위험이 증가하는 것으로 나타났다. 된장을 많이 섭취하거나 된장찌개를 빈번히 섭취하는 것도 위암 발생위험을 높이는 요인들에 해당한다.

2) 가공육 섭취와 육류 바베큐 조리의 영향

질산염(nitrate)은 가공육의 보존제로 쓰이며, 위산에 의해 체내에서 생성되기도 한다. 이는 발암물질 중 하나인 N-nitroso 화합물 생성을 유도한다. 게다가 고온에서 가열하게 되면, 부산물인 다환 방향족 탄화수소와 헤테로사이클릭아민이 생성된다. 환자-대조군 연구들에 의하면, 숯에 구운 육류 및 육류와 어류의 섭취는 위암 발생위험을 높이는 것으로 나타난 반면, 총 육류 섭취는 위암 발생위험과 유의한 연관성을 확인할 수 없었다.

3) 과일 섭취

과일의 파이토케미컬(phytochemical) 항산화 성분은 염증에 의해 생성된 자유라디컬(free-radical) 손상을 감소시킬 수 있다. 대표적인 파이토케미컬 중 하나인 플라보노이드(flavonoid) 성분은 항산화 효과뿐만 아니라 발암물질의 활성을 억제하는 기능도 있다. 또한, 플라보노이드는 다른 식이 성분들의 대사에 영향을 줄 수 있다. 예를 들어, 플라보노이드의 한 종인 퀘세틴(quercetin)은 직접적으로 CYP1A1 (cytochrome P450 효소 중 하나로, 독성물질을 발암물질로 대사하는 데 도움을 줌)의 발현을 억제하여 DNA 손상을 줄일 수 있다. 과일에는 또한 비타민 C, 비타민 E, 카로티노이드(carotenoid), 식이섬유, 식물성 에스트로겐(phytoestrogens) 등 다른 항산화 성분들도 풍부하게 존재한다. 국민건강영양조사에 의하면, 과일류는 여자가 남자에 비해 더 많이 섭취하는 것으로 조사되었으며, 식이 비타민 C는 과일류와 채소류로 주로 섭취하였다. 하지만, 국내 환자-대조군 연구결과에 의하면, 과일에 의한 유의한 위암 예방효과는 밝혀지지 않았지만, 생태학적 연구에서는 과일 섭취가 위암 사망률을 낮춰주는 것으로 나타났으며, 주로 과일과 채소에 함유되어 있는 식이 플라보노이드 및 카로티노이드가 위암 발생위험을 낮춰주는 것으로 나타났다.

참고문헌

1. 김진복, 박재갑. 위암, 1999.
2. 질병관리본부. 2016 국민건강통계 I - 국민건강영양조사 제7기 1차년도, 2016.
3. Camargo MC, Goto Y, Zabaleta J, Morgan D, Correa P, Rabkin CS. Sex hormones, hormonal interventions and gastric cancer risk: a meta-analysis. Cancer Epidemiol Biomarkers Prev 2011;21:20-38.
4. Chiba T, Marusawa H, Seno H, Watanabe N. Mechanism for gastric cancer development by *Helicobacter pylori* infection. J Gastroenterol Hepatol 2008;23:1175-1181.
5. Colquhoun A, Arnold M, Ferlay J, Goodman K, Forman D, Soerjomataram I. Global patterns of cardia and non-cardia gastric cancer incidence in 2012. Gut 2015;64:1881-1888.
6. Cook MB, Matthews CE, Gunja MZ, Abid Z, Freedman ND, Abnet CC. Physical activity and sedentary behavior in relation to esophageal and gastric cancers in the NIH-AARP cohort. PLoS One 2013;8:e84805.
7. Correa P. Human gastric carcinogenesis: a multistep and multifactorial process-first American Cancer Society award lecture on cancer epidemiology and prevention. Cancer Research 1992;52:6735-6740.
8. De Martel C, Forman D, Plummer M. Gastric cancer: epidemiology and risk factors. Gastroenterol Clin North Am 2013;42:219-240.
9. De Martel C, Parsonnet J. *Helicobacter pylori* infection and gender: a meta-analysis of population-based prevalence surveys. Dig Dis Sci 2006;51:2292-2301.
10. Derakhshan MH, Liptrot S, Paul J, Brown IL, Morrison D, McColl KE. Oesophageal and gastric intestinal-type adenocarcinomas show the same male predominance due to a 17 year delayed development in females. Gut 2009;58:16-23.
11. Doll R, Peto R. The causes of cancer: quantitative estimates of avoidable risks of cancer in the United States today. J Natl Cancer Inst 1981;66:1192-1308.
12. Freedman N, Derakhshan M, Abnet C, Schatzkin A, Hollenbeck A, McColl K. Male predominance of upper gastrointestinal adenocarcinoma cannot be explained by differences in tobacco smoking in men versus women. Eur J Cancer 2010;46:2473-2478.
13. Helicobacter and Cancer Collaborative Group. Gastric cancer and *Helicobacter pylori*: a combined analysis of 12 case control studies nested within prospective cohorts. Gut 2001;49:347-353.
14. Houghton J, Wang TC. *Helicobacter pylori* and gastric cancer: a new paradigm for inflammation-associated epithelial cancers. Gastroenterol 2005;128:1567-1578.
15. Howlader N, Noone A, Krapcho M, Miller D, Bishop K, Kosary C, et al. SEER cancer statistics review, 1975-2014 [Internet]. National Cancer Institute; 2017 [cited 2018 Mar]. Available from: https://seer.cancer.gov/csr/1975-2014.
16. Huang JQ, Zheng GF, Sumanac K, Irvine EJ, Hunt RH. Meta-analysis of the relationship between cagA seropositivity and gastric cancer. Gastroenterol 2003;125:1636-1644.
17. Huerta JM, Navarro C, Chirlaque MD, Tormo MJ, Steindorf K, Buckland G, et al. Prospective study of physical activity and risk of primary adenocarcinomas of the oesophagus and stomach in the EPIC (European Prospective Investigation into Cancer and nutrition) cohort. Cancer Causes Control 2010;21:657-669.
18. Inoue M, Yamamoto S, Kurahashi N, Iwasaki M, Sasazuki S, Tsugane S, et al. Daily total physical activity level and total cancer risk in men and women: results from a large-scale population-based cohort study in Japan. Am J Epidemiol 2008;168:391-403.
19. International Agency for Research on Cancer. Schistosomes, liver flukes and *Helicobacter pylori*: IARC monographs on the evaluation of carcinogenic risks to humans, vol 61 [Internet]. Lyon: IARC Press; 1994 [cited 2018 Mar]. Available from: https://monographs.

iarc.fr/ENG/Monographs/vol61/mono61.
20. International Agency for Research on Cancer. Tobacco smoke and involuntary smoking: IARC monographs on the evaluation of carcinogenic risks to humans, Vol 83 [Internet]. Lyon: IARC Press; 2004. [cited 2018 Mar]. Available from: https://monographs.iarc.fr/ENG/Monographs/vol83/mono83.
21. Karimi P, Islami F, Anandasabapathy S, Freedman ND, Kamangar F. Gastric cancer: descriptive epidemiology, risk factors, screening, and prevention. Cancer Epidemiol Biomarkers Prev 2014;23:700-713.
22. Kelley JR, Duggan JM. Gastric cancer epidemiology and risk factors. J Clin Epidemiol 2003;56:1-9.
23. Kim HJ, Chang WK, Kim MK, Lee SS, Choi BY. Dietary factors and gastric cancer in Korea: a case-control study. Int J Cancer 2002;97:531-535.
24. Kim HJ, Lim SY, Lee JS, Park S, Shin A, Choi BY, et al. Fresh and pickled vegetable consumption and gastric cancer in Japanese and Korean populations: a meta-analysis of observational studies. Cancer Sci 2010;101:508-516.
25. Kim J, Cho YA, Choi WJ, Jeong SH. Gene-diet interactions in gastric cancer risk: a systematic review. World J Gastroenterol 2014;20:9600.
26. Kim J, Lee J, Choi I, Kim YI, Kwon O, Kim H, et al. Dietary carotenoids intake and the risk of gastric cancer: a case-control study in Korea. Nutrients 2018;10:1031.
27. Kim J, Park S, Nam BH. Gastric cancer and salt preference: a population-based cohort study in Korea. Am J Clin Nutr 2010;91:1289-1293.
28. Ladeiras Lopes R, Pereira AK, Nogueira A, Pinheiro Torres T, Pinto I, Santos Pereira R, et al. Smoking and gastric cancer: systematic review and meta-analysis of cohort studies. Cancer Causes Control 2008;19:689-701.
29. Lee JK, Park BJ, Yoo KY, Ahn YO. Dietary factors and stomach cancer: a case-control study in Korea. Int J Epidemiol 1995;24:33-41.
30. Lee SA, Kang D, Hong WS, Shim KN, Choe JW, Choi H. Dietary habit and *Helicobacter pylori* infection in early gastric cancer patient. Cancer Res Treat 2002;34:104-110.
31. Maskarinec G, Noh JJ. The effect of migration on cancer incidence among Japanese in Hawaii. Ethn Dis 2004;14:431-439.
32. McLean MH, El Omar EM. Genetics of gastric cancer. Nat Rev Gastroenterol Hepatol 2014;11:664-674.
33. Næss Ø, Claussen B, Thelle DS, Smith GD. Four indicators of socioeconomic position: relative ranking across causes of death. Scand J Public Health 2005;33:215-221.
34. Nagel G, Linseisen J, Boshuizen HC, Pera G, Del Giudice G, Westert GP, et al. Socioeconomic position and the risk of gastric and oesophageal cancer in the European Prospective Investigation into Cancer and Nutrition (EPIC-EURGAST). Int J Epidemiol 2007;36:66-76.
35. Nagini S. Carcinoma of the stomach: a review of epidemiology, pathogenesis, molecular genetics and chemoprevention. World J Gastrointest Oncol 2012;4:156-169.
36. Nan HM, Park JW, Song YJ, Yun HY, Park JS, Hyun T, et al. Kimchi and soybean pastes are risk factors of gastric cancer. World J Gastroenterol 2005;11:3175.
37. Norat T, Chan D, Vingeliene S, Aune D, Abar L, Vieira AR, et al. World Cancer Research Fund International systematic literature review: the associations between food, nutrition and physical activity and the risk of stomach cancer. London: World Cancer Research Fund International, 2015.
38. Park B, Shin A, Park SK, Ko KP, Ma SH, Lee EH, et al. Ecological study for refrigerator use, salt, vegetable, and fruit intakes, and gastric cancer. Cancer Causes Control 2011;22:1497.
39. Santibañez M, Alguacil J, de la Hera MG, Navarrete Muñoz EM, Llorca J, Aragonés N, et al. Occupational exposures and risk of stomach cancer by histological

type. Occup Environ Med 2012;69:268-275.

40. Sereno M, Aguayo C, Ponce CG, Gómez Raposo C, Zambrana F, Gómez López M, et al. Gastric tumours in hereditary cancer syndromes: clinical features, molecular biology and strategies for prevention. Clin Transl Oncol 2011;13:599-610.
41. Shiota S, Suzuki R, Yamaoka Y. The significance of virulence factors in *Helicobacter pylori*. J Dig Dis 2013;14:341-349.
42. Singh S, Varayil JE, Devanna S, Murad MH, Iyer PG. Physical activity is associated with reduced risk of gastric cancer: a systematic review and meta-analysis. Cancer Prev Res (Phila) 2013;7:12-22.
43. Smith JL. The role of gastric acid in preventing food-borne disease and how bacteria overcome acid conditions. J Food Protect 2003;66:1292-1303.
44. Suerbaum S, Michetti P. *Helicobacter pylori* infection. N Engl J Med 2002;347:1175-1186.
45. Uthman OA, Jadidi E, Moradi T. Socioeconomic position and incidence of gastric cancer: a systematic review and meta-analysis. J Epidemiol Community Health 2013;67:854-860.
46. Willett WC. Diet, nutrition, and avoidable cancer. Environ Health Perspect 1995;103:165-170.
47. Woo HD, Lee J, Choi IJ, Kim CG, Lee JY, Kwon O, et al. Dietary flavonoids and gastric cancer risk in a Korean population. Nutrients 2014;6:4961-4973.
48. World Cancer Research Fund International. Diet, nutrition, physical activity and stomach cancer. London: World Cancer Research Fund International, 2018.
49. Wu X, Chen VW, Ruiz B, Andrews P, Su LJ, Correa P. Incidence of esophageal and gastric carcinomas among American Asians/Pacific Islanders, whites, and blacks. Cancer 2006;106:683-692.
50. Yaghoobi M, Bijarchi R, Narod S. Family history and the risk of gastric cancer. Br J Cancer 2010;102:237-242.
51. Yang P, Zhou Y, Chen B, Wan HW, Jia GQ, Bai HL, et al. Overweight, obesity and gastric cancer risk: results from a meta-analysis of cohort studies. Eur J Cancer 2009;45:2867-2873.

CHAPTER 14

위암과 헬리코박터 파일로리균 감염

1. 세균학

2005년 노벨의학상을 받은 호주의 병리학자 Warren은 위점막에 잡균이 아닌 일정한 균이 염증을 일으킨다고 주장한 이후 Marshall이 배양에 성공하면서 헬리코박터 파일로리(*Helicobacter pylori*, *H. pylori*)로 명명하였다. 이 세균에 감염되더라도 동일한 질병을 일으키지 않고 감염자마다 서로 다른 결과를 보이는 이유는 *H. pylori*에 의한 질환 발생에 숙주 및 환경인자와 더불어 독성인자가 관여하기 때문인데 본 장에서는 *H. pylori* 세균학적 특성과 감염 경로 및 *H. pylori* 계통(strain)에 대해 소개하고자 한다.

1) 세균학적 특성

*H. pylori*는 0.5~3 μm 길이의 혐기성 세균으로 N_2 85%, O_2 5% 그리고 CO_2 10%의 조건에서 흔들어 주어야 잘 자라며 위산이 많은 위점막 표면에 서식하기 위해 세균 단백질의 10%에 달하는 요소분해효소(urease) 및 위산에 대처하기 위한 *ureI*라는 유전자를 갖추는 등 여러 가지 고도의 유전적 변이에 성공한 병원균이다. 유독 *H. pylori*가 위내 조건에서 생존뿐 아니라 증식하게 하는 효소가 요소분해효소인데 이 효소는 *Proteus*에 비하여 *H. pylori*에 100배 많다. 이 외에도 *H. pylori* 내지 *H. pylori* 분비물이 벽세포와 접촉하면 일시적 저산증(hypochlorhydria)이 유발되고 이러한 조건들이 *H. pylori*가 위에 서식하게 하는 기전으로 정리되었다.

(1) 요소분해효소

요소분해효소(urease)의 총 분자량은 600 kDa 정도이며 Ni^{2+}을 함유하는 두 개의 subunit로 구성되어 있는데 요소분해효소 생합성은 7개의 유전자로 구성된 유전자군에 의해 조절된다. 즉 27 kDa의 UreA와 62 kDa의 UreB subunit를 발현시키는 두 개의 구조유전자(structural gene)와 apo-enzyme의 활성 부위(active site)에의 Ni^{2+} 삽입에 관여하는 4개의 유전자(*ureE*, *ureF*, *ureG*와 *ureH*) 및 요소 통과를 결정하는 통로 유전자인 *ureI*로 구성되어 있다(그림 14-1). 요소분해효소는 요소를 암모니아와 CO_2로 효과적으로 분해할 수 있고 이 암모니아는 세균 세포질 및 주위(periplasmic space)를 중성화시켜 위내의 강한 산성으로부터 균을 보호한다. 요소분해효소를 knock-out 시킨 변이 균주의 경우 위에 정착하지 못한다는 실험결과는 요소분해효소가 *H. pylori* 점막 정착에 필수적임을 보여준다.

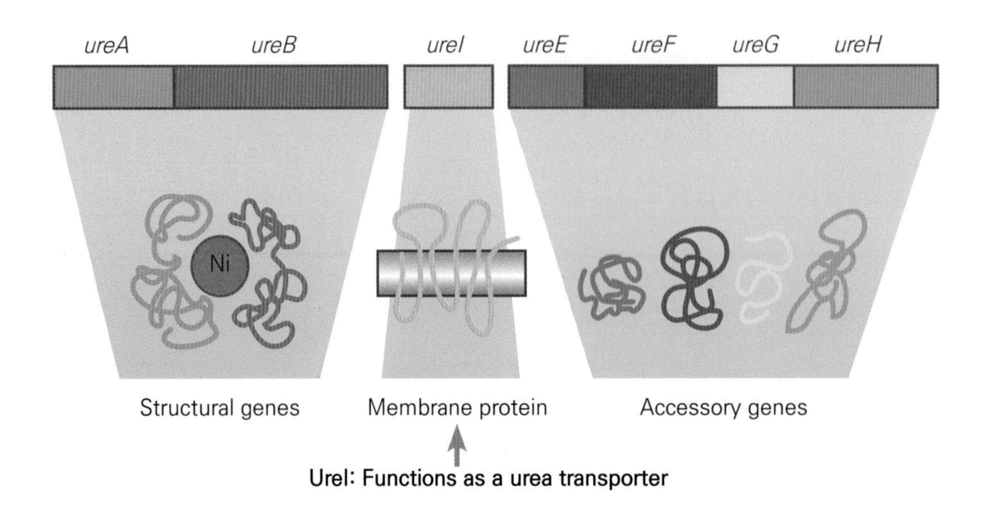

그림 14-1 ***H. pylori* 요소분해효소(urease) 구조.**
요소분해효소의 생합성은 7개의 유전자로 구성된 유전자군에 의해 조절되는데 두 개의 구조유전자와 효소 활성 부위에의 Ni^{2+} 삽입에 관여하는 4개의 유전자(*ureE*, *ureF*, *ureG*와 *ureH*) 및 요소 통로 유전자인 *ureI*로 구성되어 있다.

(2) 양성자 관문 채널인 UreI

*UreI*는 세포 내막(inner membrane)에 위치하여 요소 전달체인 양성자 관문 채널(proton-gated channel)을 구성하는데(그림 14-1), 이 채널을 통해 들어온 요소는 세포질 내의 요소분해효소에 의해 분해되어 암모니아가 생성된다. 이 암모니아는 다시 α형 탄산탈수효소(α-carbonic anhydrase)의 도움으로 세포 내막 밖으로 나가 $2NH_4^+ + HCO_3^-$ 형태로 세포 외막에서 침투한 H^+ 이온을 중화시켜 세균 외막과 내막 사이의 공간(periplasmic space) pH를 6.1 정도로 유지한다. 이러한 과정에 의해 *H. pylori* 세포질 내 pH 7.4는 흔들리지 않고 생존과 증식을 하는 것이다.

(3) 편모

*H. pylori*가 위에 정착하여 질병을 일으키기 위해서는 일차적으로 위상피세포에 부착되어야 하는데 한쪽 끝에 있는 4~6개의 편모(flagella)가 *H. pylori* 생존에 필수적 요인이다. 편모는 길이가 4.3~9.5 μm, 두께는 23.5~40 nm로 basal body, hook, flagellar film으로 구성된다. 높은 운동성의 편모에 의한 *H. pylori*와 위상피세포와의 접촉 빈도 증가가 염증반응을 야기하는 데 중요한 인자로 추정되었다. 한편 비운동성의 변이 균주를 마우스에 감염시킬 경우 위점막에의 균 정착이 현저히 감소되는 연구결과에 비추어 운동성은 *H. pylori*에 의한 염증 유발 초기 단계에 매우 중요한 과정으로 제시되고 있다.

2) 감염의 역학 및 경로

전 세계 인구의 50% 이상이 *H. pylori*에 감염되어 있으며, 우리 몸이 *H. pylori*에 노출되면 선천(innate) 및 적응(adaptive) 면역반응을 보이지만 대부분의 경우 평생 감염이 지속된다고 알려지고 있다. *H. pylori* 감염 역학, 네 차례에 걸친 우리나라 *H. pylori* 역학조사결과 및 *H. pylori* 감염 경로에 대해 알아보고자 한다.

(1) *H. pylori*의 감염 역학

H. pylori 감염의 빈도는 선진국일수록 낮고 개발도상국에서 높으며, 연령, 지역적 분포, 종족 간에 차이를 보인다. 미국이나 유럽과 같은 선진국 *H. pylori* 유병률은 3~5세에 10~15%였다가 연령 증가에 따라

계속 증가하지만 인도나 사우디아라비아와 같은 개발도상국이나 저개발국에서는 10세 이전에 40~60%가 감염된다는 사실은 성장기의 사회경제 여건의 중요성을 뒷받침해주고 있다. 한편 같은 지역에서도 인종 간의 차이를 보여 라틴 아메리카계의 미국인의 경우 유병률은 80% 정도로 높고, 무증상 아프리카계 미국인의 경우 연령별 *H. pylori* 감염률의 증가는 백인과 비슷하나 유병률 자체는 훨씬 높다. 그리고 흑인계 및 히스패닉계 미국인들의 경우 *H. pylori* 유병률이 사회경제 요소를 보정한 후에도 백인들보다 2배가 높고 이는 성장기의 사회경제 여건에 기인함이 밝혀져 가족 수, 감염된 가족 구성원, 개인 위생상태 등과 더불어 사회경제 인자가 *H. pylori* 유병률 결정에 중요한 요소로 생각되고 있다.

(2) 국내 *H. pylori* 유병률 변화

이러한 역학조사는 보통 혈청학적 검사로 진행되는데 그 이유는 내시경을 하지 않아도 검사가 가능하다는 점과 비용이 비교적 저렴하기 때문이다. *H. pylori* 감염률은 산업의 발전, 핵가족화, 청결에 대한 인식이 높아지면서 전 세계적으로 감소하고 있는데 선진국 대열에 들어서고 있는 우리나라도 50대 이하에서 급격히 감소하는 소견을 보이고 있다. 1998, 2005, 2011, 2016~2017년도 18년에 걸쳐 전국적 역학조사가 진행되었는데 이는 1998년 대한 *H. pylori* 연구학회(현 대한상부위장관 · 헬리코박터학회)에서 주관하였다. 15세 이하에서는 남녀가 18.0%, 16.1%로 유의한 차이가 없다가 16세 이상에서는 남자가 69.4%로 여자 64.2%보다 유의하게 높아(P = 0.003), *H. pylori* 감염이 15세 이후에도 지속적으로 발생함을 시사했다. 한편 *H. pylori* 감염과 연관된 위험인자에 대해 다변량분석을 시행한 결과 성인에서 *H. pylori* 유병률이 현재 사회경제 요소와는 상관이 없지만, 성장기(초등학교 및 중학교 시절)에 방을 함께 사용했던 사람 수, 성장기의 생활수준과 연관이 있고, 소아(15세까지)에서도 어머니의 학력, 가족수입, 식수에 따라 유병률에 유의한 차이가 있어, 소아, 어른 모두 성장기의 사회경제적 여건과 주거 환경이 *H. pylori* 감염에 중요한 요소였다. 2005년 전국역학조사에서 16세 이상 *H. pylori* 혈청 양성률은 1998년도의 66.9%에 비해 59.6%로 의미있게 낮았고(그림 14-2 A), 여전히 남자가 여자보다 높았다. *H. pylori* 감염의 위험요인에 대한 다변량분석 결과 남자, 50~59세, 지방 출신, 저소득층이 위험요소로 나타났다. 2011년 16세 이상 혈청 유병률은 54.4%로 1998년의 66.9%, 2005년의 59.6%와 비교하여 볼 때 유의하게 감소하였고 여전히 남녀 차이가 있었다(그림 14-2 A). 출생 연도를 5년 구간으로 나누어 1998년, 2005년, 2011년, 2016~2017년 *H. pylori* 유병률 흐름을 살펴보면 출생 코호트 효과를 볼 수 있었다(그림 14-2 B). 다변량분석을 통한 *H. pylori* 유병률의 위험요소는 1998년, 2005년에 나타난 남자, 연령 증가, 지방 거주, 현재의 저소득 외에 콜레스테롤 240 mg/dl 이상이 위험요소로 나타났다. 2016년 1월부터 2017년 6월까지 진행한 *H. pylori* 혈청 유병률은 43.9%로 1998년의 66.9%, 2005년 59.6%, 2011년 54.4%에서 더 떨어진 결과이다(그림 14-2).

(3) 선진국과 개발도상국의 감염 경로

*H. pylori*는 사람에서 사람으로 전염되며, 아동기에 주로 일어나고, 가족내 감염이 주된 감염 경로이다. 감염 경로로는 사람 사이의 구강 대 구강(oral-oral), 항문 대 구강(fecal-oral), 위 대 구강(gastric-oral)이 있는데, 저개발국 내지 개발도상국에서는 항문 대 구강이 선진국에서는 구강 대 구강 내지 위 대 구강이 주로 작용한다고 생각되어 왔다. 하지만 최근 연구결과에 의하면 개발도상국에서도 항문 대 구강 경로는 점차 그 의미가 떨어지고 있다. 그 일례로 대만에서는 항문 대 구강이 그다지 중요한 경로가 아니며 과테말라에서도 *H. pylori*는 수인성 전염이 아닌 것으로 결론짓고

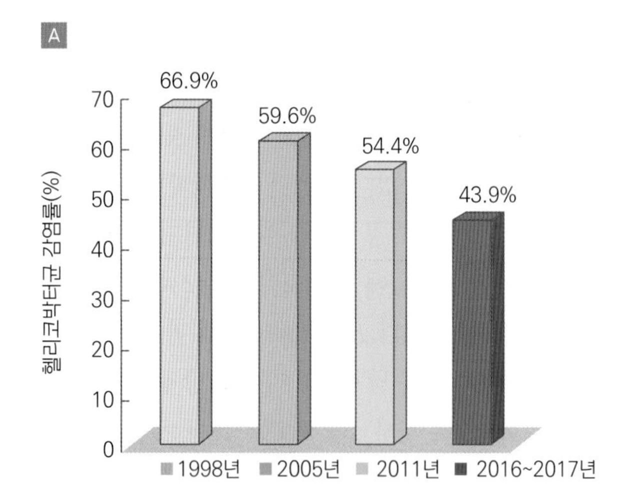

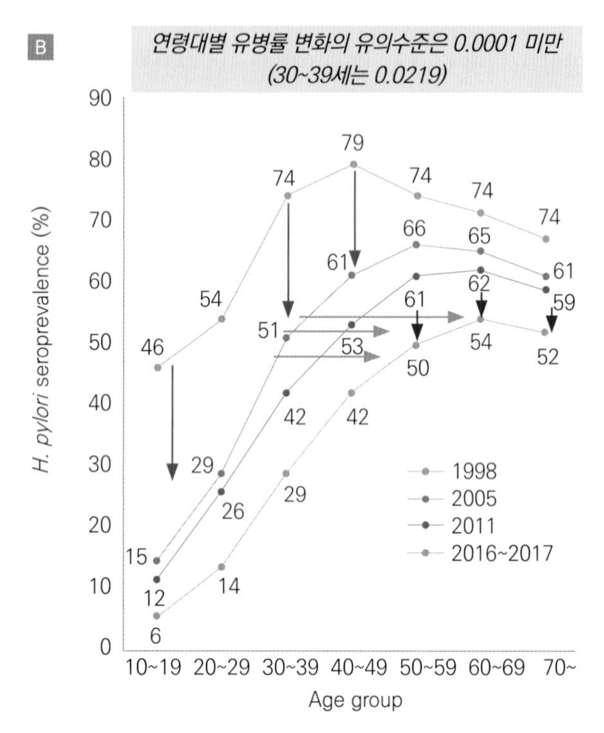

그림 14-2 **1998년부터 2017년까지의 *H. pylori* 혈청유병률의 변화.**
A. 16년에 걸친 대규모 역학조사 기간 동안 *H. pylori* 혈청유병률은 23% 떨어졌다.
B. 연령별 분석에서 처음에는 50대 이하가 떨어지고 있고 이후에는 50세 이상에서도 완만히 떨어지고 있는데 이는 주로 cohort 효과로 보인다.

있다. 최근 브라질에서 나온 연구에서도 *H. pylori* 양성인 엄마가 그들의 아동들에게 매우 강력하고 독립적인 위험요소였다(OR 22.7; 95% CI 2.31-223.21). 즉 개발도상국의 *H. pylori* 감염 경로로 항문 대 구강 감염 경로 대신 가족 내의 구강 대 구강 경로의 중요성이 높아졌다. 선진국에서의 *H. pylori* 감염 경로에 대해서는 가족 내 감염 증거가 한층 강화되면서 가족관계에 대해서 좀 더 구체화되었다. 즉 분자생물학 방법으로 35가족 중 29가족(81%)에서 같은 균주를 나타냈고 특히 엄마-자녀에서의 균주 일치성은 56%로 높은 반면(18가족 중 10가족), 아빠-자녀와는 일치된 경우가 전혀 없었으나 부부 사이의 일치율은 22%(23가족 중 5가족)로 나타나 서로 관계가 밀접할수록 *H. pylori* 전염 가능성이 높음을 시사해주었다. 또한 소아에서의 *H. pylori* 감염이 형제자매 수와는 관계가 없었던 반면 감염된 아이는 그 엄마가 *H. pylori*에 모두 감염된 경우였고, PCR 분석상 엄마의 타액(saliva)에서 78%로 나타나 모자 감염의 중요성이 다시 한 번 예시되었다. 이상의 내용을 요약해 보면 선진국에서의 *H. pylori* 감염은 구강 대 구강 특히 모자 전염이 주를 이루고 있음을 보여주고 있다.

3) 계통(strain)

급·만성위염, 궤양, 위암 등의 원인균인 *H. pylori*의 유전자 세트는 1,600개로 잘 보존되어 있으나, 변이체는 균주와 숙주의 생리적, 생태적 변화에 따라 그 조합과 구조가 지역마다 매우 다양하고 복잡하여 미생물의 적응과 진화 모델이라 할 수 있다. *H. pylori* 균주는 약 5,800년 전 인류가 아프리카 지역에서 아메리카와 오세아니아로 이동하면서 인간 몸 속에서 지속적으로 진화해 왔으며 *H. pylori*의 독성도 함께 변해왔을 것으로 추정한다. 세균이 질병을 일으키는 인자를 독성인자(virulence factor)라 하는데 cytotoxin-associated gene A (CagA), vacuolating cytotoxin (VacA)를 분비하는 *cagA* 와 *vacA* 독성 유전자는 사람마다 다르고 지역별로 다르게 나타난다. 특히 *cagA* 유전자 보유 여부에 따라 *cagA* 유전자 양성균주(*cagA*-positive strain)와 *cagA*

유전자 음성균주(*cagA*-negative strain)로 분류하는데 서양의 여러 연구에서 *cagA* 유전자가 *H. pylori*에 의한 종양발생인자일 가능성을 제시해 주었기 때문이고 일본에서 *cagA* 유전자 다양성이 위암 발생과 관련있다고 발표하면서 흥미를 끈 바 있다. 그러나 우리나라를 비롯한 동아시아에서는 대부분의 균주들이 질환과 무관하게 *cagA* 유전자를 지니고 있어 *cagA* 유전자만을 대상으로 질병발현 유무를 결정짓는 것보다는 다른 독성인자와 숙주의 유전적 감수성 등을 함께 고려하는 것이 바람직하다.

2. 위암 발생과의 관련성

1994년 세계보건기구(WHO)는 *H. pylori*를 1급 발암물질로 분류했으며, 국제암연구소(IARC) 역시 생물학적 발암물질로 규정한 바 있다. 최근 22개국에서의 국가적 역학조사가 이뤄진 37개 논문에 대한 분석 결과를 보면 높은 위암 발생률을 보인 지역에서 그렇지 않은 지역보다 적어도 2배 높은 유병률을 보여 *H. pylori* 감염이 위암 발생에 중요한 관건임을 보여준 바 있다. 본 섹션에서는 *H. pylori* 감염과 위암 발생의 연관성에 대해 역학적 연구와 동물실험 연구결과를 알아보고자 한다.

1) 역학적 연구

H. pylori 감염의 위암과의 관련성은 혈청학적 검사에 근거하여 1989년도에 처음 제시된 이후 *H. pylori* 감염자에서 위축성위염이 많다는 것과 함께 강화되었다. 이후 *H. pylori* 감염이 위암 발생의 위험도를 2.8~6.0배 증가시키며 특히 분문부를 제외한 위암의 위험성이 높은 것으로 알려졌다. 미국, 일본, 유럽 등의 13개국이 참여한 Eurogast study group은 *H. pylori* 감염이 위암 발생위험도를 6배 증가한다고 보고하였다. 현재까지의 연구로부터 각 나라별로 *H. pylori* 감염률과 위암 발생률의 분포를 보면 남, 녀 모두에서 어느 정도 상관관계가 있음을 확인할 수 있다. 하지만 자세히 보면 예외가 있는데 'Indian enigma' 및 'African enigma'가 있다. 이들 지역은 *H. pylori* 혈청학적 양성률이 높음에도 불구하고 위암 발생률은 낮은 수준을 보이고 있는데 이는 아마도 *H. pylori*의 독성인자(virulence factor) 혹은 숙주인자(host factor), 식이습관 등 환경적인 요인 등이 이러한 불일치를 유도하는 기전이라 추측되고 있다. 독성인자의 예를 들면, 독성이 강한 CagA (cytotoxin-associated gene A) 양성 *H. pylori* 균주에서 위암 발생위험이 더 높았는데 메타분석 결과를 보면 CagA 양성 균주에서 위암 발생률은 1.64배 증가하고 특히 원위부 위암은 2.01배 더 높았다. 한편 한국, 일본, 중국은 CagA 양성 균주가 전체 *H. pylori* 감염자의 90% 이상을 차지하고 있어 대부분의 연구에서 CagA 양성 여부에 따라 유의한 결과를 보여주지 못하였으나, 혈청학적 검사로 확인한 CagA 양성 환자에서 위암 발생률이 의미있게 높았다는 한국의 역학연구 보고도 있다. *H. pylori* 감염이 위암 발생을 증가시킨다는 전향적인 연구로는 일본에서 *H. pylori* 감염 환자 1,246명과 비감염자 280명을 평균 7.8년간 추적관찰한 연구가 있는데 감염자에서는 36명(2.9%)에서 위암이 발생하였으나 비감염자에서는 한 명도 발생하지 않음을 보여주었다. 국내 연구로는 총 1,790명을 평균 9.4년간 추적관찰 하였을 때 5명의 환자에서 위암이 발생하였는데 모두 *H. pylori* 양성이었으며 특히 장상피화생이 있는 경우 위암 발생위험이 10.9배 증가하였다는 보고가 있다.

2) 동물실험 연구

이상적인 동물모델은 경제적이고, 재현성이 높고, 관찰기간이 짧고, 인간의 조직변화와 유사한 병변을 유발시킬 수 있어야 하는데 현재까지 이러한 조건을 비교적 만족시키는 동물은 설치류이다. 특히 마우스는 유전자 조작도 용이하다는 장점도 있어 현재 *H. pylori* 연구에 가장 많이 이용되고 있는 개체이다. 하지만 마우스 모델과 관련하여 다음과 같은 제한점이 존재한다: 첫째, 마우스의 위에 집락형성이 가능한 *H. pylori* 종(특히 *cagA* 양성인 종)이 제한적이다. 둘째, 종양이 천천히 발생한다. 셋째, 고도 이형성증이나 조기위암의 발생은 흔한 편이지만 진행성 혹은 침윤성 위암의 발생률이 낮고 전이성 위암의 발생이 없다. 넷째, 인간의 위와 해부학적 차이가 있다.

마우스의 위는 민샘(non-glandular)구역인 전위부(forestomach)와 샘(glandular)구역인 체부(corpus), 전정부(antrum)로 크게 나누어 볼 수 있으나 인체에는 전위가 없고 인체의 분문부(cardia) 암과 유사한 마우스 모델도 아직까지는 보고된 바 없다. 한편 몽골리안 저빌(Mongolian gerbil)은 *H. pylori*에 쉽게 감염되며 감염 후에는 인간과 유사한 만성활동성위염, 소화성궤양, 장상피화생, 위암의 단계적인 경과를 보인다. 몽골리안 저빌에 집락을 형성하여 위선암을 일으키는 것이 증명된 *H. pylori* 종으로는 G1.1, TN2, B128 등 여러 가지가 있다. 또한 몽골리안 저빌에 MNU와 MNNG (N-methyl-N-nitro-N-nitrosoguanidine)와 같은 화학적 위암 발생물질을 먼저 투여한 후 *H. pylori*를 추가 감염시킨 군에서 MNU나 MNNG 단독 투여군보다 유의하게 위암 발생이 증가된다는 여러 보고도 있어 *H. pylori*는 몽골리안 저빌에서 단독의 발암인자라기보다는 위암 발생의 촉진제 역할을 한다는 견해도 있다.

몽골리안 저빌을 이용한 동물실험에서 *cagA* 유전자 양성균주를 감염시키면 위암이 발생하지만, 동일한 균주의 *cagA* 유전자를 변형시킨 균주(isogenic *cagA* mutant)로 감염시킨 경우에는 위암 발생이 관찰되지 않았다. 또한 *cagA* 유전자를 인위적으로 주입한 형질전환 마우스(transgenic mouse)에서 위암이 발생했다는 연구도 있다. 이와 같은 결과들은 *cagA* 유전자가 *H. pylori*에 의한 종양발생인자일 가능성을 제시해 준다고 할 수 있다. 하지만 몽골리안 저빌은 가격이 비싸고, 형질전환 혹은 특정 유전자 제거 종이 부족하다는 단점이 있어서 마우스와 비교해 보았을 때 그 사용이 제한적이라 하겠다.

3. 병인론

*H. pylori*에 감염된 일부에서만 급 · 만성위염, 궤양, 위암을 유발하는 이유에 대해서는 숙주 및 환경인자와 더불어 세균의 독성인자(virulent factors)가 다르기 때문이다. 본 섹션에서는 위암을 발생시키는 병인론 접근에 있어 *H. pylori* 독성인자, 염증계에 대한 영향 및 분자학적 이상에 대해 소개하고자 한다.

1) 독성인자

*H. pylori*의 독성인자로는 세균의 구성성분 또는 분비물질 세균 구성성분인 지질다당질(lipopolysaccharide), 외막단백질(outer membrane protein, OMP), 편모(flagella), 제4형분비계(type IV secretion system, T4SS) 등이 있고, 분비물질로 cytotoxin-associated gene A (CagA), vacuolating cytotoxin (VacA), 기타 분비효소 등이 있다(그림 14-3). *H. pylori* 독성인자 중에서 그 중요성이 널리 알려진 VacA와 CagA는 위상피세포에 작용하는 기전이 서로 다른데 특정 반응에 대해 상승작용을 하기도 하고 길항작용을 하기도 한다.

(1) Cytotoxin-associated gene A (CagA)

서양에서는 *cagA* 유전자 유무가 *H. pylori*에 의한 종양발생인자일 가능성을 제시해 주었으나 우리나라를 비롯한 동아시아에서는 대부분의 균주들이 *cagA* 유전자를 지니고 있어 다른 독성인자와 숙주의 유전적 감수성 등을 함께 고려하는 것이 바람직하다.

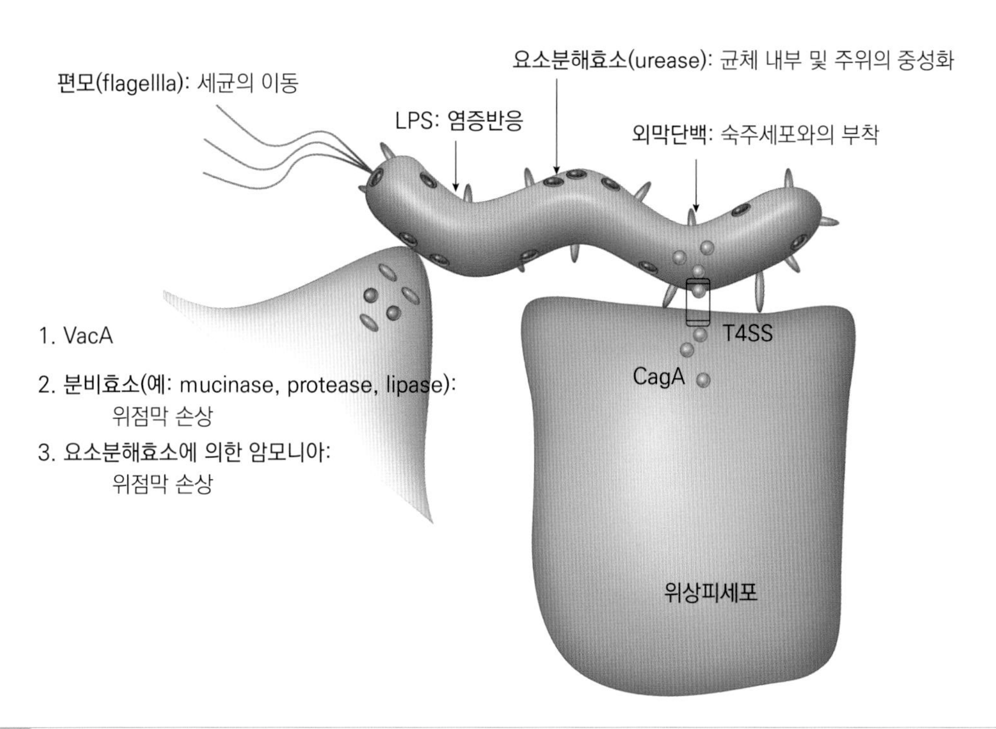

그림 14-3 *H. pylori* 독성인자들.

① *cag* pathogenicity island (*cag* PAI)

cag pathogenicity island (*cag* PAI)는 세균유전체 내의 약 40 kb DNA insertion element인데, 이곳에는 *cagA* 유전자와 함께 제4형 분비계(type IV secretion system, T4SS) 등의 정보를 코딩하는 약 32개의 유전자가 포함되어 있다. *cag* PAI는 서양 분리균주의 약 60~70%에서 찾아볼 수 있는 반면, 동아시아 분리균주에서는 거의 대부분 갖고 있다. T4SS에 의해 숙주에 주입되는 물질로 세포벽성분인 펩티도글리칸(peptidoglycan)과 CagA 단백이 있다. 그 외 T4SS를 구성하는 단백 중의 하나로 CagE가 있는데, 이 단백을 코딩하는 유전자를 비활성화시키면 *H. pylori* 단백이 상피세포 내로 이동하지 않는다. CagL은 유착인자로 위상피세포의 α5β1 integrin과 결합하여 활성화시킴으로써 독성물질의 숙주세포내 이동을 촉발시킨다. 즉, CagL은 세균 T4SS와 숙주세포 α5β1 integrin 사이의 가교 역할을 하여, 숙주세포의 focal adhesion kinase (FAK)와 Src 시그널을 활성화시킨다.

② *cagA* 유전자 다양성

cagA 유전자 3' region에 위치한 반복서열 Glu-Pro-Ile-Tyr-Ala (EPIYA) motif의 숫자가 다른데 특히 동서양에서 분리한 균주 사이에 상당한 차이를 보인다. EPIYA-C 분절(segment) 하나만을 보유한 균주에 감염된 환자에 비해 2개 이상의 균주에 감염된 환자에서 위암 발생률이 상대적으로 높다(예: ABC 대 ABCCC). 그러나 위암 발생이 높은 동아시아에서 분리된 *H. pylori* 균주는 대부분 단일 EPIYA-C 분절만을 보유하고 있어 단순히 반복되는 서열의 숫자만으로 병원성을 결정짓는 것은 다소 무리한 논리라고 할 수 있다.

③ CagA의 티로신 인산화

위상피세포에 CagA를 주입하면 EPIYA motif의 티로신(tyrosine)이 Src와 Abl계 인산화(phosphorylation) 효소에 의해 인산화되는데 CagA에 결합할 수 있는 약 20개 정도의 숙주세포내 물질 중 약 10개의 숙주세포 단백들이 인산화 의존적 방식으로 CagA와 결합한다.

인산화된 CagA와 상호작용하는 예가 Src homology-2 domain-containing phosphatase 2 (SHP2)인데 인산화된 CagA는 숙주세포내 단백질들과 상호작용하여 세포의 형태변환과 염색체 불안정 등을 유도한다.

(2) Vacuolating cytotoxin (VacA)

VacA는 공포화(vacuolation)를 유발하여 세포에 직접적인 손상을 미치는 인자로 유전자 변이가 높은 것이 특징이다.

① VacA의 기능

세포막 표면에 결합한 VacA는 endocytosis에 의해 endosome으로 이동한 후, 각종 이온터널을 만드는데 여기로 수분이 유입되면 세포는 커다란 공포화로 진행된다. 또한 미토콘드리아 내막에 VacA 채널이 형성되면 내막의 탈분극(depolarization)과 세포자멸사(apoptosis)가 유도된다. 또한 위상피세포의 세포뼈대(cytoskeleton)가 변화되고 자가포식현상(autophagy)이 초래되어 T세포의 활성과 증식을 억제할 수 있다. 또한 B세포에 의한 항원제시(antigen presentation) 과정도 방해한다. VacA가 비만세포(mast cell)를 자극하면 칼슘의 유입, 반응산소 중간물질(reactive oxygen intermediate)의 생성과 NF-κB 활성을 통해 케모카인의 발현이 증가한다. 이와 같이 VacA는 다양한 면역세포에 영향을 주어 *H. pylori* 항원인지가 저하되고 세포독성이 증가함으로써 질환을 유발하는 것으로 보인다.

② *vacA* 유전자의 다양성

vacA 유전자는 염기서열이 다른 변이된 형태가 많은데 주로 신호서열부(signal sequence)와 중간부(mid region)에서 다양성(diversity)을 나타낸다. 신호서열부는 부호화 영역인 's-region'에 s1 및 s2의 대립유전자형이 있으며, 중간부에 해당하는 'm-region'은 m1 및 m2의 2가지 대립유전자형이 있다. s1/m1형 균주가 독성이 강한데 우리나라 분리균주의 경우 s1/i1/m1형이 대다수를 차지한다. s1/m2형 균주는 독성이 낮고 s2/m2형 균주는 독성이 없는데 라틴아메리카, 중동, 유럽과 아프리카 지역에서 s1 혹은 m1형 균주에 감염된 사람이 s2 또는 m2형 균주에 감염된 사람들보다 위궤양과 위암 발생률이 높게 보고되고 있다. 'intermediate (i)-region'은 *vacA* 유전자의 s-region과 m-region 사이에 존재한다. 오늘날 3개의 primary i-region 형(i1, i2 및 i3)이 보고되고 있는데 i1형이 다른 형에 비해 가장 강력한 공포를 형성한다. 또한 i-region은 *vacA* 유전자의 s-region 또는 m-region보다 위장질환에 대해 믿을 만한 예측인자로서 제시되고 있고, i1형은 위선암과 위궤양과의 연관성이 높다는 보고가 있다.

2) 염증계에 대한 영향

(1) *H. pylori*에 의한 선천면역반응에 의한 사이토카인과 염증세포

*H. pylori*에 의한 선천면역반응으로 위상피세포에 의해 생성된 IL-8은 중성구의 유입을 유발하고 중성구는 옵소닌의 도움을 받아 식균작용을 하며 반응성 산소군과 산화질소를 생성한다. 또한 비만세포를 활성화하면 전염증성 사이토카인(proinflammatory cytokine)과 케모카인(chemokine)을 생성하는데 이는 위염을 유발하고 중성구, 비만세포, 대식세포들의 유입을 촉발시킨다(그림 14-4).

*H. pylori*에 의해 유도된 IL-8과 growth-related oncogene α (GRO-α)와 같은 사이토카인이 중성구를 활성화시키고 이동을 조절하기에 염증에는 항상 중성구의 침윤이 있다. 세균의 neutrophil activating protein (Hp-NAP)은 TLR2에 작용하여 중성구와 단핵구에서의 IL-12와 IL-23의 발현을 유도하여 위상피세포에서의 *H. pylori* 특이적 Th1 면역반응을 촉진하게 되는데 특히 IL-12의 경우 naive Th를 Th1 성상으로 발전하게

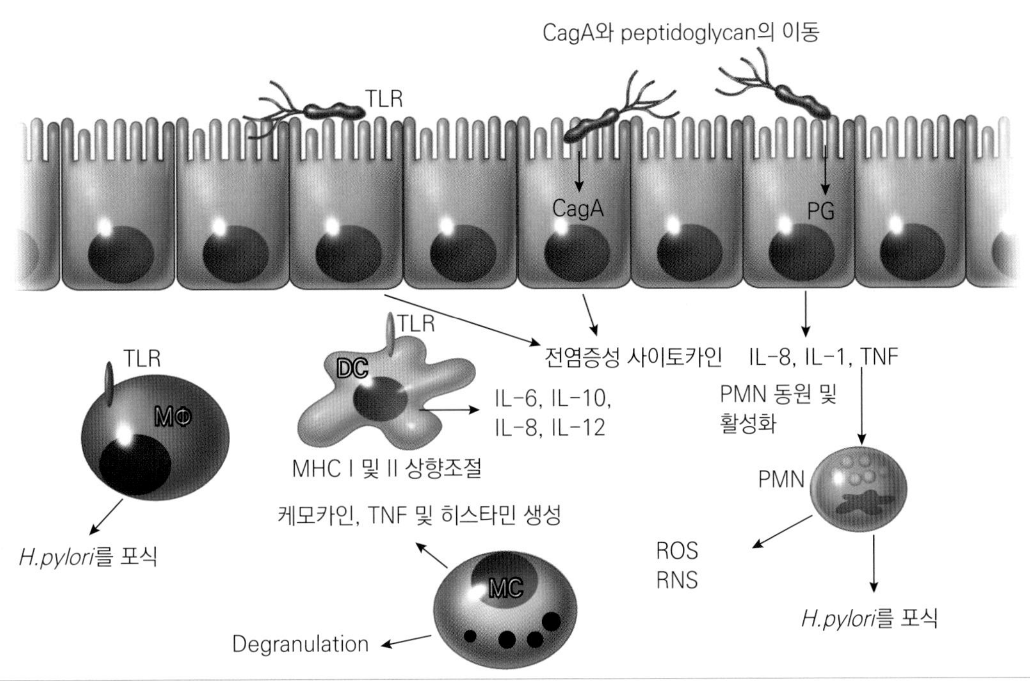

그림 14-4 ***H. pylori* 에 대한 선천면역반응.**
*H. pylori*에 대한 선천면역반응의 결과 대식세포, 수지상세포 및 비만세포, 위상피세포에 의해서 전염증성 사이토카인이 생성된다.
MΦ, macrophage; DC, dendritic cells; TLR, Toll like receptor; MC, mast cell; PMN, polymorphonuclear cell; PG, peptidoglycan; ROS, reactive oxygen species; RNS, reactive nitrogen species.

한다. Hp-NAP의 경우는 식포(phagosome) 형성을 지연시켜 대식세포에 의한 *H. pylori*의 제거를 피하도록 도와주어 결과적으로 상피세포와 수지상세포(dendritic cell) 내에서 *H. pylori*가 증식하게 하기도 한다. 또한 위상피세포에 의해 생성되는 IL-10의 경우 Th1 면역반응을 억제하는 면역 조절력을 가지고 있어 결과적으로 *H. pylori*의 면역회피를 돕는다.

(2) *H. pylori*에 의한 적응면역 활성화

*H. pylori*는 수지상세포와 T세포 및 B세포와 상호작용하여 적응면역을 활성화시킨다. 즉 체액성 및 세포성 면역반응을 유발하는데 전신 또는 국소 면역반응을 일으켜서 IgA, IgM, IgG를 생산한다. 또한 다핵구 및 단핵구에 의한 염증반응을 주도하여 여러 가지 사이토카인, 즉 IL-1β, tumor necrosis factor alpha (TNF-α), IL-8, IL-6이 분비되게 한다. 특히 대식세포와 수지상세포에서 IL-12가 분비되면 Th1 세포가 활성화되고 이 세포에서 IFN-γ와 같은 사이토카인이 분비된다. *H. pylori*에 의해 자극을 받은 대식세포는 iNOS와 NOS2에 의해 전염증성 물질인 산화질소(NO)를 생성하는데 *H. pylori*는 동시에 NO의 살균작용을 무력화하는 방안의 하나로 *rocF* 유전자를 가지고 있다. 결과적으로 대식세포에 의한 NO 생산이 상대적으로 감소하여 전염증성 물질을 이용한 숙주 공격으로부터 자신을 방어할 수 있다. *H. pylori* 감염에 의해 Th1, Th17 세포가 활성화되면 IFN-γ, IL-17 그리고 TNF-α를 생성되는데 HP0175가 IL-17, IL-21의 생성 증가를 통해 polarized Th17 반응을 항진시킨다.

Th1/Th2 면역반응의 균형은 *H. pylori*와 연관된 질환의 병인과 숙주의 방어기전에서 중요한데 Th1

면역반응이 우세하면 조직손상이 우세해지면서 *H. pylori*가 박멸되기도 하지만 Th2 면역반응은 위 염증반응에 대한 방어기전을 일으켜 위상피세포를 덜 파괴당하게 하는 동시에 *H. pylori*가 생존할 수 있는 길을 열어놓아 결과적으로 만성감염에 이르게 한다. 면역조절세포(T_{reg} cell)는 적응면역 반응을 조절하는데, *H. pylori* 세균에 의해 일어나는 위상피에서의 병리학적 변화를 조절하고 보호할 뿐 아니라 감염의 만성화를 일으킨다.

(3) 만성염증에 의한 위점막의 생리적 변화

H. pylori 감염에 의한 IL-1β와 TNF-α의 증가는 위산분비를 억제시키는데 IL-1β는 동시에 장크롬친화성(enterochromaffin) 세포에서의 히스타민 분비도 감소시킨다. 이로 인해 체부에서의 *H. pylori* 증식은 충분히 활발해지게 되고 이로 인해 벽세포는 공격을 받게 되어 위산분비 감소에 기여를 하게 된다. 동시에 *H. pylori* 감염에 의해 가스트린 분비가 증가하면서 가스트린의 혈중농도가 증가하는데 이를 견제할 수 있는 소마토스타틴마저 Th1 면역반응에서 분비되는 IFN-γ 및 TNF-α에 의해 그 분비가 억제됨으로 가스트린 분비는 더욱 증가한다. 이처럼 위산분비, 위축성위염 발생, 혈중 가스트린 농도 증가로 인한 세포증식 유발 등은 위암 발생 가능성을 높이는 필요조건을 제공하게 된다.

3) 분자학적 이상

암화(carcinogenesis) 과정은 유전학적인 견지에서 보면 유전적 변이 및 후생유전학적인 변이의 축적으로 인하여 정상세포가 악성세포로 단계적으로 변화되는 과정으로 이해할 수 있다. 암억제유전자의 불활성화 및 암유전자의 활성화, 체세포 돌연변이, 유전자 복제 수 변이, 염색체 변이 등이 암 조직세포에서 광범위하게 관찰된다. 이러한 유전자 자체의 변화뿐 아니라 후생유전학적 변화(epigenetic change)가 발암기전에 중요한 역할을 할 것으로 생각되는데, DNA 메틸화 및 microRNA가 대표적이다.

(1) *H. pylori* 만성염증에 의한 암 발생 과정에서의 유전자 변이

만성염증과 연관되어 나타나는 돌연변이로는 ① 자유 라디칼(free radical) 생성 및 ② 내인성 DNA 돌연변이 효소의 발현과 연관된 것으로 생각된다. 만성 염증에 의해서 세포내 활성산소종(reactive oxygen species, ROS) 수치가 유의하게 증가하는데, ROS에 의해 oxidatively altered purine, pyrimidine과 같은 변형된 염기(modified bases)로 바뀌게 되며, DNA의 손상을 유도하게 된다. 또한 ROS는 불일치 복구(mismatch repair) 기능에 영향을 미치게 되어 현미부수체 서열(microsatellite sequences) 부위의 돌연변이를 유발하며, 이러한 유전자 불안정성은 전암성 병변 및 암 발생과도 밀접하게 연관되어 있다. ROS와 별개로 뉴클레오티드 변이를 유도하는 효소로 활성화 유도 사이티딘 디아미나제(activation-induced cytidine deaminase, AID)가 있다.

AID는 디옥시사이티딘(dC)을 탈아미노화시켜 디옥시유리딘(dU)으로 전환함으로써 C:G pair가 U:G pair로 mismatch 되며, DNA 복제 단계에서 U:G mismatch는 C/G 혹은 T/A로 전환되게 된다. 한편 U:G mismatch가 urasil-DNA-glycosylase 효소, 혹은 mutS homolog 2 (MSH2)/mutS homolog 6 (MSH6) heterodimer에 의해 인식되면 U:G mismatch 부위 혹은 인근 A:T pair 부위의 돌연변이를 초래한다. NF-κB는 AID의 중요한 전사인자로 잘 알려져 있으며, TNF-α 자극에 의한 AID 발현 증가는 *H. pylori* 연관 위암 발생기전에서도 잘 알려져 있다.

(2) *H. pylori* 연관 위암에서의 DNA 메틸화

H. pylori 감염은 암 억제유전자인 *CDKN2A* (*p16*)이나 *CDH1* (*E-cadherin*), *MLH1* 등 위암 발생과 밀접하게 연관되어 있는 유전자의 발현 조절부위(promoter)의

메틸화를 일으킬 수 있다. Mongolian gerbil 모델을 이용한 연구에서 cyclosporine A를 투여하여 *H. pylori* 염증을 억제시키면 위점막 내의 *H. pylori* 균의 숫자에는 영향을 미치지 않으면서 DNA의 이상 메틸화 발현이 억제되었는데, 이는 *H. pylori*가 유발하는 염증이 DNA의 이상 메틸화에 중요하다는 점을 시사한다. 하지만 고염식이 혹은 에탄올을 반복 투여하여 위 염증을 일으키더라도 DNA의 이상 메틸화가 일어나지는 않는다. 이는 *H. pylori* 감염에 의해 위점막에 염증이 생기면 주로 *IL-1β*, *NOS2*, *TNF* 유전자 발현이 증가하게 되며, 이들 염증성 사이토카인 외에도 ROS의 생성이 증가되는데, 이러한 인자들이 위상피세포에서의 DNA 이상 메틸화에 중요할 것으로 생각된다. *H. pylori*에 의한 만성 염증이 DNA 메틸화를 일으키는 기전에 대해서는 IL-1, TNF-α 등의 염증성 사이토카인이나 NO가 DNA 메틸화 효소인 DNA methyltransferase 1 (DMNT1)의 발현을 유도하여 CpG island의 DNA 메틸화를 일으키는 것으로 생각된다.

(3) *H. pylori* 연관 위암에서의 microRNA

*H. pylori*에 의해 발현이 증가되는 let-17, miR-20a, miR-21, miR-146a, miR-155, miR-223은 위암 발생과 연관성이 보고된 바 있고, miR-31, miR-101, miR-141, miR-203, miR-210, miR-218, miR-375, miR-449 등은 위암 발생 및 *H. pylori*에 의해 그 발현이 감소하는 microRNA로 보고되었다. *H. pylori* 감염이 microRNA 발현을 조절하는 기전은 다음과 같다. ① *H. pylori* 감염은 선천면역 및 적응면역 반응을 조절하는 microRNA가 기능하지 못하도록 함으로써 숙주방어를 회피하고 위의 niche에서 생존할 수 있도록 한다. 대표적으로 miR-146a, miR-155가 *H. pylori*에 의한 면역회피 기전의 주요 타깃이 된다. 예를 들어, *H. pylori*에 의한 miR-146a의 과발현은 IL-8, TNF-α, IL-1β, GRO-α (CXCL1), MIP-3α의 발현을 감소시켜 선천 및 적응면역 반응을 조절하고 궁극적으로 *H. pylori*에 의한 위암 발생을 조장할 수 있다. ② *H. pylori* 감염으로 인해 유도되거나 억제되는 여러 microRNA는 cyclin 및 cyclin-dependent kinases (CDKs)와 같은 조절단백에 작용하여 cell cycle progression을 촉진하고 위암세포의 증식을 유도할 수 있다. ③ *H. pylori* 및 이로 인해 발생하는 microRNA의 이상은 세포자멸사를 억제하여 세포가 오랫동안 생존하게 한다. *H. pylori* 감염으로 miR-21의 발현이 증가되는데, miR-21 과발현은 세포자멸사를 억제하고 PI3K/Akt 신호경로의 음성 조절인자인 PTEN (phosphatase and tensin homolog), 세포자멸사와 관련되어 있는 PDCD4 (programed cell death protein 4)를 통해서 세포 증식을 촉진시킨다.

4. 위암 발생에 대한 제균치료의 효과

역학조사와 동물실험을 바탕으로 *H. pylori* 감염이 위암의 원인이라는 것이 밝혀졌으며, 국제암염구소에서는 1994년 1급 발암물질로 규정하였다. 그러나 *H. pylori* 감염을 치료하면 위암 발생이 감소하는지에 관하여는 아직까지 명확한 증거는 없다. 임상연구를 통해 *H. pylori* 제균 후에 위암이 예방되는지를 확인하기 위해서는 다수의 대상자를 모집하여 장기간 관찰하여야 하지만, 이러한 연구는 수행하기가 어렵다. 2017년 발표된 유럽의 헬리코박터 치료지침에서는 *H. pylori* 감염을 치료하면 일반인에서 위암 발생이 줄어든다는 주장에 대한 근거수준은 낮다고 하였고, 북미지역의 지침에서는 일반인에서 위암예방 목적으로 치료를 추천하지 않았다.

1) 위절제술 환자에서의 효과

위부분절제술 후 발생하는 담즙역류는 위암 발생의 원인인자이지만, 담즙역류에 의해서 *H. pylori*가 제균되기도 하여 이시성 위암 발생에는 상반된 영향을 준다. 현재 내시경절제술 후에 *H. pylori* 감염을 치료하도록 하는 진료지침에 준하여서 위부분절제술 후에도 제균치료가 추천되기도 한다. 하지만 수술 후에는 *H. pylori*가 없는 경우에 예후가 나쁘다는 관찰 연구도 있어서 *H. pylori* 치료가 도움이 될지는 확실하지 않다.

위부분절제술 후에 남아있는 위점막에 *H. pylori* 감염이 있는 경우에 제균치료를 하는 것이 잔위에 생기는 위암 재발을 줄이는지에 대하여 잘 고안된 연구는 없다. 국내에서 시행된 전향적 무작위배정 연구(n=190)에서 *H. pylori* 치료군 3명과 위약군 1명에서 이시성 위암이 발생하여 두 군 사이에 유의한 차이는 없었다. 하지만, 잔위의 체부 소만부에서 평가한 위축위염과 장상피화생의 정도는 *H. pylori* 제균되면 유의하게 호전되었다.

2) 내시경절제술 환자에서의 효과

조기위암 환자는 점막에 위축위염, 장상피화생 등 전암성 병변이 진행되어 있는 경우가 많아서 해마다 약 3%까지 이시성 위암이 발생한다. 조기위암을 내시경으로 절제한 후에 *H. pylori*를 치료하면 이시성 위암이 재발되는지 전향적 연구와 후향적 연구를 모두 포함하여 분석한 메타분석에서는 비교위험도가 0.467로 위암 발생이 절반 이상 감소하여 위암 예방효과가 있었다. 우리나라 국립암센터에서 시행한 장기간의 위약대조군 전향적 무작위배정 연구에서 전체 396명(치료군 194명, 위약군 202명)을 5.9년(중앙값) 관찰하였을 때, 치료군에서 14명(7.2%), 위약군에서 27명(13.4%)에서 위암이 발생하여서 약 50%의 이시성 위암 발생이 예방되었다(HR=0.5; 95% CI 0.26~0.94). 치료 후에 실제로 *H. pylori*가 제균된 대상자에서는 HR 0.32 (95% CI 0.15~0.66)로 나와서 이시성 위암 발생이 약 70%나 감소하였다. 위체부의 위축위염은 *H. pylori* 치료 3년 뒤 추적검사에서 약 48.4%의 대상자에서 호전되어서 대조군의 15.0%보다 유의하게 호전되는 비율이 높았다. 비교적 고령이며 위축위염이 진행된 경우가 많은 조기위암 환자에서도 *H. pylori* 치료로 위암이 예방된다는 근거가 장기간의 연구를 통해서 확인되었다.

3) 위암 환자의 가족에서의 효과

위암 환자의 직계가족력은 위암 발생의 중요한 위험인자이다. 위암 환자의 가족은 위암 발생 위험성을 높이는 유전적인 소인과 식이, 흡연, 음주, 위생상태 등의 환경 요인을 공유한다. 위암 환자의 가족에서는 *H. pylori* 감염률과 CagA 등의 독성인자의 비율이 높고, 위축위염과 장상피화생이 발생한 비율이 높다고 알려져 있다.

위암 환자의 직계가족에서 *H. pylori*를 치료하여 위암을 예방할 수 있는지에 관한 직접적인 임상연구결과는 아직 없지만, 세계 여러 지역의 진료지침에서 위암 환자의 가족은 위암 예방목적으로 *H. pylori*를 치료하도록 권고하고 있다. 우리나라에서는 위암 환자의 직계가족 3,100명을 모집하여 *H. pylori* 감염을 치료하는 경우에 위암 발생이 감소되는지 연구를 진행하고 있다.

4) 정상 및 위염 환자에서의 효과

건강한 성인을 대상으로 시행한 6개의 전향적 무작위대조군 연구에 대한 메타분석에서 *H. pylori* 감염을 치료하면 *H. pylori* 치료군에서 1.6% (51/3,294)에서 위암이 발생하여서 대조군의 2.4% (76/3,203)에 비하여 발생이 감소하였다(Relative risk 0.66). 이 메타분석은 비교적 많은 수의 대상자를 포함하였지만, 비뚤림(bias)의 위험성이 적은 연구는 3편뿐이고, 동아시아에서 시행된 연구가 5편으로 대부분이며, 항산화제를 같이 복용한 연구가 많고, *H. pylori* 치료에 따른 부작용을 평가를 할 수 없다는 등의 제한점이 있어서 위암 감소 효과가 확실하다고 단정하기 어렵다.

일반인을 대상으로 진행된 연구로는 중국 Fujian 지방에서 진행된 연구가 위암 발생을 일차 변수로 시행한 유일한 연구이다. 일반인 1,630명을 대상으로 중앙값 7.5년 동안 추적관찰하는 동안에 *H. pylori* 치료군(n=817)의 7명, 대조군(n=813)의 11명에서 위암이 발생하여 유의한 차이가 없었다. 그러나 위축위염이나 장상피화생과 같은 전암성 병변이 없는 경우에는 *H. pylori* 치료 후에 위암 발생이 유의하게 감소하는데, 이는 점막변화가 진행된 경우에는 *H. pylori*를 치료하여도 위암 예방효과가 없다는 "point of no return" 가설을 뒷받침하는 결과이다.

지금까지 진행된 규모가 가장 큰 임상연구는 중국의 Shandong 지역에서 진행된 연구이며, 1995년 3,365명의 35~64세 일반인을 등재하여 *H. pylori* 치료, 비타민, 그리고 마늘 추출물의 세 가지 방법을 조합하는 연구설계로 진행되었다. 15년의 추적기간 동안에 위암은 치료군에서 34명(3.0%) 발생하여서 대조군 52명(4.6%)에 비하여 유의하게 줄었다(Odds ratio=0.61; 95% CI 0.38~0.96). 또한, 55세 이상 고령자와 장상피화생 등 점막에 진행된 전암성 병변이 있는 대상자에서도 위암 예방효과가 관찰되었다. 이 연구는 *H. pylori* 제균약으로 2제요법(omeprazole과 amoxicillin)을 사용하여 제균 성공률이 62%로 낮은 단점이 있다. 현재 중국과 우리나라에서 훨씬 많은 대상자를 모집하여 *H. pylori* 치료 효과가 높은 비스무스 포함 4제요법을 치료제로 사용한 전향적임상연구가 진행되고 있다.

참고문헌

1. 김정목. *Helicobacter pylori* 병독인자의 연구 현황. 대한소화기학회지 2003;41:77-86.
2. 이주엽. 헬리코박터 파일로리 감염 동물모델. In: 김나영 eds. 헬리코박터 파일로리. 서울: 대한의학서적, 2015:524-535.
3. al-Moagel MA, Evans DG, Abdulghani ME, et al. Prevalence of *Helicobacter* (formerly Campylobacter) *pylori* infection in Saudia Arabia, and comparison of those with and without upper gastrointestinal symptoms. Am J Gastroenterol 1990;85:944-948.
4. Algood HM, Cover TL. *Helicobacter pylori* persistence: an overview of interactions between *H. pylori* and host immune defenses. Clin Microbiol Rev 2006;19:597-613.
5. Amedei A, Bergman MP, Appelmelk BJ, et al. Molecular mimicry between *Helicobacter pylori* antigens and H^+, K^+ -adenosine triphosphatase in human gastric autoimmunity. J Exp Med 2003;198:1147-1156.
6. Amedei A, Munari F, Della Bella C, et al. *Helicobacter pylori* HP0175 promotes the production of IL-23, IL-6, IL-1b and TGF-b. Eur J Inflamm 2013;11:261-268.
7. Amedei A, Munari F, Della Bella C, et al. *Helicobacter pylori* secreted peptidyl prolyl cis, trans-isomerase drives Th17 inflammation in gastric adenocarcinoma. Intern Emerg Med 2014;9:303-309.
8. Argent RH, Kidd M, Owen RJ, et al. Determinants and consequences of different levels of CagA phosphorylation for clinical isolates of *Helicobacter pylori*. Gastroenterology 2004;127:514-523.
9. Backert S, Tegtmeyer N, Selbach M. The versatility of *Helicobacter pylori* CagA effector protein functions: the master key hypothesis. Helicobacter 2010;15:163-176.
10. Banatvala N, Mayo K, Megraud F, Jennings R, Deeks JJ, Feldman RA. The cohort effect and *Helicobacter pylori*. J Infect Dis 1993;168:219-221.
11. Bang CS, Baik GH, Shin IS, et al. *Helicobacter pylor* eradication for prevention of metachronous recurrence after endoscopic resection of early gastric cancer. J Korean Med Sci 2015;30:749-756.
12. Bures J, Kopacova M, Koupil I, et al. Epidemiology of *Helicobacter pylori* infection in the Czech Republic.

Helicobacter 2006;11:56-65.

13. Calvet X, Ramirez Lazaro MJ, Lehours P, Megraud F. Diagnosis and epidemiology of *Helicobacter pylori* infection. Helicobacter 2013;18:5-11.
14. Chey WD, Leontiadis GI, Howden CW, Moss SF. ACG clinical guideline: treatment of *Helicobacter pylori* infection. Am J Gastroenterol 2017;112:212-239.
15. Chiba T, Marusawa H, Ushijima T. Inflammation-associated cancer development in digestive organs: mechanisms and roles for genetic and epigenetic modulation. Gastroenterology 2012;143:550-563.
16. Cho SJ, Choi IJ, Kook MC, et al. Randomised clinical trial: the effects of *Helicobacter pylori* eradication on glandular atrophy and intestinal metaplasia after subtotal gastrectomy for gastric cancer. Aliment Pharmacol Ther 2013;38:477-489.
17. Choi IJ, Kook MC, Kim YI, et al. *Helicobacter pylori* therapy for the prevention of metachronous gastric cancer. N Engl J Med 2018;378:1085-1095.
18. Chung C, Olivares A, Torres E, et al. Diversity of VacA intermediate region among *Helicobacter pylori* strains from several regions of the world. J Clin Microbiol 2010;48:690-696.
19. Conticello SG. The AID/APOBEC family of nucleic acid mutators. Genome Biol 2008;9:229.
20. D'Elios MM, Andersen LP. Inflammation, immunity, and vaccines for *Helicobacter pylori*. Helicobacter 2009;14(Suppl1):21-28.
21. Drumm B, Perez-Perez GI, Blaser MJ, Sherman PM. Intrafamilial clustering of *Helicobacter pylori* infection. N Engl J Med 1990;322:359-363.
22. Fock KM. Review article: the epidemiology and prevention of gastric cancer. Aliment Pharmacol Ther 2014;40:250-260.
23. Ford AC, Forman D, Hunt RH, Yuan Y, Moayyedi P. *Helicobacter pylori* eradication therapy to prevent gastric cancer in healthy asymptomatic infected individuals: systematic review and meta-analysis of randomised controlled trials. Bmj 2014;348:3174.
24. Forman D, Newell DG, Fullerton F, et al. Association between infection with *Helicobacter pylori* and risk of gastric cancer: evidence from a prospective investigation. BMJ 1991;302:1302-1305.
25. Franco AT, Johnston E, Krishna U, et al. Regulation of gastric carcinogenesis by *Helicobacter pylori* virulence factors. Cancer Res 2008;68:379-387.
26. Goodman KJ, Correa P. Transmission of *Helicobacter pylori* among siblings. Lancet 2000;355:358-362.
27. Greenfield LK, Jones NL. Modulation of autophagy by *Helicobacter pylori* and its role in gastric carcinogenesis. Trends Microbiol 2013;21:602-612.
28. Gupta VR, Wilson BA, Blanke SR. Sphingomyelin is important for the cellular entry and intracellular localization of *Helicobacter pylori* VacA. Cell Microbiol 2010;12:1517-1533.
29. Gwack J, Shin A, Kim CS, et al. CagA-producing *Helicobacter pylori* and increased risk of gastric cancer: a nested case-control study in Korea. Br J Cancer 2006;95:639-641.
30. Hanahan D, Weinberg RA. The hallmarks of cancer. Cell 2000;100:57-70.
31. Hansson LE, Engstrand L, Nyrén O, et al. *Helicobacter pylori* infection: independent risk indicator of gastric adenocarcinoma. Gastroenterology 1993;105:1098-1103.
32. Hayakawa Y, Fox JG, Gonda T, et al. Mouse models of gastric cancer. Cancers (Basel) 2013;5:92-130.
33. Huang JQ, Zheng GF, Sumanac K, et al. Meta-analysis of the relationship between cagA seropositivity and gastric cancer. Gastroenterology 2003;125:1636-1644.
34. Jung HC, Kim JM, Song IS, et al. Increased motility of *Helicobacter pylori* by methylcellulose could upregulate the expression of proinflammatory cytokines in human gastric epithelial cells. Scand J Clin Lab Invest 1997;57:263-270.
35. Kandulski A, Malfertheiner P, Wex T. Role of regulatory T-cells in *H. pylori*-induced gastritis and gastric cancer. Anticancer Res 2010;30:1093-1103.

36. Kim IJ, Blanke SR. Remodeling the host environment: modulation of the gastric epithelium by the *Helicobacter pylori* vacuolating toxin (VacA). Front Cell Infect Microbiol 2012;2:37.
37. Kim JM, Kim JS, Jung HC, et al. Virulence factors of *Helicobacter pylori* in Korean isolates do not influence proinflammatory cytokine gene expression and apoptosis in human gastric epithelial cells, nor do these factors influence the clinical outcome. J Gastroenterol 2000;35:898-906.
38. Kim JM. Current researches on the virulence factors of *Helicobacter pylori*. Korean J Gastroenterol 2003;41:77-86.
39. Kim JY, Kim N, Nam RH, et al. Association of polymorphisms in virulence factor of *Helicobacter pylori* and gastroduodenal diseases in South Korea. J Gastroenterol Hepatol 2014;29:984-999.
40. Kim JY, Kim N, Nam RH, et al. The association of polymorphisms in virulence factor of *Helicobacter pylori* and gastroduodenal diseases in South Korea. J Gastroenterol Hepatol. 2014;29:984-991.
41. Kim N, Kim JG, Kim JH, et al. Risk factors of *Helicobacter pylori* infection in asymptomatic Korean population. Korean J Med 2000;59:376-387.
42. Kim N, Park RY, Cho SI, et al. *Helicobacter pylori* infection and development of gastric cancer in Korea: long-term follow-up. J Clin Gastroenterol 2008;42: 448-454.
43. Kim YB, Hahm KB, Lee KM, et al. Animal models of *Helicobacter pylori* infections. Korean J Gastroenterol 2001;37:399-405.
44. Kivi M, Tindberg Y, Sorberg M, et al. Concordance of *Helicobacter pylori* strains within families. J Clin Microbiol 2003;41:5604-5608.
45. Klein PD, Graham DY, Gaillour A, Opekun AR, Smith EO. Water source as risk factor for *Helicobacter pylori* infection in Peruvian children. Gastrointestinal Physiology Working Group. Lancet 1991;337:1503-1506.
46. Kwok T, Zabler D, Urman S, et al. Helicobacter exploits integrin for type IV secretion and kinase activation. Nature 2007;449:862-866.
47. Lim SH, Kim N, Kwon JW, et al. Trends in the seroprevalence of *Helicobacter pylori* infection and its putative eradication rate over 18 years in Korea: a cross-sectional nationwide multicenter study. PLoS One 2018;13:0204762.
48. Lim SH, Kwon JW, Kim N, et al. Prevalence and risk factors of *Helicobacter pylori* infection in Korea: nationwide multicenter study over 13 years. BMC Gastroenterol 2013;13:104.
49. Liu M, Duke JL, Richter DJ, et al. Two levels of protection for the B cell genome during somatic hypermutation. Nature 2008;451:841-845.
50. Liu Z, Xiao B, Tang B, et al. Up-regulated microRNA-146a negatively modulate *Helicobacter pylori*-induced inflammatory response in human gastric epithelial cells. Microbes Infect 2010;12:854-863.
51. Ma JL, Zhang L, Brown LM, Li JY, Shen L, Pan KF, et al. Fifteen-year effects of *Helicobacter pylori*, garlic, and vitamin treatments on gastric cancer incidence and mortality. J Natl Cancer Inst 2012;104:488-492.
52. Maherzi A, Bouaziz Abed A, Fendri C, et al. *Helicobacter pylori* infection: prospective study for asymptomatic Tunisian children. Arch Pediatr 2003;10:204-207.
53. Malaty HM, Graham DY. Importance of childhood socioeconomic status on the current prevalence of *Helicobacter pylori* infection. Gut 1994;35:742-745.
54. Malfertheiner P, Megraud F, O'Morain CA, et al. Management of *Helicobacter pylori* infection-the Maastricht V/Florence consensus report. Gut 2017;66:6-30.
55. Matsumoto Y, Marusawa H, Kinoshita K, et al. *Helicobacter pylori* infection triggers aberrant expression of activation-induced cytidine deaminase in gastric epithelium. Nat Med 2007;13:470-476.
56. Molinari M, Salio M, Galli C, et al. Selective inhibition of Ii-dependent antigen presentation by *Helicobacter pylori* toxin VacA. J Exp Med 1998;187:135-140.

57. Montecucco C, Rappuoli R. Living dangerously; how *Helicobacter pylori* survives in the human stomach. Nat Rev Mol Cell Biol 2001;2:457-466.
58. Moodley Y, Linz B, Bond RP, et al. Age of the association between *Helicobacter pylori* and man. PLoS Pathog 2012;85:1002693.
59. Nagaoka H, Tran TH, Kobayashi M, et al. Preventing AID, a physiological mutator, from deleterious activation: regulation of the genomic instability that is associated with antibody diversity. Int Immunol 2010;22:227-235.
60. Noto JM, Peek RM Jr. The *Helicobacter pylori* cag pathogenicity island. Methods Mol Biol 2012;921:41-50.
61. Noto JM, Peek RM. The role of microRNAs in *Helicobacter pylori* pathogenesis and gastric carcinogenesis. Front Cell Infect Microbiol 2011;1:21.
62. Ohnishi N, Yuasa H, Tanaka S, et al. Transgenic expression of *Helicobacter pylori* CagA induces gastrointestinal and hematopoietic neoplasms in mouse. Proc Natl Acad Sci USA 2008;105:1003-1008.
63. Ottenmann KM, Lowenhal AC. *Helicobacter pylori* uses motility for initial colonization and to attain robust infection. Infect Immun 2002;70:1984-1990.
64. Parsonnet J, Friedman GD, Vandersteen DP, et al. *Helicobacter pylori* infection and the risk of gastric carcinoma. N Engl J Med 1991;325:1127-1131.
65. Peek RM Jr, Crabtree JE. *Helicobacter pylori* infection and gastric neoplasia. J Pathol 2006;208:233-248.
66. Peleteiro B, Bastos A, Ferro A, Lunet N. Prevalence of *Helicobacter pylori* infection worldwide: a systematic review of studies with national coverage. Dig Dis Sci 2014;59:1698-1709.
67. Poppe M, Feller SM, Römer G, et al. Phosphorylation of *Helicobacter pylori* CagA by c-Abl leads to cell motility. Oncogene 2007;26:3462-3472.
68. Rhead JL, Letley DP, Mohammad M, et al. A new *Helicobacter pylori* vacuolating cytotoxin determinant, the intermediate region, is associated with gastric cancer. Gastroenterology 2007;133:926-936.
69. Rhee KH, Park JS, Cho MJ. *Helicobacter pylori*: Bacterial strategy for incipient stage and persistent colonization in human gastric niches. Yonsei Med J 2014;55:1453-1466.
70. Rocha GA, Rocha AM, Silva LD, et al. Transmission of *Helicobacter pylori* infection in families of preschool-aged children from Minas Gerais, Brazil. Trop Med Int Health 2003;8:987-991.
71. Schmausser B, Josenhans C, Endrich S, et al. Downregulation of CXCR1 and CXCR2 expression on human neutrophils by *Helicobacter pylori*: a new pathomechanism in *H. pylori* infection? Infect Immun 2004;72:6773-6779.
72. Schmees C, Gerhard M, Treptau T, et al. VacA-associated inhibition of T-cell function: reviewed and reconsidered. Helicobacter 2006;11:144-146.
73. Sherman PM. Appropriate strategies for testing and treating *Helicobacter pylori* in children: when and how? Am J Med 2004;117:30-35.
74. Shimizu N, Inada K, Nakanishi H, et al. *Helicobacter pylori* infection enhances glandular stomach carcinogenesis in Mongolian gerbils treated with chemical carcinogens. Carcinogenesis 1999;20:669-676.
75. Sinha SK, Martin B, Gold BD, Song Q, Sargent M, Bernstein CN. The incidence of *Helicobacter pylori* acquisition in children of a Canadian First Nations community and the potential for parent-to-child transmission. Helicobacter 2004;9:59-68.
76. Strugatsky D, McNulty R, Munson K, et al. Structure of the proton-gated urea channel from the gastric pathogen *Helicobacter pylori*. Nature 2013:493;255-258.
77. Sugiyama A, Maruta F, Ikeno T, et al. *Helicobacter pylori* infection enhances N-methyl-N-nitrosourea-induced stomach carcinogenesis in the Mongolian gerbil. Cancer Res 1998;58:2067-2069.
78. Takashima M, Furuta T, Hanai H, et al. Effects of

Helicobacter pylori infection on gastric acid secretion and serum gastrin levels in Mongolian gerbils. Gut 2001;48:765-773.

79. Tegtmeyer N, Wessler S, Backert S. Role of the cag-pathogenicity island encoded type IV secretion system in *Helicobacter pylori* pathogenesis. FEBS J 2011;278:1190-1202.

80. Terebiznik MR, Raju D, Vázquez CL, et al. Effect of *Helicobacter pylori's* vacuolating cytotoxin on the autophagy pathway in gastric epithelial cells. Autophagy 2009;5:370-379.

81. Tsuda M, Karita M, Morshed MG, et al. A urease-negative mutant of *Helicobacter pylori* constructed by allelic exchange mutagenesis lacks the ability to colonize the nude mouse stomach. Infect Immun 1994;62:3586-3589.

82. Uemura N, Okamoto S, Yamamoto S, et al. *Helicobacter pylori* infection and the development of gastric cancer. N Engl J Med 2001;345:784-789.

83. Ushijima T. Epigenetic field for cancerization. J Biochem Mol Biol 2007;40:142-150.

84. Wang YH, Gorvel JP, Chu YT, Wu JJ, Lei HY. *Helicobacter pylori* impairs murine dendritic cell responses to infection. PLoS One 2010;5:10844.

85. Weeks DL, Eskandari S, Scott DR, et al. A H^+-gated urea channel: the link between *Helicobacter pylori*. urease and gastric colonization. Science 2000:287;482-485.

86. Wong BC, Lam SK, Wong WM, et al. *Helicobacter pylori* eradication to prevent gastric cancer in a high-risk region of China: a randomized controlled trial. JAMA 2004;291:187-194.

87. Xia YL, Yamaoka Y, Zhu Q, et al. A comprehensive sequence and disease correlation analyses for the C-terminal region of CagA protein of *Helicobacter pylori*. Plos One 2009;4:7736.

88. Yamaoka Y. Mechanisms of disease: *Helicobacter pylori* virulence factors. Nat Rev Gastroenterol Hepatol 2010;7:629-641.

89. Yim JY, Kim N, Choi SH, et al. Seroprevalence of *Helicobacter pylori* in South Korea. Helicobacter 2007;12:333-340.

90. Zhang Z, Li Z, Gao C, et al. miR-21 plays a pivotal role in gastric cancer pathogenesis and progression. Lab Invest 2008;88:1358-1366.

CHAPTER 15

위암의 전구병변

위암의 대부분은 선암이며 이들 중 대부분이 장형(intestinal type) 위선암이다. 장형 위암은 미만형(diffuse type) 위암과 달리 전구병변의 일련의 변화가 원인으로 생각된다. 가장 유력한 기전은 헬리코박터 파일로리(*Helicobacter pylori*)가 위점막에 만성염증을 야기하고 이것이 만성위축성위염(chronic atrophic gastritis), 장상피화생(intestinal metaplasia)과 이형성(dysplasia)을 거쳐 위선암에 이른다는 것이다. 이 외에도 선종용종(adenomatous polyp), 이전의 위아전절제술 병력, 메네트리에병(Ménétrier disease), 가족성선종용종증(familial adenomatous polyposis), 유전성비용종증대장암(hereditary nonpolyposis colorectal cancer), 위암을 진단받은 1차 친족(first-degree relatives) 등의 경우 위암의 위험도가 증가하는 것으로 알려져 있다. 위암의 전구병변은 위내시경에서 자주 발견되지만 실제로 임상에서 얼마나 자주 감시해야 하는지, 치료는 어떻게 해야 하는지에 대해서는 아직 확립된 지침이 없어 여전히 논의 중에 있다. 이 장에서는 위암의 여러 전구병변에 대하여 소개하고, 주로 위암과의 관련성 측면에서 살펴보고자 한다.

1. 만성위축성위염, 장상피화생

1) 위축과 장상피화생의 유형

만성위축성위염은 위의 만성염증으로 인해 정상적인 위선이 소실되는 상태로, 위점막이 얇아져 점막하층의 혈관상이 비쳐 보이는 특징을 갖는다. 만성위축성위염의 발병률(incidence)은 매년 0~11% 정도로 알려져 있는데, 지역에 따라 인종, 환경, 헬리코박터 파일로리 감염률에 차이가 나고 연구자마다 진단방법과 만성위축성위염에 대한 정의가 다르기 때문에 지역별로 유병률(prevalence)에 많은 차이가 난다.

서양에서 1972년 Whitehead가 만성위염을 만성위축성위염과 만성표재성위염으로 나누고 병변의 위치에 따라 전정부와 체부 위염으로 분류하였고, 1973년 Strickland & Mackay가 만성위축성위염의 분류에 있어 병인 및 면역학적 측면을 강조하면서 A형(자가면역형)과 B형(비자가면역형)의 2가지로 나누었다. A형의 경우 주로 체부를 중심으로 위축이 발생하고, B형의 경우는 전정부에서 위축성 변화가 시작된다. 이후 Correa가 위치에 따라 위염을 체부 미만성, 전정부 미만성, 다병소성위축위염으로 분류하기도 하였는데, 만성위축성위염 중 가장 흔한 것은 다병소성위축위염(multifocal atrophic gastritis, MAG)으로, 이는 헬리코박터 파일로리 감염과 밀접히 연관되어 있으며, 장상피화생과 장형 위암의 발생과 관계가 있다. 또 다른 형태의 위축위염인 체성위축위염(corporal atrophic gastritis)은 벽세포(parietal cell)와 내인자(intrinsic factor)에 대한 자가항체와 관련이 있으며 주로 위 체부와 기저부에 국한된다. 체성위축위염은 악성빈혈(pernicious anemia)과 관계되며 염증 정도가 적은 경향이 있고, 다병소성위축위염만큼 높지는 않지만 역시 위암의 위험도가 증가한다. 하지만 이러한 분류는 내시경 소견과 잘 맞지 않고, 미흡한 부분이 많아 표준적인 위염 분류체계로 널리 사용되기에 한계가 있었다. 동양에서는 만성위축성위염의 내시경 분류법으로 키무라-다케모토 분류(그림 15-1)가 잘 알려져 있으며, 간단하게 개방형(open type)과 폐쇄형(closed type)으로 구분하는 경우도 있다. 내시경 육안소견에 따른 분류법으로 점막의 위축이 존재하는 부위와 그렇지 않은 부위를 나누는 가상의 선을 설정하고 그 위치에 따라 closed type과 open type으로 구분하며 각각을 3단계로 구분하여 총 6개의 형태로 분류한다. Closed type은 위축부의 경계선이 전정부나 체부, 분문부의 소만 부위에 위치하게 되나, open type은 이를 넘어 체부와 위저부의 전후벽이나 대만측에 경계선이 위치하게 된다.

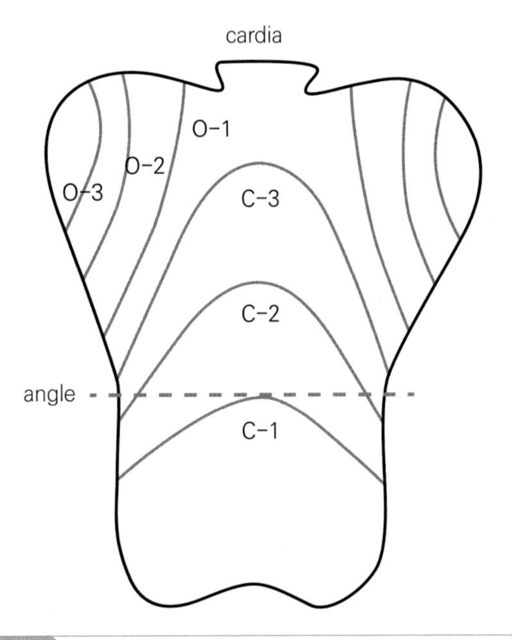

그림 15-1 키무라-다케모토 분류법에서의 만성위축성위염의 분류.

이 외에도 만성위축성위염에 대한 분류법이 다양하게 존재하였으나 그 분류기준이 서로 상이하고 임상현장에서 적용하기에 한계가 있다는 비판이 이어져 왔다. 이후 1990년경 Sydney에서 개최된 세계 소화기병학회에서 기존 위염 분류체계의 문제점을 극복하고자 하는 노력으로 Sydney 분류체계가 제시되었다. 이는 조직학적 소견과 내시경 소견을 모두 아우르는 분류체계로, 내시경에서 보이는 침범 범위에 따라 전정부, 체부, 범발성으로 위염의 범위를 나누고 내시경 소견을 추가로 기술하도록 하였다. 이후 조직학적 분류에 관해 용어의 통일 문제가 제기되어, 병리학적 진단기준을 보다 명확히 제시하고 점막의 위축과 장상피화생의 정도에 대한 반정량적 평가를 강조한 updated Sydney system이 현재 널리 사용되고 있다.

장상피화생은 만성 염증성 변화로 위점막의 정상적 구조물들이 파괴되고 위의 원주상피(columnar epithelium)가 소장이나 대장의 점막과 유사한 장형세포로 대치되는 것을 의미하며, 헬리코박터 파일로리 감염이나 흡연, 고염분 식이 등의 환경적 자극에 대한 적응 반응에 따른 결과로 생각되고 있다. 이는 위줄기세포가 소장 및 대장 형태로 분화한 결과로 추측되는데, Jass and Filipe의 분류법에 따라 조직학적으로 I형(완전형), II형(불완전형, sulfomucin 음성), III형(불완전형, sulfomucin 양성)의 3가지 형태로 나눈다. 장상피화생의 위암으로의 진행률은 0~10%로 연구마다 차이가 크다. 몇몇 연구에서 불완전형의 장상피화생인 II형과 III형의 경우 위암 발생률이 약 20배 정도 증가한다고 보고하였다. 또한, III형 장상피화생을 보이는 환자의 약 42%에서 5년 추적기간 동안 조기위암이 발생하였다는 보고도 있어 장형 위암 발생과의 연관성이 제시되었다. 하지만 아직 위암이 장상피화생 부위에서 발생하는 것인지, 또는 장상피화생의 존재가 단순히 위암 발생의 표지자인지는 확실하지 않다. 장상피화생의 유병률은 지역, 국가별로 차이가 커서 1.8~48.1%까지도 보고되고 있는데, 이는 헬리코박터 파일로리 감염률의 차이와 검사방법 및 평가기준 등에 의한 차이가 반영된 결과로 생각된다. 위축위염과 마찬가지로 연령이 높을수록, 그리고 헬리코박터 파일로리 감염자에서 장상피화생의 유병률이 높다.

2) 등급체계(Sydney System, OLGA, OLGIM)

과거부터 존재하던 위염의 다양한 분류법들은 서로 달라 혼란을 야기하였고, 통일된 기준에 따라 위염을 비교하고 평가하는 데 어려움이 따를 수밖에 없었다. 이러한 배경을 바탕으로 그동안 제안되어 온 위염 분류법들과의 연관성을 일정 부분 유지하면서, 치료 경과를 평가할 수 있고 적용이 쉬운 통합적인 분류체계를 만들고자 하는 노력이 있었다. 이에 1990년 Sydney Working Party on Gastritis에 의해 새로운 위염 분류체계가 발표되었는데, Sydney System이라 명명된 이 위염 분류체계는 병리학적 소견과 내시경 소견을 모두 아우르고 있으며 내시경 소견은 육안 소견의 기술에 중점을 두었고, 조직학적 위염 진단은 원인, 부위, 조직소견에 따라 기술하도록 하였다. 조직검사는 위 전정부의 대만과 소만, 체부의 대만과 소만 4부위에서 시행하도록 규정하였고, 염증의 활성도와 만성염증의 정도, 위축위염, 장상피화생, 그리고 헬리코박터 파일로리의 밀도를 평가하도록 하였다(그림 15-2).

이후 위염의 조직학적 분류에 관한 용어의 통일에 대한 문제가 제기되어 한계 극복을 위해 개정 작업이 이루어졌고, updated Sydney Systetm이라는 이름으로 발

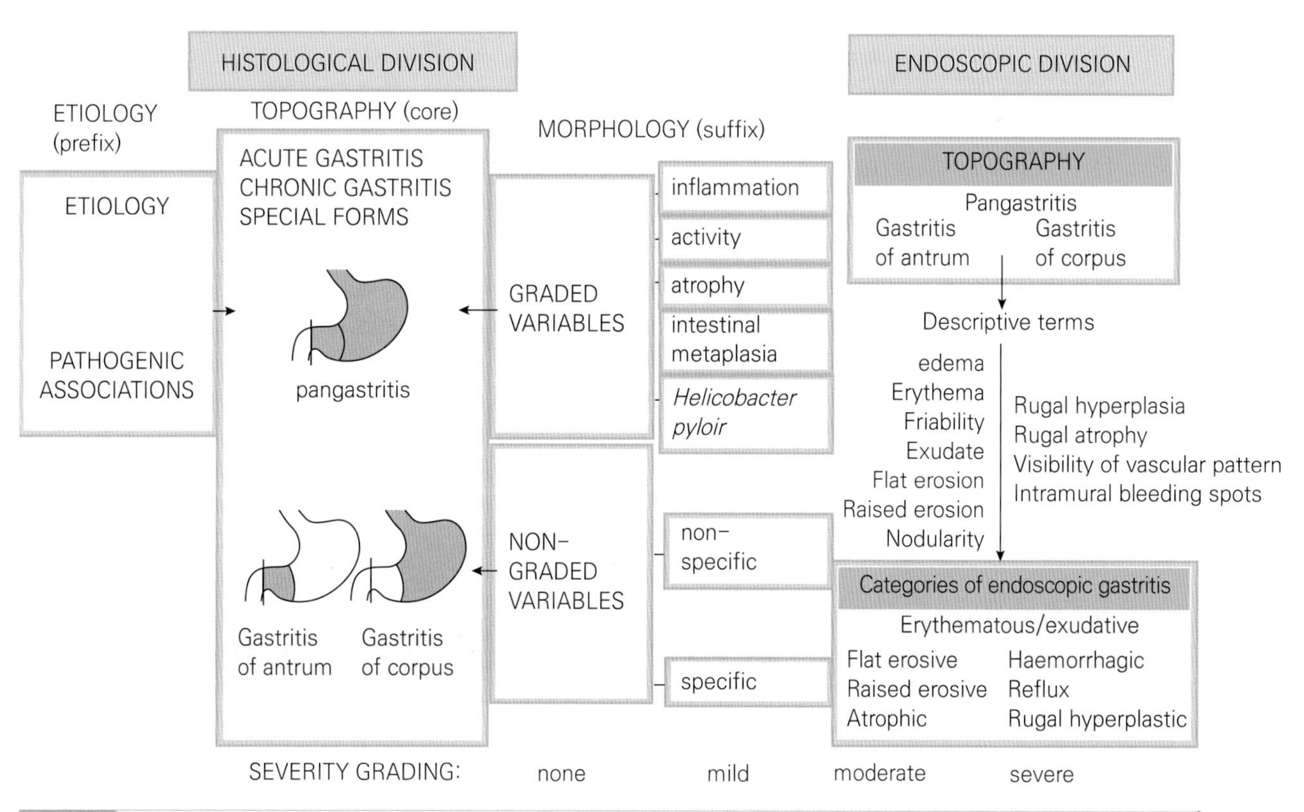

그림 15-2 Sydney System에서의 위염의 분류.
조직학적 분류와 내시경적 분류의 두 부분으로 크게 구성되어 있다.

표되었다. Sydney system의 기본적인 원리와 등급평가는 대체로 유지하면서, visual analogue scale을 이용해 등급 구분을 더 구체화하였고 최종 분류를 크게 위축위염과 비위축성위염으로 나누어 둘 사이의 구분을 강조하였다(그림 15-3). 현재 위염의 분류에 있어 위축의 정도와 범위를 평가하는 도구로서 이 updated Sydney System이 일반적으로 사용되고 있으나, 여전히 만성위축성위염에서 위암으로의 진행 위험도나 예후를 잘 반영하지 못한다는 비판이 꾸준히 제기되었다. 이에 위암의 발생위험도에 따라 더 정확히 위염 환자를 분류하기 위해 실용적인 방식의 조직학적 평가방식인 Operative Link on Gastritis Assessment (OLGA) 평가체계가 2005년에 개발되었다. 이 체계에서는 Sydney System에서 제시된 위 조직 채취 프로토콜과 updated Sydney System의 조직학적인 반정량 평가방식을 이용하여 위축 정도를 평가하고, 위축의 정도와 범위를 고려하여 위축의 등급을 분류하였다. 이 OLGA 평가체계의 staging에서는 위축의 정도를 평가하기 위해 위를 크게 두 부분으로 나누어 전정부 및 위각부와 체부 각각에 대해 0~3점으로 반정량 평가를 시행하여 두 점수를 조합해 총 5단계(0~IV)로 분류한다(표 15-1). 이 평가체계는 위암 발생의 위험도가 위축위염의 정도와 범위와 연관되어 있다는 가정에 기반한 것으로, 최근의 연구들에서 OLGA 0~II 단계는 낮은 위암 위험도를, III, IV 단계는 높은 위암 위험도를 반영한다는 보고들이 있다.

일부에서는 병리판정에 있어 위축위염보다 더 명확하고 일치도가 높은 장상피화생을 기준으로 해야 한다는 주장도 있으며, 이에 장상피화생 정도를 활용한

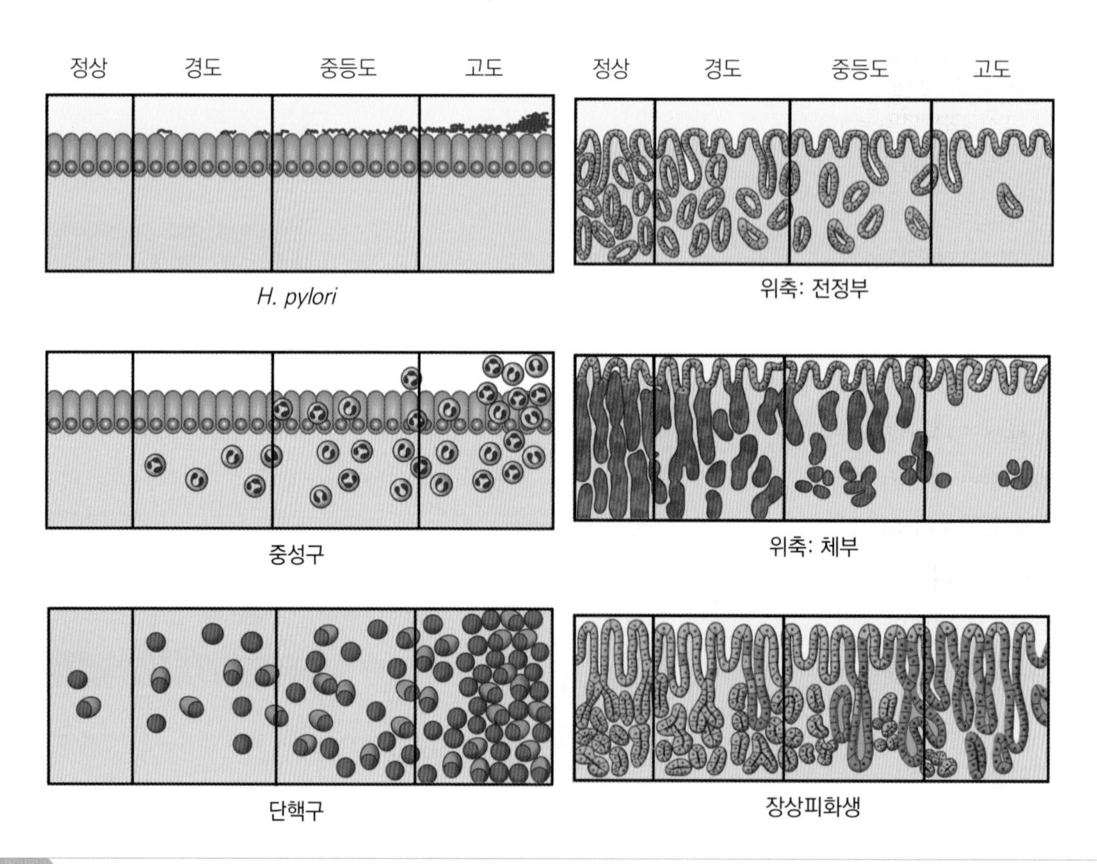

그림 15-3 Updated Sydney System에서의 조직학적 반정량적 평가방식.
헬리코박터 파일로리의 밀도, 중성구 침윤, 단핵구 침윤, 위축위염, 장상피화생의 정도를 각각 반정량화하여 정상, 경도, 중등도, 고도의 4단계로 나누어 평가한다.

표 15-1. OLGA system의 staging

전정부와 체부의 점막에서 각각 위축에 대한 조직학적 평가를 시행하여 0~3점까지 점수화하고 이를 종합하여 위험도에 따라 5개의 그룹으로 나눈다.

		체부			
		위축 없음 (score 0)	경도의 위축 (score 1)	중등도의 위축 (score 2)	고도의 위축 (score 3)
전정부	위축 없음(score 0)	stage 0	stage I	stage II	stage II
	경도의 위축(score 1)	stage I	stage I	stage II	stage III
	중등도의 위축(score 2)	stage II	stage II	stage III	stage IV
	고도의 위축(score 3)	stage III	stage III	stage IV	stage IV

OLGA, operative link on gastritis assessment.

표 15-2. OLGIM system의 staging

OLGA system과 유사하게 전정부와 체부의 점막에서 각각 장상피화생에 대한 조직학적 평가를 시행하여 0~3점까지 점수화하고 이를 종합하여 위험도에 따라 5개의 그룹으로 나눈다.

		체부			
		장상피화생 없음 (score 0)	경도의 장상피화생 (score 1)	중등도의 장상피화생 (score 2)	고도의 장상피화생 (score 3)
전정부	장상피화생 없음(score 0)	stage 0	stage I	stage II	stage II
	경도의 장상피화생(score 1)	stage I	stage I	stage II	stage III
	중등도의 장상피화생(score 2)	stage II	stage II	stage III	stage IV
	고도의 장상피화생(score 3)	stage III	stage III	stage IV	stage IV

OLGIM, operative link on gastric intestinal metaplasia assessment.

Operative Link on Gastric Intestinal Metaplasia assessment (OLGIM)이 제시되었다. 위암 발생의 고위험군에 속하는 환자들을 보다 더 정확히 판정하고자 하는 노력의 일환으로 제안된 이 체계에서는 OLGA 평가체계와 유사한 방식으로 병변의 범위와 정도를 평가해 staging을 시행하였는데, 위축위염에 비해 관찰자 간 일치도가 더 높은 장상피화생을 이용하였다는 것이 차이점이다(표 15-2). 이 OLGIM 평가체계를 이용한 후속 연구들에서도 역시 단계가 높아질수록 높은 위암 위험도를 반영하는 것이 확인된 바 있다. 하지만, OLGIM만을 사용하여 위축의 정도보다 장상피화생에 집중하다보면 민감도가 떨어지게 되어 고위험 환자들을 간과할 위험이 있어 OLGA와 함께 사용할 것이 제안되기도 하였다.

3) 위암 위험도

만성위축성위염과 장상피화생은 위암의 전구병변으로 알려져 있기 때문에, 이를 위암의 조기발견에 활용하려는 시도가 있어왔다. 위암의 다른 위험인자들에 비해 만성위축성위염과 장상피화생은 장형 위암의 위험도를 증가시키는 것으로 알려져 있는 반면, 미만형 위암은 보통 장상피화생과 무관하게 발생하는 것으로 알려져 있다.

만성위축성위염이 있을 경우 장형 위암의 발생위험도가 6배 정도 증가하며 특히 조직학적으로 심한 위축위염, 위체부에 두드러진 위염의 경우 위암 발생의 위험도는 더 높아진다. 헬리코박터 파일로리 양성 위축위염의 위암 발생률은 헬리코박터 파일로리 양성이면서 위축위염이 없는 경우에 비하여 4.9배, 헬리코박터 파일로리 음성이면서 위축위염이 없는 경우에 비해서는 14.5배 높은 것으로 알려져 있다. 절대 위험도로 따지면, 위축위염 환자에서 위암 발생률은 지역에 따른 차이에도 불구하고 비교적 일관되게 연간 0~1.8% 정도로 추정되고 있다.

위축위염에서 위암의 발생위험이 증가하는 기전 중 하나로, 저위산증에 의해 헬리코박터균 외의 다른 세균들이 과증식하고 N-nitroso 화합물을 더 많이 만들어내 위내로 분비되는 아스코르브산이 감소하는 것을 들 수 있다. 그 외에도 위산분비 감소로 인해 위점막세포의 성장인자인 혈중 가스트린 농도가 증가하게 되고, 지속적으로 가스트린이 상승되어 있을 경우 위점막의 이상증식이 유도되어 악성화 위험성이 높아질 수 있을 것으로 추측하고 있다.

장상피화생의 경우도 마찬가지로 위암 발생률이 높게 나타나는데, 만성위축성위염 환자를 대상으로 국내외에서 행해진 연구들에 따르면 장상피화생을 동반한 경우 그렇지 않았을 때에 비하여 위암 발생률이 10배 정도 증가하였다는 보고들이 있다. 다만, 위축위염에 비하여 장상피화생과 이형성이 있는 경우 위암 발생위험도는 연구마다 편차가 커서, 장상피화생의 경우 연간 0~10% 정도의 위암 발생률을 보이며 이형성의 경우 연간 위암 발생률이 무려 0~73%까지도 폭넓게 보고되고 있다. 물론, 이러한 차이는 포함된 연구들의 연구 설계뿐만 아니라, 추적기간, 지역적 편차, 인종, 질환의 정의 등에 있어 차이가 있기 때문으로 생각된다.

이형성은 상피세포의 다양한 형태와 크기, 핵의 크기 증가와 이상 형태, 정상선구조의 변형이 특징이다. 위의 이형성은 위선암의 중요한 전암성 병변이지만 일본을 중심으로 한 집단과 서구 집단 간에 정의의 기준이 달라 문제가 됨에 따라 이에 대한 합의가 진행되어 왔다. 위 이형성의 자세한 분류에 대해서는 뒤의 병리 단원에서 다루어지게 되므로 이 장에서는 위암 진행위험도와 연관된 내용을 주로 설명할 것이다. 위 이형성의 유병률은 지역에 따라 0.5~20%에 이르기까지 다양하게 분포하고 있다. 몇몇 전향적 연구들에 따르면 저등급 이형성의 60% 정도가 자연적으로 퇴행하는 한편 10~20% 정도는 고등급 이형성으로 진행하는 것으로 나타났다. 반면, 고등급 이형성의 경우 자연적으로 퇴행하는 경우는 거의 없고 매년 2~6% 정도의 빈도로 위암으로 진행하는 것으로 보고되었다.

위에서 이형성이 암으로 진행되는 확률은 0~81% 정도로 보고마다 매우 다양하고 그 편차가 큰데, 그 이유는 연구 설계가 다양하며 이형성 등의 정의가 연구마다 각기 다르기 때문인 것으로 보인다. 현재까지 보고된 여러 연구들을 종합해보면, 위암으로의 진행률이 저도 이형성에서는 약 0~23%인데 비하여, 고도 이형성에서는 10~81% 정도로 대체로 더 높게 나타남을 알 수 있다.

4) 감시 전략

위의 전암성 병변의 경우 바레트식도(Barrett esophagus)나 대장선종과 달리 현재 선별검사에 대해 명확하게 합의된 지침이 없다. 지역마다 위암의 발생률이 다를 뿐 아니라 실제 임상에서 위축위염과 장상피화생을 진단하는 기준의 차이나 관찰자간 일치도의 문제도 존재하기 때문에 전 세계적으로 일률적인 기준을 적용하기도 쉽지 않다. 위암 발생률이 높은 일본에서는 일반 인구를 대상으로 한 전국적인 대규모 위암 검진을 통해 조기위암 진단율을 높였다. 1960년대 이후부터 일본에서는 위암 스크리닝을 위한 대규모 검진이 시행되고 있으며, 위장관조영술의 경우 위암 발견에 대한 민감도는 60~80%, 특이도는 80~90%로 확인된 바 있다. 우리나라에서도 40세 이상의 성인에서 2년 주기로 위암 선별검사를 실시하고 있는데, 국내 연구에서 내시경 검사의 경우 민감도 69.0%, 특이도 96.0%로 보고되었다. 일본과 우리나라에서 발표된 위내시경 검진의 위암 사망률에 대한 효과를 다룬 연구들에 따르면, 검진 군에서 위암 사망률은 유의하게(54~65%) 감소한 것으로 확인되었다.

만성위축성위염과 장상피화생이 대부분의 위암 환자에서 발견되기는 하나, 만성위축성위염과 장상피화생 자체는 임상에서 드물지 않게 관찰되는 병변으로서, 이 중 극히 일부에서만 위암이 발생하므로 이 병변을 가진 모든 환자를 대상으로 지속적인 내시경적 감시를 일률적으로 시행하는 것은 근거가 부족한 것으로 여겨지고 있다. 따라서, 위암 발생의 추가적인 위험요소들에 대한 평가가 필요하며, 이를 고려하여 감시 여부를 결정하는 것이 필요하다. 이에는 장상피화생의 범위나 위암의 가족력 등이 포함될 수 있고, 지속적인 헬리코박터 파일로리 감염, 남성, 음주 등도 위험요인으로 알려져 있으나 감시대상 선정 기준은 아직 명확히 정해지지는 않았다.

2012년 유럽에서 발표된 가이드라인에 따르면, 전암성 병변의 범위와 정도에 따라 권고를 달리 하고 있는데, 광범위한 위축위염이나 장상피화생이 있는 경우 내시경 감시를 시행할 것을 권고하고 있는 반면, 전정부에 국한된 경도~중등도의 위축위염이나 장상피화생의 경우 추적감시를 권고할 근거가 뚜렷하지 않다고 하였다. 이형성 병변의 경우, 내시경적으로 확인 가능한 형태로 관찰될 경우에는 내시경절제를 통한 적극적인 조직학적 진단이 필요하다. 조직검사에서 저도 이형성이 확인되었으나 내시경적으로 뚜렷하게 병변을 확인할 수 없을 시에는 1년 내로 내시경 재검 및 국소지도생검(topographic mapping biopsy)을 시행할 것을 권고하고 있으며, 추적조직검사에서도 이형성이 확인될 시 감시검사를 지속하도록 권유하고 있으나 최적의 간격에 대해서는 합의가 이루어지지 않았고, 비용대비 효과에 대해서도 추가적인 연구가 필요하다. 1년 뒤 재검에서 저도 이형성 병변이 확인되지 않을 시에는 언제까지 검사를 지속해야 할지는 확실하지 않다. 한편, 고도 이형성이 있는 환자의 경우 위암을 포함하고 있거나 단기간 내에 위암으로 진행할 가능성이 높기 때문에 반드시 수술 또는 내시경 절제가 권고된다.

영국에서 위의 전암성 병변에 대한 감시의 이득을 조사한 연구들에 따르면 10년간 추적결과 위암의 발생률은 11%로 높았고, 내시경 감시를 했을 때 위암이 조기에 발견되는 경우가 더 많았으며 생존율도 향상되었다. 반면에, 또 다른 보고에 따르면 장상피화생을 가진 환자의 위암으로의 진행위험도가 높지 않은 미국에서는 추가적인 위험요인을 가진 경우가 아니라면 감시검사를 할 필요가 없다고 하였다. 비용 대비 효과 측면에서는 전암성 병변을 가진 환자들에 대한 감시검사를 분석한 연구들에서 서로 상충되는 결과들이 발표되었는데, 이는 전암성 병변이 이형성이나 암으로의 진행하는 비율이 연구마다 크게 다르고, 동서양 간 병리판정에도 간극이 있으며, 국가별로 검사에 따른 비용에 차이가 나기 때문으로 보인다.

이와 같이 위암 발생률이 높은 국가나 위암 고위험군의 환자를 대상으로 한 감시검사는 이득이 있는 것으로 생각되지만, 위암 발생률이 낮은 나라에서 감시의 이득이 정확히 어느 정도이며, 어떤 환자를 대상으로 검사를 얼마나 자주 해야 할지 등에 대해서는 추가적인 연구와 지속적인 논의가 필요하다.

2. 위용종

위용종은 일반 인구의 1~6% 정도에서 대부분 우연히 발견된다. 증식성용종(hyperplastic polyp) 또는 위저선용종(fundic gland polyp)이 70~90%로 주를 이룬다.

이러한 용종은 대개 악성화하지 않는 것으로 생각되는데 위저선용종은 산발성으로 발생하거나 장기간의 양성자펌프억제제(proton pump inhibitor) 사용과 관련된 경우 위암의 위험도를 증가시키지 않으며 드물게 이형성을 동반할 수는 있다. 증식성용종 중 1% 미만이 악성화되는데 이들은 대개 1 cm 이상의 큰 용종이다. 적절한 조직검사가 중요한데 악성화되는 증식성용종은 종종 이형성이나 장상피화생을 포함하며 주로 분화형 암으로 변한다. 선종용종은 전체 용종의 10% 정도를 차지하며 상대적으로 악성화 가능성이 높은데, 이는 크기, 조직형, 분화도 및 환자의 나이 등과 관계가 있다. 최근의 대규모 코호트 연구결과에 따르면 저도 이형성을 동반한 선종이 3~9%에서 차후 위암으로 진단되는 것에 비해 고도 이형성을 동반한 경우 진단 후 1년 이내에 약 25%의 환자에서 위암이 확인되어 위암 진행위험도가 더 높은 것으로 알려져 있다. 따라서 선종용종은 제거하는 것이 권고되며, 이후에도 재발 여부를 정기적으로 검사해야 한다.

내시경 소견만으로는 조직형을 알 수 없기 때문에 용종이 발견되면 일단 조직검사나 용종절제술을 시행하는 것이 좋다. 조직검사가 성공적으로 끝나고 이형성이 관찰되지 않으면 더 이상의 조작이 필요 없지만 조직검사가 적절히 끝나지 못하고 이형성의 가능성을 배제할 수 없다면 용종절제술 및 수술을 고려한다. 여러 개의 용종이 관찰되면 가장 큰 용종에서 조직을 채취해 검사하거나 제거하고, 다른 용종들도 조직검사를 해야 한다. 그 이 후의 치료는 조직형에 따라 시행한다.

선종용종을 절제한 후에는 재발 가능성이나 동시성 및 이시성 병변의 확인을 위해 1년 후에 추적검사를 시행하는 것이 합리적이다. 그 이후의 추적 간격이나 언제까지 추적검사를 실시해야 하는지에 대해서는 명확한 근거가 부족하여 뚜렷한 합의는 없는 실정이나, 이시성 위암 발생률이 일반 인구에 비해 높음을 고려하였을 때 정기적인 추적검사를 고려해야 한다.

3. 위아전절제술

양성 위궤양이나 십이지장궤양으로 위아전절제술을 받은 환자에서 위암 발생의 위험도가 증가하는 경향이 있는 것으로 알려져 있는데, 대개 수술한 지 15~20년 후부터 위암 발생의 위험도가 높아진다. 수술 후 위내시경추적검사 중 위암이 발견되는 빈도는 4~6% 정도이며, 위아전절제술 후의 위암은 주로 문합부 근처의 위에서 발생하는 것으로 알려져 있다. 전정부에서 분비되는 가스트린의 감소로 위점막의 위축, 장상피화생의 발현이 가속화되는 것이 잔위암의 위험도 증가와 관계될 것으로 생각되며, 저산증에 이어 미생물의 과증식과 이에 따른 아질산염의 생성 등도 원인으로 추측된다.

Billroth II 술식으로 수술한 경우에 상대적으로 잔위암 발생률이 높은 것으로 보아 만성적 담즙의 역류에 의한 위점막 자극도 영향을 미칠 것으로 보인다.

위암 발병률이 낮은 지역에서 위아전절제술 후 위암 검진을 지속하는 것이 비용대비 효과적인지에 대해서는 확실하지 않다. 현재는 양성자펌프억제제와 함께 헬리코박터 파일로리 제균요법이 널리 적용되면서 소화성궤양 치료에 있어 위절제를 시행하는 경우가 이전에 비해 크게 감소하여 위암 발생의 위험인자로서 위아전절제술이 갖는 의미는 감소하고 있다.

4. 메네트리에병

메네트리에병(Ménétrier disease)은 주로 위체부의 점막주름이 비후되는 것이 특징적이며, 위선의 위축, 저산증, 소와증식(foveolar hyperplasia), 점막 비대 등이 특징인 매우 드문 질환이다. 증례 보고들 중 메네트리에병 환자의 15%에서 위암과의 연관성이 발견된다. 그러나 질병 자체가 드물어 위암과의 연관성을 밝히기가 매우 힘들며, 적절한 내시경 추적감시 전략에 대한 권고안은 없는 상태이다.

5. 가족성선종용종증

가족성선종용종증(familial adenomatous polyposis, FAP) 환자에서 위용종은 흔히 발견된다. 대부분 위저선용종이며 소아와 성인을 통틀어 최대 88%에서 발견된다. 이러한 위저선용종에 이형성이 동반되는 경우는 25~41% 정도로 높은 편이나, 위저선용종 자체의 악성화는 드물다. 가족성선종용종증 환자의 5% 정도에서는 위선종이 동반되기도 하며 대개 단일 무경성 용종의 형태로 발견되는데, 주로 전정부에 위치한다. 이 질환에 이환된 환자들에서 아시아의 경우 위암의 발생률이 일반 인구에 비해 높다는 보고가 있으나, 미국에서의 보고는 차이가 없음을 보여주고 있어 확실한 결론을 내리기는 어렵다. 용종이 발견되면 위저선용종인지, 이형성이 있는지 등을 확인해야 하며, 전정부의 용종은 주로 선종이어서 제거해야 한다.

6. 유전성비용종증대장암

유전성비용종증대장암(hereditary nonpolyposis colorectal cancer)을 가진 환자에서는 소장과 위의 암 발생위험도가 증가한다. HNPCC 환자의 위암 위험도는 보고마다 다양한데, 국내 HNPCC 코호트 연구에 따르면 위암의 발생위험도가 일반인보다 2.1배 높았으며, 특히 30대(11.3배 위험도)와 40대(5.5배 위험도)의 위험도가 높았다.

HNPCC 환자가 있는 51가족을 대상으로 한 연구에서는 570명에서 암이 발생하였는데, 그 중 62명에서 위암이 진단되었다. 또 다른 보고에 따르면 2,014명의 HNPCC 유전자 변이를 가진 사람들에 대한 추적결과 남자에서는 8.5%, 여자에서는 5.3%의 평생 위암 발생률을 도출할 수 있었다. 반면에 HNPCC 환자의 위암 발생률이 일반인보다 높지 않다는 보고도 있다. HNPCC 환자에서 주기적인 상부위장관내시경을 통한 감시에 대해서는 근거 자료가 부족하나, 일부 가이드라인에서는 30대부터 상부위장관내시경검사를 시작하고, 위암이나 소장암의 가족력이 있는 경우 3~5년 간격의 내시경 감시를 고려하도록 권고하고 있다.

참고문헌

1. Aarnio M, Salovaara R, Aaltonen LA, Mecklin JP, Jarvinen HJ. Features of gastric cancer in hereditary non-polyposis colorectal cancer syndrome. Int J Cancer 1997;74:551-555.
2. Adamu MA, Weck MN, Gao L, Brenner H. Incidence of chronic atrophic gastritis: systematic review and meta-analysis of follow-up studies. Eur J Epidemiol 2010;25:439-448.
3. Bearzi I, Brancorsini D, Santinelli A, Rezai B, Mannello B, Ranaldi R. Gastric dysplasia: a ten-year follow-up study. Pathol Res Pract 1994;190:61-68.
4. Bianchi LK, Burke CA, Bennett AE, Lopez R, Hasson H, Church JM. Fundic gland polyp dysplasia is common in familial adenomatous polyposis. Clin Gastroenterol Hepatol 2008;6:180-185.
5. Capelle LG, de Vries AC, Haringsma J, Ter Borg F, de Vries RA, Bruno MJ, et al. The staging of gastritis with the OLGA system by using intestinal metaplasia as an accurate alternative for atrophic gastritis. Gastrointest Endosc 2010;71:1150-1158.
6. Capelle LG, Van Grieken NC, Lingsma HF, Steyerberg EW, Klokman WJ, Bruno MJ, et al. Risk and

epidemiological time trends of gastric cancer in Lynch syndrome carriers in the Netherlands. Gastroenterology 2010;138:487-492.
7. Carmack SW, Genta RM, Schuler CM, Saboorian MH. The current spectrum of gastric polyps: a 1-year national study of over 120,000 patients. Am J Gastroenterol 2009;104:1524-1532.
8. Cho BR. Evaluation of the validity of current national health screening program and plan to improve the system. Cheongju: Korea Centers for Disease Control and Prevention, 2013.
9. Choi KS, Jun JK, Park EC, Park S, Jung KW, Han MA, et al. Performance of different gastric cancer screening methods in Korea: a population-based study. PLoS One 2012;7:50041.
10. Choudhry U, Boyce HW Jr, Coppola D. Proton pump inhibitor-associated gastric polyps: a retrospective analysis of their frequency, and endoscopic, histologic, and ultrastructural characteristics. Am J Clin Pathol 1998;110:615-621.
11. Correa P. Chronic gastritis: a clinico-pathological classification. Am J Gastroenterol 1988;83:504-509.
12. Correa P. Human gastric carcinogenesis: a multistep and multifactorial process-First American cancer society award lecture on cancer epidemiology and prevention. Cancer Res 1992;52:6735-6740.
13. Craanen ME, Blok P, Dekker W, Ferwerda J, Tytgat GN. Prevalence of subtypes of intestinal metaplasia in gastric antral mucosa. Dig Dis Sci 1991;36:1529-1536.
14. Cristallini EG, Ascani S, Bolis GB. Association between histologic type of polyp and carcinoma in the stomach. Gastrointest Endosc 1992;38:481-484.
15. de Vries AC, Haringsma J, Kuipers EJ. The detection, surveillance and treatment of premalignant gastric lesions related to *Helicobacter pylori* infection. Helicobacter 2007;12:1-15.
16. de Vries AC, Kuipers EJ. Epidemiology of premalignant gastric lesions: implications for the development of screening and surveillance strategies. Helicobacter 2007;12:22-31.
17. de Vries AC, van Grieken NC, Looman CW, Casparie MK, de Vries E, Meijer GA, et al. Gastric cancer risk in patients with premalignant gastric lesions: a nationwide cohort study in the Netherlands. Gastroenterology 2008;134:945-952.
18. Dinis-Ribeiro M, Areia M, de Vries AC, Marcos-Pinto R, Monteiro-Soares M, O'Connor A, et al. Management of precancerous conditions and lesions in the stomach (MAPS): guideline from the European Society of Gastrointestinal Endoscopy (ESGE), European Helicobacter Study Group (EHSG), European Society of Pathology (ESP), and the Sociedade Portuguesa de Endoscopia Digestiva (SPED). Endoscopy 2012;44:74-94.
19. Dinis-Ribeiro M, da Costa-Pereira A, Lopes C, Moreira-Dias L. Feasibility and cost-effectiveness of using magnification chromoendoscopy and pepsinogen serum levels for the follow-up of patients with atrophic chronic gastritis and intestinal metaplasia. J Gastroenterol Hepatol 2007;22:1594-1604.
20. Dixon MF, Genta RM, Yardley JH, Correa P. Classification and grading of gastritis. The updated Sydney System. International workshop on the histopathology of Gastritis, Houston 1994. Am J Surg Pathol 1996;20:1161-1181.
21. Evans JA, Chandrasekhara V, Chathadi KV, Decker GA, Early DS, Fisher DA, et al. The role of endoscopy in the management of premalignant and malignant conditions of the stomach. Gastrointest Endosc 2015;82:1-8.
22. Fennerty MB. Gastric intestinal metaplasia on routine endoscopic biopsy. Gastroenterology 2003;125:586-590.
23. Fertitta AM, Comin U, Terruzzi V, Minoli G, Zambelli A, Cannatelli G, et al. Clinical significance of gastric dysplasia: a multicenter follow-up study. Gastrointestinal Endoscopic Pathology Study Group. Endoscopy

1993;25:265-268.

24. Genta RM, Rugge M. Review article: pre-neoplastic states of the gastric mucosa-a practical approach for the perplexed clinician. Aliment Pharmacol Ther 2001;15:43-50.
25. Goddard AF, Badreldin R, Pritchard DM, Walker MM, Warren B. The management of gastric polyps. Gut 2010;59:1270-1276.
26. Gore RM. Gastric cancer. Clinical and pathologic features. Radiol Clin North Am 1997;35:295-310.
27. Hamashima C, Ogoshi K, Okamoto M, Shabana M, Kishimoto T, Fukao A. A community-based, case-control study evaluating mortality reduction from gastric cancer by endoscopic screening in Japan. PLoS One 2013;8:79088.
28. Hamashima C, Shibuya D, Yamazaki H, Inoue K, Fukao A, Saito H, et al. The Japanese guidelines for gastric cancer screening. Jpn J Clin Oncol 2008;38:259-267.
29. Hassan C, Zullo A, Di Giulio E, Annibale B, Lahner E, De Francesco V, et al. Cost-effectiveness of endoscopic surveillance for gastric intestinal metaplasia. Helicobacter 2010;15:221-226.
30. Hosokawa O, Miyanaga T, Kaizaki Y, Hattori M, Dohden K, Ohta K, et al. Decreased death from gastric cancer by endoscopic screening: association with a population-based cancer registry. Scand J Gastroenterol 2008;43:1112-1115.
31. Isajevs S, Liepniece-Karele I, Janciauskas D, Moisejevs G, Putnins V, Funka K, et al. Gastritis staging: interobserver agreement by applying OLGA and OLGIM systems. Virchows Arch 2014;464:403-407.
32. Kim N, Park RY, Cho SI, Lim SH, Lee KH, Lee W, et al. *Helicobacter pylori* infection and development of gastric cancer in Korea: long-term follow-up. J Clin Gastroenterol 2008;42:448-454.
33. Kimura K, Takemoto T. An endoscopic recognition of the atrophic border and its significance in chronic gastritis. Endoscopy 1969;3:87-97.
34. Kokkola A, Haapiainen R, Laxen F, Puolakkainen P, Kivilaakso E, Virtamo J, et al. Risk of gastric carcinoma in patients with mucosal dysplasia associated with atrophic gastritis: a follow up study. J Clin Pathol 1996;49:979-984.
35. Leung WK, Lin SR, Ching JY, To KF, Ng EK, Chan FK, et al. Factors predicting progression of gastric intestinal metaplasia: results of a randomised trial on *Helicobacter pylori* eradication. Gut 2004;53:1244-1249.
36. Leung WK, Sung JJ. Review article: intestinal metaplasia and gastric carcinogenesis. Aliment Pharmacol Ther 2002;16:1209-1216.
37. Mark Feldman LSF, Lawrence J. Brandt. Sleisenger and Fordtran's gastrointestinal and liver disease. 10th ed. New York: Saunders, 2016:2616.
38. Matsumoto S. Effectiveness of gastric endoscopic screening in reducing the mortality of gastric cancer, in comparison with Barium X-ray examination and non-examination. Nihon Shoukaki Gan Kenshin Gakkai zasshi 2010;48:436-441.
39. Meining A, Morgner A, Miehlke S, Bayerdorffer E, Stolte M. Atrophy-metaplasia-dysplasia-carcinoma sequence in the stomach: a reality or merely an hypothesis? Best Pract Res Clin Gastroenterol 2001;15:983-998.
40. Misiewicz JJ. The Sydney System: a new classification of gastritis. Introduction. J Gastroenterol Hepatol 1991;6:207-208.
41. Ohata H, Kitauchi S, Yoshimura N, Mugitani K, Iwane M, Nakamura H, et al. Progression of chronic atrophic gastritis associated with *Helicobacter pylori* infection increases risk of gastric cancer. Int J Cancer 2004;109:138-143.
42. Park SY, Ryu JK, Park JH, Yoon H, Kim JY, Yoon YB, et al. Prevalence of gastric and duodenal polyps and risk factors for duodenal neoplasm in korean patients with familial adenomatous polyposis. Gut Liver 2011;5:46-51.

43. Park YJ, Shin KH, Park JG. Risk of gastric cancer in hereditary nonpolyposis colorectal cancer in Korea. Clin Cancer Res 2000;6:2994-2998.
44. Peleteiro B, Bastos J, Barros H, Lunet N. Systematic review of the prevalence of gastric intestinal metaplasia and its area-level association with smoking. Gac Sanit 2008;22:236-247.
45. Quach DT, Le HM, Nguyen OT, Nguyen TS, Uemura N. The severity of endoscopic gastric atrophy could help to predict operative link on gastritis assessment gastritis stage. J Gastroenterol Hepatol 2011;26:281-285.
46. Renkonen-Sinisalo L, Sipponen P, Aarnio M, Julkunen R, Aaltonen LA, Sarna S, et al. No support for endoscopic surveillance for gastric cancer in hereditary non-polyposis colorectal cancer. Scand J Gastroenterol 2002;37:574-577.
47. Rokkas T, Filipe MI, Sladen GE. Detection of an increased incidence of early gastric cancer in patients with intestinal metaplasia type III who are closely followed up. Gut 1991;32:1110-1113.
48. Rugge M, Cassaro M, Di Mario F, Leo G, Leandro G, Russo VM, et al. The long term outcome of gastric non-invasive neoplasia. Gut 2003;52:1111-1116.
49. Rugge M, Farinati F, Baffa R, Sonego F, Di Mario F, Leandro G, et al. Gastric epithelial dysplasia in the natural history of gastric cancer: a multicenter prospective follow-up study. Interdisciplinary group on gastric epithelial dysplasia. Gastroenterology 1994;107:1288-1296.
50. Rugge M, Genta RM, Graham DY, Di Mario F, Vaz Coelho LG, Kim N, et al. Chronicles of a cancer foretold: 35 years of gastric cancer risk assessment. Gut 2016;65:721-725.
51. Rugge M, Genta RM. Staging and grading of chronic gastritis. Hum Pathol 2005;36:228-233.
52. Rugge M, Leandro G, Farinati F, Di Mario F, Sonego F, Cassaro M, et al. Gastric epithelial dysplasia. How clinicopathologic background relates to management. Cancer 1995;76:376-382.
53. Satoh K, Osawa H, Yoshizawa M, Nakano H, Hirasawa T, Kihira K, et al. Assessment of atrophic gastritis using the OLGA system. Helicobacter 2008;13:225-229.
54. Schlemper RJ, Riddell RH, Kato Y, Borchard F, Cooper HS, Dawsey SM, et al. The Vienna classification of gastrointestinal epithelial neoplasia. Gut 2000;47:251-255.
55. Stolte M, Sticht T, Eidt S, Ebert D, Finkenzeller G. Frequency, location, and age and sex distribution of various types of gastric polyp. Endoscopy 1994;26:659-665.
56. Strickland RG, Mackay IR. A reappraisal of the nature and significance of chronic atrophic gastritis. Am J Dig Dis 1973;18:426-440.
57. Syngal S, Brand RE, Church JM, Giardiello FM, Hampel HL, Burt RW. ACG clinical guideline: Genetic testing and management of hereditary gastrointestinal cancer syndromes. Am J Gastroenterol 2015;110:223-262.
58. Uemura N, Okamoto S, Yamamoto S, Matsumura N, Yamaguchi S, Yamakido M, et al. *Helicobacter pylori* infection and the development of gastric cancer. N Engl J Med 2001;345:784-789.
59. Vannella L, Lahner E, Annibale B. Risk for gastric neoplasias in patients with chronic atrophic gastritis: a critical reappraisal. World J Gastroenterol 2012;18:1279-1285.
60. Vannella L, Lahner E, Osborn J, Bordi C, Miglione M, Delle Fave G, et al. Risk factors for progression to gastric neoplastic lesions in patients with atrophic gastritis. Aliment Pharmacol Ther 2010;31:1042-1050.
61. Vasen HF, Moslein G, Alonso A, Aretz S, Bernstein I, Bertario L, et al. Guidelines for the clinical management of familial adenomatous polyposis (FAP). Gut 2008;57:704-713.
62. Voutilainen M, Mantynen T, Kunnamo I, Juhola M, Mecklin JP, Farkkila M. Impact of clinical symptoms

and referral volume on endoscopy for detecting peptic ulcer and gastric neoplasms. Scand J Gastroenterol 2003;38:109-113.

63. Watabe H, Mitsushima T, Yamaji Y, Okamoto M, Wada R, Kokubo T, et al. Predicting the development of gastric cancer from combining *Helicobacter pylori* antibodies and serum pepsinogen status: a prospective endoscopic cohort study. Gut 2005;54:764-768.
64. Whitehead R, Truelove SC, Gear MW. The histological diagnosis of chronic gastritis in fibreoptic gastroscope biopsy specimens. J Clin Pathol 1972;25:1-11.
65. Whiting JL, Sigurdsson A, Rowlands DC, Hallissey MT, Fielding JW. The long term results of endoscopic surveillance of premalignant gastric lesions. Gut 2002;50:378-381.
66. Wu TT, Kornacki S, Rashid A, Yardley JH, Hamilton SR. Dysplasia and dysregulation of proliferation in foveolar and surface epithelia of fundic gland polyps from patients with familial adenomatous polyposis. Am J Surg Pathol 1998;22:293-298.
67. Yamada H, Ikegami M, Shimoda T, Takagi N, Maruyama M. Long-term follow-up study of gastric adenoma/dysplasia. Endoscopy 2004;36:390-396.
68. Yeh JM, Hur C, Kuntz KM, Ezzati M, Goldie SJ. Cost-effectiveness of treatment and endoscopic surveillance of precancerous lesions to prevent gastric cancer. Cancer 2010;116:2941-2953.
69. Yue H, Shan L, Bin L. The significance of OLGA and OLGIM staging systems in the risk assessment of gastric cancer: a systematic review and meta-analysis. Gastric Cancer 2018;21:579-587.

CHAPTER 16

위암의 종양생물학

1. 호발 유전자 이상 (oncogene, tumor suppressor gene)

1) 서론

최근 인간 유전체 연구와 분자생물학의 눈부신 발전으로 암은 5 내지 6개 이상의 암 발생 관련 유전자들의 변이가 축적되어 생기는 일종의 유전자 질환이며, 유전자 변이는 부모로부터 유전되거나 바이러스 감염, 화학물질 및 방사능 노출 등의 외부 환경적 요인들에 의해 발생한다는 것을 알게 되었다.

암 발생 관련 유전자들은 주로 세포 증식을 유도하는 종양유전자(oncogene), 세포 증식을 억제하거나 유전자 변이를 교정하는 종양억제유전자(tumor suppressor gene) 그리고 세포자멸사(apoptosis)와 관련된 유전자들이며, 암 발생 및 진행의 다단계 과정(multistep carcinogenesis) 중 각각의 단계에는 단계별 대상(target) 유전자들의 기능 및 발현 이상이 관여한다. 암 세포에서 흔히 관찰되는 유전자 변이들은 염색체의 수적 및 구조적 이상, 암 관련 유전자의 소실, 삽입, 증폭 그리고 점돌연변이들이며, 바이러스 유전자와 같은 외부 유전자들의 삽입에 의한 변이 등을 관찰할 수 있다. 이러한 유전자들의 변이는 종양유전자를 활성화시키고 종양억제유전자와 세포자멸사를 유도하는 유전자들을 불활성화시켜 세포가 지속적으로 증식하고 세포자멸사가 억제되어 종괴(mass)를 형성하게 된다. 상기 유전자들의 변이와 발현 변화들은 위암의 발생과 진행에도 직접적으로 관여하고 있다.

2) 산발성 위암의 분자생물학적 아형

모든 산발성 위암은 하나의 질병으로 생각하였으나 TCGA (The Cancer Genome Atlas) 분석에서는 DNA 및 RNA 염기서열과 단백체 분석 결과 등을 바탕으로 위암을 유전체 변이에 따라 4가지 아형으로 분류하였다(표 16-1). 우선, 첫 번째 아형은 Epstein-Barr virus (EBV) 양성 위암으로 전체 위암의 약 9%를 차지하고 주로 위저부 혹은 체부에서 발생하며 세포 분열과 증식에 필수 단백인 PI3-kinase를 코딩하는 PIK3CA 유전자의 돌연변이가 흔히 관찰된다. 이 외에도 세포 증식에 관여하는 JAK2 단백과 면역반응을 억제하는 PD-L1 (programmed death ligand 1)과 PD-L2 단백이 과발현되고 있으며 다른 위암보다 DNA의 과메틸화(hypermethylation)가 흔히 관찰된다. EBV 양성 위암은 ACRG (Asian Cancer Research Group) 분류에서는 MSS/TP53^{+} 아형에서 주로 나타나며, TP53 유전자의 변이는 없고 중등도의 예후와 재발률을 가지는 위암이다. 두 번째 아형은 MSI (microsatellite instability)형으로 전체 위암 중 22%에 해당하며 DNA mismatch repair에 중요한 MLH1 단백의 발현이 소실되어 있고 KRAS, ARID1A, PIK3CA 유전자의 돌연변이가 흔히 관찰되는 위암으로 예후가 좋으며 재발률이 낮다(표 16-1). 세 번째 아형인 genomically stable (GS) 위암은 ACRG 분류 중 MSS/EMT (microsatellite stable/epithelial-mesenchymal transition) 아형과 부분적으로 공통되며, 유전자 변이가 미만형 위암과 거의 일치하고 세포의 운동성과 이동에 관여하는 RhoA및 CDH1 유전자의 돌연변이를 관찰할 수 있으며 다른 위암에 비해 재발률이 높고 예후가 나쁜 아형이다(표 16-1). 네 번째 아형은 chromosomal instability (CIN) 위암으로 ACRG 분류의 MSS/TP53$^-$ 아형과 부분적으로 공통되며, 전체 위암의 50%에 해당하고 이수체(aneuploidy), TP53 돌연변이 및 HER2 등의 티로신키나아제 수용체(tyrosine kinase receptor)들의 과발현을 관찰할 수 있다(표 16-1).

3) 산발성 위암에서 호발 유전자 이상

(1) 종양유전자

종양유전자에는 세포의 성장인자와 세포막에 존재하는 성장인자 수용체, 세포질 내 신호전달계와 핵 내에서 세포의 성장을 유도하는 유전자들이 있다. 암 조직에서 관찰되는 종양유전자의 돌연변이는 활성화 돌연변이, 유전자 증폭(amplification) 및 전좌(translocation)이다. 이러한 종양유전자들의 활성화는 위암의 형태학적 분류인 장형과 미만형에 따라 많은 차이가 있다. 세포 내 위치에 따라 위암의 발생과 진행에 관여하는 종양유전자를 구분해 보면, 성장인자로 세포 증식, 분화 및 생존 등에 중요한 역할을 하는 상피세포 성장인자(epithelial growth factor)는 주로 장형 위암에서 과발현되고 있으며, 섬유모세포 성장인자(fibroblast growth factor)는 위암의 50% 이상에서 과발현된다. 세포막에 존재하는 상피세포 성장인자 수용체1(epithelial growth factor receptor-1, EGFR1, 일명 HER1), 상피

표 16-1. 산발적 위암의 분자생물학적 아형

TCGA	EBV (8.8%)	MSI (21.7%)	GS (19.7%)	CIN (49.8%)
ACRG	MSS/TP53$^+$ (26.3%)	MSI (22.7%)	MSS/EMT (15.3%)	MSS/TP53$^-$ (35.7%)
유전자 이상	• Frequent mutations in PIK3CA, APC, ARID1A and SMAD4 • CDKN2A silencing • MDM2 and JAK2 amplification • PD-L1 and PD-L2 amplification • Rare TP53 mutation	• Mostly intestinal-type • Frequent mutations in KRAS, PIK3CA, PTEN, mTOR, ALK and ARID1A • Hypermutation • Hypermethylation of DNA mismatch repair genes (MLH1 silencing)	• Mostly diffuse-type • Low mutational rates • Loss of CDH1 • RhoA mutation	• Mostly intestinal-type • Aneuploidy • RTK-RAS activation(HER2, EGFR, MET, VEGF and KRAS) • Amplification of cell cycle mediators(CCNE1, CCND1 and CDK6) • TP53 mutation
임상적 소견	• Intermediate-risk prognosis • Intermediate risk of recurrence	• Older patients • Best prognosis (low risk of recurrence, diagnosed at early stage)	• Younger patients • Worst prognosis • High risk of recurrence • Late stage III-IV	• Intermediate-risk prognosis • Intermediate risk of recurrence

EBV, Epstein-Barr Virus; MSI, microsatellite instability; GS, genomically stable; CIN, chromosomal instability; MSS, microsatellite stable; EMT, epithelial-mesenchymal transition.

세포 성장인자 수용체2(EGFR2, 일명 HER-2), 섬유모세포 성장인자 수용체(fibroblast growth factor receptor, FGFR) 등의 티로신키나아제 수용체는 세포외 리간드 결합 영역(extracellular ligand-binding domain)과 세포내 촉매(catalytic) 영역을 포함하는 막관통성(transmembrane) 단백이다. 이러한 수용체들의 유전자 변이 및 과발현은 TCGA 분석에서 주로 CIN 위암에서 보고되었으며, 티로신키나아제 수용체에 대한 억제제나 항체를 이용한 표적치료가 광범위하게 시도되고 있다. 이 중, HER-2 수용체는 상피세포 성장인자나 neuregulin (NRG) 등의 리간드(ligand)와 결합하면 다른 ErbB 수용체들과 heterodimer를 형성하여 세포질내 티로신키나아제를 인산화시키는데(phosphorylation), 인산화된 티로신키나아제 영역에 growth factor receptor-bound protein 2 (Grb2) 등의 단백이 결합하여 RAS/RAF/mitogen-activated protein 키나아제(MAPK)를 활성화시켜 세포 증식, 분화 및 생존을 조절하는 유전자이다(그림 16-1). HER-2 유전자 증폭과 과발현은 위암의 12~20%에서 관찰할 수 있다. ToGA trial에서 HER-2에 대한 단클론항체인 trastuzumab은 HER-2 양성인 진행성 위암 환자의 생존기간을 연장시켜, 진행성 위암에서 HER-2 유전자 증폭과 과발현 확인은 기본 검사로 정착되었다.

또한, 간세포 성장인자 수용체(hepatocyte growth

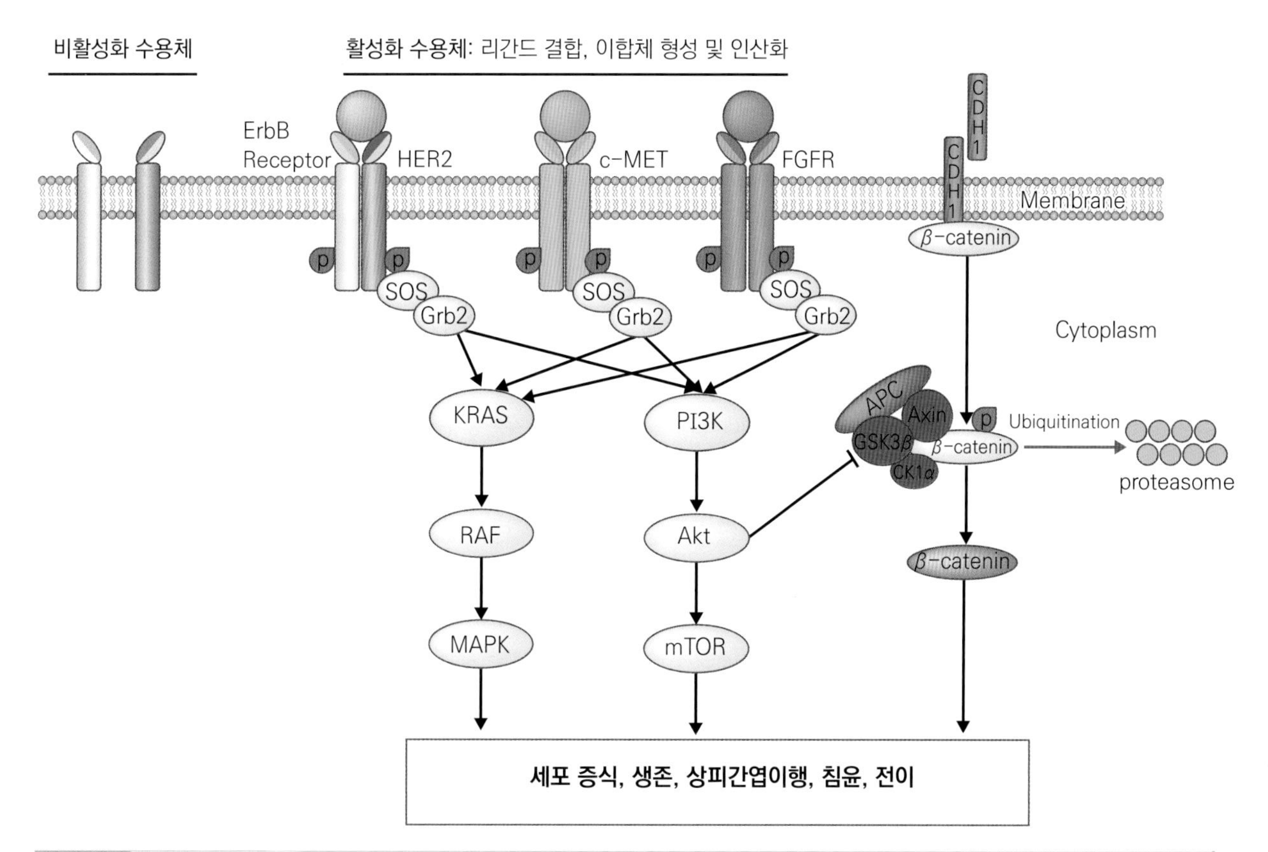

그림 16-1 티로신키나아제 수용체와 베타-카테닌 신호체계.
성장인자(EGF, HGF, FGF) 같은 리간드가 티로신키나아제 수용체에 결합하면, 두 개의 수용체 단량체가 결합하여 이합체가 되며 키나아제 도메인에 인산화가 일어나 수용체가 활성화된다. 리간드-비의존성 활성화를 초래하는 티로신키나아제 수용체의 변이나 증폭, 그리고 베타-카테닌 또는 APC의 변이는 위암의 발생과 진행을 일으킨다.

factor receptor)인 c-MET은 티로신키나아제 수용체 중 하나로 염색체 7번에 존재하고 간세포 성장인자가 결합하면 homodimer를 형성하고 티로신 잔기(residue)들이 인산화되어 phosphoinositide-3-kinase (PI3K), Akt 및 RAS/RAF/MAPK 신호전달 축을 활성화시켜 세포 증식, 이동 및 생존을 주도한다(그림 16-1). 이러한 c-MET 유전자의 mRNA 증폭과 단백 과발현은 위암에서 흔히 발견되고 있고 위암의 병기, 침습 정도 및 림프절 전이와 같은 예후인자들과 밀접한 연관성이 있으며, c-Met 과발현이 있는 위암 환자를 대상으로 티로신키나아제 억제제들에 대한 임상시험들이 진행되고 있다. 이 외에도 섬유모세포 성장인자 수용체(FGFR)는 리간드인 섬유모세포 성장인자와 결합하여 MAPK와 PI3K/Akt/mTOR 신호전달계를 활성화시켜 암세포의 증식, 이동 및 신생혈관 형성에 관여한다(그림 16-1).

FGFR2 유전자 증폭은 서양인 위암의 9%, 동양인 위암의 1.2~4.9%에서 검출되며, 활성화 돌연변이 또한 보고되었다. 최근, FGFR2 유전자 증폭이 있는 위암을 대상으로 FGFR 억제제를 이용한 임상시험들이 진행됨에 따라 위암 조직에서 FGFR2 유전자 증폭검사가 요구된다.

세포질에 존재하는 β-catenin 단백은 인체 발달, 조직의 항상성(homeostasis) 및 세포의 재생(regeneration)을 조절한다. 세포막의 E-cadherin 단백과 결합하고 있는 β-catenin은 세포 내 키나아제가 활성화되거나 E-cadherin의 발현이 감소되면 세포질로 유리되는데, 세포질로 유리된 자유형(free form)의 β-catenin은 Axin과 APC (adenomatous polyposis coli) 단백에 의해 인지되고 casein kinase 1α (CK1α)와 glycogen synthase kinase 3β (GSK3β)에 의해 인산화되며 β-transducin repeat containing protein (β-TRCP)에 의해 유비퀴틴화(ubiquitination)되어 파괴된다(그림 16-1). 그러나 β-catenin 유전자 내에 활성화 돌연변이가 있거나 Axin과 APC 유전자들이 돌연변이로 인해 불활성화된 경우, 세포질 내 β-catenin은 핵으로 이동하여 전사인자인 TCF/LEF를 활성화시키고 c-myc과 cyclin D1 등의 발현을 유도하여 세포 증식을 유도한다. 이러한 β-catenin을 코딩하는 CTNNB1 유전자의 돌연변이는 장형 및 미만형 위암 모두에서 발견되고 있으나 장형 위암에서 돌연변이 빈도가 높다. 또한, RhoA는 small GTPases-Ras-like 단백의 Rho family에 속하는 단백으로 액틴의 구조화(actin organization), 세포 이동(migration) 및 세포 주기에 관여하는 단백으로 다양한 암의 발생과 암세포의 침습에 관여한다. RhoA 유전자 돌연변이는 미만형 위암의 14~25%에서 발견되고 있어 미만형 위암의 드라이버 유전자(driver gene) 중 하나로 이해되고 있으나 예후와의 연관성에 대해서는 추가적인 조사가 필요하다. 이 외에도 세포질에 존재하는 KRAS와 BRAF 유전자의 돌연변이는 TCGA 분류 중 MSI 위암에서 주로 발견되고 있으나 돌연변이 빈도는 다른 암에 비하여 낮고, 핵 내 종양유전자인 c-myc 유전자의 증폭과 단백의 과발현은 TCGA 분류 중 CIN 위암에서 흔하고 c-myc 증폭은 위암세포의 전이와 연관성이 있다.

(2) 종양억제유전자

일반적으로 종양억제유전자의 특징을 살펴보면 ① 유전성 암 증후군에서 변이가 발견되며, ② 체세포성(somatic) 돌연변이가 유전성 암 증후군과 같은 형태의 산발성 암에서 발견되고, ③ 이 유전자에 의해 형질전환(transformation)된 세포는 시험관내 실험에서 세포 성장이 억제된다. 종양억제유전자들의 기능은 주로 세포 주기, 분화 및 세포사에 직접적으로 관여하며 유전적 안정성을 유지하는 데 중요한 역할을 한다. 예를 들면, 인체 암의 50% 이상에서 변이가 발견되고 있는 TP53 유전자는 염색체 17번에 존재하며 세포 주기 내에 있는 세포의 DNA에 손상 혹은 변이가 있는 경우, 세포 주기 G1 초기에 발현이 증가되어 G1 조절점(check point)에서 세포 주기를 저지(arrest)시킨다. 만약 세포

주기를 저지하는 동안 손상된 DNA가 교정되면 p53단백 발현이 저하되고 S단계로 넘어가지만, 손상된 DNA가 교정되지 않는 경우 Bax 유전자를 활성화시켜 세포자멸사로 세포를 제거한다. 이 외에도 p53단백은 전사인자로 작용하여 세포주기의존성 키나아제(cell cycle dependent kinase) 억제 단백인 $p21^{WAF1/CIP1}$의 발현을 증가시키고, $p21^{WAF1/CIP1}$과 $p16^{INK4}$는 Rb의 인산화를 유도하며 세포 주기를 진행하는 cyclin/cyclin dependent kinase (CDK) 복합체를 불활성화시켜 세포주기의 진행을 막는다. 세포 성장, 분화, DNA 교정 및 세포자멸사에 관여하는 TP53 유전자의 돌연변이는 50% 정도의 위암에서 발견되고 있다. 흥미롭게도, 이러한 변이들은 위암의 전구병변으로 여겨지는 장상피화생(intestinal metaplasia)과 선종(adenoma)에서도 발견되고 위암의 조직학적 소견과 침습 정도와는 무관하여 TP53 유전자 변이에 의한 기능소실은 위암 발생 초기에 일어나는 것으로 이해된다. TP53 유전자는 돌연변이 이외에도 코돈(codon) 72의 단일염기다형성(single nucleotide polymorphism)이 동양인의 위암 발생과 연관성이 있는 것으로 보고되었다. TCGA 분석에서는 TP53 유전자 변이가 없는 EBV 양성 위암에서는 $p16^{INK4}$과 $p14^{ARF}$을 코딩하는 CDKN2A 유전자 변이와 함께 과메틸화가 흔히 관찰되었다.

실험적으로는 trefoil factor family 1 (TFF1)과 Runx3 유전자를 녹아웃(knockout)시킨 쥐의 위점막에서 과증식과 함께 위암이 발생하였다. TFF1 단백은 위점막 상피세포에서 생산 및 발현되어 위점막의 안정성을 유지하며 세포 증식을 억제하는 종양억제유전자인데, TFF1 유전자의 불활성화 돌연변이는 세포 증식과 침습을 유도하고 세포자멸사를 억제하여 위암의 발생에 관여한다. TFF1 단백은 위점막의 장형화생과 선종에서도 그 발현이 소실되어 있으므로 TFF1 유전자는 주로 장형 위암의 발생 초기에 기능이 소실된다. 한편, Runx3는 TGF-β 신호전달계에 관여하여 위점막 상피세포의 증식을 억제하고 세포자멸사를 유도하는 종양억제유전자로 위암의 60% 이상에서 Runx3 단백의 발현 소실이 관찰되었다.

Wnt 신호전달계에서 β-catenin 단백 분해에 반드시 필요한 APC 유전자의 불활성화 돌연변이는 가족성 및 산발성 대장암의 발생 초기에 발견된다. 위에서는 APC 유전자의 돌연변이가 선종과 장형 위암에서 주로 발견되고 있으나 그 빈도가 10% 미만으로 낮으며 촉진자(promoter)의 메틸화도 위암 발생과는 무관하였다. 또한, 세포주기를 활성화시키는 cyclin D1 등의 발현을 증가시키는 β-catenin 유전자의 돌연변이도 위암의 약 10% 내외로 발견되고 있어 Wnt 신호전달계 관련 유전자들의 이상은 일부 위암의 발생에 관여한다고 할 수 있다.

위점막 상피세포에서 엑소좀 형태로 분비되는 가스트로카인1(gastrokine 1, GKN1) 단백은 헬리코박터 파이로리(*H. pylori*)의 발암 능력을 저지하고 위암세포의 증식을 억제하며 세포자멸사를 유도하는 위 특이 종양억제유전자이다. GKN1 단백은 위암 발생 초기에 발현과 기능이 소실되며, 건강인에 비해 조기 및 진행성 위암 환자의 혈청 GKN1 단백 농도가 현저히 낮아 위암 특이적 혈청 진단 표지자로 제기되고 있다.

Homeobox 유전자의 일종인 CDX2 단백은 정상적으로는 위점막 상피세포에서 발현되지 않지만 장 특이 단백인 MUC2, sucrose/isomaltase 등을 활성화시켜 장상피화생에 관여한다. 또한, CDX2 유전자를 결핍시킨 쥐에서는 대장에 다발성 용종(polyp)이 형성되었고 CDX2 단백의 과발현은 장상피세포의 증식을 억제하고 분화를 촉진하여 CDX2 단백은 종양의 발생을 억제하는 기능을 가지고 있다. 위점막의 장상피화생을 동반한 위암에서 CDX2 단백의 발현이 감소되어 있어 CDX2는 위에서도 종양억제 기능과 함께 암세포의 분화에 관여한다고 할 수 있으나, CDX2 transgenic 쥐 모델에서 발생한 위암 또한 보고되어 위암 발생과 관련된 CDX2 단백 기능에 대해서는 추가적인 연구가 필요하다. TGF-β (transforming growth factor) 단백은 세포 증식, 분화, 이동, 유착 및 혈관형성 등에 관여하는 다기능 사이토카인 중의 하나이다. TGF-β가 결핍된 쥐에서는 위점막의 과증식이 관찰되었고, 위암세포주들은 TGF-β의 세포증식 억제 기능에 저항성을 나타낸다. 흥미롭게도 현미부수체 불안정성이 있는 위암에서 TGF-β 수용체 유전자(TGFbRII)의 돌연변이가 흔히 발견되어 TGF-β 단백은 위암의 발생을 억제하는 단백 중의 하나로 여겨진다. 그러나 암 발생 후 진행과정에서 TGF-β는 암세포의 이동, 침습 및 생존을 촉진시키고 세포외 기질 형성 및 섬유화를 유도하여 종양유전자의 특성을 나타내기도 한다. TCGA 분석에서는 TGF-β 신호전달계에서 adaptor로 작용하는 SMAD4의 돌연변이가 위암의 약 22%에서 발견되었다.

CDH1 유전자는 16번 염색체에 존재하며 상피세포의 분화와 구조를 유지하는 칼슘의존성 세포간 유착 단백질인 E-cadherin을 코딩하는 유전자로 암 발생을 억제하는 종양억제유전자이다. E-cadherin은 세포막에 존재하면서 세포간 유착에 중요한 역할을 하는 당단백으로 산발성 위암에서 CDH1 유전자 돌연변이는 주로 미만형 위암에서 발견된다. E-cadherin은 분화가 좋은 위암에서도 단백의 발현이 감소되어 있고 CDH1 유전자는 미분화된 위암의 약 50%에서 돌연변이나 과메틸화로 불활성화된다. CDH1의 과메틸화는 순수 미분화성 위암에서, 돌연변이는 혼합형(mixed-type) 위암 조직의 미분화된 위암에서 주로 발견된다.

ARID1A (AT-rich interaction domain 1A) 유전자는 염색질 재형성(chromatin remodeling)에 관여하는 SWI/SNF (switch/sucrose non-fermentable) 복합체 중 대단위체(large subunit, 250kDA)를 코딩하는 유전자로 대상유전자의 전사(transcription)를 조절함으로써 종양억제유전자로 작용한다. TCGA 분석에 의하면 염색질 재형성에 관여하는 SWI/SNF 복합체 관련 유전자들의 돌연변이와 결손이 약 60%의 위암에서 발견되며 이 중 ARID1A 유전자의 돌연변이가 가장 흔하다.

(3) 유전성 위암

위암은 환경적 요인과 유전자 변이가 복합된 다인성(multifactorial) 질환이라고 할 수 있다. 위암은 대부분 산발성으로 발생하지만 일부의 증후군(syndrome)에서 위암이 유전성(hereditary)으로 발생한다. 유전성 위암은 젊은 나이에 발생하면서 가족 집적성이 있고 다른 장기의 암이 동반되는데, 서양에서는 약 3~5%의 위암이 유전성 위암에 해당한다. 위암을 동반하는 증후군에는 린치증후군(Lynch syndrome)으로 알려져 있는 유전성비용종대장암증후군(hereditary non-polyposis colon cancer syndrome), 가족성선종용종증(familial adenomatous polyposis), 포이츠-예거스증후군(Peutz-Jeghers syndrome) 등과 유전성미만형위암(hereditary diffuse gastric cancer)이 있다.

유전성미만형위암의 대표적인 예는 프랑스 황제 나폴레옹의 집안으로 나폴레옹과 나폴레옹의 아버지, 4명의 형제자매가 위암으로 사망하였는데 이들을 부검한 결과 위암의 육안적 소견이 미만형 위암과 유사하다고 기록되어 있다. 최근에는 뉴질랜드의 마오리 족을 비롯하여 여러 종족의 유전성미만형위암에서 CDH1 유전자의 생식세포 돌연변이(germline mutation)가 보고되었다. 유전성비용종대장암은 DNA 복제 시 부정교합 오류(mismatch error)를 교정하는 유전자들(MLH1, MSH2, MSH6, PMS1, PMS2)의 생식세포 돌연변이로 발생한다. 이 유전자들이 돌연변이나 후생적 변이(epigenetic alteration)로 불활성화되면 현미부수체(microsatellite)로 알려진 일정 염기서열 반복부위에서 현미부수체 불안정성(MSI)이 나타나고, 대장암을 비롯하여 자궁내막암, 난소암, 위암 등이 유발된다. 우리나라에서 발생하는 유전성비용종대장암은 주로 MLH1 유전자의 생식세포 돌연변이가 원인이며, 유전성비용종대장암 환자 가족의 약 11%에서 위암이 발생하고 대부분이 장형위암이다. 가족성선종용종증은 전체 대장암의 1% 정도를 차지하고 APC 유전자의 생식세포 돌연변이로 발생하며 이 용종증 환자에서 대장암 침투도(penetrance)는 100%의 완전침투를 보인다. 일본과 우리나라의 가족성선종용종증 환자들에서 위암 발생률이 약 3배 정도 높고 위의 위저선 용종(fundic gland polyp)이 흔히 발견되고 있으나, 가족성선종용종증과 위암 발생과의 직접적인 연관성은 아직까지 불확실하다.

포이츠-예거스증후군은 염색체 19번에 존재하는 serine/threonine kinase 11 (STK11) 유전자의 생식세포 돌연변이로 인해 상염색체 우성으로 유전되는 질환으로 위장관에 과오종성(hamartomatous) 용종을 형성하고 점막과 피부에 흑색반점이 생기는 것이 특징이다. 용종은 항상 소장을 침범하고 위장과 결장에서도 발생하나 용종 자체는 악성 변환 위험성이 없으며 위, 췌장, 유방, 폐, 난소 등에서 암 발생률이 높다.

Li-Fraumeni 증후군(Li-Fraumeni syndrome)은 TP53 유전자의 생식세포 돌연변이로 인해 상염색체 우성으로 유전되며 골육종, 유방암, 폐암 및 위암 등 다양한 악성종양이 발생한다. Li-Fraumeni 증후군과 관련된 TP53 유전자 불활성화는 발암성 효과(oncogenic effect)가 있는 과오돌연변이(missense mutation)에 의한 우성음성효과(dominant negative effect)와 종양형성 억제기능이 소실되는 무의미(nonsense) 혹은 틀이동(frameshift) 돌연변이에 의한다.

유전성 위암 발생과 관련된 유전자들은 대부분이 종양억제유전자에 속하는데 이는 생식세포에서 종양유전자의 활성화 돌연변이는 태아의 성장에 치명적이지만 종양억제유전자의 한 대립형질(allele)의 돌연변이는 태아 성장에 영향을 미치지 않는다는 것을 뒷받침하고 있다. 예외적으로 종양유전자 중간세포 성장인자 수용체인 c-Met 유전자의 생식세포 돌연변이로 인해 발생한 유전성 미만형 위암이 보고된 바 있다.

2. 후성유전적 변화와 현미부수체불안정성

1) 후성유전적 변화의 기전

후성유전적 변화(epigenetic change)란 유전자염기서열의 변동 없이 획득된 형질학적 특성이 자손세포에게 전달되는 현상을 일컫는 것으로서, 여기에는 히스톤꼬리변경(histone tail modification)과 CpG섬 과메틸화(CpG island hypermethylation), 또는 non-coding RNA에 의한 전사조절 등이 포함된다. DNA 메틸화는 DNMT1, 3A, 3B효소에 의해 매개되며, A, G, C, T 네 개의 염기 중 C염기에서 일어나고, G염기 앞의 C에서만, 즉 CpG의 C염기에서만 메틸화가 일어난다. 인간 유전체내 2,800만 개의 CpG가 있는데, 유전체 전반적으로 CpG밀도가 낮지만, 특정부위는 CpG밀도가 높다. CpG 밀도가 높은 500 bp 이상의 시퀀스를 CpG섬(CpG island)이라고 정의하며, 유전자 60%가량이 프로모터 및 5'비번역구역(untranslated region, UTR)에서 CpG섬을 갖고 있다. CpG섬 내에 위치한 CpG들은 메틸화를 당하지 않도록 보호받고 있지만, 어떤 이유로 인해 메틸화가 일어나면 CpG섬 내의 전체 CpG들이 메틸화되는 경향성이 있으며 이로 인해 프로모터는 불활성 크로마틴구조가 되어 프로모터 활성도가 저하되며 유전자 전사가 일어나지 않는다(그림 16-2).

2) CpG섬 과메틸화와 현미부수체불안정 위암

(1) 산발성 현미부수체불안정 위암과 CpG섬 메틸화 표현형

위암에서 프로모터 CpG섬 과메틸화와 유전자 전사억제 간의 관계에 대한 연구가 이루어진 최초의 유전자는 *p16* (*CDKN2A*)이다. 이후 *MLH1* 유전자 프로모터 CpG섬 메틸화가 위암의 microsatellite instability (MSI; 현미부수체불안정성)와 관련이 있음이 제시되었으며, 위암에서도 CpG섬 메틸화 표현형(CpG island methyl-

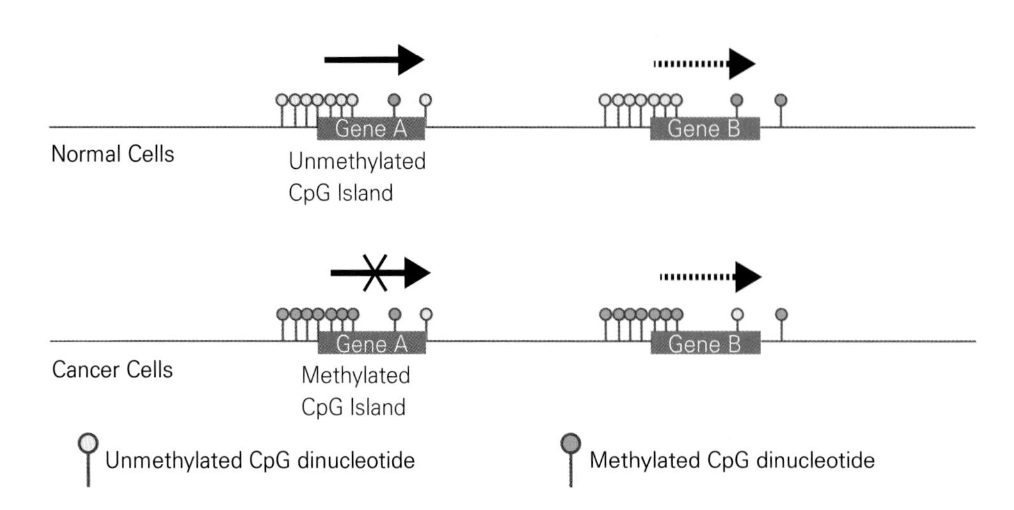

그림 16-2 정상 상피세포에서 유전자 발현과 관련없이 유전자 프로모터 CpG섬은 대부분 메틸화되어 있지 않다. 그러나 정상세포에서 활발하게 발현되던 유전자가 어떤 이유로 인해 프로모터 과메틸화가 발생하면 유전자 발현은 차단된다(gene A). 그러나 암세포에서 CpG섬 과메틸화가 일어난 유전자들 90% 정도는 정상세포에서 거의 발현되지 않는 유전자들이며(gene B), 약 10% 정도만 활발하게 발현되던 유전자들이다(gene A).

ator phenotype, CIMP)이란 분자유형이 존재함이 알려졌고, *MLH1*메틸화와 연관된 MSI는 CIMP 양성 위암에서 관찰되었다. CIMP란, CpG섬 메틸화가 유전체 전반에 걸쳐 동시다발적으로 일어난 분자유형을 일컫는 것이다. 위암의 대표적인 CIMP 암은 MSI 위암과 EBV 양성 위암이다. EBV 양성 위암은 예외없이 CIMP 양성암이지만, MSI 위암은 산발성만 CIMP 양성이고, 유전성 MSI 위암(린치증후군)은 CIMP 음성이다. 현미부수체란 6bp 이하의 뉴클레오타이드 반복단위들이 일렬반복(tandem repeat)되어 있는 시퀀스를 일컫는 것이며, MSI란 현미부수체 뉴클레오타이드 반복단위의 반복횟수가 종양세포마다 일정치 않은 것을 일컫는 것이다.

(2) 유전성 및 산발성 현미부수체불안정성 위암의 차이점

MSI 위암은 산발성과 유전성이 있는데, 산발성 MSI 위암은 *MLH1* 메틸화에 의한 *MLH1* 발현 억압에 의한 것으로 대다수를 이루며(그림 16-3), 유전성 MSI 위암은 린치증후군으로서 mismatch repair (MMR, 불일치 복구)유전자들의 생식세포돌연변이(germline mutation)에 의한 MSI 위암이다. *MLH1*, *MSH2*, *MSH6*, *PMS2*와 같은 MMR 유전자의 생식세포돌연변이에 의한 유전성 MSI 위암과 *MLH1* 프로모터 CpG섬 과메틸화에 의한 산발성 MSI 위암은, MSI라는 공통점으로 인해 비MSI 위암과는 차별되는 공통된 특징이 있지만, 한편으론 유전성 MSI 위암과 산발성 MSI 위암 간에 임상병리학적 및 분자생물학 차이점이 있다.

① 임상병리학적 차이

일반적으로 알려진 MSI 위암의 특징은, 고령의 발생 연령, 유문(pylorus) 호발, 장형과 혼합형 선호(Lauren 분류 조직형), 고밀도의 종양침윤림프구, 적은 빈도의 *TP53* 유전자 변이 등이지만, 이러한 특성은 유전성 MSI 위암과 산발성 MSI 위암이 공유하는 특성이라기보다는, MSI 위암의 다수를 구성하는 산발성 MSI 위암의 특성을 반영한다. MSI의 임상병리학적 특성이라고 알려진 것 중, 고령의 발생 연령, 유문부 호발, 혼합형 선호와 같은 특성은 산발성 MSI 위암에서 관찰되는 특성이

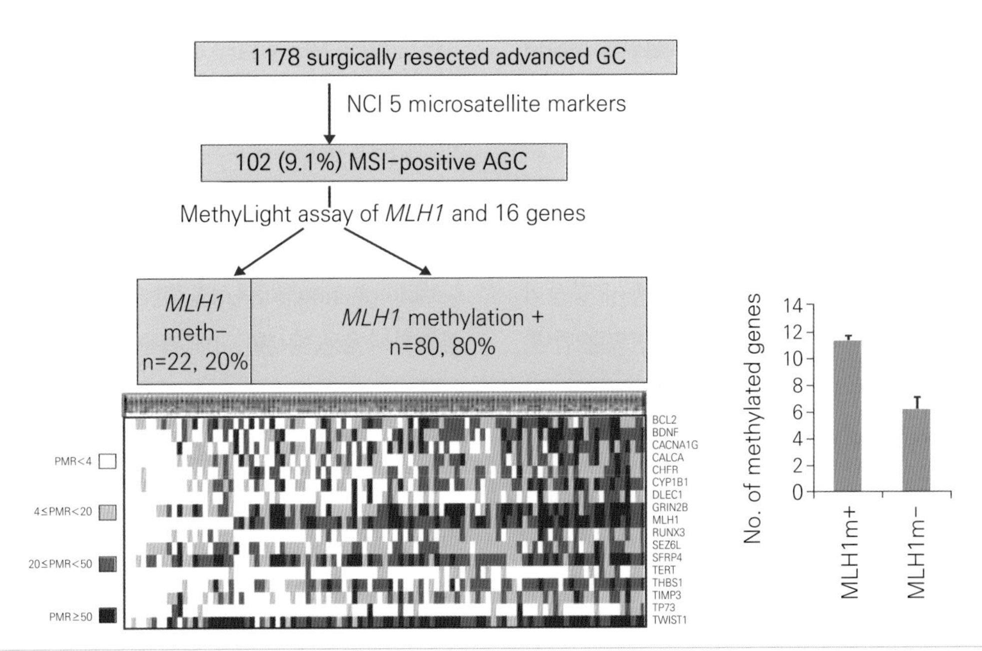

그림 16-3 1178예의 진행성 위암에 대한 현미부수체불안정성 검사에서 102예(9.1%)가 현미부수체불안정성 양성이었고, 이들 102예에 대해 *MLH1*을 포함한 16개 DNA 메틸화마커에 대한 MethyLight assay를 시행하였다. 102예 중 80예가 *MLH1* 메틸화 양성이었고, 22예가 *MLH1* 메틸화 음성이었으며, *MLH1* 메틸화 여부에 따른 다른 DNA 메틸화마커의 메틸화 개수를 조사한 결과 현저한 차이가 있었다.

며, *MLH1* 메틸화 음성이거나, CIMP 음성인 MSI 위암에서 이와 같은 특성은 관찰되지 않는다.

② **전암성 병변의 차이**

산발성 MSI 위암의 전암성 병변은 전형적 선종(conventional adenoma)이지만, 유전성 MSI 위암의 전암성 병변은 유문 위선종(pyloric gastric adenoma)일 가능성이 최근에 보고되었다. 그러나 유전성 MSI 위암이 유문 위선종만을 거쳐서 발생하는지, 아니면, 다른 전형적 위선종을 거쳐서도 발생할 수 있는 지에 대해 판단할 수 있는 학술자료가 부족하다. 하지만, MSI 대장암이 유전성인지 산발성인지 여부에 따라 전암성 병변이 다르다는 사실로 미루어 볼 때 MSI 위암의 전암성 병변이 유전성과 산발성에 따라 다를 개연성이 충분히 있다: 유전성 MSI 대장암의 전암성 병변은 전형적 선종이지만, 산발성 MSI 대장암의 전암성 병변은 무경성 거치상 선종(sessile serrated adenoma; 목 없는 톱니 모양 샘종)이다. 산발성 MSI 위암은 전형적 선종에서 발생함은 명백한데, MSI 양성률 측면에서 흥미로운 것은 다음과 같다: 단독으로 존재하는 전형적 선종이나 산발성 위암종의 MSI 양성률은 carcinoma ex adenoma(선종내부에 선암이 있는 형태의 종양)의 MSI 양성률에 비해 훨씬 낮다. Carcinoma ex adenoma의 MSI 양성률은 40% 정도이며, carcinoma ex adenoma의 선암이 MSI 양성일 때, 둘레의 선종이 MSI 양성일 확률은 80~90%이다. 전형적 선종을 동반하지 않은 단독 위암보다는 전형적 선종을 주변 점막에 동반한 위암에서 MSI가 더 많이 관찰되고, 이보다는 carcinoma ex-adenoma에서 훨씬 더 많이 발견된다. 왜 단독선종 단독위암보다 carcinoma ex-adenoma에서 MSI 빈도가 더 높은 것인지에 대해 적절한 설명을 제공하는 연구결과가 없다.

③ 다단계암화과정에서 유전성 MSI와 산발성 MSI의 발생시점

유전성 MSI 위암의 다단계암화과정은 유문위선종을 거치며, 산발성 MSI의 경우는 전형적 선종을 거쳐 발생한다. 다단계암화과정에서 MSI의 발생시점은 유전성 MSI의 경우, 위샘 줄기세포로부터 미세선종이 형성되는 과정에 MSI가 관련되어 있을 것으로 추정되는 반면, 산발성 MSI 위암의 경우, 장상피화생으로부터 종양이 형성되는 단계에 MSI가 관여할 것으로 추정된다. 즉, 장상피화생에서 다른 유전자들의 DNA 메틸화가 어느 정도 진행된 상태에서 *MLH1* 메틸화가 일어나면서 MSI가 획득되고 종양이 형성될 것으로 추정된다. 이는 대장암에서 유전성 MSI가 선종형성의 시작부터 참여하는 반면, 산발성 MSI는 무경성 거치상 선종에서 이형성을 획득한 새로운 클론이 나타나는 시점부터 참여하는 것과 유사하다.

(3) *MLH1* 메틸화가 일어나는 위점막의 특성

MLH1 메틸화가 일어난 위선암은 수많은 유전자 프로모터 CpG섬 메틸화를 동반하고 있는데, *MLH1* 메틸화가 일어난 위선종도 마찬가지로 수많은 유전자 프로모터 CpG섬 메틸화를 동반하고 있다. *MLH1* 메틸화에 의한 MSI를 갖고 있는 carcinoma ex-adenoma의 주변 비종양성 위점막 또한 이상과메틸화가 향진되어 있으며, 메틸화된 유전자의 수를 조사해보면 MSI를 동반하지 않은 carcinoma ex-adenoma의 주변 위점막에 비해 훨씬 많다. 추정해보건대 장상피화생 단계에서 유전자 프로모터 CpG섬 메틸화가 향진된 상태에서 *MLH1* 메틸화가 일어나고, 이로 인한 *MLH1* 발현 억제로 인한 MMR 결함, 그리고 MSI의 획득이 새로운 클론의 형성을 초래하고, 결과적으로 육안적으로 식별 가능한 종양을 발생시킬 것이다.

(4) 산발성 MSI 위암의 위형질특성

산발성 MSI 위선종은 프로모터 CpG섬 메틸화가 많이 진행된 장상피화생에서 *MLH1* 메틸화가 일어나면서 MSI를 획득한 클론의 성장으로 인해 발생하는데, 역설적으로 MSI 위선종은 비MSI 위선종에 비해 위형질(gastric phenotype)특성을 더 높은 빈도로 보인다. 장상피화생에서 발생한 MSI 위선종이 어떻게 위상피 형질특성을 보이게 되는 것일까? 장상피화생에서 위선종이 발생할 때, 소장 또는 결장상피 형질특성을 보이는 것이 다수이지만, 장상피화생에서 발생한 유전체 전반적인 이상 과메틸화에 힘입어, *MLH1* 메틸화가 유발되어 MSI 위선종이 발생하였을 때, 소장 또는 결장상피 형질특성에 덧입혀 위상피형질특성을 보이는 것은 완전히 예상을 벗어난 것은 아니다. 왜냐하면, 대장의 무경성 톱니모양 폴립은 CIMP 특성을 가지며, *MLH1* 메틸화가 발생하여 MSI를 획득하기도 하는데, 면역조직화학염색에서 위상피형질특성을 보이기 때문이다. 이 사실은 CIMP가 장상피형질에서 위상피형질로의 화생과 관련이 있음을 시사한다. 산발성 MSI 위선종이나 위선암이 위상피형질특성을 보이는 것이 CIMP뿐만 아니라 MSI 획득과 관련되었을 가능성도 배제할 수 없다. 왜냐하면, 유전성 MSI 위암도 위상피형질특성을 보이는 것으로 알려져 있기 때문이다.

3) 과메틸화와 *H. pylori* 감염

(1) CpG섬 과메틸화를 초래하는 원인으로서 *H. pylori* 감염

장상피화생을 동반한 만성위염이 이를 동반하지 않은 만성위염에 비해 메틸화된 유전자의 수가 더 많다는 사실은 장상피화생의 발생에 프로모터 CpG섬 과메틸화가 관련되어 있음을 시사하는데, 장상피화생의 발생과 관련된 인자가 CpG섬 과메틸화를 일으키는 인자일 가능성이 있다. *H. pylori*와 위점막의 이상과메틸화

(aberrant CpG island hypermethylation)와의 관련성에 대해선 2003년에 처음 알려졌으며, 실험적으로 *H. pylori* 감염을 통해 몽골리언저빌에서 위점막 이상과메틸화를 유발시킬 수 있다. 또한 *H. pylori* 제균으로 위점막의 DNA 메틸화된 유전자 수뿐만 아니라 메틸화 레벨의 감소를 유발할 수 있었다는 점에서 *H. pylori*가 위상피세포의 과메틸화와 밀접한 연관이 있음을 알 수 있다. 그러나 *H. pylori* 제균을 통해 위상피세포의 이상과메틸화를 완전 제거할 수 없는데, 이는 *H. pylori*에 의해 유발되는 이상과메틸화는 일시적인 부분과 지속적인 부분이 있기 때문이다. 일시적인 부분은 위상피의 줄기세포가 아닌 비줄기세포에 일어난 이상과메틸화인 반면, 지속적인 부분은 줄기세포에서 발생한 이상과메틸화이다. 줄기세포에 일어난 이상과메틸화는 *H. pylori* 제균으로 완전 제거할 수 없다. *H. pylori* 감염이 위상피세포의 이상과메틸화 원인이지만, *H. pylori* 세균 자체가 위상피세포의 과메틸화를 초래하는 것이 아니라 *H. pylori*에 의한 만성염증이 과메틸화를 초래하는 것임이 밝혀졌다. 몽고리언저빌에서 cyclosporin 투여를 통해 *H. pylori*에 의한 만성염증 반응을 차단한 결과, *H. pylori* 감염에 의한 DNA 메틸화가 유발되지 않았다. 그러나 만성염증이 아닌 급성염증은 이상과메틸화를 초래하지 않는데, 알코올이나 소금을 통한 급성염증 반응은 위점막에 이상과메틸화를 초래하지 않았다. *H. pylori* 감염 시 상승되는 염증반응 유전자들 중 DNA 메틸화 상승과 관련된 것은 Il1b, Nos2, Tnf이었다.

(2) *H. pylori* 감염 여부에 따른 다단계암화과정에서의 프로모터 CpG섬 과메틸화 변화

위암과 관련된 프로모터 CpG섬 과메틸화를 보이는 유전자들을 찾기 위해 170개 유전자를 10쌍의 위암조직과 정상 위점막조직을 대상으로 MethyLight assay를 시행하여 메틸화 레벨을 분석한 결과, 26개의 암관련 DNA 메틸화마커를 선정할 수 있었고, 만성위염, 장상피화생, 위선종, 위선암을 대상으로 이들 26개 유전자의 메틸화 상태를 MethyLight assay로 분석하였다. 그 결과, *H. pylori* 감염이 없는 조직 표본만을 분석하여 얻었을 때, 장상피화생 단계에서 현저한 DNA 메틸화 레벨의 상승, DNA 메틸화 빈도의 상승이 있는 것을 관찰할 수 있다(그림 16-4). 다단계병변의 같은 단계 내에서 *H. pylori* 감염 여부에 따라 메틸화된 유전자의 수

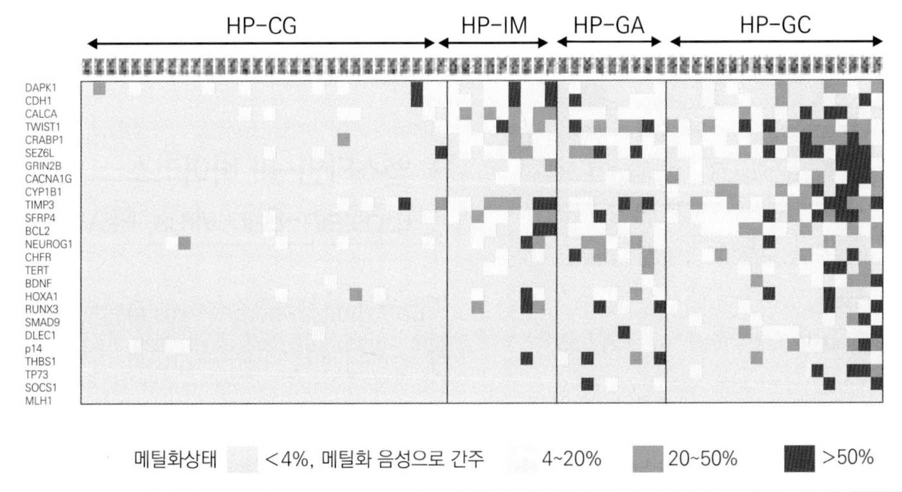

그림 16-4 *H. pylori* 감염이 없는(HP-) 다단계과정 조직표본[만성위염(CG)(30예), 장상피화생(IM)(9예), 위선종(GA)(9예), 위선암(GC)(18예)]을 대상으로 26개의 유전자 CpG섬들의 메틸화 상태를 MethyLight assay로 분석하여, 각 표본의 각 메틸화마커의 메틸화 상태를 색을 달리하여 표시하였다.

를 비교한 결과, 장상피화생이 없는 만성위염에서만 *H. pylori* 감염에 따른 DNA 메틸화 레벨이나 빈도의 현저한 차이가 있을 뿐, 장상피화생이나 위선종, 위선암 단계에선 *H. pylori* 감염이 있는 병변과 그렇지 않은 병변 간에 메틸화된 유전자 수의 차이는 없었다(그림 16-5). 이와 같은 결과는 *H. pylori*에 의해 메틸화되는 유전자들은 이미 장상피화생 단계에서 거의 대부분 메틸화되고, 이후에는 *H. pylori* 감염으로 인한 추가적인 DNA 메틸화는 경미한 것으로 해석할 수 있다.

4) 임상적 활용분야

(1) 암발생 위험도 예측인자로서의 후성유전적 마커

위암과 같이 염증과 관련된 암에 있어서, 정상 위점막에 이상과메틸화가 일어나고 축적되는 "epigenetic field defect"가 암발생의 위험도를 높인다. 최근에 일본 국립암센터의 Dr. Ushijima를 중심으로 일본내 다

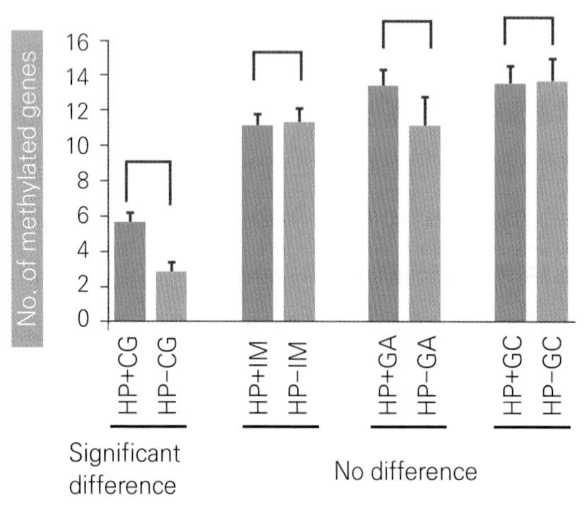

그림 16-5 위암의 다단계 병변에서 *H. pylori* 감염 여부에 따라 26개의 유전자 중 메틸화된 유전자의 수를 표시한 결과, 장상피화생이 동반되지 않은 만성위염에서 *H. pylori* 감염에 따른 현저한 증가가 관찰된 반면, 장상피화생을 비롯한 나머지 단계에선 차이가 없었다. 종양단계에선 메틸화 정도에 전혀 차이가 없었다.

기관 전향적 코호트 연구를 통해 이시성 암발생(metachronous cancer development) 위험도를 예측하는 조사를 시행하였고, 예측 DNA 메틸화마커들을 성공적으로 발굴하였다. 이 연구는 내시경점막하층절제술을 시행받은 위암 환자를 대상으로 위점막에서 3개의 DNA 메틸화마커의 메틸화 레벨을 측정하고 3년간 추적관찰을 하였는데, miR-124a-3 메틸화 레벨이 높은 상위 25% 그룹이 그렇지 않은 나머지 그룹 환자들에 비해 이시성 암 발생 위험도가 유의하게 높았다(H.R.=2.30 (1.03-5.10), p값=0.042, 다변량분석).

(2) 후성유전적 치료를 통한 암발생 예방

후성유전적 변화는 가역적 변화이기에 약제 투여를 통해 되돌려 놓을 수 있지만, 현재 경구투여 가능한 탈메틸화 제제(demethylating agent) 중 부작용이 적어 암 예방 목적으로 사용할 수 있는 약제는 없다. 그러나 실험적으로 몽골리언저빌에 *H. pylori* 감염과 N-methyl-N-nitrosourea (MNU)를 투여한 상태에서 탈메틸화제제인 5-aza-2'-deoxycytidine (5-aza-dC)을 경구투여하였을 때, 위암 발생률을 현저히 감소시킬 수 있었다. 이와 같은 결과는 부작용이 경미한 경구용 탈메틸화제제 개발의 필요성을 역설하고 있으며, 발생위험도가 높은 환자를 대상으로 위암 발생 예방에 활용할 수 있을 것이다.

3. 엡스타인–바 바이러스 (Epstein–Barr virus, EBV)

EBV (human herpes virus 4)는 gamma-herpes virus에 속하며, 다른 herpesvirus와 마찬가지로, 바이러스를 복제하면서 전염성이 있는 용해복제기(lytic replication state)와 그렇지 않은 잠복기(latency)를 갖는다. 그런데 다른 herpesvirus와 달리 EBV는 잠복감염, 즉 감염성 바이러스를 만들지 않는 상태에서, 림프종, 비인

두암 등 인체에 여러 종류의 암 발생의 한 인자로서 주목을 받고 있다. EBV 양성 위암은 1990년 Burke 등이 중합효소연쇄반응(polymerase chain reaction)법을 이용해서 처음으로 기술하였다. 1997년에 이르러, IARC (the International Agency for Research on Cancer)는 EBV를 제1군 발암인자로 공표하였다. 2014년에 The Cancer Genome Atlas (TCGA) Research Network는 EBV 양성 위암이 분자생물학적으로 특이함을 기술하고, EBV는 위암 발생의 확고한 원인인자로 재확인된다.

용해복제기(lytic replication infection)의 EBV 바이러스유전자는 선상(linear from)이며, 80개 이상의 바이러스유전자를 가지며, 감염성 바이러스입자(virion)을 생산한다. EBV의 *ZEBRA* 유전자는 EBV의 잠복기(latent infection)와 용해복제기 사이의 switch 역할을 하는데, *ZEBRA* 단백은 잠복감염 때는 발현되지 않고 있다가, 특정 자극이 오면 *ZEBRA* 합성이 일어나고 용해복제기로 들어간다. 잠복기의 EBV는 원형의 유전자부체(circular episome) 상태이며, EBV 유전자 중에서 10개 정도만 잠복기에 단백으로 발현하는데, 암 종류마다 EBV 잠복기의 바이러스 유전자 발현이 조금씩 달라서 제I형, 제II형 및 제III형으로 분류할 수 있다. EBV 양성 위암은 EBERs, EBNA1, BARTs만을 발현하는 제I형이거나, 또는 여기에 추가로 LMP2A를 발현하는 제II형에 속한다. 그런데, EBV 양성 위암의 경우는, 특이하게도 용해기에 발현하는 것으로 알려진 BARF1을 잠복기에 발현한다.

EBV 양성 림프종 및 EBV 양성 비인두암에서는 LMP1이 발암바이러스유전자로 정립되어있지만, EBV 양성 위암에서는 아직까지도 발암기전이 명백하지 않다. 지금까지 밝혀진, EBV 양성 위암에서 바이러스발암기전을 간략히 기술하면, 위점막 상피세포 내로 들어온 EBV는 인체에서 잠복상태(latency)로 존재하면서 DNA 메틸화를 통해서, 필요한 바이러스단백들만 발현하여 인체의 면역감시체계를 벗어나고, EBV의 유전자들 및 EBV의 microRNA (microRNA BARTs)가 인체세포 DNA 메틸화 및 발암 관련-세포신호경로를 변화시켜서 위암 발생에 기여한다. 이러한 과정에서 오는 변화들을 아래에서 자세히 살펴본다.

1) EBV의 감염 및 위 상피 내로 진입

EBV는 타액을 통해 전파되는데, 타액에 있는 EBV는 바이러스의 외피 당단백질(envelope glycoprotein)과 B림프구 표면에 있는 EBV/C3d-receptor (CD21) 결합을 통하여, B림프구에 우선 감염된다. 일차 감염 동안에 구강인두(oropharynx) 상피세포가 감염되고, 구강인두에서 EBV는 용해복제기(lytic replication) 상태로 구강인두에 잡혀있는 B림프구를 감염시킨다. 일차감염 시기에 말초 B림프구의 10%가 감염되고, 숙주 면역반응 결과 B림프구 백만 개당 감염된 림프구는 1개 수준으로 떨어져서, 이 상태로 평생 지속된다.

위상피세포는 EBV/C3d-receptor를 갖고 있지 않기 때문에 위점막 상피세포가 B림프구와 세포-세포 접촉(cell-to-cell contact)으로, 즉 간접경로로 잠복감염 EBV가 위상피세포 내로 들어간다고 여겨진다.

2) DNA 메틸화

DNA의 프로모터 CpG섬 과메틸화(promotor CpG island hypermethylation)는 EBV로 인한 암 발생을 촉발하는 매우 중요한 단계이다. 위상피세포의 핵 내로 침입한 EBV는 잠복감염(latency) 상태로 들어가는데, 대부분의 EBV 유전자가 메틸화되어 발현되지 않고, 몇 개의 바이러스 단백만을 발현하여 인체의 면역감시체계를 피하기 쉽도록 하는데, EBV 양성 위암에서는 EBERs, EBNA1, LMP2A, BARTS, BARF1 등만 발현된다. EBV의 LMP2A는 인체에서 DNA 메틸전이효소(methyltransferase) 발현 증가를 유도하여, 광범위한 메틸화를 일으킨다. 즉, 잠복감염상태의 EBV 바이러스 자체는 물론 인체세포에서도 많은 유전자가 메틸화되어있고, EBV 양성 위암은 CpG섬 메틸화 표현형(CpG island methylator phenotype, CIMP)이다. 메틸화-특이 중합효소연쇄반응법(methylation-specific polymerase chain reaction)으로 찾아낸 EBV 양성 위암에서 메틸화된 인체세포 유전자를 나열해보면, 세포주기조절 유전자로 *p14ARF*, *p15*, *p16INK4A*, *p73*, DNA복구 유전자로 *hMLH1*, *MGMT*, *GSTP1*, 세포부착 및 전이관련 유전자로 *CDH1*, *TIMP1*, *TIMP3*, 세포자멸사 유전자로 *DAPK*, *bcl-2*, 세포신호경로 유전자로 *APC*, *PTEN*, *RASSF1*이 있다. 한편, 14,495개의 유전자 메틸화를 한꺼번에 검사할 수 있는 상업용 chip으로 조사한 문헌에 의하면, EBV 양성 위암에서는 EBV 음성 위암에 비하여 특이적으로 메틸화된 유전자가 270개이며 *CXXC4*, *TIMP2*, *PLXND1* 유전자 등이 메틸화되어 있는 반면, *MLH1* 유전자 메틸화를 보인 경우는 없다.

3) EBV 유전자에 의한 세포신호경로 조절

EBV 유전자들 중에 암 관련 세포신호경로를 작동시켜서 암세포 성장에 기여한다면, 그 EBV 유전자들은 바이러스발암 유전자일 가능성이 높다. EBV 양성 위암에서, LMP2A 유전자는 survivin을 증가시키고, WNT 경로를 억제하여 암세포 생존에 관여한다. EBNA1 유전자는 인체세포의 발암유전자를 증가시키고, 암억제유전자를 억제시킨다. BARF1 유전자는 NF-κB/cyclin D1 경로를 활성화시키며, 또한 microRNA146a를 증가시키고, microRNA146a의 표적이 되는 SMAD4단백의 발현을 억제하여 발암에 기여한다.

4) MicroRNAs 역할

(1) EBV 유전자로 인한 인체세포 microRNA 변화

EBV의 EBERs은 microRNA 200a, microRNA 200b를 억제하면서 E-cadherin 단백 발현을 감소시켜서, 세포가 상피성에서 간질성으로 이행(epithelial- mesenchymal transition)되면서 발암과정 시초에 이른다. 또한, EBV의 secretory BARF1은 NF-κB 증가-microRNA 146a 억제-SMAD4 감소라는 일련의 과정을 통하여 위암 발생에 관여한다.

(2) EBV microRNA의 발암 역할

EBV는 바이러스 microRNA 존재가 밝혀진 최초의 바이러스이다. EBV microRNA BART5는 p53 up-regulated modulator of apoptosis (PUMA) mRNA의 3' UTR에 결합하여 PUMA단백의 발현을 감소시켜서 세포 생존에 기여하며, 또한 protein inhibitor of activated STAT 3 (PIAS3)를 표적으로 하여 PIAS단백 발현 감소-pSTAT3 증가-PD-L1 단백 증가라는 연속 과정을 통해서 EBV가 인체면역체계를 회피하는 데 도움을 준다. microRNA BART20-5p는 표적인 bcl-2-associated death promoter (BAD) 단백 발현을 감소시켜서 세포 생존에 기여한다. 이와 반대 기능으로, microRNA BART15-3p는 baculovirus inhibitor of apoptosis repeat-containing ubiquitin-conjugating enzyme (BRUCE)를 표적으로 하여, 세포자멸사를 유도한다.

5) EBV 양성 위암 조직에 특이적인 인체세포 유전자 변화

이 부분은 21장 위암의 병리 중 분자유전학적 분류, EBV 편에서 기술한다.

6) 발암기전에서 EBV와 *Helicobacter pylori*의 관계

H. pylori 감염과 EBV 양성 위암과의 관련에 대해 논란이 있다. 위암 발생 과정에 EBV 감염과 *H. pylori* 감염은 협력 관계라는 견해를 보면, *H. pylori* 감염으로 산화스트레스(oxidative stress) 및 독소(toxin)가 생성되어 위상피세포가 괴사되고 만성염증이 오는데, EBV 감염 또한 만성염증을 일으키며, 만성염증으로 후생

학적 변이 및 유전자 돌연변이가 생기는 위점막 조건이 만들어지므로, *H. pylori*와 EBV의 동반감염은 위암 발생을 더욱 촉진한다는 의견이다. 반대 견해를 보면, *H. pylori*는 EBV 활성화에 중요한 TGF-β 발현을 약화시켜서 EBV 양성 위암 발생을 억제한다는 주장이 있다. 한편, 메타분석연구(48개 논문의 9,738명 환자를 포함)에서, EBV 양성 위암은 *H. pylori* 감염과 관련이 없는 결과를 보였다.

4. 위줄기세포

위점막을 구성하는 위선(gastric glands)이 단일 줄기세포에서 유래한 단일 클론이라는 사실은 미토콘드리아 DNA 돌연변이 또는 키메라 마우스(Chimeric mice)의 종 특이적 유전자 분석을 통해 밝혀졌다. 위선의 줄기세포를 식별하기 위한 초기 연구는 전자현미경을 이용하였는데, 풍부한 자유 리보솜, 부족한 세포기관 및 큰 핵소체와 같은 특징을 보이는 미분화세포를 발견하고자 하였다. 위선 협부(isthmus)에서 이러한 특징을 보이는 세포가 주로 관찰되어 줄기세포일지도 모른다는 가설이 오랫동안 유지되어 왔지만, 줄기세포임을 확인할 수 있는 객관적이고 과학적인 증거는 유전적 계통추적(genetic lineage tracing)이라는 획기적인 방법의 개발로 인해 드디어 가능하게 되었다. 계통 추적기법은 특정 유전자를 발현하는 세포의 모든 자손을 장기적으로 추적할 수 있게 하여 줄기세포 표지자를 검증하는 가장 확실한 방법으로 여겨진다. 실제, 위점막을 구성하는 서로 다른 계열(점액세포, 벽세포, 주세포, 신경내분비세포)의 세포에 대한 표지자와 함께 조직학적으로 분석한 결과, 특정 줄기세포 표지자를 발현하는 단일 세포로부터 모든 계열의 세포가 분화될 수 있음이 증명되었다.

1) 마우스 위점막의 줄기세포

위점막은 조직학적으로 점액세포로 주로 이루어진 전정부의 유문선(pyloric gland)과 주세포(chief cell), 벽세포(parietal cell) 등이 대부분을 차지하는 체부의 기저선(fundic gland)으로 나뉘어지며, 마우스 위점막의 줄기세포 표지자 또한 조직학적 유형에 따라 구분해서 이해할 필요가 있다. 현재까지 계통 추적실험을 통해 마우스 전정부와 체부에서 모두 줄기세포임이 증명된 표지자, 전정부와 체부에 각각 국한된 표지자는 다음과 같다(그림 16-6).

(1) 전정부와 체부의 줄기세포 표지자

① Lgr5

최초로 발견된 마우스 위점막의 줄기세포 표지자는 Leucine-rich-repeat-containing G-protein-coupled receptor 5 (Lgr5)이다. 전정부의 Lgr5 양성 세포는 비교적 빠른 속도로 분열하면서 다양한 기능성 세포로 분화하여 전정부의 항상성(homeostasis)에 기여한다. 단일 Lgr5 양성 세포를 분리하여 in vitro 배양을 한 결과 성숙한 유문선과 흡사한 구조의 위장 오가노이드(organoids)가 형성되어 장기간 생존이 가능하였다. 또한, Lgr5 양성 세포에서 APC 유전자를 제거할 경우엔 위 선종이 발생하지만, Lgr5 음성 세포에서는 APC 유전자를 제거했음에도 종양이 관찰되지 않아 전정부의 위 종양의 기원세포임이 증명되었다. 일반적으로 줄기세포는 비대칭적으로 분열되어 하나의 줄기세포와 하나의 딸세포를 생성한다고 여겨져 왔으나, 다색 계통 추적(multicolor lineage tracing) 및 수학적 모델을 이용한 최근의 연구에 따르면, Lgr5 양성 세포는 대칭적으로 분열하여 표현형이 동일한 두 개의 딸세포를 생성한다. 이들은 중립적인 경쟁(neutral competition)을 통해 줄기세포 틈새(stem cell niche)에 머물러 있는 딸세포만이 줄기세포로 남게 된다.

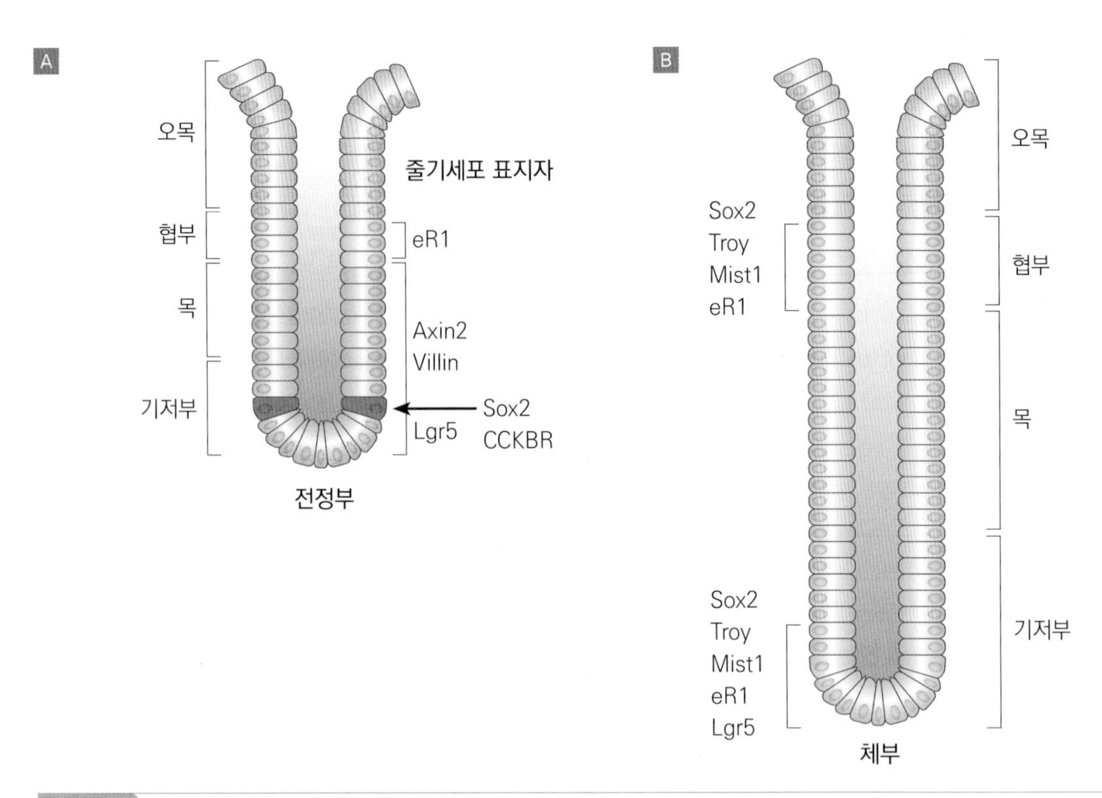

그림 16-6 마우스 위점막의 줄기세포 표지자(stem cell markers).
A. 마우스 위 전정부의 줄기세포 표지자와 발현 위치. 화살표는 +4 위치의 세포를 가리킨다.
B. 마우스 위 체부의 줄기세포 표지자와 발현 위치.

전정부 선의 바닥에만 존재한다고 보고되었던 Lgr5는 최근 체부 선의 바닥에서도 드물게 발현된다는 사실이 보고되었고, 이 Lgr5 세포는 다른 줄기세포 표지자들(Troy, Mist1, Sox2)을 동시 발현한다. 체부의 Lgr5 양성 세포는 전정부의 Lgr5 양성 줄기세포와 달리, 항상성에는 관여하지 않지만 위점막의 염증으로 인해 상피의 재생이 필요한 경우에 증식하는 예비 줄기세포로서의 기능을 한다. 또한, Kras 돌연변이를 이 Lgr5 양성세포에서 유발하자 암 전구병변인 유사유문화생(pseudopyloric metaplasia)이 발생하여 체부에서 발생하는 위암의 기원세포일 가능성이 제기되었다.

② Sox2

Sex determining region Y (SRY)-box 2 (Sox2)는 초기 배아세포의 전분화능(pluripotency)을 유지하고, 태아 발달과정에서 상피의 형성을 조절하는 역할을 하는 전사인자이다. Sox2 양성 세포는 Lgr5가 선의 기저부에서 3~4개의 세포에서 발현되는데 비해, 기저부의 바로 위쪽 +4 위치에서 1~2개 매우 드물게 관찰된다.

③ eR1

Runx 유전자는 발달과정에 관여하는 전사인자로서, 특히 Runx1은 조혈과정 및 조혈줄기세포의 생성 및 유지에 매우 중요하다. Runx1 증폭요소1(Runx1 enhancer element, eR1)는 Runx1 유전자의 P1, P2 프로모터 사이의 시스 조절요소(cis-regulatory element) 가운데 하나이며, 조혈줄기세포의 표지자로 알려져 있다. 마우스의 위점막에서 eR1 양성 세포는 전정부에서는 협부에 위치하고 있으며, 체부에서는 협부에서 주로 관찰되지만 기저부의 일부 주세포에서도 관찰된다. 협부의 eR1 양성 세포의 80% 이상에서 Ki-67과 동시염색이 되는 것으로 보아 빠르게 분열하는 줄기세포로 여겨진다.

(2) 전정부의 줄기세포 표지자

① Axin2

Axin2는 Wnt 경로의 표적 유전자 가운데 하나이며, 가장 최근에 밝혀진 전정부의 줄기세포 표지자이다. 연구에 따르면, Axin2 양성 세포는 Lgr5 양성 세포가 위치하고 있는 기저부와 세포 증식이 활발한 협부 아래쪽에 분포하고 있다. 특이한 점은, Lgr5 양성 세포를 제거할 경우, 이 협부 아래쪽에 위치한 Lgr5 음성/Axin2 양성 세포가 전체 선의 재생을 담당한다는 사실이다. 또한, Lgr5와 Axin2의 발현은 기저부의 근섬유 모세포(myofibroblasts)에서 분비되는 R-spondin3을 필요로 하는데, 외부에서 R-spondin3을 투여할 경우 Lgr5 양성 세포는 변화가 없는 반면 Axin2 양성/Lgr5 음성 세포는 증식이 촉진되었다. 또한, 헬리코박터균을 감염시키자 R-spondin3의 분비 증가와 함께 Axin2 양성 세포군의 증가, 전정부 선의 과증식이 관찰되었다. 이러한 결과들은 Lgr5 음성/Axin2 양성 세포가 Lgr5 양성 세포와 함께 전정부의 항상성 유지를 책임지는 줄기세포임을 증명한다.

② Villin

Villin은 기본적으로 소장에서 특이적으로 높게 발현되는 유전자이며, 위에서는 전정부 선의 하부 1/3(기저부와 목 부위)에 매우 드물게 분포한다. Villin 양성 세포는 평상시에는 세포 분열이 정지된 상태로 존재하지만, 염증성 사이토카인 인터페론 감마(IFN-γ)를 투여할 경우 증식을 시작한다. 따라서, Vilin 양성 세포는 전정부의 항상성 유지에는 관여하지 않지만, 염증으로 인한 손상을 회복하기 위해서 활동하는 예비 줄기세포(reserve stem cell)로 여겨진다.

③ CCKBR

프로가스트린(progastrin)은 불완전 절단된 가스트린(gastrin)의 전구체로서 전정부의 G세포에서 분비된다. 가스트린과 프로가스트린은 모두 위상피세포의 일부에서 발현하는 Cholecystokinin B receptor (CCKBR, CCK2R)에 결합할 수 있다. CCKBR 양성 세포는 +4 위치, 즉 Lgr5 양성 세포의 바로 위쪽에 위치하며, 프로가스트린을 처리할 경우 이에 반응하여 증식이 일어나고 동시에 Lgr5 양성 세포로 전환되어 Lgr5 양성 줄기세포의 수도 증가시킨다.

(3) 체부의 줄기세포 표지

① Troy

위 체부에서 세포 분열은 선의 협부에서 대부분 일어나며 그 곳에서 양방향으로 세포가 이동하기 때문에 일반적으로 협부에 줄기세포가 위치한다고 여겨져 왔다. 하지만, 계통 추적기법을 통해 체부 기저부에 있는 일부의 분화된 주세포가 Troy를 발현하고 있으며 줄기세포로 기능한다는 사실이 밝혀졌다. Troy는 Tumor necrosis factor receptor superfamily member 19 (*Tnfrsf19*) 유전자에 의해 코딩되며 특히, 5-FU를 이용해 조직을 손상시킨 경우, Troy 양성 주세포가 체부를 구성하는 전체 세포들을 재생시키는 예비 줄기세포로 기능한다.

② Mist1

Troy와 함께 체부의 기저부에 위치하고 있는 일부의 Mist1 양성 주세포도 줄기세포임이 밝혀졌는데, 이후 연구에서 협부에 위치하고 있는 Mist1 양성 세포는 0.2%만이 Ki-67에 염색이 되는 예비 줄기세포로 기능한다는 사실이 증명되었다. 특히, 협부의 Mist1 양성 세포는 Kras/APC 돌연변이에 의해서는 장형(intestinal-type) 위암, 그리고 E-cadherin를 제거하고, 헬리코박터균을 감염시킬 경우에는 미만형(diffuse-type) 위암의 기원세포임이 밝혀졌다. 이러한 연구결과들은 암유전자 돌연변이의 종류와 기원세포에 따라 종양의 종류 혹은 특징이 결정됨을 보여준다.

2) 위점막 줄기세포 관련 신호전달경로

(1) Sonic hedgehog과 Bone morphogenic protein 경로

Sonic hedgehog (SHH)과 bone morphogenic protein (BMP) 신호경로는 장의 발달과 분화를 결정짓는 데 결정적인 역할을 한다. 소장 상피에서 생성되는 SHH는 주변 중간엽세포로 하여금 BMP를 분비하여 BMP 농도 경사를 형성한다. BMP 활성은 장 상피의 표면부에서 가장 높고, 기저부에서 가장 낮게 유지되며 이는 장 줄기세포가 기저부에 자리잡도록 유도한다. 반면에 위장에서의 BMP 활성은 소장과 전혀 다른 모습을 보이는데, 목 부분에 위치한 벽세포만이 SHH을 분비하기 때문이다. BMP4가 벽세포 주변에서 주로 발현되면서 자연스럽게 위장 줄기세포는 벽세포/SHH/BMP4 영역 바깥인 협부와 기저부에 위치하게 된다.

(2) Notch 경로

소장에서 Notch 신호는 줄기세포의 유지와 세포 분화의 결정에 있어 중요한 역할을 한다. 예를 들면, Notch 신호가 활성화되면 흡수(absorptive lineage) 기능을 하는 세포로, 반대로 활성이 약화되는 경우 분비(secretory lineage) 기능을 담당하는 세포로의 분화가 촉진된다. 위장에서 Notch 신호는 협부와 전정부의 기저부에서 활성이 높은 것으로 보고되었다. 한편, Notch 신호를 벽세포에서 특이적으로 활성화시킬 경우 줄기세포로의 전환이 관찰되었고, Notch 길항제를 투여하자 전정부와 체부에서의 세포 증식이 현저히 감소하였다. 이러한 연구결과들은 위장에서도 Notch 신호가 줄기세포의 유지와 증식에 관여함을 보여준다.

(3) Wnt 경로

소장에서 Wnt 신호경로는 BMP 신호와 정반대의 농도 경사를 형성하며 줄기세포의 유지와 성장에 있어 가장 중요한 역할을 담당하고 있으나, 위장에서의 역할은 아직까지 확실하지 않다. 한 연구에 따르면, 벽세포 제거 후 추출한 협부 줄기세포에서 Wnt의 발현이 보고되었다. 또한, 전정부와 체부의 기저부 줄기세포 표지자로 알려진 Lgr5, Troy는 Wnt 경로의 대표적 표적 유전자들이며, 대장암에 비해서는 낮은 빈도이나 인간 위암에서 Wnt 경로의 돌연변이가 종종 관찰된다.

3) 인간 위점막과 종양에서의 줄기세포 표지자 발현

마우스 모델을 통해 확인된 Lgr5를 포함한 다양한 줄기세포 표지자가 인간 위점막에서도 줄기세포 표지자로서 기능할 것인지는 분명치 않으며, 인간의 위점막 병변에서 줄기세포 표지자의 발현에 대한 연구는 매우 제한적이다. 하지만, 일부 연구에 따르면 인간의 위 전정부와 체부 선의 기저부에도 소수의 LGR5 양성 세포가 존재한다는 사실이 밝혀졌으며, 이는 마우스에서의 관찰과 일치한다. 흥미로운 점은 위암의 전구병변으로 알려진 장상피화생(intestinal metaplasia)에서 LGR5 양성 세포의 수가 급증한다는 사실이며, 이들은 다른 소장 특이적인 줄기세포 표지자, 예를 들면 ASCL2, EPHB2, 와 OLFM4를 동시에 발현하는 특징을 보였다. 위선종의 경우, 대략 75%가량에서 LGR5의 발현이 관찰되었으며, 저등급(low grade), 장형(intestinal-type)일수록 LGR5의 발현이 증가하였다. 또한 베타카테닌(β-catenin)의 핵 국소화(nuclear localization)와도 정방향의 상관관계를 보였다. 진행성 위암에서 LGR5의 발현은 분화도가 나빠지면서 저하되며, 환자의 예후에는 영향을 미치지 않는 것으로 보고되었다. 반면, Mist1은 정상 점막의 주세포에서 발현되지만 유사유문화생과 장상피화생에서는 드물게 관찰되고 이형성과 위암에서는 거의 (1% 미만) 발현되지 않는다.

5. 종양면역반응

1) 종양면역반응

종양세포에 대한 면역반응은 주로 CD8 양성 T세포에 의해 일어나지만 다단계 과정을 거친다. 첫 번째 단계는 종양세포가 만들어 분비한 종양항원(tumor antigen)을 가지세포(dendritic cells, DCs) 등의 항원제공세포(antigen presenting cells, APCs)가 포식하여 처리하는 과정이다. 이 자극에 의해 종양세포 등에서 사이토카인(cytokines) 등의 면역반응을 촉진하는 인자들이 분비된다. 두 번째 단계는 종양항원이 주조직적합복합체(major histocompatibility complex, MHC) class I과 MHC class II 물질을 통해 가지세포 등의 항원제공세포의 표면에 표출되어 T세포가 인지할 수 있도록 제시되는 것이다. 종양항원을 표출한 항원제공세포는 림프절로 이동하고, 림프절에서 종양항원을 인식한 T세포가 활성화되는 것이 세 번째 단계이다. 활성화된 T세포가 혈관을 통해 종양으로 이동하는 것이 네 번째 단계이고, 종양과 그 주변에 T세포가 침윤하는 것이 다섯 번째 단계이다. 여섯 번째 단계에서 침윤한 T세포 표면의 T세포 수용체(T cell receptors, TCRs)와 종양세포의 MHC class I 물질을 통해 제시된 종양항원이 결합한다. 마지막으로 T세포가 인지한 종양세포를 제거하는 것이 일곱 번째 단계이다. T세포에 의해 파괴된 종양세포에서 추가적인 종양항원이 배출되면 이로 인해 면역반응이 증대된다. 이렇게 체내 면역시스템이 우리 몸을 탐색하여 종양세포를 인지하고 이를 면역반응으로 제거하는 체계를 면역감시(immune surveillance)라고 한다. 각 단계를 촉진하거나 억제하는 다수의 물질들이 보고되었다(그림 16-7).

2) 종양항원

면역시스템은 체내에 존재하는 단백질을 자기(self)로 인식하여 면역반응을 일으키지 않지만, 외부 물질은 면역시스템이 비자기(nonself)로 인식하여 면역반응을 일으킬 수 있으며 이러한 외부 물질을 항원(antigens)이라고 한다. 항원을 가진 세포는 체내에서 면역반응에 의해 파괴된다. 종양 환자에서 면역반응이 증가되어 있음이 알려진 후 연구자들은 종양세포에서 발현하는 항원인 종양항원(tumor antigen)을 찾고자 노력해 왔다.

(1) 유전자 변이와 연관된 종양항원

유전자 돌연변이(gene mutation)로부터 만들어진 단백질이 종양항원으로 인식될 수 있다. 정상세포가 종양세포가 되는 과정에서 다양한 종양유전자(oncogenes)와 종양억제유전자(tumor suppressor genes)의 돌연변이가 관찰되며, 돌연변이 유전자로부터 만들어진 단백질은 면역시스템에 의해 비자기로 인식된다. 그리고 종양세포는 유전자가 불안정하여 세포 분열의 유전자 복제 중 수많은 돌연변이가 생길 수 있으며, 변이 유전자에서 만들어진 단백질들은 기능의 유무와 상관없이 면역세포들에게 종양항원으로 인식될 수 있다. 돌연변이에 의해 만들어진 신생항원(neoantigen)은 강력한 종양면역반응의 원인 중 하나이다.

(2) 바이러스 기원 종양항원

종양이 생기는 원인이 되는 종양발생바이러스(oncogenic virus)가 알려져 있으며, 대표적으로 사람유두종바이러스(human papilloma virus)와 엡스타인-바 바이러스(Epstein-Barr virus, EBV) 등이 있다. 바이러스에 감염된 환자에서는 바이러스가 만드는 단백질을 면역세포가 항원으로 인식하여 면역반응을 일으켜 바이러스에 감염된 세포를 제거하며, 따라서 종양세포에서 바이러스 유전자로부터 만들어진 단백질은 종양항원으로 중요하다.

(3) 기타 종양항원

이 외에 정상세포에서 발현되지 않는 단백질이 종양

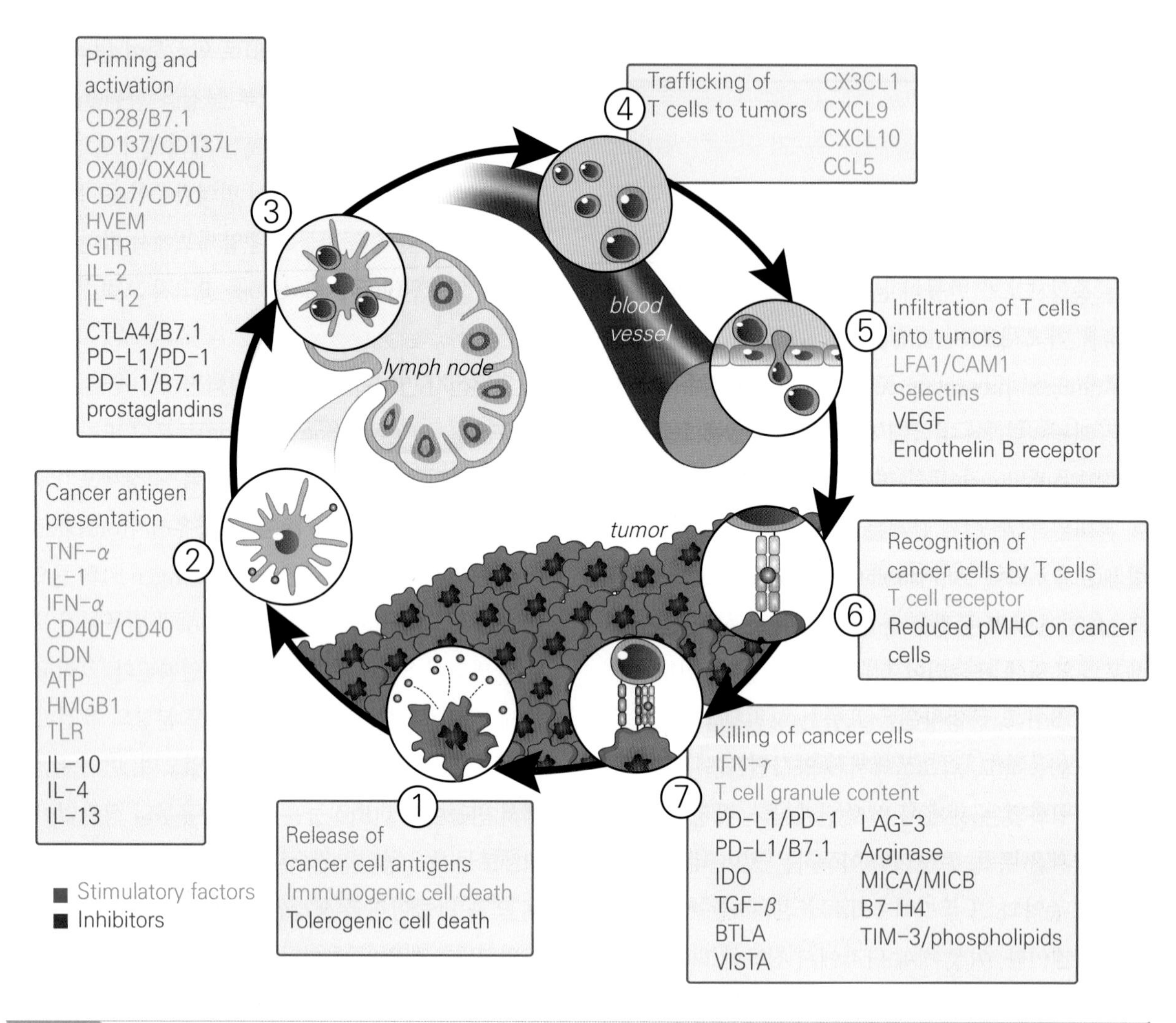

그림 16-7 **다단계 종양면역반응과 반응을 조절하는 인자.**

세포에서 비정상적으로 발현되거나 정상세포에서 아주 적은 양만 발현되는 단백질이 종양세포에서 과발현될 수 있는데, 면역시스템이 이들 단백질들을 비자기로 인식할 수 있다. 또한 세포 표면에 발현하는 당단백질과 당지질도 암세포에서 과발현되거나 변형된 형태로 발현되어 종양항원으로 인식될 수 있다. CEA 암배아항원(carcinoembryonic antigen) 등의 종양태아성항원(oncofetal antigen)도 종양항원으로 면역반응을 일으킬 수 있는데, 이들은 면역반응을 일으키는 기능이 약하지만 환자의 진단 마커로 이용되고 있다. CD20은 B세포에 특이적인 항원이며, 이와 같이 특정세포에 특이적인 항원은 자기(self) 단백질로 면역반응을 일으키지 않지만 진단 마커 및 면역치료에 응용된다.

3) 면역세포의 역할

종양세포에 대한 면역반응에 선천면역반응(innate immune response)와 적응면역반응(adaptive immune response)이 모두 역할을 하며, 세포매개면역(cell-mediated immunity)이 주된 반응이다.

(1) 세포독성T세포

세포독성T세포(cytotoxic T cells)에 의한 종양세포

억제 효과는 잘 알려져 있다. 세포독성T세포는 T세포 마커인 CD3와 함께 CD8에 양성이고, T세포 수용체를 가지고 있어 모든 세포 표면에 위치한 MHC class I에 제시된 항원을 인식한다. 종양 조직에서 T세포들이 증식하고 활성화되는 데는 자극이 필요하며, 주로 두 가지 자극이 역할을 한다. 첫 번째 자극은 종양항원이다. 위에서 설명한 대로 신생항원(neoantigen) 또는 바이러스 기원 항원이 주요한 종양항원이며 종양항원에 특이적인 T세포 반응을 유발한다. 두 번째는 동시 자극성(co-stimulatory) 물질이 T세포의 증식과 생존에 영향을 준다. T세포는 동시 자극성 수용체를 가지고 있어, 종양세포의 표면에 표출된 동시 자극성 물질과 결합하여 T세포 활성화를 촉진한다. CD28, CD27 등의 동시 자극성 수용체가 T세포에서 관찰되고, CD134, CD137 등의 동시 자극성 수용체는 주로 항원에 의해 활성화된 T세포에서 발현이 관찰된다. 이들 물질이 없으면 T세포의 면역반응이 일어나지 않는다. CD28은 항원제공세포의 CD80 (B7-1) 또는 CD86 (B7-2)과 결합하여 T세포를 활성화시킨다. 활성화된 세포독성 T세포는 perforin, granzymes, granulysin 등의 세포독성 입자를 분비하거나, T세포 표면의 Fas 리간드와 표적세포의 Fas 수용체의 결합 반응을 통해, 종양세포를 세포자멸사(apoptosis)에 빠지게 한다. 동시 자극성 수용체와는 반대로 T세포의 programmed death-1 (PD-1), cytotoxic T-lymphocyte-associated protein 4 (CTLA-4), T cell immunoglobulin and mucin domain containing-3 (TIM-3), lymphocyte-activation gene 3 (LAG-3), indoleamine 2,3-dioxygenase (IDO) 등 동시 억제성(co-inhibitory) 수용체는 종양세포에서 발현하는 각각의 리간드와 결합하여 T세포의 활성을 억제한다.

(2) 도움T세포

도움T세포(helper T cells)는 CD3와 함께 CD4 마커에 양성이다. 종양면역반응에서의 도움T세포의 역할은 아직 완전히 밝혀지지 않았지만, 주된 역할은 B세포를 유도하여 B세포의 항체를 통한 면역반응을 돕고, 세포독성T세포의 기능을 증진시키는 것이다. 일부 MHC class II를 발현하는 종양에서는 도움T세포가 세포독성 기능을 가진다고 보고된 바 있다.

(3) 조절T세포

조절T세포(regulatory T cells, Tregs)는 CD4, FOXP3, CD25 마커를 발현하며, 면역반응을 조절하는 역할을 한다. 자기(self) 단백질에 대한 면역반응을 억제하고, 종양면역반응 또한 억제하는 기능이 있다. 면역반응을 억제하는 기전으로 결합능이 높은 IL-2 수용체를 발현하여 IL-2의 기능을 저해하고, CTLA-4를 발현하며, IL-10와 TGF-β 등의 면역억제 사이토카인을 분비하는 등이 알려져 있다.

(4) NK세포

NK세포에 의한 종양세포 제거는 또 하나의 중요한 면역반응이다. NK세포는 이전 감작이 필요하지 않은 선천면역반응으로 작용하는 세포이므로 종양세포를 1차적으로 저지하는 역할을 한다. NK세포는 B세포 마커 또는 T세포 마커가 모두 음성이고 대개 CD16과 CD56에 양성이며, 혈액 내 림프구 중 5~15%를 차지한다. NK세포는 IL-2 또는 IL-15 등의 사이토카인에 의해 활성화된 후 종양세포를 제거한다. NK세포도 T세포와 마찬가지로 동시 자극성 및 동시 억제성 수용체에 의해 영향을 받는다. 대표적 동시 자극성 물질로는 C-type lectin receptors (CD94/NKG2C, NKG2D, NKG2E/H and NKG2F), natural cytotoxicity receptors (NKp30, NKp44, NKp46), killer cell C-type lectin-like receptor (NKp65, NKp80), Fc receptor FcγR, SLAM family receptors (2B4, SLAM6, SLAM7), killer cell immunoglobulin-like receptors (KIR) (KIR-2DS, KIR-3DS), DNAM-1, CD137 (41BB) 등이 있다. 동시 억제성 물질로는 KIR-2DL,

KIR-3DL, C-type lectin receptors CD94/NKG2A/B 등을 가지고 있으며, 이들 억제성 수용체는 MHC class I 물질 또는 HLA-E와 결합하여 NK세포를 억제한다. 최근 연구에서 NK세포의 면역반응은 MHC class I 항원의 발현 정도와 역상관관계를 보였으며, 특히 NK세포는 MHC class I의 발현이 적거나 없어 세포독성T세포가 파괴할 수 없는 종양세포를 제거할 수 있어 중요하다.

(5) 대식세포

M1 대식세포(macrophage)로 알려진 활성화된 대식세포는 T세포, NK세포와 함께 면역반응에서 종양세포를 제거하는 역할을 한다. T세포와 NK세포에서 만들어진 인터페론-감마(IFNγ)는 대식세포를 활성화시키며, 활성화된 대식세포는 미생물을 제거하는 것과 같은 기전으로 종양세포를 제거할 수 있다. 그러나 종양에 침윤한 대부분의 대식세포는 M2 대식세포와 비슷하다고 알려져 있다. M2 대식세포는 CD163 마커에 양성이다. IL-4, IL-10, IL-13 등에 의해 활성화되고, 종양세포의 증식, 침윤, 전이를 도와주고 VEGF를 분비하여 혈관형성에 기여하는 등 종양의 진행을 증진시키는 기능이 있다. 또한 M2 대식세포는 IL-10, TGF-β, PGE2 등의 면역반응을 억제하는 사이토카인을 분비하고 직접 T세포의 기능을 저하하여 면역반응을 억제하는 역할을 한다.

4) 면역회피의 기전

체내의 면역감시(immune surveillance) 체계를 통해, 암 환자의 초기에는 면역반응에 의한 종양의 제거가 시도된다(elimination). 그러나 종양세포는 면역시스템을 억제하거나 종양세포 자신이 면역반응을 회피할 수 있는 요인을 만드는 능력을 가지는데 이를 면역편집(immunoediting)이라 한다. 종양세포가 면역반응에 적응하여 면역반응을 회피할 수 있게 되면서 종양세포와 종양면역반응은 서로 평형(equilibrium) 상태를 거쳐 종양의 면역회피(escape) 상태에 도달하게 된다. 또한 암 환자에서 면역기능의 저하가 잘 알려져 있는데, 이들을 포함하여 종양세포는 다양한 기전에 의해 종양면역반응을 회피할 수 있다.

(1) 면역조절인자의 활성화

PD-1은 1992년에 세포자멸사 중인 T세포에서 발현이 증가되는 유전자로 처음 보고되었다. 종양에 침윤한 림프구는 인터페론-감마(IFNγ)를 발현하고 방출하여, 주변 세포(종양세포, 간질세포, 혈액세포 등)에서 PD-L1 (programmed death-ligand 1)의 발현을 유도한다. 과발현된 PD-L1은 CD8 양성 T세포 표면의 PD-1 동시 억제성 수용체를 활성화시키고 이와 결합하여 T세포를 무기력화시킨다. PD-L1 이외에 PD-L2도 PD-1과 결합하는 리간드이며 PD-L1보다 결합능은 약하다. T세포에서 PD-1이 PD-L1과 결합하면 immunoreceptor tyrosine-based inhibition motif (ITIM)와 immunoreceptor tyrosine-based switch motif (ITSM)를 인산화시켜 SHP-2를 유도한다. 이러한 과정을 통해 T세포 수용체에 의해 세포내 PI3K-Akt와 Ras-MEK-ERK 신호전달체계가 활성화되는 것을 막고, T-bet/STAT1의 탈인산화를 통해 신호전달체계를 억제한다. 이 결과 T세포의 증식이 억제되고 종양세포를 제거하는 기능이 무기력해진다(그림 16-8).

PD-1 이외에도 T세포의 CTLA-4, TIM3, LAG3, IDO 등이 면역조절인자로 알려져 있다. CTLA-4는 CD4 양성 T세포와 CD8 양성 T세포에서 활성화된 초기에 과발현된다. 발현된 CTLA-4가 항원제공세포의 CD80 (B7-1) 및 CD86 (B7-2)과 결합하여 이들이 동시 자극성 수용체인 CD28과 결합하지 못하게 하고, T세포의 세포 내 PP2A와 SHP-2의 신호전달을 통해 T세포 수용체를 억제한다(그림 16-8). 이를 통해 세포의 증식과 IL-2 생산을 감소시켜 면역반응을 억제한다. CTLA-4는 조절T세포(regulatory T cell)에서 지속적으로 발현되고 같은 기전으로 조절T세포의 면역억제 기능을 돕는다.

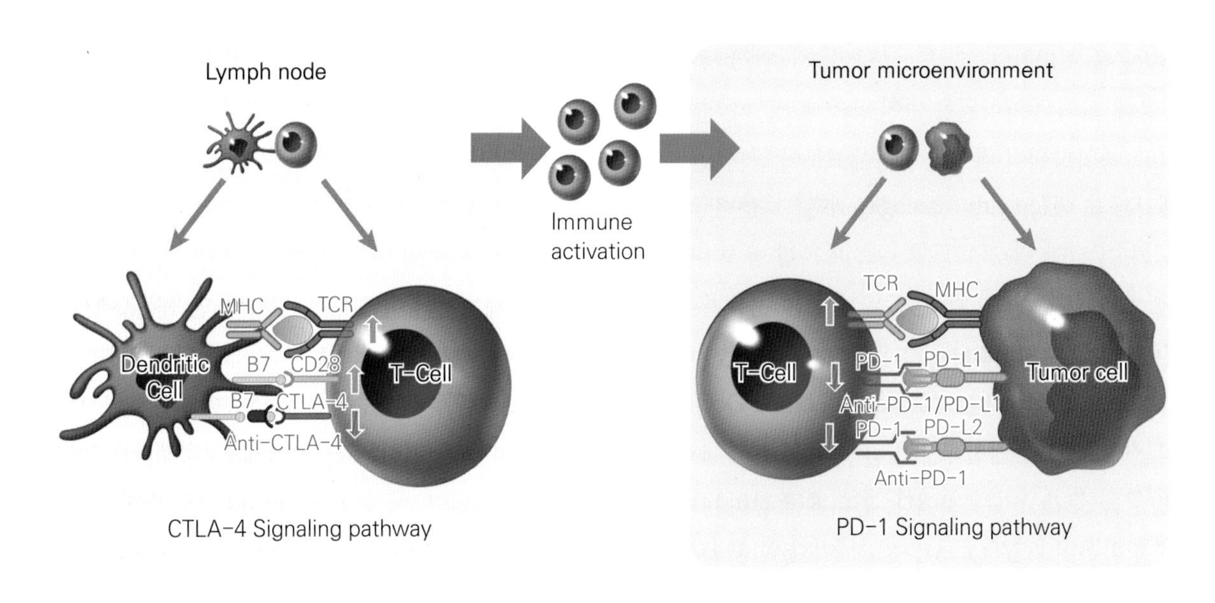

그림 16-8 **PD-1과 CTLA-4의 면역억제 기전.**

LAG3는 T세포와 NK세포 등 다양한 면역세포가 활성화되었을 때 발현이 증가하며, MHC class II, LSECtin, galectin-3 등이 리간드이다. LAG3는 T세포의 증식과 사이토카인 생산을 억제한다. TIM3는 galectin-9, HMGB1, CEACAM1 등의 리간드와 결합하며, T세포의 무기력화를 통해 종양세포의 면역회피에 역할을 한다.

(2) MHC 물질의 감소 또는 소실

MHC 물질은 모든 세포의 표면에서 관찰되고, MHC class I 물질은 HLA 유전자에서 생기는 H사슬(heavy chain)과 β2M으로 구성된다. H사슬은 *HLA-A, -B*, and *-C* 유전자에서 만들어진다. MHC class I 물질은 CD8 양성 T세포에 의해 일어나는 세포매개면역(cell-mediated immunity)에 주된 기능을 한다. 암 환자에서 MHC class I 물질의 발현은 다양하게 관찰되어 발현의 감소 또는 소실이 보고되어 왔으며, 따라서 종양세포가 면역반응을 회피하는 주요 기전으로 여겨진다. HLA 유전자 전사와 번역의 변화 또는 β2M 유전자의 돌연변이가 MHC class I 발현 감소의 주요 원인으로 생각된다.

(3) 면역을 억제하는 인자의 분비

종양세포는 IL-10, galectins, TNF, TGF-β, PGE2, VEGF 등 면역세포의 기능을 억제하는 인자들을 생산하고 분비한다. 이들은 면역세포의 기능을 억제할 뿐만 아니라 면역세포의 생성과정에서 분화와 성숙을 방해한다. TGF-β는 많은 종양에서 높게 발현하며, 조절T세포를 증가시키고 세포독성T세포와 NK세포 등 면역세포의 증식과 성숙을 억제하는 등 면역억제 기능이 보고되었다. VEGF와 수용체는 조혈세포와 혈관내피세포의 증식과 분화에 영향을 주며, T세포가 혈관 밖으로 나가 종양으로 이동하는 과정을 억제한다.

(4) 종양항원의 변형 또는 결핍

종양세포는 종양항원을 변형함으로써 면역반응을 회피할 수 있다. 종양세포는 세포 표면에 발현하는 종양항원을 세포질로 옮기거나 여러 조각으로 잘라 없앨 수 있다. 점액 등이 세포를 감싸게 되면 종양항원이 그 안으로 숨어 면역세포가 항원을 인지할 수 없다. 또는 종양항원을 더 이상 만들지 않게 하는 등의 방법으로 면역반응을 회피한다. 그리고 종양이 자라면서 생긴 면역반응에 의해 종양항원을 가진 종양세포군이 먼저 제거되고, 종양항원이 결핍된 종양세포군이 남아있는 상태에서는 더 이상 면역반응이 종양세포를 제거할 수 없게 된다.

5) 인터페론-감마(IFNγ)

인터페론-감마는 주로 T세포와 NK세포에서 만들어지며 주된 기능은 대식세포의 활성화와 MHC class II의 발현을 증가시키는 것이다. 인터페론-감마는 수용체와 결합하여 세포 내 JAK-STAT 신호전달체계를 증진시키며, 종양에서 면역반응을 증진시키는 기능과 억제하는 기능을 모두 가지고 있다. 즉, 종양에서 면역시스템이 종양항원을 인지하여 종양세포를 파괴시키는 단계(elimination)에서는 종양세포를 억제하는 기능을 주로 하는데, NK세포, NKT세포, 감마델타T세포 등 선천성면역세포를 종양으로 모아주고, 대식세포를 활성화시키고, MHC class I과 II의 발현을 증가시키는 등의 역할을 한다. 초기 면역반응으로 면역반응에 잘 제거되는 종양세포군이 일차적으로 제거된 단계(equilibrium)에서는 면역반응을 유지하여 종양의 성장을 지연시키는 역할을 한다. 이에 반해 종양세포가 면역반응을 회피하는 단계(escape)에서는 인터페론-감마가 면역억제의 기능이 있다. 이 단계에서 인터페론-감마는 종양세포와 면역세포에서 면역조절인자 PD-L1의 발현을 증가시킨다. PD-L1뿐만 아니라 CTLA-4, TIM3, VISTA 등의 다른 면역억제인자의 발현을 증가시키는 것으로 알려져 있다.

참고문헌

1. Adam JK, Odhav B, Bhoola KD. Immune responses in cancer. Pharmacol Ther 2003;99:113-132.
2. Alspach E, Lussier DM, Schreiber RD. Interferon gamma and its important roles in promoting and Inhibiting spontaneous and therapeutic cancer immunity. Cold Spring Harb Perspect Biol 2018.
3. Ambinder RF, Mann RB. Detection and characterization of Epstein-Barr virus in clinical specimens. The American journal of pathology 1994;145:239-252.
4. Anderson AC, Joller N, Kuchroo VK. Lag-3, Tim-3, and TIGIT: Co-inhibitory receptors with specialized functions in immune regulation. Immunity 2016;44:989-1004.
5. Arnold K, Sarkar A, Yram MA, Polo JM, Bronson R, Sengupta S, et al. Sox2+ adult stem and progenitor cells are important for tissue regeneration and survival of mice. Cell stem cell 2011;9:317-329.
6. Asada K, Nakajima T, Shimazu T, Yamamichi N, Maekita T, Yokoi C, et al. Demonstration of the usefulness of epigenetic cancer risk prediction by a multicentre prospective cohort study. Gut 2015;64:388-396.
7. Barker N, Huch M, Kujala P, van de Wetering M, Snippert HJ, van Es JH, et al. Lgr5+ ve stem cells drive self-renewal in the stomach and build long-lived gastric units in vitro. Cell stem cell 2010;6:25-36.
8. Barker N, Van Es JH, Kuipers J, Kujala P, Van Den Born M, Cozijnsen M, et al. Identification of stem cells in small intestine and colon by marker gene Lgr5. Nature 2007;449:1003.
9. Bartfeld S, Koo BK. Adult gastric stem cells and their niches. Wiley Interdisciplinary Reviews: Developmental Biology 2017;6:261.
10. Borza CM, Hutt-Fletcher LM. Alternate replication in B cells and epithelial cells switches tropism of Epstein–Barr virus. Nature medicine 2002;8:594.
11. Buchbinder EI, Desai A. CTLA-4 and PD-1 pathways:

similarities, differences, and implications of their inhibition. Am J Clin Oncol 2016;39:98-106.
12. Burke A, Yen T, Shekitka K, Sobin L. Lymphoepithelial carcinoma of the stomach with Epstein-Barr virus demonstrated by polymerase chain reaction. Modern pathology: an official journal of the United States and Canadian Academy of Pathology, Inc 1990;3:377-380.
13. Cancer IAfRo. Epstein-Barr Virus and Kaposi's Sarcoma Herpesvirus/human Herpesvirus 8. Vol 70. Lyon: World Health Organization, International Agency for Research on Cancer, 1997.
14. Chang MS, Kim DH, Roh JK, Middeldorp JM, Kim YS, Kim S, et al. Epstein-Barr virus-encoded BARF1 promotes proliferation of gastric carcinoma cells through regulation of NF-κB. J Virol. 2013;87:10515-10523.
15. Chen DS, Mellman I. Elements of cancer immunity and the cancer-immune set point. Nature 2017;541:321-330.
16. Chen DS, Mellman I. Oncology meets immunology: the cancer-immunity cycle. Immunity 2013;39:1-10.
17. Chester C, Fritsch K, Kohrt HE. Natural killer cell immunomodulation: targeting activating, inhibitory, and co-stimulatory receptor signaling for cancer immunotherapy. Front Immunol 2015;6:601.
18. Choi H, Lee H, Kim SR, Gho YS, Lee SK. EBV encoded miR-BART15-3p promotes cell apoptosis partially by targeting BRUCE. J Virol 2013;87:8135-8144.
19. Choy EY-W, Siu K-L, Kok K-H, Lung RW-M, Tsang CM, To K-F, et al. An Epstein-Barr virus–encoded microRNA targets PUMA to promote host cell survival. Journal of Experimental Medicine 2008;205:2551-2560.
20. Cohen JI. Epstein–Barr virus infection. New England Journal of Medicine 2000;343:481-492.
21. Coulie PG, Van den Eynde BJ, van der Bruggen P, Boon T. Tumour antigens recognized by T lymphocytes: at the core of cancer immunotherapy. Nat Rev Cancer 2014;14:135-146.
22. del Campo AB, Kyte JA, Carretero J, Zinchencko S, Mendez R, Gonzalez-Aseguinolaza G, et al. Immune escape of cancer cells with beta2-microglobulin loss over the course of metastatic melanoma. Int J Cancer 2014;134:102-113.
23. Dranoff G. Cytokines in cancer pathogenesis and cancer therapy. Nat Rev Cancer 2004;4:11-22.
24. Dunn GP, Old LJ, Schreiber RD. The three Es of cancer immunoediting. Annu Rev Immunol 2004;22:329-360.
25. Gajewski TF, Schreiber H, Fu YX. Innate and adaptive immune cells in the tumor microenvironment. Nat Immunol 2013;14:1014-1022.
26. Garrido F, Algarra I. MHC antigens and tumor escape from immune surveillance. Adv Cancer Res 2001;83:117-158.
27. Giannakis M, Stappenbeck TS, Mills JC, Leip DG, Lovett M, Clifton SW, et al. Molecular properties of adult mouse gastric and intestinal epithelial progenitors in their niches. Journal of biological chemistry. 2006;281:11292-11300.
28. Grivennikov SI, Greten FR, Karin M. Immunity, inflammation, and cancer. Cell 2010;140:883-899.
29. Hayakawa Y, Ariyama H, Stancikova J, Sakitani K, Asfaha S, Renz BW, et al. Mist1 expressing gastric stem cells maintain the normal and neoplastic gastric epithelium and are supported by a perivascular stem cell niche. Cancer cell 2015;28:800-814.
30. Hayakawa Y, Jin G, Wang H, Chen X, Westphalen CB, Asfaha S, et al. CCK2R identifies and regulates gastric antral stem cell states and carcinogenesis. Gut 2015;64:544-553.
31. Hino R, Uozaki H, Inoue Y, Shintani Y, Ushiku T, Sakatani T, et al. Survival advantage of EBV-associated gastric carcinoma: survivin up-regulation by viral latent membrane protein 2A. Cancer research 2008;68:1427-1435.
32. Hino R, Uozaki H, Murakami N, Ushiku T, Shinozaki

A, Ishikawa S, et al. Activation of DNA methyltransferase 1 by EBV latent membrane protein 2A leads to promoter hypermethylation of PTEN gene in gastric carcinoma. Cancer research 2009;69:2766-2774.

33. Houghton AN, Guevara-Patino JA. Immune recognition of self in immunity against cancer. J Clin Invest 2004;114:468-471.

34. Huard B, Prigent P, Tournier M, Bruniquel D, Triebel F. CD4/major histocompatibility complex class II interaction analyzed with CD4- and lymphocyte activation gene-3 (LAG-3)-Ig fusion proteins. Eur J Immunol 1995;25:2718-2721.

35. Hur K, Niwa T, Toyoda T, Tsukamoto T, Tatematsu M, Yang HK, et al. Insufficient role of cell proliferation in aberrant DNA methylation induction and involvement of specific types of inflammation. Carcinogenesis 2011;32:35-41.

36. Imai S, Koizumi S, Sugiura M, Tokunaga M, Uemura Y, Yamamoto N, et al. Gastric carcinoma: monoclonal epithelial malignant cells expressing Epstein-Barr virus latent infection protein. Proceedings of the National Academy of Sciences 1994;91:9131-9135.

37. Ishida Y, Agata Y, Shibahara K, Honjo T. Induced expression of PD-1, a novel member of the immunoglobulin gene superfamily, upon programmed cell death. EMBO J 1992;11:3887-3895.

38. Jang BG, Lee BL, Kim WH. Distribution of LGR5+ cells and associated implications during the early stage of gastric tumorigenesis PloS one. 2013;8:82390.

39. Jang BG, Lee BL, Kim WH. Intestinal stem cell markers in the intestinal metaplasia of stomach and Barrett's esophagus. PLoS One 2015;10:0127300.

40. Jang BG, Lee BL, Kim WH. Prognostic significance of leucine-rich-repeat-containing G-protein-coupled receptor 5, an intestinal stem cell marker, in gastric carcinomas. Gastric Cancer2016;19:767-777.

41. Jeong J-Y, Woo JH, Kim YS, Choi S, Lee SO, Kil S-R, et al. Nuclear factor-kappa B inhibition reduces markedly cell proliferation in Epstein-Barr virus-infected stomach cancer, but affects variably in Epstein-Barr virus-negative stomach cancer. Cancer Invest 2009;28:113-119.

42. Kaneda A, Matsusaka K, Aburatani H, Fukayama M. Epstein–Barr virus infection as an epigenetic driver of tumorigenesis. Cancer research 2012;72:3445-3450.

43. Kang GH, Lee S, Kim WH, Lee HW, Kim JC, Rhyu MG, et al. Epstein-barr virus-positive gastric carcinoma demonstrates frequent aberrant methylation of multiple genes and constitutes CpG island methylator phenotype-positive gastric carcinoma. Am J Pathol 2002;160:787-794.

44. Kang GH, Shim YH, Jung HY, Kim WH, Ro JY, Rhyu MG. CpG island methylation in premalignant stages of gastric carcinoma. Cancer Res 2001;61:2847-2851.

45. Kang GH, Shim YH, Ro JY. Correlation of methylation of the hMLH1 promoter with lack of expression of hMLH1 in sporadic gastric carcinomas with replication error. Lab Invest 1999;79:903-909.

46. Kim DH, Chang MS, Yoon CJ, Middeldorp JM, Martinez OM, Byeon S-j, et al. Epstein-Barr virus BARF1-induced NFκB/miR-146a/SMAD4 alterations in stomach cancer cells. Oncotarget 2016;7:82213.

47. Kim DH, Yoon CJ, Kim J-S, Park S, Choi E, Woo JH, et al. Epstein-Barr virus-encoded miR-BART5 modulates PIAS3-pSTAT3 and p21 waf1 in gastric carcinoma cells. Cancer Research 2017;77:470.

48. Kim H, Choi H, Lee SK. Epstein–Barr virus miR-BART20-5p regulates cell proliferation and apoptosis by targeting BAD. Cancer letters 2015;356:733-742.

49. Kim HS, Woo DK, Bae SI, Kim YI, Kim WH. Microsatellite instability in the adenoma-carcinoma sequence of the stomach. Lab Invest 2000;80:57-64.

50. Kim JM, Chen DS. Immune escape to PD-L1/PD-1 blockade: seven steps to success (or failure). Ann Oncol 2016;27:1492-1504.

51. Kim KJ, Lee TH, Cho NY, Yang HK, Kim WH, Kang GH. Differential clinicopathologic features in microsatellite-unstable gastric cancers with and without

MLH1 methylation. Hum Pathol 2013;44:1055-1064.

52. Kim T-H, Shivdasani RA. Notch signaling in stomach epithelial stem cell homeostasis. Cancer Invest 2011;208:677-688.
53. Kusano M, Toyota M, Suzuki H, Akino K, Aoki F, Fujita M, et al. Genetic, epigenetic, and clinicopathologic features of gastric carcinomas with the CpG island methylator phenotype and an association with Epstein–Barr virus. Cancer 2006;106:1467-1479.
54. Lee E, Leblond C. Dynamic histology of the antral epithelium in the mouse stomach: II. Ultrastructure and renewal of isthmal cells.Am J Anat 1985;172:205-224.
55. Lee JH, Kim SH, Han SH, An JS, Lee ES, Kim YS. Clinicopathological and molecular characteristics of Epstein-Barr virus-associated gastric carcinoma: A meta-analysis. J Gastroenterol Hepatol 2009;24:354-365.
56. Lee SE, Kang SY, Cho J, Lee B, Chang DK, Woo H, et al. Pyloric gland adenoma in Lynch syndrome. Am J Surg Pathol 2014;38:784-792.
57. Lee YY, Kang SH, Seo JY, Jung CW, Lee KU, Choe KJ, et al. Alterations of p16INK4A and p15INK4B genes in gastric carcinomas. Cancer 1997;80:1889-1896.
58. Lennerz JK, Kim S-H, Oates EL, Huh WJ, Doherty JM, Tian X, et al. The transcription factor MIST1 is a novel human gastric chief cell marker whose expression is lost in metaplasia, dysplasia, and carcinoma. Am J Pathol 2010;177:1514-1533.
59. Leushacke M, Ng A, Galle J, Loeffler M, Barker N. Lgr5+ gastric stem cells divide symmetrically to effect epithelial homeostasis in the pylorus. Cell Rep 2013;5: 349-356.
60. Leushacke M, Tan SH, Wong A, Swathi Y, Hajamohideen A, Tan LT, et al. Lgr5-expressing chief cells drive epithelial regeneration and cancer in the oxyntic stomach. Nat Cell Biol 2017;19:774.
61. Liu B, Wang M, Wang X, Zhao D, Liu D, Liu J, et al. Liver sinusoidal endothelial cell lectin inhibits CTL-dependent virus clearance in mouse models of viral hepatitis. J Immunol 2013;190:4185-4195.
62. Liu X, Wang Y, Wang X, Sun Z, Li L, Tao Q, et al. Epigenetic silencing of WNT5A in Epstein-Barr virus-associated gastric carcinoma. Arch Virol 2013;158: 123-132.
63. Longnecker RM KE, Cohen J. Epstein-Barr virus. In: Knipe DM, Howley P, eds. Fields Virology. 6th ed. Philadelphia: Wolters Kluwer Health, 2013:1898-1959.
64. Lu F, Tempera I, Lee HT, Dewispelaere K, Lieberman PM. EBNA1 binding and epigenetic regulation of gastrokine tumor suppressor genes in gastric carcinoma cells Virol J 2014;11:12.
65. Maeda M, Moro H, Ushijima T. Mechanisms for the induction of gastric cancer by *Helicobacter pylori* infection: aberrant DNA methylation pathway. Gastric Cancer 2017;20:8-15.
66. Martinet L, Smyth MJ. Balancing natural killer cell activation through paired receptors. Nat Rev Immunol 2015;15:243-254.
67. Matsuo J, Kimura S, Yamamura A, Koh CP, Hossain MZ, Heng DL, et al. Identification of stem cells in the epithelium of the stomach corpus and antrum of mice. Gastroenterology 2017;152:218-231.
68. Matsusaka K, Kaneda A, Nagae G, Ushiku T, Kikuchi Y, Hino R, et al. Classification of Epstein-Barr virus-positive gastric cancers by definition of DNA methylation epigenotypes. Cancer Res 2011;71:7187-7197.
69. McDonald SA, Greaves LC, Gutierrez–Gonzalez L, Rodriguez–Justo M, Deheragoda M, Leedham SJ, et al. Mechanisms of field cancerization in the human stomach: the expansion and spread of mutated gastric stem cells. Gastroenterology2008;134:500-510.
70. Melief CJ, van Hall T, Arens R, Ossendorp F, van der Burg SH. Therapeutic cancer vaccines. J Clin Invest 2015;125:3401-3412.
71. Miller G. The switch between latency and replication

of Epstein-Barr virus. J Infect Dis 1990;161:833-844.
72. Murata T. Regulation of Epstein–Barr virus reactivation from latency. Microbiol Immunol 2014;58:307-317.
73. Nemerow GR, Mold C, Schwend VK, Tollefson V, Cooper NR. Identification of gp350 as the viral glycoprotein mediating attachment of Epstein-Barr virus (EBV) to the EBV/C3d receptor of B cells: sequence homology of gp350 and C3 complement fragment C3d. J Virol 1987;61:1416-1420.
74. Network CGAR. Comprehensive molecular characterization of gastric adenocarcinoma. Nature 2014;513:202.
75. Niwa T, Toyoda T, Tsukamoto T, Mori A, Tatematsu M, Ushijima T. Prevention of *Helicobacter pylori*-induced gastric cancers in gerbils by a DNA demethylating agent. Cancer Prev Res (Phila) 2013;6:263-270.
76. Nomura S, Esumi H, Job C, Tan S-S. Lineage and clonal development of gastric glands. Dev Biol 1998; 204:124-135.
77. Okada T, Nakamura M, Nishikawa J, Sakai K, Zhang Y, Saito M, et al. Identification of genes specifically methylated in Epstein-Barr virus-associated gastric carcinomas. Cancer Sci 2013;104:1309-1314.
78. Pardoll DM. The blockade of immune checkpoints in cancer immunotherapy. Nat Rev Cancer 2012;12:252-264.
79. Parham P, Ohta T. Population biology of antigen presentation by MHC class I molecules. Science 1996;272:67-74.
80. Park SY, Yoo EJ, Cho NY, Kim N, Kang GH. Comparison of CpG island hypermethylation and repetitive DNA hypomethylation in premalignant stages of gastric cancer, stratified for *Helicobacter pylori* infection. J Pathol 2009;219:410-416.
81. Pfeffer S, Zavolan M, Grasser FA, Chien M, Russo JJ, Ju J, et al. Identification of virus-encoded microRNAs. Science 2004;304:734-736.
82. Qiao XT, Ziel JW, McKimpson W, Madison BB, Todisco A, Merchant JL, et al. Prospective identification of a multilineage progenitor in murine stomach epithelium. Gastroenterology 2007;133:1989-1998.
83. Saito M, Nishikawa J, Okada T, Morishige A, Sakai K, Nakamura M, et al. Role of DNA methylation in the development of Epstein-Barr virus-associated gastric carcinoma. J Med Virol 2013;85:121-127.
84. Schepers AG, Snippert HJ, Stange DE, van den Born M, van Es JH, van de Wetering M, et al. Lineage tracing reveals Lgr5+ stem cell activity in mouse intestinal adenomas. Science 2012;337:730-735.
85. Schildberg FA, Klein SR, Freeman GJ, Sharpe AH. Coinhibitory pathways in the B7-CD28 ligand-receptor Family. Immunity 2016;44:955-972.
86. Schwartz RH. T cell anergy. Annu Rev Immunol 2003;21:305-334.
87. Seto E, Yang L, Middeldorp J, Sheen TS, Chen JY, Fukayama M, et al. Epstein-Barr virus (EBV)-encoded BARF1 gene is expressed in nasopharyngeal carcinoma and EBV-associated gastric carcinoma tissues in the absence of lytic gene expression. J Med Virol 2005;76:82-88.
88. Shannon-Lowe C, Rowe M. Epstein-Barr virus infection of polarized epithelial cells via the basolateral surface by memory B cell-mediated transfer infection. PLoS Pathog 2011;7:e1001338.
89. .Shinozaki A, Sakatani T, Ushiku T, Hino R, Isogai M, Ishikawa S, et al. Downregulation of microRNA-200 in EBV-associated gastric carcinoma. Cancer Res 2010;70:4719-4727.
90. Shinozaki-Ushiku A, Kunita A, Fukayama M. Update on Epstein-Barr virus and gastric cancer. Int J Oncol 2015;46:1421-1434.
91. Shukla SK, Khatoon J, Prasad KN, Rai RP, Singh AK, Kumar S, et al. Transforming growth factor beta 1 (TGF-beta1) modulates Epstein-Barr virus reactivation in absence of *Helicobacter pylori* infection in patients with gastric cancer. Cytokine 2016;77:176-179.
92. Shyer AE, Huycke TR, Lee C, Mahadevan L, Tabin

CJ. Bending gradients: how the intestinal stem cell gets its home. Cell 2015;161:569-580.

93. Sigal M, Logan CY, Kapalczynska M, Mollenkopf H-J, Berger H, Wiedenmann B, et al. Stromal R-spondin orchestrates gastric epithelial stem cells and gland homeostasis. Nature 2017;548:451.
94. Singh S, Jha HC. Status of Epstein-Barr virus coinfection with *Helicobacter pylori* in gastric cancer. J Oncol 2017;2017:3456264.
95. Sixbey JW, Nedrud JG, Raab-Traub N, Hanes RA, Pagano JS. Epstein-Barr virus replication in oropharyngeal epithelial cells. N Engl J Med 1984;310:1225-1230.
96. Stange DE, Koo B-K, Huch M, Sibbel G, Basak O, Lyubimova A, et al. Differentiated Troy+ chief cells act as reserve stem cells to generate all lineages of the stomach epithelium. Cell 2013;155:357-368.
97. Suzuki H, Itoh F, Toyota M, Kikuchi T, Kakiuchi H, Hinoda Y, et al. Distinct methylation pattern and microsatellite instability in sporadic gastric cancer. Int J Cancer 1999;83:309-313.
98. Tanaka A, Sakaguchi S. Regulatory T cells in cancer immunotherapy. Cell Res 2017;27:109-118.
99. Tatematsu M, Fukami H, Yamamoto M, Nakanishi H, Masui T, Kusakabe N, et al. Clonal analysis of glandular stomach carcinogenesis in C3HHeN↔BALBc chimeric mice treated with N-methyl-N-nitrosourea. Cancer letters 1994;83:37-42.
100. Taube JM, Anders RA, Young GD, Xu H, Sharma R, McMiller TL, et al. Colocalization of inflammatory response with B7-h1 expression in human melanocytic lesions supports an adaptive resistance mechanism of immune escape. Sci Transl Med 2012;4:127-137.
101. Toyota M, Ahuja N, Suzuki H, Itoh F, Ohe-Toyota M, Imai K, et al. Aberrant methylation in gastric cancer associated with the CpG island methylator phenotype. Cancer Res 1999;59:5438-5442.
102. Van Den Brink GR, Hardwick JC, Peppelenbosch MP, Van Deventer SJ, Tytgat GN, Brink MA, et al. Sonic hedgehog regulates gastric gland morphogenesis in man and mouse. Gastroenterology 2001;121:317-328.
103. van der Burg SH, Arens R, Ossendorp F, van Hall T, Melief CJ. Vaccines for established cancer: overcoming the challenges posed by immune evasion. Nat Rev Cancer 2016;16:219-233.
104. Vesely MD, Kershaw MH, Schreiber RD, Smyth MJ. Natural innate and adaptive immunity to cancer. Annu Rev Immunol 2011;29:235-271.
105. Vivier E, Raulet DH, Moretta A, Caligiuri MA, Zitvogel L, Lanier LL, et al. Innate or adaptive immunity? The example of natural killer cells. Science 2011;331:44-49.
106. Welters MJ, Kenter GG, Piersma SJ, Vloon AP, Lowik MJ, Berends-van der Meer DM, et al. Induction of tumor-specific CD4+ and CD8+ T-cell immunity in cervical cancer patients by a human papillomavirus type 16 E6 and E7 long peptides vaccine. Clin Cancer Res 2008;14:178-187.
107. Yang L, Zhang Y. Tumor-associated macrophages: from basic research to clinical application. J Hematol Oncol 2017;10:58.
108. Yau TO, Tang CM, Yu J. Epigenetic dysregulation in Epstein-Barr virus-associated gastric carcinoma: disease and treatments. World J Gastroenterol 2014;20:6448-6456.
109. Yokosuka T, Takamatsu M, Kobayashi-Imanishi W, Hashimoto-Tane A, Azuma M, Saito T. Programmed cell death 1 forms negative costimulatory microclusters that directly inhibit T cell receptor signaling by recruiting phosphatase SHP2. J Exp Med 2012;209:1201-1217.
110. Yoo EJ, Park SY, Cho NY, Kim N, Lee HS, Kang GH. *Helicobacter pylori*-infection-associated CpG island hypermethylation in the stomach and its possible association with polycomb repressive marks. Virchows Arch 2008;452:515-524.
111. Yoshimura A, Muto G. TGF-beta function in immune suppression. Curr Top Microbiol Immunol

2011;350:127-147.
112. Zhao J, Liang Q, Cheung KF, Kang W, Lung RW, Tong JH, et al. Genome-wide identification of Epstein-Barr virus-driven promoter methylation profiles of human genes in gastric cancer cells. Cancer 2013;119:304-312.
113. zur Hausen A, Brink AA, Craanen ME, Middeldorp JM, Meijer CJ, van den Brule AJ. Unique transcription pattern of Epstein-Barr virus (EBV) in EBV-carrying gastric adenocarcinomas: expression of the transforming BARF1 gene. Cancer Res 2000;60:2745-2748.

CHAPTER 7

위암의 중개연구 방법론

1. 면역조직화학법 및 제자리부합법

1) 면역조직화학법

(1) 원리 및 활용

면역조직화학법(immunohistochemistry)은 항원-항체 반응을 이용하여 조직 내 특정 분자의 분포와 양을 구체적으로 시각화하는 방법으로, 가장 큰 장점은 조직학적 구조를 파괴하지 않고 미세 환경의 맥락에서 분자의 발현 양상을 평가할 수 있다는 점이다. 질병의 발생, 진단, 치료와 예후에 관여하는 분자가 더 많이 발견됨에 따라 그 이용이 급속도로 증가해 왔으며, 신약 개발 평가 및 새로운 바이오마커 발굴 등을 위한 연구에도 활발하게 적용되고 있다. 위암의 경우 암 세포에서 과발현되는 종양 단백질 (HER2, c-MET 등)이나 선택적으로 발현이 억제되는 종양억제단백질(E-cadherin, TP53 등)의 분석을 위한 면역조직화학염색은 현재 임상에서 시행되고 있다.

(2) 순서

면역조직화학염색의 대부분의 과정은 자동화된 기기에 의해 이루어지고 있으며, 염색이 이루어지는 과정을 간략하게 요약하면 다음과 같다.

① 조직 고정

세포의 형태학적 관찰과 염색을 위해서는 조직 절제 후 고정(fixation) 전까지의 허혈 시간(ischemic time)이 짧을수록 세포의 손상이 적고 DNA, RNA, 단백질의 분해를 최소화할 수 있다. 검체의 고정을 위해서는 10% 중성 완충 포르말린(10% neutral buffered formalin)이 주로 사용된다. 포르말린은 1시간에 1 mm 정도 조직에 침투하며 에피토프(epitope)의 변형이 적고 단백질을 교차 결합시켜 세포의 형태가 잘 유지된다. 대부분의 경우, 실온에서 24시간 정도 고정하는 것이 일반적이며, 이후 파라핀 포매(embedding) 과정을 거친다.

② 절단

면역조직화학염색을 위한 조직 절단(sectioning)의 두께는 대개 4 μm이며 목적에 따라 달라질 수 있다.

③ 항원 회복

포르말린에 의한 고정이 일어나는 동안 단백질 간 교차링크가 일어나, 항체가 결합하는 에피토프가 가려질 수 있다. 항원 회복(antigen retrieval)은 에피토프를 노출시킴으로써 항체가 결합할 수 있도록 하기 위한 과정으로 전자레인지나 항온수조를 이용해 열을 가하는 방법(heat induced epitope retrieval, HIER)이 가장 흔히 이용되며, 단백질 분해효소를 이용하는 방법도 있다.

④ **단백질 차단**

1차, 2차 항체의 Fc (fragment crystallizable) 부분에 의한 조직 비특이적 결합과 그에 따른 배경 염색(background staining)을 막기 위해서 단백질 차단(protein blocking)이 필요하며, 이차 항체의 숙주 종으로부터 얻은 정상 혈청이나 소의 혈청 알부민(bovine serum albumin) 등이 이용된다.

⑤ **일차 항체 반응**

일차 항체(primary antibody)는 에피토프(epitope)에 직접 결합하기 때문에 염색의 성공 여부 및 강도를 결정짓는 가장 중요한 요소이다. 항체는 단클론 항체(monoclonal antibody)와 다클론 항체(polyclonal antibody)로 나뉘는데, 단클론 항체는 하이브리도마(hybridoma)의 단일클론으로부터 얻어지며 단일 에피토프를 인지하기 때문에 배경 염색이 적고, 특이도(specificity)가 높은 장점이 있지만, 상대적으로 민감도(sensitivity)가 떨어질 수 있다. 반면 다클론 항체는 한 항원의 여러 에피토프를 인지할 수 있어 민감도가 높지만, 낮은 특이도와 높은 배경 염색이 단점이다.

⑥ **발색**

항원-항체결합을 시각화하기 위한 방법(detection system)은 크게 직접법(direct method)과 간접법(indirect method)으로 나뉜다(그림 17-1). 직접법은 일차항체에 직접 부착된 효소를 이용하는 방법이며, 간접법은 일차항체의 Fc 부분에 결합하는 이차항체에 효소 혹은 바이오틴(biotin)를 부착하여 사용한다. 바이오틴에 강한 결합능력을 가진 어비딘(avidin) 혹은 스트렙타비

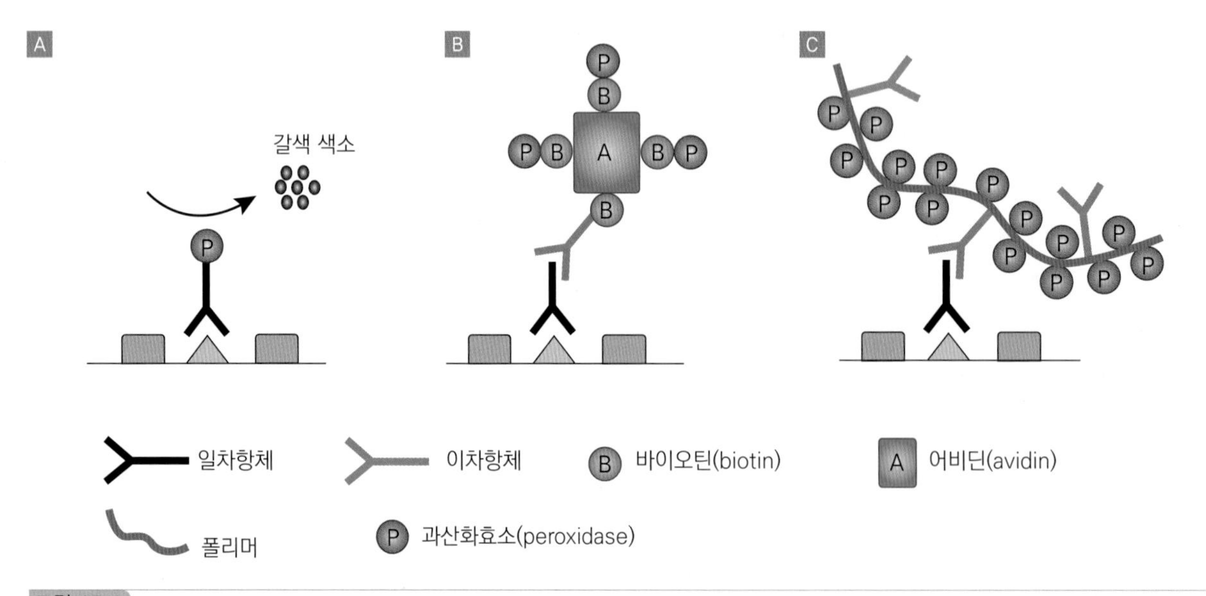

그림 17-1 **다양한 발색 방법.**
A. 직접법(direct method): 일차항체에 직접 부착된 효소와 발색소, DAB (3,3'-diaminobenzidine), 반응으로 갈색의 침착이 발생한다.
B. 간접법(indirect method), ABC (avidin biotin conjugate) 기법: 이차항체에 부착된 바이오틴과 어비딘의 결합력을 활용하여 일차항체에 결합하게 되는 효소를 증가시켜 신호를 증폭시킨다.
C. 폴리머 기법: 많은 수의 효소가 부착된 폴리머를 이차항체에 결합시킴으로써 신호를 증폭시킨다.

딘(streptavidin)이 부착된 효소(예: HRP, horseradish peroxidase; AP, alkaline phosphatase)를 이용하여 신호를 증폭시킴으로써 민감도를 증가시킬 수 있다. 최근에는 폴리머(polymer)나 티라마이드(tyramide)를 이용하여 민감도를 더욱 높인 새로운 기법들이 등장하여 이용되고 있다.

⑦ **대조염색**

대조염색(counter staining)은 면역염색의 위치와 세포 유형을 명확히 하기 위해 시행되며 가장 보편적으로 쓰이는 대조염색은 푸른색으로 핵을 염색시키는 헤마톡실린(hematoxylin) 염색이다.

(3) 결과 분석

면역화학염색 결과를 해석하는 가장 간단한 방법은 전체 세포 가운데 양성인 세포의 비율을 표시하거나(예: 10%, 25% 등) 혹은, 일정한 범주로 표시하는 것이다(예: 5% 미만, 10% 이상 50% 미만 등). 하지만, 이 방법은 염색의 강도에 대한 정보가 포함되지 않는다는 단점이 있다. 이를 보완하기 위해 염색 비율과 강도를 조합한 반정량적(semiquantitative scoring) 채점방식이 흔하게 이용되고 있다. 강도는 1에서 3으로(1+, 약함, 2+, 보통, 3+, 강함) 점수가 매겨지고, 최종 점수는 양성 세포의 비율과 강도를 곱하여 계산이 된다(예: 염색 비율 50%, 강도가 보통인 경우 점수; 50%×2 = 100). 이러한 정량 분석이 완료되면, 추가적인 분석을 위해 흔히 음성/양성의 범주 형식으로 재변경되는데, 이를 결정짓기 위해 쓰이는 절단값(cut-off value)은 측정값의 평균 혹은 중간값에 의해 선택되기도 하지만, 때로는 단순히 10 혹은 20 이상의 기준이 사용된다. 이는 범주화에 대한 절단값을 설정하는 표준화된 방법이 없기 때문이다.

(4) 조직미세배열

조직미세배열(tissue microarray)은 각 종양에서 2~5 mm 직경의 핵심 조직을 각각의 파라핀 블록에서 얻은 후 새로운 파라핀 블록에 심는 방식으로 제작한다. 즉, 여러 종양의 대표적인 부분을 하나의 슬라이드에 올려놓는 기술로서 다수의 종양 조직을 대상으로 면역화학염색을 시행하고자 할 때 매우 효율적이고 경제적인 방법이다(그림 17-2).

(5) 다중 면역조직화학염색

최근에는 단일 슬라이드에 대해 여러 개의 물질들을 염색하여 관찰하는 고도로 다중화된 면역화학기법이 개발되었다. 여러 번에 걸쳐 특이항체염색과 마이크로웨이브처리를 통한 제거 과정을 반복하고 이를 자동화된 이미지 시스템을 이용해 분석하는 실험과정을 거친다. 이 방법은 특히 복잡한 표현형을 보이는 종양 주위 면역세포 분석에 적합하기 때문에, 면역요법이 시행되고 있는 암치료에 있어 치료법을 모니터링하거나, 예후 예측 마커를 검증하고 발굴하는 데 유용하게 쓰일 전

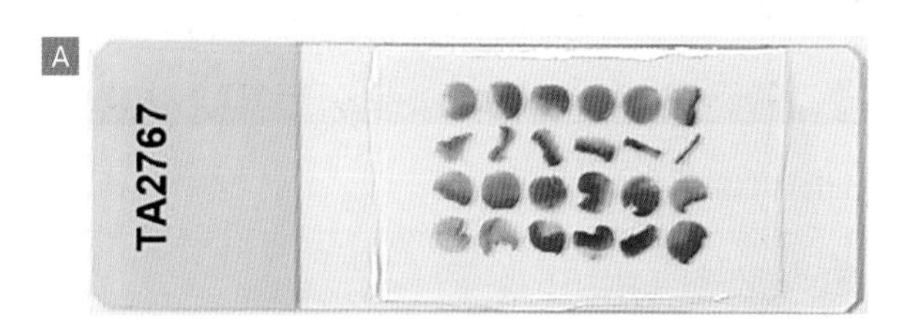

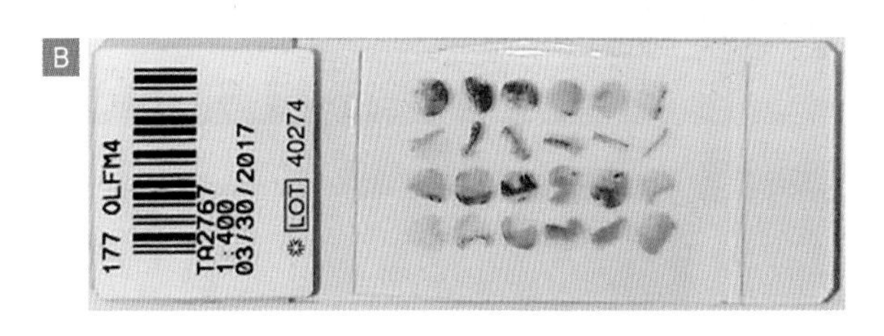

그림 17-2 조직미세배열을 이용한 면역화학염색.
A. 조직미세배열을 이용한 헤마톡실린-에오신(Hematoxylin and Eosin) 염색.
B. 조직미세배열을 이용한 면역조직화학염색의 예

망이다. 실제, 위암의 경우에도 다중 면역조직화학염색(multiplex immunohistochemistry)을 활용하여 종양주위 림프구의 면역 표현형과 위암 예후와의 연관성에 대한 연구가 보고되고 있다.

2) 제자리부합법

(1) 형광제자리부합법

형광제자리부합법(fluorescence in situ hybridization, FISH)은 상보적인 염색체 부분에만 결합하는 형광 프로브를 사용하여 이를 형광현미경을 통해 확인하는 분자세포유전학 기법이다. 민감도와 특이성이 매우 뛰어나 혈액 악성종양 및 고형 종양의 연구 및 진단에 획기적인 발전을 가져온 기술로서 FISH는 특정 유전자의 전좌와 융합(gene translocation and fusion), 이수 배수체(aneuploidy), 염색체 부위 또는 전체 염색체의 소실(deletion) 혹은 증폭(amplification) 등의 유전적 이상을 검출하는 데 이용된다. 현재 활발하게 임상적으로

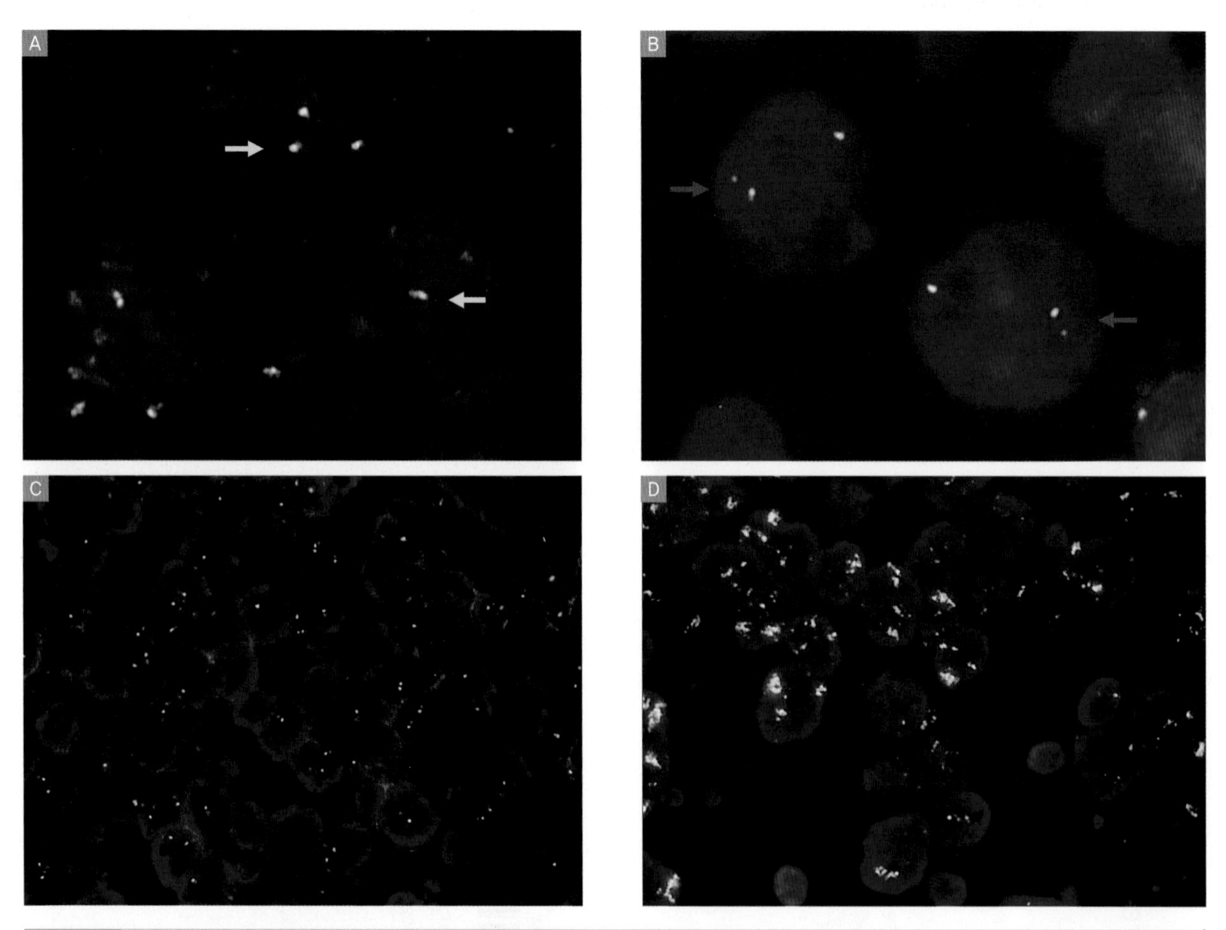

그림 17-3 유전자 전좌 및 증폭에 대한 fluorescence in situ hybridization (FISH).
A. ALK (anaplastic lymphoma kinase) 유전자에 대해 ALK dual color break apart rearrangement 프로브를 이용한 FISH 시행. 유전자의 분리가 관찰되지 않았으므로 전좌 음성이다(노란색 화살표).
B. ALK 유전자의 전좌에 의한 분리(break apart)가 관찰되어(빨간색 화살표) 전좌 양성이다.
C. HER2 유전자에 대한 FISH. 초록색 형광은 HER2 유전자, 빨간색 형광은 CEP17 위치이다. HER2 유전자의 증폭이 관찰되지 않았다(HER2/CEP17 비율<2).
D. HER2 유전자의 증폭이 관찰된다(HER2/CEP17 비율>2).

이용되고 있는 대표적인 예로서 폐암의 ALK 유전자의 전좌(그림 17-3 A, B)와 유방암, 위암의 HER2 유전자 증폭(그림 17-3 C, D) 등이 있다.

(2) 발색제자리부합법

발색제자리부합법(chromogenic in situ hybridization, CISH)은 제자리부합법을 이용한다는 점에서 기본적으로 FISH와 유사하지만, 형광물질 대신 면역조직화학기법의 발색신호 검출방법을 결합하였다는 점에서 차이가 있다. HER2 종양 유전자 증폭의 검출을 위한 FISH에 대한 대안으로 2000년경에 개발되었으며, 유전자 증폭과 관련된 여러 연구에 따르면 민감도, 예민도 측면에서 FISH에 상응하는 결과를 보여주었다. FISH에서 사용되는 고가의 복잡한 형광현미경이 아닌 일반 현미경을 사용하기 때문에 훨씬 저렴하고 실용적이며, 또한 발색물질이 형광물질에 비해 안정적이기 때문에 보관이 쉽고 여러 차례 샘플을 관찰 및 평가할 수 있다는 장점이 있다.

(3) RNA 제자리부합법

특정 유전자의 발현을 관찰할 수 있는 방법으로 RNA 제자리부합법이 있다. 유전자로부터 전사된 messenger RNA의 여부를 상보적인 RNA probe를 이용하여 확인하는 방법이다. 위 조직에서는 EBV-연관 위암의 진단을 위해 EBV-encoded RNA (EBER)에 대한 제자리부합법이 임상에서 흔히 시행되고 있다(그림 17-4 A). 최근 민감도와 특이도가 향상된 제자리부합법이 상용화되어 보다 손쉽게 유전자의 발현을 제자리부합법을 이용하여 관찰할 수 있게 되었다. 특히, 면역염색을 위한 항체가 존재하지 않을 경우 제자리부합법은 유전자의 발현을 측정할 수 있는 대안으로서 활용될 수 있다. 예를 들면, 마우스 실험으로부터 밝혀낸 다양한 위샘 줄기세포 표지자의 경우 적합한 면역화학염색용 항체의 부재로 인해 인간의 위조직에서의 검증이 쉽지 않았지만, 최근 제자리부합법을 이용한 연구에서 인간의 위점막 병변에서 LGR5, ASCL2 등의 줄기세포 표지자 발현을 보고한 바 있다(그림 17-4 B).

2. 차세대염기서열분석법

차세대염기서열분석법(next-generation sequencing, NGS)은 유전체를 작은 조각으로 자른 뒤, 각 조각의 염기서열(massive parallel sequencing)을 동시에 분석하고, 이를 통해 읽어낸 염기서열 데이터를 생물정보학적 기법을 이용하여 조합하고 참조유전체(reference

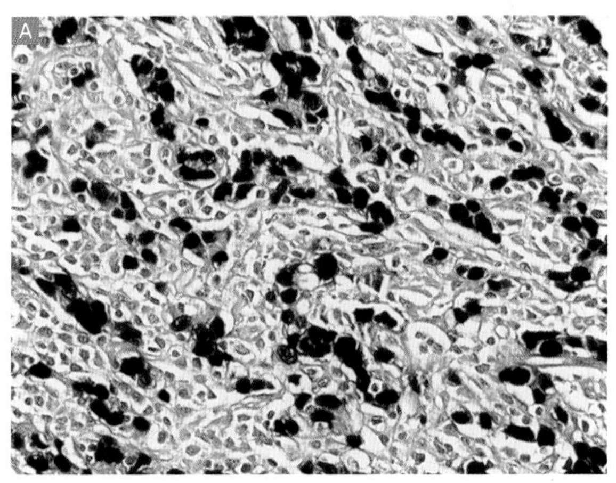

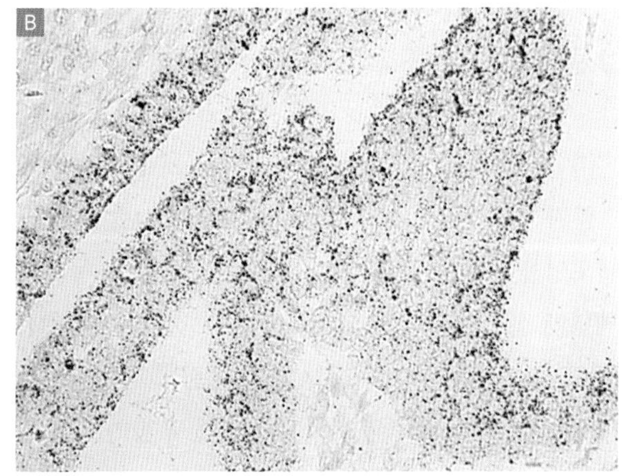

그림 17-4 **RNA 제자리부합법의 활용 예들.**
A. EBV-연관 위암에서 EBER에 대한 제자리부합법으로 검은색 핵 염색이 관찰된다.
B. 위암에서 LGR5 RNA분자에 대해 시행한 제자리부합법으로 갈색의 점이 세포질에 염색된다.

genome)에 맞춰보아 막대한 유전체 정보를 빠르고 정확하게 해독하는 방법이다. 한 유전자의 일부분만을 분석할 수 있는 Sanger 염기서열분석과는 달리 매우 많은 양의 염기서열 정보를 얻는 것이 가능하여 '차세대' 분석법으로 불리우며 전장 유전체를 분석할 수준의 실험까지 가능하게 된 것이다. NGS의 도입 초기에는 나온 결과들에 대하여 최적표준기법인 Sanger 염기서열 분석법을 통한 증명이 필요하였으나 생물정보학의 발달로 요즈음에는 대부분의 경우 증명이 필요 없이 바로 연구나 임상에서 결과의 이용이 가능하게 되었다. 주요 NGS 플랫폼들은 각각 고유한 특성을 지니고 있으며, 플랫폼 및 시약 등의 경쟁은 성능을 매우 향상시키고 있다. 발달된 NGS 기술은 의료에도 적용되어 암 진단, 유전성 암의 예측, 암 발생기전 연구 및 암 정밀치료 등 그 활용이 매우 급속도로 넓어지고 있다. 우리나라에서는 2017년 3월부터 NGS를 이용한 유전자 패널검사에 대한 건강보험이 적용되어 암의 진단 및 치료에 활발히 이용되고 있다. 이 장에서는 NGS에 사용되는 용어들, 그리고 실제 식약처 인증된 NGS 기기들을 중심으로 각 기기의 원리 및 진단/치료에 이용되는 예를 중심으로 기술하고자 한다.

1) 관련 용어

(1) 라이브러리

분자생물학에 있어 라이브러리(library)란 유전자 클로닝을 통해서 각기 다른 DNA 단편 조각을 동일한 벡터에 삽입한 모음을 말한다. 라이브러리는 총 유전체 DNA를 제한효소로 잘라 만든 유전체 라이브러리(genomic library)와 부호화 서열만을 포함하고 있는 cDNA 라이브러리(cDNA library)가 있다. 이들은 특정 개체의 유전체 염기서열분석에서 새로운 유전자의 발견과 기능연구까지 넓은 분야에 이용되고 있다. 염기서열분석에 있어 라이브러리의 제작 과정은 각종 유전물질들(DNA, RNA)을 염기서열분석 시스템과 호환되도록 준비하는 과정이다.

라이브러리 제작 단계는 유전물질의 단편화(fragmentation), 어댑터 부착(adaptor ligation), 라이브러리의 정량 및 크기 확인 과정(quality control, QC)으로 구성된다(그림 17-5). 첫 번째, 단편화 과정은 각각의 플랫폼이 읽을 수 있는 염기서열조각(리드, read)의 길이에 적합하게 유전물질을 잘라주는 과정이다. 물리적인 방법(physical methods; acoustic shearing, sonication)과 효소법(enzymatic methods; non-specific endonuclease cocktails, transposase tagmentation)이 있다. 효소법은 삽입(insertion)과 결손(deletion)을 분석하는 데에는 불리한 것으로 알려져 있다. 두 번째, 어댑터 부착 과정은 단편화된 유전물질에 어댑터와 인덱스를 부착하는 과정이다. 어댑터는 염기서열분석 시스템 내의 flow-cell이나 bead에 부착될 수 있는 올리고머이며 인덱스는 각각의 시료를 인식할 수 있는 올리고머이다. 어댑터 부착 후 PCR에 의한 주형 증폭과정을 통해 라이브러리의 양을 증가시켜준다. 마지막으로 라이브러리 품질관리(QC) 과정은 완성된 라이브러리의 사이즈 분포와 정량을 측정하는 과정이다. 라이브러리의 양이 많이 주입되는 경우 flow cell이나 bead에 라이브러리가 포화상태가 되어 염기서열을 읽는 데 문제가 발생하고, 라이브러리의 양이 적게 주입되는 경우 원하는 만큼의 염기서열분석 범위(coverage)와 염기서열분석 심도(read depth)를 얻을 수 없다. 따라서 라이브러리 정량은 이중나선 DNA만 특이적으로 정량하는 형광법(Qubit, PicoGreen)이나 어댑터가 부착된 라이브러리만 정량하는 q-PCR 방법을 사용한다.

(2) Depth of sequencing (Coverage)

염기서열분석 머신에서 생성된 DNA 서열조각(리드, read)을 참조유전체(reference genome)의 특정 자리에 달라붙게 매핑(mapping)하여 얻어지는 서열조각의

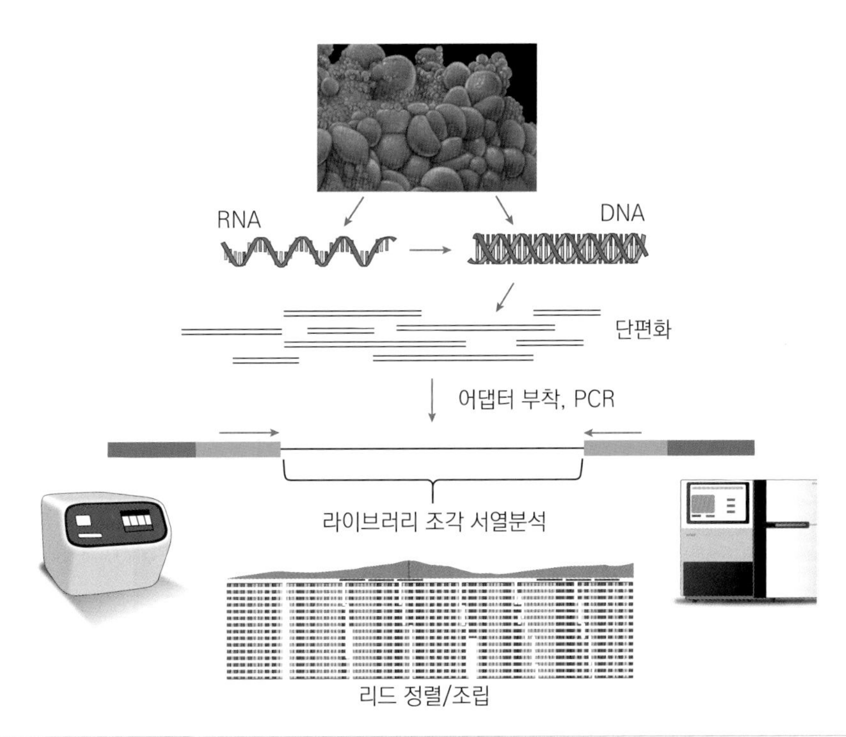

그림 17-5 NGS 염기서열분석 준비를 위한 DNA 분쇄 및 library 제작 과정.

개수(coverage)를 염기서열분석의 심도(depth)라고 한다. 보통 혈액을 이용한 germline의 유전 변이를 발견할 경우 ~30 정도도 가능하지만 약 10%의 암세포를 포함하는 종양 조직에서 1% 정도가 되는 변이를 찾아내려면 X1000 depth 정도가 필요하다.

(3) Sequencing assembly: De novo sequencing과 resequencing의 차이

Assembly는 염기서열분석을 통해 읽어낸 리드(read)라고 부르는 짧은 DNA 서열들을 서로 겹쳐지는 부분을 길게 이어서 만든 consensus sequence를 만드는 과정이다. 이때 de novo assembly는 어떠한 참조가 없이 처음으로 진행하는 assembly를 말하고, resequencing은 참조서열(reference sequence)의 정보를 가지고 비교하여 sequence를 결정하는 방법을 말한다. Resequencing은 리드보다 짧은 변이를 찾아낼 때 유리하며 이러한 변이들에는 single nucleotide variationt (SNV)와 small insertion/deletion (in/del)이 있다. 반대로 copy number variation (CNV: 보통 >1,000 bp 이상의 길이)나 structural variation과 같이 큰 변이는 알아내기 어렵다.

(4) Variant calling

매핑 정보로 부터 염기서열변이 정보를 추출하기 위하여 많은 소프트웨어들이 개발되었지만 최근 SAMtools가 가장 각광받고 있다. 염기서열변이 정보를 추출할 때나 추출 후에 임의의 선택기준을 정하여 선택기준을 만족하는 염기서열변이 정보만을 추출할 수 있다. SAMtools를 이용하여 추출할 수 있는 염기서열변이 정보는 단일염기서열변이(SNV)와 small in/del 정보이며 CNV나 결손(deletion)을 찾기 위하여는 GISTIC2.0을 사용한다.

(5) Annotation (염기서열 변이정보 주석달기)

분석결과 염기서열 변이가 관찰되었을 경우 이것이 위양성인지 진양성인지, 또는 서열변이가 단백질 기능에 영향을 줄 것인지 등을 판단하게 된다. 이러한 염기서열 변이정보에 대한 주석달기(annotation)는 방대한 양의 기존 데이터베이스를 활용하는 자동화 도구들을 이용하게 된다. 그 중 PolyPhen, SIFT가 유명하며 웹브라우저를 이용해 편리하게 사용할 수 있다. 그러나 네트워크와 처리능력 등을 감안하여 한 번에 분석을 의뢰할 수 있는 양이 제한되어 있다. 이러한 제한 없이 사용할 수 있는 도구로 Annovar, GAMES 등이 있으나 이 도구들은 웹브라우저상에서는 사용할 수 없고 유닉스 또는 리눅스에서 사용해야 한다.

2) 분석실험 과정

(1) 라이브러리 제작(library preparation)

DNA (혹은 RNA) 등의 시료를 뽑은 뒤 시료의 질과 양을 검사한 후 DNA를 읽기에 적당한 크기의 작은 조각으로 자르는 파쇄 단계를 거친다. 이렇게 만들어진 DNA 조각들은 적절한 복제와 증폭의 단계를 거치기 위하여 어댑터와 결합된다(그림 17-6 A).

(2) 주형 증폭(template amplification)

분석플랫폼의 고체 표면에는 잔디처럼 무수한 수의 어댑터와 상보적인 올리고 핵산염(oligonucleotide)이 있어 시료DNA-어댑터와 고체 표면의 올리고 핵산염의 결합이 표면에서 일어나게 된다. 고체 표면에서의 성공적 결합 후에는 emulsion PCR 방식이나 solid-phase amplification을 통하여 DNA 템플릿의 복제와 증폭이 이루어지고 최대 100만 개의 복제된 DNA 조각이 고체 표면에 만들어진다. DNA의 복제와 증폭을 위한 다양한 고체표면 기술이 개발되어 왔는데, 구슬 기반(bead based), 고체 상태(solid state), DNA 나노볼 생성(DNA nanoball generation)이 그 대표적인 예이다(그림 17-6 B).

(3) 염기서열분석(sequencing)

이렇게 고체 표면에서 증폭된 DNA는 준비과정을 마치고, 염기서열분석 단계에 들어가게 된다. 염기서열분석의 방법은 크게 결찰을 통한 염기서열분석(sequencing by ligation)과 결합을 통한 염기서열분석(sequencing by synthesis)으로 나뉜다. 한 개의 염기가 추가될 때 마다 특정 형광(Illumina사)이나 특정 pH값 변화(Thermo Fisher사)를 감지하는 방식으로 해당 염기를 확인하게 된다(그림 17-6 C).

(4) 자료 분석(data analysis)

읽은 염기서열을 참조유전체(reference genome)에 정렬하여(mapping, alignment) 어느 유전자 부위인지, 변이가 있는지, 임상적인 의미가 있는지 등을 분석한다(variant calling, annotation) (그림 17-6 D).

3) 플랫폼 비교

(1) Illumina사의 플랫폼

2013년 11월 미국 FDA는 Illumina의 MiSeqDx 플랫폼을 NGS를 이용한 최초의 진단장비로 승인하였다. 이때 승인을 받은 장비는 MiSeqDx와 Universal Kit reagents, 그리고 낭성섬유증(cystic fibrosis)을 진단하는 두 가지 실험기법인 “MiSeqDx Cystic Fibrosis 139-Variant Assay”와 “MiSeqDx Cystic Fibrosis Clinical Sequencing Assay”이다. 이후 NextSeq 550Dx도 FDA 허가를 받게 되었고, 이 두 기계는 high-throughput의 성능을 가지면서 소규모 실험실에서도 용이한 desktop 시퀀서의 기능을 수행한다. Illumina의 플랫폼은 flow-cell에 라이브러리를 부착시킨 후 증폭 과정을 통해 각 DNA 단편의 군집(cluster)을 형성한 후 서열분석을 시행한다. 염기서열분석에 sequencing-by-synthesis 방법

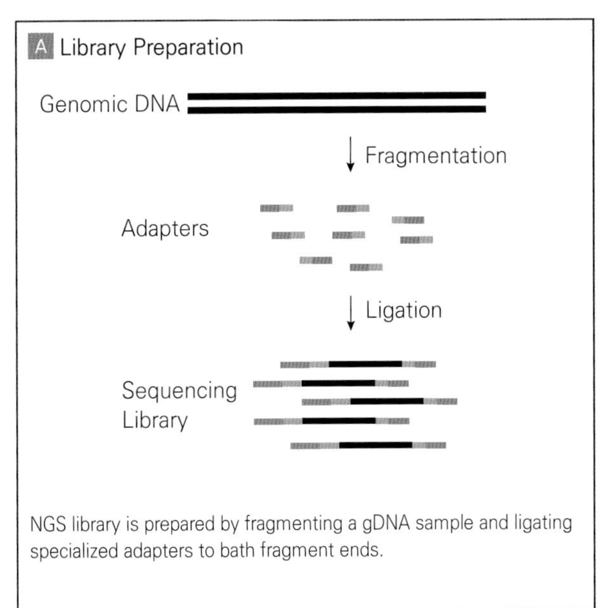

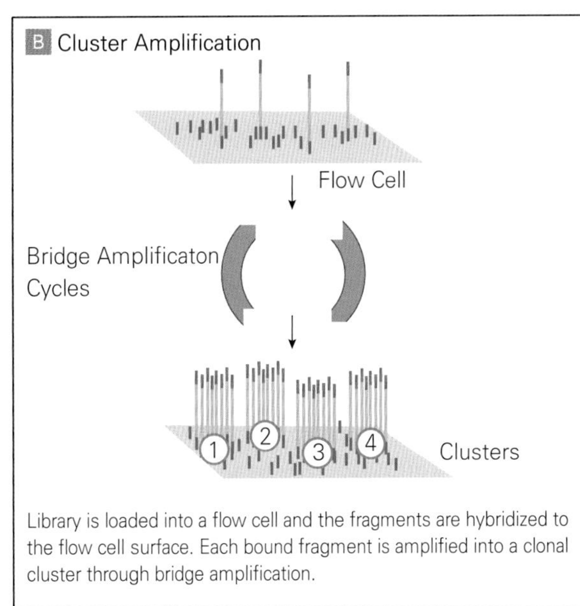

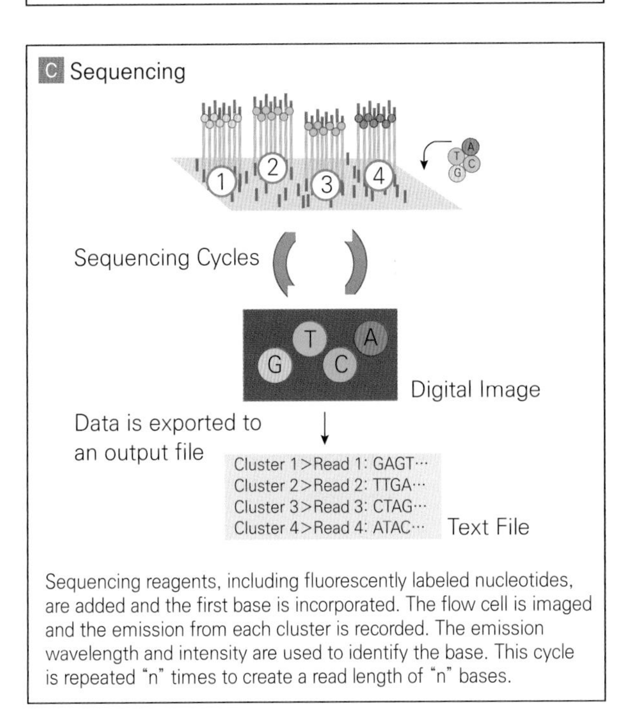

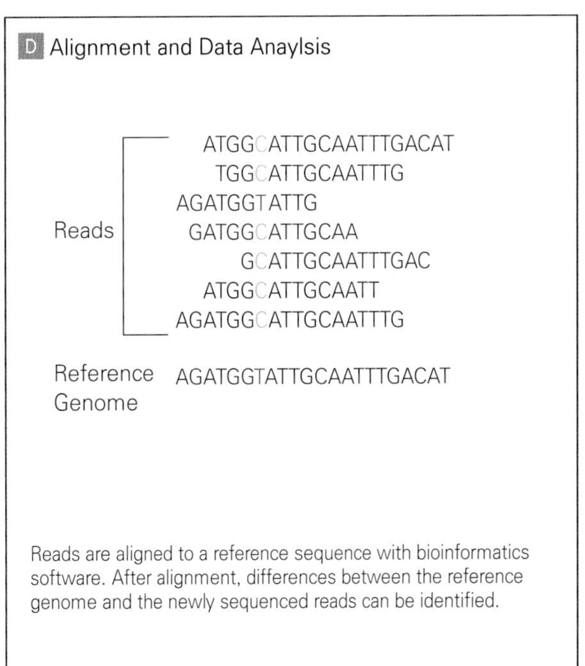

그림 17-6 차세대염기서열분석법 실험 과정의 예(Illumina 사).

과 형광발광을 이용하여 DNA 가닥에 합성되는 염기에 따라 특정한 색깔의 형광이 발광되고 이를 이미지 분석하여 염기서열을 확인한다. NextSeq 550Dx은 최초의 하이브리드형 NGS 플랫폼으로 high-throughput의 성능을 가지면서 소규모 실험실에서도 사용이 가능한 desktop 시퀀서의 기능을 수행하는 것을 목표로 제작되었는데, 용도에 따라 whole-genome sequencing과 de novo assembly부터 소규모의 타겟 유전자 분석까지 하나의 장비로 모두 이용이 가능하다.

(2) Thermo Fisher사의 플랫폼

Illumina의 뒤를 이어 Thermo Fisher (Life Technologies)사는 2014년 9월 Ion PGM Dx System을 미국 FDA의 Class II 의학장비로 등재하였다. Ion PGM Dx은 저용량(low-throughput), 저비용의 amplicon 염기서열분석만을 위한 benchtop 시퀀서였으나 더 좋아진 성능의 benchtop 시퀀서인 Ion Proton이 시판되었으며, 이 기계는 whole exome sequencing (WES) 및 전장 유전체 염기서열분석까지 가능하게 되었다. 현재는 샘플 준비서부터 전 과정의 처리가 가능한 Ion S5XL System 및 Ion Chef System이 개발되었는데, 이 기계는 한국 식약처의 허가를 받아 진단에 많이 이용되고 있다. 이 제품들은 샘플들의 처리시간(hands on time)을 줄이고, 일반적으로 검사에 들어가는 DNA 시료의 양이 상대적으로 적으며, 양질의 DNA가 아닌 손상된 DNA 시료로도 염기서열분석이 가능하고, 빠른 시간에 염기서열분석 결과를 얻을 수 있고, 자동화된 생명정보 분석 플랫폼을 제공하여 진단용으로 사용하기 용이하다.

4) 임상적 활용

(1) 차세대염기서열분석법을 이용한 표적염기서열분석(targeted NGS)

전체 유전체를 모두 분석하는 whole genome sequencing (WGS)이나 유전체 중에서 단백질을 직접 코딩하는 엑손 영역(Exome, 엑솜)의 유전체만 분석하는 방법인 whole exome sequencing (WES)의 경우 비용이 비싸고 변이의 해석이 어려우며, 임상적으로 의미 있는 결과를 도출하는 경우가 많지 않다. 이와 달리 표적유전자패널 염기서열분석(targeted gene panel

표 17-1. **NGS의 대표적 플랫폼과 사양 비교**

Company	Platform	Sequencing chemisty	Maximum output	Maximum reads per run	Maximum reads length	Run time
Roche(454)	GS Jumior+	SBS (SNA)	70Mb	~0.1 million	1000bp	18 hours
	GS FLX+	SBS (SNA)	700Mb	~1 million	1000bp	23 hours
Illumina	MiniSeq	SBS (CRT)	8Gb	25 million	2 x 150bp	4-24 hours
	MiSeq	SBS (CRT)	15Gb	25 million	2 x 300bp	4-55 hours
	NextSeq	SBS (CRT)	120Gb	400 million	2 x 150bp	12-30 hours
	HiSeq	SBS (CRT)	1.5Tb	5 billion	2 x 150bp	7 hours - 6 days
	HiSeq X	SBS (CRT)	1.8Tb	6 billion	2 x 150bp	<3 days
Thermo Fisher	SOLiD 5500	SBL	320Gb	~1.4 billion	50 or 75bp	10 days
	Ion PGM	SBS (SNA)	2Gb	5.5 million	200 or 400bp	4-7.3 hours
	Ion Proton	SBS (SNA)	10Gb	80 million	200bp	2-4 hours
	Ion S5	SBS (SNA)	15Gb	80 million	200 or 400bp	2.5-4 hours
SeqLL (Helicos)	Heliscope	SMS	35Gb	~1 billion	55bp	8 days
Pacific	PacBio RS II	SMRT	1Gb	~55,000	60kb	0.5-6 hours
Biosciences	Sequel	SMRT	7Gb	~370,000	60kb	0.5-6 hours
Oxford Nanopore	MinION	SMRT	42Gb	4.4 million	230-300kb	<2 days
	PromethION	SMRT	12Tb	1250 million	230-300kb	<2 days

sequencing; 유전자패널검사, gene panel test)은 특정 질병 또는 목적에 부합하는 유전자들로만 구성된 유전자 패널을 이용하여 경제적으로 효율적이며, 높은 염기서열분석 depth를 얻을 수 있는 장점이 있다. 대표적으로 암 발생 및 치료타겟과 관련된 유전자들로만 구성된 고형암 패널이 현재 위암연구에서 많이 사용되고 있다. 유전자패널검사의 간략한 과정과 필요 시간을 그림 17-7에 표시하였다.

(2) 위암의 진단과 치료에서의 이용

차세대염기서열분석법을 이용한 유전체 정보 기반의 진단 및 치료의 효과는 다양한 암 종에서 보고되고 있다. 한국에서는 2017년 3월부터 NGS를 이용한 유전자 패널검사가 50% 본인부담으로 보험이 적용되어 진행되고 있다. 현재 위암에서는 혈액을 이용하여서는 위암의 발병과 관련된 유전성 암패널검사가 진행되어 위암 환자의 가족력이 있는 젊은(40세 미만) 환자를 대상으로 그 이용이 늘고 있다, 고형암을 이용하여서는 고식적인 항암화학요법에 실패한 말기암 환자를 대상으로 위생검조직, 위수술조직 및 전이조직을 이용하여 치료표적을 발굴하여 정밀치료를 하려는 목적으로 그 이용이 매우 급속도로 증가하고 있다. 현재 표적치료제가 인정된 ERBB2 (HER2) 유전자의 증폭을 알아내는 것이 가장 보편적으로 이용되고 있으며, 그 외 여러 정밀 임상시험의 바이오마커를 찾으려는 목적으로 MET 유전자, FGFR2 유전자, KRAS 유전자 등의 증폭이나 TP53, PIK3CA, KRAS 등의 유전자 돌연변이를 찾아내기 위하여 많이 이용되고 있다. 향후 유전자의 변이를 표적으로 하는 신약의 발견이 점점 더 많아질 것으로 예상되어 앞으로 그 유용성은 더욱 크게 증가할 것으로 본다 (표 17-2).

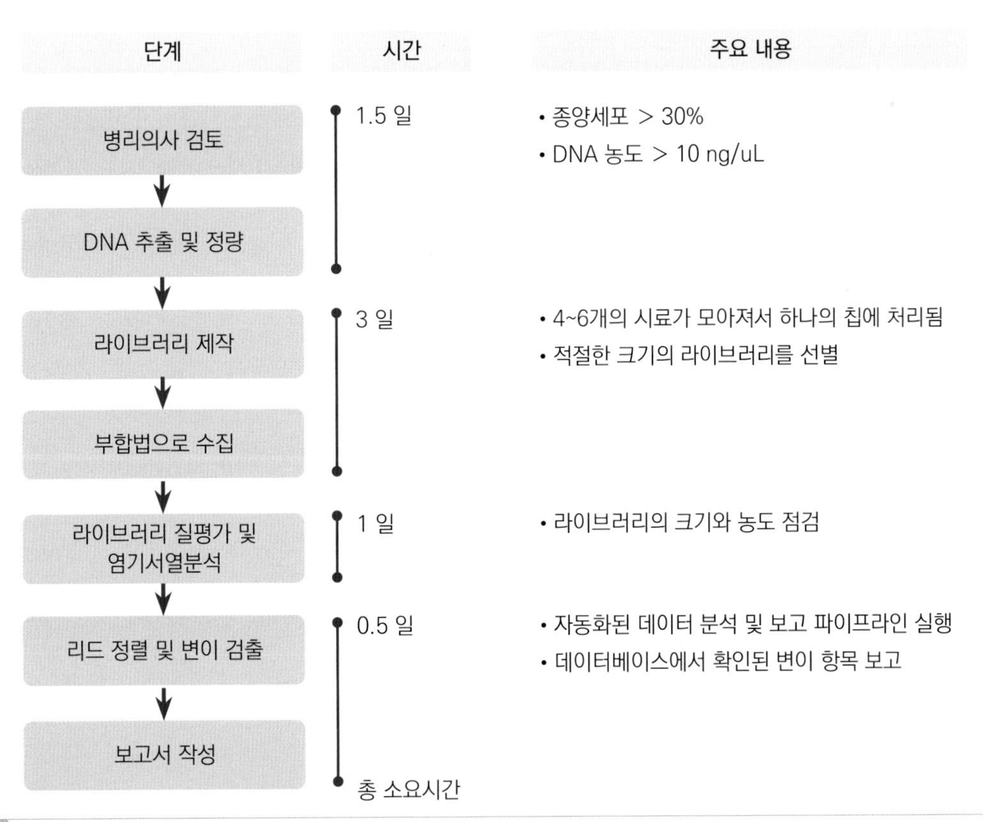

그림 17-7 유전자패널검사의 과정과 필요 시간.

표 17-2. **위암에서 진행되는 표적치료제를 이용한 주요 신약 임상시험**

Target	Trial	Type of Study/Line	Patient Selection Method	Regimen	Results (Primary Endpoint)	Reference
HER2	ToGa	Phase III/first	HER2 IHC	5-FU/capecitabine + cisplatin 6 ± trastuzumab	Positive (OS)	Bang et al. (2010)
HER2	LOGIC	Phase III/first	HER2 amplification	Lapatinib + XELOX XELOX	Negative (OS)	Hecht et al16
HER2	TYTAN	Phase III/second	HER2 amplification	Paclitaxel + lapatinib vs. paclitaxel	Negative (OS)	Bang et al. (2013)
EGFR	EXPAND	Phase III/first	All comer	Cetuximab/XP vs. placebo/XP	Negative (OS)	Lordick et al.
EGFR	REAL-III	Phase III/first	All comer	Panitumumab/EOC vs. EOC	Negative (OS)	Waddell et al.
EGFR	Nimotuzumab	Phase III/second	All comer	Nimotuzumab/irinotecan vs. irinotecan	Negative	Kim et al.
VEGF	AVAGAST	Phase III/first	All comer	XP/bevacizumab vs. XP	Negative (OS)	Van Cutsem et al.
MET	RILOMET-1	Phase III/first	MET IHC	Rilotumumab/ECX vs. ECX	Negative (OS)	Iveson et al.
MET	METGastric	Phase III	MET IHC	Onartuzumab/FOLFOX vs. FOLFOX	Negative (OS)	Shah et al.
FGFR2	SHINE	R-Phase II/second	FGFR2 amplification	AZD4547/paclitaxel vs. paclitaxel	Negative (PFS)	Bang et al. (2015)
mTOR	GRANITE	Phase III/second or third	All comer	Everolimus vs. placebo	Negative (OS)	Ohtsu et al.
AKT	MK2206	Phase II/second	All comer	MK-2206	Response rate, 1%	Ramanathan et al.
ATM	Olaparib	R-Phase II/second	ATM IHC	Paclitaxel/olaparib vs. paclitaxel/placebo	Negative (PFS)	Bang et al. (2015)
VEGF	MEGA	R-Phase II/first	All comer	FOLFOX/aflibercept vs. FOLFOX	Negative (6-mo PFS)	Enzinger et al.
HER2	GATSBY	Phase II/III/ second	HER2 IHC	TDM1 vs. paclitaxel or docetaxel	Negative (OS)	Kang et al.
VEGFR-2	RAINBOW	Phase III/second	All comer	Paclitaxel/ramucirumab vs. paclitaxel/placebo	Positive (OS)	Wilke et al.
VEGFR-2	REGARD	Phase III/third	All comer	Ramucirumab vs. placebo	Positive (OS)	Fuchs et al.

Abbreviations: OS, overall survival; XP, capecitabine (Xeloda) and cisplatin; EOC, epirubicin, oxaliplatin, and capecitabine; IHC, immunohistochemistry; ECX, epirubicin, cisplatin, and capecitabine; PFS, progression-free survival.

3. 생물정보학 및 데이터분석

차세대염기서열분석법(next-generation sequencing)으로 대표되는 대규모 염기서열분석법은 위암을 포함한 대부분의 고형암 및 혈액암의 발병기전과 분자특성(molecular characteristics)을 알아내는 데 유용하게 활용되어 왔다. 대규모 환자로부터 얻어진 염기서열 데이터로부터 의미 있는 분석 결과를 얻어내는 데에는 생물정보학(bioinformatics)에 기반한 분석법이 필수적이며, 엄밀한 분석과정이 동반되지 않은 결과는 자칫 거짓정보를 얻어내는 원인이 되기도 한다. 특히 최근 정밀의료(precision medicine), 즉 환자 개인별 유전체 정보를 이용한 최적의 맞춤 의료가 활발히 시행됨에 따라, 각 환자로부터 얻어진 암 조직을 정확히 분석해내야 하는 요구가 더욱 강화되고 있다. 이는 환자의 유전체 정보를 정확하고, 신속하고, 나아가 저렴하게 분석하는 것을 포함한다. 이처럼, 주어진 시료를 효과적으로 분석하여 데이터를 얻어내는 과정을 위하여 데이터의 의미와 특성, 그리고 각 분석과정에 대한 정확한 이해를 할 필요가 있다.

1) 유전체 및 전사체 분석

차세대염기서열분석법으로 얻어진 데이터는 시료 DNA로부터 생산되는 무작위 조각을 읽어낸 정보이다. 이 조각서열을 특정 길이로 읽어낸 정보를 리드(read)라고 하며, 일반적으로 한 시료 내에는 수천만 개에서 수억 개에 달하는 리드가 생산된다. 이 리드를 활용하여 단일염기변이(single nucleotide variant)뿐 아니라, 암 유전체 내에 존재하는 유전자의 삽입(insertion), 결손(deletion), 복제수변이(copy number variation), 구조변이(structural variation)와 같은 복잡한 유전체 변이를 발견할 수 있다. 더 나아가 다양한 생물정보학 분석법을 통하여 현미부수체불안전성(microsatellite instability), 면역원성(immunogenicity)과 같은 종양의 분자적 특성을 예측하기도 한다.

(1) 정도관리

정확한 분석결과를 얻기 위해서는 시료와 생산된 서열 데이터의 엄격한 정도관리(quality control)가 필요하다. 시료는 때때로 외부 물질에 의하여 오염(contamination)되거나, 저장 과정에서 DNA의 손상이 일어나기도 한다. 대표적으로 포르말린고정-파라핀포매(formalin-fixed, paraffin-embedding) 방법은 DNA 염기서열의 변화를 주고, DNA를 조각내기도 한다. 또한 시료를 다루는 과정에서 다른 시료와 섞이거나 바뀌기도 한다. 염기서열을 읽어내는 과정에서도 다양한 오류가 존재할 수 있다. 따라서 리드의 품질이 떨어지는 경우, 얻어진 데이터로 이를 확인하고, 데이터를 다시 생산하거나 혹은 일부 데이터를 잘라내기도 한다. 많은 경우, 정확한 정도관리가 끝난 데이터에 대해서만 분석과정을 진행한다.

(2) 유전변이 분석

① 단일염기변이의 분석

단일염기변이는 시료로부터 생산된 리드가 가리키는 유전형(genotype)이 일반적인 사람에게서 나타나는 유전형과 차이가 있는지를 검사하여 탐지한다. 이때, 일반적인 사람의 유전형으로 사용되는 유전체 정보를 참조유전체(reference genome)라 한다. 참조유전체에 정렬된 리드 중, 정상형 대립유전자(wild-type allele)와 대안대립유전자(alternative allele)가 섞인 비율을 주로 활용하여 단일염기변이를 예측한다. 다시 말해, 대안대립유전자를 가지고 있는 리드의 수가 많을수록 실제 시료가 단일염기변이를 가지고 있을 확률이 증가한다. 이외에도 염기서열 과정에서 보고된 염기서열의 품질(quality), 참조유전체 영역의 서열 복잡도, 전체 리드의 수 등을 종합적으로 고려하여, 변이의 유무를 확정한다. 암 유전체 검사의 경우 체세포변이(somatic mutation)를 찾기 위하여, 종양유래시료와 대조시료를 동시에 분석하고, 종양에서만 존재하는 변이를 탐지한다. 이때 대조시료로는 혈액, 정상조직, 침 등이 주로 사용된다.

② **복제수변이의 분석**

복제수변이는 유전체의 특정 영역의 수가 증가하거나 혹은 감소하는 것을 의미한다. 이러한 유전체 영역 내에는 때때로 종양 발생과 진행에 중요한 유전자들이 포함되기도 한다. 일반적인 경우 2배체(diploid)인 인간 유전체에서 각 유전자는 반수체(haploid)당 하나씩, 총 두 개의 복제수(copy number)로 존재한다. 두 개 이상의 복제수를 가지는 경우 증폭(amplification)되었다 하고, 두 개 이하인 경우 결손(deletion)되었다 한다. 차세대염기서열법을 이용하여 복제수를 분석하는 데에는 한 영역이 얼마나 많은 수의 리드에 의하여 읽혔는지를 나타내는 리드깊이(read-depth)가 사용된다. 즉, 증폭된 영역의 경우 같은 서열을 가지는 유전체 영역이 많아졌으므로 리드깊이가 증가하고, 결손되는 경우 감소한다. 정밀한 분석을 통하여 증폭과 결손 이외에도 변화한 후의 절대적 복제수까지 예측하기도 한다.

③ **구조변이의 분석**

구조변이는 대개 50 bp 이상의 영역에서 생기는 유전체상의 변이를 뜻한다. 여기에 해당하는 변이로는 증폭(amplification), 삽입(insertion), 결손(deletion), 역위(inversion), 전좌(translocation) 등이 있다. 일부의 구조변이는 복제수의 변화를 동반한다. 차세대염기서열 데이터를 이용하여 구조변이를 탐지할 때에는, 시료의 각 DNA 조각의 양끝을 읽은 두 개의 리드[리드쌍(read-pair)이라고 한다]가 참조유전체상에 정렬되었을 때에 보이는 모습을 이용한다. 예를 들어, 하나의 리드쌍임에도 불구하고, 각 리드가 서로 다른 염색체에 정렬된다면 이는 종양에서 전좌가 일어난 상태임을 알려주는 증거가 된다. 더욱 정교하고 복잡한 생물정보학 방법론을 적용하여 정확한 구조변이의 종류와 위치를 알아낼 수 있다.

(3) 전사체 분석

① **발현양 분석**

염기서열을 읽을 때에 유전체 대신 mRNA를 역전사(reverse transcription)한 cDNA를 이용하게 되면 현재 세포내에 존재하는 전사물(transcript)의 양과 서열을 알아낼 수 있다. 많은 분석에서 종양 내에 발현하고 있는 전사물의 양을 대조군과 비교하거나, 또는 서로 다른 아형(subtype) 간에 존재하는 발현양의 차이를 분석하여 분자 특성을 알아낸다. 각 전사물별 발현양의 차이는 통계적 검정을 통하여 그것이 데이터 생산 과정에서 존재하는 일시적인 차이인지, 실제 발현양의 차이가 존재하는지를 구별한다. 발현양이 서로 다른 전사물이 발견되면, 그 전사물을 코딩(coding)하고 있는 유전자로 변환하여 해석하게 되는데, 이렇게 밝혀진 유전자들을 차별발현유전자(differentially expressed gene, DEG)라고 한다. 차별발현유전자는 암 발생에 관계된 유전자뿐 아니라, 약물 반응, 치료 예후 등 다양한 조건에서 분석된다.

② **전사물 분석**

전사물의 양뿐 아니라, 전사물 자체의 서열을 관찰하게 되면 전사물 내에 존재하는 변이를 알아낼 수 있다. 이렇게 발견된 변이들은 유전체에서 관찰된 변이가 실제 발현으로 이어지는지를 확인할 수 있는 자료가 된다. 또한 이전에 관찰되지 못한 새로운 서열이 관찰되기도 하는데, 대표적인 예로 선택적 스플라이싱(alternative splicing), 유전자융합(gene fusion)에 의한 신규 전사물들이 있다.

2) 생물정보학의 활용

고도화된 생물정보학 분석은 위암에 존재하는 유전체 변이와 분자 특성을 밝혀내는 데 활용되어 왔다. 특히 최근 정밀의료의 발달로 진단과 치료에 직접 이러한 분석을 활용하는 일이 많아짐에 따라, 임상에 활용하기 위한 정확하고 효율적인 분석 파이프라인(pipeline)을 구축하는 것이 필요하다. 특히 전체 유전체 대신 실행가능유전자(actionable gene)만을 증폭하여 검사하는 표적염기서열분석(targeted sequencing)이 활용되는 경우가 많다. 이는 적은 비용으로 고심도(high-depth) 염기서열데이터를 생산하여 종양 내에 존재하는 낮은 비율(low-level)의 체세포변이까지 찾아낼 수 있게 한다.

분석기술의 발달은 이러한 낮은 비율 변이를 토대로 종양이질성(tumor hetergeneity) 조사 및 액체생검(liquid biopsy) 기술의 수립을 이끌어가고 있다. 또한, 발견되는 유전변이의 특성을 조사하여 위암이 가지고 있는 현미부수체불안전성을 확인할 수 있다. 이 경우 알려진 현미부수체 지역에 잦은 삽입-결손(insertion-deletion, indel)과 같은 특징 변이들이 나타나는지를 염기서열법으로 확인한다. 최근 각광받고 있는 암면역치료(cancer immunotherapy)의 경우, 종양 내에서 항원으로 작용할 수 있는 종양특이항원(tumor-specific antigen)의 존재 유무를 찾아내는 데에도 활용된다. 특히 체세포변이에 의하여 생성되는 신항원(neoantigen)의 존재는 다양한 기계학습(machine-learning) 기법에 의하여 비교적 정확하게 알아낼 수 있다. 이처럼 대규모 생체데이터의 생물정보학 분석은 위암의 진단 및 치료과정에 밀접하게 연계되어 있으며, 향후에는 전체 임상과정의 필수적 요소로서 편입될 것이라고 많은 사람들이 예측하고 있다.

4. 암세포주

1) 암세포주의 정의

암세포주(cancer cell line)는 환자의 종양조직에서 유래되었으며 실험실에서 무한증식, 계대배양, 동결보존이 가능한 상태의 암세포를 의미한다. 최초의 암세포주는 1951년 미국에서 자궁경부암 종양조직으로부터 수립되었으며 환자의 이름 Henrietta Lacks을 따서 HeLa 세포로 명명되었다. HeLa 세포주는 현재까지 수많은 연구자에 의해 암생물학 연구, 중개연구를 위해 사용되었으며 배양된 세포주의 양이 50톤에 이르는 것으로 추정된다. 이후 여러 암종에서 암세포주가 수립되어져 왔으나 일반적으로 암세포주 수립 성공률은 낮다. 예를 들어, 폐암이나 대장암의 경우 종양에서 직접 배양 시 10% 미만의 확률로 세포주가 수립된다. 위암을 포함하여 몇몇 암종은 세포주 수립 성공률이 이보다 더 낮은 것으로 알려져 있다. 암세포주 수립 성공률이 낮은 가장 큰 이유는 실험실의 2차원 배양 조건이 종양성장을 위해 필요한 생체내(in vivo)에서의 복잡하고 다양한 필요조건을 모두 충족시키지 못하는 한계에서 기인한다.

2) 암세포주 제조법

수술을 통해 얻은 종양조직은 멸균된 조직배양 배지에 넣어서 냉장상태(얼음물)로 실험실로 보내야 한다. 이때 적어도 36시간 내에 배양과정을 진행하는 경우 암세포주 수립 성공률이 높은 것으로 알려져 있다. 보통은 수술실, 이동시간을 포함해서 20~30분 이내에 배양과정을 시작한다. 또한, 수립 성공률에 중요한 요소는 검체의 질이다. 부드러운 비괴사성(non-necrotic) 검체가 괴사성 혹은 단단한(scirrhous) 종양보다 잘 자란다.

암종에 따라 암세포주 수립방법은 매우 다양하다. 종양조직을 바로 이용하는 경우 종양을 직경 1~2 mm 크기로 잘게 자르고(minced), 그 후 다양한 종류의 단백질 가수분해 효소를 사용하는 방법, EDTA 등을 이용한 화학적인 방법, 혹은 파이페팅을 포함한 다양한 물리적인 방법을 이용하여 지지체를 제거 후 단일 세포로 분리한다. 흉막삼출액(pleural effluent)과 복수액(ascites)의 경우는 원심분리하여 세포침전을 얻은 후 세척 후 배양액에 넣는다. 조직의 부피가 배지양의 10~20%를 초과하게 되면 쉽게 배지가 산성으로 변하여 좋지 않다. 환자로부터 얻은 수백만 개의 세포를 25 cm^2 플라스크에 씨뿌리기(seeding)하고 배지에 배양한다. 배지의 종류는 다양한 성장인자(growth factor)들을 포함하고 소 태아혈청(FBS)을 추가한 배지(예: ACL4), RPMI1640, DMEM, 혹은 혈청이 없는 배지(ACL4, HITES) 등 실험내용에 맞추어 적절하게 선정한다. 최초 며칠 동안은 안정적으로 세포가 붙을 수 있도록 인위적 조작을 최소화하는 것이 중요하다. 일단 활발한 성장이 보이면 계대배양을 시작한다(그림 17-8). 초기에는 오염을 막기 위하여 항생제, 항균제가 첨가된 배양배지를 사용하고 몇 계대가 진행되면 이를 제거한 배지를 이용한다. 기질(stromal) 세포의 성장이 관찰되는 경우, 특히 섬유아세포(fibroblast) 등의 정상세포를 제거하기 위하여 트립신 저항성의 차이 등을 이용하여 암세포만을 선별하는 과정을 거친다. 초기에 다양한 성장인자를 포함한 배지를 사용한 경우에는 계대가 반복되는 과정에서 점진적으로 그 양을 줄여서 RPMI1640 혹은 DMEM과 소 태아혈청으로 단순화된 배지 조건에 적응을 시킨다. 배양은 습도가 조절되는 배양기에서 37℃, 5% CO_2 조건에서 배양한다. 일반적으로 95% 이상의 확률로 3주 이내에 세포 성장이 관찰된다. 4주까지 성장이 보이지 않는 경우는 더 이상 진행하여도 성공하는 경우가 드물다.

3) 종양조직의 일차배양

외과적인 수술 혹은 흉막 삼출액 혹은 복수액을 통해 얻은 상피세포유래암의 종양조직에는 일반적으로 암세포 외에도 다양한 종류의 정상세포들, 예를 들어 정상

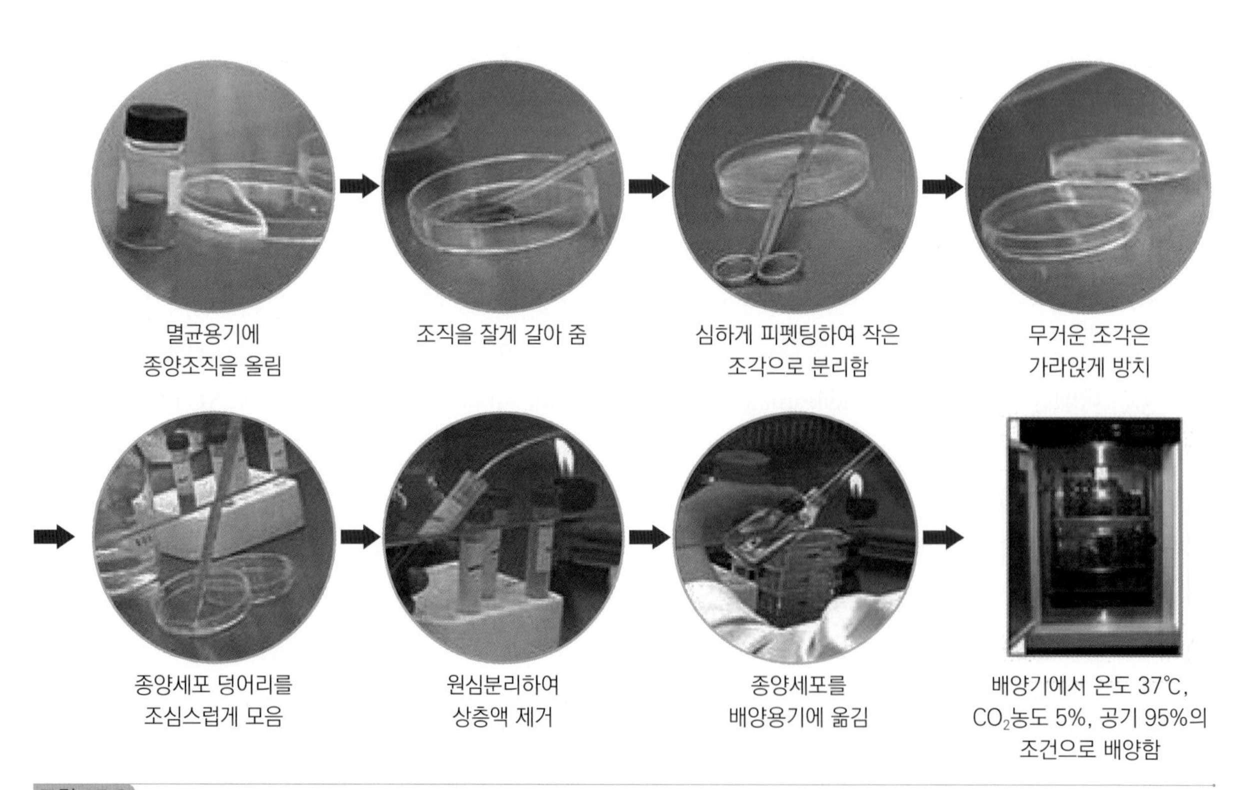

그림 17-8 **세포주 수립을 위한 절차.**

적으로 분화된 상피세포, 내피세포, 섬유아세포, 그리고 다양한 면역세포를 포함하고 있다. 따라서, 이러한 다양한 세포로 구성된 종양조직으로부터 단일세포를 분리, 배양하는 과정을 일차세포 배양이라고 한다. 이때 정상세포는 일반적인 분화, 노화과정을 거치게 되므로 제한된 계대수(보통 10) 이내에서만 분열을 하며 이후에는 계대가 불가능하다. 하지만 암세포의 경우는 맞는 배양 조건 하에서 반복적 계대배양을 통해 불멸화(immortalized)된 특성을 나타낼 수 있고 이를 통해 계대수 제한 없이 안정적으로 분열과 성장이 이루어지는 상태에 이를 수 있으며 이때 암세포주가 수립이 되었다고 한다. 따라서, 일차 배양이라고 하면 일반적으로 암세포주가 수립되기 전 단계의 낮은 계대수에서의 배양을 의미하며 대부분의 종양은 일차배양을 통해 일정 계대수까지는 배양이 가능하다.

일반적으로 일차 배양을 통해 얻은 암세포의 경우는 생체내 상태에 보다 가까운 특징을 유지하는 것으로 알려져 있어 항암제 스크리닝 등의 연구에 활용할 수 있으나, 제한된 수의 세포만 얻을 수가 있어 가능한 실험의 규모가 제한적이며 계대수가 증가함에 따라 특성이 변하고 환경조건에 민감하며 낮은 증식속도로 인해 암세포주에 비해 활용이 어려운 한계를 가지고 있다. 이러한 한계를 극복하기 위해 일차배양 후 암세포주를 거치지 않고 면역결핍 생쥐에 이식하거나 CRC (conditionally reprogrammed cells) 프로토콜, 혹은 3차원 오가노이드 배양을 통해 지속적으로 활용할 수 있는 방법이 있다. 일차세포의 경우 인체유래 조직을 확보하는 과정에서 바이러스에 노출될 위험이 있고 이를 확인하기 위한 EBV, HPV, HIV 등의 바이러스 검사가 이루어져야 한다.

4) 위암세포주 수립의 역사 및 현황

최초의 위암세포주는 1960년대 러시아, 유럽 연구자들에 의해 수립이 보고 되었으며, 이후 1970년대에 일본 연구자들에 의해 KATO-II, KATO-III를 포함한 몇몇 위암세포주가 소개되었다. 이후 국내 위암 환자로부터 유래된 위암세포주인 SNU-1, SNU-5, SNU-16이 박재갑 교수(서울의대)에 의해 처음 수립되었다. 국내에서는 서울대학교 암연구소, 국립암센터, 연세대학교 암센터 등에서 위암세포주들이 수립되었으며, 다른 암종의 세포주들과 함께 세계 주요 세포주은행인 ATCC, 한국세포주은행, 일본세포주은행(JCRB), 일본이화학연구소(RIKEN), 독일세포주은행(DSMZ) 등에 기탁되어 50종 이상의 위암세포주가 연구자들에게 제공 되고 있다(표 17-3). 수립된 암세포주는 동정을 위해 미세부수체(microsatellite)의 짧은 연속반복(short tandem repeat) 길이 정보와 함께 기탁이 된다. 수립된 암세포주의 유전체 데이터는 영국 Sanger 연구소의 COSMIC 데이터베이스에 취합되어 공개되어 있다.

5) 위암세포주의 분류

수립된 위암세포주는 현미경 상의 형태학적 특성에 따라 크게 상피세포, 간엽세포(mesenchymal cell),

표 17-3. **위암세포주 목록**

세포주 유	암세포주 이름
원발 위암	23132/87, AGS, ECC12, FU97, GCIY, IM95, IM95m, MKN1, MKN28, MKN45, MKN7, NCC19, NCC24, NCC-StC-K140, NCI-N87, NCI-SNU-1, NUGC-2, NUGC-3, OCUM-1, SCH, SK-GT-2, SNU-1750, SNU484, SNU520, SNU719, H-111-TC, HuG1-N, HuG1-PI, SH-10-TC
Lymph node 전이	HGC-27, KATOIII, NUGC-4, RERF-GC-1B, SNU216, Takigawa, KE-39, LMSU, TGBC11TKB
간전이	ECC10, MKN74, GSS
Ascites 전이	NCC20, NCC59, NCI-SNU-16, NCI-SNU-5, SNU-1967, SNU601, SNU620, SNU638, SNU668, YCC11, YCC2, YCC3, YCC7, GSU
기타 전이	Hs746T, KE-97

혼종세포(hybrid)로 구분이 가능하다(그림 17-9). 최근에는 위암을 전사체의 특성, 암돌연변이 유형에 따라 분자수준에서의 아형으로 분류하는 연구가 시도되고 있다. 대표적인 위암의 분자아형은 싱가포르 그룹에서 제시한 3개의 아형(proliferative, metabolic, mesenchymal), TCGA에서 제시한 4개의 아형(MSI, EBV, CIN, Genomically stable), ACRG에서 제시한 4개의 아형(MSI, MSS/EMT, MSS/TP53−, MSS/TP53+), 연세대 연구팀에서 제시한 3개의 아형(immune, stem-like, epithelial)이 있다. 위암세포주에 대해서도 차세대 염기서열 분석법에 기반한 암돌연변이, DNA 카피 수 변화, 전사체의 정량적 분석이 이루어 졌으며, 이를 바탕으로 위암세포주를 종양의 각 분자아형으로 분류하여, EMT/mesenchymal/stem-like/genome stable 특성을 갖는 위암세포주 모델, 매우 높은 돌연변이 빈도를 보이는 MSI 아형의 위암세포주 모델, EBV 양성 위암세포주 모델 등이 보고되어 있다.

6) 위암세포주의 중개연구 모델로서의 장단점

위암세포주가 가진 중개연구 모델로서의 장단점은 일반적인 암세포주의 그것과 다르지 않다. 암세포주는 종양이 가지고 있는 주요한 유전자돌연변이, 결손(deletions), 증폭, 전좌(translocations), DNA 메틸화(methylation)에 의한 발현소실을 동일하게 유지하고 있음이 많은 암종에서 보고되어 있다. 또한, 이론적으로 무한히 계대배양 및 보관이 가능하며, 다양한 분자

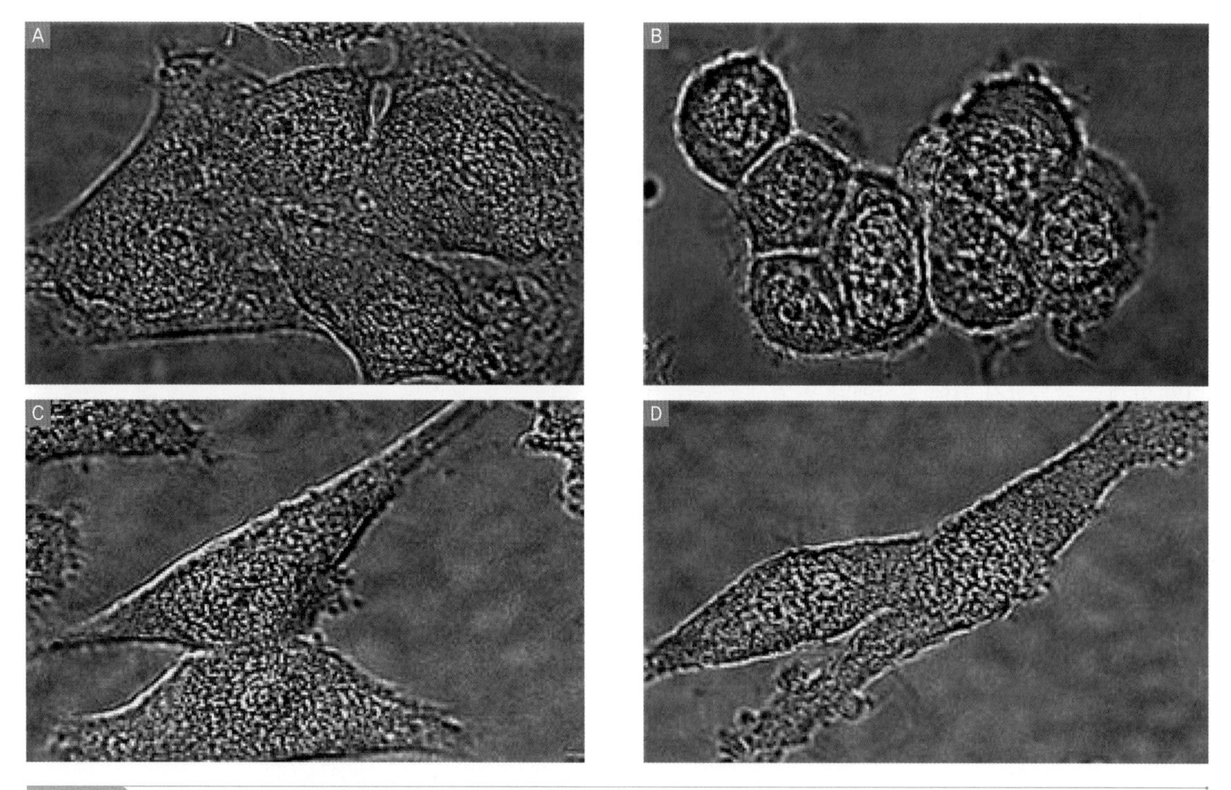

그림 17-9 위암세포주의 형태학적 특징.
위암세포주를 세포배양용 플라스틱 접시에 배양하여 위상차 현미경으로 관찰한 사진. 잘 분화된 상피세포의 특징을 보이는 RERF-GC-1B (A), SNU719 (B)와 미분화된 방추형의 간엽세포의 특징을 보이는 HGC27 (C), SK4 (D)는 형태학적으로 구분이 된다.

생물학, 유전학, 세포생물학적인 실험방법론이 활용가능한 장점이 있다.

무엇보다 다른 모델과 비교하여 많은 수의 약물이나 유전학적 교란에 대한 높은 처리량(high throughput) 실험이 가능한 거의 유일한 모델이다. 무엇보다 2D 배양 조건에서도 실제 임상에 사용중인 표적 항암제에 대한 변이 세포주 특이적 감수성(susceptibility)이 나타난다는 점은 세포주 모델을 이용한 항암제 개발에 있어 매우 중요한 근거가 된다. 하지만, 이러한 장점과 더불어 여러 한계점이 잘 알려져 있다. 우선, 실제 환자 종양 미세환경이 갖는 여러 암세포 이외의 요소들, 예를 들어 정상세포인 섬유아세포, 면역세포, 내피세포, 세포들과 더불어 여러 성장인자, 사이토카인, 케모카인, 세포외기질 성분들이 결핍되어 있거나, 배지를 통해 인위적으로 제공됨으로 인해 실제 종양이 갖는 특성과 차이를 보일 수 있다. 또한, 세포주가 수립되는 과정의 특성상 일반적으로 종양내 이질성(intratumoral heterogeneity)이 그대로 세포주 내에도 존재하게 되므로 계대가 지속됨에 따라 배양조건에 따른 유전적 드리프트(genetic drift) 현상이 발생하며 이에 따라 항암제에 대한 감수성에도 영향을 받을 수 있음이 최근 보고되었다. 또한, 기술적인 요소로서 연구자에 의한 교차감염이 흔하게 발견되므로 세포주를 이용한 연구에는 세포주 동정이 반드시 요구된다.

7) 위암세포주를 활용한 중개연구

대부분의 암종의 표준치료제로 사용되는 세포독성 항암제는 25~70%의 환자에서 반응을 나타내므로 암종당 6~9개 사이의 세포주 모델만 있으면 스크리닝이 가능했다. 이에 맞추어 1990년 NCI 주도로 폐암, 대장암, 뇌종양, 난소암, 유방암, 전립선암, 신장암을 대상으로 총 60개의 암세포주를 패널(NCI-60)로 하여 항암제 스크리닝 연구를 진행하였다. 하지만 NCI-60 패널에는 동아시아 호발암인 위암세포주가 빠져있어서, 일본에서 NCI-60와 유사한 목적으로 위암을 포함한 JFCR-39 패널을 구축하였다. 그러나 2세대 표적항암제를 스크리닝하는 목적으로 세포주 패널을 이용하려면 암에서의 유전적 이질성을 고려하면 1~10% 범위의 세포주 그룹에서 발견되는 감수성을 감지할 수 있어야 하므로 암종별로 100개 이상, 모든 암종을 통틀어 2,000개에서 6,000개 사이의 세포주가 바람직한 숫자로 추산되고 있다. 최근 대규모 세포주를 이용한 2세대 표적 항암제 발굴 및 약물 리포지셔닝(repositioning)을 위한 연구가 보고된 바 있다. 예를 들어, 미국 Broad Institute의 Cancer Cell Line Encyclopedia (479 세포주/24 약물), Informer (242 세포주/354 약물), 영국 Sanger Institute의 Genomics of Drug Sensitivity in Cancer (639 세포주/130 약물)와 같은 범종양(pan-cancer) 세포주 대상의 약물유전체 연구가 보고된 바 있다.

위암세포주를 활용한 중개연구로서 초기의 표준치료제 스크리닝을 통해 위암에서 paclitaxel과 cisplatin의 병용투여 효과가 제시된 바 있으며, HER2 증폭된 위암세포주인 SNU-216이 trastuzumab과 화학항암제와의 병용처리에 대한 감수성을 갖는다는 결과가 제시된 바 있으며, 이후 국내에서 진행된 대규모 임상시험을 통해 그 효과와 안전성이 입증되어 현재 위암 환자 치료에 적용되고 있다. 최근에는 위암세포주 패널을 활용한 방법을 통해 MET 증폭된 위암세포주가 MET 억제제에 감수성을 갖는다는 보고와, 상피간엽이행(epithelial-mesenchymal transition) 특성을 갖는 위암세포주가 NAMPT 억제제에 감수성을 보인다는 연구결과가 보고된 바 있다. 이러한 위암세포주를 활용한 초기 단계의 약물 감수성 연구는 기전에 대한 추가적인 연구, 환자에 근접한 모델인 오가노이드 (in vitro), patient derived xenograft (in vivo) 모델에서의 추가적인 검증이 바람직하며, 궁극적으로는 임상시험을 통해 최종 검증이 이루어져야 한다.

8) 전망

HeLa 세포주로부터 시작되어 70년에 가까운 오랜 기간 동안 수립되어 축적되어온 암세포주는 암의 발생, 진행, 전이과정의 생물학적인 이해를 높이는 데 큰 기여를 해왔을 뿐 아니라, 항암제 스크리닝 및 개발에도 중요한 기여를 하고 있다. 최근에는 Human cancer models initiative (HCMI)가 만들어져서 국제적인 협업을 통해 수천개의 추가적인 암세포주모델, 오가노이드 모델을 만들고 세포주마다의 임상적, 유전체 정보를 동반 분석하여 연구자 공유자원으로 제공하고자 하는 노력이 진행 중이다. 이를 통해 보다 깊은 수준의 종양 이질성을 대변하는 모델이 구축되어 연구자들에게 제공될 것으로 기대된다. 이와 더불어, 최근 위암을 포함한 종양시료로부터 짧은 계대만 거친, 보다 환자의 질병에 가까운 상태의 일차 암세포가 약물 스크리닝에 활용될 수 있음을 제시한 연구도 최근 보고되었다. 따라서, 향후 위암세포주는 오가노이드를 포함한 여러 종양모델과 더불어 상호 보완적인 역할을 통해 새로운 위암치료제 개발을 포함한 중개연구에 중요한 역할을 지속할 것으로 전망된다.

5. 환자유래 오가노이드 (patient-derived organoids)

1) 성체줄기세포 유래 오가노이드 개발

성체줄기세포의 생물학적 특징 및 줄기세포능(stemness) 유지에 필요한 니치 인자(niche factor)에 대한 이해를 바탕으로 2009년 마우스 소장 상피를 이용한 mini-gut 또는 배양 기술을 네델란드의 Hans Clevers 그룹에서 개발, 발표하였다. 지지체로 Matrigel®을 사용하였고 한 개의 줄기세포가 여러 주 사이에 단층의 상피세포로 이루어진 3D 구조의 작은 낭 구조로 성장하는데, 낭의 안쪽은 소장의 내강(lumen)에 해당하고 낭의 바깥쪽이 기저막(basement membrane)에 해당하는 구조이다(그림 17-10). 소장조직샘(intestinal crypt)을 닮은 작은 싹(budding)들이 자라는 구조로 이루어져 있다. 약 1주일에 한 번 계대배양을 할 수 있는 속도로 자라며 1년 이상 계대배양이 가능하고 일반 세포주 배양과 같이 동결 및 해동 후 재배양이 가능하다. 이후 마우스 위, 인간 대장, 마우스 췌장, 마우스 간, 마우스 및 인간 전립선, 마우스 및 인간 나팔관, 마우스 및 인간 자궁내막, 인간 유방암 마우스 및 인간 폐 등 다양한 상피조직에서 성공적으로 오가노이드 형태로의 줄기세포 배양 및 유지가 가능함이 보고되고 있다.

2) 정의 및 분류

오가노이드는 성체줄기세포 혹은 배아줄기세포에서 기원한 체외(in vitro)에서 3차원으로 자라는 세포집락으로 자기복제(self-renewal) 및 자기구성(self-organization)을 통하여 기원 장기의 기능 및 특징을 나타낼 수 있는 것을 특징으로 한다.

오가노이드는 크게 기원 줄기세포에 따라 성체줄기세포유래 오가노이드(adult stem cell-derived organoids)와 배아줄기세포(embryo stem cells) 혹은 유도만능줄기세포(induced pluripotent stem cells)유래 오가노이드로 나눌 수 있다. 성체줄기세포 기원 오가노이드의 경우 적절한 조건에서 1년 이상 배양이 유지되고 정상세포기원의 경우 유전체도 매우 안정적으로 유지되는 것이 특징이다.

3) 배양인자

성체줄기세포유래 오가노이드 배양에 필요한 주요 인자들로는 WNT (Wnt 신호 인자), R-spondin (Wnt 신호 증폭), EGF (성장인자), Noggin (BMP 신호 억제) 그리고 Matrigel® (기저막 기질, 3D 구조 유지)이 있고 조직 및 장기에 따라 nicotinamide, A83-01 (Alk 억제제), SB202190 (p38 억제제), FGF7 (성장인자), FGF10 (성장인자), Neuregulin (성장인자), Gastrin (위장관 호르몬)

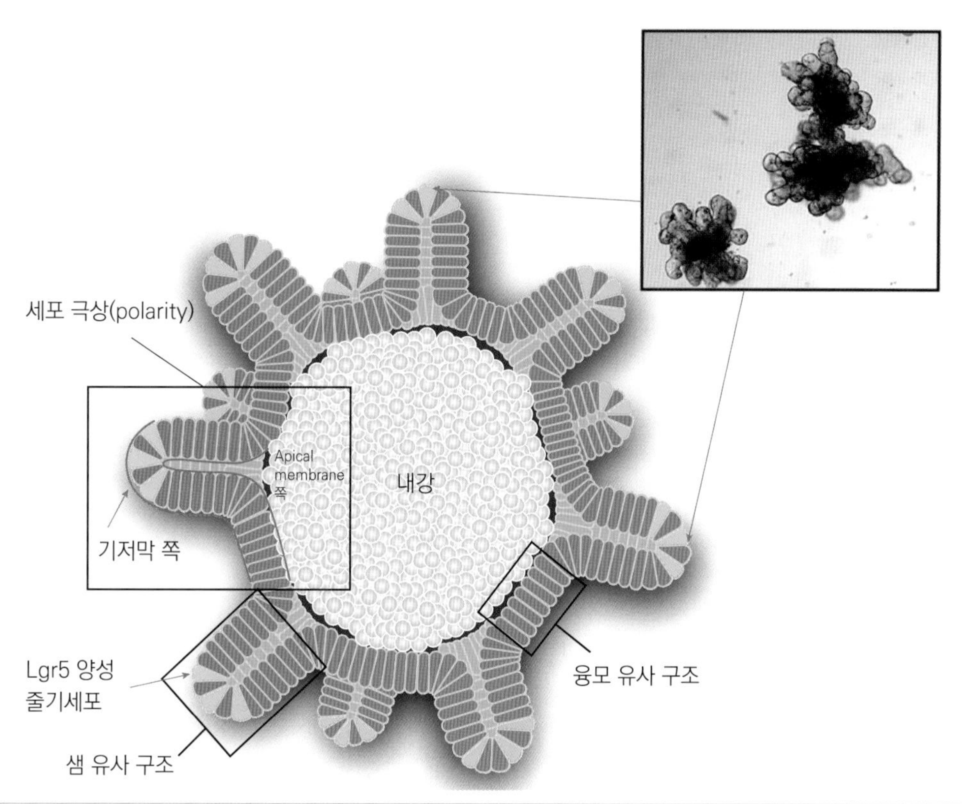

그림 17-10 소장 상피 오가노이드 구조 모식도.

등의 추가 억제제와 성장인자들로 구성된다(표 17-4).

4) 위 오가노이드 개발

2010년 Hans Clevers 그룹은 마우스 소장상피에서와 마찬가지로 마우스 위 전정부 상피샘 하부에 존재하는 Lgr5 양성 세포가 자기복제(self-renewing) 및 딸세포로 분화(differentiation) 능력을 가지고 있음을, 즉 줄기세포임을 증명한 후 이 세포를 추출하여 오가노이드 배양인자들의 다양한 조합을 통하여 오가노이드 배양에 성공함을 보고하였다. 이때의 배양조건은 advanced DMEM/F12, 1x GlutaMax, 1x HEPES, Wnt3A 조건배지(conditioned media) 50%, R-spondin-1 1 μg/ml, Noggin 100 ng/ml, 상피성장인자(epidermal growth factor; EGF) 50 ng/ml, 섬유아세포성장인자10(fibroblast growth factor 10; FGF10) 100 ng/ml, gastrin 10 nM, B27 1x, N2 1x, n-acetylcysteine 1 mM 그리고 Matrigel® 이었다. 이후 역시 같은 그룹에서 마우스 저부 및 체부 상피의 경우 Troy 양성인 주세포(chief cell)가 자기복제 및 분화 능력을 가지는 줄기세포임을 증명하고 이 세포를 이용하여 역시 같은 조건에서 오가노이드 배양이 가능함을 보고하였다.

2015년 역시 Hans Clevers 그룹에서 인간의 위상피에서 위선을 추출하여 다음의 조건, 즉 advanced DMEM/F12, 1x GlutaMax, 1x HEPES, Wnt3A 조건배지 50%, R-spondin-1 조건배지 10%, noggin 조건배지 10%, EGF 50 ng/mL, FGF 10 200 ng/mL, gastrin 1 nmol/L, A-83-01 (TGF-β 억제제) 2 μmol/L, n-acetylcysteine 1mM, nicotinamide 10 μmol/L 그리고 Matrigel® 조건 하에서 오가노이드 배양이 성공적으로 이루어짐을 증명하고 이를 이용하여 *Helicobactor pylori* 감염모델을 체외(in vitro)에서 구현할 수 있음을 보고하였다.

표 17-4. **인간 위장관 오가노이드 배지 조성**

배양액 구성 인자	정상 위상피 및 종양	정상 대장 상피	대장 종양
Wnt-CM	50%	50%	50%
R-spondin 1-CM	10%	20%	20%
Noggin-CM	10%	10%	10%
mEGF	50 ng/ml	50 ng/ml	50n g/ml
hFGF10	200 ng/ml	_	_
[Leu]-Gastrin	1 nM	10 nM	10 nM
PGE2	_	10 nM	10 nM
A83-01	2 uM	0.1 uM	0.5 uM
N2	1x	1x	_
B27	1x	1x	1x
N-Acetylcysteine	1 mM	1.25 mM	1 mM
nicotinamide	10 mM	10 mM	10 mM
Primocin	1x (100 mg/ml)	1x (100 mg/ml)	1x (100 mg/ml)

5) 응용 및 임상적용

(1) 위상피 오가노이드

정상 위상피를 체외에서 배양할 수 있게 됨으로써 위상피세포를 이용한 체외 *Helicobactor pylori* 감염모델을 구현할 수 있고, 이를 이용하여 *H. pylori*의 감염 시 전사체 발현의 차이 및 염증 관련 사이토카인 분비의 차이를 분석할 수 있다. 뿐만 아니라 정상 대장상피 오가노이드와 CRISPR/Cas9 기술을 이용한 발암기전 연구모델과 같이 위암발암기전 연구도 가능할 것으로 기대하고 있다. 이외에 장상피화생 기전 및 위상피재생 및 분화의 세포생물학적 이해를 연구하는 데 있어서도 오가노이드 배양기술이 유용한 연구방법으로 제시되고 있다.

(2) 종양 오가노이드

오가노이드 배양기술을 이용하면 매우 높은 성공률(>80%)로 환자유래 종양 오가노이드를 배양할 수 있다. 이렇게 수립된 종양오가노이드는 유전체 및 전사체 분석, 약물반응 검색 및 저항성 기전 연구 등에 적용할 수 있음이 보고되고 있다. 종양 오가노이드는 기존의 암세포주 및 환자유래 이종이식모델(patient-derived xenograft)에 비교하여 수립 성공률, 배양의 난이도, 비용, 속도, 암이질성에 대한 대표성, 조직학적 유사성 및 유전적 조작성 등에 있어서 다음 표 17-5와 같은 장단점이 존재한다.

2015년 Hans Clevers 그룹과 영국 Sagner 연구소의 Mathew Garnett 그룹이 20명의 환자로부터 22예의 대장암 오가노이드를 구축하여 이를 이용하여 유전체 분석 및 전사체 분석 그리고 85종의 약물 라이브러리에 대한 약물반응 검색이 가능함을 보고한 후, 간세포암 오가노이드, 췌장암 오가노이드, 위암 오가노이드, 유방암 오가노이드를 이용한 유전체 분석, 전사체 분석 및 약물 반응 검색에 대한 보고들이 이어지고 있다.

(3) 위암 오가노이드

위암 수술조직 또는 생검조직으로부터 암세포를 추출하여 Matrigel®에 재부유시키고 인간위상피 오가노이드 배지에서 배양하면 위암의 특징적인 Lauren 타입과 같은 조직학적 특징을 유지하는 암오가노이드를 배양할 수 있다(그림 17-11). 지금까지 위암 오가노이드 구축 및 이를 이용한 세포생물학적 분석 및 유전체 분석, 전사체 분석 및 약물반응 연구는 3편이 보고되었는데, Toshiro Sato 그룹은 67주의 환자유래 위암 오가노이드를 수립하고 이중 37주의 위암 오가노이드 유전체 및 전사체 분석을 수행하였다. 이들을 대상으로 니치인자 의존성을 분석하여 EGF/FGF 의존성, Wnt 의존성, RNF43 의존성에 따라 위암을 다시 분류하였다. 이 연구에서 흥미로운 발견은 *CDH1*와 *TP53*의 동시 돌연변이가 위암의 RNF43 비의존성, 즉 Wnt 신호 활성을 부여함을 보고하였고 이는 위암이 대장암과 비교하여 상대적으로 APC 유전자 돌연변이와 같은 Wnt 관련 유전자의 돌연변이 빈도가 낮음과 동시에 *CDH1* 돌연변이가 Wnt 신호 활성을 일으키는 기전으로 기존에 설명되어 왔던 β-catenin 격리(sequestration) 기능 상실 이외에 추가적인 다른 기능이 있음을 시사하는 소견이다. 홍콩대학의 Leung SY 그룹은 34명의 위암 환자로부터 정상상피, 위선종, 위암, 전이병변을 포함하는 63주의 오가노이드를 수립하여 유전체, 전사체 분석을 통해 잘 알려진 위암의 4가지 분자아형, 즉, EBV 양성, 현미부수체 불안정형, 유전체 안정형(genome stable), 염색체 불안정형(chromosomal instable) 군으로 분류하고 종양내 이질성(intra-tumoral heterogeneity) 유전체 분석을 통하여 암조직과 계대 초기 위암 오가노이드 그리고 계대 후기 위암 오가노이드 간의 종양내 이질적인 클론들의 구성이 변화할 수 있음을 즉, 종양 오가노이드 수립과 계대 진행에 따라 암세포클론이 진화 과정을 거칠 수 있음을 보고하였다.

6. 환자유래 이종이식모델

1) 정의

환자유래 이종이식(patient-derived xenograft, PDX) 또는 환자유래 암조직 이종이식(patient-derived tumor xenograft, PDTX)로 불리는 PDX 모델은 기존의 세포

표 17-5. **암세포주, 암오가노이드, 환자유래이종이식(PDX) 모델 간 비교**

특징	암세포주	암오가노이드	PDX 모델
배양 난이도	낮음	중간	높음
배양 비용	낮음	중간	높음
배양 속도	빠름	중간	느림
수립 성공률	낮음 (≒10%)	높음 (>80%)	중간 (≒20~60%)
조직학적 유사성	낮음	중간	높음
암 대표성	낮음	높음	중간
유전적 조작성	쉬움	쉬움	어려움
매칭 정상 조직 배양	불가능	가능	불가능
조직-간질 상호작용	불가능	불가능	가능
종양 면역반응	불가능	가능	불가능
약물 검색	대규모 검색 가능	대규모 검색 가능	소수 검색 가능

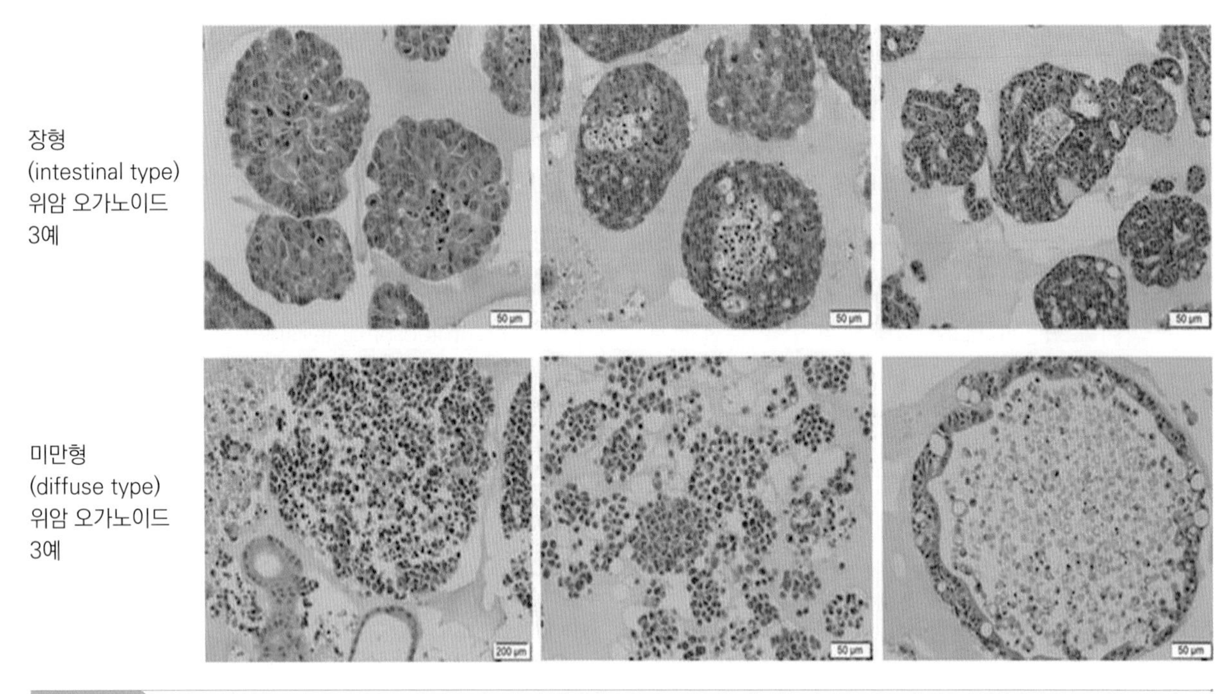

그림 17-11 Lauren 타입에 따른 위암오가노이드 HE 소견.

주유래 이종이식 동물모델(cell-line-derived xenograft model, CDX)과는 달리, 환자 종양 조직을 통째로 이식하게 되므로 환자 종양내 기질 및 미세환경을 그대로 유지할 수 있다. 따라서 이 모델은 환자 종양의 조직학적 형태, 유전자 발현, 유전체 변이 등 종양생물학적 측면과 약물 반응성 등 임상학적 측면에서 환자 종양의 특성을 그대로 반영한다. 이러한 특성으로 PDX 모델은 종양생물학 연구 모델로서 뿐만 아니라 새로운 약물 타겟 발굴 및 신약개발 과정에서 전임상 모델로 활용가치가 높다고 할 수 있다. 현재까지 PDX 모델은 위암과 대장암, 유방암, 췌장암, 간암, 폐암, 난소암, 흑색종 등 대부분의 고형암뿐만 아니라 만성림프구성 백혈병, 거대 B세포 림프종 등 혈액암까지 다양한 암 종에서 구축되고 있다.

2) 제작법

환자유래 이종이식모델 제작을 위해 진행성 위암 환자의 수술 또는 생검 시 확보한 종양 조직을 3~5 mm^3 크기의 조각으로 자른 후 4~6조각(총 부피 20~30 mm^3)을 면역결핍마우스에 피하이식(subcutaneous xenograft)하거나 동소이식(orthotopic xenograft) 한다(F1이라고 함). 이식 후 종양의 크기가 500~1,000 mm^3 크기로 성장하면 이 종양을 떼어내어 여러 마리의 다른 면역결핍마우스로 계대이식하며(F2), 같은 방식으로 계대를 지속하게 된다(F3, F4, F5~). 계대이식을 통해 확보된 여러 마리의 면역결핍마우스를 대상으로 항암제 약물 효능평가를 진행할 수 있다(그림 17-12). 환자 종양과 계대를 통해 획득한 PDX 종양은 면역조직학 분석, 차세대 염기서열분석(next generation sequencing, NGS)을 통한 유전체 분석, 바이오뱅크 저장 등을 위해 각각 -포르말린에 고정하여 파라핀 블록으로 제작하거나 -80℃ 보관 또는 동결보존용액을 사용하여 LN_2에 보관이 가능하다(그림 17-13). PDX 모델 구축을 위해서는 누드(athymic nude mouse), SCID (severe combined immunodeficiency), NOD-SCID (non-obese diabetic/severe combined immunodeficient), NOD/SCID/

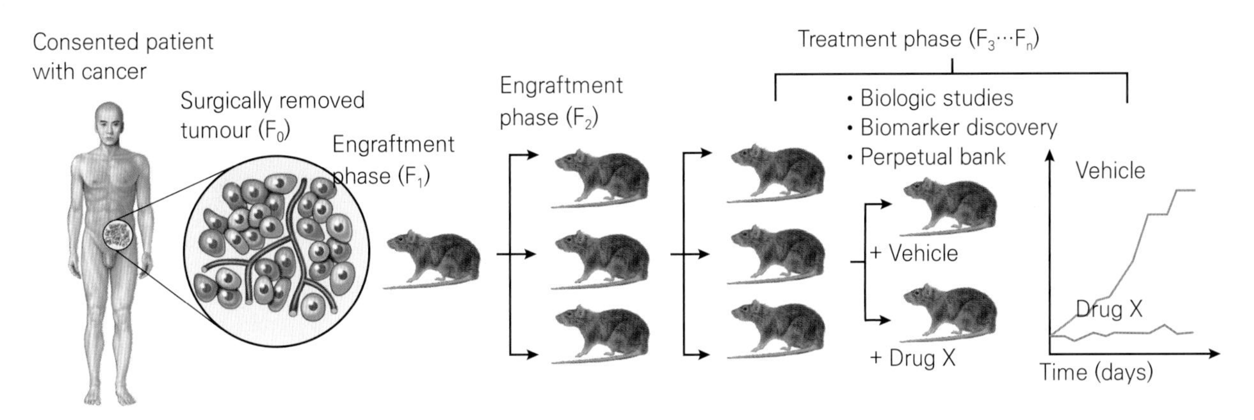

그림 17-12 **환자유래 이종이식 모델.**

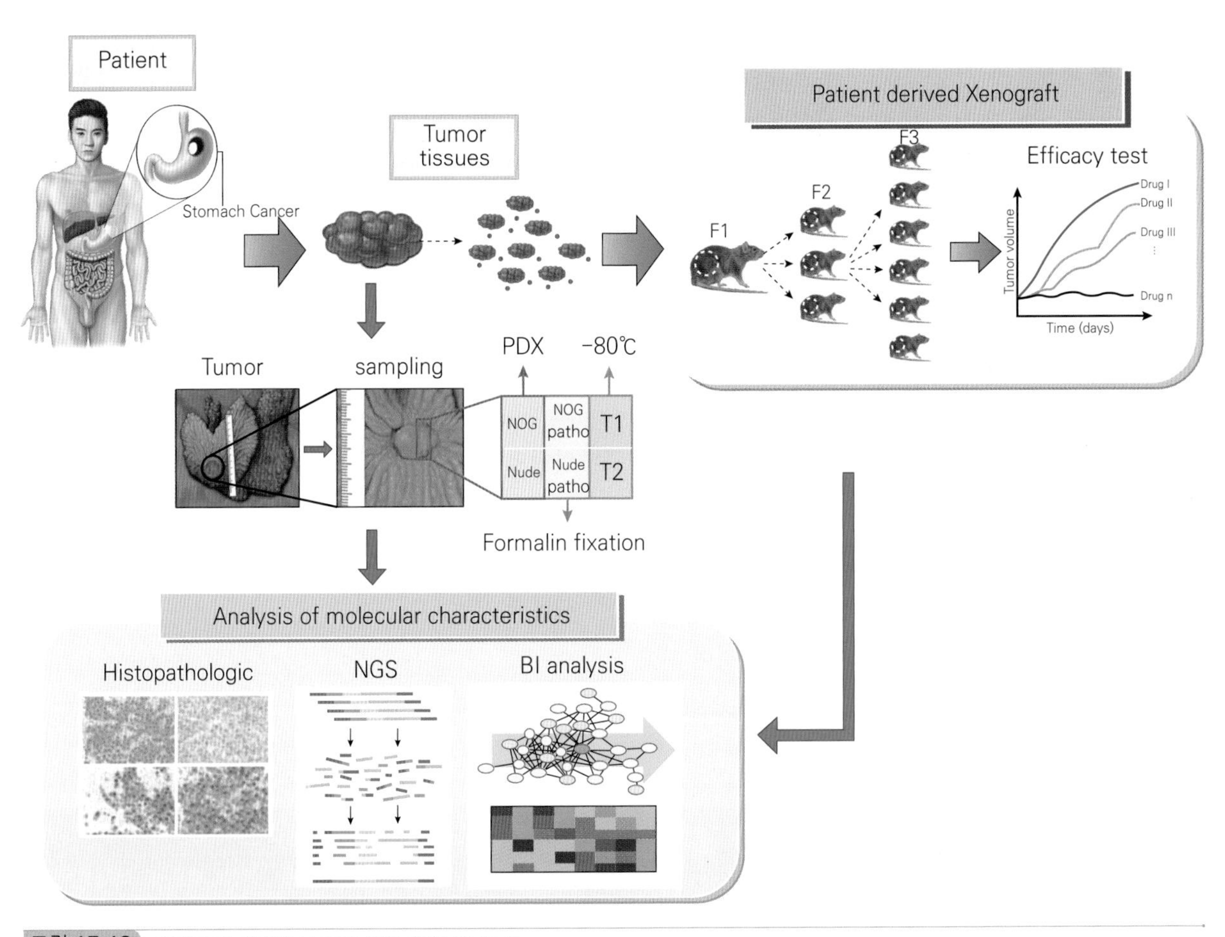

그림 17-13 **환자유래 이종이식 모델 구축 방법 및 분석.**

$IL2R\gamma_{null}$ (NOG, NSG mouse) 등 다양한 면역결핍마우스를 사용할 수 있다(표 17-6). 이 중 가장 최근 개발된 NOD/SCID/$IL2R\gamma_{null}$ (NOG, NSG mouse) 마우스는 다양한 조혈세포의 기능과 분화에 필수적인 IL-2 receptor gamma의 결핍으로 B림프구와 T림프구뿐만 아니라 NK세포 활성과 내재성 면역(innate immunity) 활성까지도 결핍되어 있다. 이는 인간의 암 조직을 이식했을 때 마우스에서 거부반응이 일어나지 않게 하여 이종 종양이식의 효율성을 증가시켜 주기 때문에 PDX 모델 구축에 가장 널리 사용되고 있다. 단, NSG와 NOG 마우스 사용 시 고도의 면역결핍으로 인하여 림프종이 형성될 수 있다. 이는 마우스에 이식된 환자의 종양 내 존재하던 EBV 감염 B림프구로 인한 B세포 림프종으로 위암, 대장암, 폐암, 간암 등의 PDX 구축 과정에서 림프종 형성에 대해 보고된 바 있다.

3) 역사 및 현황

환자 종양조직을 면역결핍 마우스에 이식하는 동물모델 수립은 1970~1980년대부터 보고되어 있으며, 환자 종양과 마우스 계대이식으로 획득된 종양에서 조직병리학적, 생화학적 특성이 유지됨을 보고하였다. 하지만 환자 종양의 생착률이 극히 낮았으며, 계대 이식을 통한 모델마우스 개체의 확장에 많은 시간이 소요되는 등 문제점이 제기되었고, 이 후 대부분의 종양학 연구는 세포주 또는 세포주유래 동물모델을 이용하여 진행되었다. 2006년 Johns Hopkins 대학의 Hidalgo M. 그룹에서 췌장암에서 생체 내 플랫폼으로서 PDX 모델을 활용한 중개연구결과를 보고하면서 다시 PDX 모델이 주목받기 시작하여 현재는 위암을 포함한 대부분의 고형암 및 혈액암에서 PDX 모델이 구축되고 있다. 특히 2013년 유럽 16개의 교육기관이 모여 EurOPDX를 출범함으로써 30개 암 종에서 1,500개 이상의 PDX 모델 구축과 이를 활용한 기초연구, 전임상연구, 중개연구, 임상종양학 분야의 연구 네트워크를 구축하였다. 이 외에도 미국 국가암연구소의 PDX 보유 사업인 "US National Cancer Institute (NCI) repository of patient-derived models", 혈액암과 림프종 PDX 모델을 대상으로 하는 "Public Repository of Xenografts (PRoXe)", 글로벌 제약회사인 노바티스에서 주도하는 "Novartis Institutes for Biomedical Research PDX Encyclopedia (NIBR PDXE)" 등의 주요 PDX 전략사업이 있다. 최근에는 여러 기업에서 위암뿐만 아니라 대장암, 폐암, 유방암, 췌장암, 난소암, 혈액암 등 다양한 암 종에서 PDX 뱅크 구축 및 판매가 이루어지고 있다. 국내 기업에서도 유방암, 췌장암, 폐암, 뇌종양 PDX 모델 뱅크 구축과 판매가 이루어지며, 이들 국내외 기업에서는 PDX 종양조직뿐만 아니라 해당 환자의 조직, 유전체 데이터와 임상정보 데이터베이스를 함께 보유하고 있어 연구에 활용이 가능하다.

표 17-6. **면역결핍마우스 계통 비교**

계통	돌연변이형	면역 표현형			
		T 세포	B 세포	NK 세포	내재성 면역
Nude athymic	$Prkdc^{scid}$	−	+	+	+
SCID	$Prkdc^{scid}$ Lyst	−	−	+	+
NOD-SCID	$Prkdc^{scid}$ NOD/Lt	−	−	±	±
NOD-SCID-gamma (NSG)	$Prkdc^{scid}$ NOD/Lt;I/2rg^{tmWjl}	−	−	−	−
NOD-truncated-gamma (NOG)	$Prkdc^{scid}$ NOD/Shi;IL2rg$^{-/-}$(truncated)	−	−	−	−

4) 중개연구 모델로서 장 · 단점

일반적으로 세포주유래 이종이식(cell-linederived xenograft, CDX)을 통한 생체내 동물모델은 높은 구축 성공률을 보이기 때문에 종양동물모델로 널리 활용되어 왔다. 하지만 CDX 모델은 환자 종양내 미세환경 및 기질 등은 유지하지 못한 채 종양세포만으로 이루어졌기 때문에 실제 환자에서의 임상반응을 그대로 반영한다고 보기 어렵다. 반면에 PDX 모델은 환자 종양내 미세환경을 유지한 채 이식되기 때문에 환자 종양과 조직병리학적 정보, 유전체학적 변이 정보 등을 그대로 반영하는 장점을 지닌다. 또한 CDX의 경우 세포주 수립과정 중 발생하는 선택압으로 인해 종양세포의 특성이 단일성을 나타낼 수 밖에 없는 한계를 가진다. 반면 PDX의 경우 환자 종양세포가 가지는 이질성까지도 그대로 반영할 수 있다. 이에 PDX 모델에서 나타나는 약물반응 정보는 실제 임상에서의 약물반응 예측이 가능하게 한다.

실제로 최근 92명의 고형암 환자에서 환자와 PDX의 약물 반응성이 87% 일치하는 것으로 보고되었다. 또한 대장암 PDX에서 EGFR 억제제(inhibitor) 치료반응성을 고형종양의 반응평가기준(response evaluation criteria in Solid tumors, RECIST)으로 확인한 결과 환자에서의 약물 반응성과 유사한 비율로 나타났으며, 비소세포성 폐암과 유방암 PDX에서도 환자와 동시임상시험(co-clinical trial)에서 약물 반응성이 동일한 것을 확인하였다. 한편 PDX 모델은 수술 및 생검조직을 빠른 시간 안에 처리하여 모델을 구축해야 하며, 노동집약적이고 구축 비용이 높을 뿐만 아니라 구축까지 수개월의 시간이 걸린다는 단점을 가진다(4~30주 소요). 또한 PDX 모델의 가장 큰 단점은 구축 성공률이 낮다는 것에 있다. 현재까지 위암 PDX 성공률은 20~34%, 대장암 52~91%, 유방암 4~86%, 췌장암 54~100%, 폐암 25~90%로 보고되었으며, 같은 암 종에서도 분자아형별로 성공률이 서로 다르게 나타나는 것으로 보고되고 있다(표 17-7).

표 17-7. **종양학 연구를 위한 전임상 동물모델의 특징 비교**

계통	PDX	CDX
구축 성공률	+	++/+++
구축 소요 시간	Long	Short
구축 비용	High	Low
임상반응과의 유사성	+++	-
종양의 유전학적 특성 유지	++	+/-
유전학적 조작	-	+++
종양-기질 상호작용	++	-
면역시스템과의 상호작용	-	-
약물스크리닝	+/-	+/-
바이오뱅크 구축	+++	-

(+++, 매우 적합; ++, 적합; +, 가능성 있음; +/-, 비교적 적합; - 적합하지 않음)

5) 환자유래 이종이식모델을 활용한 중개연구

환자유래 이종이식모델을 활용한 중개연구로는 ① 환자와 환자의 아바타 PDX 모델에서 동시임상시험(co-clinical trial)을 진행하여 환자에서의 약물 반응성을 예측하고, PDX 모델에서 새로운 치료요법 검색 진행, ② 환자 종양의 유전체 분석 결과를 기반으로 발굴된 최적의 치료타겟에 대해 PDX 모델을 이용하여 미리 검증한 후 환자에 실제 적용함으로써 맞춤형 정밀의료 실현, ③ 대량의 PDX 코호트에서 축적된 약물 반응성과 유전체 및 임상정보를 기반으로 약물 내성기작 확인 및 바이오마커 발굴 등이 가능하다. 실제로 편평세포성 폐암 환자와 그들의 PDX에서 FGFR 억제제 dovitinib에 대한 동시임상시험을 진행하여 약물 반응성이 서로 일치하는 것을 확인하였으며, 차세대 염기서열분석법을 통해 FGFR 신호전달 관련 유전자의 발현 변화가 약물 반응성을 예측할 수 있음을 증명하였다. 또한 대장암 PDX에서 EGFR 단일클론 항체 cetuximab (EGFR 신호전달억제제) 치료 후 반응성을 차세대 염기서열분석법과 비교한 결과를 바탕으로 KRAS에 변이가 없는 대장암에서 MET 또는 HER2 증폭에 의한 새로운 저항성 기작을 확인한 후 KRAS 변이가 없는 대장암 PDX 모델에서 HER2 또는 MET 신호전달억제제와 EGFR 억제제를 동시에 처리한 결과 종양 성장억제 효과를 보고하기도 하였다. 글로벌 제약회사인 노바티스에서는 위암, 식도암, 대장암 등을 포함하는 16종의 다양한 고형암 대상으로 1,000개 이상의 대량 PDX 코호트 구축하여 38개 약물에 대한 스크리닝을 진행하여 임상 결과 재현이 가능함을 확인하였으며, 유전체 변이 정보와 PDX 약물 반응성의 상관관계 및 약물 저항성 기작을 확인하였다.

6) 차세대 모델: 인간화 환자유래 이종이식모델

최근 면역치료제가 차세대 항암제로 부각되면서 이를 검증할 수 있는 전임상 모델의 필요성이 대두되고 있다. 하지만 현재의 PDX 모델은 면역세포 또는 면역체계가 결핍된 면역결핍마우스를 이용하여 제작되기 때문에 새로운 면역치료제 효능을 검증하기 위한 전임상 모델로 부적합하다. 인간화 환자유래 이종이식모델(humanized PDX)는 면역결핍마우스에 사람의 말초혈액 단핵세포(peripheral blood mononuclear cell, PBMC), 종양내침윤림프구(tumor infiltrating lymphocytes, TILs) 또는 골수나 제대혈로부터 분리된 CD34 양성 조혈모세포(CD34 positive hematopoietic Stem Cells, HSC) 등을 주입하여 인간의 면역체계를 유도한 후 환자 종양을 이식하여 제작한다(그림 17-14). 말초혈액 단핵세포 또는 종양내침윤림프구가 이식된 마우스는 2~5주 후 인간백혈구항원-제한적 T세포(human leukocyte antigen (HLA)-restricted T cell)나 NK세포를 만들며, 이러한 인간화 PDX 모델은 새로운 면역치료제에 대한 단기 효능평가나 부작용 테스트에 유용하다. 반면, CD34 양성 조혈모세포를 이식 받은 쥐는 10~12주 후 주조직적합복합체-제한적 T세포(major histocompatibility complex (MHC)−restricted T cell), B세포, 단핵구(monocyte), 대식세포(macrophage), 호중구(neutrophil), 수지상세포(dendritic cell) 등을 만들어낸다. 이 모델은 말초혈액 단핵세포나 종양내침윤림프구를 이식받은 모델에 비해 거의 완벽한 인간 면역시스템을 갖추게 된다. CD34 양성 조혈모세포를 이식받은 쥐에서 면역거부반응을 줄이기 위해서는 PDX 환자

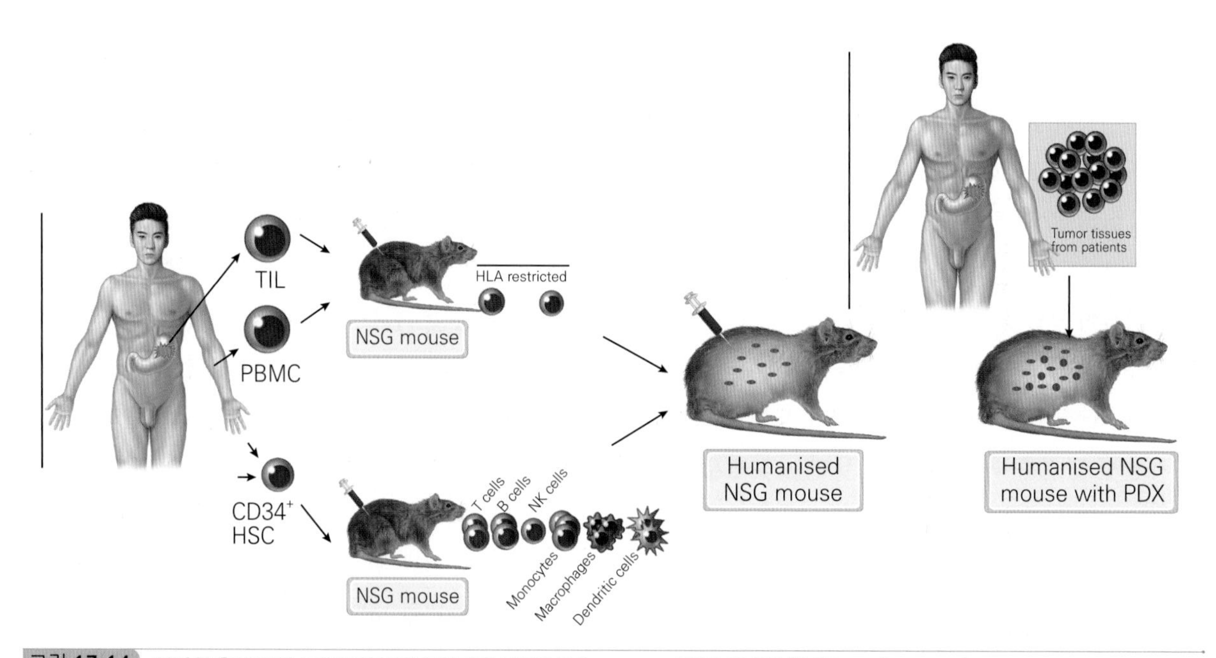

그림 17-14 인간화 환자유래 이종이식동물모델 제작 과정(NSG mouse, NOD/SCID/IL2Rγnull mouse).

의 조혈모세포를 이용하는 것이 가장 이상적이지만 현실적은 어려움과 제약이 있을 수 있다. 인간화 PDX 모델은 환자 종양의 미세환경 내에서 면역시스템에 의해 발생하는 다양한 종양의 특성을 연구하기 위한 면역-종양학 분야에서 활용 가능하며, 새로운 종양 면역치료제 개발을 위해서도 유용한 전임상모델이 될 것이다.

7) 전망

암의 분자적 특징을 이해하고 이에 따라 독립적인 치료를 목적으로 하는 정밀의학(precision medicine) 시대가 도래함에 따라 실제 임상에서의 항암약물 반응을 잘 예측할 수 있는 전임상 모델의 필요성이 대두되었다. 지금까지 수많은 연구성과에도 불구하고 기존의 세포주유래 동물모델을 이용한 약물 유효성 평가 결과는 실제 임상에서의 약물반응을 제대로 예측하기 어려웠기에 신약개발과정에 큰 어려움이 있었다. 이러한 한계를 극복하기 위한 대안으로 주목받고 있는 PDX 모델은 실제 환자 종양의 미세환경을 유지하면서 그 종양의 특성을 충실히 재현함으로써 환자에서의 약물치료반응성을 동일하게 반영하기에 효과적인 신약개발을 이끌 수 있는 최적의 환자 아바타모델로 평가받고 있다. 따라서, PDX 모델과 최근 개발된 생체외 환자유래 오가노이드(patient-derived organoid, PDO) 등의 환자유래 모델 시스템을 조합하여 활용하면 위암뿐만 아니라 많은 다양한 암 종에서 최적의 치료제 개발을 위한 중개연구에 중요한 역할을 할 수 있을 것이다.

참고문헌

1. 권태수. 차세대 염기서열 분석법과 질병관련 유전자 변이의 발굴. 질병관리본부.
2. 양효진, 최현정, 채희열, 강연호. 병원체 염기서열 생산을 위한 라이브러리 제작 기법 소개. 주간 건강과 질병·제10권 제44호.
3. 이수민. 최근 차세대염기서열분석(NGS) 기술 발전과 향후 연구 방향. Bric view 동향리포트 2014-T05.
4. Abyzov A, Urban AE, Snyder M, Gerstein M. CNVnator: an approach to discover, genotype, and characterize typical and atypical CNVs from family and population genome sequencing. Genome Res 2011;21:974-984.
5. Alkan C, Coe BP, Eichler EE. Genome structural variation discovery and genotyping. Nat Rev Genet 2011;12:363.
6. An introduction to Next-generation sequencing technology. Illumina. https://www.illumina.com/documents/products/illumina_sequencing_introduction.pdf
7. Bang Y-J, Van Cutsem E, Feyereislova A, et al. Trastuzumab in combination with chemotherapy versus chemotherapy alone for treatment of HER2-positive advanced gastric or gastro-oesophageal junction cancer (ToGA): a phase 3, open-label, randomised controlled trial. The Lancet 2010;376:687-697.
8. Bardelli A, Corso S, Bertotti A, Hobor S, Valtorta E, Siravegna G, et al. Amplification of the MET receptor drives resistance to anti-EGFR therapies in colorectal cancer. Cancer Discov 2013;3:658-673.
9. Barker N, Huch M, Kujala P, van de Wetering M, Snippert HJ, van Es JH, et al. Lgr5(+ve) stem cells drive self-renewal in the stomach and build long-lived gastric units in vitro. Cell Stem Cell 2010;6:25-36.
10. Barretina J, Caponigro G, Stransky N, et al. The cancer cell line encyclopedia enables predictive modelling of anticancer drug sensitivity. Nature 2012;483:603.
11. Bartfeld S, Bayram T, van de Wetering M, Huch M, Begthel H, Kujala P, et al. In vitro expansion of human gastric epithelial stem cells and their responses to bacterial infection. Gastroenterology 2015;148:126-136.
12. Basu A, Bodycombe Nicole E, Cheah Jaime H, et al.

An interactive resource to identify cancer genetic and lineage dependencies targeted by small molecules. Cell 2013;154:1151-1161.

13. Ben-David U, Siranosian B, Ha G, et al. Genetic and transcriptional evolution alters cancer cell line drug response. Nature 2018;560:325-330.
14. Bertotti A, Migliardi G, Galimi F, Sassi F, Torti D, Isella C, et al. A molecularly annotated platform of patient-derived xenografts ("xenopatients") identifies HER2 as an effective therapeutic target in cetuximab-resistant colorectal cancer. Cancer Discov 2011;1:508-523.
15. Broutier L, Mastrogiovanni G, Verstegen MM, Francies HE, Gavarro LM, Bradshaw CR, et al. Human primary liver cancer-derived organoid cultures for disease modeling and drug screening. Nat Med 2017;23: 1424-1435.
16. Byrne AT, Alferez DG, Amant F, Annibali D, Arribas J, Biankin AV, et al. Interrogating open issues in cancer precision medicine with patient-derived xenografts. Nat Rev Cancer 2017;17:254-268.
17. Chapuy B, Cheng H, Watahiki A, Ducar MD, Tan Y, Chen L, et al. Diffuse large B-cell lymphoma patient-derived xenograft models capture the molecular and biological heterogeneity of the disease. Blood 2016;127:2203-2213.
18. Cheong J H, Yang H K, Kim H, et al. Predictive test for chemotherapy response in resectable gastric cancer: a multi-cohort, retrospective analysis. The Lancet Oncology 2018;19:629-638.
19. Choi YY, Lee JE, Kim H, Sim MH, Kim KK, Lee G, et al. Establishment and characterisation of patient-derived xenografts as paraclinical models for gastric cancer. Sci Rep 2016;6:22172.
20. Cibulskis K, Lawrence MS, Carter SL, Sivachenko A, Jaffe D, Sougnez C, et al. Sensitive detection of somatic point mutations in impure and heterogeneous cancer samples. Nature Biotechnology 2013;31:213.
21. Clevers H. Modeling Development and Disease with Organoids. Cell 2016;165:1586-1597.
22. Mermel CH, et al. GISTIC2.0 facilitates sensitive and confident localization of the targets of focal somatic copy-number alteration in human cancers. Genome Biol 2011;12:1.
23. Cristescu R, Lee J, Nebozhyn M, et al. Molecular analysis of gastric cancer identifies subtypes associated with distinct clinical outcomes. Nat Med 2015;21:449.
24. Cunningham D, Humblet Y, Siena S, Khayat D, Bleiberg H, Santoro A, et al. Cetuximab monotherapy and cetuximab plus irinotecan in irinotecan-refractory metastatic colorectal cancer. N Engl J Med 2004;351:337-345.
25. Dangles-Marie V, Pocard M, Richon S, et al. Establishment of human colon cancer cell lines from fresh tumors versus xenografts: comparison of Success rate and cell line features. Cancer Res 2007;67:398-407.
26. Dobrynin YV. Establishment and characteristics of cell strains from some epithelial tumors of human origin. JNCI: J Natl Cancer Inst 1963;31:1173-1195.
27. Dong X, Guan J, English JC, Flint J, Yee J, Evans K, et al. Patient-derived first generation xenografts of non-small cell lung cancers: promising tools for predicting drug responses for personalized chemotherapy. Clin Cancer Res 2010;16:1442-1451.
28. Drost J, Clevers H. Organoids in cancer research. Nat Rev Cancer 2018;18:407-418.
29. FDA News & Events [Internet]. FDA; 2013 [Nov 19, 2013]. Available from: http://www.fda.gov/NewsEvents/Newsroom/PressAnnouncements/ucm375742.htm.
30. Fichtner I, Rolff J, Soong R, Hoffmann J, Hammer S, Sommer A, et al. Establishment of patient-derived non-small cell lung cancer xenografts as models for the identification of predictive biomarkers. Clin Cancer Res 2008;14:6456-6468.
31. Fiebig HH, Schuchhardt C, Henss H, Fiedler L, Lohr GW. Comparison of tumor response in nude mice and in the patients. Behring Inst Mitt 1984:343-352.

32. Forbes SA, Beare D, Gunasekaran P, et al. COSMIC: exploring the world's knowledge of somatic mutations in human cancer. Nucleic Acids Res 2015;43:805-811.
33. Fujii E, Kato A, Chen YJ, Matsubara K, Ohnishi Y, Suzuki M. Characterization of EBV-related lymphoproliferative lesions arising in donor lymphocytes of transplanted human tumor tissues in the NOG mouse. Exp Anim 2014;63:289-296.
34. Fusenig NE, Capes-Davis A, Bianchini F, et al. The need for a worldwide consensus for cell line authentication: experience implementing a mandatory requirement at the International Journal of Cancer. PLoS Biol 2017;15:2001438.
35. Gao H, Korn JM, Ferretti S, Monahan JE, Wang Y, Singh M, et al. High-throughput screening using patient-derived tumor xenografts to predict clinical trial drug response. Nat Med 2015;21:1318-1325.
36. Garnett MJ, Edelman EJ, Heidorn SJ, et al. Systematic identification of genomic markers of drug sensitivity in cancer cells. Nature 2012;483:570.
37. Gazdar AF, Gao B, Minna JD. Lung cancer cell lines: Useless artifacts or invaluable tools for medical science? Lung Cancer 2010;68:309-318.
38. Giard DJ, Aaronson SA, Todaro GJ, Arnstein P, Kersey JH, Dosik H, et al. In vitro cultivation of human tumors; establishment of cell lines derived from a series of solid tumors. JNCI: J Natl Cancer Inst 1973; 51:1417-1423.
39. Hidalgo M, Bruckheimer E, Rajeshkumar NV, Garrido-Laguna I, De Oliveira E, Rubio-Viqueira B, et al. A pilot clinical study of treatment guided by personalized tumorgrafts in patients with advanced cancer. Mol Cancer Ther 2011;10:1311-1316.
40. Hojo, H. Establishment of cultured cell lines of human stomach cancer origin and their morphological characteristics. Niigata Igakukai Zassi 1977;91:737-763.
41. Houghton JA, Taylor DM. Maintenance of biological and biochemical characteristics of human colorectal tumours during serial passage in immune-deprived mice. Br J Cancer 1978;37:199-212.
42. Huch M, Bonfanti P, Boj SF, Sato T, Loomans CJ, van de Wetering M, et al. Unlimited in vitro expansion of adult bi-potent pancreas progenitors through the Lgr5/R-spondin axis. EMBO J 2013;32:2708-2721.
43. Huch M, Dorrell C, Boj SF, van Es JH, Li VS, van de Wetering M, et al. In vitro expansion of single Lgr5+ liver stem cells induced by Wnt-driven regeneration. Nature 2013;494:247-250.
44. Hundal J, Carreno BM, Petti AA, Linette GP, Griffith OL, Mardis ER, et al. pVAC-Seq: A genome-guided in silico approach to identifying tumor neoantigens. Genome Med 2016;8:11.
45. Izumchenko E, Paz K, Ciznadija D, Sloma I, Katz A, Vasquez-Dunddel D, et al. Patient-derived xenografts effectively capture responses to oncology therapy in a heterogeneous cohort of patients with solid tumors. Ann Oncol 2017;28:2595-2605.
46. Jang BG, Lee BL, Kim WH. Distribution of LGR5+ cells and associated implications during the early stage of gastric tumorigenesis. PLoS One 2013;8:82390.
47. Jespersen H, Lindberg MF, Donia M, Soderberg EMV, Andersen R, Keller U, et al. Clinical responses to adoptive T-cell transfer can be modeled in an autologous immune-humanized mouse model. Nat Commun 2017;8:707.
48. Ju X, Shen R, Huang P, Zhai J, Qian X, Wang Q, et al. Predictive relevance of PD-L1 expression with pre-existing TILs in gastric cancer. Oncotarget 2017;8: 99372.
49. Julien S, Merino-Trigo A, Lacroix L, Pocard M, Goere D, Mariani P, et al. Characterization of a large panel of patient-derived tumor xenografts representing the clinical heterogeneity of human colorectal cancer. Clin Cancer Res 2012;18:5314-5328.
50. Jung P, Sato T, Merlos-Suarez A, Barriga FM, Iglesias M, Rossell D, et al. Isolation and in vitro expansion of human colonic stem cells. Nat Med 2011;17:1225-1227.

51. Karthaus WR, Iaquinta PJ, Drost J, Gracanin A, van Boxtel R, Wongvipat J, et al. Identification of multipotent luminal progenitor cells in human prostate organoid cultures. Cell 2014;159:163-175.
52. Kessler M, Hoffmann K, Brinkmann V, Thieck O, Jackisch S, Toelle B, et al. The Notch and Wnt pathways regulate stemness and differentiation in human fallopian tube organoids. Nat Commun 2015;6:8989.
53. Kim HJ, Kang SK, Kwon WS, et al. Forty-nine gastric cancer cell lines with integrative genomic profiling for development of c-MET inhibitor. Int J Cancer 2018; 143:151-159.
54. Kim HR, Kang HN, Shim HS, Kim EY, Kim J, Kim DJ, et al. Co-clinical trials demonstrate predictive biomarkers for dovitinib, an FGFR inhibitor, in lung squamous cell carcinoma. Ann Oncol 2017;28:1250-1259.
55. Kim S, Jeong K, Bhutani K, Lee JH, Patel A, Scott E, et al. Virmid: accurate detection of somatic mutations with sample impurity inference. Genome Biology 2013;14:90.
56. Kim S, Kim HS, Kim E, Lee MG, Shin EC, Paik S, et al. Neopepsee: accurate genome-level prediction of neoantigens by harnessing sequence and amino acid immunogenicity information. Ann Oncol 2018;29:1030-1036.
57. Kim S-W, Roh J, Park C-S. Immunohistochemistry for pathologists: protocols, pitfalls, and tips. J Pathol Transl Med 2016;50:411.
58. Kim SY, Kim HP, Kim YJ, et al. Trastuzumab inhibits the growth of human gastric cancer cell lines with HER2 amplification synergistically with cisplatin. Int J Oncol 2008;32:89-95.
59. Ku J-L, Park J-G. Biology of SNU Cell Lines. Cancer Res Treat 2005;37:1-19.
60. Lee J, BassAJ, Ajani JA. Gastric Adenocarcinoma: An Update on Genomics, Immune System Modulations, and Targeted Therapy. Am Soc Clin Oncol Educ Book. 2016;35:104-111.
61. Lee J, Kim H, Lee JE, et al. Selective cytotoxicity of the NAMPT Inhibitor FK866 toward gastric cancer cells with markers of the epithelial-mesenchymal transition, due to loss of NAPRT. Gastroenterology 2018; 155:799-814.
62. Lee JH, Bhang DH, Beede A, Huang TL, Stripp BR, Bloch KD, et al. Lung stem cell differentiation in mice directed by endothelial cells via a BMP4-NFATc1-thrombospondin-1 axis. Cell 2014;156:440-455.
63. Lee J-K, Liu Z, Sa JK, et al. Pharmacogenomic landscape of patient-derived tumor cells informs precision oncology therapy. Nature Genetics 2018;50:1399-1411.
64. Lei Z, Tan IB, Das K, et al. Identification of molecular subtypes of gastric cancer with different responses to PI3-kinase inhibitors and 5-fluorouracil. Gastroenterology 2013;145:554-565.
65. Li Heng et al. The sequence alignment/map format and SAMtools. Bioinformatics 2009;25:2078-2079.
66. Liu J, McCleland M, Stawiski EW, et al. Integrated exome and transcriptome sequencing reveals ZAK isoform usage in gastric cancer. Nature Communications 2014;5:3830.
67. Liu X, Ory V, Chapman S, et al. ROCK inhibitor and feeder cells induce the conditional reprogramming of epithelial cells. Am J Pathol 2012;180:599-607.
68. Matano M, Date S, Shimokawa M, Takano A, Fujii M, Ohta Y, et al. Modeling colorectal cancer using CRISPR-Cas9-mediated engineering of human intestinal organoids. Nat Med 2015;21:256-262.
69. McMillan EA, Ryu M-J, Diep CH, et al. Chemistry-first approach for nomination of personalized treatment in lung cancer. Cell 2018;173:864-878.
70. Nanki K, Toshimitsu K, Takano A, Fujii M, Shimokawa M, Ohta Y, et al. Divergent routes toward wnt and r-spondin niche independency during human gastric carcinogenesis. Cell 2018;174:856-869.
71. Oie HK, Russell EK, Carney DN, Gazdar AF. Cell culture methods for the establishment of the NCI se-

ries of lung cancer cell lines. J Cell Biochem Suppl 1996;63:24-31.
72. Park J-G, Frucht H, LaRocca RV, et al. Characteristics of cell lines established from human gastric carcinoma. Cancer Res 1990;50:2773-2780.
73. Pauli C, Hopkins BD, Prandi D, Shaw R, Fedrizzi T, Sboner A, et al. Personalized in vitro and in vivo cancer models to guide precision medicine. Cancer Discov 2017;7:462-477.
74. Remark R, Merghoub T, Grabe N, Litjens G, Damotte D, Wolchok JD, et al. In-depth tissue profiling using multiplexed immunohistochemical consecutive staining on single slide. Sci Immunol 2016;1:6925.
75. Rubio-Viqueira B, Jimeno A, Cusatis G, Zhang X, Iacobuzio-Donahue C, Karikari C, et al. An in vivo platform for translational drug development in pancreatic cancer. Clin Cancer Res 2006;12:4652-4661.
76. Sachs N, de Ligt J, Kopper O, Gogola E, Bounova G, Weeber F, et al. A living biobank of breast cancer organoids captures disease heterogeneity. Cell 2018;172:373-386.
77. Saez A, Andreu F, Segui M, Bare M, Fernandez S, Dinares C, et al. HER-2 gene amplification by chromogenic in situ hybridisation (CISH) compared with fluorescence in situ hybridisation (FISH) in breast cancer-A study of two hundred cases. The breast 2006; 15:519-527.
78. Salipante SJ, Scroggins SM, Hampel HL, Turner EH, Pritchard CC. Microsatellite instability detection by next generation sequencing. Clin Chem 2014;60:1192-1199.
79. Sato T, Vries RG, Snippert HJ, et al. Single Lgr5 stem cells build crypt-villus structures in vitro without a mesenchymal niche. Nature 2009;459:262.
80. Sato T, Vries RG, Snippert HJ, van de Wetering M, Barker N, Stange DE, et al. Single Lgr5 stem cells build crypt-villus structures in vitro without a mesenchymal niche. Nature 2009;459:262-265.
81. Scherer WF, Syverton JT, Gey GO. Studies on the propagation in vitro of poliomyelitis viruses. J Exp Med 1953;97:695-710.
82. Seidlitz T, Merker SR, Rothe A, Zakrzewski F, von Neubeck C, Grutzmann K, et al. Human gastric cancer modelling using organoids. Gut 2019;68:207-217.
83. Seino T, Kawasaki S, Shimokawa M, Tamagawa H, Toshimitsu K, Fujii M, et al. Human pancreatic tumor organoids reveal loss of stem cell niche factor dependence during disease progression. Cell Stem Cell 2018;22:454-467.
84. Shao D et al. A targeted next-generation sequencing method for identifying clinically relevant mutation profiles in lung adenocarcinoma. Sci Rep 2016;6: 22338.
85. Sharma SV, Haber DA, Settleman J. Cell line-based platforms to evaluate the therapeutic efficacy of candidate anticancer agents. Nat Rev Cancer 2010;10:241.
86. Shia J, Klimstra DS, Li AR, Qin J, Saltz L, Teruya-Feldstein J, et al. Epidermal growth factor receptor expression and gene amplification in colorectal carcinoma: an immunohistochemical and chromogenic in situ hybridization study. Mod Pathol 2005;18:1350.
87. Shoemaker RH. The NCI60 human tumour cell line anticancer drug screen. Nat Rev Cancer 2006;6:813.
88. Shorthouse AJ, Smyth JF, Steel GG, Ellison M, Mills J, Peckham MJ. The human tumour xenograft--a valid model in experimental chemotherapy? Br J Surg 1980;67:715-722.
89. Stange DE, Koo BK, Huch M, Sibbel G, Basak O, Lyubimova A, et al. Differentiated Troy+ chief cells act as reserve stem cells to generate all lineages of the stomach epithelium. Cell 2013;155:357-368.
90. Steven R. Head, et al. Library construction for next-generation sequencing: overviews and challenges. Biotechniques 2014;56:61-77.
91. Stewart EL, Mascaux C, Pham NA, Sakashita S, Sykes J, Kim L, et al. Clinical utility of patient-derived xenografts to determine biomarkers of prognosis and map resistance pathways in EGFR-Mutant Lung Ad-

enocarcinoma. J Clin Oncol 2015;33:2472-2480.

92. Tanner M, Gancberg D, Di Leo A, Larsimont D, Rouas G, Piccart MJ, et al. Chromogenic in situ hybridization: a practical alternative for fluorescence in situ hybridization to detect HER-2/neu oncogene amplification in archival breast cancer samples. The American journal of pathology 2000;157:1467-1472.
93. Tentler JJ, Tan AC, Weekes CD, Jimeno A, Leong S, Pitts TM, et al. Patient-derived tumour xenografts as models for oncology drug development. Nat Rev Clin Oncol 2012;9:338-350.
94. The Cancer Genome Atlas Research N, Bass AJ, Thorsson V, Shmulevich I, Reynolds SM, Miller M, et al. Comprehensive molecular characterization of gastric adenocarcinoma. Nature 2014;513:202.
95. Tiriac H, Belleau P, Engle DD, Plenker D, Deschenes A, Somerville TDD, et al. Organoid profiling identifies common responders to chemotherapy in pancreatic cancer. Cancer Discov 2018;8:1112-1129.
96. urco MY, Gardner L, Hughes J, Cindrova-Davies T, Gomez MJ, Farrell L, et al. Long-term, hormone-responsive organoid cultures of human endometrium in a chemically defined medium. Nat Cell Biol 2017;19: 568-577.
97. Vanhoefer U, Harstrick A, Wilke H, et al. Schedule-dependent antagonism of paclitaxel and cisplatin in human gastric and ovarian carcinoma cell lines in vitro. Eur J Cancer 1995;31:92-97.
98. Wang F, Flanagan J, Su N, Wang L-C, Bui S, Nielson A, et al. RNAscope: a novel in situ RNA analysis platform for formalin-fixed, paraffin-embedded tissues. The Journal of Molecular Diagnostics. 2012;14:22-29.
99. Wang H, Lu J, Tang J, Chen S, He K, Jiang X, et al. Establishment of patient-derived gastric cancer xenografts: a useful tool for preclinical evaluation of targeted therapies involving alterations in HER-2, MET and FGFR2 signaling pathways. BMC Cancer 2017;17:191.
100. Wang M, Yao LC, Cheng M, Cai D, Martinek J, Pan CX, et al. Humanized mice in studying efficacy and mechanisms of PD-1-targeted cancer immunotherapy. Faseb j 2018;32:1537-1549.
101. Wolff E. Organotypic cultures of long duration of 2 human tumors of the digestive tract. European Journal of Cancer (1965) 1966;2:1-8.
102. Xuan J, Yu Y, Qing T, Guo L, Shi L. Next-generation sequencing in the clinic: Promises and challenges. Cancer Letters 2013;340:284-295.
103. Yan HHN, Siu HC, Law S, Ho SL, Yue SSK, Tsui WY, et al. A comprehensive human gastric cancer organoid biobank captures tumor subtype heterogeneity and enables therapeutic screening. Cell Stem Cell 2018;23:882-897.
104. Yang IS, Kim S. Analysis of whole transcriptome sequencing data: workflow and software. Genomics Inform 2015;13:119-125.
105. Chuan-Ming Yeh, Zhong-Jian Liu, Wen-Chieh Tsai. Advanced Applications of Next-Generation Sequencing Technologies to Orchid Biology. In: Vijai Bhadauria ed. Next-generation sequencing and bioinformatics for plant science. Caister Academic Press, 2017:51-70.
106. Ying L, Yan F, Meng Q, Yuan X, Yu L, Williams BR, et al. Understanding immune phenotypes in human gastric disease tissues by multiplexed immunohistochemistry. Journal of translational medicine 2017;15: 206.
107. Yu Y, Zeng Y-X, Zhou A-P, Ma X, Zhang Y, Shen Z, et al. Effects of neoadjuvant chemotherapy on immune microenvironment and clinical outcomes in locally advanced gastric cancer. American Society of Clinical Oncology, 2018.
108. Zhang L, Liu Y, Wang X, Tang Z, Li S, Hu Y, et al. The extent of inflammatory infiltration in primary cancer tissues is associated with lymphomagenesis in immunodeficient mice. Sci Rep 2015;5:9447.
109. Zhang X, Claerhout S, Prat A, Dobrolecki LE, Petrovic I, Lai Q, et al. A renewable tissue resource of phenotypically stable, biologically and ethnically diverse,

patient-derived human breast cancer xenograft models. Cancer Res 2013;73:4885-4897.

110. Zhao J, Wu R, Au A, Marquez A, Yu Y, Shi Z. Determination of HER2 gene amplification by chromogenic in situ hybridization (CISH) in archival breast carcinoma. Modern pathol 2002;15:657.

111. Zheng C, Sun Y-h, Ye X-l, et al. Establishment and characterization of primary lung cancer cell lines from Chinese population. Acta Pharmacologica Sinica 2011;32:385.

112. Zhou J, Li C, Sachs N, Chiu MC, Wong BH, Chu H, et al. Differentiated human airway organoids to assess infectivity of emerging influenza virus. Proc Natl Acad Sci U S A 2018;115:6822-6827.

113. Zhu Y, Tian T, Li Z, Tang Z, Wang L, Wu J, et al. Establishment and characterization of patient-derived tumor xenograft using gastroscopic biopsies in gastric cancer. Sci Rep 2015;5:8542.

PART 04

위선암의 진단, 병리 및 병기

THE KOREAN GASTRIC CANCER ASSOCIATION

CHAPTER 18

위암의 임상소견

위암의 임상소견은 원발병소의 상태와 전이의 유무에 따라 달라질 수 있다. 초기에는 대부분 무증상이거나 비특이적 복부증상을 가지지만, 병변이 진행되면서 종양의 위치와 크기, 궤양의 상태 등과 같은 국소적 요인들에 의해 증상이 유발되기도 한다. 위암의 혈행성 전이(hematogenous metastasis) 혹은 원격림프절 전이(distant lymph node metastasis)는 그 상황에 따라 각기 다른 임상소견을 나타낼 수 있으며, 이러한 경우는 위암이 진행된 상태이기 때문에 환자의 예후가 좋지 않다. 간혹 암세포에서 분비되는 사이토카인(cytokine)이나 호르몬(hormone)에 의한 전신반응이 관찰될 수도 있다.

1. 위암의 증상

위암의 진행 초기에는 무증상이 대부분이며, 증상이 있더라도 가볍거나 비특이적 복부증상인 경우가 많다. 초기의 증상은 소화불량(dyspepsia), 상복부 불편감(epigastric discomfort) 혹은 상복부 통증(epigastric pain) 등이지만, 위염과 소화성궤양 등의 양성 위장질환에서 나타나는 일반적인 증상과 혼동될 수 있다. 대부분의 환자는 이러한 증상을 무시하거나 가벼운 양성 질환으로 생각하여 소화성궤양 혹은 위염 치료에 일단 의존하는 경우가 많다. 위암 초기의 비특이적이며 모호한 증상은 조기진단을 늦추는 중요한 요인이므로, 가능한 한 조기에 위암을 진단하기 위해서는 증상에 관계없이 정기적인 위암검진을 시행하는 것이 유일한 방법이다.

우리나라에서는 국가암조기검진사업을 통해 정기적인 위내시경이 가능하므로 조기위암에 대한 진단율이 매우 높다. 물론 이들 중 대다수는 무증상이거나 비특이적인 임상소견을 나타낸다. 위암이 진행하는 과정에서 상복부 동통을 동반한 소화불량, 식욕부진(anorexia), 체중감소, 구토(vomiting), 흑색변(melena), 토혈(hematemesis), 연하곤란(dysphagia) 등의 소견이 나타날 수 있다. 상복부 동통은 가장 흔한 증상이며 간헐적으로 경미하게 나타나기 시작하여 위암의 진행과 함께 지속시간이나 강도가 심해지는 경향을 보인다. 위암으로 인한 통증은 음식물이나 제산제를 먹어도 호전되지 않는 경향이 있으나 동반된 위염에 의한 증상발현이 있는 경우라면 제산제 사용으로 증상이 호전되는 것으로 느껴질 수도 있다. 병의 진행 여부와 관계없이 통증을 호소하지 않는 진행성 위암 환자들도 적지 않은 수가 관찰된다.

위암이 분문부(cardia)에 위치하여 커지게 되면 환자는 주로 연하곤란을 호소하게 된다. 처음에는 고형식(solid food) 후에 증상을 보이기 시작하여 폐쇄 정도가 심해지면서 유동식(liquid food)에 대해서도 증상을 보인다. 식사 직후 구토 등의 증상이 동반되기도 한다. 이 경우에는 빠른 체중감소를 동반할 수 있으며 식도암을 감별해야 할 필요가 있다. 유문부(pylorus)에 위치하는 위암은 종괴가 커지면서 위출구폐쇄를 유발하므로 위내에 음식물이 저류되어 상복부 팽만감(bloating) 및 중압감(heavyness), 반복적인 구토 등의 원인이 된다. 이러한 증상이 처음 나타날 때에는 소화성궤양의 임상소견과 유사하여 구분이 잘 되지 않을 수도 있다. 위의 체부에 암이 위치하면 어느 시점까지 위의 기능장애는 크게 영향을 받지 않으므로 뚜렷한 임상소견은 관찰되지 않는다. 증상이 있더라도 식욕부진, 상복부 통증과 같은 비특이적인 복부증상을 보이는 경우가 많다.

위암의 궤양조직에서 발생하는 출혈은 대변의 잠혈반응 양성소견 혹은 철결핍성 빈혈을 흔히 유발하므로 진단의 단서가 될 수 있다. 급작스런 다량의 출혈로 흑색변, 토혈 등과 같은 소견도 나타날 수 있으나 흔하지는 않다. 드물게 체부의 진행성 위암이 천공되어 응급수술을 통해 진단을 하게 되는 경우도 있다. 조기위암에서도 동반된 염증반응에 의해 출혈이나 천공이 유발되는 경우도 있으나 극히 제한적이다. 체부의 암이 보만 4형(Borrmann type IV)의 형태로 증식하게 되면 조기포만감(early satiety) 소견을 보이기도 한다.

체중감소는 위암의 분문부 혹은 유문부의 폐쇄에 의한 음식물 섭취감소, 조기포만감, 만성적인 출혈로 인한 영양소실, 암세포에서 분비되는 사이토카인이나 호르몬으로 인한 식욕부진 등의 원인으로 생길 수 있다. 악액질(cachexia)과 같은 아주 심한 소견으로 나타날 수도 있다.

지속적인 소화불량, 체중감소, 식욕저하, 연하곤란, 빈혈, 토혈 혹은 흑색변, 반복되는 구토와 같은 증상은 위암을 의심할 수 있는 증상이라 하여 경계증상(alarm symptom)이라고 정의하고 이러한 증상이 있을 때는 가능한 한 빠른 시일 내에 신속한 위내시경검사를 권한다. 이러한 경계증상의 유무나 기간에 따라 예후에 차이가 있다고 하는 보고도 있다.

2. 위암의 징후

위암의 진행 초기에 나타나는 징후는 매우 드물다. 위암이 진행되면서 상복부 종괴가 만져지거나, 천공, 상부위장관출혈이 일어날 수 있다. 위암의 출혈은 궤양의 표층에서 조금씩 출혈하여 잠혈반응 양성이나 만성적인 철결핍성 빈혈의 형태로 관찰되는 경우가 흔하고, 토혈 및 혈변을 일으킬 정도의 다량 출혈은 드물다. 만성빈혈에 의해 혈색소치가 매우 낮아지게 되면, 환자는 지속적인 피로감(fatigue), 호흡곤란(dyspnea), 빈맥(tachycardia) 등을 주소로 의료기관을 방문하기도 한다. 천공 혹은 출혈로 인하여 응급수술을 시행하는 경우도 있다. 위암에 대한 응급수술은 정규수술에 비해 높은 사망률과 이환율을 보이고 근치적 절제율도 떨어진다. 위암의 주병변이 커지면서 간, 비장, 췌장, 대장 등의 주변 장기로 직접 침윤할 수 있는데, 이와 관련하여 황달, 비장비대, 고정된 상복부 종괴의 촉지, 대장폐쇄(colon obstruction), 위결장루(gastrocolic fistula) 등이 발생할 수 있다. 위결장루가 형성되면 토변(feculent emesis)과 소화되지 않은 음식물이 식후 바로 배변되는 소견을 보일 수도 있다.

위암의 전이는 다양한 경로를 통해 이루어진다. 혈행성 전이를 통해 간전이가 진행되면 간비대가 나타날 수 있고 경우에 따라 복수의 원인이 될 수도 있다. 복막전이가 직장선반에서 형성되면 직장수지검사에서 전벽(anterior wall)에 딱딱한 결절성 종괴(nodular mass)를 만질 수 있는데 이를 Blumer's rectal shelf라고 부르기도 한다. 위암은 난소(ovary)로 전이되어 난소전이암(Krukenberg's tumor of the ovary)을 일으키는 주원인이다. 크기가 작을 때는 대부분 증상이 없지만 종양이 커지면서 복부동통이나 하복부 종괴를 호소할 수 있다. 영상검사에서 우연히 발견되는 경우가 간혹 있다. 전이가 난소에 국한된 경우 난소전이암의 제거는 다른 원격전이에 비해 양호한 임상결과를 보이기도 한다.

복막 전반에 걸쳐 복막전이가 진행되면 악성 복수와 소장 혹은 대장의 장폐색을 유발하기도 한다. 드물게 악성흉막삼출액(malignant pleural effusion)을 보일 수도 있다. 위암의 원격림프절 전이는 전이된 림프절의 위치에 따라 몇 가지 특징적인 소견을 보인다. 제대주위 림프절(periumbilical lymph node)로 전이되는 경우 딱딱하고 불규칙한 모양과 궤양을 보일 수 있으며, 메리조셉수녀가 처음 발견한 결절이라고 알려져 Sister Mary Joseph nodule로 부르기도 한다. 위치 때문에 제대탈장으로 오진할 수도 있다. 좌쇄골상림프절(left supraclavicular lymph node)은 Virchow's node라고 부르기도 하는데 흉관(thoracic duct)과 좌쇄골하정맥(left subclavian vein)이 만나는 부위에 있기 때문에 위암을 포함한 여러 장기의 암이 전이될 수 있다. 좌측 쇄골상와(left supraclavicular fossa)에서 만져진다. 그 외에도 드물게 좌측 액와림프절(axillary lymph node) 혹은 좌측 경부림프절(cervical lymph node)로의 전이도 관찰할 수 있다.

3. 위암에서 드물게 나타나는 증상

위암에서 종양연관증후군(paraneoplastic syndrome)과 연관된 증상 및 징후들이 드물게 관찰된다. 종양연관증후군은 종양에 대한 면역반응(immune response)의 결과로서 나타나거나 암세포에서 분비하는 사이토카인과 호르몬에 의해 일어나는 신체반응 현상을 말한다. 트루소증후군(Trousseau's syndrome)은 혈액 내에서 발현되는 과응고성(hypercoagubility)에 의해 재발성 이동혈전정맥염(recurrent migratory thrombophlebitis)을 보이는 것인데, 위암, 폐암, 췌장암 등에서 보고된다. 흑색가시세포증(acanthosis nigricans)은 얼굴, 목, 액와부, 서혜부 등의 피부주름부위(skin fold)에서 벨벳 같은 피부소견을 보이는 과다색소침착(velvety hyperpigmentation)이 나타나는 현상이며 위암, 폐암, 악성림프종, 비뇨생식기계의 암종에서 관찰된다. 그 외 말초신경병증(peripheral neuropathy), 파종혈관내응고(disseminated intravascular coagulation), 신증후군(nephrotic syndrome), 자가면역반응(autoimmune response)으로 발생하는 피부근육염(dermatomyositis) 등이 위암 관련 종양연관증후군으로 드물게 보고된다.

참고문헌

1. Antoine JC, Mosnier JF, Absi L, Convers P, Honnorat J, Michel D. Carcinoma associated paraneoplastic peripheral neuropathies in patients with and without anti-onconeural antibodies. J Neurol Neurosurg Psychiatry 1999;67:7-14.
2. Baumgart DC, Fischer A. Virchow's node. Lancet 2007;370:1568.
3. Bowrey DJ, Griffin SM, Wayman J, Karat D, Hayes N, Raimes SA. Use of alarm symptoms to select dyspeptics for endoscopy causes patients with curable esophagogastric cancer to be overlooked. Surg Endosc 2006;20:1725-1728.
4. Callander N, Rapaport SI. Trousseau's syndrome. West J Med 1993;158:364-371.
5. Choi IJ. Gastric cancer screening and diagnosis. Korean J Gastroenterol 2009;54:67-76.
6. Darnell R, Posner JB. Paraneoplastic syndromes [Internet]. Oxford: Oxford University Press; 2011 [cited 2011]. Available from: http://site.ebrary.com/id/10520365.
7. Dourmishev LA, Draganov PV. Paraneoplastic dermatological manifestation of gastrointestinal malignancies. World J Gastroenterol 2009;15:4372-4379.
8. Eisen GM, Dominitz JA, Faigel DO, Goldstein JA, Kalloo AN, Petersen BT, et al. The role of endoscopy in dyspepsia. Gastrointest Endosc 2001;54:815-817.
9. Hejna M, Woll E, Tschandl P, Raderer M. Cutaneous paraneoplastic disorders in stomach cancer: collaboration between oncologically active dermatologists and clinical oncologists. Crit Rev Oncol Hematol 2016;103:78-85.
10. Jun SY, Park JK. Metachronous ovarian metastases following resection of the primary gastric cancer. J Gastric Cancer 2011;11:31-37.
11. Kim GD, Kim HJ, Shin HJ, Joo JS, Kim JS, Moon HS, et al. Nephrotic syndrome related to early gastric cancer. The Korean Journal of Helicobacter and Upper Gastrointestinal Research 2015;15:249.
12. Kim YI, Choi IJ. Endoscopic management of tumor bleeding from inoperable gastric cancer. Clin Endosc 2015;48:121-127.
13. Kong SH, Park DJ, Lee HJ, Jung HC, Lee KU, Choe KJ, et al. Clinicopathologic features of asymptomatic gastric adenocarcinoma patients in Korea. Jpn J Clin Oncol 2004;34:1-7.
14. Lambert R, Guilloux A, Oshima A, Pompe-Kirn V, Bray F, Parkin M, et al. Incidence and mortality from stomach cancer in Japan, Slovenia and the USA. Int J Cancer 2002;97:811-818.
15. Lee DS, Yoo SJ, Oh HS, Kim EJ, Oh KH, Lee SJ, et al. Advanced gastric cancer associated with disseminated intravascular coagulation successfully treated with 5-fluorouracil and oxaliplatin. J Gastric Cancer 2013;13:121-125.
16. Lee HJ, Park DJ, Yang HK, Lee KU, Choe KJ. Outcome after emergency surgery in gastric cancer patients with free perforation or severe bleeding. Dig Surg 2006;23:217-223.
17. Maconi G, Kurihara H, Panizzo V, Russo A, Cristaldi M, Marrelli D, et al. Gastric cancer in young patients with no alarm symptoms: focus on delay in diagnosis, stage of neoplasm and survival. Scand J Gastroenterol 2003;38:1249-1255.
18. Rigel DS, Jacobs MI. Malignant acanthosis nigricans: a review. J Dermatol Surg Oncol 1980;6:923-927.
19. Rodríguez Páez LR, Yurgaky S J, Otero Regino W, Faizal M. A review of paraneoplastic syndromes in gastrointestinal tumors. Rev Colomb Gastroenterol 2017;32:226-240.
20. Stephens MR, Lewis WG, White S, Blackshaw GR, Edwards P, Barry JD, et al. Prognostic significance of alarm symptoms in patients with gastric cancer. Br J Surg 2005;92:840-846.

CHAPTER 19

위암의 내시경 진단

우리나라는 2012년 세계보건기구에서 발표한 위암 발생률 세계 순위에서 인구 10만 명당 41.8명의 위암 환자가 발생하여 1위를 차지하였고, 2013년 보건복지부에서 발표한 국가암등록통계에 따르면 주요 암종 발생분율에서도 위암(13.4%)은 갑상선암(18.9%)에 이어 두 번째로 많은 암종으로 보고되었다. 이렇듯, 우리나라는 여전히 위암이 가장 호발하는 국가 중 하나로 내시경 검사를 통한 위암의 조기발견이 특별히 중요한 의미를 지니며, 전 세계에서 유일하게 전 국민을 대상으로 위암의 조기발견을 위하여 국가검진사업에서 40~74세의 성인을 대상으로 2년마다 상부위장관내시경검사를 시행하고 있다. 최근에는 내시경 기기의 발달과 더불어 진단 정확도를 높이고 점막의 형태를 보다 세밀하게 관찰하기 위하여 가상색소내시경(virtual chromoendoscopy), 확대내시경(magnifying endoscopy), 협대역 영상(narrow band imaging) 등을 이용하기도 하며, 내시경초음파(endoscopic ultrasonography) 검사로 위암의 심달도(depth of invasion)를 예측하여 적절한 치료방침을 정하는 데 이용하기도 한다. 이 장에서는 내시경 검사로 구별할 수 있는 양성 궤양 및 악성 궤양의 특징, 조기위암 및 진행성 위암의 내시경 및 내시경초음파의 특징적인 소견을 중심적으로 알아보고자 한다.

1. 위암의 내시경 소견

1) 양성 궤양 및 악성 궤양

위점막의 결손이 점막근층을 지나 점막하층이나 고유근층까지 도달한 경우를 궤양으로 정의한다. 양성 위궤양의 가장자리는 평활하고 완만하여 그다지 높지 않다. 궤양의 바닥은 백태가 균일하고 깨끗하며 평탄하지만, 궤양이 큰 경우에는 불규칙할 수 있다. 궤양 병변은 주위점막과 명확하게 경계된다. 점막 주름의 집중 현상이 일부의 활동기 궤양과 치유기 및 반흔기 궤양에서 볼 수 있는데, 대부분 궤양의 바닥까지 주름이 나타나며 주름의 모양은 궤양의 경계부까지 부드럽고 규칙적으로 관찰된다.

궤양을 둘러싸고 있는 재생상피는 모양이 일정하여 동일 형태 및 동일 병기를 가지고 있다. 반면, 악성 궤양은 가장자리가 불규칙하고 백태가 삐져나오기도 하며, 궤양 바닥의 백태가 불규칙하고 요철 모양을 이루기도 한다. 주위점막은 암 침윤으로 인하여 융기되어 단단하거나 주위점막과 높이 차이가 나고 경계가 일정하지 않아 벌레 먹은 모양을 띠기도 한다. 점막 주름은 가늘어지거나 절단, 융합 및 곤봉 모양의 비대를 보이기도 하고, 주변 재생상피는 불규칙하고 형태가 다르게 나타난다(그림 19-1, 2). 내시경검사에서 육안적으로 악성 궤양이 의심되는 경우에는 조직검사를 시행하며, 진단율을 높이기 위하여 적절한 부위에서 정확하게 조직 채취를 하는 것이 중요하다. 위궤양은 추적 내시경검사에서도 반드시 조직검사를 시행해야 하며, 악성 위궤양 중 일부는 궤양이 치유되어 반흔의 형태로 나타나기도 하므로 궤양 반흔이 발견되었을 때에도 조직검사를 시행하여 악성 궤양을 배제해야 한다.

2) 조기위암

조기위암은 림프절 전이 여부에 상관없이 종양의 침윤이 점막층과 점막하층에 국한되는 위암으로 정의된다. 조기위암의 육안 분류는 일본의 표재성 위암에 대한 내시경적 육안 분류에 따라 진행성 위암의 Borrmann형의 연장선상에서 제0형으로 크게 분류되고, 이는 다시 0-I형인 융기형(protruded type), 0-II형인 표면형(superficial type), 0-III형인 함몰형(excavated type)

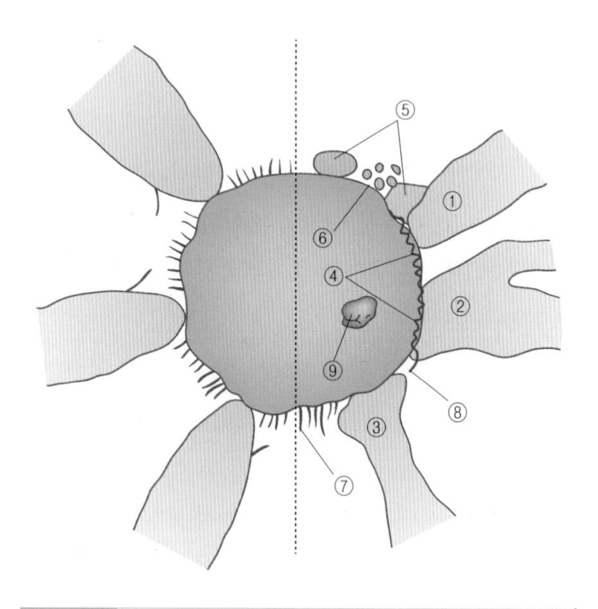

그림 19-1 **양성 궤양과 구별되는 악성 궤양의 감별점.**
① 중도 절단 ② 융합 ③ 곤봉 모양비대 ④ 부정형 또는 벌레 먹은 모양 ⑤ 불규칙한 요철 및 소결절 ⑥ 불규칙한 발적 및 퇴색 ⑦ 부분적인 재생상피 ⑧ 불규칙한 백태 ⑨ 섬 모양의 재생상피

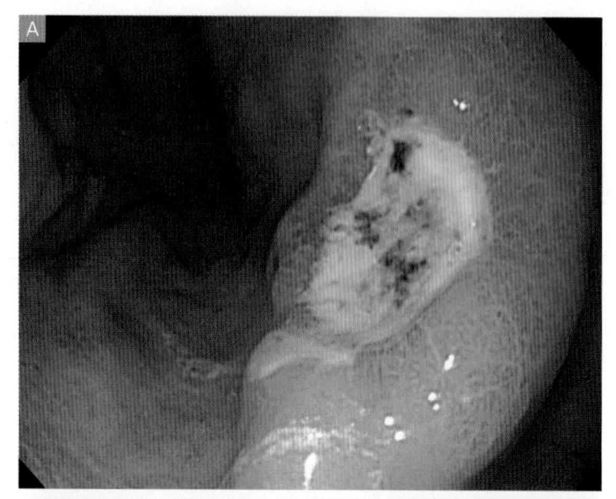

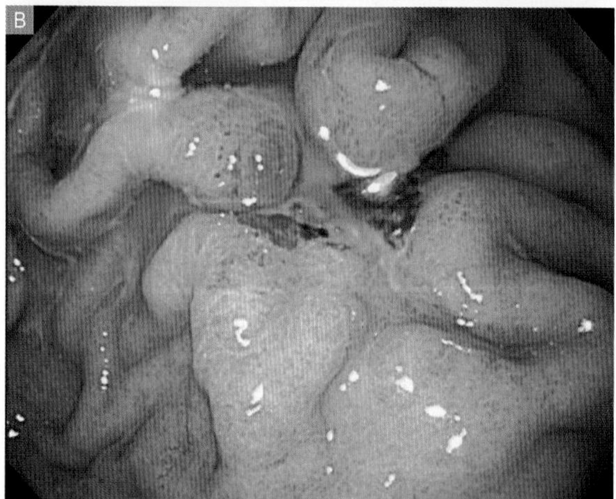

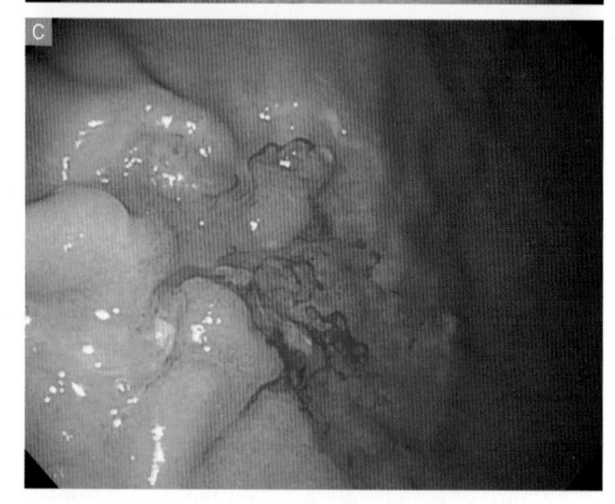

그림 19-2 **내시경으로 보이는 양성 궤양과 악성 궤양.**
A. 양성 궤양은 원형 혹은 타원형을 띠고 경계 부위가 깨끗하며 변연 부위 재생상피가 일정하고 백태가 삐져나와 보이지 않는다.
B, C. 악성 궤양은 경계가 지저분하고 재생상피 상태가 불규칙하며 주변 점막의 융합, 곤봉지, 중도 절단, 부정형 혹은 벌레먹은 모양 등이 관찰된다.

의 세 가지 형태로 나눈다. 이 중 0-II형은 다시 표면융기형(0-IIa; superficial elevated type), 표면평탄형(0-IIb; flat type), 표면함몰형(0-IIc; superficial depressed type)으로 세분한다. 두 가지 형태가 혼합된 경우에는 주 병변을 앞에 두고 부 병변을 뒤에 표시한다(예: IIa + IIc, IIb + IIc). 이러한 분류법은 2002년 전 세계 소화기내과, 외과, 병리과 의사들이 모여 Paris 분류체계로 확정하였는데, 높이 2.5 mm 또는 조직겸자 높이를 기준으로 하여 융기형의 경우 융기의 높이가 2.5 mm 이상이면 0-I형, 이하이면 0-IIa형으로 하였고, 함몰형의 경우 함몰의 깊이 2.5 mm 이상이면 0-III형, 이하이면 0-IIc형으로 하였다(그림 19-3). 그러나 실제로는 육안적으로 구분이 쉽지 않고 복합적인 경우가 많으며, 융기의 높이나 함몰의 깊이를 정확히 측정하는 것은 불가능하므로 내시경의는 육안적인 소견의 감별에 우선적으로 주목하여야 한다.

(1) 융기형 병변

I형 조기위암은 내시경검사에서 비교적 쉽게 진단할 수 있다. 주로 아유경성 또는 무경성의 반구형 융기로 양성 용종에 비하여 크기가 크고 표면이 거친 과립상이거나 분엽상으로 색조의 변화 및 미란, 함몰, 궤양이 관찰되며 자발출혈이 동반되기도 한다. 이에 비하여 IIa형 조기위암은 주변에 비하여 비교적 평탄하고 완만하게 융기된 형태를 보이고 표면에 미란, 출혈, 불규칙한 백태나 요철, 색조 변화 등이 관찰될 수 있다(그림 19-4). IIa+IIc형 조기위암의 경우 융기된 형태의 양성 미란과의 감별이 중요한데, 미란은 대부분 다발성의 대칭형을 보이면서 경계가 불분명하고 미란의 중심에 염증성 변화를 동반하는 반면, 조기위암은 대개 단발성이고 좌우 비대칭 또는 부정형을 보이며 경계는 분명하고 그 밖에 함요나 경계부의 잠식상, 결절상, 자발출혈 등의 조기위암의 일반적인 특징이 동반되는 경우가 많다.

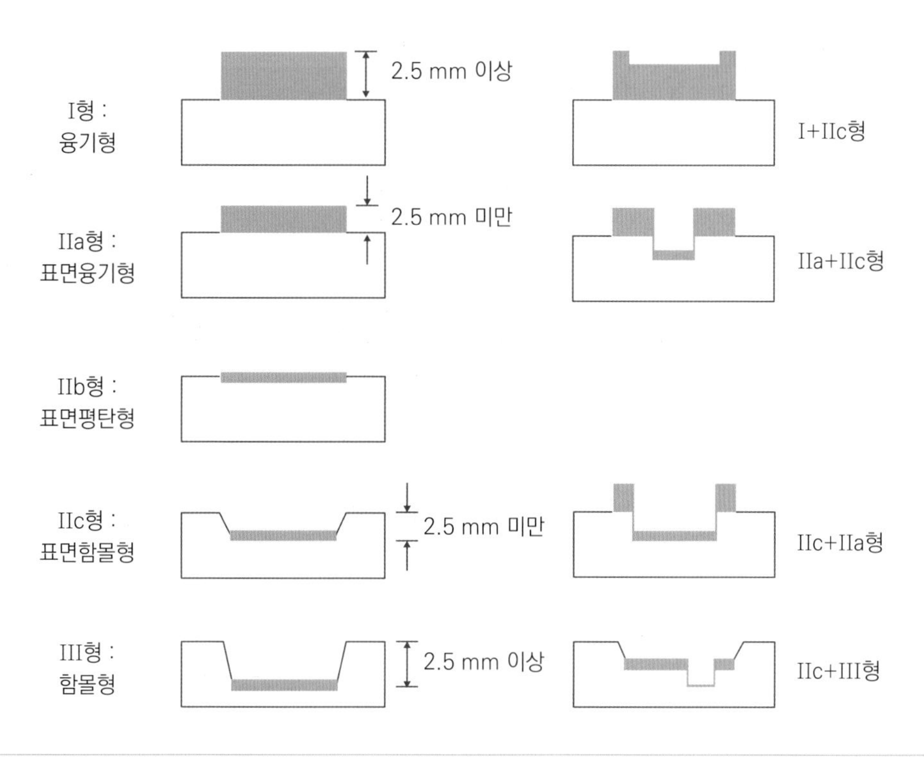

그림 19-3 **조기위암의 내시경적 육안 분류.**

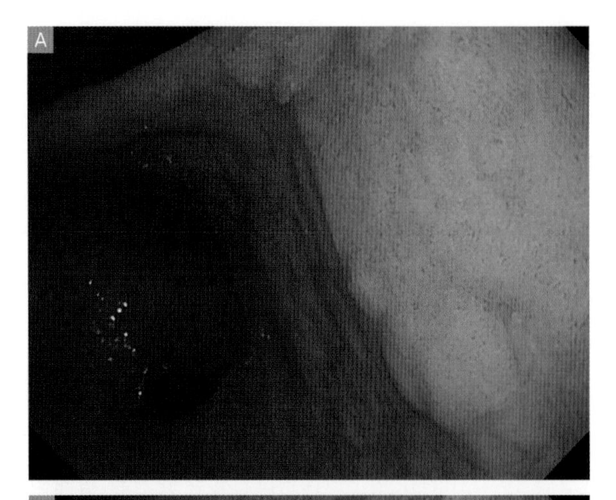

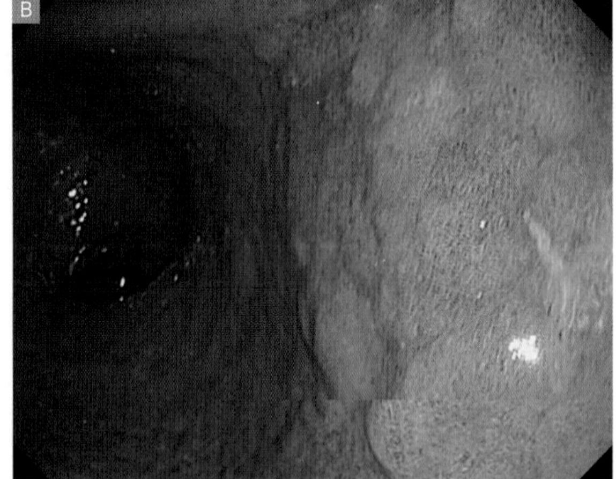

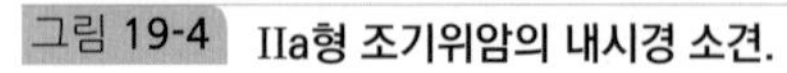

그림 19-4 **IIa형 조기위암의 내시경 소견.**
A. 위 전정부 후벽 부위에 주변 점막보다 융기된 병변이 관찰된다.
B. 협대역내시경으로 관찰하면 병변의 경계를 더욱 뚜렷하게 관찰할 수 있다.

(2) 평탄형 병변

IIb형 조기위암은 주변 점막과 경계를 보이는 융기나 함몰이 없기 때문에 일반적으로 진단하기 가장 어려운 형태이다. 우선 발적이나 퇴색과 같은 색조의 변화에 주목해야 하며, 색조의 변화가 뚜렷하지 않은 경우 표면의 미세한 변화, 즉 불규칙한 혈관상, 광택의 소실, 거친 느낌이나 과립상, 요철의 경미한 변화, 표면의 유약성 등이 관찰되는 경우 의심할 수 있다(그림 19-5).

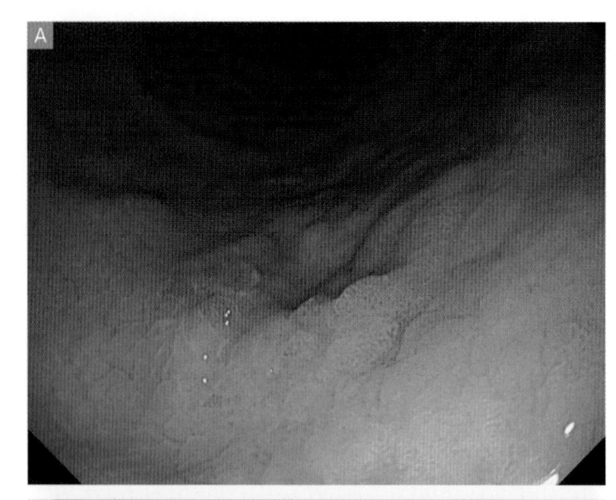

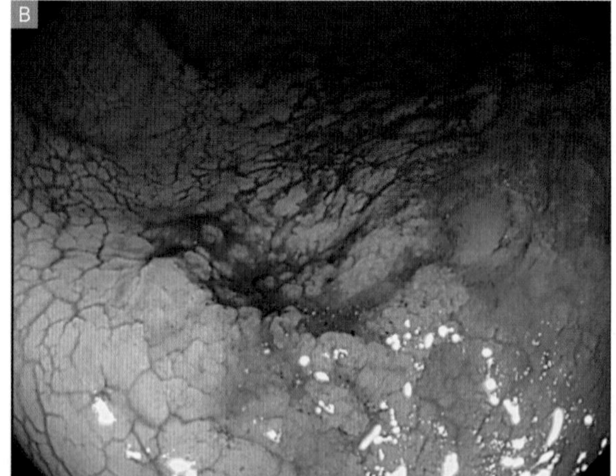

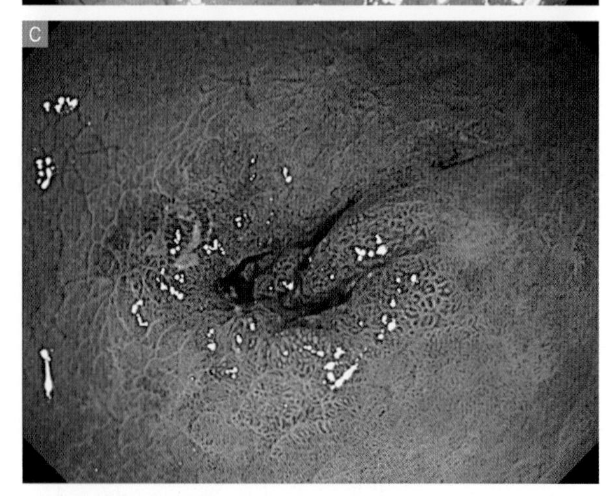

그림 19-5 **IIb형 조기위암의 내시경 소견.**
A. 위체부 소만 부위에서 발적을 동반한 편평한 병변이 관찰된다.
B. 인디고카민 색소를 도포한 후의 사진.
C. 협대역내시경으로 관찰하면 병변의 경계를 더욱 뚜렷하게 관찰할 수 있다.

(3) 함몰형 병변

IIc형 조기위암은 주변 점막보다 약간 내려앉은 느낌의 함몰이 있는 경우를 말하며, 일반적으로 변연이나 외연이 벌레 먹은 듯한 부정형 혹은 침상 모양을 나타내고 바닥면은 요철로 불규칙하거나 발적이나 퇴색을 동반하고 점막의 유약성으로 인한 자발 출혈, 백태나 점액이 불규칙하게 덮여 있거나 한 쪽으로 치우쳐 흘러내리는 모양을 보일 수 있다(그림 19-6). IIc형 조기위암 중 주변 점막주름의 변화를 동반하는 경우가 있는데, 일반적으로 주름의 집중의 형태가 매끄러운 가늘어짐이나 절단을 보이는 경우 점막층에 국한된 암을 시사하는 반면, 명료한 III형의 형태로 집중 주름 선단의 융합, 곤봉상 비대, 벌레먹은 상, 소결절 또는 불규칙한 재생상피를 보이는 경우 암종의 점막하 침윤을 시사하므로 내시경 관찰 소견에 따라 심달도를 예측할 수 있다.

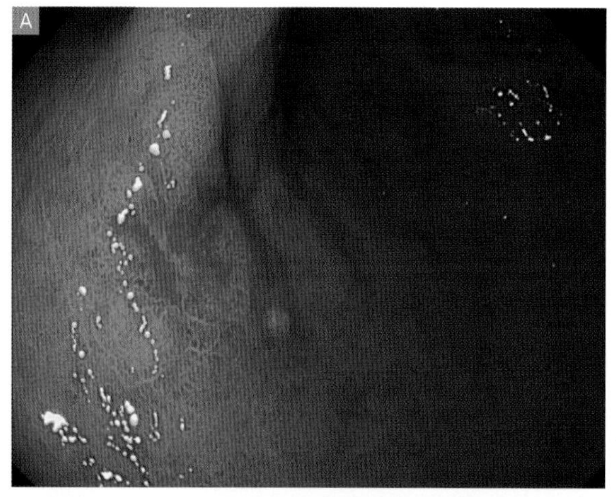

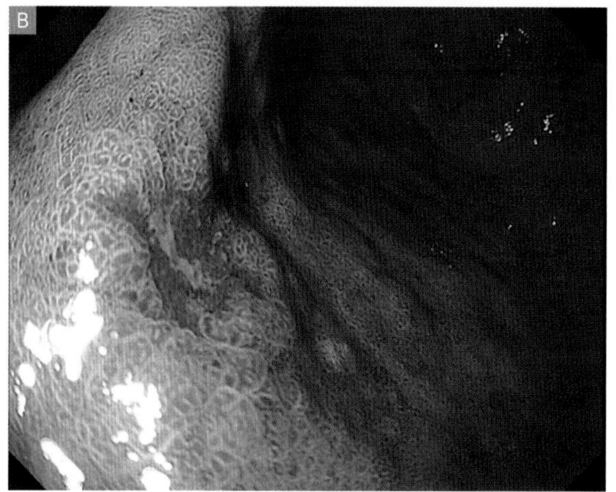

그림 19-6 **IIc형 조기위암의 내시경 소견.**
A. 위각부 후벽에서 점막이 함몰되면서 발적된 병변이 관찰된다.
B. 협대역내시경상에서 병변의 윤곽을 더욱 뚜렷이 관찰할 수 있다.

(4) 생검 부위

조기위암의 정확한 진단을 위해서는 적절한 위치에서 올바른 방법으로 정확히 조직을 채취하는 것이 필수적이다. 일반적으로 적절한 조직생검의 위치는 IIc형의 경우 함몰된 부위에서, III형은 가장자리에서 시행한다. 특히, 깊은 궤양이 동반된 경우 궤양 바닥은 괴사된 물질로 덮여있어 궤양 바닥만 조직검사를 시행하면 위음성이 나올 가능성이 크기 때문에 궤양의 안쪽 가장자리에서 조직검사를 한다. 일반적으로 함몰된 병변이 있을 경우 가장자리에서 네 방향으로 각각 하나씩, 그리고 바닥에서 2개 등 총 6개의 조직을 채취한다. 또한, 내시경 조직생검의 위음성이 발생할 수 있으므로 내시경 소견상 위암이 의심된다면 반드시 추적 내시경검사 및 조직 재생검을 시행해야 한다.

(5) 색소내시경

색소내시경검사는 통상의 내시경검사로 식별하기 어려운 소화관 점막의 형태를 색소를 이용하여 내시경으로 관찰하는 방법이다. 색소내시경은 안전하고 경제적으로 시행할 수 있는 장점이 있다. 대표적으로 청색조의 색조인 인디고카민(indigocarmine)을 병변 부위에 도포하면 흡수되지 않고 주변 점막과 대비되어 요철을 쉽게 관찰할 수 있는 장점이 있어, 불규칙한 점막 표면, 함몰된 부위, 주름의 융합, 절단 또는 평창 등의 소견을 확인하는 데 효과적이다(그림 19-7).

(6) 영상강화내시경

내시경 영상 기술의 발전으로 여러 가지 형태의 영

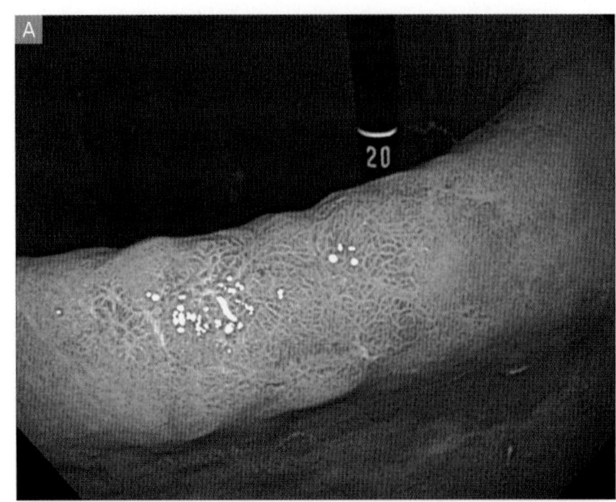

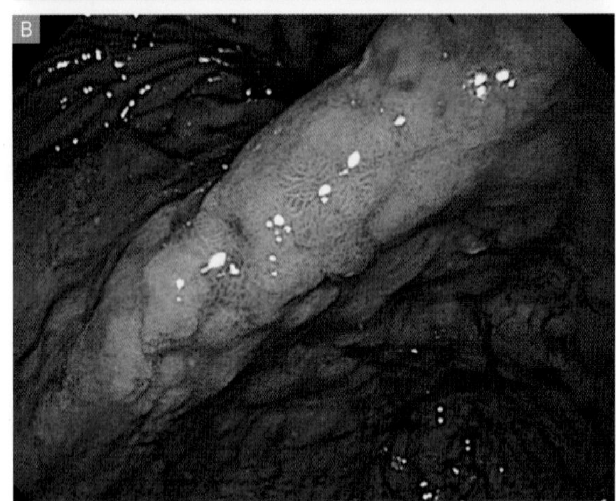

그림 19-7 **조기위암의 인디고카민 도포 효과.**
A. 발적된 평편한 병변이 위각 부위에 관찰되고 있다.
B. 인디고카민 색소를 도포하여 위점막의 미세한 요철이 표현되어 병변의 경계를 잘 파악할 수 있다.

상강화내시경이 개발되어 실제 진료 현장에서 사용되고 있다. 대표적으로 가상색소내시경은 실제 색소를 도포하는 과정 없이 간단한 스위치 조작으로 점막 표면의 윤곽을 강조할 수 있는데, 대표적인 가상색소내시경으로는 올림푸스사에서 개발된 협대역내시경, 펜탁스사의 i-scan, 후지논사의 FICE 그리고 Storz사의 SPICE가 있다. 또한, 확대내시경은 병변의 미세구조과 미세혈관의 변화를 최대 80배까지 확대하여 관찰할 수 있는 기기로 다양한 위소구 변화의 모습을 세밀하게 관찰할 수 있는 장점이 있다. 최근에는 확대내시경과 협대역내시경과 같은 가상색소내시경을 함께 이용하여 점막의 미세구조와 미세혈관의 변화를 보다 선명하게 관찰하기도 한다.

3) 진행성 위암

진행성 위암은 1926년 Bormann이 I형부터 IV형까지 네 가지 형태를 처음으로 제시하였고, 이를 기반으로 하는 일본위암학회의 일본 위암분류규약집이 발표된 바 있다. Borrman type은 I형(융기형, polypoid type), II형(궤양형, ulcerative type), III형(궤양침윤형, ulcero-infiltrative), IV형(미만형, diffuse infiltrative)으로 분류된다(그림 19-8, 9).

(1) I형(융기형)

융종성 병변의 형태를 보이며, 점막 표면은 불규칙하고 출혈이 동반되거나 혈괴가 부착된 경우가 많으나 주변 점막은 병변과 명확하게 구분되는 점막 소견을 보이고 주변 조직으로 침윤이 없어 내시경으로 쉽게 구분할 수 있다.

(2) II형(궤양형)

II형은 궤양성 종괴의 형태를 보이며, 궤양의 가장자리가 제방 모양처럼 융기되어 있으나 주변점막은 종양과 명확히 구분된다. 궤양은 크고 깊으며 궤양 바닥은 불규칙적이고 평탄하지 않으며 불규칙한 형태의 백태나 혈괴, 괴사 조직이 동반되기도 한다. 또한 궤양 바닥의 중심에 불규칙한 형태의 점막 재생섬이 관찰되기도 하며, 이 부분에서 조직검사를 하면 양성일 가능성이 높다.

(3) III형(궤양침윤형)

진행성 위암 중 가장 흔하게 관찰되는 형태로, 궤양성 종괴의 형태를 보이나 II형과 다르게 주위 조직으로 암세포가 침윤하여 주변 점막과의 경계가 명확하지

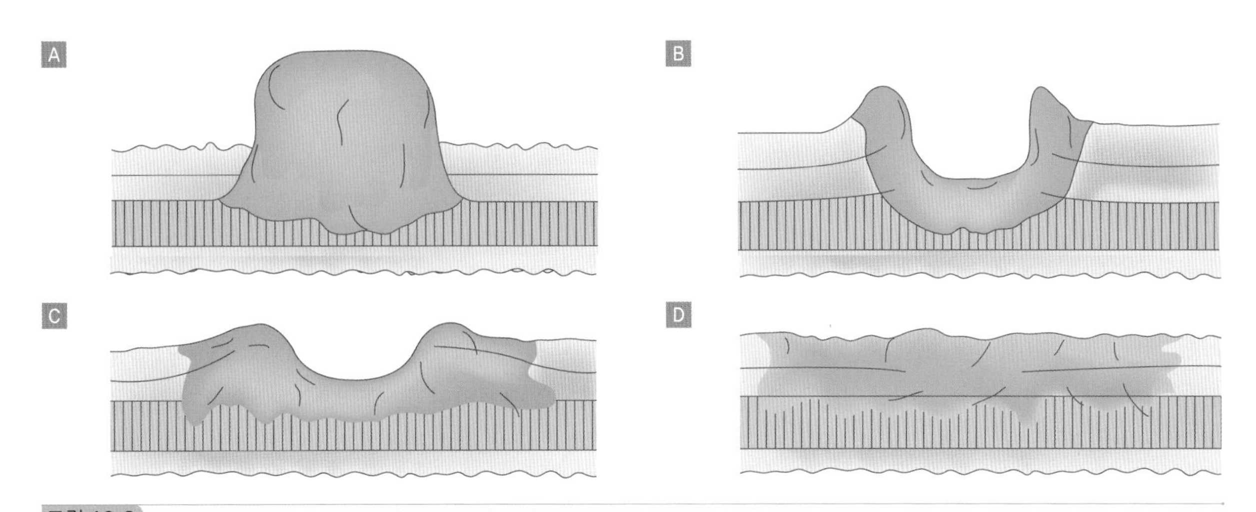

그림 19-8 진행성 위암의 Borrmann 형태 분류의 모식도.
A. I형 융기형(polypoid type) B. II형 궤양형(ulcerative type) C. III형 궤양침윤형(ulceroinfiltrative type) D. IV형 미만형(diffuse infiltrative type)

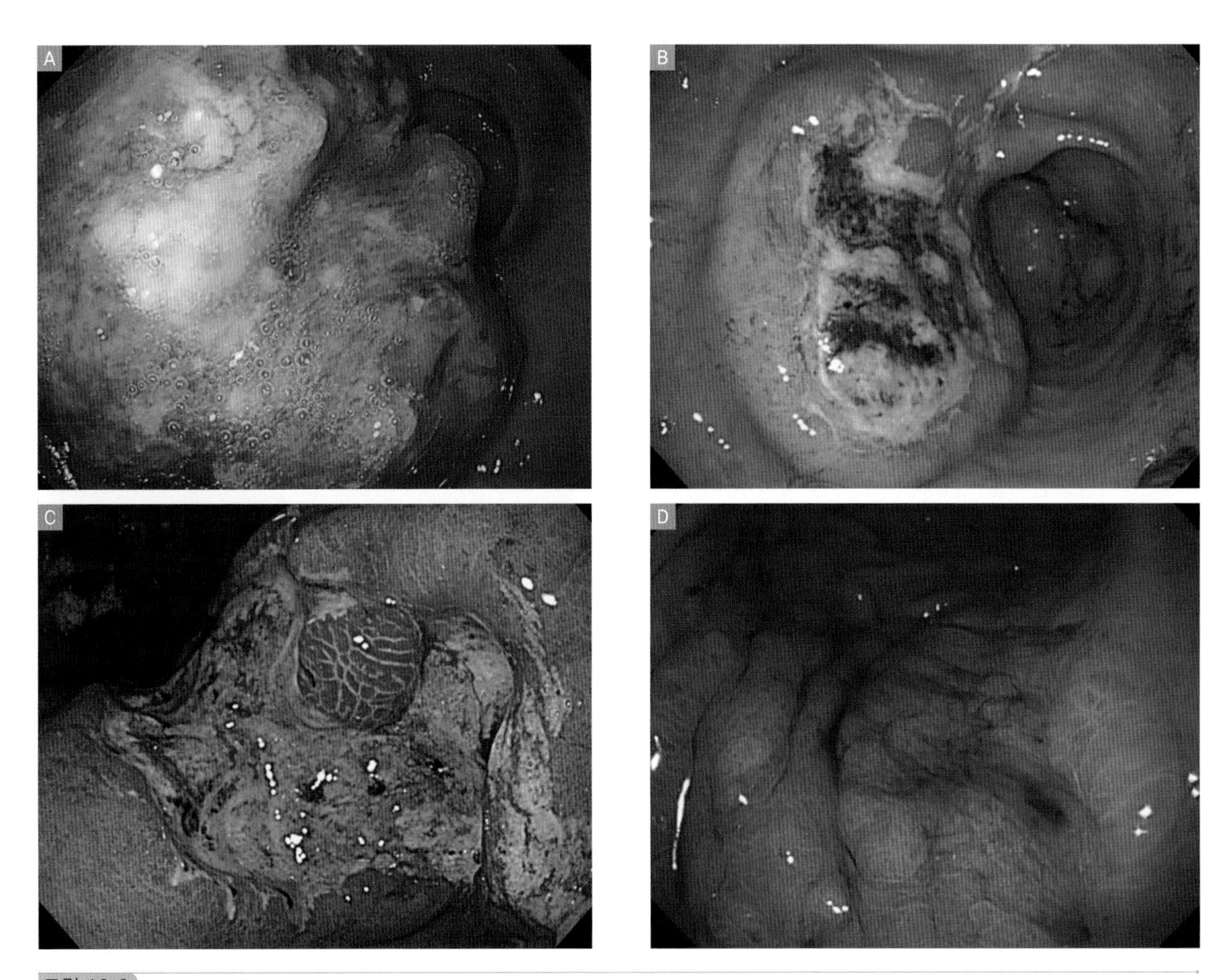

그림 19-9 진행성 위암의 내시경소견.
A. 융기형 B. 궤양형 C. 궤양침윤형 D. 미만형

않고 주변 점막은 현저한 비후나 발적을 동반하고 두껍고 불규칙한 주름 형태를 보인다. 궤양 경계부의 안쪽이나 궤양 바닥의 불규칙한 요철이나 재생섬에서 조직검사를 시행해야 진단율이 높다.

(4) Ⅳ형(미만형)

점막 주름이 비후한 상태로 추벽은 비대, 경화, 사행 등의 변화를 보이거나 추벽 사이의 골과 봉우리의 경계가 모호해지며 공기를 주입해도 위 내강이 잘 펴지지 않는 경우가 많다. 그러나 위점막에 노출된 암 조직이 제한적이어서 조직검사에도 위음성을 보이는 경우가 많아 진단이 쉽지 않은 경우가 많다. 그러므로 조직검사에서 음성이더라도 내시경 소견으로 Ⅳ형 진행성 위암이 강력하게 의심되면 단기간 내에 조직검사를 반복하거나 복부전산단층촬영이나 내시경초음파 등의 추가 검사를 시행해야 한다.

2. 위암의 내시경초음파 소견

내시경초음파는 일반적인 복부 초음파검사나 전산화단층촬영술 등의 고식적인 검사방법으로 진단이 어려운 췌장의 작은 병변의 진단을 위하여 처음 개발되었으나 내시경초음파를 이용하면 소화관 벽이 여러 개의 층 구조로 나타나고 이는 실제 조직구조와 잘 일치한다는 점이 알려지면서 위장관 병변의 진단에도 널리 이용되기 시작하였다. 내시경초음파에서는 고주파로 병변을 관찰하면서 병변의 형태와 크기, 내부 에코의 상태, 병변이 기원하는 층, 병변이 존재하는 부위의 벽 구조와 주위 장기와의 상관관계 등에 대한 영상정보를 얻을 수 있는 장점이 있다. 위 질환에서 내시경초음파는 위암의 심달도 예측, 상피하종양의 감별진단, 벽외 병변의 감별 등에 매우 유용하게 사용될 수 있다.

내시경초음파는 크게 방사형 스캐너가 부착되어 주로 진단할 때 이용되는 방사형(radial), 세침흡인, 조직검사 및 인터벤션 시술 목적으로 이용되는 선형(linear) 및 세경 초음파 도관(miniprobe)으로 나눌 수 있다(그림 19-10). 방사형 내시경초음파는 내시경 선단에 있는 360° 회전하는 기계적 회전 초음파 송수신기(mechanical rotating ultrasonic transducer)가 내시경 장축의 수직방향으로 영상을 구현한다. 선형 내시경초음파는 내시경 선단에서 장축 방향으로 150~180° 영역에서 영상을 구현하며 도플러 기능이 있다. 세경 초음파 도관은 진단 내시경 겸자공을 통해 삽입한 후 직접 병변에 근접하여 영상을 구현한다.

1) 위의 내시경초음파 정상 소견

내시경초음파를 시행하면 소화관 벽은 기본적으로 다섯 층으로 구성되어 있음을 알 수 있는데, 위벽도 이와 동일하다. 7.5 MHz나 12 MHz의 탐촉자를 이용할 경

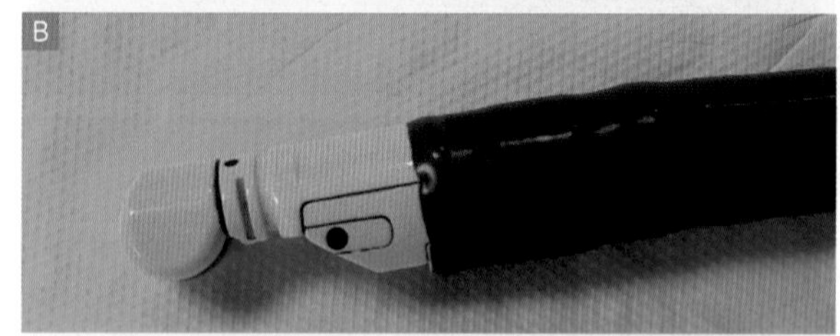
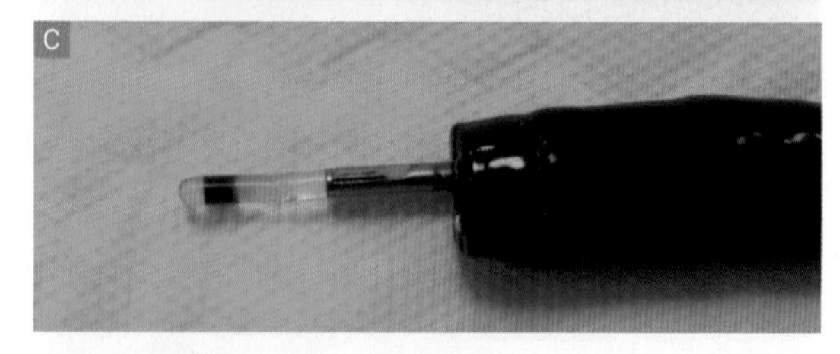

그림 19-10 **다양한 내시경초음파기구.**
A. 방사형 내시경초음파
B. 선형 내시경초음파
C. 세경 초음파 도관

우 점막 표면층으로부터 세 층의 고에코층과 두 층의 저에코층이 나타나는데, 이는 조직학적 소견과 잘 일치한다. 첫 번째 고에코층은 점막층(mucosa, M), 두 번째 저에코층은 점막근층(muscularis mucosae, MM), 세 번째 고에코층은 점막하층(submucosa, SM), 네 번째 저에코층은 고유근층(muscularis propria, MP), 그리고 다섯 번째 고에코층은 장막층(serosa, S)에 해당한다(그림 19-11). 15~20 MHz의 고주파 내시경초음파나 초음파 탐촉자를 사용하면 위벽이 다섯 층 이상으로도 보이는데, 두 번째 층에 점막근층의 경계에코로 생각되는 고에코의 점선과 네 번째 층에 근육과 근육 사이에 존재하는 경계로 생각되는 고에코의 가는 선이 추가로 관찰될 수 있다.

2) 위암에서 내시경초음파 소견 및 임상적 유용성

위암의 내시경초음파 소견은 다른 소화관암과 마찬가지로 특징적으로 저에코의 불규칙한 종괴나 침윤 소견을 보이고 위벽의 층 구조의 변화를 보여 위벽의 에코상의 파괴정도에 의해 위암의 심달도를 예측

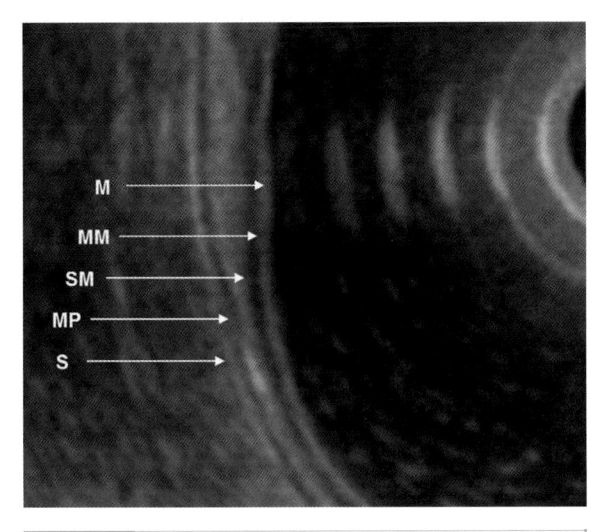

그림 19-11 **내시경초음파에서 관찰되는 정상 위벽.**
정상 위벽의 조직은 점막층(M), 점막근층(MM), 점막하층(SM), 고유근층(MP), 장막(S)으로 구성된다.

할 수 있다(그림 19-12, 13). 위암의 진단에서 내시경초음파의 정확도는 T병기 63~92%, N병기 30~88% 정도로 보고되고 있으며, 전산화단층촬영의 T병기 정확도 11~83%, N병기 정확도 21~75%와 각각 비교하면 더 높은 수준이다. 각 병기별로 볼 때 내시경초음파의 정확도는 T1, T2, T3, T4 각각에서 65~95%, 50~70%, 70~80%, 50~90% 정도로 다양하게 보고되고 있다. 그리고 T1 조기위암에서 T1m과 T1sm의 내시경초음파 진단 정확도는 63~95% 정도이다. 반면 전산화단층촬영의 경우 T병기의 진단 정확도는 많이 떨어지나 원격전이의 진단 정확도는 내시경초음파에 비하여 우월하다.

내시경초음파에서 심달도가 과소평가되는 원인으로는 종양의 미세 침윤이 존재하거나 기술적인 오류 등이 있으며, 과대평가의 원인으로는 종양 주변의 염증성 변화, 궤양을 동반한 섬유화 등으로 인하여 위벽의 비대 및 주변 위벽층이 얇아져 암의 침윤으로 오인하는 경우 등이 있다.

내시경초음파를 이용하면 장경 3 mm 이상의 림프절의 관찰이 가능하며, 일반적으로 직경이 10 mm 이상인 경우, 원형인 경우, 내부 에코가 불균일한 저에코인 경우, 경계가 분명한 경우 악성 림프절 전이를 의심할 수 있다. 악성 림프절 종대에서 위 4가지 소견이 모두 관찰된 경우는 25% 정도이고 이때의 진단정확도는 80% 정도이다. 이때 낭포나 낭종 등의 양성 종류성 병변이나 혈관 구조와의 감별이 필요하며, 주위 장기와의 관계, 부위, 크기, 형상, 변연, 경계부위와 내부에코의 성상 등을 주의 깊게 관찰하면 감별이 가능하다.

우리나라에서는 전 국민을 대상으로 하는 위암 검진이 시행되면서 조기위암의 발견율이 높아지고 있으며 내시경점막절제술(endoscopic mucosal resection, EMR)이나 내시경점막하박리술(endoscopic submucosal dissection, ESD) 등의 최소침습치료법을 이용하여 조기위암을 치료하는 경우가 증가하고 있다. 내시경절

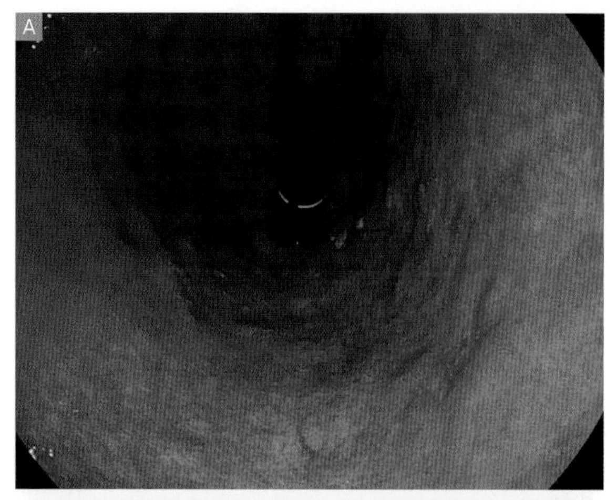

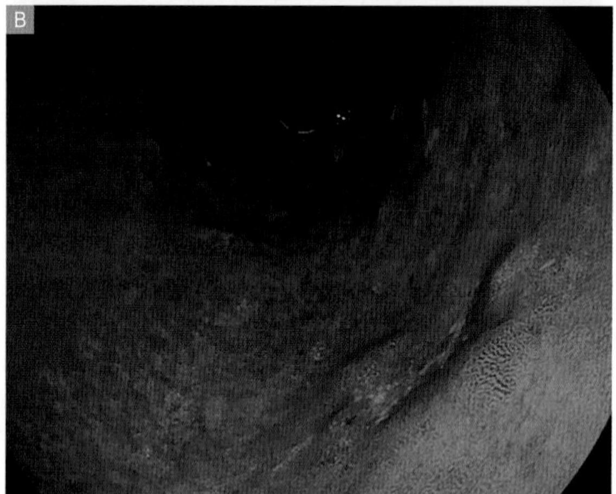

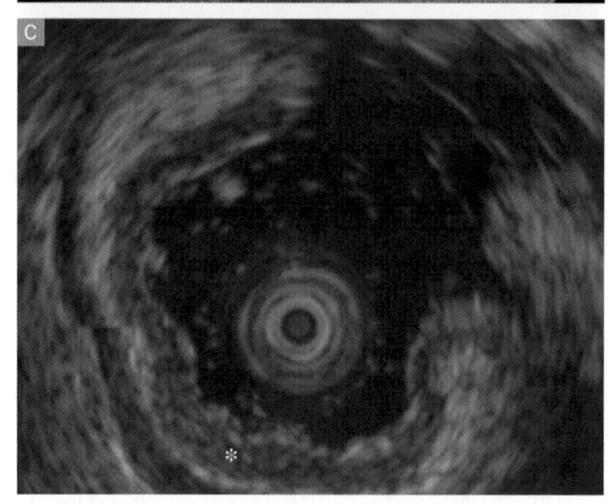

그림 19-12 **조기위암의 내시경 및 내시경초음파 소견.**
A, B. 내시경검사에서 체부 소만 부위에 중앙 함몰 부위를 포함한 융기된 병변이 관찰된다.
C. 내시경초음파검사에서 점막근층이 두꺼우져 보이는 전형적인 조기위암 소견이 관찰된다.

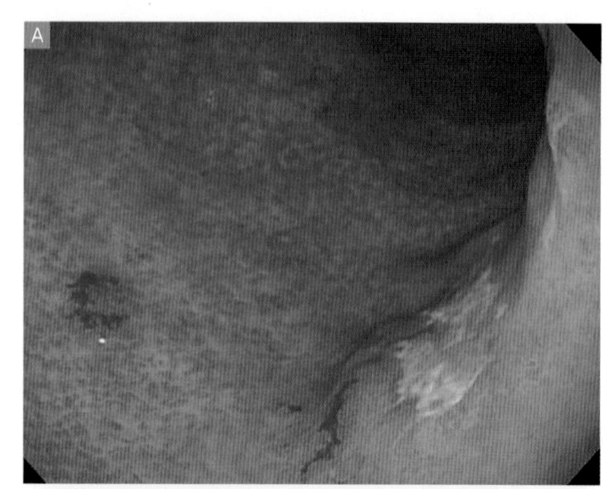

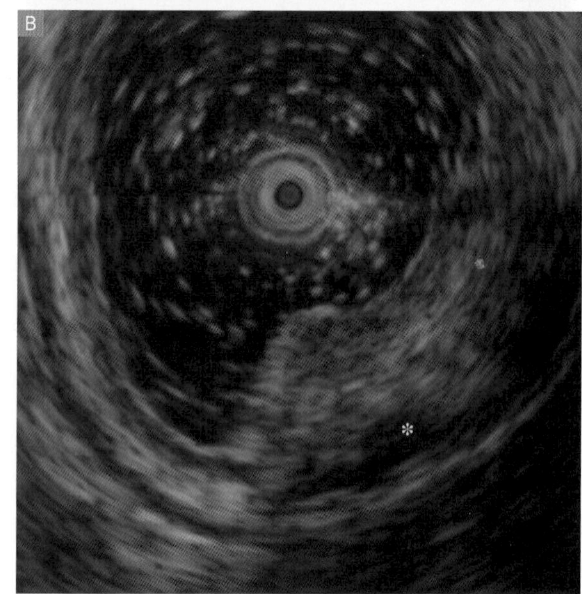

그림 19-13 **내시경초음파를 이용한 위암의 심달도(depth of invasion) 예측.**
A. 내시경검사에서 전정부 후벽 부위에 중앙 함몰 부위를 포함한 융기된 병변이 관찰되며 육안 소견으로 조기위암이 의심된다.
B. 내시경초음파검사에서 고유근층이 두껍고 불규칙하게 변형되어 진행성 위암을 시사한다.

제술에 해당하는 환자를 적절하게 감별하여 최적의 치료 방침을 정하기 위해서는 T1m과 T1sm, T1과 T2 병변의 감별이 중요하며, 이에 따라 내시경초음파검사는 향후에도 유용하게 이용될 수 있을 것으로 생각된다.

참고문헌

1. 김은영. 위장관 내시경초음파: 내시경초음파의 진단적 역할. The Korean Journal of Gastrointestinal Endoscopy 2010;41:85-92.
2. 김현진. 보만 4형 진행위암. 제59회 대한소화기내시경학회 세미나 2018:52-55.
3. 문희석. 조기위암 진단율 향상. 제52회 대한소화기내시경학회 세미나 2015:21-25.
4. Akahoshi K, Chijiiwa Y, Hamada S, Sasaki I, Maruoka A, Kabemura T, et al. Endoscopic ultrasonography: a promising method for assessing the prospects of endoscopic mucosal resection in early gastric cancer. Endoscopy 1997;29:614-619.
5. Bhandari S, Shim CS, Kim JH, Jung IS, Cho JY, Lee JS, et al. Usefulness of three-dimensional, multidetector row CT (virtual gastroscopy and multiplanar reconstruction) in the evaluation of gastric cancer: a comparison with conventional endoscopy, EUS, and histopathology. Gastrointest Endosc 2004;59:619-626.
6. Choi J, Kim SG, Im JP, Kim JS, Jung HC, Song IS. Endoscopic prediction of tumor invasion depth in early gastric cancer. Gastrointest Endosc 2011;73:917-927.
7. Hizawa K, Iwai K, Esaki M, Matsumoto T, Suekane H, Iida M. Is endoscopic ultrasonography indispensable in assessing the appropriateness of endoscopic resection for gastric cancer? Endoscopy 2002;34:973-978.
8. Polkowski M, Palucki J, Wronska E, Szawlowski A, Nasierowska-Guttmejer A, Butruk E. Endosonography versus helical computed tomography for locoregional staging of gastric cancer. Endoscopy 2004;36:617-623.
9. The Paris endoscopic classification of superficial neoplastic lesions: esophagus, stomach, and colon: November 30 to December 1, 2002. Gastrointest Endosc 2003;58:3-43.

CHAPTER 20

위선암의 영상의학적 진단 및 병기결정

위암은 내시경검사 또는 상부위장관조영술(upper gastrointestinal series, UGIS)에 의해 진단된다. 이 검사들은 점막층에서 위암을 관찰하며 점막의 질병을 잘 진단할 수 있으나 위벽의 침윤 정도, 인접 장기로의 침범, 림프절 전이, 복막전이, 원격전이 등의 병기결정에는 제한점을 가지고 있다. 따라서 이러한 단점을 보완하기 위해 추가적인 검사가 필요하며 컴퓨터단층촬영술(computed tomography, CT)을 가장 많이 사용한다. 위벽의 침윤정도와 인접 장기로의 침범, 림프절 전이 정도를 보기 위해서는 내시경초음파(endoscopic ultrasound, EUS)도 가능한 검사이다. CT가 가장 많이 쓰이고 있으며 이유로는 많은 수의 기계가 보급되어 있고 비침습적 검사로 위를 포함한 국소병기뿐만 아니라 골반을 포함한 원격전이까지 진단할 수 있기 때문이다.

최근 기계의 발달과 더불어 다중검출기 CT (multi-detector CT)가 보편화되면서 축상면과 더불어 시상면, 관상면의 재구성 영상을 통하여 국소병기를 좀 더 잘 평가할 수 있을 뿐만 아니라 주변 장기와의 관계를 잘 파악할 수 있게 되었다. 그러나 아직까지 CT는 제한점을 가지고 있으며 림프절의 전이 여부와 조기 복막전이의 판별에는 정확도가 높지 못하다. 따라서 CT 검사 결과가 확정적이지 않을 경우에는 양전자단층촬영(positron emission tomography, PET) 또는 초음파검사를 추가하는 것이 진단에 도움을 줄 수 있다. 초기 복막전이의 경우에는 진단적 복강경검사가 필요한 경우도 있다.

1. 상부위장관조영술

1) 조기위암

조기위암(early gastric cancer, EGC) 중 융기형(protruded type) (1형)은 단일 조영검사 압박상에서 위장내강으로 5 mm 이상 돌출하는 음영결손(filling defect)으로 나타난다. 양성용종과 소견이 비슷해 감별하기 어려우나 양성종양에 비해 크기가 크고 표면에 미란을 동반하며 표면이 거친 경우가 많다. 크기가 커지면 UGIS에서는 진행성 위암과 감별이 어려운 경우도 있다. 표면형(superficial type)은 표면융기형(superficial elevated type) (IIa형), 표면평탄형(flat type) (IIb형), 표면함몰형(superficial depressed type) (IIc형)으로 분리한다. 표면형은 매우 미묘한 병변으로 보일 수 있으며 UGIS의 판독에 주의를 요하는 병변들이다. IIa형은 경미한 점막의 융기나 결절상으로 보이며 선종(adenoma) 또는 비정형 상피(atypical epithelium)와의 감별이 필요하다. IIb형은 점막의 미묘한 변화만이 상부위장관조영술에서 보이므로 진단이 어려운 경우가 많고 점막의 결절상이나 조잡하고 커진 위소구(area gastricae) 소견을 보일 수 있다(그림 20-1). IIc형은 주변 점막보다 약간 함몰을 보여 중심부에 바륨이 고여있는 모습을 볼 수 있고 주변 점막주름 fold의 변화를 관찰할 수 있다(그림 20-2). 이러한 미묘한 점막 변화를 관찰하기 위해서는 적절한 압박영상이 중요하고 흐름기법(flow technique)을 사용하며 바륨의 얇은 층을 병변 위로 흘림으로써 정상점막과 높이 차이가 많이 나지 않은 병변을 관찰할 수 있도록 하여야 한다. III형은 점막층의 결손이 두드러져 비교적 뚜렷한 궤양이 중심부에 있고 주변에 암성변화를 보이는 점막주름이 보인다. 암성변화를 보이는 점막주름은 점막주름이 궤양이 있는 부분으로 모이면서 끝이 뭉툭해지거나 급격한 단절이 생기거나 융합(fusion) 또는 곤봉화(clubbing)가 있을 때 의심할 수 있다. 위암의 종류는 여러 가지가 섞여 나타날 수 있으며 주로 보이는 병변을 앞쪽에 기술하고 보조로 보이는 병변을 뒤쪽에 기술한다.

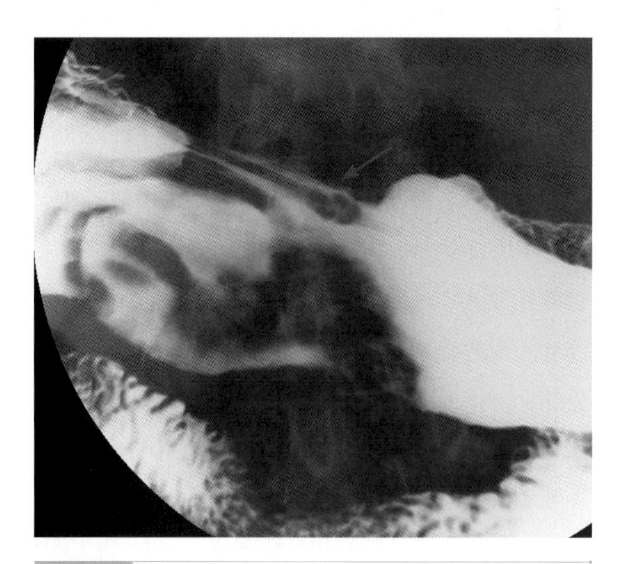

그림 20-1 **EGC IIb.**
위장 소만측에 엎드린 자세에서 시행한 압박영상에서 점막층의 불규칙함이 보인다. 내부에 궤양이나 융기는 불분명하다.

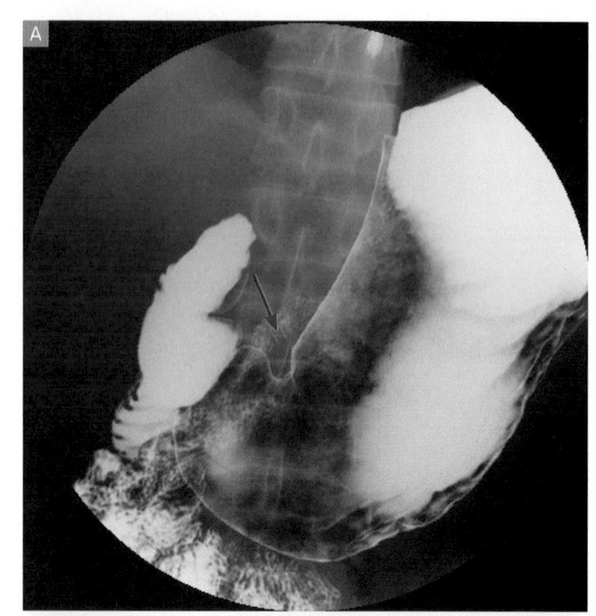

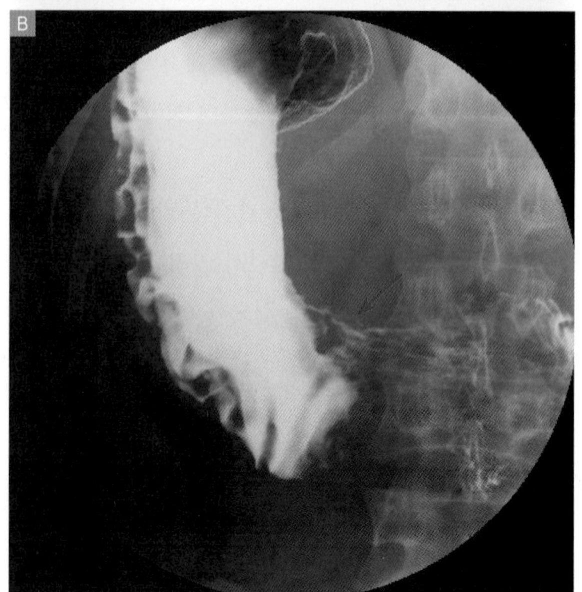

그림 20-2 **EGC IIc.**
A. 사진의 이중조영영상에서는 위각 부분에 이중윤곽(double contour)의 병변이 보인다.
B. 사진에서 이를 엎드린 자세로 바꾸니 가운데 부분에 작은 궤양을 동반한 병변으로 보이며 EGC type IIc에 합당한 소견이다.

2) 진행성 위암

진행성 위암(advanced gastric cancer, AGC) 중 용종형(polypoid type; Bormann I형)은 위벽 안으로 튀어

나와 있는 종괴로 보인다. 조기위암 I형과 비교할 때 크기가 조금 더 크며 단일조영 압박검사에서 음영결손(filling defect)으로 보인다. 위암 종괴와 정상 위벽의 경계는 뚜렷하고 흔히 예각을 이루며 종괴의 윤곽은 매끈하거나 분엽상을 보인다. 궤양융기형(ulcerofungating type; Borrmann II형)은 중심부에 깊은 궤양이 있고 주변에 비교적 경계가 잘 그려지는 종괴가 감싸고 있는 형태이다. 궤양은 바륨이 모여있는 중심부와 튀어나와 있는 종괴로 인해 경계가 잘 그려지고 비어보이는 주변부를 보이는 것이 특징이다. 양성궤양과 비교할 때 궤양은 위 윤곽 내부에 위치하며 소만곡(lesser curvature)에 종양이 위치할 때 악성종양의 특징적인 소견인 카르만 초승달 징후(Carman's meniscus sign)를 보인다(그림 20-3). 궤양침윤형(ulceroinfiltrative type; Bormann III형)은 중심부에 궤양이 있고 주변에 종괴가 있으나 궤양융기형과는 달리 주변과의 경계가 잘 그려지지 않는다. 주변에 종괴의 침윤이 있으면 위벽이 두꺼우지고 딱딱해지는 모양을 보인다. 점막주름의 악성변화가 동반되는 경우가 많으며 정상위벽과는 둔각을 이루는 경우가 많다(그림 20-4). 침윤형(infiltrative type; Borrmann IV형)은 위벽이 전반적으로 두꺼워지는 것을 특징으로 하며 궤양을 동반하지 않는 침윤성 병변이다. 위 내강이 잘 늘어나지 않아 가죽주머니(leather bottle) 모양으로 보이며 연동운동이 떨어져 있다(그림 20-5). 과형성위염(hypertropic gastritis), 림프종, 부식위염(corrosive gastritis)과의 감별이 필요하다.

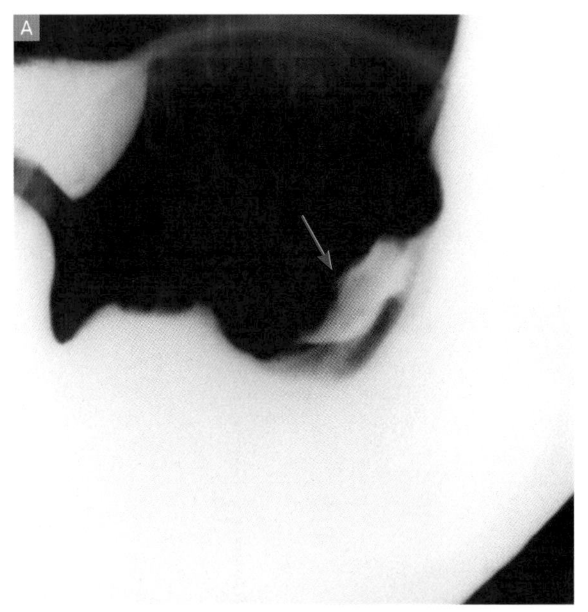

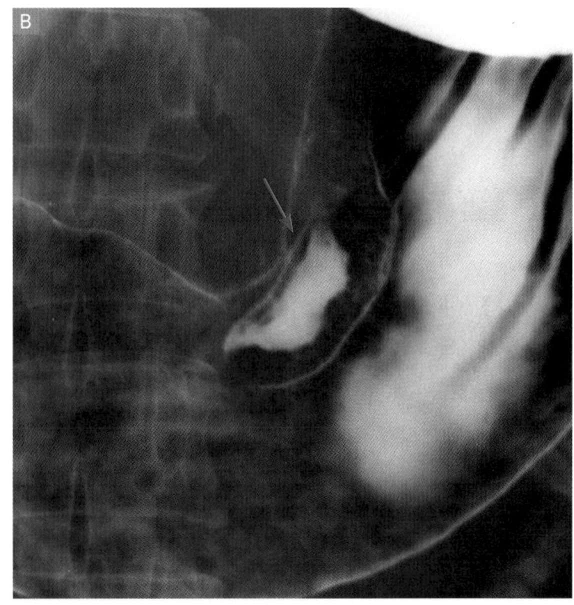

그림 20-3 **카르만 초승달 징후.**
A. 바륨으로 위장 내강을 채운 영상에서 조영제가 모여있는 궤양이 가운데 보이고 주변에 종괴로 인해 조영제가 차지 않는 부분이 같이 보인다.
B. 이를 이중조영 촬영을 시행하면 가운데 부분의 궤양에 조영제가 모여 있으며 주변으로 경계가 잘 그려지는 융기된 병변이 같이 보인다.

2. 컴퓨터단층촬영술

1) CT 촬영방법

컴퓨터단층촬영술(computed tomography, CT)은 현재 위암의 병기결정을 위해 시행하는 가장 일반적인 검사이다. 병원마다 검사방법은 조금씩 다르며 각 병원에 실정에 맞춰 검사가 진행된다. 일반적으로 CT 검사는 6시간 이상의 금식이 필요하며 혈관내 조영제를 주입하여 검사를 시행한다. 위의 적절한 팽창이 위암을 발견하는 데 중요하며 다양한 조영제가 쓰인다. 초기에

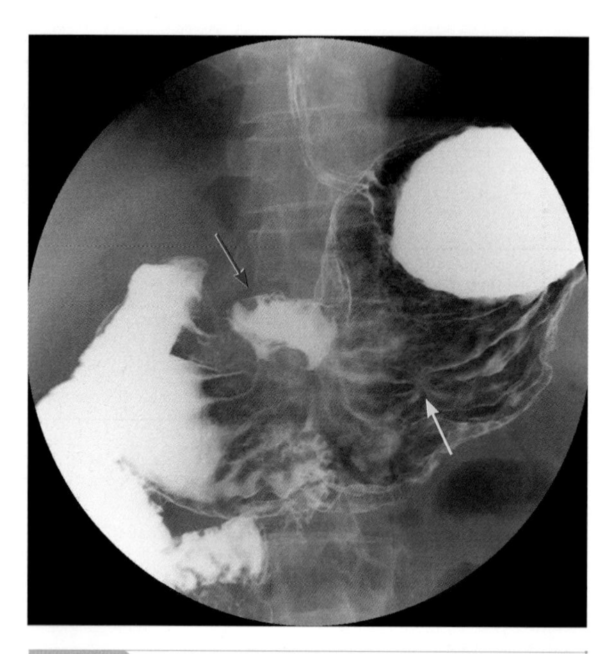

그림 20-4 AGC Borrmann type III.
위각에 조영제가 차있는 커다란 궤양이 있다(빨간색 화살표). 주변으로 종괴를 형성하고 있으며 점막주름의 융합과 댐형성 등의 악성 점막주름의 변화를 같이 보인다. 종괴를 형성하고 있는 부분에는 전반적인 위벽의 강직성을 동반하고 있다. 위체부 후벽(노란색 화살표)에는 작은 궤양이 추가적으로 보이며 악성변화를 동반하고 있지 않아 양성 궤양의 가능성을 먼저 생각하여야 한다.

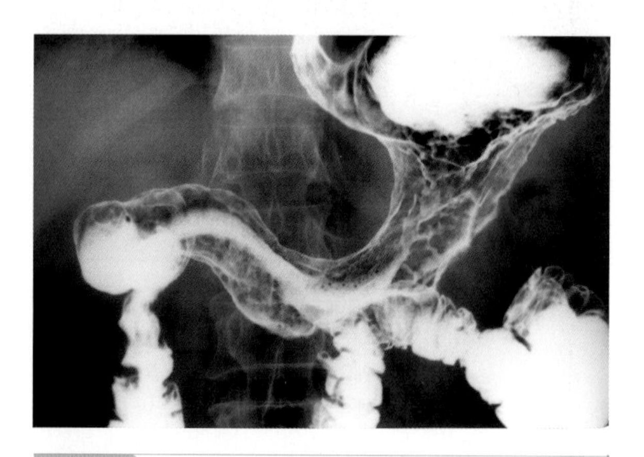

그림 20-5 AGC Borrmann type IV.
위체부와 전정부의 내강이 잘 늘어나지 않는 가죽주머니 모양을 하고 있다. 위점막의 정상적인 모습을 소실하고 있으며 일부에서는 튀어나와 있는 종괴 모양을 같이 확인할 수 있다.

는 희석된 바륨과 같은 양성 조영제(positive contrast)가 사용되었으나 최근에는 물 또는 발포제와 같은 중성 또는 음성 조영제가 많이 사용된다. 양성 조영제에 비해 중성 또는 음성 조영제가 점막의 조영증강을 평가하기에 좋고 비용과 환자 순응도(compliance) 면에서도 좋은 평가를 받고 있다. 다중검출기 CT (multidetector CT)를 이용하면 기본 축상면(axial image) 뿐만 아니라 시상(sagittal), 관상면(coronal) 영상을 재구성할 수 있고 가상내시경(virtual endoscopy)을 만들어 조기위암을 발견하는 데 도움을 받을 수 있다. 또한 혈관과의 관계를 자세히 볼 수 있는 CT 혈관조영술(CT angiography)을 추가하여 수술에 도움을 받을 수 있다.

2) 위암의 CT 진단 및 병기결정

진행성 위암은 CT 영상에서 위벽의 국소적인 비후, 용종모양의 종괴 또는 궤양성 병변으로 보인다. 조기위암은 일반 CT에서는 보이지 않는 경우가 많으며 가상내시경검사에서 점막의 변화로만 발견되는 경우가 많다. 정상적으로 위분문부(cardia), 위각(angle), 전정부(antrum)는 비스듬하게 축상면에서 잘리는 경우가 많기 때문에 두께를 평가하는 데 주의가 필요하다. 이러한 부위는 시상면 또는 관상면으로 재구성된 영상을 보면 좀 더 정확하게 두께를 평가할 수 있다. 특히 전정부는 정상적으로도 두꺼워져 보일 수 있는 부분으로 2 cm까지 두꺼워지기도 한다. 이렇게 전정부가 두꺼워진 경우에는 정상적인 위벽의 구조가 유지되었는지 여부를 판단하는 것이 중요하다. 정상적으로 CT 영상에서는 위벽은 2층 또는 3층으로 구성되어 보인다. 가장 안층은 조영증강이 잘되는 점막층(mucosal layer)이며 중간에 조영증강이 잘되지 않아 어둡게 보이는 부분은 점막하층(submucosa)에 해당하고 조영증강이 잘되는 바깥층은 장근막층(seromuscluar layer)에 해당한다.

위의 확장 정도나 개인별 차이에 의해 위의 층은 2층으로만 보일 수도 있다. 기본적으로 종괴가 어디까지 침범하였는지 여부로 T stage를 결정한다(그림 20-6).

T1 병변은 일반 CT 검사에서 보이지 않거나 조영증강되는 병변이 가운데 어둡게 보이는 점막하층까지 침범한다. CT 검사에서 점막만 침범한 T1a 병변과 점막하층까지 침범한 T1b 병변은 구별하기 어려운 경우가 많다(그림 20-7).

T2 병변은 근육층까지 침범한 위암이며 CT에서는 위의 전층을 침범한 위암병변이 보이며 바깥쪽 벽이 매끈하게 보이는 경우로 판단한다(그림 20-8). T3는 장막하층(subserosal layer) 침범이 있는 경우이며 일부 위벽이 바깥쪽으로 튀어나오거나 일부 논문에서는 위 주변의 혈관구조물까지 침범하지 않는 경우로 판단한다. T4a는 장막 침습이 있는 경우이며 CT에서는 위벽 주변으로 불규칙한 침윤이 있는 경우로 판단하고(그림 20-9), T4b는 주변장기로 침습이 있는 경우로 주변장기와의 지방층이 소실된 소견이 있을 경우 진단할 수 있다(그림 20-10). 그러나 염증 또는 궤양이 있는 경우 주변 조직으로 침윤이 동반될 수 있으며 위암의 침윤과 구별하기 어려운 경우도 많다. 2차원 축상면만을 사용하여 진단한 경우 T stage의 정확도가 약 77%인 반면 3차원 영상을 사용하면 정확도가 84% 증가한다고 보고되어 있다. 특히 T2와 T3 구별이 어려운 경우가 많으며 T4a의 경우도 장막(serosa)이 CT에서 보이지 않

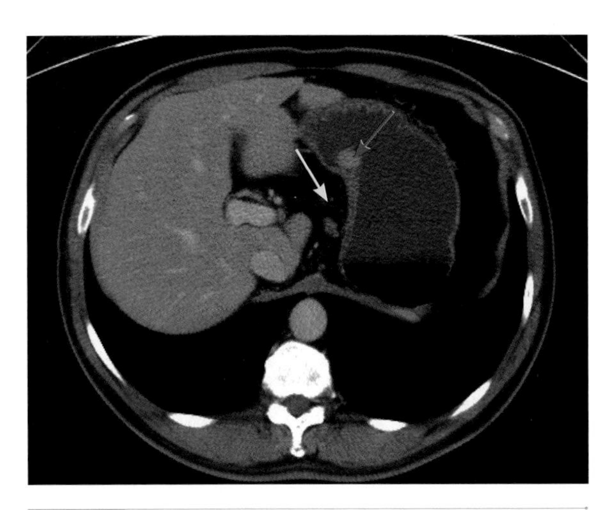

그림 20-7 **EGC type I.**
위체부에 조영증강이 되는 용종 모양의 종괴가 있다(빨간색 화살표). 조영증강이 되는 위장외벽을 침범하고 있지 않아 조기위암으로 보이며 좌위동맥 주변(노란색 화살표)에 커진 림프절이 있어 전이가 있을 가능성을 배제할 수 없다.

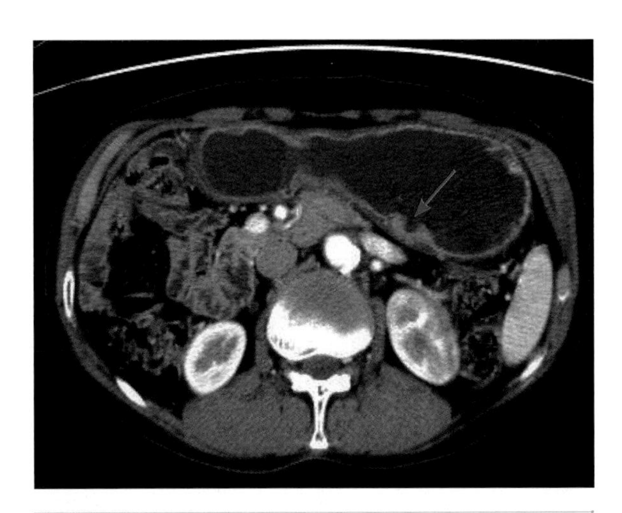

그림 20-8 **T2 Cancer.**
위체부에 가운데 커다란 궤양을 동반한 종괴가 있다. 주변과의 경계는 잘 그려지고 있어 Borrmann type II로 보인다. 조영증강되는 종괴는 근육층까지 침범하고 있으며 주변으로 침윤은 보이고 있지 않아 T2 병변으로 판단할 수 있다.

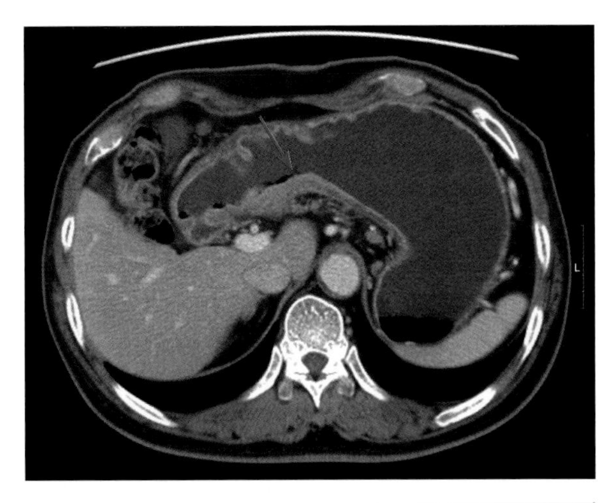

그림 20-6 **정상위벽의 CT 소견.**
위체부에 안쪽에 조영증강이 잘되는 점막층이 보이고 다음으로 조영증강이 되지 않는 점막하층이 보이며 바깥쪽으로 얇은 조영증강이 잘되는 근장막층이 보인다. 왼쪽 화살표에서 보이는 위암에서는 이러한 소견이 사라지고 조영증강이 되는 한 층으로만 보인다.

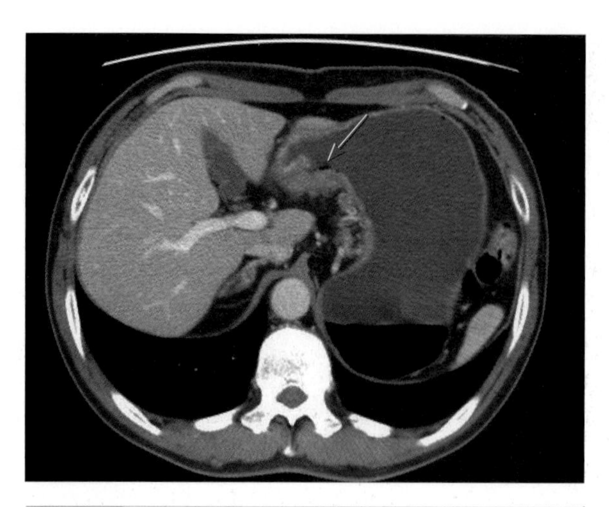

그림 20-9 **T4a Cancer.**
위체부에서 전정부에 이르기까지 침윤성 종괴가 있다. 주변 혈관 구조물을 바깥까지 종양침윤을 보이고 있으며 T4a 병변으로 판단한다. 좌위동맥주변으로 커진 림프절이 있어 전이를 의심할 수 있다.

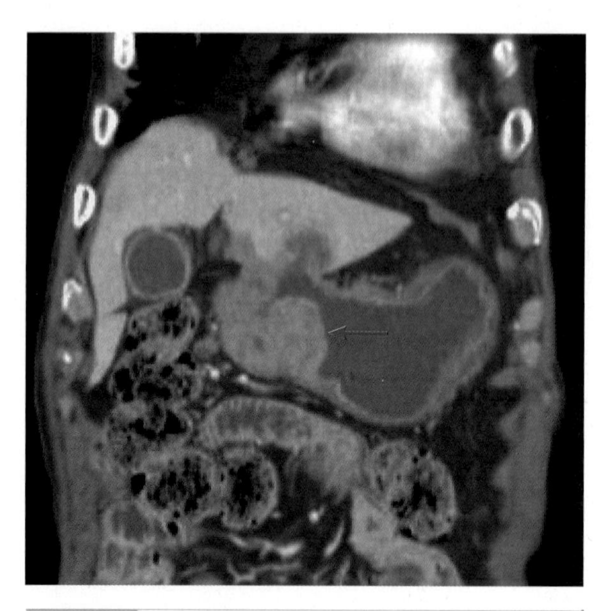

그림 20-10 **T4b Cancer.**
위 전정부를 감싸고 있는 종괴가 있다. 간 좌엽으로 직접 침윤을 보이고 있으며 간실질로 파고 들어가고 있다(화살표). T4b 병변으로 판단된다. 대만곡측에 커진 림프절이 있어 전이가 의심된다.

기 때문에 구별이 어려운 경우가 있다. 특히 AJCC 8판에서는 대망(omentum)과 위간인대(gastrohepatic ligament), 위대장인대(gastrocolic ligament)에 침범이 있고 복막 안에 국한되어 있으며 T3로 간주하므로 위암의 위치에 따라 위주변 지방조직에 침윤이 보이더라도 T3의 가능성을 배제할 수 없어져 병기진단이 어려워졌다. 림프절 병기(N stage)는 전이된 국소림프절 수에 따른다. CT에서 전이된 림프절은 크기를 기준으로 하며 일반적으로 8 mm를 기준으로 삼는다. 이와 함께 림프절 내부의 괴사 여부나 조영증강 여부를 추가적으로 고려할 수 있다. 이 기준으로 하였을 때 림프절 병기의 정확도는 51~70%로 편차가 심하다. 정상적인 크기의 림프절 안에도 국소적인 전이가 있을 가능성이 있고 염증 등에 의한 반응성 림프절도 크기가 커질 수 있기 때문에 감별이 어려운 경우가 있다. 또한 위암종괴가 클 경우 종괴와 림프절 전이가 뭉쳐져 보여 발견하기 어려운 경우도 있고 여러 개의 전이 림프절이 모여 개수를 세기 어려운 경우도 있다. 최근 다중검출기 CT를 이용한 연구에서도 림프절 전이 정확도는 그리 개선되지 않고 있다. 위치에 따라 원격전이로 평가되는 림프절 전이가 있으며 후췌장(retropancreatic), 상장간막(superior meseneteric), 중결장(midcolic) 림프절 등이 이에 해당한다.

위암의 원격전이는 혈행성 전이, 림프성 전이 및 직접 침윤으로 인한 복막전이로 분류할 수 있다. 혈행성 전이는 위장혈관이 간문맥을 통해 간으로 직접 가기 때문에 간이 가장 흔하고 폐, 부신, 신장, 뼈와 뇌로 전이될 수 있다. 간전이는 저음영 결절로 보이며 윤곽은 불분명하고 내부는 불균질하다. 변연부(peripheral)에 일부 조영증강이 증가된 부분이 보일 수 있다(그림 20-11). 간전이에 대한 CT의 정확도는 81~91%로 보고되었으며 CT로 진단이 불분명한 경우 초음파, MRI, PET-CT 등의 도움을 받을 수 있다. 복막전이는 복수와 함께 벽측(parietal) 복막, 대망, 장간막(mesentery)에 결절성(nodular), 판모양(plaque), 망상(reticular) 또는 가닥모양(strand)을 형성하고 더 진행하면 종괴를 만들어 대망케이크(omental cake)를 형성한다. 직장방광공간

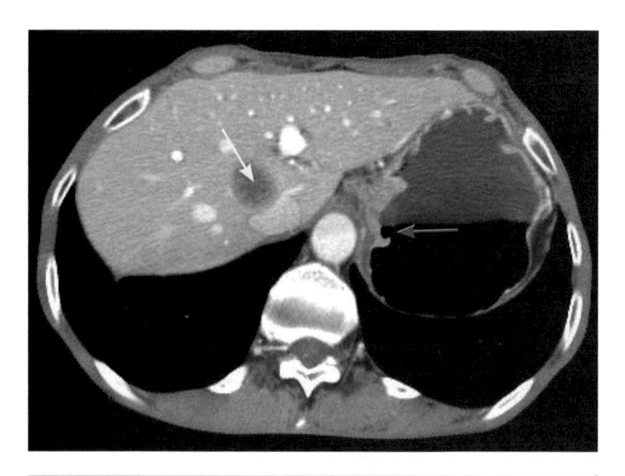

그림 20-11 **간전이.**
간 분절 4에 낮은 감쇄강도를 보이는 종괴가 있다(노란색 화살표). 주변으로 조영증강이 잘 되는 부분을 포함하고 있다. 전형적인 위암의 간전이 모습이다. 위분문부에 위암이 보인다(빨간색 화살표).

(rectovesical space)으로 전이되면 직장선반(rectal shelf)을 형성하고 난소를 침범하며 크루켄버그종양(Krukenberg tumor)을 만들기도 한다. 초기 복막전이의 경우에는 복수를 동반하지 않고 복막의 변화도 뚜렷하지 않은 경우가 있어 발견하기 쉽지 않은 경우가 있다. 진행된 병기의 위암이 있는 경우 복막변화가 심하지 않더라도 복막전이의 가능성을 염두에 두어야 한다(그림 20-12). 수신증(hydronephrosis)이 새로 생겼을 때는 요관주변(periureteric) 전이의 가능성을 고려하여야 하고 조영증강이 되는 장벽비후가 있을 때는 장 전이의 가능성을 고려하여야 한다(그림 20-13).

3. PET-CT

1) PET-CT의 원리

(1) 서론

양전자방출단층촬영술(PET)은 종양의 해부학적인 평가뿐만 아니라 종양조직의 생화학적인 정보를 영상화하는 기술이며 이를 통해 환자의 직접적인 예후를

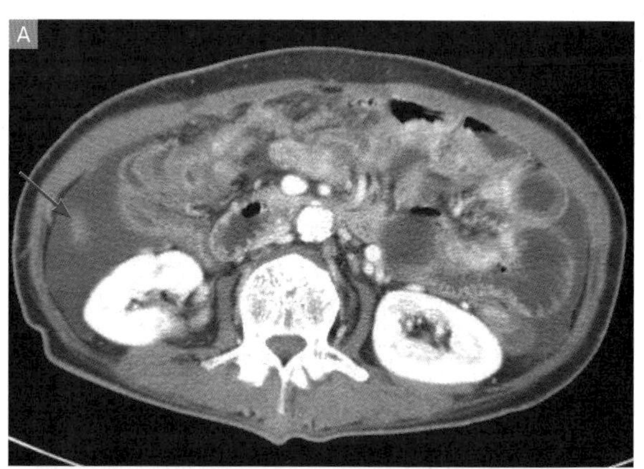

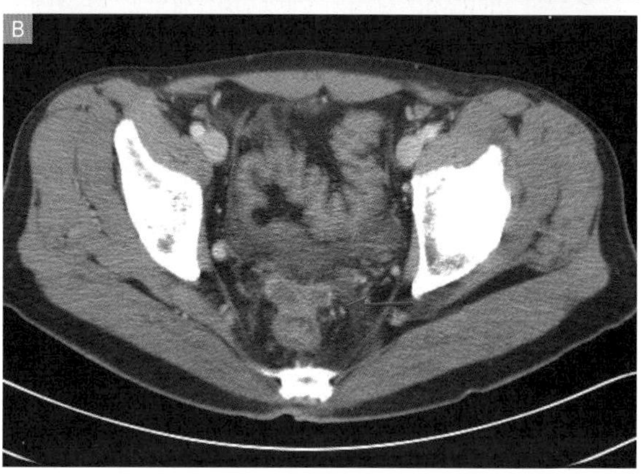

그림 20-12 **복막전이.**
A. 복강내를 채우고 있는 상당량의 복수가 있다(화살표). 대망에는 침윤성 병변이 있어 암세포의 파종이 있는 것으로 보인다.
B. 직장방광공간에 주변으로 조영증강이 되는 종괴가 있고(화살표) 직장선반에 합당한 소견이다.

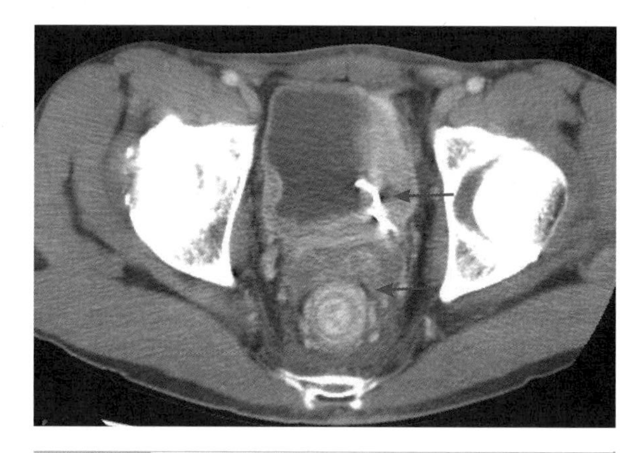

그림 20-13 **직장과 방광전이.**
직장에 조영증강이 잘되는 벽비후가 있다(화살표). 방광에도 주로 후벽쪽에 비슷한 양상의 벽 비후가 있다(화살표). 직장과 방광전이에 합당한 소견이며 반지세포암종signet ring cell carcinoma에서 볼 수 있는 소견이다.

예측하는 데 이용되고 있다. 종양의 생화학적 특성을 반영하는 다양한 tracer를 이용하여 PET 영상이 가능하며 현재 임상에서 가장 많이 이용되는 PET 검사는 FDG를 이용한 전신 영상이다. 또한 과거에 PET 영상이 가졌던 한계인 종양의 해부학적 정보부족을 보완하기 위해 PET과 CT를 결합한 PET/CT 장비를 이용한 영상이 현재 임상검사의 대부분을 차지하고 있다. 또한 최근에는 전신 MRI의 빠른 발전으로 PET과 MRI 장비를 결합한 PET/MRI 장비가 개발되어 새로운 융합영상을 이용한 환자의 정밀진단 분야가 발전하고 있는 추세이다.

(2) PET의 기본원리

① 기본 개요

PET 영상을 얻기 위해서는 양전자(positron)를 방출하는 방사성동위원소가 필요하다. 현재 널리 이용되는 PET용 방사성동위원소들은 ^{18}F, ^{11}C, ^{13}N 등이 있다. 이러한 방사성동위원소들은 원자핵 내의 불안정한 전하 상태를 갖고 있으며 하나의 양성자가 중성자로 변화되어 양전자를 방출하고 안정된 전하 상태를 갖게 된다. 방출된 양전자는 원자핵 주변의 전자를 만나 소멸되면서 511 keV의 에너지를 갖는 두 개의 감마선을 방출하게 된다. 이렇게 방출된 두 개의 감마선을 동시에 검출하여 이를 통해 감마선이 방출된 원래 양전자의 위치를 구하여 영상을 얻는 것이 PET 영상의 원리이다. PET 영상은 일반적인 planar scintigraphy 핵의학 영상을 얻기 위해 이용하는 조준기 없이 높은 질의 영상을 얻을 수 있는 장점이 있다. PET용 방사성동위원소들은 대부분 반감기가 짧으며 이를 얻기 위해서는 불안정동위원소를 생성할 수 있는 사이클로트론 장비가 필요한 경우가 많다. 임상적으로 널리 이용되는 방사성동위원소 중 하나인 ^{18}F는 반감기가 약 110분으로 상대적으로 반감기가 길어 사이클로트론이 없는 곳에서도 이용할 수 있는 경우가 많다.

② PET 영상물리

환자의 체내에 투여된 방사성추적자에서 발생한 감마선을 원통형의 PET 스캐너로 검출하는 방출스캔(emission scan)은 PET 영상의 기본이며 이를 통해 단층영상(tomographic image)을 얻게 된다. 최근 PET 영상장비의 기술 발전으로 방출스캔을 얻기 위해 베드당 1분의 스캔 시간으로도 원하는 영상을 얻을 수 있다.

환자에게서 얻은 방출스캔은 그 자체로는 환자의 실제 단면영상을 제대로 반영하지 못한다. 그 이유는 환자의 체내에서 발생한 감마선이 스캐너에 검출되기까지 많은 감쇠 및 산란 현상이 일어나기 때문이다. 이를 보정하기 위해 PET 영상 재구성에서는 감쇠정보가 필요하다. 과거에 CT 장비의 결합 없이 PET 영상만 얻는 것이 가능한 장비에서는 외부 감마선원을 이용하여 투과 스캔(transmission scan)을 얻어 이를 구하였으며 최근에는 CT 영상 정보를 이용하여 감쇠계수를 추정한다.

③ PET용 방사성화합물

PET 영상이 가진 핵심적인 장점은 다양한 방사성화합물을 이용하여 원하는 생화학적 특성을 바로 영상화할 수 있다는 점이다. 이를 통해 환자의 다양한 질병에서 특징적인 질병상태를 평가하고 환자의 진료에 유용한 정보를 제공할 수 있게 된다. 과거부터 PET은 특히 심혈관질환, 뇌신경계 질환에서 유용하게 이용되어 왔으며 최근에는 암 환자의 진료에 점차 비중이 늘어가고 있는 추세이다.

최근 종양의 다양한 측면에서의 생화학적 특성이 밝혀지는 와중에 PET을 이용하여 종양의 여러 대사 및 종양 특이적인 유전자 발현에 대한 정보를 얻고자 하는 시도가 늘어나고 있다. 또한 종양에서 알려진 신생혈관 형성, 저산소증 등 종양이 가진 분자생물학적 변화과정을 영상화하여 종양의 특성 및 이를 바탕으로 한 환자의 진단/예후 평가에 PET은 널리 이용되고 있다.

종양에서 가장 오래전부터 알려진 중요한 특성 중

하나는 정상 조직에 비해 증가된 포도당 대사이며 이는 종양의 포도당 섭취와 직접 관련되어 있다. 이에 근거한 포도당 유사체인 FDG를 이용한 종양 영상은 현재 가장 많이 이용되고 있는 종양진단용 PET 영상으로 볼 수 있다. 세포 내 포도당 대사과정은 오래전부터 알려져 왔으며 과거 연구들로부터 FDG가 어떻게 종양의 포도당 대사를 반영하는지 알려져 왔다. 포도당은 세포막에 발현하는 포도당 전달체(glucose transporter)를 통해 세포 내로 전달되면 이후 헥소키나아제에 의해 인산화된다. 포도당의 화학적 유사체인 FDG는 동일한 과정을 거쳐 세포 내로 흡수되며 인산화된다. 이 과정을 거친 뒤에는 탈인산화 효소의 기질이 되지 않아 세포 밖으로 방출되지 않으며 이에 의해 포도당 대사가 항진된 세포/조직에서 FDG 섭취가 증가하게 된다(그림 20-14 A).

포도당 대사와 함께 종양에서는 단백질 합성의 증가에 따른 아미노산 대사가 증가되어 있는 것이 특징이다. 과거부터 종양의 진단에 이용되어 온 대표적인 아미노산 영상은 ^{11}C-methionine이다(그림 20-14 B). ^{11}C-methionine PET 영상은 특히 뇌종양의 진단 및 재발 평가에 널리 이용되어 왔으며 이는 정상 뇌피질에서 보이는 증가된 포도당 대사로 인해 FDG PET 영상이 뇌종양의 평가에 영향을 미치기 때문이다. ^{11}C-methionine은 정상 뇌피질에서는 낮은 섭취를 보이고 종양에서 특이적으로 섭취가 증가되어 있어 크기가 작거나 다른 방사선학적 검사에서 명확하지 않은 종양/재발 병변에서 민감도가 높은 검사로 이용되고 있다. 최근에는 L-DOPA (L-3, 4-dihydroxyphenylalanine)의 화학적 유사체인 ^{18}F-FDOPA의 합성 기술이 발전하여 이를 이용한 종양의 아미노산 대사 평가가 점차 늘어나고 있는 추세이다. ^{11}C-methionine과 마찬가지로 ^{18}F-FDOPA PET 영상도 뇌종양에서 임상적 유용성이 확인되었으며 또한 특징적인 아미노산 대사의 증가를 보이는 신경내분비 종양의 진단에 유용성이 확인되어 국내에서는 이들 종양에서 ^{18}F-FDOPA PET을 사용하는 것이 임상진료 영역에서 인정되어 있다.

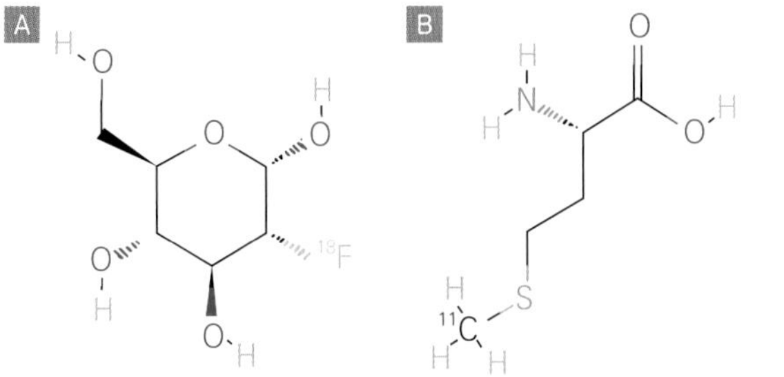

그림 20-14 A. ^{18}F-FDG, B. ^{11}C-methionine.

종양에서 특이적으로 증가되어 있는 대사 중 대표적인 것은 DNA 합성 과정을 뽑을 수 있다. 악성종양의 특성 중 하나는 조절되지 않는 세포분열의 증가이며 이 과정에서 DNA 합성의 증가는 필연적으로 동반된다. 따라서 DNA 합성 과정은 이전부터 종양 특이적인 분자영상의 목표로 여겨져 왔다. 조직의 포도당 대사는 비단 악성종양에서뿐만 아니라 염증반응이 활발한 비종양조직에서도 증가되어 있기 때문에 FDG PET을 통한 포도당 대사의 영상화는 그 자체로 종양 특이적인 성격에 어느 정도 한계가 있을 수 있기 때문이다. DNA 합성을 영상화하기 위한 PET용 방사성화합물이 개발되어 왔으며 그 중 널리 이용되는 것 중 하나는 ^{18}F-FLT (3-Deoxy-3-fluorothymidine)이다. ^{18}F-FLT는 세포내의 thymidine kinase의 기질이 되어 인산화된 후 세포내에 축적되어 DNA 합성이 증가된 조직에서 섭취 증가를 보이게 된다. 종양 특이적 영상화를 위해 ^{18}F-FLT를 이용하여 주로 폐암, 림프종 등에서 항암치료 후 잔존암을 정확하게 평가하여 치료반응을 평가하는 연구가 진행되어 왔다(그림 20-15 A).

종양에서 대사/세포 분열 증가에 따라 증가된 특징적인 것은 신생혈관형성 증가이다. 종양조직의 성장과 전이에 있어 신생혈관형성은 중요한 요인이며 신생혈관형성의 억제는 종양 치료에 있어 중요한 target이 된다. 신생혈관형성을 영상화하기 위한 방사성화합물 중

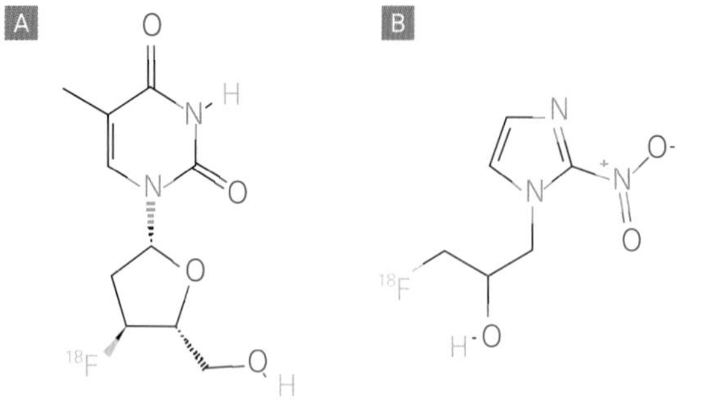

그림 20-15 A. ^{18}F-FLT, B. ^{18}F-FMISO.

대표적인 것은 $\sigma_v\beta_3$-integrin 수용체에 결합하는 RGD peptide (Arg-Gly-Asp)를 기반으로 하여 제작되었다.

종양조직은 빠른 성장/세포분열로 인해 특히 조직의 내부에 저산소 상태가 유발된다. 종양의 저산소 상태 및 혈류공급 저하 상태는 방사선치료 및 항암치료의 반응을 저하시키는 인자로 알려져 있어 이에 대한 평가는 종양의 치료반응을 예측할 수 있는 중요한 생화학적 정보가 된다. 그러나 기존의 조직 내 산소농도를 측정하는 기술은 직접 조직 내에 전극을 삽입하여 산소농도를 측정하는 방식으로 임상에 적용하기 어려운 침습적인 방식이다. 따라서 비침습적인 방식의 조직 산소농도 측정은 분자영상 기술의 중요한 응용분야가 된다. ^{18}F-FMISO (fluoromisonidazle)은 이를 위해 개발된 방사성화합물 중 하나이며 2-nitroimidazol 유도체의 방사성동위원소 표지를 통해 합성된다. ^{18}F-FMISO는 산소분압이 감소된 조직에 섭취되어 저산소 상태인 조직을 영상화하며 이는 최근 개발되고 있는 저산소 상태의 종양조직을 target으로 하는 항암제의 치료반응 평가에 직접적으로 이용할 수 있는 장점을 가진다. 방사선치료가 주된 종양의 치료로 자리잡고 있는 두경부암에서 ^{18}F-FMISO PET 영상을 이용하여 조직의 저산소 상태를 평가하고 이를 기반으로 하여 치료선량을 결정하는 연구가 진행되고 있다(그림 20-15 B).

종양의 생화학적 특성을 평가하기 위해서는 대사뿐만 아니라 유전자 발현, 특히 쉽게 접근 가능한 세포막 표면의 수용체 발현의 변화를 확인하는 것이 필요하다. 이전부터 PET용 방사성화합물은 수용체에 특이적으로 결합할 수 있는 ligand에 기반하여 제작되었으며 이를 이용하여 높은 특이도로 종양에서 발현되는 수용체를 영상화할 수 있다. 대표적인 종양 수용체 영상화는 신경내분비종양에서 과발현되는 소마토스타틴 수용체(somatostatin receptor)를 target으로 한다. 최근 이와 더불어 주목받고 있는 종양 수용체 영상의 분야는 유방암 조직에서 발현되는 에스트로겐 수용체(ER)를 target으로 하는 PET 영상으로 이는 복잡한 유방암의 분자생물학적 특성을 영상화하고 호르몬 치료의 반응을 평가할 수 있는 새로운 대안으로 제시되고 있다.

2) 위암의 PET-CT 진단

(1) 서론

우리나라에서 위암은 높은 발생빈도(중장년 남성에서의 암 발생 1위, 고령 남녀에서의 암 발생 2위)를 보이는 암이며, 과거에 비해 생존율의 점진적인 향상을 보이고 있으나 여전히 높은 사망률의 원인이 되고 있다. 진행성 위암의 경우 림프절절제술을 포함한 근치적 절제술을 하더라도 높은 빈도에서 암의 재발이 확인되며 이는 환자의 나쁜 예후와 관련되어 있다. 따라서 근치적 수술 전 위암의 정확한 병기설정은 환자의 치료방침 설정에 중요한 부분을 차지한다. 수술의 범위 설정과 관련된 림프절 전이 여부 및 범위 예측은 조영증강 CT를 통해 주로 평가되고 있으나 수술 후 병리학적 소견과 비교할 시 미흡하여 이의 보완이 필요하다. 최근 암의 진단 및 병기설정에 중요한 역할을 차지하고 있는 PET/CT는 위암에서도 유용하게 이용되고 있다.

(2) 진단 및 병기 설정

① 원발 위암의 FDG 섭취

위암의 FDG 섭취는 조직의 다양한 특성(병리학적

아형, 암세포의 밀도, 암의 섬유화 및 염증세포 침윤의 정도, 암 조직의 혈류)에 따라 달라질 수 있으며 이에 따라 FDG PET을 통한 위암의 발견율(detection rate)은 보고에 따라 유의미하게(34~94%) 달라진다. 따라서 위암 환자의 FDG PET 영상은 기계적인 FDG 섭취만으로 평가하기 어려우며 다양한 임상/병리학적 정보와 함께 해석해야 한다. 특히 위암의 조직학적 아형이 반지세포암(signet ring cell carcinoma) 혹은 점액성암(mucinous carcinoma)일 경우 낮은 FDG 섭취를 보일 수 있어 주의가 필요하다. 분화도가 낮은(poorly differentiated) 암의 경우 다양한 정도의 FDG 섭취를 보일 수 있음이 보고되었다(그림 20-16). 위암의 FDG 섭취에 병변의 크기는 중요한 인자이며 조기위암의 경우 FDG PET에서 원발병소의 구분이 어려울 수 있다. 위암의 원발병소에서 FDG 섭취가 갖는 의미는 높은 FDG 섭취를 갖는 원발암의 생물학적 특성을 예측하고 이와 환자의 예후와의 관련성을 추정할 수 있다는 점이다.

종양의 FDG 섭취와 직접적으로 관련되어 있는 인자 중 하나는 세포 표면에 발현하는 포도당 전달체 GLUT1 (glucose transporter 1)의 양이다. 위암 조직에서 GLUT1 발현의 정도는 암의 생물학적 특성과 관련되어 있으며 환자의 예후와도 관련이 있다는 보고가 있다. 양성 선종과 악성 선암 조직에서 GLUT1 발현 정도를 확인한 연구에 따르면 GLUT1은 악성 선암에서 유의하게 높은 빈도로 발현 증가가 확인되었으며 병리학적 소견에 따라 분류된 cohesive type의 종양은 non-cohesive type의 종양에 비해 GLUT1 발현이 증가되어 있었다.

위암 환자의 FDG PET 영상 해석에서 주의해야 할 점은 정상 위벽에서 FDG 섭취가 다양한 정도로 보일 수 있다는 것이다. 특히 검사의 전처치를 위해 환자가 금식을 유지하고 있는 경우 위장관이 수축하고 위벽이 두꺼워짐에 따라 정상 위벽에서 증가된 FDG 섭취를 보일 수 있고 이는 정상조직과 암조직의 구별에 제한을 가져올 수 있다. 이를 극복하기 위해 환자가 발포제나 물을 먹도록 하여 위장을 팽창시킨 후 FDG PET 영상을 얻는 방법이 있다.

② 림프절 전이

위암 환자에서 림프절 전이의 유무는 가장 중요한 예후 예측인자 중 하나이다. 위 주변 림프절 전이의 평가를 위해서는 내시경초음파검사(endoscopic ultrasonography)가 이용되며 수술 범위 결정을 위한 복강내

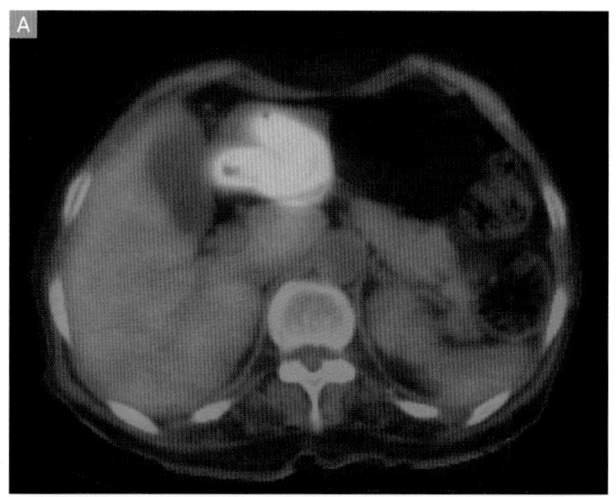

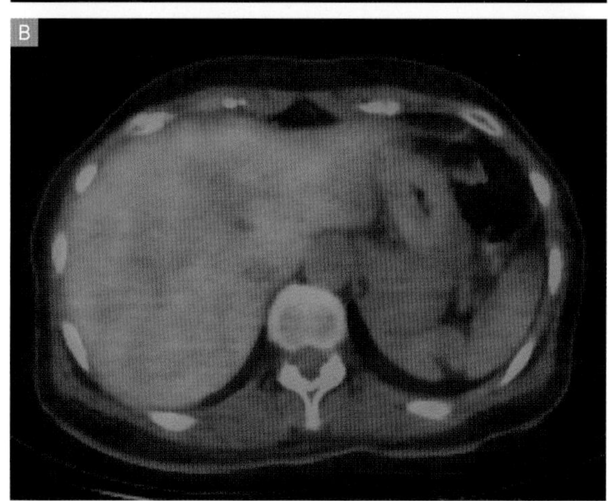

그림 20-16 **조직학적 아형에 따른 원발 위암의 FDG 섭취 정도.**
A. 관상세포암으로 확인된 유문부위의 원발종양은 높은 FDG 섭취를 보였다.
B. 반지세포암으로 확인된 대만 부위의 원발 종양은 정상 위벽과 구별되지 않는 정도의 FDG 섭취를 보였다.

림프절 전이의 평가를 위해 조영증강 CT가 이용되고 있다. 림프절 전이 유무의 기본적인 판단기준은 림프절의 크기이다. 그러나 림프절의 크기만으로 전이 유무를 민감하고 특이적으로 판단하기에는 제한이 많다. 진행성 위암 환자에서 보다 정확한 수술 전 림프절 전이 유무를 평가하기 위해 FDG PET을 이용하는 연구들이 진행되어 왔다.

FDG PET은 단독으로 림프절 전이 판정에 이용하기보다는 CT, EUS와 함께 이용하는 것이 림프절 전이의 진단 특이도를 높이는 데 도움 된다고 알려져 있다. 최근 보고에 따르면 FDG PET을 이용한 림프절 전이의 진단 성능은 조영증강 CT와 비교할 만한 정도이며 특히 조영증강 CT의 역할이 주로 민감한 림프절 전이 병변의 발견에 있다면 FDG PET을 통한 림프절 전이에 대한 정보는 보다 환자의 직접적인 예후와 관련이 높다. 또한 원발 종양의 FDG 섭취가 높을수록 병리학적으로 확인한 림프절 전이 존재가 높다고 알려져 있어 림프절 전이를 판단하는 데 있어 FDG PET 소견의 주의 깊은 해석이 필요하다. FDG PET은 임상적으로 설정된 진행성 병기(N2 or N3)에서 적극적인 이용을 고려해 볼 수 있다(그림 20-17).

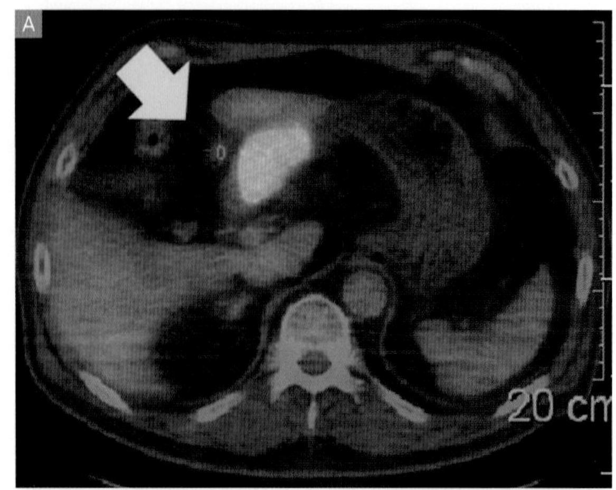

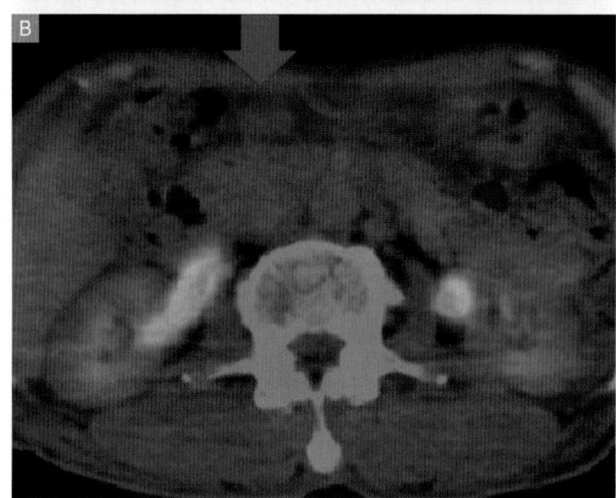

그림 20-17 A. 크기가 작은 림프절(노란 화살표)의 경우에도 FDG 섭취가 증가된 경우 전이성 림프절 진단이 가능하다.
B. 크기가 큰 림프절(붉은 화살표)의 경우에도 FDG 섭취가 높지 않을 경우 이는 환자의 양호한 예후와 관련되어 있다.

③ 원격전이

FDG PET이 종양 환자의 병기설정에 있어 갖는 특징적인 장점은 1회의 검사로 손쉽게 전신 스캔이 가능하여 이를 통해 미리 확인되지 못한 전이 병변을 확인할 수 있다는 것이다. 특히 진행성 위암 환자에서 FDG PET는 정확한 병기설정 및 수술 적응증 판단에 도움을 주고 치료방침을 조정할 수 있게 해준다. FDG PET이 위암의 원격전이를 진단하는 성능은 약 80% 이상으로 높은 정확도를 갖는다. 진행성 위암 환자에서의 원격전이는 크게 복강내 전이와 타장기 전이의 형태를 띤다. FDG PET 검사는 CT에서 확인된 복막전이 병변의 진단 특이도를 향상시켜준다. FDG PET에서 타장기 전이를 진단하는 성능은 장기에 따라 조금씩 차이가 있으며 간, 폐, 뼈 전이에서 높은 특이도를 갖는다.

④ 치료반응 평가

FDG PET은 종양의 생물학적 특성을 반영하며 종양의 FDG 섭취는 종양 조직에서 괴사된 부위와 생존 부위를 구별하는 정보를 제공한다. 따라서 FDG PET은 항암치료 후 종양의 정확한 반응 평가를 위해 이용된다. 특히 항암치료 시작 후 반응 평가를 조기에 시행하는 경우, 종양의 크기 변화가 뚜렷하지 않은 경우에도 FDG PET에서의 치료반응은 뚜렷한 변화를 보일 수 있고 FDG PET를 통한 치료반응의 평가는 항암치료의 효과 및 환자의 예후를 평가하는 데 직접적인 정보를 제공할 수 있다. 진행성 위암 환자에서 항암치료 후 2주 후에 치료반응을 평가를 위해 FDG PET을 시행한 연구에 따르면 FDG PET로 확인된 치료반응군은 높은 병리학적 반응을 보였으며 좋은 예후를 보였다. 이에 반해 FDG PET에서 반응이 나빴던 환자군에서는 오직 17%만이 병리학적인 항암치료의 반응을 보였으며 불량한 예후를 보였다. 진행성 위암 환자에서 수술 전 선행화학요법에 따른 치료 성적 및 예후 평가에 관한 연구는 진행 중이며 FDG PET을 이용한 반응 평가의 유용성은 앞으로 더 많은 증거가 축적될 것으로 기대된다. FDG PET을 통한 항암치료의 반응 평가 시 최적의 평가 시점, 종양의 병리학적 특성에 따른 FDG 섭취의 정도, 종양 특이적인 FDG 섭취의 범위 결정 등에 대해 고려해야 한다.

참고문헌

1. 대한복부영상의학회. 복부영상의학. 일조각, 2010: 103-116.
2. 이명철 편저. 임상 PET (Clinical Positron Emission Tomography). 제 1판. 고려의학, 2011.
3. 이재문, 정현석, 손경명. 새로운 TNM 병기분류에 따른 위암의 임파절 전이 진단: 기존 분류에 따른 CT 진단과의 정확도 비교. 대한방사선의학회지 1999; 40:891-894.
4. 정준기, 이명철 편저. 고창순 핵의학. 제3판. 고려의학, 2008.
5. 정현석·이재문·손경명 등. 위암의 새로운 TNM 병기분류 방식에 따른 전산화 단층촬영의 임파절 병기결정: 임파절 크기 기준의 재평가. 대한방사선의학회지 2000;42:101-106.
6. Bollineni VR, Kramer GM, Jansma EP, Liu Y, Oyen WJ. A systematic review on [(18)F]FLT-PET uptake as a measure of treatment response in cancer patients. Eur J Cancer 2016;55:81-97.
7. Chae SY, Kim SB, Ahn SH, Kim HO, Yoon DH, Ahn JH, et al. A randomized feasibility study of (18)F-fluoroestradiol PET to predict pathologic response to neoadjuvant therapy in estrogen receptor-Rich Postmenopausal breast cancer. J Nucl Med 2017;58:563-568.
8. Chen CY, Hsu JS, Wu DC, Kang WY, Hsieh JS, Jaw TS, et al. Gastric cancer: preoperative local staging with 3D multi-detector row CT-correlation with surgical and histopathologic results. Radiology 2007;242: 472-482.
9. Chin SY, Lee BH, Kim KH, Park ST, Do YS, Cho KJ. Radiological prediction of the depth of invasion and histologic type in early gastric cancer. Abdom Imaging 1994;19:521-526.
10. Comar D, Cartron J, Maziere M, Marazano C. Labelling and metabolism of methionine-methyl-11 C. Eur J Nucl Med 1976;1:11-14.
11. Coupe NA, Karikios D, Chong S, Yap J, Ng W, Merrett N, et al. Metabolic information on staging FDG-PET-CT as a prognostic tool in the evaluation of 97 patients with gastric cancer. Ann Nucl Med 2014;28: 128-135.
12. Fukuya T, Honda H, Kaneko K, Kuroiwa T, Yoshimitsu K, Irie H, et al. Efficacy of helical CT in T-staging of gastric cancer. J Comput Assist Tomogr 1997; 21:73-81.
13. Gore RM, Levine MS, Ghahremani GG, Miller FH. Gastric cancer. Radiologic diagnosis. Radiol Clin North Am 1997;35:311-329.

14. Haubner R, Wester HJ, Weber WA, Mang C, Ziegler SI, Goodman SL, et al. Noninvasive imaging of alpha(v)beta3 integrin expression using 18F-labeled RGD-containing glycopeptide and positron emission tomography. Cancer Res 2001;61:1781-1785.
15. Hendrickson K, Phillips M, Smith W, Peterson L, Krohn K, Rajendran J. Hypoxia imaging with [F-18] FMISO-PET in head and neck cancer: potential for guiding intensity modulated radiation therapy in overcoming hypoxia-induced treatment resistance. Radiother Oncol 2011;101:369-375.
16. Henze M, Schuhmacher J, Hipp P, Kowalski J, Becker DW, Doll J, et al. PET imaging of somatostatin receptors using [68GA]DOTA-D-Phe1-Tyr3-octreotide: first results in patients with meningiomas. J Nucl Med 2001;42:1053-1056.
17. https://pubchem.ncbi.nlm.nih.gov/
18. Jung K-W, Won Y-J, Kong H-J, Lee ES. Cancer statistics in Korea: Incidence, mortality, survival, and prevalence in 2015. Cancer Res Treat 2018;50:303-316.
19. Kamimura K, Nagamachi S, Wakamatsu H, Fujita S, Nishii R, Umemura Y, et al. Role of gastric distention with additional water in differentiating locally advanced gastric carcinomas from physiological uptake in the stomach on 18F-fluoro-2-deoxy-D-glucose PET. Nucl Med Commun 2009;30:431-439.
20. Kawamura T, Kusakabe T, Sugino T, Watanabe K, Fukuda T, Nashimoto A, et al. Expression of glucose transporter-1 in human gastric carcinoma: association with tumor aggressiveness, metastasis, and patient survival. Cancer 2001;92:634-641.
21. Kim EY, Lee WJ, Choi D, Lee SJ, Choi JY, Kim BT, et al. The value of PET/CT for preoperative staging of advanced gastric cancer: comparison with contrast-enhanced CT. Eur J Radiol 2011;79:183-188.
22. Kim HJ, Kim AY, Lee JH, Yook JH, Yu ES, Ha HK. Positioning during CT gastrography in patients with gastric cancer: the effect on gastric distension and lesion conspicuity. Korean J Radiol 2009;10:252-259.
23. Kim JW, Shin SS, Heo SH, Choi YD, Lim HS, Park YK, et al. Diagnostic performance of 64-section CT using CT gastrography in preoperative T staging of gastric cancer according to 7th edition of AJCC cancer staging manual. Eur Radiol 2012;22:654-662.
24. Kim JW, Shin SS, Heo SH, Lim HS, Lim NY, Park YK, et al. The role of three-dimensional multidetector CT gastrography in the preoperative imaging of stomach cancer: emphasis on detection and localization of the tumor. Korean J Radiol 2015;16:80-89.
25. Kwon HW, An L, Kwon HR, Park S, Kim S. Preoperative nodal (18)F-FDG avidity rather than primary tumor avidity determines the prognosis of patients with advanced gastric cancer. J Gastric Cancer 2018;18:218-229.
26. Lee SW, Shinohara H, Matsuki M, Okuda J, Nomura E, Mabuchi H, et al. Preoperative simulation of vascular anatomy by three-dimensional computed tomography imaging in laparoscopic gastric cancer surgery. J Am Coll Surg 2003;197:927-936.
27. Lerut T, Flamen P, Ectors N, Van Cutsem E, Peeters M, Hiele M, et al. Histopathologic validation of lymph node staging with FDG-PET scan in cancer of the esophagus and gastroesophageal junction: A prospective study based on primary surgery with extensive lymphadenectomy. Ann Surg 2000;232:743-752.
28. Levine MS, M.A. Kochman ML. Carcinoma of the stomach and duodenum. In: Levine MS, Gore RM eds. Textbook of gastrointestinal radiology. Philadelphia: Saunders, 2008:619-643.
29. Lim JS, Kim MJ, Yun MJ, Oh YT, Kim JH, Hwang HS, et al. Comparison of CT and 18F-FDG pet for detecting peritoneal metastasis on the preoperative evaluation for gastric carcinoma. Korean J Radiol 2006;7:249-256.
30. Lizarraga KJ, Allen-Auerbach M, Czernin J, DeSalles AA, Yong WH, Phelps ME, et al. (18)F-FDOPA PET for differentiating recurrent or progressive brain meta-

static tumors from late or delayed radiation injury after radiation treatment. J Nucl Med 2014;55:30-36.
31. Miller FH, Kochman ML, Talamonti MS, Ghahremani GG, Gore RM. Gastric cancer. Radiologic staging. Radiol Clin North Am 1997;35:331-349.
32. Ott K, Herrmann K, Lordick F, Wieder H, Weber WA, Becker K, et al. Early metabolic response evaluation by fluorine-18 fluorodeoxyglucose positron emission tomography allows in vivo testing of chemosensitivity in gastric cancer: long-term results of a prospective study. Clin Cancer Res 2008;14:2012-2018.
33. Serrano OK, Love C, Goldman I, Huang K, Ng N, Abraham T, et al. The value of FDG-PET in the staging of gastric adenocarcinoma: A single institution retrospective review. J Surg Oncol 2016;113:640-646.
34. Shimada H, Okazumi S, Koyama M, Murakami K. Japanese Gastric Cancer Association task force for research promotion: clinical utility of (1)(8)F-fluoro-2-deoxyglucose positron emission tomography in gastric cancer. A systematic review of the literature. Gastric Cancer 2011;14:13-21.
35. Smyth E, Schoder H, Strong VE, Capanu M, Kelsen DP, Coit DG, et al. A prospective evaluation of the utility of 2-deoxy-2-[(18) F]fluoro-D-glucose positron emission tomography and computed tomography in staging locally advanced gastric cancer. Cancer 2012;118:5481-5488.
36. Yoshioka T, Yamaguchi K, Kubota K, Saginoya T, Yamazaki T, Ido T, et al. Evaluation of 18F-FDG PET in patients with advanced, metastatic, or recurrent gastric cancer. J Nucl Med 2003;44:690-699.

CHAPTER 21

위암의 병리

1. 위암의 전구병변(전암성 병변)

1) 선종

(1) 임상양상

선종(adenoma)은 위의 양성종양으로, 위에 발견되는 용종(polyp)의 3~10%를 차지한다. 선종의 발생률은 선암(adenocarcinoma)이 많이 발생하는 일본, 한국, 중국 등에서 높다. 선종의 크기는 대개 3 cm 미만이고 단독 또는 다발성으로 나타나며, 호발부위는 선암과 유사하여 전정부(antrum), 소만곡(lesser curvature)에 빈발한다. 대개 증상이 없으나 출혈, 궤양, 폐색 등이 동반된 경우 이와 관련된 증상이 나타난다. 선종은 나이가 많을수록 발생률이 높아 50~60대에 호발하고, 남녀비는 3:1가량이다. 가족성선종용종증(familial adenomatous polyposis) 환자 중 1~15%에서 위선종이 생길 수 있다. 이 종양은 선종-암종과정(adenoma-carcinoma sequence)을 거쳐 선암으로 이행할 수 있으며, 발견 당시에 선종의 일부에서 선암이 동반될 수 있다.

(2) 육안소견

육안적으로 선종은 목 없는 무경성 용종(sessile polyp)과 목 있는 유경성 용종(pedunculated polyp)으로 나뉘며, 표면은 과립성으로 오디(뽕나무 열매)처럼 보인다. 선종 주변의 위점막에서는 대부분 심한 장상피화생(intestinal metaplasia)을 동반한 위축위염 소견이 관찰된다(그림 21-1).

(3) 현미경 소견

위선종은 이형성 상피로 구성된 종양이다. 선종은 상피세포의 모양에 따라 장형(intestinal type)과 위형

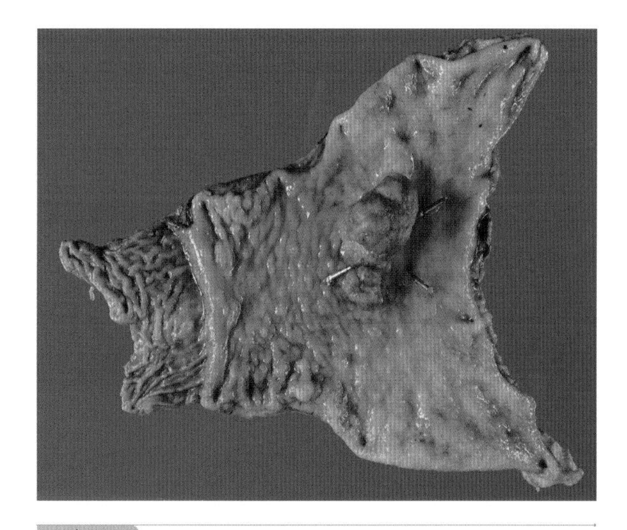

그림 21-1 **위선종의 육안소견.**
융기형 선종이 관찰되며 주변 위점막에서 위축위염이 관찰된다.

(gastric type)으로 분류할 수 있다(그림 21-2). 장형은 주로 장상피화생을 보이는 위점막에 발생하며, 장상피와 분화 정도가 비슷하다. 위선종의 대부분을 차지하며 대장의 선종과 형태학적으로 유사하다. 위형은 위의 오목상피(foveolar epithelium) 또는 유문부 상피(pyloric gland type epithelium)로 분화된다. 장형과 위형이 동반된 선종이 나머지를 차지한다. 드물게 선종의 대부분이 파네트세포(Paneth cell)로 구성된 파네트세포선종이 발생하기도 한다.

선종은 선구조에 따라 관상선종(tubular adenoma)과 융모선종(villous adenoma)으로 분류하며, 선종 중 95%가 관상선종에 속한다. 선종은 한 층 또는 여러 층으로 구성된 원주형의 이형성 세포가 배열된 형태를 띤다. 선종은 세포 이형도의 정도에 따라 2등급 또는 3등급으로 나뉜다. 이전에는 3등급(mild, moderate, severe dysplasia)으로 나누는 분류를 흔히 사용하였으나 최근에는 통상적으로 2등급, 즉 저등급(low grade; mild to moderate dysplasia)과 고등급(high grade; severe dysplasia)으로 분류한다. 고등급 선종에 상피내암종을 포함시키기도 한다. 핵의 길이가 세포 길이의 1/2 이하인 경우 저등급 선종으로 분류하고, 인접한 3개 이상의 선구조가 고등급(핵의 길이가 세포 길이의 1/2 이상)의 이형성 소견을 보일 경우 고등급 선종으로 분류한다. 선종이 점막의 윗부분에 국한되면 선종의 아래부위에서 낭성 변화 내지는 증식을 일으킨 고유선이 보이지만, 선종이 성장하면 점막의 전층을 차지하게 된다.

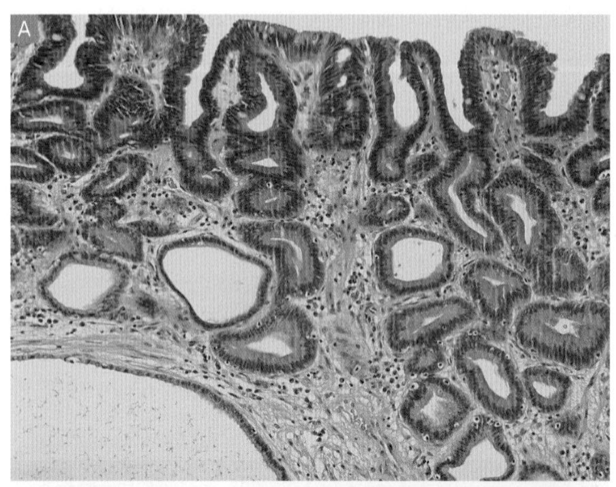

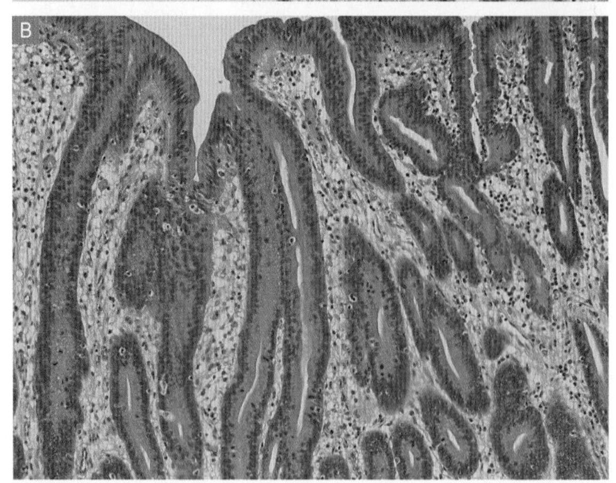

그림 21-2 **위선종의 현미경 소견.**
저등급 관상선종을 구성하는 세포의 형태에 따라 장형(A)과 위형(B)으로 나뉠 수 있다.

위선종은 선암으로 이행할 수 있으며, 대장의 선종과 마찬가지로 위선종의 크기, 구조적 조직형, 세포 이형성 정도가 병리학적으로 위선암과 연관된 위험인자이다. 특히 크기가 2 cm 이상이고, 융모선종이며 세포 이형성이 고등급인 선종에서 선암이 발생할 위험도가 높다. 장경 1 cm 미만의 크기가 작고 목 있는 형의 선종은 대개 저등급의 관상선종이며 선암이 될 가능성이 낮다. 이에 반해 크기가 크며 목 없는 형의 선종은 대개 고등급의 융모선종이다. 또한 육안 소견상 표면의 발적과 미란 혹은 궤양이 있는 경우 선암을 동반할 가능성이 높다.

2) 위상피 이형성

(1) 임상상

위에 생긴 선암 중 조기위암의 40~100%에서 진행성 위암의 5~80%에서 고등급 이형성(dysplasia)이 선암의 주변점막에서 관찰된다. 따라서 위생검 시 반드시 이형성 여부를 진단해 선암이 동반됐을 가능성 및 선암으로 발전할 가능성을 파악해야 한다. 위상피에서 생기는 이형성은 항상 용종 또는 종양의 형태로 관찰되지는 않는다. 오히려 편평형 또는 함몰형 같이 점막의 미세한 변화에서 이형성이 진단되는 경우가 많다. 따라서 위상피 이형성은 증상을 유발하는 경우가 거의 없고, 건강검진을 할 때 내시경검사에서 우연히 발견되는 경우가 대부분이다. 임상적으로 선암과의 연관성이 중요하여 동반된 선암을 진단하기 위해 재검사를 하기도 한다.

우리나라의 경우 위상피 이형성은 위암보다 낮은 연령(60~70세)에서 호발하며 남녀 비율은 2.4~3.9:1로 남성에서 발생 빈도가 높게 나타난다. 이형성은 저등급과 고등급으로 분류한다. 저등급 이형성은 선암으로 진행될 확률이 낮으며(3~9%), 선암이 발생하는 속도도 매우 느려 중요성이 떨어진다. 고등급 이형성은 진단 당시에 적어도 70%가 선암을 동반하고 있으며, 선암으로 진행할 확률도 높다(10~100%).

(2) 육안 및 현미경 소견

위상피 이형성은 육안적으로 미세한 변화를 보인다. 육안으로 전혀 구별할 수 없거나 점막이 약간 두꺼워지거나 얇아져 있기도 한다. 그 외에 점막의 발적 또는 결절성 변화가 관찰되기도 한다. 이형성은 유문부 소만곡에서 호발하며, 간혹 분문부(cardia)에 바레트식도(Barrett esophagus)와 연관되어 발생하기도 한다.

이형성은 위선종과 마찬가지로 세포 이형성 또는 선구조의 이상이 특징으로, 현미경 소견상 ① 개개세포는 부정성이지만 비종양성으로 증식하며, ② 개개세포는 통일성이 소실되고, ③ 개개세포가 다형성(cellular pleomporphism)을 띠고, ④ 구조적 방향성이 소실된다. 이형성이 점막의 윗부분에만 국한되고 아래부분에서는 고유선의 낭성 변화 또는 증식을 동반하거나, 점막 전 층이 이형성을 띠기도 한다. 주변 점막에는 장상피화생을 동반하는 경우가 많은데, 이때 이형성 내부에서 술잔세포(goblet cell) 등의 장형 분화가 관찰된다.

위점막 이형성은 크게 장형 분화를 보이는 선종형 이형성(adenomatous dysplasia; type I)과 오목상피에서 생긴 위형(gastric type) 이형성(foveolar type; type II)으로 나뉘며 위형 이형성은 장상피화생을 동반하지 않은 오목상피에서 발생한다. 드물게 선구조의 목 부분에서 관찰되는 세포 이형성(tubular neck dysplasia)은 미만형(diffuse type)과 반지세포암(signet-ring cell carcinoma)의 전구병변으로 생각된다.

이형성을 저등급 및 고등급으로 분류하는 기준은 주관적이지만, 대체로 핵소체가 크고 뚜렷해지며, 세포 이상이 심해지고, 선구조 이상이 심해지며(glandular crowding, branching and budding, back-to-back glands), 비정상 세포분열이 관찰되는 등의 변화가 보이면 고등급으로 분류할 수 있다. 저등급과 달리 고등급 이형성에는 선구조 내부에 괴사조각이 자주 관찰되며 비정형성 유사분열(atypical mitosis)이 관찰된다.

위상피 이형성 병변은 전통적으로 이형성의 등급에 상관없이 점막 표층상피까지 이형성 세포가 관찰될 때 진단되었다. 하지만 최근에 점막 표층상피 이형성 없이 점막층 아래쪽 선 구조만 위오목세포 이형성이 국한되어 있는 경우가 보고되었고(crypt dysplasia, pit dysplasia) 이러한 유형의 병변도 위암의 전구병변의 가능성이 있는 것으로 생각된다(그림 21-3).

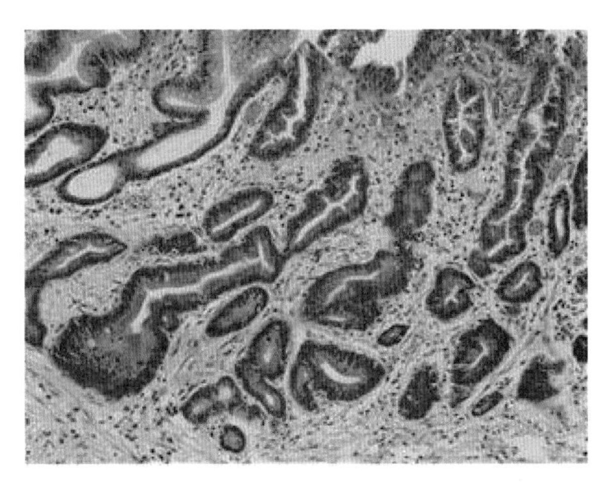

그림 21-3 **위 오목세포 이형성의 현미경 소견.** 위점막의 목 부위 선 구조의 상피세포 이형성과 구조적 이형성이 국한되어있다. 점막 표면 상피에는 이형성이 관찰되지 않는다.

(3) 위상피 이형성과 선종의 관계

위상피 이형성이라는 용어는 진단병리학 분야에 도입되면서 분명히 정의되지 않은 상태로 널리 사용되어 왔기 때문에 이 진단의 정체와 선종과의 관계에 대하여 많은 혼선이 야기되어 왔다. 위선종과 위상피 이형성은 WHO의 종양 분류에 따르면 전암성 병변(premalignant lesion)으로 ICD-O code 8140/0과 8148/0으로 구분되어 기재되어 있다. 위상피 이형성은 상피내종양(intraepithelial neoplasia/dysplasia)으로도 혼용해서 쓰인다.

서양에서는 경계가 분명한 융기형 이형성(polypoid dysplasia)을 선종이라 하고 나머지 모두를 이형성이라고 한다. 즉 위상피 이형성은 현미경적 소견의 표현인데 반해 선종은 독립적인 종양병변의 의미로 사용된다. 즉 선종은 현미경적으로 세포의 이형성 외에 ① 주변과의 경계가 명확하며, ② 비교적 크기와 모양이 균일한 선구조가 조밀하게 증식한 형태이며, ③ 점막 표층상피까지 동일한 이형성세포로 대치되는 것이 특징인 병변이다. 이러한 형태학적 특성 외에도 선종은 ① 양성 종양으로서의 임상결과를 보이며 ② 대장에서와 마찬가지로 선종-선암의 경과를 따른다. 그러나 위선종은 대장의 선종과 달리 발생빈도가 낮고, 융종형 병변보다는 대부분 편평형 또는 함몰형 병변이다. 따라서 내시경 소견이나 절제표본의 육안적 특성까지 종합해야 선종 여부를 정확이 진단할 수 있다. 다시 말해서 위상피 이형성의 소견은 선종의 기본적인 조직 소견과 일치하지만 선종의 육안 소견에 부합하지 않는 경우가 존재하기 때문에, 육안적으로 선종의 특성에 명확히 부합하지 않는 종양성 병변의 진단기준에 상피 이형성의 개념을 도입하였다.

이에 반해 동양(주로 일본)에서는 융기형, 평탄형, 함몰형을 포함한 병변의 모양과 관계없이 위상피 이형성을 선종에 포함한다. 우리나라에서도 평탄형 또는 함몰형 병변이 흔하며, 이형성이 관찰되는 경우 현미경검사로 육안적 특성을 알 수 없는 증례가 많기 때문에 이들 병변을 모두 선종으로 진단하기도 한다.

(4) 비정형과 이형성의 관계

정상세포가 암세포로 전환되는 과정 중에 여러 가지 유전자적 변화가 일어나며, 이에 상응하여 형태학적 변화도 동반된다. 따라서 형태학적 변화를 관찰하면 전암성 병변을 인지할 수 있을 뿐만 아니라 병변의 진행 정도도 알 수 있을 것이다. 그러나 실제 상황에서는 이를 파악하기가 그리 수월하지 않다. 전암성 변화에 해당하는 변화 중 어떤 것은 전암성 병변에 국한해 나타나는 변화이지만, 다른 것은 전암성 변화뿐만 아니라 염증성, 재생성 병변에서도 관찰되는 비특이적(nonspecific) 변화이기 때문이다.

현미경적으로 세포가 정상 모양에서 벗어나 있으면 비정형(atypia)으로 본다. 비정형 세포는 재생성(regenerative)일 수도 있고 종양성(neoplastic)일 수도 있어 양성, 악성종양 모두를 포함한다. 그러나 실제로 비정형이라는 용어는 정상, 재생, 종양을 구분하기 어려울 때 쓰는 것이 일반적이다.

일반적으로 이형성이란 용어는 상피세포의 형태가 악성종양의 형태를 닮아가는 과정을 일컫는다. 위상피 이형성은 전암성 병변을 나타내기 위한 진단명이지만 실제로는 국내에서는 진단명으로는 대부분 선종이 사용된다. 위생검조직을 진단할 때는 이형성에 해당하는 병변을 간혹 관찰하여 이러한 진단명을 붙이게 되는데 비해, 위를 절제했을 때는(선종을 제외하면) 이형성에 해당하는 병변으로 진단되는 경우가 극히 드물다.

3) 위생검에 기반한 감별진단

위생검에 기반한 위점막의 감별진단에서 중요한 것은 ① 정상 또는 염증성 변화, ② 전암성 변화, ③ 양성인지 악성인지 구분하기 어려운 병변, 그리고 ④ 악성종양을 구분하는 것이다.

(1) 정상 또는 염증성 변화

위염의 진단은 updated sydney system이 가장 널리 사용되는 표준화된 진단법이다. 헬리코박터 파일로리균의 밀도, 염증세포 침윤 정도, 위축, 장상피화생 등을 0~3의 등급으로 나누어 표시한다.

(2) 위상피 증식성 병변

위생검조직에서 상피 증식성 병변은 형태가 매우 다양하게 나타날 수 있어서 특히 재생성 상피, 이형성 및 점막내 선암을 진단하기 어려운 경우가 있으며, 위생검조직이 작을 때는 더욱 그러하다. 따라서, 위생검조직의 병리 결과를 등급화하여 진단기준을 통일하려는 시도들이 있었다.

특히 생검조직에서 이형성과 점막내 선암의 진단에 대해서는 분명한 구조적 침윤(structural invasion)이 있어야 암으로 진단하는 서구와 구조적 침윤 여부와는 상관없이 심한 세포의 형태적 이형성을 암 진단의 기준으로 삼는 일본의 병리의사들 간에 정의와 기준이 달라 문제가 됨에 따라 이에 대한 합의가 진행되어 왔다. 대표적으로 파도바 분류(Padova classification)와 비엔나 분류(The Vienna Classification of precancerous lesions of the gastrointestinal tract) 등이 그것이다.

우리나라에서 소화기병리 분야에서는 일본과 서구의 영향을 모두 받고 있다. 따라서 병리의사들 간의 위상피 증식성 병변에 대한 진단을 표준화하기 위하여 1997년에 대한병리학회 소화기병리연구회에서 '위상피 증식성 병변의 등급체계' 시안을 제시하였으며 국내에서는 이 시안에 따른 위상피 증식성 병변의 진단이 가장 널리 사용되고 있다. 그 내용은 다음과 같다.

① 제1등급

(정상 또는 재생성 변화, regenerative changes)

약물 또는 궤양으로 인한 위점막의 손상에 따른 재생성 증식 병변을 포함한다. 위선의 내부구조가 내강 쪽으로 톱니 모양처럼 돌출하는 변화를 취하고 구성세포들의 핵이 농염된 모습을 보이기도 하나 개개의 핵은 세포의 기저부에 규칙적으로 배열된 형태를 취하며 위선 구성세포들은 점막표층으로 갈수록 분화된 모습을 취한다. 헬리코박터 위염(Helicobacter gastritis) 등에서 흔히 접하는 위선과 그에 따른 위선구조의 파괴 및 구성세포들의 변형된 핵모습도 포함되는데 이러한 경우 관찰되는 위선들의 밀도는 증가되어 있지 않으며 구성세포들의 핵모양이나 위치가 정상 범주에 속한다(그림 21-4 A, B).

② 제2등급

(이형성 여부를 판별하기 어려운 비정형성 변화, epithelial atypia indefinite for dysplasia)

대표적인 예는 재생성 변화가 심하여 이형성 변화와 감별하기 어려운 경우이다. 즉 위선 구성상피가 증식해 중층으로 배열되어 있으며 구성 핵의 모양도 다소 길어서 저등급의 이형성으로 의심되나 주변 선들과의 경계가 불분명하고 점막표층으로 갈수록 분화되는 모습을 보여 비정형성의 변화가 심하게 동반된 재생성 병변으로 판독되는 경우이다(그림 21-4 C). 이와 같은 병변들은 저등급의 이형성과 감별하기 어려울 수 있다. 그러나 두 병변 모두 양성이며 대체적으로 가역적이기 때문에 감별이 불가능한 경우에는 제2등급에 포함시키고 추적생검을 권유하는 것이 바람직하다고 결정하였다. 궤양 주변부의 파괴된 선이나 심한 위선염 때문에 파괴된 선들은 간혹 구성세포들의 비정형성 변화가 심해 선암으로 오인될 수도 있다. 이와 같이 생검조직의 양이 적거나 조직 파손으로 인한 변화가 이형성이나 선암과 감별하기 어려울 정도로 심할 때는 판독불가로 진단하거나 잠정적으로 제2등급에 포함시킨 후 자세한 설명을 첨가하여 재생검을 수행하도록 하는 것이 바람직하다고 결론지었다.

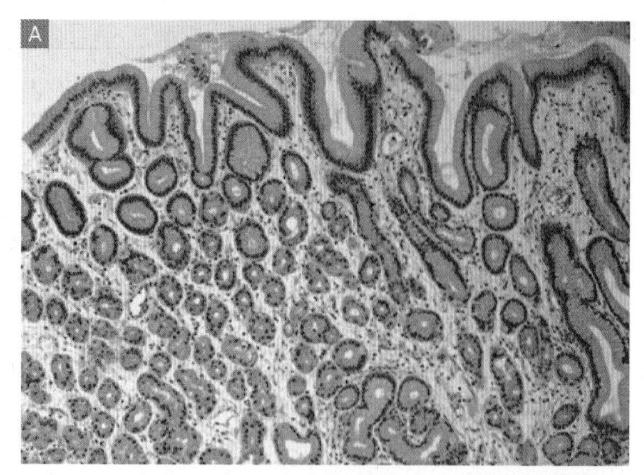

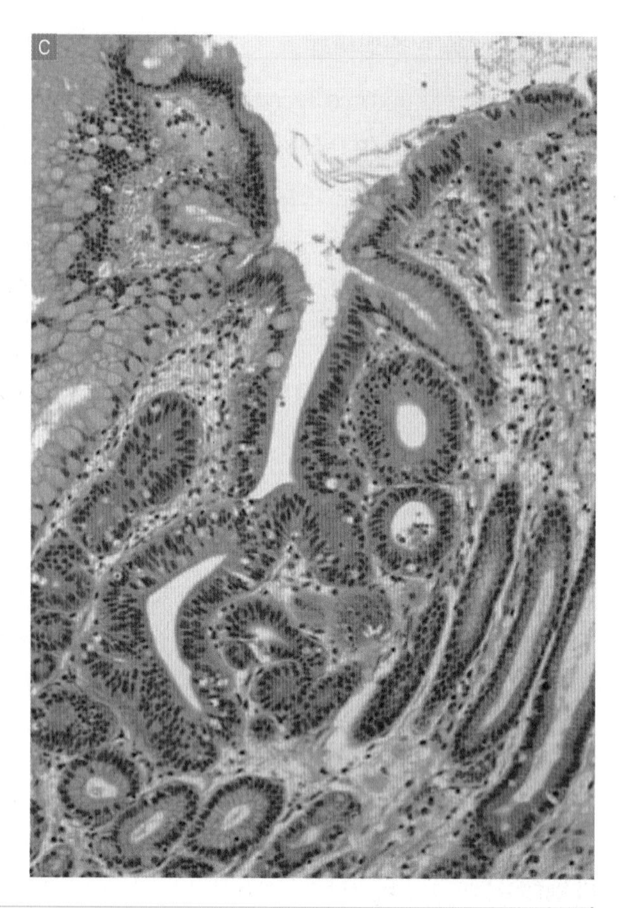

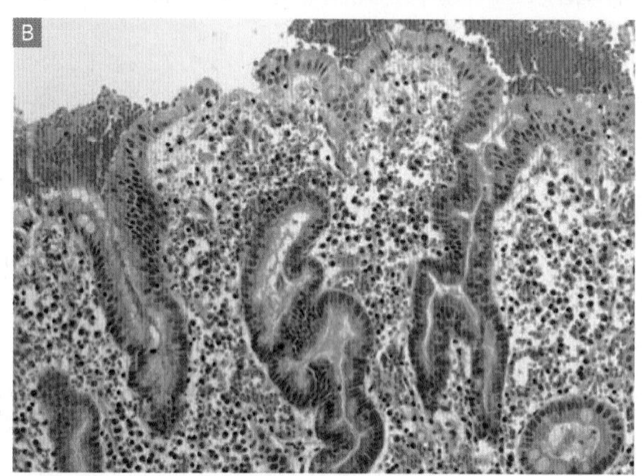

그림 21-4 비증식성, 염증성 병변 및 이형성 여부를 판별하기 어려운 비정형성 변화.

A. 약간의 위축을 동반한 비증식성 병변(제1등급)

B. 재생성 증식(제1등급): 위선의 내부구조가 내강 쪽으로 톱니 모양처럼 돌출하는 변화를 취하고 구성세포들의 핵이 농염된 모습을 보이기도 하나, 개개의 핵은 세포의 기저부에 규칙적으로 배열된 형태를 취하며 위선 구성세포들은 점막표층으로 갈수록 분화된 모습을 취한다.

C. 이형성 여부를 판별하기 어려운 비정형성 변화(제2등급): 위선 구성상피가 증식해 중층으로 배열되어 있으며 구성 핵의 모양도 다소 길어서 저등급의 이형성으로 의심되나 주변 선들과의 경계가 불분명하고 점막표층으로 갈수록 분화되는 모습이다.

③ 제3등급 (저등급 이형성, low grade dysplasia)

저등급 이형성은 조직학적으로 위선을 구성하는 세포들이 조밀하게 구성되어 있어 주변 정상 위선과는 확연히 구별되는 종양성 병변임을 확인할 수 있는 경우이다. 구성세포의 핵은 모양이 균등하며 길고 끝이 뾰족하다. 핵질은 균일하고 핵소체는 잘 관찰되지 않는다(그림 21-5 A). 이러한 조직학적 소견은 고등급 이형성과 구별되는 비교적 객관적인 요소이다. 이 외에도 위선의 구조가 대체적으로 둥글고 균등하며 내강으로 돌출하여 증식한 상피세포들이 드물게 관찰된다. 생검조직이 크거나 점막절제술을 시행한 경우에는 저등급 이형성으로 구성된 위선들이 표층부에 존재하고 그 하부는 정상 상피세포들로 구성되어 있으나 내강이 심하게 확장된 위선들이 관찰된다. 저등급 이형성은 일부에서 자연적 퇴행이 일어날 수 있다는 견해도 있다. 위선 구성세포의 분화나 빈번한 세포자멸사(apoptosis) 등이 이와 관련 있다는 주장이 있다.

④ 제4등급

(고등급 이형성, high grade dysplasia)

고등급 이형성에서는 구성 상피세포들이 중층 또는 단층으로 배열되는데, 중층으로 배열한 경우 구성세포 핵들의 배열이 불규칙하여 위선의 기저부에서 내강에 이르는 전 부위에 핵이 배열되어 있으며 내강 가까이에 위치한 핵이 자주 관찰된다. 구성 핵들은 둥글게 부푼 모습이며 핵질은 불규칙하고 핵소체가 분명히 관찰되어 개개 세포 모양으로는 선암과 구별하기 어려운 경우가 많다. 그러나 고등급 이형성은 선암과 달리 기저판으로 침윤된 종양세포를 관찰할 수 없고, 구성 위선들의 모습이 불규칙할 수는 있으나 위선의 바깥벽들끼리 문합되는 양상은 관찰되지 않는다(그림 21-5 B).

⑤ 제5등급

(조직학적으로 분명한 선암, adenocarcinoma)

선암에서는 조직학적으로 위선의 경계가 없어지고, 이탈한 낱개 또는 몇 개의 종양세포가 고유판(lamina

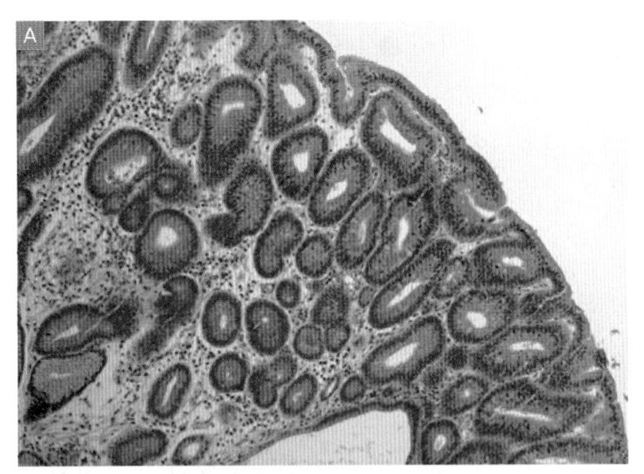

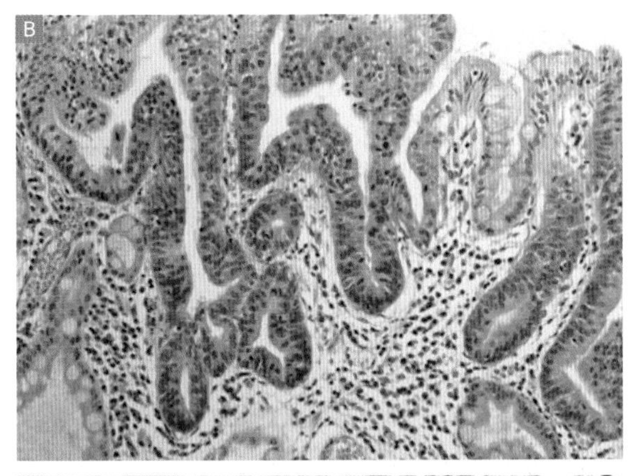

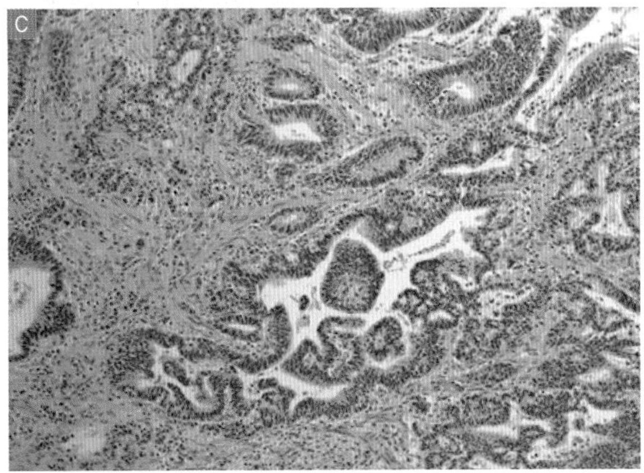

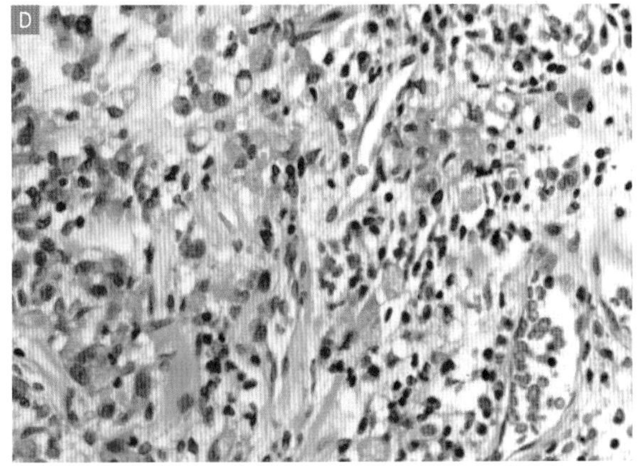

그림 21-5 **위 증식성 병변.**
A. 저등급 이형성(제3등급): 위선을 구성하는 세포들이 조밀하게 구성되어 있어 주변 정상 위선과는 확연히 구별되는 종양성 병변임을 확인할 수 있는 경우이다. 구성세포의 핵은 모양이 균등하며 길고 끝이 뾰족하다.
B. 고등급 이형성(제4등급): 구성세포 핵들의 배열이 불규칙하고, 위선의 기저부에서 내강에 이르는 부위의 1/2 이상 핵이 중층 배열되어 있고 핵의 비정형성이 관찰되나 기저판으로 침윤된 종양세포를 관찰할 수 없다.
C, D. 조직학적으로 분명한 선암(제5등급): 조직학적으로 위선의 경계가 없어지고, 이탈한 낱개 또는 몇 개의 종양세포가 고유판(lamina propria)에서 관찰된다(C). 세포학적으로 고등급 이형성에서 보이는 세포와 구별할 수 없는 위선암세포도 있지만 반지세포나 낱개로 흩어진 미분화 암세포 등은 세포학적으로 선암으로 판독할 수 있다(D).

propria)에서 관찰된다. 세포학적으로 고등급 이형성에서 보이는 세포와 구별할 수 없는 위선암세포도 있지만 반지세포나 낱개로 흩어진 미분화 암세포 등은 세포학적으로 충분히 선암으로 판독할 수 있다(그림 21-5 C, D).

위와 같은 등급체계가 제시된 이후 2011년 대한병리학회 소화기병리연구회에서 국내 병리의사 간의 위 증식성 병변의 진단 일치율을 높이기 위한 다기관 연구를 수행하였는데 위 상피증식성 병변의 감별진단에서 중요한 점은 위암(gastric carcinoma)의 진단은 침윤을 기준으로 하며, 저등급 이형성의 가장 중요한 특징은 위선의 규칙적인 분포이고, 서로 인접한 3개 이상의 위선(gland)에서 핵의 중첩이 위선 기저부에서 내강의 1/2 이상으로 관찰되는 경우 고등급 이형성의 특징으로 간주하고, 심한 세포 비정형성(cytologic atypia)이 관찰될 때에는 침윤의 가능성이 높으므로 침윤성 병터를 찾기 위한 세심한 주의를 요한다는 것이다.

4) 위선종의 유전자 변화

(1) 단일 유전자 변이 및 유전체 양상

위선종과 이형성의 20~76%에서 *APC* 유전자의 돌연변이가 발견되었다. 작고 단독으로 생긴 저등급 선종에서 *APC* 유전자의 돌연변이가 더 흔하게 관찰되며, 대장에 생기는 선종과 달리 *APC* 돌연변이가 있는 위선종은 동반된 선암이 없거나 선암으로 발전하지 않는 경향이 있다. 위선종에서 β-catenin 유전자의 면역조직화학 염색상 핵에서의 발현은 있는 것으로 보고된 데 반해 β-catenin 유전자의 돌연변이는 없거나 매우 드물다고 보고되었다. Min 등의 장형 위선종 엑솜 전장 유전체(whole exome) 연구에서 저등급, 고등급 이형성 및 장형 조기위암의 *APC* 유전자의 돌연변이는 각각 67%, 58%, 18%로 보고되었다. 이 연구에서 *RNF43* 유전자 돌연변이는 고등급 이형성과 조기위암에서만 발견되었는데 선종과 동반된 조기위암에서는 35.2%, 조기위암만 있는 경우는 8.6%에서 발견되었다.

TP53 유전자의 돌연변이가 위선종의 10%가량에서 발견되었으며 고등급 위선종에서 더 흔하게 관찰되었다. 또 다른 연구에서는 *TP53* 유전자 돌연변이는 선종에서는 관찰되지 않았고, 선암에서만 발견되었다. 면역조직화학염색으로 핵에 염색되는 p53 단백의 발현 결과를 보면 약 1/3의 선종 또는 이형성에서 과발현이 나타났고, 고등급 이형성의 경우 발현율이 증가하였다. 이 외에 *KRAS* 유전자의 돌연변이가 0~18%의 위선종에서 발견되었다.

장형 위선종에서 위암종으로 진행될 때 전장 유전체 분석에서 단계적 유전자 클론 진화(stepwise evolution)보다는 조기 개산(early divergence)의 양상이 관찰되었다고 보고되었다.

(2) 현미부수체 불안정성

현미부수체 불안정성(microsatellite instability, MSI)이 선종의 10~20%가량에서 발견된다. 현미부수체 불안정성이 있는 선종은 암종과 동반되는 빈도가 더 높다고 보고된 바 있다.

(3) 종양억제유전자의 촉진부위 과메틸화

종양억제유전자의 촉진부위 promotor의 과메틸화(CpG island methylation)가 위선종의 일부에서 관찰되며 과메틸화되는 유전자는 선종-선암 발생과정 중에 암화되면서 그 수가 증가한다. 과메틸화되는 유전자는 *p14*, *p16*, *COX-2*, *APC*, *hMLH1*, *MGMT*, *CDH1*, *TIMP3* 등 다양하다.

(4) 복제수 변이

위선종에서는 염색체 8q, 20q의 증폭(gain), *APC* 유전자가 포함되어 있는 5q와 TP53 유전자가 포함되어 있는 17p의 결실(loss)이 보고되었다.

(5) Epstein Barr virus

Epstein Barr virus (EBV)는 위암 발생과정에서 비교적 늦게 작용하는 것으로 알려져 있는데 Chang 등의 연구에서는 약 1.5%의 선암을 동반한 선종에서 EBV가 검출되었으며, 선종만 있는 경우는 EBV가 발견되지 않았고, 선암만 있는 경우 5.6%에서 EBV가 검출되었다고 보고되었다.

(6) 전사체 발현 양상

장형 위선종의 전사체(transcriptome) 발현 양상은 정상, 저등급 이형성, 조기위암이 서로 구분되게 나타나는데 고등급 이형성에서는 저등급 이형성과 조기위암과 중복되는 양상이 있어서 고등급 이형성이 악성 변화를 하는 데 중요한 단계로 보고되었다. 저등급 이형성에서 조기위암으로 진행됨에 따라 WNT와 PPAR (peroxisome proliferator-activated receptor) 신호전달체계(signaling)는 발현이 감소하고, 국소적 유착과 세포외기질 수용체 상호작용 경로에 관여하는 유전자 발현은 증가하는 것으로 보고되었다.

장형 위선종에서 위암종으로 진행하는 과정에서 유전 변이의 수는 증가하는 것으로 보고되었는데, driver mutation이나 복제수 변이의 수는 크게 차이가 없다고 보고되었고, 장형 선종(intestinal type adenoma)과 위형 선종(gastric type adenoma)은 유전자 변화에 있어서도 다소 차이가 있음이 보고된 바 있다. Abraham 등의 연구에서 위형 선종(foveolar type adenoma)은 장형 선종에 비해 암종과 동반되지 않는 것으로 보고되었고, 유전적 변이도 *APC* 유전자 변이는 43%, Beta-catenin 유전자 변이는 없었다. *KRAS* 유전자 변이는 17%로 보고되었다. 그러나 대부분의 위선종의 유전자 변이에 관한 연구에서 장형 또는 위형 선종의 구분이 명확하게 기록되지 않았거나 장형 선종만 포함되어 있어 위형 선종의 유전자 변화에 대하여서는 더 연구가 필요할 것으로 보인다.

2. 위암의 분류 및 병리학적 진단

1) 위암의 육안적 분류

위암의 육안적 소견은 내시경검사 혹은 영상검사를 통해 수술 전에 미리 예측할 수 있으며, 수술 후 절제한 검체에서는 더욱 정확히 관찰하여 분류할 수 있다. 통상 조기위암(림프절 전이나 종양의 크기와 상관없이 암의 침윤이 점막층이나 점막하층에 국한되어 있는 암)과 진행성 위암의 형태가 육안으로 보기에 차이가 나기 때문에 별도의 분류법을 사용하나, 실제 환자를 접할 때는 조기위암과 진행성 위암의 중간 형태를 보이는 경우도 종종 발생한다. 1926년 Bormann이 제시한 네 가지 유형의 육안 분류법은 아주 오래된 방법이지만 현재까지도 가장 널리 사용되는 유용한 분류법이다. 일본위암연구회에서는 Borrmann 분류법에 기초하여 적용 기준을 세분하여 0형에서 5형까지 6단계로 세분한 방법을 제시하였다.

(1) 조기위암의 육안적 분류

0형은 조기위암에 해당하는 육안적 분류형태로 표재성의 편평한 형태의 종양이며 미약한 융기 및 함몰이 동반될 수도 있다. 0형은 그 형태에 따라 다시 다섯 가지 형태로 세분화되며 그 형태와 내용은 다음과 같다(그림 21-6).

0-I형은 융기형(protruded type)으로, 용종 또는 종괴를 형성하는 유형이다. 육안적으로 표면이 불규칙하며 유두모양으로 성장하면서 사이사이에 골짜기가 있다(그림 21-6 A).

0-IIa형은 표면융기형(superficial elevated type)으로, 주변 점막 두께의 두 배 또는 2.5 mm 이내의 얕은 표재성 융기를 보이는 병변이다(그림 21-6 B).

0-IIb형은 표면평탄형(superficial flat type)으로 뚜렷한 융기나 함몰처럼 주변 점막과 차이를 보이는 병변 없이 단지 정상 점막과 약간 다른 색조 변화만 관찰된

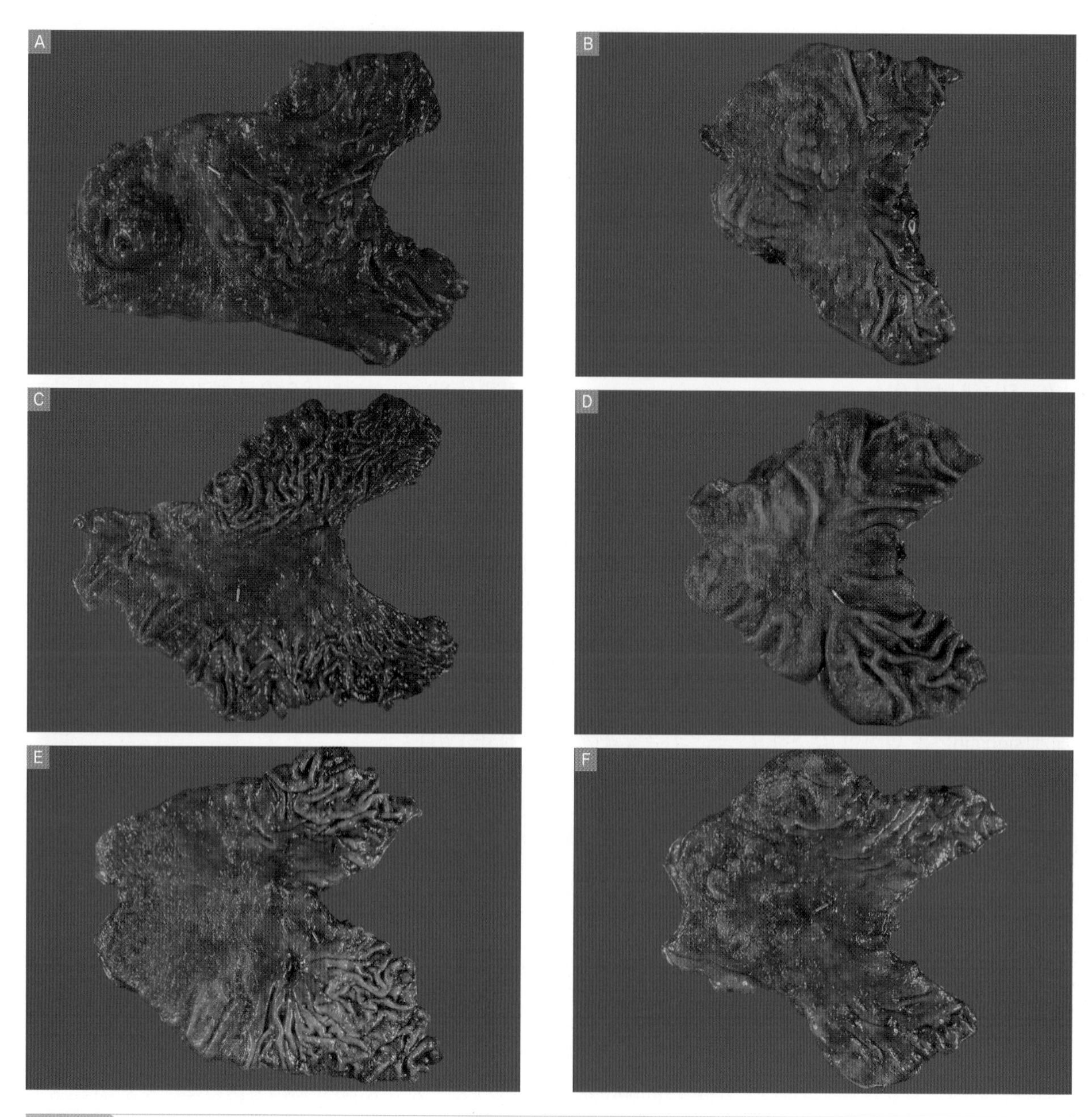

그림 21-6 **조기위암의 육안 소견.**

A. I형 융기형. 위 전정부 소만곡에서 I형의 융기형 종괴가 관찰된다.
B. IIa형 표면융기형. 위체부 전벽에서 IIa형의 표면융기형 종괴가 관찰된다.
C. IIb형 표면평탄형. 위체부 소만곡에서 IIb형의 표면평탄형 종괴가 관찰된다.
D. IIc형 표면함몰형. 위체부 소만곡과 후벽에 걸쳐 IIc형의 표면함몰형 종괴가 관찰된다.
E. III형 함몰형. 위체부 후벽에서 III형 함몰형 종괴가 관찰된다.
F. IIa+IIc형 표면융기형+표면함몰형. 위 전정부 소만곡에서 IIa+IIc형의 표면융기형과 표면함몰형이 혼합된 양상의 종괴가 관찰된다.

다(그림 21-6 C). 육안으로 쉽게 인지하기 어려운 병변이다.

0-IIc형은 표면함몰형(superficial depressed type)으로 주변 정상 점막에 비해 얕게 함몰된 병변이다(그림 21-6 D). 이 아형은 조기위암에서 가장 흔하게 관찰되는 형태로 진단 시 가장 중요한 병변이다. 병변의 크기는 5 mm 이내의 작은 것부터 위점막의 대부분을 차지할 만큼 큰 것까지 다양하다. 병변 주위 정상 점막은 주름을 이루면서 종괴 쪽으로 모여들며, 끝이 갑자기 끊어지거나 좁아진다. 함몰된 병변과 주위 정상 점막의 경계가 불규칙하며, 병변은 색조가 주위와 다르고, 정상 점막의 반짝거리는 느낌이 감소하는 것이 특징이다.

0-III형은 함몰형(excavated type)으로 표면함몰형에 비해 좀 더 깊고, 대개 궤양의 중심부가 아닌 주변부를 따라서 암세포가 존재한다(그림 21-6 E). 이 아형은 단독으로 존재하기보다는 주로 다른 아형과 혼합하여 나타난다. 간혹 단독으로 나타나는 경우에는 육안적으로 양성 궤양과 감별하기가 어렵다. 흔히 이 아형들이 혼합해 나타나므로 각 형이 혼재할 경우 보이는 모든 육안형을 모두 기술한다. 이때 더 큰 면적을 차지하는 병변을 먼저 기록하고, 작은 병변을 나중에 기록하고 0-IIa+0-II와 같이 기술한다(그림 21-6 F). 조기위암 중 가장 흔한 유형은 IIc형으로 전체의 약 2/3 정도를 차지한다. 그 다음은 IIa형과 IIa+IIc형이다.

(2) 진행성 위암의 육안적 분류

I형에서 IV형은 진행성 위암에 해당하는 육안적 분류 형태로 그 형태와 내용은 다음과 같다(그림 21-7).

I형은 용종형(polypoid type)으로, 크기가 큰 융기된 종괴를 형성하여 내강으로 돌출하는 형태를 말한다(그림 21-7 A). 주변 정상 점막과의 경계가 뚜렷하며, 대개 용종의 경부가 위점막과 넓게 붙어 있다. 용종 표면에 궤양을 형성할 수도 있다. 종양의 2/3 정도가 전정부에서 발생한다. 대개 단독으로 발견되며, 다른 아형들에 비해 환자의 발생 연령이 높은 경향이 있다.

II형은 궤양형 또는 궤양융기형(ulcerative type or ulcerofungating type)으로, 중심부에 궤양이 있으면서 테두리가 융기해 주변 정상 점막과의 경계가 좋다(그림 21-7 B). 궤양의 크기는 대개 2 cm 이상으로 큰 편이면서 깊게 파인 형태이고 궤양의 기저부에서 출혈, 괴사, 염증성 삼출물 등의 소견이 관찰된다. 궤양을 둘러싼 융기부와 주위 정상 점막조직과의 경계가 비교적 뚜렷하며, 점막주름이 종괴 부위로 끌려오지 않는 점이 특징이다.

III형은 궤양침윤형(ulceroinfiltrative type)으로 중앙부에 궤양이 있다는 점은 II형과 동일하나, 종괴와 주변 정상 조직과의 경계가 불분명하며 주변으로 파고드는 양상을 보인다는 점이 II형과 다르다(그림 21-7 C). 궤양은 모양이 불규칙하고 크기가 다양하며 깊이가 비교적 얕다. 점막주름이 궤양 주위로 끌려드는 특징이 있으나, 양성 궤양에 비해 모여드는 정도가 미약하다. 환자의 연령이 다른 아형에 비해 젊은 편이고, 발생빈도가 증가하는 추세이다.

IV형은 침윤형(infiltrative type)으로, 점막의 국소 병변이 뚜렷하지 않으면서 위벽을 미만성으로 침윤하는 형태로서 위벽이 전반적으로 두꺼워지며 딱딱해진다(그림 21-7 D). 자세히 관찰하면 크기가 작은 미란이나 궤양을 여러 군데에서 관찰할 수 있다. 그러나 이러한 점막 병변이 거의 관찰되지 않는 경우도 종종 존재하므로 위내시경으로 종양세포를 채취하지 못하는 경우가 많아 진단하기 어렵다. 대개 위 전층을 침윤하므로 위운동성이 저하된다. 증식위벽염(linitis plastic)이라고 불리는 병변은 IV형의 가장 진행된 형태로 위의 거의 대부분이 종양에 의해 침범되어 전반적으로 위벽이 단단해지며 점막주름이 두꺼워진다. 주로 젊은 연령대와 여성에서 호발하는 경향이 있다.

V형은 미분류형(unclassified type)으로 앞서 기술한 어느 유형에도 속하지 않는 형태이다. 위암의 육안 형

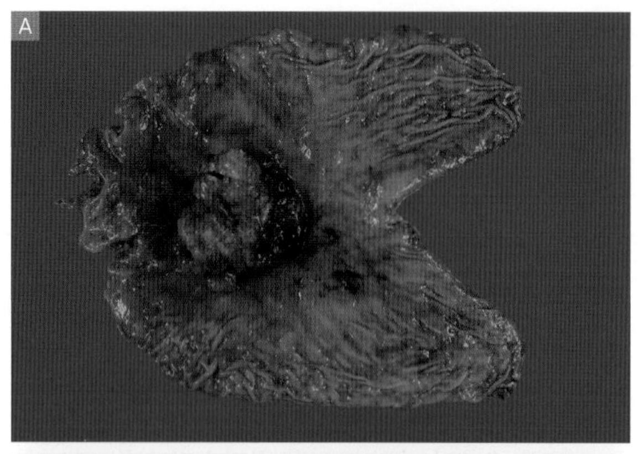

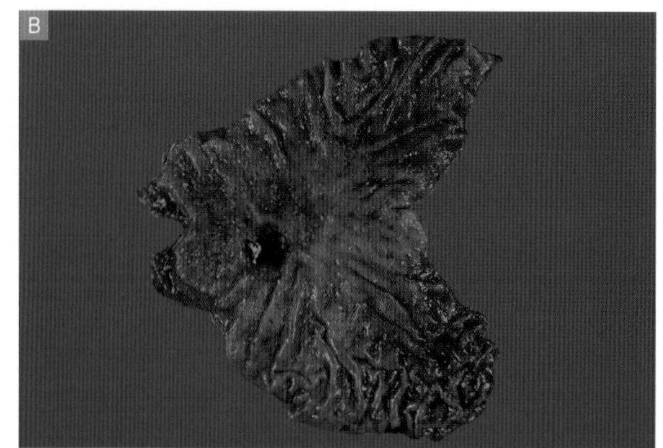

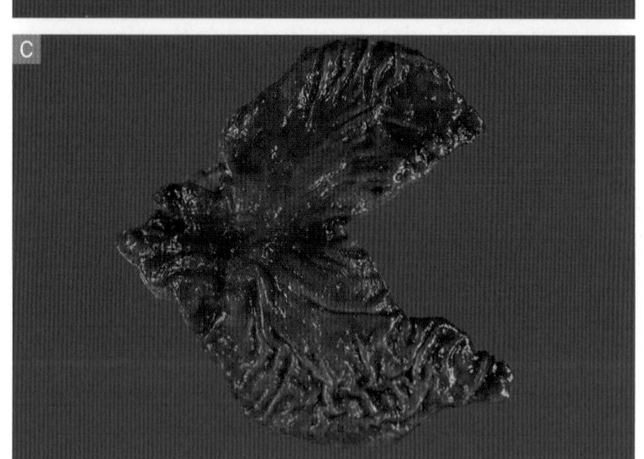

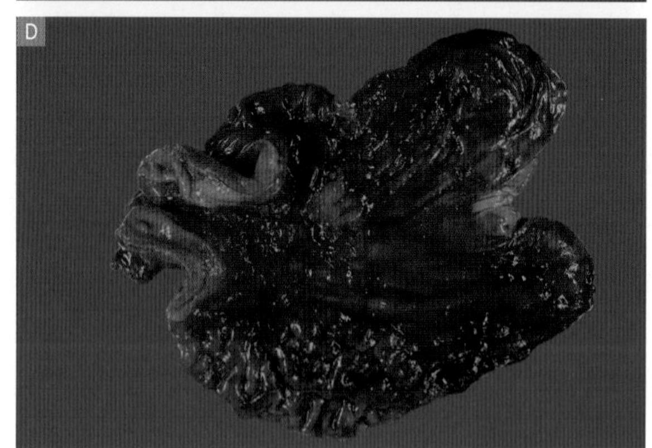

그림 21-7 진행성 위암의 육안 소견.
A. I형 용종형. 위 전정부 소만곡에서 I형 용종형 종괴가 관찰된다.
B. II형 궤양형. 위 전정부 소만곡에서 II형 궤양형 종괴가 관찰된다.
C. III형 궤양침윤형. 위 전정부 소만곡에서 III형 궤양침윤형 종괴가 관찰된다.
D. IV형 침윤형. 위 전체를 침윤하는 양상의 IV형 침윤형 종괴가 관찰된다.

태는 다양하기 때문에 종종 V형에 해당하는 위암을 접할 수 있다.

2) 위암의 조직학적 분류

위의 악성종양은 약 95%가 선구조를 형성하는 선암이다. 위암은 생물학적이나 유전학적으로 다양하기 때문에 조직학적으로 다양한 구조적 및 세포학적 다양성을 나타낸다. 이 때문에 위암에 대한 여러 가지 분류방법이 제시되었으며 그중 흔히 사용되는 분류는 다음과 같다.

(1) 세계보건기구 분류

세계보건기구(World Health Organization)는 2010년 개정판에서 위선암을 관상선암, 유두선암, 점액선암, 약응집암(반지세포암 포함) 및 혼합형으로 나누었고 그 외 드문 유형의 암으로 분류하였다. 대부분의 위암에서 한 종양 내에서 다양한 조직학적 형태를 나타내기 때문에 여러 유형이 혼재한 경우 가장 넓은 면적을 차지하는 유형을 최종 진단으로 하는 경우가 많다.

① 선암

i) 관상선암

관상선암(tubular adenocarcinoma)은 위암의 가장

흔한 유형이며 단순 또는 복합성의 크고 작은 선구조로 이루어진다. 각각의 종양세포는 키가 큰 원주형, 입방형 또는 키가 작은 편평형 등을 띠며 간혹 투명세포가 관찰된다. 선구조 내에 점액이나 염증세포를 포함하기도 한다. 선구조와 함께 고형성 세포 집단이 관찰되거나 선구조를 만들지 않고 낱개의 세포로 흩어지는 부분이 관찰되는 경우에도 관상선암으로 진단한다. 관상선암은 관 모양을 만드는 분화 정도에 따라 고분화, 중분화, 저분화로 분류한다.

고분화 관상선암(well differentiated tubular adenocarcinoma)은 관상 선구조를 잘 만드는 형태의 암종으로 대부분 간질의 양은 매우 적고 종괴의 많은 부분이 종양세포로만 구성된다. 종종 장상피화생(intestinal metaplasia)을 보이는 세포와 형태가 유사하다(그림 21-8 A). 중분화 관상선암(moderately differentiated tubular adenocarcinoma)은 고분화 관상선암과 저분화 관상선암의 중간 형태이다. 작거나 불완전한 관상 구조로 이루어져 있으며, 망상 구조를 이루는 부분이 있다(그림 21-8 B). 국소적으로 관 모양을 만들지 않으며 고형성 성장을 하거나 단일 세포로 흩어지는 종양세포가 관찰될 수도 있다. 간질의 양은 증례마다 다양하다. 저분화 관상선암(poorly differentiated tubular adenocarcinoma)은 관 모양을 인지하기 어려울 정도로 매우 불규칙하게 관을 만들거나 관을 거의 만들지 않고 고형성 성장을 보이는 경우 또는 단일 세포나 몇 개의 세포가 뭉쳐져 나타나는 경우이다. 종양의 점막 부분보다는 침윤한 깊은 부분에서 이러한 분화가 나쁜 부분이 흔히 관찰되며, 간질의 양이 비교적 많은 것이 특징이다(그림 21-8 C).

ii) 유두선암(그림 21-9)

유두선암(papillary adenocarcinoma)은 특징적으로 종양세포가 손가락 모양의 유두형으로 성장하는 종양을 말한다. 유두형 성장이란 내부에 가늘고 작은 섬유

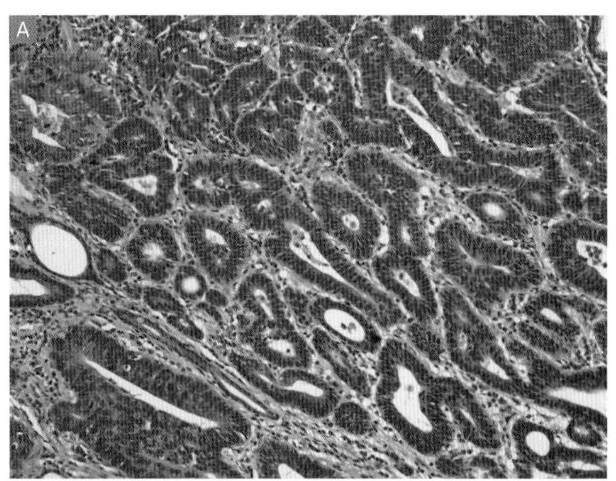

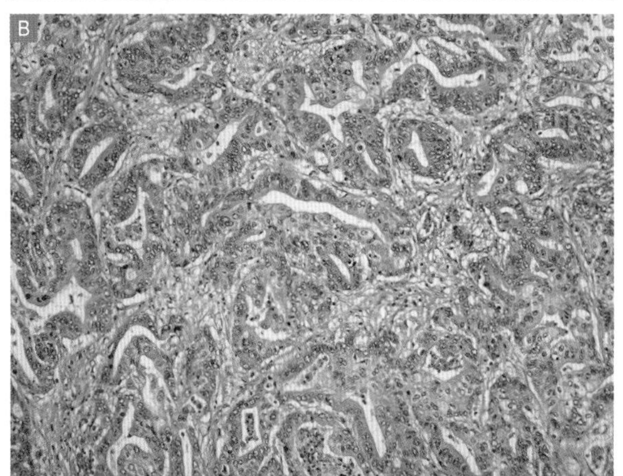

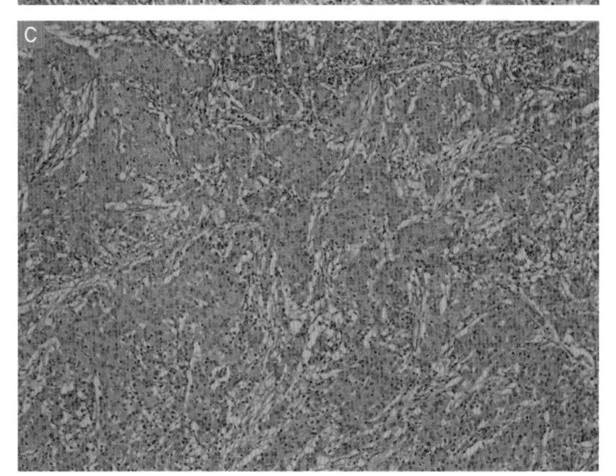

그림 21-8 **관상선암.**
A. 고분화 관상선암. 종양세포가 관 모양을 잘 만드는 분화가 좋은 선암이다(H&E 염색, X100).
B. 중분화 관상선암. 종양세포가 관 모양을 만들기는 하지만 모양이 복잡하거나 작고 불완전한 선암이다(H&E 염색, X100).
C. 저분화 관상선암. 관 모양을 이루는 부분이 거의 없이 몇 개의 세포가 뭉쳐서 위벽을 침윤한다(H&E 염색, X100).

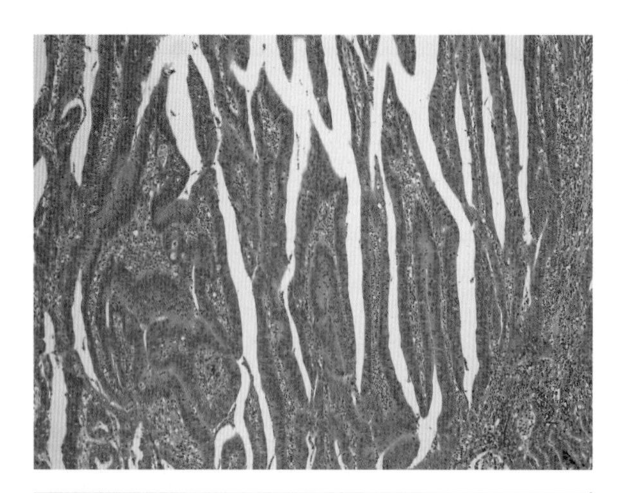

그림 21-9 **유두선암.**
내부에 섬유혈관 중심을 가진 종양세포가 유두형으로 성장한다(H&E 염색, X100).

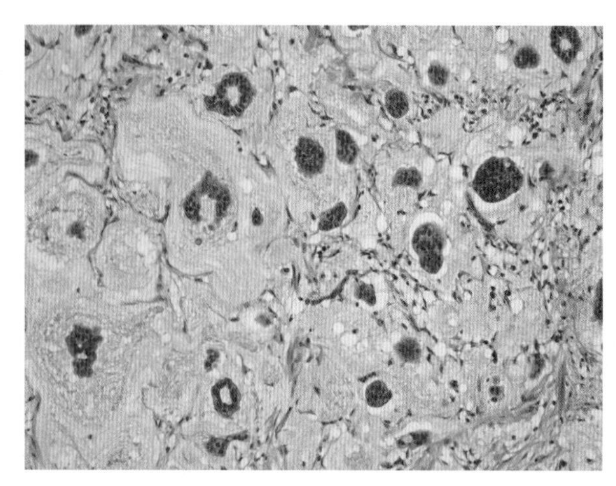

그림 21-10 **점액선암.**
간질에서 풍부한 점액조가 관찰된다. 점액조 내부에 불규칙한 모양의 선구조를 이루는 종양세포 덩어리들이 둥둥 떠 있다(H&E 염색, X100).

혈관 중심(fibrovascular core)이 있고, 그 주변을 종양세포가 둘러싸는 형태이다. 종양세포는 키가 큰 원주형 또는 입방형이며 대개 세포의 극성이 유지되어 있다. 종양세포 사이에서 다양한 정도의 염증세포 침윤이 관찰될 수 있고, 종양세포의 이형성 정도 또한 다양하다. 대부분의 유두선암이 저등급 암으로 분류되나 핵의 이형성이 심한 경우 예후가 좋지 않으므로 그런 경우는 고등급 암으로 분류하여야 한다. 육안으로 봤을 때 대부분의 종양이 위의 내강 안으로 돌출해 있으며, 주로 팽창형으로 성장한다. 종양이 점차 진행함에 따라 유두선암과 관상선암이 혼재하는 관상유두선암(tubulopapillary adenocarcinoma)의 형태를 나타낼 수 있다. 대개 종양의 50% 이상이 유두상을 나타내는 경우 유두선암으로 진단한다.

iii) 점액선암(그림 21-10)

점액선암(mucinous adenocarcinoma)은 종양세포 내가 아닌 종양세포 밖의 간질에 점액이 모여서 점액조(mucin pool)를 이루는 것이 특징이다. 세포외 간질 점액이 전체 종양의 50%를 초과하여 관찰되면 점액선암으로 진단할 수 있다. 점액선암의 종양세포가 나타내는 형태는 첫째, 원주형의 점액을 분비하는 세포가 선구조를 형성하여 점액조 내에 떠 있거나 둘째, 점액조 내부에 불규칙한 모양의 종양세포 덩어리들이 둥둥 떠 있는 양상을 보인다. 점액선암에서는 종종 반지세포(signet ring cell)도 관찰되는데, 만일 반지세포의 양이 전체 세포의 50%를 넘는다면 점액선암이 아닌 반지세포암으로 진단해야 한다.

iv) 약응집암과 반지세포암(그림 21-11)

약응집암(poorly cohesive carcinoma)은 종양세포가 낱개로 흩어져서 관찰되거나 작은 군집을 형성하는 경우이며 대개 침윤성 성장을 하고 섬유화반응이 있다. 2010년 WHO 분류에서는 반지세포암(signet ring cell carcinoma)을 약응집암의 한 유형으로 분류하고 있으나 2010년 이전의 분류에서는 반지세포암을 단독의 유형으로 분류해 왔기 때문에 반지세포가 전체 종양세포의 50%를 넘는 경우 통상적으로 반지세포암으로 진단한다. 반지세포는 세포핵이 한쪽으로 치우쳐 있고 세포질이 점액으로 가득 차 있으며, 선 또는 관상 구조를 거

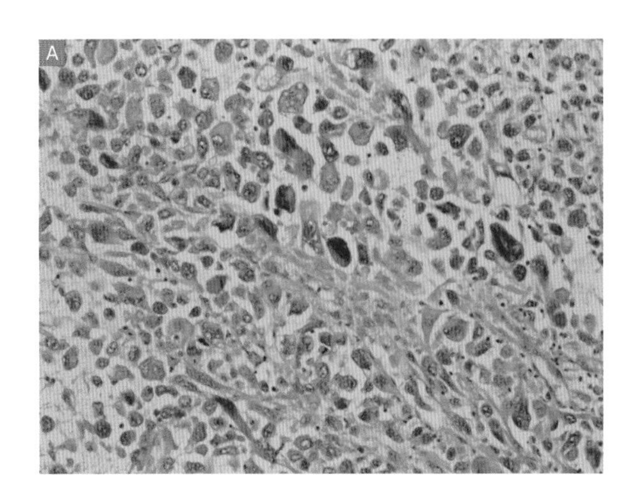

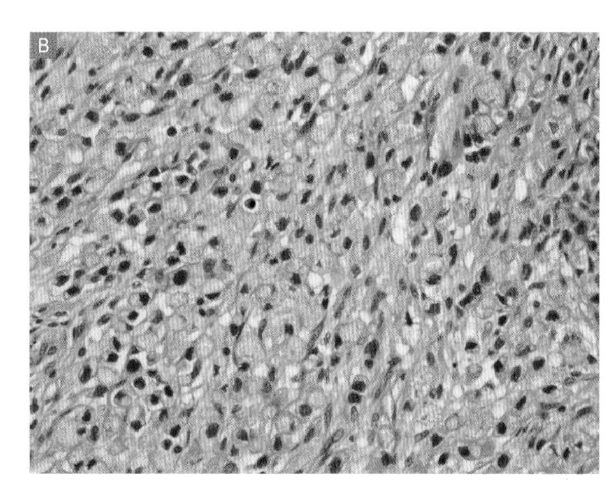

그림 21-11 **약응집암과 반지세포암.**
A. 약응집암. 호산성의 세포질을 가진 종양세포가 낱개로 흩어지면서 심한 이형성이 관찰된다(H&E 염색, X200).
B. 반지세포암. 핵이 한쪽으로 치우쳐 있고 세포질이 점액으로 가득 찬 반지세포로 구성된 종양이다(H&E 염색, X200).

의 이루지 않는 것이 특징이다(그림 21-11 A). 점막 부위가 반지세포로 구성되고 종양이 위벽으로 깊이 침윤하면서 저분화 관상선암으로 변하게 된다. 반지세포는 형태학적으로 다섯 가지로 분류한다. 핵이 한쪽으로 치우치고 세포질은 점액으로 가득 찬 전형적인 반지세포의 형태를 보이면서 pH 2.5 알시안블루(alcian blue)로 염색되는 산성 점액을 가진 세포가 그 첫 번째 형태이다. 두 번째는 미만형으로 침윤하는 종양에서 관찰되는 세포로 핵이 세포 중심부에 위치하면서 마치 조직구와 유사한 형태를 보이고 유사분열이 거의 관찰되지 않는 세포이다. 세 번째는 작고 호산성의 세포로 세포질이 과립상을 띠고 내부에 중성 점액을 포함한 세포이다. 네 번째는 크기가 작으면서 세포질 내에 거의 점액을 포함하지 않은 세포이다. 마지막으로 세포의 이형성이 심하면서 내부에 점액을 거의 포함하지 않은 세포이다. 이러한 여러 종류의 세포들은 한 종양 안에서도 서로 혼재할 수 있다.

반지세포는 덩어리를 이루는 경우도 있으나 낱개의 세포로 흩어지며 침윤하는 형태가 흔히 관찰되며 생검조직에서 반지세포가 점막층에 한두 개씩 흩어져서 존재할 때는 정상 세포 또는 조직구의 침윤과 감별하기 어려울 수 있다. 이때 D-PAS, 뮤시카민(mucicarmine) 또는 알시안블루를 이용한 점액 염색과 시토케라틴(cytokeratin) 등을 이용한 면역조직화학염색(immunohistochemical stain)을 함께 시행하면 진단에 도움이 된다. 반지세포암은 위벽으로 침윤할 때 심한 섬유화 반응을 유발하므로 위 전체가 딱딱해지는 증식위벽염(linitis plastica)이라는 병변을 유발할 수 있다. 반지세포암의 예후는 조기위암일 때와 진행성 위암일 때가 다르다. 조기위암은 반지세포암이 흔하고 다른 조직학적 유형에 비해 점막을 따라 표재성으로 자라는 경향이 있어 예후가 좋다. 반면 진행성 위암은 반지세포암이 비교적 드물고 예후도 다른 조직학적 유형에 비해 나쁘다고 알려져 있다. 반지세포암이 아닌 약응집암의 다른 유형으로는 종양세포가 조직구나 림프구, 형질세포 등 염증세포를 닮은 경우가 있고 다형성이 심한 상피세포로 구성된 경우도 약응집암으로 분류한다(그림 21-11 B).

v) 혼합암(그림 21-12)

혼합암(mixed carcinoma)은 하나의 종양에서 선구

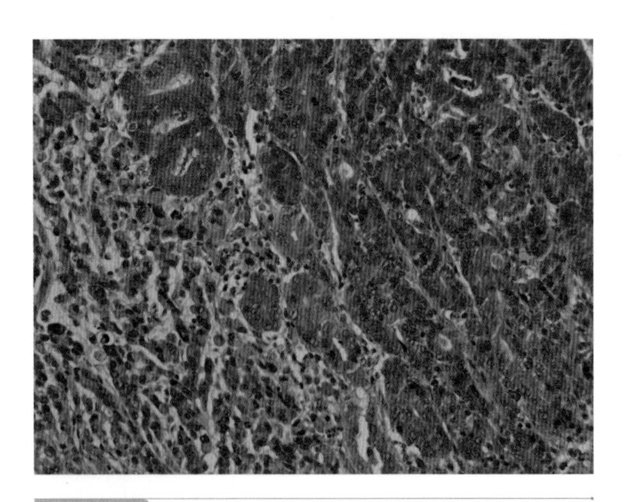

그림 21-12 **혼합암.**
관모양을 만드는 관상선암(오른쪽)과 반지세포암(왼쪽)이 혼합되어 있다.

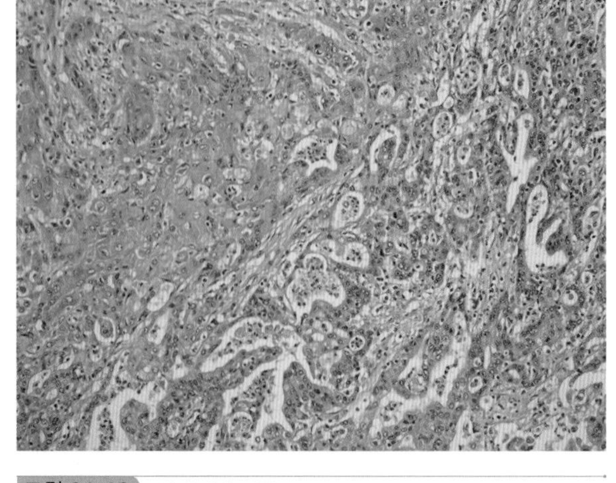

그림 21-13 **선편평세포암.**
한 종양에서 관 모양을 형성하는 선암 부분(오른쪽 아래)과 각화 현상을 보이는 편평세포암 부분(왼쪽 위)이 함께 관찰된다(H&E 염색, X100).

조를 만드는 부분(관상선암 또는 유두선암)과 약응집암/반지세포암이 섞여있는 경우이다. 약응집암/반지세포암 성분이 있으면 나쁜 예후를 초래하는 것으로 추측된다. 이 유형은 조직학적으로 서로 다른 구성성분이 혼합된 양상을 보이지만 동일한 염색체변이를 나타내며 약응집암의 형태를 보이는 부분에서 E-cadherin 유전자(CDH1)의 체세포 돌연변이가 관찰된 연구결과도 있다.

② **기타 암종**

i) 선편평세포암(그림 21-13)

선편평세포암(adenosquamous carcinoma)은 종양의 이름에서도 알 수 있듯이 이 종양은 선암의 분화를 보이는 부분과 편평세포암의 분화를 보이는 부분이 함께 관찰되는 종양이다. 각각의 증례에 따라 이 두 가지 종양의 비율은 다양하게 관찰된다. 보통 저분화 관상선암의 경우 관을 만들지 않는 고형성 성장을 하는 부분이 관찰되는데, 이때 편평세포암과 감별하는 것이 중요하다. 통상적으로 편평세포암으로 진단하기 위해서는 확실한 편평상피 분화, 즉 편평상피의 특징인 각질진주(keratin pearl)와 개별 세포의 각화(keratinization), 세포간결합체(intercellular bridge)를 확인해야 한다. 종양의 조직학적 발생 기원은 확실하지 않으나 위점막에 이소성 편평상피가 존재하여 발생한다는 설, 선암이 화생을 일으켜 생긴다는 설, 위점막의 다능성 줄기세포로부터 발생한다는 가설 등이 있다. 이 암은 일반적인 선암에 비해 주위 침윤이 심하고, 림프관이나 혈관 침윤이 흔히 관찰되어 예후가 불량한 암으로 알려져 있다.

ii) 편평세포암(그림 21-14)

관구조가 전혀 없이 편평세포암(squamous cell carcinoma) 세포로 구성된 암이 드물게 관찰되는데, 이때 편평세포암으로 진단한다. 따라서 편평세포암으로 진단하려면 육안 검사에서 많은 양의 종양 절편을 채취하여 선구조를 만드는 부분이 없는지를 확인해야 한다. 위의 원발성 편평세포암은 주로 남자에서 발생하고 원위부에 호발하는 것으로 알려져 있다.

iii) 림프구성간질암(그림 21-15)

림프구성간질암(carcinoma with lymphoid stroma),

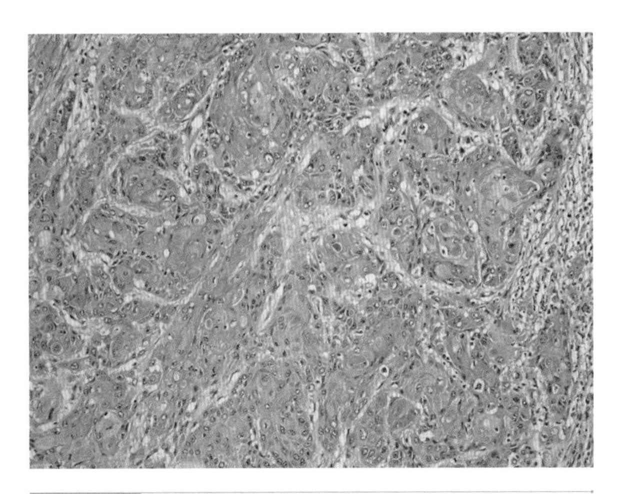

그림 21-14 **편평세포암.**
종양세포가 관 모양을 만드는 선암 부분 없이 편평세포암의 특징적인 개별 세포의 각화 현상과 각질 진주가 관찰된다(H&E 염색, X100).

이러한 형태의 종양은 위암뿐 아니라 비인두강암이나 타액선암에서도 관찰할 수 있다. 조직학적으로 저분화된 관상구조와 다수의 림프구를 동반한 간질이 특징이다(그림 21-15 A). 대부분의 이 종양은 종양세포 내에 엡스타인-바 바이러스(epstein-barr virus, EBV)의 게놈을 가진 것이 특징이다(그림 21-15 B). 이 바이러스가 암 발생과 진행에 관여할 것으로 생각되나 정확한 기전은 아직 밝혀지지 않았다. 일부의 종양에서 엡스타인-바 바이러스가 음성이면서 현미부수체 불안정성 고등급(microsatellite instability-high)을 보이는 경우나 엡스타인-바 바이러스와 현미부수체가 모두 음성인 경우도 있다. 육안적으로는 대개 궤양을 동반한 큰 종괴를 형성하여 팽창성으로 성장하고, 위의 원위부보다는 근위부에 호발한다. 다른 유형에 비해 조기 발견되고 림프절 전이 빈도가 낮아 예후가 좋은 것으로 알려져 있다. 엡스타인-바 바이러스는 림프구성 간질암이 아닌 경우에도 양성일 수 있으므로 엡스타인-바 바이러스가 양성이라고 해서 모두 다 이 유형인 것은 아니며 조직학적 소견에 따라 진단하여야 한다.

iv) 간모양선암(그림 21-16)

간모양선암(hepatoid adenocarcinoma)은 간세포와 유사한 다각형의 호산성 세포질이 풍부한 종양세포로 구성된 암종이다(그림 21-16 A). 간세포암에서 관찰되는 기둥모양(trabecula)이나 미세담관(canaliculi) 형태와 함께 유두형-관상형이 섞여 나올 수 있다. 세포질 내

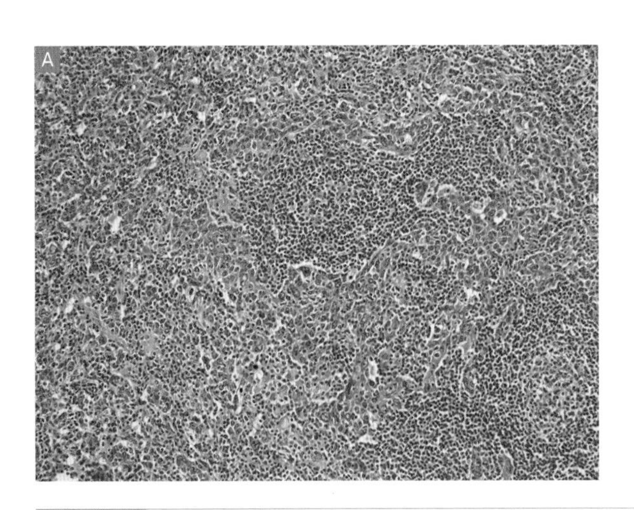

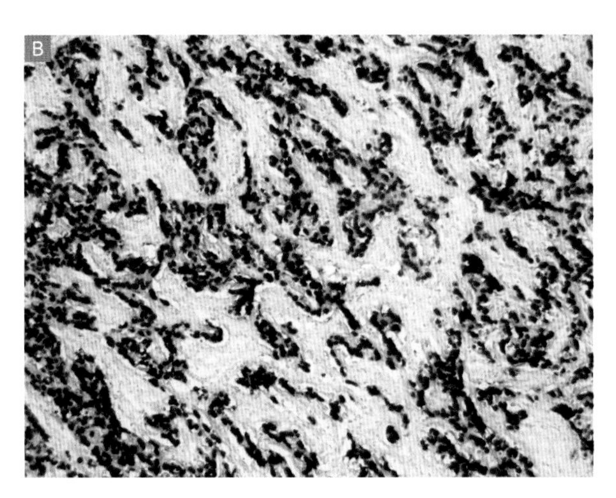

그림 21-15 **림프구성간질암.**
A. 조직학적 소견. 선을 만드는 등의 분화를 보이지 않는 미분화 종양세포가 관찰되며, 주위 간질에 많은 림프구가 침윤해 있다(H&E 염색, X100).
B. 엡스타인-바 바이러스 제자리부합법 검사. Epstein-Barr virus-encoded small RNA (EBER)에 대한 제자리부합법을 시행하면 종양세포의 핵에서 바이러스 게놈을 확인할 수 있다(EBER in situ hybridization, X100).

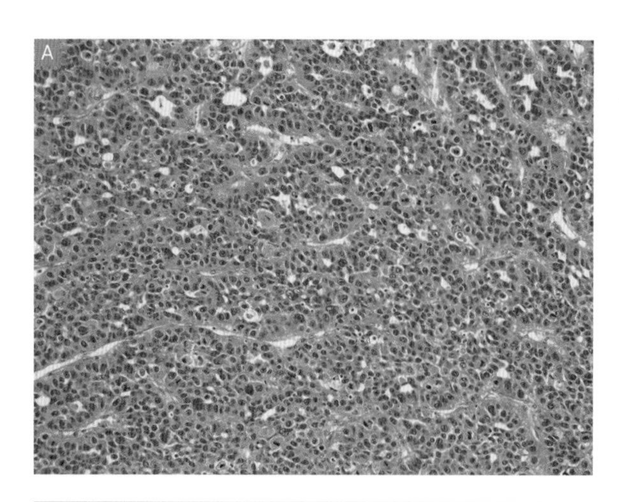

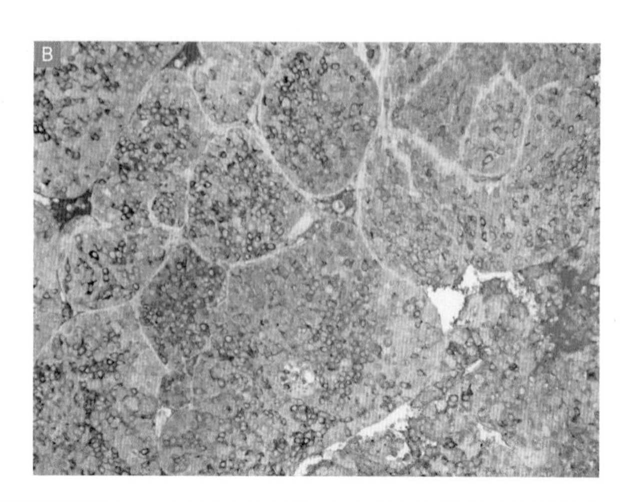

그림 21-16 **간모양선암.**
A. 조직학적 소견. 종양세포가 마치 간세포암에서처럼 기둥 모양으로 배열되며 간질이 거의 관찰되지 않는다(H&E 염색, X100).
B. 알파태아단백 면역조직화학염색 소견(X100). 종양세포의 세포질 및 세포막이 갈색으로 염색되어 양성 소견을 보인다.

에 유리질 방울(hyaline globule) 또는 글리코겐을 함유하기도 한다. 정맥 침윤이 흔하고 조기에 잘 전이(특히 간 전이)되며 예후가 나쁜 것으로 알려져 있다. 약 반수의 증례에서 면역조직화학염색을 통해 간세포암에서 발현되는 알파태아단백(α-Fetoprotein) 발현을 세포질에서 확인할 수 있으며(그림 21-16 B). 약 반수에서 혈청 알파태아단백이 증가되어 있다. 간세포암이 위로 전이한 경우와 형태학적으로 매우 감별하기 어렵기 때문에 면역조직화학염색이 보조적으로 도움이 된다. 즉, 간모양선암은 HepPar1에 음성 또는 약양성을 나타내고 CK18/CK19/CK20에 양성이며 SALL4에 양성인 점이 진단에 도움을 준다. 또한 Her2가 종종 과발현되기 때문에 치료약제를 선택할 때 유념하여야 한다.

v) 융모막암

이 종양은 자궁에서 관찰되는 융모막암(choriocarcinoma)과 조직학적으로 같은 형태이며, 매우 드물다. 융합영약막(syncytiotrophoblast)과 세포영약막(cytotrophoblast)으로 구성되며, 항상 일반적인 선암과 함께 나타난다. 이 종양은 남자에게 더 흔하고, 연령 분포는 일반적인 위암과 유사하다. 육안적으로 출혈이 심한 점은 자궁이나 다른 장기의 융모막암과 유사하다. hCG에 대한 면역염색에서 양성반응을 보인다.

vi) 미분화암

선구조, 편평상피 분화, 간세포 모양 분화 등의 어떠한 분화도 보이지 않는 경우 미분화암(undifferentiated carcinoma)으로 분류한다.

vii) 벽세포암

벽세포암(parietal cell carcinoma) 종양은 위의 정상 점막의 선에서 관찰되는 세포 중 하나인 벽세포와 유사한 세포로 이루어진 암으로 매우 드문 아형이다. 종양은 크기가 크고, 깊게 침윤한 진행성 위암이 대부분이며, 조직학적으로는 호산성의 과립상 세포질을 풍부하게 가진 종양세포가 판상 군집을 형성한다. 정상적인 벽세포처럼 PTAH 염색에 양성반응을 보이며, 전자현미경검사에서 풍부한 미토콘드리아 같은 벽세포의 특징적인 모습을 확인할 수 있다. 벽세포에 특이적으로 반응하는 항체인 H/K-ATPase와 HMFG-2 (human milk fat globule)에 대한 면역조직화학염색에 양성을 나타낸다. 예후는 비교적 좋은 편이다.

viii) 파네트세포암

파네트세포암(Paneth cell carcinoma)은 위의 정상 점막에서 관찰되는 파네트세포를 닮은 세포로 구성된 것으로, 매우 드문 종양이다. 파네트세포는 크고 호산성의 세포질을 가지며 세포질 안에서 호산성 과립이 관찰되는 세포인데, PAS 염색과 Masson trichrome 염색을 하면 과립이 붉게 관찰된다. 전자현미경검사에서 관찰하면 세포질 안에 리소자임을 많이 함유하고 있다.

ix) 암육종(그림 21-17)

암육종(carcinosarcoma)은 조직학적으로 선 형성이나 각화를 보이는 상피암 부분과 방추형의 육종 부분이 함께 관찰되는 종양이다. 육종화암(sarcomatoid carcinoma)이라고도 불리며, 위에서는 매우 드문 종양이다. 육종 부분은 횡문근육종(rhabdomyosarcoma), 평활근육종(leiomyosarcoma) 등의 다양한 육종으로 분화될 수 있다. 면역조직화학염색을 하면 상피암 부분은 시토케라틴에, 육종 부분은 비멘틴(vimentin)에 양성반응을 보인다. 육안적으로 위벽으로 돌출하거나 위벽이 전반적으로 두꺼워지며 침윤하는 형태를 보이고, 성장속도가 빨라 예후가 나쁜 종양으로 알려져 있다.

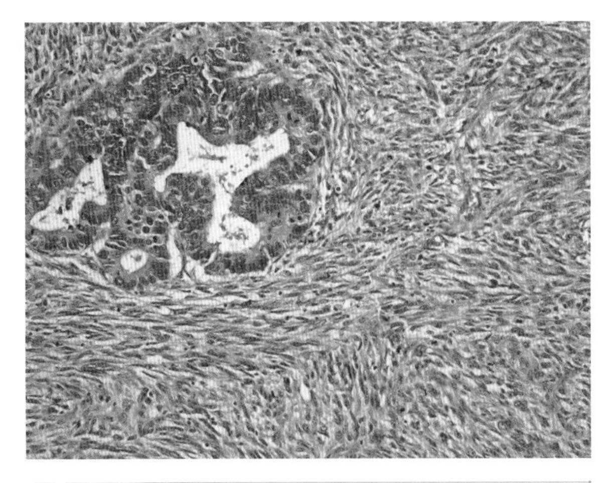

그림 21-17 **암육종.**
한 종양에서 관 모양을 만드는 선암 부분(왼쪽 위)과 방추형 세포로 구성된 육종 부분(오른쪽 아래)이 함께 관찰된다(H&E 염색, X100).

(2) Lauren 분류

1965년 Lauren이 제시한 분류법으로, 크게 장형과 미만형으로 나눈다. 이 분류법은 위암과 여러 환경요인, 전구병변 등의 관계를 규명하는 데 좋다.

① **장형**(intestinal type)

이 유형은 쉽게 인지할 수 있는 중등도 이상의 분화도를 가진 선구조로 구성된 종양으로 주변 점막에 위축위염과 장상피화생을 동반하는 것이 특징이다. 남자에게 더 흔하고, 융기형 병변이 많으며, 팽창성으로 증식한다.

② **미만형**(diffuse type)

이 유형은 분화가 나쁜 세포로 구성되며, 선 형성이 거의 없이 위벽을 침윤하는 형태의 종양이다. 약응집암세포/반지세포로 구성된 경우가 많고, 육안적으로 증식위벽염의 형태를 나타낼 수 있다. 간질의 섬유화가 흔히 관찰되고 침윤성으로 성장한다. 남녀 발생비는 비슷하며 궤양형으로 나타나는 경우가 많다.

③ **혼합형**(mixed type)

이 유형은 장형과 미만형의 종양이 거의 비슷한 비율로 나타나는 경우이다.

④ **불확정형**(indeterminate type)

이 유형은 종양이 거의 분화하지 않거나, 장형이나 미만형이 아닌 특별한 아형인 경우이다.

(3) Ming 분류

1977년 Ming이 제안한 분류법으로, 종양의 성장 양식에 따라 팽창형과 침윤형으로 나눈다.

① **팽창형(expanding type)**

팽창형은 종괴를 형성하며 팽창형으로 자라므로 결과적으로 비교적 경계가 좋은 결절을 만드는 형태의 위암이다. 대부분 Lauren 분류의 장형에 해당하고, 비교적 분화가 좋으며, 주변 점막에 장상피화생이 동반되는 경우가 많다.

② **침윤형(infiltrative type)**

침윤형은 분화도가 나쁜 세포가 흩어지는 양상으로 위벽을 침윤하는 형태의 암을 지칭한다. 일반적으로 Lauren 분류의 미만형에 해당하고 주변 점막에 장상피화생이 동반되지 않는 경우가 많다.

(4) Nakamura 분류

Nakamura는 위암을 분화형(differentiated type)과 미분화형(undifferentiated type)으로 나누었으며 일본에서 이 분류를 내시경 절제 적응증 및 절제 후 완치도 평가의 기준으로 삼고 있다. WHO 분류에 따른 조직 유형을 Nakamura 분류에 준하여 완전히 일치하게 나누기는 어려우나 대개 유두선암, 고분화 및 중분화 관상선암을 분화형에 포함시키고 저분화 관상선암과 반지세포암을 포함한 약응집암을 미분화형으로 분류한다. 점액선암의 경우에는 종양세포 바깥에 존재하는 점액을 제외하고 종양세포의 형태에 따라 분화형과 미분화형으로 분류하는 것이 주된 의견이지만 연구에 따라서는 점액선암을 모두 미분화형으로 분류하기도 한다. 혼합암은 한 종양 내에서 분화형과 미분화형이 공존하기 때문에 이에 대한 기준은 명확하지 않다.

3) 위암의 분자유전학적 분류

위암의 분자유전학적 분류는 clinical trial을 위한 환자의 계층화(stratification)와 새로운 바이오마커(biomarker) 개발에 대한 기회제공을 통해 앞으로 개인 맞춤치료(personalized therapy)의 계획을 규정하는 데 도움이 될 수 있다. 널리 알려진 대표적인 분자유전학적 분류는 세 가지이다.

(1) 'Singapore–Duke' 분자유전학적 분류

'Singapore-Duke'에서 제시한 분류법은 위암을 생물학의 특징(biological properties)과 항암화학요법(chemotherapy) 및 표적치료제(targeted agents)에 대한 민감도(sensitivity)로 분류한 것으로 유형별 환자의 생존율에 통계적으로 유의한 차이는 관찰되지 않지만, 상당히 많은 분자적 차이를 가지고 있으며, 각기 다른 치료 약제에 대한 반응도를 보인다.

① **증식형(proliferative type) 위암**

이 종양 유형은 유전적 불확실성(genomic instability), TP53 돌연변이와 높은 복제수 변이(copy number alteration)의 특징을 보이는데, 종양유전자인 *CCNE1*, *MYC*, *ERBB2*, 그리고 *KRAS*의 증폭과 PDE4D와 PTPRD 유전자의 결실(deletion)을 관찰할 수 있다. 또한 E2F, MYC, RAS와 같은 종양유전자의 통로(oncogenic pathways)의 높은 활성화도 관찰할 수 있다. 이 유형은 Lauren 분류법의 장형(intestinal type)과 낮은 등급(low grade)의 위암과 밀접히 연관되어있다. 환자의 예후에 대한 다변량분석(multivariate analysis)에서 세 유형 중에서 가장 나쁜 무병생존율(disease-free survival)을 보인다.

② **대사형(metabolic type) 위암**

이 종양 유형은 위화생(gastric metaplasia)의 특정한 종류인 spasmolytic-polypeptide-expressing metaplasia

(SPEM)과 연관된 통로(pathway)와 밀접한 연관이 있다. 대사형 위암의 세포주는 세 가지 유형의 세포주 중에서 5-flurouracil에 대해 가장 좋은 민감도를 보이며, 이 유형을 가진 환자군은 수술과 5-flurouracil를 병행한 환자군이 수술만 시행한 환자군보다 더 좋은 생존율을 보였다. 이러한 민감도는 thymidylate synthase (TS)와 dihydropyrimidine dehydrogenase (DPD)의 낮은 발현과 관련있다고 생각된다.

③ **중간엽형(mesenchymal type) 위암**

이 종양 유형은 종양줄기세포(cancer stem cell)의 특징을 보이는데, 이는 Bayesian Factor Regression Modeling (BFRM) 통로(pathway)의 활성화, 다른 두 가지 유형에 비해 높은 CD44 및 낮은 CD24 발현, 저분화(poorly differentiated) 위암, 그리고 높은 비율의 비정상적인 CpG섬 과메틸화(hypermethylation)가 그 근거이다. 이 유형의 상피-중간엽 전환 통로(epithelial-mesenchymal transition pathway)의 활성화는 종양세포를 중간엽으로 전환시킬 수 있다. 낮은 복제수 변이(copy number alteration)가 관찰되며, 대부분의 종양은 Lauren 미만형을 보인다. 높은 *CDH2* (N-cadherin) mRNA level과 낮은 *CDH1* (E-cadherin) mRNA level의 발현을 특징으로 한다. 또한 p53, transforming growth factor β, vascular endothelial growth factor (VEGF), NFκB, mammalian target of rapamycin (mTOR), sonic hedgehog pathways와 연관이 있다. 중간엽형 위암세포주는 mTOR 통로의 높은 활성화로 Phosphatidylinositol 3-Kinase-AKT-mTOR inhibitor에 민감도를 보인다.

(2) The Cancer Genome Atlas (TCGA) 프로젝트 분자유전학적 분류

National Cancer Institute/National Human Genome Research Institute (NCI/NHGRI)에서 주도한 TCGA 프로젝트 분류법은 비록 환자의 임상적 결과와 연관성을 확인한 것은 아니지만, 분자유전학적 유형별 분명한 임상적 특징을 가지고 있다. 비록, Asian Cancer Research Group (ACRG 코호트)에서는 TCGA 분류법에 따른 생존율의 차이를 확인할 수 없었지만, 이후 다른 추적연구에서는 TCGA 분류법에 따른 유의한 생존율의 차이를 확인하였다.

① **엡스타인-바 바이러스 양성 위암**

이 종양 유형은 엡스타인-바 바이러스(Epstein-Barr virus, EBV) 감염과 관련 있으며, TCGA 코호트에서 약 9%에서 발견되었다. 또한, 남자(약 81%)에서 월등히 관찰되었으며 위의 기저부(fundus)나 체부(body)에서 많이 관찰되었다. 이 종양유형은 극도의 CpG섬 메틸화기 표현형(island methylator phenotype, CIMP)을 보이지만, MSI 위암에서 보이는 CpG섬 메틸화기 표현형과는 분명히 다르다. 예를 들면, MSI 위암과는 달리 CDKN2A($p16^{INK4A}$) 프로모터(promoter) 과메틸화(hypermethylation)의 특징을 보이지만, MLH1 과메틸화는 관찰되지 않는다. 또, *PIK3CA*, *ARIDA1*, 그리고 *BCOR* 돌연변이가 자주 관찰되지만, *TP53* 돌연변이는 거의 관찰되지 않는다. 특히, 높은 *PIK3CA* 돌연변이는 PI3K inhibitor 사용의 가능성을 제시할 수 있지만, 엑손(exon) 20에서 대부분의 *PIK3CA* 돌연변이가 관찰되는 다른 유형의 종양과는 달리 EBV 양성 위암에서의 *PIK3CA* 돌연변이는 여러 엑손에 산재되어 있다. *JAK2*, *MET*, *ERBB2*, *CD274* (programmed death ligands-1, PD-L1), 그리고 PDCD1LG2 (PD-L2)의 증폭(amplification)이 관찰된다. PD-L_1/L_2의 과발현(overexpression)은 EBV 양성 위암에서 흔히 관찰할 수 있는 병리학적 소견인 기질(stroma)에 현저한 림프구 침윤 및 종양침윤림프구(tumor infiltrating lymphocytes, TILs)와도 관련있다. 또한, 이러한 PD-L1/L2의 과발현은 새로운 치료 표적 분자로 면역관문억제제(immune check point inhibitors)의 가능성을 제시하였다. EBV 양성 위암은 여러 연구에서 가장 좋은 무재발생률과 전체생존율을 보인다고 알려져 있다.

② **현미부수체 불안정성 위암 (microsatellite instability, MSI)**

이 종양 유형은 DNA 불일치복구유전자(mismatch repair gene, MMR)에 결함으로 인한 유전체 불안정을 특징으로 하며, TCGA 코호트에서 약 22%에서 발견되었으며 여자(약 56%)나 노인(중위값, 72세)에서 많이 관찰되었다. 프로모터의 과메틸화에 의한 MLH1의 후생적(epigenetic) silencing이 이 종양 유형발생의 주요 메커니즘이다.

이 종양은 여러 돌연변이가 빈번히 관찰되는 것이 특징이지만, 유전자의 증폭(amplification)은 거의 관찰되지 않는다. 특히 targetable 유전자인 *PIK3CA*, *ERBB3*, *ERBB2*, 그리고 *EGFR*의 핫스팟 돌연변이가 자주 관찰되어 앞으로 치료약제 선택에 도움이 될 수 있다. EBV 양성 위암 유형군과 비슷하게 PD-L1과 발현이 관찰되며, pembrolizumab과 같은 PD-L1 inhibitors는 전이성 MSI 위암에서 새로운 치료 옵션으로 고려되고 있다. 이러한 면역치료제(immunotherapy)에 효율적인 반응률은 종양변이부담(tumor mutational burden)과 밀접한 연관이 있다. MSI 대장암과는 달리 MSI 위암에서는 *BRAF* V600E 돌연변이는 관찰되지 않는다.

③ **유전체 안정 위암(genome stability, GS)**

이 종양 유형은 TCGA 코호트에서 약 20%에서 발견되었으며, 비교적 젊은 환자(중위값, 59세), Lauren 분류 미만형, 전정부에서 관찰되었다. GS 위암은 다른 세 가지 유형에 비해 낮은 복제개수 변이 및 낮은 숫자의 돌연변이가 관찰된다. 하지만 *CDH1*와 *RHOA* 돌연변이가 흔히 관찰되며, *CLDN18-ARHGAP* 융합(fusions), 세포-접합통로(cell-adhesion pathway) 그리고 혈관신생-관련통로(angiogenesis-related pathway)의 발현의 증가도 관찰될 수 있다. 여러 코호트에서 GS 위암은 가장 나쁜 전체생존율과 무재발률을 보였며, 보조항암화학요법(adjuvant chemotherapy)에 대한 반응률이 가장 낮은 것으로 알려져 있다.

④ **염색체 불안정 위암 (chromosomal instability, CIN)**

이 종양 유형은 높은 돌연변이의 빈도 없이 다양한 염색체복제개수(chromosomal copy number)를 보이는 것이 특징이다. CIN 위암은 TCGA 코호트에서 약 50%에서 발견되었으며, Lauren 분류에 장형, 위식도경계부와 분문부(cardia)에 주로 관찰되었다. 현저한 이수성(aneuploidy)과 수용체티로신활성효소(receptor tyrosine kinase receptor, RTKs)의 국소적 증폭이 특징이다. 또한, 높은 빈도의 *TP53* 돌연변이가 관찰되며, RTK-RAS 활성화(activation)가 관찰된다. RTK-RAS의 genomic regions에서 존재하는 *EGFR*, *ERBB2*, *ERBB3*, *MET*, *VEGFA*, 그리고 *KRAS*의 증폭의 관찰은 표적치료제 선택(예: HER2 monoclonal antibody 또는 VEGF-A inhibitor)에 의미가 있을 수 있다. CIN 위암은 네 가지 유형 중에서 보조항암화학요법에 대한 반응률이 가장 높다고 알려져 있다.

(3) Asian cancer research group (ACRG) 분자유전학적 분류

ACRG에서 제시한 분류법은 TCGA에서 제시한 분류법과 비슷한 부분도 있지만, TCGA 분류법과는 달리 적절한 임상병리학적 소견과의 연관성 및 분류법에 따른 생존율의 차이를 보여 환자의 예후를 예측할 수 있다. TCGA와 ACRG 두 그룹에서 제시한 분류법은 현미부수체 불안정성 위암 유형만 제외하고 일치하는 점은 관찰되지 않는다. 이는 분석한 인종이 다르며, 미만형 위암의 포함된 비율(ACRG: 45% 대 TCGA: 24%)과 위식도경계부(gastroesophageal junction) 및 근위부(proximal) 위암의 포함된 비율이 다르기 때문이다.

① 현미부수체 불안정성 위암 (microsatellite instability, MSI)

이 종양 유형은 ACRG 코호트에서 약 23%에서 관찰되었으며 주로 전정부(약 75%)에서 발견되었다. 네 가지 유형 중 가장 좋은 전체 생존율 및 낮은 재발률을 보였다. 이 종양은 Lauren 분류에 장형 위암과 병기 I/II와 연관 있었으며 호발하는 재발장기는 간이다. 이 종양은 많은 유전자의 돌연변이가 빈번하게 관찰되는 것이 특징이며, 특히 *ARID1A* (44%), PI3K-PTEN-mTOR (pathway) (42%), *KRAS* (23%), *ALK* (16%) 유전자들에 돌연변이가 자주 관찰되었다. 또, 면역화학조직검사에서 MLH1 단백발현의 소실을 확인할 수 있다. 흥미롭게도 MSI 위암의 *PIK3CA* 돌연변이는 주로 엑손(exon) 20에 H1047R의 핫스팟(hot spot) 돌연변이가 관찰되고, 이에 반해 현미부수체 안정 위암의 경우 엑손 9에 E542K와 E545K의 핫스팟 돌연변이가 관찰되었다.

② 현미부수체 안정 및 상피–중간엽 이행 위암 (microsatellite stable, MSS/epithelial–to–mesenchymal transition, EMT)

이 종양유형은 현미부수체 안정 위암 중 상피-중간엽 이행 유전자 발현을 가지는 종양으로, ACRG 코호트에서 약 15%에서 관찰되었으며 네 가지 유형 중 가장 나쁜 전체 생존율 및 높은 재발률을 보였다. 특히, 재발은 복막파종(peritoneal seeding)의 형태가 흔했다. 이 종양의 대부분은 비교적 젊은 환자에서 나타났으며, Lauren 분류 중 미만형(반지세포암 포함), 진행된 병기 III/IV를 보였다. 또한, 다른 현미부수체 안정 위암 군들에 비해 낮은 숫자의 돌연변이 사건들(mutation events)을 보이지만, *CDH1* 유전자 발현의 소실이 특징이다. 이는 VIM, ZEB1 또는 CDH1의 면역화학조직검사로 확인할 수 있다. 하지만, TCGA에서 제시한 유전체 안정 위암(GS 위암)과 완벽하게 일치하지는 않으며, GS 위암에서 흔히 발견되는 *CDH1*과 *RHOA* 돌연변이는 거의 관찰되지 않는다.

③ 현미부수체안정 및 TP53 활성화 위암 ($MSS/TP53^{+}$)

이 종양유형은 위암에서 자주 관찰되는 돌연변이 유전자인 *TP53* 활성화(activation)를 가진 종양으로 *TP53* 불활성화를 가진 종양과 비교하여 높은 *CDKN1A* (p21)와 *MDM2* 유전자를 보인다. 이 종양은 ACRG 코호트에서 약 26%을 차지하며, 네 가지 유형 중 두 번째로 좋은 전체 생존율을 보이며 낮은 재발률을 보였다. EBV 양성이 네 가지 유형 중에서 가장 흔하게 관찰되지만, TCGA에서 제시한 엡스타인-바 바이러스 양성 위암(EBV 양성 위암)과 완벽히 일치하지는 않는다.

④ 현미부수체안정 및 TP53 불활성화 위암 ($MSS/TP53^{-}$)

이 종양유형은 $MSS/TP53^{+}$와 달리 TP53 불활성화(inactivation)를 보이는 종양으로 낮은 *CDKN1A* (p21)와 *MDM2* 유전자를 가지며 높은 *TP53* 돌연변이를 보이는 것이 특징이다. ACRG 코호트에서 약 36%를 차지하며, 네 가지 유형 중 MSS/EMT 위암 다음으로 나쁜 전체 생존율과 높은 재발률을 보인다. 다른 유형에 비해 *ERBB2*과 *MYC* 유전자 증폭이 흔히 관찰되었다.

4) 유전성 질환과 동반된 위암

대부분의 위암은 산발성으로 발생하며, 10% 정도의 위암이 가족력과 관련이 있다. 이 중 1~3%의 위암은 유전성 질환과 동반되는 것으로 알려져 있다. 국내에서는 아직 유전성 질환과 동반된 위암에 대한 체계적인 연구가 부족하여, 전반적인 유병률에 대하여 잘 알려져 있지 않다.

(1) 유전성미만형위암

유전성미만형위암(hereditary diffuse gastric cancer)은 보통염색체 우성질환으로 위암과 유방암의 발생이 증가하는 질환이다. 산발성 위암에 비해 젊은 연령대에 주로 미만형의 위암이 발생하는 것으로 알려져 있으며, 종양억제유전자인 *CDH1*의 생식세포돌연변이에 의해 발생한다. 유병률은 100만 명당 1명 미만으로 추정되고, 전체 위암 환자의 1% 미만을 차지한다. 이 질환에서 *CDH1* 유전자는 특정한 돌연변이 다발부위(mutational hot spot)가 없기 때문에 진단을 위해서는 *CDH1* 유전자 전체를 검사해야 한다. 유전자검사에도 불구하고 40% 가량의 유전성미만형위암 환자에서는 *CDH1*의 돌연변이가 발견되지 않는데, 이런 경우는 PALB2와 같은 다른 유전자 돌연변이와도 관련이 있을 것으로 보인다. 우리나라에서도 여러 종류의 *CDH1* 생식세포돌연변이가 위암 환자에서 보고되어 있다.

유전성미만형위암 환자의 경우 80세까지 50~70%의 높은 위암 발생률을 보인다. 환자들의 내시경 추적감시 검사 결과에서 발견된 사실에 따르면, 이 위암의 초기 단계에는 반지세포암 세포들이 주변의 점막세포와 구조를 파괴하지 않고 점막내에서 바닥막에 둘러 쌓인 형태로 관찰되며, 파제트병모양 전파(Pagetoid spread) 형태를 보인다. 면역조직화학염색에서 종양세포들은 E-cadherin 단백질의 발현이 감소되어 있거나 관찰되지 않는다. 생식세포돌연변이가 확인된 환자에서는 내시경적 추적감시가 암의 조기발견과 치료에 도움이 되며, 근거가 충분하지는 않지만 예방적 위절제술이 도움이 된다는 의견이 있다.

(2) 린치증후군

린치증후군(Lynch syndrome, hereditary nonpolyposis colorectal carcinoma)은 불일치복구 유전자인 *MSH2, MLH1, PMS2, MSH6*의 생식세포돌연변이에 의해 발생하는 보통염색체 우성질환으로, 최근에는 *EPCAM* 유전자의 결손이 *MSH2* 유전자의 후생적 변이를 일으켜 발생하는 경우도 보고되어 있다. 린치증후군에서 가장 흔하게 발생하는 악성종양은 대장직장암이나, 그 외에도 자궁내막암, 위암, 췌장암, 담도암, 전립선암, 비뇨기계암 등이 발생한다. 린치증후군 환자에서 위암은 대장직장암과 자궁내막암 다음으로 발생률이 높은 암으로 평생 발병률이 1~13% 정도로 보고되어 있는데, 우리나라에서는 한 연구의 결과에 따르면 위암의 평생 발병률이 15%에 이른다고 한다.

린치증후군 환자의 종양조직의 검사에서 특징적으로 현미부수체불안정성(microsatellite instability)이 관찰되며, 면역조직화학염색에서 불일치복구 유전자의 단백질 발현 소실이 있다. 이런 경우 불일치복구 유전자와 *EPCAM* 유전자의 생식세포변이를 유전자검사를 통해 확인하여야 한다. 위암은 유전성미만형위암과 달리 장형 위암이 주로 발생하는 것으로 알려져 있다. 린치증후군 환자에서 추적감시와 예방적 치료를 어떤 식으로 하여야 하는지에 대해서는 아직 일치된 지침이 없다.

(3) 가족샘종폴립증/약화가족샘종폴립증

APC 유전자의 생식세포 돌연변이에 의해 발생하는 보통염색체우성질환이다. 가족샘종폴립증(familial adenomatous polyposis)에서는 대장과 직장에 100개 이상의 폴립이 발생하는 것이 특징적이지만, 약화가족샘종폴립증(attenuated familial adenomatous polyposis)에서는 그보다 적은 수의 폴립이 대장에서 발생한다. 위의 폴립이 51~88%에서 발견되며, 동양에서는 위암의 발생률이 7~10배가량 증가하는 것으로 보고되어 있다. 위암은 장형 위암의 발생이 더 흔한 것으로 알려져 있다.

(4) 그 외 유전성 질환과 동반된 위암

포이츠-예거스증후군(Peutz-Jeghers syndrome), 소아용종증증후군(juvenile polyposis syndrome), 가족

성유방난소암증후군(familial breast and ovarian cancer syndrome), 리-프라우메니증후군(Li-Fraumeni syndrome) 등이 위암의 발생을 높이는 보통염색체우성질환으로 알려져 있다.

5) 위암의 분자병리진단

(1) Human epidermal growth factor receptor 2 (HER2)

*HER2*는 *ERBB2*라고도 불리며, 이 유전자의 과발현 또는 증폭이 있는 위암 환자군에서 HER2에 대한 단클론성 항체를 이용한 trastuzumab을 투여한 결과 반응이 좋다고 알려져 최근 표적치료제로 사용되고 있다. 위암의 경우 약 7~15%에서 *HER2*의 증폭이 관찰되고, 특히 장형 위암의 경우에는 15~25%에서 증폭이 관찰된다. *HER2* 양성인 위암은 위식도경계부 또는 상부 1/3에 호발하며, 장형 및 분화도가 비교적 좋은 암과 관계가 있다. 유방암 등 다른 암종과는 달리 위암에서의 *HER2* 발현 및 유전자 증폭은 종양내 이질성이 높다고 보고되었다. 표적치료의 대상인지 판단하기 위해 모든 진행성, 전이성, 재발성 위암과 위식도경계부암에서 *HER2* 검사를 시행하며, *HER2* 검사에서 양성인 경우 항-HER2 표적치료의 적응증이 된다. HER2의 발현을 보는 데에는 면역조직화학검사를 이용하고, *HER2* 유전자의 증폭은 제자리부합법(in situ hybridization, ISH) 검사를 이용한다(그림 21-18). 제자리부합법으로는 은제자리부합법(silver in situ hybridization, SISH), 형광제자리부합법(fluoresence in situ hybridization, FISH) 등이 주로 사용되며, *HER2*와 chromosome enumeration probe (CEP) 17에 대한 두 가지 색의 probe를 사용하는 방법이 권장된다. *HER2* 유전자는 실시간 중합효소연쇄반응, 디지털 중합효소연쇄반응, 차세대염기서열시퀀싱 등의 방법으로도 검사할 수 있으나, 아직까지 제자리부합법을 대체할 근거가 부족하여 환자 진단을 위한 사용은 권장되지 않는다.

HER2 검사는 먼저 면역조직화학검사를 시행한다. HER2 면역조직화학검사에서 ① 3+인 경우 양성으로 진단하고, ② 2+인 경우 제자리부합법 검사를 시행해 *HER2* 유전자의 증폭이 있으면 양성이고 없으면 음성이며, ③ 0 또는 1+인 경우 음성으로 진단한다. *HER2* 검사를 위한 조직은 수술 검체, 내시경 검체, 또는 세포 검체가 모두 가능하나, 위암에서 종양내 이질성이 심한

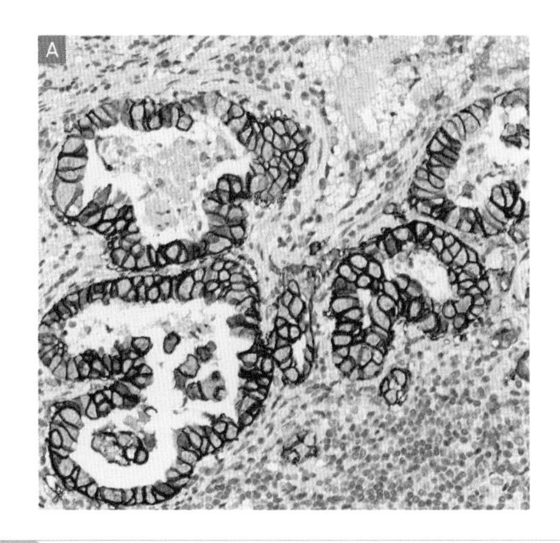

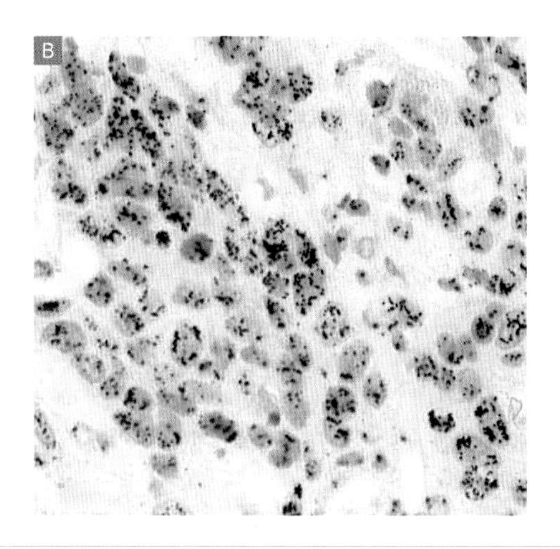

그림 21-18 ***HER2* 검사.**
A. 면역염색검사에서 암세포의 전체 세포막 또는 기저측부위 세포막에 강양성으로 염색된 경우 3+로 진단한다.
B. *HER2* 유전자의 은제자리부합법검사에서 증폭이 관찰된다(black, *HER2* signal; pink, CEP signal).

점을 고려하여 내시경 검체의 경우 적어도 4~6조각 이상 포함되도록 권고하고 있다. 위암 검체는 10% 중성포르말린에 고정하며, 고정시간은 6~72시간이 적절하다. 위암은 유방암과는 다른 특성과 진단기준을 가지고 있으므로, 검사실에서 위암에서의 *HER2* 검사를 새로 구축하고, 검사를 시행하고, 질관리를 할 때 모두 유방암과 별도로 진행해야 한다.

HER2 면역조직화학검사와 제자리부합법의 판독 기준은 표 21-1과 같다. 위암에서 *HER2* 면역염색 또는 제자리부합법의 판독은 침윤한 선암(invasive adenocarcinoma) 부분에서 해야 하고, 제자리부합법은 면역염색에서 가장 염색강도가 강한 부위를 선택하여 시행한다. 제자리부합법은 겹치지 않은 위암세포 20개에서 *HER2*와 *CEP17*의 수를 센다.

(2) 엡스타인-바 바이러스

위암 조직의 암세포 내에서 EBV (Epstein-Barr Virus) 존재를 증명하는 검출법으로, 현재 가장 적합하고 또 가장 널리 사용하는 진단방법은 EBV-encoded small RNAs (EBER1과 EBER2)를 probe로 하는 제자리부합법(in situ hybridization, ISH)이다. EBV에 감염된 세포에서, EBER는 항상 증명되며 10^6~10^7 copies/cell로 대량 존재한다. 따라서, EBER에 대한 RNA-ISH검사는 민감도가 매우 높고, 파라핀 블록-조직절편이나 세포병리검체에도 이용할 수 있으며, EBV에 감염된 세포가 어떤 특정 세포인지를 구별할 수 있다. 다만, EBER-ISH법으로는, viral particle의 양적 분석은 할 수 없다. 지금까지 개발된 여러 가지 상업용 EBER probe가 있는데, biotin, digoxigenin 또는 fluorescein이 EBERs와 붙도록 하여 시각으로 확인할 수 있다(그림 21-19). EBER-ISH 해석은 현미경 관찰로 이루어지는데, 암세포의 핵에서 검정색 또는 진한 갈색으로 시그널(signal)이 보일 때만, EBV 양성 위암으로 진단한다. 이때, EBV 양성 위암 증례에서는 거의 모든 암세포의 핵에서 시그널이 관찰되는데, 특이하게도 암세포의 일부에서만 시그널이 관찰되는 희귀한 증례도 있다. 또한 드물게는 종양 내 및 종양 주변 간질의 림프구에서 시그널을 볼 수도 있는데, 이는 잠복기(latency) EBV에 감염되어 있는 B림프구이다. EBV는 인체에 일차감염 후, 잠복감염(latency) 상태로 B림프구에 인간의 평생 동안 지속하며, 전 세계 성인

표 21-1. HER2의 면역조직화학검사 및 제자리부합법의 판독 기준

방법	HER2 결과	진단 기준
면역염색	음성(0)	종양세포의 10%[*1] 미만에서 염색반응 관찰.
	음성(1+)	희미한 세포막 양상의 염색반응이 10% 이상의 종양세포에서 관찰[*2], 세포막의 일부분만 염색반응이 존재.
	모호(2+)	약하거나 중등도의 염색반응이 전체 세포막 또는 기저측부위 세포막 양상으로 10% 이상의 종양세포에서 관찰.
	양성(3+)	강한 염색반응이 전체 세포막 또는 기저측부위 세포막 양상으로 10% 이상의 종양세포에서 관찰.
제자리부합법	음성	HER2:CEP17 비율 <2 또는 CEP17 다염색체성이 존재하고 비율이 2 미만일 경우에는 HER2신호의 평균값이 4보다 작을 때
	모호	CEP17 다염색체성이 존재하고 비율이 2 미만인데 HER2신호의 평균값이 4~6일 때. 20개의 세포 추가 관찰 또는 다른 블록검사 추가 등을 통해 양성과 음성을 판단.
	양성	HER2:CEP17 비율 ≥2 또는 CEP17 다염색체성이 존재하고 비율이 2 미만일 경우에는 HER2신호의 평균값이 6보다 클 때

*1: 생검조직에서는 퍼센트와 상관없이 염색된 종양세포군집(세포 5개 이상)이 있는 경우 점수를 판정한다.
*2: 세포막 양상의 염색만을 올바른 염색반응으로 취급한다.

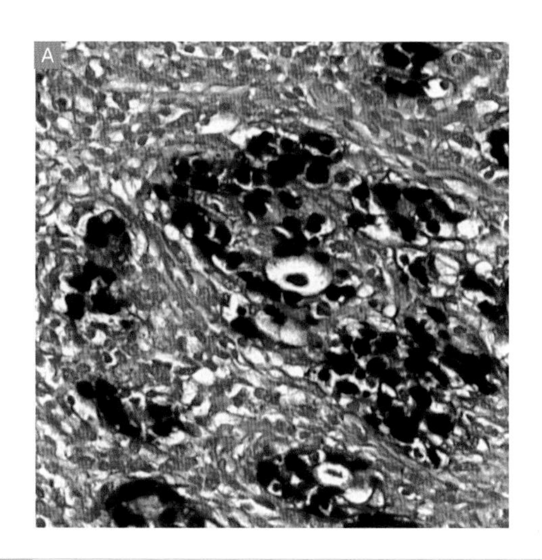

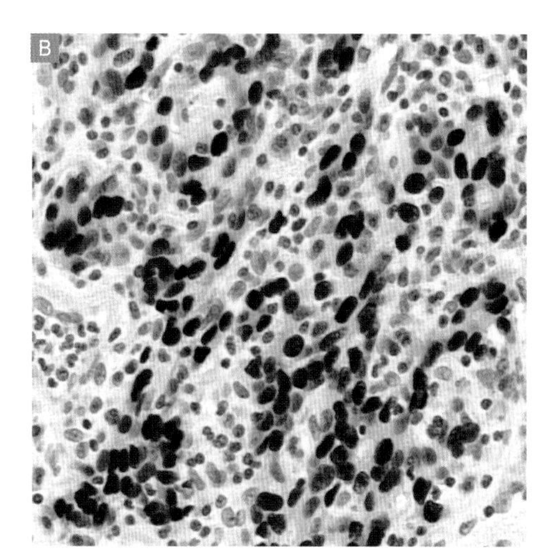

그림 21-19 **EBER에 대한 제자리부합법을 통한 EBV 검사.**
A. Digoxigenin 반응을 이용하면 암세포의 핵에 검정색을 보인 경우 양성이다.
B. Biotin 반응을 이용하면 갈색인 경우 양성이다.

의 90~95%에 널리 퍼져있다. 따라서, 혈청학적 검사만으로는 EBV와 종양과의 직접 연관을 증명하기 어렵다.

그 밖에도 EBV를 확인하는 방법으로, 잠복감염 EBV 단백에 대한 면역조직화학법(immunohistochemistry)이나 EBV DNA에 대한 ISH 등은 파라핀블록 조직에도 적용할 수 있다. 신선 또는 동결(fresh, frozen) 암조직의 균질물(homogenate)에서 Slot-blot, Dot-blot, Southern blot hybridization, 중합효소연쇄반응(polymerase chain reaction, PCR) 및 reverse transcriptase-PCR을 할 수 있는데, 잠복감염(latency) EBV를 갖고 있는 B림프구가 섞여있을 가능성이 크므로, 결과 해석에 제한이 있다. EBV의 단클론성(monoclonality)을 증명하는 방법으로, EBV DNA의 terminal repeats에 대한 southern blot hybridization 및 EBV lymphocyte-determinant membrane antigen에 대한 중합효소연쇄반응이 있다.

(3) 현미부수체불안정성

현미부수체불안정성(microsatellite instability, MSI)은 위암의 약 10%가량에서 관찰된다. 최근 현미부수체불안정성 위암이 pembrolizumab 등 PD-1 억제제에 치료반응이 높은 것으로 보고되어, 위암에서의 MSI 검사가 중요해졌다. 따라서 현미부수체불안정성 위암은 면역관문억제제 pembrolizumab의 치료 적응증이 된다. 이 외에도 린치증후군(Lynch syndrome)의 스크리닝, 분자유전학적 분류, 5-FU 등 고식적 항암제에 대한 약제반응 예측 등을 위해 검사를 시행한다. 수술 후 fluorouracil 기반 항암치료를 시행한 위암 환자 중 현미부수체불안정성 위암인 경우 예후가 나쁘다. 현미부수체불안정성검사는 전통적으로 중합효소연쇄반응검사를 기반으로 수행되어 왔으며, 불일치복구(mismatch repair, MMR) 단백질에 대한 면역조직화학검사로 이를 대체할 수 있다.

중합효소연쇄반응을 기반으로 한 검사법은 다수의 현미부수체 마커를 선택하여 이들에 대한 중합효소연쇄반응 후 핵산의 증가 또는 감소가 있는지 염기서열 시퀀서 등의 장비로 검사한다. 이전에 검증된 마커 패널로 BAT25, BAT26, D2S123, D5S346, D17S250의 패널(NCI panel) 또는 NR-27, NR-21, NR-24, BAT-25, BAT-26의 패널(mononucleotide panel) 등이 있다. 검사한 현미부수체 중 불안정한 현미부수체의 비율에 따라 불안정성의 등급을 나눈다. 30% 이상에서 불안정하면 MSI-high (MSI-H), 30% 미만에서 불안정하면 MSI-low (MSI-L), 불안정한 현미부수체가 없으면 microsatellite stability (MSS)로 판정한다. 최근 현미부수체 마커에 대해 실시간 중합효소연쇄반응을 이용해 증폭한 후 melting curve analysis를 통해 불안정성을 보고자 하는 방법이 개발되었다. 이 외에 차세대염기서열시퀀싱 방법이 발전하면서 수많은 현미부수체 유전자자리에 대해 분석하여 현미부수체불안정성을 진단하고자 하는 연구결과가 발표되었다. 이러한 분자병리 검사방법들은 대부분 검사실 기반 방법으로 검사실 별로 검증하여 사용할 수 있다.

면역조직화학검사는 MLH1, MSH2, PMS2, MSH6의 4개의 불일치복구(MMR) 단백에 대한 면역염색으로 시행된다. 불일치복구 단백은 정상세포에서 핵에 양성 소견을 보이며, 암조직에서는 발현이 완전히 소실된다(그림 21-20). 면역관문억제제 사용을 위해서는 4개의 단백 중 어느 하나라도 음성인 경우 적응증이 된다. MLH1과 PMS2 및 MSH2와 MSH6는 이합체를 이루고 있어서, MLH1이 소실되는 경우 PMS2도 음성이고 MSH2가 소실되는 경우 MSH6도 음성이나 그 반대는 관찰되지 않는다. 면역조직화학검사는 검사가 쉽고 빠르며 어떤 불일치복구 유전자에 이상이 있는지를 알려줄 수 있는 장점이 있지만, 다양한 염색 소견을 보이거나 위음성을 보일 수 있어 염색과 판독에 어려움이 있는 단점이 있다. 중합효소연쇄반응 결과와 면역조직화학검사는 90% 정도에서 일치를 보여 서로 상호보완적으로 진단에 이용할 수 있다.

(4) 종양면역반응 연관 마커

① PD-L1

종양세포의 종양항원에 대한 면역반응으로 CD8 양성 T세포가 침윤하여 종양세포를 제거할 수 있으나, CD8 양성 T세포의 PD-1이 PD-L1과 결합하면 이러한 면역반응을 억제한다. PD-1 억제제는 T세포를 다시 활성화시킬 수 있는데 이런 이론적 배경을 바탕으로 면역관문억제제가 다양한 암 환자에서 치료제로 사용되고 있다. PD-1 억제제의 치료반응을 예측하기 위한 바이오마커로 PD-L1 면역조직화학검사가 개발되었다. PD-L1 면역조직화학염색에 사용되는 항체는 키트 기반

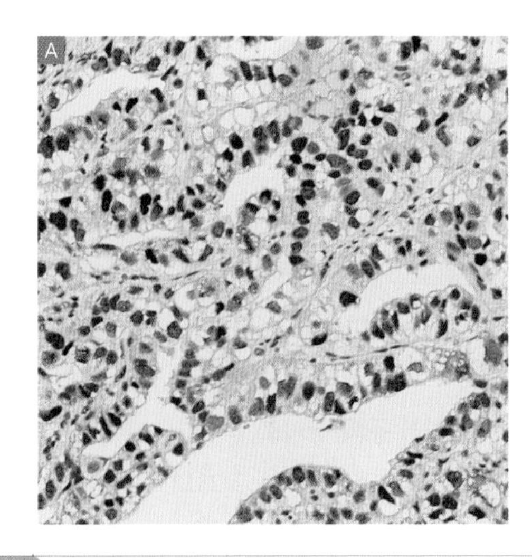

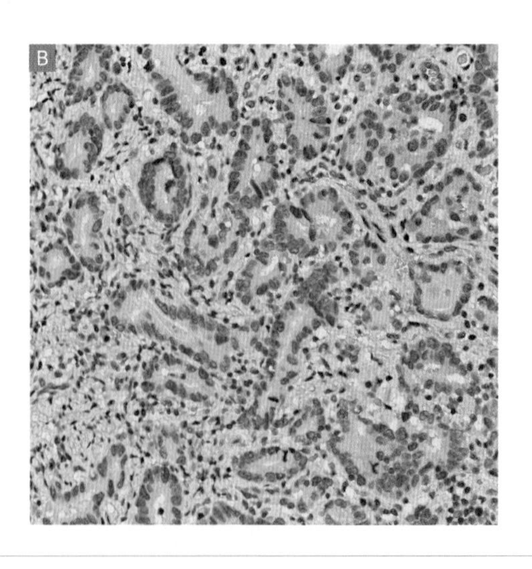

그림 21-20 hMLH1 면역조직화학염색 검사.
A. hMLH1 양성인 경우 암세포와 정상세포의 핵에 갈색으로 관찰된다.
B. 정상세포의 핵은 양성이나 암세포에서 음성인 경우 hMLH1 발현 소실로 진단한다.

시약으로 Dako PD-L1 IHC 22C3 PharmDx kit, Dako 28-8 PharmDx kit, VENTANA PD-L1 SP142 assay, VENTANA SP263 assay가 있다. 위암에서는 pembrolizumab의 치료반응을 예측하기 위하여 22C3 PharmDx kit를 사용한다. 이외 연구용 항체로 28-8 (Abcam, Cambridge, UK), E1L3N (Cell Signaling Technology, Danvers, MA, USA), SP142 (Spring Bioscience) 등이 있고, 초기 연구에서는 E1L3N 항체를 이용한 연구가 다수 발표되었다. 최근 연구결과에 따르면 PD-L1은 EBV 양성 위암과 현미부수체불안정성 위암에서 양성률이 높으며, 미만형 위암에서는 양성률이 낮다.

PD-L1 단백은 종양세포에서 주로 세포막에 염색되고 세포질에 같이 염색될 수 있으나, 염색 강도와 상관없이 부분적 또는 완전하게 세포막에 염색된 경우 양성으로 한다. 림프구와 대식세포 등의 면역세포에서는 세포막 또는 세포질에 염색될 수 있으며 이들 모두 양성으로 한다(그림 21-21). PD-L1 면역조직화학염색의 판독 기준은 다양하여 종양세포에서의 양성률을 보는 TPS (tumor proportion score)와 종양세포와 면역세포를 모두 포함하는 CPS (combined positive score) 등이 있다. 위암 환자에서 pembrolizumab 치료반응을 예측하기 위해서 CPS 기준을 사용하는데, PD-L1 면역염색에 양성인 살아있는 종양세포, 림프구 및 대식세포의 숫자를 살아있는 전체 종양세포의 숫자로 나누고 100을 곱한 값이다. 이 때 림프구와 대식세포는 종양세포군집들 사이에 위치하거나 종양세포들과 20x 시야 내로 바로 인접하여 있는 것들을 센다. Pembrolizumab 치료에 대한 259명의 환자를 대상으로 한 임상시험에서 치료반응률이 CPS≥1 환자군에서는 15.5%이었고 CPS<1 환자군에서는 6.4%이었다. 이후 시행된 임상시험에서는 CPS ≥10 환자군에서 치료반응률이 유의하게 높았다. 따라서 이후 추가 임상시험 결과에 따라 판독 기준이 검증되어야 하겠다. TPS는 살아있는 전체 종양세포 중 PD-L1 면역염색에 양성인 종양세포의 퍼센트로 계산한다. 또 다른 PD-1 억제제인 Nivolumab 사용에 대한 PD-L1 발현의 판독기준은 아직 정립되지 않았다. Nivolumab에 대한 임상시험에서 TPS〉1%와 ≤1% 환자군을 비교했을 때 평균생존기간은 PD-L1 면역염색 결과와 상관없이 증가하였다.

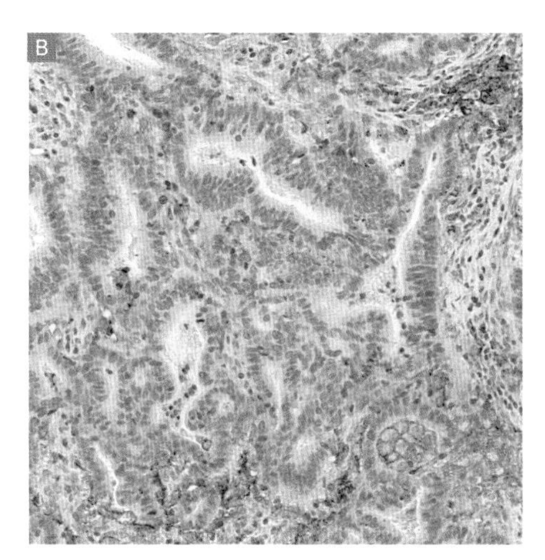

그림 21-21 Dako PD-L1 IHC 22C3 PharmDx kit를 이용한 면역염색 검사.
A. 암세포의 세포막에 양성 소견이 관찰된다.
B. 암세포 주변에 침윤한 림프구와 대식세포에 양성을 보인다.

② 종양침윤림프구(tumor-infiltrating lymphocytes)

많은 연구에서 종양침윤림프구(tumor-infiltrating lymphocytes, TILs)의 밀도가 높은 경우 위암을 포함한 암 환자에서 예후가 양호하다고 보고되었다. 더구나, CD3와 CD8 양성 세포독성 T세포의 높은 밀도가 위암 환자에서 좋은 예후와 연관되었다고 일관되게 보고된 바 있다. 이러한 연구들은 종양침윤림프구의 밀도를 CD3, CD4, CD8 및 그 외 림프구 표지자들에 대한 면역조직화학염색으로 조사했다. 종양침윤림프구 밀도를 정량화 하는 데 있어서, 연구자들은 수작업으로 세포의 개수를 세기도 하고 보다 일정한 결과를 얻기 위해 이미지분석프로그램을 사용하기도 하였다. 대부분의 연구들은 밀도가 낮은 군과 높은 군으로 이분화하여 통계분석을 시행하였다. 그러나 구체적인 방법은 매우 다양하고 표준화되지 못하였다. 예를 들면, 측정 영역을 선택하는 방법과 절단값이 다양하였다. 연구에 따라 종양침윤림프구의 밀도를 1~6개의 영역을 선택하여 특정하였으며, 중심부와 침윤경계면을 선택하여 측정하기도 하였다. 절단값으로는 중간값, 평균값, 25퍼센타일, 60퍼센타일 등이 사용되었고 이런 값들은 해당 연구의 코호트 내에서 계산된 값이었다. 이로 인해 CD8 양성 T세포의 절단값이 21.6/mm^{2}에서 946.22/mm^{2}까지 다양하였다. 비록 높은 종양침윤림프구 농도가 좋은 예후의 표지자라는 연구결과가 많지만, 이를 측정하는 방법이 표준화되지 못하였고 절단값에 대한 합의된 의견도 없는 실정이다. 따라서 위암 환자에서 종양침윤림프구의 밀도를 임상적인 필요에 따라 측정할 수는 있겠으나, 아직 병리진단에 포함할 근거가 부족하다.

6) 복막세척액 검사

(1) 복막세척액 검사

종양세포의 복강내 파종은 위암의 주된 전이 경로 중 하나이다. 근치 위절제술을 시행한 후에 위암의 복막재발이 일어나는 경우는 드물지 않으며, 이런 경우 환자는 항암치료에 쉽게 반응하지 않고 예후는 상당히 나쁘다. 복막재발은 수술 당시 육안적으로 관찰되지 않던 복강내 종양세포들이 수술 후 복막에서 증식을 하여 생기는 것으로 보인다. 복막세척액 검사는 복강내 종양세포들을 탐지하기 위한 검사로, 수술 후 환자의 예후와 치료방침을 결정하기 위하여 활용된다. 병기결정 시 복막세척액에서 확인된 종양세포는 육안적으로 확인이 가능한 복막전이와 같이 원격전이로 판단을 하게 된다.

(2) 복막세척액 검사의 방법

복막세척액 검사는 위암 환자의 복강내에 식염수를 주입하고 가볍게 휘저어 복강내 다양한 부위의 복막들과 접촉하게 한 후 다시 회수하여 종양세포의 유무를 검사하는 것이다. 가장 전통적인 방법은 복강내 세척 후 회수한 식염수를 원심분리기를 통하여 세포들을 침전시킨 후, 유리 슬라이드에 세포들을 접착시키고 염색을 하여 광학현미경으로 종양세포의 유무를 진단하는 것이다. 가장 흔히 시행하는 염색은 세포의 형태를 잘 관찰할 수 있는 Papanicolaou 염색이고, 염색시간이 짧은 diff-Quik 염색이나 Hematoxylin and eosin 염색을 시행하는 경우도 있다. 복막세척액에서 관찰할 수 있는 세포들은 주로 중피세포와 대식세포를 포함한 염증세포들이며 복강내에 종양세포가 있을 경우, 중피세포 및 염증세포들과 섞여서 관찰이 된다. 복강내에 종양이나 염증이 있을 경우, 중피세포들은 평상시보다 다형성과 비정형성을 많이 보이기 때문에 종양세포와의 형태학적 감별이 어려울 수 있다.

이러한 단점들을 극복하기 위하여 다른 부가적인 방법들이 개발되어 활용되고 있다. 먼저, 유리 슬라이드에 접착된 세포들에 중피세포나 염증세포들에서는 발현되지 않는 항원에 대한 항체들을 부착하여 관찰하는 면역세포화학(immunocytochemistry) 방법이 있다. 면역세포화학 방법은 종양세포들을 좀 더 쉽게 찾을 수 있게 해 주고 비정형 형태를 보이는 중피세포나 염증세포와의 감별을 좀 더 용이하게 해준다는 장점이 있으나, 종양세포가 아닌 세포나 주변 단백질에 항체가 반응하는 위양성 반응과 종양세포가 목적하는 항원을 발현하지 않는 위음성 반응이 나타날 수 있고, 염색에 시간과 비용이 더 소모되는 단점이 있다.

복막세척액을 유리 슬라이드에 부착하지 않고 직접 검사를 시행하는 방법들도 시행되고 있다. 복막세척액에서 직접 암종배아항원(CEA) 등을 검출하는 방법도 있고, 중합효소연쇄반응(polymerase chain reaction)을 이용하여 종양세포에서만 발현되는 혹은 비종양세포에서 발현되지 않는 유전자를 증폭하는 방법도 쓰이고 있다. 이 방법들도 종양세포와 비종양세포의 유전자와 단백질 발현에 따라서 위양성과 위음성의 가능성이 있다.

(3) 복막세척액 검사의 병리 소견

복막세척액 검사에서 종양세포들은 종양의 분화도에 따라 다양하게 세포덩이, 세포군집, 개별세포의 형태로 관찰되며 다른 세포들에 비해서 이형성과 다형성이 심하게 관찰된다. 전반적으로 세포는 크기가 크고 진한 핵의 염색질을 보이며 뚜렷하게 큰 핵소체가 관찰된다(그림 21-22 A, B, C). 반면에 복막세척액 슬라이드의 중피세포들은 넓은 판의 구조를 보이거나 흩어진 세포가 염증세포와 섞여서 관찰된다. 세포의 핵은 염색질이 비어 보이며, 작은 핵소체가 하나 내지 둘이 관찰되며 세포 사이의 공간이 뚜렷하게 관찰된다(그림 21-22 D). 종양세포와 비종양세포의 형태 차이가 뚜렷한 경우에는 병리 결과가 악성세포 양성, 악성세포 음성으로 진단될 수 있으나, 형태 차이가 뚜렷하지 않은 많은 경우에는 비정형세포, 악성세포 의심 등으로 진단될 수 있다.

(4) 복막세척액 검사의 적용과 제한점

위암 수술을 시행하는 모든 환자에서 복막세척액 검사를 시행하여야 하는지, 모든 환자에서 복막세척액 검사가 도움이 될 것인지에 관해서는 이견이 있다. 복막세척액 검사를 조기위암에서도 시행하는 것이 도움이 된다는 의견이 있는 반면에, 진행성 위암에서 예후나 치료방법 결정에 도움이 된다는 의견도 있다. 서구에서는 수술 중 복막세척액 검사를 시행하지 않고, 수술 전 복강경시술을 통해 복막세척액 검사를 시행하여 치료 방침을 결정하는 경우도 있다. 육안적 복막전이와 달리 복막세척액 검사에서 종양세포가 관찰되는 경우에도 반드시 복막전이가 관찰되는 것은 아니다.

(5) 복막세척액 검사 양성 결과

복막세척액 검사와 관련된 연구들은 전향적 무작위 배정 연구가 아닌 대부분 후향적인 연구와 일부 전향적 연구들이고, 복막세척액 검사는 앞서 기술한 바와 같이 다양한 방법들이 사용되기 때문에 몇 개의 연구결과를 가지고 결론을 내리기는 어렵다. 그러나 최근 다양한 연구결과들을 종합하여 분석한 체계적 고찰이나 메타분석 결과들이 발표되었고, 이 결과들은 일관성 있게 복막세척액 검사결과가 독립적인 예후인자임을 지적하고 있다.

위암 환자의 복막세척액 검사에서 암세포가 양성인 경우에는 그렇지 않은 경우보다 재발률이 높고 생존기간이 짧은 것으로 보고되었다. 또한, 복막세척액 양성인 경우 환자 사망의 누적 위험도가 복막세척액 음성인 경우보다 훨씬 높게 보고되고 있으며, 재발의 누적 위험도도 높은 것으로 알려져 있다. 또한 복막세척액에서 양성인 경우들은 종양세포의 나쁜 분화도, 림프절 전이, 장막 침윤, 높은 병기 등 종양의 나쁜 예후인자들과 유의하게 관련이 있음이 보고되었기 때문에 복막세척액 검사 결과가 유용한 예후인자임에는 틀림이 없다.

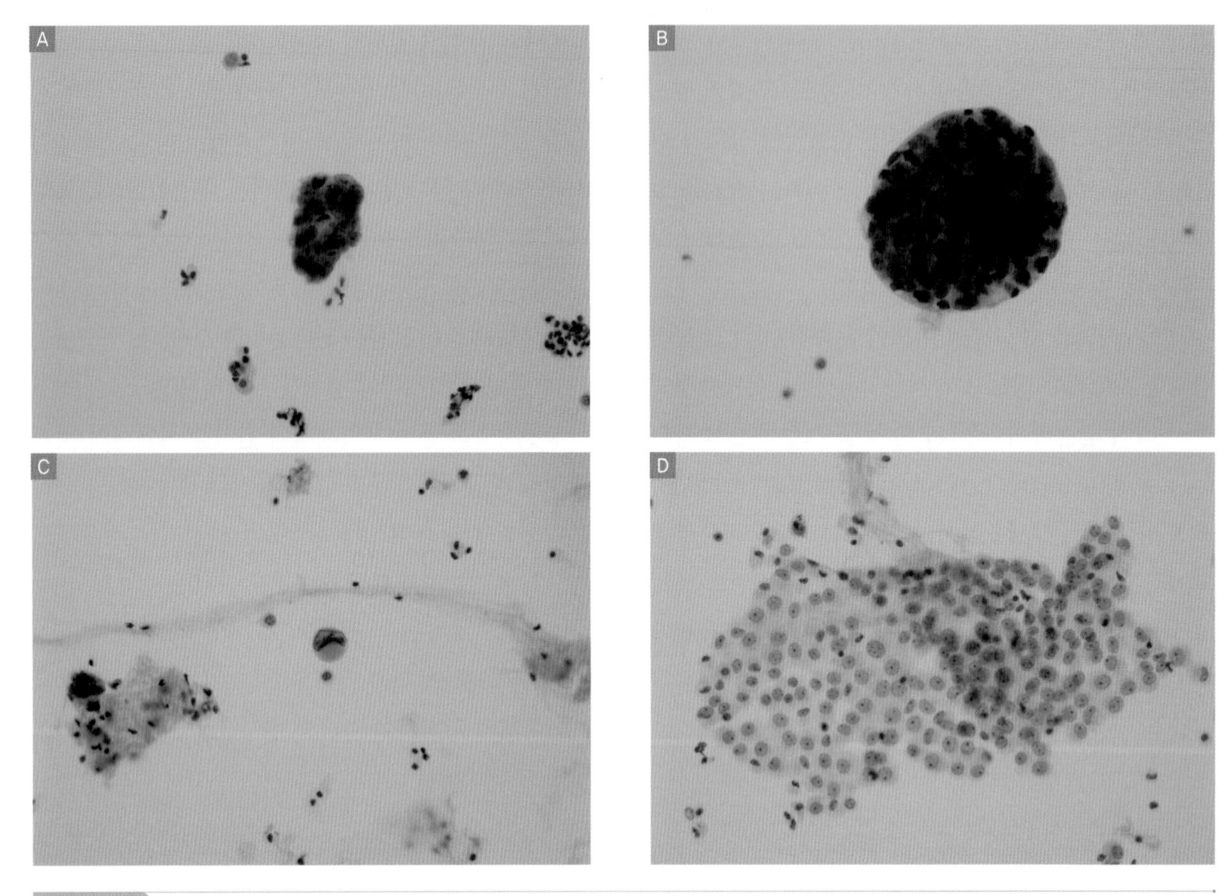

그림 21-22 **복막세척액 세포검사.**

A. 세포군집을 이루고 있는 위암세포들. 핵세포질 비율이 높은 세포들이 서로 겹쳐 있으며 뚜렷한 핵소체가 관찰된다.

B. 세포덩이의 형태를 보이는 위암세포들. 진한 염색질과 뚜렷한 핵소체가 관찰되며, 주변의 염증세포에 비해 크고 다형성이 있는 세포로 구성되어 있다.

C. 개별 종양세포. 위의 원래 종양은 반지세포암이었으며, 복막세척액 내의 세포도 반지세포의 형태를 보여준다.

D. 중피세포들이 판의 형태를 이루고 종양세포에 비해 핵이 연하고 작은 1~3개의 핵소체를 보여준다. 세포질 사이 공간이 뚜렷하게 관찰된다.

참고문헌

1. 김연수, 허원석, 채경훈, 강윤세, 정재훈, 김석현 등. 위에서 발생한 원발 편평세포암과 샘편평세포암의 임상-병리 양상 및 Ki-67 표지지수와 p53 단백 발현의 차이. 대한소화기학회지 2006;47:425-431.
2. 김우호, 박철근, 김영배, 김윤화, 김호근, 배한익 등. 위암 병리보고서 기재사항 표준화. 대한병리학회지 2005;39:106-113.
3. Aarnio M, Salovaara R, Aaltonen LA, Mecklin JP, Jarvinen HJ. Features of gastric cancer in hereditary non-polyposis colorectal cancer syndrome. Int J Cancer 1997;74:551-555.
4. Abraham SC, Montgomery EA, Singh VK, Yardley JH, Wu TT. Gastric adenomas: intestinal-type and gastric-type adenomas differ in the risk of adenocarcinoma and presence of background mucosal pathology. Am J Surg Pathol 2002;26:1276-1285.
5. Abraham SC, Park SJ, Lee JH, Mugartegui L, Wu TT. Genetic alterations in gastric adenomas of intestinal and foveolar phenotypes. Mod Pathol 2003;16:786-795.
6. Agoston AT, Odze RD. Evidence that gastric pit dysplasia-like atypia is a neoplastic precursor lesion. Hum Pathol 2014;45:446-455.
7. Ajani JA, D'Amico TA, Baggstrom M, Bentrem DJ, Chao J. NCCN Clinical Practice Guidelines in Oncology (NCCN guidelines). Gastric Cancer, version 2.2018. [Internet]. National Comprehensive Cancer Network, Inc; 2018 [cited 2018 July 13]. Available from: https://www.ncc.org
8. Ambinder RF, Mann RB. Epstein-Barr-encoded RNA in situ hybridization: diagnostic applications. Hum Pathol 1994;25:602-605.
9. An JY, Kang TH, Choi MG, Noh JH, Sohn TS, Kim S. Borrmann type IV: an independent prognostic factor for survival in gastric cancer. J Gastrointest Surg 2008;12:1364-1369.
10. An JY, Kim H, Cheong JH, Hyung WJ, Kim H, Noh SH. Microsatellite instability in sporadic gastric cancer: its prognostic role and guidance for 5-FU based chemotherapy after R0 resection. Int J Cancer 2012;131:505-511.
11. JGC Association. Japanese classification of gastric carcinoma: 3rd English edition. Gastric Cancer 2011;14:101-112.
12. Bang Y-J, Van Cutsem E, Feyereislova A, Chung HC, Shen L, Sawaki A, et al. Trastuzumab in combination with chemotherapy versus chemotherapy alone for treatment of HER2-positive advanced gastric or gastro-oesophageal junction cancer (ToGA): a phase 3, open-label, randomised controlled trial. The Lancet 2010;376:687-697.
13. Bang YJ. Advances in the management of HER2-positive advanced gastric and gastroesophageal junction cancer. J Clin Gastroenterol 2012;46:637-648.
14. Bartley AN, Washington MK, Colasacco C, Ventura CB, Ismaila N, Benson AB, et al. HER2 testing and clinical decision making in gastroesophageal adenocarcinoma: guideline from the College of American Pathologists, American Society for Clinical Pathology, and the American Society of Clinical Oncology. J Clin Oncol 2017;35:446-464.
15. Bosman FT, Carneiro F, Hruban RH, Theise ND. WHO classification of tumours of the digestive system. World Health Organization, 2010:48-58.
16. Brito MJ, Williams GT, Thompson H, Filipe MI. Expression of p53 in early (T1) gastric carcinoma and precancerous adjacent mucosa. Gut 1994;35:1697-1700.
17. Brousset P, Butet V, Chittal S, Selves J, Delsol G. Comparison of in situ hybridization using different nonisotopic probes for detection of Epstein-Barr virus in nasopharyngeal carcinoma and immunohistochemical correlation with anti-latent membrane protein antibody. Lab Invest 1992;67:457-464.

18. Buhard O, Suraweera N, Lectard A, Duval A, Hamelin R. Quasimonomorphic mononucleotide repeats for high-level microsatellite instability analysis. Dis Markers 2004;20:251-257.
19. Cancer Genome Atlas Research N. Comprehensive molecular characterization of gastric adenocarcinoma. Nature 2014;513:202-209.
20. Cao H, Wang B, Zhang Z, Zhang H, Qu R. Distribution trends of gastric polyps: an endoscopy database analysis of 24 121 northern Chinese patients. J Gastroenterol Hepatol 2012;27:1175-1180.
21. Carmack SW, Genta RM, Schuler CM, Saboorian MH. The current spectrum of gastric polyps: a 1-year national study of over 120,000 patients. Am J Gastroenterol 2009;104:1524-1532.
22. Carvalho B, Buffart TE, Reis RM, Mons T, Moutinho C, Silva P, et al. Mixed gastric carcinomas show similar chromosomal aberrations in both their diffuse and glandular components. Cell Oncol 2006;28:283-294.
23. Chang MS, Kim HS, Kim CW, Kim YI, Lan Lee B, Kim WH. Epstein-Barr virus, p53 protein, and microsatellite instability in the adenoma-carcinoma sequence of the stomach. Hum Pathol 2002;33:415-420.
24. Chang MS, Lee HS, Kim HS, Kim SH, Choi SI, Lee BL, et al. Epstein-Barr virus and microsatellite instability in gastric carcinogenesis. J Pathol 2003;199:447-452.
25. Cheng XX, Sun Y, Chen XY, Zhang KL, Kong QY, Liu J, et al. Frequent translocalization of beta-catenin in gastric cancers and its relevance to tumor progression. Oncol Rep 2004;11:1201-1207.
26. Choi CW, Kim HW, Shin DH, Kang DH, Hong YM, Park JH, et al. The risk factors for discrepancy after endoscopic submucosal dissection of gastric category 3 lesion (low grade dysplasia). Dig Dis Sci 2014;59:421-427.
27. Cotte E, Decullier E, Glehen O. Reply to: EVOCAPE 2 study: lack of prognostic significance of conventional peritoneal cytology in colorectal and gastric cancer? Eur J Surg Oncol 2013;39:1301-1302.
28. Cotte E, Peyrat P, Piaton E, Chapuis F, Rivoire M, Glehen O, et al. Lack of prognostic significance of conventional peritoneal cytology in colorectal and gastric cancers: results of EVOCAPE 2 multicentre prospective study. Eur J Surg Oncol 2013;39:707-714.
29. Cree IA, Booton R, Cane P, Gosney J, Ibrahim M, Kerr K, et al. PD-L1 testing for lung cancer in the UK: recognizing the challenges for implementation. Histopathology 2016;69:177-186.
30. Cristescu R, Lee J, Nebozhyn M, Kim KM, Ting JC, Wong SS, et al. Molecular analysis of gastric cancer identifies subtypes associated with distinct clinical outcomes. Nat Med 2015;21:449-456.
31. de Vries AC, van Grieken NC, Looman CW, Casparie MK, de Vries E, Meijer GA, et al. Gastric cancer risk in patients with premalignant gastric lesions: a nationwide cohort study in the Netherlands. Gastroenterology 2008;134:945-952.
32. Di Gregorio C, Morandi P, Fante R, De Gaetani C. Gastric dysplasia. A follow-up study. Am J Gastroenterol 1993;88:1714-1719.
33. Dixon MF, Genta RM, Yardley JH, Correa P. Classification and grading of gastritis. The updated Sydney System. International Workshop on the Histopathology of Gastritis, Houston 1994. Am J Surg Pathol 1996;20:1161-1181.
34. Domizio P, Talbot IC, Spigelman AD, Williams CB, Phillips RK. Upper gastrointestinal pathology in familial adenomatous polyposis: results from a prospective study of 102 patients. J Clin Pathol 1990;43:738-743.
35. Feng F, Zheng G, Qi J, Xu G, Wang F, Wang Q, et al. Clinicopathological features and prognosis of gastric adenosquamous carcinoma. Sci Rep 2017;7:4597.
36. Fewings E, Larionov A, Redman J, Goldgraben MA, Scarth J, Richardson S, et al. Germline pathogenic variants in PALB2 and other cancer-predisposing genes in families with hereditary diffuse gastric cancer without CDH1 mutation: a whole-exome sequencing

study. Lancet Gastroenterol Hepatol 2018;3:489-498.

37. Fitzgerald RC, Hardwick R, Huntsman D, Carneiro F, Guilford P, Blair V, et al. Hereditary diffuse gastric cancer: updated consensus guidelines for clinical management and directions for future research. J Med Genet 2010;47:436-444.

38. FTCH B, Rh H, ND T. WHO classification of tumors of the digestive system. Lyon: IARC Press, 2010.

39. Fuchs CS, Doi T, Jang RW, Muro K, Satoh T, Machado M, et al. safety and efficacy of pembrolizumab monotherapy in patients with previously treated advanced gastric and gastroesophageal junction cancer: phase 2 clinical KEYNOTE-059 Trial. JAMA Oncol 2018;4:180013.

40. Fujimoto M, Matsuzaki I, Nishino M, Iwahashi Y, Warigaya K, Kojima F, et al. HER2 is frequently overexpressed in hepatoid adenocarcinoma and gastric carcinoma with enteroblastic differentiation: a comparison of 35 cases to 334 gastric carcinomas of other histological types. J Clin Pathol 2018;71:600-607.

41. Funkhouser Jr WK, Lubin IM, Monzon FA, Zehnbauer BA, Evans JP, Ogino S, et al. Relevance, pathogenesis, and testing algorithm for mismatch repair–defective colorectal carcinomas: a report of the association for molecular pathology. The Journal of Molecular Diagnostics 2012;14:91-103.

42. Ghandur-Mnaymneh L, Paz J, Roldan E, Cassady J. Dysplasia of nonmetaplastic gastric mucosa. A proposal for its classification and its possible relationship to diffuse-type gastric carcinoma. Am J Surg Pathol 1988;12:96-114.

43. Giampieri R, Maccaroni E, Mandolesi A, Del Prete M, Andrikou K, Faloppi L, et al. Mismatch repair deficiency may affect clinical outcome through immune response activation in metastatic gastric cancer patients receiving first-line chemotherapy. Gastric Cancer 2017;20:156-163.

44. Goldstein NS, Lewin KJ. Gastric epithelial dysplasia and adenoma: historical review and histological criteria for grading. Hum Pathol 1997;28:127-133.

45. Haas M, Dimmler A, Hohenberger W, Grabenbauer GG, Niedobitek G, Distel LV. Stromal regulatory T-cells are associated with a favourable prognosis in gastric cancer of the cardia. BMC Gastroenterol 2009; 9:65.

46. Hennequin A, Derangere V, Boidot R, Apetoh L, Vincent J, Orry D, et al. Tumor infiltration by Tbet+ effector T cells and CD20+ B cells is associated with survival in gastric cancer patients. Oncoimmunology 2016;5:1054598.

47. Hennessy K, Fennewald S, Hummel M, Cole T, Kieff E. A membrane protein encoded by Epstein-Barr virus in latent growth-transforming infection. Proc Natl Acad Sci U S A 1984;81:7207-7211.

48. Hofmann M, Stoss O, Shi D, Büttner R, Van De Vijver M, Kim W, et al. Assessment of a HER2 scoring system for gastric cancer: results from a validation study. Histopathology 2008;52:797-805.

49. Howe JG, Steitz JA. Localization of Epstein-Barr virus-encoded small RNAs by in situ hybridization. Proc Natl Acad Sci U S A 1986;83:9006-9010.

50. IARC monographs on the evaluation of carcinogenic risks to humans. Epstein-Barr virus and Kaposi's sarcoma. Herpesvirus/Human Herpesvirus 8. Vol 70. Leon: World Health Organization, International Agency for Research on Cancer, 1997.

51. Ikeda Y, Kosugi S, Nishikura K, Ohashi M, Kanda T, Kobayashi T, et al. Gastric carcinosarcoma presenting as a huge epigastric mass. Gastric Cancer 2007;10:63-68.

52. Imai S, Koizumi S, Sugiura M, Tokunaga M, Uemura Y, Yamamoto N, et al. Gastric carcinoma: monoclonal epithelial malignant cells expressing Epstein-Barr virus latent infection protein. Proc Natl Acad Sci U S A 1994;91:9131-9135.

53. Ishikura H, Fukasawa Y, Ogasawara K, Natori T, Tsukada Y, Aizawa M. An AFP-producing gastric carcinoma with features of hepatic differentiation. A case

report. Cancer 1985;56:840-848.

54. Jagelman DG, DeCosse JJ, Bussey HJ. Upper gastrointestinal cancer in familial adenomatous polyposis. Lancet 1988;1:1149-1151.
55. Jamel S, Markar SR, Malietzis G, Acharya A, Athanasiou T, Hanna GB. Prognostic significance of peritoneal lavage cytology in staging gastric cancer: systematic review and meta-analysis. Gastric Cancer 2018;21:10-18.
56. Jang M, Kwon Y, Kim H, Kim H, Min BS, Park Y, et al. Microsatellite instability test using peptide nucleic acid probe-mediated melting point analysis: a comparison study. BMC Cancer 2018;18:1218.
57. Jass JR. A classification of gastric dysplasia. Histopathology 1983;7:181-193.
58. Jiang W, Liu K, Guo Q, Cheng J, Shen L, Cao Y, et al. Tumor-infiltrating immune cells and prognosis in gastric cancer: a systematic review and meta-analysis. Oncotarget 2017;8:62312-62329.
59. Jindrak K, Bochetto JF, Alpert LI. Primary gastric choriocarcinoma: case report with review of world literature. Hum Pathol 1976;7:595-604.
60. Joypaul BV, Newman EL, Hopwood D, Grant A, Qureshi S, Lane DP, et al. Expression of p53 protein in normal, dysplastic, and malignant gastric mucosa: an immunohistochemical study. J Pathol 1993;170:279-283.
61. Jung S-H, Kim SY, An CH, Lee SH, Jung ES, Park HC, et al. Clonal structures of regionally synchronous gastric adenomas and carcinomas. Clinical Cancer Research 2018;24:4715-4725.
62. Kamiya T, Morishita T, Asakura H, Miura S, Munakata Y, Tsuchiya M. Long-term follow-up study on gastric adenoma and its relation to gastric protruded carcinoma. Cancer 1982;50:2496-2503.
63. Kang GH, Kim YI. Alpha-fetoprotein-producing gastric carcinoma presenting focal hepatoid differentiation in metastatic lymph nodes. Virchows Arch 1998;432:85-87.
64. Kang GH, Lee S, Kim JS, Jung HY. Profile of aberrant CpG island methylation along the multistep pathway of gastric carcinogenesis. Lab Invest 2003;83:635-641.
65. Kang GH, Shim YH, Jung HY, Kim WH, Ro JY, Rhyu MG. CpG island methylation in premalignant stages of gastric carcinoma. Cancer Res 2001;61:2847-2851.
66. Kang KK, Hur H, Byun CS, Kim YB, Han SU, Cho YK. Conventional cytology is not beneficial for predicting peritoneal recurrence after curative surgery for gastric cancer: results of a prospective clinical study. J Gastric Cancer 2014;14:23-31.
67. Kang YK, Boku N, Satoh T, Ryu MH, Chao Y, Kato K, et al. Nivolumab in patients with advanced gastric or gastro-oesophageal junction cancer refractory to, or intolerant of, at least two previous chemotherapy regimens (ONO-4538-12, ATTRACTION-2): a randomised, double-blind, placebo-controlled, phase 3 trial. Lancet 2017;390:2461-2471.
68. Kawazoe A, Kuwata T, Kuboki Y, Shitara K, Nagatsuma AK, Aizawa M, et al. Clinicopathological features of programmed death ligand 1 expression with tumor-infiltrating lymphocyte, mismatch repair, and Epstein-Barr virus status in a large cohort of gastric cancer patients. Gastric Cancer 2017;20:407-415.
69. Kim A, Ahn SJ, Park DY, Lee BE, Song GA, Kim GH, et al. Gastric crypt dysplasia: a distinct subtype of gastric dysplasia with characteristic endoscopic features and immunophenotypic and biological anomalies. Histopathology 2016;68:843-849.
70. Kim H, Jin SY, Jang JJ, Kim WH, Song SY, Kim KR, et al. Grading system for gastric epithelial proliferative diseases standardized guidelines proposed by Korean study group for pathology of digestive diseases. Korean Journal of Pathology 1997;31:389-400.
71. Kim HS, Hong EK, Park SY, Kim WH, Lee HS. Expression of beta-catenin and E-cadherin in the adenoma-carcinoma sequence of the stomach. Anticancer Res 2003;23:2863-2868.

72. Kim HS, Woo DK, Bae SI, Kim YI, Kim WH. Microsatellite instability in the adenoma-carcinoma sequence of the stomach. Lab Invest 2000;80:57-64.
73. Kim JH, Kim YJ, An J, Lee JJ, Cho JH, Kim KO, et al. Endoscopic features suggesting gastric cancer in biopsy-proven gastric adenoma with high-grade neoplasia. World J Gastroenterol 2014;20:12233-12240.
74. Kim JM, Cho MY, Sohn JH, Kang DY, Park CK, Kim WH, et al. Diagnosis of gastric epithelial neoplasia: dilemma for Korean pathologists. World J Gastroenterol 2011;17:2602-2610.
75. Kim JW, Nam KH, Ahn SH, Park DJ, Kim HH, Kim SH, et al. Prognostic implications of immunosuppressive protein expression in tumors as well as immune cell infiltration within the tumor microenvironment in gastric cancer. Gastric Cancer 2016;19:42-52.
76. Kim KM, Bilous M, Chu KM, Kim BS, Kim WH, Park YS, et al. Human epidermal growth factor receptor 2 testing in gastric cancer: recommendations of an Asia-Pacific task force. Asia Pac J Clin Oncol 2014;10:297-307.
77. Kim MA, Jung EJ, Lee HS, Lee HE, Jeon YK, Yang HK, et al. Evaluation of HER-2 gene status in gastric carcinoma using immunohistochemistry, fluorescence in situ hybridization, and real-time quantitative polymerase chain reaction. Hum Pathol 2007;38:1386-1393.
78. Kim S, Chung JW, Jeong TD, Park YS, Lee JH, Ahn JY, et al. Searching for E-cadherin gene mutations in early onset diffuse gastric cancer and hereditary diffuse gastric cancer in Korean patients. Fam Cancer 2013;12:503-507.
79. Kim TM, Laird PW, Park PJ. The landscape of microsatellite instability in colorectal and endometrial cancer genomes. Cell 2013;155:858-868.
80. Kim YH, Kim NG, Lim JG, Park C, Kim H. Chromosomal alterations in paired gastric adenomas and carcinomas. Am J Pathol 2001;158:655-662.
81. Koh J, Ock CY, Kim JW, Nam SK, Kwak Y, Yun S, et al. Clinicopathologic implications of immune classification by PD-L1 expression and CD8-positive tumor-infiltrating lymphocytes in stage II and III gastric cancer patients. Oncotarget 2017;8:26356-26367.
82. Kokkola A, Haapiainen R, Laxén F, Puolakkainen P, Kivilaakso E, Virtamo J, et al. Risk of gastric carcinoma in patients with mucosal dysplasia associated with atrophic gastritis: a follow up study. J Clin Pathol 1996;49:979-984.
83. Kumarasinghe MP, Lim TK, Ooi CJ, Luman W, Tan SY, Koh M. Tubule neck dysplasia: precursor lesion of signet ring cell carcinoma and the immunohistochemical profile. Pathology 2006;38:468-471.
84. La Torre M, Ferri M, Giovagnoli MR, Sforza N, Cosenza G, Giarnieri E, et al. Peritoneal wash cytology in gastric carcinoma. Prognostic significance and therapeutic consequences. Eur J Surg Oncol 2010;36:982-986.
85. Lansdown M, Quirke P, Dixon MF, Axon AT, Johnston D. High grade dysplasia of the gastric mucosa: a marker for gastric carcinoma. Gut 1990;31:977-983.
86. Lauren P. The two histological main types of gastric carcinoma: diffuse and so-called intestinal-type carcinoma. An attempt at a histo-clinical classification. Acta Pathol Microbiol Scand 1965;64:31-49.
87. Lauwers GY. Defining the pathologic diagnosis of metaplasia, atrophy, dysplasia, and gastric adenocarcinoma. J Clin Gastroenterol 2003;36:37-43.
88. Lauwers GY, Riddell RH. Gastric epithelial dysplasia. Gut 1999;45:784-790.
89. Lauwers GY, Srivastava A. Gastric preneoplastic lesions and epithelial dysplasia. Gastroenterol Clin North Am 2007;36:813-829.
90. Leake PA, Cardoso R, Seevaratnam R, Lourenco L, Helyer L, Mahar A, et al. A systematic review of the accuracy and utility of peritoneal cytology in patients with gastric cancer. Gastric Cancer 2012;15:27-37.
91. Lee HE, Chae SW, Lee YJ, Kim MA, Lee HS, Lee BL, et al. Prognostic implications of type and density

of tumour-infiltrating lymphocytes in gastric cancer. Br J Cancer 2008;99:1704-1711.

92. Lee HE, Park KU, Yoo SB, Nam SK, Park DJ, Kim HH, et al. Clinical significance of intratumoral HER2 heterogeneity in gastric cancer. Eur J Cancer 2013; 49:1448-1457.

93. Lee HS, Chang MS, Yang HK, Lee BL, Kim WH. Epstein-barr virus-positive gastric carcinoma has a distinct protein expression profile in comparison with epstein-barr virus-negative carcinoma. Clin Cancer Res 2004;10:1698-1705.

94. Lee HS, Kim WH, Kwak Y, Koh J, Bae JM, Kim KM, et al. Molecular Testing for Gastrointestinal Cancer. J Pathol Transl Med 2017;51:103-121.

95. Lee JH, Abraham SC, Kim HS, Nam JH, Choi C, Lee MC, et al. Inverse relationship between APC gene mutation in gastric adenomas and development of adenocarcinoma. Am J Pathol 2002;161:611-618.

96. Lee SD, Ryu KW, Eom BW, Lee JH, Kook MC, Kim YW. Prognostic significance of peritoneal washing cytology in patients with gastric cancer. Br J Surg 2012; 99:397-403.

97. Lei Z, Tan IB, Das K, Deng N, Zouridis H, Pattison S, et al. Identification of molecular subtypes of gastric cancer with different responses to PI3-kinase inhibitors and 5-fluorouracil. Gastroenterology 2013;145:554-565.

98. Lev R, DeNucci TD. Neoplastic Paneth cells in the stomach. Report of two cases and review of the literature. Arch Pathol Lab Med 1989;113:129-133.

99. Li K, Zhu Z, Luo J, Fang J, Zhou H, Hu M, et al. Impact of chemokine receptor CXCR3 on tumor-infiltrating lymphocyte recruitment associated with favorable prognosis in advanced gastric cancer. Int J Clin Exp Pathol 2015;8:14725-14732.

100. Lindor NM, Burgart LJ, Leontovich O, Goldberg RM, Cunningham JM, Sargent DJ, et al. Immunohistochemistry versus microsatellite instability testing in phenotyping colorectal tumors. J Clin Oncol 2002;20: 1043-1048.

101. Liu K, Yang K, Wu B, Chen H, Chen X, et al. Tumor-infiltrating immune cells are associated with prognosis of gastric cancer. Medicine (Baltimore) 2015;94:1631.

102. Longnecker RM, Kieff E, Cohen J. Esptein-Barr virus. In: Knipe DM, Howley PM, eds. Fields Virology. 6th ed. Philadelphia: Lippincott, 2013:1898-1959.

103. Machado JC, Soares P, Carneiro F, Rocha A, Beck S, Blin N, et al. E-cadherin gene mutations provide a genetic basis for the phenotypic divergence of mixed gastric carcinomas. Lab Invest 1999;79:459-465.

104. Maesawa C, Tamura G, Suzuki Y, Ogasawara S, Sakata K, Kashiwaba M, et al. The sequential accumulation of genetic alterations characteristic of the colorectal adenoma-carcinoma sequence does not occur between gastric adenoma and adenocarcinoma. J Pathol 1995; 176:249-258.

105. Mankaney G, Leone P, Cruise M, LaGuardia L, O'Malley M, Bhatt A, et al. Gastric cancer in FAP: a concerning rise in incidence. Fam Cancer 2017;16:371-376.

106. Martins VF, Moreno F, Vizcaino JR, Santos J. Primary gastric choriocarcinoma: A rare case. Int J Surg Case Rep 2015;14:44-47.

107. Mezhir JJ, Shah MA, Jacks LM, Brennan MF, Coit DG, Strong VE. Positive peritoneal cytology in patients with gastric cancer: natural history and outcome of 291 patients. Ann Surg Oncol 2010;17:3173-3180.

108. Min BH, Hwang J, Kim NK, Park G, Kang SY, Ahn S, et al. Dysregulated Wnt signalling and recurrent mutations of the tumour suppressor RNF43 in early gastric carcinogenesis. J Pathol 2016;240:304-314.

109. Min BH, Kim KM, Kim ER, Park CK, Kim JJ, Lee H, et al. Endoscopic and histopathological characteristics suggesting the presence of gastric mucosal high grade neoplasia foci in cases initially diagnosed as gastric mucosal low grade neoplasia by forceps biopsy in Korea. J Gastroenterol 2011;46:17-24.

110. Ming SC. Gastric carcinoma: a pathobiological clas-

sification. Cancer 1977;39:2475-2485.

111. Miyashita EM, Yang B, Lam KM, Crawford DH, Thorley-Lawson DA. A novel form of Epstein-Barr virus latency in normal B cells in vivo. Cell 1995;80:593-601.
112. Mori M, Fukuda T, Enjoji M. Adenosquamous carcinoma of the stomach. Histogenetic and ultrastructural studies. Gastroenterology 1987;92:1078-1082.
113. Mori M, Iwashita A, Enjoji M. Adenosquamous carcinoma of the stomach. A clinicopathologic analysis of 28 cases. Cancer 1986;57:333-339.
114. Muro K, Chung HC, Shankaran V, Geva R, Catenacci D, Gupta S, et al. Pembrolizumab for patients with PD-L1-positive advanced gastric cancer (KEYNOTE-012): a multicentre, open-label, phase 1b trial. Lancet Oncol 2016;17:717-726.
115. Nakamura K, Sakaguchi H, Enjoji M. Depressed adenoma of the stomach. Cancer 1988;62:2197-2202.
116. Nakamura K, Sugano H, Takagi K. Carcinoma of the stomach in incipient phase: its histogenesis and histological appearances. Gan 1968;59:251-258.
117. Nakamura T, Nakano G. Histopathological classification and malignant change in gastric polyps. J Clin Pathol 1985;38:754-764.
118. Network CGAR. Comprehensive molecular characterization of gastric adenocarcinoma. Nature 2014;513:202-209.
119. Nogueira AM, Carneiro F, Seruca R, Cirnes L, Veiga I, Machado JC, et al. Microsatellite instability in hyperplastic and adenomatous polyps of the stomach. Cancer 1999;86:1649-1656.
120. Offerhaus GJ, Giardiello FM, Krush AJ, Booker SV, Tersmette AC, Kelley NC, et al. The risk of upper gastrointestinal cancer in familial adenomatous polyposis. Gastroenterology 1992;102:1980-1982.
121. Oliveira C, Seruca R, Hoogerbrugge N, Ligtenberg M, Carneiro F. Clinical utility gene card for: Hereditary diffuse gastric cancer (HDGC). Eur J Hum Genet 2013;21.
122. Ooi A, Nakanishi I, Itoh T, Ueda H, Mai M. Predominant Paneth cell differentiation in an intestinal type gastric cancer. Pathol Res Pract 1991;187:220-225.
123. Park YJ, Shin KH, Park JG. Risk of gastric cancer in hereditary nonpolyposis colorectal cancer in Korea. Clin Cancer Res 2000;6:2994-2998.
124. Pecqueux M, Fritzmann J, Adamu M, Thorlund K, Kahlert C, Reissfelder C, et al. Free intraperitoneal tumor cells and outcome in gastric cancer patients: a systematic review and meta-analysis. Oncotarget 2015;6:35564-35578.
125. Provenzale D, Gupta S, Ahnen DJ, Blanco AM, Bray TH. NCCN Cinical Practice Guidelines in Oncology. Genetic/Familial High-Risk Assessment: Colorectal. version 1.2018 [Internet]. National Comprehensive Cancer Network; 2018 [cited July 14 2018]. Available from: https://www.nccn.org/professionals/physician_gls/pdf/genetics_colon.pdf.
126. Raab-Traub N, Flynn K. The structure of the termini of the Epstein-Barr virus as a marker of clonal cellular proliferation. Cell 1986;47:883-889.
127. Robey-Cafferty SS, Ro JY, McKee EG. Gastric parietal cell carcinoma with an unusual, lymphoma-like histologic appearance: report of a case. Mod Pathol 1989;2:536-540.
128. Rocco A, Caruso R, Toracchio S, Rigoli L, Verginelli F, Catalano T, et al. Gastric adenomas: relationship between clinicopathological findings, *Helicobacter pylori* infection, APC mutations and COX-2 expression. Ann Oncol 2006;17:103-108.
129. Rubio CA. Paneth cell adenoma of the stomach. Am J Surg Pathol 1989;13:325-328.
130. Rugge M, Cassaro M, Di Mario F, Leo G, Leandro G, Russo VM, et al. The long term outcome of gastric non-invasive neoplasia. Gut 2003;52:1111-1116.
131. Rugge M, Correa P, Dixon MF, Hattori T, Leandro G, Lewin K, et al. Gastric dysplasia: the Padova international classification. Am J Surg Pathol 2000;24:167-176.

132. Rugge M, Farinati F, Di Mario F, Baffa R, Valiante F, Cardin F. Gastric epithelial dysplasia: a prospective multicenter follow-up study from the Interdisciplinary Group on Gastric Epithelial Dysplasia. Hum Pathol 1991;22:1002-1008.
133. Saigo PE, Brigati DJ, Sternberg SS, Rosen PP, Turnbull AD. Primary gastric choriocarcinoma. An immunohistological study. Am J Surg Pathol 1981;5:333-342.
134. Schlemper RJ, Riddell RH, Kato Y, Borchard F, Cooper HS, Dawsey SM, et al. The Vienna classification of gastrointestinal epithelial neoplasia. Gut 2000;47:251-255.
135. Seo AN, Kang BW, Kwon OK, Park KB, Lee SS, Chung HY, et al. Intratumoural PD-L1 expression is associated with worse survival of patients with Epstein-Barr virus-associated gastric cancer. Br J Cancer 2017;117:1753-1760.
136. Setia N, Clark JW, Duda DG, Hong TS, Kwak EL, Mullen JT, et al. Familial Gastric Cancers. Oncologist 2015;20:1365-1377.
137. Shen Z, Zhou S, Wang Y, Li RL, Zhong C, Liang C, et al. Higher intratumoral infiltrated Foxp3+ Treg numbers and Foxp3+/CD8+ ratio are associated with adverse prognosis in resectable gastric cancer. J Cancer Res Clin Oncol 2010;136:1585-1595.
138. Shiao YH, Rugge M, Correa P, Lehmann HP, Scheer WD. p53 alteration in gastric precancerous lesions. Am J Pathol 1994;144:511-517.
139. Shibata D, Weiss LM. Epstein-Barr virus-associated gastric adenocarcinoma. Am J Pathol 1992;140:769-774.
140. Shimizu H, Imamura H, Ohta K, Miyazaki Y, Kishimoto T, Fukunaga M, et al. Usefulness of staging laparoscopy for advanced gastric cancer. Surg Today 2010;40:119-124.
141. Shin N, Jo HJ, Kim WK, Park WY, Lee JH, Shin DH, et al. Gastric pit dysplasia in adjacent gastric mucosa in 414 gastric cancers: prevalence and characteristics. Am J Surg Pathol 2011;35:1021-1029.
142. Sohn BH, Hwang JE, Jang HJ, Lee HS, Oh SC, Shim JJ, et al. Clinical significance of four molecular subtypes of gastric cancer identified by the cancer genome atlas project. Clin Cancer Res 2017.
143. Stolte M, Sticht T, Eidt S, Ebert D, Finkenzeller G. Frequency, location, and age and sex distribution of various types of gastric polyp. Endoscopy 1994;26:659-665.
144. Su JS, Chen YT, Wang RC, Wu CY, Lee SW, Lee TY. Clinicopathological characteristics in the differential diagnosis of hepatoid adenocarcinoma: a literature review. World J Gastroenterol 2013;19:321-327.
145. Sung JK. Diagnosis and management of gastric dysplasia. Korean J Intern Med 2016;31:201-209.
146. Tajima Y, Yamazaki K, Makino R, Nishino N, Aoki S, Kato M, et al. Gastric and intestinal phenotypic marker expression in early differentiated-type tumors of the stomach: clinicopathologic significance and genetic background. Clinical Cancer Research 2006;12:6469-6479.
147. Tamura G, Maesawa C, Suzuki Y, Tamada H, Satoh M, Ogasawara S, et al. Mutations of the APC gene occur during early stages of gastric adenoma development. Cancer Research 1994;54:1149-1151.
148. Tomasulo J. Gastric polyps. Histologic types and their relationship to gastric carcinoma. Cancer 1971;27:1346-1355.
149. Tustumi F, Bernardo WM, Dias AR, Ramos MF, Cecconello I, Zilberstein B, et al. Detection value of free cancer cells in peritoneal washing in gastric cancer: a systematic review and meta-analysis. Clinics (Sao Paulo) 2016;71:733-745.
150. Uchida M, Tsukamoto Y, Uchida T, Ishikawa Y, Nagai T, Hijiya N, et al. Genomic profiling of gastric carcinoma in situ and adenomas by array-based comparative genomic hybridization. J Pathol 2010;221:96-105.
151. Urban A, Oszacki J, Szczygiel K. Squamous cell metaplasia in carcinoma of the stomach. Acta Med Pol

1966;7:227-243.
152. Ushiku T, Shinozaki A, Shibahara J, Iwasaki Y, Tateishi Y, Funata N, et al. SALL4 represents fetal gut differentiation of gastric cancer, and is diagnostically useful in distinguishing hepatoid gastric carcinoma from hepatocellular carcinoma. Am J Surg Pathol 2010;34: 533-540.
153. Utsunomiya J, Miki Y, Kuroki T, Furuyama J. Recent trends in studies on carcinogenesis in familial adenomatous polyposis. Gan To Kagaku Ryoho 1988;15: 185-191.
154. Vranic S. Microsatellite instability status predicts response to anti-PD-1/PD-L1 therapy regardless the histotype: A comment on recent advances. Bosn J Basic Med Sci 2017;17:274-275.
155. Walker MM, Smolka A, Waller JM, Evans DJ. Identification of parietal cells in gastric body mucosa with HMFG-2 monoclonal antibody. J Clin Pathol 1995;48: 832-834.
156. Watanabe Y, Shimizu M, Itoh T, Nagashima K. Intraglandular necrotic debris in gastric biopsy and surgical specimens. Ann Diagn Pathol 2001;5:141-147.
157. Watson P, Vasen HFA, Mecklin JP, Bernstein I, Aarnio M, Jarvinen HJ, et al. The risk of extra-colonic, extra-endometrial cancer in the Lynch syndrome. Int J Cancer 2008;123:444-449.
158. Yamada H, Ikegami M, Shimoda T, Takagi N, Maruyama M. Long-term follow-up study of gastric adenoma/dysplasia. Endoscopy 2004;36:390-396.
159. Yang GY, Liao J, Cassai ND, Smolka AJ, Sidhu GS. Parietal cell carcinoma of gastric cardia: immunophenotype and ultrastructure. Ultrastruct Pathol 2003;27: 87-94.
160. Yoon KA, Ku JL, Yang HK, Kim WH, Park SY, Park JG. Germline mutations of E-cadherin gene in Korean familial gastric cancer patients. J Hum Genet 1999;44: 177-180.
161. Zheng HC, Li XH, Hara T, Masuda S, Yang XH, Guan YF, et al. Mixed-type gastric carcinomas exhibit more aggressive features and indicate the histogenesis of carcinomas. Virchows Arch 2008;452:525-534.
162. Zheng X, Song X, Shao Y, Xu B, Chen L, Zhou Q, et al. Prognostic role of tumor-infiltrating lymphocytes in gastric cancer: a meta-analysis. Oncotarget 2017;8: 57386-57398.

CHAPTER 2

위암의 병기분류

암의 병기란 암의 진행 정도를 단계별로 분류하는 것을 말하고, 진단 당시의 병기는 예후를 결정하는 주요 인자이다. 병기분류는 암의 진행도가 유사했던 이전 환자들의 임상경과, 치료경험 및 결과, 예후 등에 근거하여 적절한 치료법을 결정하는 데 있어 매우 중요한 요소이고, 임상시험을 시도할 때 포함기준(inclusion criteria), 배제기준(exclusion criteria) 및 층화기준(stratification criteria)으로 이용되는 주요한 요소이다. 따라서 정확한 병기결정은 환자의 예후 예측뿐만 아니라 다양한 치료법과 임상시험의 결과를 평가하기 위해 필요하고, 암 치료 기관들 간의 정보 교환 및 비교를 용이하게 하며, 암의 임상연구 및 중개연구(translational research)를 수행할 수 있는 토대를 마련해 준다.

암을 적절하게 치료하려면 암의 규모, 행태 및 환자 관련인자(patient-related factors) 등에 대한 평가가 필요하고, 이에 따른 생존율, 재발률, 치료에 대한 반응 등을 예후지표로 사용할 수 있다. 이러한 예후지표들을 잘 반영하고, 임상의학 연구나 인구감시(population surveillance) 연구를 적절히 시행하기 위해서 전 세계적으로 몇 가지 종류의 암 병기분류법이 사용되고 있다. 이중 임상적으로 가장 유용하게 사용되는 병기분류법은 Union for International Cancer Control (UICC)와 공동작업을 통해 American Joint Committee on Cancer (AJCC)에서 개발한 tumor, node and metastasis (TNM) 분류법이다. TNM 분류법은 원발종양(primary tumor, T)의 크기 및 침윤 깊이, 영역림프절(regional lymph node, N)의 전이, 그리고 원격전이(distant metastasis, M)의 유무로 암을 분류한다. 최근에는 T, N, M 분류 이외에도 임상적 치료를 위해 평가가 필요한 비해부학적 인자들도 예후인자로 추가되는 추세이다.

1. 위암 병기분류의 역사

1933년 UICC에서 위암의 임상소견에 기초하여 위암의 병기분류를 처음으로 시작한 이래 위암의 병기분류법은 계속 개정되고 있다. 1959년에 각 장기의 암에 대한 임상병기를 체계적으로 개발하기 위하여 AJCC가 설립되었고, 1969년에 원발종양의 위벽 침윤 깊이, 림프절 전이, 원격전이를 기준으로 한 위암의 TNM 분류법이 개발되었다. 이후 1984년 UICC, AJCC, Japanese Joint Committee (JJC)의 합동회의에서 통일된 병기분류안이 제안되었고, 이 안이 1985년 UICC와 AJCC에서 인정된 이후 UICC와 AJCC는 통일된 병기분류를 사용하다가 1987년 양 단체가 통합하게 되었다. 1977년 제

1판 AJCC TNM 분류법이 발표된 이후로 매 5~7년마다 개정판이 발표되었는데, 2009년에 제7판 UICC-AJCC TNM 분류법이 발표되었고 2016년에 제8판 TNM 분류법이 발표되어 2018년부터 적용되고 있다.

일본에서는 1962년 일본위암학회(Japanese Gastric Cancer Association, JGCA)의 전신인 일본위암연구회가 설립되었고, 이후 독자적으로 위암 병기분류와 취급규약을 발표해왔다. 일본위암학회는 1999년에 제13판 위암취급규약을 발표하여 장기간 사용하였고, 2010년에 제14판 위암취급규약을 발표하였다. 최근 개정된 제8판 AJCC TNM 분류법과 제14판 위암취급규약의 분류에서는 식도위경계부(esophagogastric junction)에 발생한 위암의 병기분류와 2군 영역림프절의 범위에 대한 지침 외에는 모두 동일하게 통일되었다.

국내에서는 1992년 대한위암학회의 전신인 대한위암연구회의 주도하에 JGCA 제11판 위암취급규약(1985)과 제4판 UICC TNM 분류법(1987)을 비교 분석하여 '위암의 기재규약'을 발표하였고, 2002년에 대한위암학회에서 기재규약을 개정하여 '위암 기재사항을 위한 설명서'를 발행하였고, 2010년에 AJCC TNM 분류법 및 JGCA 분류법의 개정된 내용과 그동안 발전한 위암의 진단 및 치료방법을 반영하여 제2판 '위암 기재사항을 위한 설명서'를 발행하였다. 한편 2005년 대한병리학회 소화기병리학연구회에서는 '위암 병리보고서 기재사항 표준화'를 발표하여 위암의 병리보고서에 통상적이고 과학적으로 검증된 모든 정보를 기록하기 위한 표준안을 마련하였다.

2. TNM 분류

위암의 TNM 병기분류는 원발종양의 침윤 깊이(T), 영역림프절의 전이(N), 그리고 원격전이(M)에 대한 정보를 기준으로 유사한 예후를 보이는 환자들을 같은 집단으로 분류한다. 위에 발생하는 모든 원발성 암종(primary carcinoma)에 대해서는 이 병기분류를 적용하지만, 위장관기질종양(gastrointestinal stromal tumor), 위장관림프종(gastrointestinal lymphoma), 고분화 신경내분비종양(well-differentiated neuroendocrine tumor), 기타 육종(sarcoma)은 이 병기분류법을 이용하지 않고 각각 서로 다른 병기분류법을 적용한다.

2016년에 발표된 제8판 AJCC TNM 분류법이 제7판 AJCC TNM 분류법(2009)과 비교하여 달라진 점을 간략히 설명하면 다음과 같다. 첫째, 식도와 위에 걸쳐서 발생한 암의 원발 부위를 구분하는 기준이 변경되었다. 식도위경계부를 침범하는 종양 중에서 그 중심이 식도위경계부에서 2 cm 이내의 근위부(proximal stomach)에 위치하는 경우에는 식도암의 병기분류 기준을 따르고, 그 중심이 식도위경계부로부터 2 cm 보다 멀리 떨어져 위치하는 경우에는 위암의 병기분류 기준을 따른다. 식도위경계부를 침범하지 않고 분문(cardia)에 발생한 암은 위암의 병기분류 기준을 따른다. 둘째, 전이된 영역림프절의 개수가 7개 이상인 경우 N3로 분류하던 것을 7~15개는 N3a, 16개 이상은 N3b로 세분하였다. 셋째, 병리적 TNM (pathological TNM, pTNM)에 의한 병기결정(stage grouping)과 임상적 TNM (clinical TNM, cTNM)에 의한 병기결정 사이에 차이가 있어 cTNM에 의한 병기결정을 새롭게 제시하였다. 넷째, 선행보조요법 후 병리적 TNM (post-neoadjuvant therapy pathological TNM, ypTNM)의 병기결정은 병리적 TNM에 따른 병기결정과 같지만, 예후정보는 I기부터 IV기까지 4개의 병기 범주로만 제시하도록 하였다. 다섯째, 병리적 TNM 병기에서 T4aN2와 T4bN0는 IIIA기로 분류하도록 하였다.

위암은 전 세계적으로 발생하고 종종 진행된 병기에서 진단된다. 초기 병기(I기 이하)는 내시경적 또는 수술적 치료를 받고, 중간 병기(II기, III기)는 다병합요법(multimodality therapy)으로 치료받는다. IV기 위암은 완치되지 않으므로 고식요법(palliative therapy)을 받게 된다. 위암 환자는 진단 또는 병기결정을 목적으로 다양한 검사를 시행하고 이를 바탕으로 임상병기가 결정되어 임상의사가 첫 번째 치료방법을 결정하는 데 지침을 제공한다. 과거에는 공식적인 임상병기분류가 없었기 때문에 임상의사들은 환자들의 임상적 병기결정을 위해 병리적 병기분류를 사용해 왔다. 하지만 병리적 병기를 임상적 병기결정에 적용하는 것은 유효성이 입증되지 않았고 환자가 받아야 될 치료방법에 대해서 거의 항상 불확실하여 적절하지 않을 수 있다.

병리병기를 임상병기에 그대로 적용할 경우 부적절한 치료를 유도할 수도 있어 제8판 AJCC TNM 분류법에서는 미국의 National Cancer Data Base와 일본의 Shizuoka Cancer Center dataset에 포함된 총 4,091명 환자의 데이터를 근거로 하여 임상적 병기결정을 추가하였다. 임상적 병기결정은 병리적 병기결정 또는 치료후 병기결정과 차이가 있는데, 예를 들어 T4bNXM0은 병리적 병기 또는 치료후 병기는 III기로 분류되지만 예후가 극히 불량하므로 임상적 병기는 IV기로 분류된다.

1) 원발암(T)

위는 식도위경계부에서 시작하여 유문(pylorus)까지 이어진다. 근위부 위는 횡격막의 바로 아래에 위치하고 '분문'이라고 불린다. 나머지 부분은 기저부(fundus)와 체부(body)이고, 위의 원위부는 전정부(antrum)라고 칭한다. 유문(pylorus)은 위에서 십이지장 첫 부분으로 소화된 내용물의 이동을 조절하는 근육고리이다(그림 22-1). 위의 안쪽 및 바깥쪽 만곡은 각각 소만곡(lesser curvature) 및 대만곡(greater curvature)으로 불린다. 조직학적으로 위벽은 점막(mucosa), 점막근층(muscularis mucosa), 점막하층(submucosa), 고유근(proper muscle), 장막하조직(subserosa), 그리고 장막(serosa)으로 구성된다. 제8판 AJCC TNM 분류법에서는 식도위경계부를 넘어가는 암이면서 그 중심이 위 근위부 2~5 cm 사이에 있거나(그림 22-1 A), 식도위경계부를 넘어가지 않으면서 식도위경계부로부터 2 cm 이내에 중심이 있는 경우(그림 22-1 B) 위암에 포함시켰고, 식도위경계부를 넘어가는 암이면서 그 중심이 위 근위부 2 cm 이내에 있을 경우(그림 22-1 C) 식도암에 포함시켰다. 따라서 식도위경계부의 정확한 위치를 결정하는 것과 암이 식도위경계부를 침범했는지 여부가 위암을 평가하는 데 중요하다.

제7판과 비교하여 제8판의 T 분류에서는 원발암의 침윤 깊이에 따른 분류에 변화가 없으나, 고등급이형성(high-grade dysplasia)이 상피내암종(carcinoma in situ)에 포함되어 Tis로 분류되었다(표 22-1).

2) 영역림프절(N)

위의 림프액은 몇 개의 그룹으로 나뉘어진 영역림프절로 배액된다. 위주위림프절(perigastric lymph nodes)은 위의 소만곡과 대만곡을 따라 위치한다. 그리고 복강동맥(celiac axis) 및 주요 분지들과 문맥순환에서 시작하여 주요 동맥 및 정맥을 따라 분포하는 림프절이 있다. N 분류를 정확하게 결정하기 위해서는 영역림프절 구역에서의 충분한 림프절 박리가 중요하다. 수술검

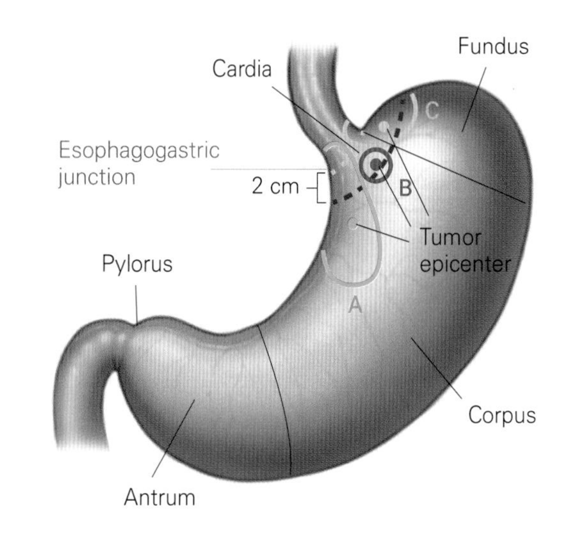

그림 22-1 위의 해부학적 아영역 및 종양중심의 위치에 따른 구분.

표 22-1. **원발암의 침윤 깊이에 따른 분류기준**

제8판		분류기준
TX		침윤 정도를 평가할 수 없는 원발암
T0		원발암의 증거가 없음
Tis		상피내암종(carcinoma in situ): 고유판(lamina propria)을 침윤하지 않은 상피내 종양(intraepithelial tumor), 고등급이형성(high-grade dysplasia)
T1		고유판, 점막근층(muscularis mucosae), 또는 점막하층(submucosa)을 침윤한 암
	T1a	고유판 또는 점막근층을 침윤한 암
	T1b	점막하층을 침윤한 암
T2		고유근층(muscularis propria)*을 침윤한 암
T3		장막하조직(subserosa)까지만 침윤하고 내장쪽복막(visceral peritoneum) 또는 인접한 구조물**, ***에 침윤이 없는 암
T4		장막(내장쪽복막) 또는 인접 구조물**, ***을 침윤한 암
	T4a	장막(내장쪽복막)을 침윤한 암
	T4b	인접한 구조물 또는 장기를 침윤한 암

*암이 고유근층을 지나 위결장인대(gastrocolic ligament)나 위간인대(gastrohepatic ligament), 또는 소망이나 대망에 연속적으로 확대(extension)된 경우에는 그 내장쪽복막의 침윤여부에 따라 침윤이 없으면 T3, 침윤이 있으면 T4로 분류한다.
**위에 인접한 구조물은 비장, 횡행결장, 간, 횡격막, 췌장, 복벽, 부신, 신장, 소장 그리고 후복막을 포함한다.
***십이지장 또는 식도에 벽내확대(intramural extension)된 경우는 인접한 구조물의 침윤으로 인정하지 않고, 이들 부위 중 가장 깊이 침윤된 정도에 따라 분류한다.

체에서 최소한 16개의 영역림프절을 현미경으로 확인하도록 제안되었지만 30개 이상의 영역림프절에 대해 평가하는 것이 바람직하다.

구체적인 영역림프절의 구역들은 다음과 같이 구분한다. 첫째 대망(greater omentum)을 포함하여 대만곡을 따라 분포하는 위주위림프절, 둘째 소망(lesser omentum)을 포함하여 소만곡을 따라 분포하는 위주위림프절, 셋째 우분문주위림프절(right paracardial lymph nodes) 및 좌분문주위 림프절, 넷째 위십이지장림프절(gastroduodenal lymph nodes)을 포함한 유문위림프절(suprapyloric lymph nodes), 다섯째 위대망림프절(gastroepiploic lymph node)을 포함한 유문아래림프절(infrapyloric lymph nodes), 여섯째 좌위동맥림프절(left gastric artery lymph nodes), 일곱째 복강동맥림프절(celiac artery lymph nodes), 여덟째 총간동맥림프절(common hepatic artery lymph nodes), 아홉째 고유간동맥(proper hepatic artery)을 따라 위치하는 간십이지장림프절(hepatoduodenal lymph nodes), 열째 비장동맥림프절(splenic artery lymph nodes), 그리고 비장문부림프절(splenic hilum lymph nodes)이다(그림 22-2).

제7판과 비교하여 제8판의 N 분류는 전이된 림프절의 개수에 따라 분류하는 방법에는 변화가 없으나, 제8판에서는 전이된 림프절의 수가 7~15개는 N3a, 16개 이상은 N3b로 세분하였다(표 22-2). 제7판에서는 절제된 림프절 수가 16개 미만일 경우라도 검사한 모든 림프절에서 전이가 없는 경우 pN0로 판정하였으나 그 기준이 제8판에서는 적용되지 않는다.

종양침착물(tumor deposit)은 원발암의 림프배액 구역 안에서 발견되는 별도의 종양결절을 말하는데, 알아볼 수 있는 림프절 조직이 남아있지 않고 혈관 또는 신경구조가 없는 경우로 정의된다. 종양침착물의 판정에 있어 모양, 윤곽, 그리고 크기는 판정기준이 아니다. 위암에 인접한 장막하지방조직 내에 종양침착물이 발견되는 경우는 위암 병기결정에서 영역림프절 전이로 간주한다.

3) 전이 부위(M)

전이가 발생하는 가장 흔한 부위는 간, 복막표면(peritoneal surface), 비영역 또는 원격림프절(nonregional/distant lymph nodes)이다. 비영역 또는 원격림프절은 췌장뒤(retropancreatic), 췌장십이지장(pancreaticoduodenal), 췌장주위(peripancreatic), 상장간막(superior mesenteric), 중간결장(middle colic), 대동맥

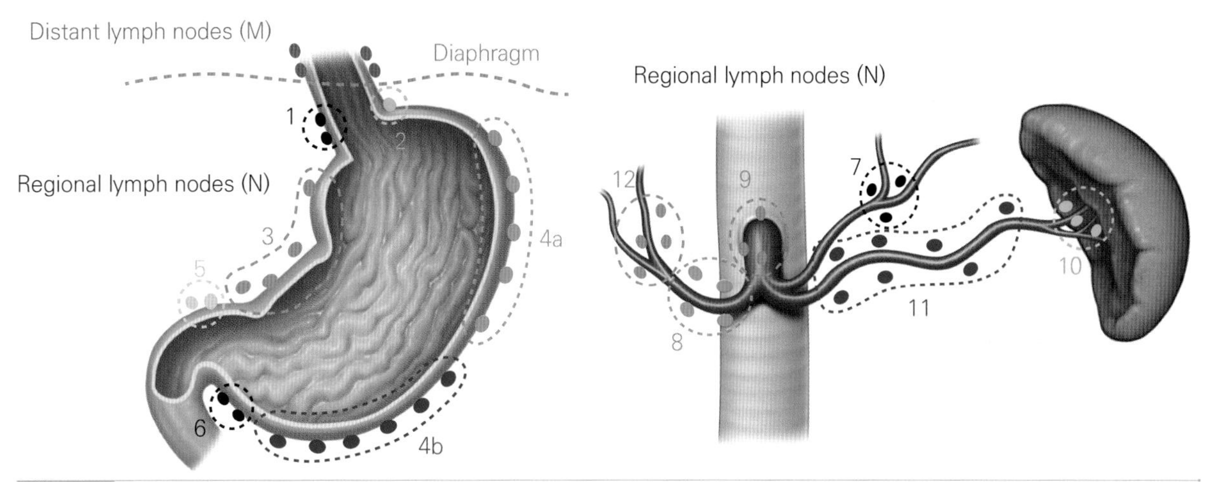

그림 22-2 위의 영역림프절.

주위(paraaortic) 림프절과 같은 복강내 림프절, 그리고 복막뒤(retroperitoneal) 림프절을 포함한다. 이런 위치에 종양이 발견되면 전이질환(M1)으로 간주할 수 있다(표 22-3). 그러나 크기가 큰 종양이 간, 횡행결장, 췌장 횡격막의 밑면으로 직접 확대된 경우는 전이(M1)가 아니라 종양이 인접한 구조물 또는 장기를 침윤한 것(T4b)으로 간주한다. 복막세포검사(peritoneal cytology)에서 양성인 경우 전이질환(M1)으로 분류한다. 위암의 중추신경계 및 폐 전이는 빈도가 낮다. 제7판에서는 원격전이 유무를 알 수 없는 경우 MX로 분류하였으나, 제8판의 M 분류에서는 MX를 사용하지 않는다. 아무런 영상검사도 시행하지 않은 환자에서 전이를 의심할 만한 어떠한 임상적 기왕력이나 이학적 검사소견이 없는 경우 임상적 M0 (clinical M0, cM0)로 정한다. 또한 전이가 의심되는 부위에서의 조직생검 결과가 음성으로 나온 경우는 임상적 M0로 분류하고 '병리적 M0 (pathological M0, pM0)'라는 분류는 사용하지 않는다.

표 22-2. **영역림프절 분류기준**

제8판		분류기준
NX		영역림프절로의 전이 여부를 평가할 수 없음
N0		영역림프절로의 전이가 없음
N1		1~2개의 영역림프절에 전이가 있음
N2		3~6개의 영역림프절에 전이가 있음
N3		7개 이상의 영역림프절에 전이가 있음
	N3a	7~15개의 영역림프절에 전이가 있음
	N3b	16개 이상의 영역림프절에 전이가 있음

표 22-3. **원격전이 분류기준**

제8판	분류기준
M0	원격전이 없음
M1	원격전이 있음

4) 병기결정 및 비교

T, N, M 분류를 정하기 위해 사용되는 인자들 이외에 추가적으로 필요한 예후인자는 없으므로 병기결정(stage grouping)은 T, N, M 분류를 조합하여 결정한다(표 22-4).

임상병기(clinical stage)는 'cTNM'으로 표시하고 치료를 시작하기 전에 나타난 질환의 정도에 근거하여 결정한다. 임상병기를 결정하는 데에는 진찰, 검사실 검사, 방사선학검사, 내시경초음파촬영술(endoscopic ultrasonography, EUS)을 포함한 내시경검사, 확진

표 22-4. **제8판 TNM 분류에 따른 임상병기 결정, 병리병기 결정 및 치료후병기 결정**

제8판 cTNM 병기결정		M0					M1
		N0	N1	N2	N3a	N3b	Any N
M0	Tis	0					
	T1	I	IIA	IIA	IIA	IIA	IVB
	T2	I	IIA	IIA	IIA	IIA	
	T3	IIB	III	III	III	III	
	T4a	IIB	III	III	III	III	
	T4b	IVA	IVA	IVA	IVA	IVA	
M1	Any T	IVB					

제8판 pTNM 병기결정		M0					M1
		N0	N1	N2	N3a	N3b	Any N
M0	Tis	0					
	T1	IA	IB	IIA	IIB	IIIB	IV
	T2	IB	IIA	IIB	IIIA	IIIB	
	T3	IIA	IIB	IIIA	IIIB	IIIC	
	T4a	IIB	IIIA	IIIA	IIIB	IIIC	
	T4b	IIIA	IIIB	IIIB	IIIC	IIIC	
M1	Any T	IV					

제8판 ypTNM 병기결정		M0					M1
		N0	N1	N2	N3a	N3b	Any N
M0	T1	I	I	II	II	II	IV
	T2	I	II	II	III	III	
	T3	II	II	III	III	III	
	T4a	II	III	III	III	III	
	T4b	III	III	III	III	III	
M1	Any T	IV					

T병기	N병기	M병기	임상병기 (cTNM stage)	병리병기 (pTNM stage)	치료후병기 (ypTNM stage)
T1	N0	M0	I	IA	I
T1	N1	M0	IIA	IB	I
T1	N2	M0	IIA	IIA	II
T1	N3a	M0	IIA	IIB	II
T1	N3b	M0	IIA	IIIB	II
T2	N0	M0	I	IB	I
T2	N1	M0	IIA	IIA	II
T2	N2	M0	IIA	IIB	II
T2	N3a	M0	IIA	IIIA	III
T2	N3b	M0	IIA	IIIB	III
T3	N0	M0	IIB	IIA	II
T3	N1	M0	III	IIB	II
T3	N2	M0	III	IIIA	III
T3	N3a	M0	III	IIIB	III
T3	N3b	M0	III	IIIC	III
T4a	N0	M0	IIB	IIB	II
T4a	N1	M0	III	IIIA	III
T4a	N2	M0	III	IIIA	III
T4a	N3a	M0	III	IIIB	III
T4a	N3b	M0	III	IIIC	III
T4b	N0	M0	IVA	IIIA	III
T4b	N1	M0	IVA	IIIB	III
T4b	N2	M0	IVA	IIIB	III
T4b	N3a	M0	IVA	IIIC	III
T4b	N3b	M0	IVA	IIIC	III
Any T	Any N	M1	IVB	IV	IV

을 위한 조직생검을 포함하고, 복막세척을 통해 세포학적 또는 조직학적 평가를 하기 위한 진단적 복강경(diagnostic laparoscopy)이 포함될 수 있다. 임상적 T (cT)는 위암이 침윤한 깊이에 따라 결정되며 분류기준은 표 22-1과 같다. 종양의 발생 위치가 주변 구조물 또는 장기와 가까이에 있는 경우 컴퓨터단층촬영술(computed tomography, CT), 양전자방출단층촬영술/컴퓨터단층촬영술(positron emission tomography/computed tomography, PET/CT), 자기공명영상(magnetic resonance imaging, MRI)과 같은 방사선영상 및 내시경초음파촬영술이 인접한 해부학적 구조물들을 침윤했는지 여부를 결정하는 데, 즉 cT4a 인지 cT4b 인지를 결정하는 데 도움을 줄 수 있다. 임상적 N (cN)은 흉부 및 복부 컴퓨터단층촬영술과 양전자방출단층촬

영술/컴퓨터단층촬영술을 이용하여 전이의 특징을 보이는 영역림프절의 개수를 세어 결정하는데, 일반적으로 림프절의 모양이 둥글거나 짧은 축 직경(short axis diameter)이 10 mm를 초과할 경우 전이된 림프절로 판정한다. cN 분류를 하기 위해서는 비정상적인 크기 또는 모양을 보이는 림프절의 수를 평가하는 것이 필요한데, 양전자방출단층촬영술/컴퓨터단층촬영술은 높은 위음성률 때문에 영역림프절 전이를 발견하는 데 있어 유용성이 매우 제한적이다.

임상적 M (cM)은 흉부, 복부 및 골반 컴퓨터단층촬영술과 같은 영상검사에서 장기전이가 발견되면 cM1으로 정하고, 조직검사를 통해 전이가 확인되면 임상병기 결정에 pM1을 적용한다. 진단복강경에서 육안적으로 전이의 증거가 관찰되면 cM1으로 정하고, 진단복강경에서 육안적으로 전이의 증거는 없지만 복막세척세포검사에서 양성인 경우는 pM1으로 정한다.

병리병기(pathological stage)는 임상적 자료들, 외과적 검사(surgical exploration), 그리고 절제된 조직의 육안 및 현미경 검사에서 얻은 결과들에 근거하여 결정한다. 병리병기 결정은 위전절제술(total gastrectomy), 위전적절제술(near-total gastrectomy), 위아전절제술(subtotal gastrectomy), 위부분절제술(partial gastrectomy), 근위부위절제술(proximal gastrectomy), 원위부위절제술(distal gastrectomy), 전정부절제술(antrectomy)과 같은 외과술을 통해 절제된 조직에서만 평가하여 결정한다.

위암에서 치료에 대한 종양의 반응에 따른 병기분류는 아직 정립되지 않았지만, 항암화학요법 또는 방사선요법과 같은 수술 전 치료에 대한 종양의 반응은 치료후병기(post-therapy classification stage)를 이용하여 평가한다. 선행항암화학요법(neoadjuvant chemotherapy)에 대한 반응의 병리학적 평가는 수술로 절제된 검체의 육안 및 현미경 검사를 통해서 이루어지며, 치료에 효과가 있는 경우는 현미경 소견에서 악성종양세포가 없어지고 치밀한 섬유화 또는 섬유염증반응으로 대체된다. 따라서 치료에 대한 반응의 병리학적 평가는 육안적 병터 내에서 섬유화 또는 섬유염증반응이 일어난 영역에 비해 남아있는 생활가능암종(viable carcinoma)의 양에 따라 결정된다. 치료에 대한 반응은 반응이 좋을수록 백분율이 높게 표시된다. 즉 100% 치료반응은 현미경검사에서 전체 육안적 병터 내에 암종의 증거가 없이 섬유화 또는 섬유염증반응으로 대체된 경우이며, 0% 치료반응은 섬유화 또는 섬유염증반응이 전혀 없이 종양이 전혀 영향을 받지 않은 경우이다. 잔류종양세포(residual tumor cells)가 있는 경우는 불완전 반응을 의미한다. 무세포점액소(acellular mucin)는 잔류종양으로 보지 않고 양성 치료반응으로 간주한다. 치료후 T (ypT)는 위벽에 남아있는 잔류종양세포 중에서 가장 깊이 침윤한 병터를 기준으로 분류한다.

치료후 N (ypN)은 치료후 전이가 남아 있는 영역림프절의 개수를 기준으로 분류하는데, 양성림프절은 잔류종양세포가 최소한 하나의 병터를 가진 경우로 정의한다. 치료후 T와 치료후 N은 치료후 수술로 절제된 검체에서 평가하고, 선행보조요법을 시행한 후에 추가적인 진단검사를 시행하지 않았다면 치료후 M (ypM)은 임상적 M (cM)과 동일하게 유지되지만, 추가적인 진단검사를 시행한 경우 그 결과를 반영하여 결정한다.

3. TNM 병기결정 시기에 따른 표기법

위암 환자의 병기(stage)는 암 치료과정 중 다양한 시점에서 결정될 수 있는데 병기를 적절하게 결정하기 위해서는 치료과정에서 병기결정의 시점을 정하는 것이 중요하다. 일반적으로 비슷한 예후를 나타내는 환자들의 치료를 분석하고 도표로 만들기 위해 T, N, M 범주(category)를 예후에 따른 병기그룹(stage group)으로 분류한다. 병기결정 시점에 따라 각각 T, N, M 범주가 배정된 몇 가지 분류(classification)가 있는데 다음과 같이 구분하여 표기한다.

첫째, 임상분류(clinical classification)는 치료전 분류(pretreatment classification)라고도 불리며, 환자의 병력과 증상, 신체검사, 그리고 치료를 시작하기 전에 시행된 모든 영상검사, 내시경검사 또는 절제 없는 외과 적탐색술(surgical exploration), 원발부위 생검, 1개의 영역림프절 또는 감시림프절의 생검 또는 절제, T병기가 임상적으로만 확인된 경우 영역림프절 추출, 원격전이 부위에 대한 생검 등을 통해 획득한 정보로 암의 진행범위를 결정한다. 임상분류는 접두사 'c'를 사용하여 cT, cN, cM, cTNM으로 표기한다. 임상분류는 예후평가, 첫 번째 치료방법의 결정, 그리고 개체군 비교에 유용하다.

둘째, 병리분류(pathological classification)는 외과치료 후의 병기를 말하며 임상병기 결정 시 사용된 정보에 수술소견과 절제된 표본에 대한 병리학적 평가를 추가하여 결정한다. 이 병기는 보조방사선치료 또는 보조항암화학요법을 시작하기 전에 수술을 시행한 경우에 적용한다. 이렇게 결정된 병리병기는 수술 전에 임상적으로 결정된 병기보다 한층 정확하므로 예후에 대해 보다 중요한 정보를 제공해준다. 병리병기는 접두사 'p'를 사용하여 pT, pN, pM, pTNM으로 표기한다. 병리분류는 가장 정확하게 예후를 예측할 수 있고, 수술 후 다음 치료방법을 결정하는 데 유용하다.

셋째, 치료후 또는 선행보조치료후분류(posttherapy or postneoadjuvant therapy classification)는 항암치료 또는 방사선치료를 단독으로 받은 환자, 치료과정 중 첫 번째 치료방법으로 항암치료 또는 방사선치료를 받은 환자, 계획된 수술에 앞서 선행보조치료로 항암치료 또는 방사선치료를 받은 환자에서 치료 후 암의 범위로 병기를 결정한다. 지난 수년 동안 국소 위암 환자에서 수술 전 요법을 시행한 경우 더 좋은 예후를 보인다는 보고가 증가하였고, 더 많은 환자들이 수술 전에 선행항암화학요법(neoadjuvant chemotherapy)을 받고 있다. 선행항암화학요법 후 병기결정법이 따로 없었기 때문에 이런 환자들에서도 병리적 TNM 병기가 사용되었었다. 하지만 이는 그 유효성이 입증되지 않았고 적절하지 않을 수 있어서 제8판 AJCC TNM 분류법에서는 수술 전에 치료를 받은 환자에게 적용할 수 있는 병기 분류법을 발표하여 임상의사들에게 의미 있는 예후정보를 제공하고자 하였다.

항암치료 또는 방사선치료에 뒤이어 수술적 절제를 하지 않았거나 선행항암화학요법을 받은 후 예정된 수술적 절제를 하기 이전인 경우 접두사 'yc'를 사용하여 ycT, ycN, ycTNM과 같이 표기하고, 선행항암화학요법 후 예정된 수술적 절제를 한 경우 접두사 'yp'를 사용하여 ypT, ypN, ypTNM과 같이 표기한다. 치료 후 분류는 치료에 대한 반응을 확인하고, 다음 치료방법을 결정하는 데 유용하다.

넷째, 재발 또는 재치료분류(recurrence or retreatment classification)는 재발하거나 진행된 질병인 경우 재치료를 시작하는 시점에서 재발암의 범위를 나타내기 위하여 임상적으로 설정하는 것으로, 환자의 예후 판정과 치료계획을 수립하는 데 유용하다. 재발 또는 재치료분류는 접두사 'r'을 사용하여 표시한다.

이외에 부검분류(autopsy classification)가 있는데, 이는 생존 시에 발견되지 않았던 암이 부검에서 확인된 경우에 사용한다. 부검분류는 접두사 'a'를 사용하여 표시한다.

4. JGCA 분류

일본위암학회(JGCA)는 2010년 3월 개정된 제14판 위암취급규약과 제3판 위암치료지침을 발표하여 위암 치료 성적의 평가기준이 되는 병기분류를 AJCC 제7판 TNM 분류와 일치하도록 개정하여 국제적인 객관성과 보편성을 강화하였다. 하지만, AJCC TNM 분류와 달리 종양의 중심이 식도위경계부로부터 2 cm 이내에 위치하는 경우 식도암의 병기를 사용하지 않고 위암의 병기를 사용하였다.

위암취급규약의 원발종양(T) 분류는 AJCC T분류와 거의 동일하지만 상피내암(carcinoma in situ, Tis)을 따로 구분하지는 않았다. 영역림프절(N) 분류는 제13판까지 사용했던 림프절의 해부학적 위치에 따른 분류 대신 전이된 영역림프절의 개수를 기준으로 분류함으로써 AJCC N분류와 동일하게 변경하였다. 한편 JGCA에서는 위의 영역림프절을 번호로 구분하여 기술하였는데(표 22-5), 상장간막정맥 림프절(No. 14v)을 영역림프절에 포함시킨 점과 식도를 침범한 위암인 경우 No. 19, 20, 110, 111림프절을 영역림프절에 추가한 점이 다르다. 그리고 위공장문합술로 재건된 잔위(remnant stomach)에서 발생한 암인 경우 문합부 인근의 공장림프절(jejunal lymph nodes)도 영역림프절에 포함시켰다. 전이(M) 분류에서는 영역림프절 이외의 위치에 전이가 있는 경우를 M1으로 분류하였고, 추가로 복막전이 여부는 P, 복막세척술 세포검사는 CY, 간전이 여부는 H로 표기하였다.

JGCA 위암취급규약은 병기설정 시기에 따른 표기법도 AJCC TNM 분류와 일치하도록 변경하였다. 제13판까지 임상소견은 접두사 'c', 수술소견은 's', 병리소견은 'p', 종합소견은 'f'로 표기하여 자세하게 구분하여 분류하던 방식을 제14판에서는 AJCC TNM 분류의 표기법과 일치시켜 임상분류 'c'와 병리분류 'p'만 사용하는 것으로 변경하였다. 임상분류는 치료방법 선택의 기준으로써 치료적 옵션의 평가를 가능하게 하고, 병리분류는 추가적인 치료를 결정하고 예후를 평가하는 기준으로 사용된다.

5. 대한위암학회 위암 분류

대한위암학회는 2010년 4월 TNM 및 JGCA 분류법의 개정된 내용을 반영하고 그동안 발전된 위암의 진단과 치료방법을 고려하여 제2판 「위암 기재사항을 위한 설명서」을 발행하였다. 제2판의 위암의 병기분류에서는 TNM 분류와 달리 식도위경계부 5 cm 이내에 위치하거나 식도위경계부를 침범하는 위암의 병기분류에 식도암의 병기를 사용하지 않았고, 복강내세포검사 양성을 M1에 포함시키지 않았다.

참고로 현재 대한위암학회는 2019년 개정 가이드라인을 발간 준비중에 있으며 복강내세포검사 양성 소견에 대한 내용이 변경될 예정이다.

표 22-5. **JGCA 위 영역림프절 분류 번호**

번호	림프절 위치
1	Right paracardial LNs, including those along the first branch of the ascending limb of the left gastric artery
2	Left paracardial LNs including those along the esophagocardiac branch of the left subphrenic artery
3a	Lesser curvature LNs along the branches of the left gastric artery
3b	Lesser curvature LNs along the 2nd branch and distal part of the right gastric artery
4sa	Left greater curvature LNs along the short gastric arteries (perigastric area)
4sb	Left greater curvature LNs along the left gastroepiploic artery (perigastric area)
4d	Right greater curvature LNs along the 2nd branch and distal part of the right gastroepiploic artery

계속

표 22-5. **JGCA 위 영역림프절 분류 번호 - 계속**

번호	림프절 위치
5	Suprapyloric LNs along the 1st branch and proximal part of the right gastric artery
6	Infrapyloric LNs along the first branch and proximal part of the right gastroepiploic artery down to the confluence of the right gastroepiploic vein and the anterior superior pancreatoduodenal vein
7	LNs along the trunk of left gastric artery between its root and the origin of its ascending branch
8a	Anterosuperior LNs along the common hepatic artery
8p	Posterior LNs along the common hepatic artery
9	Celiac artery LNs
10	Splenic hilar LNs including those adjacent to the splenic artery distal to the pancreatic tail, and those on the roots of the short gastric arteries and those along the left gastroepiploic artery proximal to its 1st gastric branch
11p	Proximal splenic artery LNs from its origin to halfway between its origin and the pancreatic tail end
11d	Distal splenic artery LNs from halfway between its origin and the pancreatic tail end to the end of the pancreatic tail
12a	Hepatoduodenal ligament LNs along the proper hepatic artery, in the caudal half between the confluence of the right and left hepatic ducts and the upper border of the pancreas
12b	Hepatoduodenal ligament LNs along the bile duct, in the caudal half between the confluence of the right and left hepatic ducts and the upper border of the pancreas
12p	Hepatoduodenal ligament LNs along the portal vein in the caudal half between the confluence of the right and left hepatic ducts and the upper border of the pancreas
13	LNs on the posterior surface of the pancreatic head cranial to the duodenal papilla
14v	LNs along the superior mesenteric vein
15	LNs along the middle colic vessels
16a1	Paraaortic LNs in the diaphragmatic aortic hiatus
16a2	Paraaortic LNs between the upper margin of the origin of the celiac artery and the lower border of the left renal vein
16b1	Paraaortic LNs between the lower border of the left renal vein and the upper border of the origin of the inferior mesenteric artery
16b2	Paraaortic LNs between the upper border of the origin of the inferior mesenteric artery and the aortic bifurcation
17	LNs on the anterior surface of the pancreatic head beneath the pancreatic sheath
18	LNs along the inferior border of the pancreatic body
19	Infradiaphragmatic LNs predominantly along the subphrenic artery
20	Paraesophageal LNs in the diaphragmatic esophageal hiatus
110	Paraesophageal LNs in the lower thorax
111	Supradiaphragmatic LNs separate from the esophagus
112	Posterior mediastinal LNs separate from the esophagus and the esophageal hiatus

(일본위암학회 제14판 위암취급규약, 2010)

참고문헌

1. Ajani JA, Bentrem DJ, Besh S, D'Amico TA, Das P, Denlinger C, et al. Gastric cancer, version 2.2013: featured updates to the NCCN Guidelines. J Natl Compr Canc Netw 2013;11:531-546.
2. Amin MB, ed. AJCC Cancer Staging Manual 8th Edition. Switzerland: Springer Nature, 2017:203-220.
3. Choi AH, Kim J, Chao J. Perioperative chemotherapy for resectable gastric cancer: MAGIC and beyond. World Journal of Gastroenterology 2015;21:7343-7348.
4. Japanese Gastric Cancer A. Japanese classification of gastric carcinoma: 3rd English edition. Gastric Cancer 2011;14:101-112.
5. Japanese Gastric Cancer A. Japanese gastric cancer treatment guidelines 2010 (ver. 3). Gastric Cancer 2011;14:113-123.
6. Kim WH, Park CK, Kim YB, Kim YH, Kim HG, Bae HI, et al. A standardized pathology report for gastric cancer. Korean J Pathol 2005;39:106-113.
7. Mansour JC, Tang L, Shah M, Bentrem D, Klimstra D, Gonen M, et al. Does graded histologic response after neoadjuvaut treatment predict survival for completely resected gastric cancer? Annals of Surgical Oncology 2007;14:4-5.
8. Sano T, Aiko T. New Japanese classifications and treatment guidelines for gastric cancer: revision concepts and major revised points. Gastric Cancer 2011;14:97-100.
9. Torre LA, Bray F, Siegel RL, Ferlay J, Lortet-Tieulent J, Jemal A. Global cancer statistics, 2012. CA Cancer J Clin 2015;65:87-108.

PART 05

위선암의 치료

THE KOREAN GASTRIC CANCER ASSOCIATION

CHAPTER 23

위암의 치료원칙

1. 조기위암의 치료방침

대한위암학회 전국조사에 따르면 2014년 조기위암으로 진단되는 경우가 전체 위암의 약 60%에 달한다. 이 환자들의 장기생존율이 증가하면서 환자와 수술의사 모두 '삶의 질'에 대해 많은 관심을 가지게 되었다. 따라서 조기위암치료의 목표는 암치료의 근치성을 손상하지 않으면서 술후 '삶의 질'을 극대화하는 데 있다고 할 수 있다.

1) 위벽 침윤도에 따른 외과치료의 선택

수술 전 평가에서 점막암으로 평가되어 내시경 절제의 적응증에 해당된다면 내시경 절제를 시행할 수 있으며 술후 조직검사에서 적응증을 벗어난 것이 확인되었다면 수술이 필요하다. 조기위암에서는 전통적인 광범위 림프절에 비해 축소된 림프절절제술을 시행할 수 있으며 최근 여러 가지 최소침습수술에 대한 시도가 다양하게 이루어지고 있다. 내시경절제술은 그 침습도가 수술에 비해 낮고 술후 식사 문제나 일상활동 회복 등 삶의 질에 크게 영향을 받지 않지만 암치료에 있어 가장 우선적으로 생각해야 할 것은 근치성이며 수술 전 면밀한 검사를 통해 어떤 치료를 적용할 것인지 신중하게 결정해야 한다.

(1) 내시경치료

① 적응증

절대적 적응증은 분화암으로, 궤양이 없고, 2 cm 이하이며, 시술 전 검사에서 점막에 국한된 경우가 해당된다. 내시경점막하박리술(endoscopic submucosal dissection, ESD)이 개발되면서 기존 방법으로 일괄절제가 불가능했던 큰 병변은 물론, 궤양 반흔이 있는 병변도 기술적으로 일괄절제가 가능해짐에 따라 치료 적응증은 크게 확대되었다.

확대적응증은 시술 전 검사에서 점막층에 국한된 암에 대해서 ① 분화암의 경우 궤양이 없는 2 cm 이상, ② 분화암이고 궤양이 있으나 3 cm 이하인 경우, ③ 미분화암이나 궤양이 없고 2 cm 이하인 경우이다. 그리고 점막하층의 길이를 세등분하여 점막에 가까운 1/3 층(submucosal layer 1, sm1)에 대해서는 분화도가 좋고 3 cm 이하인 병변에 대해 내시경점막하박리술을 고려해 볼 수 있다고 하나 sm1 층의 림프절 전이율에 대해서 6.3~15%까지 다양하게 보고되고 있어 현재 이견이 많은 상태이다. 조기위암 전체의 림프절 전이율 역시 5~20% 정도로 다양하게 보고되고 있고, 확대적응증에 대한 장기적인 치료 결과들이 보고되고는 있으나 아직 결론이 명확하지는 않은 상태여서 어떤 치료를 적응할 것인가에 대해서는 신중하게 접근하여야 한다.

② 치료원칙

수술에 비해 절제연 확보가 어렵고, 림프절 전이 여부에 대한 평가가 근본적으로 불가능하나 시술 전에 면밀히 검사(복부 CT, 내시경초음파)해서 림프절 전이가 없다고 판단되는 경우에만 적용한다. 일괄절제를 하도록 최대한 노력하며, 시술 후 조직병리검사를 체계적으로 시행해 추가적인 처치 여부를 신중히 고려한다.

(2) 축소수술

위암의 전통적인 치료방법인 위절제술과 D2 림프절 절제술은 술후에 생존율이 뚜렷이 향상되므로 표준술식으로 인정받아왔다. 그러나 조기위암의 경우 림프절 전이율이 진행성 위암에 비하여 낮고, 위절제 후 환자의 삶의 질이 저하되므로 위절제범위 및 림프절 절제범위를 선택적으로 줄이거나 또는 미주신경의 보존 및 유문 보존 등을 통해 암치료의 근치성을 손상하지 않으면서 삶의 질을 향상시키고자 축소수술의 개념이 도입되었다. 축소수술의 가장 좋은 대상은 내시경 절제의 범위를 벗어나는 점막암으로, 림프절 범위의 축소(D1+α 혹은 D1+β), 미주신경 보존, 유문 보존 및 복강경을 이용한 절제를 시행할 수 있다.

① 복강경 위절제술

최근 활발하게 적용되고 있는 복강경을 이용한 위절제술은 이미 종양학적 안정성이 확보된 방법으로, 수술 전 병기 cT1N0M0에 안전하게 적용할 수 있다. 한국에서 조기위암을 대상으로 진행되고 있는 전향적 무작위 임상시험인 KLASS01 연구에서는 개복수술과 복강경수술을 비교 분석하였는데, 1기 위암에서 복강경수술은 안전하게 시행될 수 있다고 하였고 장기생존율의 차이 역시 없었다고 보고하였다. 일본의 임상시험인 JCOG 0912 연구에서도 복강경수술이 개복수술에 비해 수술 위험성이나 단기 성적에 차이가 없다고 하였다.

② 감시림프절 생검기법

위 주변 감시림프절(sentinel lymph node)에 대한 연구 역시 오래전부터 시행되어 왔다. 위암의 림프절 전이 여부를 수술 중에 확인함으로써 림프절 절제범위를 줄이고 위절제 역시 최소화하여 술후 환자의 삶의 질을 향상시키기 위한 수술방법이다. 그러나 위음성에 대한 우려와 위절제술의 표준화 등이 이루어지지 않아 현재 임상에서 표준적인 방법으로 사용되기에는 한계가 있다고 하겠다. 국내에서는 SENORITA 연구가 진행 중에 있어 그 결과가 주목된다.

③ 축소포트, 단일공 복강경수술

기존의 복강경수술은 복부에 5~6개의 복강경 포트를 삽입하여 수술을 시행했으나 최근에는 사용되는 포트를 줄이거나 배꼽의 단일공을 통해 수술하는 시도들이 활발하다. 기존 복강경수술과 비교하여 안전하게 시행할 수 있고 종양학적 안전성 역시 차이가 없음이 여러 연구자들에 의해 보고되고 있으나 아직 널리 시행되고 있지는 않아 수술방법의 표준화가 지속적으로 이루어져야할 것으로 생각된다.

2) 위치에 따른 외과치료의 선택

중, 하부 위암은 위 원위부 절제와 림프절절제가 표준수술법으로 인식되고 있으며, 상부 위암은 위 전절제와 림프절절제를 선택할 수 있다. 최근에는 다양한 방법의 수술이 시도되고 있으며 위절제범위를 결정할 때 안전거리에 대해서는 이견이 있으나 융기형의 경우 2 cm, 침윤형의 경우 3 cm 정도를 추천한다.

① **상부 조기위암**

일반적으로 시행되는 수술은 위전절제술이지만 삶의 질 향상, 술후 영양상태 개선 등을 목적으로 근위부 위절제술을 시행할 수도 있다. 그러나 그간의 연구결과 근위부 위절제는 위전절제술에 비해 뚜렷한 장점이 없고, 재건방법에 따라 심각한 합병증을 야기할 수도 있으므로 신중히 선택하여야 한다. 이러한 근위부위절제술의 단점이라고 할 수 있는 비타민 B12 부족이나 빈혈 등을 개선하고 술후 역류성식도염이나 식도-공장 문합부 협착 등을 예방하기 위해 이중통로법을 이용한 근위부위절제술에 대해서도 많은 연구가 이루어져 왔다. 최근 국내 다기관 연구로 KLASS05 연구가 진행되고 있다.

② **중부 또는 하부 조기위암**

육안형에 따라 차이가 있으나, 절제연을 2~5 cm 정도 확보할 수 있다면 원위부위절제술이 적절한 수술방법으로 여겨지고 있다. 하지만 중부 뒷벽 혹은 소만곡에 위치한 경우 안전 절제연을 확보하는 데 어려움이 있다면 위전절제술을 시행할 수 있다. 중부 위암에서 유문기능을 보존하기 위한 유문 보존 위절제술이 환자의 술후 삶의 질을 향상시킨다는 많은 연구결과가 있다. 국내에서도 이에 대한 전향적 연구(KLASS04)가 시행되고 있어 그 결과가 주목되고 있다.

2. 진행성 위암의 치료방침

조기위암과 달리, 진행성 위암은 술기의 발전이나 새로운 항암제의 개발에도 불구하고 여전히 예후가 불량하다. 특히 장막침윤이 있거나 주위 장기를 침습한 진행성 위암은 복막재발의 빈도가 높으며 이는 위암치료에 실패하는 주 원인이다. 원격전이가 없는 진행성 위암의 치료원칙은 광범위 림프절절제술 및 충분한 안전 절제연이 확보된 위절제술이며 보조항암화학요법이 시행된다. 그러나 선행항암화학요법이나 방사선치료의 생존율 증대 효과에 대해서는 아직 논란이 있다.

1) 표준 위절제술 또는 확대위절제술

개복을 통한 위아전절제 혹은 위전절제술 및 D2 림프절절제술이 표준술식이다. D2 이상의 확장된 림프절 절제술은 환자의 상태를 고려하여 결정한다. 종양이 위 근위부에 있고 대만을 침범해 있다면 비장 합병절제술을 시행하거나 비장을 보존하고 선택적 비문림프절절제술을 시행할 수 있다. 비장, 횡행결장, 결장간막, 췌장미부 등을 침윤한 경우에는 확대위절제술(extended gastrectomy)을 고려할 수 있다. 하지만 췌장 두부나 간이 침윤된 경우에는 환자의 전신상태 및 임상적 병기에 근거한 기대여명을 고려하여 확대수술 여부를 결정한다.

2) 전신항암요법

(1) 고식적 항암화학요법

수술 불가능한 경우(심한 국소진행, 전신상태 불량, 수술 거부 등), 원격전이, 비근치적 절제(수술 후 잔존암이 있는 경우, 즉 R1 또는 R2 절제술) 후, 수술 후 국소재발했으나 수술 불가능한 경우에 적용할 수 있다. Fluoropyrimidine과 백금화합물의 병용요법이 항암화학요법의 근간을 이루고 있다. Fluoropyrimidine으로는 5-fluorouracil과 경구 유도체인 capecitabine 및 S-1이, 백금화합물로는 cisplatin과 oxaliplatin이 사용된다. 최근 5-fluorouracil은 경구 유도체인 capecitabine 또는 S-1으로, cisplatin은 oxaliplatin으로 대체되는 추세이다. 이 외에도 paclitaxel, docetaxel과 irinotecan이 세포독성항암제로 효과가 보고되어 임상에 적용할 수 있다. 표적치료제로는 trastuzumab과 ramucirumab의 효과가 증명되어 1차 및 2차 표준 항암화학요법의 일환으로 사용된다. 최근 면역치료제 또한 위암에서 치료효과가 확인되었다. 고식적 항암화학요법은 일반적으로 병변이 진행하거나 부작용이 생기거나 환자 상태가 악화되어 치료가 불가능하다고 판단될 때까지 치료를 계속한다.

(2) 보조항암화학요법

절제가능한 국소 위암에서 근치적 절제술(R0) 후 재발률을 낮추기 위해 시행하는 치료방법이다. 한국을 포함한 동아시아와 일본에서 위암 2기와 3기 환자를 대상으로 수행된 대규모 3상 연구들에서 6개월간의 capecitabine, oxaliplatin 병용요법과 1년간의 S-1 단독 보조항암화학요법의 효과가 입증되어 표준치료로 사용되고 있다.

(3) 선행항암화학요법

국소침윤이 심하여 근치적 절제가 불가능하다고 판단되는 경우, 암병소를 줄여서 수술하는 것을 전제로 하여 시행할 수 있다. 근치적 절제가 가능하다고 판단되는 경우에는 수술을 먼저 시행하는 것이 원칙이고, 선행항암화학요법은 연구목적으로 시행할 수 있다.

(4) 복강내 항암화학요법

근치적 절제술 후 전이를 예방할 목적으로 또는 복막전이가 동반된 환자에서 복막전이를 치료할 목적으로 시도가 되고 있는데, 아직 표준화되지는 않았다.

3) 방사선치료

위암에서 방사선치료의 역할은 아직 논란이 되고 있다. 연구대상의 환자군이 초기 위암이 포함되거나, 식도위경계부 종양을 대상으로 연구되거나, 수술의 범위 및 환자 순응도(patient compliance)가 연구에 따라 상이하여 방사선치료의 효과를 명확하게 주장할 수 있는 근거는 한계가 있다.

수술 전 방사선치료는 병리학적 완전 관해율이 항암제 단독에 비해 우수한 점을 고려해 볼 때, 국소적으로 진행된 위암의 근치적 절제 가능성을 높이기 위해 시행될 수 있다. 수술 후 방사선치료는 위암의 근치적 절제 후 재발 가능성이 있을 경우 보조요법으로 항암화학-방사선 병용요법(concurrent chemoradiotherapy, CCRT)이 시행될 수 있다. 국소 진행성 위암의 경우 근치적 수술을 시행받은 이후에도 국소영역 재발이 많고, 대동맥 주변부 림프절 재발이 빈번한 것으로 알려져 있다. 서양의 무작위 3상 연구에서 수술 단독요법과 비교하여 수술 후 항암화학-방사선 병용요법을 시행하여 전체 생존율의 향상 가능성이 제기된 바 있다. 반면, 표준 치료로서 광범위 림프절절제술인 D2 림프절절제술이 시행되었을 때, 수술 후 방사선치료의 생존율 증가 효과가 항암제 단독에 비해 차이가 없었지만, 임파선 전이가 있는 경우 방사선치료의 효과를 기대할 수 있어 이에 대한 추가 연구가 남아 있는 상태이다. 림프절절제가 불완전하거나, 절제연에 암세포가 남아 있는 경우도 수술 후 방사선치료가 시행될 수 있다.

완치는 불가능하지만, 환자의 고통을 완화시키면서 삶의 질을 높이는 고식적 목적의 방사선치료가 시행된다. 위암에 의한 출혈, 연하장애 혹은 전이에 의한 통증에 대한 치료가 적용될 수 있다.

4) 완화요법

위암 환자에게 자주 발생하는 증상으로는 통증, 위장관출혈, 복수 및 악성 장폐색 등이 있다. 삶의 질을 개선시키기 위해서는 반드시 적절한 증상 조절이 필요하다.

(1) 암성 통증

진행성 말기 환자의 70% 이상이 호소하며, 암 자체에 의해 주로 초래되거나 암치료 후 발생 가능하다. 적절한 평가와 치료를 통해서 대부분 조절 가능하나, 대부분 암에 대한 직접적인 치료에 비하여 의료진과 환자, 가족에게 낮게 평가되는 경향이 있다. 통증 양상에 따라 적절한 진통제 사용이 반드시 필요하다.

(2) 상부위장관 출혈

토혈을 하거나 흑색변이 발생하며, 대량출혈 시에는 선혈변이 나올 수 있다. 소화성궤양이나 암 자체에 의해서 출혈이 발생 가능하다. 의심되는 경우 진단 및 치료에 있어서 가장 기본적인 검사는 상부위장관내시경검사이다. 출혈의 원인과 정확한 병소를 확인하고 내시경적 지혈술을 시행할 수 있다. 실패한 경우에는 혈관조영술을 통한 색전술을 고려할 수 있다. 치료는 원인 질환이 교정 가능한지, 치료의 위험과 이익을 따지고, 환자의 암 진행 정도와 예상 생존기간에 따라 달라진다.

(3) 복수

대부분 복막전이에 의해서 발생한다. 진단 초기에는 항암제를 투여하면서 경과를 지켜볼 수 있으며, 말기에 발생한 복수는 복수천자가 필요한 경우가 많다. 악성 복수는 이뇨제가 효과가 없는 경우가 대부분이며, 잦은 복수천자가 필요한 경우에는 복막 카테터 삽입을 고려한다.

(4) 악성 장폐색

폐색 부위에 따라 구토, 복통, 팽만감, 변비 등의 증상이 다르게 나타날 수 있다. 환자의 암 진행 단계, 추가적인 항암제 가능성 및 생존기간을 고려하여 치료한다. 비위강 감압 등 완화적 중재를 먼저 시도하고, 위출구에서 발생한 장폐색은 자가팽창형 금속스텐트 삽입을 고려할 수 있다. 또한 외과적 절제를 시도할 수 있는데, 완전 절제, 우회술, 위루관 삽입 등을 환자 상태 및 예후에 따라 고려할 수 있다. 말기에 장폐색이 진행하는 경우에는 최대한 환자의 불편함을 줄이고 삶의 질을 개선하기 위해 항분비성 약제(브롬화부틸스코폴라민, 옥트레오타이드)를 사용할 수 있다.

3. 위암진료권고안

위암은 국내에서 가장 흔한 암종 중 하나이며 한 해에도 많은 위암 환자들이 새로이 발생하여 치료를 받고 있으나, 대부분의 국내 임상의들은 외국의 위암치료 가이드라인을 그대로 받아들여 사용하고 있다. 국내 위암 진료 가이드라인이 없었던 것은 아니나 널리 쓰이지 않았고, 국내의 치료 현실이 외국과 다름에도 불구하고 일본이나 미국의 가이드라인이 주로 차용되어 진료 현장에서 쓰였다. 이에 대한위암학회는 국내 실정에 적합한 다학제 위암치료 가이드라인을 2019년 발표하였다.

본 위암 가이드라인 제작을 위하여 대한위암학회, 대한종양내과학회, 대한소화기학회, 대한방사선종양학회, 대한병리학회 등 5개 학회가 참여하였고, 총 22개의 핵심질문에 대하여 근거에 기반한 지침을 마련하였다(표 23-1). 본 가이드라인에서는 근거수준을 4가지 분류(high, moderate, low, very low)로 나누고, 5개의 권고등급(strong for, weak for, strong against, weak against, inconclusive)을 설정하였다. 기본적으로 임상근거에 기반하여, 양질의 임상 근거가 충분한 경우 지침을 따를 것을 권고하였고, 근거가 불충분할 경우 결론을 내리지 않아 선택의 여지를 두었다. 근거가 충분하더라도 국내 의료 현실과 부합하지 않는 경우, 권고등급을 낮추는 등 외국의 가이드라인과 차별점을 두었다. 또한 각 학회나 진료과의 이해가 상충할 수 있는 부분에 대하여는 다학제적 합의가 이루어질 때까지 충분한 논의를 거쳐 최종적인 근거수준과 권고등급을 결정하였다. 이번 가이드라인은 위암의 치료영역과 치료방법 선택 시 필수적인 병리학적 진단 영역을 다루고 있으며, 위암진료를 맡고 있는 국내 2~3차 의료기관의 임상의들에게 실제 진료현장에서 도움이 될 수 있는 권고안을 제시하고자 하였다. 또한 환자와 국민들에게 적절한 의학 정보를 전달하여 올바른 치료방법을 선택할 수 있게 하고, 나아가 국내 표준 위암치료방법의 확산을 도모하였다. 많은 의사와 환자들이 본 가이드라인을 통하여 표준적인 위암치료에 더욱 가까워지기를 바라는 바이다.

표 23-1. **Summary of statements**

No.	Recommendations	Level of Evidence	Grade of Recommendation
Statement 1	Endoscopic resection is recommended for well or moderately differentiated tubular or papillary early gastric cancers meeting following endoscopic findings; Endoscopically estimated tumor size ≤ 2 cm, endoscopically mucosal cancer, no ulcer in tumor.	Moderate	Strong for
Statement 2	Endoscopic resection could be performed for well or moderately differentiated tubular early gastric cancer or papillary early gastric cancers meeting following endoscopic findings; Endoscopically estimated tumor size 〉 2 cm, endoscopically mucosal cancer, no ulcer in tumor, or Endoscopically estimated tumor size ≤ 3 cm, endoscopically mucosal cancer, ulcer in tumor.	Moderate	Weak for
Statement 3	Endoscopic resection could be considered for poorly differentiated tubular or poorly cohesive (including signet-ring cell) early gastric cancers meeting following endoscopic findings; Endoscopically estimated tumor size ≤ 2 cm, endoscopically mucosal cancer, no ulcer in tumor.	Low	Weak for
Statement 4	After endoscopic resection, additional curative surgery is recommended if the pathologic result is beyond the criteria of the curative endoscopic resection or if a lymphovascular or vertical margin invasion is present.	Moderate	Strong for
Statement 5	Proximal gastrectomy could be performed for early gastric cancer as well as total gastrectomy in terms of survival rate, nutrition and quality of life. Esophagogastrostomy after proximal gastrectomy can result in more anastomosis-related complications including stenosis and reflux, and caution is needed in selection of a reconstruction method.	Moderate	Weak for
Statement 6	Pylorus-preserving gastrectomy could be performed for early gastric cancer as well as distal gastrectomy in terms of survival rate, nutrition and quality of life.	Moderate	Weak for
Statement 7	Gastroduodenostomy and gastrojejunostomy (Roux-en-Y and loop) are recommended after distal gastrectomy in the middle and lower gastric cancer. There are no differences in terms of survival, function and nutrition between the different types of reconstruction.	High	Strong for
Statement 8	D1+ is recommended during the surgery for early gastric cancer (cT1N0) patients in terms of survival.	Low	Strong for
Statement 9	Prophylactic splenectomy for splenic hilar lymph node dissection is not recommended during curative resection for advanced gastric cancer in proximal third stomach.	High	Strong against
Statement 10	Lower mediastinal lymph node dissection could be performed to improve oncologic outcome without increasing postoperative complication for adenocarcinoma of esophagogastric junction.	Low	Weak for
Statement 11	Laparoscopic surgery is recommended in early gastric cancer for postoperative recovery, complication, quality of life and long-term survival.	High	Strong for
Statement 12	Laparoscopic gastrectomy could be performed for advanced gastric cancer in terms of short-term surgical outcomes and long-term prognosis.	Moderate	Weak for

표 23-1. **Summary of statements - 계속**

No.	Recommendations	Level of Evidence	Grade of Recommendation
Statement 13	Adjuvant chemotherapy (S-1 or capecitabine plus oxaliplatin) is recommended in patients with pathological stage II or III gastric cancer after curative surgery with D2 lymph node dissection.	High	Strong for
Statement 14	Adjuvant chemoradiation could be added in gastric cancer patient after curative resection with D2 lymphadenectomy to reduce recurrence and improve survival.	High	Weak for
Statement 15	Neoadjuvant chemotherapy for potentially resectable gastric cancer is not conclusive if D2 lymph node dissection is considered.	High	Inconclusive
Statement 16	The evidence for effectiveness of neoadjuvant chemoradiation in locally advanced gastric cancer is not conclusive if D2 lymph node dissection is considered.	High	Inconclusive
Statement 17	Palliative gastrectomy is not recommended for metastatic gastric cancer except for palliation of symptoms.	High	Strong against
Statement 18-1	Palliative first-line platinum/fluoropyrimidine combination is recommended in patients with locally advanced unresectable or metastatic gastric cancer if the patient's performance status and major organ functions are preserved.	High	Strong for
Statement 18-2	Palliative trastuzumab combined with capecitabine or fluorouracil plus cisplatin is recommended in patients with HER2 immunohistochemistry 3+ or immunohistochemistry 2+ and in situ hybridization-positive advanced gastric cancer.	High	Strong for
Statement 19	Palliative second-line systemic therapy is recommended in patients with locally advanced unresectable or metastatic gastric cancer if the patient's performance status and major organ functions are preserved. Ramucirumab plus paclitaxel is preferably recommended, and monotherapy with irinotecan, docetaxel, paclitaxel, or ramucirumab also could be considered.	High	Strong for
Statement 20	Palliative third-line systemic therapy is recommended in patients with locally advanced unresectable or metastatic gastric cancer if the patient's performance status and major organ functions are preserved.	High	Strong for
Statement 21	Palliative radiotherapy could be offered to alleviate symptoms and/or improve survival in recurrent or metastatic gastric cancer.	Moderate	Weak for
Statement 22	Peritoneal washing cytology is recommended for staging. Advanced gastric cancer patients with positive cancer cells in the peritoneal washing cytology are associated with frequent cancer recurrence and poor prognosis.	Moderate	Strong for

참고문헌

1. 대한위암학회. 위암진료권고안. Journal of gastric cancer 2004;4:7.
2. Ahn S-H, Jung DH, Son S-Y, Lee C-M, Park DJ, Kim H-H. Laparoscopic double-tract proximal gastrectomy for proximal early gastric cancer. Gastric Cancer 2014;17:562-570.
3. Ahn S-H, Son S-Y, Jung DH, Park DJ, Kim H-H. Pure single-port laparoscopic distal gastrectomy for early gastric cancer: comparative study with multi-port laparoscopic distal gastrectomy. J Am Coll Surg 2014;219: 933-943.
4. Association JGC. Japanese gastric cancer treatment guidelines 2014 (ver. 4). Gastric Cancer 2016.
5. Chang JS, Lim JS, Noh SH, Hyung WJ, An JY, Lee YC, et al. Patterns of regional recurrence after curative D2 resection for stage III (N3) gastric cancer: implications for postoperative radiotherapy. Radiother Oncol 2012;104:367-373.
6. Dikken JL, Jansen EP, Cats A, Bakker B, Hartgrink HH, Kranenbarg EM, et al. Impact of the extent of surgery and postoperative chemoradiotherapy on recurrence patterns in gastric cancer. J Clin Oncol 2010;28: 2430-2436.
7. Fujita J, Takahashi M, Urushihara T, Tanabe K, Kodera Y, Yumiba T, et al. Assessment of postoperative quality of life following pylorus-preserving gastrectomy and Billroth-I distal gastrectomy in gastric cancer patients: results of the nationwide postgastrectomy syndrome assessment study. Gastric Cancer 2016;19:302-311.
8. Gotoda T. Endoscopic resection of early gastric cancer. Gastric Cancer 2007;10:1-11.
9. Hirasawa T, Gotoda T, Miyata S, Kato Y, Shimoda T, Taniguchi H, et al. Incidence of lymph node metastasis and the feasibility of endoscopic resection for undifferentiated-type early gastric cancer. Gastric Cancer 2009;12:148.
10. Hur H, Lee HY, Lee HJ, Kim MC, Hyung WJ, Park YK, et al. Efficacy of laparoscopic subtotal gastrectomy with D2 lymphadenectomy for locally advanced gastric cancer: the protocol of the KLASS-02 multicenter randomized controlled clinical trial. BMC Cancer 2015;15:355.
11. Japanese gastric cancer treatment guidelines 2014 (ver. 4). Gastric Cancer 2017;20:1-19.
12. Jung DH, Ahn SH, Park DJ, Kim HH. Proximal gastrectomy for gastric cancer. J Gastric Cancer 2015;15: 77-86.
13. Jung DH, Lee Y, Kim DW, Park YS, Ahn S-H, Park DJ, et al. Laparoscopic proximal gastrectomy with double tract reconstruction is superior to laparoscopic total gastrectomy for proximal early gastric cancer. Surg Endosc 2017;31:3961-3969.
14. Jung HJ, Kim DH, Kim DH. Proximal gastrectomy with double tract reconstruction using the remnant antrum in early upper gastric cancer. Journal of the Korean Surgical Society 2008;74:261-266.
15. Kang HJ, Kim DH, Jeon T-Y, Lee S-H, Shin N, Chae S-H, et al. Lymph node metastasis from intestinal-type early gastric cancer: experience in a single institution and reassessment of the extended criteria for endoscopic submucosal dissection. Gastrointest Endosc 2010;72:508-515.
16. Kim HH, Han SU, Kim MC, Hyung WJ, Kim W, Lee HJ, et al. Prospective randomized controlled trial (phase III) to comparing laparoscopic distal gastrectomy with open distal gastrectomy for gastric adenocarcinoma (KLASS 01). J Korean Surg Soc 2013;84: 123-130.
17. Kim H-H, Han SU, Kim M-C, Kim W, Lee H-J, Ryu SW, et al. Long-term outcomes of laparoscopic distal gastrectomy compared with open distal gastrectomy for clinical stage I gastric adenocarcinoma (KLASS-01): a multi-center prospective randomized controlled trial. J Clin Oncol 2016;34:4060.

18. Kim J-H, Lee YC, Kim H, Yoon SO, Kim H, Youn YH, et al. Additive lymph node dissection may be necessary in minute submucosal cancer of the stomach after endoscopic resection. Ann Surg Oncol 2012;19: 779-785.
19. Kim SM, Cho J, Kang D, Oh SJ, Kim AR, Sohn TS, et al. A randomized controlled trial of vagus nerve-preserving distal gastrectomy versus conventional distal gastrectomy for postoperative quality of life in early stage gastric cancer patients. Ann Surg 2016;263: 1079-1084.
20. Kim SM, Ha MH, Seo JE, Kim JE, Choi MG, Sohn TS, et al. Comparison of reduced port totally laparoscopic distal hastrectomy (duet TLDG) and vonventional laparoscopic-assisted distal gastrectomy. Ann Surg Oncol 2015;22:2567-2572.
21. Kim W, Kim HH, Han SU, Kim MC, Hyung WJ, Ryu SW, et al. Decreased morbidity of laparoscopic distal gastrectomy compared with open distal gastrectomy for stage I gastric cancer: short-term outcomes from a multicenter randomized controlled trial (KLASS-01). Ann Surg 2016;263:28-35.
22. Kitano S, Shiraishi N, Uyama I, Sugihara K, Tanigawa N. A multicenter study on oncologic outcome of laparoscopic gastrectomy for early cancer in Japan. Ann Surg 2007;245:68-72.
23. Korean Gastric Cancer Association Nationwide Survey on Gastric Cancer in 2014. J Gastric Cancer 2016; 16:131-140.
24. Kunisaki C, Makino H, Yamaguchi N, Izumisawa Y, Miyamato H, Sato K, et al. Surgical advantages of reduced-port laparoscopic gastrectomy in gastric cancer. Surg Endosc 2016;30:5520-5528.
25. Lee J, Lim DH, Kim S, Park SH, Park JO, Park YS, et al. Phase III trial comparing capecitabine plus cisplatin versus capecitabine plus cisplatin with concurrent capecitabine radiotherapy in completely resected gastric cancer with D2 lymph node dissection: the ARTIST trial. J Clin Oncol 2012;30:268-273.
26. Lee JH, Choi IJ, Kook MC, Nam BH, Kim YW, Ryu KW. Risk factors for lymph node metastasis in patients with early gastric cancer and signet ring cell histology. Br J Surg 2010;97:732-736.
27. Lee JH, Kim JG, Jung HK, Kim JH, Jeong WK, Jeon TJ, et al. Clinical practice guidelines for gastric cancer in Korea: an evidence-based approach. J Gastric Cancer 2014;14:87-104.
28. Lin T, Mou T-y, Hu Y-f, Liu H, Li T-j, Lu Y-m, et al. Reduced port laparoscopic distal gastrectomy with D2 lymphadenectomy. Ann Surg Oncol 2018;25:246-246.
29. Macdonald JS, Smalley SR, Benedetti J, Hundahl SA, Estes NC, Stemmermann GN, et al. Chemoradiotherapy after surgery compared with surgery alone for adenocarcinoma of the stomach or gastroesophageal junction. N Engl J Med 2001;345:725-730.
30. Miyashiro I, Hiratsuka M, Sasako M, Sano T, Mizusawa J, Nakamura K, et al. High false-negative proportion of intraoperative histological examination as a serious problem for clinical application of sentinel node biopsy for early gastric cancer: final results of the Japan Clinical Oncology Group multicenter trial JCOG0302. Gastric Cancer 2014;17:316-323.
31. Oh SY, Lee HJ, Yang HK. pylorus-preserving gastrectomy for gastric cancer. J Gastric Cancer 2016;16:63-71.
32. Park YK, Yoon HM, Kim YW, Park JY, Ryu KW, Lee YJ, et al. Laparoscopy-assisted versus Open D2 distal gastrectomy for advanced gastric cancer: results from a randomized phase II multicenter clinical trial (COACT 1001). Ann Surg 2018;267:638-645.
33. Ren G, Cai R, Zhang WJ, Ou JM, Jin YN, Li WH. Prediction of risk factors for lymph node metastasis in early gastric cancer. World J Gastroenterol 2013;19: 3096-3107.
34. Ryu KW, Kim YW, Min JS, Yoon HM, An JY, Eom BW, et al. Results of interim analysis of the multicenter randomized phase III SENORITA trial of laparoscopic sentinel node oriented, stomach-preserving

surgery versus laparoscopic standard gastrectomy with lymph node dissection in early gastric cancer. J Clin Oncol 2017;35:4028.

35. Sano T, Sasako M, Mizusawa J, Yamamoto S, Katai H, Yoshikawa T, et al. Randomized controlled trial to evaluate splenectomy in total gastrectomy for proximal gastric carcinoma. Ann Surg 2017;265:277-283.
36. Sasako M, Sano T, Yamamoto S, Kurokawa Y, Nashimoto A, Kurita A, et al. D2 lymphadenectomy alone or with para-aortic nodal dissection for gastric cancer. N Engl J Med 2008;359:453-462.
37. Seo HS, Jung YJ, Kim JH, Park CH, Lee HH. Necessity of D2 lymph node dissection in older patients >/=80years with gastric cancer. J Geriatr Oncol 2018;9:115-119.
38. Shinkai M, Imano M, Chiba Y, Iwama M, Shiraisi O, Yasuda A, et al. Phase II trial of neoadjuvant chemotherapy with intraperitoneal paclitaxel, S-1, and intravenous cisplatin and paclitaxel for stage IIIA or IIIB gastric cancer. J Surg Oncol 2018.
39. Smalley SR, Benedetti JK, Haller DG, Hundahl SA, Estes NC, Ajani JA, et al. Updated analysis of SWOG-directed intergroup study 0116: a phase III trial of adjuvant radiochemotherapy versus observation after curative gastric cancer resection. J Clin Oncol 2012;30: 2327-2333.
40. Son T, Kwon IG, Lee JH, Choi YY, Kim HI, Cheong JH, et al. Impact of splenic hilar lymph node metastasis on prognosis in patients with advanced gastric cancer. Oncotarget 2017;8:84515-84528.
41. Songun I, Putter H, Kranenbarg EM, Sasako M, van de Velde CJ. Surgical treatment of gastric cancer: 15-year follow-up results of the randomised nationwide Dutch D1D2 trial. Lancet Oncol 2010;11:439-449.
42. Stahl M, Walz MK, Stuschke M, Lehmann N, Meyer HJ, Riera-Knorrenschild J, et al. Phase III comparison of preoperative chemotherapy compared with chemoradiotherapy in patients with locally advanced adenocarcinoma of the esophagogastric junction. J Clin Oncol 2009;27:851-856.
43. Suh Y-S, Han D-S, Kong S-H, Kwon S, Shin C-I, Kim W-H, et al. Laparoscopy-Assisted pylorus-preserving gastrectomy is better than laparoscopy-assisted distal gastrectomy for middle-third early gastric cancer. Ann Surg 2014;259:485-493.
44. Takagi M, Katai H, Mizusawa J, Nakamura K, Yoshikawa T, Terashima M, et al. A phase III study of laparoscopy-assisted versus open distal gastrectomy with nodal dissection for clinical stage IA/IB gastric cancer (JCOG0912): Analysis of the safety and short-term clinical outcomes. J Clin Oncol 2015;33:4017.
45. Wu DM, Wang S, Wen X, Han XR, Wang YJ, Shen M, et al. Survival benefit of three different therapies in postoperative patients with advanced gastric cancer: a network meta-analysis. Front Pharmacol 2018;9:929.
46. Yu JI, Lim DH, Ahn YC, Lee J, Kang WK, Park SH, et al. Effects of adjuvant radiotherapy on completely resected gastric cancer: a radiation oncologist's view of the ARTIST randomized phase III trial. Radiother Oncol 2015;117:171-177.

CHAPTER 4

조기위암의 내시경치료

1. 내시경치료의 적응증

1) 개요

내시경치료의 적응증은 이론적으로 조기위암 중 림프절 전이가 없고 국소적으로 근치가 가능한 병변이다. 그러나 영상기술이 발전한 현재에도 수술 전에 림프절 전이를 정확히 진단할 수 있는 검사법은 없는 실정이다. 그래서 거꾸로 조기위암의 수술 성적을 토대로 림프절 전이가 없는 위암의 특징을 분석하였고 이를 바탕으로 내시경치료의 적응증이 제시되었다. 1990년대 일본에서 발표되었던, 내시경점막절제술의 경험적 적응증이 모태가 되었다. 내시경점막절제술의 경험적 적응증은 점막에 국한된 분화형이고, 궤양 및 궤양 흔적은 없으면서 융기형인 경우는 2 cm보다 작고, 편평형이거나 함몰형인 경우에는 1 cm보다 작고, 절제 후 병리학적으로 혈관이나 림프관 침범이 없는 것이다. 병변의 형태에 따라 크기가 달리 제시된 이유는, 이 시기에 내시경치료방법으로는 올가미밖에 없어 올가미로 일괄 절제할 수 있는 크기로 나누었기 때문이다. 내시경점막하박리술이 개발되고 난 후에는 형태에 따른 크기의 차이가 별 의미가 없어져, 2004년도에 발표된 일본 위암학회의 내시경절제술의 적응증에는 병변의 형태에 상관없이 2 cm보다 작은 병변으로 통일하여 제시되었다. 그리고 이 적응증을 내시경절제술의 절대적응증(absolute criteria)으로 표현하였다.

2) 확대적응증

절대적응증은 너무 엄격한 기준이라는 비판이 제기되었다. 즉, 2 cm의 크기가 너무 제한적이라 내시경 절제로 완치를 기대할 수 있는, 림프절 전이가 없는 조기위암의 상당수가 수술을 받아야 한다는 점이다. Gotoda 등은 5,265명의 조기위암 환자의 수술 성적을 분석하여, 림프절 전이 위험이 거의 없을 것으로 추정되는 다음과 같은 확대적응증을 제시하였다. ① 궤양 유무에 관계없이 림프관 침범이 없는 3 cm 미만의 분화형 점막암, ② 궤양이 없는 경우, 크기에 관계없이 림프관 침범이 없는 분화형 점막암, ③ 림프관 침범이 없이 점막하층을 500 um 이내로 침범한(sm1) 3 cm 이내의 분화형 조기위암, ④ 2 cm 이내의 미분화 점막암. 그러나 미분화 점막암은 통계학적으로 신뢰성이 떨어지는 것으로 분석되어 수술을 권고하였다.

(1) 확대적응증의 불완전성

Nagano 등은 림프관 침범이 없는 분화형 12 mm 위암으로 sm1 병변에서 림프절 전이가 발견된 경우와 15 mm 크기의 sm1 병변인 분화형 위암에서 점막근판층에 림프관 침범이 있었으나, 점막하층의 림프관 침범이 없는 병변에서 내시경점막하박리술 후 추적검사에서 림프절 전이가 확인된 경우를 증례 보고하였다. 또한 정 등은 1,721개의 수술로 절제한 점막암에 대한 분석에서 전체 2.6% (45/1721)에서 림프절 전이가 발견되었다. 확대적응증을 적용하여 분석하였을 때 궤양 여부와 상관없이 3 cm보다 작은 분화형 점막암에서 0.28%, 크기와 상관없이 궤양이 없는 점막암에서 0.23%의 림프절 전이가 관찰되었다. 강 등은 478예의 조기위암의 수술 예를 분석하여 림프절 전이 여부를 보고하였는데, 점막암의 경우에 3.0%, 점막하암에서는 25%에서 림프절 전이가 발견되었다. 특히, 296예의 장형 위암에서 확대적응증에 포함되는 병변에서도 림프절 전이가 관찰되었다. 즉, Gotoda 등이 림프절 전이가 전혀 없다고 제시한 궤양이 있는 3 cm 미만의 분화형 점막암의 1.6%에서 림프절 전이가 있었다. 궤양이 없는 분화형 점막암에서도 1.4%에서 림프절 전이가 있었다. 또한 3 cm 미만의 분화형 sm1 암에서는 무려 15%에서 림프절 전이가 관찰되었다.

(2) 확대적응증의 장기 성적

확대적응증이 불완전한데도 불구하고, 유용한 장기 치료 성적이 보고되었다. 최근 일본에서 확대적응증의 581예를 내시경점막하박리술로 제거하여 94.7%의 완전절제율과 97.1%의 5년 생존율을 보였다고 보고하여, 기존 위암의 표준치료인 위절제술과 치료 성적이 동등하였다고 주장하였다. 최근 Sanomura 등은 내시경점막하박리술 후에 점막하층 침윤이 확인되었던 173예의 조기위암을 분석하였을 때에 확대적응증을 만족하는 sm1 위암에서는 완전절제율은 93.4%로 높았고, 원격전이나 국소재발은 없었다. 내시경점막하박리술 후에 수술을 시행하지 않고, 추적검사를 한 sm1 위암에서 추가 수술을 시행한 환자에 비하여 위암 관련 생존율에 차이가 없었다고 보고하여 확대적응증이 임상적으로 유용하다고 제시하였다. 최근에 내시경절제술을 이용하여 치료한 1,370명에 대한 임상 성적이 보고되었다. 이 연구에 따르면, 확대적응증군에서 절대적응증군에 비하여 완전절제율은 낮았으며(88.4% vs. 95.9%, $p<0.001$), 합병증의 비율도 높았다(9.8% vs. 6.8%, $p<0.001$). 그렇지만, 국소재발률에 차이는 없었다. 확대적응증에 속하는 조기위암의 절제 성적은 내시경점막하박리술을 이용하는 경우에 완전절제율이 유의하게 높았다(91.1% vs. 83.0%, $p=0.06$).

3) 2010년 일본 위암치료 가이드라인

최근에 발표된 일본 위암학회 위암치료 가이드라인(2010)에서는 조기위암 환자에서 내시경절제술의 시술 전 적응증과 시술 후 추적관찰의 지침을 정리하였다. 특징은 병변의 육안소견을 적응증으로 제시하였고, 시술 후의 병리소견을 토대로 추가 치료 여부를 제시한 점이다. 수술 전 병기와 수술 후 병기가 다를 수 있는 것처럼, 명확히 시술 전 적응증과 시술 후 치료지침으로 나누어 제시하여 혼선을 피하였다. 절대적응증이 아닌 확대적응증을 기본으로 치료 범위를 확대하였으며, 미분화형암까지도 적응증에 포함하였다.

(1) 시술 전 적응증

① 표준화된 치료법으로서의 시술 전 절대적응증

궤양이 없는 분화형 암으로 크기는 2 cm보다 작고, 임상적으로 점막암으로 추정될 경우이다.

② 실험적인 치료법으로서의 시술 전 확대적응증

임상적으로 점막암으로 추정되고, 궤양이 없는 분화형 암으로 크기는 2 cm보다 크거나, 궤양이 있는 분화형 암으로 크기는 3 cm보다 작거나, 궤양이 없는 미분화형 암으로 크기는 2 cm보다 작은 병변이다.

(2) 확대적응증의 시술 후 치료지침

① 확대적응증의 완전절제

일괄절제, 수평경계(−), 수직경계(−), 림프관 침범(−), 혈관 침범(−), 조직학적으로 점막에 국한된 분화형 암이며 궤양은 없고, 크기는 2 cm보다 크거나, 조직학적으로 점막에 국한된 분화형 암이며 궤양은 있고, 크기는 3 cm보다 작거나, 조직학적으로 점막에 국한된 미분화형 암이며 궤양은 없고 크기는 2 cm보다 작거나, 조직학적으로 분화형 암이며 궤양은 없고 크기는 3 cm보다 작거나 침범 깊이는 sm1인 경우, 과거에는 확대적응증을 벗어나는 병변에 대해서는 림프절 전이 가능성 때문에 수술을 권유하였지만, 2010년 가이드라인에서는 불완전절제 후 치료지침을 세분화하였다. 분화형암인 경우에 수평경계 양성일 경우에는 내시경치료 및 수술을, 수직경계 양성일 경우에는 수술을 권고하였다. 수직경계 양성일 경우 림프절 전이 가능성이 높기 때문이다. 미분화형암에서는 완전절제 기준을 벗어날 경우에는 모두 수술을 권고하였다.

4) 국내 적응증 현황

국내에서는 2014년에 제정된 근거 기반 위암진료 권고안에서 절대적응증을 제시하였다. 아직 확대적응증이 림프절 전이 가능성을 완전히 배제하지 못하고, 수술과 직접 비교한 임상연구가 없어 근거가 부족하다는 점 때문이다. 하지만 많은 병원에서 실제로는 확대적응증을 기본으로 치료하고 추적관찰하는 경우가 많은 실정이다. 향후 수술과 직접 비교한 전향적, 대규모 연구가 필요하겠고, 현재까지의 치료 성적을 바탕으로 한 적응증의 개정이 불가피한 실정이다.

2. 내시경치료의 술기

일본에서는 1970년대 후반에 적용되기 시작하여 1980년대에 내시경치료가 활발해지기 시작하였다. 우리나라에서는 개인적인 건강검진이 등장했던 1990년대부터 위암 조기발견이 많아지면서 내시경치료가 도입되었다. 특히, 2000년대 들어서 시행된 국가암검진사업으로 인하여 전국민 대상의 위암 검진이 이루어지면서 조기위암의 비율은 폭발적으로 늘어나 2018년도에는 새로이 진단되는 위암의 70%가량이 조기위암으로 판명되었다. 아울러, 내시경치료 도구와 술기가 발전되면서 최근에는 진단된 절반가량의 조기위암 환자가 내시경치료를 받는 시대가 되었다.

위암치료의 표준은 당연히 위절제술과 림프절절제술이다. 수술법은 암 완치 목적에는 부합하지만, 수술과 연관된 합병증과 위절제로 인한 삶의 질 저하가 문제점이다. 특히, 조기위암의 비율이 많아지면서 수술 후 장기 생존이 당연시 되어 삶의 질 문제를 더 이상 소홀히 할 수 없었다. 따라서, 내시경치료법이 도입된 이후, 림프절 전이의 가능성이 거의 없는 조기위암에 대해서는 수술보다는 내시경치료를 우선적으로 적용하기 시작했다. 조기위암의 림프절 전이에 대한 자료가 축적되어 내시경치료의 안전성을 지지하는 자료가 누적되었고, 아울러 내시경 기기, 도구 및 술기가 발전되면서, 내시경치료가 안정적으로 이루어지게 되었고, 위암치료는 물론 삶의 질도 확보할 수 있는 획기적인 치료법으로서 자리매김을 하였다. 내시경치료는 크게 조직파괴법과 조직절제법으로 나누어진다. 레이저, 광역동요법, 고주파 등을 통해 조직을 괴사시키는 조직파괴법은 시술 후 병리조직학 검사가 불가능하여 완전치료 여부 확인이 어렵고 국소재발이 높다는 단점이 있다. 내시경치료와 거의 동일한 의미로 이용되는 조직절제법은 절제된 조직을 회수하여 완전절제 여부를 확인하고 이를 바탕으로 향후 치료방침을 결정할 수 있어 근치적 치료법으로 인정받고 있다.

내시경절제술이 요체인 내시경치료는 대부분 한두 시간 이내에 끝나고, 입원기간이 짧으며, 시술 후 위의 기능이 전적으로 보존될 수 있다는 것이 큰 장점이다.

또한, 반복적인 내시경생검상 암의 존재 여부가 불확실하지만 크고 깊어 보이는 위 병변에 대해 위절제술보다 우선적으로 내시경치료를 시행함으로써, 진단을 정확히 함은 물론 치료목적과 함께 위를 보존할 수 있게 되었다.

1) 내시경치료의 적응증

조기위암에 대한 내시경치료의 절대 적응증은 분화암으로 IIa형은 2 cm 이하, IIc형은 궤양이 없으면서 1 cm 이하인 경우이다. 위암 병변의 크기가 2 cm 이하로 규정된 이유는 당시 내시경점막절제술(endoscopic mucosal resection, EMR)로 일괄절제가 가능한 크기를 고려했기 때문이다. 내시경점막하박리술이 소개되어 보급됨으로써 2 cm 이상의 병변은 물론 궤양 반흔을 동반한 병변에 대해서도 기술적으로 일괄절제가 가능하게 되었다. Gotoda 등은 조기위암으로 수술받은 5,265예의 림프절 전이 여부를 분석하였다. 먼저, 분화암이면서 크기가 3 cm 이하이고, 점막층에 국한하며, 림프-혈관계 침범이 없는 경우에는 궤양 여부와 관계없이 림프절 전이가 관찰되지 않았다. 분화암이면서 점막층에 국한되고, 림프-혈관계 침범이 없으며 궤양이 없는 경우에는 크기와 관계없이 림프절 전이가 관찰되지 않았다. 점막하층 침범이 sm1에 국한되고, 분화암이면서 림프-혈관계 침범이 없고, 크기가 3 cm 이하인 경우에는 림프절 전이가 관찰되지 않았다. 미분화암의 경우에도 점막층에 국한되고 림프-혈관계 침범이 없으며, 궤양이 없고 크기가 2 cm 이하인 경우에는 림프절 전이가 관찰되지 않았다. 이 결과는 내시경절제술의 적응증을 확대할 수 있음을 시사한다(표 24-1).

2000년대 이후에 적응증이 확대되면서 불완전치료에 대한 불안감이 없지 않다. 그러나, 일본과 우리나라에서 보고된 자료들을 참고로 하면, 신중히 선정되고 깔끔히 일괄 완전절제가 이루어진 환자의 단기적인 치료성공률이나 장기적인 생존결과가 비교적 양호하여 긍정적으로 검토할 만 하다.

최근에 일본에서는 확대적응증 환자에서, 시술 후 최종 병리 소견이 불완전절제 소견으로 판독되었을 경우, 재발/전이의 위험인자를 분석하여 점수화함으로써(eCura system), 재발의 위험이 상대적으로 높은 환자들을 선별하여 추가 수술을 시행할 수 있도록 체계적으로 접근하고 있다.

2) 내시경치료의 술기

위암에 대한 치료로서 내시경이 이용되기 시작한 것은 1970년대 후반이었다. 종양에 대한 통상적인 생검만으로는 진단이 불충분하여 병변 부위를 크게 떼어냄으

표 24-1. 위암의 내시경적 치료 적응증

Depth / Histology	Mucosal Cancer				SM Cancer	
	UL (-)		UL (+)		SM1	SM2
	≤20	>20	≤30	>30	≤30	Any size
Differentiated						
Undifferentiated						

Guideline Criteria for EMR / Consider Surgery / Expanded Criteria for ESD / Surgery

Gotoda T. et al. Gastric Cancer 2000.

로써 진단은 물론 치료역할을 기대할 수 있을 것이라는 개념이 등장하게 되었다(strip biopsy). 이후로 내시경점막절제술(EMR)은, 내시경 선단에 장착하여 시술하는 투명캡(EMR-C)이나 고무줄(EMR-L) 등을 사용하여 시술이 용이하도록 점차 발전되어 왔다. 이후 전기절개도(EMR-P)를 사용하여 좀 더 확실하고 크게 절제하기도 하였다. 시술에 안전한 전기절개도가 개발되면서 점막하박리술(ESD)이 보편화되었고, 기존의 점막절제술로는 일괄절제가 불가능했던 큰 병변은 물론 궤양 반흔이 있는 병변도 기술적으로 일괄절제를 할 수 있게 되었다.

(1) 고전적인 내시경점막절제술

고전적인 점막절제술에는 박리생검술(strip biopsy), EMR-C (Cap-assisted EMR), EMR-L (Ligation-assisted EMR), EMR-P (EMR after precutting) 등이 있다(그림 24-1). 1984년 Tada 등이 보고한 박리생검술은 큰 조직 절편을 얻기 위한 조직검사의 수단으로 시작되었으나 조기위암의 내시경치료에 적용되었고, 조기위암의 내시경절제술에 최초로 적용된 술식이라는 역사적 의미를 갖게 되었다. 박리생검술로 인해 융기성 병변은 물론 함몰성 병변도 절제할 수 있게 되었다. 시술 과정이 비교적 간단해 내시경점막절제술의 기본 수기로 널리 보급되어 1990년대 후반까지 가장 널리 사용된 내시경점막절제술이다. 2 channel 내시경을 시용하며, 한쪽 겸자공에는 조직을 잡는 파악겸자를 삽입하고 다른 한쪽 겸자공에는 올가미를 삽입한다. 병변부를 파악겸자로 잡고 견인한 상태에서 올가미를 조인 후 고주파 절개 전류를 통전시켜 절제한다(그림 24-1A). 1990년 초반, 내시경 선단부에 장착한 투명 캡 내로 병변을 흡인하여 올가미로 조이면서 절제하는 EMR-C 방법이 고안되었다.

내시경 선단부에 장착하는 투명 캡은 모양과 직경이 다양해 술자가 지유롭게 선택할 수 있다(그림 24-1B).

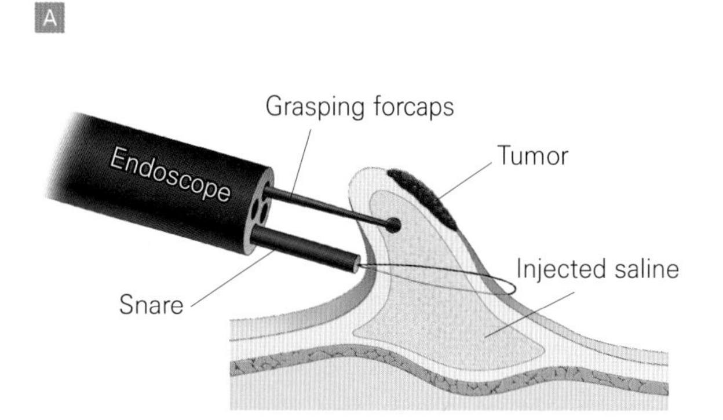

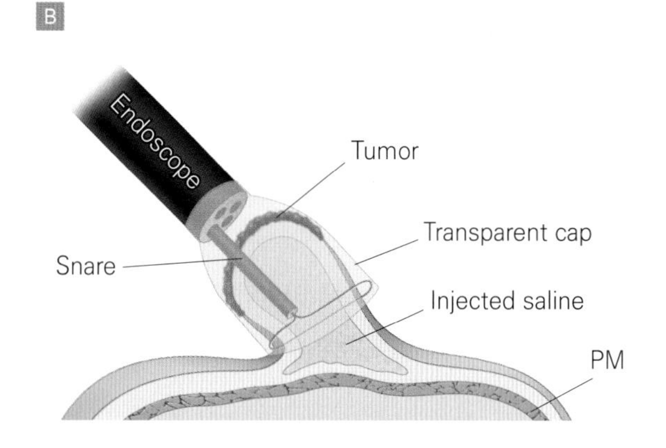

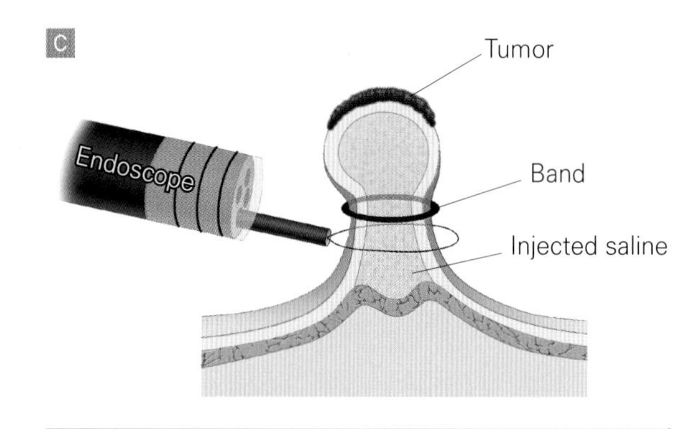

그림 24-1 **고전적 내시경절제술.**
A. 박리생검술(Strip biopsy)
B. 투명캡을 사용한 내시경점막절제술(EMR-C)
C. 고무결찰을 이용한 내시경점막절제술(EMR-L)

EMR-L은 식도정맥류 결찰술을 목적으로 개발된 고무밴드를 이용하여 병변을 흡인해 용종형태로 묶은 다음 고무밴드가 결찰된 하부에 올가미를 걸어서 통전, 절제하는 점막절제술의 한 형태이다(그림 24-1C). EMR-C와

EMR-L 방법은 융기가 없는 편평한 병변에 융기를 만들어 절제할 수 있다는 점에서 박리생검술의 단점을 보완할 수 있다. EMR-P는 충분한 양의 생리식염수를 점막하에 주입한 후 전기 절개도로 미리 표시한 절제면을 360°로 절개한 후 올가미로 조이면서 절제하는 방법이다. EMR-P 방법은 점막하층을 박리하지 않고 올가미로 조여 병변을 절제한다는 점에서 점막하박리술과 구분되며, 고전적인 EMR의 한 방법으로 분류된다. 하지만 침형 절개도 등을 이용하여 병변 주변을 절개한다는 점은 점막하박리술과 유사하며, 점막 절개 후 점막하층을 일부 박리한 다음 올가미를 사용하여 병변을 절제하는 혼합형 방법도 많이 사용되고 있다. 따라서, EMR-P 방법은 고전적인 내시경점막절제술이 점막하박리술로 이행하는 과정의 중간 정도에 위치한다. EMR-P 방법은 박리생검술 등의 내시경점막절제술에 비해 큰 병변을 충분한 크기로 절제할 수 있으며, 일괄절제율이 높다는 장점이 있다. 하지만 박리생검술, EMR-C, EMR-L 등에 비해 술자가 숙련하는 데 시간이 걸리며, 천공이나 출혈같은 합병증 발생빈도가 높다는 단점이 있다.

(2) 내시경점막하박리술

내시경점막하박리술은 점막하층을 직접 보면서 박리하기 때문에, 크기가 큰 병변을 일괄 완전절제하기에 적합한 시술법이다.

① 시술방법

i) 병변의 확인

병변을 완전절제하기 위해서는 병변의 경계를 명확히 확인하는 것이 가장 중요하다. 기존 내시경으로 관찰했을 때 병변의 경계가 명확하지 않은 경우 색소내시경, 협대역 내시경 또는 확대내시경 등으로 관찰하면 병변의 경계를 확실히 결정하는 데 도움을 받을 수 있다(그림 24-2 A, B).

ii) 병변주변표시

병변의 경계를 확인한 후 병변의 경계로부터 최소 5 mm 이상 떨어진 정상 점막에 표시를 한다. 올가미 선단을 이용한 응고법 또는 아르곤 플라스마 응고법을 이용하여 병변의 주변부를 돌아가면서 적절한 간격을 두고 표시한다(그림 24-2 C).

iii) 점막하 국소 주입

점막하 국소 주입이란 점막하층 내로 생리식염수 등의 국소 주입액을 주입하여 병변을 융기시키는 것을 말한다. 이 시술은 점막하층에 위치한 전기절개도가 점막하 박리를 수월하게 하며, 고유근층을 손상해 천공이 일어나는 경우를 예방하기 위해 시행한다. 주로 사용되는 국소 주입액은 생리식염수, sodium hyaluronate액, 글리세린 혼합액이다. 융기 지속시간, 조직 상해성, 가격 등의 요인을 감안하여 선택한다. 생리식염수는 등장액으로 저렴하고 조직 상해성이 없으나 융기 유지성이 떨어지고 지혈능력이 없으므로 에피네프린(1: 10,000)과 인디고카민 희석액을 혼합하여 사용한다. 글리세린 혼합액은 고장액이지만 생리적 삼투압이 두 배 밖에 되지 않아 조직 상해성이 적고, 비교적 융기 유지성이 양호하며 저렴하다는 장점이 있다. 에피네프린을 혼합하여 사용한다. Sodium hyaluronate액은 점탄성이 매우 높아 융기 유지성이 다른 국소 주입액에 비해 뛰어나 이상적이지만 가격이 비싸다는 것이 단점이다. 국소 주입액을 주입할 때는 천공의 위험성을 줄이고 혈관 압박 효과와 수축효과를 얻기 위해 충분한 양을 주입해 야 한다(그림 24-2 D).

iv) 점막 절개

점막 절개와 점막하층 박리에는 다양한 전기절개도가 사용되고 있다. 현재 국내에서 가장 많이 사용되는 전기절개도는 insulation-tipped knife (IT-knife), hook knife, flex knife, needle knife 등이다(그림 24-3). 점막

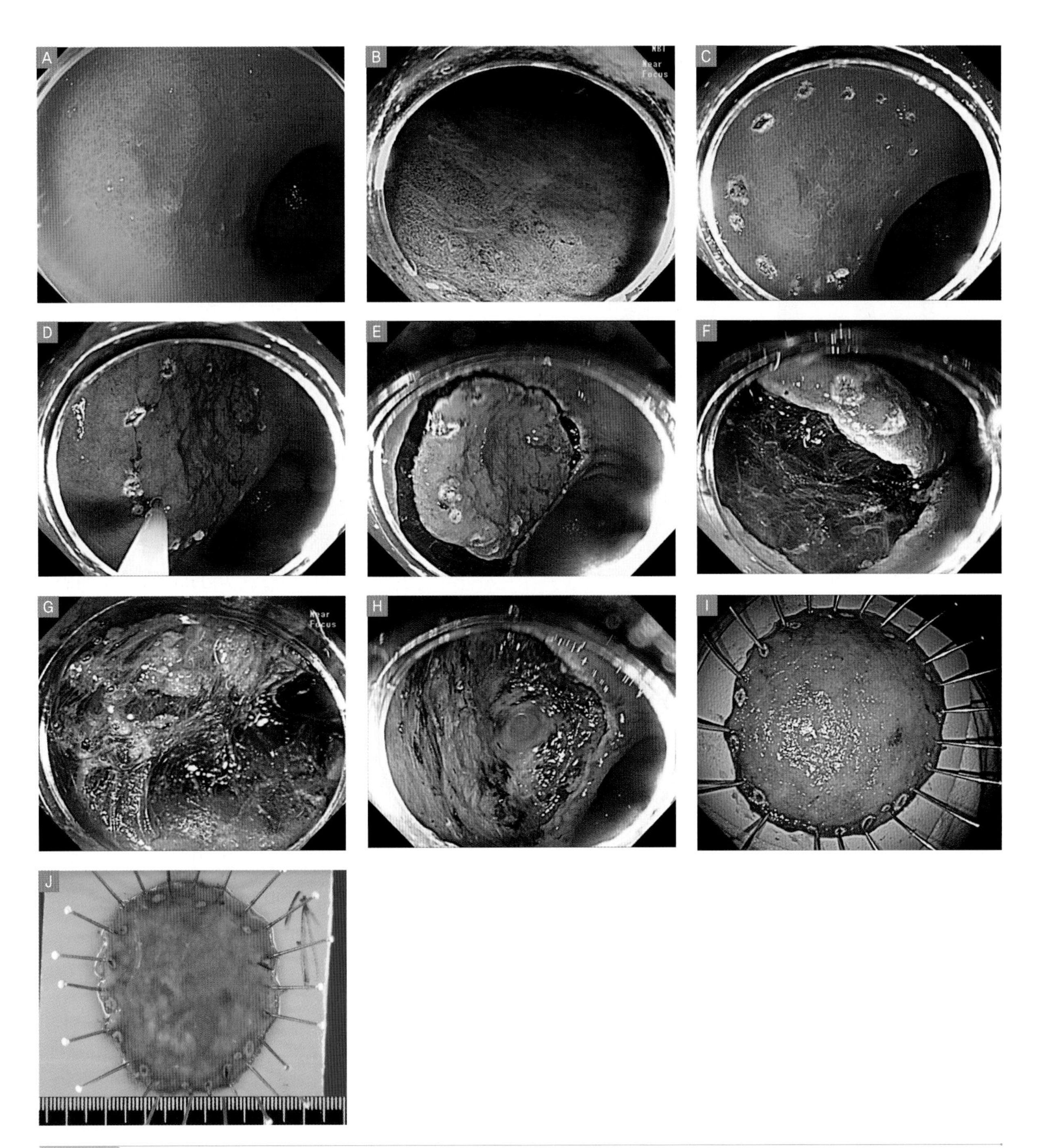

그림 24-2 **내시경점막하박리법(Endoscopic submucosal dissection, ESD).**
A. 전정부 소만측에 약 10 mm 크기의 발적을 동반한 편평형 병변이 관찰된다(EGC 2c) B. 협대혁내시경(Narrow band image (NBI) 소견. 병변부위가 짙은색으로 강조되어 보인다. C. Marking. 병변의 주변에 전기절개도 등으로 표식을 한다. 병변의 변연으로부터 최소한 5 mm 이상 떨어진 위치에 표식한다. D. Submucosal injection. 병변 부위를 부풀릴 용액을 점막하층에 주사한다. 표식한 부위를 따라서 충분한 양의 생리식염수를 주입한다. E. Mucosal precutting. 전기절개도를 사용하여 표식한 부위의 외부를 따라서 점막층을 절개한다. F. Submucosal dissection. 전기절개도를 사용하여 점막하층을 박리한다. G. 점막하층을 직사하면서 박리하기 때문에 안전하고 정확한 위치(최대한 근층 가까운 곳)를 박리하게 된다. H. Hemostasis. 점막하박리가 완료되면 출혈 부위 및 출혈 가능성이 있는 부위를 응고한다. I. Resected specimen. 절제된 조직을 잘 펴서 고정한다. J. Resected specimen. 포르말린에 고정하여 병리과에 보낸 절제조직.

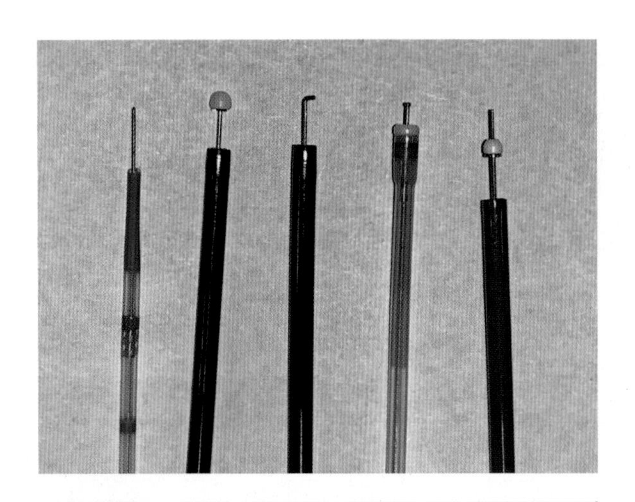

그림 24-3 **각종 절기절개.**
좌측부터 needle knife (papillotome, MTW), IT knife (Olympus), hook knife (Olympus), dual knife (Olympus), H knife (Fine Medics).

하 국소 주입으로 융기가 충분히 형성되면 전기절개도로 병변 주위의 점막을 절개한다. 점막 절개 시 점막근층을 포함하여 점막층을 완전히 절개해야 점막하박리술을 하기가 용이하다. 내시경 선단에 투명캡을 장착하면 시야확보에 도움이 되며, 내시경의 의도되지 않은 움직임을 줄여 안전성을 확보할 수 있다(그림 24-2 E).

v) 점막하층 박리

점막을 절개한 후에는 전기절개도로 점막하층 박리를 시행한다. 점막하층 박리 시에는 전기절개도를 고유근층과 수평을 유지하면서 절개해야 고유근층의 손상을 막아 천공을 예방할 수 있다. 가능한한 점막하층을 직시하면서 절개해야 하며, 앞에서 언급한 투명캡을 장착하면 점막하층이 잘 노출되어 맹점없이 박리하는 데 도움이 될 수 있다. 점막하층을 직시하면서 절개하면 천공을 예방할 뿐만 아니라 점막하층의 큰 혈관들을 절개하기 전에 응고시켜 시술 중 출혈을 줄일 수 있다(그림 24-2 F~I).

vi) 절제한 조직 회수

절제한 조직은 잘 펴서 핀으로 고정한다. 절제하기 전에 표시한 부위가 모두 절제되었는지 확인한 후 10% 포르말린 용액에 넣어 병리과로 보낸다. 절제한 조직과 종양 부분을 병리 기록지에 그림으로 그려 변연부에 가장 가깝다고 생각되는 부위에 대한 정보를 병리의사에게 전달한다(그림 24-2 J). 또한 절제하기 전에 위치를 상세히 표시하여 불완전시술이 된 경우에 추후 전략을 세우는 데 도움이 될 수 있도록 한다.

(3) 고전적인 내시경점막절제술과 내시경점막하박리술의 비교

박리생검술을 포함한 고전적인 내시경점막절제술은 시술이 간편하고 합병증이 드물며, 크기가 작은 병변에 대해서는 양호한 치료효과가 보고되고 있지만, 병변의 크기에 따라 일괄절제율, 완전절제율이 크게 떨어진다는 한계가 있다. 고전적인 내시경점막절제술로 치료했을 때, 병변의 크기가 10 mm 이하일 때는 완전절제율이 60% 내외로 비교적 높게 유지되는 반면, 20 mm 이상일 때는 20~30%로 낮으며, 30 mm 이상일 때는 완전절제를 기대하기 어렵다. 반면 내시경점막하박리술 방법은 20~30 mm 크기의 병변일 때는 완전절제율이 약 90%, 30 mm 이상일 때는 80% 이상에 이르러, 내시경점막절제술 방법보다 치료성적이 우수하다. 일괄절제가 중요한 이유는 분할절제로 조직을 회수하게 되면 병변을 재구축하기 어려워 완전절제 여부를 확인하기 힘들며, 분할절제한 경우 국소재발의 위험이 높기 때문이다. 내시경점막하박리술을 사용하면 기존 내시경점막절제술로는 치료가 불가능하던 병변도 치료 가능하다. 종양 내부에 궤양 반흔이 동반된 경우와 이전에 내시경절제술 반흔에서 재발한 경우에는 고전적인 내시경점막절제술로 치료가 불가능했으나, 내시경점막하박리술로는 치료가 가능하다. 하지만, 내시경점막절제술에 비해 내시경점막하박리술은 숙련된 의사가 시술해야

하고, 시술 시간이 길며, 출혈이나 천공 등의 합병증 발생빈도가 높다는 단점이 있어, 병변의 특성 및 시술자의 경험 등을 고려하여 시술방법을 선택해야 한다.

3) 내시경 절제 조직의 분석

절제된 조직은 핀으로 고정한 후, 위내에서의 방향을 표시한 다음, 10% 포르말린에 충분히 담기도록 하여 병리과로 보낸다. 이 때, 임상의사(내시경치료 시술자)가 궁금한 위치를 미리 표시하여, 판독 시 참고할 수 있도록 할 수 있다. 절제된 조직의 정확한 병리 판독을 위해서는 ① 절제된 조직의 방향이 명확해야 한다. ② 충분한 양의 점막하층이 포함되어야 한다. ③ 절제된 조직을 핀으로 고정할 때, 종양의 침윤도를 적절히 판단하기 위해서는 조직을 너무 당기지 않아야 한다.

절제된 조직을 3 mm 간격으로 절단하여 슬라이드를 만든다. 수술 조직은 5~10 mm 간격으로 슬라이드를 제작하지만, 내시경절제술 조직에는 병변의 크기가 비교적 작은 경우가 많으므로, 2~3 mm 간격으로 절단하는 것이 바람직하다. 가장 자리에 위치한 마지막 슬라이드에서 병변이 관찰되지 않으면 완전절제된 것으로 간주한다. 병변 내에서 분화도를 판정할 때에는 통상적으로 WHO 분류법에 따른다. 그러나, 미분화암이나 특수한 분화를 보이는 암세포들이 부분적으로 혼재되어 있을 때, 그 성분들이 장기적인 예후에 미치는 영향을 고려하면, 최종 병리진단에 함께 기재하기를 추천한다.

4) 내시경치료 합병증 예방 및 관리

출혈은 내시경절제술과 연관된 가장 흔한 합병증이다. 출혈의 정의는 연구자에 따라 차이가 있어 출혈의 빈도는 1%에서 45%까지 다양하게 보고되고 있으나, 대규모 연구에서는 평균적으로 약 10% 내외이다. 출혈은 일반적으로 시술 도중 발생하는 급성 출혈과 시술 후 발생하는 지연 출혈로 나뉜다. 지연 출혈의 발생빈도는 3.3~13.9%로 보고되었다. 대부분의 출혈은 시술 후 24시간 이내에 발생한다고 알려져 있다. 시술 도중 발생하는 출혈은 대부분 내시경지혈술로 지혈할 수 있어 임상적으로 큰 문제가 되지 않으나, 시술 후 발생하는 출혈은 추가 시술이나 수혈이 필요한 경우가 많아 임상적으로 중요한 문제가 될 수 있다. 특히, 퇴원 후 발생하는 지연 출혈의 경우 출혈량이 많거나 동반 질환이 있는 경우, 고령의 환자 등에서 심각한 상태를 초래할 수 있기 때문에 주의해야 한다. 출혈을 예방하려면 우선 출혈 경향이 있는 환자의 경우 사전에 교정하며, 시술 중에 혈관의 응고처리를 충분히 해준다. 이미 출혈이 발생한 경우에는 전기응고술, 아르곤플라스마응고술, 지혈클립 등의 내시경지혈술을 이용하여 지혈한다.

천공은 고전적인 내시경점막절제술을 시용했을 때는 드물게 발생하지만, 내시경점막하박리술을 사용했을 때는 발생빈도가 약 4%이다. 천공은 병변 주위 절개, 점막하층박리, 지혈 과정 중 언제라도 발생할 수 있다. 병변의 위치가 체부, 위저부일 때 발생빈도가 높으며, 크기가 큰 경우, 궤양반흔을 동반한 경우에 천공의 위험성이 높다. 내시경절제술 도중에 발생하는 위천공의 경우 시술 전에 금식을 하므로 위내에 음식물이 없어 깨끗하며, 시술 도중에 천공을 바로 인지해 지체없이 처치하는 경우가 대부분이어서, 내시경을 이용한 클립봉합술 후 내과적 치료로 대부분 회복 가능하다. 내과적 치료를 할 때는 금식, 항생제 투여를 포함한 보존적 치료와 더불어 반드시 환자를 자세히 관찰해야 한다. 2~4일 후 백혈구 수와 CRP 수치가 감소하고 복막자극 증상이 사라지면 식사를 시작할 수 있다. 천공이 커서 클립을 이용한 봉합에 실패하거나, 보존적 치료에도 불구하고 복막염 증상이 진행할 때는 수술치료가 필요하다. 출혈과 천공 외에 내시경절제술의 합병증으로 유문 협착, 흡인성 폐렴 등이 드물게 발생할 수 있다.

5) 내시경치료 후 관리 및 추적검사

내시경치료 종료 후 1~2일 정도의 금식을 통해 위를

안정시킨 후 통증이 가라앉고 출혈의 증거(구역, 구토, 어지럼증, 간헐적 혈관성 위통 등)가 없으면 퇴원이 가능하다. 퇴원하기 전에 추시내시경검사를 시행하여 출혈의 증거가 있거나 지연 출혈의 가능성이 있는 혈관에 대해 지혈치료를 시행한다. 그러나, 지연 출혈의 빈도가 1~5%로 낮기 때문에 모든 환자에서 추시내시경검사를 시행할 필요는 없다는 견해가 많다. 지연 출혈의 위험인자로는 큰 병변, 궤양/궤양반흔을 동반한 병변, 시술 시 출혈이 많았던 병변, 아스피린/소염진통제/혈전용해제 등을 사용하던 환자, 만성콩팥병/간경변 등 응고장애를 동반한 환자 등이다. 시술 후 발생한 의인성궤양은 4~8주 동안의 항궤양치료로 치유가 가능하다. 통상 4주 처방으로 충분하지만, 4 cm 이상의 큰 의인성궤양인 경우에는 추가 처방이 필요할 수 있다.

완전절제로 판정되면 정기적인 추적검사를 시행한다. 절대적응증에 해당되는 환자의 경우에는 6~12개월 후 내시경검사 및 복부 CT를 촬영하고, 이후 매년 검사를 시행한다. 확대적응증 환자는 6개월에 간격으로 1~2년간 정기검사를 시행하고, 이후부터 매년 검사를 시행한다. 다발성 병변이거나 미분화형(특히, 인환세포암) 병변인 경우에는 3~6개월 후 내시경검사를 통해 다발성 병변 혹은 잔존병변 여부를 검사한다. 최소한 5년 동안 내시경검사 및 복부 CT를 포함한 정기검사를 시행하고, 이후부터는 매년 위내시경검사를 위주로 추적한다.

6) 내시경치료의 장기 성적

일본의 12개 기관에서 내시경점막절제술을 시행받은 1,832예를 분석하여 발표한 연구에서, 10개 기관에서는 절대적인 적응증에 해당되는 분화암으로 IIa형이면 2 cm 이하, IIc형이면 궤양이 없으면서 1 cm 이하인 경우에 내시경점막절제술을 시행하였고, 나머지 2개 기관에서는 융기형 병변이면 3 cm 이하, 함몰형 병변이면 2 cm 이하, 궤양형 병변이면 1 cm 이하인 경우에 내시경점막절제술을 시행하였다. 다양한 내시경점막절제술을 사용하여 1,353예(76%)에서 완전절제가 가능하였고, 불완전절제로 판명된 경우 잔존암에 대해 추가로 내시경점막절제술을 시행하거나 외과적 수술을 시행하였다. 완전절제를 한 경우 4개월에서 11년까지 추적관찰한 결과 1.9%가 재발하였으며, 이 중 1명이 위암의 전이로 사망하여, 99%의 질병특이생존율(disease-specific survival rate)을 보여주었다.

Ono 등은 내시경절제술로 치료한 479예의 조기위암에 대한 장기추적결과를 발표하였다. 내시경점막절제술의 적응증으로는 분화형 선암, 육안형으로 I, IIa, IIc 병변인 경우, 궤양이 없는 경우, 직경이 3 cm 이하인 경우가 포함되었다. 내시경절제술 후 점막하 침윤이 확인된 74예를 제외한 405예를 추적관찰하였다. 내시경절제술 술식으로는 대부분 박리생검술을 사용하였고, 1990년대 후반부터 insulated tip knife (IT knife)를 이용한 점막하박리술을 사용하였다. 점막에 국한된 조기위암 405예 중 278예(69%)에서 완전절제가 되었고, 127예(31%)는 불완전절제 또는 변연의 열응고 변성으로 인해 절제변을 확인할 수 없는 경우였다. 중앙 추적기간 45개월(3~125개월)간 추적관찰을 한 결과, 완전절제를 한 환자 중 5명(2%)에서 국소재발하여 내시경치료를 재시도한 후 재발하지 않은 상태에서 관찰 중이었으며, 절제면을 확인할 수 없었던 환자 중 13%, 불완전절제를 했던 환자 중 37%가 국소재발을 보여 추가로 외과수술을 받았다. 모든 환자 중 치료와 연관된 사망 또는 위암으로 인한 사망자는 없었다. 내시경점막하박리술 후 추적한 연구에서는, 510개 병변을 가진 476명의 환자에서 481개 병변은 완전히 절제되었고, 29개 병변은 불완전하게 절제되었다. 4명의 환자에서는 국소재발이 나타났다. 완전절제가 이루어진 환자(0.2%)에 비하여 불완전절제가 이루어진 환자(10.3%)에서 국소재발률이 높았다. 3년, 5년 전체생존율(overall survival rate, 98.4%, 97.1%)과 3년, 5년 질병특이생존율(100%,

100%)은 차이가 없었다.

2003년부터 2010년까지 8년간 11개 기관에서 시술받은 10,658명(절대적응증 6,456~7,979병변, 확대적응증 4,202~5,781병변)에 대한 일본의 대규모 후향적연구에서, 국소재발률은 절대적응증군(0.22%)에 비하여 확대적응증군(1.26%)에서 더 높았다. 림프절 전이는 확대적응증(6명, 0.14%)에서만 발견되었으며, 이들의 절반은 미분화암이었다고 한다. 국내에서 발표된 대표적인 연구들을 소개하면, 다음과 같다.

1997년부터 2002년까지 6년간 내시경점막절제술을 시행받은 843명을 대상으로 수술 환자와 propensity score 매칭을 한 연구에서, 수술과 비교한 내시경점막절제술 치료의 사망과 위암 재발에 대한 위험도(HR)는 각각 1.39(95% CI, 0.87~2.23)과 1.18(95% CI, 0.22~6.35)로 내시경점막절제술군에서 유사한 결과를 보였다. 반면, 내시경점막절제술군에서 수술치료에 비하여 입원기간이 짧고, 치료비가 적게 나타났다.

1994년부터 2009년까지 15년 동안 시행하였던 1,370예 내시경점막절제술 혹은 내시경점막하박리술의 장단기 성적을 분석한 연구에서, 절대적응증 환자에서 일괄절제율과 완전절제율이 높았지만, 양 군 모두에서 재발에는 차이가 없었다. 또한, 확대적응증 환자에서는 내시경점막하박리술을 시행받은 환자에서 완전절제율이 높았다. 양군의 모든 국소재발(0.9%)은 27개월 이내에 발견되었으며, 3년 질병특이-무재발률이 98.8% 및 98.5%로 적응증에 무관하게 높은 치료 성공률을 보고하였다.

2005년부터 2011년까지 내시경점막하박리술을 시행받은 961명의 조기위암 환자를 대상으로 장기 성적을 분석한 국내 논문에서, 국소재발은 1.8% 및 7.8%로 확대적응증 군이 높았다. 그러나, 5년 전체 생존율(96.6% 및 94.2%)과 5년 무병생존율(100% 및 99.3%)은 큰 차이를 보이지 않았다.

1994년부터 2014년까지 내시경절제술을 받은 4,105명을 대상으로 분석한 연구를 보면, 전체 시술환자에서 위 외 전이율(extragastric metastasis)은 0.37%(15명)이었고, 완전절제된 환자 중에서는 0.14%(5명)이었다. 절대적응증군에서 완전절제된 경우 0.04%(1명), 확대적응증군에서 완전절제된 경우 0.3%(4명)에서 위외 전이가 발견되었다. 특히, 절대적응증 환자(2,402명)에서는 재발된 3명(0.12%)의 환자 모두 위내 국소재발을 동반하고 있기 때문에, 시술 당시 궁극적으로 불완전절제되었을 가능성을 배제할 수 없다.

2007년부터 2012년까지 6년간 절대적응증 및 확대적응증에 해당되는 2,023명의 조기위암 환자를 분석한 국내연구에서, 40.4%(817명)는 내시경절제술을 시행받았고 나머지 1,206명(59.6%)은 외과 절제술을 시행받았다. 절대적응증 환자(864명) 중에서는 63.2%, 657명의 미분화암 환자 중에서는 14.2%가 내시경절제술을 받았고, 수술받은 환자 중 11.9%에서는 전절제술을 받았다. 급성 합병증은 수술군(18.1%)에서 더 높았으며(내시경절제술 8.1%), 수술 연관 사망은 4명이었다. 내시경절제술군에서 10.7%가 불완전절제로 판명되었으며, 불완전절제 환자 중 18명은 내시경 재치료를 받았고 14명은 추가 수술을 받았다. 수술받은 환자는 모두 완전절제되었으며, 13명(1.1%)에서 림프절 전이가 발견되었고 1명은 N2, 2명은 N3 림프절 양성이었다.

림프절 양성인 13명 중 3명은 절대적응증에 해당되었고, 림프절 양성 확대적응증 10명 중 8명은 미분화암이었다. 중간 추적기간동안(내시경절제술 37.5개월 및 수술 57.3개월), 연간 위암 재발률은 수술군(0.19%)에 비하여 내시경절제술군(2.18%)에서 더 높았으며, 60명의 내시경절제술군에서 28명이 국소재발이었다. 5년 전체생존율(96.4% 및 97.2%)과 5년 무병생존율(99.6% 및 99.2%)은 두 군에서 차이가 없었다. 5년 누적 위암 재발률은 내시경절제술군에서 10.9%로 수술군(0.95%)에 비하여 높았으나(위험율 hazard ratio, HR=12.801), 위암 재발이 전체생존율이나 무병생존율에 미치는 영향은 없었다(각각 adjusted HR=0.859 및 0.323).

확대적응증을 각 적응증별로 구분하여 내시경절제술 및 수술 환자를 비교 분석한 국내 연구(Lee S 등, 2018)에서, 두 군을 propensity score로 매칭하여 분석하면 5년 전체 생존율(98.1% 및 96.4%)은 물론 내시경절제술의 예후(HR=1.253, 95% CI, 0.777-2.023)가 차이가 없었다. 또한, 각 군별로 분석한 5년 무병생존율(99.6%, 98.9%) 또한 차이가 없었으며, 예후 또한 나쁘지 않았다(HR=0.846, 95% CI, 0.374-1.915).

미분화암에 대한 내시경치료 성적이 매우 주목을 받고 있는데, 각 연구 별로 치료받은 환자의 숫자가 적어 일관된 장기 성적을 얻기가 쉽지 않다. 그러나, 최근의 연구들에서, 잘 선택되어 내시경절제술을 시행하고, 재발의 위험요인이 있을 경우에 추가 수술 등의 조치를 취하면 전반적으로 양호한 5년 전체 생존율을 보고하고 있다. 하지만, 완전절제율이 상대적으로 낮아 대상 환자 선택 및 치료의 질 향상에 더 많은 주의를 기울여야 한다. 결론적으로, 조기위암에 대한 내시경치료는 치료 후 장기 성적이 수술치료에 비하여 나쁘지 않으며, 오히려 완전치료 관점은 물론, 치료의 접근성이나 삶의 질 유지 측면에서 큰 이점이 있어 수술을 대체할 수 있는 치료법으로 자리매김을 한 상황이라고 할 수 있다. 또한, 방법적으로는 내시경점막하박리술이 내시경점막절제술에 비해 완전절제율이 높고 재발률이 낮아 조기위암의 내시경치료에 보다 더 적절한 시술방법이다.

2000년대 들어서 확대된 확대적응증에 대한 단기 및 장기 성적도 절대적응증에 비하여 유사한 결과를 나타내고 있으며, 수술법과 비교한 장기 예후도 나쁘지 않다. 그러나, 확대적응증 환자에서는 다양한 분화도가 혼재되어 있으며, 기술적인 성공률이 절대적응증에 비하여 다소 낮아, 시술 후 보다 면밀한 관찰과 추적검사가 요망된다. 아울러, 절대적응증이라 하더라도 100% 완벽하지 않기 때문에 수술받은 환자와 마찬가지로 위내시경검사 및 복부 CT 검사를 5년 혹은 그 이상 정기적으로 추적하면서 관찰하여야 한다.

3. 내시경 절제 조직의 분석

위암종의 내시경 절제조직에 대한 병리검사는 완전절제의 여부와 림프절 전이의 가능성을 예측하는 병리인자들을 알려주어 임상의사가 치료 방향을 결정하는 데에 매우 중요하다.

1) 내시경 절제로 떼어낸 위조직의 처리

내시경으로 절제된 조직은 떼어내자 마자 바로 잘 펴서 코르크판이나 스티로폼에 핀으로 박고 방향을 표기한다(그림 24-4 A). 하나로 떼어내지 못하고 조각이 난 경우 가능한 한 조직을 재구성하여 절제변연부를 알 수 있게끔 한다. 판에 박은 조직은 바로 10% 중성 포르말린에 담가 고정한다. 고정된 조직은 판에서 떼내기 전 및 후의 사진을 찍고 육안적으로 내시경절제점막조직 전체의 크기, 병변의 형태, 크기 등을 기술한다. 측부와 심부 절제변연을 위치에 따라 다른 색깔의 잉크를 칠해 현미경검사를 할 때도 위치를 확인할 수 있도록 한다. 절제 조직은 2 mm 간격으로 연속 절단하는데, 자르는 방향은 가장 가까운 변연부와 병변이 한 절편에 들어가게끔 방향을 정하여 평행하게 자른다(그림 24-4 B).

2) 내시경절제조직의 병리진단

내시경절제술은 치료적 시술로서 완치의 중요 변수는 완전한 절제와 림프절 전이의 가능성이다. 위암종의 완전절제에 대한 평가는 다음과 같은 조건이 병리학적으로 확인된 경우이다. ① 점막내 암종, ② 중등도 이상의 분화를 보이는 샘암종이며 크기가 3 cm 이하, ③ 조직학적으로 궤양의 증거가 없음, ④ 림프관/혈관 침습 증거가 없음, ⑤ 절제연에 종양 침범이 없음 등이다.

현미경 관찰을 하여 최종 병리결과지에는 종양의 위

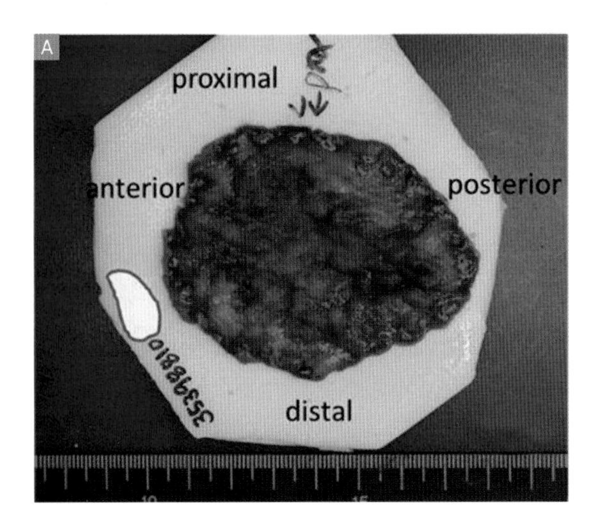

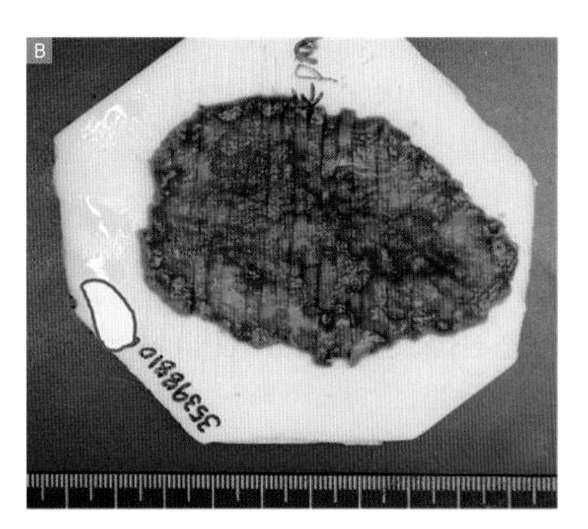

그림 24-4 A. 내시경점막하절제술로 제거된 후 스티로폼에 핀으로 고정하고 방향을 표기한 위암검체.
B. 2 mm 간격으로 연속 절단된 후의 검체 사진.

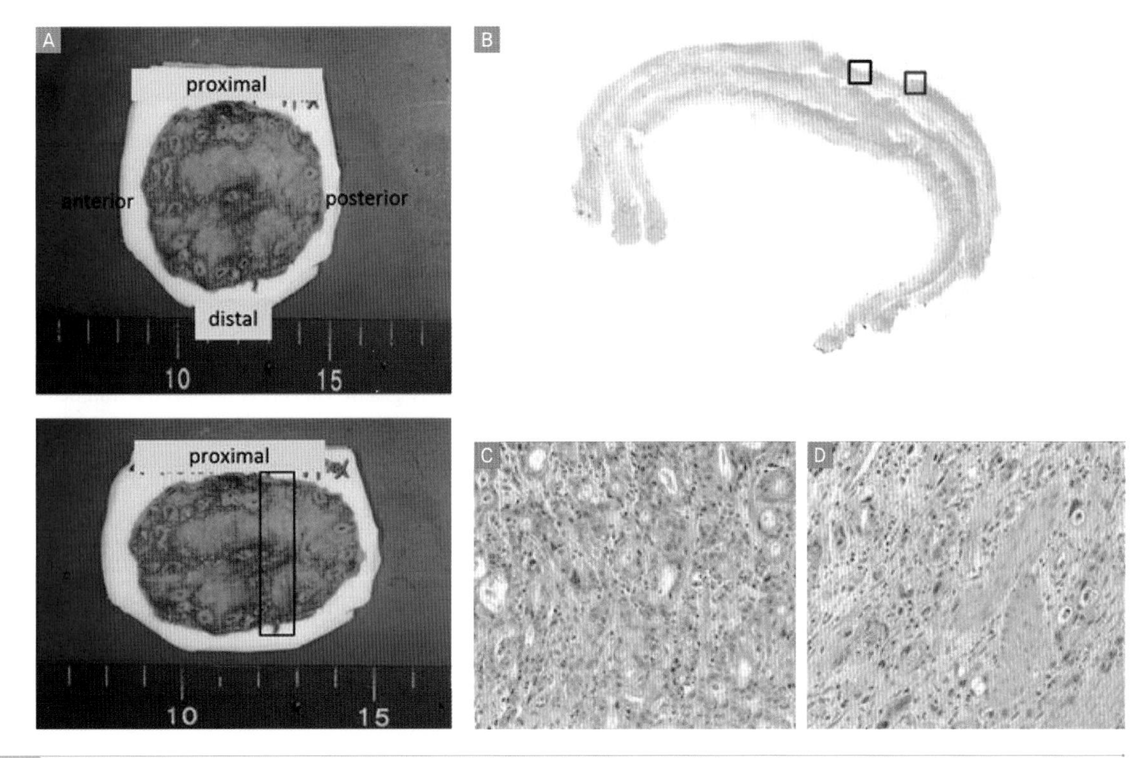

그림 24-5 A. 내시경점막하절제술로 제거된 위암검체로 가운데에 궤양이 관찰되며(상), 2 mm 간격으로 자른 후의 검체 사진(하).
B. 포르말린 고정 후 파라핀 포매 후 박절하여 HE 염색된 슬라이드.
C. 현미경적 소견으로 점막에 존재하는 분화형 샘암종.
D. 점막하에 관찰되는 미분화형 암종세포들이 섬유화를 동반하며 관찰된다.

치, 육안형태, 크기, 조직학적 진단 및 분화의 정도(유두상암종이나 미분화암이 혼재하는 경우 이 조직유형의 구성 백분율 기재), 침윤 깊이(점막하 침윤이 있는 경우 점막근판의 최하단으로부터 측정; 점막근판이 소실된 경우에는 양 옆의 근섬유 하단에 가상의 선을 그어 그 선으로부터 측정; 500 μm 미만인 경우 SM1, 그 이상인 경우 SM2로 구분 가능), 궤양의 유무(심한 섬유화가 최소한 점막하까지 확대되어야 하며, 이때 궤양위에서 암종세포의 수는 매우 적거나 없음; 생검 시 발생한 작은 섬유화나 점막에 국한된 얕은 궤양은 제외), 측부 및 심부 변연부의 종양 침범 유무 및 절제연과의 거리, 림프관 및 혈관 침습 유무(D2-40, CD31, CD34 등의 면역조직화학염색의 도움을 받을 수 있음) 등을 기술한다(그림 24-5). 절제연에 종양 침범이 있을 경우 등에는 병리검사를 통해 확인된 병변의 범위를 매핑지에 그려 결과 보고에 첨부할 수 있다.

참고문헌

1. 김재준. EMR/ESD의 역사 및 국내의 현황. 서울: 대한소화기내시경학회 편. 소화관종양 내시경치료술의 실제. 서울: 대한의학서적 2009:28-39.
2. 전성우. 고전적인 EMR. 서울: 대한소화기내시경학회 편. 소화관종양 내시경치료술의 실제. 서울: 대한의학서적 2009:249-267.
3. 정훈용. 식도 ESD의 요령. 서울: 대한소화기내시경학회 편. 소화관종양 내시경치료술의 실제. 서울: 대한의학서적 2009:360-379.
4. 조진웅. 천공 및 기타 합병증. 서울: 대한소화기내시경학회 편. 소화관 종양 내시경치료술의 실제. 서울: 대한의학서적 2009:444-470.
5. 최기돈. EMR/ESD시술의Clinical pathway. 서울: 대한소화기내시경학회 편. 소화관종양 내시경치료술의 실제. 서울: 대한의학서적 2009:546-553.
6. Ahn JY, Choi KD, Choi JY, et al. Procedure time of endoscopic submucosal dissection according to the size and location of early gastric cancer: analysis of 916 dissections performed by 4 experts. Gastrointest Endosc 2011;73:911-916.
7. Ahn JY, Jung HY, Choi KD, et al. Endoscopic and oncologic outcomes after endoscopic resection for early gastric cancer: 1370 cases of absolute and extended indications. Gastrointest Endosc 2011;74:485-493.
8. Ahn JY, Park HJ, Park YS, et al. Endoscopic resection for undifferentiated-type early gastric cancer: Immediate endoscopic outcomes and long-term survivals. Dig Dis Sci 2016;61:1158-1164.
9. Bang CS, Baik GH, Shin IS, et al. Endoscopic submucosal dissection for early gastric cancer with undifferentiated-type histology: A meta-analysis. World J Gastroenterol 2015;21:6032-6043.
10. Choi IJ, Lee NR, Kim SG, et al. Short-term outcomes of endoscopic submucosal dissection in patients with early gastric cancer: A prospective multicenter cohort study. Gut Liver 2016;10:739-748.
11. Choi JM, Kim SG, Im JP, Kim JS, Jung HC. Long-term clinical outcomes of endoscopic resection for early gastric cancer. Surg Endosc 2015;29:1223-1230.
12. Choi KS, Jung HY, Choi KD, et al. EMR versus gastrectomy for intramucosal gastric cancer: comparison of long-term outcomes. Gastrointest Endosc 2011;73:942-948.
13. Choi KS, Jung HY, Choi KD, et al. Endoscopic submucosal dissection for gastric tumors: complete resection rate, resection time and complication in comparison with endoscopic mucosal resection after circumferential mucosal incision with a needle knife.

Korean J Gastrointest Endosc 2006;33:326-332.
14. Chung IK, Lee JH, Lee SH, et al. Therapeutic outcomes in 1000 cases of endoscopic submucosal dissection for early gastric neoplasms: Korean ESD Study Group multicenter study. Gastrointest Endosc 2009;69:1228-1235.
15. Chung JW, Jung HY, Choi KD, et al. Extended indication of endoscopic resection for mucosal early gastric cancer: analysis of a single center experience. J Gastroenterol Hepatol 2011;26:884-887.
16. Gong EJ, Kim DH, Ahn JY, et al. Comparison of long-term outcomes of endoscopic submucosal dissection and surgery for esophagogastric junction adenocarcinoma. Gastric Cancer 2017;20:84-91.
17. Gong EJ, Kim DH, Jung HY, et al. Pneumonia after endoscopic resection for gastric neoplasm. Dig Dis Sci 2014;59:2742-2748.
18. Gotoda T, Jung HY. Endoscopic resection (endoscopic mucosal resection/ endoscopic submucosal dissection) for early gastric cancer. Dig Endosc 2013;25:55-63.
19. Gotoda T, Yamamoto H, Soetikno RM. Endoscopic submucosal dissection of early gastric cancer. J Gastroenterol 2006;41:929-942.
20. Gotoda T, Yanagisawa A, Sasako M, et al. Incidence of lymph node metastasis from early gastric cancer: estimation with a large number of cases at two large centers. Gastric Cancer 2000;3:219-225.
21. Gotoda T. Endoscopic resection of early gastric cancer. The Japanese perspective. Curr Opin Gastroenterol 2006;22:561-569.
22. Hahn KY, Park JC, Lee YC, et al. Comparative study between endoscopic submucosal dissection and surgery in patients with early gastric cancer. Surg Endosc 2018;32:73-86.
23. Hatta W, Gotoda T, Oyama T, et al. A scoring system to stratify curability after endoscopic submucosal dissection for early gastric cancer: "eCura system". Am J Gastroenterol 2017;112:874-881.
24. Hawes RH, Fockens P. How to perform EUS in the stomach. In: Hawes RH, Fockens P, eds. Endosonography. Philadelphia: Saunders, 2006:97.
25. Inoue H, Takeshita K, Hori H, et al. Endoscopic mucosal resection with a cap-fitted panendoscope for esophagus, stomach, and colon mucosal lesions. Gastrointest Endosc 1993;39:58-62.
26. Isomoto H, Shikuwa S, Yamaguchi N, et al. Endoscopic submucosal dissection for early gastric cancer: a large-scale feasibility study. Gut 2009;58:331-336.
27. Japanese Gastric Cancer Association. Japanese gastric cancer treatment guidelines 2010 (ver. 3). Gastric Cancer 2011;14:113-123.
28. Jung HY, Choi KD, Song HJ, et al. Risk management in endoscopic submucosal dissection using needle knife in Korea. Dig Endosc 2007;19:5-8.
29. Jung HY. Endoscopic resection for early gastric cancer: current status in Korea. Dig Endosc 2012;24:159-165.
30. Kang HJ, Kim DH, Jeon TY, et al. Lymph node metastasis from intestinal-type early gastric cancer: experience in a single institution and reassessment of the extended criteria for endoscopic submucosal dissection. Gastrointest Endosc 2010;72:508-515.
31. Kang HY, Kim SG, Kim JS, Jung HC, Song IS. Clinical outcomes of endoscopic submucosal dissection for undifferentiated early gastric cancer. Surg Endosc 2010;24:509-516.
32. Kantsevoy SV, Adler DG, Conway JD, et al. Endoscopic mucosal resection and endoscopic submucosal dissection. Gastrointest Endosc 2008;68:11-18
33. Kida M. EUS in Gastric Cancer. In: Hawes RH, Fockens P, eds. Endosonography. Philadelphia: Saunders, 2006:111.
34. Kim GH, Jee SR, Jang JY, et al. Korean ESD Study Group. Stricture occurring after endoscopic submucosal dissection for esophageal and gastric tumors. Clin Endosc 2014;47:516-522.
35. Kim JJ, Lee JH, Jung HY, et al. EMR for early gastric cancer in Korea: a multicenter retrospective study.

Gastrointest Endosc 2007;66:693-700.
36. Kim KM, Park CK. Pathology of endoscopic submucosal dissection; how do we interpret? Korean J Gastroenterol 2010;56:214-219.
37. Kim SG, Park CM, Lee NR, et al. Long-term clinical outcomes of endoscopic submucosal dissection in patients with early gastric cancer: a prospective multicenter cohort study. Gut Liver 2018;12:402-410.
38. Kim TS, Min BH, Kim KM, Lee JH, Rhee PL, Kim JJ. Endoscopic submucosal dissection for papillary adenocarcinoma of the stomach: low curative resection rate but favorable long-term outcomes after curative resection. Gastric Cancer 2018 https: //doi.org/10.1007/s10120-018-0857-3.
39. Kojima T, Parra-Blanco A, Takahashi H, et al. Outcome of endoscopic mucosal resection for early gastric cancer. review of the Japanese literature. Gastrointest Endosc 1998;48:550-554.
40. Larghi A, Waxman I. State of the art on endoscopic mucosal resection and endoscopic submucosal dissection. Gastrointest Endosc Clin N Am 2007;17:441-469.
41. Lee H, Yun WK, Min BH, et al. A feasibility study on the expanded indication for endoscopic submucosal dissection of early gastric cancer. Surg Endosc 2011;25:1985-1993.
42. Lee JH, Kim JG, Jung HK, et al. Synopsis on clinical practice guideline of gastric cancer in Korea: an evidence-based approach. Korean J Gastroenterol 2014;63:66-81.
43. Lee S, Choi KD, Han M, et al. Long-term outcomes of endoscopic submucosal dissection versus surgery in early gastric cancer meeting expanded indication including undifferentiated-type tumors: a criteria-based analysis. Gastric Cancer 2018;21:490-499.
44. Lee S, Choi KD, Hong SM, et al. Parttern of extragastric recurrence and the role of abdominal computed tomography in surveillance after endoscopic resection of early gastric cancer: Korean experience. Gastric Cancer 2017;20:843-852.
45. Min BH, Kim ER, Kim KM, et al. Surveillance strategy based on the incidence and patterns of recurrence after curative endoscopic submucosal dissection for early gastric cancer. Endoscopy 2015;47:784-793.
46. Min BH, Kim KM, Park CK, et al. Outcomes of endoscopic submucosal dissection for differentiated-type early gastric cancer with histological heterogeneity. Gastric Cancer 2015;18:618-626.
47. Miyata M, Yokoyama Y, Okoyama N, et al. What are the appropriate indications for endoscopic mucosal resection for early gastric cancer? Analysis of 256 endoscopically resected lesions. Endoscopy 2000;32:773-778.
48. Nagano H, Ohyama S, Fukunaga T, et al. Two rare cases of node-positive differentiated gastric cancer despite their infiltration to sm1, their small size, and lack of lymphatic invasion into the submucosal layer. Gastric Cancer 2008;11:53-57.
49. Noda M, Kodama T, Atsumi M, et al. Possibilities and limitations of endoscopic resection for early gastric cancer. Endoscopy 1997;29:361-365.
50. Oh TH, Jung HY, Choi KD, et al. Degree of ulcer healing and healing-associated factors of endoscopic submucosal dissection-induced ulcers after pantoprazole therapy for 4 weeks. Dig Dis Sci 2009;54:1494-1499.
51. Ono H, Kondo H, Gotoda T, et al. Endoscopic mucosal resection for treatment of early gastric cancer. Gut 2001;48:225-229.
52. Ono H, Yao K, Fujishiro M, Oda I, Nimura S, Yahagi N, et al. Guidelines for endoscopic submucosal dissection and endoscopic mucosal resection for early gastric cancer. Dig Endosc 2016;28:3-15.
53. Ono H. Early gastric cancer: diagnosis, pathology, treatment techniques and treatment outcomes. Eur J Gastroenterol Hepatol 2006;18:863-866.
54. Park JC, Lee YK, Kim SY, et al. Long-term outcomes of endoscopic submucosal dissection in comparison

to surgery in undifferentiated-type intramucosal early gastric cancer patients. Surg Endosc 2018;32:1963-1970.

55. Park SE, Kim DH, Jung HY, et al. Risk factors and correlations of immediate, early delayed, and late delayed bleeding associated with endoscopic resection for gastric neoplasms. Surg Endosc 2016;30:625-632.
56. Sanomura Y, Oka S, Tanaka S, et al. Clinical validity of endoscopic submucosal dissection for submucosal invasive gastric cancer: a single-center study. Gastric Cancer 2012;15:97-105.
57. Sekiguchi M, Kushima R, Oda I, Suzuki H, Taniguchi H, Sekine S, et al. Clinical significance of a papillary adenocarcinoma component in early gastric cancer: a single-center retrospective analysis of 628 surgically resected early gastric cancers. J Gastroenterol 2015;50:424-434.
58. Soetikno R, Kaltenbach T, Yeh R, et al, Endoscopic mucosal resection for early cancers of the upper gastrointestinal tract. J Clin Oncol 2005;23:4490-4498.
59. Suzuki H. Endoscopic mucosal resection using ligating device for early gastric cancer. Gastrointest Endosc Clin N Am 2001;11:511-518.
60. Tada M, Murakami A, Karita M, et al. Endoscopic resection of early gastric cancer. Endoscopy 1993;25:445-450.
61. Tanabe S, Ishido K, Matsumoto T, et al. Long-term outcomes of endoscopic submucosal dissection for early gastric cancer: a multicenter collaboratory study. Gastric Cancer 2017;20:45-52.
62. Yang HJ, Kim SG, Lim JH, et al. Surveillance strategy according to age after endoscopic resection of early gastric cancer. Surg Endoosc 2018;32:846-854.

CHAPTER 25

위암의 근치적 절제술

1. 수술 전 처치

수술법과 마취법 등이 발달하면서 합병증 발생률과 사망률이 감소했지만, 수술 전에 세심하게 평가해 교정이 가능한 부분은 수술 전에 교정하여 수술 후 결과를 향상시키고, 수술로 인한 합병증이 발생할 위험도를 예측하여 대비한다. 최근 고령화로 인한 환자 연령의 증가 및 전국민암검진사업에 따른 조기위암의 발견이 증가하였으며 더불어 복강경수술 적용의 확대로 이어지고 있다. 따라서, 이러한 변화를 참고하여 위암 수술의 수술 전 처치를 준비해야 한다.

표 25-1. **전신상태의 평가를 위한 수술 전 검사**

병력청취 및 이학적 검사
말초혈액검사(전혈구수치 등)
일반화학검사(간기능검사, 전해질검사 등을 포함)
단순흉부촬영
심전도
소변검사
혈액응고검사
혈액형검사
간염검사, HIV검사 등
폐기능검사
동반질환에 대한 검사

1) 위암 수술 전 전신마취를 위한 평가

(1) 일반적 평가

전신상태를 검사하여 환자가 위암 수술을 받을 수 있는 상태인지 평가한다. 원칙적으로 덜 침습적인 검사부터 순차적으로 시행한다(표 25-1).

(2) 호흡기계

전신마취 수술 후 호흡기계 합병증이 가장 흔히 발생하며, 폐렴, 폐부종, 흉막삼출, 기관지경련, 무기폐, 기존 만성폐질환의 악화 등이며, 위암 수술과 같은 상복부수술일 때는 합병증 발생률이 10~40%에 이를 수 있다. 흡연은 중요한 위험인자로 수술 전에 8주 정도는 중단해야 위험도가 의미 있게 감소하며, 6개월 정도 중단하여야 비흡연자와 위험도가 비슷해진다. 그러나 흡연을 일찍 중단할수록 합병증이 감소한다는 보고가 많으므로 최대한 일찍 금연을 시작하는 것이 좋다. 고령 자체는 위험도가 높지 않지만 전신상태가 저하될수록 위험도가 증가한다. 비만도 강하지는 않지만 위험인자이다. 폐질환이 동반된 경우에는 위험도가 높기 때문에 호전될 수 있는 폐질환이 있을 때는 기능을 향상시킨 후에 수술을 한다. 만성폐쇄성폐질환이 있는 환자에게 기관지 감염 또는 폐렴이 있으면 기관지확장제, 스테로이드, 항생제를 투여해 증상을 치료한다. 천식 환자에게는 스테로이드 요법이나 기관지확장제를 사용할 수 있다. 쌕쌕거림(wheezing)을 없애고 최대 기류가 예상치의 80% 이상이 되도록 조절한다. 상기도 감염은 명확한 위험인자로 확인되지는 않으나 통상적으로 증상이 없어진 후에 수술한다(표 25-2).

호흡기계의 위험인자는 수술 전에 병력을 자세히 청취하고 이학적 검사로 대부분 확인할 수 있다. 폐기능은 흉부 단순촬영, 폐기능검사, 동맥혈가스분석 등을 통해 검사하며, 흉부 단순촬영은 호흡기 증상과 항상 일치하지는 않지만 기본적인 호흡기계검사 중 하나이다. 폐기능검사에서 1초간 노력성 호기량(FEV1)과 노력성 폐활량(FVC)이 예상치의 70% 미만이거나 FEVl/FVC비가 65% 미만일 때 또는 동맥혈산소분압이 50 mmHg 미만이거나 동맥혈이산화탄소분압이 45 mmHg를 초과할 때 수술 후 호흡기 합병증이 증가한다는 보고도 있다. 수술 후에 심호흡 및 기침 연습을 하고 폐활량계(spirometer) 훈련을 통해 폐를 확장시키면 폐 용적을 늘려 폐허탈을 감소시키고 호흡기 합병증을 절반까지 줄인다는 보고도 있다. 수술 전에 미리 교육하고 훈련하면 효과는 더욱 증대된다(표 25-3).

(3) 순환기계

모든 수술에서 순환기계 검사가 필요하지는 않지만 복부수술은 심근경색 및 심인성 사망과 같은 순환기계 합병증 발생에서 중등도의 위험도(1~5%)가 있는 것으로 보고되어 있으므로 적절한 주의와 처치가 필요하다. 따라서, 위암 수술 전에 먼저 환자의 병력을 청취하고 운동능력평가를 포함한 이학적 검사, 심전도 검사를 실시하여 순환기계 합병증의 위험인자가 있는지 확인한다(표 25-4).

심장위험지수는 심장 이외의 정규 수술을 하는 안정된 환자에게 적용하여 이를 이용하면 심장 합병증의 위험성을 예측할 수 있다(표 25-5).

위험인자가 발견되면 심장초음파, 심장부하검사, 심혈관조영술 등의 추가 검사를 통해 치료방침을 결정한다. 예정된 수술의 위험도에 따라 검사 수위가 결정되는데, 위암 수술과 같은 복부수술은 위험도가 중등도이므로 순환기 질환에 대해 자세히 검사해야 한다. 심장질환이 발견되면 현재의 심장상태와 예정된 수술의 중요성을 비교하여 치료방법을 선택한다. 수술 전후 순환기 질환의 위험인자 중 대위험군에 속할 경우에는 수술을 연기 또는 취소하고 심장질환을 집중적으로 치료해야 한다. 심근경색 환자의 경우 심장부하검사에서 허혈의 증거가 없다면 심장 이외의 수술 후에 다시 심근경색이 발생할 가능성은 적다. 그러나 일반적으로 최근에 심근경색이 있었다면 최소한 발병 후 4~6주간 수술을 연기할 것을 추천한다.

표 25-2. **상복부수술 후 호흡기 합병증의 환자 관련 위험인자**

위험인자	위험도
흡연	1.4 - 4.3
ASA* class > II	1.5 - 3.2
연령 > 70	0.9 - 1.9
비만	0.8 - 1.7
만성폐쇄성폐질환	4.7

*ASA: American Society of Anesthesiology

표 25-3. **호흡기계 합병증의 위험도를 줄이기 위한 수술 전 계획**

금연(최대한 일찍)
COPD 또는 천식 치료, 호흡기계 감염 치료
호흡기능훈련(심호흡 및 폐활량계 훈련)

표 25-4. **순환기 질환 환자에서 수술 전후 위험성의 예측인자**

대위험군
불안정형 관상동맥증후군 최근의 심근경색(발병 후 7~30일) 불안정형 또는 심한 협심증(Canadian class III or IV)
조절되지 않은 심부전증
중요한 부정맥 고도 방실차단 심장병 환자에서 증상이 있는 심실성부정맥 심박동수가 조절되지 않은 심실상성부정맥
심한 판막질환 심한 대동맥판협착증 증상이 있는 승모판협착증
중위험군
심근경색증의 병력
심부전증의 병력
뇌졸중의 병력
당뇨병
만성신부전(혈청 크레아티닌 > 2.0 mg/dL)
소위험군
고령(70세 이상)
비정상 심전도(좌심실 비대, 좌각 차단, ST-T 이상)
부정맥(심방세동)
운동 능력의 저하(한 층을 올라가기 힘듦)
조절되지 않는 고혈압

(ACC/AHA 2007 Guidelines, 2007)

표 25-5. **심장 이외 수술에 대한 개정된 심장위험지수**

임상지표		점수
고위험 수술(복부수술, 흉부수술, 또는 복부동맥류)		1
허혈성 심장질환의 병력 또는 증상		1
심부전의 병력 또는 증상		1
뇌혈관 질환의 병력		1
당뇨병의 인슐린치료		1
수술 전 혈청 크레아티닌 > 2.0 mg/dL		1
위험점수의 해석		
위험등급	점수	주요 심장 합병증의 위험도(%)
I. 매우 낮은 정도	0	0.4
II. 낮은 정도	1	0.9
III. 중간 정도	2	7.0
IV. 높은 정도	3+	11.0

(4) 신장기능

신장기능이 정상인 환자에서도 수술 후 신장 합병증이 발생할 수 있으며, 이상 소견이 있는 경우 환자 상태를 적절히 조절하여 합병증과 사망의 위험을 줄여야 한다. 신장기능 저하는 대개 증상이 없으나, 성인의 약 5%가 신장기능이 저하되어 있다. 신장기능 저하는 수술 전후 심장 합병증, 호흡기 합병증의 중요 예측인자이다.

결과적으로 대수술을 할 때는 병력청취, 이학적 검사를 비롯해 신장기능검사를 해야 하며 주로 BUN, 크레아티닌, 요량, 요비중, 크레아티닌 청소율(Ccr, GFR) 등을 검사한다. 만성신장질환의 경우(GFR<60 mL/min/1.73 m^2가 3개월이상 지속) 또는 GFR<30 mL/min/1.73 m^2일 경우에는 검사와 치료를 추가하며, 단백뇨, 혈뇨가 있을 때에도 검사를 추가한다.

수술 후 급성신부전은 사망률이 50~90%까지 보고될 정도로 심각한 질환으로 원인으로는 기존의 신장기능 저하가 가장 중요하고 신장전 원인으로 탈수, 저혈압, 심부전, 신장내 원인으로 신독성 약물, 미오글로빈(myoglobin) 그리고 신장후 원인으로 요로폐쇄(요석, 요로손상) 등이 있다. 고령(>70세), 당뇨병, 황달 등도 원인으로 보고되고 있다. 만성신부전 환자일 때는 영양상태, 빈혈, 출혈 위험성 등을 확인하고 수술 전에 교정한다(표 25-6).

(5) 간기능

간은 우리 몸 대부분의 대사기능과 합성기능을 수행하여 수술 전후에 사용하는 약물의 대사, 수술 중의 지

표 25-6. **수술 후 급성신부전을 줄이기 위한 방법**

탈수방지(적절한 수액요법으로 중심정맥압 > 10 cm, 소변량 > 0.5 mL/kg/hr
심장기능 장애 환자에서 폐동맥쐐기압 감시 (10~12 mmHg)
저혈압 교정(적절한 수액요법과 혈압상승제로 평균동맥압 > 80 mmHg)
염증 방지 및 치료(감염, 패혈증 등)
신독성 약물 사용 주의(항생제, 진통제 등)

혈, 수술 후의 상처치유 등에 필수적인 기능을 한다. 복부수술 중 상복부수술은 다른 부위의 수술보다 간혈류량을 더 많이 감소시켜 간문맥이나 간동맥을 통한 간혈류량이 감소하면서 허혈성 간손상을 유발하고 간부전증으로 진행한다. 또한 약물대사, 지혈작용 등의 기능이 감소해 수술 중 또는 수술 후 합병증이 증가한다. 따라서 자세한 병력 청취와 이학적 검사로 간질환의 존재를 확인하는 일이 중요하다.

생화학적 검사는 건강해 보이는 환자에게는 기본적인 수술 전 검사로 권장되지 않으나 합병증의 가능성이 높은 복부수술을 할 때는 증상이 없는 간질환의 감별에 도움이 될 수 있다. 이상이 발견되면 정규수술을 연기하고 정밀검사를 한다. 급성간염 환자의 수술 사망률은 10% 이상으로 급성 염증이 치유될 때까지(간효소치가 정상의 2배 이하로 감소 또는 간생검으로 진단) 정규수술을 연기할 것을 권장한다. 만성간염의 경우 임상적, 생화학적, 조직학적 정도에 따라 수술의 위험도가 달라진다. 증상이 조절되지 않는 환자(문맥압항진증, 합성능이나 배설능의 장애)에서는 수술로 인한 위험도가 증가한다. 지방간 역시 수술의 금기는 아니지만 수술에 따른 위험도를 증가시킬 수 있다. 간경변이 있는 환자는 수술 후 4~16%에서 수술 후 합병증으로 사망한다. 간경변 환자에서의 수술적 위험성을 예측하는 지표로는 Child-Turcotte-Pugh 점수(표 25-7)와 Model for End-stage Liver Disease (MELD) 점수(표 25-8)가 있다. Child-Turcotte-Pugh's class C 또는 MELD 점수가 15점을 넘으면 수술 이외의 다른 치료를 고려하고, 10점 미만으로 호전시켜 수술하는 것이 수술 전후 사망률을 줄일 수 있다.

표 25-7. **Child-Turcotte-Pugh 점수**

지표	점수		
	1	2	3
총빌리루빈(mg/dL)	< 2.0	2.0~3.0	> 3.0
혈청알부민(g/dL)	> 3.5	2.8~3.5	< 2.8
프로트롬빈시간지연(INR)	< 4초(< 1.7)	4~6초(1.7~2.2)	> 6초(> 2.2)
복수	없음	경미	중등도
뇌증	없음.	1~2등급(약으로 조절)	3~4등급(조절 안 됨)

Class A: 5~6점, B: 7~9점, C: 10~15점

표 25-8. **Model for End-stage Liver Disease 점수**

MELD = 9.6 x $\log_e$(creatinine mg/dL) + 3.8 x $\log_e$(bilirubin mg/dL) + 11.2 x $\log_e$(INR) + 6.4 x (etiology: 0 if cholestatic or alcoholic, 1 otherwise)

(6) 내분비기능

당뇨, 부신기능부전, 갑상선기능항진증, 또는 갑상선기능저하증 등의 내분비계 질환의 환자는 수술 중 부가적인 생리적 부담(physiologic stress)을 가지게 된다. 수술에 적절한 상태를 만들기 위해서는 수술 전 평가를 통해 내분기계 기능이상의 종류와 정도를 파악하는 것이 우선이 되어야 한다.

① **당뇨**

당뇨병 환자들은 혈관질환 및 신경질환이 진행되어 만성 합병증으로 관상동맥질환, 뇌혈관장애, 신장기능장애, 자율신경장애가 동반되는 경우가 많으므로 수술 전에 혈당의 조절 정도와 방법 그리고 합병증에 대하여 평가한다.

당뇨병 환자의 경우 수술 후에 글루카곤, 카테콜아민, 코르티솔, 성장호르몬 등의 분비가 증가하고 인슐린 분비 감소 및 인슐린 작용 감소로 혈당이 증가한다. 비만, 패혈증, 스테로이드, 최근의 케토산증(keioacidosis) 등도 수술 전후 인슐린 요구량을 증가시킨다. 당뇨병 환자는 수술 후 폐렴, 수술 부위 감염 등의 발생빈도가 증가하며, 혈당이 높으면 수분이 소실되고 고삼투압 상태가 되어 상처치유가 지연된다.

당뇨병 환자의 수술 전후 처치의 목적은 저혈당과 고혈당, 케토산증 같은 대사장애를 예방하는 것으로 포도당과 인슐린을 적절히 투여하고 전해질을 교정한다. 위암 수술의 경우에는 일반적으로 경구 혈당강하제를 중단하고 인슐린으로 혈당을 조절한다. 대부분의 제제는 수술 24시간 전(수술 전날 아침까지 복용)에 중단하는데, chlorpropamide 같은 장기작용 제제는 수술 48시간 전에 중단한다. 지속성 인슐린도 수술하기 1~2일 전에 중단한다. 보편적으로 수술 전후에는 인슐린 피하주사방법보다 지속적 인슐린정주법(continuous insulin infusion)으로 혈당을 조절한다. 이때, 목표 혈당은 120~180 mg/dL로 200 mg/dL가 넘지 않도록 한다. 정주속도는 매 시간마다 혈당을 측정하면서 조절한다. 혈당이 안정되면 두 시간마다 측정한다. 제1형 당뇨병 환자에서는 인슐린을 0.5~1 unit/h의 속도로 시작하고 제2형 당뇨병 환자에서는 2~3 unit/h 이상의 속도로 시작한다. 환자가 금식하는 동안에는 하루에 100~200g 정도의 포도당을 공급하며 고형식을 할 때까지는 포타슘을 10~20 mEq/L로 투여하는 방법을 추천한다. Glucose-insulin-potassium (GIK)법은 세 가지가 한 용액 안에 모두 들어 있어 처방이 바뀔 때마다 다시 혼합해야 하지만 일단 혈당이 안정되면 간단하게 유지할 수 있다. 위암 수술 후 환자가 유동식을 먹게 되면, 인슐린 피하주사로 혈당을 조절하기가 쉽지 않으므로 고형식을 먹을 때까지 인슐린 정주법을 계속한다. 인슐린을 피하주사하고 1~2시간 후에 정주를 중단한다. 인슐린 슬라이딩 스케일 방법은 복부수술 중에는 적절하지 못하며 수술 후 또는 소수술 시에 사용한다. 그러나 이 방법을 사용하게 되면, 고혈당과 저혈당의 기복이 심하고, 제1형 당뇨병 환자에서는 케토산증을 일으킬 수 있으므로 주의한다.

② **갑상선 기능 이상**

갑상선 질환이 있는 환자는 수술 전에 갑상선기능검사를 통해 평가하여야 하고, 갑상선자극호르몬(thyroid-stimulating hormone, TSH) 수치가 측정되어야 한다. TSH 수치를 통해 갑상선기능항진증이 수술 전에 진단되면, 정상 갑상선기능(euthyroid) 상태가 될 때까지 수술은 연기된다. 이런 환자들의 경우 전해질 수치 측정과 심전도가 수술 전 평가의 일부로서 포함되어야 한다. 또한 이학적 검사에서 고이터(goiter)가 커짐으로 인해 기도를 압박하는 징후가 보이면 추가적인 영상 검사가 필요하다.

갑상선기능항진증 환자가 propylthiouracil이나 methimazole 같은 항갑상선 약물을 복용하고 있는 경우 위암 수술 당일에도 약을 유지하며, Beta차단제나 디곡신(digoxin)도 평상시의 용량을 유지하여야 한다. Thyroid storm의 위험이 있는 thyrotoxic한 환자에게 응급수술이 필요한 경우 아드레너직 차단제(adrenergic blocker)와 글루코코르티코이드(glucocorticoid)의 병합 투여가 필요할 수 있다. 이런 약물의 투여는 내분비내과 전문의와 상의하에 진행되어야 한다.

위암 수술 전 갑상선기능저하증으로 진단된 환자는 비록 마취약제 등의 약물에 민감하게 반응할 수 있지만, 특별한 수술 전 치료가 요구되지 않는다. 심각한 갑상선기능저하증의 경우 심근기능부전, 응고이상, 전해질불균형, 저혈당 등의 상황에 직면할 수 있으므로 정규 수술이 예정되어 있다면 미리 교정할 필요가 있다. 또한 정상적으로 시행된 수술 후에도 회복이 되지 않는 환자가 있다면 이 때에도 갑상선기능저하증의 가능성을 고려해야 한다.

③ 부신 기능 이상

스테로이드 복용력이 있는 환자는 수술 전후의 스트레스(stress)에 대하여 비정상적인 부신 반응이 예상되므로 이에 대한 보조가 필요하다. 지난 1년 내에 5 mg/day 이상의 프레드니손(prednisone)을 3주 이상 복용했던 환자는 위암 수술을 비롯한 대수술 중 위험한 상황에 직면할 수 있다. 저용량의 스테로이드를 사용했던 경우에는, 부신기능저하의 가능성이 높지 않다.

중등 기간 또는 장기간 스테로이드 사용으로 인한 부신기능저하의 가능성이 있는 환자는 아드레노코르티코트로픽 호르몬(adrenocorticotropic hormone)에 대한 시상하부-뇌하수체 반응의 적절성을 평가 받아야 한다. 저용량(1 ㎍) 아드레노코르티코트로픽 호르몬 자극 시험은 부신 자극에 대한 비정상적인 반응을 도출할 수 있고, 수술 전후 스테로이드 보조의 필요성을 제시해 줄 수 있다. 최근의 권고안에서는 수술의 부담 정도에 대한 글루코코르티코이드 보조 투여의 용량을 제시하고 있다. 위암 수술의 경우, 하이드로코르티손(hydrocortisone)을 100 mg 초회 투여한 후 2~3일 동안 150 mg/day로 유지하여야 한다. 수술 전후에 시상하부-뇌하수체-부신 축의 이상은 설명되지 않는 저혈압을 초래할 수 있다.

크롬친화세포종(pheochromocytoma)의 경우 수술 중 심혈관 부전으로 이어질 수 있는 혈압상승 위기나 혈압저하를 예방하기 위하여 수술 전 약물 투여가 필요하다. 크롬친화세포종에 의한 카테콜아민(catecholamine) 과다 상태는 α 아드레너직 차단과 β 아드레너직 차단을 병합함으로써 조절할 수 있다. α 차단에 의한 적절한 치료효과를 얻기 위해서는 1~2주간의 투여가 요구된다. 이 치료는 페녹시벤자민(phenoxybenzamine) 같은 비선택적 약제나, 프라조신(prazosin) 같은 선택적 α1 아드레너직 약제를 통해 이뤄진다. 일반적으로, α 차단은 임상적으로 뚜렷하지 않은 혈량부족을 해결하지는 않는다. 그리고 고혈압 조절을 위해 염분 제한 식이를 해온 환자들에서 염분 제한 해제는 혈량을 보충하는 효과를 이끌어낼 수 있다. β 차단은 α 아드레너직 약제가 시작되고 며칠 후에 시작되며, 비선택적 α 차단에 수반되는 빈맥을 억제하고, 부정맥을 조절하는 효과가 있다. 이와 같은 약물치료를 통해 혈압조절이 이루어지면, 크롬친화세포종 환자에서 위암 수술을 진행할 수 있다.

2) 위암 수술 전 고려사항

(1) 고령

고령에 발생하는 외과적 질환은 젊은 성인에서와 달리 질환의 양상이나 증상, 그리고 자연사도 종종 다르게 나타나므로, 이러한 차이점을 고려하여 치료방법을 선택하여야 한다. 예를 들어, 고령의 환자는 응급수술을 요하는 상황에서도 비특이적인 증상을 보임으로써 질환을 인지하는 것이 지연될 수 있다. 또한 술후 합병증이 많이 발생하고 수술의 결과가 좋지 않을 것이라는 의료인의 선입견으로 인해 계획 수술(elective surgery)이 지연됨으로써 합병증의 발생률과 사망률이 더욱 증가할 수 있다.

고령의 환자는 생리적, 정신사회적 측면에서 다르기 때문에, 위암 수술을 결정함에 있어서, 질환의 본질뿐 아니라 전반적인 건강 상태에도 초점을 맞추어야 하고, 개별적인 치료목표 및 기호도 고려하여야 한다. 따라서, 고령 환자의 위암치료에 있어서 장기화 가능성이 있는 방법이나, 삶의 질 측면에서 만족스럽지 않은 방법보다는 증상에 대한 고식적인 해결을 위해 접근하는 방법이 우선적으로 고려될 수도 있다.

고령 환자의 생리적인 노화 및 만성질환의 영향으로 인하여 수술의 위험도가 증가하기 때문에 수술의 결과에 영향을 미칠 수 있는 노화 상태에 대한 적절한 평가와 이해가 술전 검사에 있어 필수적이다. 이러한 평가항목 중 수술 전 평가에 있어 영양상태의 평가는 중요한 인자인데, 고령의 위암 환자들은 불충분한 식이 섭취 및 동반된 질환으로 인해 영양결핍의 빈도가 높다. 질환과 수술의 스트레스로 인해 발생되는 과대사 상태에서 고령 환자들은 단기간의 금식으로도 영양결핍을 초래할 수 있으므로, 적절한 영양상태의 평가와 영양공급이 필요하며 이러한 영양공급으로 술후 합병증의 감소와 창상 치유에도 도움을 줄 수 있다.

최근에는 복강경수술기법의 발전 및 누적된 경험과 더불어 통증 감소, 입원 기간 단축 및 일상 생활로의 빠른 복귀 등의 장점으로 고령 환자에 있어 최소침습수술의 빈도가 증가하고 있다. 복강경수술은 무기폐, 장마비, 창상감염 등의 수술 후 합병증을 감소시키며, 술후 통증 감소로 인해 조기 보행을 포함한 술전 기능적 상태로의 빠른 회복을 유도할 수 있기 때문에, 심부정맥혈전증 및 폐렴과 같은 합병증도 감소시킬 수 있다. 고령의 환자에 있어 이 합병증들이 치명적인 상태까지도 쉽게 진행할 수 있기 때문에 복강경위암수술은 고령의 위암 환자에 있어서 중요한 치료전략이라 할 수 있다.

(2) 영양상태의 평가

위암 환자에서 수술 전 불충분한 영양상태는 수술 후에 환자 상태의 악화로 이어진다. 환자 상태의 악화는 주로 상처치유 지연, 감염 등의 합병증 발생과 관련이 있다. 진행성 위암 환자에게 나타나는 식욕부진, 연하장애, 복부팽만감 등의 증상으로 인한 섭취 부족과 악성종양 환자에게 나타나는 악액질(cachexia)은 영양장애로 연결된다. 특히 분문부 또는 유문부에 발생하여 음식물이 통과하기 어려워지면 경구 영양공급이 불가능해져 영양 장애가 가속화된다. 그러므로, 영양상태가 매우 나쁜 위암 환자에게 수술 전 적절하게 영양을 공급해주면 수술 후 합병증의 발생률을 낮출 수 있다. 원칙적으로 경장영양을 시행하고, 음식물 통과가 불가능하거나 섭취량이 충분하지 않을 때는 경정맥 영양을 시행한다. 영양상태를 평가하는 방법에는 신체계측법(신장, 체중감소율, 피하지방, 사지직경 계측), 식사일지 평가, 면역력 평가(피부반응검사, 림프구 수), 근력 평가, 혈청 단백질 지수 측정(albumin, prealbumin, transferrin), 혈청 콜레스테롤 측정, prognostic Nutritional Index (PNI), nutrition risk index (NRI) 등이 있다.

(3) 심부정맥 혈전증 예방

위암 수술을 비롯한 대수술을 시행받을 환자에서 심부정맥 혈전증 예방을 위한 항응고 치료를 시행하는 것은 출혈의 위험을 증가시킬 수 있어 신중한 접근이 필요하다. 반면, 대수술 예정 때문에 항응고 치료를 잠시 중단하는 것 역시 혈전 및 색전의 위험을 증가시킬 수 있다. 따라서, 혈전 및 색전의 위험을 최소화하는 것과 심각한 출혈을 예방하는 것 사이의 균형을 유지함에 있어서 환자 개별적인 특성에 맞도록 임상적인 평가가 필요하며 환자마다 적절한 특정 항응고제가 고려되어야 한다.

비타민 K 길항제를 복용하는 환자들에서는 항응고 효과를 줄였다가 수술 후 다시 재활성화시키기 위해 수

일이 소요된다. 2012년에 발표된 The American College of Chest Physicians Evidence-Based Clinical Practice Guidelines에서는 여러 가지 이유로 비타민 K 길항제를 복용하는 환자들이 정규 수술을 시행받기 5일 전부터 비타민 K 길항제를 중단하라고 기술하였다. 비타민 K 길항제를 중단함으로 인해 international normalized ratio (INR)이 1.5이하의 범위로 떨어지게 되며, 2.0과 3.0사이로 유지되도록 유도한다. 출혈의 위험이 높은 술기를 시행받는 경우를 제외한 모든 환자에게 와파린(warfarin)을 수술 당일 또는 수술 다음날부터 시작할 수 있는데 이는 와파린이 치료효과를 나타내는 데 최대 5회의 투여가 필요하기 때문이다.

장기간 항응고 치료를 요하는 인공 심장판막을 가진 환자나, 심방 세동, 뇌졸중, 일시성 허혈 발작, 급성 동맥색전, 정맥혈전색전증으로 진단되어 혈전색전증의 가능성이 높은 환자들에서는 비타민 K 길항제를 중단하는 동안 가교적 항응고 치료(bridging anticoagulation)가 권장되며, 저분자량 헤파린(low-molcular-weight heparin, LMWH)을 치료 용량으로 투여하거나, 수술 전후 경정맥으로 헤파린을 주입함으로써 시행된다. 저분자량 헤파린 투여는 수술 24시간 전에 마지막으로 하고, 수술 후 48~72시간에 재개하도록 권고되고 있다. 폐색전증이나 심부정맥혈전증으로 항응고제를 2주 미만 복용했던 환자들이나, 수술 전후 출혈의 가능성이 높은 환자들은 수술 전에 하부 대정맥 필터(inferior vena cava filter)를 넣는 것이 고려된다.

아세틸살리실릭 애시드(acetylsalicylic acid, ASA)를 복용하는 중등도 또는 고위험 환자들에서 수술이 필요한 경우, 수술 전 7~10일에 ASA를 중단하는 것보다는 수술 전후로 ASA를 지속하는 것이 권고된다.

관상 동맥내 스텐트(stent)를 보유하는 환자가 수술을 요하는 경우 BMS (Bare-metal stent) 삽입한 경우는 6주 이상 수술을 연기하고, DES (Drug-eluting stent) 삽입한 경우는 6개월 이상 수술을 연기하는 것이 권고된다. 이 기간 내에 불가피하게 수술이 필요한 경우에는 수술 전후에 항혈소판 치료를 지속할 것을 강력히 권고하고 있다.

(4) 복강경수술

복강경위암수술의 수술 전 준비는 개복위암수술과 동일하며, 역시 전신마취를 위한 일반적인 검사 및 위암의 임상적 병기를 결정할 수 있는 특수검사(위내시경, 복부 전산화단층촬영 등)가 필요하다. 단, 수술 전에 복강경위암수술에 대한 자세한 설명과 수술 도중 개복위암수술로의 전환 가능성에 대한 설명이 반드시 필요하다. 현재 진행성 위암에서 복강경수술과 개복수술의 임상 결과를 비교한 다기관 전향적 연구(KLASS02 및 JCOG0912)의 장기생존결과가 아직 발표되지 않은 상황이므로 진행성 위암에서 복강경수술을 시행하기 전에 이에 대한 고지가 필요하다. 또한, 위아전절제술을 복강경수술로 재현했던 초기 형태인 복강경보조 위아전절제술(laparoscopy-assisted distal gastrectomy)에서 변형된 형태인 전복강경 위아전절제술(totally laparoscopic distal gastrectomy)은 수술 중 여러 가지 이점이 있다고 소개되었으나, 소절개창(mini-laparotomy)을 만들지 않은 상태에서 위절제 및 위장관 문합을 시행하므로 수술 중 위암 병소의 위치를 결정할 수 있는 방법에 대하여 수술 전에 충분한 고려가 필요하다. 마지막으로, 개복위암수술의 숙련자라 할지라도 복강경 시야에서의 해부학적 구조가 익숙하지 않을 수 있으므로, 복강경위암수술의 경험이 없는 외과의는 유경험자의 지도와 도움을 받아 시행하는 것이 안전하다.

또한, 복강경수술은 주요 개복수술에 따르는 염증성, 호르몬성, 대사성 스트레스를 감소시킬 수 있어 생리적 예비력이 감소되어 있는 고령 환자에 있어 적합하다. 그러나 CO_2 주입의 부작용 및 기복이 혈역동역학에 미치는 영향들에 대해서는 따로 논의되어야 한다. 그러므로, 고령 환자에 있어 최소침습수술의 결정은 그 환자의 동반질환 상태, 심혈관계 및 호흡기계의 예비력 등을 고려하여 환자 개개인에 맞추어져야 한다.

특히 복강경수술 시행 시 기복이 심장 및 폐에 미치는 영향은 CO_2 주입 및 복강내 압력의 증가에 따른 결과로서 CO_2 주입은 고이산화탄소혈증과 산혈증과 관련이 있으며, 이들은 심근의 기능을 억제시키는 것으로 알려져 있고, 고이산화탄소혈증은 만성폐쇄성폐질환과 같은 호흡기 질환이 있는 환자에서는 심각한 문제가 될 수 있다. 또한 복강내 압력이 증가하면 평균 동맥혈압 및 전신혈관 저항이 증가되며, 정맥혈의 감소로 인해 심박출량이 감소되므로 생리적 예비력이 낮은 고령 환자에 있어 심혈관계에 심각한 문제를 일으킬 수도 있다. 따라서 고령의 환자에서 복강경수술 시, 수술 중, 혹은 전후로 적절한 수액 조절을 통해 심박출량을 유지하고, 고이산화탄소혈증및 산혈증의 조절을 위한 주의 깊은 기계적 환기 조절을 해야 고령 환자에서도 복강경수술을 안전하게 시행할 수 있다. 또한 심혈관계 및 호흡기계의 질환이 동반된 경우에는 더욱 적극적인 감시가 필요하다.

(5) 위장관 준비

① 수술 전 위 및 장세척

대장의 합병절제가 예상되는 경우 장세척은 유용하며 장세척으로 장을 감압하여 수술시야를 좋게 만들고 장내 대변을 제거하여 균수를 줄일 수 있다. 항생제를 통한 장세척 방법은 1970년대에 표준화된 이래 일반적으로 사용되고 있다. 수술 전날 오후 1시, 2시, 11시에 erythromycin과 neomycin을 1 g씩 경구로 투여한다. Polyethylene glycol 용액 또는 sodium phosphate 용액으로 물리적 장세척을 시행한다. 최근에는 경구 항생제를 통한 장세척보다는 피부절개 전 1시간 안에 cefoxitin 또는 ampicillin-sulbactam을 정주하기도 한다.

위출구폐쇄 환자에게 위세척을 시행할 것 인지에 대해서는 논란의 여지가 있다. 흔히 사용하는 방법은 금식과 함께 비위관을 삽입하여 배액하고 경정맥 영양을 시행하는 것이다. 그러나, 위내용물에 고형물이 많이 포함되어 있어 비위관으로 배액하기가 쉽지 않으며, 오히려 효과는 없고 비위관 때문에 환자의 고통만 가중시킬 수 있다. 위세척관을 통한 위세척은 효과가 있지만 환자의 고통이 심하고 구역, 구토를 유발하며 식도 위 경계부에 열상(말로리 와이스 증후군; Mallory-Weiss syndrome)이 발생할 수 있으므로 주의해야 한다. 위내용물의 배액이 원활하지 않은 경우에는 개복 후에 제거할 수 있으나 복강내가 오염될 위험이 있다.

② 비위관 삽입

비위관은 수술 전후 위장관의 감압, 그리고 수술 후 출혈 감지를 위해 널리 사용되어 왔다. 비위관의 주된 목적은 복부수술 후에 발생할 수 있는 마비성 장폐색으로 인한 구역, 구토, 복부팽만 등에 대비하고 문합부 누출을 예방하기 위해 잔위에 저류하는 공기나 위액 등을 흡인하여 문합 부위에 부하되는 압력을 감소시켜 문합 부위의 누출을 방지하는 것이다. 이외에도 비위관은 문합 부위의 출혈을 조기에 진단하거나 수출각(efferent loop)의 모양을 유지하기 위해 사용되어 왔다.

비위관으로 인한 합병증의 종류는 보고에 따라 다른데 호흡기 합병증(무기폐, 폐흡인, 폐렴), 구역, 구토, 구강 건조 등이 나타날 수 있다. 드물게는 잔위, 소장 또는 문합부를 지속적으로 압박하여 괴사, 천공을 일으켜 복막염이 되는 경우도 있다.

비위관 삽입에 대하여 알려진 효과 중 일부는 오래된 믿음에서 비롯되었으며 수술 후의 효과에 대해서는 논란이 있다. 출혈을 우려하여 비위관을 유지하는 경우에는 수술 후 48시간까지면 충분하며, 감압이 목적이라면 위장관운동이 회복되는 수술 후 3~5일까지가 적절하다. 수술 후 잔위에 저류하는 공기나 위액으로 인한 합병증과 비위관 사용 여부는 상관관계가 없으며 오히려 비위관을 사용하지 않으면 조기 보행, 장관가스의 조기

배출, 음식물의 조기 섭취 및 짧은 재원 기간 등의 이점이 있다는 보고도 있다. 여기에 환자의 불쾌감까지 고려한다면 꼭 필요한 경우에만 비위관을 사용하는 것이 좋겠다. 비위관의 효과에 대한 의문과 비위관으로 인한 합병증 때문에 위절제술 시 비위관 삽입의 불필요성이 꾸준히 제기되어 왔으며, 최근에는 비위관을 꼭 필요한 경우에만 사용하는 경향이 있다.

2. 근치적 절제술의 원칙

위암에서 근치적 수술이란 원발병소를 완전절제(wide excision of primary tumor)하여 적절한 절제연을 확보하고 종양 주위의 림프절을 포함하여 전이 가능한 림프계의 일괄절제(en block removal of the draining lymphatic network)하는 것을 말한다. 이런 근치적 절제를 시행하기 위해서 절제구역 및 림프절 절제범위가 확립되어야 한다.

위암 수술의 기본요건은 수술이 안전하고 근치적이어야 하며 수술 후 신체기능을 보존하고 유지하여 삶의 질을 유지 또는 향상시키는 데 있다. 근치적 목적에 치중하여 수술 범위를 너무 확대하면 수술 후 합병증이나 신체기능의 저하를 초래할 수 있고 안정성에 치우치다 보면 재발률을 높이고 생존율을 떨어뜨릴 수 있어 두 가지의 균형이 중요하다. 이를 위해 위암의 치료지침을 확립하여 위암치료법의 적절히 적용을 제시함으로써 국가 간, 병원 간 치료 격차를 줄이고 치료의 안정성과 성적 향상을 도모하며, 불필요한 치료를 줄일 수 있다.

1) 근치적 수술의 위절제범위

위절제범위는 안전한 절제연을 확보하는 것이 필수적이며 여러 위암치료지침에서 위절제 시 육안적으로 종양 침윤부로부터 최소한의 절제연을 조기위암의 경우 2 cm 이상 확보해야 하며, 진행 위암에서 용종형(보오만 1형)과 궤양형(보오만 2형)은 3 cm 이상, 궤양침윤형(보오만 3형)과 침윤형(보오만 4형)은 5 cm 이상의 거리를 확보하는 것을 권장하고 있다. 절제연 확보가 명확하지 않은 경우나 그 외 필요시 수술 중 동결절편 검사를 시행하여 암 침윤 여부를 확인하여 절제연 확보 여부를 확인할 수 있다. 조기위암의 경우 종양의 경계가 불분명하여 절제선을 결정하기 어려운 경우 수술 전 내시경을 통해 종양 경계에 클립으로 위치 표시를 하는 것이 절제연 확보에 도움을 줄 수 있다. 다만 절제연을 확보하더라도 남은 위벽 주위 림프절 전이가 현저하게 의심되는 경우에는 위전절제술을 시행하는 것이 좋다. 식도를 침범한 위암의 경우 복부 식도의 길이가 2~3 cm이고 미주신경 체간을 절제하면 5~6 cm를 확보할 수 있어 복부에서 접근하여도 절제연을 확보할 수 있다. 그리고 복부 접근을 통해 절제연이 충분하지 못할 때에는 식도열공을 통해 횡격막의 종격동을 1~2 cm 절개하면 식도를 7~8 cm까지 확보할 수 있다. 이보다 더 높은 절제연이 필요할 때 흉벽 절개를 시행하여 접근하면 충분한 절제연을 확보 할 수 있다.

원위부위절제술 시 육안적 원위부 절제연을 2 cm 이상 확보할 수 있는 십이지장 부위에서 절제하는 것이 원칙이다. 십이지장을 침윤한 경우 대부분 유문에서 2 cm 이내에 국한되므로 유문에서 4~5 cm 이상을 절제하면 암세포를 남길 가능성이 거의 없다. 만약 침윤이 이보다 심하다면 이론적으로는 종양의 근치적 절제를 위해 췌십이지장절제술을 고려해야 하지만 수술에 따른 합병증이 매우 높은 것으로 보고되어 환자의 나이와 상태를 고려한 술자의 판단이 중요하다(그림 25-1).

2) 림프절 절제범위

림프절 전이는 위암의 가장 중요한 예후관련인자로서, 많은 문헌들에서 광범위 림프절절제술이 장기생존율을 높인다고 보고하고 있다. 서구에서 시행한 전향적 연구에 따르면 D1 림프절절제술과 D2 림프절절제술 사이에 생존율 차이가 없어, 위암의 적절한 림프절 절

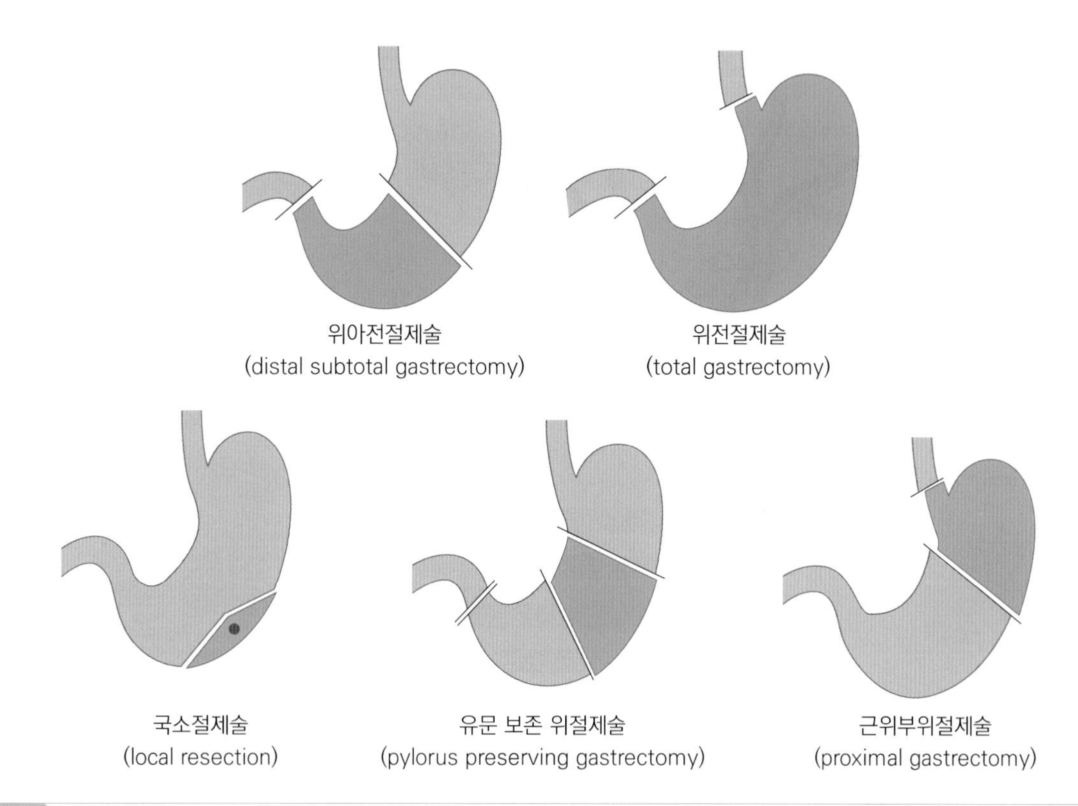

그림 25-1 위절제범위.

제범위에 대한 기준이 다소 혼란스런 상태였으나, 최근 보고된 장기 추적관찰결과에서 우월한 생존율이 보고되어 진행암에서의 D1, D2 림프절절제술의 논란은 종식되었다.

위암 수술의 침습도에 큰 영향을 미치는 것 중 하나가 림프절절제이다. 광범위 림프절절제 후 합병증에 대한 논란은 지속되고 있으며, 병기에 따른 적절한 림프절 절제범위를 정하는 문제 또한 논란의 대상이다. 특히 위내시경이 보편화되면서 위암에 대한 조기발견이 늘고 암의 치료에 관한 연구가 진행되면서 수술 범위가 줄어드는 경향이 있다. 대부분의 조기위암은 림프절 전이가 없고 있더라도 위 주위 림프절에 국한되기 때문에 림프절절제를 축소하거나 림프절절제 없이 일차병소만 제거하여 위의 기능을 보존하는 수술도 시행되고 있다(그림 25-2).

단순히 전이 림프절의 수뿐만 아니라 절제된 림프절 수에 따른 전이 림프절의 비율도 위암치료의 예후에 영향을 끼친다 절제된 림프절의 수가 많을수록 전이 림프절 발견도 늘어날 수 있으므로 절제 림프절 수가 pN 분류의 신뢰도를 반영한다고 할 수 있다. 최소절제 림프절 수에 대한 논쟁도 계속되어 왔다. 광범위 림프절절제술(D2)을 시행할 경우 최소 27개의 림프절을 얻어야 하며, 대동맥 주위 림프절절제술(D3)을 시행할 경우 43개 이상의 림프절을 얻어야 한다는 연구결과도 있지만, 15개 이상의 림프절을 제거한 경우 전이 림프절의 증가는 더 이상 절제 림프절 수와 상관관계가 없다는 보고도 있다. 현재 임상에서 주로 사용 중인 TNM 체계에 따르면 위암의 병기분류에 적절한 림프절 수는 15개 이상으로 정의하고 있으며, 이는 적절한 병기분류를 위한 최소한의 절제 림프절 수라고 하겠다.

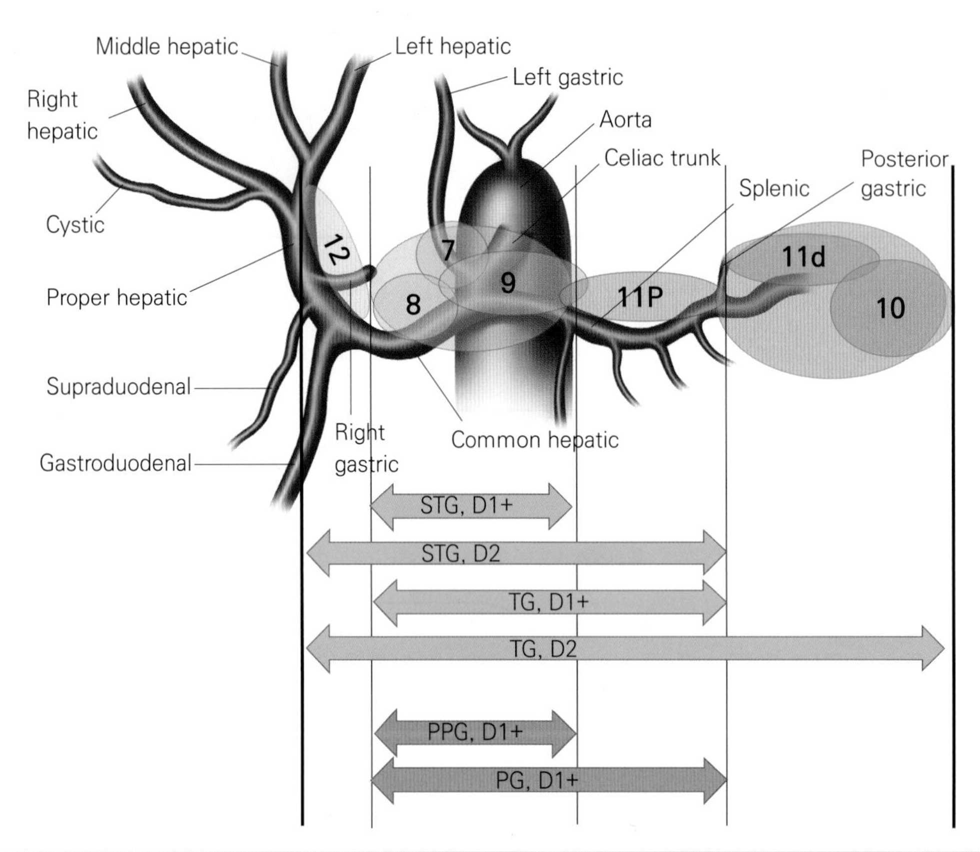

그림 25-2 **림프절절제술 요약도.**

3) 표준수술

한국이나 일본의 위암외과의사들은 중하부 위암인 경우 위아전절제술(distal subtotal gastrectomy, 2/3 절제), 중상부 위암의 경우 위전절제술(total gastrectomy)을 시행하고 위 주위의 광범위한 림프절절제술(D2)을 함께 시행하는 것이 위암의 표준수술로 사용되어 왔다.

이는 조기위암일지라도 3~25%가 림프절 전이를 동반하고, 특히 점막하층암의 경우 제2군 림프절의 전이도 드물지 않게 관찰되기 때문이다. 또한 광범위 림프절절제술은 암세포가 전이 된 림프절의 제거뿐 아니라 미소전이암 제거에 유용하다. 림프절 전이 음성 조기위암에서 림프절절제술의 범위가 클수록 생존율이 증가한다는 보고는 이를 뒷받침하는 소견이다.

절제범위가 넓은 림프절절제술을 시행하는 경우 수술 후 유병률과 사망률이 증가할 수 있다. 미국이나 유럽의 위암의사들은 광범위 림프절의 수술 후 유병률과 사망률이 높은 것에 비해 5년 생존율 향상이 낮은 점을 지적하였나 서구에서 광범위 림프절절제술을 시행할 때 비장이나 췌장의 합병절제가 많아 이로 인해 유병률 및 사망률 증가한 것과 한국이나 일본의 환자에서는 동반 절제도 적고 수술 후 유병률이나 사망률이 서구에 비해 매우 낮아 수술방법의 차이가 있는 것을 알 수 있었다. 그리고 전향적 임상연구에서 15년 장기생존율을 비교한 경우 광범위한 림프절절제술(D2)을 시행한 경우 생존율이 향상된다는 것이 입증되어 현재에는 광범위 림프절절제술(D2)을 시행하는 것이 표준수술로 자리 잡았다.

림프절 전이가 N2(+)더라도 광범위 림프절절제술

(D2)로 근치성이 기대되는 경우에는 그 이상 절제하는 것이 의미가 없다는 의견과 대동맥 주위 림프절절제술(D3)을 포함하는 확대 수술을 시행해야 한다는 의견이 있다. 이를 비교하기 위해 일본위암학회에서 전향적 임상연구를 진행하였으며 대동맥 주위 림프절절제술(D3)을 시행한 경우 환자의 생존율을 향상시키지 못한다고 보고하였다. 따라서 축소수술의 절대적 적응의 범주를 벗어난 조기위암 환자와 확대수술의 범주에 들지 않는 진행성 위암 환자에게는 광범위 림프절절제술(D2)을 시행하는 것이 적절한 치료방법이다.

한국과 일본의 치료지침에서 표준수술을 적어도 위의 2/3 이상을 절제하고 광범위 림프절절제술(D2)을 시행하는 것으로 정의한다. 구체적인 적응 대상은 축소수술의 적응증이 아닌 cSM암 또는 cT2~cT3암으로 N0~N2, 수술 전, 수술 중 진단에서 전이소견이 없다고 생각되는 경우다.

4) 축소수술

과거 위암 진단 시 대부분 진행성 위암이었기 때문에 근치적 절제를 통해 환자의 생존율을 향상시키는 것이 최대 관심사였다. 그러나 위내시경을 시행하면서 조기위암의 발견이 가능해 지고, 한국과 일본에서 건강검진이 활성화되어 위내시경을 통한 조기위암의 발견이 증가하고 있다. 조기위암 환자를 대상으로 장기 추적관찰을 하여 예후를 확인하였을 때 조기위암 환자의 사망원인은 위암 자체의 재발보다 타 질환이나 타 장기에 발생한 원발암에 의한 사망이 더 많다는 것이 알려졌다. 분명 림프절 전이는 위암 재발과 연관된 매우 중요한 인자이다. 하지만 조기위암의 림프절 전이율은 진행성 위암에 비해 매우 낮아 환자 개인에 대한 치료 측면에서 보면 광범위 림프절절제술(D2)은 모든 조기위암 환자에게 필요한 수술은 아니며, 특히 점막암의 경우에 그러하다. 또한 위아전절제술 및 위전절제술은 역류성 식도염, 잔위염, 덤핑증후군, 빈혈, 골대사이상, 담석증, 잔위암 등 다양한 위절제증후군을 유발할 수 있으며 장기적으로 각종 대사 및 영양장애를 일으킬 수 있다. 축소수술은 근치성을 유지하면서도 침습이 적고 장기를 보존하며 술후 통증이 적고, 조기 퇴원 및 조기 사회 복귀가 가능하며 술후 유착성 장폐색의 위험성이 적고, 필요시 병변부 주위의 림프절절제도 용이하게 시행할 수 있다는 점때문에 시행되고 있다.

축소수술 또는 기능보존수술은 표준 위절제술(2/3 이상의 절제범위 및 광범위 림프절절제(D2)에 비해 절제범위와 림프절 절제범위의 축소 또는 망낭절제의 생략, 대망보존, 미주신경보존 등을 포함하는 수술을 말하며 수술 후 위의 기능을 보존하기 위해 시행한다.

축소수술 종류에는 국소절제술(local resection), 유문보존 위절제술(pylorus preserving gastrectomy, PPG), 근위부위절제술(proximal gastrectomy, PG) 등이 있으며 병소의 위치, 림프절절제의 범위와 충분한 절제연의 확보를 고려해야 하며 림프절절제가 불완전할 수 있어 적용 환자를 선별해서 제한적으로 시도되어야 한다.

(1) 국소절제술

내시경수술을 제외하고 가장 작은 축소수술은 국소절제술일 것이다. 충분한 경계를 확보하고 주로 쐐기절제술(wedge resection)을 시행하여 위기능을 최대한 보존하는 것이 목적인 수술이다.

위암에 국소절제술을 최초로 시행한 Ohgami 등은 점막에 국한된 암 중 융기형은 2.5 cm 이하, 함몰형은 1.5 cm 이하를 대상으로 하여 복강경 쐐기절제술이나 복강경 보조 점막절제술을 시행하였다. Seto 등은 4 cm 이하의 점막암 환자를 대상으로 2 cm 이상의 경계를 두고 국소절제를 시행하였고, 림프절절제술은 종양의 위치에 따라 시행하였다. 수술 중에 내시경과 냉동절편검사를 하여 남은 위나 림프절에 잔존암이 없음을 확인하였다. 최근 시행되고 있는 감시림프절 생검을 통한 위절제술도 국소절제술의 변형에 해당된다. 국소절제술은 축소수술 가운데 재발률이 가장 높은 방법이므로, 진단 정확도가 높은 병원에서 매우 제한적인 적응증에만 연구목적으로 시행해야 할 것이다. 한국에서는 SENORITA연구가 진행중인 초기암 환자에서 감시림프절 전이 음성인 경우 국소절제술을 시행하고 전이 양성인경우 복강경 위절제술을 시행하는 연구로 환자등록을 마치고 결과를 기다리고 있다.

(2) 유문보존 위절제술

유문보존 위절제술(pylorus preserving gastrectomy, PPG)은 1967년 Maki 등이 위궤양 환자에서 덤핑증후군과 위십이지장 역류 등을 방지하기 위해 최초로 시행했으며, 1988년 Kodama 등이 조기위암치료로 도입하였다. 1.5 cm 정도의 유문부를 남기고 기능을 보존하기 위해 반드시 미주신경의 간분지를 보존해야 하며, 간분지에서 나오는 유문분지를 보존해야 한다. 이를 위해 5번 림프절절제술을 시행하지 않고 우위동맥의 첫 분지 이상을 보존하여 혈액 공급을 해야 한다. 따라서 이 수술은 5번 림프절과 1번 림프절 등에 전이가능성이 없는 위 중부의 조기위암을 대상으로 한다.

유문보존 위절제술의 장점은 덤핑증후군과 위십이지장 역류로 인한 위염이 적고, 담즙정체 및 담석 발생률이 적을 뿐만 아니라, 수술 후 체중감소도 유의하게 적어서 삶의 질을 향상시킬 수 있다는 것이다. 그러나 음식물 배출 지연 등의 문제가 발생할 수 있으므로 엄격한 적응기준에 따라 적용하는 것이 바람직하다. 위암치료지침에 따르면 적용대상이 cT1암으로 종양이 유문륜으로부터 4 cm 이상 떨어져 있고, 수술 중 림프절 전이가 N0-1이라고 판단되는 경우에 시행할 수 있다. 광범위 림프절절제술(D2)을 포함하는 전형적인 수술보다 축소된 수술이므로 림프절절제가 제한될 수 있으므로, 수술 전 진단의 정확도를 높이고 엄격한 적응기준에 따라 선택 적용해야만 근치도를 높이고 수술 후 삶의 질을 향상시킬 수 있을 것이다. 현재 KLASS04 연구가 진행중이며 위아전절제에 비하여 덤핑증후군의 감소를 일차목표로 환자등록을 마치고 추적관찰중이다.

(3) 근위부위절제술

근위부위절제술(proximal gastrectomy, PG)은 1914년 Voelker가 최초로 시행하였다. 과거에는 위전절제술에 비해 근치성 확보가 힘들고, 문합부 누출 등 수술 후 합병증이 많이 발생하고 영양학적 이점이 없다는 이유로 많이 시행되지 않았다. 그리고 근위부위절제술을 시행하는 경우 위 하부 및 유문부를 보존하기 위해 우위동맥 및 우위대망동맥을 보존해야 하므로 림프절절제가 제한될 수 있다. 다만 적용대상을 근위부 조기위암으로 할 경우 유문부 림프절(5, 6번) 전이의 가능성이 낮으므로 근위부위절제와 함께 위 주위 림프절절제술(D1+)의 제한적 림프절절제술만으로도 충분히 근치적 절제를 할 수 있다.

근위부 조기위암에서 위전절제를 시행하는 것보다 수술 후 식사량 증가, 체중증가, 철결핍성 빈혈 또는 비타민 B12 결핍 빈혈 발생이 적어 위의 기능 보존과 환자의 삶의 질 향상에 장점이 있지만 심각한 역류성식도염이 발생할 수 있어 주의해야 한다. 또한 한국에서 위암은 위 하부에서 더 많이 발생하고 위 하부를 남겨 놓았을 때 잔위에서 위암이 발생할 가능성이 높아 수술 전 검사와 수술 후 추적검사를 철저히 시행해야 한다. 현재 KLASS05 연구가 진행중이며 위전절제에 비하여 철결핍과 비타민 B12 결핍의 발생이 줄어드는 것을 일차 목표로 환자등록을 마치고 추적관찰 중이다.

5) 확대수술

확대수술은 타 장기 합병절제 또는 D2+a 또는 D3 림프절절제 등, 표준수술을 넘는 위절제술이라고 정의한다. 적응의 원칙은 원발병소 또는 전이병소가 위의 주변 장기로 직접 침윤하여 합병절제를 하지 않으면 치유가 불가능한 증례, 또는 N2(+)이상의 림프절 전이가 있어 D2+a 또는 D3 림프절절제술이 필요한 증례이다.

최근 수술술기의 발달과 수술 후 치료법이 개선됨에 따라 고도로 진행된 위암에 대해서도 보다 광범위하게 절제하는 적극적인 수술이 시행되고 있다. 이러한 확대수술은 근치도를 얻기 위해서, 또는 원발병소 절제의 한 과정으로서 위 주위의 침윤장기를 합병절제를 시행하게 된다. 이와 같은 수술로 얻을 수 있는 효과는 병기 설정의 향상, 보다 효과적인 국소재발의 억제, 근치적 절제술을 이룰 가능성의 증가를 목표로 한다. 이는 근치도 달성 여부, 침윤 장기의 종류 및 숫자, 종양 진전의 형태에 좌우된다. 그러나 주위 장기가 침윤된 경우 주위 장기를 위와 함께 절제할 경우 기술적인 어려움이 따르고, 수술 후 합병증 발생빈도가 높아 생존율 향상을 기대하기가 쉽지 않다. 따라서 병기, 병소의 위치, 조직형, 생존율, 절제술 후 삶의 질 등을 고려하여 수술 범위를 결정해야 한다. 특히 치료계획을 수립할 때는 수술 후 생존기간의 연장과 삶의 질 개선이 가장 중요한 요소이다.

Ishihara 등은 주위 장기를 합병절제 하였을 때 원격전이가 없는 군이 있는 군보다 생존율이 유의하게 높지만 수술 후 합병증 발생률은 2배나 많다고 보고하면서, 원격전이가 있을 때는 합병절제의 효과가 아주 적으므로 삶의 질 향상에 중점을 둔 보존적 수술을 시행하는 것이 합당하다고 제안하였다. 김 등은 주위 장기 침윤(T4) 때문에 IV기 위암으로 진단된 경우에는 우회로조성술보다는 절제술을 시행해야 생존율이 유의하게 향상된다고 보고하였다. 그러나 간전이나 복막전이 같은 원격전이 때문에 IV기 위암으로 진단된 경우에는 절제술이 생존율을 향상시키지 못하였다. Iriyama 등은 복막전이, 광범위 간전이, 만연한 림프절 전이가 없는 경우에는 합병절제를 권하였다.

결론적으로 위암에서 주위 장기의 합병절제는 복막전이나 다른 원격전이가 동반되지 않아 근치적 절제술이 가능한 경우로 한정하고, 비치유인자로 환자의 전신상태, 수술의 위험도 등을 고려하여 증상 완화를 위한 고식적 수술이나 절제수술을 선택하는 것이 좋겠다. 하지만 반대 의견도 많으므로, 잘 계획된 전향적-무작위적 연구가 다 기관에서 이루어져 결과를 얻기 전까지는 합병절제의 위험성이나 이득에 대한 논란이 계속될 것으로 보인다.

이제까지 발표된 여러 연구결과들을 종합하여 현재 가장 권장할 만한 치료법을 정리하면 다음과 같다.

(1) 비장동시절제

상부 위 대만에 위치한 위암이 고유근층 이상 침윤한 경우나 비문부에 직접 침윤 또는 림프절 전이가 의심되는 경우에는 비장 절제를 권한다.

(2) 주변 장기를 침윤한 국소진행형 위암의 수술

비장, 횡행결장, 결장간막, 췌장, 간 등을 침윤한 경우에는 환자의 전신상태를 고려하여 침윤된 주변 장기를 절제할 것을 권장한다.

(3) 복막전이를 동반한 위암의 수술

전이병소의 절제술과 위절제술을 연구목적으로 시행하거나 환자의 증상을 완화할 목적으로 수술을 시행할 수 있다.

(4) 간전이를 동반한 위암의 수술

전이병변이 있는 경우에는 전이병소의 절제술과 위절제를 연구목적으로 시행할 수 있다. 환자의 증상을 완화할 목적으로도 수술을 시행할 수 있다.

(5) 기타 장기의 전이를 동반한 위암 또는 재발 위암의 수술

환자의 증상을 완화할 목적으로 수술을 시행할 수 있다.

3. 림프절절제술

인체에 발생하는 각종 고형암에서 종양학적 의미의 근치절제술의 정의는 원발암과 더불어 전이된 림프절을 완전히 절제하는 것이다. 위암의 수술에서도 절제연이 침범되지 않을 만큼 위를 충분히 절제하고 위 주변 림프절절제를 동시에 시행하는 것이 근치적 절제술이라 할 수 있다.

위암의 위 주변 림프절절제는 근치적 절제뿐 아니라 암의 병기를 정확하고 객관적으로 결정하기 위해서도 반드시 필요하다. 림프절 전이 여부 및 정도가 장기적 치료효과를 예측하는 데 결정적이기 때문이다. 이러한 림프절절제술을 적절하게 하기 위해서는 위 주변의 림프계에 대한 해부학적 이해부터 병리학적 특징, 병변과의 연관성, 수술적 술기, 림프절절제술의 장단점 등을 잘 파악해야만 한다.

이 절에서는 위암의 림프절절제술의 이론적 배경이 되는 연구의 흐름을 살펴보고, 위 주변 림프절의 해부학적 정의 및 구분, 림프절절제술의 술기적 원칙, 축소 혹은 광범위 림프절절제술에 대해서 알아보고자 한다.

1) 림프절절제술에 대한 연구

1930년대부터 일본에서는 위벽에 여러 염료나 탄소 미립자 등을 주입하여 위 주변 림프관의 주요 흐름을 파악하는 등 림프계에 대한 해부학적 연구가 진행되었다. 1962년 일본위암연구회(Japanese Research Society for Gastric, JRSGC)는 위암 병변의 위치에 따른 림프절 전이 양상을 파악하여 위 주변의 림프절을 1번부터 16번까지 16개의 구역으로 구분하고, 종양의 위치에 따라 N1부터 N4까지 4단계로 묶어서 분류하였다. 그 후 1986년 Maruyama 등은 병변의 위치에 따른 림프절의 전이율을 각각의 16개 구역 림프절에 따라 구분하여 조사하였고, 해당 림프절절제술 후 5년 생존율을 분석하여 2군 림프절까지의 절제 필요성을 강조하였다. 또한 추적 중인 다수의 위암 환자를 분석하여 림프절 절제범위를 종양의 위벽 침윤도, 림프절 전이 여부, 타 장기 전이 여부에 이어 네 번째로 예후에 영향을 미치는 중요한 예측 인자로 보고하였다.

Kodama 등은 체계적 림프절절제를 시작한 시기를 전 후로 구분하여 R1 (D1) 림프절절제술을 시행한 254명의 환자와 R2/R3 (D2/D3) 림프절절제술을 시행한 436명의 위암 환자에 대한 예후를 분석하였다. 그 결과 림프절 절제범위를 확대하여 시행했을 때 5년 생존율이 33%에서 58%로 증가하였으며, 특히 림프절 전이가 있었던 환자의 생존율이 18%에서 39%로 크게 증가하였음을 보고하여 광범위 림프절절제술의 당위성을 주장하였다. 이 결과를 뒷받침하는 유사한 연구들이 이후 일본과 국내에서 많이 보고되었으나 대부분 후향적 연구이며, 동일한 시기에 양 군을 비교하지 않았고, 림프절절제술에 따른 병기이동현상 등 연구의 제한점들이 있었다.

광범위 림프절절제술의 전향적무작위 비교 연구결과로 현재까지 총 5개가 보고되었다(표 25-9). 초기에 적은 수의 환자를 대상으로 비교 연구를 시행한 Robertson 등의 연구결과는 D2 림프절절제술이 수술 후 유병률과 사망률을 증가시킬 뿐 예후에는 오히려 악영향을 미친다고 보고하였다.

이후 다기관이 참여한 대규모 전향적 연구 2개가 시행되었으나 역시 광범위 림프절절제술이 수술 후 유병률과 사망률을 증가시길 뿐 5년 생존율에 영향을 미치지 않는다고 하였다. 그러나 이 연구들은 결론에 논란이 될 만한 한계점을 갖고 있다. 각각의 연구를 살펴보면, British Medical Research Council (MRC) 연구는 광범위 림프절절제를 위해 D2 림프절절제군 환자의 57%에게 췌장 미부와 비장절제술을 시행하였다. 췌장 절제로 인해 누출, 복강내 감염 등의 합병증 발생 빈도가 높아져 D2 림프절절제군의 전체 합병증 발생률이 46%에 이르렀다. 따라서 후에 이 연구 그룹은 췌비장 절제를

표 25-9. **광범위 림프절절제술에 대한 전향적 무작위 비교연구**

Study	Period	Comparison	Patients (N)	Morbidity (%)	Mortality (%)	5-yr survival rate (%)
Robertson (Hong Kong)	1987~1991	D2 vs. D1	29 vs. 25	47 vs. 0	3.4 vs. 0	OS: 40 vs. 48[†]
Cuschieri (MRC trial)	1987~1994	D2 vs. D1	200 vs. 200	46 vs. 28*	13 vs. 6.5*	OS: 33 vs. 35 DSS: 42 vs. 43
Bonenkamp (Dutch) Songun (2010)	1989~1993	D2 vs. D1	331 vs. 380	43 vs. 25*	10 vs. 4*	OS: 47 vs. 45 DSS: 66 vs. 58 OS (15yr): 35 vs. 21*
Wu (Taiwan)	1993~1999	D2 vs. D1	111 vs. 110	17 vs. 7*	0 vs. 0	OS: 59.5 vs. 53.6* DSS: 63.1 vs. 57.8
Degiuli (IGCSG trial)	1998~2006	D2 vs. D1	134 vs. 133	17.9 vs. 12.0	2.2 vs. 3.0	OS: 64.2 vs. 66.5 DSS: 72.6 vs. 71 DSS (T2-4N+): 59 vs. 38**

OS, overall survival; DSS, disease specific survival; MRC, Medical Research Council; IGCSG, Italian Gastric Cancer Study Group
*$p<0.05$; **p=0.055; [†] 50-month survival rate (no 5-year data available)

배제할 경우 D2 절제군의 생존율이 증가하는 효과가 있을 가능성을 언급하였다.

Dutch 연구에서는 연구대상 환자 711명을 80개 기관에서 4년간 시행함으로써 연구자 1인당 대상 환자수가 1년에 평균 2~3명에 불과하였다. 즉 연구에 참여한 술자의 D2 림프절절제술 숙련도의 질적 표준을 유지하는 데 문제가 있었으리라고 짐작할 수 있다. 실제로 이로 인해 D2 림프절절제를 시행한 경우는 10%에 불과하며, 54%에서 D0 림프절절제술을 시행하였다. 그 결과 D2 림프절절제를 시행한 환자군에서 조차 국소재발률이 45%에 이르게 되었다. 이후 이 연구자들은 15년 장기 추적결과를 추가로 발표하였으며, D2 림프절절제를 시행한 군이 D1 림프절절제술을 받은 환자들에 비해 국소재발률과 위암 관련 사망률이 통계학적으로 의미 있게 낮은 것으로 분석되어(p=0.01) 유병률과 사망률을 줄일 수 있다면 광범위 림프절절제술이 유용할 것이라고 보고하였다.

아시아에서는 2004년 Wu 등이 경험이 많고 숙련된 3명의 술자들이 시행한 D1 림프절절제술 환자 110명과 D2 이상 림프절절제술 환자 111명을 대상으로 한 비교 연구를 보고하였다. 이들은 수술 후 유병률은 D2 이상 림프절절제군이 높았지만 일반적으로 인정될 수 있는 수준이고(17%), 수술 후 사망한 환자가 없어 D2 림프절절제술 역시 안전한 술식이라고 하였다. 또한 2년 후 발표한 5년 생존율은 D2 이상 림프절절제군이 의미 있게 높아(p=0.041) D2 림프절절제술이 생존율을 향상시킬 수 있음을 증명하였다.

1998년에 Italian Gastric Cancer Study Group (IGC-SG)이 서양에서는 처음으로 전문화된 센터에서 엄격한 수술 질관리 하에 췌장과 비장 보존방식의 D2 림프절절제를 시행하여 당시 일본의 연구들과 동일한 수준의 수술 후 합병증과 사망률을 보고하였다. 이를 기반으로 총 267명의 환자를 대상으로 하는 전향적 무작위 비교연구를 진행하였으며 연구결과, 양군 간에 이환율과 사망률에 차이를 보이지 않았다. 전체적인 5년 생존율에는 차이가 없었지만, 세부집단 분석에서 림프절 전이가 있는 진행성 위암 환자(T2~4N+)의 경우 D2 림프절절제술을 시행한 군이 D1 림프절절제군에 비해 5년 생존율이 거의 통계적 유의성에 도달하는 수준으로 우월한 결과를 보였다(p=0.055).

지금까지의 연구결과들에 의하면 위암 수술 시 D2 림프절절제술은 불필요한 췌비장절제를 지양하고 숙련된 술자에 의해 시행되는 경우 합병증 및 사망률은 높이지 않으면서 생존율 향상에 도움이 된다고 볼 수 있다. 이에 일본에서는 D2 림프절절제술이 표준수술법으로 자리 잡고 있으며 국내에서도 2014년 발표된 '위암진료 권고안'에서 위암의 근치적 치료 시 원칙적으로 위절제술과 D2 림프절절제술을 권장하고 있다.

2) 위 림프절의 해부학적 정의 및 구분

위는 풍부하고 복잡한 림프배액 경로를 가진 기관으로 위 주변 혈관 분포에 따라 4~5군데의 주요 림프배액 경로가 알려졌다. 이를 좀 더 세분하여 1962년 일본위암연구회에서는 해부학적 위치에 따라 1번부터 16번까지 림프절을 구분하였다(그림 25-3, 표 25-10). 또한 1998년 일본위암학회(Japanese Gastric Cancer Association, JGCA)에서는 병변의 위치에 따른 각 림프절의 전이율과 해당 림프절로 전이되었을 때 5년 생존율 및 해당 림프절을 제거함으로써 이득을 얻을 수 있는 환자의 비율을 고려하여 위 주변 림프절들을 1~3군으로 구분하고 그 외의 림프절들을 원격전이로 규정하여 13차 일본위암취급규약(1998년, 제2차 영문판)을 발표하였다. 이에 기반하여 최근 제 8판 American Joint Committee on Cancer (AJCC) 암 병기설정 매뉴얼에서는 1~12번을 국소림프절(regional lymph node)로, 그 외의 13~16번에 해당하는 림프절들을 비국소림프절, 즉 원격림프군(distant nodal group)으로 분류하고 있다. 또한 제3차 영문판 일본위암취급규약(2011)에서는 식도를 침범하는 종양에서 19, 20, 110, 111번 림프절들과 위절제술 후 잔위에 발생한 암에서 문합부에 인접한 공장림프절(jejunal lymph node) 역시 국소림프절에 포함시키고 있다.

A

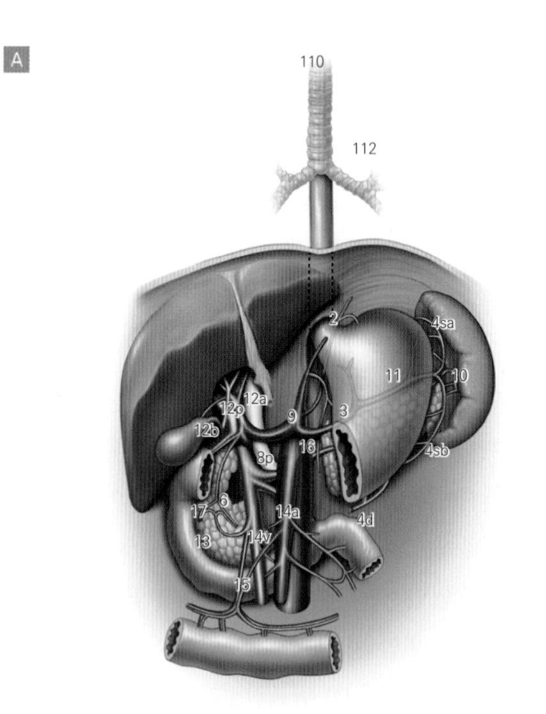

B

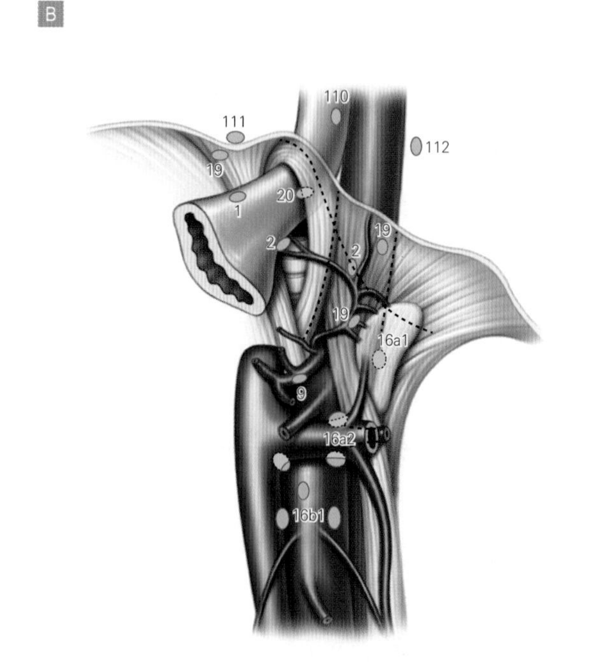

그림 25-3 **위 주변 림프절 구역.**
A. 위 주변 해부학적 구조물에 따른 림프절의 구분
B. 식도·횡격막 주위와 대동맥 주위 림프절의 구분

표 25-10. **림프절의 해부학적 정의**

번호	정의
1	Right paracardial LNs, including those along the first branch of the ascending limb of the left gastric artery
2	Left paracardial LNs including those along the esophagocardiac branch of the left subphrenic artery
3a	Lesser curvature LNs along the branches of the left gastric artery
3b	Lesser curvature LNs along the 2nd branch and distal part of the right gastric artery
4sa	Left greater curvature LNs along the short gastric arteries (perigastric area)
4sb	Left greater curvature LNs along the left gastroepiploic artery (perigastric area)
4d	Rt. greater curvature LNs along the 2nd branch and distal part of the right gastroepiploic artery
5	Suprapyloric LNs along the 1st branch and proximal part of the right gastric artery
6	Infrapyloric LNs along the first branch and proximal part of the right gastroepiploic artery down to the confluence of the right gastroepiploic vein and the anterior superior pancreatoduodenal vein
7	LNs along the trunk of left gastric artery between its root and the origin of its ascending branch
8a	Anterosuperior LNs along the common hepatic artery
8p	Posterior LNs along the common hepatic artery
9	Celiac artery
10	Splenic hilar LNs including those adjacent to the splenic artery distal to the pancreatic tail, and those on the roots of the short gastric arteries and those along the left gastroepiploic artery proximal to its 1st gastric branch
11p	Proximal splenic artery LNs from its origin to halfway between its origin and the pancreatic tail end
11d	Distal splenic artery LNs from halfway between its origin and the pancreatic tail end to the end of the pancreatic tail
12a	Hepatoduodenal ligament LNs along the proper hepatic artery, in the caudal half between the confluence of the right and left hepatic ducts and the upper border of the pancreas
12b	Hepatoduodenal ligament LNs along the bile duct, in the caudal half between the confluence of the right and left hepatic ducts and the upper border of the pancreas
12p	Hepatoduodenal ligament LNs along the portal vein in the caudal half between the confluence of the right and left hepatic ducts and the upper border of the pancreas
13	LNs on the posterior surface of the pancreatic head cranial to the duodenal papilla
14v	LNs along the superior mesenteric vein
15	LNs along the middle colic vessels
16a1	Paraaortic LNs in the diaphragmatic aortic hiatus
16a2	Paraaortic LNs between the upper margin of the origin of the celiac artery and the lower border of the left renal vein
16b1	Paraaortic LNs between the lower border of the left renal vein and the upper border of the origin of the inferior mesenteric artery
16b2	Paraaortic LNs between the upper border of the origin of the inferior mesenteric artery and the aortic bifurcation
17	LNs on the anterior surface of the pancreatic head beneath the pancreatic sheath
18	LNs along the inferior border of the pancreatic body
19	Infradiaphragmatic LNs predominantly along the subphrenic artery
20	Paraesophageal LNs in the diaphragmatic esophageal hiatus
110	Paraesophageal LNs in the lower thorax
111	Supradiaphragmatic LNs separate from the esophagus
112	Posterior mediastinal LNs separate from the esophagus and the esophageal hiatus

LNs, lymph nodes (출처: 제 3차 영문판 일본위암취급규약(2011))

3) 림프절절제의 술기 원칙 및 절제범위의 정의

(1) 술기 원칙

위 주변 림프절의 가장 적합한 림프절절제술의 구체적인 방법과 순서 등에 대해서 수술자마다 다소 이견이 있지만 종양학적인 기본원칙이 있다. 먼저 술자는 위 주변의 해부학적 구조를 완벽하게 이해해야 하며 이를 활용할 수술술기에 익숙해야 한다. 대부분의 위 주변 림프절이 주요 혈관을 따라 위치하기 때문에 위 주변 장기와 혈관을 완벽하게 이해해야만 혈관벽이나 신경을 손상하지 않고 적절한 절제 경계선을 찾아 림프절을 절제할 수 있다. 또한 해부학적 이해에 따라 적절한 절제선을 정하면 불필요한 절제나 조직 괴사가 없으므로 수술로 인한 환자의 스트레스를 최소화할 수 있다.

림프절절제술의 방식은 일괄절제(en bloc resection)하여야 한다. 위 주변 림프절은 2 mm를 넘지 않는 것이 많기 때문에 모든 림프절을 육안으로 확인하기는 불가능하다. 또 드물게 림프절 주위로 침윤이 일어나기도 하고 림프관 내에 암세포가 존재할 수 있기 때문에 림프절을 따로따로 절제하는 것은 종양학적 수술 원칙에 위배된다. 따라서 근치적 림프절절제술은 림프절이 포함되어 있을 것으로 추정되는 연부 조직을 일괄적으로 모두 제거하는 것이다. 간혹 위절제를 마친 후 림프절 구역이 혼돈될 수 있으므로 수술 도중 표지가 될 만한 것을 부착할 수도 있다. 원칙적으로 적절한 림프절(N) 병기진단을 위해 최소 16개 이상의 국소림프절을 절제하도록 권고하고 있지만, AJCC 종양 병기 8판에서는 부족한 림프절절제에 의한 병기이동현상 등을 줄이기 위해 더 많은(≥30개) 림프절들을 획득하여 평가하는 것이 바람직할 것으로 제안하고 있다.

(2) 림프절 절제범위

림프절 절제범위를 표시할 때 D0는 1군 림프절을 절제하지 않았거나 부분적으로 절제한 경우, D1은 1군 림프절을 모두 절제한 경우, D2는 1군 림프절과 2군 림프절을 모두 절제한 경우, D3는 1 · 2 · 3군 림프절을 모두 절제한 경우를 지칭한다. 1군 림프절에 일부 2군 림프절을 추가 절제하는 축소림프절제술의 경우 D1+로 정의한다. 간혹 수행된 림프절제술의 범위가 D 수준을 완전히 준수하지 않아 추가로 절제되거나 미절제 림프절이 있는 경우 다음과 같이 표기한다(D1+8번, D2−10번).

최신 일본위암치료지침(2014, 제4차 영문판)에서는 적용되는 위절제술의 유형에 따라 각각의 D에 해당되는 림프절절제의 범위를 정의하고 있다(표 25-11).

표 25-11. **위절제술에 따른 림프절 절제범위**

림프절 절제범위	위전절제술 (Total gastrectomy)	원위부위절제술 (Distal gastrectomy)	유문보존 원위부위절제술 (Pylorus-preserving gastrectomy)	근위부위절제술 (Proximal gastrectomy)
D0	< D1	< D1	< D1	< D1
D1	No. 1~7	No. 1, 3, 4sb, 4d, 5, 6, 7	No. 1, 3, 4sb, 4d, 6, 7	No. 1, 2, 3a, 4sa, 4sb, 7
D1+	D1 + No. 8a, 9, 11p (110)*	D1 + No. 8a, 9	D1 + No. 8a, 9	D1 + No. 8a, 9, 11p
D2	D1 + No. 8a, 9, 11p, 11d, 12a (19, 20, 110, 111)*	D1 + No. 8a, 9, 11p, 12a	-	-

* 해당 괄호 안의 림프절들은 종양이 식도를 침범한 경우 D2 림프절절제술 범위에 포함됨.

4) 병변 깊이에 따른 축소림프절절제

(1) 병변의 깊이에 따른 림프절 전이율

위암에서 림프절 전이는 암의 위벽 침윤도와 더불어 가장 중요한 예후인자이다. 또한 림프절 전이는 위벽 침윤도와 밀접한 관련이 있어 침윤도가 깊어질수록 림프절 전이율이 증가하게 된다. 문헌에 따라 차이가 있으나 림프절 전이율은 암이 점막층(M)에만 국한된 경우 1.4~5%, 점막하층(SM)까지 침윤한 경우 13.9~24%까지 보고되고 있다. 고유근층(MP)까지 암이 침윤한 경우 림프절 전이율은 43~52%, 장막하층(SS)까지 침범한 경우 60~66.9%이다. 장막에 노출(SE)된 위암의 림프절 전이율은 75%를 상회하며, 주변 장기를 침윤(SI)한 경우에는 80% 이상에 이른다.

최근 조기위암의 발병률이 높아지고 위암치료에서 최소침습시술이 보편화되고 있어 술전 위벽 침윤도와 림프절 전이 여부를 정확히 진단해야 할 필요성이 커지고 있다. 특히 점막층에 암이 국한된 경우는 내시경점막하박리술의 적응증이 될 수 있기 때문에 술전의 정확한 병기결정이 더욱 중요하게 여기지고 있다. 위벽 침윤도와 림프절 전이 여부는 내시경초음파검사나 다중컴퓨터단층촬영(multidetector row CT, MDCT) 등을 통해 술전에 어느 정도 진단할 수 있다. 이 검사들의 정확도는 위벽 침윤도의 경우 67.9~90.9%, 림프절 전이 여부에 대해 56.9~86%로 위벽 침윤도에 비해 림프절 전이 진단은 상대적으로 만족스럽지 못한 상태이다.

(2) 위암 병변의 깊이에 따른 림프절 절제범위

2014년 대한위암학회를 비롯한 위암 관련 학회들의 전문가들이 모여 국내 실정에 맞는 '근거 기반 위암진료 권고안'을 개발하였다. 이는 기본적으로 국내 자료에 기초하였으며 위암치료의 기본적인 최소 요구사항들이 기술되어 있다. 이 진료 권고안에서는 위암의 표준수술을 병변의 위치에 따라 위아전절제술 또는 위 전절제술과 함께 위 주위의 광범위한(D2) 림프절절제술을 시행하는 것으로 규정하였으며, 림프절 전이의 빈도가 낮은 조기위암에 한해 축소림프절제술(D1 or D1+)을 시행하는 축소수술 또는 기능보존수술로 대체할 수 있다고 권고하였다.

일본위암학회에서는 조기위암의 축소림프절절제 지침을 좀 더 명확히 구분하고 있다. 내시경점막하박리술의 적응증에서 벗어나는 점막암(cT1a)이거나 1.5 cm 이하의 분화형 점막하암(cT1b)에서는 D1 림프절제술을, 그 외의 림프절 전이가 없는 점막하암(cT1bN0)에서는 D1+ 림프절제술을 하도록 정하였다.

5) 비장절제술 혹은 췌비장합병절제술

비문부림프절(10번)과 비장동맥간 원위림프절(11d번)은 위암의 병소가 상부 위 또는 상 · 중부 위에 위치하는 경우 제2군(N2) 림프절에 속하게 되어 D2 림프절절제 시 포함된다. 과거에는 비문부나 비장동맥 원위림프절은 접근하기가 어렵고 주행 혈관 변이가 많아 완벽한 림프절절제를 위해서는 비장절제술을 시행하거나 췌비장합병절제술을 시행해야 한다고 하였다. 췌비장합병절제술은 1956년 Nakayama 등이 상부 위암의 표준술식으로 제안한 이래 일본을 중심으로 위전절제술과 함께 많이 시행되었다. 그러나 상부 위암의 비문부 및 비장동맥 림프절 전이율이 10~20% 정도로 비교적 낮고, 일상적인 비장절제술 혹은 췌비장합병절제술을 받은 환자들의 생존율이 유사 병기의 다른 환자들에 비해 향상되지 않고 오히려 이환율만 증가한다고 하여 많은 논란이 있어 왔다.

1979년 Maruyama 등은 췌장 절제 후에 췌액루, 횡격막하농양, 췌장염, 술후 당뇨병 발생 가능성이 있으므로 췌장에 원발암이 직접 침윤되지 않은 경우에는 췌장절제를 피하여 합병증을 최대한 줄이면서 비장동맥 림프절 및 지방 결합조직만을 제거하는 췌장보존비장절제술(pancreas preserving splenectomy)을 개발하였다.

그러나 비장절제술만으로도 수술 후 합병증이 증가할 수 있으며, 비장의 면역학적 기능이 상실될 수 있고, 비장절제술이 생존율에 미치는 영향에 대해서도 논란이 있어왔다. 이와 관련해 최근 일본에서 대규모 전향적 무작위 비교연구(Japanese Clinical Oncology Group, JCOG 0110)를 시행하였고, 비장보존술식이 비장절제술과 비교해 생존율에 있어서 열등하지 않으며 수술 후 합병증 발생을 줄일 수 있다는 결과를 보고하였다. 이를 근거로 최신 일본위암치료지침에서는 상부 진행성 위암(T2~T4)이 비장을 직접 침윤하거나 대만에 위치한 경우가 아니라면 비장절제술이 필요 없다고 권고하고 있다.

6) 대동맥 주위 림프절절제술

위 상부의 주요 림프관들은 좌위동맥(7번)과 후위동맥·비장동맥(11번)을 따라, 위 하부의 림프관들은 총간동맥(8번)과 상장간막동맥(14번)을 거쳐서 대동맥 주위 림프절(16a2, 16b1번)로 배액된다. 그러므로 2군 또는 3군 림프절에서 유출된 암세포들은 흉관을 통해 전신으로 퍼지기 전에 말단 림프절인 이곳에 머무르게 되며, 진행성 위암의 경우 대동맥 주위 림프절로의 미세전이(micrometastasis)가 6~33%로 보고되고 있다. 이에 13판 일본 위암취급규약(1998, 제2차 영문판)에서는 대동맥 주위 림프절을 기존 4군에서 3군으로 수정하였으며 대동맥 주위 림프절절제술이 폭넓게 시행되어져 왔다. 이러한 대동맥 주위 림프절절제술의 유용성에 관한 전향적 무작위 비교연구는 지금까지 3개가 보고되었으며 이는 모두 임상적으로 대동맥 주위 림프절 전이 소견이 없는 진행성 위암 환자를 대상으로 하였다(표 25-12). 그 중 가장 잘 설계된 연구였던 JCOG 9501 연구에 따르면 수술 후 합병증 발생률은 대동맥 주위 림프절절제술을 시행한 군에서 28.1%, D2 림프절제술만 시행한 군에서 20.9%으로 전자가 다소 높았으나 통계적 의미는 없었으며 사망률은 양 군 모두 0.8%로 동일하였다. 양군의 5년 생존율은 69.2%와 70.3%로 통계적 차이를 보이지 않았으며 무병생존율 역시 비슷한 수준으로 나타났다. Wang 등에 의한 메타분석에서도 진행성 위암 환자에서의 생존율 향상에 효과가 없는 것으로 나왔으며, 대형병원의 숙련된 외과의사에 의해 시행되는 경우 비교적 안전한 술식이지만 D2 림프절제술에 비해 더 긴 수술시간과 많은 양의 출혈 등 높은 수술성 외상이 가해지는 것으로 나타났다. 이에 따라 일본 위암치료지침에서는 근치적 위절제술 시 2군 림프절 범위를 초과하는 예방적 림프절절제는 더이상 권장되지 않으며, 국내의 위암진료 권고안 역시 이를 표준 치료법에 포함시키지 않고 있다.

그럼에도 불구하고 다수의 후향적 연구에서 대동맥 주위 림프절 전이가 병리학적으로 확정된 경우 절제술

표 25-12. **대동맥 주위 림프절절제술에 대한 전향적 무작위 비교연구**

Study	Period	Comparison	Patients (N)	Morbidity (%)	Mortality (%)	5-yr survival rate (%)
Kulig (PGCSG)	1999-2003	D2+PALND vs. D2	134 vs. 141	21.6 vs. 27.7	2.2 vs. 4.9	-
Sasako (JCOG 9501)	1995~2001	D2+PALND vs. D2	260 vs. 263	28.1 vs. 20.9	0.8 vs. 0.8	OS: 70.3 vs. 69.2 DFS: 61.7 vs. 62.6
Yonemura (EASOG)	1995~2002	D2+PALND vs. D2	134 vs. 135	38 vs. 22*	3.7 vs. 0.7 (3.0 vs. 0)**	OS: 55.0 vs. 52.6

OS, overall survival; DFS, disease free survival; PALND, para-aortic lymph node dissection; PGCSG, Polish Gastric Cancer Study Group; JCOG, Japanese Clinical Oncology Group; EASOG, East Asia Surgical Oncology Group
* $p<0.05$; **Death from surgical complications, p=0.06

을 시행한 환자의 5년 생존율이 16.5%(12.1~23%)에 이른다고 보고되고 있어, 복막이나 타 장기로의 전이 없이 대동맥 주위 림프절에 국한된 원격전이 위암 환자에서의 대동맥 주위 림프절절제술의 유용성이 주장되고 있다. 이에 최근 JCOG에서는 수술 전 영상검사에서 부피가 큰 국소림프절 전이(N2)나 대동맥 주위 림프절 전이가 의심되는 환자들을 대상으로 선행보조항암화학요법에 이어 대동맥 주위 림프절절제를 포함하는 D2+ 근치적 위절제술을 시행하는 2상 연구를 시행하였다. 연구결과, 환자들의 3년과 5년 생존율이 각각 59%와 57%로 이전 치료방법에 비해 향상된 결과가 도출되었다.

이를 기반으로 최신 일본위암치료지침(2014, 제4차 영문판)에서는 대동맥 주위 림프절에 국한된 전이성 질환을 갖는 위암 환자에서 대동맥 주위 림프절절제술을 포함하는 다학제적 접근법을 시도해 볼 수 있다고 제안하고 있지만, 아직은 이를 입증하기 위한 추가 임상연구가 더 필요한 상황이다.

참고문헌

1. 이준행, 김재규, 정혜경, 김정훈, 정우경, 전태주 등. 근거 기반 위암진료 권고안. 대한소화기학회지 2014;63:66-81.
2. Amin MB, Edge SB, Greene FL, Byrd DR, Brookland RK, Washington MK, eds. AJCC Cancer Staging Manual. 8th ed. New York: Springer International Rublishing 2017.
3. An JY, Baik YH, Choi MG, Noh JH, Sohn TS, Kim S. Predictive factors for lymph node metastasis in early gastric cancer with submucosal invasion: analysis of a single institutional experience. Ann Surg 2007;246: 749-753.
4. An JY, Min JS, Lee YJ, Jeong SH, Hur H, Han SU, et al. Which factors are important for successful sentinel node navigation surgery in gastric cancer patients? Analysis from the SENORITA prospective multicenter feasibility quality control Trial. Gastroenterol Res Pract 2017;2017:1732571.
5. An JY, Pak KH, Inaba K, Cheong JH, Hyung WJ, Noh SH. Relevance of lymph node metastasis along the superior mesenteric vein in gastric cancer. Br J Surg 2011;98:667-672.
6. An JY, Youn HG, Choi MG, Noh JH, Sohn TS, Kim S. The difficult choice between total and proximal gastrectomy in proximal early gastric cancer. Am J Surg 2008;196:587-591.
7. Association JGC. Japanese classification of gastric carcinoma: 3rd English edition. Gastric Cancer 2011;14: 101-112.
8. Barrera R, Shi W, Amar D, Thaler HT, Gabovich N, Bains MS, et al. Smoking and timing of cessation: impact on pulmonary complications after thoracotomy. Chest 2005;127:1977-1983.
9. Bonenkamp JJ, Hermans J, Sasako M, van de Velde CJ, Welvaart K, Songun I, et al. Extended lymph-node dissection for gastric cancer. N Engl J Med 1999;340: 908-914.
10. Bonenkamp JJ, Songun I, Hermans J, Sasako M, Welvaart K, Plukker JT, et al. Randomised comparison of morbidity after D1 and D2 dissection for gastric cancer in 996 Dutch patients. Lancet 1995;345:745-748.
11. Can MF, Yagci G, Cetiner S. Sentinel lymph node biopsy for gastric cancer: Where do we stand? World J Gastrointest Surg 2011;3:131-137.
12. Cancer JRSfG. The general rules for The gastric cancer study in surgery. Jpn J Surg 1973;3:61-71.
13. Carmichael P, Carmichael AR. Acute renal failure in the surgical setting. ANZ J Surg 2003;73:144-153.

14. Cheon SH, Rha SY, Jeung HC, Im CK, Kim SH, Kim HR, et al. Survival benefit of combined curative resection of the stomach (D2 resection) and liver in gastric cancer patients with liver metastases. Ann Oncol 2008;19:1146-1153.
15. Cheong JH, Hyung WJ, Chen J, Kim J, Choi SH, Noh SH. Survival benefit of metastasectomy for Krukenberg tumors from gastric cancer. Gynecol Oncol 2004;94:477-482.
16. Choi J-I, Joo I, Lee JM. State-of-the-art preoperative staging of gastric cancer by MDCT and magnetic resonance imaging. World journal of gastroenterology 2014;20:4546-4557.
17. Coburn NG. Lymph nodes and gastric cancer. Journal of Surgical Oncology 2009;99:199-206.
18. Cuschieri A, Fayers P, Fielding J, Craven J, Bancewicz J, Joypaul V, et al. Postoperative morbidity and mortality after D1 and D2 resections for gastric cancer: preliminary results of the MRC randomised controlled surgical trial. The surgical cooperative group. Lancet 1996;347:995-999.
19. Cuschieri A, Weeden S, Fielding J, Bancewicz J, Craven J, Joypaul V, et al. Patient survival after D1 and D2 resections for gastric cancer: long-term results of the MRC randomized surgical trial. Surgical cooperative group. Br J Cancer 1999;79:1522-1530.
20. De Steur WO, Hartgrink HH, Dikken JL, Putter H, van de Velde CJ. Quality control of lymph node dissection in the Dutch gastric cancer Trial. Br J Surg 2015;102:1388-1393.
21. Degiuli M, Sasako M, Ponti A, Vendrame A, Tomatis M, Mazza C, et al. Randomized clinical trial comparing survival after D1 or D2 gastrectomy for gastric cancer. Br J Surg 2014;101:23-31.
22. Degiuli M, Sasako M, Ponti A. Morbidity and mortality in the Italian Gastric Cancer Study Group randomized clinical trial of D1 versus D2 resection for gastric cancer. Br J Surg 2010;97:643-649.
23. Fleisher LA, Beckman JA, Brown KA, Calkins H, Chaikof EL, Fleischmann KE, et al. ACC/AHA 2007 guidelines on perioperative cardiovascular evaluation and care for noncardiac surgery: a report of the American College of Cardiology/American Heart Association task force on practice guidelines (writing committee to revise the 2002 guidelines on perioperative cardiovascular evaluation for noncardiac surgery) developed in collaboration with the American society of echocardiography, American society of nuclear cardiology, heart rhythm society, society of cardiovascular anesthesiologists, society for cardiovascular angiography and interventions, society for vascular medicine and biology, and society for vascular surgery. J Am Coll Cardiol 2007;50:159-241.
24. Garrison RN, Cryer HM, Howard DA, Polk HC Jr. Clarification of risk factors for abdominal operations in patients with hepatic cirrhosis. Ann Surg 1984;199:648-655.
25. Gass GD, Olsen GN. Preoperative pulmonary function testing to predict postoperative morbidity and mortality. Chest 1986;89:127-135.
26. Guidelines for the diagnosis and management of asthma. National Heart, Lung, and Blood Institute. National Asthma Education Program. Expert Panel Report. J Allergy Clin Immunol 1991;88:425-534.
27. Hall JC. Nutritional assessment of surgery patients. J Am Coll Surg 2006;202:837-843.
28. Hanje AJ, Patel T. Preoperative evaluation of patients with liver disease. Nat Clin Pract Gastroenterol Hepatol 2007;4:266-276.
29. Harrison LE, Karpeh MS, Brennan MF. Total gastrectomy is not necessary for proximal gastric cancer. Surg 1998;123:127-130.
30. Hartgrink HH, van de Velde CJ, Putter H, Bonenkamp JJ, Klein Kranenbarg E, Songun I, et al. Extended lymph node dissection for gastric cancer: who may benefit? Final results of the randomized Dutch gastric cancer group trial. J Clin Oncol 2004;22:2069-2077.
31. Hu Y, Kim HI, Hyung WJ, Song KJ, Lee JH, Kim

YM, et al. Vitamin B (12) deficiency after gastrectomy for gastric cancer: an analysis of clinical patterns and risk factors. Ann Surg 2013;258:970-975.
32. Huscher CG, Mingoli A, Sgarzini G, Brachini G, Binda B, Di Paola M, et al. Totally laparoscopic total and subtotal gastrectomy with extended lymph node dissection for early and advanced gastric cancer: early and long-term results of a 100-patient series. Am J Surg 2007;194:839-844.
33. Japanese Gastric Cancer A. Japanese Classification of Gastric Carcinoma - 2nd English Edition. Gastric Cancer 1998;1:10-24.
34. Japanese Gastric Cancer A. Japanese gastric cancer treatment guidelines 2014 (ver. 4). Gastric cancer: official journal of the International Gastric Cancer Association and the Japanese Gastric Cancer Association 2017;20:1-19.
35. Japanese gastric cancer treatment guidelines 2010 (ver. 3). Gastric Cancer 2011;14:113-123.
36. Jeong O, Choi WY, Park YK. Appropriate selection of patients for combined organ resection in cases of gastric carcinoma invading adjacent organs. J Surg Oncol 2009;100:115-120.
37. Joehl RJ. Preoperative evaluation: pulmonary, cardiac, renal dysfunction and comorbidities. Surg Clin North Am 2005;85:1061-1073.
38. K/DOQI clinical practice guidelines for chronic kidney disease: evaluation, classification, and stratification. Am J Kidney Dis 2002;39:1-266.
39. Kahlke V, Bestmann B, Schmid A, Doniec JM, Kuchler T, Kremer B. Palliation of metastatic gastric cancer: impact of preoperative symptoms and the type of operation on survival and quality of life. World J Surg 2004;28:369-375.
40. Kanaya S, Haruta S, Kawamura Y, Yoshimura F, Inaba K, Hiramatsu Y, et al. Video: laparoscopy distinctive technique for suprapancreatic lymph node dissection: medial approach for laparoscopic gastric cancer surgery. Surg Endosc 2011;25:3928-3929.
41. Kearney DJ, Lee TH, Reilly JJ, DeCamp MM, Sugarbaker DJ. Assessment of operative risk in patients undergoing lung resection. Importance of predicted pulmonary function. Chest 1994;105:753-759.
42. Kim HH, Han SU, Kim MC, Hyung WJ, Kim W, Lee HJ, et al. Long-term results of laparoscopic gastrectomy for gastric cancer: a large-scale case-control and case-matched Korean multicenter study. J Clin Oncol 2014;32:627-633.
43. Kim HH, Hyung WJ, Cho GS, Kim MC, Han SU, Kim W, et al. Morbidity and mortality of laparoscopic gastrectomy versus open gastrectomy for gastric cancer: an interim report--a phase III multicenter, prospective, randomized Trial (KLASS Trial). Ann Surg 2010;251:417-420.
44. Kim HM, Kim HK, Lee SK, Cho JH, Pak KH, Hyung WJ, et al. Multifocality in early gastric cancer does not increase the risk of lymph node metastasis in a single-center study. Ann Surg Oncol 2012;19:1251-1256.
45. Kim JP, Hur YS, Yang HK. Lymph node metastasis as a significant prognostic factor in early gastric cancer: analysis of 1,136 early gastric cancers. Ann Surg Oncol 1995;2:308-313.
46. Kim W, Kim HH, Han SU, Kim MC, Hyung WJ, Ryu SW, et al. Decreased morbidity of laparoscopic distal gastrectomy compared with open distal gastrectomy for stage I gastric cancer: short-term outcomes from a multicenter randomized controlled Trial (KLASS-01). Ann Surg 2016;263:28-35.
47. Kitano S, Shiraishi N, Uyama I, Sugihara K, Tanigawa N. A multicenter study on oncologic outcome of laparoscopic gastrectomy for early cancer in Japan. Ann Surg 2007;245:68-72.
48. Kodama Y, Sugimachi K, Soejima K, Matsusaka T, Inokuchi K. Evaluation of extensive lymph node dissection for carcinoma of the stomach. World J Surg 1981;5:241-248.
49. Koksoy FN, Gonullu D, Catal O, Kuroglu E. Risk factors for operative mortality and morbidity in gastric

cancer undergoing D2-gastrectomy. Int J Surg 2010;8: 633-635.

50. Korenaga D, Haraguchi M, Tsujitani S, Okamura T, Tamada R, Sugimachi K. Clinicopathological features of mucosal carcinoma of the stomach with lymph node metastasis in eleven patients. Br J Surg 1986;73: 431-433.
51. Kulig J, Popiela T, Kolodziejczyk P, Sierzega M, Szczepanik A. Standard D2 versus extended D2 (D2+) lymphadenectomy for gastric cancer: an interim safety analysis of a multicenter, randomized, clinical trial. Am J Surg 2007;193:10-15.
52. Kwee RM, Kwee TC. Imaging in local staging of gastric cancer: a systematic review. J Clin Oncol 2007;25: 2107-2116.
53. Lee JH, Hyung WJ, Kim HI, Kim YM, Son T, Okumura N, et al. Method of reconstruction governs iron metabolism after gastrectomy for patients with gastric cancer. Ann Surg 2013;258:964-969.
54. Lee JH, Kim JG, Jung HK, Kim JH, Jeong WK, Jeon TJ, et al. Clinical practice guidelines for gastric cancer in Korea: an evidence-based approach. J Gastric Cancer 2014;14:87-104.
55. Lee JH, Kim YW, Ryu KW, Lee JR, Kim CG, Choi IJ, et al. A phase-II clinical trial of laparoscopy-assisted distal gastrectomy with D2 lymph node dissection for gastric cancer patients. Ann Surg Oncol 2007;14: 3148-3153.
56. Lee KY, Noh SH, Hyung WJ, Lee JH, Lah KH, Choi SH, et al. Impact of splenectomy for lymph node dissection on long-term surgical outcome in gastric cancer. Ann Surg Oncol 2001;8:402-406.
57. Lee TH, Marcantonio ER, Mangione CM, Thomas EJ, Polanczyk CA, Cook EF, et al. Derivation and prospective validation of a simple index for prediction of cardiac risk of major noncardiac surgery. Circulation 1999;100:1043-1049.
58. Lee YJ, Jeong SH, Hur H, Han SU, Min JS, An JY, et al. Prospective multicenter feasibility study of laparoscopic sentinel basin dissection for organ preserving surgery in gastric cancer: quality control study for surgical standardization prior to phase III trial. Medicine (Baltimore) 2015;94:1894.
59. Lewis RT. Oral versus systemic antibiotic prophylaxis in elective colon surgery: a randomized study and meta-analysis send a message from the 1990s. Can J Surg 2002;45:173-180.
60. Maehara Y, Oiwa H, Tomisaki S, Sakaguchi Y, Watanabe A, Anai H, et al. Prognosis and surgical treatment of gastric cancer invading the pancreas. Oncology 2000;59:1-6.
61. Marks JB. Perioperative management of diabetes. Am Fam Physician 2003;67:93-100.
62. Martin Rc Jr, Jaques DP, Brennan MF, Karpeh M. Extended local resection for advanced gastric cancer: increased survival versus increased morbidity. Ann Surg 2002;236:159-165.
63. Maruyama K, Gunven P, Okabayashi K, Sasako M, Kinoshita T. Lymph node metastases of gastric cancer. General pattern in 1931 patients. Ann Surg 1989;210: 596-602.
64. Maruyama K, Sasako M, Kinoshita T, Sano T, Katai H, Okajima K. Pancreas-preserving total gastrectomy for proximal gastric cancer. World J Surg 1995;19:532-536.
65. Mc NG, Sunderland DA, Mc IG, Vandenberg HJ Jr, Lawrence W Jr. A more thorough operation for gastric cancer; anatomical basis and description of technique. Cancer 1951;4:957-967.
66. Mehaffey JH, LaPar DJ, Clement KC, Turrentine FE, Miller MS, Hallowell PT, et al. 10-year outcomes after Roux-en-Y gastric bypass. Ann Surg 2016;264:121-126.
67. Mishima Y, Hirayama R. The role of lymph node surgery in gastric cancer. World J Surg 1987;11:406-411.
68. Miura S, Kodera Y, Fujiwara M, Ito S, Mochizuki Y, Yamamura Y, et al. Laparoscopy-assisted distal gastrectomy with systemic lymph node dissection: a

critical reappraisal from the viewpoint of lymph node retrieval. J Am Coll Surg 2004;198:933-938.
69. Moller A, Villebro N. Interventions for preoperative smoking cessation. Cochrane Database Syst Rev 2005: CD002294.
70. Morii Y, Arita T, Shimoda K, Hagino Y, Yoshida T, Kitano S. Indications for pylorus-preserving gastrectomy for gastric cancer based on lymph node metastasis. Hepatogastroenterology 2002;49:1477-1480.
71. Nakamura K, Morisaki T, Sugitani A, Ogawa T, Uchiyama A, Kinukawa N, et al. An early gastric carcinoma treatment strategy based on analysis of lymph node metastasis. Cancer 1999;85:1500-1505.
72. Nakane Y, Michiura T, Inoue K, Sato M, Nakai K, Yamamichi K. Length of the antral segment in pylorus-preserving gastrectomy. Br J Surg 2002;89:220-224.
73. Namieno T, Koito K, Higashi T, Shimamura T, Yamashita K, Kondo Y. Tumor recurrence following resection for early gastric carcinoma and its implications for a policy of limited resection. World J Surg 1998;22:869-873.
74. Natsugoe S, Nakashima S, Matsumoto M, Nakajo A, Miyazono F, Kijima F, et al. Paraaortic lymph node micrometastasis and tumor cell microinvolvement in advanced gastric carcinoma. Gastric Cancer 1999;2: 179-185.
75. Nishi M, Ichikawa H, Nakajima T, Maruyama K, Tahara E. Effectiveness of systemic lymph node dissection in gastric cancer surgery. In: Nishi M, Ichikawa H, Nakajima T, eds. Gastric Cancer. Tokyo: Springer-Verlag, 1993:293-305.
76. Noshiro H, Nagai E, Shimizu S, Uchiyama A, Tanaka M. Laparoscopically assisted distal gastrectomy with standard radical lymph node dissection for gastric cancer. Surg Endosc 2005;19:1592-1596.
77. Nunobe S, Hiki N, Ohyama S, Fukunaga T, Seto Y, Yamaguchi T. Survival benefits of pancreatoduodenectomy for gastric cancer: relationship to the number of lymph node metastases. Langenbecks Arch Surg 2008; 393:157-162.
78. Obama K, Okabe H, Hosogi H, Tanaka E, Itami A, Sakai Y. Feasibility of laparoscopic gastrectomy with radical lymph node dissection for gastric cancer: from a viewpoint of pancreas-related complications. Surgery 2011;149:15-21.
79. Ohta K, Nishi M, Nakajima T, Kajitani T. Indications for total gastrectomy combined with pancreaticosplenectomy in the treatment of middle gastric cancer. Nihon Geka Gakkai Zasshi 1989;90:1326-1330.
80. Okano K, Maeba T, Ishimura K, Karasawa Y, Goda F, Wakabayashi H, et al. Hepatic resection for metastatic tumors from gastric cancer. Ann Surg 2002;235:86-91.
81. Pak KH, Hyung WJ, Son T, Obama K, Woo Y, Kim HI, et al. Long-term oncologic outcomes of 714 consecutive laparoscopic gastrectomies for gastric cancer: results from the 7-year experience of a single institute. Surg Endosc 2012;26:130-136.
82. Park JY, Kim YW, Ryu KW, Nam BH, Lee YJ, Jeong SH, et al. Assessment of laparoscopic stomach preserving surgery with sentinel basin dissection versus standard gastrectomy with lymphadenectomy in early gastric cancer-A multicenter randomized phase III clinical trial (SENORITA trial) protocol. BMC Cancer 2016;16:340.
83. Park JY, Ryu KW, Eom BW, Yoon HM, Kim SJ, Cho SJ, et al. Proposal of the surgical options for primary tumor control during sentinel node navigation surgery based on the discrepancy between preoperative and postoperative early gastric cancer diagnoses. Ann Surg Oncol 2014;21:1123-1129.
84. Park YK, Yoon HM, Kim YW, Park JY, Ryu KW, Lee YJ, et al. Laparoscopy-assisted versus open D2 distal gastrectomy for advanced gastric cancer: results from a randomized phase II multicenter clinical trial (COACT 1001). Ann Surg 2017.
85. Perioperative total parenteral nutrition in surgical patients. N Engl J Med 1991;325:525-532.
86. Robertson CS, Chung SC, Woods SD, Griffin SM,

Raimes SA, Lau JT, et al. A prospective randomized trial comparing R1 subtotal gastrectomy with R3 total gastrectomy for antral cancer. Annals of surgery 1994;220:176-182.

87. Sano T, Sasako M, Mizusawa J, Yamamoto S, Katai H, Yoshikawa T, et al. Randomized controlled trial to evaluate splenectomy in total gastrectomy for proximal gastric carcinoma. Ann Surg 2017;265:277-283.
88. Sano T, Sasako M, Yamamoto S, Nashimoto A, Kurita A, Hiratsuka M, et al. Gastric cancer surgery: morbidity and mortality results from a prospective randomized controlled trial comparing D2 and extended para-aortic lymphadenectomy--Japan Clinical Oncology Group study 9501. J Clin Oncol 2004;22:2767-2773.
89. Sarela AI, Yelluri S. Gastric adenocarcinoma with distant metastasis: is gastrectomy necessary? Arch Surg 2007;142:143-149.
90. Sasako M, McCulloch P, Kinoshita T, Maruyama K. New method to evaluate the therapeutic value of lymph node dissection for gastric cancer. Br J Surg 1995;82:346-351.
91. Sasako M, Sano T, Yamamoto S, Kurokawa Y, Nashimoto A, Kurita A, et al. D2 lymphadenectomy alone or with para-aortic nodal dissection for gastric cancer. N Engl J Med 2008;359:453-462.
92. Seevaratnam R, Cardoso R, McGregor C, Lourenco L, Mahar A, Sutradhar R, et al. How useful is preoperative imaging for tumor, node, metastasis (TNM) staging of gastric cancer? A meta-analysis. Gastric Cancer 2012;15:3-18.
93. Shchepotin IB, Chorny VA, Nauta RJ, Shabahang M, Buras RR, Evans SR. Extended surgical resection in T4 gastric cancer. Am J Surg 1998;175:123-126.
94. Shin KY, Jeon SW, Cho KB, Park KS, Kim ES, Park CK, et al. Clinical outcomes of the endoscopic submucosal dissection of early gastric cancer are comparable between absolute and new expanded criteria. Gut Liver 2015;9:181-187.
95. Shin SH, Jung H, Choi SH, An JY, Choi MG, Noh JH, et al. Clinical significance of splenic hilar lymph node metastasis in proximal gastric cancer. Ann Surg Oncol 2009;16:1304-1309.
96. Shinohara H, Sonoda T, Niki M, Nomura E, Nishiguchi K, Tanigawa N. Laparoscopically-assisted pylorus-preserving gastrectomy with preservation of the vagus nerve. Eur J Surg 2002;168:55-58.
97. Smetana GW. Preoperative pulmonary evaluation. N Engl J Med 1999;340:937-944.
98. Soga J, Ohyama S, Miyashita K, Suzuki T, Nashimoto A, Tanaka O, et al. A statistical evaluation of advancement in gastric cancer surgery with special reference to the significance of lymphadenectomy for cure. World J Surg 1988;12:398-405.
99. Son T, Hyung WJ, Lee JH, Kim YM, Kim HI, An JY, et al. Clinical implication of an insufficient number of examined lymph nodes after curative resection for gastric cancer. Cancer 2012;118:4687-4693.
100. Song KY, Kim SN, Park CH. Laparoscopy-assisted distal gastrectomy with D2 lymph node dissection for gastric cancer: technical and oncologic aspects. Surg Endosc 2008;22:655-659.
101. Songun I, Putter H, Kranenbarg EM, Sasako M, van de Velde CJ. Surgical treatment of gastric cancer: 15-year follow-up results of the randomised nationwide Dutch D1D2 trial. Lancet Oncol 2010;11:439-449.
102. Sunderland DA, Mc NG, Ortega LG, Pearce LS. The lymphatic spread of gastric cancer. Cancer 1953;6:987-996.
103. Symeonidis D, Koukoulis G, Tepetes K. Sentinel node navigation surgery in gastric cancer: Current status. World J Gastrointest Surg 2014;6:88-93.
104. Takashima S, Kosaka T. Results and controversial issues regarding a para-aortic lymph node dissection for advanced gastric cancer. Surg Today 2005;35:425-431.
105. Tsuburaya A, Mizusawa J, Tanaka Y, Fukushima N, Nashimoto A, Sasako M. Neoadjuvant chemotherapy with S-1 and cisplatin followed by D2 gastrectomy

with para-aortic lymph node dissection for gastric cancer with extensive lymph node metastasis. Br J Surg 2014;101:653-660.

106. Uyama I, Sugioka A, Matsui H, Fujita J, Komori Y, Hasumi A. Laparoscopic D2 lymph node dissection for advanced gastric cancer located in the middle or lower third portion of the stomach. Gastric Cancer 2000;3:50-55.
107. Wagner PK, Ramaswamy A, Ruschoff J, Schmitz-Moormann P, Rothmund M. Lymph node counts in the upper abdomen: anatomical basis for lymphadenectomy in gastric cancer. Br J Surg 1991;78:825-827.
108. Warner MA, Divertie MB, Tinker JH. Preoperative cessation of smoking and pulmonary complications in coronary artery bypass patients. Anesthesiology 1984;60:380-383.
109. Warner MA, Offord KP, Warner ME, Lennon RL, Conover MA, Jansson-Schumacher U. Role of preoperative cessation of smoking and other factors in postoperative pulmonary complications: a blinded prospective study of coronary artery bypass patients. Mayo Clin Proc 1989;64:609-616.
110. Wiklund RA. Preoperative preparation of patients with advanced liver disease. Crit Care Med 2004;32:106-115.
111. Windsor JA, Hill GL. Weight loss with physiologic impairment. A basic indicator of surgical risk. Ann Surg 1988;207:290-296.
112. Wu CW, Hsiung CA, Lo SS, Hsieh MC, Chen JH, Li AF, et al. Nodal dissection for patients with gastric cancer: a randomised controlled trial. Lancet Oncol 2006;7:309-315.
113. Yonemura Y, Wu CC, Fukushima N, Honda I, Bandou E, Kawamura T, et al. Randomized clinical trial of D2 and extended paraaortic lymphadenectomy in patients with gastric cancer. Int J Clin Oncol 2008;13:132-137.
114. Yonemura Y. Lymphatic systems of the stomach and the patterns of lymph node metastases. In: Yonemura Y, eds. Contemporary approaches toward cure of gastric cancer. Kanazawa: Maeda Shoten, 1996:3-14.
115. Yoo CH, Sohn BH, Han WK, Pae WK. Proximal gastrectomy reconstructed by jejunal pouch interposition for upper third gastric cancer: prospective randomized study. World J Surg 2005;29:1592-1599.
116. Yu W, Choi GS, Chung HY. Randomized clinical trial of splenectomy versus splenic preservation in patients with proximal gastric cancer. Br J Surg 2006;93:559-563.
117. Zeng YK, Yang ZL, Peng JS, Lin HS, Cai L. Laparoscopy-assisted versus open distal gastrectomy for early gastric cancer: evidence from randomized and nonrandomized clinical trials. Ann Surg 2012;256:39-52.
118. Zibrak JD, O'Donnell CR, Marton K. Indications for pulmonary function testing. Ann Intern Med 1990;112:763-771.

CHAPTER 26

비장절제술 및 췌장보존 비장절제술

진행성 위암의 수술에서 비장 또는 췌-비장의 합병절제는 비장이나 췌장에 암이 직접 침윤한 경우 또는 광범위한 림프절절제 특히 비문 림프절과 비동맥 림프절을 완전히 절제하고자 할 때 시행된다. 이러한 합병절제에 있어서 주요 논란점은 합병증 및 사망률과 생존율 향상 여부이다. 위암 병변이 위의 상부와 중부에 위치한 진행성 위암의 경우 약 18~20%에서 비문 림프절(10번)과 췌장 상연에 위치한 비동맥 림프절(11번)로 암이 전이된다. 위 전체에 진행성 위암이 있는 경우에는 전이율이 비문 림프절의 경우 26.7%, 비동맥 림프절의 경우 22.2%로 보고되었다. 그러므로 전이 가능성이 있는 비문 림프절과 비동맥 림프절을 완전히 절제하려면 비장 및 췌장을 합병절제해야 한다는 보고도 있다. 그러나 췌장의 합병절제 후 췌액누출, 췌장루, 횡격막하농양, 술후 당뇨병 등의 심각한 합병증이 지적되자 이를 보완하기 위해 위전절제술 시 췌장보존 비장절제술(pancreas preserving total gastrectomy)이 발표되었다.

이 술식은 췌실질을 절제하지 않고 비장 및 비문부 림프절과 함께 비동맥 주위의 림프절과 지방 결합조직을 제거할 수 있는 방법으로, 술후 사망률 및 합병증 발생률과 5년 생존율이 췌장을 절제한 경우보다 우월하였다. 또한 서양의 연구에서도 동반 췌장절제술은 환자의 생존에 악영향을 미치므로 위암에 대한 예방적 췌장절제술을 포기해야 한다는 결론을 도출하기도 하였다. 그러나 몇몇 보고에서는 췌장보존 비장절제술에 있어서도 여전히 췌장루 등의 합병증을 문제점으로 지적하였다. 또한 위절제술 시 합병절제되는 비장의 종양-면역학적 역할과 비장의 합병절제가 진행성 위암 환자의 생존율 증가와 연관이 있는가에 대하여는 아직 논란이 많으며, 이에 대해 연구가 계속 진행되고 있다.

1. 비장절제술

1) 비문부의 림프절 전이

위절제술 시 비장의 합병절제는 진행성 위암이면서 비장에 암이 직접 침윤된 경우 외에는 비문 림프절과 비동맥 림프절의 완전절제를 목적으로 시행된다. 비문부 림프절 전이의 발생빈도는 위암의 위치에 따라 달라서, 하부 위암의 경우 0~6% 정도이나 상부 위암의 경우 10~25%로 보고되고 있다(표 26-1).

특히 병소가 대만곡 쪽에 위치한 경우에는 17%로 비교적 높고, III기나 IV기일 때는 25%에 달한다. 상부 위암에 근치적 수술을 시행한 예에서 비문부 림프절 전이율은 9.8%였고, 모두 IIIB기와 IV기일 때만 전이가 있

표 26-1. **상부 위암에서 비문부 림프절 전이**

저자	환자 수	비문부 림프절 전이율(%)
Koga (1981)	96	17
Maruyama (1989)	150	10
Aikou (1992)	103	14
Meyer (1994)	89	26
Numberger (1996)	145	14
Kwon (1997)	49	29
Monig (2001)	112	10
Csendes (2002)	187	9
Ikeguchi (2004)	225	20.9
Yu (2006)	207	802
Sano (2017)	254 (splenectomy)	2.4

었으며, Borrmann 4형과 대만곡에 위치한 위암에서 전이 빈도가 높았다. 또한, 림프절절제로 얻을 수 있는 이득을 예측하는 지수(림프절 전이 빈도x전이 시 5년 생존율)는 종양이 대만에 위치할 때(19.4) 대만을 침범하지 않은 경우(6.64) 보다 높았으며 Borrmann 4형일 때(12.9) 그렇지 않은 경우(2.98)보다 상대적으로 높아 대만 침윤 위암과 Borrmann 4형 위암의 경우 비장절제술을 통한 비문부 림프절절제술로 더 나은 생존율을 얻을 수 있을 것이라고 주장되었다.

비문부 림프절 전이율이 12.4%였다는 보고에서는 원발암이 비문부 림프절로 전이되는 경로를 세 가지로 분석하였다. 첫째, 3번 림프절에서 7번과 11번 림프절을 거쳐 비문부 림프절로 연결되는 경로이다. 둘째, 4번 림프절에서 10번 림프절로 연결되는 경로이다. 셋째, 원발암과 직접 연결되는 경로이다. 특히 상부 위암의 주요 전이 경로는 3번과 4번 림프절이라고 보고하였다. 림프절의 크기에 따른 전이율은 오차가 커서 아직까지는 수술 전, 수술 중에 림프절 전이를 예측할 수 있는 신뢰도 높은 방법이 없다. T병기를 기준으로 비문부 림프절의 전이율을 살펴보면, T1은 비문부 림프절 전이가 없고, T2는 비문부나 비동맥 주위 림프절 전이율이 19% 정도이다. 육안으로 장막침윤 소견이 보이는 상부 위암의 경우에 비문부 림프절 전이 위험도가 높으며, T3나 T4의 경우 비문부 림프절 전이율이 36%에 이르므로 T병기를 기준으로 비장 절제 여부를 결정해야 한다는 의견이 있다. 또한 종양 크기가 40 mm 이하인 경우에는 비문부 림프절 전이율이 낮다는 보고가 있다. 비문부 림프절의 전이 여부가 중요한 예후인자이며, 위벽의 침윤도로 비문부 림프절 전이 여부를 예측할 수 있다는 연구결과도 있다. 비문부의 림프절 전이는 대부분 위암이 많이 진행된 상태에서 이루어지게 되며 이로 인해 비장 절제를 통하여 비문부 림프절절제가 충분히 이루어진 경우에도 불량한 예후를 보여주게 된다. 다만 위암에서 일차적으로 비문부 림프절 전이가 이루어지는 경우 비장 절제를 통한 생존이득을 얻을 가능성이 있을 수 있다고 할 수 있다.

2) 비장절제술과 면역기능의 변화

비장은 적은 양의 종양항원에 의해 자극을 받으면 면역반응이 활성화되지만 양이 많아지면 오히려 면역반응이 억제된다고 한다. 진행성 위암의 경우 면역억제 역할을 담당하는 비장을 합병절제하면 체내 세포성 면역능이 회복되어 생존율이 증가한다는 주장이 있으나, 반면 비장 절제가 오히려 세포성 면역능을 저하시킨다는 보고도 있다. 이러한 비장의 종양 면역학적 역할의 양 측면을 규명하기 위해 시행된 전향적 연구에 따르면, 수술하기 전에 면역억제 산성단백질(immunosuppressive acidic protein, IAP)을 측정하여 수치가 높으면 항종양 면역반응이 음성이므로 비장 합병절제가 생존율을 높일 수 있고, 반대로 수치가 낮으면 비장을 보존하는 쪽이 좋다고 한다. 따라서 비장절제술 후 종양항원에 대한 변역반응을 예측하거나 비장유무에 따른 면역반응을 추론하기는 어려우며, 비장은 경우에 따라 항종양 면역반응을 촉진할 수도 있고 억제할 수도 있다는 면에서 비장의 합병절제는 아직까지 논란의 여지가 많은 부분이다.

3) 비장절제술에 따른 합병증과 생존율

위절제술 시 비장 절제가 위암 환자의 수술 관련 합병증과 예후에 미치는 영향에 대해서는 논란이 많다. 비장 절제 후에 합병증이 발생하거나, 비장절제술을 받은 환자가 비문부 또는 비동맥림프절 전이 같은 불량한 예후인자를 가지고 있다면 예후에 좋지 않은 영향을 미칠 수 있다. I기 환자의 경우 비장을 보존한 군이 비장을 절제한 군보다 5년 생존율이 높으며, 비장절제술이 수술 후 합병증과 사망률을 증가시키지는 않지만 생존율 향상 효과는 근치적 절제술이 가능했던 N2, N3 림프절 전이가 있는 위암에서만 나타났다. D1과 D2를 비교한 서양의 전향적 연구에서도 비장절제술은 수술 관련 합병증의 독립적 위험인자였으며 D1, D2 양군에서 비장절제술 후 생존율이 감소되었다. II기, III기에 비장절제술 시행한 경우에는 예후가 불량하였다. 그러나 근치적 위전절제술을 시행한 환자군을 비장절제술을 시행한 군과 비장을 보존한 군으로 나누어 병기별로 비교해 본 결과 5년 생존율에 차이가 없었다는 보고들이 있으며, 최근의 연구에서는 비장절제술을 시행한 환자군이 비장을 보존한 환자군보다 5년 생존율이 약간 더 높지만 통계적으로 유의한 차이는 없다고 하였다.

최근 일본에서 발표된 다기관 전향적 연구에서 술후 합병증은 비장보존군에 비하여 비장절제술에서 더 자주 발생되었고(30.3%와 16.7%, P<0.01) 술후 합병증 중에서 췌장 누공과 복강내 농양이 비장절제군에서 더 자주 발생하는 주요 합병증이었다. 5년 전체 생존율은 비장절제술군에서 75.1% (95% CI 69.3~80.0)이었으며 비장보존군에서는 76.4% (95% CI 70.7~81.2)였고 비장보존군이 통계적으로 유의한 비열등성을 보였다(표 26-2).

표 26-2. **비장절제술과 생존율**

저자	증례수	생존율(%)		P값
		비장 보존군	비장 절제군	
Brady (1991)	392	50	38	<0.01
Stipa (1994)	646	42	31	<0.01
Wanebo (1997)	18,344	31	20.9	<0.0001
Maehara (1991)	252	52	36.7	NS
Otsuji (1996)	245	47	46	NS
Csendes (2002)	187	36	42	NS
Yu (2006)	216	48.8	54.8	NS
Sano (2017)	505	76.4	75.1	Non-inheriority p=0.025

결과적으로 대만을 침범하지 않는 근위 위암에 대한 위전절제술에서 비장절제술은 생존율을 높이지 않으면서 수술 이환율을 증가시키기 때문에 비장절제술을 피해야 한다고 보고하였으며 이 연구에서 근위부 위의 대만에 국한된 종양은 연구대상에서 제외되었으므로 이에 대한 예방적 비장절제술의 영향은 알 수 없다고 하였다. 이후 발표된 후향적 연구에서는 대만을 포함한 진행성 위암의 경우, 수술 후 합병증 이환율 증가에도 불구하고 예방적인 비장절제술은 예후에 영향을 미치지 않았으므로 림프절 전이가 분명하지 않은 한 비장 절제를 피해야 한다고 주장하였다. 결론적으로 비장절제술을 동반한 경우 대다수의 연구에서 수술 관련 합병증이 증가하였고 생존율에 있어서도 이득을 보여주지 못하였다.

4) 비장절제술의 적응증

비장을 보존하면서도 비문부 림프절을 절제할 수 있다 할지라도 술 중에 비문부 림프절 전이 유무를 육안으로 또는 현미경으로 구별하기가 어려우므로 비문부 림프절을 완전 절제하기가 어렵다. 비문 주위 지방조직이 많은 경우에는 더욱 그러하다. 또한 비문부 림프절 전이 중 20%에서는 림프절의 피막을 침범한 침윤이 관찰되므로 비문 림프절이 암에 침윤된 경우에는 비장도 절제해야 한다는 보고가 있다. 반면 비장절제술이 림프절절제를 목적으로 시행되었다고 하여도 생존율은 증가하지 않고 합병증만 증가시켰다는 보고는 더욱 많다.

비장의 합병절제가 위암 환자의 예후에 미치는 영향에 대하여 아직 확립된 의견이 없고, 비장의 면역학적 역할에 대한 연구도 부족한 상태이므로 D2 림프절절제술 시 비장 절제를 일률적으로 시행하기보다는 비장 직접 침윤이나 비문 림프절 전이가 있는 경우에만 시행하자는 제안이 있다. 후향적, 다기관 연구를 통해 비장의 합병절제는 생존율의 증가와는 무관하며 오히려 비장 절제에 따른 위험도가 더 높다는 보고가 있으며, 비장의 합병절제가 생존율 증가에 영향을 미치지 않으므로 비장 및 비문부에 암이 직접 침윤된 경우에만 비장의 합병절제를 시행해야 한다는 주장도 있다. 현재까지는 위 대만부를 포함하지 않는 위암에 대해서는 비장절제술을 하는 것을 권하지 않고 있고 대만부를 포함하는 위암이나 육안적인 비문부 침윤 혹은 림프절 전이가 의심되는 경우 아직 생존이득은 증명이 되지는 않았으나 더 완전한 림프절절제를 위해서 비장 절제를 하는 것을 권하고 있다. 또한 췌장실질을 침윤한 경우나 비장동맥을 침윤한 경우에는 가능하다면 췌장 절제와 비장 절제를 시행하고 비장 동맥의 육안적인 림프절 전이가 의심되는 경우에도 필요시 비장 절제를 시행하여야 한다.

2. 췌장보존 비장절제술

진행성 위암 환자의 근치적 수술을 위해 위절제와 함께 주위 장기의 합병절제가 필요한 경우가 있다. 장막 침윤이 있으면서 위의 대만곡이나 후벽 또는 위 전체에 걸쳐 병변이 있고 비국소적 형태의 위암인 경우가 췌비장절제술의 적응증으로 여겨져 왔다. 위의 상부 또는 위 전체 부위에 병변이 있는 진행성 위암에서 오른쪽 분문부 주위 림프절(No.1)과 단위동맥 주위 림프절(No. 4sa)에 전이가 있을 때 비문 림프절 및 비동맥 림프절의 전이 가능성이 높으므로 위전절제와 함께 췌비장절제술을 시행해야 한다는 주장도 있었다. 췌비장절제술은 췌장실질에 암이 직접 침윤된 경우 외에, 비문 림프절과 췌장 상연에 위치한 비동맥 림프절을 완전히 절제하기 위해 시행되어 왔지만 생존율을 높이지 못하며, 오히려 췌장 절제로 인한 췌액 누출, 췌장루, 횡격막하 농양, 술후 당뇨병 등 다양한 합병증을 유발한다.

Maruyama 등은 합병증을 예방하기 위해 1979년 비동맥을 복강동맥에서 분지한 기시부에서 결찰하는 위전절제술 시 췌장보존 비장절제술을 발표하였다. 1995년에는 이를 보완하여 등쪽췌동맥(dorsal pancreatic artery)이 복강동맥에서 직접 분지되는 경우에는 비동맥을 그 기시부에서 결찰하고, 등쪽췌동맥이 비동맥에서 분지되는 경우에는 등쪽췌동맥이 분지되는 부위 이후에서 비동맥을 결찰하는 술식을 발표하였다. 이 술식은 위의 상부와 중부에 위치한 진행성 위암일 때 췌장 주변에서는 장막하 지방조직이나 비동맥과 비문부에만 암이 전이되고 실질에는 전이되지 않았다는 연구 결과에 기반하고 있다. 이 술식으로 췌장실질을 절제하지 않고 비장 및 비문 림프절과 함께 비동맥 주위의 림프절과 지방결합조직을 제거할 수 있었고, 술후 사망률 및 합병증 발생률과 5년 생존율이 췌장 절제를 시행한 경우보다 우월하였다. 이 술식을 도입한 후 술후 합병증 발생률은 감소했으나 췌액 누출이나 췌장루는 여전히 보고되고 있다. 같은 술식을 적용한 다른 연구자들도 11%에서 췌장루를 경험하였고, 5%에서 췌장루 및 복강내 농양이 발생하였으며, 11.1%에서 췌장루가 발생하였다. 국내 보고에서도 11%에서 췌장루가 발생하였고, 췌장 절제와 연관된 합병증까지 고려하면 전체 합병증 발생률은 23.7%였다.

1) 췌장의 혈액 공급에 대한 해부학적 이해

췌장보존 비장절제술 후 발생하는 합병증을 예방하기 위해서는 술후 보존된 췌장으로 혈액이 원활하게 공급되어야 한다. 비동맥 결찰은 위전절제술 시 췌장보존 비장절제술의 주요 술식 중 하나이므로 술자는 췌장의 혈액공급 체계를 잘 이해하고 있어야 한다. 췌장의 체부와 미부에는 주로 비동맥과 등쪽췌동맥(dorsal pancreatic artery), 횡행췌동맥(transverse pancreatic artery)이 서로 연결되어 순환하면서 혈액을 공급한다. 횡행췌동맥은 등쪽췌동맥이 분지되어 췌장의 후면을 따라 주행하다가 후상췌십이지장동맥(posterosuperior pancreaticoduodenal artery)과 서로 연결되는 지점인 일명 Kirk's arcade 이후부터를 일컬으며, 주로 췌미부에 혈액을 공급한다. 이렇듯이 췌두부에 혈액을 공급하는 후상췌십이지장동맥과 등쪽췌동맥 사이에 Kirk's arcade라는 연결 혈관이 있어서 등쪽췌동맥이 수술 중 절단되어도 Kirk's arcade를 통해 혈류를 공급받을 수 있으므로 췌미부의 혈액 공급에는 문제가 없다. 그러나 정상인의 약 40%는 Kirk's arcade가 없으므로 이런 환자에서는 등쪽췌동맥이 췌장 체부 및 미부의 유일한 혈액 공급원이다. 이러한 환자에게 췌장보존 위전절제술을 시행하는 중에 등쪽췌동맥이 분지되기 이전에 비동맥을 결찰하거나, 등쪽췌동맥을 절단하거나 손상하게 되면 췌미부가 괴사해 술후 췌액 누출 및 췌장루, 복강 내 농양 등의 합병증을 야기할 수 있으므로 수술 시 세심한 주의가 요구된다.

그러나 등쪽췌동맥을 분지하는 혈관이 다양해 술중에 등쪽췌동맥을 확인하는 데 어려움을 겪을 수도 있다. 등쪽췌동맥의 22.2~80%가 비동맥에서 분지하며, 이 중 비동맥의 기시부 1/3 내에서 분지하는 경우가 42~44%로 가장 많다. 그러나 7.8~23.2%는 비동맥의 원위부에서 분지하므로 술중에 비동맥 결찰 부위를 선정할 때 매우 신중해야 한다. 또한 등쪽췌동맥의 12~24%는 총간동맥에서, 3~33%는 복강동맥에서, 1.8~25%는 상장간막동맥에서 분지하며 이 외에 위십이지장동맥, 좌위동맥, 우간부동맥 등에서도 분지하고, 등쪽췌동맥의 개수도 2~4개까지 보고되는 등 변이가 매우 다양하다.

2) 췌장보존 비장절제술의 보완술식

췌미부 절제 후 발생 가능한 합병증을 예방하기 위해 많은 보완 술식이 연구되어 왔다. 보존된 췌장의 혈액공급을 담당하는 등쪽췌동맥을 보존하기 위해 비동맥 기시부의 5 cm 하방에서 비동맥을 결찰해야 한다는 보고가 있으며, 수술 중 비동맥을 결찰하기 전과 후에 laser doppler flow meter로 췌장의 혈류량을 측정해 술후 췌장루 발생을 예측할 수 있다는 보고도 있다. 즉 혈류량이 급격히 감소했을 때는 술후에 췌장이 괴사되어 췌장루가 발생할 수 있으므로 원위부 췌장절제술을 시행해야 한다고 하였다. 또한 작은 혈관겸자로 등쪽췌동맥이 분지된 이후의 비동맥의 혈류를 임시로 차단하고 수술을 진행하여 술식의 마무리 단계에서 췌미부의 허혈성 변화 유무를 확인한 후 췌장보존 여부를 결정하면 합병증을 유의하게 줄일 수 있다고 한다.

3) 췌장보존 비장절제술의 적응증

위의 상부와 중부 1/3의 위치에 병변이 있는 진행성 위암 환자 중 췌장으로의 직접 침윤이 없거나 췌장 상연을 따라 육안적인 림프절 전이가 없는 경우를 적응증으로 삼는다. 그러나 위 전체에 병변이 있는 경우에도 비문 림프절 및 비동맥 림프절 전이가 발생할 수 있으므로 위전절제술 시 췌장보존 비장절제술을 고려한다. 췌장으로 암이 직접 침윤된 경우는 췌장 합병절제의 적응증이지만, 술중에 육안으로 보아 췌장 직접 침윤으로 판단되어 췌장을 절제한 경우 중 술후 조직검사에서 전이로 확진된 비율이 39%라는 보고도 있다. 이처럼 단순 염증성 반응과 췌장으로의 직접 침윤을 구별하기 어렵기 때문에 술중에 육안으로 췌장 직접 침윤을 판단할

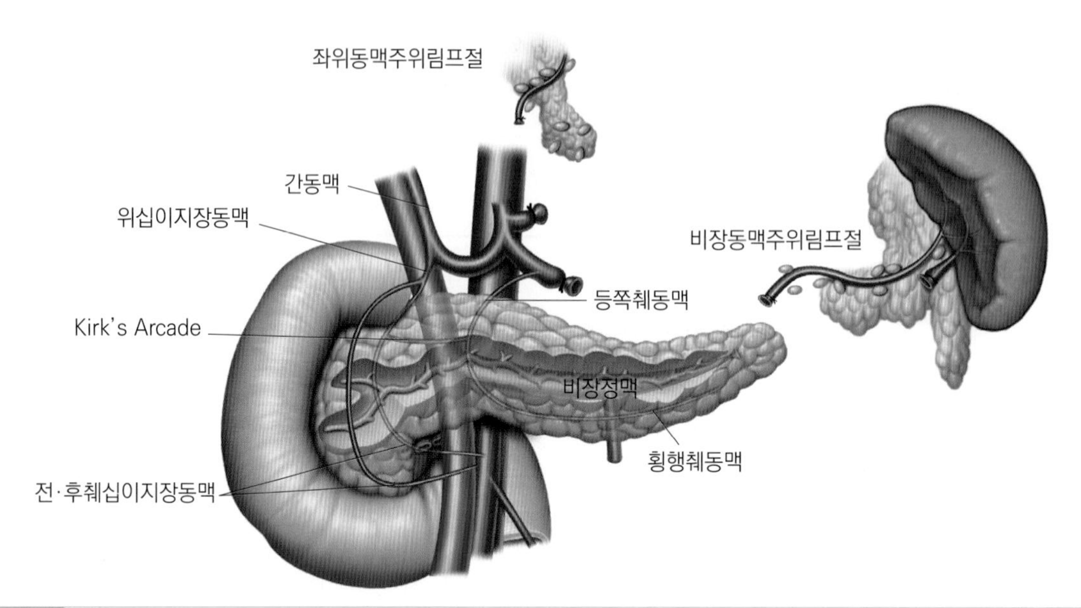

그림 26-1 췌장보존 비장절제술시 동맥 결찰의 모식도.

때는 신중해야 한다(그림 26-1).

또한 췌장 상연을 따라 림프절 전이가 있다 하더라도 췌장을 보존하면서 비장 및 비문부 림프절과 함께 비동맥 주위의 림프절과 지방결합조직을 절제하는 것만으로도 림프절 완전절제를 위해서는 충분하며, 단지 비동맥 림프절의 완전절제를 목적으로 한 췌장의 합병절제는 불필요하다. 따라서 육안적으로 장막침윤이 있는 환자 중 위의 상부 또는 중부 1/3에 병변이 있거나, 위 전체에 병변이 있으면서 췌장으로의 직접 침윤이 없는 경우, 장막침윤이 없더라도 비동맥 및 비문부 주위에 육안적으로 림프절 종대가 확연하여 전이가 의심되는 경우 등이 췌장보존 비장절제술의 적응증이다.

참고문헌

1. 이문수, 강길호, 조규석 등. 위 전절제술에서 췌장보존 비장적출술의 합병증 및 보완술식. 대한위암학회지 2007;7:31-37.
2. Berteli E, Di Gregorio F, Mosca S, et al. The arterial blood supply of the pancreas: a review. V the dorsal pancreatic artery. an anatomic review and a radiologic study. Surg Radiol Anat 1998;20:445-452.
3. Bonenkamp JJ, Hermans J, Sasako M, van de Velde CJ, Welvaart K, Songun I, et al. Extended lymph-node dissection for gastric cancer. N Engl J Med 1999;340: 908-914.
4. Bruschwig A. Pancreato-total gastrectomy and splenectomy for advanced carcinoma of the stomach. Cancer 1948;1:427-430.
5. Chikara K, Hiroshi S, Masato N, et al. Indication for panceaticosplenectomy in advanced gastric cancer. Hepatogastroenterology 2001;48:908-912.
6. Csendes A, Burdiles P, Rojas J, Braghetto I, Diaz JC, Maluenda F. A prospective randomized study comparing D2 total gastrectomy versus D2 total gastrectomy

plus splenectomy in 187 patients with gastric carcinoma. Surg 2002;131:401-407.
7. Doglietto GB, Pacelli F, Caprino P, et al. Pancreas-preserving total gastrectomy for gastric cancer. Arch Surg 2000;135:89-94.
8. Erturk S, Ersan Y, Cicer Y, et al. Effect of simultaneous splenectomy on the survival of patients undergoing curative gastrectomy for proximal gastric carcinoma. Surg Today 2003;33:254-258.
9. Furukawa H, Hiratsuka M, Ishikawa O, et al. Total gastrectomy with dissection of lymph nodes along the splenic artery: A pancreas-preserving method. Ann Surg Oncol 2000;7:669-673.
10. Griffith JP, Sue-Ling HM, Martin I, Dixon MF, McMahon MJ, Axon AT, et al. Preservation of the spleen improves survival after radical surgery for gastric cancer. Gut 1995;36:684-690.
11. Ikeguchi M, Kaibara N. Lymph node metastasis at the splenic hilum in proximal gastric cancer. Am Surg 2004;70:645-648.
12. Kamata T, Yonemura Y, Ooyama S. Indication of pancreatosplenectomy for gastric cancer on the upper part of the stomach. Jpn J Gastroenrerol Surg 1990;23:7-11.
13. Kanai H. Significance of combined pancreaticosplenectomy in gastric resection for gastric carcinoma. J Jpn Soc Cancer Ther 1967;2:328-338.
14. Kanayama H, Hamazoe R, Osaki Y, et al. Immunosuppresive factor from the spleen in gastric cancer patients. Cancer 1985;56:1963-1966.
15. Kasakura K, Fujii M, Mochizuki F, et al. Is there a benefit of pancreaticosplenectomy with gastrectomy for advanced gastric cancer? Am J Surg 2000;179:237-242.
16. Kawaguchi M, Muto K, Nichimoto A. Clinical implication of splenectomy associated with the operation for gastric cancer. J Clin Surg 1983;38:185-188.
17. Konno H, Baba M, Maruo Y, et al. Measurement of pancreatic blood flow to prevent pancreatic juice leakage after pancreas-preserving total gastrectomy for gastric cancer. Eur Surg Res 1997;29:287-291.
18. Kosuga T, Ichikawa D, Okamoto K, Komatsu S, Shiozaki A, Fujiwara H, et al. Survival benefits from splenic hilar lymph node dissection by splenectomy in gastric cancer patients: relative comparison of the benefits in subgroups of patients. Gastric Cancer 2011;14:172-177.
19. Kwon SJ. Members of the Korean Gastric Cancer Study Group. Prognostic impact of splenectomy on gastric cancer: results the Korean Gastric Cancer Study Group. World J Surg 1997;21:837-844.
20. Nakayama K. Pancreaticosplenectomy in gastric cancer. Surg 1956;40:297-310.
21. Maruyama K. A new dissection technique of superior pancreatic lymph nodes, pancreas preserving operation with removal of splenic artery and vein. Jpn J Gastroenterol Surg 1979;12:961-966.
22. Maruyama K, Sasako M, Kinoshita T, et al. Pancreas preserving total gastrectomy for proximal cancer, World J Surg 1995;19:532-536.
23. Monig SP, Collet PH, Baldus SE. Splenectomy in proximal gastric cancer: frequency of lymph node metastasis to the splenic hilus. J Surg Oncol 2001;76:89-94.
24. Nordlund J, Gershon R. Splenic regulation of the clinical appearance of small tumors. J Immunol 1975;114:1486-1490.
25. Noguchi Y, Yamamoto Y, Morinaga S, et al. Does pancreaticosplenectomy contribute to better survival? Hepatogastroenterology 2002;49:1436-1440.
26. Ohta K. Nishi M. Nakajima T, et al. Indication for total gastrectomy combined with pancreaticosplenectomy in the treatment of middle gastric cancer. Nippon Geka Gakkai Zasshi 1989;90:1326-1330.
27. Okajima K, lsozaki H. Splenectomy for treatment of gastric cancer: Japanese experience. World J Surg 1995;19:537-540.
28. Okuno K, Tanaka A, Shigeoka H, et al. Suppression

of T-cell function in gastric cancer patients after total gastrectomy with splenectomy: implications of splenic autotransplantation. Gastric Cancer 1999;2:20-25.

29. Ohno M, Nakamura T, Ajiki T, et al. Procedure for lymph node dissection around splenic artery in proximal gastric cancer. Hepatogastroenterology 2003;50: 1173-1177.
30. Otsuji E, Yamaguchi T, Sawai K, et al. End results of simultaneous splenectomy in patients undergoing total gastrectomy for gastric cancer. Surg 1996;120:40-44.
31. Piso P, Bellin T, Aselmann H, et al. Results of combined gastrectomy and pancreatic resection in patients with advanced primary gastric carcinoma. Dig Surg 2002;19:281-285.
32. Sano T, Sasako M, Mizusawa J, Yamamoto S, Katai H, Yoshikawa T, et al. Randomized controlled trial to evaluate splenectomy in total gastrectomy for proximal gastric carcinoma. Ann Surg 2017;265:277-283.
33. Saji S, Sakamoto J, Teramukai S, et al. Impact of spleen and immunochemotherapy on survival following gastrectomy for carcinoma: covariate interaction with immunosuppressive acidic protein, a serum marker for the host immune system. Jpn J Surg 1999; 29:504-510.
34. Sakaguchi T, Sawada H, Yamada Y, et al. Indication of splenectomy for* gastric carcinoma involving the proximal part of the stomach. Hepatogastroenterology 2001;48:603-605.
35. Sugimachi K, Kodama Y, Okumura K. Splenectomy in total gastrectomy: viewing against prophylactic splenectomy Operation 1982;36:337-343.
36. Toni R, Favero L, Bolzani R, et al. Further observations on the anatomic variation in the arteries of the human pancreas IRSC Med Sci 1985;13:605-606.
37. Takeuchi M, Tsuzuki Y, Ando T, et al. Total gastrectomy with distal pancreatectomy and splenectomy for advanced gastric cancer. J Surg Reser 2001;101:196-201.
38. Yu W, Choi GS, Chung HY. Randomized clinical trial of splenectomy versus splenic preservation in patients with proximal gastric cancer. Br J Surg 2006;93:559-563.
39. Wanebo HJ, Kennedy BJ, Winchester DP. Role of splenectomy in gastric cancer surgery: adverse effect of elective splenectomy on long term survival. J Am Coll Surg 1997;185:177-184.

CHAPTER 27

위암 수술의 술기

1. 위아전절제술

1) 8번과 11p번 림프절절제

위를 상방으로 들어올린 후 제1조수가 거즈를 대고 왼쪽 손가락으로 췌장을 아래방향으로 눌러 긴장을 유지한 상태에서 전기소작기를 이용하여 췌장 상부 마진에서 림프절 박리를 시작하여 오른쪽에서 왼쪽으로 진행한다. 8번 림프절은 총간동맥 주변을, 11p번 림프절은 비장동맥 기시부에서 췌장의 미부로 후위동맥의 기시부 근처까지 림프절절제를 진행한다(그림 27-1). 췌장 상부의 실질부와 총간동맥 주변(8번 림프절), 그리고 비장동맥 주변(11p번 림프절) 조직 사이에는 작은 혈관들이 주행하고 있어 조심스럽게 접근하여야 하며 결찰이 필요할 수도 있다.

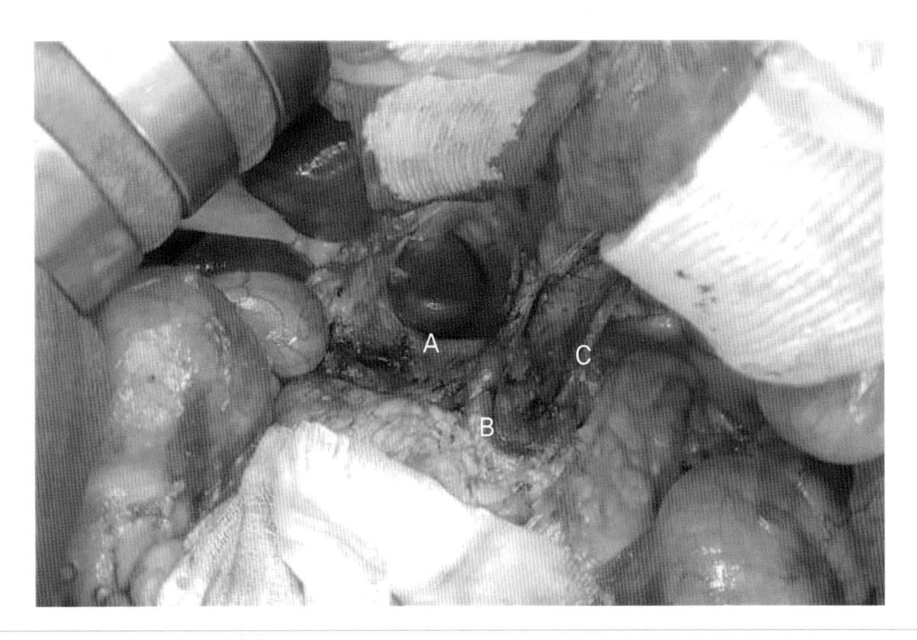

그림 27-1 **8번 림프절과 11p번 림프절절제.**
총간동맥주위 8번 림프절(A)와 비장동맥주위 11p번 림프절(B)을 절제한 모습이며, 후위동맥이 비장동맥에서 기시하는 모습(C)이 관찰된다.

2) 7번과 9번 림프절절제

위를 상방으로 들어올린 상태에서 복강동맥(celiac axis)을 관찰하여 좌위동맥과 좌위정맥의 주행방향을 확인한다. 복강동맥 주위 림프절을 절제하기 위해서는 먼저 좌위정맥의 유입경로 확인하여 간문맥 유입부에서 결찰하고 절단하여 복강동맥을 완전히 노출시켜 좌위동맥, 총간동맥, 비장동맥으로 분지되는 것을 확인한다. 이후 복강동맥에서 기시하는 좌위동맥을 결찰한 후 절단한다. 특히 좌위동맥의 주위에는 미주신경의 복강분지가 있으므로 보존하거나 좌위동맥과 함께 결찰한 후 절단할 수 있다(그림 27-2).

3) 소망과 1, 3번 림프절절제

간십이지장인대의 좌상부에서 간의 1 cm 하방으로 미주신경의 간분지를 보존하면서 식도위경계 부위까지 소망 절제를 시행한다. 식도위경계부에서 전후 체간미주신경을 확인 및 절단하고 위의 소만곡을 따라 아래쪽으로 림프절을 절제한다(그림 27-3).

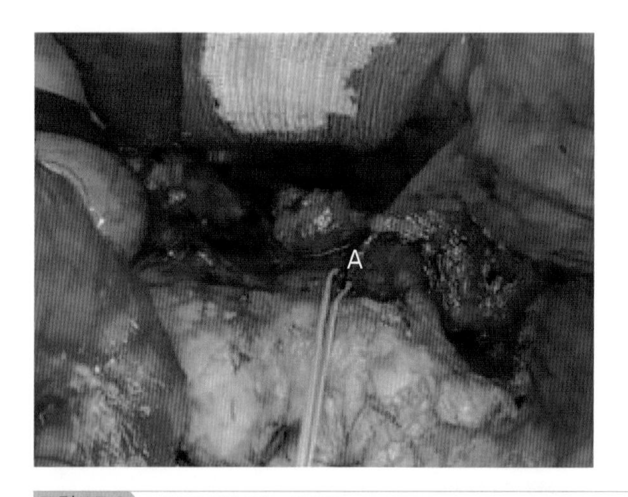

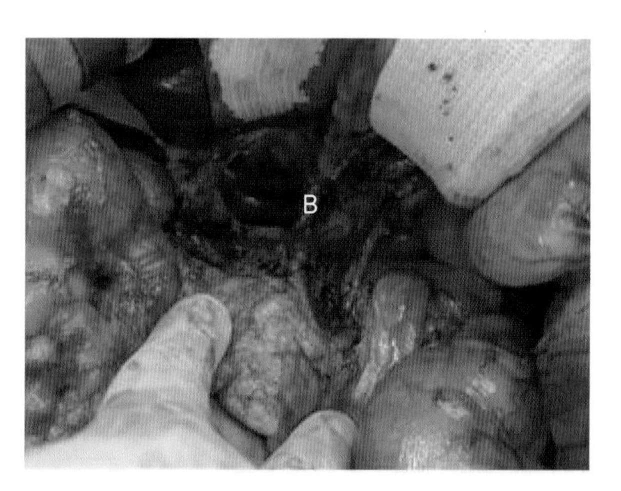

그림 27-2 **7번과 9번 림프절절제.**
좌위정맥의 주행을 확인(A)하고 좌위동맥의 기시부를 확인(B)하여 결찰 및 절단한다.

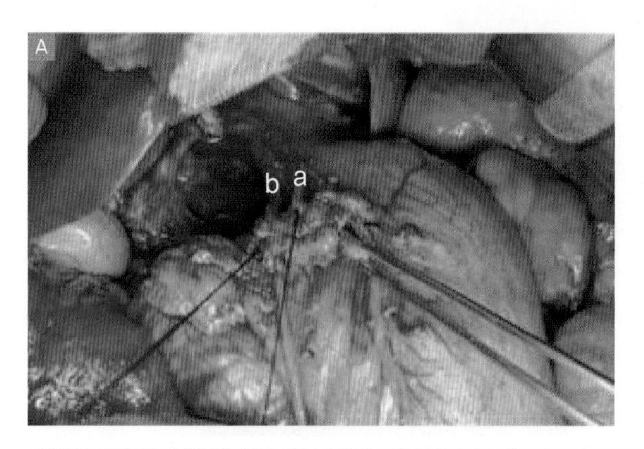

그림 27-3 **1번과 3번 림프절절제.**
전, 후 체간미주신경(a-전미주신경, b-후미주신경)를 확인 및 절제하고(A) 1번과 3번의 림프절을 절제한 모습(B).

4) 위절단

림프절절제가 마무리 되면 위암 병변의 위치를 확인하여 충분한 절제연을 확보하여야 한다. 절제연의 확보로 인한 남는 위의 크기에 따라서 위십이지장 문합 혹은 위공장 문합의 결정이 내려지게 된다. 병변의 위치를 확인하는 데 있어 조기위암일 경우 병변이 잘 촉지되지 않을 수 있으므로 수술전 내시경검사를 통해 병변 근위부에 클립을 위치해 두면 절제연을 확보하는 데 많은 도움이 될 수 있다. 절제연이 확인되면 대만곡의 직각 방향으로 Allen 겸자로 위를 잡고 그 원위부를 Kelly 겸자로 잡은 후 그 사이를 절단한다. 이후 절제되지 않은 소만곡 부위는 선형 자동봉합기를 이용하여 절단하여 병변이 포함된 원위부 위를 완전히 몸 밖으로 꺼내게 된다(그림 27-4).

2. 위전절제술

병변이 위상부에 위치하여 위아전절제가 어려운 경우에는 위전절제술을 시행한다. 여기서는 원형문합기(circular stapler)를 이용하여 식도와 절단된 공장을 단측(end-to-side)으로 문합하는 루와이(Roux-en-Y) 식도공장문합술을 기술하겠다.

1) 10번 림프절절제

좌위대망동맥(left gastroepiploic artery)을 결찰한 후 단위동맥(short gastric artery)을 결찰하여 위저부(fundus)를 비장으로부터 분리시킨다. 비장동맥을 확인하면서 비장동맥간 원위림프절(11d번)과 함께 비문부 림프절(10번)을 혈관손상에 주의하면서 박리한다. 비문부 림프절 또는 비장동맥 주위 림프절의 응괴로 암전이가 명확한 경우나 비장 및 위비장인대에 직접적인 암침윤이 의심될 때에는 비장절제술을 같이 시행하며 췌실질을 침윤한 경우에는 췌-비장합병절제가 시행되어야 하겠다. 이 때 비장을 후복강에서 분리하여 췌장후부와 함께 들어 올려 수술하면 용이하다(그림 27-5). 기타 림프절절제 및 십이지장 절단은 위아전절제술 부분을 참고한다.

2) 식도절단

양측 미주신경을 확인하고 절단한 후 쌈지봉합기(purse-string clamp)로 식도를 잡는다. 위내용물의 유출을 방지하기 위해 겸자를 아래쪽에 적용한 후 식도를 절단한다. 식도의 근위부 절단면을 절제하여 동결절편검사를 시행한다. 쌈지봉합이 완료되었으면 봉합기를 풀고 절단된 식도의 양쪽 끝을 잡고 원형문합기의 앤

A

B

그림 27-4 **위절제연 확인(A)과 검체모습(B).**

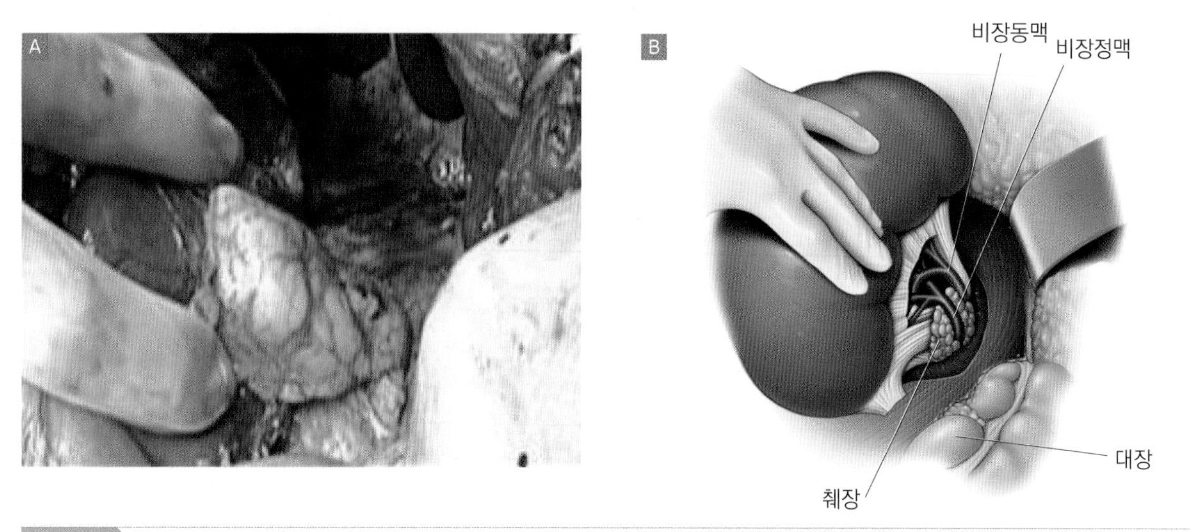

그림 27-5 **비장절제.**
A. 비장을 후복강에서 분리하여 들어 올린다. B. 비장동맥과 비장정맥을 확인하고 결찰한다.

빌(anvil)을 삽입한 후 쌈지봉합을 결찰한다. 주로 반경 25 mm 원형문합기로 충분하나 식도의 크기에 따라 다른 크기의 원형문합기를 사용할 수 있다. 결찰 후 앤빌 막대 주변으로 식도조직이 충분히 잘 물려 있는지 확인한다(그림 27-6).

3) 횡행결장간막 절개

저자들은 보통 식도공장의 전결장 문합을 시행하나 만약, 식도공장의 후결장 문합을 하고자 할 경우 횡행결장간막의 무혈관부에 절개를 가한다. 이 절개부로 절단된 공장을 통과시켜 후결장 문합을 시행하면 문합 후 긴장을 보다 줄일 수 있다.

4) 공장절단

트라이츠인대(Treitz ligament)를 확인하고 근위부 공장을 식도 쪽으로 끌어 올려 식도공장문합을 하기 위

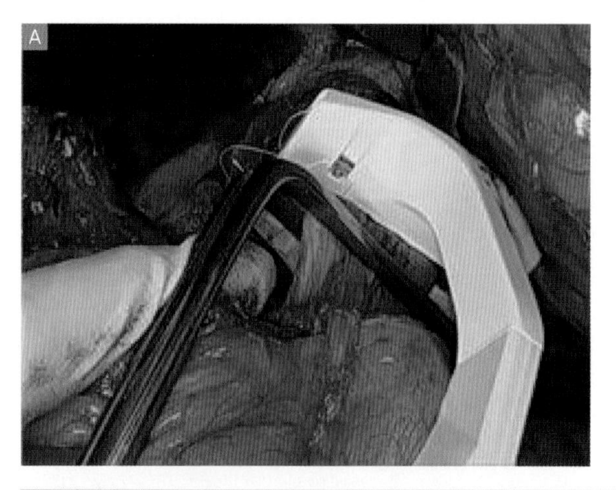

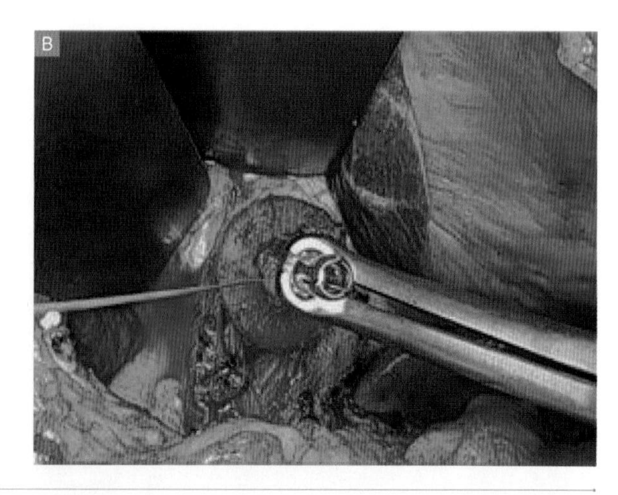

그림 27-6 **식도절단.**
A. 자동 쌈지봉합기(purse-string clamp)로 식도를 잡고 절단한다.
B. 절단된 식도에 앤빌(anvil)을 삽입한 후 쌈지봉합을 결찰한다.

한 장간막 길이 등을 확인한다. 공장간막을 투과조명(transillumination)하면 혈관분포를 파악하는 데 도움이 된다. 경우에 따라서 변연동맥(marginal artery) 절단만으로 공장이 식도에 충분히 접근할 수 있으나 공장간막이 짧은 경우 혈관궁(arcade)들을 절단해야 한다. 대략 트라이츠인대에서 약 15 cm 떨어진 부근에서 공장 절단을 하게 되며 공장의 양쪽을 장감자 등으로 잡아 절단하고 원위부 공장이 긴장(tension) 없이 식도에 접근하는지 다시 확인해 본다(그림 27-7).

5) 식도공장문합술

원형문합기를 절단된 원위부 공장에 조심스럽게 삽입한 후 탐침을 장간막 반대측 벽으로 관통시킨 후에 앤빌과 결합하고 서로 접근하여 맞물리게 진행한다. 이때 술자는 손으로 문합기 주변 공장을 당기고 밀착시켜 조직이 빠지거나 장간막 쪽 공장벽이 문합 부위로 접혀 들어가지 않도록 주의한다. 문합기와 앤빌의 접근이 완료된 후 문합부 주위를 살펴서 이상이 없음을 확인하고 문합을 시행한다. 문합기를 빼낸 후 절제되어 나온

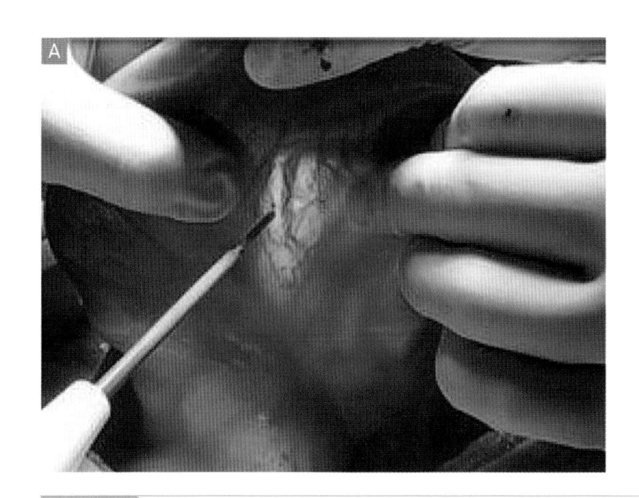
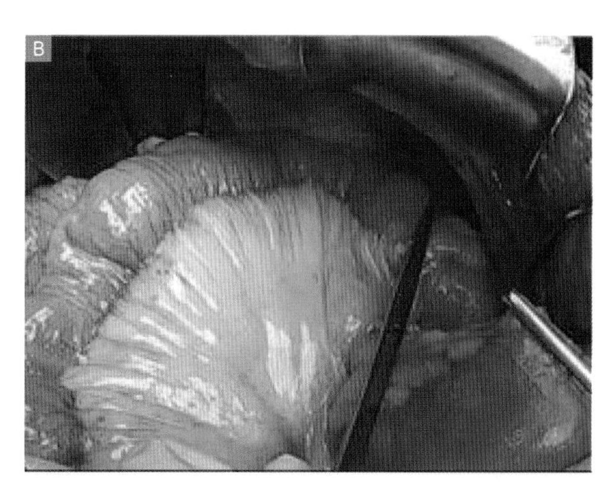

그림 27-7 **공장절단.**
A. 투과조명 하 공장간막 절개 B. 공장절단 후 식도까지 길이를 확인한다.

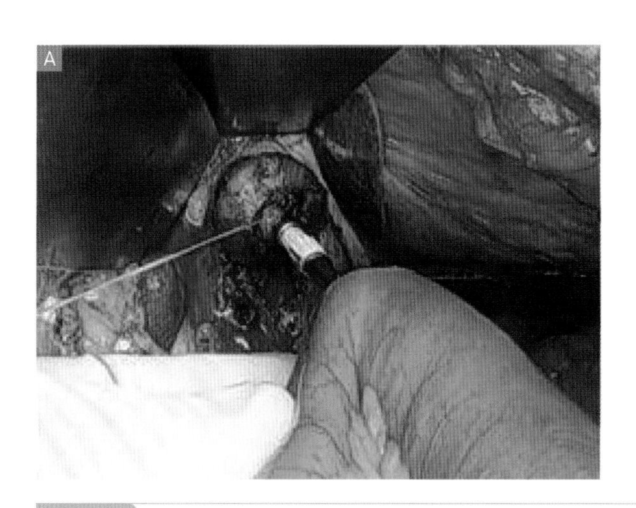

그림 27-8 **식도공장문합술.**
A. 공장을 원형문합기에 잘 밀착시켜 앤빌에 접근시킨 후 문합한다. B. 공장단을 봉합한다.

식도공장조직을 살펴 보고 공장단(jejunal end)을 자동봉합기 등을 이용하여 봉합한다(그림 27-8).

6) 공장공장문합술

근위부공장(biliopancreatic limb)과 원위부공장(Roux-en-Y limb) 간 문합을 시행한다. 담즙역류를 방지하기 위해 식도공장문합 부위부터 최소 45 cm 이상 떨어진 부위에 시행한다. 봉합사를 이용하거나 자동문합기를 이용하여 단측 혹은 측측문합을 하게 된다. 탈장 등을 방지하기 위해 두 공장간막 사이의 결손 부위를 봉합하여 막아준다(그림 27-9).

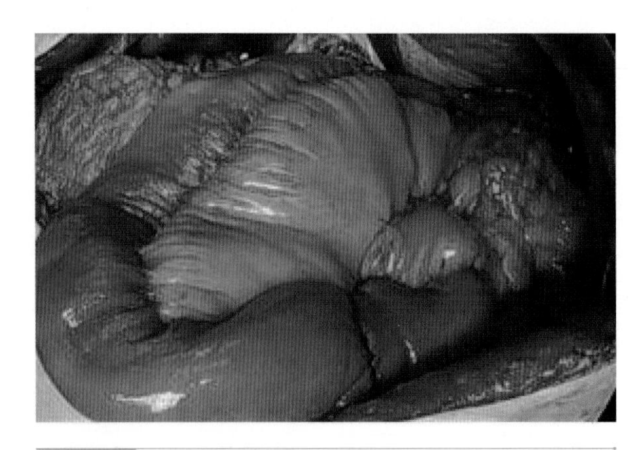

그림 27-9 공장공장문합술 후의 모습.

참고문헌

1. 김진복, 이주호. 위암 수술의 원칙. 서울: 김진복. 위암. 의학문화사 1999:148-152.
2. 노성훈. Practical tips of gastric cancer surgery. Yonsei Gastric Cancer Symposium 2008:53-61.
3. Hisakazu Hoshi. Total gastrectomy. In: Carol E.H.Scott-conner, ed. Chassin's Operative Strategy in General Surgery. New York: Springer 2014:353-362.
4. Sano T, Sasako M, Mizusawa J, et al. Ranomized controlled trial to evaluate splenectomy in total gastrectomy for proximal gastric carcinoma. Ann Surg 2017;265:277-283.

CHAPTER 28

위절제 후 재건술

1. 원위부 위아전절제술 후 재건술

하부 및 중부 위암을 절제한 후 시행하는 재건술은 남아있는 위근위부와 십이지장 또는 소장을 문합하는 방법으로, 십이지장과 문합하는 술식(위십이지장문합술, Billroth I 술식)과 공장과 문합하는 술식(위공장문합술, Billroth II 술식 또는 Roux-en-Y 술식)이 대표적이다.

1) 위십이지장문합술

1881년 Theodor Billroth가 처음으로 시도한 위십이지장문합술은 많은 변형을 거치며 현재의 술식으로 발전하였고 위공장문합술과 더불어 원위부위절제술 후 표준술식으로 자리 잡았다. 수기봉합이나 원형봉합기(circular stapler)를 사용하여 문합한다. 수기봉합의 경우 잔위를 조금 더 남길 수 있다는 장점이 있지만, 자동봉합기를 사용하면 수술시간이 단축되면서 합병증의 발생빈도는 차이가 없어 자동 봉합기의 사용이 점차 보편화되고 있다.

원형봉합기를 사용하여 위십이지장을 문합할 때에는 십이지장에 원형봉합기의 앤빌(anvil)을 삽입할 공간을 확보하기 위해 Kocher법으로 십이지장을 들어올리면 편리하다. 먼저 십이지장에 쌈지(purse-string)봉

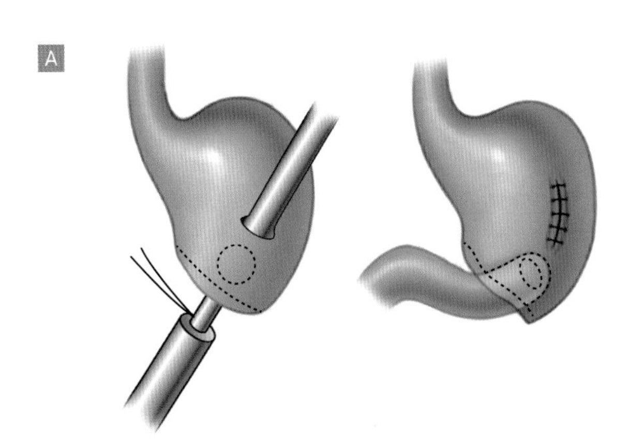

B

그림 28-1 원형봉합기를 이용한 위십이지장문합술.
A. 위후벽-십이지장 문합 B. 위십이지장 단단문합

합을 한 후 직경이 28~31 mm인 원형봉합기의 앤빌을 넣고 묶는다. 위절제 후 생긴 절제창으로 원형봉합기를 넣고 위후벽을 통해 위와 십이지장을 문합한 후 절제창을 봉합하거나, 잔위에 따로 절개창을 만들어 원형봉합기를 삽입하고 위후벽(그림 28-1 A) 혹은 절제단(그림 28-1 B)을 십이지장과 문합한다. 양 등은 적출될 위에 절개창을 만들어 원형봉합기를 넣고 회전시켜 위십이지장을 문합하면(그림 28-2), 종양으로부터 근위부 절제연을 조금 더 확보할 수 있어 문합부 긴장을 완화시킬 수 있다고 보고하였다.

위십이지장문합술은 잔위가 십이지장 쪽으로 이동하기 때문에 위공장문합술에 비하여 위절제범위가 제한적이고 문합부에 긴장이 생기는 등의 문제점이 있으나, 상대적으로 생리적이고 수술시간이 짧다는 장점이 있다. 또한 수술 후 사망률이나 합병증 발생빈도, 비위관 제거 시기, 가스배출 시기, 식이 시작, 재원일수 면에서 두 술식 간에 유의한 차이가 없다고 알려져 있다. 원형봉합기를 사용하여 문합할 때는 절개창을 봉합하기 전에 문합부 출혈 유무를 육안으로 확인하여야 한다.

2) 위공장문합술

(1) Billroth II 술식

Billroth가 고안한 위공장문합술은 여러 가지 변형을 거쳐 현재는 이 술식을 변형한 Albert-Lembert 봉합술이 널리 사용되고 있는데, 수술시간을 단축하기 위해 선형봉합기(linear stapler)를 이용해 문합할 수 있다(그림 28-3 A). 결장을 기준으로 전방(antecolic, 그림 28-3 B) 또는 후방(retrocolic, 그림 28-3 C)에서 위와 공장을 문합할 수 있으며, 공장의 연동방향에 따라 동순연동방향(isoperistaltic, 그림 28-3 D)이나 역연동방향(antiperistaltic, 그림 28-3 E)으로 문합할 수 있다. 또한 술자에 따라 위공장문합술 후 담즙의 역류를 감소시키기 위해 Braun 문합술을 시행하기도 한다. 위의 대만곡

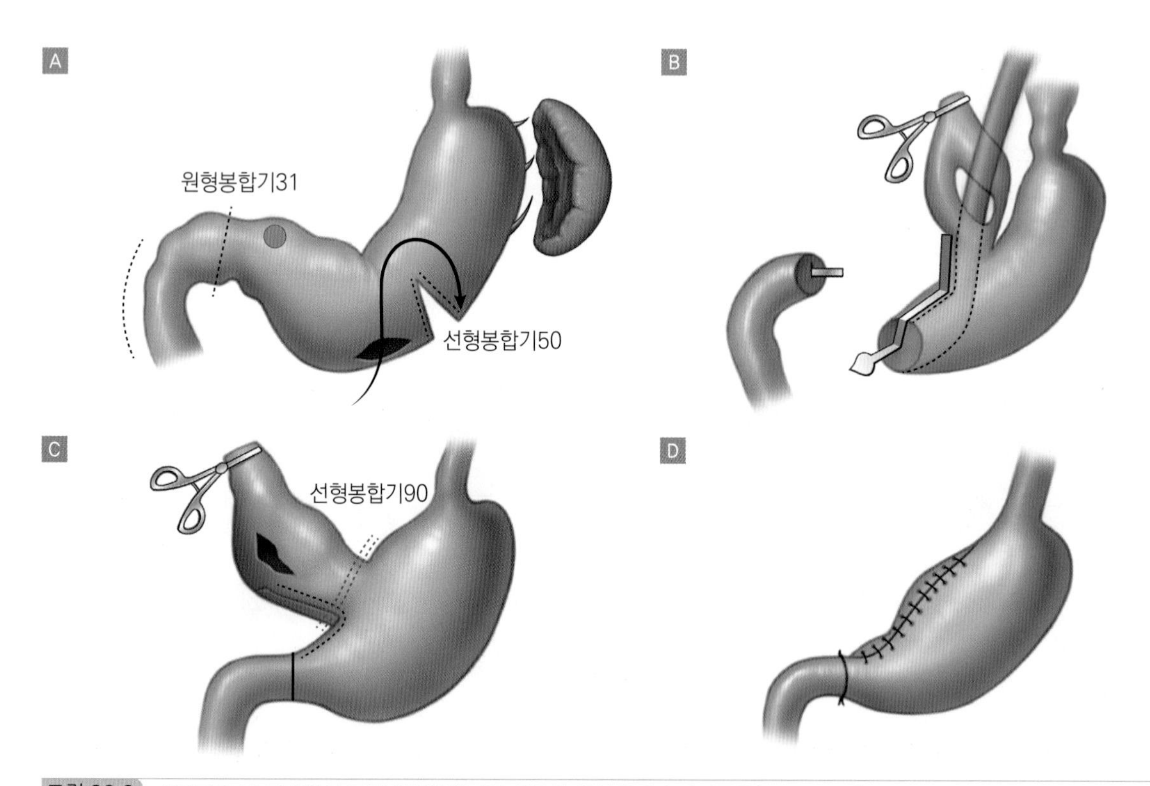

그림 28-2 **십이지장 쪽 절개창을 통해 원형봉합기를 이용한 위십이지장 단단문합(Tornado법).**

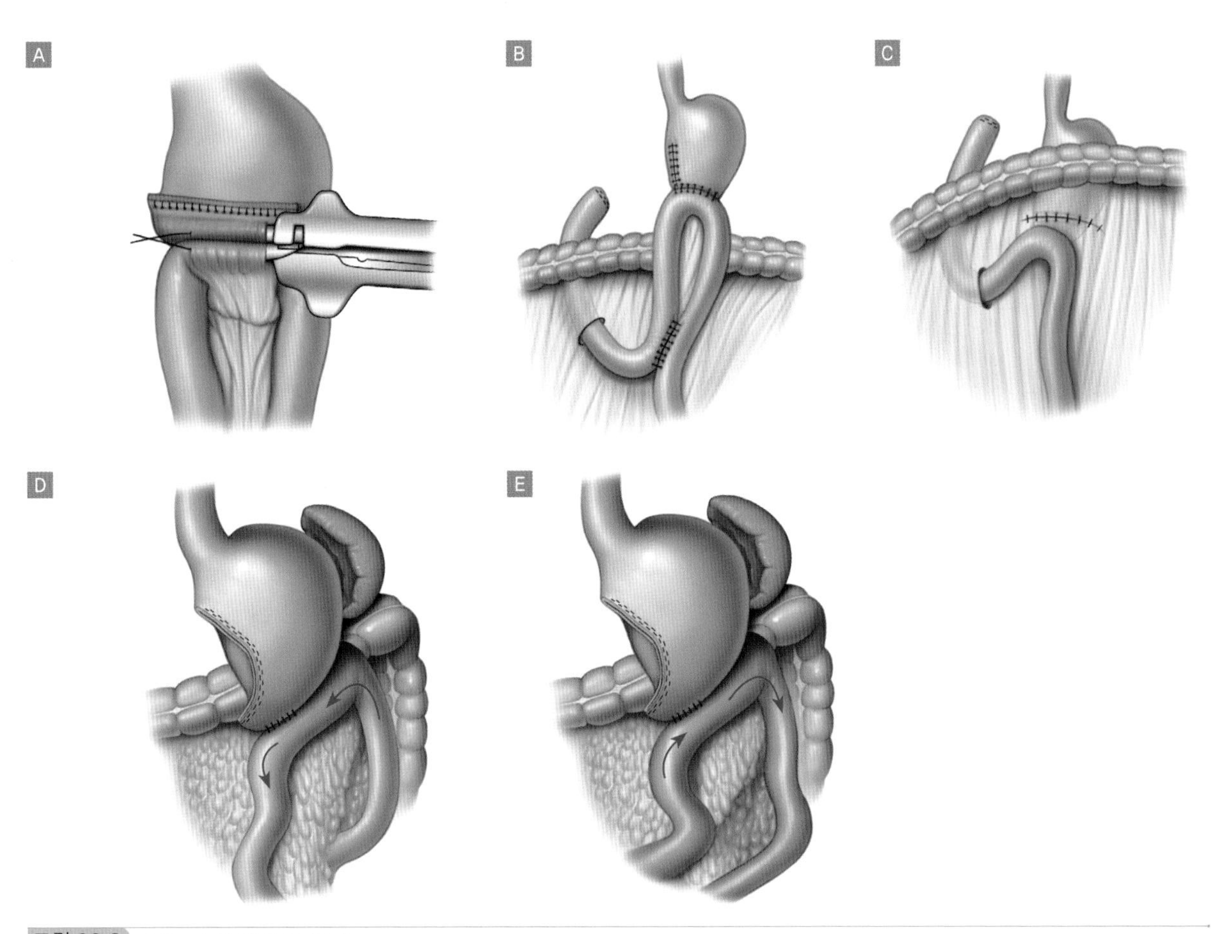

그림 28-3 **Billroth II 위공장문합술.**
A. 선형봉합기를 이용한 Billroth II 위공장문합
B. 결장 전방 Billroth II 위공장문합 및 Braun 문합
C. 결장 후방 Billroth II 위공장문합
D. 동순연동방향문합
E. 역연동방향문합

쪽에서 문합하는 데 길이는 6~8 cm 정도가 적당하다.

위십이지장문합술에 비하여 위를 광범위하게 절제할 수 있고 문합 부위의 긴장을 줄일 수 있지만, 약 1%에서 수입각증후군(afferent loop syndrome)이 발생할 수 있다. 결장 앞쪽(antecolic fashion)보다 결장 뒤쪽(retrocolic fashion)으로 위공장문합술을 시행하면 횡행결장의 압박을 피하고 수입각을 짧게 할 수 있다. 이때 결장간막이 유착되어 공장고리가 폐쇄되는 것을 예방하기 위해 결장간막을 잔위에 고정하는 것이 좋다. 그러나 두 방법 간에 수술 후 합병증 발생빈도는 차이가 없는 것으로 알려져 있다.

(2) Roux-en-Y 위공장문합술

1893년 Woelfler가 Billroth I과 Billroth II 술식의 단점인 십이지장액의 역류로 인한 합병증을 예방하기 위하여 고안한 술식이다. 이 술식은 Billroth 술식에 비하여 담즙의 역류로 인한 위염과 식도염의 발생률이 낮다는 장점이 있다. 그러나 복통 및 구토와 같은 루장정체증후군(Roux stasis syndrome)의 가능성이 있고, 문합부가 두 군데여서 수술시간이 길어진다는 단점이 있다.

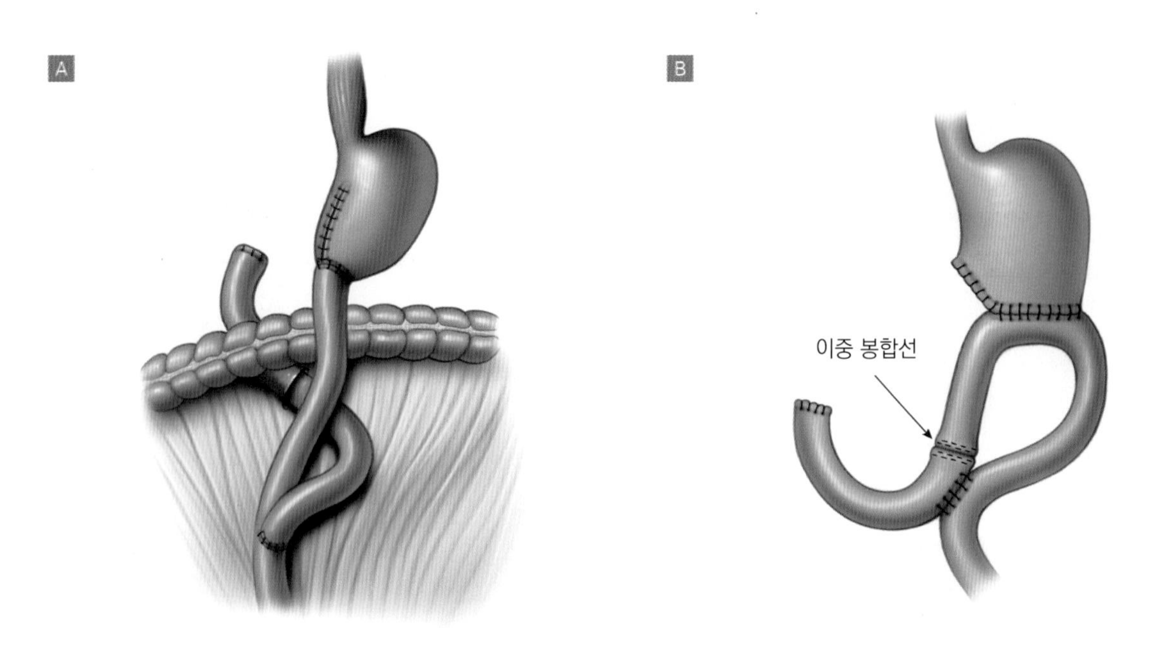

그림 28-4 **Roux-en-Y 위공장문합술.**
A. Roux-en-Y 위공장문합 B. uncut Roux-en-Y 위공장문합

술식으로는 Roux limb을 절단하는 전형적인 Roux-en-Y 술식(그림 28-4 A)과 루장정체증후군의 발생률을 낮추기 위해 고안된 uncut Roux-en-Y 술식(그림 28-4 B)이 있다. Roux limb의 적절한 길이에 대해서는 논란이 있다. 안 등은 Roux limb의 길이가 길면 십이지장액의 역류는 감소하지만 루장정체증후군의 발생빈도는 높아진다고 보고하였고, 노 등은 Roux limb의 길이를 20~30 cm로 짧게하면서 uncut Roux-en-Y 술식을 시행하면 십이지장액의 역류와 루장정체증후군을 효과적으로 낮출 수 있다고 보고하였다. 최근 발표된 메타분석에 따르면 uncut Roux-en-Y 술식이 전형적인 Roux-en-Y 술식에 비해 수술시간이 짧고 역류성위염 및 식도염, 위배출지연, 루장정체증후군의 발생빈도가 낮다고 보고되었다. 또한 결장 전방으로 시행한 Roux-en-Y 위공장문합술에서 루장정체증후군의 발생빈도가 낮다는 보고도 있다.

2. 위전절제술 후 재건술

위전절제는 주로 상부 위암에 시행하나, 중부나 하부에서 발생한 위암중에서도 종양이 크거나 Borrmann 제4형일 경우에는 근위부 절제연을 충분히 확보하기 위하여 위전절제술을 시행할 수있다. Schlatter는 1897년에 위전절제 후 식도공장 단측문합술을 처음으로 시도하였다. 이후 역류성식도염, 영양결핍, 체중감소 등의 합병증을 해결하기 위하여 여러 형태의 재건방법이 고안되었다. 이 술식을 기본으로 식도와 공장을 문합하여 위장관의 연속성을 유지하되, 십이지장액의 역류 방지와 위전절제에 따른 영양상태의 변화를 고려하여 다양한 방법으로 변형할 수 있다. 위전절제 후 식도와 소장을 연결하는 재건술식으로 수십 가지가 고안되었지만 주된 차이점은 음식물의 십이지장 통과 여부와 저장낭 유무이다. 현재 Roux-en-Y 술식이 가장 많이 시행되고 있으며 식도와 공장의 문합에는 직경 25 mm 혹은 28 mm 원형봉합기를 주로 사용한다. 봉합기의 크기와

문합부 협착의 발생 빈도는 상관관계가 없으므로 환자의 식도의 직경에 따라서 적절한 크기의 봉합기를 선택하면 된다.

1) Roux-en-Y 식도공장문합술

이 술식은 위전절제 후 가장 많이 시행되는 재건술식이다. 식도와 절단된 공장의 원위부를 단측(end-to-side) 혹은 단단(end-to-end)으로 문합하고, 십이지장액의 흐름을 유지하기 위하여 절단된 공장의 근위부를 공장에 단측 또는 측측문합한다. 트라이츠인대(Trietz ligament)의 하방에서 공장 간막의 혈관의 주행구조를 확인한 후 식도에 연결할 수 있도록 적절한 부위에서 공장을 절단한 후 공장의 원위부를 식도 쪽으로 들어올리고, 절단창을 통하여 원형봉합기를 삽입하고 식도와 공장을 문합한다(그림 28-5 A). 원형봉합기를 제거한 후 절단창을 수기봉합이나 자동봉합기를 이용하여 폐쇄한다. 식도와 공장을 단단문합하는 경우에는 공장공장문합을 시행할 부위의 공장에 절개창을 만들고, 이곳으로 원형봉합기를 삽입하여 식도와 공장을 문합한다(그림 28-5 B).

공장은 횡행결장의 앞쪽(antecolic) 혹은 뒤쪽(retrocolic) 어느 방향으로 들어올려도 되지만 식도공장문합부에 과도한 긴장이 발생하지 않도록 주의해야 한다. 특히, 비만 등의 이유로 식도공장문합부에 과도한 긴장이 예상되는 경우에는 뒤쪽으로 연결하는 것이 긴장을 줄일 수 있다. 십이지장액의 흐름을 유지하기 위한 공장공장문합은 단측 또는 측측으로 시행하며, 역류를 방지하기 위하여 식도공장문합부로부터 약 40~60 cm의 거리를 두고 문합한다. 이후 식도와 공장을 연결하기 위하여 공장을 들어올릴 때 만든 창은 내부탈장(internal hernia)이 발생하는 것을 방지하기 위하여 봉합하기도 한다.

2) 루프 식도공장문합술

이 술식의 대표적인 방법은 공장을 들어 올려 단측 식도공장문합을 시행한 후에 측측 공장공장문합(Braun 문합)을 하는 것이다. 좀 더 효과적으로 십이지장액의 역류를 막기 위하여 추가로 수입각의 공장을 폐쇄하기도 한다(Plenk 술식, uncut Roux 술식). 수입각의 공장은 굵은 견사로 횡단 봉합하거나 자동봉합기로

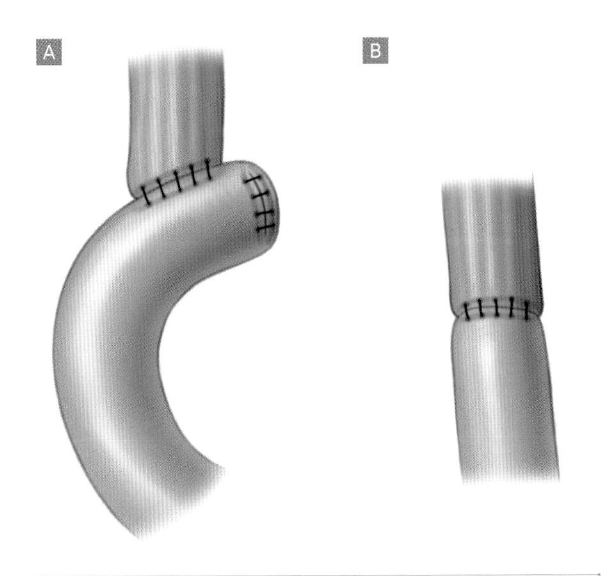

그림 28-5 Roux-en-Y 식도공장문합술.
A. Roux-en-Y 식도공장 단측문합
B. Roux-en-Y 식도공장 단단문합

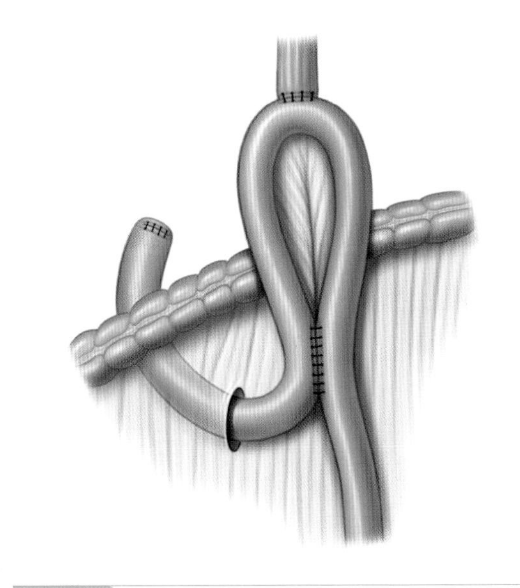

그림 28-6 루프 식도공장문합술.

폐쇄할 수 있는데, 두 방법 모두 이론적인 장점에도 불구하고 40% 정도에서 수입각의 폐쇄부가 다시 소통된다는 보고가 있어서, 이를 개선하기 위한 방안들이 고안되고 있다.

3) 공장낭을 이용한 재건술

이 술식은 위전절제 후 음식물 섭취량의 감소를 극복하기 위하여 공장낭(jejunal pouch)을 만들어서 위를 대체할 공간을 만드는 방법으로 공장낭의 형태에 따라서 Hunt-Lawrence낭, Aboral낭, Lygidakis낭 술식 등이 있다. Hunt-Lawrence낭과 Aboral낭 술식은 Roux-en-Y 술식의 변형이다. Hunt-Lawrence 술식은(그림 28-7 A) 들어올린 공장의 식도문합 부위에 낭을 만들고, Aboral 술식 그림 28-7 B는 공장공장문합 부위에 낭을 만드는 방법이다. Lygidakis 술식 그림 28-7 C는 십이지장액 역류를 방지하기 위해 만든 공장공장문합(Braun 문합) 부위의 상부에 측측 공장공장문합을 추가하여 공장낭을 만드는 것으로 Roux-en-Y 혹은 루프 식도공장문합의 어떤 형태에서도 변형이 가능하다. 3가지 술식을 비교해보면 영양상태 면에서는 통계학적으로 차이가 없으나 Aboral 술식이 역류성식도염 발생률이 좀 더 낮다고 한다.

4) 공장간치술

위암 수술 후에는 음식물이 십이지장을 통과할 때 소화를 촉진하는 호르몬과 조절 펩타이드(peptide)의 분비가 촉진된다고 알려져 있다. 공장간치술(jejunal interposition)은 음식물을 생리적 흐름대로 유지하기 위하여 식도와 십이지장 사이를 공장의 일부를 이용하여 연결하는 방법으로, 음식물의 섭취량을 증가시키기 위하여 추가적으로 공장낭을 만들기도 한다. 단순 공장간치술은 트라이츠인대 하방에서 동맥의 분지상태와 장간막의 길이 등을 고려하여 공장을 약 30~40 cm 정도 분절한 후에 식도와 분절된 공장의 근위부를 원형봉합기로 연결한 후, 분절된 공장의 원위부를 십이지장과 문합한다(그림 28-8 A). 공장낭을 이용한 공장간치술은 약 15 cm의 공장낭을 선형봉합기를 이용하여 만든 후 식도와 공장낭을 단측 문합하고 공장의 원위부와 십이지장을 연결하는 술식이다(그림 28-8 B). 단순 공장간치술은 Roux-en-Y 술식과 비교하여 수술 후에 체중과

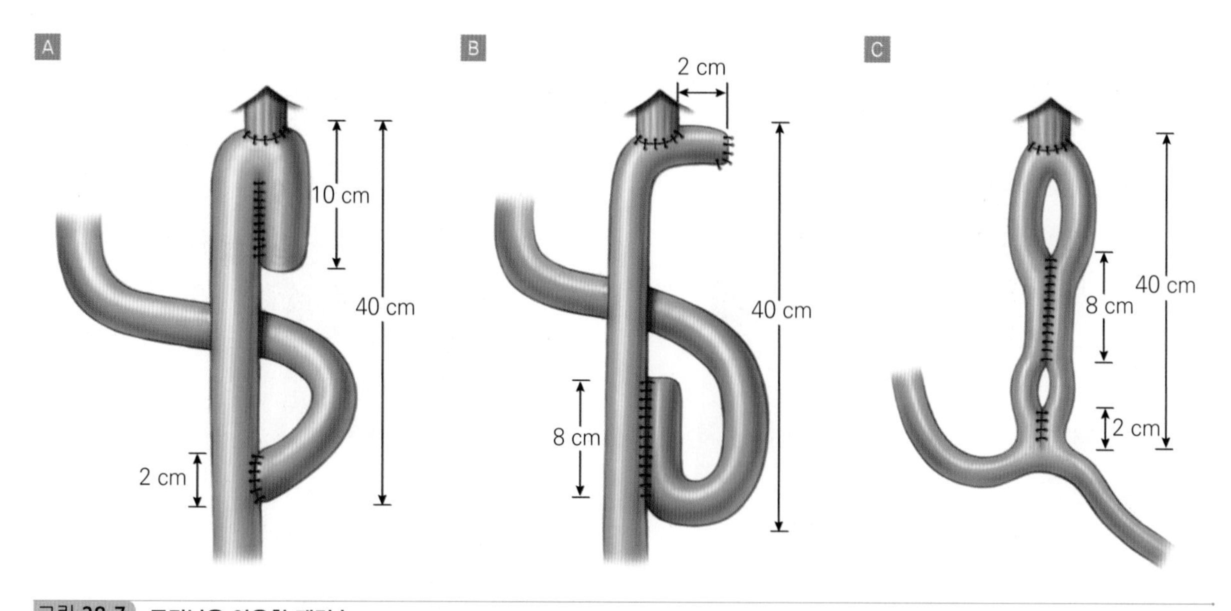

그림 28-7 **공장낭을 이용한 재건술.**
A. Hunt-Lawrence낭 식도공장문합 B. Aboral낭 식도공장문합 C. Lygidakis낭 식도공장문합

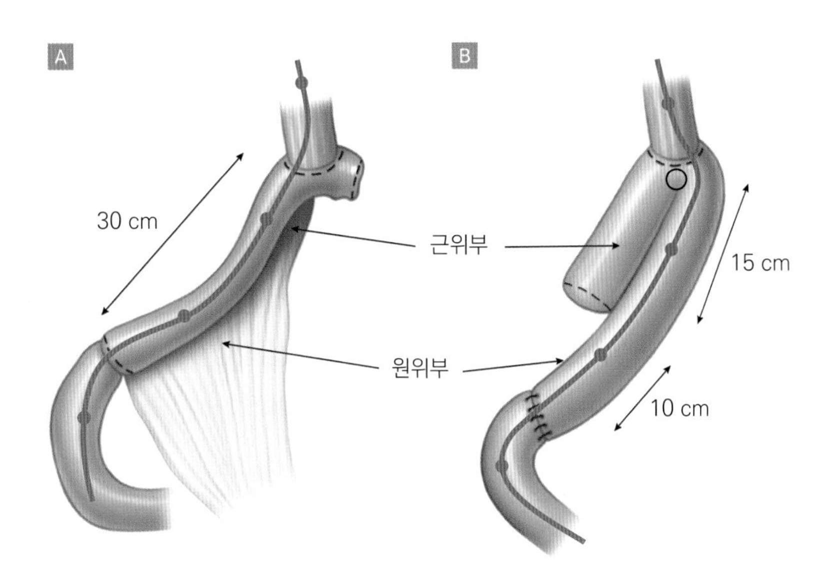

그림 28-8 공장간치술.
A. 식도-십이지장 간 단순공장간치술 B. 식도-십이지장 간 공장낭간치술

영양학적인 면에서 비슷하다고 보고되나, 공장낭을 이용한 공장간치술의 경우 단순 공장간치술에 비하여 오히려 공장 운동기능의 장애로 인하여 음식물 섭취가 불충분하다는 보고도 있다.

5) 복강경을 이용한 식도공장문합술

중상부에 발생한 조기위암에서는 미세침습수술을 이용한 위전절제술 및 식도공장문합술이 시행되고 있다. 대부분 원형봉합기를 이용해 식도공장문합술을 시행하는 개복수술과 달리 복강경수술에서는 선형봉합기가 많이 사용되고 있으며, 2014년에 실시한 전국조사에 따르면 체내문합을 이용한 미세침습 위전절제술의 약 70%에서 선형봉합기가 사용되고 있다.

(1) 원형봉합기를 이용한 식도공장문합술

이 재건술식은 개복수술과 유사하지만, 다양한 앤빌(anvil) 삽입 및 쌈지(purse-string) 봉합법이 이용되고 있다.

① 복강경보조 식도공장문합술

심와부에 소절개창을 만들고 개복수술과 같은 방법으로 식도에 쌈지봉합을 한 후 앤빌을 삽입하며, 공장에 원형봉합기를 삽입하여 문합하는 술식이다. 마른 환자의 경우 비교적 어렵지 않게 식도와 공장을 문합할 수 있지만, 환자의 비만도가 높거나 복강이 깊은 경우 시야가 불량하고 시행하기 어렵다는 단점이 있기 때문에 최근에는 체내문합법이 더 선호되고 있다.

② 복강경체내 식도공장문합술

투관침을 통해 복강경용 쌈지봉합기를 삽입 후 봉합을 하거나 클램프(clamp)로 식도를 고정 후 복강경기구를 이용해 수기로 쌈지봉합을 한 후 앤빌을 삽입한다. 이 경우 원형봉합기는 기존의 투관침 삽입 부위를 확장하여 공장과 함께 삽입한다.

③ Orvil을 이용한 식도공장문합술

쌈지봉합을 사용하지 않고, 선형봉합기를 이용하여 식도를 절단 후 경구 및 식도를 통해 OrVil™을 삽입하는 방법이다. 원형봉합기는 기존의 절개창 또는 투관침 삽입 부위를 확장절개하여 삽입 후 앤빌과 문합함으로써 식도공장문합술을 시행한다.

(2) 선형봉합기를 이용한 식도공장문합술

① **기능성 식도공장문합술**(그림 28-9)

선형봉합기를 이용하여 식도와 공장을 절단하고 식도와 공장의 끝에 작은 절개창을 내어 선형봉합기의 양측 카트리지(cartridge)를 각각 삽입하여 측측식도공장문합술을 시행하고 공동절개창을 수기봉합 또는 자동봉합기를 이용하여 폐쇄하는 방법이다. 문합부의 긴장도가 높고 공장장간막을 많이 분리해야 한다는 단점이 보고되었다.

② **Overlap 문합술**(그림 28-10)

공장의 절단 부위에서 약 5~6 cm 떨어진 부위에 절개창을 만들어 카트리지의 한쪽을 삽입하고 다른 한쪽은 식도에 삽입하여 측측문합술을 시행하는 Overlap 방법이 소개되었고 양호한 단기성적이 보고되어 많이 사용되고 있다.

③ **파이 (π) 문합술**(그림 28-11)

기능성 식도공장문합술의 변형된 방법이다. 우선 식도와 공장을 문합한 뒤, 식도절단, 공장절단, 공동절개창봉합 이 세 과정을 한 번에 시행한다. 공동절개창 봉합이 쉽고 스테이플을 절약할 수 있다는 장점이 있으나, 문합 이전에 상부 절제연에 대한 평가가 어렵기 때문에 식도를 침범하지 않는 병변에 대하여 제한적으로 시행될 수 있다.

3. 근위부 위아전절제술 후 재건술

근위부 위아전절제술은 위의 일부가 남으므로 저장기능이 유지되고, 음식물이 십이지장을 통과하여 각종 소화기 호르몬의 분비가 유지되므로 위전절제술과 비교하여 영양상태가 우수하다는 이론적 장점이 있다. 그러나 미주신경이 절단되어 유문운동이 저하되면 위내용물의 배출이 지연될 수 있고, 식도위문합 시 위 저류를 막기 위해 유문성형술을 추가로 십이지장액의 역류로 인한 역류성위염이 발생할 수 있다. 또한 장기적으로는 역류성식도염 및 문합부 협착 등 합병증이 발생할

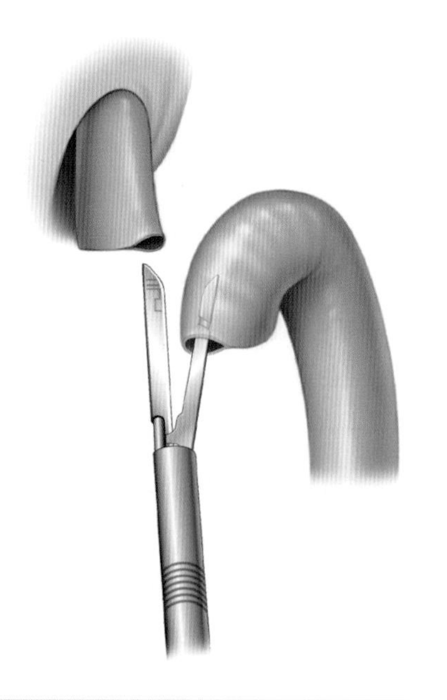

그림 28-9 기능성 식도-공장문합술.

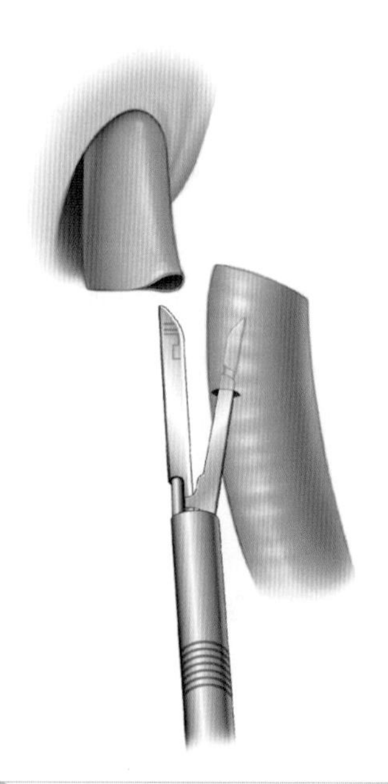

그림 28-10 Overlap 문합법을 이용한 식도공장문합술.

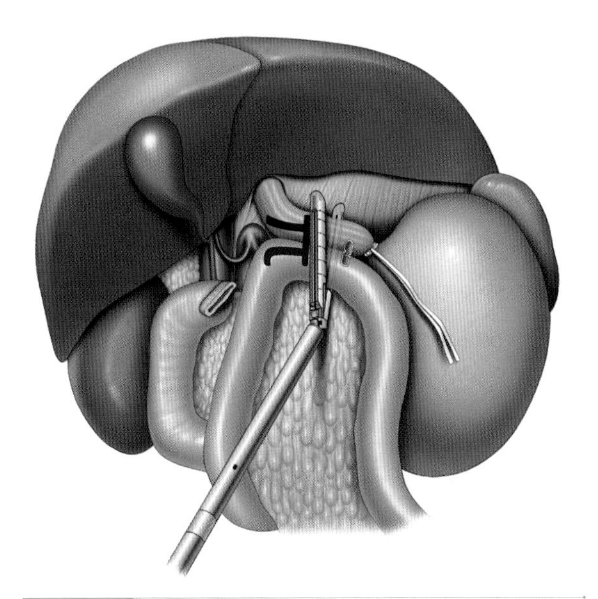

그림 28-11 파이 (π) 문합술.

수 있다. 최근 상부 위선암의 증가와 최소침습수술기법의 발달로 근위부 위아전절제술 후 다양한 재건술이 시도되고 있다(표 28-1).

1) 식도위문합술

식도위문합술(esophagogastrostomy)은 상부 위를 절제한 후 식도와 잔위를 바로 연결하는 술식이다. 잔위의 전벽에 원형 문합기가 통과할 수 있도록 절개창을 만들어 봉합기를 넣은 후 식도와 잔위의 후벽 혹은 절단면을 연결한다(그림 28-12). 복강경수술에서는 선형 문합기를 이용하여 식도위문합술을 비교적 쉽게 시행할 수 있으며, 문합 후 공통절개창은 다른 선형 문합기 또는 봉합사를 이용하여 폐쇄한다. 이 술식은 위전절제

표 28-1. **근위부 위아전절제술 후 다양한 문합법과 수술결과**

재건술	저자	환자 수	수술시간(분)	출혈량(mL)	합병증 빈도(%)	역류 빈도(%)
식도위문합술	Zhao 등	198	150	150	-	29.6
	Ahn 등	50	216	115	24.0	32.0
	Masuzawa 등	49	185	280	8.2	18.4
	Tokunaga 등	36	195	294	8.0	30.6
조임근보존술식	Kim 등	9	137	-	22.2	0
	Ichikawa 등	11	330	15	18.2	0
이중덮개술	Muraoka 등	24	372	108	37.5	4.2
	Kuroda 등	33	319	-	12.1	0
	Hayami 등	43	386	75	7.0	14.9
공장간치술	Katai 등	128	-	-	20.0	5.5
	Kinoshita 등	68	201	242	32.0	1.1
	Tokugana 등	40	256.5	29	15.0	5.0
	Masuzawa 등	32	230.0	331	9.4	15.6
공장낭간치술	Yoo 등	25	230.6	288	20.0	4.0
	Nakamura 등	12	311.0	402	25.0	8.3
이중통로재건술	Zhao 등	198	210.0	173	-	0
	Sakuramoto 등	10	269.0	107	20.0	25.0
	Ahn 등	43	180.7	120	11.6	4.6
	Jung 등	92	198	84	10.9	1.1
	Park 등	34	212	30	17.6	-

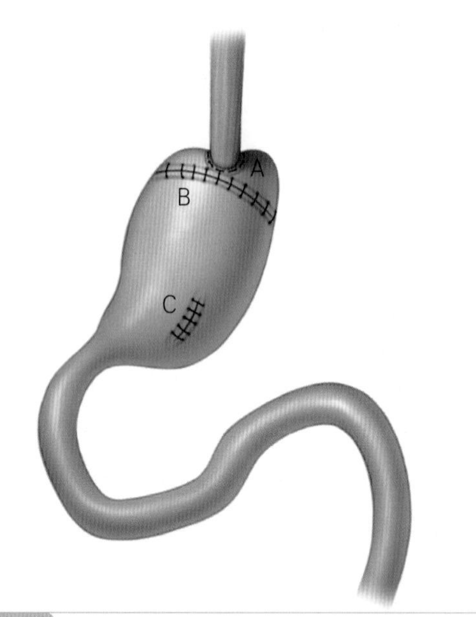

그림 28-12 **식도위문합술.**
A. 문합 부위 B. 위절제연 C. 선형문합기 삽입 부위

술을 시행한 경우와 비교하여 환자의 체중감소가 적고 알부민 수치가 높다고 기존 연구에서 보고되었지만, 최근 메타분석 연구결과에서는 장기적인 체중감소가 위전절제술과 비슷한 것으로 보고된다. 한편, 위전절제술과 비교하여 설사나 덤핑 증상 등이 적고 높은 헤모글로빈 및 비타민 B12 수치가 유지되어 삶의 질을 우수하다는 장점이 있다. 그러나, 역류성식도염과 문합부 협착 등의 문합부와 연관된 장기합병증의 발생빈도는 27.4~67.4%로 위전절제술 후(7.4~8.7%)의 경우와 비교하여 높다. 최근에는 식도하부조임근보존 식도위문합술(lower esophageal sphincter-preserving esophago-gastrostomy), 이중덮개술(double flap technique) 등 위식도역류를 감소시키기 위한 다양한 변형 술식들이 시도되고 있다(그림 28-13).

2) 공장간치술/공장낭간치술을 이용한 재건술

공장간치술(jejunal interposition) 및 공장낭간치술(jejunal pouch interposition)은 식도위문합의 합병증인 문합부 누출, 문합부 협착, 역류성식도염을 개선하기 위해 고안된 술식이다. 음식물의 십이지장 통과에 따른 생리학적 이점과 영양상의 장점이 있으나, 수술 과정이 다른 술식과 비교하여 복잡하고 합병증 비율이 15~32%로 비교적 높게 보고된다. 또한 수술 후 재발 여부를 추적하기 위한 내시경검사를 하기 어려운 단점이 있다.

A

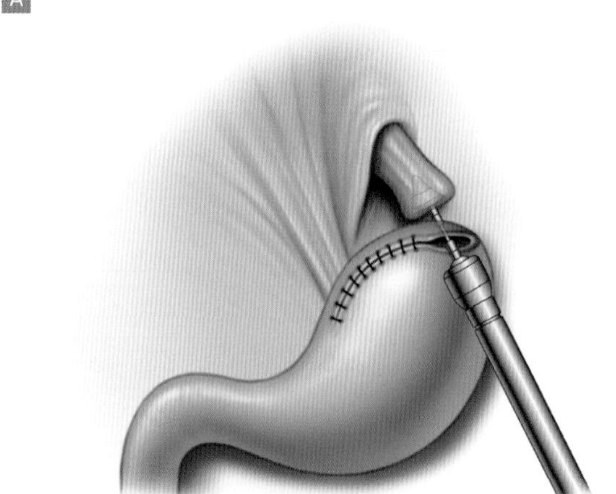

B

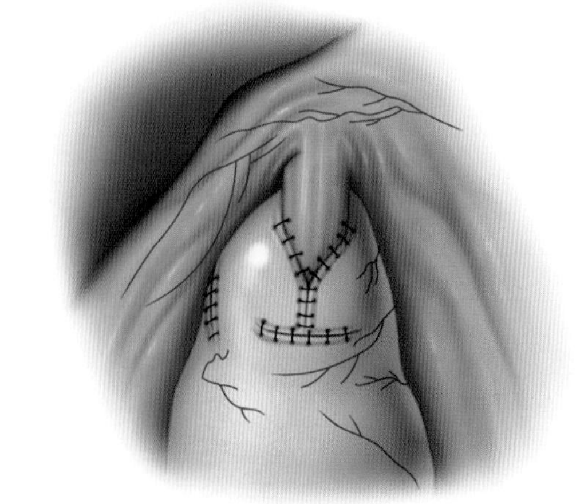

그림 28-13 **위식도역류 방지를 위한 식도위문합술의 변형 술식들.**
A. 식도하부조임근보존 식도위문합술 B. 이중덮개술

공장간치술을 위해서는 우선 트라이츠인대에서 20~30 cm의 공장을 식도 단단까지 거상하여 문합 부위를 선택한 후 공장간막의 무혈관 부위를 절개하여 공장을 절단하다. 횡행결장간막을 통해 절단된 공장을 거상하여 식도-공장 문합을 시행하고, 간치공장의 원위부와 잔위 대만측을 단단문합한다. 마지막으로 트라이츠인대에서 나오는 공장과 절제된 원위부공장을 단단문합하고, 내인성탈장 방지를 위하여 장간막 결손을 봉합하여 닫아준다(그림 28-14). 공장낭간치술의 경우는 공장낭을 만들어야 하므로 트라이츠인대로부터 30~40 cm 지점에서 절단하는 것이 적당하다. 횡행결장간막에 절개창을 만든 후 이를 통하여 공장을 들어올려서 식도와 잔위 사이에 위치시킨 다음 공장을 역U자 모양으로 뒤집어 선형봉합기로 측측 공장-공장문합을 하여 공장낭을 만든다. 식도와 공장낭을 원형봉합기로 연결한 후 공장낭의 원위부와 잔위를 문합한다(그림 28-15). 이 술식은 위전절제술 후 Roux-en-Y 재건술을 시행한 경우와 비교하여 위절제후증후군을 줄이고 환자의 영양상태가 양호하다고 한다.

3) 이중통로재건술

이중통로재건술(double tract reconstruction)은 위전절제술 후 Roux-en-Y 재건술과 같이 식도-공장문합과 공장-공장문합을 먼저 시행한 후, 두 문합 사이에 위-공장측측문합술을 추가로 만들어주는 술식이다(그림 28-16). 위-공장문합술은 식도-공장문합술에서 약 15 cm 거리를 유지하여야 위식도역류 증상을 낮추면서도 남은 위에 대한 내시경 추적관찰이 용이하다.

이 술식은 위전절제술과 비교하여 수술시간이 짧고 출혈양이 적으며 수술 후 2년 경과한 시점에서 비타민 B12 결핍빈도 및 헤모글로빈 감소 정도가 적다. 반면 위식도역류증상의 발생빈도에서는 위전절제술과 유의한 차이는 없다. 최근에는 근위부 위아전절제술 및 이중통로재건술과 위전절제술을 비교하는 다기관 전향적 무작위배정 임상연구(KLASS05)가 진행되어 이중통로재건술의 임상적 유용성에 대한 결과가 주목된다.

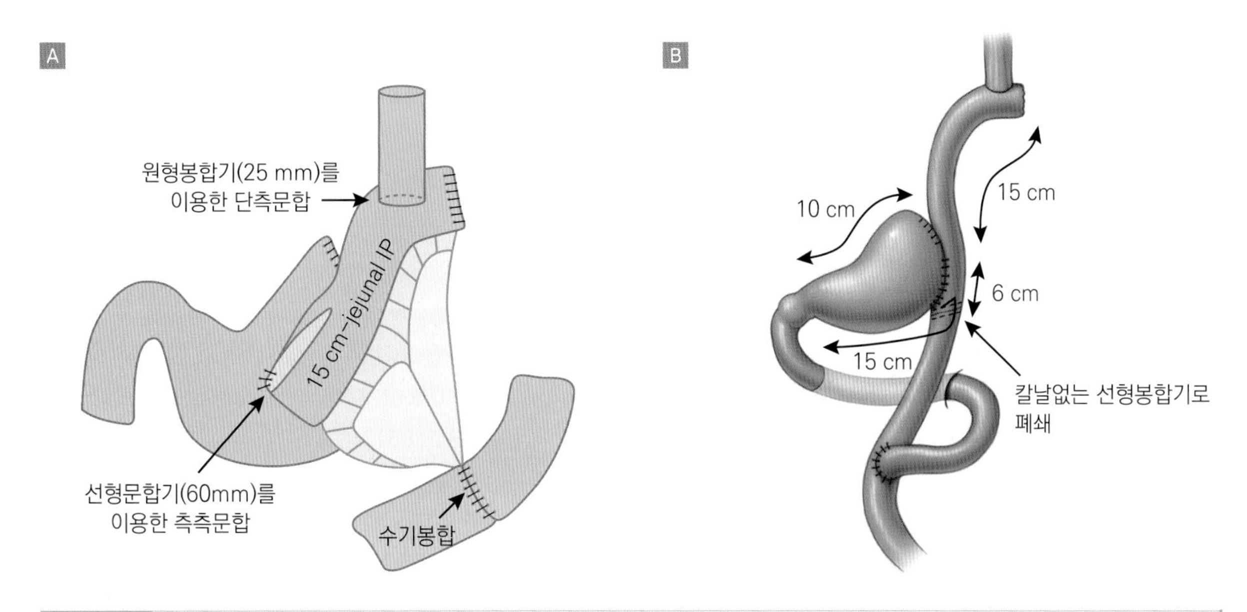

그림 28-14 **식도위간 공장간치술.**
A. 공장간치술 B. 이중통로재건술 후 knifeless 선형문합기를 이용한 공장간치형성술

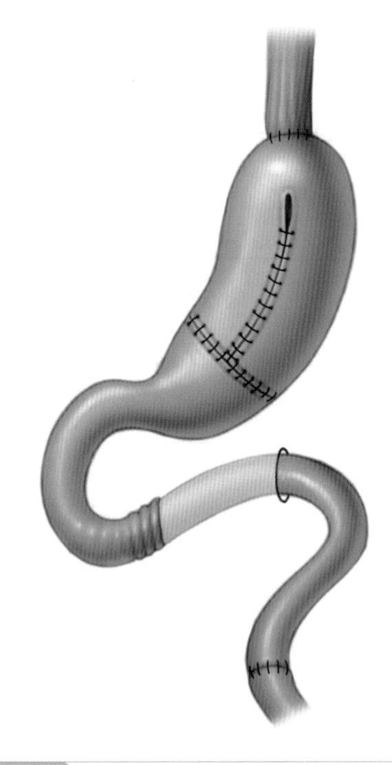

그림 28-15 **식도위간 공장낭간치술.**

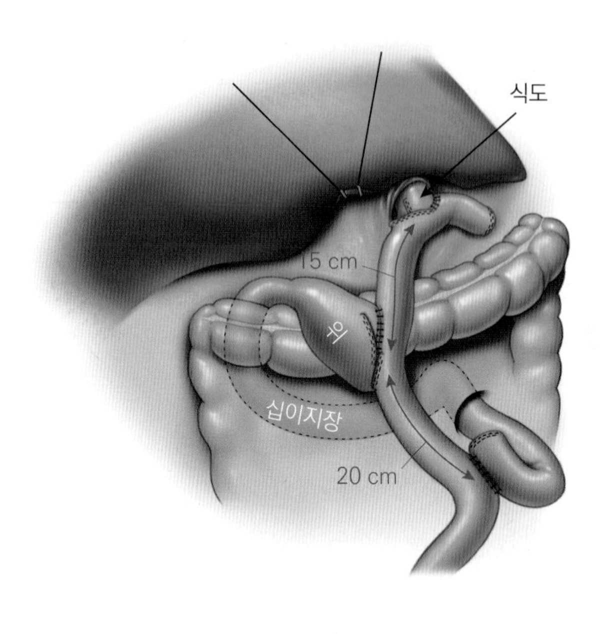

그림 28-16 **이중통로재건술.**

참고문헌

1. 구도훈, 서병조, 한원선 등. 위 전절제술에서 자동단단문합기 사용후 문합부 협착에 대한 고찰. 대한위암학회지 2004;4:252-256.
2. 노승무, 배진선, 정현용 등. 위아전절제술시 짧은 Roux limb을 적용한 uncut Roux-en-Y 위-공장 재건술식의 임상적 고찰. 대한외과학회지 2001;61:51-55.
3. 노승무, 배진선, 정현용 등. 위전절제시 단순공장간치술의 임상적 의의. 대한위암학회지 2001;1:210-214.
4. 류근원, 홍부환, 김종석 등. 위아전절제술 후 위십이지장 문합술: 수기문합과 기계문합의 비교. 대한외과학회지 2000;58:645-649.
5. 박종민, 오승엽, 차진우 등. 근위부 조기위암에서 복강경보조 위전절제술식과 개복하 위전절제술식의 비교. 대한외과학회지 2007;72:290-296.
6. 안병권, 최경현. 위암의 위아전절제술후 일차적 Roux-Y 위-공장 재건술. 대한외과학회지 1990;39:28-34.
7. 안창혁, 김기석, 성상욱 등. Afferent loop syndrome: 위절제술후 발생한 afferent loop 패색 29예 보고. 대한외과학회지 1999;57:858-867.
8. 오성태. 자동문합기를 이용한 위-공장 문합의 문제점과 해결책. 대한외과학회지 2000;58:72-78.
9. 윤성필, 김대환, 김동헌 등. 위전절제술 후 공장낭을 이용한 위재건술식에 따른 역류성식도염 발생빈도 및 영양상태에 미치는 영향. 대한외과학회지 2007;72:203-209.
10. 이동근, 이문수, 백무준 등. 위전절제술 후 재건술식으로의 Uncut Roux Procedure. 대한외과학회지.1997;53:511-517.
11. 이문수, 강길호, 조규석 등. 원위부 위아전절제술 후 원형문합기를 이용한 위십이지장 문합술: 문합부 합병증과 예방책. 대한위암학회지 2006;6:103-108.
12. 전시열, 유완식, 황일우. 위 전절제술 후 Plenk 재건술. 대한외과학회지 1994;46:680-687.
13. 정희석, 김경종, 차윤정 등. 위아전절제술 후 소화관

문합방법에 따른 조기 결과 비교. 대한위암학회지 2002;2:96-100.
14. 홍정훈, 김호일, 김종석 등. 자동문합기를 이용한 위전절제술시 문합기 크기에 따른 합병증의 고찰. 대한외과학회지 2002;62:205-208.
15. Ahn SH, Jung do H, Son SY, Lee CM, Park do J, Kim HH. Laparoscopic double-tract proximal gastrectomy for proximal early gastric cancer. Gastric Cancer 2014;17:562-570.
16. Ahn SH, Lee JH, Park do J, Kim HH. Comparative study of clinical outcomes between laparoscopy-assisted proximal gastrectomy (LAPG) and laparoscopy-assisted total gastrectomy (LATG) for proximal gastric cancer. Gastric Cancer 2013;16:282-289.
17. An JY, Youn HG, Choi MG, Noh JH, Sohn TS, Kim S. The difficult choice between total and proximal gastrectomy in proximal early gastric cancer. Am J Surg 2008;196:587-591.
18. Beal JM, Briggs JD, Longmire WR Jr. Use of a jejunal segment to replace the stomach following total gastrectomy. 1954;88:194-199.
19. Cai Z, Zhou Y, Wang C, et al. Optimal reconstruction methods after distal gastrectomy for gastric cancer: a systemic review and network meta-analysis. Medicine (Baltimore) 2018;97:10823.
20. Cui LH, Son SY, Shin HJ, et al. Billroth II with Braun enteroenterostomy is a good alternative reconstruction to Roux-en-Y gastrojejunostomy in laparoscopic distal gastrectomy. Gastroenterol Res Pract 2017;DOI: 10.1155/2017/1803851.
21. Hayami M, Hiki N, Nunobe S, Mine S, Ohashi M, Kumagai K, et al. Clinical outcomes and evaluation of laparoscopic proximal gastrectomy with double-flap technique for early gastric cancer in the upper third of the stomach. Ann Surg Oncol 2017;24:1635-1642.
22. Heil T, Etzrodt H, Mattes P, et al. Gastrectomy with and without duodenal transit: release of glucagon, insulin and somatostatin. Scand J Gastroenterol suppl. 1981;67:83-87.
23. Horvath OP, Kalmar K, Cseke L, et al. Nutritional and life quality consequences of aboral pouch construction after total gastrectomy: a randomized, controlled study. Eur J Surg Oncol 2001;27:558-563.
24. Hur H, Ahn CW, Byun CS, et al. A novel Roux-en-Y reconstruction involving the use of two circular staplers after distal subtotal gastrectomy for gastric cancer. J Gastric Cancer 2017;17:255-266.
25. Ichikawa D, Komatsu S, Okamoto K, Shiozaki A, Fujiwara H, Otsuji E. Esophagogastrostomy using a circular stapler in laparoscopy-assisted proximal gastrectomy with an incision in the left abdomen. Langenbecks Arch Surg 2012;397:57-62.
26. Inaba K, Satoh S, Ishida Y, et al. Overlap method: novel intracorporeal esophagojejunostomy after laparoscopic total gastrectomy. J Am Coll Surg 2010;211:25-29.
27. Information Committee of Korean Gastric Cancer Association. Korean gastric cancer association nationwide survey on gastric cancer in 2014. J Gastric Cancer 2016;16:131-140.
28. Jeong O, Park YK. Intracorporeal circular stapling esophagojejunostomy using the transorally inserted anvil (OrVil) after laparoscopic total gastrectomy. Surg Endosc 2009;23:2624-2630.
29. Jung DH, Lee Y, Kim DW, Park YS, Ahn SH, Park DJ, et al. Laparoscopic proximal gastrectomy with double tract reconstruction is superior to laparoscopic total gastrectomy for proximal early gastric cancer. Surg Endosc 2017;31:3961-3969.
30. Katai H, Morita S, Saka M, Taniguchi H, Fukagawa T. Long-term outcome after proximal gastrectomy with jejunal interposition for suspected early cancer in the upper third of the stomach. Br J Surg 2010;97:558-562.
31. Katsoulis IE, Robotis JF, Kouraklis G, Yannopoulos PA. What is the difference between proximal and total gastrectomy regarding postoperative bile reflux into the oesophagus? Dig Surg 2006;23:325-330.
32. Kim DJ, Lee JH, Kim W. Lower esophageal sphincter-

preserving laparoscopy-assisted proximal gastrectomy in patients with early gastric cancer: a method for the prevention of reflux esophagitis. Gastric Cancer 2013;16:440-444.
33. Kim YN, Aburahmah M, Hyung WJ, et al. A simple method for tension-free Billroth I anastomosis after gastrectomy for gastric cancer. Transl Gastroenterol Heaptol 2017;2:51.
34. Kinoshita T, Gotohda N, Kato Y, Takahashi S, Konishi M, Kinoshita T. Laparoscopic proximal gastrectomy with jejunal interposition for gastric cancer in the proximal third of the stomach: a retrospective comparison with open surgery. Surg Endosc 2013;27:146-153.
35. Kitagami H, Morimoto M, Nakamura K, et al. Technique of Roux-en-Y reconstruction using overlap method after laparoscopic total gastrectomy for gastric cancer: 100 consecutively successful cases. Surg Endosc 2016;30:4086-4091.
36. Kobayashi M, Araki K, Okamoto K, Okabayashi T, Akimori T, Sugimoto T. Anti-reflux pouch-esophagostomy after proximal gastrectomy with jejunal pouch interposition reconstruction. Hepatogastroenterology 2007;54:116-118.
37. Kuroda S, Nishizaki M, Kikuchi S, Noma K, Tanabe S, Kagawa S, et al. Double-flap techinque as an antireflux procedure in esophagogastrostomy after proximal gastrectomy. J Am Coll Surg 2016;223:7-13.
38. Lawrence W Jr. Reservior construction after total gastrectomy an instructive case. Ann Surg 1962;155:191-198.
39. Lee MS, Ahn SH, Lee JH, et al. What is the best reconstruction method after distal gastrectomy for gastric cancer? Surg Endosc 2012;26:1539-1547.
40. Lee TG, Lee IS, Yook JH, et al. Totally laparoscopic total gastrectomy using the overlap method; early outcomes of 50 consecutive cases. Surg Endosc 2017;31:3186-3190.
41. Lygidakis NJ. Long term results of a new methocl of reconstruction for continuity of the alimental tract after gastrectomy. Surg Gynecol Obstet 1984;158:335-338.
42. Masuzawa T, Takiguchi S, Hirao M, Imamura H, Kimura Y, Fujita J, et al. Comparison of perioperative and long-term outcomes of total and proximal gastrectomy for early gastric cancer: a multi-institutional retrospective study. World J Surg 2014;38:1100-1106.
43. Matsui H, Uyama I, Sugioka A, et al. Linear stapling forms improved anastomoses during esophagojejunostomy after a total gastrectomy. Am J Surg 2002;184:58-60.
44. Mochiki E, Kamiyama Y, Aihara R, et al. Postoperative functional evaluation of jejunal interposition with or without a pouch after a total gastrectomy for gastric cancer. Am J Surg 2004;187:728-735.
45. Muraoka A, Kobayashi M, Kokudo Y. Laparoscopy-assisted proximal gastrectomy with the hinged double flap method. World J Surg 2016;40:2419-2424.
46. Nakamura M, Nakamori M, Ojima T, Katsuda M, Iida T, Hayata K, et al. Reconstruction after proximal gastrectomy for early gastric cancer in the upper third of the stomach: an analysis of our 13-year experience. Surgery 2014;156:57-63.
47. Namikawa T, Oki T, Kitagawa H, Okabayashi T, Kobayashi M, Hanazaki K. Impact of jejunal pouch interposition reconstruction after proximal gastrectomy for early gastric cancer on quality of life: short- and long-term consequences. Am J Surg 2012;204:203-209.
48. Nomura E, kayano H, Lee SW, Kawai M, Machida T, Yamamoto S, et al. Functional evaluations comparing the double-tract method and jejunal interposition method following laparoscopic proximal gastrectomy for gastric cancer: an investigation including laparoscopic total gastrectomy. Surg Today 2019;49:38-48.
49. Nomura E, Lee SW, Kawai M, Yamazaki M, Nabeshima K, Nakamura K, et al. Functional outcomes by reconstruction technique following laparoscopic proximal gastrectomy for gastric cancer: double tract versus jejunal interposition. World J Surg Oncol 2014;12:20.

50. Nozaki I, Hato S, Kobatake T, Ohta K, Kubo Y, Kurita A. Long-term outcome after proximal gastrectomy with jejunal interposition for gastric cancer compared with total gastrectomy. World J Surg 2013;37:558-564.
51. Okabe H, Satoh S, Inoue H, et al. Esophagojejunostomy through minilaparotomy after laparoscopic total gastrectomy. Gastric Cancer 2007;10:176-180.
52. Otsuka R, Natsume T, Maruyama T, et al. Antecolic reconstruction is a predictor of the occurrence of Roux stasis syndrome after distal gastrectomy. J Gastrointest Surg 2015;19:821-824.
53. Park JY, Kim YJ. Uncut Roux-en-Y reconstruction after laparoscopic distal gastrectomy can be a favorable method in terms of gastritis, bile reflux, and gastric residue. J Gastric Cancer 2014;14:229-237.
54. Park JY, Park KB, Kwon OK, Yu W. Comparison of laparoscopic proximal gastrectomy with double-tract reconstruction and laparoscopic total gastrectomy in terms of nutritional status or quality of life in early gastric cancer patients. Eur J Surg Oncol 2018;44:1963-1970.
55. Pu YW, Gong W, Wu YY, Chen Q, He TF, Xing CG. Proximal gastrectomy versus total gastrectomy for proximal gastric carcinoma. A meta-analysis on postoperative complications, 5-year survival, and recurrence rate. Saudi Med J 2013;34:1223-1228.
56. ReMine SG, van Heerden JA, Magness L, et al. Antecolic or retrocolic anastomoses in Billroth II gastrectomy. Arch Surg 1978;113:735-736.
57. Sakuramoto S, Yamashita K, Kikuchi S, Futawatari N, Katada N, Moriya H, et al. Clinical experience of laparoscopy-assisted proximal gastrectomy with Toupet-like partial fundoplication in early gastric cancer for preventing reflux esophagitis. J Am Coll Surg 2009;209:344-351.
58. Sun MM, Fan YY, Dang SC. Comparison between uncut Roux-en-Y and Roux-en-Y reconstruction after distal gastrectomy for gastric cancer: a meta-analysis. World J Gastroenterol 2018;24:2628-2639.
59. Takahashi T, Saikawa Y, Yoshida M, et al. Mechanical-stapled versus hand-sutured anastomoses in Billroth-I reconstruction with distal gastrectomy. Surg Today 2007;37:122-126.
60. Takayama T, Matsumoto S, Wakatsuki K, Tanaka T, Migita K, Ito M, et al. A novel laparoscopic procedure for treating proximal early gastric cancer: laparoscopy-assisted pylorus-preserving nearly total gastrectomy. Surg Today 2014;44:2332-2338.
61. Takiguchi N, Takahashi M, Ikeda M, Inagawa S, Ueda S, Nobuoka T, et al. Long-term quality-of-life comparison of total gastrectomy and proximal gastrectomy by postgastrectomy syndrome assessment scale (PGSAS-45): a nationwide multi-institutional study. Gastric Cancer 2015;18:407-416.
62. Tokunaga M, Ohyama S, Hiki N, Hoshino E, Nunobe S, Fukunaga T, et al. Endoscopic evaluation of reflux esophagitis after proximal gastrectomy: comparison between esophagogastric anastomosis and jejunal interposition. World J Surg 2008;32:1473-1477.
63. Tomita R, Fujisaki S, Tanjoh K, Fukuzawa M. A novel operative technique on proximal gastrectomy reconstructed by interposition of a jejunal J pouch with preservation of the vagal nerve and lower esophageal sphincter. Hepatogastroenterology 2001;48:1186-1191.
64. Vogel SB, Drane WE, Woodward ER. Clinical and radionuclide evaluation of bile diversion by Braun enteroenterostomy: Prevention and treatment of alkaline reflux gastritis. Ann Surg 1994;219:458-466.
65. Walther BS, Zilling T, Johnsson F, et al. Total gastrectomy and oesophagojejunostomy with linear stapling devices. Br J Surg 1989;76:909-912.
66. Wen L, Chen XZ, Wu B, Chen XL, Wang L, Yang K, et al. Total vs. proximal gastrectomy for proximal gastric cancer: a systematic review and meta-analysis. Hepatogastroenterology 2012;59:633-640.
67. Xiong JJ, Altaf K, Javed MA, et al. Roux-en-Y versus Billroth I reconstruction after distal gastrectomy for

gastric cancer: a meta-analysis. World J Gastroenterol 2013;19:1124-1134.

68. Yabusaki H, Nashimoto A, Matsuki A, Aizawa M. Evaluation of jejunal pouch interposition after proximal gastrectomy for early gastric cancer in the upper third of the stomach. Hepatogastroenterology 2012;59:2032-2036.
69. Yang HK, Lee HJ, Ahn HS, et al. Safety of modified double-stapling end-to-end gastroduodenostomy in distal subtotal gastrectomy. J Surg Oncol 2007;96:624-629.
70. Yasuda A, Yasuda T, Imamoto H, Kato H, Nishiki K, Iwama M, et al. A newly modified esophagogastrostomy with a reliable angle of His by placing a gastric tube in the lower mediastinum in laparoscopy-assisted proximal gastrectomy. Gastric Cancer 2015;18:850-858.
71. Yoo CH, Sohn BH, Han WK, et al. Proximal gastrectomy reconstructed by jejunal pouch interposition for upper third gastric cancer prospective randomized study. World J Surg 2005;29:1592-1599.
72. Zhao P, Xiao SM, Tang LC, Ding Z, Zhou X, Chen XD. Proximal gastrectomy with jejunal interposition and TGRY anastomosis for proximal gastric cancer. World J Gastroenterol 2014;20:8268-8273.
73. Zhao Q, Li Y, Guo W, Zhang Z, Ma Z, Jiao Z. Clinical application of modified double tracks anastomosis in proximal gastrectomy. Am Surg 2011;77:1593-1599.

CHAPTER 29

위암의 최소침습수술

1. 복강경 위절제술

1) 서론

위암의 복강경 위절제술(laparoscopic gastrectomy)은 복강경 위원위부절제술(laparosocopic distal gastrectomy)이 1992년 Kitano에 의하여 처음 성공함으로써 시작되었다. 처음으로 시행된 이 수술은 기복 하에 복강경을 복강내로 유도한 후 U-shaped retractor로 복벽을 거상하고 복부중앙에 작은 절개창(mini-laparotomy)을 만들어 무기복(gasless)하에 복강경 보조술식으로 원위부 위를 절제하고 위십이장문합술을 시행하였다. 기복(pneumoperitoneum)과 무기복(gasless) 방법을 혼합하여 수술 공간을 만들고 복부 중앙에 작은 절개창으로 복강경 기구를 사용하여 수술을 시행하였다. 복강경 위전절제술(laparoscopic total gastrectomy)은 1995년 Azagra에 의하여 처음으로 시행되었다. 국내에서는 1996년 최 등에 의하여 복강경보조 위원위부절제술(laparoscopy-assisted distal gastrectomy)이 보고되었다. 이후 복강경술기의 기술적 향상과 복강경수술 기구의 발전, 환자 삶의 질에 대한 외과의사들의 관심 증가로 2000년을 기점으로 빠른 속도로 확산되었다.

복강경 기계와 수술기구의 발전 그리고 다양한 수술기법의 개발로 복강경수술은 날로 진화하고 있다. 초기 복강경 위절제술은 복강경보조 위절제술(laparoscopy-assisted gastrectomy)로 위절제 및 림프절절제는 복강내에서 복강경술기로 구현하고 복벽을 최소절개하여(mini-laparotomy) 검체를 배출 후 체외장관문합(extracorporeal anastomosis)하는 방식으로 이루어졌다. 그러나 기구와 술기의 발전으로 수술의 전체과정을 체내에서 시행하는 복강경 체내위절제술(totally intracorporeal laparoscopic gastrectomy)이 가능해졌다. 또한 사용하는 포트(port)의 수에 따라, 5개의 투관(trocar)을 사용하는 다포트 수술법(multiport surgery)을 기본형으로 하여 이보다 포트를 적게 사용하는 축소포트 수술법(reduced port surgery) 그리고 극단적으로 하나만 사용하는 단일포트 수술법(single port surgery)으로 발전하였으며, 수술에 참여하는 수술팀 인원에 따라서도 2명이 수술하는 duet surgery, 1명이 모든 것을 하는 solo surgery로 더욱 더 세분화되고 있다.

수술 건수도 2004년 740여 건(6.6%)에서 10년이 지난 2014년엔 7500여 건(48%)으로 약 10배의 폭발적 증가를 보였다. 이는 앞서 언급한 이유들 외에 조기진단에 따른 조기위암의 증가와 수술방법의 표준화 및 수술 숙련도가 빠르게 향상된 점과 수술의 장기생존성적의 결과에 따른 적응증의 확대 등이 영향을 주었다.

복강경 위절제술의 적응증은 현재까진 다기관 전향적 연구결과가 나오지 않은 상황이라 명확히 정해지진 않았으나 일본위암학회 가이드라인은 cStage I병기의 원위부절제일 경우만 적응증이 된다고 기술하고 복강경 전절제술의 경우 일본내시경학회의 의견 - 적당한 임상증례의 경우 고려해볼 수 있지만 과학적 증거는 없다 - 을 참조하고 있다. 그러나 전문가그룹들은 복강경 전절제술의 경우도 cStage II에서 가능하다는 의견을 제시하였다. 또한 후향적 대규모 코호트 연구에서 생존율의 차이를 보이지 않았고 메타분석에서도 생존율의 차이를 보이지 않아, 경험이 많은 센터에서는 적응증을 확장하려는 시도가 있다. 무엇보다도 대한내시경복강경위장관수술연구회(Korean Laparoendoscopic Gastrointestinal Surgery Study Group, KLASS)가 진행중인 3상 임상연구의 결과들을 조만간 발표할 예정이어서 적응증은 더 확대될 것이다.

2) 복강경수술의 준비

(1) 장비 및 기구

복강경수술에 필요한 기본적인 장비와 기구는 크게 세 가지로 나뉜다. 첫째, 비디오 영상을 만드는 장비(optic equipment), 둘째, 기복을 유지하여 복강내 수술공간을 확보하는 데 필요한 장비(access equipment), 셋째, 복강경수술에 필요한 기구이다.

① 복강경 카메라 및 비디오 시스템

일반적으로 10 mm 30° 또는 45°의 경성(rigid) 카메라, 또는 유연성(flexible) 카메라를 사용하고, 화질은 최소 HD (high definition) 이상의 비디오 시스템을 사용하는 것이 안전하고 정확한 수술을 위해서 중요하다. 화질 면에서는 유연성 카메라가 경성 카메라 비해서는 떨어지는 경향이 있으나, 다양한 각도를 이용하여 경성 카메라에서는 보여주기 어려운 부분(췌장 상연 및 비문주위 림프절절제술 등)을 쉽게 보여줄 수 있는 장점이 있어, 수술자 선호도에 따라 선택하면 되겠다. 최근 3D가 임상수술에 도입되면서, 수술시간 및 출혈량이 감소한다는 보고가 늘고 있고, 특히 보다 쉽고 편하게 복강경 내 봉합술을 시행할 수 있어, 보다 좋은 수술을 위해서는 3D를 이용하는 것이 좋을 것으로 생각된다. 최근 4K 및 8K의 초고화질 비디오 시스템도 임상에 도입이 되고 있으나, 이에 대한 이득에 대해서는 아직 임상 경험 및 연구가 필요한 실정이다. 향후 초고화질 수술 시대에서는 카메라 조수에 의한 손 떨림을 없애기 위해서, 카메라 홀딩 시스템(수동, 자동)을 이용하는 시대로 진입할 것으로 예상된다.

② 투관침(5~12 mm trocars)

투관침 부위의 출혈 및 절개창 탈장의 감소를 위해서, 최근에는 대부분 칼날이 없는 타입의 투관침을 사용하고 있는 추세이다. 복강경용 자동봉합기 삽입을 위해서는 12 mm 투관침이 필요하여 11 mm 투관침의 사용은 줄고 있고, 5 mm 투관침의 경우 머리 부분의 프로파일이 적으면서, 복강내에서 주로 사용하는 26 mm 크기의 봉합사의 바늘이 들어갈 수 있는 것을 사용하는 것이 다양한 상황에 대응하기 위해서 추천된다.

최근 들어 싱글포트 위암 수술이 시도되면서, 이와 관련된 다양한 싱글포트가 개발되고 있는데, 본인의 수술에 맞는 싱글포트를 선택하되, 포트가 상처견인기(wound retractor) 및 싱글포트 투관침 부분 두 개로 구성되어 검체를 자르고 나서 뺄 때 분리가 되는 것이 좋다. 또한, 기구 및 자동봉합기의 입출입이 쉽고, 싱글포트가 투명하여 안쪽의 기구의 넣고 빼는 모습을 볼 수 있는 포트를 사용하는 것이 좋을 것으로 생각된다.

③ 복강경 겸자(laparoscopic grasper)

현재 복강경 카메라 및 비디오 시스템의 화질은 육안

의 화질을 넘어서고 있고, 개복수술 시야에서는 인식하지 못했던 구조물들을 인식하고 있다. 이에 따라 출혈량을 최소화하면서 미세박리(microdissection)하는 것이 가능하게 되었다. 이러한 정교하고 미세한 림프절절제술을 위해서는 복강경 겸자도 앞부분이 살짝 구부러져 정교하게 원하고자 하는 조직을 잡을 수 있는 것들이 사용이 가능하여, 이를 이용하는 것이 특히 진행성 위암에 대한 복강경수술을 진행할 때 추천된다.

최근 들어서, 다빈치 로봇에서 사용되는 것과 같은 자유도를 가지고 있는 관절이 있는 겸자(articulating device)도 실제 임상에 사용되면서 그 근거를 마련하고 있다. 향후 그 사용이 늘 것으로 기대된다.

④ 에너지 디바이스(energy device)

복강경위암수술에 주로 사용하는 에너지 기구는 초음파 에너지 기반의 하모닉 스칼펠(Harmonic Scalpel), 소니시젼(Sonicision), 소닉비트(Sonicbeat), 소너서지(Sonosurge) 등이 있고, 바이폴라 에너지 기반의 리가슈어(Ligasure), 엔실(Enseal) 등이 있다. 또한 초음파 에너지와 바이폴라 에너지를 동시에 사용하는 썬더비트(Thunderbeat)도 임상에 도입되어 사용되고 있다. 수술자의 경험, 선호도에 따라 본인에게 맞는 에너지 기구를 사용하면 되겠다. 기본적으로 초음파 에너지 기구들은 림프절 박리를 할 때 공간형성효과(cavitation effect)로 인하여 수술의 플레인(plane)을 찾기가 쉬우나, 바이폴라 기구에 비해서는 일반적으로 지혈효과는 떨어지고 주변 조직에 열 전달을 더 많이 한다. 바이폴라 기구는 에너지 적용 후 조직끼리 떡이 되면서 지혈효과는 좋고 주변에 열손상(thermal damage)이 적으나, 이후 수술 플레인(plane)을 찾기가 초음파 에너지 기구보다는 어렵다. 썬더비트의 경우 바이폴라 에너지가 먼저 적용되어 지혈 작용을 하고 이후 초음파 에너지로 조직을 자르게 되어, 초음파 에너지 및 바이폴라 기구의 장단점을 다 가지고 있다. 아직 복강경위암수술에서 어떤 에너지 기구가 더 좋은지에 대한 잘 계획된 임상연구 및 보고는 없는 상태로 현재 한국에서 복강경위암수술에서 하모닉 스칼펠과 리가슈어를 비교하는 임상연구가 진행 중이다(NCT03356626).

최근 일본에서 연구된 다빈치 로봇수술에서 엔도리스트(endowrist)의 관절 기능을 이용하여 시행한 위암수술에서 바이폴라 림프절절제술이 합병증 및 수술 후 췌장염(postoperative pancreatic fistula)을 줄였다는 보고가 있어, 복강경위암수술에서도 일자형 에너지 기구를 이용하여 수술할 때 가능한 췌장에 대한 열손상 및 접촉 최소화라는 개념을 가지고 수술하는 것이 중요할 것으로 생각된다.

⑤ 기타

자동봉합기, 복강경 흡인-관류기(laparoscopic suction-irrigator), 각종 클립(hemoclips), 녹화기기 등이 있다.

(2) 수술 전 고려할 사항

수술 전 준비는 개복술과 동일하며, 전신마취를 위한 일반적인 검사 및 해당 수술 부위의 특수검사(위내시경, 전산화단층촬영, 조직검사 등)가 필요하다. 복강경수술 시 일반적으로 고려할 사항은 크게 환자요인과 수술실 및 수술 기구의 준비이다. 먼저 수술 전 환자의 병력청취와 이학적 검사 및 마취에 필요한 검사 등을 통해 복부수술의 기왕력과 수술 종류 등을 숙지한다. 복강경수술에 필요한 기복의 복압(10~14 mmHg) 때문에 마취 유지에 문제를 일으킬 만한 심폐질환이 있는지 간질환 혹은 혈액질환으로 인한 출혈성 경향이 있는지 확인한다. 수술실에서는 수술 테이블의 움직임 정도를 확인하고 수술에 방해가 되지 않도록 여러 장비를 배치해 둔다. 특히, 수술 중에 수술팀이 위치를 바꿀 때는 사람뿐만 아니라 장비도 함께 이동하므로 수술 전에 이러한 면을 고려해 장비를 배치하고 배선들을 정리해야 한다.

(3) 수술 전 준비

최근 조기회복 프로그램(early recovery after surgery, ERAS)이 복강경위암수술 분야에도 활발히 도입이 되고 있다. 특별한 기저질환이 없는 환자에서 일반적인 복강경위암수술 예상되는 경우, 다음과 같은 조기회복 프로그램을 도입하고 있다.

① 금식 시간의 최소화

위출구폐쇄(gastric outlet obstruction), 당뇨 위병증(diabetes gastropathy) 등의 기저질환이 없는 환자에서 수술 전 6시간부터 금식을 하고, 수술 전 2시간까지 탄수화물 음료를 섭취하여 수술 전 금식 시간을 최소화한다. 수술 후 식이 진행도 수술 후 6시간 또는 다음날부터 특별한 문제가 없으면 물부터 시작하여 순차적으로 진행한다.

② 수술 전 수액 공급 최소화

금식 시간을 최소화하면서 수술 전 그리고 수술 중 수액 공급을 최소화하면, 위장관 부종 및 수술 후 장폐색증(ileus)을 최소화할 수 있다.

③ 수술 전 비위관(naso-gastric tube) 삽입 최소화

위출구폐쇄(gastric outlet obstruction) 등의 기저질환이 없으면 일반적으로 필요하지 않으며, 수술 중 마취에 의한 위의 팽창(distention)이 심하여 수술에 지장이 있을 경우 선택적으로 삽입하여 감압 후 제거하는 것이 좋다.

④ 수술 전 장 청소(bowel preparation)

대장을 합병절제하는 경우가 아니라면 일반적으로 필요하지 않다.

(4) 마취 및 예방적 항생제

대부분의 케이스에서 전신마취하에 근육이완제를 사용하여 수술을 진행하다. 전신마취가 어려운 경우 척추(spinal) 또는 경막외(epidural)로도 충분한 이완이 가능하여 수술이 가능하나, 수술 중 장을 조작하는 과정(bowel manipulation)에서 발생할 수 있는 오심(nausea)을 예방하기 위한 정맥 진정제(intravenous sedatives) 투여가 필요하다. 예방적 항생제는 1세대 세팔로스포린(cephalosporin)으로 하루 동안(24시간) 투여한다.

(5) 환자 자세 및 위치

일반적으로 앙와위(supine position)를 취하지만 경우에 따라서는 다리를 벌리거나 결석제거술 자세(lithotomy)로 수술하거나, 수술 도중 수술대를 상하좌우로 움직여 수술 시야를 확보할 수도 있으므로 반드시 수술 전에 수술 테이블 작동 여부를 확인해야 한다. 양쪽 팔은 수술자의 선호에 따라 조절하되, 수술자의 위치에 따라 수술자 쪽으로 환자를 가까이 위치하는 것이 피로도를 줄일 수 있어, 수술자가 위치한 곳의 팔을 팔걸이(arm board)를 이용해서 펴는 것이 좋다. 수술대 높이는 술자의 허리 정도가 수술 중 피로감을 최대한 줄일 수 있어서 가장 좋다. 하지만 술자가 앉아서 수술하는 경우 수술대가 충분히 내려가야 하므로 수술대를 미리 확인해 둔다(표 29-1).

3) 복강경 림프절절제술

복강경 위절제술 시행 초기에 많은 외과의사들이 염려했던 점은 과연 복강경으로 개복수술과 같은 림프절절제술이 가능할 것이냐는 것이었다. 일부 연구자들은 복강경수술이 개복술과 비교하여 절제된 림프절 수에 차이가 없으므로 림프절을 충분히 절제할 수 있다고 주장했지만, 제거된 전체 림프절 수는 림프절 절제범위 이외에도 여러 가지 요인에 영향을 받을 수 있으므로, 결국 제거된 전체 림프절 수뿐만 아니라 제거되어야 하는 각 구역별 림프절절제의 술기에 많은 관심을 갖게

표 29-1. **복강경수술 장비**

Optic Equipments
Laparoscope - Rigid (0°, 30°, 45°) or Flexible HD Camera System, 2D or 3D system, HD or 4k or 8k system
Light source
Monitors
Video Recorder
Access Equipments
Gas Insufflator / Pressure monitor
Trocars (2, 5, 11, 12, 15 mm), Single port
Operation Instruments
Graspers (Atraumatic and Traumatic)
Clamps
Dissectors
Scissors
Suction / Irrigator
Clip & Clip Applier (5, 10 mm)
Staplers
Linear (30, 45, 60 mm)
Circular (21, 25, 28, 29, 31, 33 mm)
Retractor
Needle holder
Specimen delivery bag
Knotting Instrument
Energy Device (Ultrasonic Shears, Advanced Bipolar Energy Device, Combined Energy Device)
Wound protector

되었다. 또한 림프절절제 시에 기구로 림프절 막을 손상시켜 재발의 원인이 되면 안되기 때문에 완전한 림프절절제기술을 습득하는 것도 중요하게 되었다.

1992년에 처음으로 조기위암에 복강경 위절제술을 시행한 Kitano의 림프절 절제범위는 D1+α 였다. 이후 복강경 위절제술이 점점 보급되었는데, 일본위암치료 권고안에 의하면 일부 점막하 암에는 D1+β 림프절절제를 추천하므로 복강경 위절제술에서도 다양한 구역별 림프절절제술 술기를 발전시킬 필요성이 대두되었다. 그 후 Uyama 등은 조기위암 및 진행성 위암에도 위원위부절제술뿐만 아니라 위전절제술 시 다양한 복강경 D2 림프절절제술을 시행한 예들을 보고하였다. 국내에서도 복강경 D1+β와 D2 림프절절제술의 기술적 안전성과 가능성을 보고한 바 있고 복강경 D2 림프절절제술에 대한 2상 임상연구가 시행되어 술기의 안전성을 보고하였다. 최근 일본위암치료권고안에 의하면 림프절 절제범위가 위원위부절제술은 D1+(D1 + 8a, 9번), D2(D1 + 8a, 9, 11p, 12a번)로 위전절제술은 D1+(D1 + 8a, 9, 11p번), D2(D1 + 8a, 9, 10, 11p, 11d, 12a번)로 간소화되었다.

위암 환자에서 복강경 림프절절제는 원칙적으로 개복술의 술기를 따른다. 그러나 시야가 제한되고 복강경 기구를 사용해야 하므로 술기가 다소 변형될 수 밖에 없다. 이는 수술자뿐만 아니라 조수에게도 해당하며 오히려 조수의 역할이 개복에 비해 강조된다. 복강경을 이용한 림프절절제술은 최근 술기가 표준화되어 많은 술자들이 대만곡의 좌측에서 우측 방향으로 시행하고 있다. 여기에서는 위원위부절제술을 5단계로 나누어 기술하고 위전절제술 시 비문 림프절절제와 위식도경계부암에서 시행하는 하부종격동 림프절절제술을 간단히 추가하였다.

(1) 1단계: 대만곡의 왼쪽 부분

부분대망절제술을 시작할 때는 제1조수의 오른쪽 투관침으로 위 하체부의 전벽을 겸자로 잡아 환자의 오른쪽으로 약간 치우치게 들어주는 것이 중요하다. 물론 진행 위암에서는 위 주변의 지방조직을 잡거나 거즈를 잡아서 위를 들어올려 주어야 한다. 이렇게 하면 대망의 혈관을 관찰하기가 용이해 대망을 절제하고 소낭으로 진입하기가 쉽다. 비장의 아래쪽을 향하여 위대망혈관에서 4~5 cm 거리를 두고 대망을 절제하다 보면 위의 대만과 횡행결장이 가장 근접한 부분을 발견하게 된다. 이 부분에서 대장을 손상하지 않는 한도 내에서 대장에 최대한 접근하여 대망을 절제하면 췌장 미부와 비장을 만나게 되어 4sb번 림프절을 절제하기 쉬워진다.

비장에 가까울수록 위상부의 후벽이 시야를 가리게 되는데, 제1조수가 처음 잡은 위의 위치에서 약 5 cm 근위부를 잡아 처음과 같은 방향으로 당겨주면 4sb번 림프절절제 시 시야를 확보하는 데 큰 도움이 된다. 좌위대망 동정맥을 노출시킨 후 결찰 및 절단한다. 초음파절삭기로 작은 혈관 및 조직을 절단해도 출혈이 일어날 위험성은 매우 낮다. 병변의 위치가 비교적 높을 때는 필요시 단위동맥 하나를 절단한 후 절제 방향을 위의 대만곡으로 향한다. 제1조수에게 잡은 위를 놓고 4sb번과 4d번이 포함된 대망을 잡게 한 뒤 술자의 왼쪽 장겸자로 위의 전벽을 잡고 초음파절삭기로 근위부 대망을 대만곡에서 분리한다. 이 과정에서 항상 림프절을 잡지 않도록 노력한다.

(2) 2단계: 대만곡의 오른쪽 부분

제1조수가 위 전정부의 전벽을 겸자로 잡아 들어주어야 시야를 제대로 확보할 수 있다. 1단계의 왼쪽 부분 대망 절제술과 마찬가지로 제1조수가 위를 당겨주면 오른쪽 대망 혈관을 육안으로 관찰할 수 있고, 횡행결장에서 약 3~4 cm 떨어져 대망을 절단하면 아래쪽으로 횡행결장간막을 확인할 수 있다. 대망과 횡행결장간막을 계속 분리하면 십이지장과 췌장 두부의 전면이 나타나는데 이때 제1조수에게 위의 전정부 후벽을 잡게 한다. 이렇게 하면 위 대만부의 대망이 간좌엽 아래에 위치하게 되어 6번 림프절절제를 위한 시야가 확보된다. 위 후벽과 췌장 근위체부의 유착을 전기소작기로 분리한 뒤 췌장 근위체부의 하연을 확인한다. 지금은 D2 림프절 절제범위에서 제외 되었지만 만일 14v번 림프절이 커져 있는 경우에 림프절절제를 하고자 한다면, 제 1 조수의 왼손으로 횡행결장간막을 환자의 발쪽으로 약간 눌러 당기면서 장간막과 대망을 조심스럽게 분리하면 위대장정맥(gastrocolic trunk)을 확인할 수 있다. 중대장정맥(middle colic vein)을 기준 삼아 상장간막정맥의 우상부에 있는 14v번 림프절이 포함된 지방조직을 절제한다. 이곳은 출혈이 일어나면 지혈하기 힘든 부분이므로 반드시 세밀하고 조심스럽게 접근해야 한다. 우위대망정맥을 근위부에서 결찰하고 췌장 두부에서 지방조직을 제거하여 상부로 올라가면 우위대망동맥을 확인하게 된다.

동맥 오른쪽의 췌장 두부와 왼쪽의 위십이지장동맥이 확인될 때까지 십이지장과 췌장 두부를 충분히 박리하면 우위대망동맥 및 하유문동맥(infrapyloric artery)을 결찰할 때 출혈을 예방할 수 있다. 유문보존위원위부절제술을 시행할 경우에는 하유문동맥을 보존하게 되며 6i 림프절을 제외한 6번 림프절절제가 이루어진다. 십이지장 후벽과 췌장의 유착을 충분히 박리하고 위십이지장동맥의 근위부에서 우위동맥을 손상하지 않도록 조심하면서 어느 정도 박리를 해 둔다. 거즈를 십이지장과 췌장 사이에 넣어두면 3단계 림프절절제를 좀 더 용이하게 할 수 있다.

(3) 3단계: 소만곡의 오른쪽 부분

제1조수의 오른쪽 아래 투관침으로 피넛을 넣어 십이지장을 아래 방향으로 눌러주고 오른쪽 위 투관침을 통하여 겸자를 넣어 우위동맥이 포함된 소망조직을 잡아서 당겨주면 우위동맥 아래로 공간이 만들어지고 이 부분에 창을 내어 우위동맥의 기시부 주변을 박리한다. 초음파절삭기로 우위동맥 및 상십이지장동맥들과 십이지장 벽 사이의 틈을 박리하여 공간을 확보하고 고유간동맥의 오른쪽 면에서부터 박리하면 우위동맥 및 정맥의 기시부를 확인하고 결찰하기가 용이하다. 위간인대를 간십이지장 인대에서 식도 방향으로 초음파절삭기를 이용하여 절단하는 데 이 과정에서 변형좌간동맥(aberrant hepatic artery) 존재 유무를 확인해야 한다. 복강경용 선형 자동문합기로 십이지장을 절단한다.

(4) 4 단계: 7, 8a, 9, 11p번 림프절절제

재건술을 할 때 델타형 위십이지장 문합을 하기 위해서는 절단한 십이지장 주위 조직을 충분히 박리해야 한다. 위십이지장동맥과 고유간동맥이 총간동맥과 만나는 부위를 확인하면서 주위에 붙어 있는 림프절을 분리하고 고유간동맥 뒤쪽과 연결된 림프절을 제거한다. 제1조수의 왼쪽 피넛 또는 겸자를 이용하여 췌장의 실질을 환자의 다리 쪽으로 조금씩 눌러 주고 오른쪽 겸자로 좌위동맥이 포함된 조직을 잡아 위로 들어주면서 이 부위의 시야를 확보하여 림프절을 절제한다. 갈고리형 전기소작기와 초음파절삭기 등으로 조심스럽게 췌장 상연을 박리하면서 복강동맥(celiac axis) 쪽을 향한다. 같은 방법으로 비장동맥의 근위부 림프절도 절제하는데 이 과정에서 좌위정맥을 확인하고 정확히 결찰해야 출혈을 방지할 수 있다. 좌위동맥을 기시부에서 결찰하고 대동맥 전면의 근육(crus muscle)이 보일 때까지 초음파절삭기로 절단하며 복부 식도 후면까지 이르면 림프절절제가 충분히 이루어진 것이다. 췌장 상연 박리 시 발생하는 작은 정맥 출혈은 세밀한 겸자로 직접 혈관을 잡고 초음파절삭기로 처리하는 것이 가장 효과적이다. 출혈은 좌위정맥을 제외하고는 췌장 실질에서 나게 되므로 조직에 여유가 없어 클립을 사용하면 오히려 더 많은 출혈을 초래할 가능성이 있다.

12a번 림프절절제를 위해서는 제1조수의 오른손 겸자로 8a번 림프절이 포함된 지방조직을 잡아서 위로 들어주고 왼손 겸자로 총간동맥 위의 신경조직을 잡아 아래로 당기고 술자의 왼손으로 고유간동맥 위의 신경조직을 잡아 좌측으로 당겨 삼각형 형태로 만든 후 오른손 박리겸자로 박리를 하여 간문맥을 노출시킨 후 그 상방에 있는 12a번 림프절을 포함한 지방조직을 초음파절삭기로 절단하여 올리면 어렵지 않게 12a번 림프절절제를 시행할 수 있다. 11p번 림프절절제를 위해서는 왼쪽 아래의 술자의 투관침을 보통보다 상방 내측으로 더 위치하는 것이 좋으며 비장정맥(splenic vein)을 노출시켜 그 위에 있는 11p 림프절을 포함하고 있는 지방조직과 함께 절제하게 된다. 하지만 경우에 따라서는 비장정맥이 췌장 후면에 깊숙이 있는 경우도 있으므로 비장동맥 뒤로 췌장실질만 보인다면 반드시 비장정맥을 노출시키려고 하지 않아도 된다.

(5) 5단계: 복부 식도 및 상부 소만곡

마지막 단계에 이르면 수술의 집중도가 떨어지기 쉽다. 그러나 이 부위는 1번 및 3번 림프절에 해당하므로 빈도 면에서 림프절 전이 가능성이 높으므로 끝까지 긴장도를 유지해야 한다. 복부 식도의 전 후면을 주위 조직에서 박리하고 초음파절삭기를 이용하여 미주신경을 절단하면 위의 긴장도가 소실되므로 조작하기가 쉽다. 초음파절삭기를 이용하여 소만곡으로부터 림프절이 포함된 지방조직을 분리한다. 제1조수가 두 겸자로 술자의 오른쪽 손과 삼각형이 되도록 지방조직을 당겨주면 시야 확보 도움이 된다. 위근위부절제술을 시행할 때는 3a번 림프절(좌위동맥 분지 경로 림프절)은 절제하고 3b번 림프절(우위동맥 분지 경로 림프절)은 보존하게 된다.

(6) 비문 주위 10번 림프절절제

비문(splenic hilum) 림프절절제를 위한 여러 가지 방법들이 있지만 보통 먼저 4ab번을 포함한 비장 아래부분 림프절절제를 끝낸 후 제1조수가 오른쪽 겸자로 위 상부를 당겨주고 왼쪽 겸자로 췌장 미부를 아래로 눌러주면 비장동맥의 원위부가 잘 노출되며 이로부터 비문의 혈관들 사이에 있는 림프절과 지방조직을 조심하여 절제한 후 마지막으로 비장 상부의 림프절절제를 하게 되면 11d와 10번 림프절절제를 완성하게 된다.

(7) 하부 종격동 림프절절제

하부 종격동(lower mediastinum) 림프절절제는 위식도경계부암, 특히 Siewert 2형일 경우에 필요하다. 효과

적인 림프절절제를 위해서 양쪽 횡격막 근육과 전방 횡격막을 일부 절제하여 통로를 넓혀 준다. 위식도경계부에 테이프나 실을 걸어 조수가 당겨 주면서 식도 주변의 림프절(110번)과 흉부대동맥 전면의 림프절을 주의하여 절제하고 효과적인 하부 종격동 림프절절제를 위해서는 흉막이 열리는 것을 피할 수 없는 경우가 많지만 반드시 열어야 하는 것은 아니다. 흉막이 조금 열리게 되면 오히려 긴장 기흉이 생길 수 있으므로 충분히 여는 것이 안전하다.

4) 복강경 위절제술의 장점과 단점

위암에서 복강경 위절제술은 크게 조기위암과 진행성 위암으로 나누어 생각해 볼 수 있다. 우선, 조기위암에서 복강경 위절제술은 개복 위절제술에 비하여 기술적인 측면과 종양학적 측면에서 모두 우수하거나 열등하지 않은 결과를 보인다. 국내 다기관 전향적 무작위배정 연구결과(KLASS01 연구)에서 알 수 있듯이, 조기위암에서 복강경 위하부절제술은 개복수술에 비하여 유의하게 낮은 단기 합병증 발생률을 보였으며, 특히 낮은 상처 합병증 발생이란 장점을 보였다. 또한 수술에 의한 사망률도 두 수술방법 간 차이를 보이지 않았다. 장기생존율 관점에서도, 수술 후 5년 전체 생존율과 위암 특이 생존율에서 개복수술에 대한 복강경 위하부절제술의 비열등성이 입증되었다. 또한 복강경 암수술 시 우려되었던 투관침 재발은 복강경 군에서 한 건도 발생하지 않아 조기위암에서 투관침 재발에 대한 우려를 불식시킬 수 있었다. 일본에서 시행된 Japanese Clinical Oncology Group 0703 (JCOG0703) 연구에서도 단기 합병증, 특히 문합부 누출 또는 췌장루 형성과 같은 합병증 발생에 있어 복강경수술은 충분한 안전성을 보였다. 김 등이 시행한 전향적 무작위 배정 연구(COACT0301 연구)에서는 복강경 위하부절제술의 수술 후 단기 삶의 질에 대한 평가가 이루어졌으며, 개복수술보다 향상된 삶의 질 결과를 보였다. KLASS01과 COACT0301 연구에서 모두 수술시간은 복강경수술이 개복수술보다 길었으며, 출혈량 및 재원 기간은 복강경수술에서 더 적고 더 짧았다. 정리하자면, 국내외 여러 전향적 연구에서 조기위암 환자의 복강경 위하부절제술은 개복수술과 비교하였을 때, 수술시간을 제외한 거의 모든 항목에서 복강경수술이 더 우수하거나 열등하지 않은 결과를 보이고 있다. 따라서 국내 위암진료지침에서도 조기위암에서 복강경수술을 강하게 권고하고 있다.

진행성 위암에서 복강경 위하부절제술의 결과도 조기위암과 크게 다르지 않을 것으로 예상되나, KLASS02를 비롯한 많은 무작위 배정 임상연구들의 결과가 출판을 앞두고 있어 결론을 내리기엔 이르다. 하지만 국내 단일기관 전향적 단독 군 연구에서 진행성 위암에서의 복강경 위하부 및 위전절제술의 재원 기간(위원위부절제술: 6.3일, 위전절제술: 8.5일), 절제 림프절 수(5.27개, 63.8개) 및 단기 합병증 발생률(국소합병증 발생률 8.3%, 전신합병증 발생률 3.2%)은 충분히 용인할 만한 결과를 보였다. 또한 위암 전 병기에서 복강경 및 개복수술의 장기생존율을 비교한 다기관 대규모 후향적 연구에서는 두 수술방법 간 차이가 없음을 보인바 있다.

조기위암에서의 복강경 위전절제술은 KLASS03 연구에서 단기 합병증 발생률이 개복 위전절제술에 비하여 높지 않음을 보였다. 다만, 무작위 배정 연구가 아니라, 단독 군 연구(single arm trial)라는 점에서 한계는 있다. 현재 진행성 위암에서의 복강경 위전절제술에 대한 무작위 배정 연구(KLASS06)가 진행 중에 있으므로, 복강경 위전절제술의 장단점에 대한 결론은 추후 내릴 수 있을 것이다.

결론적으로, 복강경수술은 창상의 크기가 작아 수술 후 통증, 재원 기간 및 급성 염증반응 등에서 장점을 지닌다고 할 수 있다. 다만, 진행성 위암에서 종양학적인 측면의 안전성이 아직 완전히 증명되지 않았고, 개복수술보다 수술시간이 길다는 단점이 있다고 할 수 있다. 최근 단일 절개 복강경수술이 위암 수술에서도 적용되어 일반 복강경수술보다 더 적은 통증, 염증반응 및 진통제 사용이라는 결과를 보여주었다. 물론 종양학적 안전성이란 문제가 남아 있으나, 복강경수술이 추구하던 바를 진일보시킨 술기라는 점에서 주목할 만하다.

5) 수술 숙련도를 위한 학습곡선

외과 영역에 복강경수술이 도입된 후 많은 종류의 수술을 대상으로 복강경수술의 숙련도를 위한 학습곡선에 대한 연구가 시행되었다. 담낭절제술은 20예, 비뇨기수술은 8예, 대장수술은 11~15예로 각 수술마다 다양한 환자 수가 제시되었다. 김 등은 복강경 위아전절제술에 대한 학습곡선 연구에서 수술시간과 수술 후 합병증 발생률을 고려해 분석 한 결과 50예를 제안하였고, Jin 등은 수술결과에서 수술 후 사망, 대합병증, 개복 전환, 잔위암, 적절하지 못한 림프절절제술 등을 완전하지 못한 수술로 정의한 다차원적 학습곡선(multi-dimensional learning curve) 분석에서 40예를 제안하였다.

KLASS에서 시행한 다기관 연구에 따르면 평균 학습곡선은 42예(4-72)였으며 합병증과 절제된 림프절 개수에서 학습곡선을 기준으로 차이를 보이는 경향이 있다고 보고하였다. 다른 복강경수술과 비교하여 복강경 위절제술의 학습곡선이 높은 것은 위암 환자의 복강경 위절제술은 림프절절제술식이 복잡하고 수술 면적이 타 장기 수술보다 넓기 때문이다. 그러나 수술 숙련도를 위한 학습곡선에는 술자의 복강경수술을 시작하기 전 개복위암수술의 경험뿐만 아니라 위암 수술의 빈도, 위암 이외의 복강경수술 경험, 동물실험 참가 여부, 복강경 전문 수술팀 여부, 복강경수술 장비 및 기구 종류 등 많은 요인들이 영향을 미칠 수 있다.

6) 재건술

(1) 복강경 위아전절제 후 재건술

복강경 위아전절제 후 재건술에는 개복술의 Billroth I, II, Roux-en-Y 술식이 모두 사용되고 있다. 초창기 복강경 위아전절제술에서는 소절개창(4~5 cm)을 이용한 체외 위십이지장문합술(Billroth I)을 시행하는 복강경보조 원위부위절제술을 선호하였으나 복강경수술이 발전하면서 소절개창 없이 복강경 하에서 문합을 시행하는 전복강경 위아전절제술이 많이 시행되고 있다. 체외 문합술의 경우는 직접 눈으로 문합부를 확인할 수 있다는 장점이 있으며, 체내 문합술의 경우는 병변의 위치에 관계 없이 안전한 문합술이 가능하고, 덜 침습적이며, 비만한 환자에서도 무리없이 문합을 시행할 수 있는 장점이 있다.

체외 위십이지장문합술(Billroth I)은 대부분 원형자동문합기(circular stapler)를 이용한다. 위공장문합술(Billroth II)은 개복수술과 마찬가지로 원위부 절단변을 더 많이 확보해야 등의 경우, 십이지장이나 유문부 질환이 있는 환자, 종양의 위치가 중체부 이상인 경우에 주로 시행하며, 대부분 검상돌기에서 종으로 5 cm 정도의 절개창으로 잔위와 공장을 함께 몸 밖으로 꺼내 문합하며, 수기문합을 하거나 선형자동문합기(linear stapler)를 이용한다. Billroth II 술식인 경우 술자에 따라 공장공장문합술(Braun anastomosis)을 시행하기도 한다. 체내 문합의 경우는 주로 선형자동문합기를 이용하여 문합을 시행한다. 위십이지장문합술(Billroth I)은 Kanaya 등이 제안한 delta형 문합을 기본으로 하여 여러 가지 변형된 문합법들이 사용되고 있다. 문합을 위한 십이지장의 충분한 확보가 중요한 위십이지장문합술(Billroth I)과는 달리 위공장문합술(Billroth II)과 Roux-en Y 재건술은 비교적 공장의 조작 및 확보가 자유롭기 때문에 문합부의 긴장이나 길이 확보에 구애받지 않고 시행할 수 있다. 문합은 주로 선형자동문합기

(linear stapler)를 이용하며 문합 이후 공통 입구(common entry hole)는 선형자동문합기(linear stapler)나 수기봉합을 이용하여 봉합한다. 그러나 개복수술과 마찬가지로 위아전절제술 후 재건술은 아직 특정 술기가 우수하다는 연구결과가 없기 때문에 술자의 선호도와 환자의 상태에 따라 술식을 결정한다. 특히 복강경수술인 경우 환자의 체형이나 병변의 위치가 재건술 방법에 영향을 미치기도 한다. 복강경수술 시에는 수술 전에 환자의 재건 방법을 결정하고 수술에 임해야 한다. 재건술 방법에 따라 절개창의 위치와 투관침의 위치가 달라질 수 있기 때문이다.

(2) 복강경 위전절제술 후 재건술

복강경 위전절제술 후 재건술도 복강경 위아전절제술 후 재건술과 마찬가지로 초창기 소절재창을 이용한 문합술에서 소절개창 없이 복강내에서 문합하는 방법이 많이 이용되고 있다. 상복부에 소절개창을 이용해 문합하는 복강경 보조 위전절제술의 식도-공장문합은 개복수술과 같은방법으로 식도에 쌈지봉합을 이용해 엔빌(anvil)을 삽입한 뒤 원형자동문합기를 이용해 식도와 공장을 문합한다. 하지만 복강경 보조 위전절제술은 환자의 비만도가 높거나 흉강의 높이가 높은 환자, 병변이 식도위경계부를 침범한 경우에는 시행되기 힘든 단점이 있다. 전복강경하 위전절제술은 복강경 시야에서 식도를 절제하고 식도와 공장을 문합하여 이런 단점을 극복할 수 있다.

원형문합기를 이용하는 경우는 엔빌(anvil)을 삽입하기 위해서 수기쌈지봉합을 시행하거나, 선형자동문합기를 이용한 다양한 방법이 사용되며, OrVil™을 이용하기도 한다. 원형자동봉합기는 배꼽 쪽 투관침 부위나 좌하부 투관침 부위를 연장하여 이를 통해 삽입한다. 선형자동문합기를 이용한 식도-공장문합법은 절단한 식도와 공장의 절제면의 끝에 구멍을 내어 이를 통해 선형자동문합기를 삽입하여 시행하는 식도공장 측측문합법과 식도 절제면과 공장 절제면의 5~6 cm 근위부에서 구멍을 내어 이를 통해 선형자동문합기를 삽입하여 시행하는 Overlap 문합법이 시행되고 있다.

7) 합병증

1999년 Ohagami 등이 조기위암에서 복강경 위쐐기절제술(laparoscopic wedge resection of the stomach)을 처음 보고한 이래로 복강경수술은 조기위암의 치료에 일반적인 수술방법 중의 하나가 되었다. 국가검진사업의 확대로 인해 조기위암의 빈도는 점차 증가되었고 이에 따른 복강경이나 로봇수술 같은 최소침습수술(minimal invasive surgery)도 활발히 시행되어 기존의 개복수술과의 비교 연구가 많이 진행되고 있다. 따라서 새로운 수술의 우수성을 입증하기 위해서는 반드시 논의 되어야 할 부분 중 하나가 수술 후 합병증이다. 위암수술은 위절제와 함께 광범위 림프절절제를 동반하여 다른 소화기암에 비해 합병증이 많이 발생한다. 복강경 위절제술 후의 합병증은 2.7~27.6% 정도로 연구자마다 다양하지만 각 연구결과들을 비교할 때 대상 환자의 병기와 시행한 림프절의 절제범위, 비장이나 췌장 등의 합병절제 유무도 고려해야 할 사항이다.

국내에서 시행된 다기관 전향적 연구결과에 따르면 합병증 발생률은 개복수술군(635명)에서 15.1%, 복강경수술군(635명)에서 12.5% (p=0.184) 사망률은 각각 0.3%와 0.5% 였다(p=1.000). 최근 일본에서 시행된 전국적인 코호트 연구에서 개복수술과 복강경수술군 간의 합병증은(I기 개복수술군 9.57% vs. 복강경수술군 8.17%, II~IV기 개복수술군 12.1% vs. 복강경수술군 10.9%) 통계적으로 차이가 없었고, 사망률도(I기 개복수술군 0.23% vs. 복강경수술군 0.22%, II~IV기 개복수술군 0.3% vs. 복강경수술군 0.6%) 통계적으로 차이가 없었다. 이처럼 개복수술과 비교한 복강경 위아전절제술의 안정성을 입증한 여러 연구결과들로 인하여 기술적으로 어려운 상부 조기위암에서 복강경 위전절제술에 대해서도 국내 다기관 전향적 연구가 시행되었고 수술 후 합병증은 20.6%, 사망률은 0.6%의 만족할 만한 결과를 얻었다. 일본에서도 시행된 개복수술과 복강경 위전절제술을 비교한 전향적 코호트 연구에서 합병증은 개복수술군이 16.4%, 복강경수술군이 10.3%로 통계적으로 유의한 차이를 보였다(P=0.01).

최근 최소침습수술 중 로봇수술이 활발히 시행되고 있으며 위암의 치료에서도 국내에서 로봇과 복강경 위절제술을 비교한 다기관 전향적 연구가 시행되었으며 합병증 발생률은 두 군 간에 통계적으로 유의한 차이가 없었고(로봇 위절제군 11.9% vs. 복강경 위절제군 10.3% p= 0.619), 두 군 모두에서 사망률은 0 이었다.

복강경 위아전절제술 후 대표적인 합병증은 상처감염(wound infection)(4.8%), 복강내 농양(intraabdominal abscess)(1.7%), 복강내 출혈(intraabdominal bleeding)(0.5%), 장내출혈(intraluminal bleeding)(0.8%), 장폐색(intestinal obstruction)(0.3%), 장마비(ileus)(0.2%). 문합부 누출(anastomotic leakage)(1.1%), 누공(0.2%), 췌장염(0.2%)으로 이는 개복수술의 합병증 종류 및 빈도와 유사하다.

8) 결론

현재까지의 연구결과를 종합해보면 조기위암에서 복강경 위절제술은 개복수술과 비교하여 종양학적으로 기술적으로 안전하며, 환자의 회복이나 미용적인 측면에서는 개복수술보다 우수하다는 결과를 보여주었고, 비록 다기관 후향적 연구지만 국내 다기관 연구(KLASS01)의 장기적인 연구결과에서도 위암에 대한 복강경수술이 종양학적으로 개복수술과 비교하여 열등하지 않아 현재 진행성 위암에서 시행되고 있는 복강경수술과 개복수술을 비교한 전향적 다기관 연구(KLASS02)에서 종양학적인 측면에서 장기적인 결과가 기대된다(표 29-2).

3. 로봇 위절제술

1) 서론

위암의 최소침습수술은 조기위암에서 기존의 개복수술과 비교하여 동등한 장기생존율과 함께 빠른 수술회복과 낮은 합병증의 발생률로 재원기간의 감소 등의 단기수술성적에서 우수한 결과를 보여주고 있다. 다기관 전향적 연구들의 결과가 더 축적되어야 하지만 수술술기 및 기구의 발전과 더불어 현재 조기위암의 우선적인 치료방침이 되고 있으며, 조기위암뿐만 아니라 진행성 위암에서도 최소침습수술의 적용도 증가하고 있다.

표 29-2. **복강경위암수술의 합병증 비교**

	Japan	KLASS	
	전향적 코호트 연구	후향적 다기관 연구	
환자수	복강경 (n=1294)	개복 (n=635)	복강경 (n=635)
합병증	14.8%	15.1%	12.5%
사망률	0	0.3%	0.5%
합병증 종류	문합부 협착 (2.9%)	상처감염 (6.3%)	상처감염 (4.8%)
	문합부 누출 (2.2%)	복강내 출혈 (0.6%)	복강내 출혈 (0.5%)
	복강내 출혈 (1.1%)	문합부 누출 (0.5%)	문합부 누출 (1.1%)
	복강내 농양 (1.3%)	복강내 농양 및 체액 (1.7%)	복강내 농양 및 체액 (1.7%)

현재까지의 최소침습수술의 발전과정을 보면 수술 시스템 및 기구의 급속한 발전 또한 기술적인 문제들을 해결하는 매우 중요한 요인이었다. 현 상태에서 복강경수술의 단점들을 해소하고 수술의 질을 극대화시킬 수 있는 도구는 로봇수술 시스템이라 할 수 있다. 복강경 위절제술은 기술적 발달에도 불구하고 아직 해결되지 못한 부분이 있다. 3D 복강경 시스템이 출시되었으나, 대다수의 복강경 시스템이 평면적인 2차원 화면이며, 수술 도구가 제한된 자유도를 가지고 있어 수술 시 사용의 제약이 따른다. 이러한 단점으로 인해 일정 수 이상의 경험이 있어야 학습곡선의 극복이 가능하고, 복잡하고 정교함을 요하는 D2 림프절절제술의 시행은 경험이 많은 외과의만 가능하였다. 이러한 점을 극복하기 위해 현재까지 개발된 도구 중 가장 발전된 형태의 최소침습수술 도구가 로봇수술 시스템이라 할 수 있다.

로봇 위절제술의 기본적인 방법은 복강경 위절제술과 다르지 않으나, 수술 도구로 로봇을 사용하기 때문에 기존 복강경수술에서 단점으로 생각되었던 점들이 보완할 수 있게 되었다. 로봇수술 시스템에 장착되는 카메라는 외과의가 콘솔(console)에서 수술 시야를 3차원으로 볼 수 있도록 하였고 수술 시 외과의 손을 대신하게 되는 기구들은 복강경보다 높은 자유도를 가지고 있어 훨씬 자유로운 움직임이 가능하다. 그 외의 로봇의 특수성으로 인해 얻어지는 장점이 있다. 예를 들어 환자에게서 떨어져서 수술을 하기 때문에 외과의가 소독한 상태로 있어야 할 필요가 없고 로봇 팔이 3개 이상이기 때문에 수술 보조의사의 숙련도의 필요성이 줄어든다는 점, 컴퓨터와의 합동 사용이 가능하여 후배 외과의사의 훈련 프로그램 제작이 용이한 점 등이 있다. 국내에서 로봇시스템을 이용한 위암 수술은 2005년 시작된 이후로 시행 건수 및 기관이 점진적으로 늘어가고 있다.

2) 로봇 위절제술의 적응증

위암 수술의 적응증과 절제범위는 일반적으로 위암 치료 가이드라인을 따르고 있다. 현재 위암에서의 로봇 위절제술의 적응증은 복강경 위절제술의 적응증과 동일하게 적용되고 있다. 내시경점막절제술이나 점막하층 박리술의 적응증에 해당되지 않는 조기위암이 현재 최소침습수술의 적응증이 되고 있으며, D1 또는 D1+ a 림프절절제술을 포함한 위절제술을 시행한다. 진행성 위암에서의 표준수술은 여전히 기존의 개복수술이나, 경험이 풍부한 외과의들을 중심으로 림프절 전이가 의심되는 조기위암이나, 임상적으로 진행성 위암이 의심되어 D2 림프절절제술이 필요한 경우 선택적으로 최소침습수술이 시행되고 있다. 일반적으로 장막(serosa) 침범소견이 있는(cT4a) 종양이나 광범위한 림프절 전이 및 크기가 큰 종양은 최소침습수술의 적응증에서 제외하고 있다. 현재 진행되고 있는 진행성 위암에서 복강경과 개복 위절제술 및 D2 림프절절제술을 비교한 다기관 전향적 무작위 3상 임상시험(KLASS02)이 cT2-T4a를 포함한 진행위암에서 진행되고 그 결과를 기다리고 있으며, 이 결과에 따라서 진행성 위암과 cT4a 위암에 대한 최소침습수술의 적응증이 변경될 수 있다.

3) 로봇 위절제술의 준비

(1) 장비

현재의 외과 영역에서 가장 많이 사용하는 로봇수술 시스템은 미국의 Intuitive Surgical 사에서 제작하는 da Vinci® 로봇수술 시스템으로, 크게 세 부분, Console (master part), Patient cart (slave part), Vision cart (복강경 장비 및 모니터)로 이루어져 있다. 수술대에서 보조하는 조수는 환자의 왼편에 위치하고, 스크럽간호사(scrub nurse)는 환자의 오른쪽에 위치한다. 로봇의 수술 카트는 환자의 머리 위에서 도킹되고, 두 개의 모니터 스크린이 환자의 오른쪽 위와 왼쪽 위에 위치한다

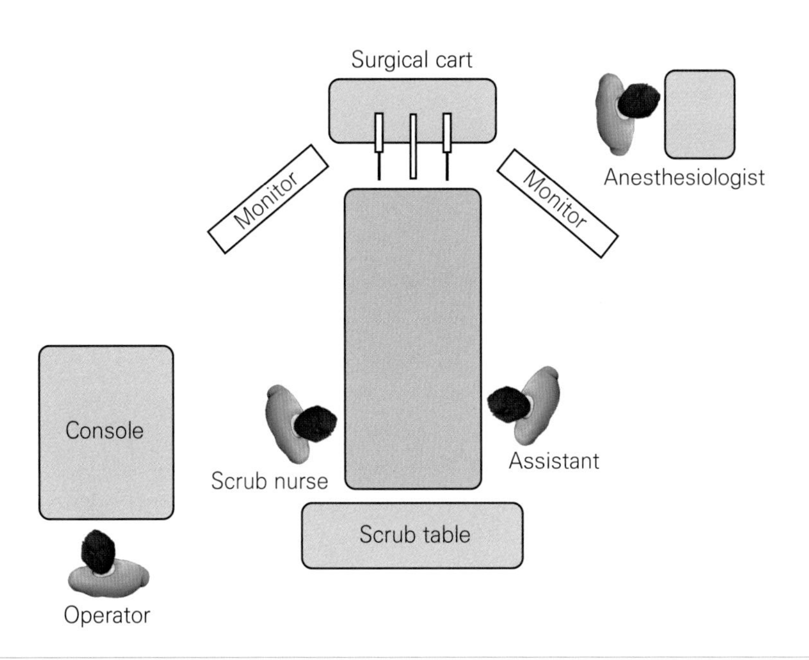

그림 29-1 **1세대 로봇수술 시스템의 배치도.**

(그림 29-1). 다빈치 Si 시스템과 같이 Xi 시스템에서도 로봇 장비 및 의료진의 위치는 동일하다.

(2) 수술 준비 – 투관침과 로봇팔의 위치

환자는 앙와위(supine position)로 양측 팔은 환자의 몸과 나란히 위치시킨다. 일반적인 로봇위절제술에서는 총 5개의 투관침을 사용하며, 수술대의 조수가 사용하는 12 mm 투관침은 환자의 좌측에 위치한다. 로봇 위절제술 시 카메라 포트로 사용되는 배꼽 하방의 절개창에 투관침을 삽입한 후 환자는 15° 역-트렌델렌버그(reverse Trendelenburg) 자세를 취한다. 이후 12 mmHg의 기복(pneumoperitoneum)을 만든 후 병변의 위치와 로봇 팔의 움직임을 고려하여 복강내를 관찰하면서 나머지 4개의 투관침을 삽입한다(그림 29-2).

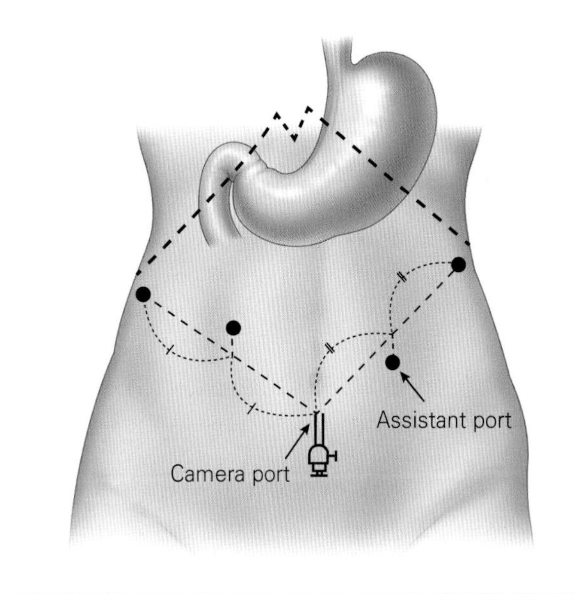

그림 29-2 **투관침의 위치.**

모든 투관침을 삽입한 이후 간을 견인하는 작업을 하고, 환자의 머리 방향에서 로봇의 수술 카트를 위치시킨 후 배꼽 아래의 카메라 용 포트를 로봇 암에 도킹한다. 각각의 투관침에 로봇 팔을 장착한 후 수술을 시행한다. 로봇 위절제 수술방법은 복강경 위절제술의 수술 절차와 동일하며, 보통 문합술까지 마친 후 로봇을 투관침으로부터 분리한다.

4) 로봇수술의 장점과 단점

(1) 로봇수술의 장점

최소침습수술의 장점은 주로 복강경수술에서 개복수술과 비교하여 보고되었으며, 개복수술에 비해 출혈량 감소, 회복기간 및 입원기간 단축 등의 우월함이 보고되었다. 현재까지 로봇 위절제술은 이러한 기존의 최소침습수술의 장점에서 복강경수술보다 우위의 성적을 보이지는 못하고 유사한 결과만을 보여주었다. 많은 수의 로봇단독연구 또는 복강경, 개복수술과의 비교연구에서 로봇수술이 수술 중 출혈량이 적은 것으로 보고하고 있다. 이는 로봇수술 시스템을 사용하여 보다 안전하고 세밀한 림프절절제가 가능했기 때문으로 분석된다. 또한 복강경과 달리 로봇 팔을 이용하여 흔들림 없이 안정적으로 출혈 부위를 압박, 지혈할 수 있는 것도 장점으로 언급되었다.

수술 후의 재원 기간에 대해서도 여러 보고가 있었는데 Kim 등의 연구에서는 개복이나 복강경수술보다 재원일수가 적었고, Song 등은 같은 수술자의 초기 복강경 경험에 비교하였을 때 재원일수와 식이섭취 시작 시기가 의미 있게 짧았다고 보고하였다. 그 외의 연구에서도 개복수술이나 기존 경험과 비교하여 재원일수가 감소하는 경향이 있다고 보고하고 있다.

로봇 위절제술은 기술적으로 어려운 D2 림프절절제술 시 전체 절제된 림프절 수 증가, 출혈량 감소 등의 이점을 보였다. 진행위암의 치료를 위해 필수적인 D2 림프절절제는 일부 경험이 축적된 외과의들에 의해 시행 가능하며 안전하다고 보고되었지만 여전히 많은 수의 외과의들에게 부담이 되는 술식이다. 지금까지 여러 문헌에서 보고된 바와 같이 경험이 풍부한 복강경 외과의들도 우위대망동맥(6번), 총간동맥(8a번) 및 고유간동맥(12a번), 복강동맥(9번), 좌위동맥(7번), 비장동맥(11p번)의 림프절절제는 쉽지 않다고 보고하고 있다. 특히 고유간동맥 주위 림프절, 비장동맥 림프절은 고유간동맥, 비장동맥의 배측까지 위치하기 때문에 적절한 견인을 하지 못하면서 직선의 복강경 기구로 접근 및 절제를 시행하는 데 어려움이 있다. 게다가 수술자와 카메라의 떨림은 일정한 견인을 할 수 없게 하고 정교한 림프절절제를 방해하는 추가 요인이 된다.

결과적으로 많은 외과의들이 이 부위에서 대량 출혈, 췌장 실질의 손상 및 혈관 손상들을 경험하게 되고 이는 또한 불완전한 림프절절제술, 수술시간의 지연 등을 유발하게 된다. 상부 진행위암의 림프절절제 시 포함되는 원위비장동맥(11d번), 비문(10번)의 림프절절제는 주변의 혈관들과 췌장, 비장 등의 손상 없이 철저한 림프절절제를 하는 것은 매우 어려운 것으로 보고되고 있다. 기존 로봇 위절제술에 관련한 연구에서 공통적인 의견은 췌장 상연의 주요 혈관과 비문부 주위의 림프절 절제에서 로봇수술이 큰 장점을 가진다는 것이다. 로봇을 이용한 수술 접근은 간문맥를 노출하면서 고유간동맥의 우측 12a번 림프절절제를 하거나, 위전절제술 시 비장을 보존하면서 11d번과 10번 림프절 포함한 D2 림프절절제에 일부 장점을 가진다. 그러나 아직 출혈량의 감소 등을 제외하고는 뚜렷한 수술결과의 향상은 보고되고 있지 못하는 실정이며 전체 림프절절제 개수에 있어서도 복강경에 비해 조금씩 많기는 하지만 통계적으로 유의한 보고는 없는 상황이다.

합병증은 대부분 복강경수술과 비슷한 것으로 보고하였는데 Woo 등은 수술 후 5일 내에 퇴원하는 환자의 비율이 복강경보다 로봇수술을 받은 환자군에서 더 높은 것으로 보고하였다. 다른 로봇단독연구들에서는 수술 후 합병증의 감소로 보다 많은 비율의 진행성 위암 환자들이 수술 후 보조항암요법을 제 시기에 시작할 수 있었다고 보고하였다.

학습곡선을 언급한 연구들에서는 복강경위암수술 경험이 풍부한 수술자의 경우 11건에서 15건 정도의 경험 이 축적되면 수술시간의 안정화가 온다고 보고하였다. 이는 기존의 복강경수술의 안정화를 위해 50건 이상의 경험이 필요했던 것과 큰 차이를 보이고 있다. 이에 따라 일부에서는 경험이 부족한 외과의들에게 로봇수술이 최소침습수술의 적용을 확대시킬 수 있는 중요한 도구가 될 것이라 예상하기도 했다.

(2) 로봇수술의 단점

잘 알려진 바와 같이 대부분의 연구에서 높은 수술비용과 긴 수술시간을 로봇수술의 단점으로 지적하였다. Eom 등은 각 림프절 위치를 구분하여 복강경과 로봇수술에서의 소요시간을 비교하였다. 이 연구에서 로봇수술은 각 군의 절제 림프절 개수는 증가시키지 못하면서 수술시간이 더 걸리는 것으로 나타났으며, 다른 연구와는 다르게 출혈량이 로봇수술에서 더 많은 것으로 지적하였다.

로봇수술이 촉감을 전달할 수 없어서 조직의 손상을 유발할 수 있다는 의견이 시행 초기부터 제시되었는데 Lee 등은 초기 경험에서 이와 같은 이유로 췌장 실질의 손상을 경험하였다고 보고하였다. 그러나 다른 문헌에서는 이러한 문제나 로봇수술과 직접적으로 관련된 합병증에 대해서는 언급이 없었다. 그 외에 Kim 등은 수술자의 시야가 좁다고 보고하였고, 수술 시야를 전환하는데 수술자에게 많은 노력을 요하게 되고, 초기 경험의 경우 견인을 주로 담당함으로써 수술 시야를 확보하는 역할을 하는 세 번째 로봇팔의 조작이 쉽지 않다고 지적하였다. 그리고 위암에 특화된 기구의 부족, 트레이닝 프로그램의 부족 등도 단점으로 지적되었다.

5) 로봇수술의 전망

현재까지 위암에서 로봇수술의 효용성 평가를 위한 다기관 무작위 전향적 연구는 이루어진 바가 없다. 국내에서 행해진 다기관 공동 연구는 세부항목으로는 로봇 위절제술의 합병증, 사망률 분석 및 종양학적 안정성 평가, 비용효과 분석, 학습곡선 도출, 수술 후 급성염증반응 변화 비교, 환자의 삶의 질 분석 등에서 로봇위암수술의 효용성에 대해 이전보다는 비교적 객관적인 평가가 되었지만, 아직도 구체적인 적응증에 대한 제시는 없었으며 위암진료의 질적 향상 및 진료비용 절감여부에 대한 결과도 아직은 없다.

최근 외과의사들은 수술 후 외과적 스트레스 및 흉터를 최소화하려는 노력으로 기존 5개의 투관침을 사용하는 수술 대신 단일공(single-port) 혹은 축소포트(reduced-port) 로봇 위절제술을 시도하게 되었다. 로봇수술은 몇몇의 도구를 제외한 모든 도구를 사람의 손과 비슷한 정도의 자유도로 복강내에서 사용할 수 있으며 도구의 크기가 작아 섬세한 수술을 시행할 수 있어, 기존의 4~5개의 투관침을 사용한 로봇 위절제술에 비견할 만한 좋은 단기 결과를 보고하고 있다. 이로써, 최소침습수술을 원하는 환자들에게 새로운 치료 선택의 범위를 넓혀줄 것으로 전망된다. 이와 함께 최근의 새로운 기술의 개발이 로봇수술 시스템을 통해 쉽게 적용이 되고 있어 향후로는 로봇수술의 의미를 단순하게 기존의 복강경수술과의 결과에 대한 비교보다는 새로운 수술기법이나 기술의 적용과 관련하여 평가되고 연구될 것으로 예상된다.

참고문헌

1. 박종민, 오승엽, 차진우 등. 근위부 조기위암에서 복강경보조 위전절제술식과 개복하위전절제술식의 비교. Annals of Surgical Treatment and Research 2007;72:290-296.
2. 최유신, 박도중, 이혁준 등. 조기위암에 시행된 복강경 보조 원위부위절제술의 학습곡선 극복 시점 및 극복 전후의 비교. Annals of Surgical Treatment and Research 2006;70:370-374.
3. Adachi Y, Shiraishi N, Shiromizu A, Bandoh T, Aramaki M, Kitano S. Laparoscopy-assisted Billroth I gastrectomy compared with conventional open gastrectomy. Arch Surg 2000;135:806-810.
4. Ahn SH, Son SY, Jung DH, Park DJ, Kim HH. Pure single-port laparoscopic distal gastrectomy for early gastric cancer: comparative study with multi-port laparoscopic distal gastrectomy. J Am Coll Surg 2014;219: 933-943.
5. Ahn SH, Son SY, Jung DH, Park YS, Shin DJ, Park DJ, et al. Solo intracorporeal esophagojejunostomy reconstruction using a laparoscopic scope holder in single-port laparoscopic total gastrectomy for early gastric cancer. J Gastric Cancer 2015;15:132-138.
6. Arezzo A, Vettoretto N, Francis NK, Bonino MA, Curtis NJ, Amparore D, et al. The use of 3D laparoscopic imaging systems in surgery: EAES consensus development conference 2018. Surg Endosc 2018.
7. Azagra JS, Goergen M, De Simone P, Ibanez-Aguirre J. Minimally invasive surgery for gastric cancer. Surg Endosc 1999;13:351-357.
8. Cai ZH, Zang L, Yang HK, Kitano S, Zheng MH. Survey on laparoscopic total gastrectomy at the 11th China-Korea-Japan Laparoscopic Gastrectomy Joint Seminar. Asian J Endosc Surg 2017;10:259-267.
9. Caruso S, Patriti A, Marrelli D, Ceccarelli G, Ceribelli C, Roviello F, et al. Open vs robot-assisted laparoscopic gastric resection with D2 lymph node dissection for adenocarcinoma: a case-control study. Int J Med Robot 2011;7:452-458.
10. Chen XZ, Wang SY, Wang YS, Jiang ZH, Zhang WH, Liu K, et al. Comparisons of short-term and survival outcomes of laparoscopy-assisted versus open total gastrectomy for gastric cancer patients. Oncotarget 2017;8:52366-52380.
11. Choi SH, Yoon DS, Chi HS, Min JS. Laparoscopy-assisted radical subtotal gastrectomy for early gastric carcinoma. Yonsei Med J 1996;37:174-180.
12. D'Annibale A, Pende V, Pernazza G, Monsellato I, Mazzocchi P, Lucandri G, et al. Full robotic gastrectomy with extended (D2) lymphadenectomy for gastric cancer: surgical technique and preliminary results. J Surg Res 2011;166:113-120.
13. Eom BW, Yoon HM, Ryu KW, Lee JH, Cho SJ, Lee JY, et al. Comparison of surgical performance and short-term clinical outcomes between laparoscopic and robotic surgery in distal gastric cancer. Eur J Surg Oncol 2012;38:57-63.
14. Etoh T, Honda M, Kumamaru H, et al. Morbidity and mortality from a propensity score-matched, prospective cohort study of laparoscopic versus open total gastrectomy for gastric cancer: Data from a nationwide web-based database. Surgical Endoscopy 2018;32: 2766-2773.
15. Fujiwara M, Kodera Y, Misawa K, et al. Longterm outcomes of early-stage gastric carcinoma patients treated with laparoscopy-assisted surgery. Journal of the American College of Surgeons. 2008;206:138-143.
16. Glantzounis G, Ziogas D, Baltogiannis G. Open versus laparoscopic versus robotic gastrectomy for cancer: need for comparative-effectiveness quality. Surg Endosc 2010;24:1510-1512.
17. Hiki N, Fukunaga T, Yamaguchi T, et al. Laparoscopic esophagogastric circular stapled anastomosis: a modified technique to protect the esophagus. Gastric Cancer 2007;10:181-186.

18. Huang KH, Lan YT, Fang WL, Chen JH, Lo SS, Hsieh MC, et al. Initial experience of robotic gastrectomy and comparison with open and laparoscopic gastrectomy for gastric cancer. J Gastrointest Surg 2012;16: 1303-1310.
19. Hur H, Lee HY, Lee H, et al. Efficacy of laparoscopic subtotal gastrectomy with D2 lymphadenectomy for locally advanced gastric cancer: The protocol of the KLASS02 multicenter randomized controlled clinical trial. BMC Cancer 2015;15:355.
20. Huscher CGS, Mingoli A, Sgarzini G, et al. Laparoscopic versus open subtotal gastrectomy for distal gastric cancer: Five-year results of a randomized prospective trial. Ann Surg 2005;241:232-237.
21. Hyung WJ, Yang HK, Han SU, Lee YJ, Park JM, Kim JJ, et al. A feasibility study of laparoscopic total gastrectomy for clinical stage I gastric cancer: a prospective multi-center phase II clinical trial, KLASS03. Gastric Cancer 2018.
22. Ikeda O, Sakaguchi Y, Aoki Y, et al. Advantages of totally laparoscopic distal gastrectomy over laparoscopically assisted distal gastrectomy for gastric cancer. Surg Endosc 2009;23:2374.
23. Inaba K, Satoh S, Ishida Y, et al. Overlap method: novel intracorporeal esophagojejunostomy after laparoscopic total gastrectomy. J Am Coll Surg 2010;211: 25-29.
24. Information Committee of Korean Gastric Cancer A. Korean Gastric Cancer Association Nationwide Survey on Gastric Cancer in 2014. J Gastric Cancer 2016; 16:131-140.
25. Japanese Gastric Cancer A. Japanese gastric cancer treatment guidelines 2010 (ver. 3). Gastric Cancer 2011;14:113-123.
26. Japanese Gastric Cancer A. Japanese gastric cancer treatment guidelines 2014 (ver. 4). Gastric Cancer 2017;20:1-19.
27. Japanese gastric cancer treatment guidelines 2014 (ver. 4). Gastric Cancer 2016.
28. Jeong G, Cho G, Kim H, et al. Laparoscopy-assisted total gastrectomy for gastric cancer: a multicenter retrospective analysis. Surgery 2009;146:469-474.
29. Jeong O, Park YK, Jung MR, Ryu SY. Compliance with guidelines of enhanced recovery after surgery in elderly patients undergoing gastrectomy. World J Surg 2017;41:1040-1046.
30. Jeong O, Park YK, Ryu SY. Early experience of duet laparoscopic distal gastrectomy (duet-LDG) using three abdominal ports for gastric carcinoma: surgical technique and comparison with conventional laparoscopic distal gastrectomy. Surg Endosc 2016;30:3559-3566.
31. Jeong O, Park YK. Intracorporeal circular stapling esophagojejunostomy using the transorally inserted anvil (OrVil™) after laparoscopic total gastrectomy. Surg Endosc 2009;23:2624.
32. Jin S, Kim D, Kim H, et al. Multidimensional learning curve in laparoscopy-assisted gastrectomy for early gastric cancer. Surg Endosc 2007;21:28-33.
33. Kanaya S, Gomi T, Momoi H, et al. Delta-shaped anastomosis in totally laparoscopic Billroth I gastrectomy: new technique of intraabdominal gastroduodenostomy11No competing interests declared. Journal of the American College of Surgeons 2002;195:284-287.
34. Kang SH, Lee Y, Min SH, Park YS, Ahn SH, Park DJ, et al. Multimodal Enhanced Recovery After Surgery (ERAS) program is the optimal perioperative care in patients undergoing totally laparoscopic distal gastrectomy for gastric cancer: a prospective, randomized, clinical trial. Ann Surg Oncol 2018;25:3231-3238.
35. Katai H, Sasako M, Fukuda H, Nakamura K, Hiki N, Saka M, et al. Safety and feasibility of laparoscopy-assisted distal gastrectomy with suprapancreatic nodal dissection for clinical stage I gastric cancer: a multicenter phase II trial (JCOG 0703). Gastric Cancer 2010;13:238-244.
36. Kim H, Han S, Kim M, et al. Long-term results of laparoscopic gastrectomy for gastric cancer: a large-scale

case-control and case-matched Korean multicenter study. Journal of Clinical Oncology 2014;32:627-633.
37. Kim H, Han S, Yang H, et al. Multicenter prospective comparative study of robotic versus laparoscopic gastrectomy for gastric adenocarcinoma. Ann Surg 2016:263.
38. Kim HH, Han SU, Kim MC, Hyung WJ, Kim W, Lee HJ, et al. Long-term results of laparoscopic gastrectomy for gastric cancer: a large-scale case-control and case-matched korean multicenter study. J Clin Oncol 2014;32:627-633.
39. Kim HH, Han SU, Kim MC, Hyung WJ, Kim W, Lee HJ, et al. Prospective randomized controlled trial (phase III) to comparing laparoscopic distal gastrectomy with open distal gastrectomy for gastric adenocarcinoma (KLASS 01). J Korean Surg Soc 2013;84: 123-130.
40. Kim HH, Hyung WJ, Cho GS, Kim MC, Han SU, Kim W, et al. Morbidity and mortality of laparoscopic gastrectomy versus open gastrectomy for gastric cancer: an interim report--a phase III multicenter, prospective, randomized trial (KLASS Trial). Ann Surg 2010;251:417-420.
41. Kim MC, Heo GU, Jung GJ. Robotic gastrectomy for gastric cancer: surgical techniques and clinical merits. Surg Endosc 2010;24:610-615.
42. Kim MC, Jung GJ, Kim HH. Learning curve of laparoscopy-assisted distal gastrectomy with systemic lymphadenectomy for early gastric cancer. World J Gastroenterol 2005;11:7508-7511.
43. Kim MC, Kim KH, Kim HH, Jung GJ. Comparison of laparoscopy-assisted by conventional open distal gastrectomy and extraperigastric lymph node dissection in early gastric cancer. J Surg Oncol 2005;91:90-94.
44. Kim MG, Kawada H, Kim BS, et al. A totally laparoscopic distal gastrectomy with gastroduodenostomy (TLDG) for improvement of the early surgical outcomes in high BMI patients. Surg Endosc 2011;25: 1076-1082.
45. Kim MG, Kim KC, Kim BS, et al. A totally laparoscopic distal gastrectomy can be an effective way of performing laparoscopic gastrectomy in obese patients (body mass index ≥ 30). World J Surg 2011;35:1327-1332.
46. Kim W, Kim HH, Han SU, Kim MC, Hyung WJ, Ryu SW, et al. Decreased morbidity of laparoscopic distal gastrectomy compared with open distal gastrectomy for stage I gastric cancer: short-term outcomes from a multicenter randomized controlled trial (KLASS-01). Ann Surg 2016;263:28-35.
47. Kim YW, Baik YH, Yun YH, Nam BH, Kim DH, Choi IJ, et al. Improved quality of life outcomes after laparoscopy-assisted distal gastrectomy for early gastric cancer: results of a prospective randomized clinical trial. Ann Surg 2008;248:721-727.
48. Kitano S, Iso Y, Moriyama M, Sugimachi K. Laparoscopy-assisted Billroth I gastrectomy. Surg Laparosc Endosc 1994;4:146-148.
49. Kitano S, Shiraishi N, Fujii K, Yasuda K, Inomata M, Adachi Y. A randomized controlled trial comparing open vs laparoscopy-assisted distal gastrectomy for the treatment of early gastric cancer: an interim report. Surg 2002;131:306-311.
50. Kitano S, Shiraishi N, Uyama I, Sugihara K, Tanigawa N, Japanese Laparoscopic Surgery Study G. A multicenter study on oncologic outcome of laparoscopic gastrectomy for early cancer in Japan. Ann Surg 2007; 245:68-72.
51. Kunisaki C, Makino H, Yamaguchi N, Izumisawa Y, Miyamato H, Sato K, et al. Surgical advantages of reduced-port laparoscopic gastrectomy in gastric cancer. Surg Endosc 2016;30:5520-5528.
52. Lee HH, Hur H, Jung H, Jeon HM, Park CH, Song KY. Robot-assisted distal gastrectomy for gastric cancer: initial experience. Am J Surg 2011;201:841-845.
53. Lee JH, Ahn SH, Park DJ, Kim HH, Lee HJ, Yang HK. Laparoscopic total gastrectomy with D2 lymphadenectomy for advanced gastric cancer. World J Surg

2012;36:2394-2399.
54. Lee JH, Kim JG, Jung HK, Kim JH, Jeong WK, Jeon TJ, et al. Clinical practice guidelines for gastric cancer in Korea: an evidence-based approach. J Gastric Cancer 2014;14:87-104.
55. Lee JH, Kim YW, Ryu KW, Lee JR, Kim CG, Choi IJ, et al. A phase-II clinical trial of laparoscopy-assisted distal gastrectomy with D2 lymph node dissection for gastric cancer patients. Ann Surg Oncol 2007;14: 3148-3153.
56. Lee JH, Son SY, Lee CM, Ahn SH, Park do J, Kim HH. Morbidity and mortality after laparoscopic gastrectomy for advanced gastric cancer: results of a phase II clinical trial. Surg Endosc 2013;27:2877-2885.
57. Lee JH, Tanaka E, Woo Y, Ali G, Son T, Kim HI, et al. Advanced real-time multi-display educational system (ARMES): An innovative real-time audiovisual mentoring tool for complex robotic surgery. J Surg Oncol 2017;116:894-897.
58. Lee S, Choi Y, Park DJ, et al. Comparative study of laparoscopy-assisted distal gastrectomy and open distal gastrectomy. J Am Coll Surg 2006;202:874-880.
59. Lee S, Kim JK, Kim YN, Jang DS, Kim YM, Son T, et al. Safety and feasibility of reduced-port robotic distal gastrectomy for gastric cancer: a phase I/II clinical trial. Surg Endosc 2017;31:4002-4009.
60. Lee SI, Choi YS, Park DJ, Kim HH, Yang HK, Kim MC. Comparative study of laparoscopy-assisted distal gastrectomy and open distal gastrectomy. J Am Coll Surg 2006;202:874-880.
61. Lee T, Lee I, Yook J, et al. Totally laparoscopic total gastrectomy using the overlap method; early outcomes of 50 consecutive cases. Surg Endosc 2017;31:3186-3190.
62. Li HZ, Chen JX, Zheng Y, Zhu XN. Laparoscopic-assisted versus open radical gastrectomy for resectable gastric cancer: systematic review, meta-analysis, and trial sequential analysis of randomized controlled trials. J Surg Oncol 2016;113:756-767.
63. Matsui H, Uyama I, Sugioka A, et al. Linear stapling forms improved anastomoses during esophagojejunostomy after a total gastrectomy. The American journal of surgery 2002;184:58-60.
64. Moore MJ, Bennett CL. The learning curve for laparoscopic cholecystectomy. The Southern Surgeons Club. Am J Surg 1995;170:55-59.
65. Nakamura K, Katai H, Mizusawa J, Yoshikawa T, Ando M, Terashima M, et al. A phase III study of laparoscopy-assisted versus open distal gastrectomy with nodal dissection for clinical stage IA/IB gastric cancer (JCOG0912). Jpn J Clin Oncol 2013;43:324-327.
66. Obama K, Sakai Y. Current status of robotic gastrectomy for gastric cancer. Surg Today 2016;46:528-534.
67. Ohgami Masahiro, Otani Yoshihide, Kumai Koichiro, Kubota Tetsuro, Kim Yong-Il, Kitajima Masaki. Curative laparoscopic surgery for early gastric cancer: Five years experience.
68. Okabe H, Satoh S, Inoue H, et al. Esophagojejunostomy through minilaparotomy after laparoscopic total gastrectomy. Gastric Cancer 2007;10:176-180.
69. Park DJ, Han SU, Hyung WJ, Kim MC, Kim W, Ryu SY, et al. Long-term outcomes after laparoscopy-assisted gastrectomy for advanced gastric cancer: a large-scale multicenter retrospective study. Surg Endosc 2012;26:1548-1553.
70. Park YK, Yoon HM, Kim YW, Park JY, Ryu KW, Lee YJ, et al. Laparoscopy-assisted versus open D2 distal gastrectomy for advanced gastric cancer: results from a randomized phase II multicenter clinical trial (COACT 1001). Ann Surg 2018;267:638-645.
71. Park YS, Oo AM, Son SY, Shin DJ, Jung DH, Ahn SH, et al. Is a robotic system really better than the three-dimensional laparoscopic system in terms of suturing performance?: comparison among operators with different levels of experience. Surg Endosc 2016;30:1485-1490.
72. Park YS, Son SY, Oo AM, Jung do H, Shin DJ, Ahn

SH, et al. Eleven-year experience with 3000 cases of laparoscopic gastric cancer surgery in a single institution: analysis of postoperative morbidities and long-term oncologic outcomes. Surg Endosc 2016;30: 3965-3975.

73. Patriti A, Ceccarelli G, Bellochi R, Bartoli A, Spaziani A, Di Zitti L, et al. Robot-assisted laparoscopic total and partial gastric resection with D2 lymph node dissection for adenocarcinoma. Surg Endosc 2008;22: 2753-2760.
74. Reyes CD, Weber KJ, Gagner M, Divino CM. Laparoscopic vs open gastrectomy. A retrospective review. Surg Endosc 2001;15:928-931.
75. See WA, Cooper CS, Fisher RJ. Predictors of laparoscopic complications after formal training in laparoscopic surgery. JAMA-Journal of the American Medical Association-International Edition 1993;270:2689-2692.
76. Seo WJ, Son T, Roh CK, Cho M, Kim HI, Hyung WJ. Reduced-port totally robotic distal subtotal gastrectomy with lymph node dissection for gastric cancer: a modified technique using Single-Site((R)) and two additional ports. Surg Endosc 2018.
77. Shim JH, Yoo HM, Oh SI, et al. Various types of intracorporeal esophagojejunostomy after laparoscopic total gastrectomy for gastric cancer. Gastric Cancer 2013;16:420-427.
78. Simons AJ, Anthone GJ, Ortega AE, et al. Laparoscopic-assisted colectomy learning curve. Diseases of the colon & rectum 1995;38:600-603.
79. Song J, Kang WH, Oh SJ, Hyung WJ, Choi SH, Noh SH. Role of robotic gastrectomy using da Vinci system compared with laparoscopic gastrectomy: initial experience of 20 consecutive cases. Surg Endosc 2009;23: 1204-1211.
80. Song J, Oh SJ, Kang WH, Hyung WJ, Choi SH, Noh SH. Robot-assisted gastrectomy with lymph node dissection for gastric cancer: lessons learned from an initial 100 consecutive procedures. Ann Surg 2009;249: 927-932.
81. Song KY, Park CH, Kang HC, Kim JJ, Park SM, Jun KH, et al. Is totally laparoscopic gastrectomy less invasive than laparoscopy-assisted gastrectomy?: prospective, multicenter study. J Gastrointest Surg 2008;12:1015-1021.
82. Strong VE, Devaud N, Allen PJ, Gonen M, Brennan MF, Coit D. Laparoscopic versus open subtotal gastrectomy for adenocarcinoma: a case-control study. Ann Surg Oncol 2009;16:1507-1513.
83. Sugisawa N, Tokunaga M, Makuuchi R, Miki Y, Tanizawa Y, Bando E, et al. A phase II study of an enhanced recovery after surgery protocol in gastric cancer surgery. Gastric Cancer 2016;19:961-967.
84. Tanimura S, Higashino M, Fukunaga Y, et al. Intracorporeal Billroth 1 reconstruction by triangulating stapling technique after laparoscopic distal gastrectomy for gastric cancer. Surgical Laparoscopy Endoscopy & Percutaneous Techniques 2008;18:54-58.
85. Tanimura S, Higashino M, Fukunaga Y, et al. Laparoscopic gastrectomy with regional lymph node dissection for upper gastric cancer. British Journal of Surgery: Incorporating European Journal of Surgery and Swiss Surgery 2007;94:204-207.
86. Uyama I, Kanaya S, Ishida Y, Inaba K, Suda K, Satoh S. Novel integrated robotic approach for suprapancreatic D2 nodal dissection for treating gastric cancer: technique and initial experience. World J Surg 2012;36:331-337.
87. Uyama I, Suda K, Nakauchi M, Kinoshita T, Noshiro H, Takiguchi S, et al. Clinical advantages of robotic gastrectomy for clinical stage I/II gastric cancer: a multi-institutional prospective single-arm study. Gastric Cancer 2018.
88. Uyama I, Sugioka A, Fujita J, Komori Y, Matsui H, Hasumi A. Laparoscopic total gastrectomy with distal pancreatosplenectomy and D2 lymphadenectomy for advanced gastric cancer. Gastric Cancer 1999;2:230-234.

89. Uyama I, Sugioka A, Fujita J, Komori Y, Matsui H, Soga R, et al. Completely laparoscopic extraperigastric lymph node dissection for gastric malignancies located in the middle or lower third of the stomach. Gastric Cancer 1999;2:186-190.
90. Uyama I, Sugioka A, Matsui H, et al. Laparoscopic side-to-side esophagogastrostomy using a linear stapler after proximal gastrectomy. Gastric cancer 2001;4:98-102.
91. Walther B, Zilling T, Johnsson F, et al. Total gastrectomy and oesophagojejunostomy with linear stapling devices. Br J Surg 1989;76:909-912.
92. Woo Y, Hyung WJ, Pak KH, Inaba K, Obama K, Choi SH, et al. Robotic gastrectomy as an oncologically sound alternative to laparoscopic resections for the treatment of early-stage gastric cancers. Arch Surg 2011;146:1086-1092.
93. Yasuda K, Inomata M, Shiraishi N, Izumi K, Ishikawa K, Kitano S. Laparoscopy-assisted distal gastrectomy for early gastric cancer in obese and nonobese patients. Surgical Endoscopy And Other Interventional Techniques 2004;18:1253-1256.
94. Yoon HM, Kim YW, Lee JH, Ryu KW, Eom BW, Park JY, et al. Robot-assisted total gastrectomy is comparable with laparoscopically assisted total gastrectomy for early gastric cancer. Surg Endosc 2012;26:1377-1381.
95. Yoshida K, Honda M, Kumamaru H, et al. Surgical outcomes of laparoscopic distal gastrectomy compared to open distal gastrectomy: a retrospective cohort study based on a nationwide registry database in Japan. Ann Gastroenterol Surg 2018;2:55-64.
96. Zheng CH, Lu J, Zheng HL, Li P, Xie JW, Wang JB, et al. Comparison of 3D laparoscopic gastrectomy with a 2D procedure for gastric cancer: a phase 3 randomized controlled trial. Surgery 2018;163:300-304.

CHAPTER 30

위암의 축소/기능보존수술 및 감시림프절 수술

1881년 Billroth가 위암 환자의 위를 절제한 이래 위암치료에서 위절제는 가장 중요한 치료법으로 자리잡았다. 위암은 항암화학요법이나 방사선치료의 효과가 다른 암에 비해 상대적으로 미약하기 때문에 근치적 치료를 위해 광범위한 수술이 추구되어 왔다. 한국이나 일본 등 위암 검진 프로그램을 운영하는 나라에서는 초기에 발견되는 위암의 비율이 증가해 왔으며, 조기위암의 생존율이 90% 이상으로 양호하므로, 근치성의 문제를 넘어 수술 후 발생할 기능장애를 최소화하고, 삶의 질을 높일 수 있는 다양한 치료방법에 대한 연구가 함께 증가하고 있다.

1. 축소수술과 기능보존수술

1) 축소수술 또는 기능보존수술의 정의와 종류

위암에 대한 표준수술은 위의 2/3 이상을 절제하고, D2 림프절절제를 하는 것이며, 이보다 적은 범위의 위나 림프절을 절제하는 경우를 축소수술(reduced surgery)이라 할 수 있다. 축소수술 또는 기능보존수술(function-preserving surgery)의 정의는 아직 명확하게 확립되지 않았으나, 그 종류를 정리하면 아래 표와 같다(표 30-1).

표 30-1. **축소수술 및 기능보존수술의 종류**

축소수술		기능보존수술	
림프절 절제범위 축소	D1	위용적 보존	국소절제술
	D1+		구역절제술
	감시림프절 수술		근위부위절제술
위 절제범위 축소	국소절제술	괄약근 보존	유문보존 원위부위절제술
	구역절제술		하부식도괄약근 보존 근위부수술
	유문보존 원위부위절제술	미주신경보존	간분지, 유문분지 보존수술
	근위부위절제술		

2) 축소수술의 종류

(1) 축소 림프절절제술

2014년에 발행된 일본위암치료지침은, 위점막하절제술의 적응증에 해당하지 않는 점막암이나, 크기가 1.5 cm 이하이면서 분화도가 좋은 점막하층암에는 D1 림프절절제를 권고하며, D1림프절절제에 해당하지 않는 점막암, 점막하층암에서는 D1+ 림프절절제를 권고한다. 감시림프절절제에 관해서는 다음 장에 다루고 있으므로 여기에서는 생략하였다.

(2) 유문보존 원위부위절제술

유문보존 원위부위절제술(pylorus-preserving distal gastrectomy)은 1967년 Maki 등이 위궤양 환자에서 덤핑증후군과 위십이지장 역류, 수술 후 영양실조 등을 방지하기 위해 최초로 시행하였으며, Kodama 등은 1988년 조기위암에 도입하였다. 5번 림프절에 전이 가능성이 없는 위 중부의 조기위암을 대상으로 한다. 유문에서 4~5 cm 이상 떨어져 있어야 5번 림프절의 전이 가능성이 최소화되며, 충분한 변연을 확보하고 유문 기능을 보존할 수 있다.

① 유문보존 술기(그림 30-1) 및 문합술 방법

유문의 기능을 유지하기 위해서는 유문하 혈관(infra-pyloric vessels)과 미주신경의 간분지를 보존해야 한다. 유문하동맥(infra-pyloric artery)이 위십이지장동맥(gastroduodenal artery)이나 앞위-위십이지장동맥(antero-superior gastroduodenal artery)에서 분지하는 경우 우위대망동맥(right gastroepiploic artery)을 기저부에서 절제한다. 유문하동맥이 우위대망동맥에서 분지하는 경우, 우위대망동맥은 유문하동맥이 분지된 후 원위부에서 절제되어야 한다.

유문에서 4~5 cm 이상 떨어진 암에서도 6번 림프절로의 전이 가능성이 있으므로 6번 림프절은 가능한 철저히 절제해야 한다. 유문하동맥뿐만 아니라 유문하정맥 또한 보존되어야 유문부의 부종을 막아 수술 후 위정체를 줄일 수 있다는 의견도 있다. 미주신경의 간분지는 일반적으로 5번 림프절(유문상방 림프절)의 경로를 따르고 있는데, 유문의 기능을 보존하기 위해서 5번 림프절의 절제는 생략한다. 전정부 길이에 대해서 Jiang 등은 전정부를 3 cm 정도 남기는 것이 더 합병증을 줄일 수 있다고 보고하였지만, Morita 등은 전정부 길이가 5 cm 이상 길어도 기능 및 증상에 유의한 차이

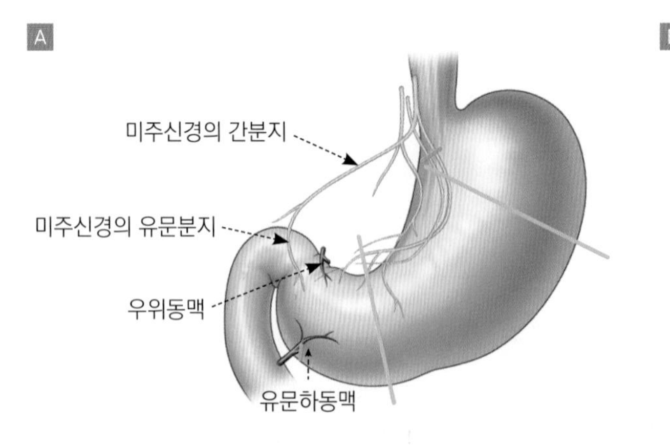

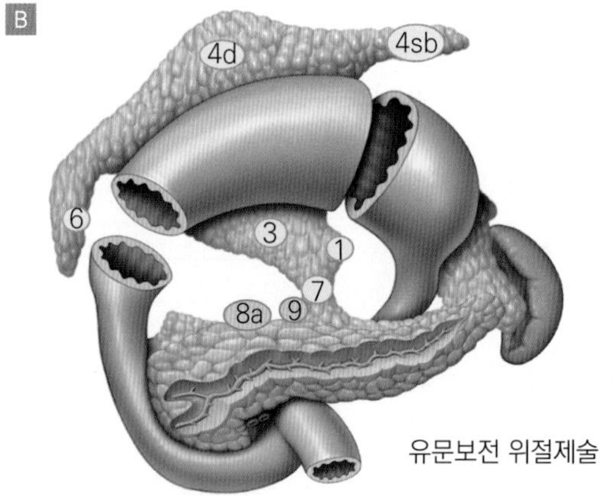

그림 30-1 유문보존 원위부위절제술의 절제범위 및 림프절 절제범위.
A. 유문보존 원위부위절제술의 절제범위
B. 유문보존 원위부위절제술의 림프절 절제범위(파란색 원: 1군 림프절, 주황색 원: 2군 림프절)

가 없다고 보고하고 있어, 이에 대한 고찰이 더 필요한 것으로 보인다.

위절제 후 문합은 상복부 절개를 통해 수기로 쉽게 봉합 할 수 있고, 봉합기를 이용하여 델타모양 문합을 할 수도 있다. 이 외에도 봉합기와 수기가 결합된 문합 방법도 보고되고 있다.

② 합병증 및 생존율, 재발률

Jiang 등과 Suh 등의 보고에 의하면, 복강경 유문보존 원위부위절제술 후 합병증은 14.7~17.3%에서 생겼고, 그 중 Clavien-Dindo classification IIIa 이상의 합병증은 1.3~8.6%에서 발생하였다. 위정체/위배출 지연(delayed gastric emptying)은 6.2~7.8%로 가장 흔하게 발생되는 합병증이며, 풍선확장술이나 일시적인 스텐트삽입술로 대부분 호전되는 것으로 보고되었다.

조기위암에 대한 유문보전 원위부위절제술 후 5년 생존율은 96~98% 정도로 일반적인 조기위암의 생존율과 차이가 없다. Jiang 등은 복강경 유문보전 원위부위절제술을 시행한 188명의 환자에서 질병특이생존율을 99.3%로, Suh 등은 무재발생존율 98.2%로 보고하였다.

③ 장점

유문보전 원위부위절제술을 시행받은 환자들이 원위부위절제술을 받은 환자군보다 유문기능보존의 효과로 덤핑증후군, 담즙역류나 위염, 체중감량이 적고, 미주신경의 보존으로 담석 발생도 적으며, 삶의 질 측면에서도 우수하다고 보고되었다. 우리나라에서는 중부에 위치한 조기위암에서 복강경 유문보전 원위부위절제술과 복강경 원위부위절제술의 기능적 결과를 비교하는 다기관 무작위 대조 임상시험(KLASS-04)이 진행되었다.

(3) 근위부위절제술

위 근위부에 위치한 조기위암은 위 원위부의 림프절(4sb, 5, 6번 등)에 전이가 매우 드물기 때문에 근위부위를 약 반 정도 절제하는 근위부위절제술은 충분한 근치성을 가진 것으로 여겨져 왔으며, 충분한 숫자는 아니지만 수십-수백명 정도의 수술결과를 분석한 몇몇 후향적 연구의 결과들이 이를 지지한다.

위근위부절제술 후 식도-위문합법으로 재건했을 때 위전절제술에 비해 역류성식도염이 유의하게 많이 발생하고(16.2~42.0% vs 0.5~3.7%), 역류 증상도 더 흔하게 나타났으며, 문합부의 협착도 유의하게 많이 나타나는(3.1~38.2% vs. 0~8.1%) 문제가 발생하였기 때문에 근위부위암의 표준수술은 위전절제술이 추천되어 왔다. 이러한 문제들을 해결하기 위한 여러 가지 문합법들이 개발되어 시도되어 왔고, 최근에는 특히 복강경수술에 적용할 수 있는 방법들로 연구가 진행되고 있다.

① 절제범위

근위부위절제술은 일반적으로 원위부 위를 약 50% 이상 남길 수 있는 위치의 조기위암에서 선택된다. 림프절절제의 범위는 소만측으로는 좌위동맥 분지까지(1, 3a번), 대만측은 좌위대망동맥 분지까지이며(2, 4a, 4sb번), 췌장 상부는 좌위동맥 기시부 및 복강동맥 부근과 총간동맥(8a번) 및 비장동맥 근위 1/2 (11p번)까지의 림프절을 절제한다(그림 30-2 A).

② 재건 방법

근위부절제술 후 가장 흔히 발생하면서 해결하기 어려운 문제인 위식도역류를 줄이기 위해 다양한 방법의 재건법이 시도되어 왔다. 남은 위를 튜브 형태로 식도에 연결하는 방법, 인공적인 항역류 밸브를 형성하거나 히스각(His angle) 및 위저부의 형태를 만들어 주는 방법, 소장의 일부를 식도와 잔위 사이에 넣어 항역류 작용을 하도록 하는 방법 등 수많은 방법들이 개발되었으나 아직까지 대다수에게 받아들여지는 표준수술법은 정해지지 않고 있다.

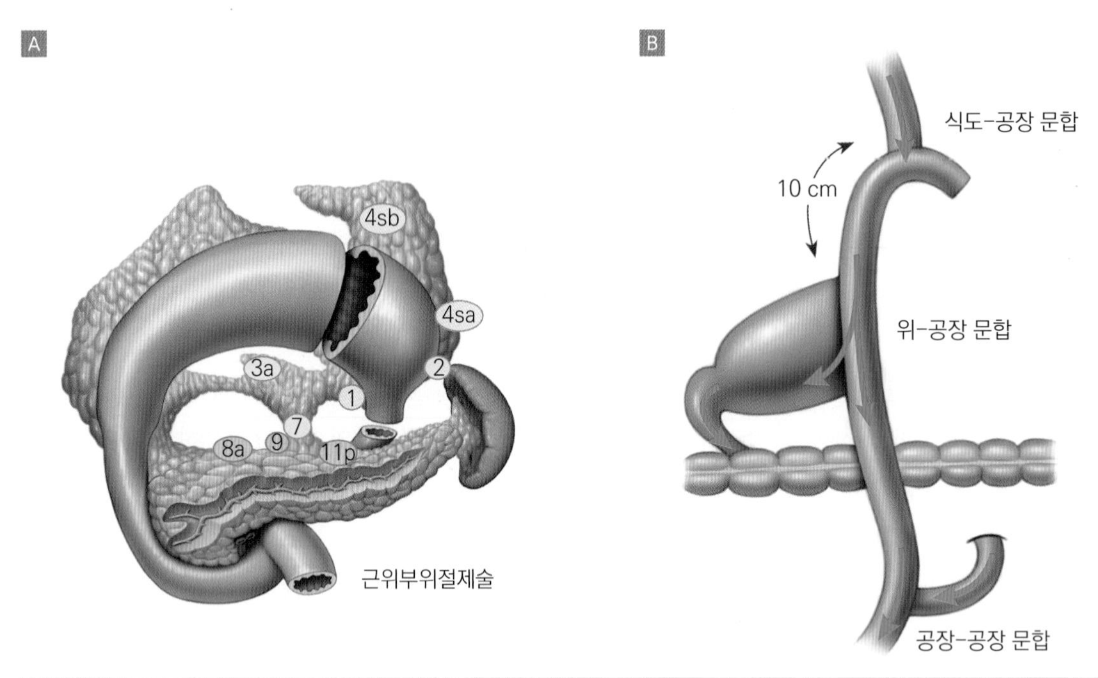

그림 30-2 위근위부절제술후 림프절 절제범위 및 이중경로(Double tract) 문합법.
A. 근위부위절제술의 림프절 절제범위(파란색 원: 1군 림프절, 주황색 원: 2군 림프절)
B. 이중경로(Double tract) 문합법 식도-소장 문합과 잔위 사이의 소장이 위식도역류를 예방하는 기능을 한다. 섭취한 음식의 일부는 잔위를 통해 십이지장을 통과하며 일부는 소장으로 바로 내려간다.

최근에는 식도와 소장을 문합하고 잔위를 식도-소장 문합부의 약 10~15 cm 이후에 옆으로 문합하는 이중경로(double-tract) 문합법이 역류를 줄이면서 근위부절제술의 장점을 살릴 수 있고 복강경으로도 비교적 어렵지 않게 시행할 수 있는 문합법으로 관심을 받고 있으며(그림 30-2 B), 한국의 다기관 전향적 무작위배정 연구(KLASS-05)가 시행되어 그 결과를 기다리고 있다(NCT02892643).

③ 위근위부절제술의 장점

몇몇 연구에서 위근위부절제술이 위전절제술에 비해 가질 수 있는 장점들이 보고되었다. 위근위부절제술은 잔위의 저장능력이 남아 있어 체중감소가 적고 알부민 수치 등 영양학적인 장점을 가질 가능성이 있다. 위의 벽세포 등에서 분비되는 내인자(intrinsic factor)가 잔위에서 분비되므로 비타민 B12 결핍으로 인한 빈혈이나 신경 손상의 위험이 적고, 이를 예방하기 위한 비타민 B12 보충의 필요가 적거나 없을 수 있다. 잔위와 십이지장 및 근위부 소장을 음식물이 통과하기 때문에 이 부분에서 흡수되는 철분과 칼슘 등의 섭취가 보존이 되어 빈혈이나 골다공증 등의 영양문제가 덜 발생할 수 있다.

④ 주의점

식도위문합법을 시행하는 경우에는 상당히 심한 위식도역류와 문합부 협착이 빈번히 발생할 수 있다. 소장간치술이나 이중경로 문합을 하는 경우 잔위에서 새로 생길 수 있는 위암을 내시경을 이용하여 감시해야 한다. 이때 위전제술로 착각하여 잔위의 관찰을 하지 않는 일이 생기지 않도록 내시경하는 의사에게 잔위의 존재를 잘 전달해야 한다.

(4) 국소절제술과 구역절제술

국소절제술은 충분한 경계를 확보하고 쐐기절제술을 시행하여 위기능을 최대한 보존하는 것이 목적인 수술이다. Ohgami 와 Seto는 각각 점막암 환자를 대상으로 국소 위절제와 종양 위치에 따른 림프절절제술을 시행하였다고 보고하였다. 또한 여러 감시림프절 생검연구에서 시행되고 있는 위절제술도 국소절제술의 변형에 해당할 것이다. 이 수술의 문제점은 아직 적응증이 명확하지 않으며, 술후 조직검사 결과 침윤정도가 예상보다 깊거나 맥관 침습이나 절제연 암 침윤 양성인 경우 재수술이 필요하고, 위 보존 시 이시성 다발암을 주의해야 하며, 술후 면밀한 추적관찰이 필요하다는 것이다. 이에 대해 여러 연구가 진행중이므로, 아직은 국소절제술은 임상연구 중에 있는 수술법으로 간주해야 할 것이다. 감시림프절 수술에 대해서는 다음 장에서 다룰 예정이다.

구역절제술은 위체부의 상부 또는 중부에 위치한 조기위암에 시행할 수 있다. 유문의 기능을 보존하기 위해 미주신경의 간부지와 아울러 유문분지를 반드시 보존해야 한다. 수술방법이나 적응증이 유사하므로 유문보존 위절제술의 일종으로 볼 수도 있다.

3) 결론

조기검진에 힘입어 한국에서 조기위암이 현저하게 증가하고 있으며, 근치성뿐 아니라 수술 후 기능과 삶의 질을 보존하는 수술방법에 대한 연구의 필요성이 늘어나고 있다. 대표적인 축소/기능보존 수술인 유문보존 위절제술과 근위부위절제술은 충분한 근치성을 보이면서 기능적인 장점들이 후향적인 연구에서 보고되어 왔다. 현재 한국에서 진행중인 전향적 다기관 무작위배정 연구의 결과가 나오면 보다 확실한 근거를 가진 조기위암의 치료방법으로 자리매김할 것으로 예상된다.

2. 감시림프절 수술

1) 정의

감시림프절(sentinel lymph node)이란 원발종양으로부터 암세포가 림프관을 통하여 전이 될 때 처음으로 만나게 되는 림프절을 의미한다(그림 30-3). 이론적으로 림프관을 통한 배액은 순차적으로 이루어지는데, 암세포가 림프관을 통해 전이되려면 감시림프절을 통과한 후 다음으로 배액되는 림프절로 전이하게 된다. 따라서 감시림프절 생검(sentinel lymph node biopsy)을 해서 조직검사로 암전이가 없는 것이 확인된다면 이와 연결된 나머지 림프절에도 암이 없을 것이라고 예측할 수 있다.

2) 역사적 배경

감시림프절이라는 용어는 1960년 Gould 등이 처음으로 사용하였다. 이들은 이하선종양(parotid tumor)이 흔히 전이되는 해부학적 위치의 림프절에 감시림프절이라는 이름을 붙였다. 1975년 Schein 등은 복강내 소화기암에서의 감시림프절은 가슴림프관팽대(cisterna chili) 주위의 림프절로서, 이 곳으로 암이 전이되면 복

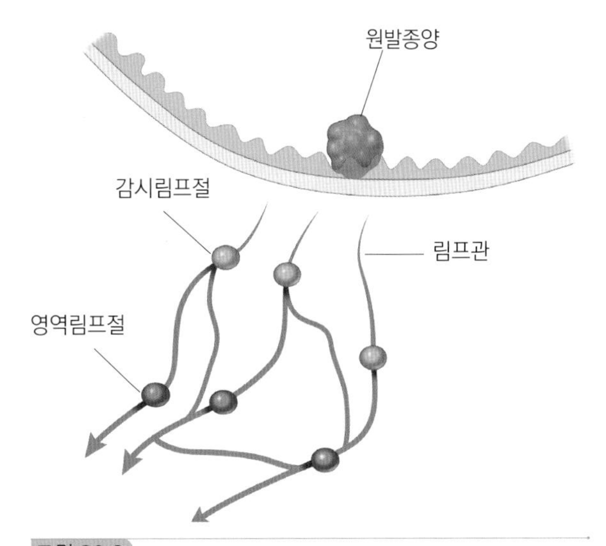

그림 30-3 **원발종양과 감시림프절.**

부 이외의 원발장기로 암이 전이된다고 기술하였다. 1977년 Cabanas는 음경암(penile cancer) 환자에게 조영제를 주사해 림프관조영술을 시행하여 감시림프절을 서혜부에서 발견한 후 림프절절제여부를 결정하여 시행하였다. 1992년 Morton 등이 흑색종(melanoma) 환자에게 감시림프절 생검을 시행한 예를 보고하였고, Krag 등(1993), Giuliano 등(1994)이 유방암에서의 감시림프절 역할에 대한 연구를 보고하면서 여러 기관들에서 흑색종, 유방암 환자를 대상으로 한 임상연구결과를 발표하게 되었다. 1990년대 말부터는 소화기암을 비롯하여 다른 장기의 암에 대해서도 임상연구가 활발히 진행되고 있다. 특히 위암에서의 감시림프절 연구는 일본과 우리나라를 중심으로 많은 연구가 진행되고 있다.

3) 감시림프절 생검의 임상적용

감시림프절 생검의 가장 중요한 장점은 수술 중 감시림프절 내의 전이여부를 알아봄으로써 나머지 림프절의 전이 여부를 예측하고 광범위 림프절절제술 시행여부를 수술 중에 결정할 수 있다는 것이다. 수술 중 감시림프절 내에서 전이가 발견되지 않으면 림프절 전이가 없다고 판단이 되므로 추가적인 광범위 림프절절제술을 생략함으로써 수술시간 단축 및 출혈량을 줄일 수 있고, 그에 따르는 수술 후 합병증을 줄일 수 있다. 이처럼 수술 중 감시림프절을 이용하는 가장 대표적인 질환이 흑색종과 유방암이다. 유방암 수술 시 감시림프절 생검을 이용했을 때 액와림프절절제술(axillary lymphadenectomy)을 시행한 경우에 비하여 림프부종 등을 비롯한 합병증 및 사망률이 유의하게 적었다는 많은 연구들로 인하여 표준수술방법으로 자리매김하고 있다.

흑색종 환자에서도 감시림프절 생검을 이용함으로써 80% 이상의 환자들에게 불필요한 림프절절제술을 하지 않고 있으며, 이로 인하여 감염 및 감각 이상, 림프부종 등의 합병증을 유의미하게 줄여주는 중요한 역할을 하고 있다. 자궁내막암(endometrial cancer) 및 자궁경부암(cervical cancer) 분야에서도 감시림프절 생검에 대한 연구들이 보고되고 있으며 안전성 및 정확도에서 만족할 만한 수준이라고 보고하고 있으나 아직 실제 임상에서 활발히 적용되고 있지는 않다. 음경암 분야에서도 감시림프절 생검의 민감도(sensitivity)와 특이도(specificity)가 매우 우수하다고 보고하고 있으나 다기관 연구 및 장기간 성적에 대한 연구들은 부족한 상태이다. 식도암(esophageal cancer) 및 방광암(bladder cancer), 전립선암(prostate cancer), 대장암(colon cancer), 직장암(rectal cancer) 등과 같은 질환에서도 감시림프절 생검에 대한 연구들이 진행 중이나 아직 활발히 시행되고 있지 않으며 추가적인 연구들이 필요한 상태이다. 위암에서 감시림프절 생검을 하는 가장 큰 이유는, 감시림프절에서 전이가 발견되지 않으면 광범위 림프절절제를 생략하고 위절제범위를 축소하거나 기능보존수술을 시행할 수 있기 때문이다. 이렇게 되면 단기적으로는 수술 후 합병증 발생률이 감소하고 회복이 촉진되며, 장기적으로는 위의 기능을 보존함으로써 환자의 수술 후 삶의 질 향상을 기대할 수 있다. 가장 대표적인 축소 수술방법은 쐐기절제술(wedge resection)이다. 이때 개복하지 않고 비침습적인 복강경을 이용하게 되면 그 장점이 극대화 될 수 있을 것 이다. 대표적인 기능보존 수술방법으로는 유문보존 부분위절제술이 있다. 이 같은 부분절제 수술방법들은 감시림프절 생검으로 림프절 전이를 정확히 진단할 수 있다는 전제 하에 가능하다.

4) 위의 림프계 및 림프절 전이의 특징

림프계는 조직액(tissue fluid)을 전신으로 순환시키고 신체면역과 항상성(homeostasis)을 유지하는 데 필수적인 역할을 한다. 림프계에 대해서는 아주 오래 전인 1932년에 Rouviere에 의해서 상세하게 보고되었다. 위의 림프계에 대한 최초의 TNM 해부학 분류는 1960년대에 Union International Contre le Cancer과 American Joint Committee on Cancer에 의해서 제안되었으며, 최근 위의 림프계에 대한 구조적인 개념은 일본위암학회(Japanese Gastric Cancer Association, JGCA) 권고안을 통해 알려지고 있다. 림프계는 혈관과는 다른 구조물로서 같은 장기에서 여러 개의 림프계를 통하여 림프액이 동시에 배액되고 있으며, 위벽에서 생산된 림프액은 점막에 위치한 림프관으로 흘러 들어간 다음 점막하조직을 거쳐서 림프관을 타고 복강내 림프총(lymphatic plexus)에서 합쳐진다. 태생학적으로 위의 림프계는 내배엽(endoderm)에서 기원하고, 유방과 피부의 림프계는 그와 다르게 외배엽(ectoderm)에서 기원한다. 따라서, 유방 혹은 피부와 위의 림프계 특성은 매우 다르다.

유방과 피부에서는 림프관을 통한 배액이 예상 가능하게 순차적으로 이루어지므로, 대부분 액와부 또는 서혜부로 배액이 되어 악성종양의 림프절 전이 경로를 예측하는 것이 가능하다. 위 주위의 림프계도 여러 가지 경로를 통해 복강림프절(celiac node)로 도달하는 경우가 대부분이나, 다른 장기에 비해서 림프관 배액경로가 복잡하여 배액의 방향을 예측하기 어려우며 한쪽 방향이 아닌 여러 방향으로 배액되는 양상을 띤다. 위암은 원발 종양의 위치에 따라 림프절 전이 양상이 다양하고, 위 주위뿐만 아니라 췌장 주위 또는 그 이상의 대동맥 주위로도 배액되는 경우도 보고되고 있다. 또한 위 주위에 가까이 위치한 림프절을 건너 뛰어 멀리 위치한 췌장 주위, 복강신경총(celiac plexus) 또는 그 이상의 림프절 영역으로 바로 전이가 되는 도약전이(skip metastasis)의 빈도가 2~16%에 이른다. 이러한 이유들로 인하여 과거에는 위암의 감시림프절 생검이 회의적으로 여겨져 왔으나, 2000년 초부터 이러한 어려운 점을 극복하기 위한 임상연구가 본격적으로 시작되었다. 특히 최근에 조기위암에서 불필요한 림프절절제를 피하고 위절제범위를 최소화 하고자 다수의 임상연구들이 진행되고 있다.

5) 위암의 감시림프절 생검 적응증

조기위암인 경우에도 위 주위의 림프절로 전이되는 경우가 약 15~20% 정도 발생한다. 따라서, 현재까지의 조기위암 수술방법은 충분한 절제연을 확보한 위절제와 함께 광범위 림프절절제술을 시행하는 것이다. 이러한 광범위 림프절절제술을 시행하게 되면 위 주위의 신경이 손상되고 이에 따라 위의 운동능력이 현저하게 감소하게 되므로, 광범위 림프절절제술을 시행한 부위의 위를 충분히 제거하여야 한다. 그러나 조기위암은 림프절 전이 빈도가 상대적으로 낮고 대부분의 경우 위 주위의 림프절 영역에 국한되어 있으므로, 수술 중 림프절 전이 여부를 정확하게 진단할 수만 있다면 과도한 림프절절제를 피함으로써 신경이 보존된 위를 최대한 남길 수 있는 최소침습적 축소수술이 이론적으로는 가능하다고 생각되어 왔다.

현재까지는 수술 전 내시경초음파검사 혹은 복부 CT를 포함한 방사선검사 등 어떠한 방법으로도 림프절 전이 여부를 미리 완벽하게 진단하는 것은 불가능하다. 따라서 감시림프절 생검으로 수술 중에 림프절 전이 여부를 정확히 진단할 수 있다면, 림프절 전이 가능성이 낮은 조기위암에서 이와 같은 축소수술을 적합하게 적용할 수 있을 것으로 생각된다. 최근에 이를 증명하기 위하여 여러 가지 전향적 다기관 임상연구들이 시행되었다.

예전에 보고된 위암 감시림프절 생검 연구들은 이러한 술식의 임상적용 가능성 여부를 확인하고자 시행한 것이 대부분 이었으며 저자에 따라서는 장막 침윤이 있는 환자에게도 시행하였다. 최근에는 형광을 이용한 근적외선 이미징을 포함하여 추적자 탐지방법도 다양하게 시도되며 감시림프절 발견율도 높아지고 있다. 현재까지 보고된 연구결과에 의하면 감시림프절의 적응증으로 고려해야 할 사항은 종양의 침윤 깊이와 직경이다. 대부분의 연구들은 cT1~2, 직경 4 cm 미만의 종양을 대상으로 하였으며, 이는 종양의 위벽 침윤이 깊고 직경이 커질수록 감시림프절 생검의 위음성률(false negative rate), 혹은 도약전이(skip metastasis) 가능성이 증가하기 때문이다. 만약 종양의 직경이 큰 경우 림프절 전이가 없다고 하더라도 충분한 절제연을 확보하여 축소수술을 시행하게 되면 위의 모양을 적절하게 유지하기 어려운 경우가 있다. 또한 수술 전 복부 CT 등의 영상검사결과 림프절 전이 또는 원발성 전이가 의심되지 않으며, 수술 중 육안으로 재확인하였을 때 림프절 전이가 없다고 판단되는 경우가 이상적인 적응증이 될 것이다.

6) 추적자: 색소법, 동위원소법 또는 병합법

수술 중 감시림프절을 찾고자 할 때 위의 원발종양 주위에 주사한 추적자(tracer)를 육안으로 직접 확인하거나 특수한 기구를 사용하여 찾는 방법을 주로 사용한다. 현재는 추적자 종류 중에 색소(dye)와 방사성동위원소(radioactive isotope)를 가장 많이 사용하고 있다. 추적자로 이용되는 색소의 종류는 여러 가지이다. 예전부터 위장관의 림프관 및 림프절 연구에 이용된 CH40과 같은 탄소입자, 간기능과 순환기기능을 측정하는 데 이용되는 인도시아닌그린(indocyanine green), 흑색종 및 유방암에 많이 이용되는 이소설판블루(isosulfan blue) 및 인디고카민(indigo carmine), 메틸렌블루(methylene blue), 에반스블루(Evans blue) 등이 많이 사용된다.

추적자 색소법의 장점은 특수기구 없이도 착색된 림프절과 림프관을 수술자가 육안으로 직접 확인할 수 있다는 것이다. 또한 방사성동위원소는 방사선 노출로 인한 위험이 있어 엄격한 관리규정에 따라 취급하는 데 제한이 많으나, 색소는 동위원소에 비해 취급하기가 용이하다. 그러나 색소법은 고도비만 환자에서나 식도, 직장처럼 복강내로 노출되지 않은 부위에서는 두꺼운 지방조직 등에 묻혀서 착색된 감시림프절을 육안으로 발견하기가 어렵다. 또한 색소의 입자 크기가 작아 주사 후 빠르게 확산되므로 짧은 시간 내에 감시림프절을 발견하지 못하면 많은 림프절이 착색되어 버리거나 사라지는 단점이 있다. 그리고 색소의 부작용으로 약제에 과민반응을 보이는 환자도 보고된 적이 있다. 만약 색소법을 이용한 경우 어떠한 약제로 어느 정도의 양을 주사해야 하며, 얼마나 시간이 경과한 후에 착색되는 것을 감시림프절로 정의하느냐 하는 문제는 아직도 논란의 대상이 되고 있으며, 현재까지 수술자의 경험에 따라 임의적으로 정하는 경우가 대부분이다.

방사성동위원소법은 방사성동위원소에 콜로이드(colloid)를 붙여서 추적자로 이용하는 방법으로 동위원소에 결합된 콜로이드의 크기에 따라 주사 후 림프관 및 림프절로의 확산 속도가 결정된다. 위암에 이용되는 방사성동위원소는 반감기가 6시간인 Technetium-99m(^{99m}Tc)이며, 다양한 크기의 콜로이드가 이용되지만 주로 ^{99m}Tc sulfur colloid와 ^{99m}Tc tin colloid가 사용된다. ^{99m}Tc sulfur colloid는 입자 직경이 10~100 nm로 작기 때문에 림프관 내에서 확산되는 속도가 빠르며, ^{99m}Tc tin colloid는 약 500 nm 정도로 상대적으로 직경이 커서 주사 후 림프절에 확산되는 속도가 느린 편이다. 따라서 ^{99m}Tc tin colloid 동위원소를 사용할 경우, 수술 전날 내시경을 이용하여 위 종양 주위점막하에 주사하고 나서 그 다음날 수술 중에 감시림프절을 생검하는 방법을 사용한다.

반면 위암의 감시림프절 생검 시 사용하는 가장 적당한 동위원소의 콜로이드 직경은 약 100 nm라는 연구결과가 보고된 적도 있다. 동위원소법의 장점은 주사된 콜로이드의 동위원소가 감시림프절에 착상된 뒤 다른 림프절로 확산되지 않고 오랜 시간 동안 감시림프절 내에 머물기 때문에 색소법에 비하여 더 선택적으로 감시림프절을 검출할 수 있다. 또한 색소를 이용하기 어려운 고도비만 환자나 식도, 직장과 같이 복막으로 덮이지 않은 부위에서는 동위원소법이 더 유리하다고 할 수 있다. 반면 위암의 경우 대부분의 감시림프절은 대만곡 또는 소만곡에 위치하여 원발 종양과 거리가 가깝고, 원발 종양에 주사된 동위원소의 방사능이 강하기 때문에 감시림프절에서 방출되는 방사능을 방해하여 수술 중 감시림프절 검출이 어려워지는 간섭효과(shine-through effect)가 생길 수 있는 단점이 있다. 또한 동위원소가 흡착된 감시림프절을 찾기 위하여 수술 중 사용해야 하는 감마 탐지기(gamma probe)가 반드시 필요하다. 동위원소법도 색소법과 마찬가지로 어떤 방사성 동위원소와 콜로이드를 얼마의 농도로 결합하여 사용할 것인지, 적정한 방사성동위원소 주입량은 어느 정도인지, 주사한지 얼마나 지난 후에 방사능이 얼마나 검출되어야 감시림프절이라고 정의할 것 인지에 대해서 아직까지는 정확하게 결정된 바는 없다. 따라서 이에 대하여 표준화가 이루어질 수 있도록 차후 많은 연구와 논의가 필요할 것으로 생각된다. 이와 같이 색소법과 동위원소법은 각각의 장단점이 있어 서로 상호보완적이므로 현재 이 2가지를 병합하는 방법을 대부분 사용하고 있다. 흑색종과 유방암 환자에게 2가지 추적자를 병합사용한 결과 단독으로 사용한 경우보다 성적이 좋다고 알려져 있으며, 위암에서도 색소와 동위원소의 병합사용을 대부분 권하고 있다.

최근에는 색소법과 동위원소법 외에 몇 가지 새로운 추적자를 이용한 감시림프절 탐지법이 개발되고 있다. Nimura 등은 인도시아닌그린 주사 후 발생하는 적외선을 탐지하는 방법을 연구하여 보고하였으며, Torchia 등은 림프절에 특이하게 흡수되는 추적자를 이용하여 자기공명영상(magneic resonance imaging, MRI)으로 감시림프절을 발견하는 방법을 보고하였다. 또한 컴퓨터단층촬영 림프그라피(computed tomography lymphography)로 감시림프절을 찾는 방법도 연구된 적이 있다. Lim 등은 나노입자 요오드유 에멀젼(nanoscale iodized oil emulsion)을 이용한 컴퓨터단층촬영 림프그라피 연구에서 평균 3.8개의 감시림프절을 찾았고 100% 검출이 되었음을 보고하여, 새로이 개발된 CT기능을 이용하여 수술 전 감시림프절을 확인하는 것에 도움을 줄 수 있다고 하였다. 단일광자 단층촬영(single photon emission computed tomography)으로 악성종양의 감시림프절을 확인하는 방법에 대한 보고도 있다.

이는 기존의 단층촬영 이미지에 방사성동위원소가 흡수된 조직의 방사능(radioactivity) 정도를 합성하여 보여줌으로써 주변 장기의 해부학적 구조와 함께 동위원소가 흡수된 부위를 보다 쉽게 파악할 수 있었으며, 차후 조기위암에 이러한 기능을 적용하는 연구는 필요한 상태이다. 그 이외에 인도시아닌그린과 폴리-글루타민산(poly-c-glutamic acid, PGA)의 합성체를 아이알색소가 융합된 플루란-콜레스테롤 나노프로브(IRDye900-conjugated pullulan-cholesterol nano-probe)와 근적외 영역 폴리나고겔(near-infrared polynagogel, NIR-PNG)을 사용하거나, 발광다이오드(light emitting diode, LED) 경화빛(curing light)으로 발생시킨 440~490 nm 파장의 푸른빛(blue light)을 사용한 연구보고도 있다. 그 중에 최근 많은 연구가 시행되고 있는 방법은 인도시아닌그린의 자연형광 특성을 이용한 근적외선 형광 이미징(near infrared fluorescence imaging)을 이용한 기술이다.

색소법과 방사성동위원소법을 병합한 추적방법은 현재까지 가장 많이 사용되고 있지만 방사선 노출에 대한 우려가 있고, 차폐운반, 노출 정도 측정 등의 복잡한 절차가 매번 필요하여 그 사용이 불편하다는 단점이 있는 반면, 근적외선 형광 이미징 기술은 방사성 물질에 대한 노출이 없어 안전하며 이전의 색소법에서는 보이지 않는 림프절을 눈으로 직접 확인할 수 있을 만큼 민감도가 높아 감시림프절을 탐지하는 데 유용한 방법이다. 그러나 이 기술 또한 추적자의 주입 농도, 주입 방법 및 주입 후 이미징 탐지자를 이용한 추적시간 등에 대해서 결정된 바가 없으며, 차후 기존의 병합방법과 비교한 임상적 효용성을 확인하는 것도 필요하다.

7) 추적자의 점막하 또는 장막하 주사법

위의 원발병소 주위에 추적자를 주사하는 방법으로는 내시경을 이용하여 위 안쪽 면인 점막하(submucosa)에 주사하는 방법과 위 바깥쪽 면인 장막하(subserosa)에 주사하는 방법이 있으나, 아직까지 2가지 방법을 비교한 연구가 많지는 않다. 장막하 주사의 가장 큰 장점은 술식이 비교적 용이하여 누구나 쉽게 할 수 있으며, 내시경과 같은 특별한 기구가 필요없다는 것이다. 그러나 이는 수술 중에 시행해야 하므로 색소법에서만 주로 사용 가능하며, 조기위암의 경우 원발 종양이 장막 쪽에서 정확히 촉지되지 않으므로 원발 종양의 위치를 정확하게 파악하기 힘들다는 단점이 있다.

내시경을 이용한 점막하주사법이 장막하 주사법에 비하여 원발 종양의 위치를 파악하여 종양 주위로 정확하게 주사할 수 있으므로 대부분의 연구자들이 이 방법을 선호하고 있다. 하지만 내시경점막하주사법은 기술적으로 쉽지 않아 내시경시술에 대한 충분한 경험이 필요하며, 수술실 내에 내시경 기구를 구비해 두어야 한다. 또한 점막하주사 중에 복강내로 추적자가 누출된 경우 감시림프절을 확인하는 것이 어렵다. Lee 등은 내시경을 이용한 점막하주사법과 장막하주사법을 후향적으로 비교한 결과 두 방법 간에 큰 차이가 없다고 보고하였으나, Wang 등은 메타분석(meta-analysis)에서 점막하주사법이 감시림프절을 탐지하는 민감률을 높힌다고 보고하였다. 최근 대부분의 임상연구에서는 내시경을 이용한 점막하주사법을 사용하고 있다.

8) 감시림프절 개별 생검법 또는 주위영역 절제법

감시림프절 생검 방법은 2가지가 있으며, 색소 또는 동위원소가 착상된 감시림프절만을 1개씩 낱개로 채취하여 개별 생검하는 방법(pick-up biopsy)과 감시림프절 주위 영역 내 림프절을 포함한 조직 모두를 제거하는 구역절제법(sentinel basin dissection)이 있다. 개별 생검법은 수술 중 확인된 림프절만을 생검하므로 술식이 간단한 편이고 구역절제와 비교하여 체외에서 감시림프절을 한 번 더 가려내는 작업을 하지 않아도 되어 수술 중 조직검사를 준비하기에 간편하다. 하지만 동위원소를 추적자로 사용하는 경우 간섭효과 때문에 감시림프절 개별 생검 시 방해를 받을 수 있고, 비만 환자의 경우 색소에 착상된 림프절이 위 주위 대망 내지 소망의 지방층에 깊이 위치해 있어 개별 생검을 시행해야 하는 감시림프절을 육안으로 찾아내기가 쉽지 않아 채취한 감시림프절의 개수가 적을 수 있다. 성공적인 감시림프절 수술을 위해서는 충분한 감시림프절 개수가 필수적이다.

Lee 등이 개별 생검법과 주위영역 구역절제법을 비교한 연구결과, 구역절제법에서 감시림프절 발견율과 민감률이 높았고 감시림프절 개수도 더 많았다. 또한 Lee 등은 다기관 연구 시 주위영역 구역절제법을 사용하였으며 그 결과 감시림프절 종류 중에 추적자가 침착되지는 않지만 동일한 감시구역(sentinel basin) 내에 있는 구역림프절(basin node)의 개수가 가장 많았다고 보고하였다. 만약 개별 생검을 시행한다면 구역 내 추적자가 침착되지 않는 감시림프절은 채취하지 못하게 되며, 그럴 경우 생검된 감시림프절 개수가 충분하지 않아 그 민감률이 떨어질 수 있다는 보고가 있다. 따라서 감시림프절 주위의 감시구역 내에 위치한 모든 림프절을 함께 제거하는 것이 안전하며, 구역 제거 후 체외에서 감시림프절을 개별 채취하여 정확하게 생검을 시행할 수 있다. 또한 암이 전이된 림프절은 감시림프절과 같은 감시구역 내에 대부분 위치하므로 암세포가 침범할 수 있는 림프관을 포함하여 구역 내 감시림프절 주위조직을 같이 제거하면 감시림프절 생검의 위음성에 대한 종양학적 위험성을 줄일 수 있다는 연구결과도 있다.

구역절제법을 시행할 경우 수술자에 따라 그 제거 범위가 조금씩 차이가 난다. Lee 등은 직접 감시구역을 찾아서 표시한 후 일본위암학회에서 정의한 림프절 station과는 관계없이 감시구역만을 제거하였으나, Kitagawa 등은 구역절제 시 일본위암학회의 치료방침에 따라 림프절 station을 기준으로 감시림프절이 발견된 station 내에 있는 모든 조직을 제거하였다. 림프절 station을 기준으로 구역절제를 시행할 경우 유문괄약근 근처의 5, 6번 림프절 station 내 조직을 모두 제거하게 되면 괄약근 신경이 손상되어 위정체증후군이 발생할 가능성이 높아질 수 있다. 구역을 어떤 방법으로 결정하여 제거하는 것이 안전할지에 대해서는 지속적인 논의가 필요하다.

9) 개복 또는 복강경 감시림프절 생검

초기에는 개복수술에 대한 보고가 대부분이었으나 최근에는 복강경을 사용한 위절제술이 대중화되면서 복강경에 대한 연구가 증가하고 있다. 조기위암을 대상으로 한 감시림프절 생검의 궁극적인 목적이 위절제의 범위를 축소하고 기능을 보존하는 최소제거수술을 시행하는 것이므로, 최소침습수술방법인 복강경을 이용한 감시림프절 생검 및 축소수술을 시행하는 것이 환자들에게 많은 이득을 줄 수 있다. 조기위암에서 복강경 위절제술을 시행한 경우 개복수술보다 합병증과 사망률이 낮다는 사실은 여러 연구에서 입증이 되었다. 하지만 개복술 혹은 복강경을 이용한 감시림프절 생검의 차이를 비교하는 보고는 많지 않으며, 심지어 개복수술 시 민감률이 더 높다는 보고가 있으나 아직까지 결론을 내리기는 어려운 상태이다.

10) 병리검사: H&E 염색법, 면역염색법 또는 분자생물학적 검사법

감시림프절을 채취한 후 수술 중 전이 유무를 정확하게 진단하는 것은 매우 중요하다. 초기에는 감시림프절 채취 후 영구조직검사를 통하여 감시림프절 생검을 시행한 성적을 보고한 연구가 대부분이었고, 그 후 점진적으로 수술 중에 H&E 염색(hematotoxyliln and eosin stain)을 하여 응급조직검사를 시행하거나 면역염색법을 추가한 결과들이 보고되고 있으나 아직까지 완벽하게 만족할 만한 성적은 얻지 못하고 있다.

수술 중 조직검사상 감시림프절 전이가 없다고 진단되었으나 파라핀 고정절편법(paraffin-embedded section)을 사용한 수술 후 최종 병리검사 결과에서 감시림프절 전이가 양성(pN+)으로 확진되는 경우에는 추가적인 치료가 필요하다. 이러한 경우 유방암에서는 재수술 이외에 방사선치료, 항암화학요법, 호르몬 치료 등 다양한 치료방법을 고려할 수 있지만, 위암의 경우에는 잔존암을 제거하기 위한 재수술 외에는 효과가 증명된 다른 치료방법이 없다. 따라서 위암의 감시림프절 생검은 수술 중 병리검사 결과가 정확하여야 한다.

수술 중 림프절을 확인하는 응급 동결병리검사(frozen biopsy) 방법은 대부분의 경우 림프절 최대 절단면 1개의 슬라이드를 H&E 염색으로 확인하는 방법을 사용하고 있다. 이 방법은 수술 중에 크기가 작은 미세전이를 진단하는 것이 어려운 경우가 많아서 최근에는 2 mm 간격으로 절단하여 동결절편검사를 시행하거나 면역염색법(immunohistochemistry stain)을 추가할 경우 감시림프절의 위음성률(false negative rate)을 감소시킨다는 보고가 있으나, 수술 중 면역염색법은 대부분의 기관에서 시행하는 것이 어려운 실정이다. 분자생물학적 검사법인 역전사 중합효소 연쇄반응법(reverse transcription-polymerase chain reaction, RT-PCR)을 사용하면 림프절 전이 환자 모두를 진단하는 것이 가능하고 미세전이도 확인할 수 있으며, 원스텝 핵산 증폭(one-step nucleic acid amplification, OSNA) 방법을 사용하면 정확하고 빠르게 림프절의 전이 여부를 판단할 수 있다는 보고가 있으나, 일반적으로 이러한 최신 검사방법들은 위양성률(false positive rate)이 높아질 수 있으며 면역염색법과 마찬가지로 수술 중 빠른 시간 내에 검사를 완료하기가 불가능하여 임상적으로 적용하기에는 한계가 있다. 수술 중 조기위암 감시림프절 병리검사의 임상적 의의는 생검 결과에 따라 수술 방향을 결정해야 하고 수술 후 최종 생검 결과가 바뀌지 않아야 한다는 것이므로, 향후 연구는 신속하면서도 수술 중 진단의 정확도를 높이는 측면에 초점을 맞추어야 할 것이다.

11) 감시림프절 미세전이의 의미

위암 환자에서 림프절 전이는 가장 중요한 예후인자 중 하나이다. 수술 중 감시림프절에서 전이가 발견될 경우 광범위 림프절절제술을 시행하여야 하나, 응급 동결절편검사 시 일반적으로 사용하는 병리검사방법인 H&E 염색법으로는 크기가 작은 림프절 전이 병변까지 찾는 것이 쉽지 않다. 미세전이(micrometastasis)란 한 절제 단면(single histologic cross-section)에 밀집된 암세포의 크기가 0.2~2.0 mm 정도로 작거나 200개 이상의 암세포가 밀집되어 있는 경우를 말한다. 미세전이는 면역염색법 또는 분자생물학적 검사법으로 진단이 가능한 경우가 대부분이다.

유방암의 경우 미세전이가 병기에 포함되어 예후인자로 인식되고 있으나, 위암의 경우에는 아직까지 미세전이의 임상적 의의에 대하여 논쟁의 여지가 있다. 조기위암의 림프절 미세전이에 대한 연구에 의하면, 수술 전 cN0으로 진단받고 위절제술을 받았던 환자들을 대상으로 수술 후 면역염색법검사를 시행한 결과 10~25%에서 림프절 미세전이가 진단되었으며, 이는 종양의 크기 및 림프관 전이 여부와 상관이 있었다. 수술 중 감시림프절 생검 시 림프절 전이가 없었으나 수술 후 최종 면역염색법 또는 분자생물학적 병리검사에서 미세전이만 발견된 경우 감시림프절 구역절제를 시행하였으면 추가적인 광범위 림프절절제술을 하지 않아도 된다는 보고가 있으나, 차후 2차 치료로서 어떤 방법을 적용해야 할지에 대해서 추가적인 연구가 필요한 상황이다.

12) 위암에서 보고된 감시림프절절제의 성적

감시림프절절제의 성적은 검출률(detection rate)과 민감도(sensitivity) [또는 위음성률(false negative rate)]로 평가된다. 검출률이란 감시림프절 생검을 시행한 전체 환자에서 감시림프절을 성공적으로 찾아낸 환자의 비율이다. 민감도란 최종 병리검사상 림프절 전이가 있는 환자 중 감시림프절에서 전이가 발견된 환자의 비율이고, 위음성률이란 림프절 전이가 있는 환자 중 감시림프절에서 전이가 발견되지 못한 환자의 비율이다. 따라서 민감도와 위음성률은 서로 반대 개념으로 사용된다. 2001년 Hiratsuka 등이 위암에서의 감시림프절 생검을 영문으로 처음 발표한 이후 2018년까지 시행된 연구들(대상 환자 30명 이상)을 살펴보면 추적자 및 병리검사방법에 따라 감시림프절절제 성적에 차이가 있었다(표 30-2). 추적자로는 초기에 색소 또는 방사성동위원소를 단독으로 사용했으나, 2006년 이후부터는 두 가지를 병합하는 방법이 주로 사용되었다. 단독으로 사용했을 때 검출률은 80~100%, 민감도는 40~100% 로 연구마다 차이가 컸으나 병합했을 때는 검출률 90% 이상(최근 연구에서는 대부분 100%), 민감도 70% 이상으로 성적이 향상되었다. 최근에는 방사성동위원소 대신 인도시아닌그린 주입 후 근적외선 형광이미지를 이용하여 감시림프절을 검출하는 연구가 많이 보고되고 있는데, 그 성적은 기존의 병합법(색소와 방사성동위원소)과 비교했을 때 유사하거나 더 좋았다.

감시림프절 조직검사방법은 H&E 단독염색법에서 2004년 이후 면역염색법을 추가하여 미세림프절 전이까지 진단하는 병리검사가 시행되고 있다. 최근에는 RT-PCR 또는 유세포분석(flow cytometry) 등으로도 분석하여 진단의 정확도를 높이고자 하나, 검사과정이 복잡하고 시간이 소요되어 임상에 적용하는 데는 한계가 있을 수 있다. 현재까지 시행된 연구들을 종합했을 때, 감시림프절 검출률은 90~100%이고 평균 2~7개의 감시림프절이 검출되므로 기술적으로 감시림프절 구역절

표 30-2. **위암에서의 감시림프절절제 성적(30예 이상)**

	저자	발표 연도	발표 학술지	적응증 (cT stage)	환자수	림프절 전이 양성 환자수	접근법	추적자	주입법	염색법	발견율	감시 림프절 개수	민감도
1	Hiratsuka	2001	Surgery	T1-2	74	10	개복	ICG	ss	HE	99%	2.6	90%
2	Ichikura	2002	World J Surg	T1	62	15	개복	ICG	sm	HE	100%	7.3	87%
3	Kitagawa	2002	Br J Surg	T1-2	145	24	개복	Tc-tin	sm	HE	95%	3.6	92%
4	Hayashi	2003	J Am Coll Surg	T1-2	31	7	개복	Tc-tin, patent blue	sm	HE	100%	5.2	100%
5	Miwa	2003	Br J Surg	T1	211	35	개복	patent blue	sm	HE	96%	6	89%
6	Ryu	2003	Eur J Surg Oncol	T1-2	71	20	개복	ISB	ss	HE	92%	2.5	61%
7	Kim	2004	Ann Surg	T1-2	46	14	개복	Tc-tin	sm	HE, IHC	94%	2	85%
8	Nimura	2004	Br J Surg	T1-2	84	11	개복, 복강경	ICG, IREE	sm	HE, IHC	99%	11	100%
9	Karube	2004	J Surg Oncol	T1-2	41	13	개복	Tc-tin, patent blue	sm	HE, IHC	100%	5	92%
10	Isozaki	2004	Gastric Cancer	T1-2	144	25	개복	ISB	sm	HE	97%	3.3	58%
11	Osaka	2004	Clin Cancer Res	T1	57	10	개복	ICG	sm	HE, IHC, RT-PCR	100%	2	100%
12	Tonouchi	2005	World J Surg	T1-2	37	4	복강경	Tc-tin, patent blue	sm	HE, IHC	95%	4	75%
13	Uenosono	2005	Br J Surg	T1-2	104	28	개복	Tc-tin	sm	HE, IHC	95%	4	79%
14	Lee	2005	Eur J Surg Oncol	T1-T3	71	20	개복	ISB	ss	HE	92%	2.5	61%
				T1-T3	50	11	개복	ISB	sm	HE	94%	2.9	46%
15	Park	2006	Eur J Surg Oncol	T1-2	100	14	개복	ICG	ss	HE, IHC	94%	4.4	79%
16	Ishizaki	2006	Eur J Surg Oncol	T1-2	101	21	개복	ISB	sm	HE, IHC	100%	6.5	86%
17	Mochiki	2006	Am J Surg	T1-3	59	24	개복	Tc-rh	sm	HE	96%	3.8	83%
18	Ichikura	2006	Surgery	T1	80	14	개복	Tc-tin, ICG	sm	HE	100%	5.3	93%
19	Lee	2006	Ann Surg Oncol	T1	64	17	개복	Tc-tin, ISB	sm	HE, IHC	97%	4.1	71%
20	Miyake	2006	Gastric Cancer	T1	76	15	개복	patent blue	sm	HE, IHC	100%	6.5	73%
21	Saikawa	2006	World J Surg	T1	35	2	복강경	Tc-tin, ISB	sm	HE	94%	3.9	50%
22	Arigami	2006	Ann Surg	T1-2	61	5	개복	Tc-tin	sm	HE, IHC, RT-PCR	100%	4.6	95%
23	Rino	2006	Surg Endosc	T1	38	4	복강경	ICG, IREE	sm	HE	92%	2.5	100%
24	Gretschel	2007	Ann Surg Oncol	T1-3	35	24	개복	Tc-rh, patent blue	sm	HE, IHC	97%	3	92%
25	Ohdaira	2007	Gastric Cancer	T1-2	52	2	개복, 복강경	ICG, IREE	sm	HE, IHC	100%	-	100%
26	Morita	2007	Clin Gastroenterol Hepatol	T1-2	53	11	개복	Tc-tin, ICG	sm	HE, IHC	100%	4.6	82%
27	Rino	2007	Hepatogastroen-terology	T1-3	43	11	개복	patent blue	sm	HE	93%	3.5	82%
28	Orsenigo	2008	Surg Endosc	T1-2	34	14	복강경	patent blue	sm	HE, IHC	79%	1.5	36%

계속

표 30-2. **위암에서의 감시림프절절제 성적(30예 이상) - 계속**

	저자	발표 연도	발표 학술지	적응증 (cT stage)	환자수	림프절 전이 양성 환자수	접근법	추적자	주입법	염색법	발견율	감시 림프절 개수	민감도
29	Yanagita	2008	J Surg Res	T1-2	133	19	개복	Tc-tin	sm	HE, IHC	98%	4.3	100%
30	Yanagita	2008	Ann Surg Oncol	T1-2	160	30	개복	Tc-tin	sm	HE, IHC	99%	4.4	97%
31	Ishii K	2008	J Exp Clin Cancer Res	T1-2	35	4	개복	patent blue	sm	HE, IHC	100%	7.2	100%
32	Yaguchi	2008	J Exp Clin Cancer Res	T1-2	43	7	개복	Tc-tin, ICG	sm	HE	100%	8	86%
	Yaguchi	2008	J Exp Clin Cancer Res	T1-2	20	7	개복	Tc-tin, ICG	ss	HE	100%	8	100%
33	Orsenigo	2008	Surg Endosc	T1-2	34	14	복강경	patent blue	sm	HE, IHC	79%	1.5	36%
34	Lee	2008	J Laparoendosc Adv Surg Technol	T1-2	42	6	복강경 (pick-up)	Tc-tin, ICG	sm	HE	55%	2.1	66%
35	Ohdaira	2009	Surg Today	T1-2 N0	30	-	복강경	IREE	sm	HE, IHC	100%	4.8	100%
36	Lee	2009	J Surg Oncol	T1-2	156	25	개복	Tc-HSA, ICG	sm/ss	HE, IHC	94%	3	68%
37	Ichikura	2009	Ann Surg	T1	36	3	개복	Tc-tin, ICG	sm/ss	HE	100%	7.3	100%
38	Tajima	2010	Ann Surg Oncol	T1-2	77	4	개복, 복강경	ICG, ICS	sm	HE	95%	7.2	75%
39	Rabin	2010	Gastric Cancer	GC (all)	80	41	개복	patent blue	ss	HE, IHC	76%	3.3	85%
40	Kelder	2010	Eur J Surg Oncol	T1	212	34	개복	ICG, IREE	sm	HE, IHC	100%	6	97%
41	Park	2011	Ann Surg Oncol	T1-2	68	18	복강경	Tc-tin, ICG or Tc-antimony sulfur, ICG	sm	HE, IHC	91%	3.3	100%
42	Takeuchi	2011	World J Surg	T1	37	1	복강경	Tc-tin, ISB or ICG	sm	HE, IHC	100%	5.8	100%
43	Tóth	2011	Gastric Cancer	T1-2 N0	39	8	개복	Blue dye	sm & ss	HE, IHC	97.4%	4.3	95.7%
44	Shimizu	2012	Ann Surg Oncol	T1-2	103	13	개복, 복강경	Tc-tin, ISB	sm	HE, IHC, RT-PCR	100%	4.9	100%
45	Yano	2012	Gastric Cancer	T1-2	130	16	개복	ICG, IREE	sm	HE, IHC	100%	-	100%
46	Kitagawa	2013	J Clin Oncol	T1-2	397	57	개복	Tc-tin, ISB	sm	HE	98%	5.6	93%
47	Miyashiro	2013	Ann Surg Oncol	T1-2	241	29	개복	ICG	sm/ss	HE	100%	3.8	97%
48	Mayanagi	2014	Ann Surg Oncol	T1	ER(+) 40 ER(-) 192	1 28	개복	Tc-tin, dye (ISB or ICG)	sm	-	100% 99.5%	4.9 4.8	100% 95.5%
49	Lavy	2014	World J Gastrointest Surg	GC (all)	71	-	개복	patent blue	ss	HE, IHC	82%	-	-
50	Miyashiro	2014	Gastric Cancer	T1	311	28	개복	ICG	ss	HE	98%	4	54%
51	Yaguchi	2015	Mol Clin Oncol	T1-2	113	23	개복	Tc-tin, ICG	-	-	100%	6	100%

표 30-2. **위암에서의 감시림프절절제 성적(30예 이상) - 계속**

	저자	발표 연도	발표 학술지	적응증 (cT stage)	환자수	림프절 전이 양성 환자수	접근법	추적자	주입법	염색법	발견율	감시 림프절 개수	민감도
52	Liu	2015	Int J Clin Exp Med	GC (all)	101	-	복강경	patent blue	ss	HE	-	5.3	-
53	Lee	2015	Medicine	T1-2	108	10	복강경	ICG+Tc-HSA	sm	HE	93%	7	100%
54	Shimada	2016	Ann Surg Oncol	T1	156	16	개복	Tc-tin, dye(ICG or ISB)	sm	HE	100%	5.3	93%
55	Kinami	2016	Oncol Lett	T1	42	7	개복, 복강경	ICG, PDE	sm	HE	100%	6	100%
					30	4	개복, 복강경	ICG, PDE	sm	HE	100%	-	75%
56	Takahashi	2016	BMC Surg	T1-2	36	5	개복, 복강경	ICG, IRLS	sm	-	100%	9.2	100%
57	Kamiya	2016	Gastric Cancer	T1	72	11	개복	Tc-tin, ICG	sm	HE, IHC	100%	4	100%
58	Yanagita	2016	Cancer	T1-2	113	13	개복	Tc-tin	sm	HE, IHC vs RT-PCR	100%	5	87%
59	Niihara	2016	J Surg Res	T1-2	385	38	개복	Tc-tin, dye (ISB or ICG)	sm	HE	97%	4.7	99%
60	Yan	2016	Surg Endosc	T1	91	10	복강경	carbon nanoparticle	sm	HE	100%	4	90%
61	Takahashi	2017	Langenbecks Arch Surg	T1	44	7	복강경	ICG, IRLS	sm	HE	100	7.9	100%
62	Takeuchi	2018	Gastric Cancer	T1-2	550	45	개복	Tc-tin, dye (ISB or ICG)	sm	HE	-	5.2	100%
63	Park	2018	Ann Surg Oncol	T1 N0	100	11	복강경	ICG, Tc ASC (antimony)	sm	HE, IHC	99%	6.1	-
64	Shida	2018	World J Surg	T1	60	9	복강경	ICG, IREE	sm	-	100%	5	100%

ICG, indocyanine green; ISB, isosulfan blue; IREE, infrared ray electronic endoscopy; HSA, human serum albumin; ICS, Infrared Camera System; GC, gastric cancer; ER, endoscopic resection; PDE, photodynamic eye; IRLS, infrared ray laparoscopic system.

제는 가능하다. 그러나 방법에 따라 감시림프절의 검출에 차이가 있고 림프절 전이 양성인 환자들 중 10~20%는 림프절 전이가 진단되지 못하는 위음성이므로 임상에 적용하기 전 대규모 연구를 통해 검증하는 것이 필요하다.

13) 위암의 감시림프절에 대한 주요 다기관 연구 결과 및 현재 진행 중인 다기관 공동연구

일본에서는 위암의 감시림프절절제에 관한 두 개의 대규모 다기관 공동연구가 시행되었다. 일본임상종양단체(Japanese Clinical Oncology Group, JCOG)에서 시행된 연구(JCOG0302 연구)에서는 27개 기관이 참여하였고 인도시아닌그린을 단독으로 장막하에 주사하여 감시림프절을 검출하였다. 이 연구에서 검출률은 98%였으나 민감도는 54%로 만족스럽지 못한 결과를 보여주었다. 한편 일본감시림프절연구회(Japan Society for Sentinel Node Navigation Surgery, SNNS)에서 시행된 연구는 12개 기관이 참여하였고, 방사성동위원소와 이소설판블루를 병합하여 점막하에 주사하는 방법으로 감시림프절을 검출하였다. 그 결과 검출률은 98%, 민감도 93%로, 비교적 좋은 성적을 보여주었다. 이 외에 인도시아닌그린과 형광이미지를 이용한 다기관 연구결과도 발표되었는데, 4개 기관이 참여하였으며 검출률 및 민감도가 각각 100%였다.

한국에서는 현재 위암의 감시림프절절제에 관한 다기관 3상 연구(Sentinel Node ORIented Tailored Approach; SENORITA 1)가 진행 중이다. 이 연구에서는 조기위암 환자들을 대상으로 인도시아닌그린과 방사성동위원소를 병합하여 점막하에 주사하는 방법을 사용하였으며, 감시림프절검사 시행 후 위보전수술을 시행한 환자군과 표준수술을 시행한 환자의 장기생존율을 비교한다. 3년 및 5년 무병생존율, 전체생존율, 수술합병증, 삶의 질 등도 분석된다. 전체 7개 기관이 참여하였고, 현재는 환자 등재를 완료하고 장기추적검사 중이다. SENORITA 1 연구 이후에 감시림프절과 관련된 두 개 연구가 최근 시작되어 진행 중에 있다. 첫 번째 연구는 조기위암으로 내시경점막하절제술 시행 후 최종 병리검사에서 비근치적절제(non-curative)로 판명되어 추가 수술을 해야 하는 환자에서 감시림프절 검사가 가능한지를 평가하는 유효성 연구로, SENORITA 1 연구와 유사하게 인도시아닌그린과 방사성동위원소를 병합하여 내시경 절제부위에 주사하여 감시림프절을 검출하고 이후에는 표준수술을 시행한다(SENORITA 2). 이 연구의 주요 결과는 감시림프절의 검출률 및 민감도이며, 현재 7개 기관이 참여하여 환자 등재 중이다. 두 번째 연구는 조기위암 환자를 대상으로 감시림프절 검사를 먼저 시행하고 동결조직검사에서 림프절 전이가 없는 경우 복강비노출 내시경적 전층절제술을 시행하는 유효성 연구이다(NESS-EFTR, SENORITA 3). 주요 결과는 완전절제율(complete resection rate)이며, 현재 단일기관에서 환자 등재 중이나 다기관으로 확대할 예정이다.

14) 결론

현재까지 위암에서의 감시림프절절제는 구체적인 방법이 표준화되어 있지 않고, 시술방법에 따라 성적에 차이가 있었다. 일본에서 시행된 두 다기관 연구결과에서도 추적자에 따라 민감도에 큰 차이를 보였다. 따라서 향후 SENORITA 1 임상연구의 결과가 매우 중요한 근거가 될 것으로 보인다. 아울러 최근 방사성동위원소 대신 인도시아닌그린 용액 및 형광이미지를 이용한 방법이 많이 연구되고 있는데, 이 또한 임상 적용에 앞서 검증이 필요하다. SENORITA 1 의 결과가 임상에 적용될 수 있을 정도로 만족스럽고 향후 민감도가 더 개선된다면, 감시림프절절제를 이용한 최소침습축소수술이 조기위암 환자의 삶의 질을 개선하는 데 기여할 수 있을 것이다.

참고문헌

1. 김은영. 위장관 내시경초음파: 내시경초음파의 진단적 역할. 대한소화기내시경학회지 2010;41:85-92.
2. 신동준, 손상용, 김형호. 위암에서의 감시림프절 수술. Korean Journal of Clinical Oncology 2014;10:6-11.
3. 윤건중, 정우철. 위암의 미세전이. Korean J gastroenterol 2017;69:270-277.
4. 이재문, 정승은. 위암의 영상 진단: 전산화 단층 촬영술. 대한방사선의학회지 2002;46:511-519.
5. Aizawa M, Honda M, Hiki N, et al. Oncological outcomes of function-preserving gastrectomy for early gastric cancer: a multicenter propensity score matched cohort analysis comparing pylorus-preserving gastrectomy versus conventional distal gastrectomy. Gastric Cancer 2017;20:709-717.
6. Aki T, Shiratori T, Hatafuku T, et al. Pylorus-preserving gastrectomy as an improved operation for gastric ulcer. Surg 1967;61:838-845.
7. An JY, Min JS, Lee YJ, Jeong SH, Hur H, Han SU, et al. Which factors are important for successful sentinel node navigation surgery in gastric cancer patients? Analysis from the SENORITA prospective multicenter feasibility quality control trial. Gastroenterol Res Pract 2017;2017:1732571.
8. An JY, Youn HG, Choi MG, et al. The difficult choice between total and proximal gastrectomy in proximal early gastric cancer. Am J Surg 2008;196:587-591.
9. Arigami T, Natsugoe S, Uenosono Y, Mataki Y, Ehi K, Higashi H, et al. Evaluation of sentinel node concept in gastric cancer based on lymph node micrometastasis determined by reverse transcription-polymerase chain reaction. Ann Surg 2006;243:341-347.
10. Bae JS, Kim SH, Shin CI, et al.Efficacy of gastric balloon dilatation and/or retrievable stent insertion for pyloric spasms after pylorus-preserving gastrectomy: retrospective analysis. PLoS One. 2015;10:0144470.
11. Bodurtha Smith AJ, Fader AN, Tanner EJ. Sentinel lymph node assessment in endometrial cancer: a systematic review and meta-analysis. Am J Obstet Gynecol 2017;216:459-476.
12. Borghi F, Gattolin A, Bogliatto F, Garavoglia M, Levi AC. Relationships between gastric development and anatomic bases of radical surgery for cancer. World J Surg 2002;26:1139-1144.
13. Cabanas RM. An approach for the treatment of penile carcinoma. Cancer 1977;39:456-466.
14. Cai J, Ikeguchi M, Maeta M, Kaibara N. Micrometastasis in lymph nodes and microinvasion of the muscularis propria in primary lesions of submucosal gastric cancer. Surgery 2000;127:32-39.
15. Diab Y. Sentinel lymph nodes mapping in cervical cancer a comprehensive review. Int J Gynecol Cancer 2017;27:154-158.
16. Geneva, : UICC. International Union Against Cancer (UICC). TNM Classification of Malignant Tumours. 1968.
17. Giuliano AE, Kirgan DM, Guenther JM, Morton DL. Lymphatic mapping and sentinel lymphadenectomy for breast cancer. Ann Surg 1994;220:391-398.
18. Gould EA, Winship T, Philbin PH, Kerr HH. Observations on a "sentinel node" in cancer of the parotid. Cancer 1960;13:77-78.
19. He M, Jiang Z, Wang C, Hao Z, An J, Shen J. Diagnostic value of near-infrared or fluorescent indocyanine green guided sentinel lymph node mapping in gastric cancer: a systematic review and meta-analysis. J Surg Oncol 2018;118:1243-1256.
20. Hiki N, Sano T, Fukunaga T, et al. Survival benefit of pylorus-preserving gastrectomy in early gastric cancer. J Am Coll Surg 2009;209:297-301.
21. Hiratsuka M, Miyashiro I, Ishikawa O, Furukawa H, Motomura K, Ohigashi H, et al. Application of sentinel node biopsy to gastric cancer surgery. Surgery 2001;129:335-340.

22. Holman LL, Levenback CF, Frumovitz M. Sentinel lymph node evaluation in women with cervical cancer. J Minim Invasive Gynecol 2014;21:540-545.
23. Hu Y, Huang C, Sun Y, Su X, Cao H, Hu J, et al. Morbidity and mortality of laparoscopic versus open D2 distal gastrectomy for advanced gastric cancer: a randomized controlled trial. J Clin Oncol 2016;34:1350-1357.
24. Information Committee of Korean Gastric Cancer Association. Korean Gastric Cancer Association nationwide survey on gastric cancer in 2014. J Gastric Cancer. 2016;16:131-140.
25. Japanese Gastric Cancer A. Japanese classification of gastric carcinoma: 3rd English edition. Gastric Cancer 2011;14:101-112.
26. Japanese Gastric Cancer A. Japanese gastric cancer treatment guidelines 2014 (ver. 4). Gastric Cancer 2017;20:1-19.
27. Japanese Gastric Cancer Association. Japanese gastric cancer treatment guidelines 2010 (ver. 3). Gastric Cancer 2011;14:113-123.
28. Jiang X, Hiki N, Nunobe S, et al. Lomg-term outcome and survival with laparoscopy-assisted pylorus-preserving gastrectomy for early gastric cancer. Surg Endosc 2011;25:1182-1186.
29. Jiang X, Hiki N, Nunobe S, et al. Postoperative outcomes and complications after laparoscopy-assisted pylorus-preserving gastrectomy for early gastric cancer. Ann Surg 2011;253:928-933.
30. Jung DH, Lee Y, Kim DW, et al. Laparoscopic proximal gastrectomy with double tract reconstruction is superior to laparoscopic total gastrectomy for proximal early gastric cancer. Surg Endosc 2017;31:3961-3969.
31. Kim DW, Jeong B, Shin IH, Kang U, Lee Y, Park YS, et al. Sentinel node navigation surgery using near-infrared indocyanine green fluorescence in early gastric cancer. Surg Endosc 2018.
32. Kim JJ, Song KY, Hur H, Hur JI, Park SM, Park CH. Lymph node micrometastasis in node negative early gastric cancer. Eur J Surg Oncol 2009;35:409-414.
33. Kim T, Giuliano AE, Lyman GH. Lymphatic mapping and sentinel lymph node biopsy in early-stage breast carcinoma: a metaanalysis. Cancer 2006;106:4-16.
34. Kim W, Kim HH, Han SU, Kim MC, Hyung WJ, Ryu SW, et al. Decreased morbidity of laparoscopic distal gastrectomy compared with open distal gastrectomy for stage I gastric cancer: short-term outcomes from a multicenter randomized controlled trial (KLASS-01). Ann Surg 2016;263:28-35.
35. Kiss B, Thoeny HC, Studer UE. Current status of lymph node imaging in bladder and prostate cancer. Urology 2016;96:1-7.
36. Kitagawa Y, Kitajima M. Gastrointestinal cancer and sentinel node navigation surgery. J Surg Oncol 2002;79:188-193.
37. Kitagawa Y, Kitano S, Kubota T, Kumai K, Otani Y, Saikawa Y, et al. Minimally invasive surgery for gastric cancer--toward a confluence of two major streams: a review. Gastric Cancer 2005;8:103-110.
38. Kitagawa Y, Takeuchi H, Takagi Y, Natsugoe S, Terashima M, Murakami N, et al. Sentinel node mapping for gastric cancer: a prospective multicenter trial in Japan. J Clin Oncol 2013;31:3704-3710.
39. Kodama M, Koyama K. Indications for pylorus preserving gastrectomy for early gastric cancer located in the middle third of the stomach. World J Surg 1991;15:628-633.
40. Koeda K, Chiba T, Noda H, et al. Intracorporeal reconstruction after laparoscopic pylorus-preserving gastrectomy for middle-third early gastric cancer: a hybrid technique using linear stapler and manual suturing. Langenbecks Arch Surg 2016;401:397-402.
41. Kong SH, Kim JW, Lee HJ, Kim WH, Lee KU, Yang HK. The safety of the dissection of lymph node stations 5 and 6 in pylorus-preserving gastrectomy. Ann Surg Oncol 2009;16:3252-3258.
42. Kong SH, Noh YW, Suh YS, Park HS, Lee HJ, Kang KW, et al. Evaluation of the novel near-infrared fluo-

rescence tracers pullulan polymer nanogel and indocyanine green/gamma-glutamic acid complex for sentinel lymph node navigation surgery in large animal models. Gastric Cancer 2015;18:55-64.
43. Krag DN, Anderson SJ, Julian TB, Brown AM, Harlow SP, Costantino JP, et al. Sentinel-lymph-node resection compared with conventional axillary-lymph-node dissection in clinically node-negative patients with breast cancer: overall survival findings from the NSABP B-32 randomised phase 3 trial. Lancet Oncol 2010;11:927-933.
44. Krag DN, Weaver DL, Alex JC, Fairbank JT. Surgical resection and radiolocalization of the sentinel lymph node in breast cancer using a gamma probe. Surg Oncol 1993;2:335-339.
45. Kwon SJ, Kim GS. Prognostic significance of lymph node metastasis in advanced carcinoma of the stomach. Br J Surg 1996;83:1600-1603.
46. Lee CM, Park S, Park SH, Jung SW, Choe JW, Sul JY, et al. Sentinel node mapping using a fluorescent dye and visible light during laparoscopic gastrectomy for early gastric cancer: result of a prospective study from a single institute. Ann Surg 2017;265:766-773.
47. Lee HS, Lee HE, Park DJ, Park YS, Kim HH. Precise pathologic examination decreases the false-negative rate of sentinel lymph node biopsy in gastric cancer. Ann Surg Oncol 2012;19:772-778.
48. Lee JH, Ryu KW, Kim CG, Kim SK, Choi IJ, Kim YW, et al. Comparative study of the subserosal versus submucosal dye injection method for sentinel node biopsy in gastric cancer. Eur J Surg Oncol 2005;31:965-968.
49. Lee JH, Ryu KW, Kim CG, Kim SK, Lee JS, Kook MC, et al. Sentinel node biopsy using dye and isotope double tracers in early gastric cancer. Ann Surg Oncol 2006;13:1168-1174.
50. Lee SE, Lee JH, Ryu KW, Cho SJ, Lee JY, Kim CG, et al. Sentinel node mapping and skip metastases in patients with early gastric cancer. Ann Surg Oncol 2009;16:603-608.
51. Lee YJ, Ha WS, Park ST, Choi SK, Hong SC, Park JW. Which biopsy method is more suitable between a basin dissection and pick-up biopsy for sentinel nodes in laparoscopic sentinel-node navigation surgery (LSNNS) for gastric cancer? J Laparoendosc Adv Surg Tech A 2008;18:357-363.
52. Lee YJ, Jeong SH, Hur H, Han SU, Min JS, An JY, et al. Prospective multicenter feasibility study of laparoscopic sentinel basin dissection for organ preserving surgery in gastric cancer: quality control study for surgical standardization prior to phase III trial. Medicine (Baltimore) 2015;94:1894.
53. Leong SP, Donegan E, Heffernon W, Dean S, Katz JA. Adverse reactions to isosulfan blue during selective sentinel lymph node dissection in melanoma. Ann Surg Oncol 2000;7:361-366.
54. Leong SP. Selective sentinel lymphadenectomy for malignant melanoma, Merkel cell carcinoma, and squamous cell carcinoma. Cancer Treat Res 2005;127:39-76.
55. Leong SP. The role of sentinel lymph nodes in malignant melanoma. Surg Clin North Am 2000;80:1741-1757.
56. Lim JS, Choi J, Song J, Chung YE, Lim SJ, Lee SK, et al. Nanoscale iodized oil emulsion: a useful tracer for pretreatment sentinel node detection using CT lymphography in a normal canine gastric model. Surg Endosc 2012;26:2267-2274.
57. Lirosi MC, Biondi A, Ricci R. Surgical anatomy of gastric lymphatic drainage. Transl Gastroenterol Hepatol 2017;2:14.
58. Mansel RE, Fallowfield L, Kissin M, Goyal A, Newcombe RG, Dixon JM, et al. Randomized multicenter trial of sentinel node biopsy versus standard axillary treatment in operable breast cancer: the ALMANAC trial. J Natl Cancer Inst 2006;98:599-609.
59. Maruyama K, Sasako M, Kinoshita T, Sano T, Katai H. Can sentinel node biopsy indicate rational extent

of lymphadenectomy in gastric cancer surgery? Fundamental and new information on lymph-node dissection. Langenbecks Arch Surg 1999;384:149-157.

60. Masuzawa T, Takiguchi S, Hirao M, et al. Comparison of perioperative and long-term outcomes of total and proximal gastrectomy for early gastric cancer: a multi-institutional retrospective study. World J Surg 2014;38:1100-1106.
61. Miwa K, Kinami S, Taniguchi K, Fushida S, Fujimura T, Nonomura A. Mapping sentinel nodes in patients with early-stage gastric carcinoma. Br J Surg 2003;90:178-182.
62. Miyashiro I, Hiratsuka M, Sasako M, Sano T, Mizusawa J, Nakamura K, et al. High false-negative proportion of intraoperative histological examination as a serious problem for clinical application of sentinel node biopsy for early gastric cancer: final results of the Japan Clinical Oncology Group multicenter trial JCOG0302. Gastric Cancer 2014;17:316-323.
63. Miyashiro I, Miyoshi N, Hiratsuka M, Kishi K, Yamada T, Ohue M, et al. Detection of sentinel node in gastric cancer surgery by indocyanine green fluorescence imaging: comparison with infrared imaging. Ann Surg Oncol 2008;15:1640-1643.
64. Mochiki E, Kuwano H, Kamiyama Y, Aihara R, Nakabayashi T, Katoh H, et al. Sentinel lymph node mapping with technetium-99m colloidal rhenium sulfide in patients with gastric carcinoma. Am J Surg 2006;191:465-469.
65. Morita S, Katai H, Saka M, et al. Outcome of pylorus-preserving gastrectomy for early gastric cancer. Br J Surg 2008;95:1131-1135.
66. Morita S, Sasako M, Saka M, et al. Correlation between the length of the pyloric cuff and postoperative evaluation after pylorus-preserving gastrectomy. Gastric Cancer 2010;13:109-116.
67. Morton DL, Hoon DS, Cochran AJ, Turner RR, Essner R, Takeuchi H, et al. Lymphatic mapping and sentinel lymphadenectomy for early-stage melanoma: therapeutic utility and implications of nodal microanatomy and molecular staging for improving the accuracy of detection of nodal micrometastases. Ann Surg 2003;238:538-549.
68. Morton DL, Wen DR, Wong JH, Economou JS, Cagle LA, Storm FK, et al. Technical details of intraoperative lymphatic mapping for early stage melanoma. Arch Surg 1992;127:392-399.
69. Nagaraja V, Eslick GD, Cox MR. Sentinel lymph node in oesophageal cancer-a systematic review and meta-analysis. J Gastrointest Oncol 2014;5:127-141.
70. Namikawa T, Hiki N, Kinami S, et al. Factors the minimize postgastrectomy symptoms following pylorus-preserving gastrectomy: assessment using a newly developed scale (PGSAS-45). Gastric Cancer 2015;18:397-406.
71. Nimura H, Narimiya N, Mitsumori N, Yamazaki Y, Yanaga K, Urashima M. Infrared ray electronic endoscopy combined with indocyanine green injection for detection of sentinel nodes of patients with gastric cancer. Br J Surg 2004;91:575-579.
72. Nunobe S, Hiki N, Fukunaga T, et al. Laparoscopy-assisted pylorus-preserving gastrectomy: preservation of vagus nerve and infrapyloric blood flow induces less stasis. World J Surg 2007;31:2335-2340.
73. Nunobe S, Hiki N. Function-preserving surgery for gastric cancer: current status and future perspectives. Transl Gastroenterol Hepatol 2017;2:77.
74. O'Brien JS, Perera M, Manning T, Bozin M, Cabarkapa S, Chen E, et al. Penile Cancer: Contemporary Lymph Node Management. J Urol 2017;197:1387-1395.
75. Oh SY, Lee HJ, Yang HK. Pylorus-preserving gastrectomy for gastric cancer. J Gastric Cancer. 2016;16:63-71.
76. Ohashi M, Morita S, Fukagawa T, et al. Functional advantages of proximal gastrectomy with jejunal interposition over total gastrectomy with Roux-en-Y esophagojejunostomy for early gastric cancer. World J

Surg 2015;39:2726-2733.

77. Ohgami M, Otani Y, Kumai K, et al. Laparoscopic surgery for early gastric cancer. Nihon Geka Gakkai Zasshi. 1996;97:279-285.
78. Osaka H, Yashiro M, Sawada T, Katsuragi K, Hirakawa K. Is a lymph node detected by the dye-guided method a true sentinel node in gastric cancer? Clin Cancer Res 2004;10:6912-6918.
79. Park DJ, Park YS, Son SY, Lee JH, Lee HS, Park YS, et al. Long-term oncologic outcomes of laparoscopic sentinel node navigation surgery in early gastric cancer: a single-center, single-arm, phase II trial. Ann Surg Oncol 2018;25:2357-2365.
80. Park JY, Kim YW, Ryu KW, Nam BH, Lee YJ, Jeong SH, et al. Assessment of laparoscopic stomach preserving surgery with sentinel basin dissection versus standard gastrectomy with lymphadenectomy in early gastric cancer-a multicenter randomized phase III clinical trial (SENORITA trial) protocol. BMC Cancer 2016;16:340.
81. Park JY, Kook MC, Eom BW, Yoon HM, Kim SJ, Rho JY, et al. Practical intraoperative pathologic evaluation of sentinel lymph nodes during sentinel node navigation surgery in gastric cancer patients - proposal of the pathologic protocol for the upcoming SENORITA trial. Surg Oncol 2016;25:139-146.
82. Reynolds HM, Walker CG, Dunbar PR, O'Sullivan MJ, Uren RF, Thompson JF, et al. Functional anatomy of the lymphatics draining the skin: a detailed statistical analysis. J Anat 2010;216:344-355.
83. Rossi EC, Kowalski LD, Scalici J, Cantrell L, Schuler K, Hanna RK, et al. A comparison of sentinel lymph node biopsy to lymphadenectomy for endometrial cancer staging (FIRES trial): a multicentre, prospective, cohort study. Lancet Oncol 2017;18:384-392.
84. Rouvière H. Anatomie des lymphatiques de l'homme. Paris: Masson 1932.
85. Ryu KW, Eom, BW, Nam BH, Lee JH, Kook MC, Choi IJ, et al. Is the sentinel node biopsy clinically applicable for limited lymphadenectomy and modified gastric resection in gastric cancer? A meta-analysis of feasibility studies. J Surg Oncol 2011;104:578-584.
86. Saikawa Y, Otani Y, Kitagawa Y, Yoshida M, Wada N, Kubota T, et al. Interim results of sentinel node biopsy during laparoscopic gastrectomy: possible role in function-preserving surgery for early cancer. World J Surg 2006;30:1962-1968.
87. Sasako M. Principles of surgical treatment for curable gastric cancer. J Clin Oncol 2003;21:274-275.
88. Sawai K, Takahashi T, Fujioka T, et al. Pylorus-preserving gastrectomy with radical lymph node dissection based on anatomical variations of the infrapyloric artery. Am J Surg 1995;170:285-288.
89. Schein CJ, Hasson J. The sentinel lymph nodes of the abdomen. Surg Gynecol Obstet 1975;141:922-923.
90. Schlag PM, Bembenek A, Schulze T. Sentinel node biopsy in gastrointestinal-tract cancer. Eur J Cancer 2004;40:2022-2032.
91. Seto Y, Nagawa H, Muto Y, et al.Preliminary report on local resection with lymphadenectomy for early gastric cancer. Br J Surg. 1999;86:526-528.
92. Seto Y, Yamaguchi H, Shimoyama S, et al. Results of local resection with regional lymphadenectomy for early gastric cancer. Am J Surg. 2001;182:498-501.
93. Siewert JR, Sendler A. Potential and futility of sentinel node detection for gastric cancer. Recent Results Cancer Res 2000;157:259-269.
94. Skubleny D, Dang JT, Skulsky S, Switzer N, Tian C, Shi X, et al. Diagnostic evaluation of sentinel lymph node biopsy using indocyanine green and infrared or fluorescent imaging in gastric cancer: a systematic review and meta-analysis. Surg Endosc 2018;32:2620-2631.
95. Song P, Lu M, Pu F, et al. Meta-analysis of pylorus-preserving gastrectomy for middle-third early gastric cancer. J Laparoendosc Adv Surg Tech A 2014;24:718-727.
96. Suami H, Pan WR, Mann GB, Taylor GI. The lym-

phatic anatomy of the breast and its implications for sentinel lymph node biopsy: a human cadaver study. Ann Surg Oncol 2008;15:863-871.
97. Suh YS, Han DS, Kong SH, et al. Laparoscopy-assisted pylorus-preserving gastrectomy is better than laparoscopy-assisted distal gastrectomy for middle-third early gastric cancer. Ann Surg 2014;259:485-493.
98. Tajima Y, Yamazaki K, Masuda Y, Kato M, Yasuda D, Aoki T, et al. Sentinel node mapping guided by indocyanine green fluorescence imaging in gastric cancer. Ann Surg 2009;249:58-62.
99. Takahashi N, Nimura H, Fujita T, Mitsumori N, Shiraishi N, Kitano S, et al. Laparoscopic sentinel node navigation surgery for early gastric cancer: a prospective multicenter trial. Langenbecks Arch Surg 2017;402:27-32.
100. Takahashi N, Nimura H, Fujita T, Yamashita S, Mitsumori N, Yanaga K. Quantitative assessment of visual estimation of the infrared indocyanine green imaging of lymph nodes retrieved at sentinel node navigation surgery for gastric cancer. BMC Surg 2016;16:35.
101. Takeuchi H, Fujii H, Ando N, Ozawa S, Saikawa Y, Suda K, et al. Validation study of radio-guided sentinel lymph node navigation in esophageal cancer. Ann Surg 2009;249:757-763.
102. Takeuchi H, Kitagawa Y. Sentinel node navigation surgery in patients with early gastric cancer. Dig Surg 2013;30:104-111.
103. Takiguchi N, Takahashi M, Ikeda M, et al. Long-term quality-of-life comparison of total gastrectomy and proximal gastrectomy by postgastrectomy syndrome assessment scale (PGSAS-45): a nationwide multi-institutional study. Gastric Cancer 2015;18:407-416.
104. Tangoku A, Seike J, Nakano K, Nagao T, Honda J, Yoshida T, et al. Current status of sentinel lymph node navigation surgery in breast and gastrointestinal tract. J Med Invest 2007;54:1-18.
105. Laparoscopy-Assisted Pylorus-Preserving Gastrectomy Is Better Than Laparoscopy-Assisted Distal Gastrectomy for Middle-Third Early Gastric Cancer. Ann Surg 2014;259:485-493.
106. Thompson SK, Bartholomeusz D, Devitt PG, Lamb PJ, Ruszkiewicz AR, Jamieson GG. Feasibility study of sentinel lymph node biopsy in esophageal cancer with conservative lymphadenectomy. Surg Endosc 2011;25:817-825.
107. Tonouchi H, Mohri Y, Tanaka K, Kobayashi M, Ohmori Y, Kusunoki M. Laparoscopic lymphatic mapping and sentinel node biopsies for early-stage gastric cancer: the cause of false negativity. World J Surg 2005;29:418-421.
108. Torchia MG, Nason R, Danzinger R, Lewis JM, Thliveris JA. Interstitial MR lymphangiography for the detection of sentinel lymph nodes. J Surg Oncol 2001;78:151-156.
109. Toyomasu Y, Ogata K, Suzuki M, et al. Restoration of gastrointestinal motility ameliorates nutritional deficiencies and body weight loss of patients who undergo laparoscopy-assisted proximal gastrectomy. Surg Endosc 2017;31:1393-1401.
110. Uenosono Y, Natsugoe S, Higashi H, Ehi K, Miyazono F, Ishigami S, et al. Evaluation of colloid size for sentinel nodes detection using radioisotope in early gastric cancer. Cancer Lett 2003;200:19-24.
111. Ushimaru Y, Fujiwara Y, Shishido Y, et al. Clinical outcomes of gastric cancer patients who underwent proximal or total gastrectomy: a propensity score-matched analysis. World J Surg 2018;42:1477-1484.
112. van der Pas MH, Meijer S, Hoekstra OS, Riphagen, II, de Vet HC, Knol DL, et al. Sentinel-lymph-node procedure in colon and rectal cancer: a systematic review and meta-analysis. Lancet Oncol 2011;12:540-550.
113. Vermeeren L, van der Ploeg IM, Olmos RA, Meinhardt W, Klop WM, Kroon BB, et al. SPECT/CT for preoperative sentinel node localization. J Surg Oncol 2010;101:184-190.
114. Veronesi U, Paganelli G, Viale G, Galimberti V, Luini

A, Zurrida S, et al. Sentinel lymph node biopsy and axillary dissection in breast cancer: results in a large series. J Natl Cancer Inst 1999;91:368-373.
115. Viehl CT, Guller U, Cecini R, Langer I, Ochsner A, Terracciano L, et al. Sentinel lymph node procedure leads to upstaging of patients with resectable colon cancer: results of the Swiss prospective, multicenter study sentinel lymph node procedure in colon cancer. Ann Surg Oncol 2012;19:1959-1965.
116. Wang Z, Dong ZY, Chen JQ, Liu JL. Diagnostic value of sentinel lymph node biopsy in gastric cancer: a meta-analysis. Ann Surg Oncol 2012;19:1541-1550.
117. Wilhelm AJ, Mijnhout GS, Franssen EJ. Radiopharmaceuticals in sentinel lymph-node detection - an overview. Eur J Nucl Med 1999;26:36-42.
118. Xiao XM, Gaol C, Yin W, Yu WH, Qi F, Liu T. Pylorus-preserving versus distal subtotal gastrectomy for surgical treatment of early gastric cancer: a meta-analysis. Hepatogastroenterology 2014;61:870-879.
119. Yaguchi Y, Sugasawa H, Tsujimoto H, Takata H, Nakabayashi K, Ichikura T, et al. One-step nucleic acid amplification (OSNA) for the application of sentinel node concept in gastric cancer. Ann Surg Oncol 2011;18:2289-2296.
120. Yanagita S, Natsugoe S, Uenosono Y, Arigami T, Arima H, Kozono T, et al. Detection of micrometastases in sentinel node navigation surgery for gastric cancer. Surg Oncol 2008;17:203-210.
121. Yashiro M, Matsuoka T. Sentinel node navigation surgery for gastric cancer: Overview and perspective. World J Gastrointest Surg 2015;7:1-9.
122. Yoo CH, Sohn BH, Han WK, et al. Proximal gastrectomy reconstructed by jejunal pouch interposition for upper third gastric cancer: prospective randomized study. World J Surg 2005;29:1592-1599.
123. Yoon HM, Kim CG, Lee JY, Cho SJ, Kook MC, Eom BW, et al. Non-exposure simple suturing endoscopic full-thickness resection (NESS-EFTR) versus laparoscopic wedge resection: a randomized controlled trial in a porcine model. Surg Endosc 2018;32:2274-2280.

CHAPTER 31

외과의사와 위내시경

1. 외과의사와 위내시경

위내시경은 소화기내과 의사들만의 전문영역인 것처럼 보이지만 사실 역사적으로 내시경 기계의 개발과 발전에 외과의사들이 깊이 관여해 왔다. 1868년 독일의 외과의사인 Adolf Kussmaul은 칼을 목으로 넘기는 차력사의 공연을 보고 힌트를 얻어 최초로 경성 위경을 제작하였고, 1881년 Johann von Mikulicz는 광원, 송기, 렌즈로 구성된 근대 내시경의 기본형을 만들게 되는데이 사람은 유명한 Billroth의 제자이면서 외과의사였다. 현대 내시경인 섬유경은 일본의 외과의사인 우치(宇治)가 1950년 올림푸스사와 함께 개발한 것이 시초이다. 식도정맥류 및 상부 위장관출혈의 내시경 치료, 경피적 내시경 위루술(PEG), 내시경 역행 췌담관 조영술 (ERCP)은 모두 외과의사들이 처음 시행한 것이다. 이러한 선구적인 외과의사들의 노력에도 불구하고, 의학이 세분화, 전문화되면서 소화기내과 의사들이 내시경시술의 주류가 되고, 상대적으로 외과의사들의 관심이나 진료참여가 줄게 되었다. 소화기내과 의사들은 내시경과 관련한 다양한 기술을 개발하였고 교육과 훈련을 집중함으로써 그들의 전문영역을 구축하였다. 수술적 치료의 기술이 다양화하고 양적으로도 증가하면서 외과의사들이 수술실에서 보내는 시간이 길어지면서 자연스럽게 내시경과는 거리가 멀어진 것이다.

이렇게 외과의사들과 멀어졌던 내시경은 최근 시대 환경의 변화에 따라 다시 관심을 받고있다. 내시경에 관심을 가지는 외과의사들이 많아지고 있고, 외과의사들에 대한 내시경 교육 및 훈련의 필요성이 높아지고 있다. 이러한 변화는 복강경수술로 대변되는 이른바 최소침습수술의 발달과 연관이 깊다. 최소침습수술이란 최소한의 절개만으로 기존의 수술을 진행함으로써 수술로 인한 손상을 최소화함으로써 환자의 불편감과 통증을 줄여주는 수술을 말한다. 기존의 큰 절개창을 이용한 수술에서는 수술자의 손으로 만져가면서 수술 부위를 확인하거나 치료하였다면 최소침습치료에서는 제한된 접촉으로 장기내부에 대한 정보확인이 어려워 내시경의 쓰임새가 더 많아지게 된다.

질환을 진단하거나 수술을 보완하기 위한 목적으로 사용되었던 내시경은 이제는 질병을 치료하는데 직접 이용되기도 하고, 수술과정에서 매우 중요한 부분을 차지하기도 한다. 예를 들면, 위암 수술과정에서 수술실 내시경을 통해 절제범위를 결정하는 등 수술계획을 세우고 방향을 설정하는 데 이용되거나, 절제 후 절제면을 직접 평가하여 출혈 등의 합병증을 조기에 진단 및 치료하거나, 부적절한 절제연을 평가하여 추가적인 절제를 가능하게 하기도 한다. 내시경은 위암의 점막절제술과 같이 질병 자체를 치료하기 위한 중요한 수단이 되었으며, 위장관 수술로 인한 여러 합병증, 특히 문합부 누출이나 출혈과 같은 과거에는 재수술을 요하였던 심각한 문제도 내시경 시술을 통해 치료하는 것이 중요한 선택지중 하나가 되었다.

내시경을 이용한 치료의 정점이라 할 수 있는 NOTES (natural orifice transluminal endoscopy surgery)는 복부에 절개를 남기지 않고 입, 항문, 질 등 자연 개구부를 통해 내시경을 삽입하고 복강내로 진입하여 담낭 절제, 충수돌기 절제 등을 시행한다는 개념이다. NOTES는 내시경을 이용한다는 점에서 소화기내과 의사들의 관심과 부합되지만 복부수술을 시도한다는 점에서 외과의사들의 영역과 겹치게 된다. 좀 더 편한 내시경 기구의 개발, 인체에서의 도입 가능성, 기존 복강경수술을 뛰어 넘는 장점에 대한 논란 등 아직까지 해결해야 할 문제점이 많지만, 상상을 뛰어 넘는 최소침습 치료의 이상임에는 틀림이 없다. 이에 따라 많은 외과의사들이 NOTES를 비롯한 최소침습치료에 관심을 가지게 되었으며 이는 내시경 교육의 필요성으로 연결되었다. NOTES의 도입으로 내시경의 중요성은 더욱 커졌으며 더불어 다양한 내시경 기계의 발전이 이루어지게 되었다. 최근 각광받고 있는 POEM (peroral endoscopic myotomy) 또한 내시경을 이용하여 식도이완불능증(achalasia)을 치료하는 수술로서 기존의 복강경수술을 대체하는 흉터 없는 수술의 좋은 사례로 보인다. 이 밖에 위식도역류질환의 치료에 활용되고 있는 Esophy X, Stretta, transoral incisionless fundoplication (TIF) 등도 기존의 수술적 치료를 대체하고 있는 내시경치료의 대표적인 예라고 할 수 있다.

내시경 기본술기에 대한 교육은 외과 전공의 교육과정에서 필수적인 분야로 대두되고 있으며 미국의 American Board of Surgery (ABS)도 그 중요성을 인지하고 전공의들이 적절한 교육과 훈련을 받을 수 있도록 새로운 훈련 도구들을 개발하고 발전시켜오고 있다. ABS는 외과 전공의들이 내시경술기를 습득하고 자신감 있는 술기를 시행할 수 있도록 독려하기 위해 교육과정에 내시경술기를 기본 술기로 지정하였고 최소요구사항(minimal requirement)을 술기 건수로 지정하였다. 현재 ABS와 Residency Review Committee (RRC)는 위내시경 35건, 대장내시경 50건을 최소술기 건수로 권장하고 있다. 이러한 프로그램의 목표는 전공의들이 단계별 이력기반 커리큘럼(step-wise milestone based curriculum)을 이용하여 자신감 있게 내시경을 시행하고 기초적인 외과내시경의사(basic surgical endoscopist)로 성장하는 것이다. 이 과정에 수술실 내시경이나 중환자실 내시경 등을 포함한 내시경 파견 실습(dedicated rotation)을 통해 더 많은 시간 내시경 교육에 노출되도록 하고 가능한 기관에서는 내시경 시뮬레이터를 활용하기도 한다.

국내의 경우 대한외과학회 술기연구회와 대한외과위내시경연구회를 중심으로 외과 전공의를 대상으로 내시경 기본술기 교육을 위한 모듈을 개발하여 시행하여 왔다. 이 모듈은 고년차 외과 전공의를 대상으로 교육영상 시청 15분, 삽입법 및 관찰법 실습 95분, 그리고 평가 10분 등 총 120분의 교육시간으로 구성된다. 교육영상은 내시경의 구조, 준비, 해부학 및 삽입법 강의와 기본적인 정상 위내시경 소견, 외과의사로서 꼭 알아야 할 비정상 소견으로 구성되며 인터넷을 이용하여 사전에 학습할 수 있도록 하였다. 실제적인 삽입법, 관찰법, 사진촬영법은 실제 내시경 장비와 인체모형을 이용하며 충분한 시간을 갖고 교육할 수 있도록 튜터 1인당 전공의 2인으로 제한하였다.

최근 내시경 교육에 다양한 시뮬레이터가 이용되고 있다(그림 31-1). 상용화 되어 있는 시뮬레이터들로는 mechanical trainers, animal based 및 virtual reality 또는 computer-based simulators들이 대표적이다. 이러

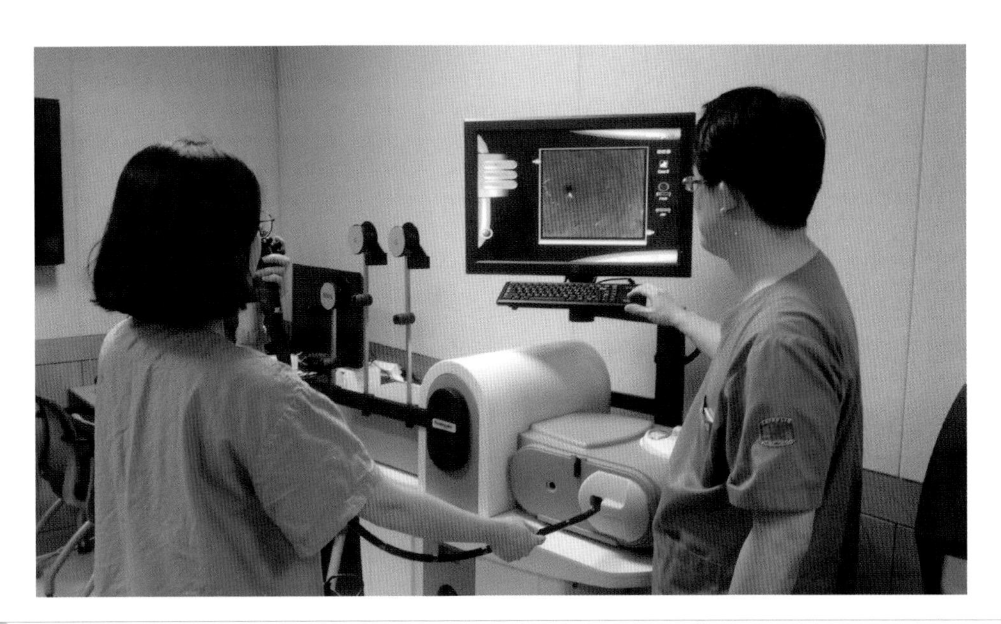

그림 31-1 **시뮬레이터를 이용한 내시경 교육.**

한 시뮬레이터들이 차세대 외과의사들인 의대 학생부터 전공의들에서 적절한 단계를 설정하여 교육효과를 나타내고 있다. 시뮬레이터를 이용한 교육이 실제 임상능력에 연결될 수 있는지 여러 연구에서 그 효과가 검증되고 있으나 장비가 매우 고가인 관계로 각 기관에서 자유롭게 구입하고 교육에 활용하기에는 문제가 있다는 지적이 있다. 내시경 기본술기 교육이 완료된 전공의 또는 전문의는 고난이도 내시경술기(advanced procedures) 교육의 대상이 된다. 내시경절제술(EMR, ESD)과 같은 치료내시경, ERCP와 같은 특수내시경, 내시경을 이용한 fundoplication인 Stretta나 transoral incisionless fundoplication (TIF)와 같은 시술 등이 포함된다. 내시경 기본술기와 달리 고난이도 술기의 경우 전문의에서 시행하는 것이 현실적이라고 사료된다.

시대환경의 변화에 따라 내시경술기의 교육과 훈련은 외과의사들에게 매우 중요한 과정이 되었다. 적절한 교육이 가능하기 위해서는 각 기관이 표준화된 프로그램을 가져야 하며 이를 유지하기 위한 전문화된 교육자가 필요하다. 또한 전문의를 위한 고난이도의 내시경술기교육을 위한 프로그램, NOTES와 같은 신기술을 습득하고 임상에 활용하기 위한 적극적인 대비가 필요하다.

2. 수술중 내시경

서구에서는 1980년대부터 수술장 내시경을 운영해 왔으며, 수술 중 정확히 진단되지 않는 장내 출혈의 원인 규명, 진단적 조직검사 등에 시행해왔다. 따라서, 대부분 위, 소장이나 대장의 출혈의 원인, 종양이나 궤양의 위치 등의 검사에 다양하게 사용되었다. 한국의 경우 국가건강검진 등의 영향으로 2000년대 이전 30% 이하였던 조기위암이 2014년 위암학회 정보전산위원회 발표자료에 의하면 60%까지 증가 하였으며, 복강경, 로봇수술 등 최저침습수술의 비율이 50% 이상으로 조사되었다. 이러한 변화에 맞물려 국내 첫 수술 중 내시경에 대한 보고는 박 등이 33명의 위절제술(25명의 조기위암, 8명의 위점막하종양)에서 위내시경의 유용성에 대해 보고하였다. 수술중 내시경(intraoperative endoscopy)에 대해 현재 위장관외과 의사들에게 청진기와 같이 필수적이라고 할 수 있겠다. 이 장에서는 수술중 내시경의 활용 범위와 수술중 내시경 시행의 구체적인 방법을 알아 보도록 하겠다.

1) 수술중 내시경의 활용

수술중 내시경은 위수술을 시행하는 모든 수술에 필요하다고 볼 수 있다. 즉, 양성종양, 악성종양의 정확한 위치를 수술 중에 판단함으로써 정확한 수술을 할 수 있게 한다.

(1) 소화성궤양 수술

소화성궤양의 경우 출혈, 천공, 난치성 궤양 등으로 수술하게 되며, 이때 출혈의 경우 지혈술 후 재출혈 여부의 확인이 중요하겠고, 궤양 천공의 경우 air leak test를 함으로써 봉합이 잘되었는지 확인 가능하다. 또한, 십이지장궤양 천공의 경우 일차봉합술이 널리 사용되나 만성적인 십이지장궤양이 있었던 경우 가끔씩 십이지장 배출장애가 발생하므로 가능하다면 수술장내시경으로 십이지장의 passage 여부를 꼭 확인해야하겠다.

(2) 양성종양 수술

양성종양의 경우 종물 제거를 위한 종양 위치 확인을 위해 필요하며, 종양의 크기가 2 cm 이하 작을수록 복강경수술에서 종양의 위치를 확인하기가 어려우므로 중요하다 하겠다.

(3) 악성종양의 수술

조기위암의 경우 복강경위절제가 현재 표준치료이므로 종양 위치확인(tumor localization)에 중요하다. 위체부암의 경우 수술중 내시경으로 정확한 종양의 위치 확인을 통해 위아전절제술 또는 위전절제술의 판단을 할 수 있고, 안전한 절제연 확보가 가능하다. 또한, 위절제 후 시행되는 위재건술 후 발생하는 문합부 합병증인 문합부 출혈, 누출, 협착 등의 조기발견 및 치료를 즉시 시행가능함으로써 합병증 감소에 중요하다고 하겠다.

2) 수술중 내시경의 준비

(1) 수술 전 클립 위치 표시

통상 조기위암의 경우 수술중 검체 조작 등으로 인해 종양의 위치의 오인 등의 소지가 있으므로 수술 전날 미리 헤모클립(hemoclip) 등으로 표시를 해둔다(그림 31-2 A, B).

(2) 수술중 필요한 내시경 장비

최근 이용되는 비디오 전자내시경은 크게 모니터, 광원, 촬영장치, 저장장치로 이루어지며, 여기에 지혈을 위한 전기소작기, 아르곤빔소작기가 필요할 수 있다. 또한, 색소 주입을 위한 주사기, 조직검사를 위한 생검겸자, 지혈을 위한 hemoclip 등이 필요할 수 있다.

(3) 수술중 내시경의 위치

통상 위내시경은 환자의 뒤쪽에 두어 시술하는 의사가 환자를 바라보면서 시술하나, 수술실의 경우 환자의 머리맡에 인공호흡기가 크게 자리하고 있고, 환자의 우측편에는 호흡용 튜브 등으로 어지럽게 있는 상황이다. 이에 통상 환자의 왼쪽 위편에 내시경 본체를 두고 시행하게 된다(그림 31-3).

3) 수술중 내시경의 실제 방법

(1) 수술중 종양의 위치 확인

통상 수술 중 내시경 시행 전, Treiz lig 직하방이나, 십이지장 시작 부위를 장겸자로 가볍게 잡아 공기의 소장 유입으로 인한 소장의 팽창을 예방한다(그림 31-4 A). 내시경 삽입 시 초보자의 경우 비위관을 먼저 삽입 후 비위관을 따라 들어 가면 좀 더 쉽게 삽입될 수 있다.

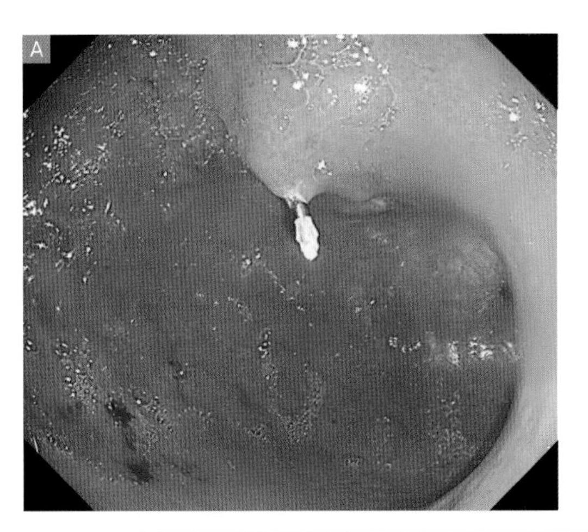

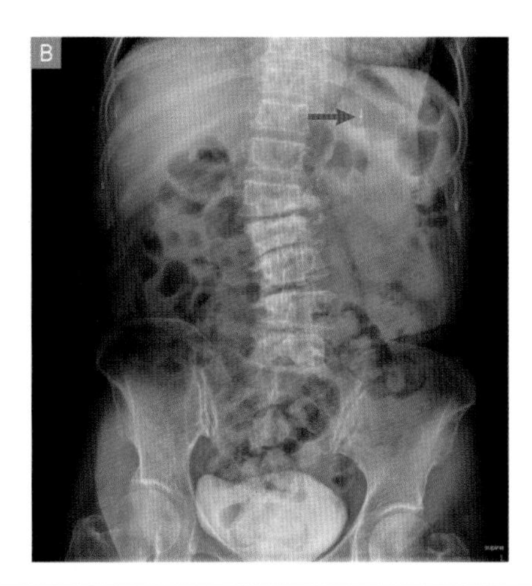

그림 31-2 **수술전 및 수술중 내시경 사진.**
A, 수술전 내시경 clipping 사진 B. 수술전 복부 촬영으로 clip(붉은 색 화살표)을 확인한다.

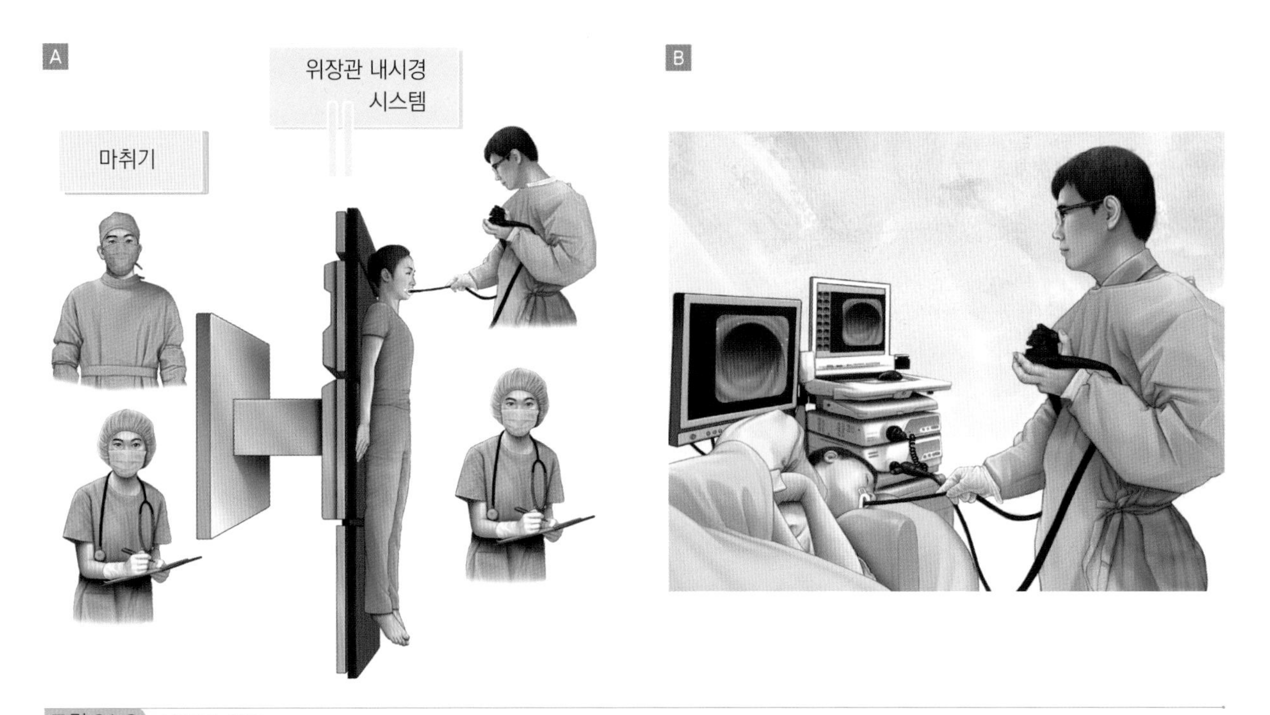

그림 31-3 **내시경 위치.**
A. 수술중 내시경의 위치 B. 내시경실에서 시행하는 내시경의 위치의 차이.

(2) 삽입 후 hemoclip을 확인한 후 내시경 시야 하에 복강경기구를 이용하여 위치를 확인하고, 전기소작기나 금속 클립을 이용하여 종양의 위치를 표시한다(그림 31-4 B, C, D).

(3) 이후 위내 가스를 제거한 후 위내시경을 빼거나, 재건술 후 확인을 위해 식도까지 후퇴한다(내시경의 선단 길이가 30 cm까지).

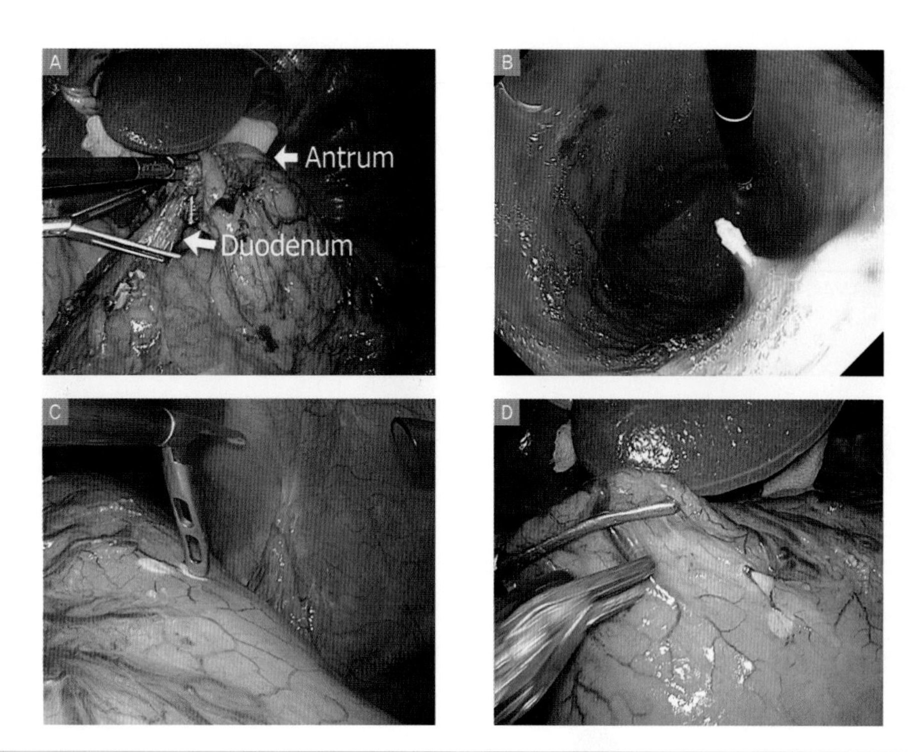

그림 31-4 **종양의 위치 표시.**
A. 십이지장 clamping B. 내시경 시야하에 복강경기구로 위치 확인한다. C. 복강경으로 종양위치 표시한다.
D. 복강경으로 종양위치에 clipping으로 표시한다.

(4) 위소장, 위십이지장 재건술 후 내시경을 다시 진입하여, 문합부 출혈, 공기누출, 문합부 협착 여부 등을 관찰한다(그림 31-5).

4) 수술중 내시경으로 인한 합병증

초심자의 경우 위재건 후 내시경을 시행 중이나 시행 후 인지하지 못한 위점막손상 등이 발생할 수 있다. 또한, 내시경으로 인한 가스주입으로 늘어난 소장 루프로 인해 복강경수술의 시야 등에 방해를 받을 수 있다.

3. 내시경–복강경 협동수술

1) 서론

위내시경은 일반적으로 내시경실에서 진단 및 내시경적 절제술에 주로 이용된다. 그러나 최근엔 필요한 경우 전신마취 수술 중에도 진단에 도움을 받거나 내시경적 치료를 수술적 치료와 함께 진행한다. 내시경을 치료가 주된 치료가 아니라 복강경수술 상황에서 복강경과 내시경시술이 서로의 부족한 부분을 보완한 협동수술을 시행하여 효과적인 수술을 많이 시행한다. 이를 일반적으로는 내시경-복강경 협동수술로 표현한다. 내시경-복강경 협동수술의 가장 큰 두 가지 목적은 정확한 위치 파악과 불필요한 정상조직 절제의 최소화라고 할 수 있다. 초기에는 내시경-복강경 합동수술의 술기는 수술장 내시경을 통하여 병변의 절제연의 일부를 위벽 전층으로 절제하고 위치확인이 명확히 되면 복강경 장비로 남은 절제연을 분리하고 자동문합기를 이용하여 절제 및 봉합을 시행하는 형태로 시작하였다. 최근에는 점차 적응증이 상피하종양에서 점막병변까지 확대가 되면서 위점막이 복강으로 노출되지 않도록 하는 술기들이 개발되어 시행되고 있다.

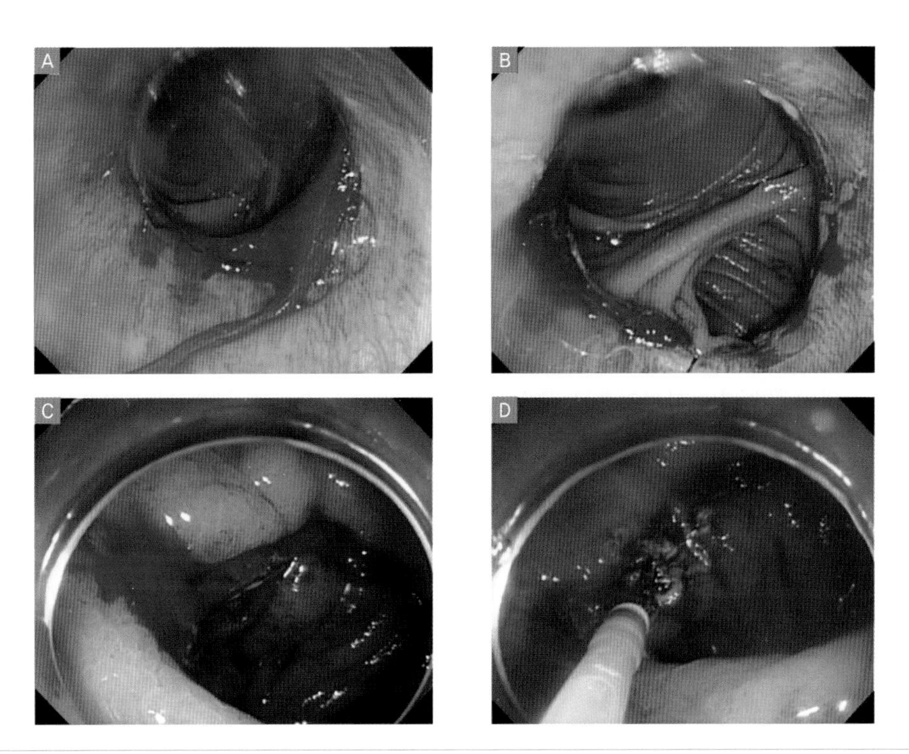

그림 31-5 **문합부 출혈.**
A. 식도공장문합부 출혈 B. 복강경 결찰술로 지혈된다(6시 방향) C. 위공장 문합부 출혈 D. 내시경 전기소작기로 지혈시행.

2) 적응증 및 종류

(1) 내시경–복강경 합동수술의 적응증

① 위 상피하종양

위 상피하종양 중 장막쪽으로 돌출되어 있는 종양의 경우 굳이 내시경으로 위치를 확인하지 않더라도 위치를 확인하거나 절제하는 데 큰 문제가 되진 않지만 정상 위벽의 절제를 최소화하기 위해 필요할 수도 있다. 종양이 위벽의 점막 쪽으로만 돌출된 형태의 경우에는 정확한 위치를 파악하고 절제부위를 확인하기 위해 내시경-복강경 협동수술이 도움이 된다. 특히 병변이 위식도경계부에 가깝거나 유문에 가까운 경우에 안전한 절제를 위해 도움이 된다.

② 조기위암

조기위암에 적용되는 내시경-복강경 협동수술은 아직 일반 술식으로 받아들여지는 단계는 아니지만 실험적인 단계로 받아들여질 수 있다. 현재 내시경 점막 절제술의 절대 적응증에서 일부 항목에서 벗어나 있는 확대 적응증의 경우에는 주위 림프절 전이에 대한 위험 때문에 아직 논란의 여지가 있는 영역이다. 이 부분에 대하여 종양주변의 림프절절제술을 동반하면서 일차 병변에 대한 절제 방법에 내시경-복강경 합동수술이 적용이 될 수 있다. 특히 이와 관련된 술식에서 위 내부 내용물이 복강내로 누출이 되거나 접촉이 되는 것을 방지하기 위한 방법들이 개발되어 발표되었다.

③ 십이지장 상피하종양

십이지장은 위에 비해 내경이 좁기 때문에 더욱 불필요한 정상 십이지장벽을 절제하는 경우 내강을 좁게 만들 수 있다. 따라서 위 상피하종양과 마찬가지로 내시경-복강경 협동수술이 도움이 되는 질환이다. 십이지장 상피하종양이나 십이지장 점막병변의 경우에도 점막하절제술만으로 시술을 시행하기에는 십이지장 벽의 천공의 위험이 있거나 췌장, 담도, 담낭 등의 주위 장기손상의 위험을 가지고 있다. 따라서 복강경 시야에서 내시경 칼이 주변 장기에 손상을 주는지 여부를 파악할 수 있다. 병변이 장간막 반대편이나 상부쪽에 위치한 경우에는 바로 관찰이 가능하고 병변이 후벽에 위치하거나 장간막 쪽으로 위치하게 되면 복강경으로 작은복막주머니로 접근한 후 위 및 십이지장 1구역의 후벽을 췌장과 후복벽으로부터 분리를 한 뒤 내시경적 술기를 진행해야 한다.

(2) 수술방법 및 용어

제일 처음 이러한 용어를 사용한 것은 일본 위장관외과의사인 Naomi Hiki로 2008년 발표한 논문에서 Laparoscopic endoscopic cooperative surgery (LECS)라는 용어를 사용하여 복강경으로 장막쪽을 절제하고 내시경으로 점막쪽을 절제하여 점막하종양의 절제에 있어서 정상 위장관벽의 절제를 최소화하는 방법으로 제시되었다. 이후 이와 유사하면서도 조금씩 다른 술기들을 가지고 여러 용어로 사용이 되었다. 내시경-복강경 협동수술은 표준화된 술기가 있지는 않고 두 가지 방법을 적절히 배합하여 술자들이 다양하게 응용을 하여 시행을 한다. 현재까지 제시된 내시경-복강경 협동수술을 크게 구분하면 위벽 전층을 절제하여 위장관 내강이 복강내로 열리게 되는 술식과 위벽의 일부만을 절제한 뒤 점막내부가 복강공간과 통하지 않는 상태에서 절제가 이루어지는 비개방성 절제로 나눌 수 있다.

① Laparoscopic-assisted endoscopic full layer resection (LAEFR)

기존의 LECS와 매우 유사한 방법이다. 복강경 시야하에서 내시경 칼을 이용하여 위벽 전체를 절제하여 병변을 절제한 후 복강을 통해 제거하고 자동문합기를 이용하는 LECS와 달리 복강경 봉합을 통해 절개된 위벽을 봉합한다는 차이가 있다.

② Inverted LECS

이 방법 또한 Hiki에 의해 발표가 되었으며 기존 LECS가 상피하종양을 적응증으로 하고 있었다고 하면 위선종이나 조기위암과 같은 점막병변까지 적응증을 확대시키기 위한 방법이다. 기존의 LECS 방법이 절제된 병변을 복강을 통해 제거할 때 발생하는 위액 누출이나 종양세포의 파종을 방지하기 위해 절제연 주변 4부위에 실을 걸어 위 내용물이 흘러나오지 않게 유지한 상태로 절제를 시행하고 절제연을 봉합한다. 이후 절제된 병변은 내시경을 이용하여 체외로 제거하고 절개된 위 벽은 자동문합기를 이용하여 봉합한다.

③ Nonexposed endoscopic wall-inversion surgery (NEWS)

수술중 내시경으로 병변에 대한 절제 경계부를 확인할 수 있도록 하여 절제 할 경계를 장막쪽에서 점막하층 깊이까지 절제를 절제될 부위의 주변 장막-근육층을 복강경으로 봉합하여 절제될 부위의 전층이 안쪽으로 함몰되도록 한 뒤 내시경 칼을 이용하여 절제를 시행한다(그림 31-6).

④ Combination of laparoscopic and endoscopic approach to neoplasia with non-exposure technique (CLEAN-NET)

NEWS와 유사한 방법으로 절제연을 장막쪽에서 분리한 뒤 절제될 부위의 네 부위를 실로 걸어 복벽쪽으로 끌어올린 뒤 자동문합기로 분리된 바깥쪽에서 전층이 포함되도록 절제하는 방법이다(그림 31-7).

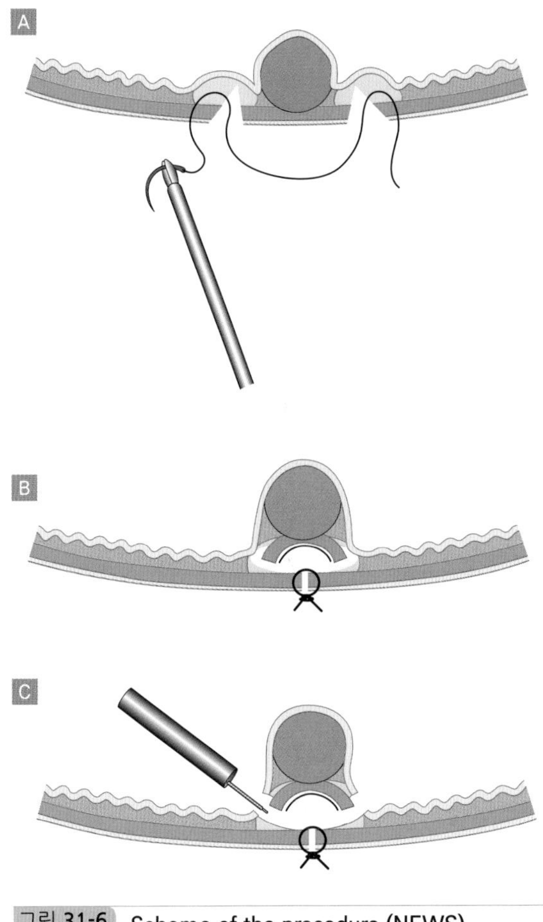

그림 31-6 **Scheme of the procedure (NEWS).**
A. Seromuscular layer suture after submucosal injection and seromuscular cutting.
B. Divided seromuscular layer inversion after laparoscopic seromuscular closure.
C. Mucosubmucosal layer is cut by the endoscopic device.

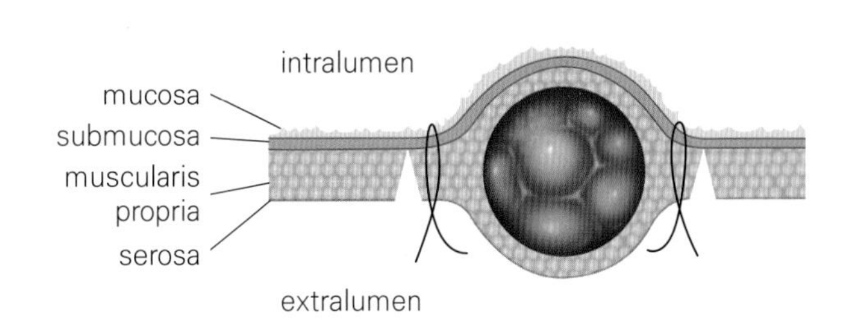

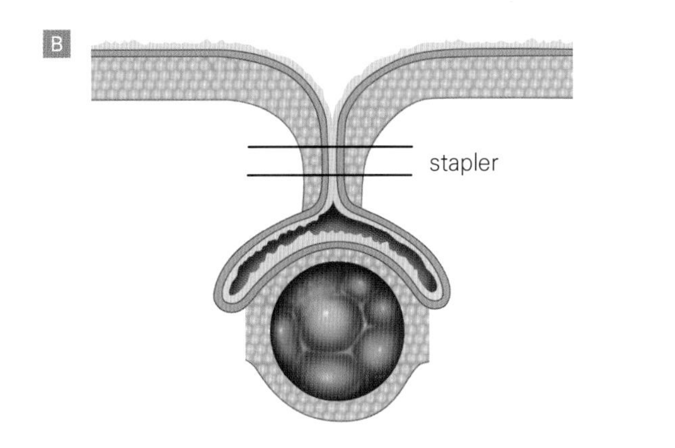

그림 31-7 **Scheme of procedure (CLEAN-NET).**
A. Seromuscular dissection along the tumor boarder and anchoring with suture.
B. Complete resection with laparoscopic staler while tumor was pulled outside from the stomach.

3) 맺음말

위 내시경은 내시경실에서 이루어지는 진단에서 치료까지 다양하게 이용될 뿐 아니라 복강경수술 중에 다양한 방법으로 도움을 주어 안전하고 질 높은 수술을 할 수 있게 해준다. 다양한 방법들이 제시되고 있는데 술자에게 익숙하고 증례마다 적절한 수술법을 적용하는 것이 중요하다.

참고문헌

1. Abe N, Takeuchi H, Yanagida O, Masaki T, Mori T, Sugiyama M, et al. Endoscopic full-thickness resection with laparoscopic assistance as hybrid NOTES for gastric submucosal tumor. Surg Endosc 2009;23:1908-1913.
2. Al Hadad M, Dehni N, Elamin D, Ibrahim M, Ghabra S, Nimeri A. Intraoperative endoscopy decreases postoperative complications in laparoscopic Roux-en-Y gastric bypass. Obes Surg 2015;25:1711-1715.
3. Bernhardt J1, Sasse S, Ludwig K, Meier PN. Update in Natural Orifice Translumenal Endoscopic Surgery (NOTES). Curr Opin Gastroenterol 2017;33:346-351.
4. Bowden TA Jr. Intraoperative endoscopy of the gastrointestinal tract: clinical necessity or lack of preoperative preparation? World J Surg 1989;13:186-189.
5. Bowden TA, Hooks VH 3rd, Mansberger AR Jr. Intraoperative gastrointestinal endoscopy. Ann Surg 1980;191:680-687.
6. Cho YK, Kim SH. Current status of peroral endoscopic myotomy. Clin Endosc. 2018;51:13-18.
7. Gauderer MW, Ponsky JL, Izant, RJ. Gastrostomy without laparotomy: a percutaneous endoscopic technique. J Pediatr Surg 1980;15:872-875.
8. Hiki N, Yamamoto Y, Fukunaga T, Yamaguchi T, Nunobe S, Tokunaga M, et al. Laparoscopic and endoscopic cooperative surgery for gastrointestinal stromal tumor dissection. Surg Endosc 2008;22:1729-1735.
9. Inoue H, Ikeda H, Hosoya T, Yoshida A, Onimaru M, Suzuki M, et al. Endoscopic mucosal resection, endoscopic submucosal dissection, and beyond: full-layer resection for gastric cancer with nonexposure technique (CLEAN-NET). Surg Oncol Clin N Am 2012;21:129-140.
10. Kawakatsu S, Ohashi M, Hiki N, Nunobe S, Nagino M, Sano T. Use of endoscopy to determine the resection margin during laparoscopic gastrectomy for cancer. Br J Surg 2017;104:1829-1836.
11. Kawakatsu S, Ohashi M, Hiki N, Nunobe S, Nagino M, Sano T. Use of endoscopy to determine the resection margin during laparoscopic gastrectomy for cancer. Br J Surg 2017;104:1829-1836.
12. Kube R, Mroczkowski P, Granowski D, Benedix F, Sahm M, Schmidt U, et al. Anastomotic leakage after colon cancer surgery: a predictor of significant morbidity and hospital mortality, and diminished tumour-free survival. Eur J Surg Oncol 2010;36:120-124.
13. Lee HH, Song KY, Park CH, Jeon HM. Training of surgical endoscopists in Korea: assessment of the learning curve using a cumulative sum model. J Surg Educ 2012;69:559-563.
14. McCune WS, Shorb PE, Moscovitz H. Endoscopic cannulation of the ampulla of vater: a preliminary report. Ann Surg 1968;167:752-756.
15. Mitsui T, Goto O, Shimizu N, Hatao F, Wada I, Niimi K, et al. Novel technique for full-thickness resection of gastric malignancy: feasibility of nonexposed endoscopic wall-inversion surgery (news) in porcine models. Surg Laparosc Endosc Percutan Tech 2013;23:217-221.
16. Mitsui T, Niimi K, Yamashita H, Goto O, Aikou S, Hatao F, et al. Non-exposed endoscopic wall-inversion surgery as a novel partial gastrectomy technique. Gastric Cancer 2014;17:594-599.
17. Nunobe S, Hiki N, Gotoda T, Murao T, Haruma K, Matsumoto H, et al. Successful application of laparoscopic and endoscopic cooperative surgery (LECS) for a lateral-spreading mucosal gastric cancer. Gastric Cancer 2012;15:338-342.
18. Park DJ, Lee HJ, Kim SG, Jung HC, Song IS, Lee KU, et al. Intraoperative gastroscopy for gastric surgery. Surg Endosc 2005;19:1358-1361.
19. Pellicano R, Bocus P, De Angelis C. Adolf Küssmaul, the sword eater and modern challenges of digestive endoscopy. Minerva Gastroenterol Dietol 2011;57:

109-110.
20. Sivak MV, Esselstyn CB, Owens FJ. Intraoperative upper gastrointestinal endoscopy and biopsy. Cleve Clin Q 1974;41:67-70.
21. Van Sickle KR, Buck L, Willis R, et al. A multicenter, simulation-based skills training collaborative using shared GI mentor II systems: results from the Texas association of surgical skills laboratories (TASSL) flexible endoscopy curriculum. Surg Endosc 2011;25: 2980-2986.
22. Voron T, Rahmi G, Bonnet S, Malamut G, Wind P, Cellier C, et al. Intraoperative enteroscopy: is there still a role? Gastrointest Endosc Clin N Am 2017;27: 153-170.
23. Xuan Y, Hur H, Byun CS, Han SU, Cho YK. Efficacy of intraoperative gastroscopy for tumor localization in totally laparoscopic distal gastrectomy for cancer in the middle third of the stomach. Surg Endosc 2013;27: 4364-4370.
24. Zajaczkowski T1. Johann Anton von Mikulicz-Radecki (1850-1905)-a pioneer of gastroscopy and modern surgery: his credit to urology. World J Urol 2008;26:75-86.

CHAPTER 32

위절제술 후 환자관리

1. 위절제술 후 초기 합병증 및 치료방법

한국에서는 위암 발생률이 가장 높기 때문에 외과 수술 중 위장관외과 수술은 위암의 치료를 목적으로 위전절제술 또는 위부분절제술을 하는 경우가 가장 많다. 위절제술 및 위장관봉합술 후 합병증은 최근 수술기법의 발달과 자동봉합기 등 의료기기의 발전으로 인하여 빈도가 많이 줄어들었지만, 아직도 임상에서 빈번하게 발생한다.

이 장의 내용은 위암 환자에 대한 위절제술 후 초기에 발생하는 여러 가지 합병증의 원인, 진단 및 치료에 대한 설명이다.

1) 위절제술 후 합병증의 발생 빈도

위암 환자의 수술 후 합병증 발생률은 서양에서는 16~46%, 동양에서는 9~20% 정도로 보고되고 있으며, 수술 사망률도 서양에서는 5~13%, 동양에서는 3% 이하로 보고되고 있어 동서양의 차이가 큰 편이다. 이 같은 현상은 외과의사의 경험, 동반질환의 유무 그리고 업무량에 기인한 것으로 보고되고 있다.

일본과 한국 등의 동양에서는 D2 림프절절제술이 표준술식이다. 하지만 서양에서는 1995년 네덜란드의 Dutch trial과 1996년 영국의 MRC trial의 임상시험결과에 따르면 D2의 이환율(43%, 46%)과 사망률(10%, 13%)이 월등히 높아 D2 림프절절제술이 표준술식으로 적절하지 않다고 결론지었다. 그러나 2006년 Italian group은 이환율(18.0%)과 사망률(1.25%)이 비교적 낮아 수술 시 췌장과 비장을 보존하는 변형된 D2 림프절절제술을 권장하였고 이후 최근 10년간 서양에서도 이환율 12~26%, 사망률 0~5%로 낮아진 결과를 보고하였다(표 32-1). 한국에서는 1961년 처음으로 민 등(1961), 김 등(1961)이 위절제술 후 이환율(26.7%, 25%) 및 사망률(3.8%, 7.2%)을 보고하였으며 최근 10년간의 보고에 따르면 이환율은 9.1~22.2%, 사망률은 0~3.1%로 보고하고 있다. 이환율과 사망률의 편차가 연구기관마다 비교적 큰 이유는 합병증의 종류와 정의가 저자들에 따라 다르며 대부분의 경우 후향적 연구가 많았기 때문으로 해석된다(표 32-2).

2) 합병증의 종류 및 치료

위암 수술 후의 합병증은 외과적 합병증과 비외과적 합병증으로 나누며 발생 시기에 따라 초기 합병증과 후기 합병증으로 구분된다. 주로 수술과 연관된 초기 외과적 합병증들은 술후 출혈, 봉합부전(문합부 및 십이

표 32-1. **전 세계적으로 보고된 위절제술 후 이환율과 사망률**

연도	저자	국가	건수	술식	이환율(%)	사망률(%)
1995	Bonenkamp	Netherland (Dutch trial)	711	D1, D2	43.0	10.0
1996	Cuschieri	UK (MRC trial)	400	D1, D2	46.0	13.0
2002	Grossmann	USA	708	D1, D2	33.3	7.6
2004	Sano	Japan	523	D2	24.5	0.8
2006	Biffi	Italy	250	D2	18.0	1.2
2007	Danielson	Finland	562	D2, D3	33.0	3.7
2008	Sasako	Japan	263	D2	20.9	0.8
2012	Sato	Japan	332	D2	17.2	0
2013	Schmidt	USA	331	D1, D2	16~17	0~3
2015	Talaiezadeh	Germany	131	D1, D2	21.7	5.2
2016	Martin	USA	3678	D1, D2	21.7	5.2
2018	Lams	Australia	204	D1, D2	26.7	0~2

표 32-2. **한국에서 보고된 위절제술 후 이환율과 사망률**

연도	저자	건수	술식	이환율(%)	사망률(%)
1961	민광식	131	개복	26.7	3.8
1961	김창송	138	개복	25.0	7.2
2007	김민찬	140	복강경	18.6	0.7
2008	박조현	1816	개복	3.9~9.9	0.6~1.8
2009	김욱	106	복강경	9.4	0.9
2011	송교영	182	복강경	11	0
2013	김형호(KLASS trial)	484	복강경, 개복	7.5~13.0	0.3~0.6
2016	김욱(KLASS trial)	1256	복강경, 개복	13.0~19.9	0.3~0.6
2018	형우진(KLASS trial)	160	복강경	20.6	0.6

KLASS = Korean Laparoscopic Gastrointestinal Surgery Group.

지장 절단부 누출), 문합부 협착, 장폐색, 장마비. 췌액루, 급성췌장염, 복강내 농양, 복막염, 농흉, 종격동염, 술후 급성담낭염, 간괴사, 담즙루, 간농양, 유미성 복수 등과 같은 위절제술 특유의 합병증과 폐질환, 창상감염, 창상열개증, 간부전, 신부전, 요로감염, 뇌색전증, 심부정맥혈전증, 수액경로감염, 기타 일반적인 전신 마취하에 발생할 수 있는 비특이적 합병증이 있다. 초기 외과적 합병증 발생에 영향을 미치는 요소는 환자와 연관된 인자와 수술과 직접 연관된 인자로 나뉜다. 전자는 나이, 성별, 술전 검사결과(혈색소 및 알부민 수치, 간, 폐 및 심장 기능검사 등), 공존질환, 병기 같은 수술 당시의 환자 상태 등이다. 후자는 림프절 절제범위, 절제 술식 및 재건술, 수술시간, 출혈량 및 수혈 여부, 타 장기 합병절제와 외과의사의 숙련도, 수술실 시설 등이다.

(1) 출혈

술후 출혈은 위절제술을 받은 환자의 약 1%에서 발생하는데, 주로 수술 직후부터 48시간 내에 발견된다. 복강내 출혈과 소화관내 출혈로 나뉜다.

복강내 출혈은 수술범위와 주로 관련되는데 특히 확대 절제술을 시행한 경우 더 많이 발생한다. 수술 직후 출혈은 주로 수술 부위 절단면의 지혈부진이나 울혈 등으로 인해 발생한다. 수술 후 1~2주째에 발생하는 출혈은 봉합부전, 복강내 농양으로 인한 혈관벽의 잠식, 배액관으로 인한 장기 및 혈관의 압박 전기메스로 인한 가성동맥류 형성 때문에 발생한다. 출혈량에 따라 치료방법을 선택할 수 있다. 혈액학적 소견이 잘 유지되고 시간당 배액량이 50 cc 이하인 경우 고식적 요법으로 치유할 수 있으나, 양이 많고 지속적인 출혈이 있을 때는 지체하지 말고 수술을 시행하거나 혈관조형술을 시행하여 출혈 부위를 찾아 색전술을 시도할 수 있다. 드물지만, 큰 혈관에 가성동맥류가 형성된 경우에는 퇴원이 임박했을 때 갑자기 출혈하여 치명적인 결과를 초래할 수도 있다.

소화관내 출혈은 주로 위절제단면 또는 문합 부위에서 발생한다. 임상적으로는 비위관을 통한 지속적인 선혈의 유출이 보이고 복강내 배액관으로 출혈은 거의 보이지 않는다. 주로 소동맥성 출혈이 많고, 위전전제술이나 파우치 작성 등의 문합이 많은 경우 발생률이 높다. 대부분의 환자에서 증상이 심하지 않으므로 차가운 생리식염수로 위를 세척한 후 내시경을 이용하여 에피네프린(epinephrine) 및 경화제 주입, 고열탐침(heater probe) 소작 또는 클립(clip)으로 지혈할 수 있다. 그러나 위 내에 혈액이 많이 고여 내시경으로 지혈이 안 되는 경우에는 수술을 하게 된다. 위는 혈관이 풍부한 장기여서 위를 절제할 때 많은 혈관을 결찰해야 하며, 수술 후에도 출혈이 일어날 가능성이 상대적으로 높다. 그러므로 수기봉합이나 자동봉합기를 사용한 후 지혈이 잘 되었는지를 육안으로 세심하게 확인해야 한다. 이 외에도 수술 후 1~2주째에 발생하는 소화관내 출혈의 원인은 급성 궤양, 미란성 위염, 문합부 파열 등이 있다.

(2) 봉합부전

① 정의 및 빈도

봉합부전이란 소화기 수술 후 소화관 문합부에 장 내용물이 장외로 누출되는 것을 말한다. 문합부 누출과 십이지장 절단부 누출이 있다. 저자마다 봉합부전의 정의와 분류가 다르고, 사용되는 용어도 leak, breakdown, leakage, insufficiency, dehiscence, suture line disruption, early leak, radiologic leak 등 다양하다. 봉합부전은 정도에 따라 minor leakage와 major leakage로 나눈다. 봉합부전은 봉합사의 개발, 수술술기의 향상, 기계문합의 도입으로 발생빈도가 많이 감소하였으나, 절제범위가 넓을수록 빈도가 높아진다. 발생 빈도는 원위부 위아전절제술의 경우 1~3%, 위전절제술의 경우 3~5%로 보고되었다. 봉합부전은 일단 발생하면 다량의 균이 함유된 장액이 유출되거나 저류되어 복강내 농양, 봉합부의 완전 파손, 창상감염 및 파열, 장피누공 등이 일어나거나, 폐렴이나 패혈증과 같은 전신적 급성 감염으로 진행하여 사망을 초래할 수 있는 치명적인 초기 합병증이므로 가능한 조기에 진단하여 치료해야 한다.

② 원인

문합부 누출의 원인은 전신적 인자와 국소적 인자, 기술적 인자로 분류할 수 있다. 전신적 인자로는 당뇨병, 영양불량. 대사장애, 호흡기장애, 순환기장애 등이 있다. 국소적 인자로는 봉합부전, 문합부의 혈액순환장애, 과긴장, 연결부 장간막의 과대박리, 연결부 괴사, 부종 및 국소 췌장염, 감염 등이 있다. 이중 국소적 인자가 가장 중요하다. 기술적 인자로는 문합술기의 영향이 있다. 이 외에 문합부 주위에 발생한 농양이나 췌액루에 의한 침식으로 이차적인 문합부 누출이 발생할 수 있다. 십이지장 절단부 누출의 원인은 수입각의 폐쇄, 십이지장의 심한 반흔, 절단부의 꽉 조인 봉합, 췌장부에서의 출혈 및 췌장염 등이다.

③ 임상증상 및 진단

증상 발현 시기는 대개 술후 2~7일째이며 대부분 4일째에 증상이 갑자기 악화된다. 초기 증상은 소화관 밖으로 유출된 장내용물에 의한 국소염증과 농양형성으로 인한 복통, 복막자극 증상, 발열(38℃ 이상) 등이며, 백혈구 증가, CRP 증가 등의 염증소견이 나타나고 배액관으로 혼탁액이나 소화관 내용물이 배출된다. 봉합부전이 의심되는데도 배액관 내용물이 달라지지 않는 경우는 장내용물이 효과적으로 배액되지 않는 것이므로 방치하면 오히려 위험하다고 판단해야 한다. 때로는 봉합부전이 창상파열이나 장피누공 형성, 또는 광범위한 피부발적 등으로 나타날 수 있다. 봉합부전이 의심되면 즉시 복부 CT를 실시한다. CT 영상에서 다량의 용액이나 기체가 복강내에 고여 있거나, 농양강 내에서 공기액체층이 보이면 진단할 수 있다. 복부 CT 외에 수용성 조영제를 이용한 소화관조영술 및 누공조영술, 복부 초음파, 내시경으로도 확인할 수 있다(그림 32-1).

④ 치료

누공의 크기가 작고 잘 조절된다면 우선 보존적 치료를 실시한다. 봉합부전으로 열린 부위가 작을 경우에는 폐쇄를 촉진하기 위해 내시경을 통한 스텐트 삽입을 시도할 수 있다(그림 32-2).

봉합부전으로 인한 누공으로 누출되는 장내용물에 대한 국소적 처치로서 배액을 통한 감압이 가장 중요하다. 배액관이 들어 있고 배액이 효과적이면 문제가 없으나, 요즘은 위절제술 후 배액관을 넣지 않는 경우가

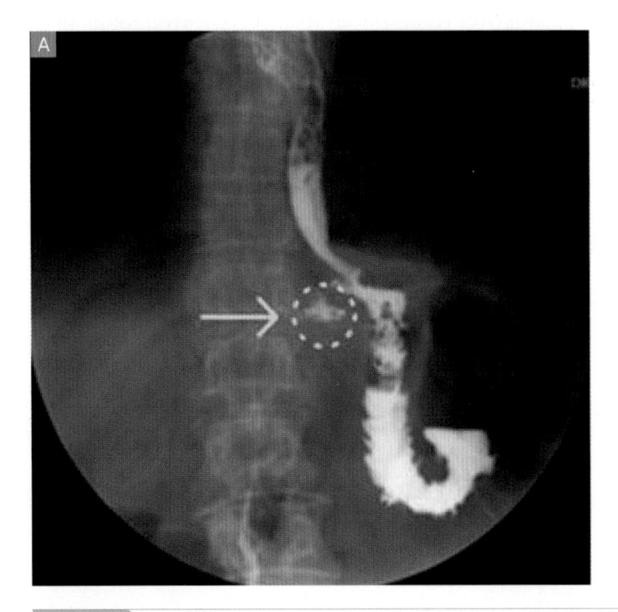

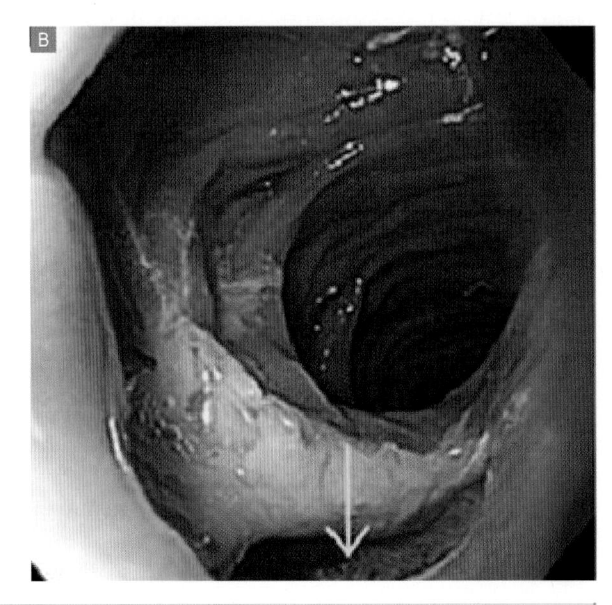

그림 32-1 봉합부전.

A. 위전절제술 후 4일째에 수용성 가스트로그라핀(gastrograffin)을 사용한 상부위장관조영술 영상. 식도공장문합부에 소량의 문합부누출이 보인다.

B. 내시경 영상. 봉합부전으로 열린 부분이 보인다.

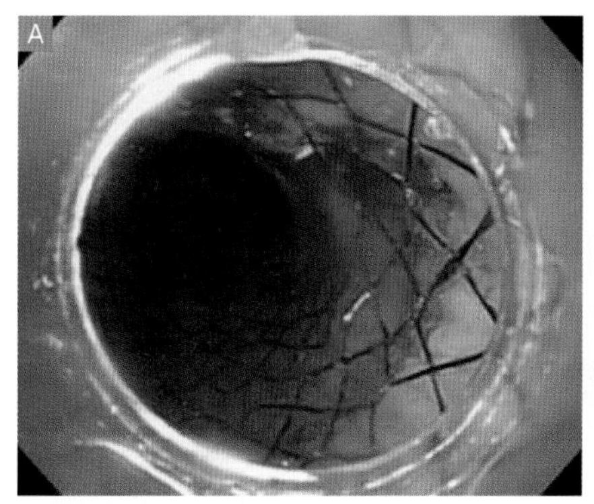
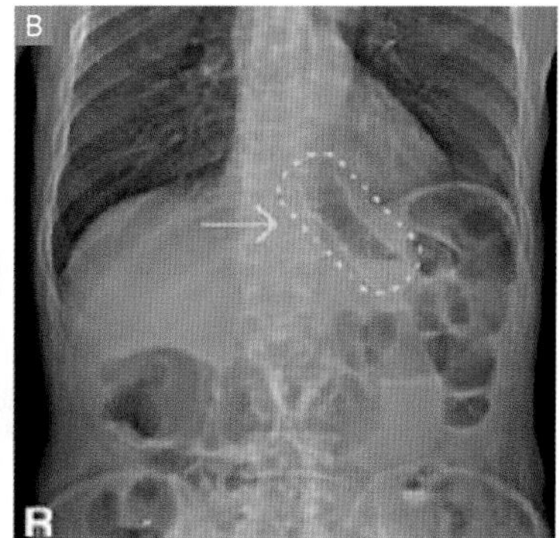
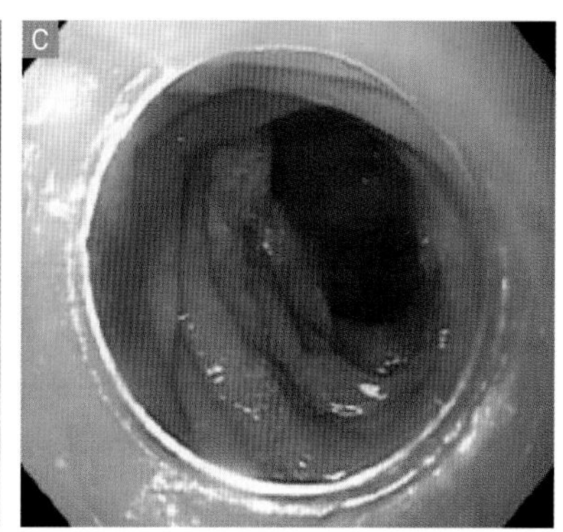

그림 32-2 **봉합부전.**
A. 위전절제술 후 식도공장문합부 봉합부전 부위에 내시경을 통한 스텐트 삽입 영상.
B. 스텐트가 삽입된 영상.
C. 열린 부위가 완전히 폐쇄된 영상

많으므로 이때는 경피배액술(percutaneous drainage)을 초음파나 CT 유도하에 시행해야 한다. 배액이 적절히 이루어지면 금식, TPN 및 항생제 투여를 시행한다. 대부분 보존적 치료 시에는 장피누공을 형성하며 치유된다. 그러나 봉합부전의 크기가 크거나 배액이 효과적이지 않다면 수술을 해야 한다. 환자가 이미 패혈증의 전조증상을 나타내는 경우가 많고, 봉합부전 부위의 염증이나 부종이 심해 다시 재발할 가능성이 높으므로 여러 개의 배액관을 설치한 후 잘 조절되는 장피누공(controlled enterocutaneous fistula)의 형성을 유도하여 서서히 누공이 치유되도록 해야 한다. 누공의 위치가 명확한 경우에는 방사선 유도하에 경피적으로 유도철사(guide wire)를 누공 내로 삽입하고 이를 통해 폴리카테터를 넣은 후 풍선으로 막아 안전한 장피누공을 형성하는 방법을 사용하기도 한다. 특히 십이지장 절단부의 누출에 매우 효과적이다(그림 32-3).

이 시술의 장점은 배뇨관 풍선을 이용하여 문합부 누출 부위를 막으면 폐쇄식 배액이 되기 때문에 배액량이 많더라도 환자는 비위관 없이 경구로 음식을 섭취할 수 있고 비교적 활동이 자유롭다는 것이다. 또 상처 부위 동통이 적어 입원기간이 단축되며, 특히 재수술을 피할 수 있다.

⑤ **예방**

술전에 영양상태가 불량하거나 빈혈이 있으면 교정하고, 당뇨병 등의 동반질환에 대한 처치를 해야 한다. 특히 수술 중에 다음과 같은 기술적인 점을 고려하여 시행하면 문합부 누출을 예방할 수 있다. i) 문합부 장기의 적절한 혈액순환이 유지되어야 한다. 특히 문합부 끝의 혈액순환 상태가 좋아야 한다. ii) 문합부 장기들을 충분히 유리하여 긴장 없이 문합해야 한다. iii) 문합의 방법이나 자동봉합기 사용 여부를 적절히 선택해야 한다. iv) 두 장기의 내강을 적절하게 연결해야 한다. 즉 문합부에 다른 조직이 끼이지 않아야 한다. 이 외에도 수술 중 출혈을 최소화하고, 수술시간을 단축하도록 노력해야 한다.

(3) 위마비, 문합부 통과장애, 폐쇄

문합부 통과장애의 주요 원인은 일시적인 부종이다. 이 외에 미주신경 절단이나 비후성 반흔으로 인한 문합부 협착 등도 원인이다. 부종은 수술 후 3~4일째에 심하고 14일째 정도 되면 소실되지만, 4주 이상 지속되는 경우도 있다. 림프절절제 중 미주신경 절단으로 인해 위내용물 배출장애인 위마비(gastroparesis)가 발생할 수 있다. 수술 후 초기에 발생한 봉합선에서의 출혈, 소

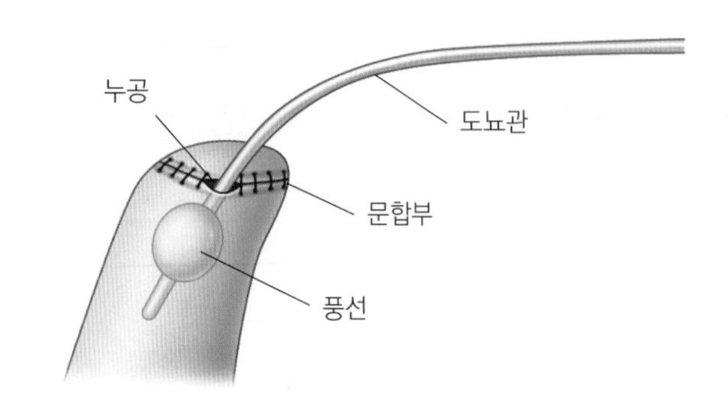

그림 32-3 **풍선확장 폴리카테터를 이용한 장피누공 치료법의 모식도.**
방사선 유도하에 피부를 통해 유도철사를 누공 내로 삽입한다. 유도철사를 통해 폴리카테터를 삽입한 후 풍선을 부풀려 누공을 막는다.

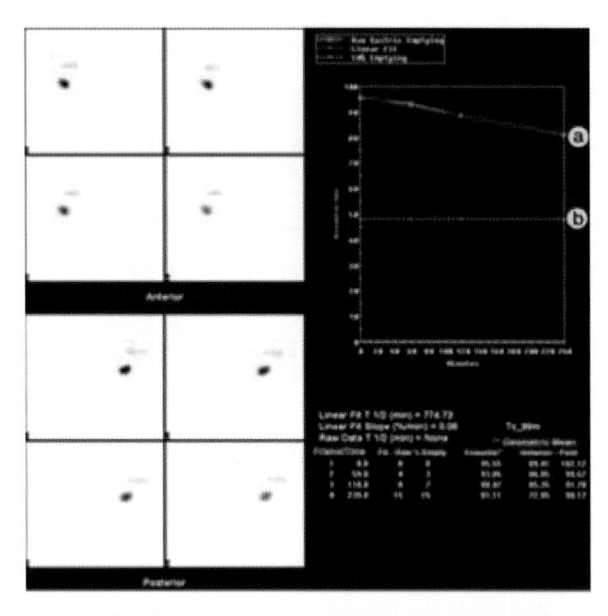

그림32-4 **위마비.**
위아전절제술 후 5일째에 동위원소를 이용한 위배출검사 gastric emptying test 영상. ⓐ 240분 후에도 15%만 배출되어 잔위에 다량의 동위원소가 저류되어 있다. ⓑ 50% 배출 기준선

량의 누출, 췌장염, 혈종 등은 비가역적인 문합부 협착으로 진행할 수 있다.

① **진단**

수술 후 초기에 발생하는 위마비는 위절제술 후 재건술식에 따라 발생빈도가 달라진다. 일반적으로 위공장문합술, 위십이지장문합술, Roux-en-Y 위공장문합술의 순으로 발생빈도가 증가한다. 수술 후 경구섭취 시 상복부 팽만감, 구역, 구토 등의 증상이 나타나며 위내용물을 흡입하거나 배액하면 증상이 사라진다. 수용성 조영제를 이용해 위를 촬영했을 때 잔위에서 조영제가 완전히 저류되는 소견이 특징적이다. 동위원소가 함유된 음식을 섭취한 후 배출량을 측정하기도 한다(그림 32-4).

이 같은 현상은 문합부 부종이나 미주신경 절단 이외에 수출각의 경련이나 위벽의 부종으로 인한 내강 감소와도 연관이 있다. 내부탈장처럼 문합부 하부의 장이 꼬였을 때도 위마비가 일어난다. 특히 수술 후 위마비가 의심될 때는 당뇨병, 전해질불균형, 약제 중독, 신경근골격계 이상처럼 수술적 원인 이외의 기능적 위배출 이상을 일으킬 수 있는 질환을 먼저 배제해야 한다.

② **치료**

보존적 치료와 수술적 치료가 있다. 보존적 치료는 환자를 금식시키면서 비위관을 삽입하여 위내용물을 배출하고, 수액 및 전해질 대사에 이상이 없도록 적절한 수액요법으로 치료하면서 관찰하는 방법이다. 위마비의 경우 약물치료를 병행할 수 있다. 메토클로프로파마이드나 에리스로마이신 같은 위장관운동촉진제(prokinetic drug)를 사용한다. 메토클로프로파마이드는 도파민 길항작용과 장내 콜린신경초의 아세틸콜린 분비를 촉진하여 위장관운동을 활성화한다. 반면 에리스로마이신은 위평활근 내 위운동을 촉진하는 운동수용체(motilin receptor)와 결합해서 위배출을 촉진한다. 문합부 협착 치료에 비수술 치료로 이용되는 내시경 풍선확장술은 효과가 좋으므로 증상이 심한 경우에도 반복해서 시도하면 치료할 수 있다. 그러나 무리하게 시술하면 출혈이나 천공 등이 발생할 수 있으므로 주의해야 한다. 이 외에 스텐트(stent)삽입술도 이용할 수 있다(그림 32-5). 양성 문합부 협착에는 일시적으로, 악성 문합부 협착에는 영구적으로 스텐트를 삽입한다. 수술적 치료는 비수술 치료로 증상이 개선되지 않는 경우에 시행한다. 절제 후 재문합, 문합부 성형술, 타 장기 치환술 및 우회술 등이 있다. 문합부 협착을 예방하려면 위십이지장문합의 경우 봉합 간격과 결찰 강도를 적절히 조절해 부종을 방지하고 십이지장의 혈류를 유지해야 한다. 자동봉합기를 사용하여 문합할 때는 장관이 긴장되지 않도록 주의하고, 적절한 크기의 자동봉합기를 선택하는 데 유의한다.

(4) 복강내 농양

위절제술은 청결-오염 수술(clean-contaminated surgery)로 분류되어 감염의 빈도가 낮지만 여러 가지 원인으로 인하여 복강내 농양이 발생할 수 있다.

① 위험인자 및 원인

위험인자로는 수술 전 영양상태 불량, 당뇨병, 간기능 장애, 합병 절제, 림프절절제 정도, 출혈량, 수술시간 등이 있다. 원인으로는 수술 중의 오염, 삼출액이나 혈액의 저류, 췌액루, 봉합부전, 배액관을 통한 역류성 감염 등이 있다.

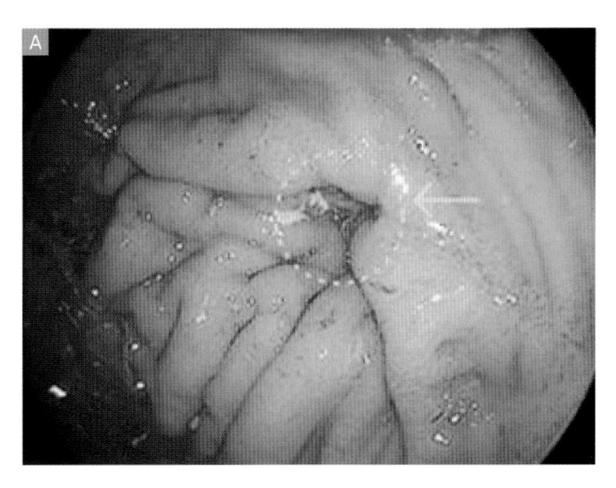

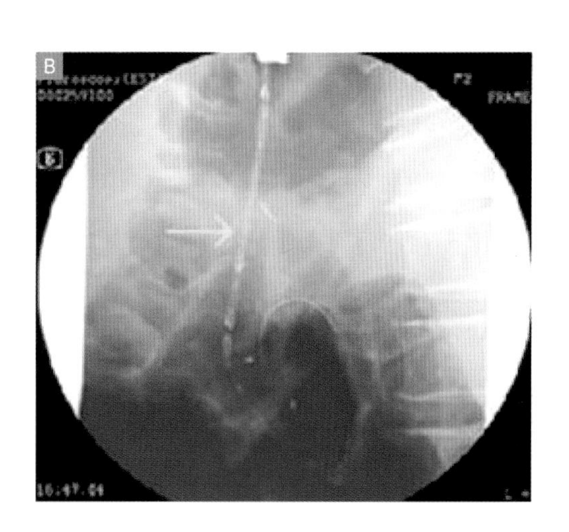

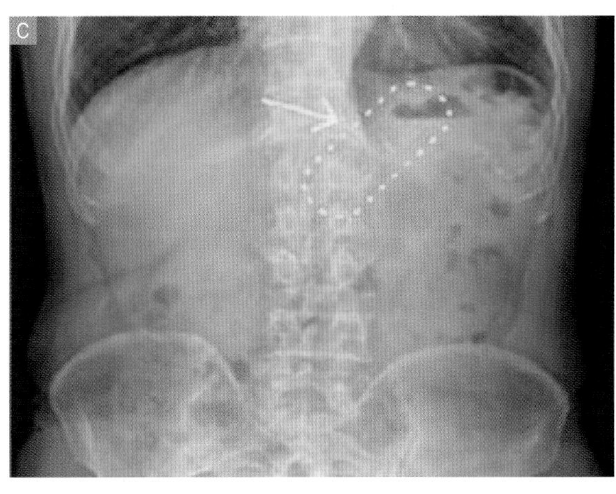

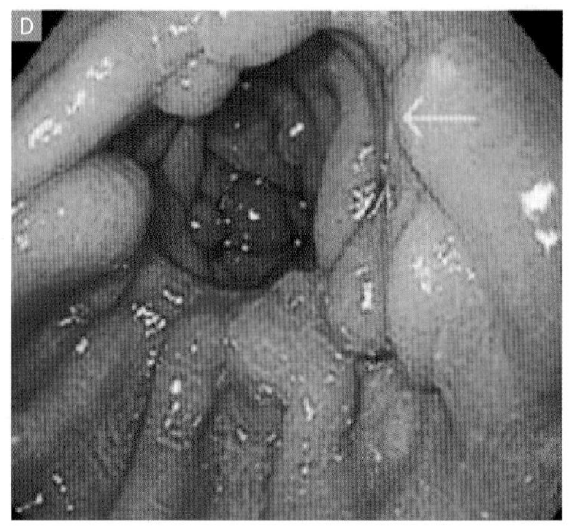

그림 32-5 **문합부 협착.**
A. 수술 직후 발생한 문합부 협착의 내시경 영상.
B. 투시촬영 하에 내시경을 통하여 스텐트를 삽입 중인 영상.
C. 확장된 스텐트가 삽입되어 있는 영상.
D. 협착이 확장된 영상.

② 진단 및 치료

봉합부전과 임상증상이 비슷하므로 복부 초음파나 CT로 진단한다. 치료는 효과적인 배액이 가장 중요하다. 경피배액술을 시행하여 농양의 배액을 시도하며, 시술로 장기가 손상될 위험이 높거나 다발성 농양이어서 배액이 효과적이지 못하면 개복수술로 배액을 시행한다. 배농액의 균주를 배양하여 균을 확인한 후 적절한 항생제를 사용한다(그림 32-6). 복강내 농양은 적절히 치료되지 않으면 출혈이나 폐렴, 패혈증 등이 동반되어 예후가 불량하므로 세심한 치료가 필요하다.

(5) 췌액누출과 췌액루

위암 수술 시 췌절제는 물론, 췌절제를 시행하지 않아도 비장 절제, 림프절절제 또는 췌피막 박리 등으로도 췌손상 및 췌액누출이 발생할 수 있다. 특히 췌액에는 단백소화효소인 트립신(trypsin)이 포함되어 있어 누출 시 주위 조직을 쉽게 손상하므로 이차적인 봉합부전이나 복강내 출혈 등의 중대한 합병증을 초래하여 치명적 일수 있다.

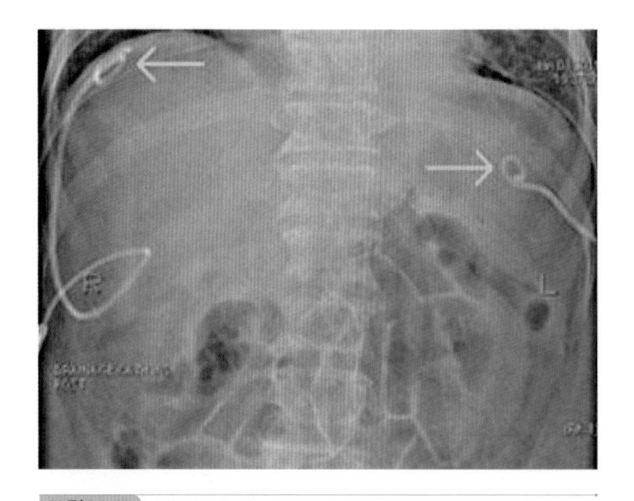

그림32-6 **복강내 농양.**
위십이지장문합부 누출로 인한 후복막농양 형성 환자에 경피배액술을 시행하여 좌, 우 횡격막하에 설치된 배액관의 소견이다.

① 진단

배액관의 배액이 암적색을 띠면 췌액누출의 가능성이 있다고 판단하고 배액의 아밀라제 수치를 측정한다. 아밀라제 수치가 10,000 U/mL 이상이거나, 누공조영술(fistulography) 영상에서 췌관이 조영되면 췌장루로 진단한다.

② 치료

치료의 근본적인 원리는 췌장의 외분비성 분비액 배출을 감소시켜 자연 치유를 유도하고, 복강내의 이차 합병증을 예방하는 것이다.

췌액이 누출되면 배액관의 저압 지속흡인, 금식 및 항생제 투여와 더불어 강력한 췌장 외분비 억제제인 소마토스타틴(somatostatin)을 사용한다. 천연 소마토스타틴(somatostatin)은 혈액내 순환기 반감기가 3분 이내이기 때문에 지속적으로 정맥주사를 해야 한다. 옥트레오타이드(octreotide)는 천연 somatostatin의 약리학적 효과를 모방한 합성된 지속성 소마토스타틴 유사체이다. 이 외에도 apotin, gabexate, camostat 같은 단백분해효소 저해제를 투여한다. 췌액루가 형성되면 적절한 배액을 시행하고 생리식염수로 계속 세정하면서 농양강이 축소될 때까지 기다린다.

③ 예방

췌액누출은 수술 시 세심한 주의를 기울이면 예방할 수 있다. 췌장이 손상되기 쉬운 부위는 우위 대망동맥 부근, 췌후부, 췌상연 및 비장절제술 시 췌미부이므로 이러한 부위는 박리할 때 주의해야 한다. 췌표면 및 췌장으로 유입되는 혈관은 철저히 지혈하며, 췌장실질이 손상됐을 때는 반드시 봉합결찰을 한다.

췌절제 시에는 어구(fish mouth)형으로 절단한 후 절단면에서 주췌관을 반드시 확인하여 별도로 결찰한 후 췌장실질을 봉합사로 폐쇄하거나 자동봉합기로 절단한다. 봉합방법에 상관없이 어느 정도의 췌액누출은 발생할 수도 있으므로 췌절제 후에는 췌장절단부 위치에 배액관을 설치하는 것이 좋다.

2. 위절제술 후 후기 합병증 및 치료방법

후기 합병증에 대해서는 우선 용어가 부적절한 점이 있다. 즉, 합병증이라기 보다는 위절제로 인해 필연적으로 발생하는 후유증이라고 볼 수 있기 때문이다. Clavien-Dindo 분류를 제안한 논문에서도 이 점이 언급된 바 있다. 이 개념에 대한 이해가 중요한 것은 위절제 후의 모든 환자들이 경험하므로, 환자들을 장기적으로 추적하면서 후유 증상을 최소화할 수 있도록 관심을 기울여야 하기 때문이다. 위절제술 후에는 위의 저장기능, 소화기능, 식도위접합부의 괄약근 및 역류 억제기능, 유문이 갖는 음식물 배출 조절기능 등이 제한되거나 소실된다. 또한 위장은 소화기능뿐 아니라 내분비기능을 가지고 있어, 위 전정부에서 분비되는 가스트린, 산분비성 위선(oxyntic gastric gland)에서 분비되는 그렐린(ghrelin), 벽세포(parietal)에서 분비되는 내인자(intrinsic factor) 등의 분비가 부족해진다. 특히 가스트린 감소로 인한 위산분비의 저하는 소장에서 산-염기의 불균형을 일으키고, 철분, 칼슘 등의 미량원소의 흡수 장애를 초래한다. 아울러 위장의 운동과 호르몬 분비에 중요한 미주신경 절단으로 인한 기능 저하도 복합된다. 그 결과 덤핑증후군, 역류 등의 운동성 장애와 철결핍 빈혈, 비타민 B12 결핍, 비타민 D 결핍, 골다공증, 등의 영양분 흡수장애로 인한 질환이 발생된다.

이러한 증상 혹은 질환을 통틀어 위절제후증후군(postgastrectomy syndrome)이라 부르지만, 생리적 기전과 임상적인 발현이 다양하고 환자마다 나타나는 양상들이 다양하기 때문에 좋은 용어라 보기는 어렵다. 위암 수술 후에 올 수 있는 모든 장기적 후유증에 대한 지식과 더불어 환자에게 삶의 질을 떨어뜨릴 수 있는 요소들을 병력 청취, 진찰, 적절한 검사 등으로 파악하여 미리 예방하고 관리하는 것이 환자를 위해서 중요하다. 수술 초기에 나타나더라도 장기적으로 문제를 일으키는 모든 후유증에 대해 이 장에서 기술하는 것이 합당하다. 또한 수술방법에 따라 특이적인 후유증은 원인, 증상, 예방, 치료에 대해 따로 기술할 수도 있지만, 우선 가장 대표적인 수술인 아전절제나 전절제 시에 올 수 있는 생리적 변화와 가능한 질환, 예방에 대해서는 한꺼번에 다루는 것이 적합하다.

1) 위아전 및 전절제술에서 올 수 있는 생리적 변화

위가 작아지거나 없어지면, 물리적인 크기만을 생각하는 경향이 있다. 위아전절제가 2/3의 위를 절제하므로 기능도 그만큼 소실될 것이고 전절제하는 경우에는 위가 갖는 기능이 완전히 없어진다고 생각하는 것이다. 그러나 위장의 특징 중 하나는 신축성이 큰 장기라는 것이다. 평소 음식이 들어 있지 않은 상태보다 음식이 들어오면 여러 배 늘어날 수 있는 장기라는 것을 이해할 필요가 있다. 더 중요한 것은 산이나 호르몬 분비, 위의 배출운동에 영향을 미치는 요소들이 어떻게 달라지는지 이해할 필요가 있다. 그래야만 음식을 먹는 방법, 종류, 식사시간 등을 잘 조절하여 후유증을 최소화할 수 있다.

위산은 위체부에 존재하는 벽세포(parietal cell)에서 분비되는데, 위 부분절제의 경우 위체부의 일부, 전절제의 경우 위전체가 절제되므로 산분비가 감소되거나 소실된다. 또한 위산분비를 자극하는 가스트린은 전정부의 G세포에서 분비되는데, 유문보전 절제술을 제외한 대부분의 위절제술에서 가스트린 분비는 소실된다. 이외에도 G세포 주변에 위치하는 D세포에서 분비되는 소마토스타틴, 벽세포에서 분비되는 중탄산염 및 내인자(intrinsic factor) 분비도 일부 또는 전체가 소실된다.

위의 이완작용은 미주신경의 자극을 통해 조절되는데, 근치적 위절제술 후에는 미주신경이 절단되므로 위의 긴장도가 적절히 조절되지 못한다. 위의 연동운동성 수축작용은 위체부 대만곡에 존재하는 박동조율기에 의해 조절되는데, 이 또한 위절제술로 기능이 일부 소실되어 음식의 분쇄기능이 저하된다. 위배출에 중요한 역할을 하는 유문의 경우 유문보전 절제술을 제외한 대부분의 위절제술에서 제거되므로 수술 후 위배출의 속도가 적절히 조절되지 못한다. 유문보존 절제술에서도 미주신경 간분지가 손상되면 유문이 이완되지 못해 위배출지연이 발생한다. 하부식도괄약근을 포함하는 분문은 위부분절제술에서 보전되지만 분문 주변의 림프절절제 시 횡격막-식도인대가 손상되는 등 여러 이유로 분문의 기능이 저하될 수 있다. 이러한 경우 적절한 하부식도괄약근 고압대가 유지되지 못하게 되고, 수술 후 위식도역류가 발생한다.

2) 생리적 장애를 극복하거나 예방할 수 있는 환자의 생활 방법

외과의사는 수술 후 환자를 정기적으로 보면서 어떤 음식을 어떻게 먹는지 반드시 물어야 한다. 가장 중요한 것은 식사방법에 수술 전과 다른 변화를 주는 것이다. 수술 후 초기에는 대부분 최소 2~3주 정도 죽을 먹는 것이 좋다. 수술 부위의 부종과 염증이 가라앉을 시기가 되면, 진밥으로 점진적으로 바꿔 나간다. 이때 탄수화물과 단백질을 거의 같은 부피로 먹는 것이 중요하다. 단백질은 소화가 잘되게 부드러운 형태로 요리하여 섭취한다. 굽거나 튀긴 음식은 소화시키기 어렵다. 비티민 무기질, 섬유소가 많은 채소도 반드시 먹도록 한다. 단, 섬유질이 질기거나 많은 음식은 가급적 피한다. 소화시키기 어렵고 운동성이 떨어진 위장에 위석(bezoar)을 만들 수 있다. 우리나라 사람들이 즐겨먹는 배추는 섬유질이 매우 질겨 수술 후 초기에는 특히 먹지 않는 것이 좋다. 과일은 지나치게 많이 먹지 않도록 주의해야 영양불균형을 피할 수 있다. 적은 양만 다양하게 먹도록 한다. 감은 섬유질이 많고 타닌산 성분으로 인해 위석을 가장 잘 만드는 음식으로 알려져 있어 주의한다. 식물성 기름은 자유롭게 사용한다. 거의 모든 음식에 소스 형태로 사용할 수 있다.

음식은 반드시 입에서 30~50회 씹어야 한다. 음식을 먹는 속도는 총 식사시간이 40분 이상 되도록 천천히 먹도록 한다. 침과 충분히 섞이도록 하고 위장에서 소화액이 충분히 섞일 수 있도록 하여 소화를 돕고 과식을 막을 수 있다. 수술 전에 비해 식사양은 일반적으로 줄이는 것이 소화기능 유지에 도움이 된다. 체중을 늘이기 위해 많이 먹으려 하지 않나 물어봐야 한다. 환자로 보이고 싶지 않아 수술 전 모습으로 돌아가고 싶어하는 심리를 이해하고 환자에게 자신감을 심어주는 것이 좋다. 식사 후에는 바로 움직이지 않고 가만히 앉아 쉬는 것이 가장 소화에 도움이 된다. 걷는 운동이 좋지만 하루에 30분 정도 내외면 충분하다. 지나치게 운동을 많이 하려는 경향이 있어 어떻게 운동하는지 물어봐야 한다. 단지 유산소 운동이 아니라 맨손 근육운동을 병행하도록 한다.

3) 위절제 후유증과 임상양상과 치료

(1) 덤핑증후군

위장의 저장기능, 소화기능, 운동기능, 배출기능 전체는 궁극적으로 소장에서 최종적인 소화와 흡수 작용이 원활하게 이루어지게 하는 것이다. 위절제는 그 모든 것에 문제를 야기한다. 소장에 등장성의 위미즙(iso-osmotic gastric chyme)이 적절한 속도로 전달되지 않으면 소장에는 삼투압의 차이에 의한 체액 유입과, 당분의 빠른 유입에 따른 인슐린 과다분비 및 이에 이은 저혈당으로 여러 증상들이 나타날 수 있는데, 이들을 모두 일컬어 덤핑증후군(dumping syndrome)이라 한다. 크게 위장관 증상과 심혈관 증상이 나타나는데, 위장관 증상으로는 복통, 설사 등이 있고, 심혈관 증상으로는 현기증, 빈맥, 두근거림, 발한, 홍조 등이 있다. 나타나는 시기는 매우 다양하므로 꼭 식후라 볼 수 없다. 위절제술, 심지어 유문보존수술을 한 경우에도 올 수 있으며 수술방법에 따른 빈도의 차이보다는 환자의 식생활 방법에 따라 차이가 크다고 할 수 있다.

대부분은 식이방법이나 식이의 종류를 조절하여 치료가 가능하다. 기본적으로 과식을 피하고, 식사시간을 40분 이상 천천히 하도록 하고, 달고 농도가 높은 음식, 짠 음식, 국물이 있어 쉽게 소장으로 넘어갈 수 있는 음식을 피해야 한다. 조금씩 자주 먹는 것은 수술 후 초기에는 권하지만, 궁극적으로 위배출기능이 떨어지기 때문에 자주 먹는 것은 장기적으로 권하지 않는다. 과거에 일부에서 사용되던 약물치료나 수술적 치료는 더 이상 권장되지 않는다.

(2) 빈혈

빈혈은 위절제술을 받은 환자의 30~50%에서 발생하며, 가장 흔한 것은 철결핍빈혈(iron deficiency anemia)이다(그림 32-7). 철분은 십이지장 및 상부 공장에서 흡수되는데, 위공장문합술을 하게 되면 흡수할 수 있는 장을 우회하게 되므로 흡수 면적이 적어져 흡수가 적어지며, 위십이지장문합을 하더라도, 위의 산 분비가 적어지면서 소장에서의 산 염기 균형이 변하여 흡수율이 감소하게 되어 철분 흡수에 장애가 생기게 된다. 유문보존수술을 하는 경우 가스트린 분비가 보존되고 산도 유지가 되어 철분 흡수에 덜 지장을 주어 빈혈의 빈도가 적다.

철결핍빈혈은 철분제를 보충하면 대부분 교정할 수 있는데, 수술 직후에는 철분제가 소화기능에 영향을 크게 미치므로 주의해서 사용하는 것이 좋다. 수술 직후 빈혈을 빠르게 교정하지 않는 경우 환자의 삶의 질에 영향을 미치며 장기적으로 빈혈이 지속될 확률이 높아, 퇴원 시 반드시 혈색소, 저장철(ferritin)과 철분포화도를 측정하여 철분결핍에 의한 빈혈로 진단되면 빠르게 주사 철분제제로 교정하는 것이 좋다. 페릭카르복시말토스(ferric carboxymaltose)는 고용량을 안전하게 투여할 수 있는 철분 제제로 효과가 입증된 바 있다.

철결핍빈혈 외에 두 번째로 흔하고 중요한 것은 비타민 B12 부족으로 인한 거대적혈모구성 빈혈(megaloblastic anemia)이다. 음식으로 섭취된 비타민 B12가 흡수되려면 벽세포(parietal cell)에서 분비하는 내인

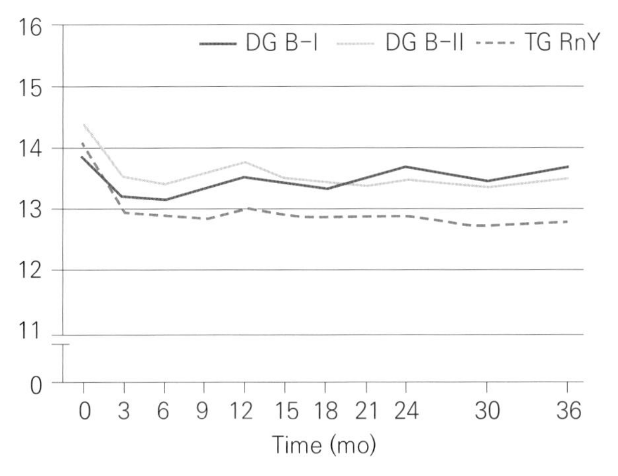

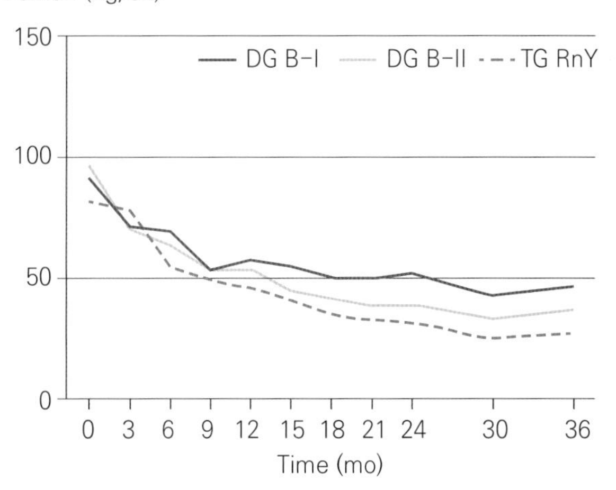

그림 32-7 위절제 후 문합별 헤모글로빈 및 페리틴의 변화.
DG B-I, distal gastrectomy with gastroduodenostomy; DG B-II, distal gastrectomy with gastrojejunostomy; TG RnY, total gastrectomy with Roux-en-Y esophagojejunostomy.

자(intrinsic factor)가 필요한데, 위를 절제하면 벽세포가 감소하여 결국 비타민 B12가 흡수되지 못하고 부족해지게 된다. 위전절제술을 시행한 환자에서는 4년이내 거의 100%에서, 위부분절제술을 시행한 환자에서는 15~20%에서 비타민 B12 결핍이 발생한다(그림 32-8). 따라서 혈액검사를 정기적으로 시행하여 비타민 B12 부족 여부를 확인하고, 소변검사로 대사산물인 methyl malonic acid나 homocysteine을 보조적으로 측정하는 것이 좋다. 비타민 B12 결핍이 확인되면 매달 혹은 격월로 싸이아노-코발라민(cyanocobalamin) 1,000 mcg 근육주사, 또는 하루 1,000~1,500 mcg의 메코발라민(mecobalamin) 경구용 약을 복용하는 것이 필요하다.

비타민 B12의 경우 빈혈 외에 말초신경염을 유발하여 손, 발이 저린다는 증상을 호소할 수 있고, 혀의 염증으로 쓰리고 빨갛게 붓는 증상도 생길 수 있다. 그리고 결핍 정도가 심하면 보행장애도 일으키게 되므로, 정기적인 방문 때 반드시 문진을 하여 증상을 확인하여야 한다. 이 외에 엽산결핍으로 인한 빈혈이 있는데, 빈도가 드물고 알려진 바가 적다. 이 외에도 검사상 어떠한 원인을 발견하지 못하는 빈혈의 경우, 골수기능의 부전이 올 수 있는 다른 여러 원인들, 다른 비타민과 영양소의 부족을 생각할 수 있다. 다양한 음식의 섭취와 더불어 종합비타민 제제 사용을 고려할 수 있다.

(3) 골대사 이상

위를 절제하면 음식물, 담즙, 췌장효소가 장내에서 잘 혼합되지 못하므로 지방 흡수율이 떨어진다. 이로 인해 지용성인 비타민 D가 잘 흡수되지 못해 비타민 D가 결핍되고, 십이지장에서의 칼슘 흡수율도 저하된다. 최근 연구에서는 위절제술 후 약 30~40% 환자에서 골다공증이 관찰되었고, 연간 1,000명당 27명에서 위절제술 후 골절이 발생한다고 보고되었다. 혈중 비타민 D의 농도와 PTH를 정기적으로 측정하여 비타민 D와 칼슘을 보충하는 것이 필요하다. 골밀도검사는 수술 전에 미리 시행하여 수술 후에 올 수 있는 변화의 정도를 가늠하도록 하며, 골다공증이 온 경우는 비스포스포네이트(bisphosphonate)를 사용하여 골흡수를 억제하는 치료가 적응된다. 다양한 약제가 나와 있으며, 턱뼈 괴사 등의 부작용도 있기 때문에 임플란트 등을 하는 경우 주의를 요한다.

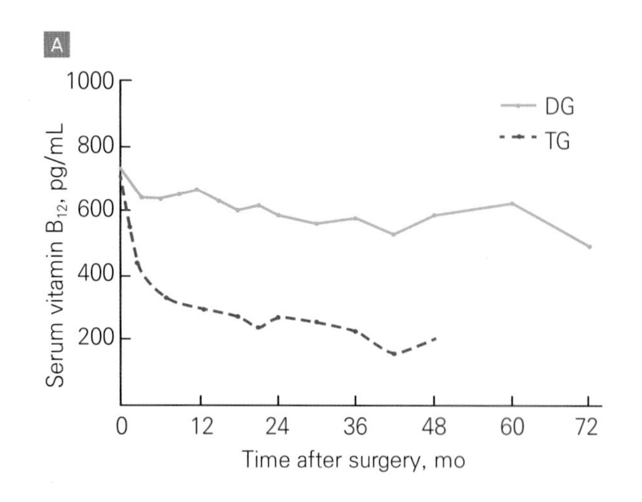

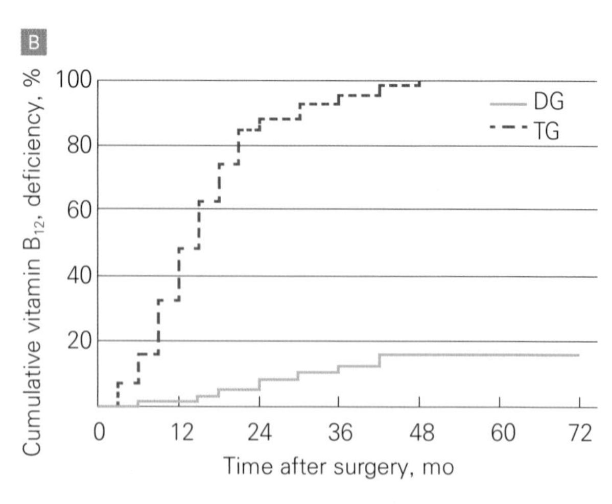

그림 32-8 위절제범위에 따른 수술 후 비타민 B12 농도(A) 및 비타민 B12 결핍 빈도(B).
DG, distal gastrectomy; TG, total gastrectomy.

(4) 체중감소

위전절제 후 흔하게 관찰되는 증상이다. 아전절제술 후에도 올 수는 있으나 대부분 회복되고, 단순히 이전 체중으로 회복되는 것이 아니라 이상적인 체중을 유지하고 근육량을 늘리는데 초점을 맞추는 것이 좋다. 신체에 대한 이미지가 바뀌는 것에 심리적으로 위축감을 느끼는 경우 자신감을 주도록 격려할 필요가 있다. 전절제 후는 체중감소가 잘 회복되지 않을 수 있는데 위에서 분비되는 그렐린(ghrelin)의 결핍이 원인으로 대두되었다. 주사 약제가 있지만 투여가 불편하여, 최근 경구용으로 개발된 약품의 효과가 있는지에 대한 임상시험이 필요하다. 약물요법 이전에, 식사시간을 길게 하고 오래 씹으며, 식사시간을 체크해 가면서 먹도록 교육하는 것이 중요하다.

(5) 역류성식도염

Billroth I 또는 II 문합을 하면 담즙이 역류하므로 잔위에서 알칼리역류가 거의 항상 관찰된다. 대부분의 환자는 담즙 역류와 관계된 증상을 보이지 않는다. 그러나 식도로 위산이나 담즙이 역류하게 되면 전흉부 통증을 다양하게 호소한다. 내시경으로 식도에서 역류성식도염 소견을 관찰할 수 있는데, 소견과 증상의 정도가 항상 일치하지는 않는다. 전절제 후의 췌담즙 역류의 경우에는 콜레스티라민(cholestyramine)과 가벡세이트(gabexate mesilate) 등을 투여할 수 있고 효과를 볼 수 있다. 물론 저녁 늦게 식사를 하는지 과식을 하는지 식사 속도가 빠르지 않은지 확인하여 교정하여야 한다.

아전절제 후나 유문보존수술 후의 역류는 위산분비를 억제해야 한다. 과식을 하지 않도록 하고, 적절히 양성자펌프억제제(proton pump inhibitor, PPI)를 사용한다. 위 운동성의 장애가 원인인 경우, 핵의학적으로 위배출검사를 해보거나 내시경 상 금식을 오래해도 음식이 잘 안 내려가는 것을 보고 판단할 수 있다. 적게 먹을 것을 권하고, 위운동을 증가시키는 약물들을 사용할 수 있다.

생활습관이나 약물로 교정이 안되는 심한 역류는, 문합을 Roux-en-Y 위공장문합술로 바꾸거나, 이전에 시행한 Billroth II 문합에 Braun 문합술(수입소장과 수출소장을 문합)을 추가하는 등의 방법을 쓸 수 있다.

(6) 담석증

위절제술 시 앞미주신경줄기(anterior vagal trunk)의 간분지를 절제하면 담낭 운동장애가 초래되어 담석 발생률이 증가한다. 한 연구에서는 위부분절제술 후 약 7%에서 담석증(choleithiasis)이 관찰되었으며, 3% 정도에서 담낭절제술을 시행하였다. 그러나 효용성의 근거가 부족하여 예방적 담낭절제를 권하지 않으며, 수술 전 검사에서 담낭 찌꺼기(sludge)나 담석이 발견되어도 증상이 없었다면 위절제 시 담낭절제는 권하지 않는다. 대부분은 무증상으로 평생을 살 수 있기 때문이다. 담즙산을 예방적으로 사용하는 것이 효과적인지는 불명확하다.

(7) 설사

위절제 시 필수적으로 미주신경이 절단되므로 장운동이 과도해지고 장내용물이 빠르게 이동하여 설사가 발생할 수 있다. 또한 수술 시의 항생제의 사용 등이 원인이 될 수 있다. 대개 설사는 심하지 않고 시간이 지남에 따라 완화되는 경향이 있다. 특히 설사를 유발하는 음식을 피하는 것만으로도 증상을 경감시킬 수 있다. 지사제보다는 프로바이오틱스를 일시적으로 사용해 볼 수 있다. 미주신경을 보존하는 수술도 시행되었지만 설사를 효과적으로 방지한다는 증거는 부족하다.

(8) 위배출지연

위정체(gastric stasis)로도 불리는데, 명확한 진단기준이 아직 없다. 미주신경은 위의 연동과 배출을 돕기 위해 Latarjet 신경 경로를 통해 위의 긴장을 적절히 조절한다. 위절제술로 인해 미주신경이 차단되면 위의 긴장도를 조절할 수 없어 위배출능력이 현저히 떨어질 수 있다. 그 외에 문합 부위의 유착 등 기계적인 요소도 원인이 될 수 있다.

진단을 위해서는 위십이지장 내시경검사 또는 수용성 조영제나 신티그래피 조영제를 이용한 위배출검사나 핵의학적 검사로 배출 속도를 객관적으로 측정할 수 있다. 과식을 피하고 음식을 많이 씹도록 권하며, 위운동을 촉진하는 약물을 사용할 수도 있는데, 메토클로프라마이드(metoclopramide), 돔페리돈(domperidone) 등이 있다. 메토클로프라마이드는 위의 콜린성 신경의 아세틸콜린 분비를 촉진하는 도파민 길항제이다. Domperidone은 장간막신경총(mesenteric plexus)에서 위와 소장의 아세틸콜린 분비를 촉진한다.

3. 주요 장기질환을 동반한 위암 환자의 관리

1) 심장혈관질환

위암 수술을 받는 환자들 중 심장혈관사고의 위험 가능성이 많은 환자들을 수술 전 정보를 통해 선별할 수 있다면 환자와 의사에게 모두 유용한 정보가 되며 적절한 전처치로 사고를 예방할 수도 있다. 개정된 심장위험지수(Revised Cardiac Risk Index, RCRI)가 1999년에 발표된 이후 전 세계적으로 이용되어 왔다. 이 지표의 독립적 예측 위험인자는 고위험군의 수술(복강내수술, 흉강내 수술, 서혜부상부의 혈관 수술 포함), 허혈성심장질환 병력, 심부전 병력, 뇌혈관질환 병력, 인슐린으로 치료하는 당뇨, 술전 2.0 mg/dL 이상의 크레아니틴(creatinine)이다(표 32-3). 개정된 심장위험지수 예측 위험인자 하나당 각각 1점씩 점수를 매기면 심인성 사건(cardiac events)의 위험(심근경색증, 폐부종, 심실세동 또는 원발성 심정지, 완전심장차단(complete heart block)을 다음과 같이 예측할 수 있다. 0점은 0.4~0.5%, 1점은 0.9~1.3%, 2점은 4.0~6.6%, 3점 이상은 9-11%이다. 일반적으로 객관적인 위험층화도구(risk stratification tool)는 합리적인 술전 판단의 초석이 되므로 앞으로 새로운 연구를 통하여 수술 전 위험도를 좀 더 정확하게 예측할 수 있게 될 것이다.

표 32-3. **개정된 심장위험지수**

6개의 위험인자	점수
고위험 수술 Intraperitoneal procedures Intrathoracic procedures Vascular surgery	1
History of heart failure history of myocardial infarction history of positive exercise test current complaint of chest pain use of nitrate therapy ECG with pathological Q waves	1
History of cerebrovascular disease	1
인슐린 사용을 하는 당뇨병	1
술전 혈청 크레아티닌 >2.0 mg/dL	1

RCRI, Revised Cardiac Risk Index.

관상동맥질환을 동반한 위암 환자를 치료할 때 외과의는 자문의와 함께 수술 전에 심장질환에 대한 자료를 분석하여 수술의 이득과 위험도를 저울질해야 한다. 그리고 수술 전후의 인터벤션 시술이 심인성 사건의 발생 가능성을 감소시킬 수 있는지를 평가해야 한다. 심근경색증이 발생한 이후 적절한 수술시기는 심인성 사건 이후 경과한 시간과 허혈위험도(ischemic risk)에 달려 있다. 급성(7일 이내)으로 또는 최근(7~30일)에 심근경색이 있었던 환자도 언제든지 수술이 필요할 수 있다. 경색증(infarction)은 진행 중인 허혈위험 정황에서 주요 임상예보자로 여겨진다. 그러한 허혈위험에 대한 예측자들(predictors)의 증거가 없을 때에는 다시 경색증이 발생할 위험도는 낮은 편이다. 일반적으로 심근경색증이 발생한 후부터 정규 수술까지 기다리는 기간은 4~6주 정도가 적절하다.

위암과 대동맥류가 동시에 있는 경우에는 대부분의

환자들이 고령이거나 심각한 중복이환(co-morbidity)을 갖고 있기 때문에 단계별 수술을 추천한다. 비록 술후 이환율은 높지만 퇴원 후의 생존율은 만족할 만하기 때문에, 예상 생존기간이 6개월 이상이라면 양쪽 질환에 대한 적극적인 수술치료를 고려해볼 만하다.

2) 호흡기질환

상복부수술은 폐기능을 저하시키고 쉽게 폐합병증을 유발한다. 중요한 술후 폐합병증으로는 폐렴, 무기폐, 48시간 이상의 기계적 환기(호흡부전), 기관지연축(bronchospasm) 등이 있다. The American Society of Anesthesiologists (ASA)의 신체상태 분류는 술후 폐합병증에 대한 가장 중요한 환자관련위험도(patient-related risk) 중 하나이다(표 32-4). 만성폐쇄성폐질환이 있는 환자에게 흉부 및 복부수술을 하는 경우에는 특히 심각한 폐합병증의 위험이 증가한다. 폐합병증을 예측하는 데 있어 폐활량측정법이 독립적인 예보자는 아니다. 반면에 높은 ASA class, 나이의 증가, 비정상적인 흉부방사선사진, 기관지확장제 투여 등이 높은 합병증 발생률과 관련이 있다.

만성폐쇄성폐질환에 반하여, 잘 조절된 천식은 술후 폐합병증의 위험인자가 되지는 않는다. 많은 환자들을 분석한 결과, 1.9%에서 술후 폐합병증이 발생하였고 대부분은 경미하였다. 폐동맥고혈압은 원인에 관계없이 술후 폐합병증의 중요한 위험인자이다. 한 연구에서는 전신마취로 심장수술이 아닌 다른 수술을 받았을 때에 호흡부전 발생률이 28%까지 증가한다고 보고하였다. 수술방법과 관련하여 가장 중요한 단일 위험인자는 수술 부위이다. 전통적으로 중요하게 여겨져 오는 점은, 절개 부위가 횡격막에 가까울수록 술후 폐합병증의 위험이 커진다는 것이다. 또 다른 중요한 위험인자로는 응급수술과 지속되는 수술(3시간 이상) 등을 들 수 있다.

수술 전에 폐기능을 평가하는 방법으로는 폐활량측정법이 있다. 그러나 이 방법은 폐절제 여부를 평가하는 데에는 좋은 지표이지만, 술후 폐합병증의 위험을 평가하는 데는 각 임상지표들이 더욱 유용하다. 따라서 임상의는 병력 및 신체검사를 기초로 하여 환자의 여러 문제점들을 파악하고 있어야 한다.

최근에는 흡연인구가 줄어들고 있으나 아직도 많은 사람들이 담배를 피우고 있다. 수술을 받을 시점까지 환자가 담배를 피웠다면 술후 폐합병증 발생률이 높아진다. 담배를 끊은 기간과 술후 폐합병증 간에 연관이 없다는 연구도 있지만, 금연이 효과적이려면 적어도 수술하기 6~8주 전에 담배를 끊어야 하며 기간이 짧아질수록 술후 이환율이 증가한다.

3) 간담도질환

간기능장애는 바이러스, 약물, 독성물질 매개질환 등 다양한 간 손상물질에 의해 발생한다. 간기능장애가 있

표 32-4. **Americal Society of Anesthesiologists (ASA) Physical Status Classification에 따른 사망률과 술후 폐합병증 정도**

	ASA 분류				
	1	2	3	4	5
정의	정상적인 건강한 환자	경한 전신적 질환이 있는 환자	심한 전신적 질환이 있는 환자	항상 생명을 위협하는 심한 전신적 질환이 있는 환자	수술 없이는 생존을 기대할 수 없는 사경을 헤매는 환자
사망률, %*	0.1	0.7	3.5	18.3	유용성 없음
술후 폐합병증, %†	1.1	5.4	11.4	10.9	유용성 없음

*10, †4

는 위암 환자를 수술하려 할 때는 기능장애의 정도를 정확히 평가해야 함은 물론 수술 전후에 받을 수 있는 추가 손상을 최소화하기 위해 노력해야 한다(표 32-5). 간기능장애가 있으면 신체검사를 할 때 황달 및 공막황달, 거미혈관종, 메두사머리, 손바닥 홍반, 손가락곤봉증 등이 나타난다. 복부검사에서는 복수 및 복부팽만과 간비대 등이 확인되고, 신경학적으로는 뇌병증 및 자세고정불능증이 보일 수 있다. 간기능장애를 동반한 위암 환자를 진찰할 때는 아스파르테이 트아미노전달효소(aspartate aminotransferase, AST), 알라닌아미노전달효소(alanine aminotransferase, ALT), 젖산탈수소효소(lactate dehydrogenase, LDH), 빌리루빈(bilirubin), 알칼리인산 분해효소(alkaline phosphatase), 알부민(albumin) 등 표준 간세포효소를 확인할 뿐만 아니라 혈액응고 프로필도 확인해야 한다. 간세포효소가 증가해 있으면 급성 또는 만성 간염으로 의심되므로 A, B, C

표 32-5. **Approach to a patient with liver disease**

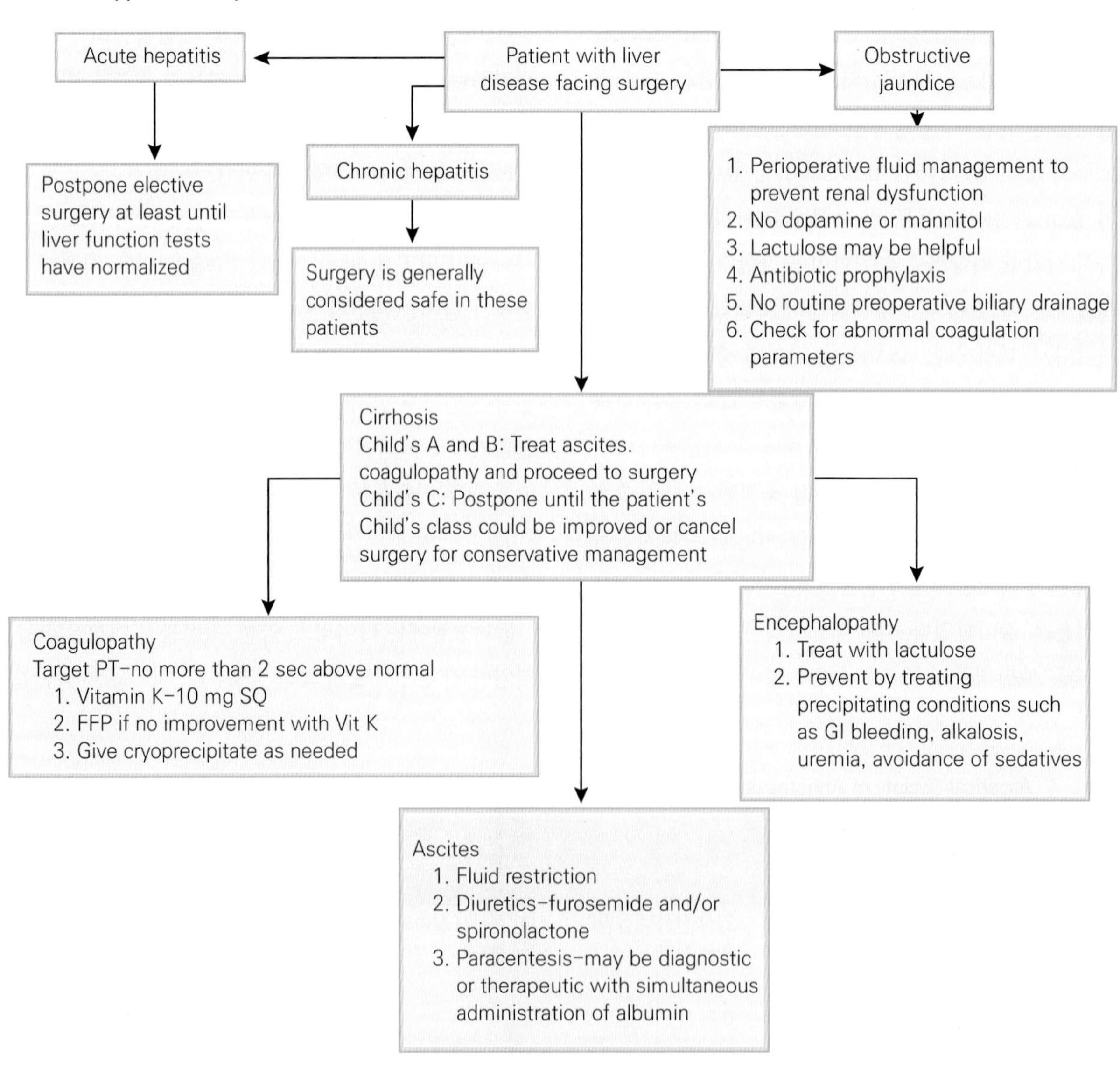

FFP, fresh-frozen plasma; GI, gastrointestinal; PT, prothrombin time; SQ, subcutaneous.
(From Rizvon MK, Chou CL. Surgery in the patient with liver disease. Med Clin North Am 2003; 87: 211-227.)

형 간염에 대한 혈청검사를 실시한다.

간질환을 지지할 만한 병력이나 신체검사 소견이 없으면서도 수술 전 간기능검사 결과가 비정상으로 나오는 경우가 종종 있다. 이때는 수술 전 급성 간염을 배제하거나 간기능장애의 정도를 명확히 하기 위하여 좀 더 세밀히 조사해야 한다. 아미노전이효소(transaminase)의 증가를 동반한 급성 간염이 있는 위암 환자의 경우에는 급하게 수술을 진행하면 이환율 및 사망률이 증가하므로, 가능하면 검사실 수치가 정상으로 돌아올 때까지 수주간 기다리는 것이 좋다.

우리나라에서는 B형 간염 바이러스(hepatits B virus, HBV)감염의 유병률이 높기 때문에 위암 수술 시 종종 간경화증을 만나게 된다. 간경화증은 간세포암의 발생 위험을 높일 뿐만 아니라 간 이외의 다른 장기에서의 암 발생도 증가시킨다. 이탈리아에서의 코호트 역학조사에 따르면 간경화증이 있는 환자의 위암 발생위험은 그렇지 않은 사람에 비해 2.6배 정도 더 높다. 한국인의 경우에도 간경화증으로 진단받은 환자의 2.0%에서 위암이 발견되었을 만큼 유병률이 높다. 간경화증 환자의 위암 발생률이 증가하는 요인은 아직까지 분명하게 밝혀지지 않았지만, 위장 점막에 있는 상피세포의 증식, 알코올 섭취 등의 영향이 거론되고 있다. 또한 최근 수십 년간 간경화증 환자의 생존율이 의미 있게 증가했기 때문에, 이로 인하여 이 환자들의 추적기간 동안에 위암이 발견될 확률도 증가하게 되었다.

간경화증이 있는 환자의 복부수술은 종종 복수, 복강 내 출혈, 장기부전, 패혈증 등의 치명적인 합병증을 동반하고, 사망률도 높다. 최근 수술술기의 발달과 술후 관리의 향상으로 위암 수술과 관련된 술후 이환율 및 사망률이 감소하는 추세이지만, 간경화증이 동반된 위암 환자에게 근치적 위절제술을 시행한 후 합병증이 보고되고 있다. 근치적 위절제술 후 가장 흔한 합병증 중 하나는 영역 림프절절제와 연관된 심한 복수이다. 영역 림프절절제는 위암의 근치적 수술을 위해서는 필수불가결한 술식이다.

간경화증 환자의 질환 진행정도나 예후를 평가하기 위해 Child-Pugh 점수평가법을 사용한다. 뇌병증(encephalopathy)의 정도, 복수, 프로트롬빈 시간, 알부민, 빌리루빈 농도의 조합으로 측정한다(표 32-6). 간경화증을 동반한 위암 환자의 경우 간십이지장인대(hepato-duodenal ligament) 근처의 림프절을 절제할 때는 특히 주의해야 한다. 복수를 동반한 간경화증 환자는 정상인에 비해 간십이지장인대 근처의 림프관이 더욱 풍부하게 잘 발달되어있어, 이 림프절을 절제한 후 종종 잘 조절되지 않는 림프유출(lymphorrhea)이 발생하기도 한다. 그래서 혹자는 술후 대량복수를 피하기 위해 간십이지장인대와 총간동맥(common hepatic artery) 근처의 림프절을 가급적 절제하지 말라고 권고

표 32-6. **Child-Pugh 점수체계**

	점수		
	1	2	3
Encephalopathy	None	Stage Ⅰ or Ⅱ	Stage Ⅲ or Ⅳ
Ascites	Absent	Slight (easily controlled)	Moderate (poorly controlled)
Bilirubin(mg/dL)	<2	2~3	>3
Albumin(g/L)	>3.5	2.8~3.5	<2.8
PT(prolonged seconds)	<4	4~6	>6
INR	>1.7	1.7~2.3	>2.3

PT=prothrombin time, INC=International Normalized Ration, Class A=5~6 points, Class B=7~9 points, Class C=10~15 points.

한다. 그러나 원발암이 위장의 중부 또는 하부에 위치한 경우에는 이곳의 림프절은 2군이므로 만약 이들을 남기면 불완전한 근치술이 될 가능성도 배제할 수 없다. Ryu 등은 경한 간기능이상이 있는 간경화증을 동반한 환자에서 이들 림프절을 포함하여 절제한 후 복수가 발생했으나 잘 조절되었고 대량복수는 없었으므로, 경한 간기능이상이 있는 간경화증을 동반한 위암인 경우에는 근치적 절제를 위해 이들 림프절을 포함한 림프절 절제술을 권장하였다.

간경화증을 동반한 위암 환자의 경우 간기능이상의 정도에 따라 생존율이 달라진다. Child's class A인 환자의 사망원인이 주로 위암의 재발과 관련되는 반면에, Child's class B 또는 C인 환자의 사망원인은 주로 간기능부전 또는 간암과 관련이 있거나 술후 합병증과 관련이 있다. 이러한 결과는 간경화증을 동반한 위암 환자의 수술을 단지 근치적 절제만을 목적으로 수행해서는 안 된다는 것을 증명한다. 중등도 또는 중증의 간기능이상이 있는 환자에서는 D1 또는 그 이하의 림프절절제술이 좀 더 합리적인 수술방법이 될 수도 있음을 고려해야 한다. 결론적으로, 숙련된 외과의가 시행한다면 경한 간기능이상이 있는 간경화증을 동반한 진행성 위암 환자(Child's class A)의 경우 2군 림프절을 포함하는 D2 림프절절제술은 안정적인 치료방법일 수 있다. 그러나 간기능이상이 심한 경우에는 림프절절제에 신중을 기해야 할 것이다.

4) 만성신부전

최근 고령 인구와 당뇨병의 증가로 인하여 신부전을 동반한 위암 환자의 수도 늘어나고 있다. 신기능의 저하는 여러 장기의 생리에 영향을 줄 수 있으며, 수술 전후에 이환율이 증가하는 원인이 되기도 한다. 수술술기 및 술후 관리가 발달함에 따라 위암 환자에게 비교적 안전하게 위절제술 및 림프절절제술을 시행할 수 있지만, 아직도 신장기능장애는 수술 전후 관리에 있어 위험인자로 남아있다. 만성신부전(chronic renal disease, CKD)은 사구체여과율과 신장손상정도에 따라 5단계로 구분되며(표 32-7), 신장기능장애는 비요독성 및 요독성 신부전으로 구분된다. 비요독성 신부전이란 신기능이 저하되어 있지만 환자가 아직 자신의 신장에 의존하고 있는 상태를 말한다. 이런 환자에게 위절제술을 하는 동안에는 신기능을 악화시키지 않도록 특별히 주의해야 한다. 신장기능장애는 종종 심장기능장애와 연관된다. 또한 신장성빈혈은 심혈관 기능장애의 분명한 위험인자로 알려져 있다. 따라서 비요독성 신부전 환자에게 대수술을 할 경우에는 신부전으로 인해 이차적으로 발생할 수 있는 심혈관장애, 순환장애, 혈액장애, 대사이상 등을 반드시 세심하게 평가해야 한다.

비요독성 신부전 환자에게는 혈액응고장애가 동반되므로, 수술 전후에 대량 출혈이 일어나 신기능이 악화되거나 다른 술후 합병증을 초래할 수 있다. Mori 등은 비요독성 신부전(20 < Ccr < 50 Ml/min)이 있는 위

표 32-7. **만성신부전(CKD)의 단계**

stage	Definition
1	GFR ≥90 ml/minute/1.73 m^2 with evidence of kidney damage[a]
2	GFR 60 - 89 ml/minute/1.73 m^2 with evidence of kidney damage[a]
3	GFR 30 - 59 ml/minute/1.73 m^2
4	GFR 15 - 29 ml/minute/1.73 m^2
5	GFR < 15 ml/minute/1.73 m^2 or dialysis-dependent

[a] Kidney damage defined as pathological abnormalities or markers of damage, including abnormalities of blood or urine tests or imaging studies.

암 환자에게 술중 및 술후에 적정량의 수액 및 이뇨제를 사용하여 소변량을 잘 유지해줌으로써(1 mL/kg per hour 이상) 신기능이 정상인 환자와 같은 정도의 술후 합병증 및 생존율을 유지할 수 있었다고 보고하였다.

말기 신부전 환자는 면역기능이 저하되는데, 이로 인하여 정상인에 비해 수술 전후 감염 발생률이 높다. 만성적인 면역기능의 저하가 악성종양의 발생률을 높인다는 사실은 잘 알려져 있다. 이는 면역감시체계가 제대로 활동하지 못한 결과로 해석된다. 오랫동안 투석을 받는 환자들은 일반인에 비해 암 발생률이 높고, 수술 후에도 재발률이 높아 생존율이 낮다.

말기 만성신부전 환자에게는 수술 전에 투석을 하여 수분 양과 칼륨 농도를 적절히 조절해야 한다. 수술 중 조직을 조작하는 과정 중에 또는 수혈로 인해 고칼륨혈증이 유발될 수 있다. 외과의는 마취의와 신장 전문의로 팀을 구성하여, 수술 전후에 발생할 수 있는 이차적인 신장손상을 방지하기 위해 노력해야 한다. 신독성 약물의 투여 중지, 적절한 혈관내 용적 유지 등이 이에 해당한다. 술후 기간 동안에 각종 약물의 약동학적 변화를 예측할 수 없는 경우도 발생하기 때문에, 적정한 혈중 농도를 유지하기 위해서는 약학 분야에 자문을 구해야 한다. 그중에서도 술후 동통을 조절하기 위해 사용하는 마약 계통은 간을 통한 제거에도 불구하고 효능이 지속될 수 있다.

말기 신장질환의 치료로는 신장이식이 가장 효과적인 방법이다. 그러나 신장이식을 받은 환자의 암 발생률은 4~20%로 일반인보다 높은 편이다. 신장이식을 받은 환자의 악성종양 발생률이 높은 이유에 대해서는 여러 가지 학설이 있고, 장기간의 면역체계 기능저하도 한 원인이 될 수 있다고 제시되었다. 서양에서 위암은 흔한 질환은 아니지만 동아시아 지방에서는 흔한 질환이기에, 한국에서 신장이식 후 가장 흔하게 발생하는 악성종양은 위암으로 보고되고 있다. 신장이식 후 발생하는 위암의 양상은 진행암인 경우에는 좀 더 활동적이고 공격적이며 전이도 잘 하지만, 조기암인 경우에는 근치적 치료를 하면 좋은 예후를 기대할 수 있다. 따라서 신장이식 환자들은 위암을 조기에 진단받기 위해 정기적으로 위내시경검사를 받아야 한다.

5) 내분비질환

당뇨병, 갑상선항진증 또는 갑상선저하증, 부신부족 등 과 같은 내분비계 질환을 가진 환자는 수술 중에 추가적으로 생리적 스트레스를 받게 된다. 그러므로 수술 전에 환자의 상태를 최적으로 유지하기 위하여 내분비 기능장애 유형과 정도를 파악해야 한다. 또한 수술 중 또는 이후에 부적절한 내분비 조절로 인한 대사장애의 징후가 나타나는지를 주의 깊게 감시해야 한다.

당뇨병 환자의 경우 수술하기 전에 혈당을 적절히 조절하고, 심장질환, 혈관이상, 망막병증, 신경병증, 신장병증 등의 당뇨 합병증 유무를 파악한다. 혈당을 조절하기 위해 수술 전에 환자를 미리 입원시킬 수도 있다. 비인슐린의존 당뇨병 환자의 경우 지속성 sulfonylurea는 수술 중 저혈당을 일으킬 수 있으므로 중단하고 단기작용 인슐린 또는 슬라이딩 스케일 인슐린으로 대치한다. 인슐린의존 당뇨병 환자의 경우에도 수술 당일에는 지속성 인슐린을 중단하고, 중간작용 인슐린을 감량하여 수술 당일 아침에 주사한다. 이런 환자들은 가능하면 아침 일찍 수술해야 하며, 수술 중에는 5% 또는 10% 포도당 용액과 단기작용 인슐린으로 혈당을 조절한다. 수술 후에도 혈중 포도당 농도를 수시로 확인하고, 혈량저하증을 방지하기 위해 수분을 적절히 공급한다. 만성 당뇨병 환자, 특히 병력이 10년 이상인 환자는 위절제술 이후에 원내감염에 걸릴 위험성이 높다. 장기 만성 당뇨병 환자의 다음과 같은 병태생리학적 변화가 이를 뒷받침해준다. 첫째, 장기 만성 당뇨병 환자는 백혈구기능이 저하될 수 있다. 둘째, 장기 만성 당뇨병은 혈관 합병증을 일으킬 수 있다. 동맥경화나 미세혈관병증은 말초순환장애를 유발하며, 조직저산소증은 창상

치유를 더디게 만든다. 셋째, 장기 만성 당뇨병은 다발신경병증을 유발할 수 있다. 방광 자율신경이 영향을 받으면 요정체가 일어나 세균뇨가 발생할 위험이 높아지고, 장의 자율신경이 영향을 받으면 장운동이 저하되어 장내에 세균이 증식하게 되고, 기능의 장애는 폐 흡인을 유발하여 폐렴을 일으킬 수 있다. 따라서 오랫동안 당뇨병을 앓아온 환자에게 위절제술을 계획할 때에는 감염의 위험을 고려하여 수술 전후 관리에 특히 힘써야 한다.

스테로이드를 사용한 기왕력이 있는 환자는 수술 전후 스트레스로 인한 부신의 반응이 부적절하기 때문에 이를 예측하여 스테로이드를 보충한다. 만약 지난 1년 동안 하루에 prednisone 5 mg (또는 해당량) 이상을 2주 이상 복용 했다면 대수술을 할 때 위험에 빠질 수 있음을 고려해야 한다. 일반적으로 이보다 적은 용량이거나 소수술일 때는 부신부족을 동반하지 않는다. 장기적으로 또는 간헐적으로 스테로이드를 사용하여 어느 정도의 부신부족이 예상되는 환자에서는 시상하부-뇌하수체-부신 반응의 적정성을 검사할 수도 있다. 저용량 ACTH-자극검사에서 부신이 비정상적으로 반응하면 수술 전후에 스테로이드를 보충한다. 적절한 스테로이드의 양과 투여기간은 수술 전후에 받는 스트레스의 정도에 따라 결정된다. 탈장복원술 같은 소수술에는 25 mg 정도의 hydrocortisone 상당량이 필요하다. 그러나 위장수술 등의 대수술에는 100~150 mg의 hydrocortisone 상당량을 2~3일 동안 지속해주어야 한다(표 32-8). 시상하부-뇌하수체-부신으로 이어지는 축의 부적절한 반응은 수술 전후에 이유를 알 수 없는 저혈압을 초래할 수 있다.

6) 여러 장기에 질환이 있는 경우

최근 수술 전후 환자의 처치 및 수술술기의 발달, 마취과학의 발달로 인하여 위암 환자의 수술 적응증 범위가 더욱 넓어졌다. 하지만 위암 수술과 관련된 분야의 발전에도 불구하고 술후 합병증 및 사망률은 더 이상 줄어들지 않고 있다. 따라서 위암의 근치적 절제술을 받는 환자의 수술 사망률을 줄이는 노력이 무엇보다 중요하다. 그러므로 술후 합병증 및 사망률과 연관된 술전 또는 술중 인자들을 철저하게 확인해야 한다. 이런 합병증과 연관이 있으리라 추정되는 인자들은 나이, 합병절제, 영양상태, 외과의의 수기 등이다. 일반적으로 노인에서는 장기의 기능예비력이 어느 정도 감소되어

표 32-8. **Recommendations for perioperative glucocorticoid coverage**

Degree of surgical stress	Definition	Glucocorticoid dose
Minor	Procedure under local anesthesia and less than one hour in duration (eg, inguinal hernia repair)	Hydrocortisone 25 mg or equivalent
Moderate	Procedure such as vascular surgery of a lower extremity or a total joint replacement	Hydrocortisone 50~75 mg or equivalent This could be continuation of usual daily steroid dose (eg, prednisone 10 mg a day) and hydrocortisone 50 mg intravenously during surgery
Major	Procedure such as esophagogastrectomy or operation on cardiopulmonary bypass	Usual glucocorticoid (eg, prednisone 40 mg or the parenteral equivalent within 2 h before surgery) and hydrocortisone 50 mg intravenously every 8 h after the initial dose for the first 48 to 72 h of the postoperative period

From Axelrod L. Perioperative management of patients treated with glucocorticoids. Endocrinol Metab Clin North Am 2003; 32: 367-383.

있고, 술전 검사에서 비정상적인 임상지표들이 나이가 많아짐에 따라 점차 증가하는 양상을 띤다. 따라서 고령의 위암 환자의 심장, 폐, 간, 신장 등의 장기에 장애가 있는 경우에는 술후에 삶의 질이 떨어질 수도 있으므로 수술방법을 신중하게 선택해야 한다. 모든 경우는 아니지만 공격적인 수술을 받은 환자에서 술후 삶의 질이 저하되는 경우가 종종 있기 때문이다.

최근 보고에 의하면, 70세 이상인 환자와 70세 미만인 경우를 비교해보았을 때 동시 다발적인 여러 주요장기의 기능부전 여부와 대수술 후의 합병증 발생률 간에 의미 있는 연관성이 없다고 한다. 그러나 80세 이상 위암 환자에게 여러 질환이 동시에 있는 경우가 그렇지 않은 경우보다 술후 합병증 발생률이 높았다. 고령(80세 이상)의 환자에게 한 번 합병증이 발생하면 상태가 점점 악화되어 종종 병원사망까지 이르게 된다. 따라서 고령 위암 환자에서 동시에 여러 장기의 기능부전이 확인된 경우에는 수술방법을 신중하게 선택해야 한다.

참고문헌

1. Advani SM, Advani PG, VonVille HM, Jafri SH. Pharmacological management of cachexia in adult cancer patients: a systematic review of clinical trials. BMC Cancer 2018;18:1174.
2. Atreja A, Kalra S. Infections in diabetes. J Pak Med Assoc 2015;65:1028-1030.
3. Axelrod L. Perioperative management of patients treated with glucocorticoids. Endocrinol Metab Clin North Am 2003;32:367-383.
4. Behrns KE, Sarr MG. Diagnosis and management of gastric emptying disorders. Adv Surg 1994;27:233-255.
5. Bluman LG, Mosca L, Newman N, Simon DG. Preoperative smoking habits and postoperative pulmonary complications. Chest 1998;113:883-889.
6. Chen J, Cheong JH, Hyung WJ et al. Gastric adenocarcinoma after renal transplantation. Hepatogastroenterology 2004;51:895-899.
7. Clavien PA, Barkun J, de Oliveira ML, Vauthey JN, Dindo D, Schulick RD, et al. The Clavien-Dindo classification of surgical complications: five-year experience. Ann Surg 2009;250:187-196.
8. Davis RH, Clench MH, Mathias JR. Effects of domperidone in patients with chronic unexplained upper gastrointestinal symptoms: a double-blind, placebo-controlled study. Dig Dis Sci 1988;33:1505-1511.
9. Eagle KA, Berger PB, Calkins H, Chaitman BR, Ewy GA, Fleischmann KE, et al. ACC/AHA guideline update for perioperative cardiovascular evaluation for noncardiac surgery-executive summary. A report of the American College of Cardiology/American Heart Association task force on practice guidelines (committee to update the 1996 guidelines on perioperative cardiovascular evaluation for noncardiac surgery). Anesth Analg. 2002;94:1052-1064.
10. Endo K, Baba H, Ohno S, et al. Early recurrence of gastric cancer in a patient with chronic renal failure. Anticancer Res 1995;15:623-625.
11. Go AS, Chertow GM, Fan D et al. Chronic kidney disease and the risks of death, cardiovascular events, and hospitalization. N Engl J Med 2004;351:1296-1305.
12. Hara H, Isozaki H, Nomura E, et al. Evaluation of treatment strategies for gastric cancer in the elderly according to the number of abnormal parameters on preoperative examination. Surg Today 1999;29:837-841.
13. Hasegawa T, Hayashida S, Kondo E, Takeda Y, Miyamoto H, Kawaoka Y, et al. Medication-related os-

teonecrosis of the jaw after tooth extraction in cancer patients: a multicenter retrospective study. Osteoporos Int 2019;30:231-239.

14. Heo J, Noh OK, Oh YT et al. Cancer risk after renal transplantation in South Korea: a nationwide population-based study. BMC Nephrol 2018;19:311.
15. Hong S, Shang Q, Geng Q, Yang Y, Wang Y, Guo C. Impact of hypertonic saline on postoperative complications for patients undergoing upper gastrointestinal surgery. Medicine (Baltimore) 2017;96:6121.
16. Hu Y, Kim HI, Hyung WJ, Song KJ, Lee JH, Kim YM, et al. Vitamin B(12) deficiency after gastrectomy for gastric cancer: an analysis of clinical patterns and risk factors. Ann Surg 2013;258:970-975.
17. Inker LA, Astor BC, Fox CH, et al. KDOQI US commentary on the 2012 KDIGO clinical practice guideline for the evaluation and management of CKD. Am J Kidney Dis 2014;63:713-735.
18. Inoue M, Tajima K, Hirose K, et al. Life-style and subsite of gastric cancer--joint effect of smoking and drinking habits. Int J Cancer 1994;56:494-499.
19. Iwamuro M, Okada H, Matsueda K, Inaba T, Kusumoto C, Imagawa A, et al. Review of the diagnosis and management of gastrointestinal bezoars. World J Gastrointest Endosc 2015;7:336-345.
20. Jang HJ, Kim JH, Song HH, et al. Clinical outcomes of patients with liver cirrhosis who underwent curative surgery for gastric cancer: a retrospective multi-center study. Dig Dis Sci 2008;53:399-404.
21. Jun JH, Yoo JE, Lee JA, Kim YS, Sunwoo S, Kim BS, et al. Anemia after gastrectomy in long-term survivors of gastric cancer: a retrospective cohort study. Int J Surg 2016;28:162-168.
22. Jurkovitz CT, Abramson JL, Vaccarino LV, et al. Association of high serum creatinine and anemia increases the risk of coronary events: results from the prospective community-based atherosclerosis risk in communities (ARIC) study. J Am Soc Nephrol 2003;14:2919-2925.
23. Karl RC, Smith SK, Fabri PJ. Validity of major cancer operations in elderly patients. Ann Surg Oncol 1995;2:107-113.
24. Karna H, Gonzalez J, Radia HS, Sedghizadeh PP, Enciso R. Risk-reductive dental strategies for medication related osteonecrosis of the jaw among cancer patients: a systematic review with meta-analyses. Oral Oncol 2018;85:15-23.
25. Kim HI, Hyung WJ, Song KJ, Choi SH, Kim CB, Noh SH. Oral vitamin B12 replacement: an effective treatment for vitamin B12 deficiency after total gastrectomy in gastric cancer patients. Ann Surg Oncol 2011;18:3711-3717.
26. Kim YW, Bae JM, Park YK, Yang HK, Yu W, Yook JH, et al. Effect of intravenous ferric carboxymaltose on hemoglobin response among patients with acute isovolemic anemia following gastrectomy: the fairy randomized clinical trial. JAMA 2017;317:2097-2104.
27. Kroenke K, Lawrence VA, Theroux JF, Tuley MR, Hilsenbeck S. Postoperative complications after thoracic and major abdominal surgery in patients with and without obstructive lung disease. Chest 1993;104:1445-1451.
28. Kumagai K. Intractable ascites following surgery for gastric carcinoma. Dig Surg 1998;15:236-240.
29. Ladas SD, Isaacs PE, Quereshi Y, Sladen G. Role of the small intestine in postvagotomy diarrhea. Gastroenterology 1983;85:1088-1093.
30. Lee JH, Hyung WJ, Kim HI, Kim YM, Son T, Okumura N, et al. Method of reconstruction governs iron metabolism after gastrectomy for patients with gastric cancer. Ann Surg 2013;258:964-969.
31. Lee JH, Kim J, Cheong JH, et al. Gastric cancer surgery in cirrhotic patients: result of gastrectomy with D2 lymph node dissection. World J Gastroenterol 2005;11:4623-4627.
32. Lee TH, Marcantonio ER, Mangione CM, Thomas EJ, Polanczyk CA, Cook EF, et al. Derivation and prospective validation of a simple index for prediction of

cardiac risk of major noncardiac surgery. Circulation 1999;100:1043-1049.
33. Liang TJ, Liu SI, Chen YC, Chang PM, Huang WC, Chang HT, et al. Analysis of gallstone disease after gastric cancer surgery. Gastric Cancer 2017;20:895-903.
34. Lim CH, Kim SW, Kim WC, Kim JS, Cho YK, Park JM, et al. Anemia after gastrectomy for early gastric cancer: long-term follow-up observational study. World J Gastroenterol 2012;18:6114-6119.
35. McClelland RN, Horton JW. Relief of acute, persistent postvagotomy atony by metoclopramide. Ann Surg 1978;188:439-447.
36. Moller AM, Villebro N, Pedersen T, Tonnesen H. Effect of preoperative smoking intervention on postoperative complications: a randomised clinical trial. Lancet 2002;359:114-117.
37. Mori S, Sawada T, Hamada K, et al. Gastrectomy for patients with gastric cancer and non-uremic renal failure. World J Gastroenterol 2007;13:4589-4592.
38. Palevsky PM. Perioperative management of patients with chronic kidney disease or ESRD. Best Pract Res Clin Anaesthesiol 2004;18:129-144.
39. Park DJ, Lee HJ, Kim HH, et al. Predictors of operative morbidity and mortality in gastric cancer surgery. Br J Surg 2005;92:1099-1102.
40. Parkin GJ, Smith RB, Johnston D. Gallbladder volume and contractility after truncal, selective and highly selective (parietal-cell) vagotomy in man. Ann Surg 1973;178:581-586.
41. Ramakrishna G, Sprung J, Ravi BS, Chandrasekaran K, McGoon MD. Impact of pulmonary hypertension on the outcomes of noncardiac surgery: predictors of perioperative morbidity and mortality. J Am Coll Cardiol 2005;45:1691-1699.
42. Rizvon MK, Chou CL. Surgery in the patient with liver disease. Med Clin North Am 2003;87:211-227.
43. Ryu KW, Lee JH, Kim YW, et al. Management of ascites after radical surgery in gastric cancer patients with liver cirrhosis and minimal hepatic dysfunction. World J Surg 2005;29:653-656.
44. Saif MW, Makrilia N, Zalonis A, et al. Gastric cancer in the elderly: an overview. Eur J Surg Oncol 2010;36: 709-717.
45. Salem M, Tainsh RE Jr, Bromberg J, et al. Perioperative glucocorticoid coverage. A reassessment 42 years after emergence of a problem. Ann Surg 1994;219: 416-425.
46. Sato N, Shimizu H, Suwa K, et al. MPO activity and generation of active O2 species in leukocytes from poorly controlled diabetic patients. Diabetes Care 1992;15:1050-1052.
47. Seo GH, Kang HY, Choe EK. Osteoporosis and fracture after gastrectomy for stomach cancer: a nationwide claims study. Medicine (Baltimore) 2018;97: 0532.
48. Singh R, Kishore L, Kaur N. Diabetic peripheral neuropathy: current perspective and future directions. Pharmacol Res 2014;80:21-35.
49. Smetana GW, Lawrence VA, Cornell JE, American College of P. Preoperative pulmonary risk stratification for noncardiothoracic surgery: systematic review for the American College of Physicians. Ann Intern Med 2006;144:581-595.
50. Sorensen HT, Friis S, Olsen JH, et al. Risk of liver and other types of cancer in patients with cirrhosis: a nationwide cohort study in Denmark. Hepatology 1998; 28:921-925.
51. Sparberg M, Nielsen A, Andruczak R. Bezoar following gastrectomy. Am J Dig Dis 1968;13:579-583.
52. Takeda J, Toyonaga A, Koufuji K, et al. Surgical management of gastric cancer patients with liver cirrhosis. Kurume Med J 1994;41:205-213.
53. Tovey FI, Hall ML, Ell PJ, Hobsley M. A review of postgastrectomy bone disease. J Gastroenterol Hepatol 1992;7:639-645.
54. Tsuji Y, Morimoto N, Tanaka H, Okada K, Matsuda H, Tsukube T, et al. Surgery for gastric cancer combined

with cardiac and aortic surgery. Archives of surgery (Chicago, Ill: 1960) 2005;140:1109-1114.

55. Villeneuve PJ, Schaubel DE, Fenton SS, et al. Cancer incidence among Canadian kidney transplant recipients. Am J Transplant 2007;7:941-948.
56. Vinik A, Casellini C, Nevoret ML. Diabetic Neuropathies. In: De Groot LJ, Chrousos G, Dungan K, eds. Endotext. South Dartmouth (MA), 2000.
57. Warner DO, Warner MA, Barnes RD, Offord KP, Schroeder DR, Gray DT, et al. Perioperative respiratory complications in patients with asthma. Anesthesiology 1996;85:460-467.
58. Wolters U, Wolf T, Stutzer H, Schroder T. ASA classification and perioperative variables as predictors of postoperative outcome. Br J Anaesth 1996;77:217-222.
59. Yamashita S, Yamaguchi H, Sakaguchi M, et al. Longer-term diabetic patients have a more frequent incidence of nosocomial infections after elective gastrectomy. Anesth Analg 2000;91:1176-1181.
60. Yoo SH, Lee JA, Kang SY, Kim YS, Sunwoo S, Kim BS, et al. Risk of osteoporosis after gastrectomy in long-term gastric cancer survivors. Gastric Cancer 2018;21:720-727.
61. Yoon HM, Kim YW, Nam BH, Reim D, Eom BW, Park JY, et al. Intravenous iron supplementation may be superior to observation in acute isovolemic anemia after gastrectomy for cancer. World J Gastroenterol 2014;20:1852-1857.
62. Yu W, Park KB, Chung HY, Kwon OK, Lee SS. Chronological changes of quality of life in long-term survivors after gastrectomy for gastric cancer. Cancer Res Treat 2016;48:1030-1036.
63. Zullo A, Romiti A, Tomao S, et al. Gastric cancer prevalence in patients with liver cirrhosis. Eur J Cancer Prev 2003;12:179-182.

CHAPTER 33

위암의 전신항암요법

1. 기전에 따른 항암제의 분류

1) 세포독성 항암제

위암의 표준치료로 fluoropyrimidine, 백금화합물, taxane 및 irinotecan이 주로 사용되는 세포독성 항암제이다. 본 단락에서는 현재 위암의 표준치료로 사용되는 세포독성 항암제의 기전과 대사 및 주요 부작용에 대해 기술하였다.

(1) Fluoropyrimidine

① 5-fluorouracil

Fluoropyrimidine으로는 주사제로 사용되는 5-fluorouracil (5-FU)과 그 경구 유도체인 capecitabine, S-1이 있다. 이 3가지 항암제는 위암에서 단독 또는 백금화합물과 병용요법으로 흔하게 사용되고 있다. Fluoropyrimidine의 대사경로는 그림 33-1에 도시하였다.

5-FU는 1950년대에 합성된 항암제로 항암제 기전으로 분류하였을 때 대사길항물질(antimetabolite) 중 하나이다. RNA 또는 DNA 합성과정 중 정상적인 nucleotide 대신 끼어들어감으로써, RNA 또는 DNA 합성을 방해하여 암세포의 분열 증식을 억제하게 된다.

5-FU를 경구투여하는 경우에는 위장관에 존재하는 dihydropyrimidine dehydrogenase (DPD)에 의해 생체이용률이 낮기 때문에, 정주투여하는 것을 원칙으로 한다. 5-FU를 급속주입(bolus)하는 경우 반감기는 10분 내외로 짧다. 투여된 5-FU의 85% 이상은 DPD에 의해 불활성화된다. DPD는 5-FU의 분해대사 과정 중 속도제한효소로서, DPD의 부분 또는 완전결핍은 각각 3~5%와 0.1%에서 관찰된다. DPD 결핍이 있는 경우 5-FU의 활성대사물이 증가하게 되어 치료독성이 심하게 발생할 수 있다. 그러나, DPD 효소의 활성정도는 특화된 일부 실험실 외에는 측정이 불가능하여 통상적으로 DPD 결핍을 확인하기는 어렵다.

5-FU의 효과를 증가시키기 위해 leucovorin과 병용하여 투여하거나 5-FU 투여일정을 조정하는 등의 방법이 지난 20~30년 동안 시도되었다. Leucovorin은 5-FU의 표적효소인 thymidylate synthase를 저해함으로써 5-FU와 병용투여 하였을 때 5-FU의 항암효과를 증대시킬 수 있다. 또한 5-FU는 합성기인 S기에 특이적으로 작용하여 약물 노출시간을 증가시킬 경우 더 많은 분율의 암세포들이 5-FU에 노출되어 항암효과가 증가할 수 있으므로, 급속주입보다는 지속정주 또는 급속주입과 지속정주를 혼합한 방법이 보다 효과적이다.

5-FU의 내성과 관련있는 기전으로는 thymidylate

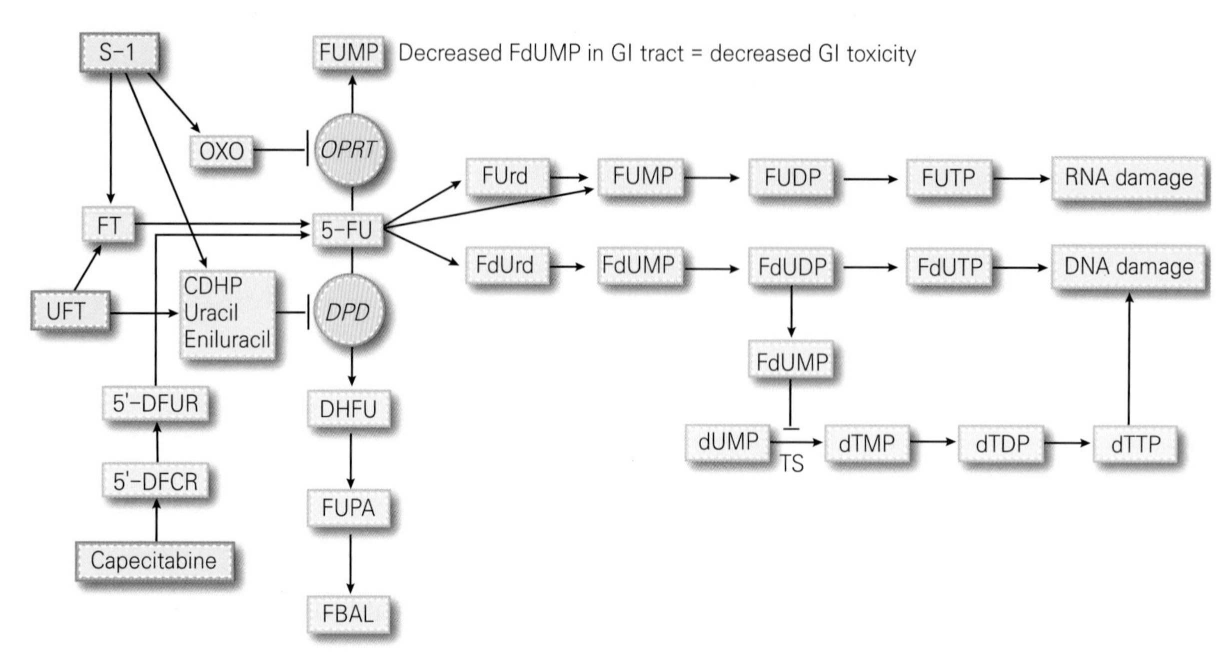

그림 33-1 **Fluoropyrimidine의 대사경로.**
UFT, uracil-ftorafur; FT, tegafur; 5-FU, 5-fluoroural; OXO, potassium oxonate; CDHP, 5-chloro-2,4-dihydroxypyridine; 5'-DFCR, 5'-deoxy-5-fluorocytidine; 5-DFUR, 5'-deoxy-5-fluorouridine; OPRT, orotate phosphoribosyltranferase; FUMP, fluorouridine monophosphate; FdUMP, fluorodeoxyuridine monophosphate; DPD, dihydropyrimidine dehydrogenase; DHFU, 5, 6-dihydro-5-fluorouracil; FUPA, fluoro-β-ureidopropionate; FBAL, fluoro-beta-alanine; FUrd, fluorouridine; FUDP, fluorouridine diphosphate; FUTP, fluorouridine triphosphate; FdUrd, fluorodeoxyuridine; FdUMP, fluorodeoxyuridine monophosphate; FdUDP, fluorodeoxyuridine diphosphate; FdUTP, fluorodeoxyuridine triphosphate; dUMP, deoxyuridine monophosphate; dTMP, deoxythymidine monophosphate; dTDP, deoxythymidine diphosphate; dTTP, deoxythymidine triphosphate; TS, thymidylate synthase; HFS, hand-foot syndrome.

synthase 효소의 과활성 또는 과발현 및 hMLH1 또는 hMSH2와 같은 불일치복구효소(mismatch repair enzyme)의 결손이나 DPD의 과발현도 5-FU의 내성과 관련이 있는 것으로 알려져있다.

5-FU의 독성은 용량과 투여일정에 따라 달라질 수 있다. 주요 독성은 골수억제, 설사 및 점막염으로, 급속투여의 경우 지속정주보다 골수억제가 흔하게 발생하고, 지속정주의 경우 손발증후군이 발생할 수 있다. 드물게 졸림이나 소뇌실조와 같은 급성 신경증상과 심장혈관 수축이 발생할 수 있다.

② Capecitabine

Capecitabine은 경구용 fluoropyrimidine 유도체의 하나이다. Capecitabine은 위장관의 점막에서 흡수되고 생체이용률은 80%에 달한다. Capecitabine 자체는 항암제로 작용하지 않으나, 몇 단계를 거쳐 활성형태로 전환된다. 특히 정상조직에 비해 종양세포에서 발현도가 높은 thymidine phosphorylase에 의해 5'-deoxy-5-fluorouridine이 5-FU로 최종 전환되어 작용한다.

Capecitabine과 그 대사산물은 주로 신장에서 배설되기 때문에 5-FU와는 달리 신기능장애가 있는 경우 주의가 필요하고 크레아티닌 청소율이 30 mL/분보다 낮은 경우에는 금기이다. Warfarin과는 약물상호작용이 있기 때문에 같이 사용할 경우에는 최소 1주 1회 혈액응고인자 측정을 하여 필요시 warfarin의 용량조절이 필요하다. Capecitabine의 주요 부작용은 5-FU의 지속정주와 유사하여 설사와 손발증후군이 흔하게 발생한다. 5-FU와 비교했을 때, 골수억제, 발열성호중구감소증, 점막염, 탈모, 구역 및 구토의 발생빈도는 적다.

③ S-1

S-1 또한 fluoropyrimidine 경구유도체의 하나로, tegafur, 5-chloro-2, 4-dihydroxypyridine (CDHP 또는 gimeracil)과 oteracil의 3가지 물질로 구성된다. Tegafur는 5-FU의 전구물질에 해당하고, CDHP는 DPD의 경쟁억제제이다. Tegafur는 소장에서 흡수되어 간의 cytochrome P450 CYP2A6 대사효소를 통해 5-FU로 전환된다. 85% 이상의 5-FU는 DPD에 의해 불활성화되는데, CDHP에 의해 DPD가 억제됨으로써 5-FU의 농도가 높게 유지될 수 있다. Oteracil은 위장관에서 orotate phosphoribosyltranferase를 억제함으로써 fluorouridine monophosphate (FUMP) 형성을 방지하여 구역, 구토, 점막염 또는 설사와 같은 위장관 부작용을 감소시킨다. S-1은 인종간 CYP2A6 유전형의 차이로 인종간 사용용량의 차이가 있다. 동아시아인에서는 40 mg/m^2 1일 2회 복용이 최대내약용량으로 관찰된 반면, CYP2A6 활성이 높은 백인에서는 25 mg/m^2 1일 2회 복용이 최대내약용량으로 관찰되었다. 동아시아인과 백인을 비교했을 때, 백인에서는 위장관 부작용이 많이 발생하는 반면, 동아시아인에서는 혈액학적 부작용이 좀 더 빈번하다. 손발증후군의 발생은 capecitabine에 비해 적다.

(2) 백금화합물

백금화합물 중 cisplatin 또는 oxaliplatin이 위암의 표준 항암화학요법에 포함되어 사용되고 있으나, carboplatin은 사용되지 않는다. Cisplatin은 약 40여 년 전부터 여러 암종에서 사용되어 왔는데, 이후 oxaliplatin은 분자구조에 diaminocyclohexane carrier group과 oxalate leaving group을 추가하여 개발되었다.

백금화합물은 DNA 이중가닥 내 또는 이중가닥 사이에서 첨가물을 형성함으로써 작용하는데, oxaliplatin은 cisplatin에 비해 크고 소수성인 첨가물을 형성한다. DNA 첨가물이 형성되면 DNA 이중가닥이 분리되지 않아 DNA 복제나 전사과정이 진행되지 않게 되고, 이로 인해 종양세포가 파괴된다. Cisplatin과 oxaliplatin은 주로 신장으로 배설되고 소량만 담즙으로 배설된다. Cisplatin은 특징적으로 신독성을 유발할 수 있어 투여 전 후에 수액공급이 필요하다. 또한 내이독성, 신경독성 및 심한 구역, 구토를 흔하게 유발할 수 있다. 내이독성과 신경독성은 cisplatin 누적용량에 따라 증가하고 비가역적이다. 반면, oxaliplatin의 경우 신독성과 내이독성이 적고 투여 전 후 수액공급은 필요하지 않으나, cisplatin에 비해 말초신경독성이 흔하다. 말초신경독성의 경우 oxaliplatin 또한 누적용량에 따라 비례하여 발생하나 cisplatin과 달리 투여중단 후 시간이 지남에 따라 가역적으로 호전될 수 있다. Oxaliplatin은 구토유발 정도가 중등도로 대개 항구토제로 조절가능하다. Cisplatin이나 oxaliplatin 모두 단독요법으로는 골수억제 부작용은 적다.

(3) Taxane

Taxane은 항암제 기전으로 분류했을 때, 항미세관제제(antimicrotubule agent) 중의 하나이다. 미세관은 α/β tubulin 중합체로 구성된 세포골격으로서, 세포분열, 소포체 수송, 세포모양 형성 및 세포극성에 중요한 역할을 한다. Taxane의 주요 작용기전은 미세관의 내측표면에 결합하여 미세관을 안정화시키고 분리가 안되게 하여 미세관의 작용을 방해하는 것이다. 결과적으로 G2/M기에 세포분열 중지를 유발하여 세포사멸이 발생한다.

위암에서는 paclitaxel과 docetaxel이 표준 항암화학요법으로 사용되고 있다. Paclitaxel은 주로 약 70%가 장간순환(enterohepatic circulation)에 의해 변으로 배설되고, 신장배설은 약 15%에 불과하다. 대부분은 cytochrome P450 CYP2C8과 CYP3A4를 통해 대사된다. Docetaxel 또한 주로 간에서 CYP3A4와 CYP3A5에 의해 대사된다. Paclitaxel를 투여할 때 용매제인 cremophor가 과민반응을 유발할 수 있고, 이에 대해 스테로이드를 포함한 전처치가 필요하다. Paclitaxel의 주요 부작용으로 신경독성이 발생할 수 있는데, 이의 원인은 paclitaxel 누적용량에 의한 축삭의 변성과 탈수초이다. 골수억제에 의한 호중구감소증도 흔하게 발생한다. Docetaxel도 주입 관련 과민반응, 신경독성 및 호중구감소증이 흔하게 발생한다. 또한 누적용량에 의한 모세혈관 투과성의 증가로 체액저류를 유발할 수 있다.

(4) Topoisomerase 억제제

DNA나 RNA는 nucleotide의 긴 중합체인데, topoisomerase는 핵산의 꼬임풀기 및 절단과 재결찰 과정을 통해 DNA나 RNA가 얽히지 않게 하고 전사나 복제단계에서 DNA supercoiling을 완화 해소하는 역할을 한다. Topoisomerase에는 I, II, III가 있고 그 작용에 차이가 있다(표 33-1).

Topoisomerase 억제제는 topoisomerase의 기능을 억제함으로써 세포사멸을 유도한다. 위암에서 주로 사용되는 topoisomerase 억제제로는 irinotecan과 epirubicin이 있다. Epirubicin은 효과 및 치료독성 면에서 위암에서 치료제로서의 의미가 의문시되고 있으나, 유럽과 북미 일부에서 최근까지 표준치료의 일환으로 사용되고 있다.

Irinotecan은 topoisomerase I 억제제의 하나로, 주로 간에 존재하는 carboxylesterase 전환효소에 의해 활성대사물인 SN-38로 전환된다. 설사와 골수기능 억제가 흔한 부작용으로, irinotecan 투여 후 24시간 이내에는 acetylcholinesterase 억제로 부교감신경의 항진이 유발되어 복통과 설사가 유발될 수 있고, 이는 atropine 투여로 호전될 수 있다. Irinotecan 투여 24시간 이후 발생하는 설사는 활성대사물에 의한 점막세포 독성에 의해 발생하고, loperamide와 같은 지사제로 조절이 가능하다. 투여량의 70% 이상은 간대사를 통해 담즙으로 배설되고 나머지는 신장으로 배설된다. 활성대사물인 SN-38은 간에서 UDP glucuronosyltransferase family 1 member A1 (UGT1A1) 효소에 의해 불활성화된다. 따라서, UGT1A1의 결핍이 있는 경우 SN-38이 불활성화가 감소하여 축적됨에 따라 설사나 골수억제 등의 부작용이 증가하게 된다. 이에, UGT1A1*28 대립유전자가 동형접합인 경우나 혈청 bilirubin이 1.5 mg/mL인 경우에는 irinotecan의 감량이 필요하다.

표 33-1. Topoisomerase의 분류 및 기능

Topoisomerase	유전자 명	단백질효소 명	기능
I	*TOP1*	Top1	DNA supercoiling relaxation, transcription, replication
	TOP1MT	Top1mt	
II	*TOP2A*	Top2α	Decatenation, replication
	TOP2B	Top2β	Transcription
III	*TOP3A*	Top3α	DNA replication
	TOP3B	Top3β	RNA topoisomerase

Epirubicin은 topoisomerase II 억제제의 하나이고, doxorubicin의 epimer로 anthracycline 계열약제이다. Anthracycline 계열약제는 일반적으로 골수억제, 점막염, 구역, 구토와 누적용량에 따른 심장독성이 주요 부작용이다. Epirubicin은 간의 glucuronyltransferase와 sulfatase의 기질로서, 간기능이 안 좋은 경우 용량조절이 필요하다. 혈청 bilirubin이 1.2~3 mg/mL이거나, aspartate aminotransferase가 정상 상한치의 2~4배인 경우에는 50% 용량감량이 필요하고, 혈청 bilirubin이 3 mg/dL를 초과하거나 aspartate aminotransferase가 정상 상한치의 4배를 초과하는 경우 75% 용량감량이 필요하다.

2) 표적치료제(그림 33-2)

위암에서도 다른 암종과 같이 여러 분자표적치료제들의 효과를 입증하기 위한 연구들이 시도되었으나, 현재까지 그 효과가 입증된 분자표적치료제는 많지 않다. 위암에서 무작위 3상 연구로 생존이 향상됨을 입증한

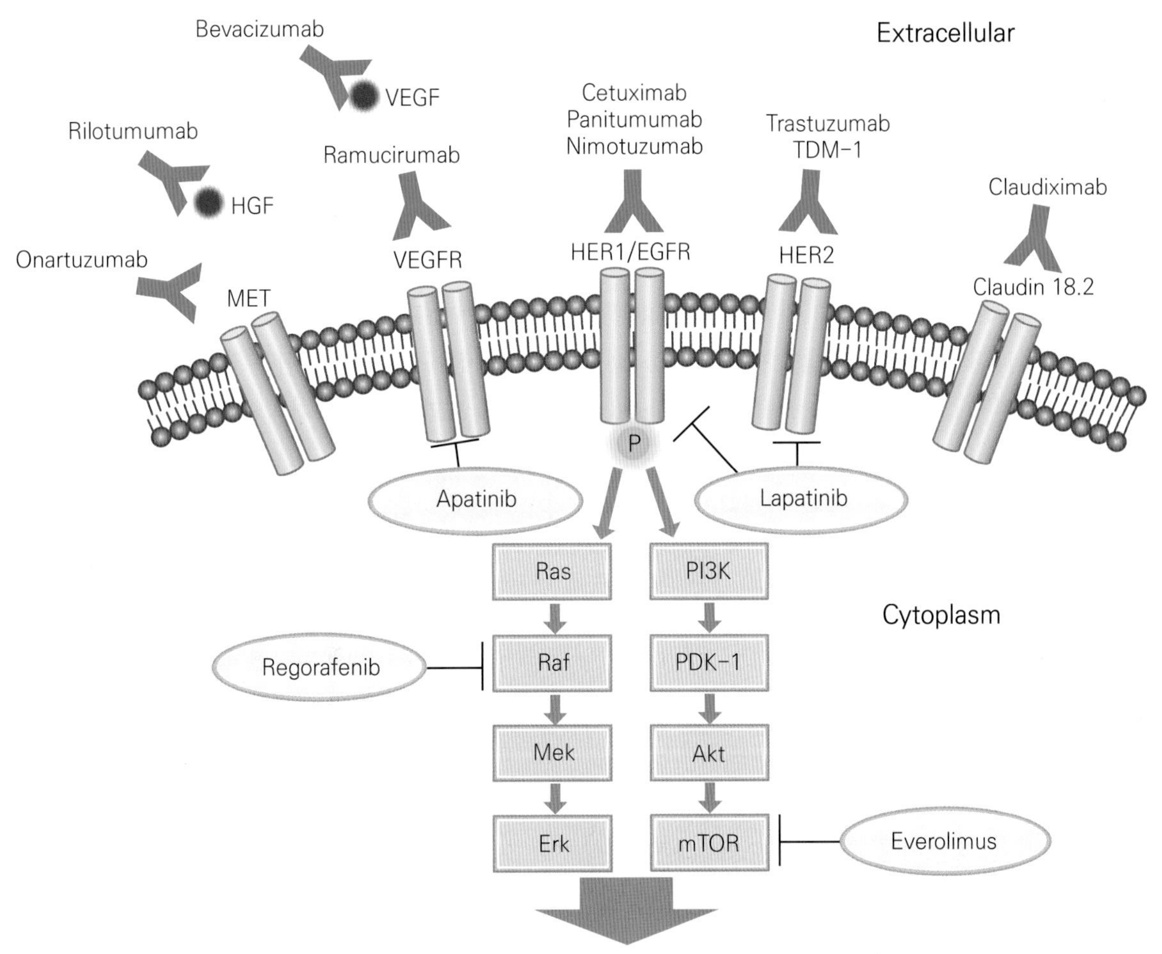

그림 33-2 위암에서 표적치료제 및 발암 경로.
EGFR, epidermal growth factor receptor; HER, human epidermal growthh factor receptor; HGF, hepatocyte growth factor; mTOR, mammalian target of rapamycin; VEGF, vascular endothelial growth factor; VEGFR vascular endothelial growth factor receptor.

표적치료제는 표피성장인자수용체2(epidermal growth factor receptor 2, HER2) 양성 진행성 위암에서 1차 고식적 전신항암요법으로 효과가 입증된 trastuzumab, 2차 고식적 전신항암요법으로 효과가 입증된 ramucirumab, 3차 고식적 전신항암요법으로 효과를 입증한 apatinib이 있다. 이외에도 그동안 여러 분자표적치료제에 대한 임상연구가 시도되었으나 그 효과를 입증하지 못하였다. 그러나, 다른 분자표적에 대한 지속적인 시도 또는 분자표적치료제에 효과적일 환자군을 선별하여 효과를 입증하려는 연구 등이 지속적으로 진행되고 있다. 본 단락에서는 효과가 입증된 상기 표적치료제의 작용기전에 대해 기술하였다.

(1) 항HER2 단클론항체

HER2는 염색체 17번에 위치한 Erb2에 의해서 encode되는 원종양유전자(proto-oncogene)이다. Trastuzumab은 HER2를 표적으로 하는 재조합 인간 IgG1 단클론항체로, HER2 수용체에 결합하여 그 기능을 없애거나 감소시켜서 protein kinase B (PKB)와 signal transducer and activator of transcription 3 (STAT3)과 같은 분자들이 작용하는 신호전달을 약화시킨다. 또한 trastuzumab은 cyclin-dependent kinase (CDK) inhibitor p27의 발현을 증가시켜, 항체 의존 세포독성을 유발함으로써 세포주기 단백질과 세포주기 질환을 감소시킨다. Trastuzumab은 HER2 양성 유방암의 치료약제로 처음 개발되어 사용된 약제로, ToGA 연구에서 HER2 양성 진행성 위암에서 복합항암화학요법과 병용 시 항암화학요법 단독에 비해 생존이 증가됨을 입증하여, 현재 최초로 위암의 분자표적치료 근간 전신항암요법으로 사용되고 있다.

(2) 항VEGFR 단클론항체

Ramucirumab은 신생혈관생성을 유발하는 혈관내피성장인자(vascular endothelial growth factor, VEGF)의 주된 하향작용을 중개하는 혈관내피성장인자수용체2(vascular endothelial growth factor receptor 2, VEGFR2)에 결합함으로써 VEGF/VEGFR2의 상호작용을 직접 억제하여 효과를 나타낸다. REGARD 연구와 RAINBOW 연구에서 1차 고식적 전신항암요법에 실패한 진행성 위암에서 단독 또는 항암제와 병용시 생존이 증가함을 입증하여 2차 고식적 전신항암요법의 표준치료로 사용되고 있다.

(3) Tyrosine kinase inhibitor

Apatinib은 소분자 tyrosine kinase inhibitor로, VEGFR2에 매우 선택적으로 결합하여 강력하게 억제함으로써 VEGF에 의한 내피세포의 이동과 증식 및 종양 미세혈관 밀도를 감소시킨다. 이 약제는 또한 c-kit와 c-SRC tyrosine kinase를 경하게 감소시킨다. 중국에서 시행한 무작위 3상 연구에서 2차 이상의 고식적 전신항암요법에 실패한 진행성 위암에서 최적의 지지요법에 비해서 전체생존이 증가됨을 입증하여 향후 추가 연구에 의한 효과의 검증이 기대되고 있다.

3) 면역치료제(그림 33-3)

최근 면역관문(immune checkpoint)인 programmed cell death-1 (PD-1) 차단을 통해 T세포에 의한 항종양 효과를 증가시킴이 밝혀지면서, 위암에서도 면역관문 억제제을 이용한 연구가 활발하게 진행되고 있다. 분자표적치료제와 마찬가지로 PD-1에 대한 단클론항체 이외의 여러 면역치료제에 대한 임상연구가 시행되었으나 그 효과를 입증하지 못하였다. 그러나, 면역치료제에 효과적인 환자군을 선별하여 효과를 입증하려는 연구, 다른 기전의 면역치료제, 다른 기전의 면역치료제들의 병용치료, 표적치료제 및 세포독성항암제와의 병용치료 등의 다양한 임상연구가 지속적으로 진행되고 있어서, 그 결과에 따라 추후 면역치료 전략이 다양해질 것으로 기대한다. 본 단락에서는 위암에서 효과가

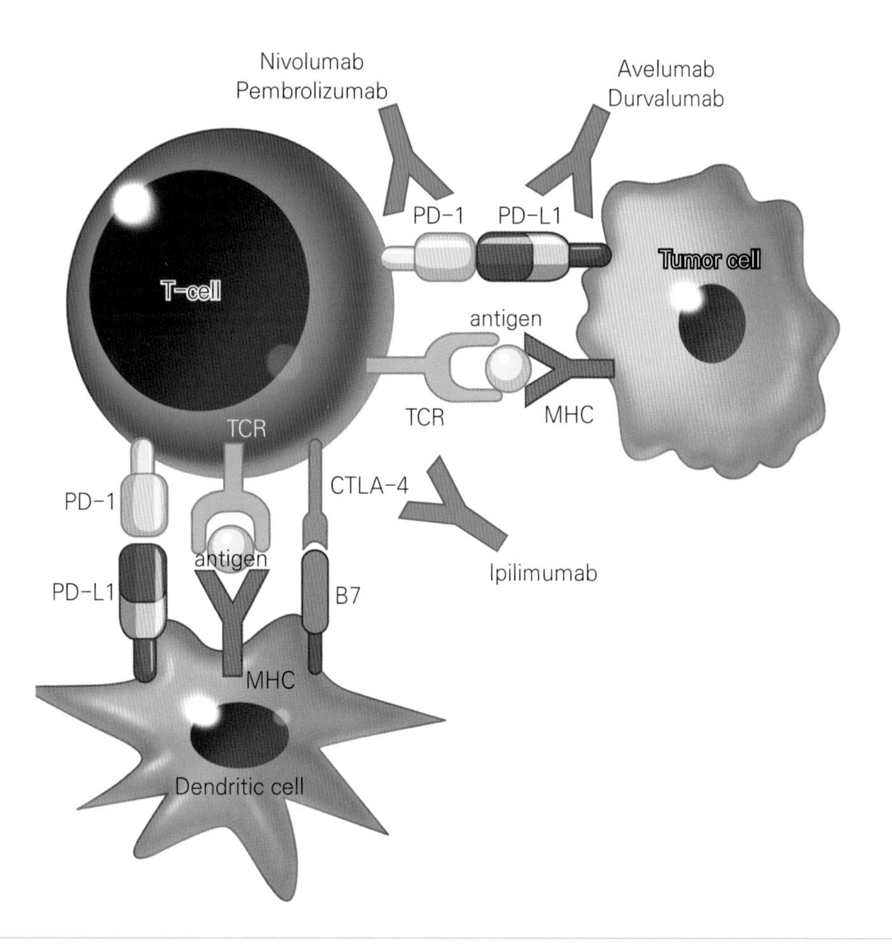

그림 33-3 **위암에서 면역관문억제제.**
CTLA-4, cytotoxic T-lymphocyte antigen-4; MHC, major histocompatibility complex; PD-1, programmed cell death 1; PD-L1, programmed death-ligand 1; TCR, T cell receptor.

입증된 면역관문억제제인 PD-1에 대한 단클론항체의 작용기전에 대해 기술하였다.

(1) Nivolumab

Nivolumab은 PD-1에 대한 인간 IgG4 단클론항체로 전이성 흑색종, 비소세포폐암, 신장암에서 단독 또는 병용치료로 사용되는 약제이다. Nivolumab은 암세포를 공격하는 활성화된 T세포의 작용을 억제하는 면역관문인 PD-1을 차단하여 T세포의 항종양 효과를 증강시키는 면역관문억제제이다. ATTRACTION-2 (ONO-4538-12) 무작위 3상 임상연구에서 2차 이상의 고식적 전신항암요법에 실패한 진행성 위암 환자에서 최적의 지지요법군에 비해서 nivolumab 투여군에서 유의하게 전체생존이 증가함을 입증하였다.

(2) Pembrolizumab

Pembrolizumab은 PD-1에 대한 선택적 인간 IgG4k 단클론항체로, PD-1에 결합함으로써 PD-1과 해당 리간드와의 상호작용을 억제하는 면역관문억제제이다. 최근에 FDA에서 1차 고식적 전신항암요법에 실패한 진행성 현미부수체불안정성(microsatellite instability, MSI)이 높거나(MSI-H) 결핍된 불일치복구유전자

(deficient mismatch repair) 고형암의 치료로 FDA 승인을 받은 약제로서, 이에 해당되는 진행성 위암에서 2차 이상의 고식적 전신항암요법으로 사용할 수 있을 것으로 예상된다. 또한 pembrolizumab은 2차 이상의 고식적 전신항암요법에 실패한 진행성 위암 환자의 KEYNOTE-012 1b상 임상연구와 KEYNOTE-059 2상 임상연구의 코호트 1에서, 특히 PD-L1 양성 환자에서 PD-L1 음성인 환자에 비해서 높은 반응률을 보여주었다.

2. 임상 상황에 따른 전신항암요법

위암은 완치를 기대할 수 있는 유일한 치료법이 근치적 절제술이다 보니 외과적 질환으로 간주되기 쉽다. 하지만 위암은 다른 소화기암에 비해 항암제 반응률이 상대적으로 높고 여러 항암제에 대하여 높은 반응률을 나타내며 최근 개발된 항암제들이 생존율을 향상시키고 있는 만큼, 항암제치료 영역이 빠르게 확대되고 있는 암이기도 하다. 현재 위암의 궁극적인 치료목표는 환자의 생존기간 증가이다. 이를 달성하기 위한 항암제 치료의 전략은 근치적 절제가 불가능한 국소 진행성 혹은 전이성 위암의 고식적 전신항암요법(palliative systemic therapy), 근치적 절제 후 완치율을 향상시키기 위한 보조항암화학요법(adjuvant chemotherapy), 국소 진행성 위암에서 근치적 절제율을 높이기 위해 수술 전에 시행하는 선행항암화학요법(neoadjuvant chemotherapy)으로 세분할 수 있다.

1) 고식적 전신항암요법

국내 위암 환자 중 근치적 절제가 가능한 국소암의 비율이 점차로 증가하고 있으나, 전체 위암 환자의 약 10~15%는 진단 시 전이성 위암으로 발견되며 근치적 절제를 시행한 후에도 약 15%는 전이의 형태로 재발한다. 절제가 불가능한 국소 진행성 혹은 전이성 위암의 예후는 매우 불량하여 중앙생존기간이 6~13개월에 불가하다. 이 경우 암에 의한 증상을 완화하여 삶의 질을 향상시키고 생존기간을 연장하는 고식적 전신항암요법이 표준치료로 간주된다(표 33-2). 이러한 고식적 전신항암요법 시행 여부는 환자의 전신상태, 동반질환 및 주요 장기기능 등을 고려하여 결정하여야 하며, 전신항암요법의 치료방법 또한 환자 및 위암의 상태에 따라 환자별로 다르게 결정할 수 있다.

(1) 1차 고식적 전신항암요법

① 최적의 지지요법 대 항암화학요법

1990년대에 근치적 절제가 불가능한 국소 진행성 혹은 전이성 위암 환자를 대상으로 고식적 항암화학요법과 최적의 지지요법(best supportive care)를 비교한 4개의 무작위 3상 임상연구들에서 항암화학요법이 전체생존기간과 삶의 질을 의미있게 개선한다고 보고하였다(표 33-3). 이 연구들을 포함한 메타분석에서 항암화학요법군과 지지요법군의 생존율에 대한 위험비가 0.43 (95% 신뢰구간 0.24~0.55)으로 1차 고식적 항암화학요법이 최적의 지지요법에 비해 더 우월함을 시사하였다.

표 33-2. **수술 후 보조항암화학요법과 고식적 전신항암요법의 비교**

	보조항암화학요법	고식적 전신항암요법
치료목적	미세전이 조절에 의한 완치	생명연장과 증상완화
치료방법	적절한 치료강도 유지 효능과 부작용 대비	용량조절 삶의 질 유지
치료대상	근치적 절제술 환자	절제가 불가능한 환자

표 33-3. **1차 고식적 항암화학요법과 최적의 지지요법의 3상 비교연구**

연구	치료	환자수	중앙생존기간(개월)	위험비(95% 신뢰구간)	p값
Murad 등, 1993	FAMTX	30	9.0	0.33 (0.17-0.64)*	0.001
	지지요법	10	3.0		
Pyrhönen 등, 1995	FEMTX	21	12.3	0.25 (0.13-0.47)*	0.0006
	지지요법	20	3.1		
Scheithauer 등, 1996	ELF	52	10.2	0.49 (0.33-0.74)*	
	지지요법	51	5.0		
Glimelius 등, 1997	ELF 혹은 FL	31	8.0		0.12
	지지요법	30	5.0		

FAMTX, 5-fluorouracil + doxorubicin + methotrexate; FEMTX, 5-fluorouracil + epidoxorubicin + methotrexate; ELF, epirubicin + leucovorin + 5-fluorouracil; FL, 5-fluorouracil + leucovorin.
*Calculated from published data

② 단독요법 대 병용요법

고식적 항암화학요법에 대한 메타분석에서 2제 이상을 사용한 병용요법군과 단일 약제를 사용한 단독요법군의 생존율에 대한 위험비가 0.83 (95% 신뢰구간 0.74~0.93)으로 단독요법에 비해 2제 이상을 사용하는 병용요법에서 유의한 전체생존기간의 증가를 보였다.

1980년 MacDonald 등이 FAM (5-FU + doxorubicin + mitomycin-C) 병용요법을 시행해 42%의 반응률, 22주의 중앙생존기간을 보고함으로써, 1980년대에는 FAM 요법이 위암의 표준요법으로 사용되었다. 그러나 이후 여러 연구에서 FAM의 반응률은 30% 미만, 중앙생존기간은 5~10개월로 당초 기대에 미치지 못했다. 1990년대에는 FAMTX (5-FU + doxorubicin + methotrexate)가 FAM보다 효과가 우월하다고 보고되었고, ECF (epirubicin + cisplatin + 5-FU)가 FAMTX에 비해 반응률 및 중앙생존기간이 개선됨이 보고되었다. 그러나 1/3 정도가 국소 진행성 위암 환자였고 또 다른 1/3이 식도 또는 식도위경계부 선암 환자였다는 점에서 전형적인 위암의 연구결과와는 거리가 멀다는 점이 문제로 지적되었다. 현재 일부 유럽 그룹에서는 ECF가 아직까지 위암의 표준요법으로 간주되나, 비교적 높은 반응률에도 불구하고 생존기간이 짧다는 점이 단점으로 지적되고 있다. 종합하면, 위암에서 최적의 병용요법의 종류에 대해 적절하게 디자인된 대규모 3상 연구결과는 아직 부족한 상태이나, 생존기간의 연장이라는 측면에서 보면 각 병용요법 간에 뚜렷한 차이는 없고, 많은 연구자들이 나름대로 여러 표준요법을 제시하고 있으나 현재로서는 5-FU + cisplatin 병용요법보다 현저히 우월하지 못하다는 데 공감하고 있다.

우리나라에서는 1990년대 시행된 3상 연구를 바탕으로 5-FU + cisplatin 병용요법이 1차 고식적 항암화학요법으로 가장 흔하게 사용되어 왔고, 그 이후 연구들을 바탕으로 fluoropyrimidine + platinum 2제 병용요법이 흔하게 사용되나, 환자의 상태가 좋지 않은 경우, 동반 질환에 의해 심각한 치료독성이 예상되는 경우 또는 고령의 환자에서는 단독요법을 시행할 수도 있다.

③ 5-FU 대 경구 5-FU

위암 환자의 치료에서 5-FU는 가장 오래되었지만, 여전히 치료의 근간이 되는 약물이다. 경구 5-FU 유도체는 종양내에서 활성화되도록 디자인된 약제인 capecitabine, doxifluridine과 tegafur를 기본으로 하는

S-1, UFT가 있다. 이중 capecitabine과 S-1은 대규모 3상 임상연구를 통해 5-FU에 대한 비열등성이 입증되었다(표 33-4).

Capecitabine은 5-FU의 전구체로 독성을 줄이고 fluoropyrimidine의 종양내 농도를 특이적으로 높이려는 목적으로 개발된 제제로서, 2개의 대규모 3상 연구를 통해 5-FU에 대한 비열등성이 입증되었다. REAL-2 연구는 영국와 유럽 일부에서 표준항암요법으로 사용되었던 ECF 병용요법에서 5-FU를 capecitabine으로, cisplatin을 oxaliplatin으로 대체할 수 있는지를 알아보기 위하여 시행되었다. Capecitabine군과 5-FU군의 중앙생존기간은 각각 10.9개월 vs. 9.6개월로 그 효능에 있어서 capecitabine이 5-FU에 비해 열등하지 않음이 입증되었다(위험비 0.86, 95% 신뢰구간 0.80~0.99). ML17032 연구에서는 capecitabine + cisplatin (XP)군과 5-FU + cisplatin (FP)군으로 무작위 배정하여 무진행생존율을 비교한 결과, XP군과 FP군의 중앙무진행생존기간은 5.6개월 vs. 5.0개월로 XP군이 FP군에 비해 열등하지 않음이 증명되었다(위험비 0.81, 95% 신뢰구간 0.63~1.04, p<0.001). REAL-2 연구와 ML17032 연구를 포함한 메타분석에서는 생존율에 대한 위험비가 0.87 (95% 신뢰구간 0.78~0.98, p=0.02)로 5-FU에 비해 capecitabine이 우월할 수 있음을 시사하였다.

S-1 역시 2개의 3상 연구를 통해 5-FU에 대한 비열등성이 입증되었다. JCOG9912 연구는 704명의 환자를 대상으로 5-FU, irinotecan + cisplatin (IP), S-1을 비교하였다. S-1군과 5-FU군의 중앙생존기간은 11.4개월 vs. 10.8개월로 5-FU에 대한 S-1의 비열등성을 충족시켰다(위험비 0.83, 95% 신뢰구간 0.68~1.01, p=0.0005). FLAGS 연구에서는 1,053명의 환자를 대상으로 4주 간격의 S-1 + cisplatin (CS)와 5-FU + cisplatin (CF)을 비교한 결과, CS군과 CF군에서 중앙생존기간은 8.6개월 vs. 7.9개월로 차이가 없었고(위험비 0.92, 95% 신뢰구간 0.80~1.05, p=0.1983) 치료독성면에서는 CS군이 더 안전한 것으로 관찰되었다.

따라서, 치료 효과 및 독성을 고려할 때 경구용 5-FU 유도체가 5-FU를 대체할 수 있을 것으로 판단된다.

표 33-4. **5-FU와 경구 5-FU 유도체의 3상 비교연구**

약제	연구	요법	환자수	중앙생존기간(개월)	위험비(95% 신뢰구간)	p값
Capecitabine	Cunningham 등, 2008*	ECX, EOX	480	10.9	0.86 (0.80-0.99)	
		ECF, EOF	484	9.6		
	Kang 등, 2009*	XP	139	10.5	0.85 (0.64-1.13)	0.008
		FP	137	93		
S-1	Boku 등, 2009†	S-1	234	11.4	0.83 (0.68-1.01)	0.0005
		5-FU	234	10.8		
	Ajani 등, 2010†	CS	527	8.6	0.92 (0.80-1.05)	0.20
		CF	526	7.9		

ECX, epirubicin + cisplatin + capecitabine; EOX, epirubicin + oxaliplatin + capecitabine; ECF, epirubicin + cisplatin + 5-fluorouracil; EOF, epirubicin + oxaliplatin + 5-fluorouracil; XP, capecitabine + cisplatin; FP, 5-fluorouracil + cisplatin; 5-FU, 5-fluorouracil; CS, S-1 + cisplatin; CF, 5-fluorouracil + cisplatin

Calculated from *per-protocol population and †intention-to-treat population

④ Cisplatin 대 oxaliplatin

Cisplatin은 위암치료에서 오랫동안 사용되어오던 약제이나, 오심, 구토, 신장독성, 감각신경성 청각장애 및 말초 신경독성을 흔하게 유발하는 것으로 알려져 있고, 일반적으로 신장독성을 방지하기 위하여 투여 전후 수액공급이 필요하다. 반면에 oxaliplatin은 말초신경독성이 흔하기는 하나 이를 제외하면 cisplatin보다 부작용이 적은 편이다. 이러한 이유로 cisplatin을 oxaliplatin으로 대체할 수 있는지에 대한 연구들이 진행되었다(표 33-5). REAL-2 연구에서 oxaliplatin을 사용한 환자군의 중앙생존기간 10.4개월로 cisplatin를 사용한 환자군의 10개월의 중앙생존기간에 비해 열등하지 않음이 입증되었다(위험비 0.92, 95% 신뢰구간 0.80~1.10). 독일에서 시행된 AIO 3상 연구에서는 5-FU + leucovorin + oxaliplatin (FLO)와 5-FU + leucovorin + cisplatin (FLP)을 비교한 결과, FLO군과 FLP군의 중앙무진행생존기간은 5.8개월 vs. 3.9개월로 FLO군이 우월한 경향을 보였으나 통계학적으로 유의하지는 않았다(p=0.077). 그러나, 65세 이상의 고령 위암 환자에서는 FLO군이 FLP에 비해 반응률(41.3% vs. 16.7%, p=0.012), 중앙무진행생존기간(6.0개월 vs. 3.1개월, p=0.029), 중앙생존기간(13.9개월 vs. 7.2개월)이 우월하고 독성면에서도 더 안전한 것으로 관찰되었다. 일본의 G-SOX 연구 및 한국의 SOPP 연구에서도 S-1과 oxaliplatin 병합요법이 S-1과 cisplatin의 병합요법에 비해 열등하지 않음이 입증되었다. 따라서, 위암에서 oxaliplatin은 cisplatin과 치료 성적면에서 차이가 없으므로 모두 사용될 수 있으며, 치료독성면에서는 oxaliplatin이 더 안전하므로 cisplatin의 치료독성이 예견되는 경우 oxaliplatin으로 대체 사용이 가능하다.

⑤ 3제 요법 대 2제 요법

영국과 일부 유럽에서는 cisplatin + 5-FU (CF)에 epirubicin을 추가한 ECF 3제 병용요법이 표준요법으로 사용되어왔다. 북미를 중심으로 시행된 V325 연구에서는 CF (cisplatin 100 mg/m^2 [1일] + 5-FU 1000 mg/m^2/일 [1~5일] 3주 간격)에 docetaxel을 추가한 DCF 3제 병용요법(docetaxel 75 mg/m^2 [1일] + cisplatin 75 mg/m^2

표 33-5. **주입 5-FU와 경구 5-FU 유도체의 3상 비교연구**

연구	요법	환자수	중앙생존기간(개월)	위험비(95% 신뢰구간)	p값
Cunningham 등, 2008*	EOF, EOX	474	10.4	0.92 (0.80-1.10)	
	ECF, ECX	490	10.0		
Al-Batran 등, 2008†	FLO	112	10.7	0.82 (0.47-1.45)	0.506
	FLP	108	8.8		
Yamada 등, 2015*	SOX	318	14.1	0.96 (0.82-1.17)	
	CS	324	13.1		
Ryu 등, 2016†	SOX	173	12.9	0.86 (0.66-1.11)	0.242
	SP	164	11.4		

EOF, epirubicin + oxaliplatin + 5-fluorouracil; EOX, epirubicin + oxaliplatin + capecitabine; ECF, epirubicin + cisplatin + 5-fluorouracil; ECX, epirubicin + cisplatin + capecitabine; FLO, 5-fluorouracil + leucovorin + oxaliplatin; FLP, 5-fluorouracil + leucovorin + cisplatin; SOX, S-1 + oxaliplatin; SP, S-1 + cisplatin.
Calculated from *per-protocol population and †intention-to-treat population

[1일] + 5-FU 750 mg/m^2/일 [1~5일] 3주 간격)이 기존 CF 2제 병용요법에 비하여 종양진행까지의 시간을 5.6개월 vs. 3.7개월로, 중앙생존기간 또한 9.2개월 vs. 8.6개월로 유의한 증가를 보고하였다. 그러나 본 연구가 평균 55세의 비교적 젊은 환자들을 대상으로 하였음에도 불구하고, 치료와 관련된 3~4도 독성이 69% vs. 59%로 DCF군에서 심각한 독성이 빈번하게 관찰되었으며, 이중에서도 호중구감소증(82% vs. 57%) 및 합병증을 동반한 호중구감소증(29% vs. 12%)이 DCF 요법군에서 보다 빈번하게 관찰되었다. 우리나라에서 시행된 epirubicin + cisplatin + capecitabine (ECX)과 capecitabine + cisplatin (XP)을 비교한 무작위 배정 2상 연구에서는 ECX군과 XP군의 중앙무진행생존기간은 6.4개월 vs. 6.5개월로 차이가 없었고, ECX군과 XP군의 독성으로 인한 치료 중단율은 12% vs. 0%로 독성으로 인한 치료 중단율이 anthracycline을 포함한 3제 병용요법이 2제 병용요법보다 유의하게 높았다.

2제 병용요법보다 생존기간의 증가를 보이나 독성이 심했던 V325 연구의 DCF 병용요법에서 투여 간격, 약제 용량 등을 변형하여 비교적 적은 독성으로 효능을 입증한 다양한 임상연구들이 최근 발표되고 있다. 따라서, 3제 병용요법은 높은 반응률이 필요한 경우나 치료 독성을 잘 견딜 수 있는 환자에서 docetaxel이 포함된 병용요법으로 조심스럽게 시도해 볼 수 있을 것으로 판단된다.

⑥ Taxane 또는 irinotecan을 포함하는 고식적 항암화학요법

근치적 절제가 불가능한 국소 진행성 혹은 전이성 위암 환자를 대상으로 taxane 또는 irinotecan을 포함하는 1차 고식적 항암화학요법에 대한 연구결과들이 보고되고 있다. Docetaxel + S-1 병용요법과 S-1 단독요법을 비교한 3상 임상연구(START)에서 docetaxel + S-1군은 S-1군에 비해 중앙무진행생존기간(5.3개월 vs. 4.2개월, p=0.001) 및 중앙생존기간(12.5개월 vs. 10.8개월, p=0.032)에서 모두 그 성적이 우월함을 보였다. 2상 임상연구들에서 docetaxel + 5-FU 또는 paclitaxel + 5-FU 혹은 S-1 병용요법의 반응률은 30~40% 이상으로 관찰되었고, taxane + cisplatin 병용요법의 반응률은 30~40% 안팎으로 관찰되었다.

Irinotecan + 5-FU (IF)와 cisplatin + 5-FU (CF) 병용요법을 비교한 3상 임상연구에서 IF군과 CF군의 중앙생존기간은 각각 9개월 vs. 8.7개월로 유의한 차이가 없었다. 또 다른 3상 임상연구에서 irinotecan + S-1 병용요법과 S-1 단독요법을 비교하였으며, irinotecan + S-1군과 S-1군의 중앙생존기간은 12.8개월 vs. 10.5개월로 유의한 차이는 없었으나(p=0.233), 반응률은 41.5% vs. 26.9% (p=0.035)로 irinotecan + S-1군에서 S-1군에 비해 우월하였다. 이외에 irinotecan과 fluoropyrimidine의 병용요법은 2상 임상연구들에서 40% 안팎의 반응률을 보였고, irinotecan + cisplatin 병용용법의 반응률 또한 2, 3상 임상연구들에서 30~40%로 보고되고 있다. 따라서, fluoropyrimidine과 platinum을 포함한 병용요법이 표준적인 1차 고식적 항암전신요법으로 널리 사용되고 있으나, 환자의 전신상태, 예상되는 치료독성과 이전에 사용한 보조항암화학요법을 고려하여 taxane 또는 irinotecan을 포함한 항암화학요법 또한 필요시 1차 고식적 항암전신요법으로 고려할 수 있다.

⑦ 분자표적치료

현재까지 1차 고식적 전신항암요법으로 위암에서 효과가 증명된 분자표적치료제는 ToGA 연구를 근거로한 HER2에 대한 단클론항체인 trastuzumab이 유일하다(표 33-6). ToGA 연구는 면역조직화학염색(immunohistochemistry, IHC)과 형광제자리부합법(fluorescence *in situ* hybridization, FISH) 검사에 의해 HER2 양성으로 진단된 584명의 근치적 절제가 불가능한 국소 진행형 혹은 전이성 위암 환자를 무작위 배정

표 33-6. **분자표적치료제를 포함한 고식적 1차 전신항암요법에 대한 3상 연구**

표적	약제(임상연구)	요법	환자수	중앙생존기간 (개월)	위험비 (95% 신뢰구간)	P값
HER2	Trastuzumab (ToGA)*	Trastuzumab + FP/XP	294	13.8	0.74 (0.60-0.91)	0.0046
		FP/XP	290	11.1		
	Pertuzumab (JACOB)†	Pertuzumab + Trastuzumab + FP/XP	388	17.5	0.84 (0.71-1.00)	0.0565
		Trastuzumab + FP/XP	392	14.2		
	Lapatinib (TRIO-013/LOGiC)*	Lapatinib + XP	249	12.2	0.91 (0.73-1.12)	0.3492
		XP	238	10.5		
EGFR	Cetuximab (EXPAND)†	Cetuximab + XP	455	9.4	1.00 (0.87-1.17)	0.95
		XP	449	10.7		
	Panitumumab (REAL-3)†	Panitumumab + mEOC	278	8.8	1.37 (1.07-1.76)	0.013
		EOC	275	11.3		
MET	Rilotumumab (RILOMET-1)†	Rilotumumab + ECX	304	8.8	1.34 (1.10-1.63)	0.003
		ECX	305	10.7		
	Onartuzumab (METGastric)†	Onartuzumab + mFOLFOX	279	11.0	0.82 (0.59-1.15)	0.240
		mFOLFOX	283	11.3		
VEGF(R)	Bevacizumab (AVAGAST)†	Bevacizumab + XP	387	12.1	0.87 (0.73-1.03)	0.1002
		XP	387	10.1		
	Ramucirumab (RAINFALL)†	Ramucirumab + XP	326	11.2	0.96 (0.80-1.16)	0.68
		XP	319	10.7		

HER2, human epidermal growth factor receptor 2; EGFR, epidermal growth factor receptor; MET, mesenchymal-epithelial transition; VEGF(R), vascular endothelial growth factor (receptor); FP, 5-fluorouracil + cisplatin; XP, capecitabine + cisplatin; mEOC, modified epirubicin + oxaliplatin + capecitabine; ECX, epirubicin + cisplatin + capecitabine; mFOLFOX, modified 5-fluorouracil + leucovorin + oxaliplatin.
Calculated from *per-protocol population and †intention-to-treat population

하여 5-FU + cisplatin (FP) 혹은 capecitabine + cisplatin (XP) ± trastuzumab의 효과를 비교하였다. 그 결과, trastuzumab을 병용한 군과 항암화학요법 단독군의 중앙생존기간은 13.8개월 vs. 11.1개월(위험비 0.74, 95% 신뢰구간 0.60-0.91, p=0.0046)로 trastuzumab을 병용한 군에서 유의한 생존의 증가를 보였다. 하위군 분석에서는 HER2 면역조직화학염색 3+ 또는 면역조직화학염색 2+이면서 형광제자리부합법 양성이었던 경우 중앙생존기간 16개월 vs. 11.8개월(위험비 0.65, 95% 신뢰구간 0.51~0.83)로 trastuzumab을 병용한 군의 생존율이 월등하였다. 치료독성은 양 군 간에 차이가 없었다. 따라서 HER2 면역조직화학염색 3+ 또는 면역조직화학염색 2+이면서 형광제자리부합법 양성인 경우는 FP 혹은 XP + trastuzumab의 병용요법이 표준 1차 고식적 전신항암요법으로 사용되어야한다.

분자표적치료제로서 trastuzumab 이외의 HER2에 대한 표적 약제인 pertuzumab, lapatinib을 포함한 JACOB, TRIO-013/LOGiC 연구, 표피성장인자수용체

(epidermal growth factor receptor, EGFR)에 대한 항체인 cetuximab과 panitumumab을 포함한 EXPAND, REAL-3 연구, 간엽상피이행(mesenchymal-epithelial transition, MET)에 대한 항체인 rilotumumab, onartuzumab을 포함한 RILOMET-1, METGastric 연구, 혈관내피성장인자(vascular endothelial growth factor, VEGF)에 대한 항체인 bevacizumab, 혈관내피성장인자수용체(vascular endothelial growth factor receptor, VEGFR)에 대한 항체인 ramucirumab을 포함한 AVAGAST, RAINFALL 등의 여러 3상 연구들이 1차 고식적 전신항암요법으로 시도되었으나 일차 목표를 충족시키지 못하였다. 이에, 현재까지 trastuzumab을 제외한 다른 분자표적치료제는 근치적 절제가 불가능한 국소 진행성 혹은 전이성 위암에서 1차 고식적 전신항암요법으로 받아들여지지 않는다.

(2) 2차 고식적 전신항암요법

위암에서 1차 고식적 전신항암요법에 실패하거나 부작용으로 약제를 투여하지 못하는 경우, 2차 고식적 전신항암요법의 유용성 및 약제 선택에 대한 근거는 부족한 실정이었다. 1차 고식적 전신항암요법에 실패한 경우라도 상당수의 위암 환자의 전신상태는 여전히 양호할 뿐 아니라, 환자 스스로 전신항암요법 원하는 경우가 많다. 그리고 기존 여러 2상 임상연구 또는 후향적 연구에서 2차 고식적 항암화학요법의 질병 무진행생존기간이 2~4개월 정도로 2차 고식적 항암화학요법이 위암의 진행을 늦추는 효과를 갖고 있음을 확인할 수 있었다. 일본과 서양에서 각각 진행된 S-1과 cisplatin 병용요법의 3상 연구에서 중앙생존기간은 일본의 경우 13.0개월, 서양의 경우 8.6개월로 생존기간의 상당한 차이가 있는 것이 확인되었다. 일본과 서양에서 1차 고식적 항암화학요법을 시행받은 환자에서 생존기간의 차이가 발생하는 원인을 직접적으로 확인할 수 있는 방법은 없지만, 1차 고식적 항암화학요법에 실패한 후 2차 고식적 항암화학요법을 받은 환자들의 비율이 일본의 경우 75%임에 비하여, 서양의 경우에는 32%에 지나지 않아 생존기간의 차이는 2차 고식적 항암화학요법을 시행받은 환자들의 비율 차이에 기인함을 간접적으로 추정할 수 있다.

① 최적의 지지요법 대 항암화학요법

최근 3상 연구들에서 1차 고식적 항암화학요법 후에 질병이 진행된 환자들을 대상으로 최적의 지지요법에 비해 2차 고식적 항암화학요법을 하는 것이 유의하게 생존이 연장됨을 입증하였다(표 33-7). 독일에서 시행된 연구에서는 2차 고식적 항암화학요법으로 irinotecan을 투여했을 때 최적의 지지요법에 비해 중앙생존기간이 4.0개월 vs. 2.4개월로 irinotecan군이 지지요법군에 비해 생존율이 우월함을 보고하였다(위험비 0.48, 95% 신뢰구간 0.25~0.92, p=0.012). 국내에서 시행된 3상 연구에서는 2차 이상의 고식적 항암화학요법으로 docetaxel이나 irinotecan을 투여받은 군과 최적의 지지요법만을 시행받은 군에서의 중앙생존기간이 각각 5.3개월 vs. 3.8개월로 항암화학요법을 투여받은 군에서 우월한 생존기간의 연장을 보여주었다(위험비 0.657, 95% 신뢰구간 0.485-0.891, p=0.007). COUGAR-02 연구에서는 2차 고식적 항암화학요법으로 docetaxel을 투여했을 때 최적의 지지요법에 비해 중앙생존기간이 5.2개월 vs. 3.6개월로 우월함을 보고하였다(위험비 0.67, 95% 신뢰구간 0.49~0.92, p=0.01). 독일과 국내의 연구를 메타분석한 결과, 2차 고식적 항암화학요법을 시행하는 것이 최적의 지지요법에 비해 생존기간의 연장에 있어서 유의한 효과가 있음을 보여주었다(위험도 0.64, 95% 신뢰구간 0.52~0.79, p<0.0001).

② 항암화학요법의 약제

항암화학요법 약제간의 효능 및 부작용을 비교한 연구들을 근거로(표 33-8), 위암의 2차 고식적 항암화학

표 33-7. **2차 고식적 항암화학요법과 최적의 지지요법의 3상 비교연구**

연구	치료	환자수	중앙생존기간(개월)	위험비(95% 신뢰구간)	p값
Thuss-Patience 등, 2011	Irinotecan	21	4.0	0.48 (0.25-0.92)	0.012
	지지요법	19	2.4		
Kang 등, 2012*	Docetaxel 혹은 irinotecan	133	5.3	0.657 (0.485-0.891)	0.007
	지지요법	69	3.8		
Ford 등, 2014	Docetaxel	84	5.2	0.67 (0.49-0.92)	0.01
	지지요법	84	3.6		

*Patients were included in this study if they had not seen benefit after one or two chemotherapy regimens for metastatic gastric cancer.

표 33-8. **2차 고식적 항암화학요법에서 약제간의 비교연구**

연구	치료	환자수	중앙생존기간(개월)	위험비(95% 신뢰구간)	p값
Kang 등, 2012*	Docetaxel	66	5.2		0.116
	Irinotecan	60	6.5		
Hironaka 등, 2013	Weekly paclitaxel	108	9.5	1.13 (0.86-1.49)	0.38
	Irinotecan	111	8.4		
Lee 등, 2018	Weekly paclitaxel	54	8.6	1.39 (0.91-2.11)	0.126
	Irinotecan	58	7.0		

*Patients were included in this study if they had not seen benefit after one or two chemotherapy regimens for metastatic gastric cancer.

요법에 사용되는 약제는 taxane 또는 irinotecan이 가장 널리 사용된다. 국내에서 2차 이상의 고식적 항암화학요법으로 docetaxel이나 irinotecan을 사용한 군과 최적의 지지요법군을 비교한 3상 연구의 하위군 분석결과, docetaxel군과 irinotecan군의 중앙생존기간은 5.2개월 vs. 6.5개월로 유의한 차이는 없었다(p=0.116). 최근 2차 고식적 항암화학요법으로 paclitaxel 1주 요법과 irinotecan을 비교한 2개의 3상 연구가 발표되었다. 일본에서 발표한 3상 연구는 paclitaxel에 대한 irinotecan의 우월성을 입증하기 위한 연구였으나, paclitaxel군과 irinotecan군의 중앙생존기간이 9.5개월 vs. 8.4개월로 유의한 차이가 없었다(위험도 1.13, 95% 신뢰구간 0.86~1.49, p=0.38). 국내에서 발표한 3상 연구는 비열등성을 입증하기 위한 연구로서 연구의 1차 목적을 달성하지는 못하였으나, paclitaxel군과 irinotecan군의 중앙생존기간이 8.6개월 vs. 7.0개월로 역시 유의한 차이가 없었다(위험도 1.39, 95% 신뢰구간 0.91~2.11, p=0.126).

이 외에도 많은 2상 연구들에서 다양한 항암제의 단독 또는 병용항암화학요법이 시행되었는데, 앞서 언급한 3상 임상연구들과 비슷한 수준의 치료결과를 보고하고 있다. 2차 고식적 항암화학요법에서 1차 고식적 항암화학요법에서 사용하였던 fluoropyrimidine이나 platinum을 다시 사용하여 추가적인 효과를 기대하는 것에 대한 근거는 명확하지 않은 상태이다.

따라서, 2차 고식적 항암화학요법은 1차 고식적 항암

화학요법의 종류, 전신수행상태, 동반질환, 경제성 등을 고려해서 결정해야하며, taxane (docetaxel 혹은 paclitaxel)과 irinotecan의 항암화학요법 약제 간에는 생존기간의 유의한 차이를 보이지 않았다.

③ **분자표적치료**

근치적 절제가 불가능한 국소 진행성 혹은 전이성 위암의 2차 고식적 항암화학요법으로 여러 분자를 표적으로 한 임상연구가 활발히 진행되고 있으나, 현재까지 생존 효과가 증명된 분자표적치료제는 혈관내피성장인자수용체2 (vascular endothelial growth factor receptor 2, VEGFR2)에 대한 항체인 ramucirumab이 유일하다(표 33-9). 2차 고식적 항암화학요법으로 ramucirumab과 최적의 지지요법을 비교한 3상 연구인 REGARD 연구에서는 ramucirumab군과 지지요법군의 중앙생존기간이 각각 5.2개월 vs. 3.8개월로 ramucirumab 군에서 유의한 생존기간의 증가를 입증하였다(위험도 0.776, 95% 신뢰구간 0.603~0.998, p=0.047). 최근 2차 고식적 항암화학요법을 시행하는 것이 표준치료가 됨에 따라, 항암화학요법을 대조군으로 하여 ramucirumab을 병용한 군과 비교를 하는 3상 연구가 발표되었다. RAINBOW 연구는 2차 고식적 전신항암요법으로 ramucirumab + paclitaxel 병용요법과 1주 paclitaxel 단독요법을 비교한 3상 연구로서, ramucirumab + paclitaxel군과 paclitaxel군의 중앙생존기간은 9.6개월 vs. 7.4개월로 ramucirumab 병용요법군에서 유의한 생존기간의 연장이 관찰되었다(위험도 0.807, 95% 신뢰구간 0.678~0.962, p=0.017).

Pembrolizumab은 programmed cell death 1 (PD-1)에 대한 항체로서, 암종에 상관없이 초기 고식적 전신

표 33-9. **분자표적치료제를 포함한 고식적 2차 전신항암요법에 대한 3상 연구**

표적	약제(임상연구)	요법	환자수	중앙생존기간 (개월)	위험비 (95% 신뢰구간)	P값
VEGFR	Ramucirumab (REGARD)	Ramucirumab	238	5.2	0.776 (0.603-0.998)	0.047
		지지요법	117	3.8		
	Ramucirumab (RAINBOW)	Ramucirumab + paclitaxel	330	9.6	0.807 (0.678-0.962)	0.017
		Paclitaxel	335	7.4		
HER2	T-DM1 (GATSBY)	T-DM1	228	7.9	1.15 (0.87-1.51)	0.86
		Taxane	117	8.6		
	Lapatinib (TyTAN)	Lapatinib + paclitaxel	132	11.0	0.84 (0.64-1.11)	0.1044
		Paclitaxel	129	8.9		
mTOR	Everolimus (GRANITE-1)	Everolimus	439	5.4	0.90 (0.75-1.08)	0.124
		지지요법	217	4.3		
PARP	Olaparib (GOLD)	Olaparib + paclitaxel	263	8.8	0.79 (0.63-1.00)	0.026*
		Paclitaxel	262	6.9		
PD-1	Pembrolizumab (KEYNOTE-061)	Pembrolizumab + paclitaxel	196	9.1	0.82 (0.66-1.03)	0.0421†
		Paclitaxel	199	8.3		

VEGFR, vascular endothelial growth factor receptor; HER2, human epidermal growth factor receptor 2; mTOR, mammalian target of rapamycin; PARP, poly ADP ribose polymerase; T-DM1, trastuzumab emtansine.
Significant difference were defined as *p<0.025 in GOLD study and †p<0.0135 in KEYNOTE-061

항암요법에 질병이 진행된, 현미부수체불안정성(microsatellite instability, MSI)이 높은 경우(MSI-high) 또는 결핍된 불일치복구유전자(deficient mismatch repair)를 보이는 근치적 절제가 불가능한 국소 진행성 혹은 전이성 암에 FDA 승인을 받은 약제로서, 이러한 특징을 가진 위암에서도 2차 이상의 고식적 전신항암요법으로 고려해 볼 수 있다.

HER2에 대한 표적 약제인 trastuzumab emtansine (T-DM1), lapatinib을 포함한 GATSBY, TyTAN 연구, mammalian target of rapamycin (mTOR) 저해제인 everolimus을 포함된 GRANITE-1 연구, poly ADP ribose polymerase (PARP) 저해제인 olaparib을 포함한 GOLD 연구, PD-1 단클론항체인 pembrolizumab을 포함한 KETNOTE-061 연구 등, 여러 3상 연구들이 2차 이상의 고식적 전신항암요법으로 시도되었으나 일차 목표를 충족시키지 못하였다. 따라서, 2차 고식적 전신항암요법은 예상되는 약제의 독성, 환자 간의 차이, 1차 고식적 전신항암요법의 종류, 전신수행 상태, 동반질환, 경제성 등을 고려해서 결정해야 하나, ramucirumab + paclitaxel 병용요법이 가장 효과적인 요법으로 추천되며, ramucirumab, irinotecan, docetaxel 또는 paclitaxel 단독요법도 고려할 수 있다.

(3) 3차 고식적 전신항암요법

근치적 절제가 불가능한 국소 진행성 혹은 전이성 위암에서 3차 고식적 항암화학요법의 사용이 효과적이라고 하기에는 3상 연구가 충분하게 있지는 않으나, 3차 고식적 항암화학요법의 효과를 분석한 일부 2상 연구와 후향적 분석결과에 의하면 taxane 또는 irinotecan 기반의 3차 고식적 항암화학요법은 약 15~20%의 반응률을 보여주고 있다. 국내에서 이루어진 2차 혹은 3차 항암화학요법에 대한 3상 연구에 따르면 최적의 지지요법에 비해 docetaxel이나 irinotecan의 항암화학요법은 유의하게 생존기간의 연장을 보여주었다. 그러므로, 2차 고식적 항암화학요법에서 사용되지 않은 irinotecan, paclitaxel 혹은 docetaxel의 세포독성 항암제를 사용한 고식적 3차 항암화학요법은 추천된다. 최근에는 세포독성 항암제뿐만 아니라, 분자표적치료 및 면역관문억제제들의 3상 연구결과들이 빠르게 발표되고 있다(표 33-10). 고식적 표준치료에 실패한 불응성 위암 환자들을 대상으로 TAS-102 (trifluridine/tipiracil) 경구항암제의 3상 연구결과에 따르면, TAS-102군와 지지요법군의 중앙생존기간은 5.7개월 vs. 3.6개월로 TAS-102군에서 통계적으로 유의한 생존의 증가를 보고하였다(위험도 0.69, 95% 신뢰도 0.56~0.85, p=0.0003). 그러므로 위암에서 TAS-102가 승인된다면, 이의 사용을 고려해 볼 수 있다.

혈관내피성장인자수용체2(vascular endothelial growth factor receptor 2, VEGFR2) 억제제인 apatinib의 3상 연구에서는 2차 이상의 고식적 전신항암요법에 실패한 위암 환자들을 대상으로 apatinib과 최적의 지지요법을 비교하였을 때, apatinib군과 지지요법군의 중앙생존기간은 6.5개월 vs. 4.7개월로 apatinib군에서 유의한 생존의 향상을 입증하였다(위험도 0.709, 95% 신뢰도 0.537~0.937, p=0.0156). 그러나 2차 고식적 전신항암요법으로 VEGFR2의 단클론항체인 ramucirumab을 투여받는 환자들이 증가함에 따라 ramucirumab에 대한 내성을 극복하여 apatinib이 얼마나 효과를 보일 것인지 아직 확실하지 않고, apatinib에 대한 3상 연구가 중국 위암 환자들만을 대상으로 한 연구이므로 이 결과가 검증되기 위한 추가 연구가 필요하다고 하겠다.

최근 programmed cell death 1 (PD-1) 억제를 통한 T세포의 항종양 효과를 증가시키는 면역관문억제제들의 연구결과들이 보고되고 있다. Nivolumab은 PD-1에 대한 단클론항체로, 3차 이상의 고식적 전신항암요법으로 nivolumab과 최적의 지지요법을 비교한 ATTRACTION-2 (ONO-4538-12) 3상 연구에서, nivolumab군과 지지요법군의 중앙생존기간은 5.26개

표 33-10. **고식적 3차 전신항암요법에 대한 3상 비교연구**

연구	치료	환자수	중앙생존기간(개월)	위험비(95% 신뢰구간)	p값
Kang 등, 2012*	Docetaxel 혹은 irinotecan	133	5.3	0.657 (0.485-0.891)	0.007
	지지요법	69	3.8		
Shitara 등, 2018	TAS-102	337	5.7	0.69 (0.56-0.85)	0.0003
	지지요법	170	3.6		
Li 등, 2016	Apatinib	176	6.5	0.709 (0.537-0.937)	0.0156
	지지요법	91	4.7		
Kang 등, 2017	Nivolumab	330	5.26	0.63 (0.51-0.78)	<0.0001
	지지요법	163	4.14		

TAS-102, trifluridine/tipiracil.
*Patients were included in this study if they had not seen benefit after one or two chemotherapy regimens for metastatic gastric cancer

월 vs. 4.14개월로 nivolumab군에서 유의한 생존의 증가를 보고하였다(위험비 0.63, 95% 신뢰구간 0.51~0.78, p<0.0001). 한편, 또 다른 PD-1에 대한 단클론항체인 pembrolizumab 역시 2차 이상의 고식적 전신항암요법을 받은 위암 환자들을 대상으로 한 1b상 연구인 KEYNOTE-012, 2상 연구인 KEYNOTE-059 연구에서 그 효과와 안정성을 보여주었다.

PD-L1 양성 환자만을 대상으로 한 KEYNOTE-012 연구에서는 22%의 반응률을 보고하였고, 모든 환자를 대상으로 한 KEYNOTE-059 연구에서 PD-L1 양성과 음성 환자군의 반응률은 15.5% vs. 6.4%임을 보여, 종양에서 PD-L1을 발현하는 환자군이 그렇지 않은 환자군에 비해 더 높은 반응률을 보임을 보고하였다. 그러나 PD-L1을 발현하는 환자군에서 반응을 보이지 않는 환자들이 많고 PD-L1을 발현하지 않는 환자군에서도 반응을 보이는 환자들이 있기 때문에, 항 PD-1 약제의 반응에 대한 예측인자를 보다 정확히 예측하는 것이 무엇보다도 중요하다고 하겠다. 최근 종양 돌연변이 가중치(tumor mutation burden, TMB), Epstein-Barr virus (EBV) 양성, 현미부수체불안정성(microsatellite instability, MSI)이 높은 경우(MSI-high) 등에서 항 PD-1 약제에 대해 좋은 반응을 보임을 보고하고 있으나, 더욱 정확한 예측인자의 제시가 필요하다고 하겠다.

2) 복강내 항암화학요법

(1) 위암의 복막전이

위암에서 복막전이가 있는 경우 그 치료가 상당히 어렵고 예후도 매우 불량하다. 위암 환자에 있어서 근치적 절제술 후의 복막재발은 재발 환자의 약 40~50%에서 발견되고, 복막전이가 동반된 경우에는 평균 생존기간이 6개월 미만으로 불량한 예후인자로 잘 알려져 있다. 복막전이는 그 기전이 다양하나, 원발 위암의 장막 침윤(serosal involvement)의 결과로서 복막에 암세포가 퍼지거나 복강내 림프액 또는 정맥혈 내 암세포의 존재로 발생한다.

복막전이의 진단은 복수가 있거나 명확한 영상학적 소견이 있는 경우에는 의심할 수 있지만, 초음파검사나 CT 촬영으로도 5 mm 이하의 작은 병변은 발견하기 어렵다. 수술 전 여러 가지 검사에서 절제 가능한 소견을 보였다고 하더라도 개복하여 복막전이를 발견하는 경우도 10~40%까지 보고되고 있다. 이에, 이학적 검사나 영상검사에서 복막전이가 의심되나 확실하지 않을 때에는 진단적 복강경 검사가 환자의 치료방침을 결정하는데 유용하다.

복막전이 환자의 예후를 예측하고 수술의 정도를 결정하기 위해 복막전이에 대한 병기결정이 필수적 요소이며 이러한 병기를 결정하는 방법에는 여러 방법이 있고 각각의 방법에는 장단점이 있다. Gilly 등이 제안한 병기방법에서 0기는 육안적 병변이 없는 경우, 1기는 복강전이 병소가 복강내 한 부위에 국한되어 있고 크기가 5 mm 이하인 경우, 2기는 복강전이의 크기는 5 mm 이하이지만 복강 전체에 퍼져있는 경우, 3기는 복강전이의 크기가 5 mm~2 cm인 경우, 4기는 2 cm 이상의 전이병소가 있는 경우로 분류하였다(표 33-11). 이 방법은 비교적 간단하고 재현성이 높은 장점이 있고, 370명의 환자를 대상으로 한 다기관 연구에서 1기 환자의 중앙생존기간은 9.8개월인 반면에 4기 환자의 중앙생존기간은 3.7개월로, 병기에 따라 예후를 예측할 수 있었다. Sugarbaker 등이 제안한 복막암지수(peritoneal cancer index, PCI)는 복막전이의 분포와 크기로 평가하는 방법으로, 복강을 13구역으로 나누고 각각의 구역에 전이병소가 0.5 cm 이하이면 1, 0.5~5 cm이면 2, 5 cm 이상이면 3으로 평가하여 합산한 0~39의 수치로 표시하는 방법이다(그림 33-4). 복막암지수가 20 이상인 경우에는 적극적인 치료가 생존율을 증가시키지 못하므로 고식적인 치료가 합당하며, 복막암지수가 낮더라도 절제가 불가능한 위치에 있는 복막전이는 예후가 나쁘다.

표 33-11. **복막전이의 병기**

병기	정의
0기	육안적 병변이 없는 경우
1기	복강 전이병소가 복강내 한부위에 국한되어 있고 크기가 5 mm 이하인 경우
2기	복강 전이의 크기는 5 mm 이하이지만 복강 전체에 퍼져있는 경우
3기	복강 전이의 크기가 5 mm~2 cm인 경우
4기	복강 전이의 크기가 2 cm 이상인 경우

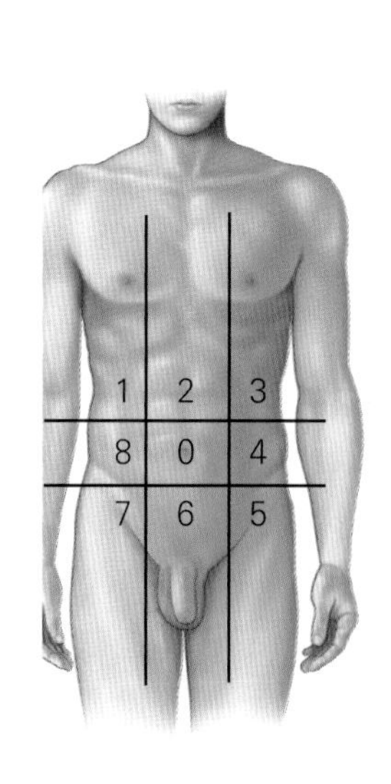

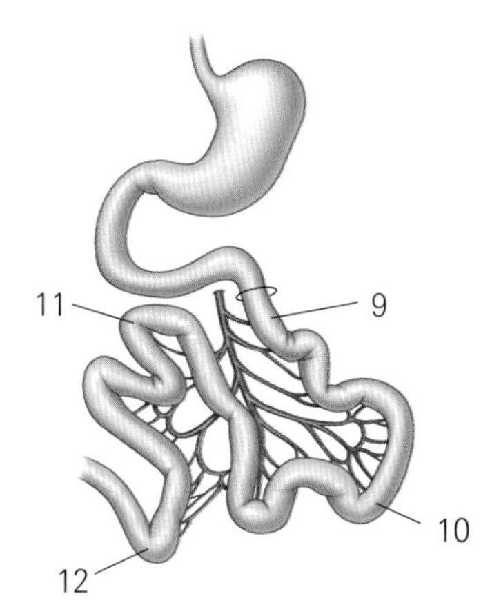

그림 33-4 **복막암지수(peritoneal cancer index, PCI).**

(2) 복강내 항암화학요법

복강내 항암화학요법은 1955년에 Weisberger 등에 의해 난소암의 치료로 처음 보고되었고, 1980년대에 들어 다시 주목받기 시작하였다. 복강내 항암화학요법은 복막-혈장막(peritoneal-plasma barrier)으로 인해 분자량이 큰 항암제의 농도를 혈관내에 비해 복강내에 20~40배 이상 유지시킴으로써 전신적인 부작용을 최소화하면서 복막전이를 효과적으로 치료할 수 있는 장점이 있지만, 약제가 3~5 mm 이상은 투과할 수 없기 때문에 눈에 보이지 않는 미세전이를 치료하기 위한 목적으로 시행하거나 복막전이가 있는 경우에는 육안적 전이병소절제술과 함께 시행해야 그 효과를 기대할 수 있다. 복강내 항암화학요법을 시행하는 방법은 아직 정형화되어 있지 않고 기관마다 차이를 보이지만 크게 다음의 두 가지 방법으로 나누어 볼 수 있고 이 두 가지 방법을 함께 사용하는 경우도 있다.

첫 번째 방법은 수술 후 조기 복강내 항암화학요법(early post-operative intraperitoneal chemotherapy, EPIC)으로 수술 후 1주일 이내에 1~2 L의 복막투석액에 항암제를 혼합하여 복강내로 주입하고 다음날 배액하는 방법으로 시행하며, 4~5일간 지속하고 1개월을 주기로 6~12개월 동안 지속한다. 수술 중에 복강내로 항암제를 투여할 수도 있으나, 항암제의 세포살상 효과는 투여농도와 시간에 비례하므로 약제 투여시간이 짧고 복강내 전체에 일정하게 투여할 수 없다는 것이 단점이다. 반면 수술 후 조기 복강내 항암화학요법은 수술 후에 시행하므로 복강내에서 상처가 아직 치유되지 않아 약제가 복강내로 골고루 분포할 수 있고, mitomycin-C나 doxorubicin과 같은 자극이 심한 약제도 충분히 희석되기 때문에 국소적 합병증이나 부작용의 발생 가능성을 낮출 수 있다.

이 방법의 이론적 근거는 수술 후에는 절제연과 박리된 복벽이 암세포 파종 가능성이 높은 부위라는 점, 수술 중에 외과의가 복강내를 완전히 절개한다면 복강내로 투여한 항암제가 가장 골고루 분포할 수 있는 시기라는 점, 이 시기가 복강내로 약제를 투여하기에 가장 용이하다는 점, 복강내 치료가 전신부작용 없이 용이하게 종양반응을 유도할 수 있으며 특히 투여 약제에 간문맥을 통한 'single pass effect'가 있다면 간으로의 약제 전달이 효과적이라는 점, 항암제와 암세포의 직접적 접촉이 가능하다는 점 등이다. 이 중 중요한 점은 종양부하가 가장 낮은 시점이라는 것이다. 사용 약제는 5-FU를 단독으로 또는 leucovorin과 병용투여하거나, 5-FU와 mitomycin-C를 병용투여하는 연구가 많다. 이 방법은 특별한 장비가 필요없고 비교적 저렴한 장점이 있지만, 온열요법을 함께 할 수 없고 약제가 복막 전체에 골고루 전달된다는 보장이 없다는 단점이 있다.

두 번째 방법은 수술 중 복강내 온열화학요법(hyperthermic intraperitoneal chemotherapy, HIPEC)이다. 온열요법은 여러 연구에서 항암작용을 항진시키는 것으로 보고되었으며, 특히 mitomycin-C의 경우 43℃에서 약 40배의 효과를 보였다. 온열요법에 의한 항암제의 항진기전은 세포막 단백질의 변성과 신생혈관 투과도의 증가로 인한 약제의 투과도 증가로 생각되고 있으며, 40℃에서 시작하여 43℃에서 가장 효과적인 것으로 보고되고 있다. 그 외에도 platinum 제제, tumor necrosis factor-α (TNF-α), doxorubicin, irinotecan, vinblastine 등도 온열요법에 의해 항암작용이 항진되었다. 이러한 이유로 복강내 온열화학요법 시에는 mitomycin-C를 단독 사용하거나 cisplatin과 함께 사용하고 있다. 하지만 이 시술의 단점은 반드시 수술실에서 전신마취하에서만 시행해야 하고 특수한 장비가 필요하다는 점이다. 이와 같은 복강내 항암화학요법은 설사 진행성 위암의 생존율을 증가시키지는 못한다고 하더라도, 절제연이나 복강내에서의 재발을 차단함으로써 위암의 자연경과를 바꾸는 효과를 기대할 수 있다. 복강내 항암화학요법의 장점은 정맥투여로는 불가능한 고농도의 항암제에 복강내 암세포를 노출시킬 수 있다는 점,

전신적으로 부작용을 최소화할 수 있다는 점, 장시간 지속 주입함으로써 세포분열이 느린 암세포에도 작용할 기회가 많아진다는 점 등이다.

(3) 수술 후 보조 복강내 항암화학요법

위암 환자에 있어서 근치적 절제술 후의 복막재발은 가장 흔한 형태의 재발로 재발 환자의 약 40~50%에서 발견되기 때문에, 복막전이의 위험도가 높은 환자에게 복강내에 직접 항암제를 주입하는 복강내 항암화학요법은 수술 후 보조요법으로 충분히 고려해볼 수 있다.

최근 국내에서는 복막전이의 가능성이 높은 장막 침습을 동반한 진행성 위암 환자 521명을 대상으로 수술 후 전신 항암화학요법과 수술 중 복강내 항암화학요법 + 수술 후 조기 전신 항암화학요법을 비교한 3상 연구결과를 발표하였다. 수술 후 전신 항암화학요법군은 수술 후 3~6주 뒤 mitomycin-C을 투여하고 mitomycin-C 투여 4주 뒤 경구 doxifluridine을 투여하기 시작하여 3개월 동안 투여하였고, 이에 대한 비교군은 수술 중 복강내 cisplatin 투여, 수술 후 1일째 mitomycin-C 투여, doxifluridine을 1년 복용한 뒤 두 군 사이의 무재발생존율을 비교하였다. 비교군과 대조군 사이의 3년 무재발생존율은 각각 60% vs. 50% (위험도 0.70, 95% 신뢰구간 0.54~0.90, p=0.006), 3년 전체생존율은 71% vs. 60% (위험도 0.71, 95% 신뢰구간 0.53~0.95, p=0.02)로 수술 중 복강내 항암화학요법과 수술 후 조기 전신 항암화학요법의 유용성을 보고하였다. 이 연구를 포함한 근치적 절제가 가능한 총 2,029명의 위암 환자가 포함된 17개 연구에 대한 보조 복강내 항암화학요법에 대한 메타분석이 발표되었다. 수술 단독에 비해 보조 복강내 항암화학요법은 유의한 생존율의 증가를 보였으며(위험도 0.65, 95% 신뢰구간 0.52~0.81, $p<0.005$), 복강내 항암화학요법의 약제종류 및 시점에 대한 하위분석은 cisplatin에 비해 mitomycin-C이(위험도 0.88, 95% 신뢰구간 0.66~1.17, p=0.380), 수술 후에 시행하는 것보다는 수술 중에 시행하는 것이(위험도 0.54, 95% 신뢰구간 0.36~0.83, p=0.004) 생존율이 높은 경향을 보였다.

그러나 수술 후 보조 복강내 항암화학요법에 대한 연구들은 수술 범위, 항암제의 종류, 투여 시기, 수술 후 전신 항암화학요법의 시행여부 및 요법의 종류 등이 모두 다르기 때문에, 현재로서는 근치적 절제술 후 복강내 항암화학요법을 표준 보조요법으로 제시하기는 어려운 상태이다. 또한, D2 림프절절제를 포함한 근치적 절제술을 시행한 2, 3기 위암 환자에서 전신 보조항암화학요법을 시행하였을 때 유의한 생존율 증가가 있음이 최근 대규모 3상 연구들에서 입증됨에 따라, 현재 수술 후 보조요법으로 전신 보조항암화학요법(S-1 단독요법 또는 capecitabine + oxaliplatin)이 표준적으로 쓰이고 있다. 그러므로 복막전이의 가능성이 높은 진행성 위암에서 수술 후 보조 복강내 항암화학요법은 그 적응증 및 방법, 시기에 대한 정립이 필요하며 현재 표준적으로 시행되고 있는 전신 보조항암화학요법과의 비교 연구 등 추가적인 연구들이 필요한 상태이다.

(4) 복막전이를 동반한 위암의 복강내 항암화학요법

복막전이 환자에서 종양감축술(cytoreductive surgery, CRS)의 목적은 복강내에 보이는 모든 암 종괴를 최대한 제거하는 것으로 복강내 항암화학요법과 동반했을 경우에 효과를 기대할 수 있고, 병소제거의 완벽한 정도(completeness of cytoreduction, 그림 33-5)가 예후와 밀접한 상관관계를 보이기 때문에 전이병소를 최대한 제거하는 것이 무엇보다 중요하다. 이외에도 복막전이를 동반한 위암에서 복강내 항암화학요법을 종양감축술과 함께 시행해야 하는 이론적 근거는 전이병소절제술을 시행하여 5 mm 이상의 육안적 전이병소를 제거하고, 나머지 5 mm 이하의 미세 전이병소를 제거하기 위한 목적으로 복강내 항암화학요법을 시행하기 위함이다. 복막전이를 동반한 전이성 위암에서 이러한 종양감축술 및 복강내 항암화학요법과 관련된 합병

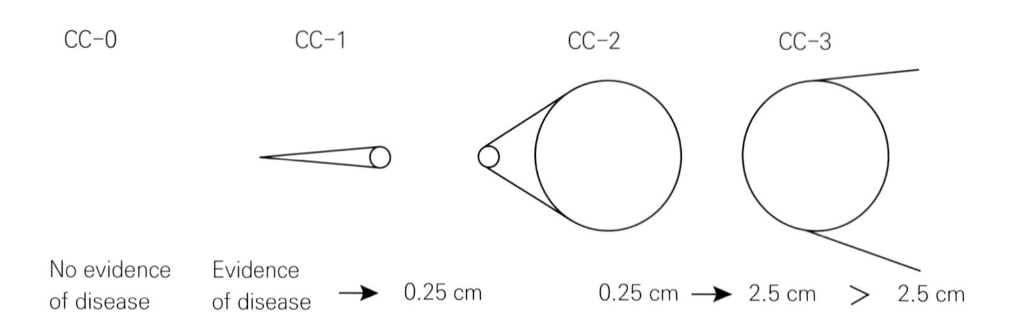

그림 33-5 **병소제거의 완벽한 정도(Completeness of cytoreduction, CC).**

증 및 사망률은 표준적으로 시행되는 위암절제술에 비해 높기 때문에, 이를 고려한 신중한 선택이 필요하다고 하겠다.

Yang 등은 위암으로 인한 복막암종증(peritoneal carcinomatosis) 환자 68명을 대상으로 종양감축술과 복강내 온열화학요법을 시행한 비교군과 종양감축술만 단독으로 시행한 대조군으로 무작위 배정하여 비교한 결과, 비교군과 대조군의 중앙생존기간은 11.0개월 vs. 6.5개월로 유의한 차이가 있었고, 수술 후 중증 합병증 발생률은 비교군과 대조군이 14.7% vs. 11.7%로 통계적으로 유의한 차이가 없었다. 2000년부터 2010년까지 10개의 후향적 연구 혹은 전향적 증례연구에 포함된 441명의 복막전이를 동반한 전이성 위암 환자들의 종양감축술 및 복강내 온열화학요법에 관한 체계적 문헌고찰 결과에서는, 1년, 2년, 5년 생존율은 각각 43%, 18%, 13%이었고, 수술 후 사망률과 이환율은 각각 4.8%와 21.5%로 보고하였다. 이 체계적 문헌고찰에서 전체 중앙생존기간은 7.9개월이었지만, 병소제거의 완벽한 정도가 0 혹은 1인 환자군의 중앙생존기간은 15개월로 현저한 차이를 보여, 병소제거의 완벽한 정도가 환자의 예후에 중요함을 보고하였다. 또한 복막전이로 종양감축술과 복강내 항암화학요법을 시행하였던 159명의 위암 환자를 분석한 후향적 연구에서도 병소제거의 완벽한 정도가 0, 1, 2~3인 경우 각각 중앙생존기간이 15개월, 6개월 4개월임을 보고하였고, 전이 부위의 완벽한 절제에도 불구하고 복막암지수가 19 이상인 경우 6개월 이상의 생존자가 없었고 12 이상인 경우 3년 이상의 생존자가 없었음을 보고하여, 수술 전 복막암지수 또한 매우 중요한 예후인자임을 보고하였다.

최근에는 복막전이가 있는 전이성 위암 환자에게서 고압분사 복강내 항암화학요법(pressurized intraperitoneal aerosol chemotherapy, PIPAC)이라고 하는 새로운 복강내 항암화학요법에 대한 시도가 이루어지고 있다. 이는 종양감축술 및 수술 중 복강내 온열화학요법의 적응증이 되지 않는 복막전이를 동반한 위암에서 복강경을 통해 고압분사 분무제를 사용하여 복강내로 항암제를 적용함으로써 복수 등의 복막전이로 인한 증상을 완화하여 삶의 질을 향상시킬 수 있음이 보고되고 있다. 그동안 복막전이를 동반한 위암 환자에 있어 복강내 항암화학요법에 대한 많은 연구들이 진행되었으나, 이의 안전성 및 유효성을 평가하기에는 아직 확고한 연구가 부족한 상태이다. 이에, 복막전이를 동반한 위암에서 종양감축술 및 복강내 항암화학요법을 시행하기 위해서는 이의 목적, 복막전이의 정도 및 절제 가능성, 전이병소 제거의 완벽한 정도를 고려한 신중한 환자 선택이 필요하며, 의료진 및 기관의 오랜 경험이 무엇보다도 중요한 치료이기에 숙련된 의료진에 의해 시행되어져야 하겠다.

3) 보조항암화학요법

국내에서 내시경 검진을 통한 조기위암의 발견 비율이 상승하여 위암치료 후 완치율이 꾸준히 상승하고 있으나, 근치적 위절제술을 시행받은 환자의 상당수가 재발하고 재발한 환자의 예후는 매우 불량하다. 따라서, 근치적 위절제술을 시행받은 환자들을 대상으로 적절한 환자들을 선별하여 적합한 보조치료(항암화학요법 ± 방사선요법)를 시행하여 완치율을 증가시키고자 하는 노력이 지속적으로 이루어져 왔다. 특히, 지난 10여년 동안 위암의 수술 후 보조치료에 대하여 명확한 발전이 이루어졌다.

(1) 보조항암화학요법에 대한 메타분석

메타분석(meta-analysis) 중 최초로 Hermans 등이 1993년에 보고하였던 연구에서는 1980년부터 1991년까지 시행된 11개의 3상 임상연구에 포함된 2,096명의 환자들을 대상으로 메타분석을 시행하였는데, 수술단독에 비해서 보조항암화학요법을 추가적으로 시행하는 것은 의미있는 효과를 보여주지 못했다(교차비 0.88, 95% 신뢰구간 0.72~1.08). 하지만, 이 연구는 통계적 검정력이 부족하고 두 개의 중요한 연구가 분석에서 제외되었던 점이 지적되어, 이러한 문제점들을 보완한 메타분석을 다시 발표하였다. 새로운 분석에서는 교차비 0.82 (95% 신뢰구간, 0.68~0.97)로 보조항암화학요법 시행군이 수술단독군에 비하여 통계적으로 유의하게 효능이 우월한 것으로 확인되었다. 이후 1999년에 Earle 등은 아시아에서 시행된 연구를 제외하고, 1966~1999년까지 서구에서만 시행된 13개의 연구들을 대상으로 메타분석을 시행하였을 때에도 생존율에 대한 교차비가 0.80 (95% 신뢰구간, 0.66~0.97)으로 보조항암화학요법을 추가로 시행하는 것이 수술 단독에 비하여 우월함을 보여주었다. 이후에도 추가적인 메타분석이 잇따라 보고되었는데, 이들에서도 그 정도는 크지 않지만 보조항암화학요법의 효과가 통계적으로 의미있게 나타났다.

그 이후에 보조항암화학요법의 효능에 관하여 메타분석을 시행한 대표적인 보고는 2010년에 GASTRIC (Global Advanced/Adjuvant Stomach Tumor Research International Collaboration) 그룹에 의해서 발표되었다. 이전의 메타분석들은 기존의 임상연구에 등록되었던 환자들의 개별수준의 데이터에 대한 접근없이 수행되어 왔다. 반면, GASTRIC 그룹에서의 메타분석은 그 동안 무작위 비교연구들을 수행한 연구자들에게 각각 접촉하여 각 연구에 등록된 환자들의 개인별 데이터를 최대한 수집하여 분석을 시행하고자 했는데, 이러한 개별 환자의 데이터 접근이 가능하였던 17개 연구의 3,838명의 환자들을 대상으로 메타분석이 시행되었다. GASTRIC 그룹의 메타분석결과, 보조항암화학요법을 시행받는 경우에 그렇지 않은 경우보다 사망의 위험도가 유의하게 감소했으며(위험비 0.82, 95% 신뢰구간 0.76~0.90, $p<0.001$), 5년 생존율이 수술단독군의 49.6%에서 보조항암화학요법 시행군의 경우에는 55.3%로 5.8%가 향상되었으며, 10년 생존율은 37.5%에서 44.9%로 7.4%가 향상되었다. 또한 보조항암화학요법에 사용한 약제종류별로 나누어 분석하였을때, 단독약제군과 병용요법군 모두 사망의 위험도를 감소시켰으며, 약제 종류에 따른 상호간의 교호작용(interaction)은 확인되지 않았다.

위암 수술 후 보조항암화학요법의 효능에 대하여 가장 최근에 이루어진 메타분석 중 대표적인 분석결과가 2013년 Cochrane Database of Systematic Reviews에 발표되었다. 본 연구에는 동양과 서양에서 보조항암화학요법을 시행한 군과 수술단독만 시행한 군을 서로 비교한 34개의 무작위배정 연구들에 포함된 7,824명의 환자들을 대상으로 메타분석이 시행되었다. 본 메타분석에는 일본의 ACTS-GC 3상 연구결과는 포함되었으나, 국내에서 주도적으로 시행된 CLASSIC 연구결과는 포함되지 않았다. 저자들은 위암 수술 후 보조항암화학요법을 시행받은 경우 사망위험도가 15% 감소(위험비 0.85, 95% 신뢰구간 0.80~0.90)됨을 확인하였으며, 이에 근거하여 절제 가능한 위암에서 위절제술 후 보조항암화학요법은 가능한 경우 통상적으로 시행되어야 한다고 보고하였다.

(2) 보조항암화학요법에 대한 주요 3상 임상시험 결과

① ACTS-GC 연구

일본에서는 1960년대부터 수술 후 보조항암화학요법의 효능을 확인하기 위한 수많은 연구가 이루어져 왔으나 2000년대 중반까지도 명확한 결론을 내리지 못하고 있었다. 이러한 상황에서 보조항암화학요법의 역할에 대하여 중요한 획을 그은 연구가 2007년 Sakuramoto 및 Sasako 등에 의해서 발표된 ACTS-GC (The Adjuvant Chemotherapy Trial of TS-1 for Gastric Cancer) 연구이다. ACTS-GC 연구는 근치적 위절제술 및 D2 림프절절제술을 시행받은 일본식 병기(Japanese classification) 기준으로 II 및 III기 환자들을 대상으로 시행되었으며, 총 1,059명의 환자들이 2001년 10월에서 2004년 12월 사이에 일본의 109개 기관에서 등록되었다. 보조항암화학요법군에는 S-1을 80~120 mg/일의 용량으로 4주 복용 및 2주 휴약의 일정으로 6주 간격으로 1년간 치료가 시행되었고, 대조군에는 수술 후 별다른 처치없이 정기적으로 경과관찰만 시행하였다(수술단독군). 중간분석결과가 2007년에 발표되었는데 당시 추적관찰기간의 중앙값은 2.9년이었으며, 수술단독군과 S-1 투여군 사이의 3년간 무재발생존율은 59.6% vs. 72.2% (위험비 0.62, 95% 신뢰구간 0.50~0.77)로 S-1 투여군에서 12.6%가 향상되었음을 보고하였다. 또한, 3년 생존율은 각각 70.1% vs. 80.1% (위험비 0.68, 95% 신뢰구간 0.52~0.87)로 S-1 투여군에서 10.0%의 생존율 향상을 보임도 확인되었다.

S-1 투여군에서 12개월째의 복약순응도는 65.8%였다. 2007년도에 처음으로 ACTS-GC 연구결과가 발표되었을 때, 생존기간 추적이 짧아서 당시의 결과를 저자들의 주장 그대로 받아들이기 어렵다는 비판이 일부 있었다. 이에, 추적관찰기간을 연장해서 ACTS-GC 연구의 5년 생존율에 대한 자료를 다시 발표하였다. 5년 생존율은 61.1% vs. 71.7%로 S-1 투여군에서 10.6%의 생존율 향상(위험비 0.67, 95% 신뢰구간 0.54~0.83)이 관찰되었고, 5년 무재발생존율은 53.1% vs. 65.4%로 S-1 투여군에서 12.3%가 향상됨(위험비 0.65, 95% 신뢰구간 0.54~0.79)이 재확인되어, S-1의 효과가 5년이 지나도 여전히 유효함이 확인되었다.

ACTS-GC 연구에서 시행된 하위군 분석에 의하면, AJCC 6판 기준으로 II, IIIA 및 IIIB기에서의 무재발생존에 대한 위험비는 각각 0.57 (95% 신뢰구간, 0.41~0.80), 0.63 (0.45~0.89) 및 0.71 (0.45~1.14)로 병기가 올라갈수록 S-1 보조항암화학요법의 효능이 떨어짐이 확인되었고, 특히 병기 IIIB에서는 통계적 유의성이 소실되었다. T병기를 기준으로 T2/T3군에 비하여 T4군에서 무재발생존기간의 개선정도가 감소하였다. N병기를 기준으로 봤을 때는 N0군 및 N1(림프절 1~6개가 전이된 경우)군에서는 무재발생존기간이 개선되었으나, N2(림프절 7~15개가 전이된 경우) 및 N3(림프절 16개 이상에서 전이된 경우)에는 무재발생존기간의 개선도가 감소하여 통계적 유의성이 소실되었다. 물론, 이러한 하위군 분석은 분석에 포함된 대상자 숫자가 충분하지 못한 경우가 많으므로 그 해석에 주의가 필요하다.

② CLASSIC 연구

국내에서도 위절제술 후 보조항암화학요법의 효능에 대한 임상연구들이 꾸준히 시행되어 왔다. 2002년에는 장 등이 416명의 환자들을 대상으로 5-FU 단독으로 투여한 군, 5-FU + mitomycin-C 병용항암화학요법군(FM군) 및 5-FU + doxorubicin + mitomycin-C 병용항암화학요법군(FAM군)의 3개의 군으로 나누어 수술 후 항암화학요법의 효능을 비교한 3상 임상연구결과를 보고하였는데, 5년 생존율이 67.2%, 67.0% 및 66.7%로 세 군 간에 유의한 차이가 없었다. 이 연구에서는 세 군 모두 항암화학요법을 시행하였으므로 보조항암화학요법 자체가 수술 후 정말로 도움이 되는지에 대하여는 근거를 제공할 수 없었다.

국내에서 시행되어 위암에서의 보조항암화학요법의 효능을 입증하여 전 세계적으로 큰 주목을 받은 연구는 방 등이 주도하여 발표한 CLASSIC (The Capecitabine and Oxaliplatin Adjuvant Study in Stomach Cancer) 연구이다. 본 3상 임상연구에서는 D2 림프절절제술을 시행받은 AJCC 6판 기준의 병기 II~III기 위암 환자 1,035명을 대상으로, 수술 후 XELOX (capecitabine + oxaliplatin 병용) 보조항암화학요법을 시행받은 군과 추가적 항암화학요법 없이 단순관찰만 시행한 군을 비교하였다. CLASSIC 연구에는 국내 환자들 외에도 중국, 타이완에서도 일부 환자들이 함께 등록되었다. 보조항암화학요법군에는 XELOX 요법(capecitabine 2,000 mg/m²/일의 용량으로 14일간 경구 복용 및 oxaliplatin을 130 mg/m²의 용량으로 각 주기의 첫 날에 정맥 주사, 3주마다 반복)으로 6개월(8주기) 간 투여되었으며, 연구의 일차 목적은 3년 무병생존율의 차이를 입증하는 것이었다. 방 등이 첫 번째 중간분석결과를 2012년에 보고하였는데(추적관찰기간의 중앙값, 34개월), XELOX군의 3년 무병생존율은 74%였고, 수술단독군에서는 3년 무병생존율이 59%였다(위험비 0.56, 95% 신뢰구간 0.44~0.72, p<0.0001). XELOX 보조항암화학요법의 효능은 II, IIIA 및 IIIB기의 모든 병기에 걸쳐 확인되었으며, 부작용도 감내할 만하였다. 당시에 생존율의 차이를 보기에는 추적관찰기간이 짧았음에도 불구하고, 3년 생존율이 XELOX군 83% vs. 수술단독군 78%로 역시 통계적으로 유의한 차이를 보였다(위험비 0.72, 95% 신뢰구간 0.52~1.00, p=0.0493). CLASSIC 연구의 5년 추적관찰결과가 2014년에 발표되었는데(추적관찰기간의 중앙값, 62.4개월), 5년째 무병생존율은 XELOX군 68% vs. 수술단독군 53% (위험비 0.58, 95% 신뢰구간 0.47~0.72, p<0.0001)로 그 차이가 지속적으로 유지되었다. 5년째 전체 생존율은 XELOX군 78% vs. 수술단독군 69%이었으며, 그 차이는 통계적으로 역시 유의하였다(위험비 0.66, 95% 신뢰구간 0.51~0.85, p=0.0015). CLASSIC 연구에 등록된 환자들을 대상으로 수술 후 병기(AJCC 6판 기준)에 따른 하위군 분석을 시행하였을 때(표 33-12), XELOX 보조항암화학요법은 II, IIIA 및 IIIB 모두에서 무병생존율의 개선을 보였는데, 특히 병기가 높을수록 5년 무병생존율의 절대적 차이는 더욱 커지는 경향을 보였다(IIIB기: XELOX군 52% vs. 수술단독군 21%). T병기를 기준으로 봤을 때 T3/T4군 및 T1/T2군 모두에서 무병생존율의 개선을 보였으며, N병기를 기준으로 봤을 때는 N0군에 비하여 N1/N2군에서 무병생존율의 개선이 뚜렷하였다.

표 33-12. CLASSIC 3상 연구에서 병기에 따른 5년 무병생존율 및 생존율

병기	환자수	5년 무병생존율			5년 생존율		
		XELOX군	수술 단독군	위험비 (95% 신뢰구간)	XELOX군	수술 단독군	위험비 (95% 신뢰구간)
II	515	80%	68%	0.55 (0.38-0.80)	88%	79%	0.54 (0.34-0.87)
IIIA	377	58%	44%	0.61 (0.44-0.84)	70%	63%	0.75 (0.52-1.10)
IIIB	143	52%	21%	0.52 (0.33-0.82)	66%	45%	0.67 (0.39-1.13)

XELOX, capecitabine + oxaliplatin.

③ 일본에서 시행된 S-1 기반 보조항암화학요법에 대한 후속 3상 연구들

ACTS-GC 연구를 통하여 D2 림프절절제술을 포함한 위절제술을 시행받은 II-III기 위암 환자들의 경우 S-1 보조항암화학요법의 효능이 있음이 입증되었다. 이를 근거로 하여, 현재 일본뿐만 아니라 국내에서도 위절제술 후 1년간의 S-1 보조항암화학요법이 널리 사용되고 있다. ACTS-GC 연구결과 발표 이후, S-1에 기반한 보조항암화학요법의 적절한 치료기간 혹은 타 약제와의 병용시의 효능을 탐색하기 위한 후속 연구들이 일본에서 시행되었다.

i) OPAS-1 3상 연구(JCOG 1104)

이전의 ACTS-GC 연구에서 근치적 위절제술(D2 림프절절제술 포함) 후 사용된 S-1 보조항암치료의 기간은 1년이었다. 치료기간을 1년으로 설정하였던 과학적 근거는 당시 명확하지 않았다. 일본의 연구자들은 이에 대한 후속 연구로, AJCC 7판 기준의 II기 환자들(pT1 및 pT3N0는 제외; 20세~80세)을 대상으로 완전절제술을 시행(임상적 병기 2기 이상에서는 D2 림프절절제술을 시행하고, 임상적 병기 1기인 경우 D1+ 림프절절제술을 시행)한 후 무작위로 배정하여 4주기(6개월)의 S-1 치료와 8주기(12개월)의 S-1치료의 효능을 비교하였다. 본 연구의 일차목적은 무재발생존기간의 측면에서 6개월 요법이 12개월 요법에 대하여 열등하지 않음을 증명하는 것이었다. 본 연구에는 590명의 환자들이 등록이 되었는데, 2017년 3월에 528명을 대상으로 한 첫 번째 중간분석을 통해 본 연구는 중단되었다. 당시 분석결과, 3년 무재발생존율은 6개월 치료군 88.9% vs. 12개월 치료군 95.3%로 위험도의 비열등성 경계(non-inferior margin)를 넘어서는 것이 확인되었다(위험비 2.52, 95% 신뢰구간 1.11~5.77). 3년째 전체 생존율은 6개월군 91.7% vs. 12개월군 97.7%이었다(위험비 5.18, 95% 신뢰구간 1.50~17.89). 따라서, 본 임상시험의 연구자들은 병리학적 병기 II기의 위암 환자들을 대상으로 수술 후 S-1 보조항암화학요법은 가능한 한 1년을 시행해야 한다고 결론지었다.

ii) JACCRO GC-07 연구

앞에서 언급한 대로, ACTS-GC 연구에서 S-1 보조항암화학요법은 병기가 올라갈수록 효능이 감소하는 경향을 보임이 확인되었고, 특히 병기 IIIB에서의 하위군 분석에서는 무재발생존기간 향상에 대한 통계적 유의성이 소실되었다. 반면에 CLASSIC 연구에서 사용된 XELOX 용법은 II, IIIA 및 IIIB기 모두에서 무병생존기간을 일관되게 향상시키는 결과를 보였다.

전이성/재발성 위암 환자들을 대상으로 시행한 3상 임상연구(START)에서 S-1 단독요법에 비하여 S-1과 docetaxel을 병용할 경우 전체 중앙생존기간이 10.8개월에서 12.5개월로 통계적으로 의미있게 연장됨(p=0.032)이 보고된 바 있다. 이와 같은 배경을 바탕으로 일본의 연구자들은 III기 위암에서 S-1에 docetaxel을 추가한 병용항암화학요법이 S-1 단독요법보다 더 효능이 있는지에 대한 3상 임상시험(JACCRO GC-07)을 시행하였다. JACCRO GC-07 연구에는 완치적 D2 림프절절제술을 포함한 위절제술을 시행받은 병리학적 병기 IIIA, IIIB 및 IIIC 위암 환자들이 등록되었으며, 일차 연구목적은 3년 무재발생존율이었다.

JACCRO GC-07 연구에는 1,100명의 환자들을 등록시킬 예정이었으나, 915명이 등록된 상태에서 시행된 2번째 중간분석에서 S-1과 docetaxel 병용치료가 S-1 단독요법보다 우월함이 확인되어 조기 종료되었다. 본 연구에서 S-1 단독군에 배정된 환자들은 통상적인 6주 간격 요법의 S-1 치료(80 mg/m^2/일, 28일 복용 후 14일 휴약)를 1년간 시행받았다. 반면, S-1과 docetaxel 병용요법에 배정된 환자들은 1주기의 첫 3주간은 S-1 (80 mg/m^2/일)을 단독으로 14일간 복용 후 7일간 휴약을 하였고, 2주기부터 7주기까지는 3주 간격으로 동일용량의 S-1을 14일 복용/7일 휴약을 반복하면서, 각 주기의 첫째날에 docetaxel을 40 mg/m^{2}의 용량으로 투여하였다. 이렇게 24주의 치료가 종료된 이후부터 남은 6개월은 S-1 단독군과 마찬가지로 1년이 될 때까지 6주간격 요법의 S-1 치료를 추가적으로 시행하였다. 2017년에 시행된 중간분석결과, S-1/docetaxel 병용군과 S-1 단독군의 3년 무재발생존율은 65.9% vs. 49.5% (위험비 0.632, 95% 신뢰구간 0.400~0.998, p=0.0007)로 유의한 차이를 보였다. 하위군 분석에서도, IIIA병기에서 위험비 0.524 (95% 신뢰구간 0.285~0.966, p=0.0351), IIIB 병기에서 위험비 0.614 (95% 신뢰구간 0.382~0.989, p=0.0427) 및 IIIC 병기에서 위험비 0.693 (95% 신뢰구간 0.466~1.03, p=0.0677)의 결과를 보여 S-1/docetaxel 병용요법이 S-1 단독요법에 비하여 각 군에서 우월한 경향을 보였다. 또한, 부작용 측면에서 S-1/docetaxel 병용요법이 S-1 단독요법에 비하여 백혈구 및 호중구감소증이 더 빈번하게 발생하나 전반적으로는 감내할만한 수준이었다고 보고하였다.

4) 선행항암화학요법

위암은 수술이 가능한 환자에서 진단 또는 수술 당시 이미 미세전이가 존재할 수 있으며 이는 재발의 원인이 된다. 선행항암화학요법은 이러한 미세전이를 없앨 수 있으며 수술 전에 종양 부하를 줄이고 병기를 낮추어 근치적 절제율을 높일 수 있다. 또한 선행항암화학요법에 병리학적으로 완전반응을 보인 경우는 그렇지 못한 경우에 비해 생존기간이 유의하게 연장되어, 선행항암화학요법 후 수술을 통해 시행된 치료의 반응을 확인하여 예후를 예측하는 데 도움이 된다.

선행항암화학요법에서 중요한 것은 수술 전 병기 결정의 정확성과 적절한 환자군의 선택이다. 이를 위해 위암 환자에게서 항암치료 전 시행하는 검사로는 컴퓨터단층촬영, 양전자방출단층촬영(positron emission tomography, PET), 내시경초음파와 복강경검사 등이 있다. 양전자방출단층촬영의 역할에 대해서는 아직 논란이 많다. 무엇보다도 중요한 것은, 치료에 참여하는 여러 관련 전문가들의 다학제적 접근이 선행항암화학요법을 포함한 치료방침 결정에 중요하다.

위암 환자 중 복막전이나 원격전이가 없으며 국소적으로 암이 진행한 환자가 대상이며, 연구자에 따라 다르지만 1B기에서 III까지(또는 T4 환자 포함)의 환자를 대상으로 하는 경우가 많아 결과 해석에서 문제점이 나타났다. 선행항암화학요법에 사용되는 항암제로는 단시간에 종양축소율이 높은 것을 선택한다. 그러므로 반응률이 높은 병용요법을 추천하며, 수술 후에 항암화학요법을 추가하는 수술 전후 항암화학요법(perioperative chemotherapy) 또한 많이 시행되고 있다. 초기에 시행되었던 cisplatin 병용요법이나 FAMTX 등을 이용한 선행항암화학요법의 임상연구들은 대상 환자의 수가 적고 병리학적 완전관해율이 낮으며 부작용 발생률이 높아 정확한 치료효과를 보이지 못했다. 그 후 대표적 선행항암화학요법에 대한 3상 임상시험으로는 MAGIC, FFCD, FLOT4, JCOG 0501 연구들이 있다(표 33-13).

(1) 선행항암화학요법에 관련된 중요한 3상 임상시험 결과

① MAGIC 연구

MAGIC 연구는 선행항암화학요법에 대한 대표적 연구로는 503명의 환자를 대상으로 ECF (epirubicin + cisplatin + 5-FU) 병용요법을 수술 전·후 각 3회씩 시행한 군을 수술만 시행한 대조군과 비교한 3상 연구이다. 선행요법군은 대조군에 비해 근치적 절제율과 병기하향률이 향상되었고, 질병진행까지의 기간과 전체 생존율이 각각 증가하여, 수술 전후 항암화학요법군과 수술단독군의 5년 생존율이 36% vs. 23%로 유의한 차이를 보였다(위험비 0.75, 95% 신뢰구간 0.60~0.93). 이 연구는 위암에서 선행항암화학요법의 가능성을 처음으

표 33-13. **선행보조항암요법에 대한 주요 3상 비교연구**

연구	원발 부위	병기	치료	환자수	생존율(%)		위험비 (95% 신뢰구간)	P값
MAGIC	위 74% 하부식도 15% 식도위경계 11%	≥cII*	수술전/후 ECF	250	36	5년 생존율	0.75 (0.60-0.93)	0.009
			수술 단독	253	23			
FFCD	위 25% 하부식도 11% 식도위경계 64%	절제가능	수술전/후 CF	113	38		0.69 (0.50-0.95)	0.02
			수술 단독	111	24			
AIO-FLOT4	위 44% 식도위경계 56%	≥cT2 cN+	수술전/후 FLOT	356	57	3년 생존율	0.77 (0.63-0.94)	0.012
			수술전/후 ECF 혹은 ECX	360	48			
JCOG 0501	위 100%	미만형(4형) ≥8 cm (3형)	수술전 SP/수술후 S-1	151	60.9		0.916 (0.679-1.236)	0.284
			수술후 S-1	149	62.4			

*International Union against Cancer: TNM classification of malignant tumours. Berlin: Springer-Verlag, 1987
ECF, epirubicin + cisplatin + 5-fluorouracil; CF, cisplatin + 5-fluorouracil; FLOT, epirubicin + cisplatin + 5-fluorouracil + docetaxel; ECF, epirubicin + cisplatin + 5-fluorouracil; ECX, epirubicin + cisplatin + capecitabine; SP, S-1 + cisplatin.

로 보여준 연구라는 점에서 의의가 크다고 하겠다. 그러나 식도암 혹은 식도위경계부암을 가진 환자가 26%나 되었다는 점, 수술방법이 표준화되지 못한 상황에서 D2 림프절절제술이 환자의 40%에게만 시행된 점, 수술군의 5년 생존율이 25%로 Dutch 연구의 40%보다 낮아 서구에서도 자료를 일반화하기 어려운 점, 수술 후 항암제는 50% 정도의 환자에게만 투여되었고 전체 계획된 항암제 투여는 40%의 환자에게만 가능했던 점 등이 단점으로 지적되고 있다. 그러므로 D2 림프절절제술을 표준적으로 시행하고 있는 한국이나 일본에서 이 연구결과 그대로 적용하기에는 무리가 있다.

② **FFCD 연구**

224명의 환자를 대상으로 cisplatin + 5-FU 병용요법을 수술 전 2~3회, 수술 후 3~4회 시행한 군을 수술만 시행한 대조군과 비교하였다. 수술 전후 항암화학요법 시행군과 수술단독군의 5년 생존율은 38% vs. 24%로 유의한 생존율의 향상을 보여주었다(위험비 0.69, 95% 신뢰구간 0.50~0.95, p=0.02).

③ **FLOT4 연구**

최근 발표된 FLOT4 연구는 716명 환자를 대상으로 시행한 가장 대규모 연구로, FLOT (docetaxel + oxaliplatin + leucovorin + 5-FU) 병용요법을 수술 전·후 각 4회씩 시행한 군과 ECF (epirubicin + cisplatin + 5-FU) 혹은 ECX (epirubicin + cisplatin + capecitabine) 병용요법을 수술 전·후 각 3회씩 시행한 군을 비교한 3상 연구이다. ECF/ECX군과 FLOT군에서 각각 중앙생존기간은 35개월 vs. 50개월(위험비 0.77, 95% 신뢰구간 0.63~0.94, p=0.012), 3년 생존율은 48% vs. 57%, 무진행생존기간은 18개월 vs. 30개월로 FLOT군에서 유의한 성적의 향상을 입증하였다. 연구자들은 본 연구를 바탕으로 HER2 양성 위암 환자에서 FLOT + trastuzumab + pertuzumab 병용요법, HER2 음성 환자에서 FLOT +

ramucirumab 병용요법, FLOT + atezolizumab 병용요법, FLOT + 방사선치료 병용요법 연구를 후속으로 진행하고 있다.

④ JCOG 0501 연구

최근 일본에서는 근치적 절제술이 가능한 Borrmann 4형과 8 cm 이상의 Borrmann 3형의 진행성 위암 환자를 대상으로 수술전 S-1 + cisplatin 병용요법 2주기 후 위절제술 및 D2 림프절절제술 시행, 그 이후 S-1 보조항암화학요법을 시행한 수술 전후 항암화학요법군과 수술후 S-1 항암화학요법만을 시행한 수술후 항암화학요법을 비교한 3상 연구결과를 발표하였다. 일차연구 목표인 3년 생존율은 수술전후 항암화학요법군과 수술후 항암화학요법군에서 각각 60.9% vs. 62.4%(위험비 0.916, 95% 신뢰구간 0.679~1.236, p=0.284)로 유의한 차이를 보이지 않았다.

(2) 그 외의 연구결과들

OE05 연구는 897명의 환자를 대상으로 4회 ECX (epirubicin + cisplatin + capecitabine) 병용요법군과 2회 CF (cisplatin + 5-FU) 병용요법군을 비교하였는데, 병리적 완전반응률이 각각 7% vs. 2%였으나 3년 생존율이 42% vs. 39%로 양군간에 유의한 차이가 없었다. STO3 연구는 1,063명을 대상으로 ECX + bevacizumab 병용요법을 수술 전·후 각 3회씩 시행한 군을 ECX 만을 수술 전·후 시행한 대조군과 비교하였지만 3년 생존율에 차이는 없었다.

수술단독에 비해 수술전 혹은 수술 전후 항암화학요법이 유의한 생존증가를 보인 미국 및 유럽의 3상 임상연구들은 D2 림프절절제술을 시행받지 못한 환자의 비율이 높아 위암의 근치적 절제술 전의 선행항암화학요법이 효과가 있음을 증명했다고 보기에는 어렵다고 할 수 있다. 또한 최근 일본에서 D2 림프절절제술을 표준적으로 시행한 진행성 위암 환자를 대상으로 현재 표준적으로 시행하는 수술후 항암화학요법에 추가로 수술전 항암화학요법을 투여하였을 때 유의한 생존율의 차이를 보여주지 못하였기 때문에, 근치적 절제를 위해 종양축소가 필요한 경우를 제외하고 근치적 절제술이 가능하다고 생각되는 위암에서 수술전 선행항암화학요법을 권고할만한 객관적인 근거는 부족하다.

3. 결론

위암에 대한 전신항암요법은 최근 몇 년간 크게 주목받고 있다. 위암이 비교적 항암제에 잘 반응하기 때문에 근치적 절제술 후 보조항암화학요법은 재발을 유의하게 감소시켜 위암의 완치율 향상에 큰 역할을 하고 있으며, 근치적 절제가 불가능한 국소 진행성 혹은 전이성 위암에서의 고식적 전신항암요법은 환자의 삶의 질과 생존기간을 유의하게 개선시킬 수 있다. 이는 위암에 대한 분자적 이해가 넓어지면서 여러 새로운 항암제를 이용한 치료법의 개발, 분자표적치료제의 도입, 유전적 특성에 따른 맞춤치료의 개발 등 치료전략을 개선하고 정제하기 위한 그간의 노력의 결과라고 할 수 있다. 현재 종양전문의들을 중심으로 다국가, 다기관을 포함하는 대규모의 임상연구가 거듭되고 있으므로, 향후 위암치료에서 전신항암요법의 역할은 더욱 명확해질 것으로 생각된다.

참고문헌

1. 한국임상암학회. 위암 임상진료지침. 2012.
2. Ajani JA, Rodriguez W, Bodoky G, Moiseyenko V, Lichinitser M, Gorbunova V, et al. Multicenter phase III comparison of cisplatin/S-1 with cisplatin/infusional fluorouracil in advanced gastric or gastroesophageal adenocarcinoma study: the FLAGS trial. J Clin Oncol 2010;28:1547-1553.
3. Al-Batran SE HN, Schmalenberg H, Kopp HS, Haag GM, Luley KB, et al. Docetaxel, oxaliplatin, and fluorouracil/leucovorin (FLOT) versus epirubicin, cisplatin, and fluorouracil or capecitabine (ECF/ECX) as perioperative treatment of resectable gastric or gastroesophageal junction adenocarcinoma: the multicenter, randomized phase 3 FLOT4 trial (German Gastric Group at AIO). Ann Oncol 2017;1:28.
4. Al-Batran SE, Hartmann JT, Probst S, Schmalenberg H, Hollerbach S, Hofheinz R, et al. Phase III trial in metastatic gastroesophageal adenocarcinoma with fluorouracil, leucovorin plus either oxaliplatin or cisplatin: a study of the Arbeitsgemeinschaft Internistische Onkologie. J Clin Oncol 2008;26:1435-1442.
5. Alderson D, Cunningham D, Nankivell M, Blazeby JM, Griffin SM, Crellin A, et al. Neoadjuvant cisplatin and fluorouracil versus epirubicin, cisplatin, and capecitabine followed by resection in patients with oesophageal adenocarcinoma (UK MRC OE05): an open-label, randomised phase 3 trial. Lancet Oncol 2017;18:1249-1260.
6. Bang YJ, Kim YW, Yang HK, Chung HC, Park YK, Lee KH, et al. Adjuvant capecitabine and oxaliplatin for gastric cancer after D2 gastrectomy (CLASSIC): a phase 3 open-label, randomised controlled trial. Lancet 2012;379:315-321.
7. Bang YJ, Van Cutsem E, Feyereislova A, Chung HC, Shen L, Sawaki A, et al. Trastuzumab in combination with chemotherapy versus chemotherapy alone for treatment of HER2-positive advanced gastric or gastro-oesophageal junction cancer (ToGA): a phase 3, open-label, randomised controlled trial. Lancet 2010;376:687-697.
8. Boku N, Yamamoto S, Fukuda H, Shirao K, Doi T, Sawaki A, et al. Fluorouracil versus combination of irinotecan plus cisplatin versus S-1 in metastatic gastric cancer: a randomised phase 3 study. Lancet Oncol 2009;10:1063-1069.
9. Chang HM, Jung KH, Kim TY, Kim WS, Yang HK, Lee KU, et al. A phase III randomized trial of 5-fluorouracil, doxorubicin, and mitomycin C versus 5-fluorouracil and mitomycin C versus 5-fluorouracil alone in curatively resected gastric cancer. Ann Oncol 2002;13:1779-1785.
10. Cullinan SA, Moertel CG, Fleming TR, Rubin JR, Krook JE, Everson LK, et al. A comparison of three chemotherapeutic regimens in the treatment of advanced pancreatic and gastric carcinoma. Fluorouracil vs fluorouracil and doxorubicin vs fluorouracil, doxorubicin, and mitomycin. JAMA 1985;253:2061-2067.
11. Cunningham D, Allum WH, Stenning SP, Thompson JN, Van de Velde CJ, Nicolson M, et al. Perioperative chemotherapy versus surgery alone for resectable gastroesophageal cancer. N Engl J Med 2006;355:11-20.
12. Cunningham D, Starling N, Rao S, Iveson T, Nicolson M, Coxon F, et al. Capecitabine and oxaliplatin for advanced esophagogastric cancer. N Engl J Med 2008;358:36-46.
13. Cunningham D, Stenning SP, Smyth EC, Okines AF, Allum WH, Rowley S, et al. Peri-operative chemotherapy with or without bevacizumab in operable oesophagogastric adenocarcinoma (UK Medical Research Council ST03): primary analysis results of a multicentre, open-label, randomised phase 2-3 trial. Lancet Oncol 2017;18:357-370.
14. Dank M, Zaluski J, Barone C, Valvere V, Yalcin S, Peschel C, et al. Randomized phase III study comparing

irinotecan combined with 5-fluorouracil and folinic acid to cisplatin combined with 5-fluorouracil in chemotherapy naive patients with advanced adenocarcinoma of the stomach or esophagogastric junction. Ann Oncol 2008;19:1450-1457.
15. Diaz-Nieto R, Orti-Rodriguez R, Winslet M. Postsurgical chemotherapy versus surgery alone for resectable gastric cancer. Cochrane Database Syst Rev 2013: CD008415.
16. Earle CC, Maroun JA. Adjuvant chemotherapy after curative resection for gastric cancer in non-Asian patients: revisiting a meta-analysis of randomised trials. Eur J Cancer 1999;35:1059-1064.
17. Eom BW, Jung KW, Won YJ, Yang H, Kim YW. Trends in gastric cancer incidence according to the clinicopathological characteristics in Korea, 1999-2014. Cancer Res Treat 2018;50:1343-1350.
18. Feingold PL, Kwong ML, Davis JL, Rudloff U. Adjuvant intraperitoneal chemotherapy for the treatment of gastric cancer at risk for peritoneal carcinomatosis: A systematic review. J Surg Oncol 2017;115:192-201.
19. Ford HE, Marshall A, Bridgewater JA, Janowitz T, Coxon FY, Wadsley J, et al. Docetaxel versus active symptom control for refractory oesophagogastric adenocarcinoma (COUGAR-02): an open-label, phase 3 randomised controlled trial. Lancet Oncol 2014;15: 78-86.
20. Fuchs CS, Doi T, Jang RW, Muro K, Satoh T, Machado M, et al. Safety and efficacy of pembrolizumab monotherapy in patients with previously treated advanced gastric and gastroesophageal junction cancer: Phase 2 clinical KEYNOTE-059 trial. JAMA Oncol 2018;4:180013.
21. Fuchs CS, Tomasek J, Yong CJ, Dumitru F, Passalacqua R, Goswami C, et al. Ramucirumab monotherapy for previously treated advanced gastric or gastro-oesophageal junction adenocarcinoma (REGARD): an international, randomised, multicentre, placebo-controlled, phase 3 trial. Lancet 2014;383:31-39.
22. Gill RS, Al-Adra DP, Nagendran J, Campbell S, Shi X, Haase E, et al. Treatment of gastric cancer with peritoneal carcinomatosis by cytoreductive surgery and HIPEC: a systematic review of survival, mortality, and morbidity. J Surg Oncol 2011;104:692-698.
23. Glehen O, Gilly FN, Arvieux C, Cotte E, Boutitie F, Mansvelt B, et al. Peritoneal carcinomatosis from gastric cancer: a multi-institutional study of 159 patients treated by cytoreductive surgery combined with perioperative intraperitoneal chemotherapy. Ann Surg Oncol 2010;17:2370-2377.
24. Glimelius B, Ekstrom K, Hoffman K, Graf W, Sjoden PO, Haglund U, et al. Randomized comparison between chemotherapy plus best supportive care with best supportive care in advanced gastric cancer. Ann Oncol 1997;8:163-168.
25. Gockel I, Jansen-Winkeln B, Haase L, Rhode P, Mehdorn M, Niebisch S, et al. Pressurized Intraperitoneal Aerosol Chemotherapy (PIPAC) in gastric cancer patients with Peritoneal Metastasis (PM): results of a single-center experience and register study. J Gastric Cancer 2018;18:379-391.
26. Group G, Paoletti X, Oba K, Burzykowski T, Michiels S, Ohashi Y, et al. Benefit of adjuvant chemotherapy for resectable gastric cancer: a meta-analysis. JAMA 2010;303:1729-1737.
27. Hermans J BJ. In reply (letter). J Clin Oncol 1994;12: 879-880.
28. Hermans J, Bonenkamp JJ, Boon MC, Bunt AM, Ohyama S, Sasako M, et al. Adjuvant therapy after curative resection for gastric cancer: meta-analysis of randomized trials. J Clin Oncol 1993;11:1441-1447.
29. Hironaka S, Ueda S, Yasui H, Nishina T, Tsuda M, Tsumura T, et al. Randomized, open-label, phase III study comparing irinotecan with paclitaxel in patients with advanced gastric cancer without severe peritoneal metastasis after failure of prior combination chemotherapy using fluoropyrimidine plus platinum: WJOG 4007 trial. J Clin Oncol 2013;31:4438-4444.

30. Iwasaki Y TM, Mizusawa J, Katayama H, Nakamura K, Katai H, et al. Randomized phase III trial of gastrectomy with or without neoadjuvant S-1 plus cisplatin for type 4 or large type 3 gastric cancer: Japan Clinical Oncology Group study (JCOG0501). Journal of Clinical Oncology 2018;36:5046.
31. Jacquet P, Sugarbaker PH. Clinical research methodologies in diagnosis and staging of patients with peritoneal carcinomatosis. Cancer Treat Res 1996;82:359-374.
32. Kang JH, Lee SI, Lim DH, Park KW, Oh SY, Kwon HC, et al. Salvage chemotherapy for pretreated gastric cancer: a randomized phase III trial comparing chemotherapy plus best supportive care with best supportive care alone. J Clin Oncol 2012;30:1513-1518.
33. Kang YK, Boku N, Satoh T, Ryu MH, Chao Y, Kato K, et al. Nivolumab in patients with advanced gastric or gastro-oesophageal junction cancer refractory to, or intolerant of, at least two previous chemotherapy regimens (ONO-4538-12, ATTRACTION-2): a randomised, double-blind, placebo-controlled, phase 3 trial. Lancet 2017;390:2461-2471.
34. Kang YK, Kang WK, Shin DB, Chen J, Xiong J, Wang J, et al. Capecitabine/cisplatin versus 5-fluorouracil/cisplatin as first-line therapy in patients with advanced gastric cancer: a randomised phase III non-inferiority trial. Ann Oncol 2009;20:666-673.
35. Kang YK, Yook JH, Chang HM, Ryu MH, Yoo C, Zang DY, et al. Enhanced efficacy of postoperative adjuvant chemotherapy in advanced gastric cancer: results from a phase 3 randomized trial (AMC0101). Cancer Chemother Pharmacol 2014;73:139-149.
36. Kim DH, Kim SM, Hyun JK, Choi MG, Noh JH, Sohn TS, et al. Changes in postoperative recurrence and prognostic risk factors for patients with gastric cancer who underwent curative gastric resection during different time periods. Ann Surg Oncol 2013;20:2317-2327.
37. Kim HS, Kim HJ, Kim SY, Kim TY, Lee KW, Baek SK, et al. Second-line chemotherapy versus supportive cancer treatment in advanced gastric cancer: a meta-analysis. Ann Oncol 2013;24:2850-2854.
38. Kim NK, Park YS, Heo DS, Suh C, Kim SY, Park KC, et al. A phase III randomized study of 5-fluorouracil and cisplatin versus 5-fluorouracil, doxorubicin, and mitomycin C versus 5-fluorouracil alone in the treatment of advanced gastric cancer. Cancer 1993;71:3813-3818.
39. Kim ST, Cristescu R, Bass AJ, Kim KM, Odegaard JI, Kim K, et al. Comprehensive molecular characterization of clinical responses to PD-1 inhibition in metastatic gastric cancer. Nat Med 2018;24:1449-1458.
40. Kim SY, Kim HP, Kim YJ, Oh DY, Im SA, Lee D, et al. Trastuzumab inhibits the growth of human gastric cancer cell lines with HER2 amplification synergistically with cisplatin. Int J Oncol 2008;32:89-95.
41. Kodera Y YK, Kochi M, Ichikawa W, Yoshihiro Kakeji Y, Takeshi Sano T, et al. A randomized phase III study comparing S-1 plus docetaxel with S-1 alone as a postoperative adjuvant chemotherapy for curatively resected stage III gastric cancer (JACCRO GC-07 trial). J Clinical Oncol 2018;36:4007-4007.
42. Koizumi W, Kim YH, Fujii M, Kim HK, Imamura H, Lee KH, et al. Addition of docetaxel to S-1 without platinum prolongs survival of patients with advanced gastric cancer: a randomized study (START). J Cancer Res Clin Oncol 2014;140:319-328.
43. Koizumi W, Narahara H, Hara T, Takagane A, Akiya T, Takagi M, et al. S-1 plus cisplatin versus S-1 alone for first-line treatment of advanced gastric cancer (SPIRITS trial): a phase III trial. Lancet Oncol 2008;9:215-221.
44. Le DT, Durham JN, Smith KN, Wang H, Bartlett BR, Aulakh LK, et al. Mismatch repair deficiency predicts response of solid tumors to PD-1 blockade. Science 2017;357:409-413.
45. Le DT, Uram JN, Wang H, Bartlett BR, Kemberling H, Eyring AD, et al. PD-1 blockade in tumors with mismatch-repair deficiency. N Engl J Med 2015;372:

2509-2520.
46. Lee KW, Maeng CH, Kim TY, Zang DY, Kim YH, Hwang IG, et al. A phase III study to compare the efficacy and safety of paclitaxel versus irinotecan in patients with metastatic or recurrent gastric cancer who failed in first-line therapy (KCSG ST10-01). Oncologist 2018.
47. Li J, Qin S, Xu J, Xiong J, Wu C, Bai Y, et al. Randomized, double-Blind, Placebo-controlled phase III trial of apatinib in patients with chemotherapy-refractory advanced or metastatic adenocarcinoma of the stomach or gastroesophageal junction. J Clin Oncol 2016;34:1448-1454.
48. MacDonald JS, Woolley PV, Smythe T, Ueno W, Hoth D, Schein PS. 5-fluorouracil, adriamycin, and mitomycin-C (FAM) combination chemotherapy in the treatment of advanced gastric cancer. Cancer 1979;44: 42-47.
49. Murad AM, Santiago FF, Petroianu A, Rocha PR, Rodrigues MA, Rausch M. Modified therapy with 5-fluorouracil, doxorubicin, and methotrexate in advanced gastric cancer. Cancer 1993;72:37-41.
50. Muro K, Chung HC, Shankaran V, Geva R, Catenacci D, Gupta S, et al. Pembrolizumab for patients with PD-L1-positive advanced gastric cancer (KEYNOTE-012): a multicentre, open-label, phase 1b trial. Lancet Oncol 2016;17:717-726.
51. Narahara H, Iishi H, Imamura H, Tsuburaya A, Chin K, Imamoto H, et al. Randomized phase III study comparing the efficacy and safety of irinotecan plus S-1 with S-1 alone as first-line treatment for advanced gastric cancer (study GC0301/TOP-002). Gastric Cancer 2011;14:72-80.
52. Noh SH, Park SR, Yang HK, Chung HC, Chung IJ, Kim SW, et al. Adjuvant capecitabine plus oxaliplatin for gastric cancer after D2 gastrectomy (CLASSIC): 5-year follow-up of an open-label, randomised phase 3 trial. Lancet Oncol 2014;15:1389-1396.
53. Okines AF, Norman AR, McCloud P, Kang YK, Cunningham D. Meta-analysis of the REAL-2 and ML17032 trials: evaluating capecitabine-based combination chemotherapy and infused 5-fluorouracil-based combination chemotherapy for the treatment of advanced oesophago-gastric cancer. Ann Oncol 2009;20: 1529-1534.
54. Park JO, Chung HC, Cho JY, Rha SY, You NC, Kim JH, et al. Retrospective comparison of infusional 5-fluorouracil, doxorubicin, and mitomycin-C (modified FAM) combination chemotherapy versus palliative therapy in treatment of advanced gastric cancer. Am J Clin Oncol 1997;20:484-489.
55. Pyrhonen S, Kuitunen T, Nyandoto P, Kouri M. Randomised comparison of fluorouracil, epidoxorubicin and methotrexate (FEMTX) plus supportive care with supportive care alone in patients with non-resectable gastric cancer. Br J Cancer 1995;71:587-591.
56. Ryu MH PY, Chung IJ, Lee KW, Oh HS, Lee KH, Han HS, et al. Phase III trial of s-1 plus oxaliplatin (SOX) vs s-1 plus cisplatin (SP) combination chemotherapy for first-line treatment of advanced gastric cancer (AGC): SOPP study. Journal of Clinical Oncology 2016:4015.
57. Sadeghi B, Arvieux C, Glehen O, Beaujard AC, Rivoire M, Baulieux J, et al. Peritoneal carcinomatosis from non-gynecologic malignancies: results of the EVOCAPE 1 multicentric prospective study. Cancer 2000;88:358-363.
58. Sakuramoto S, Sasako M, Yamaguchi T, Kinoshita T, Fujii M, Nashimoto A, et al. Adjuvant chemotherapy for gastric cancer with S-1, an oral fluoropyrimidine. N Engl J Med 2007;357:1810-1820.
59. Sasako M, Sakuramoto S, Katai H, Kinoshita T, Furukawa H, Yamaguchi T, et al. Five-year outcomes of a randomized phase III trial comparing adjuvant chemotherapy with S-1 versus surgery alone in stage II or III gastric cancer. J Clin Oncol 2011;29:4387-4393.
60. Scheithauer W KG, Hejna M. Palliative chemotherapy versus best supportive care in patients with metastatic

gastric cancer: a randomized trial. Annals of Hematology 1996.
61. Siegel RL, Miller KD, Jemal A. Cancer statistics, 2018. CA Cancer J Clin 2018;68:7-30.
62. Simon M, Mal F, Perniceni T, Ferraz JM, Strauss C, Levard H, et al. Accuracy of staging laparoscopy in detecting peritoneal dissemination in patients with gastroesophageal adenocarcinoma. Dis Esophagus 2016;29:236-240.
63. Tabernero J SK, Dvorkin M, Mansoor W, Arkenau HT, Prokharau A, Alsiana M, et al. Overall survival results from a phase III trial of trifluridine/tipracial vs placebo in patients with metastatic gastric cancer refractory to standard therapies (TAGS). Ann Oncol 2018:2.
64. Thuss-Patience PC, Kretzschmar A, Bichev D, Deist T, Hinke A, Breithaupt K, et al. Survival advantage for irinotecan versus best supportive care as second-line chemotherapy in gastric cancer--a randomised phase III study of the Arbeitsgemeinschaft Internistische Onkologie (AIO). Eur J Cancer 2011;47:2306-2314.
65. Van Cutsem E, Moiseyenko VM, Tjulandin S, Majlis A, Constenla M, Boni C, et al. Phase III study of docetaxel and cisplatin plus fluorouracil compared with cisplatin and fluorouracil as first-line therapy for advanced gastric cancer: a report of the V325 Study Group. J Clin Oncol 2006;24:4991-4997.
66. Wagner AD, Grothe W, Haerting J, Kleber G, Grothey A, Fleig WE. Chemotherapy in advanced gastric cancer: a systematic review and meta-analysis based on aggregate data. J Clin Oncol 2006;24:2903-2909.
67. Webb A, Cunningham D, Scarffe JH, Harper P, Norman A, Joffe JK, et al. Randomized trial comparing epirubicin, cisplatin, and fluorouracil versus fluorouracil, doxorubicin, and methotrexate in advanced esophagogastric cancer. J Clin Oncol 1997;15:261-267.
68. Wilke H, Muro K, Van Cutsem E, Oh SC, Bodoky G, Shimada Y, et al. Ramucirumab plus paclitaxel versus placebo plus paclitaxel in patients with previously treated advanced gastric or gastro-oesophageal junction adenocarcinoma (RAINBOW): a double-blind, randomised phase 3 trial. Lancet Oncol 2014;15: 1224-1235.
69. Wils JA, Klein HO, Wagener DJ, Bleiberg H, Reis H, Korsten F, et al. Sequential high-dose methotrexate and fluorouracil combined with doxorubicin--a step ahead in the treatment of advanced gastric cancer: a trial of the European Organization for research and treatment of cancer gastrointestinal tract cooperative group. J Clin Oncol 1991;9:827-831.
70. Yamada Y, Higuchi K, Nishikawa K, Gotoh M, Fuse N, Sugimoto N, et al. Phase III study comparing oxaliplatin plus S-1 with cisplatin plus S-1 in chemotherapy-naive patients with advanced gastric cancer. Ann Oncol 2015;26:141-148.
71. Yang XJ, Huang CQ, Suo T, Mei LJ, Yang GL, Cheng FL, et al. Cytoreductive surgery and hyperthermic intraperitoneal chemotherapy improves survival of patients with peritoneal carcinomatosis from gastric cancer: final results of a phase III randomized clinical trial. Ann Surg Oncol 2011;18:1575-1581.
72. Ychou M, Boige V, Pignon JP, Conroy T, Bouche O, Lebreton G, et al. Perioperative chemotherapy compared with surgery alone for resectable gastroesophageal adenocarcinoma: an FNCLCC and FFCD multicenter phase III trial. J Clin Oncol 2011;29:1715-1721.
73. Yoo CH, Noh SH, Shin DW, Choi SH, Min JS. Recurrence following curative resection for gastric carcinoma. Br J Surg 2000;87:236-242.
74. Yoshikawa T TM, Mizusawa J, Nunobe S, Nishida Y, Kaji M, et al. A randomized phase III trial comparing 4 courses and 8 courses of S-1 adjuvant chemotherapy for p-stage II gastric cancer: JCOG1104 (OPAS-1). Ann Oncol 2017;28:mdx369.010.
75. Yun J, Lee J, Park SH, Park JO, Park YS, Lim HY, et al. A randomised phase II study of combination chemotherapy with epirubicin, cisplatin and capecitabine (ECX) or cisplatin and capecitabine (CX) in advanced gastric cancer. Eur J Cancer 2010;46:885-891.

CHAPTER 34

위암의 방사선치료

위암은 특히 국소진행성 위암의 경우 근치적 수술을 시행받은 이후에도 국소재발이 많은 것으로 알려져 왔다. 이는 위벽을 이루는 점막과 점막하층의 풍부한 림프관을 통한 미세전이가 조기에 발생할 수 있으며, 매우 다양한 림프 경로를 통해 전이가 발생할 수 있기 때문에 완벽한 림프절절제술을 시행하는 것이 어렵기 때문인 것으로 알려져 있다.

그럼에도 불구하고, 위암에서 방사선치료가 적극적으로 시행되지 못한 데에는 여러 가지 이유가 있었다. 첫째, 조직학적으로 대부분을 차지하는 선암의 경우 상대적으로 방사선 민감도가 낮으며, 이로 인해 치료효과가 적다고 알려져 왔다. 둘째, 복부는 위장관 자체뿐 아니라 간, 신장 등 방사선치료에 민감한 정상 장기가 매우 조밀하게 분포하여 있어, 방사선치료로 발생할 수 있는 부작용에 대한 우려가 컸다. 또한, 위장관 등 복부 장기는 호흡 및 소화 작용 등에 따라 움직임 및 부피의 변화가 매우 커 적절한 방사선치료가 어려웠던 점 또한 사실이다. 하지만 무엇보다 근본적인 이유는 광범위한 림프절절제술을 포함한 근치적 수술 후 암의 재발양상이 수술 부위를 포함한 국소 부위를 벗어난 복강내 파종, 간전이 등의 형태로 나타나기 때문이다.

주로 서구에서 시행된 초기의 수술 후 보조항암화학요법의 효과는 무작위 3상 연구들에서 수술 단독에 비해 높지 않은 것으로 나타난 바 있다. 반면, 몇몇 연구들에서 수술 단독요법과 비교하여 수술 전 혹은 수술 후 항암화학방사선병용요법(concurrent chemoradiotherapy, CCRT)을 시행하여 전체생존율의 향상 가능성이 제기된 바 있다. 이후 진행된 무작위 3상 연구에서, 수술 전/후 항암화학요법이 수술단독에 비해 생존율의 향상이 또한 확인된 바 있다. 이후, 항암화학요법 대비 방사선치료의 추가 역할에 대해서는 논란이 이어졌다. 특히, 위암 환자에서 표준치료로 근치적 위절제술과 광범위 림프절절제술인 D2림프절절제술을 기본적으로 시행하는 우리나라를 포함한 아시아 국가들을 중심으로 국소치료의 일종인 방사선치료의 수술 전 혹은 수술 후 보조치료로서의 효과에 대하여는 지속적으로 의문이 제기되어 왔다.

또한, 위암에서 수술 전 혹은 수술 후 항암화학병행요법의 효과를 증명한 무작위 3상 연구가 아시아 국가들과는 다른 특성을 가진 북대서양의 환자들을 대상으로 진행되어 이런 결과들을 그대로 실제 위암치료에 적용하는 필요성에 대하여는 의문이 남아있는 상태이다. 또한, 아시아권 환자를 대상으로 시행된 무작위 3상 연구들에서는 수술 후 항암화학요법이 수술 단독에 비해 재발률을 낮추고, 생존율을 향상시킴이 확인되기도 하여, 방사선치료의 필요성에 대하여는 더욱 의문이 남아있는 상태이다. 수술 후 보조적인 치료에서 더 나아가, 절연면 침윤과 같이 충분한 근치적 절제가 되지 못한 상황이나, 근치적 절제가 어려운 경우에서의 병기 하강을 위한 치료 및 고식적 치료에서의 방사선치료의 역할에 대한 이론적인 근거를 뒷받침할 수 있는, 체계적인 연구의 필요성이 제기되고 있는 상황이다.

1. 방사선치료의 원리 및 위암의 방사선치료

1) 방사선치료의 원리

방사선치료는 주로 선형가속기(linear accelerator)에서 X선을 발생시켜 세포막을 파괴하여 직접 세포를 사멸시키거나, 세포내 염색체의 DNA에 영향을 주어 염색체 변이를 유발하여 간접적으로 세포 사멸을 유도하여 종양을 치료하는 방법이다. 이런 방사선치료의 효과는 분열 및 증식이 빠른 종양에 대해 사멸 효과가 큰 편이나, 정상 세포에서도 나타나게 된다. 따라서 다양한 형태의 부작용이 뒤따를 수 있는데, 특히 상피세포의 분열이 빠른 위장관은 방사선에 민감한 기관으로 많은 양의 방사선이 조사되면 심각한 부작용을 초래할 수 있는 것이 알려져 있다.

방사선치료에 있어 가장 기본적이면서도 핵심적인 원리는 전달되는 방사선량의 증가에 따라 종양사멸효과(국소제어율)가 상승한다는 것이다. 하지만, 이와 더불어 정상 장기에 대한 부작용 가능성이 함께 증가하기 때문에 방사선량은 종양제어율과 부작용발생률을 함께 고려하여 가장 합리적인 시점, 즉 치료이득계수(therapeutic window)가 극대화되는 특정 점에서 결정하게 된다(그림 34-1). 특정 방사선량에서 부작용 가능성을 유지하면서 종양사멸효과를 향상시키는, 즉, 치료이득계수를 확장시키는 방사선민감제(radiosensítizer)가 확인된 바 있으며, 주로 위장관 종양에서 방사선민감제로는 5-FU (5-f1uorouracil) 계통의 항암제가 널리 사용되고 있다.

일반적으로 정상 위장관세포가 견딜 수 있는 방사선 견딤선량(radiation tolerance dose)는 위장관에 발생한 암세포를 치료할 수 있는 방사선치료 선량보다 적어 근

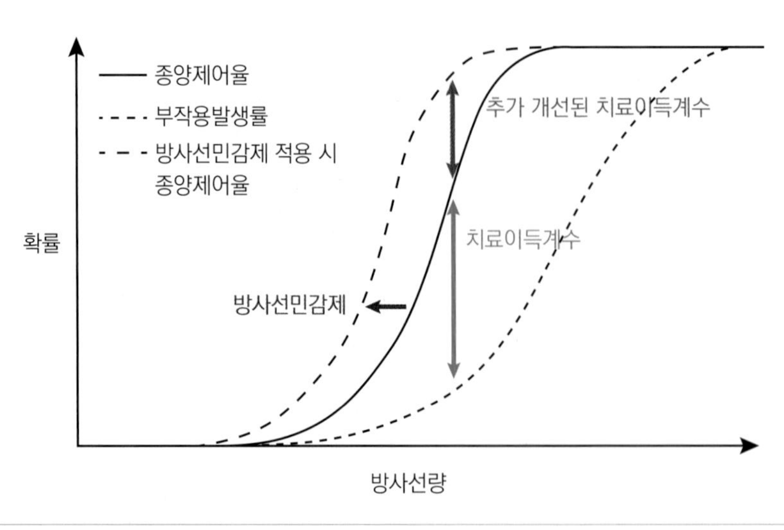

그림 34-1 방사선량에 따른 종양제어율과 부작용발생률 관계 모델.

치적 목적의 방사선치료는 사용이 제한되어 왔던 것이 사실이다. 하지만, 정상 위장관세포의 방사선견딤선량 이내에서 치료효과를 기대할 수 있는 (1) 수술 전후에 시행하여 수술효과를 높이기 위한 보조요법으로서의 방사선치료, (2) 환자의 증상을 완화하여 삶의 질을 향상시키기 위한 방사선치료, 이외에 일부 근치적 수술이 불가능한 환자에서 최근에 발전된 방사선치료 기술을 이용한 (3) 근치적 혹은 구제 방사선치료가 고려될 수 있겠다.

2) 위암의 방사선치료 기술

최근 방사선치료 영역에서의 방사선치료 기술의 발전으로, 그 동안 매우 제한적으로 사용되던 영역에서 사용이 증가되고 있다. 방사선치료 기술의 발전과 더불어 정상 장기에 대한 부작용 가능성을 유지하면서나 방사선량을 증량시키거나 혹은 방사선량을 일정하게 유지하면서 정상 장기에 대한 부작용 가능성을 낮추는 것이 가능하게 되었다.

위암의 방사선치료에 있어 방사선치료법은 주로 전후-후전(anteroposterior-posteroanterior, AP-PA) 방사선조사를 이용한 2문 조사가 주로 사용되었다(그림 34-2A). 이는 인체 내 비균질성과 이에 따른 방사선 감쇄(attenuation)을 감안하지 않아 실제 방사선 분포에 대한 정확성이 매우 낮았으며, 정상장기에 노출되는 방사선량에 대한 예측이 어려웠다.

방사선치료 계획에 있어 컴퓨터단층촬영(computed tomography, CT)가 도입되면서 3차원 입체조형 방사선치료(3-dimensional conformal radiation therapy, 3D-CRT)가 보편화되었다(그림 34-2B). 3D-CRT는 종양에 대한 정밀한 방사선조사를 가능하게 했을 뿐만 아니라, 정상장기에 대한 정보를 제공하고 정상 장기에 대한 단위 체적(voxel) 당 방사선량 분포 정보를 제공함

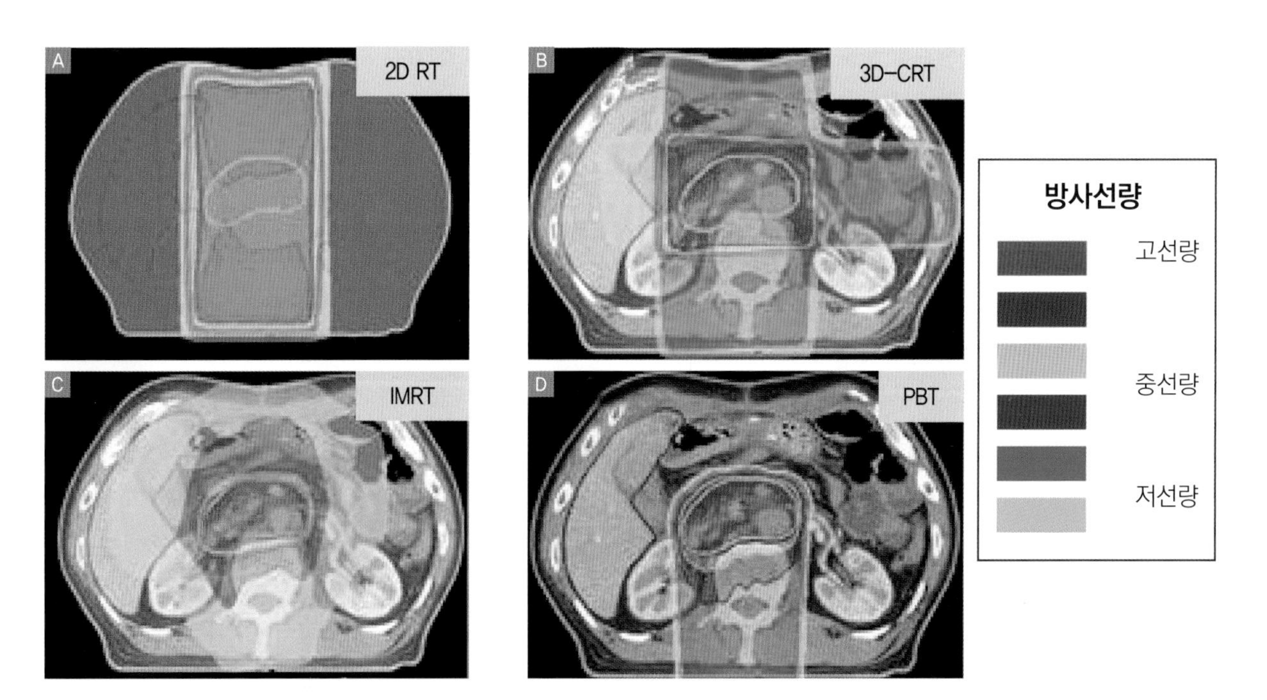

그림 34-2 **위암의 방사선치료 기법에 따른 선량분포.**
A. 2차원 AP-PA 치료 기법 B. 3차원 입체조형 방사선치료(3D-CRT) 기법 C. 세기조절방사선치료(IMRT) 기법
D. 양성자치료 기법

으로써 선량-부피 히스토그램(dose-volume histogram, DVH)을 구할 수 있게 되었다. 이를 통해 정상 장기의 선량-부피 관계와 부작용 발생 가능성에 대한 예측이 가능하게 되었으며, 이를 방사선치료 계획에 반영하여 부작용에 대한 우려를 최소화하면서 방사선량을 증가시키게 되었다. 하지만 CT와 3D-CRT를 이용한 방사선치료가 보편화된 후에도 AP-PA 2문 조사가 위암의 방사선치료에 있어 드물지 않게 사용되었는데, 이는 위암의 방사선치료 시, 특히 잔존 위를 방사선치료 범위에 포함시킬 경우, 방사선치료 범위가 매우 큰 경우가 많으며, 다문 조사 시 주변 간, 신장 등에 노출되는 방사선량이 불가피하게 증가하기 때문이다.

세기조절방사선치료(intensity modulated radiation therapy, IMRT)는 3D-CRT처럼 CT를 기반으로 시행되는 방사선치료의 일종으로서 주변 정상 장기에 대한 방사선 노출량을 최소화하면서 종양에 대하여 정밀한 방사선을 전달하는 치료방법이다(그림 34-2C). 이는 기존 3D-CRT가 치료 계획자에 의해 전향적으로 시행 착오를 겪으면서 가장 좋은 치료방법을 찾는 것인데 반해, IMRT는 기본적으로 다엽콜리메이터(multi-leaf collimater)를 통해 voxel 단위로 방사선량을 분산하여, 종양에 필요한 방사선량을 전달하면서 주변 정상 장기에 방사선량을 최소화하는 컴퓨터를 기반으로한 역치료계획(inverse treatment planning)을 통해 최적의 방사선 계획을 만들어 가게 된다. 최근 양성자, 중입자를 포함한 입자 방사선치료에 대한 관심이 커지고 있다. 특히, 세계적으로 양성자치료센터의 건설과 사용이 증가되고 있는데, 양성자치료란 수소 원자핵을 가속하여 특정 에너지에 도달시키게 되면, 가진 에너지에 따라 정해진 특정 지점에서 대부분의 방사선량을 방출하고 소멸되는 '브래그 피크'라고 하는 특성을 이용하여 표적 종양 부위에 집중적으로 방사선 에너지를 전달하고 주변 장기에 노출되는 방사선 에너지를 최소화하는 치료방법이다(그림 34-2D). 위암의 경우 양성자치료를 시행한 임상결과는 매우 드문 편이지만, 특히 위암의 후복막재발 혹은 소수 전이암 등에 있에 고선량 치료 시 불가피한 위장관 부작용 증가에 대한 우려가 남아있는 IMRT 에 비해 더욱 정밀한 방사선 조사를 통해 우월한 국소제어율을 보일 것으로 생각된다.

치료전달기술의 발전과 병행하여, 치료 전후 및 치료 도중 장기 내 움직임을 확인할 수 있는 다양한 기술이 개발되었고, 다양한 형태의 영상유도치료(image guided radiotherapy, IGRT)가 적용되고 있다. 호흡 및 위장관 운동으로 인한 표적 체적 및 정상 장기의 위치 및 체적의 다양한 변화 가능성으로 인한 불확실성이 높은 위암을 포함한 소화기 암종에서 이러한 기술의 개발은 치료 대상 용적 및 정상 장기 피폭 체적을 최소화하여, 제한적이나마 보다 근치적인 치료적 접근이 가능하게 되었다. 최근 도입된 자기공명영상 기반의 대응적 방사선치료는 병변의 위치 및 정상 장기 체적을 직접 확인하고, 변화에 따라 치료계획을 변경하고, 치료 중 실시간으로 확인하며 치료할 수 있어, 앞서 언급된 다양한 방사선치료 전달 방법과 조합되어 위암의 치료에도 새로운 기원을 마련해줄 수 있을 것으로 기대된다.

3) 위암의 수술 후 재발양상

위암의 수술 후 재발률 및 재발양상을 분석한 논문은 많이 보고되었으나, 수술방법 및 분석방법의 차이에 따라 큰 차이를 보인다. 특히, 방사선치료 표적 설정에 기본이 되는 국소재발은 림프절절제술 및 근치적 수술 시행 여부에 따라 차이를 보이므로 이에 대한 주의가 필수적이다. 표 34-1 A에서 보는 바와 같이, 재발양상에 대한 연구는 연구방법에 따라 임상연구, 재수술연구, 부검연구에 따라 많은 차이를 보이는 것을 알 수 있는데, 임상연구에 비해 재수술연구 혹은 부검연구에서 국소재발률이 월등히 높게 보고된 점을 고려하면 실제 위암의 재발양상에서 국소재발이 상대적으로 과소평가될 가능성이 있으며, 추적관찰기간에 따라 국소재발이 상승할 수 있음을 감안해야 할 것이다. 또한 이런 임상연구에서는 수술적 차이, 보조치료방법의 차이 등이 존재하며, 연구들마다의 국소재발, 영역림프절재발, 복강내 파종 및 원격전이와 같은 재발양상에 대한 '정의'의 차이가 있는 경우가 있으며, 원발병소의 위치 혹은 위벽의 침범 정도 및 종양병기에 따른 자세한 재발양상이 분석되어 있지 않기 때문에, 과거의 연구결과를 바탕으로 근치적 수술 후의 정확한 재발 가능성을 예상하기 어려운 것도 사실이다.

표 34-1 B에 제시된 바와 같이 최근 연구들에서 광범위 림프절절제술을 포함한 근치적 위암절제 및 보조치료 시행 후 재발양상들은 복막전이를 포함한 원격전이에 비해 상대적으로 국소영역재발이 훨씬 적게 보고되고 있다. 하지만, 여전히 광범위 림프절절제술을 포함한 근치적 위암절제술 및 보조항암치료 시행 후에도, 특히 진행성 병기를 가진 상당수의 환자에서 국소재발이 나타나며, 약 20% 정도에서 원격전이 없이 국소영역재발이 나타날 수 있는 것으로 보고되고 있다.

4) 위암의 방사선치료 표적 설정

수술 전 방사선치료 범위에 대한 공통된 합의는 없었으나, 2009년 European Organization for Research on the Treatment of Cancer- Radiation Oncology Group (EORTC-ROG)에서 일본위암가이드라인을 기반으로 원발 종양의 위치에 따라 종양과 영역림프절을 고려하고, 추가로 호흡 움직임을 감안하도록 위식도접합부암 및 위암에 대한 수술 전 방사선치료 표적체적에 대한 가이드라인을 제시하여 향후 임상연구의 기초가 되도록 제안한 바 있다.

수술 후 방사선치료 역시 병소의 위치, 위벽의 침범

표 34-1A. **위암의 수술 후 재발양상**

	임상연구	재수술연구	부검연구
Locoregional	10 ~ 45%	67%	80 ~ 93%
Peritoneal seeding	10 ~ 44%	41%	30 ~ 50%
Distant metastasis	10 ~ 52%	22%	49%

표 34-1B. **위암의 근치적 수술 후 국소재발 양상**

Study	Stage	No	Operation	Adjuvant treatment	Local	LNs
Smalley 등.	≥T3 or N+	227	D0-1	Not used	8.0%	39.0%
		282	D0-1	CCRT	2.0%	22.0%
Songun 등.	I-III	380	D1	Not used	21.6%	19.2%
		330	D2	Not used	12.1%	13.0%
Sakuramoto 등.	≥T2 or N+	530	R0 and D2	Not used	2.8%	8.7%
		529	R0 and D2	chemotherapy	1.3%	5.1%
Bang 등.	≥T2 or N+	515	R0 and D2	Not used	8.5%	
		520	R0 and D2	chemotherapy	4.0%	
Chang 등.	III	382	R0 and D2	chemotherapy	9.7%	27.5%
Yu 등.	≥T2 or N+	228	R0 and D2	chemotherapy	4.8%	12.7%
		230	R0 and D2	CCRT	4.8%	6.5%

깊이 및 수술방법에 따라 재발 가능성이 높은 부위에 따라 설정되어야 하겠으나, 잠재적으로 국소재발의 원인이 될 수 있는 부위를 포함하고, 충분한 림프절절제 후 림프절 전이 범위를 분석하여 방사선치료 범위를 결정하며 일반적으로 2군 림프절과 3군 림프절 일부까지 방사선치료 범위에 포함시킨다. 특히 D2 림프절절제술 후 재발양상을 분석한 최근 연구들에서 간십이지장인대(hepatoduodenal ligament, 12번), 췌장두부후면(posterior surface of the pancreas head, 13번)과 상장간막(superior mesenteric vessels, 14번) 림프절 구역과 복부대동맥주변부 중 복강동맥상부에서 하장간막동맥주변부(16a2~16b1번)까지 재발이 집중되는 것으로 보고된 바 있다. 일반적 방사선치료 범위가 그림 34-3에 제시되고 있다. 고식적 방사선치료의 경우 표적증상에 따라 원인 병소를 확인하여 포함하고, 경우에 따라 향후 증상 악화를 유발할 수 있는 주변 병소를 포함시킬 수 있는 등 개별 환자에 따른 표적 설정이 적합할 것이며, 근치적 목적의 방사선치료의 경우에도 환자 상태, 다른 치료방법과의 조합 등에 따라 육안 종양을 포함한 임상표적체적을 환자의 기대여명, 국소제어 가능성 등을 종합적으로 고려하여 설정해야 할 것이다. 물론 이런 고식적 혹은 근치적 방사선치료의 경우에도 특정한 경우에 있어, 앞에서 소개한 수술 전 혹은 후 방사선치료 범위 등을 적절히 고려하여 치료 범위 설정에 활용할 수 있을 것이다.

2. 방사선치료의 임상 결과

1) 보조요법으로서의 방사선치료

국소진행성 위암 환자의 수술 전후에 치료이득계수 극대화를 위해 방사선민감제인 5-FU계통의 항암제와 함께 병용(concurrent chemoradiotherapy)하여 수술의 효과를 극대화함으로써 재발률을 낮추고, 궁극적으로 환자의 생존율을 향상시키기 위한 치료이다.

(1) 수술 전 방사선치료

위암의 근치적 절제율을 높이기 위해 고려될 수 있는 수술 전 방사선치료는 항암화학요법과 병용하여 방사선치료 효과를 높이고, 이론적으로 암세포의 원격전이 가능성을 줄일 수 있기 때문에 수술 후 방사선치료와

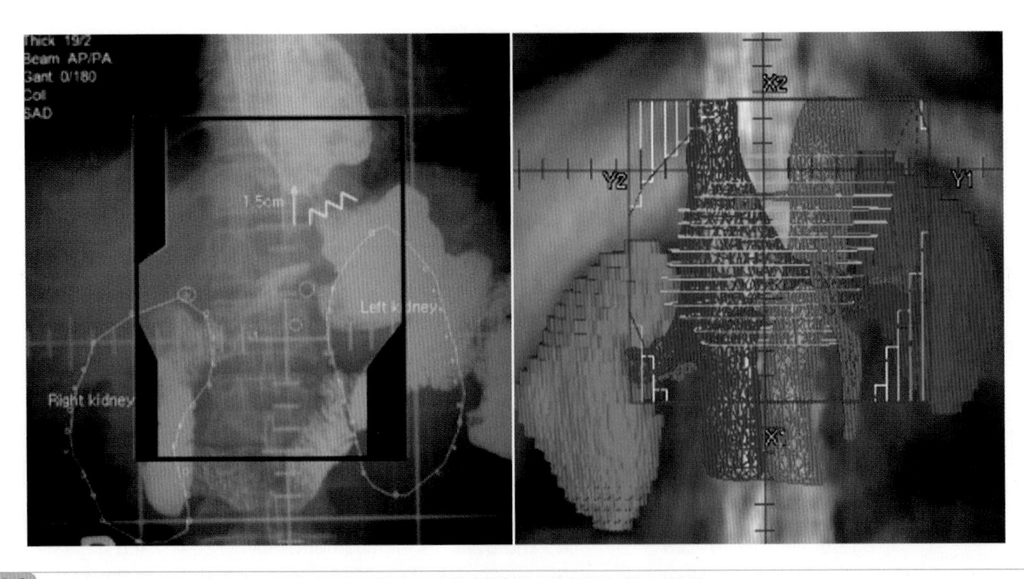

그림 34-3 2차원 방사선치료(A)와 3차원 입체조형방사선치료(B)의 일반적인 치료 범위.

비교하여 이론적으로는 우월한 치료방법이다. 그럼에도 불구하고, 수술 전 방사선치료에 관한 연구는 상당히 적은 편이며, 주로 우리나라에서는 적은 편인 위식도접합부 종양을 포함한 상부 위암에 집중된 바 있다.

Zhang 등이 370명의 분문부 위암 환자를 대상으로 수술 단독군과 수술 전 방사선치료군을 비교한 무작위 3상 연구를 진행한 결과, 절제율이 10% 가량 상승하였고(89.5% vs. 79.4%, $P<0.01$), 영역림프절 전이가 20% 정도의 환자에서 감소되었으며(64.3% vs. 84.9%, $P<0.001$), 국소재발률의 의미있는 차이가 있었다(38.6% vs. 51.7%, $P<0.025$), 또한, 5년 전체생존율이 수술 전 방사선치료군에서 33.3%로 수술 단독군의 22.5%에 비해 의미있게 높았고 ($P=0.009$), 10년 생존율도 24.8%와 16.6% 로 차이를 보였다.

Stahl 등은 119명의 환자를 대상으로 수술 전 항암화학요법군과 수술 전 항암화학방사선병행군을 비교한 무작위 3상 연구를 진행하여, 수술 전 항암화학방사선병행군에서 병리적 완전관해 (pathologic complete response, 15.6% vs. 2.0%), 병리적 N0 (64.4% vs. 37.7%) 비율이 증가함을 확인하였다. 추가로, 비록 통계학적인 차이에 도달하지는 못하였으나, 수술 전 항암화학병행치료군에서 전체생존율의 향상이 보고되었다(3년 전체생존율 47.4% vs. 27.7%, $P=0.07$). 또한 전체생존율의 향상은 장기분석에서 통계적으로 의미있는 국소무진행생존율의 향상 ($P=0.01$, hazard ratio 0.37) 과 함께 지속됨이 확인되었다(5년 전체생존율 39.5% vs. 24.4%, $P=0.06$).

수술 전 항암화학방사선병행 치료의 효과는 Klevebro 등이 스웨덴과 노르웨이에서 진행한 무작위 3상 연구에서도 유사하게 항암화학요법군에 비해 우월하게 나타난 바 있다. 본 연구에서 항암화학방사선병행 군은 항암화학요법군에 비해 병리적 완전관해(28% vs. 9%, $P=0.002$), 병리적 N0 (62% vs. 35%, $P=0.001$), 근치적 R0 절제율(87% vs. 74%, $P=0.04$)을 높이는 것으로 확인되었다. 그리고, Leong 등이 진행 중인 TOPGEAR 연구(Trial Of Preoperative therapy for Gastric and Esophagogastric junction AdenocaRcinoma)는 수술 전후 항암화학요법군과 수술 전 항암화학방사선병행군을 비교하는 무작위 3상 연구로 아직 병리 혹은 생존율 등의 임상 결과에 대한 보고는 나오지 않은 상태이나, 수술 전 항암화학방사선병행치료가 대다수 (85%)의 환자에서 치료연관 독성 혹은 수술관련 합병증의 증가 없이 안전하게 시행될 수 있음을 보고하였다. 하지만, 앞서 언급한 의미있는 연구들의 결과에도 불구하고, 이런 연구들은 주로 위식도접합부암을 주요 대상으로 시행되어 전체 위암에 대한 일괄 적용은 부적절할 수 있을 것이며, 위암에서 수술 전 방사선치료의 효과를 확인하기 위해, 위식도접합부 이외 부위의 위암을 대상으로 한 전향적 연구들이 필요할 것이다.

(2) 수술 후 방사선치료

국소적으로 진행된 위암에서 수술이 불가능하거나, 수술 후 육안적으로 병변이 남아 있는 경우 주요한 치료는 항암화학요법이지만, 국소제어율 향상을 위해 방사선치료의 병용을 고려할 수 있다. 메이요 클리닉의 초기 보고에 의하면 완전절제가 불가능한 위암 환자들을 대상으로 방사선치료와 동시에 방사선민감제인 5-FU를 투여한 군이 방사선치료 단독군에 비해 생존율이 높았다. Gastrointestinal Tumor Study Group의 연구에서도 국소진행성 위암 환자 90명을 대상으로 5-FU/Methyl-CCNU를 사용한 항암화학요법 단독군과 항암화학방사선병행군을 비교 분석한 결과, 항암화학방사선병행군의 4년 생존율이 17.8%로, 지속적인 종양 진행 및 사망을 보여 4년 생존율 6.7%로 나타난 항암화학요법 단독군에 비해 향상되었다고 보고하였다. 이러한 연구들의 결과는 항암화학방사선요법을 통해 위암에서 수술 후 현미경적 잔존종양세포를 무병상태로 변화시킬 가능성, 즉, 완치 가능성을 향상 시킬 수 있음을 시사하며, 이는 위암 환자에게 근치적 절제술을 시행했으나 국소재발의 위험성이 높은 경우에 수술 후 항암화학방사선요법을 적용할 수 있는 근거를 제시한다고 볼 수 있다.

실제로 항암화학방사선요법을 통해 재발을 최소화하여, 완치율을 높이고자 하는 시도가 있어왔고, 몇몇 전향적 혹은 후향적 연구들에서 국소재발률 감소를 통한 생존율 향상이 보고되었다. 또한, 2001년도에 발표된 South-Western Oncology Group (SWOG)의 주도하에 수술 단독군과 수술 및 수술 후 화학방사선병행치료를 비교하는 무작위 3상 연구인 Intergroup Study 0116 [INT-0116]가 시행되었다. 연구결과 중앙생존기간이 수술 후 항암화학방사선요법군에서 36개월, 수술 단독군에서 27개월로 9개월의 차이가 있어, 보조 항암화학방사선요법이 수술 후 보조요법으로서 효과가 있음을 보여주었다. 이 연구는 잘 설계된 대규모 무작위 3상 연구라는 장점이 있지만, 현재 국소진행성 위암에서 가장 널리 권고되는 수술방법인 D2 절제가 등록환자의 약 10%가량에서만 시행되었으며, 50% 이상의 환자에게 림프절절제술이 시행하지 않았다. 또한, Dutch Gastric Cancer Group (DGCG) 연구의 후향적 분석결과에서 보조 화학방사선병행치료는 D1 림프절절제술을 받은 군에서 국소제어율과 생존율의 향상을 보였으나 D2 림프절절제술을 받은 군에서는 차이가 없었음이 보고되기도 하였다. 이 연구의 하위분석에서는 R1 절제가 된 경우 일부 환자에서 보조 화학방사선병행치료를 통한 장기생존율이 보고되기도 하였다. 이런 이유로 표준치료로 D2 림프절절제술이 시행되는 우리나라에서 근치적 수술 후 보조 항암화학방사선요법을 표준치료법으로 받아들이는 데 대해서는 논란의 여지가 있는 상태이다. 다만, D2 림프절절제술을 받지 못한 위암 환자 혹은 R0 절제가 되지 못한 환자의 경우, 보조 항암화학방사선요법의 필요성을 강하게 시사하는 결과라고 생각할 수 있을 것이다. 따라서, 우리나라의 표준치료방법인 D2 림프절절제술을 포함한 근치적 절제술 및 보조항암화학요법을 받은 위암 환자에서 수술 후 항암화학방사선요법의 필요성을 확인하기 위한 무작위 3상 연구가 요구되었으며, 몇몇 무작위 3상 연구가 시행되었다. 이들 중 Adjuvant Chemoradiation Therapy in Stomach Cancer (ARTIST)trial가 가장 많은 수의 환자를 대상으로 진행되어 등록을 완료하였다. 언급한 연구들을 바탕으로 수행된 메타분석에서 수술 후 화학방사선병행치료는 항암화학요법 단독에 비해 국소무재발생존율뿐만 아니라 무재발생존율을 향상시킬 수 있음이 확인되었다. 하지만, 보조 항암화학방사선병행치료군의 전체생존율의 향상은 확인되지 않았다. 게다가, ARTIST 연구에서 보조 화학방사선병행치료는 비록 국소무재발생존율의 향상을 확인하였으나, 무재발생존율과 전체생존율 측면에서 장기 추적관찰 후에도 보조 항암화학요법 단독에 비해 우월한 결과를 확인하는 데 실패하였으며, 보조 화학방사선병행치료의 무재발생존율에 대한 효과는 림프절 전이를 동반한 환자로 국한되었다. 이 연구는 한국위암 환자에서 전향적으로 설계되어, 등록을 완료하였다는 측면에서 한국위암 환자에 대한 보조 방사선치료에 대한 가장 신뢰할 수 있는 연구로 생각된다.

결론적으로, 보조 화학방사선병행치료는 불완전 절제 혹은 D2 절제를 시행하지 못한 위암 환자에서 권고되어야 할 것이며, D2 근치적절제술 시행을 받은 위암에서, 특히 림프절 전이를 동반한 경우 고려될 수 있을 것이나 이에 대한 무작위 3상 연구를 통해 효과의 확인이 필요할 것이다. 현재 림프절 전이를 동반한 위암에서 D2 림프절절제술을 포함한 근치적 절제술을 시행받은 환자에서 수술 후 항암화학요법과 수술 후 항암화학방사선병행치료를 비교하는 다기관 무작위 3상 연구(ARTIST-II)가 진행 중으로, 이에 대한 보다 객관적인 증거를 제시할 수 있을 것으로 기대된다.

한편, 수술 후 국소재발이나 영역 림프절 재발을 줄

이는 방법으로 수술 중 방사선치료(intra-operative radiotherapy)가 시행되기도 한다. 수술 중 방사선치료는 일반 방사선치료와 비교하여 몇 가지 장점을 갖고 있다. 첫째, 시술자가 직접 방사선치료를 시행할 부위를 확인하면서 수술 후 재발가능성이 높은 부위를 찾아서 치료할 수 있으므로 보다 정확하게 치료할 수 있다. 둘째, 방사선치료선량 결정에 큰 영향을 미치는 주변 정상 장기를 방사선치료 범위 밖으로 물리적으로 옮길 수 있어 부작용이 적고, 방사선을 더 많이 조사할 수 있다. 위암에 대한 수술 중 방사선치료에 대한 연구로는 Abe 등의 연구에 따르면, 이들은 국소적으로 진행된 위암 환자를 대상으로 수술 중 방사선치료를 시행한 결과가 수술만 시행한 결과보다 5년 생존율이 향상되었다고 보고하였다. 그러나 이 후에 시행된 2상 임상연구들은 수술 중 방사선치료와 생존율 향상 간의 연관성을 보여주지 못하였고, 수술 중 방사선치료는 방법 자체의 복잡성과 낮은 효율성 등으로 인해 현재는 일반적으로 잘 시행되지 않고 있다.

2) 절제가 불가능한 위암의 방사선치료

위장관 종양의 암병변이 국소적으로 많이 진행되어 근치적 수술이 불가능한 경우나 환자의 전신상태가 수술을 견디기 힘든 상황에서 방사선치료 단독 혹은 항암화학요법과 병용하여 원발병소의 국소제어 및 생존기간 연장 등의 가능성을 고려할 수 있으나 이에 대한 연구는 미미한 실정이다.

Saikawa 등은 절제가 어려운 위암 환자 30명을 대상으로 화학방사선병행치료를 시행하는 2상 임상연구를 시행하여 65.6%에서 치료반응을 확인하였고 33.3%에서 근치적 수술을 시행할 수 있었으며, 중앙생존기간 25개월을 보고하여, 이런 환자들에서 화학방사선병행치료가 종양 진행을 억제할 수 있음을 보였다.

Liu 등은 종양 범위 및 전신상태 문제로 근치적 수술이 불가능하거나 혹은 수술을 거부한 위암 환자 36명을 대상으로 화학방사선병행치료를 사용하는 다기관 2상 임상연구를 시행하여 36% 환자에서 임상적 완전관해(clinical complete response)를 확인하였으며, 중앙생존기간 25.8개월 및 2년 생존율 52%를 보고하였다.

이런 연구결과들에서 확인할 수 있듯이 실제로 근치적 수술이 불가능한 환자에서 화학방사선병행치료를 통해 완치를 기대하기는 쉽지 않다. 그러나 앞선 연구결과들의 결과뿐만 아니라, 근치적 수술이 가능한 환자에서의 수술 전 방사선치료결과를 보았을 때, 일부 환자에서 현미경적 완전관해가 지속적으로 보고되고 있다. 또한, 국소적으로 진행된 직장암에서 수술 전 항암화학방사선요법을 시행하여, 수술 후 환자의 10~20%에서 완전관해를 얻고 있다. 그렇다면, 국소적으로 진행되었으나 위를 절제할 수 없는 위암 환자에게 대증요법만 적용하기보다는 방사선치료와 항암화학요법을 병용하는 보다 적극적인 방법을 고려해 볼 수 있을 것이다.

3) 고식적 목적의 방사선치료

고식적 치료의 목표는 근치가 불가능한 환자에서 증상의 완화뿐만 아니라 환자의 삶의 질에 크게 영향을 미칠 가능성이 있는 병변에 대한 예방적 치료를 포함한다. 위암에서 고식적 목적의 방사선치료를 적용할 수 있는 증상은 국소적으로 진행된 위암 병변으로 인한 출혈, 연하곤란 및 통증, 복강내 전이로 인한 배변곤란 및 통증, 암전이성 복수로 인한 증상, 골전이로 인한 통증, 골절 및 척수압박 등이다.

재발 혹은 전이성 위암에서 항암화학요법에 방사선치료 추가의 효과를 평가하는 전향적 무작위 3상 연구는 보고된 바 없다. 하지만, 몇몇 전향적 혹은 후향적 연구들에서 증상을 동반한 진행성 위암에서 방사선치료를 통해 성공적으로 증상 완화를 얻을 수 있음이 보고된 바 있다. Tey 등은 방사선치료 후 종양 출혈(83/103, 80.6%), 폐쇄(9/17, 52.9%), 통증(5/11, 45.5%) 등의 증상 호전을 허용범위 부작용(2.6%의 3도 위장관 독성)과 함께 보고하였다. 또한 Sun 등은 복부림프절 전이를 동반한 재발 위암에서 임상적 증상 호전의 90.5%의 환자(19/21)에서 나타남을 보고하였다.

수술 후 국소적으로 재발한 위암의 경우, 재수술 시행 후 보조 치료방법으로, 혹은 재수술이 불가능한 경우 환자의 생존 기간을 연장시키기 위해 방사선치료를 단독으로 또는 항암화학요법과 병용하여 시행할 수 있으며, 전이성 위암의 경우에도 표준 항암화학요법 시행 후 전이 종양의 치료반응에 따라 증상완화 및 생존기간 연장을 위해 고려될 수 있다.

실제로 Ishido 등은 수술이 불가능한 21명의 국소재발 환자를 대상으로 화학방사선병행치료를 시행하여 38.1%의 완전관해를 포함하여 61.9%의 반응률을 얻었으며, 중앙생존기간 35개월을 보고하였다. 또한 Hinogorani 등은 전이성 위식도접합부 종양 환자에서 항암화학요법 3개월 시행 후 병변 진행이 되지 않은 환자를 대상으로 항암화학요법 단독과 항암화학요법 후 방사선치료를 비교하여 치료결과를 보고하였는데, 방사선치료군에서 무진행생존기간(17.3개월 vs. 8.3개월, P=0.06) 뿐 아니라 전체 생존기간(23.3개월 vs. 14.0개월, P<0.001)의 의미있는 향상이 확인되었다.

3. 결론

근치적 목적의 수술을 받은 위암 환자의 주요 재발양상은 간전이 혹은 복막전이 등으로 수술 후 보조치료법으로 항암화학요법이 우선적으로 고려된다. 그러나 일부 환자에서는 원격전이 없이 주로 영역림프절 재발 국소영역에 국한된 재발이 여전히 보고되고 있다. 수술 후 국소영역재발 가능성이 높은 환자에 있어 재발 위험부위, 특히 영역림프절을 치료하기에 적합한 방사선치료는 국소영역재발률을 낮춤으로써 환자의 생존율 향상에 영향을 줄 수 있으며, 특히 광범위 림프절절제술을 시행하지 못한 경우나 R0 절제가 시행되지 못한 경우에 있어 항암화학요법과 병용하여 환자의 생존율을 향상시킬 수 있다. 또한, 수술 전에 시행하는 방사선치료는 수술 전 병기를 낮춤으로써 완전절제의 가능성을 높여 생존율 향상을 도모할 수 있으며, 수술이 불가능하거나 국소재발된 위암에서도 완전절제 가능성을 높이거나, 국소제어율 향상을 통한 생존율 증가를 기대할 수 있을 것이다. 아울러, 방사선치료는 원발 및 전이 병소로 인한 국소 증상을 동반한 환자에서 증상 완화 및 삶의 질 향상에 도움을 줄 수 있다. 병기 및 병소 위치를 포함한 개별 환자에게 다양한 형태와 방법 및 목적의 방사선치료의 최적화를 위해 다양한 연구가 필요할 것이다.

참고문헌

1. A comparison of combination chemotherapy and combined modality therapy for locally advanced gastric carcinoma. Gastrointestinal Tumor Study Group. Cancer 1982;49:1771-1777.
2. Abe M, Takahashi M. Intraoperative radiotherapy: the Japanese experience. Int J Radiat Oncol Biol Phys 1981;7:863-868.
3. Bajetta E, Buzzoni R, Mariani L, Beretta E, Bozzetti F, Bordogna G, et al. Adjuvant chemotherapy in gastric cancer: 5-year results of a randomised study by the Italian Trials in Medical Oncology (ITMO) Group. Ann Oncol 2002;13:299-307.
4. Bamias A, Karina M, Papakostas P, Kostopoulos I, Bobos M, Vourli G, et al. A randomized phase III study of adjuvant platinum/docetaxel chemotherapy with or without radiation therapy in patients with gastric cancer. Cancer Chemother Pharmacol 2010;65: 1009-1021.
5. Bang YJ, Kim YW, Yang HK, Chung HC, Park YK, Lee KH, et al. Adjuvant capecitabine and oxaliplatin for gastric cancer after D2 gastrectomy (CLASSIC): a phase 3 open-label, randomised controlled trial. Lancet 2012;379:315-321.
6. Bouche O, Ychou M, Burtin P, Bedenne L, Ducreux M, Lebreton G, et al. Adjuvant chemotherapy with 5-fluorouracil and cisplatin compared with surgery alone for gastric cancer: 7-year results of the FFCD randomized phase III trial (8801). Ann Oncol 2005;16:1488-1497.
7. Chang JS, Lim JS, Noh SH, Hyung WJ, An JY, Lee YC, et al. Patterns of regional recurrence after curative D2 resection for stage III (N3) gastric cancer: implications for postoperative radiotherapy. Radiother Oncol 2012;104:367-373.
8. Cho B. Intensity-modulated radiation therapy: a review with a physics perspective. Radiat Oncol J 2018;36:1-10.
9. Chun SJ, Jeon SH, Chie EK. A case report of salvage radiotherapy for a patient with recurrent gastric cancer and multiple comorbidities using real-time MRI-guided adaptive treatment system. Cureus 2018;10:2471.
10. Dai Q, Jiang L, Lin RJ, Wei KK, Gan LL, Deng CH, et al. Adjuvant chemoradiotherapy versus chemotherapy for gastric cancer: a meta-analysis of randomized controlled trials. J Surg Oncol 2015;111:277-284.
11. De Vita F, Giuliani F, Orditura M, Maiello E, Galizia G, Di Martino N, et al. Adjuvant chemotherapy with epirubicin, leucovorin, 5-fluorouracil and etoposide regimen in resected gastric cancer patients: a randomized phase III trial by the Gruppo Oncologico Italia Meridionale (GOIM 9602 Study). Ann Oncol 2007;18:1354-1358.
12. Dikken JL, Jansen EP, Cats A, Bakker B, Hartgrink HH, Kranenbarg EM, et al. Impact of the extent of surgery and postoperative chemoradiotherapy on recurrence patterns in gastric cancer. J Clin Oncol 2010;28: 2430-2436.
13. Gao P, Tsai C, Yang Y, Xu Y, Zhang C, Zhang C, et al. Intraoperative radiotherapy in gastric and esophageal cancer: meta-analysis of long-term outcomes and complications. Minerva Med 2017;108:74-83.
14. Gilbertsen VA. Results of treatment of stomach cancer. An appraisal of efforts for more extensive surgery and a rort of 1,983 cases. Cancer 1969;23:1305-1308.
15. Gunderson LL, Sosin H. Adenocarcinoma of the stomach: areas of failure in a re-operation series (second or symptomatic look) clinicopathologic correlation and implications for adjuvant therapy. Int J Radiat Oncol Biol Phys 1982;8:1-11.
16. Hingorani M, Dixit S, Johnson M, Plested V, Alty K, Colley P, et al. Palliative radiotherapy in the presence of well-controlled metastatic disease after initial chemotherapy may prolong survival in patients with metastatic esophageal and gastric cancer. Cancer Res Treat 2015;47:706-717.

17. Horn RC Jr. Carcinoma of the stomach; autopsy findings in untreated cases. Gastroenterology 1955;29:515-523.
18. Huang YY, Yang Q, Zhou SW, Wei Y, Chen YX, Xie DR, et al. Postoperative chemoradiotherapy versus postoperative chemotherapy for completely resected gastric cancer with D2 lymphadenectomy: a meta-analysis. PLoS One 2013;8:68939.
19. Ishido K, Higuchi K, Tanabe S, Azuma M, Sasaki T, Katada C, et al. Chemoradiotherapy for patients with recurrent lymph-node metastasis or local recurrence of gastric cancer after curative gastrectomy. Jpn J Radiol 2016;34:35-42.
20. Japanese gastric cancer treatment guidelines 2014 (ver. 4). Gastric Cancer 2017;20:1-19.
21. Kim TH, Park SR, Ryu KW, Kim YW, Bae JM, Lee JH, et al. Phase 3 trial of postoperative chemotherapy alone versus chemoradiation therapy in stage III-IV gastric cancer treated with R0 gastrectomy and D2 lymph node dissection. Int J Radiat Oncol Biol Phys 2012;84:585-592.
22. Klevebro F, Alexandersson von Dobeln G, Wang N, Johnsen G, Jacobsen AB, Friesland S, et al. A randomized clinical trial of neoadjuvant chemotherapy versus neoadjuvant chemoradiotherapy for cancer of the oesophagus or gastro-oesophageal junction. Ann Oncol 2016;27:660-667.
23. Kwon HC, Kim MC, Kim KH, Jang JS, Oh SY, Kim SH, et al. Adjuvant chemoradiation versus chemotherapy in completely resected advanced gastric cancer with D2 nodal dissection. Asia Pac J Clin Oncol 2010;6:278-285.
24. Landry J, Tepper JE, Wood WC, Moulton EO, Koerner F, Sullinger J. Patterns of failure following curative resection of gastric carcinoma. Int J Radiat Oncol Biol Phys 1990;19:1357-1362.
25. Lee J, Lim DH, Kim S, Park SH, Park JO, Park YS, et al. Phase III trial comparing capecitabine plus cisplatin versus capecitabine plus cisplatin with concurrent capecitabine radiotherapy in completely resected gastric cancer with D2 lymph node dissection: the ARTIST trial. J Clin Oncol 2012;30:268-273.
26. Lee JA, Ahn YC, Lim DH, Park HC, Asranbaeva MS. Dosimetric and clinical Influence of 3D versus 2D planning in postoperative radiation therapy for gastric cancer. Cancer Res Treat 2015;47:727-737.
27. Lee JH, Kim JG, Jung HK, Kim JH, Jeong WK, Jeon TJ, et al. Clinical practice guidelines for gastric cancer in Korea: an evidence-based approach. J Gastric Cancer 2014;14:87-104.
28. Leong T, Smithers BM, Haustermans K, Michael M, Gebski V, Miller D, et al. TOPGEAR: A randomized, phase III trial of perioperative ECF chemotherapy with or without preoperative chemoradiation for resectable gastric cancer: interim results from an international, intergroup trial of the AGITG, TROG, EORTC and CCTG. Ann Surg Oncol 2017;24:2252-2258.
29. Lim DH. Postoperative adjuvant radiotherapy for patients with gastric adenocarcinoma. J Gastric Cancer 2012;12:205-209.
30. Lirosi MC, Biondi A, Ricci R. Surgical anatomy of gastric lymphatic drainage. Transl Gastroenterol Hepatol 2017;2:14.
31. Liu Y, Zhao G, Xu Y, He X, Li X, Chen H, et al. Multicenter phase 2 study of peri-Irradiation chemotherapy plus intensity modulated radiation therapy with concurrent weekly docetaxel for inoperable or medically unresectable nonmetastatic gastric cancer. Int J Radiat Oncol Biol Phys 2017;98:1096-1105.
32. Macdonald JS, Smalley SR, Benedetti J, Hundahl SA, Estes NC, Stemmermann GN, et al. Chemoradiotherapy after surgery compared with surgery alone for adenocarcinoma of the stomach or gastroesophageal junction. N Engl J Med 2001;345:725-730.
33. Maehara Y, Hasuda S, Koga T, Tokunaga E, Kakeji Y, Sugimachi K. Postoperative outcome and sites of recurrence in patients following curative resection of gastric cancer. Br J Surg 2000;87:353-357.

34. Matzinger O, Gerber E, Bernstein Z, Maingon P, Haustermans K, Bosset JF, et al. EORTC-ROG expert opinion: radiotherapy volume and treatment guidelines for neoadjuvant radiation of adenocarcinomas of the gastroesophageal junction and the stomach. Radiother Oncol 2009;92:164-175.
35. Mc NG, Vandenberg H Jr, Donn FY, Bowden L. A critical evaluation of subtotal gastrectomy for the cure of cancer of the stomach. Ann Surg 1951;134:2-7.
36. Min C, Bangalore S, Jhawar S, Guo Y, Nicholson J, Formenti SC, et al. Chemoradiation therapy versus chemotherapy alone for gastric cancer after R0 surgical resection: a meta-analysis of randomized trials. Oncology 2014;86:79-85.
37. Moertel CG, Childs DS, O'Fallon JR, Holbrook MA, Schutt AJ, Reitemeier RJ. Combined 5-fluorouracil and radiation therapy as a surgical adjuvant for poor prognosis gastric carcinoma. J Clin Oncol 1984;2: 1249-1254.
38. Moertel CG, Reitemeier RJ, Childs DS, Jr., Colby MY, Holbrook MA. Combined 5-fluorouracil and supervoltage radiation therapy in the palliative management of advanced gastrointestinal cancer: A pilot study. Mayo Clin Proc 1964;39:767-771.
39. Papachristou DN, Fortner JG. Local recurrence of gastric adenocarcinomas after gastrectomy. J Surg Oncol 1981;18:47-53.
40. Park SH, Sohn TS, Lee J, Lim DH, Hong ME, Kim KM, et al. Phase III trial to compare adjuvant chemotherapy with capecitabine and cisplatin versus Concurrent chemoradiotherapy in gastric cancer: final report of the adjuvant chemoradiotherapy in stomach tumors trial, including survival and subset analyses. J Clin Oncol 2015;33:3130-3136.
41. Rah JE, Kim GY, Oh DH, Kim TH, Kim JW, Kim DY, et al. A treatment planning study of proton arc therapy for para-aortic lymph node tumors: dosimetric evaluation of conventional proton therapy, proton arc therapy, and intensity modulated radiotherapy. Radiat Oncol 2016;11:140.
42. Saikawa Y, Kubota T, Kumagai K, Nakamura R, Kumai K, Shigematsu N, et al. Phase II study of chemoradiotherapy with S-1 and low-dose cisplatin for inoperable advanced gastric cancer. Int J Radiat Oncol Biol Phys 2008;71:173-179.
43. Sakuramoto S, Sasako M, Yamaguchi T, Kinoshita T, Fujii M, Nashimoto A, et al. Adjuvant chemotherapy for gastric cancer with S-1, an oral fluoropyrimidine. N Engl J Med 2007;357:1810-1820.
44. Sasako M, Sano T, Yamamoto S, Kurokawa Y, Nashimoto A, Kurita A, et al. D2 lymphadenectomy alone or with para-aortic nodal dissection for gastric cancer. N Engl J Med 2008;359:453-462.
45. Smalley SR, Benedetti JK, Haller DG, Hundahl SA, Estes NC, Ajani JA, et al. Updated analysis of SWOG-directed intergroup study 0116: a phase III trial of adjuvant radiochemotherapy versus observation after curative gastric cancer resection. J Clin Oncol 2012;30: 2327-2333.
46. Songun I, Putter H, Kranenbarg EM, Sasako M, van de Velde CJ. Surgical treatment of gastric cancer: 15-year follow-up results of the randomised nationwide Dutch D1D2 trial. Lancet Oncol 2010;11:439-449.
47. Soon YY, Leong CN, Tey JC, Tham IW, Lu JJ. Postoperative chemo-radiotherapy versus chemotherapy for resected gastric cancer: a systematic review and meta-analysis. J Med Imaging Radiat Oncol 2014;58: 483-496.
48. Stahl M, Walz MK, Riera-Knorrenschild J, Stuschke M, Sandermann A, Bitzer M, et al. Preoperative chemotherapy versus chemoradiotherapy in locally advanced adenocarcinomas of the oesophagogastric junction (POET): long-term results of a controlled randomised trial. Eur J Cancer 2017;81:183-190.
49. Stahl M, Walz MK, Stuschke M, Lehmann N, Meyer HJ, Riera-Knorrenschild J, et al. Phase III comparison of preoperative chemotherapy compared with chemoradiotherapy in patients with locally advanced ad-

enocarcinoma of the esophagogastric junction. J Clin Oncol 2009;27:851-856.

50. Sun J, Sun YH, Zeng ZC, Qin XY, Zeng MS, Chen B, et al. Consideration of the role of radiotherapy for abdominal lymph node metastases in patients with recurrent gastric cancer. Int J Radiat Oncol Biol Phys 2010;77:384-391.
51. Takahashi M, Abe M. Intra-operative radiotherapy for carcinoma of the stomach. Eur J Surg Oncol 1986;12: 247-250.
52. Teo MT, Sebag-Montefiore D, Donnellan CF. Prevention and Management of Radiation-induced Late Gastrointestinal Toxicity. Clin Oncol (R Coll Radiol) 2015;27:656-667.
53. Tey J, Choo BA, Leong CN, Loy EY, Wong LC, Lim K, et al. Clinical outcome of palliative radiotherapy for locally advanced symptomatic gastric cancer in the modern era. Medicine (Baltimore) 2014;93:118.
54. van Hagen P, Hulshof MC, van Lanschot JJ, Steyerberg EW, van Berge Henegouwen MI, Wijnhoven BP, et al. Preoperative chemoradiotherapy for esophageal or junctional cancer. N Engl J Med 2012;366:2074-2084.
55. Yu JI, Lim DH, Ahn YC, Lee J, Kang WK, Park SH, et al. Effects of adjuvant radiotherapy on completely resected gastric cancer: A radiation oncologist's view of the ARTIST randomized phase III trial. Radiother Oncol 2015;117:171-177.
56. Zhang ZX, Gu XZ, Yin WB, Huang GJ, Zhang DW, Zhang RG. Randomized clinical trial on the combination of preoperative irradiation and surgery in the treatment of adenocarcinoma of gastric cardia (AGC)--report on 370 patients. Int J Radiat Oncol Biol Phys 1998;42:929-934.
57. Zhou ML, Kang M, Li GC, Guo XM, Zhang Z. Postoperative chemoradiotherapy versus chemotherapy for R0 resected gastric cancer with D2 lymph node dissection: an up-to-date meta-analysis. World J Surg Oncol 2016;14:209.
58. Zhu WG, Xua DF, Pu J, Zong CD, Li T, Tao GZ, et al. A randomized, controlled, multicenter study comparing intensity-modulated radiotherapy plus concurrent chemotherapy with chemotherapy alone in gastric cancer patients with D2 resection. Radiother Oncol 2012;104:361-366.

PART 06

위선암 치료 시의 고려사항

THE KOREAN GASTRIC CANCER ASSOCIATION

CHAPTER 35

식도위경계부 종양

1. 서론

전통적으로 위암 발병률이 높은 한국 등 아시아 국가와 달리, 서구에서는 위암 발병률이 꾸준히 감소하고 있는 반면 식도위경계부 종양은 지속적으로 증가하고 있다. 미국에서는 1970년대에 전체 식도암의 15% 정도를 차지하던 하부식도선암이 해마다 5~10%씩 증가하였으며, 남자에서 발생한 위암 중 분문부 위암이 약 절반을 차지하는 것으로 보고되고 있다. 미국의 SEER 데이터베이스 보고에 따르면 1975~2001년 사이 약 6배의 증가율을 보인 식도선암 중 대부분은 하부 1/3 식도선암이었으며, 식도위경계부 선암은 2배 가까운 증가율을 보였다. 이러한 추세는 서구뿐 아니라 최근 일부 아시아 국가에서도 관찰되는 현상이다. 일본 국립암센터의 보고에 의하면 식도위경계부 선암은 1962~1965년 2.3%에서 2001~2005년 10.0%로 5배 가까이 증가하고 있으며, 특히 그 중 Siewert 제2형이 차지하는 비율은 28.5%에서 57.3%로 2배 이상 증가하였다. 중국 단일기관의 대규모 코호트 연구에서도 식도위경계부 선암은 25년간 22.3%에서 35.7%로 크게 증가하였음을 보고하였다.

우리나라의 경우, 대한위암학회 정보전산위원회에서 보고한 전국조사 결과에 의하면 식도위경계부 종양이 포함된 상부 위암이 1995년 11.2%에서 2014년 16.0%로 증가하고 있다. 그러나, 식도위경계부에 대한 정의를 포함한 식도위경계부 종양의 정의와 분류의 어려움으로 인해 정확한 식도위경계부 종양의 증가 여부는 확실하지 않다. 국내 단일기관의 후향적 분석에 의하면, 위암 대비 식도위경계부 선암의 비율은 1992~2006년 사이 유의한 차이가 없었다.

이 같은 서구와 아시아 지역 간의 역학적 차이는 식도위경계부 암에 대한 체계적인 관찰과 연구를 어렵게 만드는 큰 장애요인으로 작용한다. 또한 식도위경계부 종양은 해부학적 특성상 위와 식도의 경계 부위에 위치하여 정의와 분류에 대해 끊임없는 논란이 있었다. 서구 사회에서는 식도암의 일부로, 아시아권에서는 위암의 일부로 간주하여 식도암 또는 위암에 준한 진단과 치료가 달리 적용되어 왔다. 이 때문에 그 동안 식도위경계부 종양에 대한 표준화된 병태생리학적 연구나 적절한 치료방법을 찾기 위한 연구가 어려웠다. 그러나 식도위경계부 종양의 세계적인 증가 추세와 함께, 식도위경계부 종양에 대한 보다 표준화된 정의와 분류뿐만 아니라 적절한 병기판정 및 치료법에 대한 논의와 연구가 점점 더 활발해지고 있다.

2. 식도위경계부 종양의 정의와 분류

유병률을 포함한 임상적 중요성을 고려할 때, 식도위경계부 종양은 대부분 식도위경계부 선암을 지칭한다. 식도위경계부 종양은 저자들에 따라 분문부 위암 또는 원위부 식도암으로 분류되어 왔고 이에 대한 명확한 정의나 분류가 서로 달랐다. 가장 큰 이유는 식도위경계부의 해부학적 정의가 명확히 통일되지 않았기 때문이다. 이러한 가운데 Siewert 등은 자신들의 임상 경험을 근거로 식도위경계부 종양의 국소 해부학적 분류를 제시하였다. 이 분류는 1997년 제2차 국제위암학회에서 인정된 이후, 많은 연구들을 통해 적절성과 타당성이 입증되어 현재까지 식도위경계부 종양을 연구할 때 가장 기본적인 분류법으로 받아들여지고 있다.

Siewert 분류에서 가장 중요한 부분은 식도위경계부에 대한 정의이다. 식도위경계부의 기준으로 흔히 적용될 수 있는 Z-line은 나이가 들거나 역류성식도염 등이 있으면 점점 위로 올라가기 때문에 해부학적 기준으로 정하기 부적절하다. 이에 Siewert 등은 식도위경계부를 내시경적 소견상 전형적인 종주위점막주름(longitudinal gastric mucosa)이 끝나는 근위부 상단으로 정의하고, 이 정의에 따른 식도위경계부와 종양의 해부학적 중심과의 관계에 따라 식도위경계부를 기준으로 상하 5 cm 이내에 있는 종양을 식도위경계부 종양으로 정의하고 다음과 같이 세 가지 형태로 분류했다(그림 35-1). 제1형은 하부식도에서 발생한 선암을 말하며 해부학적으로 종양의 중심이 식도위경계부 상방 1~5 cm 이내에 위치한 경우이다(그림 35-2 A). 일반적으로 원위부 식도의 장상피화생 혹은 바레트식도에서 기원하며 때로는 종양이 식도위경계부를 침범한다. 제2형은 종양의 중심이 식도위경계부를 중심으로 위쪽으로 1 cm, 아래쪽으로 2 cm 내에 위치한 경우로서, 진정한 의미의 식도위경계부 암이다(그림 35-2 B). 제3형은 분문하(subcardia) 위암을 말하며 종양이 식도위경계부 하방 2~5 cm 내에 위치한다(그림 35-2 C). 위암이 분문하에서 식도위경계부나 식도를 침범한 경우이다. 이 식도위경계부 종양의 Siewert 분류는 CT 소견 등에 의해서도 영향을 받을 수 있으며, 수술 검체에 대한 육안 혹은 현미경 소견에 따라 수술 전 아형이 수술 후 바뀔 수도 있다.

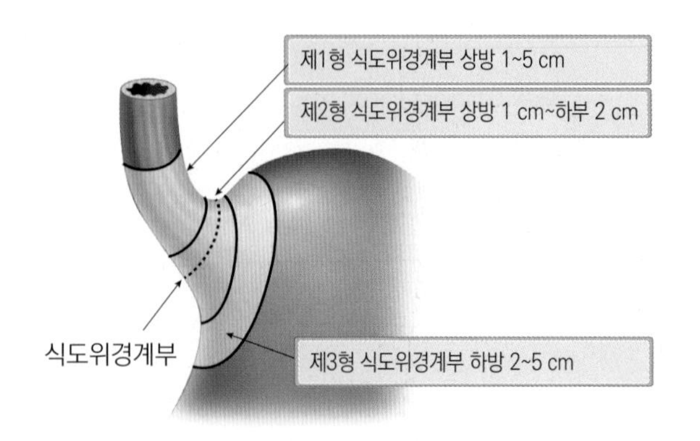

그림 35-1 식도위경계부 종양의 Siewert 분류.
제1형: 종양이 식도위경계부를 침범하고 종양의 중심이 식도위경계부 상방 1~5 cm에 위치한 경우.
제2형: 종양의 중심이 식도위경계부를 중심으로 상방 1 cm, 하방 2 cm 내에 위치한 경우.
제3형: 종양이 식도위경계부를 침범하고 종양의 중심이 식도위경계부 하방 2~5 cm에 위치한 경우.

Siewert 분류는 식도위경계부 종양의 해부학적 위치에 따른 분류로서, 1형과 3형은 각각 하부식도 선암과 분문하 위암으로 성격을 구분 지을 수 있는 반면, 2형은 두 가지 특성이 일부 혼재하는 양상을 보여 병태생리학적 측면에서는 지속적인 논란이 되고 있다. 비록 Siewert 분류가 완전하지는 못하지만 내시경 및 방사선 검사 또는 수술 중 육안 소견으로 분류하기가 용이하다는 장점이 있으며, 여러 연구에서 유형별 병태생리학적 특성 및 예후의 차이가 보고됨에 따라 식도위경계부 종양의 진단과 치료, 연구에 있어서 현재까지 가장 흔히 사용되는 임상분류법이라 할 수 있다.

한편, 일본위암학회 가이드라인에 따르면, 식도위경

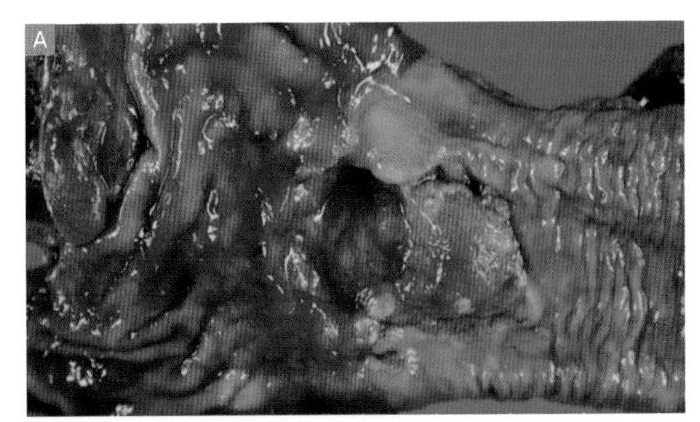

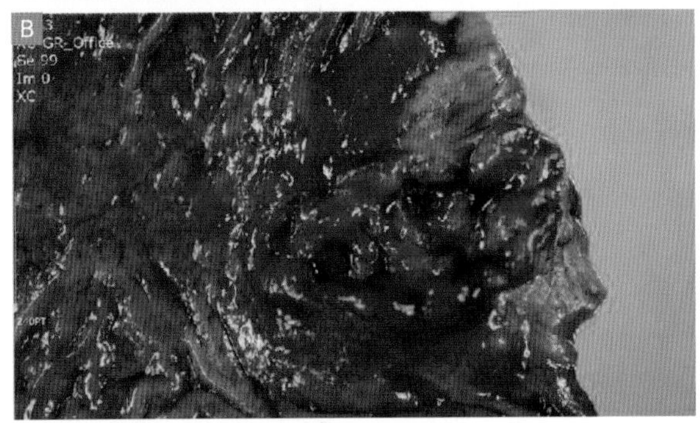

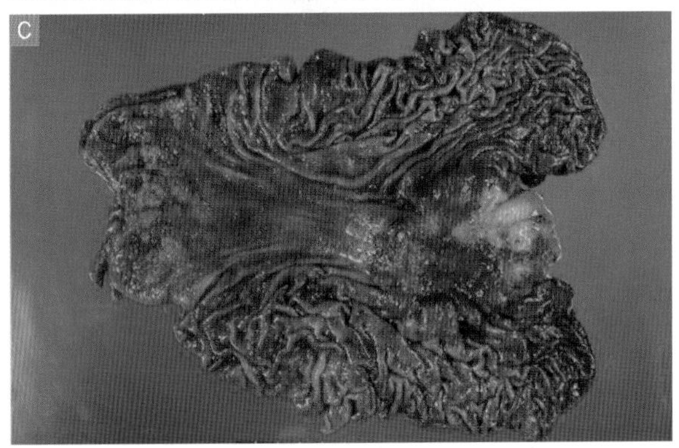

그림 35-2 **식도위경계부종양의 육안 소견.**
A. Siewert 제1형 식도위경계부 종양
B. Siewert 제2형 식도위경계부 종양
C. Siewert 제3형 식도위경계부 종양

계부 종양은 선암과 편평세포암 모두 포함하여 식도위경계부로부터 2 cm 이내에 위치한 암으로 정의하고 있다. 기준이 되는 식도위경계부는 식도와 위 근육의 경계로 정의되는데, 임상에서는 다음 4가지 기준 중 하나를 사용할 수 있다: ① 내시경상 식도 원위부의 종주혈관(longitudinal palisading small vessels)의 원위 경계부, ② 조영검사상 His 각 수준, ③ 내시경 또는 조영검사상 위 대만곡 종주점막주름의 근위부 경계, ④ 절제된 식도와 위의 육안 소견상 내경이 변하는 부위. 주의할 점은 이러한 기준에 의한 식도위경계부는 흔히 예상하는 편평원주세포 경계부(squamocolumnar junction)와 일치하지 않을 수 있다는 점이다.

AJCC/UICC TNM 병기분류에서는 2010년 발표된 제7판에서 처음으로 식도위경계부 선암에 대한 분류기준을 별도로 제시하면서, 식도선암과 동일한 병기분류법으로 발표하였다. 이 병기분류에서는 암의 중심부 위치 및 경계부위가 식도위경계부를 침범했는가 여부를 기준으로 한 위치 판정이 병기판정에 있어 가장 중요한 부분으로 작용하는데, Siewert 제3형 종양과 같은 일부 분문하 위암을 식도선암으로 분류하는 등 여러 가지 논란을 낳았다. 2017년 발표된 제8판 AJCC TNM 병기분류에서는 이러한 논란을 해결하고자 암의 중심부가 식도위경계부로부터 2 cm 이내 위치한 암종을 식도위경계부암으로 한정하였으나, 결국 마찬가지로 식도위경계부 종양을 식도선암과 동일한 기준으로 병기 판정하고 있다(표 35-1). 식도위경계부 종양이 식도암 혹은 위암으로 분류되어야 하는가 혹은 독자적인 병기분류가 필요한가에 대해서는 여전히 논란이 끊이지 않으며 결정적인 학술적 근거 역시 부족한 상태이다. 이러한 논란이 끊이지 않는 이유 중 가장 큰 이유로 결국 식도위경계부 종양의 종양생물학적 특성의 모호함이 자주 거론되며, 향후 식도위경계부 종양에 대한 TNM 병기분류법으로 분자생물학 기준의 도입이 예상된다.

3. 식도위경계부 종양의 병태생리학적 특성

식도위경계부 종양은 그 아형에 따라 서로 다른 역학 및 병태생리학적 특성을 가진 것으로 알려져 있다. 1,602명의 식도위경계부 종양 환자를 대상으로 한 후향적 연구에 따르면 Siewert 제1형은 식도암, 제3형은 위암과 유사한 특성을 가지고 구분되는 양상을 보이나,

표 35-1. **식도위경계부 선암(및 식도선암)을 위한 제8판 AJCC TNM 병기분류법**

T 병기	
TX	원발 종양의 평가가 불가능한 경우(Tumor cannot be assessed)
T0	원발 종양의 증거가 없는 경우(No evidence of primary tumor)
Tis	기저막에 국한된 암세포로 정의되는 고도이형성 (High-grade dysplasia, defined as malignant cells confined by the basement membrane)
T1	원발 종양이 고유판, 점막근육, 점막하층을 침범한 경우 (Tumor invades the lamina propria, muscularis mucosae, or submucosa)
T1a	원발 종양이 고유판, 점막근육을 침범한 경우(Tumor invades the lamina propria or muscularis mucosae)
T1b	원발 종양이 점막하층을 침범한 경우(Tumor invades the submucosa)
T2	원발 종양이 고유근층을 침범한 경우(Tumor invades the muscularis propria)
T3	원발 종양이 외막을 침범한 경우(Tumor invades adventitia)
T4	원발 종양이 주변 조직을 침범한 경우(Tumor invades adjacent structures)
T4a	원발 종양이 흉막, 심장막, 홀정맥, 횡격막, 복막을 침범한 경우 (Tumor invades the pleura, pericardium, azygos vein, diaphragm, or peritoneum)
T4b	원발 종양이 대동맥, 척추, 기도 등의 여타 장기를 침범한 경우 (Tumor invades other adjacent structures, such as aorta, vertebral body, or trachea)
N 병기	
NX	국소 림프절 평가가 불가능 경우(Regional lymph nodes cannot be assessed)
N0	국소 림프절 전이가 없는 경우(No regional lymph node metastasis)
N1	1~2개의 국소 림프절 전이(Metastasis in 1~2 regional lymph nodes)
N2	3~6개의 국소 림프절 전이(Metastasis in 3~6 regional lymph nodes)
N3	7개 이상의 국소 림프절 전이(Metastasis in 7 or more regional lymph nodes)
M 병기	
M0	원격 전이가 없는 경우(No distant metastasis)
M1	원격 전이가 있는 경우(Distant metastasis)
G 병기	
GX	분화도 평가가 불가능한 경우
G1	고분화. 종양의 95% 이상이 잘 형성된 선으로 이루어진 경우 (Well differentiated. >95% of tumor is composed of well-formed glands)
G2	중등도 분화. 종양의 59~95%가 선을 형성을 하고 있는 경우 (Moderately differentiated. 50~95% of tumor shows gland formation)
G3	저분화. 종양이 세포 둥지나 판으로 이루어져 있고 50% 미만이 선을 형성하는 경우(Poorly differentiated. Tumors composed of nest and sheets of cells with <50% of tumor demonstrating glandular formation)

표 35-1. **식도위경계부 선암(및 식도선암)을 위한 제8판 AJCC TNM 병기분류법 - 계속**

TNM병기 그룹				
병기 그룹	T병기	N병기	M병기	G병기
0	Tis	N0	M0	N/A
IA	T1a	N0	M0	G1, X
IB	T1a	N0	M0	G2
	T1b	N0	M0	G1-2, X
IC	T1	N0	M0	G3
	T2	N0	M0	G1-2
IIA	T2	N0	M0	G3, X
IIB	T1	N1	M0	Any
	T3	N0	M0	Any
IIIA	T1	N2	M0	Any
	T2	N1	M0	Any
IIIB	T4a	N0-1	M0	Any
	T3	N1	M0	Any
	T2-3	N2	M0	Any
IVA	T4a	N2	M0	Any
	T4b	N0-2	M0	Any
	T1-4	N3	M0	Any
IVB	T1-4	N0-3	M1	Any

N/A: 적용 불가능, X: 정의되지 않음.

제2형은 이 두 가지 특성, 즉 식도암과 위암의 특성이 혼재된 양상을 보인다(표 35-2).

각각의 특성을 살펴보면 제1형으로 갈수록 제3형에 비하여 남자의 비율이 높고, 열공탈장(hiatal hernia)이나 위식도역류질환의 과거력을 가진 환자가 많으며, 종양과 연관된 장상피화생의 발현 빈도가 높고, Lauren 분류에 의한 장형 성장패턴(intestinal growth pattern)을 보이는 빈도가 높으며, 조직학적으로 미분화암의 발현 빈도가 적다.

림프절 전이 방식도 유형에 따라 다르다. 제1형의 경우 림프절 전이가 종격동과 복강내 양쪽 방향으로 일어나고, 제2, 3형의 경우 주로 복강내 림프절로 전이된다. 예후 면에서도 근치적 절제를 받은 환자들의 5년 생존율은 제1형에서 가장 높고 제3형이 가장 낮으며 제2형은 그 중간 정도의 생존율이 보고되었다.

장상피화생은 하부식도선암의 전암병변으로서 화생(metaplasia)-이형성(dysplasia)-암종(carcinoma) 발암기전에 의해 선암이 발생하는 것으로 알려져 있으며,

표 35-2. **서구 식도위경계부 종양 환자 1,602명의 임상병리학적 특징**

	제1형(n = 621)	제2형(n = 485)	제3형(n = 496)
나이(평균, ± 표준편차)	61 ± 10.5	62 ± 11.4	64 ± 12.1
성별(남: 여)	10.7: 1	4.9: 1	2.2: 1
위식도역류질환 과거력	84%	42%	29%
장상피화생 빈도	79.50%	5.60%	0.80%
Lauren 장형 빈도	80.90%	55.40%	38.50%
미분화조직형(G3/G4) 빈도	54.40%	60.20%	73.40%

Feith M 등, 2006.

대표적 원인으로 위식도역류와 같은 식도에 대한 지속적인 물리화학적 자극을 들 수 있다(그림 35-3).

종양 발생 위험인자로서 제1형에서는 이러한 위식도역류에 의한 장상피화생과 바레트식도가 대표적이며, 제3형에서 대표적으로 알려져 있는 헬리코박터 파일로리는 오히려 보호 역할을 하는 인자로 보고되고 있다. 그러나, 제2형의 경우 제1형에서 호발하는 장상피화생의 발생 빈도가 낮고 이형성으로 이행하는 빈도 또한 매우 낮으며(연간 0.5% 이하로 추정), 위식도역류와 암 발생률과의 연관성이 확실하지 않고, 제3형에서 관찰되는 헬리코박터 파일로리 감염과 종양 발생 위험도와의 상관관계 역시 뚜렷하지 않다. 이러한 각 유형별로 보이는 차이는 Siewert의 식도위경계부 종양 분류가 국소 해부학적 분류이지만 유형별 생물학적 특성을 어느 정도 반영하고 있음을 보여주는 반면, 제2형에 대한 다양한 의견들은 근본적인 종양생물학적 특징을 설명하기에는 한계가 있음을 나타내고 있다.

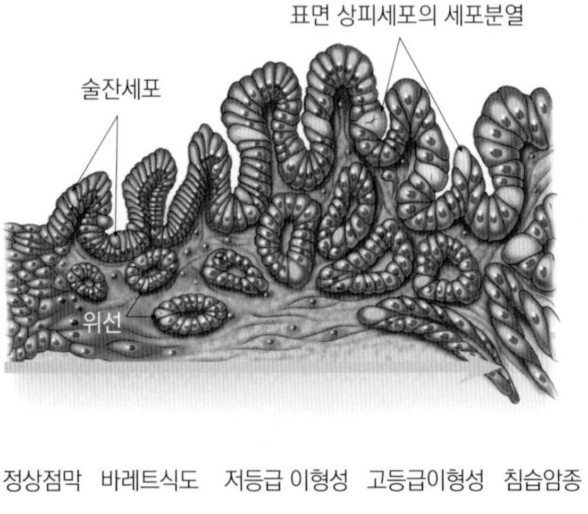

그림 35-3 **바레트 식도가 화생(metaplasia)-이형성(dysplasia)-암종(carcinoma)으로 이행하는 과정.**
하부식도 점막에 만성적인 물리화학적 자극으로 술잔세포(goblet cell)와 선(gland)을 형성하여 바레트식도가 발생하며, 저등급 이형성, 고등급 이형성 과정을 거쳐서 침습암종으로 진행한다.

식도위경계부 종양이 드문 한국을 비롯한 아시아 국가에서는 유병률이 높은 서구의 연구들과는 다른 병태생리학적 특성을 보여주는 연구들이 많이 발표되었다. 한국을 비롯한 아시아 국가에서는 위암 대비 식도위경계부 종양의 발생률 자체가 낮았으며, 특히 제1형이 서구에 비해 극단적으로 드물고, 제2형 역시 제3형에 비해 매우 적으며 서구에 비해 남녀 비율이 비교적 비슷한 특징이 있었다. 이러한 차이는 기존의 아시아 환자가 서구와 구별되는 식도위경계부 종양의 병인 및 생물학적 특성을 가진 데 기인한다고 생각된다. 최근 아시아 국가에서도 식도위경계부 종양의 뚜렷한 증가 추세를 감안할 때, 국내 식도위경계부 종양에 대해서도 발생빈도를 포함하여 종양생물학적 특징과 분류에 대한 보다 전문적인 시각이 요구된다.

4. 식도위경계부 종양의 림프절 전이 경로

식도위경계부 종양의 수술치료의 원칙은 종양의 완전 절제와 더불어 주변 림프절을 포함한 근치적 절제이다. 따라서 식도위경계부 종양의 적절한 수술치료를 연구함에 있어서 림프절 전이 경로에 대한 이해는 필수적이다. 식도위경계부 종양의 림프절 전이는 위암과 마찬가지로 종양의 침윤 깊이에 비례한다. 점막층에 국한된 경우 약 5% 이하로 림프절 전이 발생빈도가 낮지만, 점막하층을 침범한 경우 점막 아래에 발달된 림프혈관총(lymphovacular plexus)을 따라서 전이되므로 발생률이 25~30%까지 급격히 증가한다. 식도위경계부 종양은 유형에 따라 림프절 전이 경로가 다르다고 알려져 있다. Siewert 제1형은 식도암의 특성과 같고 흉강내와 복강내로 모두 전파될 수 있으며, 제3형은 위암의 림프절 전파방식을 따라 림프절 전이 방향이 주로 복강내로 향하고, 제2형은 두 아형의 중간적 성격을 띤다(그림 35-4) .

Siewert 제1형의 경우, 좌우 분문부 림프절(1, 2번)과 소만곡 림프절(3번), 상부 종격동 림프절(112번)의 전이 빈도가 비슷하고 상부 종격동의 림프절 전이 빈도도 많게는 약 15%에 이른다. 반면 같은 연구에서 Siewert 2형과 3형의 경우에는 주로 좌우 분문부 림프절과 소만곡부 림프절을 중심으로 총간동맥 림프절 및 복강내로의 림프절 전이를 높게 보이며 제2형의 약 12~15%, 제3형의 약 6%만이 종격동 내로 림프절 전이를 보였다. Pedrazzani 등도 이와 유사한 연구에서 식도위경계부 종양 환자 중 림프절 전이가 관찰된 대부분이 복강내 림프절 전이를 보였으며, 흉곽내 림프절 전이는 제1형의 46.2%, 제2형의 29.5%, 제3형의 9.3%에서 발생하여 각 유형 간에 차이가 크다고 보고하였다.

일본위암학회와 일본식도학회에서 2001~2010년 사이 수행한 전국조사 결과에 의하면, 종양의 중심이 식도위경계부로부터 2 cm 이내에 위치하면서 직경 4 cm 이하인 식도위경계부 종양의 암 침범부위가 주로 복강인 경우, T 병기와 관계없이 종격동 및 열공주변

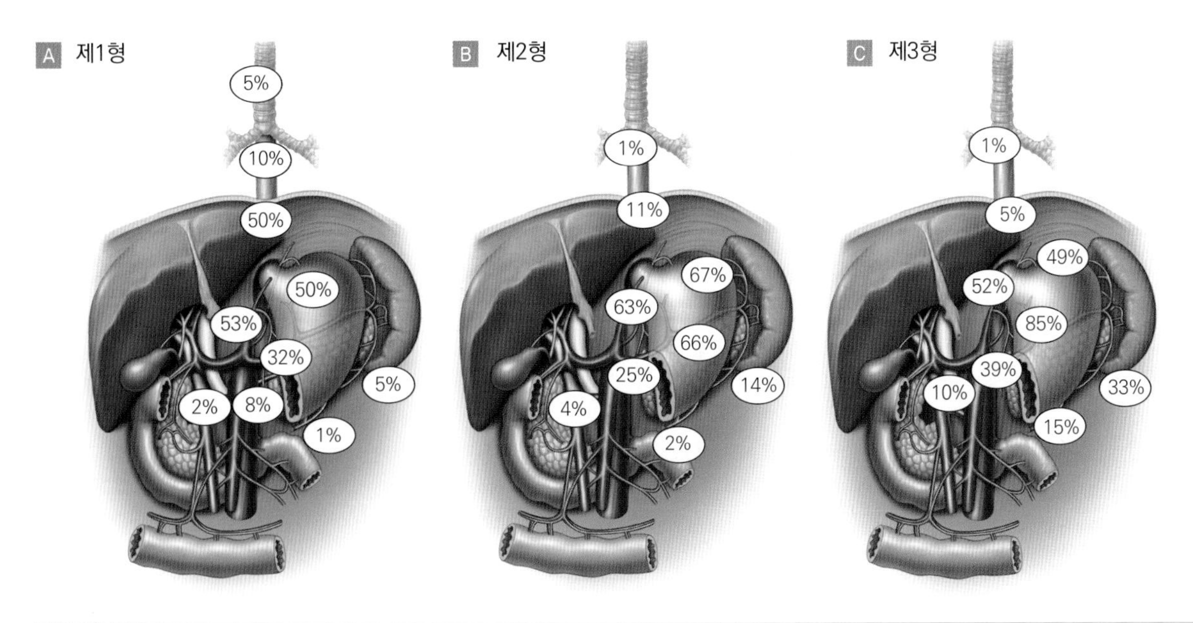

그림 35-4 **식도위경계부 종양의 Siewert 분류에 따른 림프절 전이 양상.**
제1형(A) 식도위경계부 종양의 경우 흉부와 복부 양쪽으로의 림프절 전이가 비슷한 반면, 제2형(B)과 제3형(C)은 주로 복부 림프절로 전이된다.

(parahiatal) 림프절 전이는 0.3~0.8% 이하로 극히 드물었다. 한편, 일반적인 위전절제 시 가장 흔히 전이가 관찰되는 부위인 유문하(6번), 유문상(5번), 대만곡(4d번) 림프절 역시 T 병기와 무관하게 0~0.9%로 매우 낮은 림프절 전이율을 보였다. 일부 연구에 따르면 제2형의 경우, 식도위경계부 종양의 하부식도 침범 길이에 따라 종격동 및 하부 흉곽내 림프절 전이율의 변화가 보고되기도 하였다.

식도위경계부 종양의 각 유형 간 서로 다른 림프절 전이 양상은 식도위경계부 종양 수술 시 적절한 림프절 절제범위를 결정하는 데 중요한 바탕이 된다. 일반적으로 Siewert 제1형에서는 흉부로 접근해 종양을 절제하는 동시에 흉곽내 림프절과 복강내 림프절도 절제하는 광범위 림프절절제술(extensive lymph node dissection, two field lymphadenectomy)을 고려하고, 제3형에 대해서는 복부로 접근해 상부 위암에 준하는 복강내 D2 림프절절제를 시행하게 된다. 그러나, 제2형의 경우 상부 위암에 준하는 D2 복강내 림프절절제를 기본으로 하지만 종격동 및 하부 흉곽내 림프절 절제범위와 접근방법에 대해서는 지속적인 논란이 있다.

일본위암학회에서 제시하고 있는 식도위경계부 종양을 위한 잠정적인 림프절 절제 알고리즘은 그림 35-5와 같다. 이 가이드라인에 따르면 종양이 식도(E) 혹은 위(G) 중 어느 부분을 주로 침범하였는가에 따라 림프절 절제부위가 달라진다. 상부 위암과 달리 식도위경계부 종양에서는 어떤 경우에도 비장문부 림프절절제는 권장되지 않는다. 절제 림프절의 해부학적 구분, 특히 19, 20번 사이 그리고 110, 111, 112번 사이의 경계 구분이 모호하여 실제로는 횡격막열공 림프절(hiatal lymph nodes) 혹은 하부 종격동 림프절로서 각각 통칭하여 다루어지고 있으며, 전절제가 필요한 일반 위암이 식도를 침범한 경우에는 오히려 D1+에 110번, D2에 19, 20, 110, 111번 림프절절제를 권고하고 있어 이 알고리즘의 배경이 된 연구결과와는 다소 상충되는 내용을 담

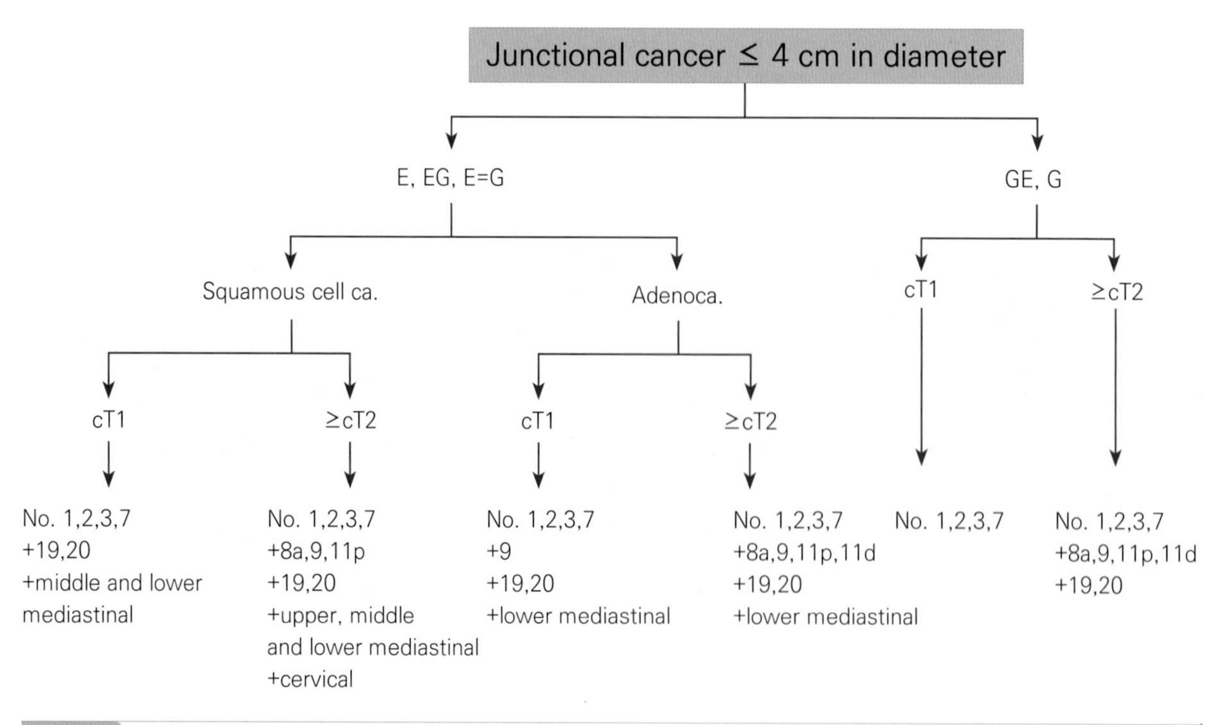

그림 35-5 일본위암학회 가이드라인.

고 있다. 3상 임상연구결과 등 보다 상위 수준의 학술적 근거가 충분히 뒷받침되지 않은 전문가 합의에 기반한(consensus-based) 가이드라인이라는 점에서 해석에 주의를 요한다.

식도위경계부 종양의 림프절 전이를 고려할 때, 흉강과 복강 모두를 아우르는 광범위 림프절절제를 시행할 경우 근치적 절제로 인해 국소재발이 감소하고 생존율이 향상된다고 주장할 수 있지만, 오히려 확대수술로 인한 중증 합병증 및 사망률이 높아질 가능성도 있음을 반드시 함께 고려해야 한다. 특히 Siewert 제2형의 식도위경계부 종양의 수술치료에서 광범위 림프절절제를 포함한 광범위 수술의 유용성에 대해서는 여전히 학술적 근거가 부족한 상태이다. 향후 보다 정확한 종양생물학적 이해를 바탕으로 식도위경계부 종양에서 광범위 림프절절제술의 유용성에 대한 전향적 무작위 임상연구가 요구된다.

5. 식도위경계부 종양의 수술치료

지금까지 식도위경계부 종양은 위암 또는 식도암에 포함되어 치료되어 왔기 때문에, 식도위경계부 종양에 적합한 수술방법을 찾는 연구가 충분하지 않았다. 최근 Siewert 분류를 바탕으로 식도위경계부 종양의 수술치료에 대한 3상 연구들이 나오고 있지만 그 수가 많지 않고 대상 환자가 적어 충분한 결론을 내리기는 어렵다. 식도위경계부 종양의 치료원칙은 종양과 적절한 경계를 두고 식도와 위를 포함한 종양의 완전절제와 주변 림프절을 절제하는 것이다. 수술적 절제를 통한 종양과 주변 림프절의 절제가 식도위경계부 종양의 유일한 근치적 치료방법이며, 근치적 절제는 림프절 전이 여부와 더불어 식도위경계부 종양의 가장 중요한 예후인자이다.

식도는 점막 아래에 발달한 풍부한 림프혈관계를 따라 점막하층 침범과 종양세포의 도약전이(skip metastasis)로 인해 육안적인 종양의 근위단과 조직학적 근위단이 다른 경우가 많다. 따라서 약 10 cm 이상의 근위를 경계로 두는 광범위절제가 일반적으로 시행되어 왔다. 505명의 식도위경계부 종양 환자의 근위부 절제연과 생존율 사이의 상관관계를 조사한 연구에 따르면, 육안적으로 5 cm, 조직학적으로 3.8 cm 정도의 근위부 경계를 확보하면 R0 절제율과 생존율이 향상된다고 보고하였다. 1,602명을 대상으로 한 후향적 연구결과에 따르면 절제연 음성의 경우 5년 생존율은 43.2% 였으나 절제연 양성의 경우 5년 생존율은 11%에 그쳤다.

식도위경계부 종양의 절제범위는 일반적으로 종양의 위치와 수술자의 선호도에 따라 달라지며 다음과 같은 수술이 주로 시행되고 있다. 식도절제 및 위전절제(esophagectomy with total gastrectomy)는 흉부 및 복부 접근을 통해 식도와 위 전체를 절제하고 주로 대장간치술을 이용하여 재건술을 시행하는 방법이며, 공장을 식도에 직접 연결하기도 한다. 식도절제 및 근위부위절제(esophagectomy with proximal gastrectomy)는 흉부 및 복부 접근을 통해 식도와 근위부 위를 절제하고 흉부(Ivor Lewis) 또는 경부(McKeown)에서 식도위문합을 시행한다. Ivor-Lewis 술식과 McKeown 술식을 비교한 메타분석에 따르면 Ivor-Lewis 술식에서 문합부 누출 및 되돌이 후두신경의 손상이 적었다. 위전절제 및 하부식도절제(total gastrectomy with distal esophagectomy)는 주로 복부 접근을 통하여 위 전체와 하부 식도를 절제하고 식도와 공장을 문합하는 방법이다. 식도위경계부 절제(limited resection of gastroesophageal junction)는 복부 접근을 통하여 종양이 있는 식도위경계부만을 제한적으로 절제하고 식도위문합을 시행하는 방법이다.

식도위경계부 종양의 수술적 접근방법은 종양의 위치와 림프절의 절제범위에 따라 다양한데 크게 경흉부 접근법과 경열공 접근법의 두 가지로 나눌 수 있다(표 35-3). 각 접근법에 따라 림프절 절제범위와 식도 절제범위가 다르다. 경흉부 접근법(thoracoabdominal approach, transthoracic approach)은 좌측 또는 우측 흉부를 절개하여 식도와 종격동내 림프절을 절제하고 개복을 통해 위와 복강내 림프절을 절제(two-field lymphadenectomy)하는 방법이다. 식도 절제범위의 제한이 적고 종격동 림프절을 좀 더 광범위하게 절제할 수 있으나, 수술이 어렵고 시간이 많이 소요되며 수술 후 폐 합병증의 빈도가 높다. 우측 개흉은 좌측 개흉에 비하여 식도 절제범위의 제한이 적으며 흉곽 내에서의 시야 확보 및 상부 종격동 림프절절제가 용이하지만, 흉부와 복부 2개의 수술창이 필요하다. 좌측 개흉은 우측 개흉에 비해 식도 절제범위가 제한되고 상부 종격동 림프절절제가 어렵다는 단점이 있으나 복부 절개와 연결(thoracophrenolaparotomy)하여 하나의 수술창으로 수술이 가능하다는 장점이 있다.

경열공 접근법(transhiatal approach)은 복부 접근을 통하여 위절제와 복강내 림프절절제를 시행하고 식도열공(esophageal hiatus)을 절개해 하부식도로 접근하여 식도 및 하부 종격동 림프절을 절제한다. 하나의 수술창으로 수술이 가능하고 시간이 적게 소요되며 폐 합병증 발생이 적다. 그러나 문합이 어렵고 식도 절제 및 종격동 림프절절제가 제한된다는 단점이 있다. 최근 흉강경이나 복강경을 이용한 최소침습수술이 시행되고 있다. 흉강경-복강경을 이용한 수술의 초기 결과는 개흉-개복수술의 결과와 유사하며, 통증과 재원기간을 줄이는 장점이 있다. 특히 경열공 접근법을 통한 하부식도 절제 및 종격동 림프절절제에 있어서 복강경수술은 개복수술보다 충분한 시야를 확보할 수 있다.

6. 각 유형에 따른 수술방법

1) 제1형

제1형 식도위경계부 종양에는 식도암에 준하여 일반적으로 식도부분절제 및 근위부위절제(subtotal esophagectomy with proximal gastrectomy)를 시행한다. 이에 대한 접근방법으로 경흉부 접근법과 경열공 접근법 중 어느 것이 더 우수한지에 대해 여러 연구가 있었다. 여러 후향적 연구들이 경열공 접근법보다는 경흉부 접근법을 통한 광범위 림프절절제가 국소 치료효과와 생존율이 더 좋다고 보고하고 있지만, 경흉부 접근법의 합병증과 사망률이 높아 생존율 향상에 이득이 없다고 보고한 연구들도 있었다. 경흉부 접근법과 경열공 접근법으로 수술을 받은 식도위경계부 종양 환자

표 35-3. 수술적 접근 방법에 따른 장단점

	우측 경흉부 접근법 (Rt. transthoracic approach)	좌측 흉복부 접근법 (Lt. thoracoabdominal approach)	경열공 접근법 (Transhiatal approach)
장점	1. 상부 종격동 림프절절제 가능 2. 충분한 근위절제연 확보	1. 열공부의 수술적 접근이 용이 2. 수술중 체위 변경 불필요 3. 충분한 근위절제연 확보	1. 개흉에 의한 통증이 없다 2. 수술중 체위 변경 불필요
단점	1. 개흉에 의한 통증 2. 수술중 체위 변경 필요	1. 상부, 중부 종격동 림프절의 불완전 절제 2. 개흉에 의한 통증	1. 상부, 중부 종격동 림프절절제가 불가능 2. 개복수술 시 하부 종격동의 시야 확보가 어려움 3. 충분한 근위절제연 확보의 어려움
절제 가능한 종격동 림프절	105, 106recL/R, 107, 108, 109L/R, 110, 111, 112	107, 108, 109L, 110, 111, 112	110, 111, 112

7,527명, 총 50개의 전향적 · 후향적 연구에 대한 메타 분석에 따르면, 경흉부 접근법과 경열공 접근법은 수술 후 합병증 발생률 면에서 서로 유의한 차이가 없었다. 그러나 경흉부 접근법은 수술 중 출혈 발생률과 입원 중 사망률이 높고 중환자실 재원기간이 길며, 장기 추적관찰 결과 3년 생존율(25.0% vs. 26.7%, RR 0.94, 95% CI 0.83~1.07) 및 5년 생존율(23.0% vs. 21.7%, RR 1.06, 95% CI 0.96~1.18)이 경열공 접근법과 비교해 차이가 없어, 연구자들은 경흉부 접근법이 특별한 이점이 없다고 보고하였다. 그러나 전향적 무작위 비교연구의 수가 3개에 불과한 데다, 수술범위는 고려하지 않고 수술접근법만 비교한 분석이어서 정확한 결론을 내기에는 부족하다는 지적을 받았다. 이후 대규모 환자를 대상으로 한 다기관 전향적 무작위 비교연구가 네덜란드에서 시행되었다. 이들은 제1형과 제2형 식도위경계부 종양 환자 220명에게 경흉부 접근법을 통한 광범위 림프절절제술과 경열공 접근법을 통한 제한적 절제술을 무작위 배정해 시행한 후 두 술식을 비교하였다.

경흉부 접근법은 경열공 접근법에 비해 수술 후 합병증 발생률이 높았으나 수술 후 사망률에는 차이가 없었고, 5년 생존율에 차이가 나타났다(39% vs. 29%). 또한 Sauvanet 등은 프랑스의 여러 기관에서 1985~2000년 수술을 받은 식도위경계부 종양 환자 1,192명을 대상으로 술후 합병증과 예후인자를 분석한 대규모 후향적 연구를 실시한 결과, 경흉부 접근법은 경열공 접근법과 비교해 합병증 및 사망률이 높지 않다고 보고하였다.

서구에서는 제1형 식도위경계부 종양에 경흉부 접근법을 통한 식도위절제와 광범위 림프절절제술(two field lymphadenectomy)을 점차 일반적인 수술방법으로 적용하고 있다. 그러나 3상 연구가 아직 많지 않고, 대상 환자가 적으며, 대부분 후향적 연구라는 점에서 더 많은 환자를 대상으로 한 전향적 연구가 필요하다.

2) 제2형

제2형은 세 유형 중 적절한 수술방법에 대하여 가장 이견이 많은 아형이다. 이는 Siewert 분류 특성상 제2형이 하부식도 선암과 상부 위암의 중간적 성격을 가지고 있기 때문이다. 일부에서 경흉부 접근법을 통한 광범위 림프절절제술을 시행한 결과, 문합부 재발이나 치명적 합병증의 발생이 감소했다고 보고하기는 했지만, 이후에 나온 연구들은 대부분 경열공 접근법을 통해 위와 식도를 절제하는 방법이 합병증 및 사망률을 낮추고 생존율 또한 경흉부 접근법을 적용했을 때와 유사하다고 보고하였다. Hulscher 등이 실시한 다기관 전향적 무작위 비교연구의 세부분석결과에 따르면, 제1형이 경흉부 접근법으로 생존율이 향상된 반면 제2형은 경흉부 접근법으로 생존율이 향상되지 않았다.

Siewert 등 역시 대규모 후향적 연구에서 제2형 환자에게는 경흉부 접근법이 경열공 접근법에 비하여 생존율의 이득이 없는 반면, 수술 관련 합병증 때문에 사망률이 증가하고 술후 삶의 질이 저하되므로 제2형에서는 경열공 접근법을 통한 위전절제술과 제2군 림프절절제술을 기본으로 하고 원위부 식도 및 하부 종격동 림프절은 식도열공을 박리해 충분히 절제할 수 있다고 보고하였다. 일본에서 시행된 제2, 3형 환자 167명을 대상으로 좌측 흉복부 접근법(left thoracoabdominal approach)과 경열공 접근법을 비교한 다기관 전향적 무작위 비교연구(JCOG 9502)에 따르면 좌측 흉복부 접근법은 경열공 접근법과 비교해 전체적인 수술 후 합병증 발생률에 의미 있는 차이가 없었으나(49% vs. 34%, p=0.06), 수술 후 폐 합병증의 빈도가 유의하게 높았고 (13% vs. 4%, p=0.05) 5년 생존율도 향상시키지 못하였다(HR 1.36, 95% CI 0.89~2.08, p=0.92). 최근 242명의 제2형 식도위경계부 종양을 대상으로 경흉부 접근법과 경열공 접근법을 비교한 후향적 연구가 보고되었다. 수술 후 합병증 발생률 및 사망률에는 차이가 없었으나, 경흉부 접근법에서 중간 생존기간이 유의하게 길게 관찰되었다. 하지만 70세 이상 환자군에서 경흉부 접근법이 적게 시행되어 선택 편향을 배제하기는 어렵다.

315명의 제2형 환자를 대상으로 한 연구에 따르면, 하부식도를 2 cm 이상 침범한 경우 하부 종격동 림프절 전이가 유의하게 높았으며, 3 cm 이상 침범했을 경우에는 중부 및 상부 종격동 림프절 전이가 유의하게 높았다. 따라서 식도 침범이 3 cm 이상인 경우에는 중부 및 상부 종격동 림프절을 절제하는 것을 권하였다. 식도위경계부 2 cm 이내의 직경 4 cm 이하의 종양에서 복강내 림프절 전이 분포에 대한 연구에 따르면, 주로 좌·우 분문부, 소만곡, 좌위동맥 근처로 림프절 전이가 나타났으며, 원위부 위 주변에서는 거의 관찰되지 않았다. 따라서 제2형에서 4sa, 4sb, 4d, 5, 6번의 림프절절제는 불필요하지만, 종양이 식도위경계부에서 5 cm 이상 원위부로 침범된 경우에는 대만곡부와 유문부 림프절의 전이 가능성이 있기 때문에 위전절제술이 필요하다고 보고하였다. 하지만 지금까지 종격동 및 복강내 림프절 전이에 대한 전향적 연구는 없는 상태이다.

현재까지 연구결과를 바탕으로 제2형 식도위경계부 종양에는 경열공 접근법을 통한 위절제 및 하부식도 절제가 일반적인 술식으로 받아들여지고 있으며, 경열공 접근법을 통해서 충분한 절제연을 얻을 수 없는 경우에 한하여 제한적으로 경흉부 접근법을 통한 식도절제술을 시행하고 있다. 일본위암학회 가이드라인은 원위부 식도의 침범이 3 cm 이내인 경우에는 하부 종격동 림프절절제를 포함한 경열공 접근법을 권고하고 있다.

3) 제3형

분문하 위암에는 일반적으로 상부 위암에 준하는 수술을 시행한다는 데 대해서는 별다른 이견이 없다. 대만부를 침범하지 않은 진행 위암에서 비장 절제군과 비절제군을 비교한 전향적 무작위 연구결과에 따르면, 비장절제군에서 합병증 발생 및 출혈량이 많았으나, 두 군간에 생존율의 차이는 관찰되지 않았다. 따라서 육안적으로 림프절 전이가 보이지 않는 상부 위암 환자에게 일괄적으로 D2 림프절절제를 위한 비장 절제는 시행하지 않는다. 제3형 식도위경계부 종양 환자에서는 위전절제술 및 D2 림프절절제술과, 필요하면 종양 절제연을 확보하기 위하여 경열공 접근법을 통한 하부식도 절제술을 시행한다. 정리하면 식도위경계부 종양의 Siewert 아형에 따른 수술방법은 다음과 같다(표 35-4).

7. 재건법의 선택

재건이 이루어지는 길에는 피하, 흉골하, 그리고 후종격 등이 있다. 이들 중 후종격로가 위에서 경부식도로 올라가는 가장 짧은 길이며 흔히 사용된다. 그러나 후종격 내에 심한 유착이 있거나 잔존 종양이 있는 경우에는 흉골하로를 이용하게 된다. 피하로는 미용과 기능적인 면에서 문제가 있으며 훨씬 긴 통로를 요하기 때문에 가급적 이용하지 않는 것이 좋다.

식도위경계부 종양 절제 시 일반적으로 가장 많이 이용하는 재건법은 위관(gastric tube)을 이용한 식도위문합술(esophagogastrostomy)이다. 위관을 이용한 문합술은 시술이 용이하고 문합이 쉬우며 남은 위관 내로 혈류가 양호하게 공급된다는 장점이 있다. 일반적으로 위관을 이용한 재건법에서는 유문성형술(pyloroplasty)을 같이 시행한다. 일부에서는 유문성형술을 하지 않아도 위배출지연(delayed gastric emptying)이나 위식도역류(gastroesophageal reflux)가 생기지 않는다고 보고했지만, 메타분석에 따르면 유문성형술이 식도 절제 후 위배출지연을 감소시키므로 식도절제술 후에 유문성형술을 시행하도록 권고하고 있다. 위관을 이용한 위식도문합 시 가장 문제가 되는 것은 위식도역류인데 문합의 위치가 낮을수록, 위관의 내강이 넓을수록 위식도역류가 심하다. 따라서 대부분의 술자들은 위식도문합을 가능한 한 상부흉곽에서 시행하며(high intrathoracic anastomosis), 일부에서는 경부 문합(cervical anasto-

표 35-4. **cT2-4 식도위경계부 종양의 Siewert 아형에 따른 수술방법**

	제1형	제2형		제3형
		식도침범>3 cm	식도침범<3 cm	
접근방법	우측 경흉부 접근법	우측 경흉부 접근법	경열공 접근법	경열공 접근법
위절제 방법	위 부분절제 또는 근위부 위절제	위 부분절제 또는 근위부 위절제 원위부 위침범 정도에 따라 위전절제		위전절제
종격동 림프절절제	상부, 중부, 하부	상부, 중부, 하부	하부	하부
복강 림프절절제	1, 2, 3a, 7, 19, 20	1, 2, 3a, 7, 8a, 9, 11p, 19, 20		1, 2, 3, 4sa, 4sb, 4d, 7, 8a, 9, 11p, 19, 20

mosis)을 시행하기도 한다.

경부 문합은 시술이 어렵고 문합부 부전이 흉곽내 문합보다 다소 높다는 단점이 있으나, 문합부 부전 시 관리가 쉽고 치명적인 합병증을 피할 수 있다는 것이 장점이다. 위 전체를 절제하거나 위관을 이용할 수 없을 때 대장을 이용한 간치술이 많이 시행된다. 좌결장 동맥의 상행 분지를 보존하여 시행하며, 세 군데의 문합이 필요하고 대장을 박리하는 데 시간이 많이 걸린다는 단점이 있으나 문합부 유출이나 협착이 위관을 이용한 문합에 비해 적다는 보고가 많다. 위 전절제 및 하부 식도를 절제할 때는 문합의 위치가 높지 않아 문합부의 긴장 없이 연결할 수 있으므로 루와이 식도공장문합술을 일차적으로 선택한다.

8. 조기 식도위경계부 종양의 치료

고등급 이형성(high grade dysplasia)의 경우에는 림프절 전이가 거의 없으며, 점막층을 침범한 조기 식도위경계부 종양의 경우 림프절 전이가 5% 이하로 극히 드물다. 이러한 경우 비침습적 치료로 내시경레이저 소작술(endoscopic laser ablation), 광역학요법(photodynamic therapy), 내시경점막절제술(endoscopic mucosal resection)과 같은 치료를 시도할 수 있다. 이 중 내시경점막절제술은 고등급 이형성 또는 점막암에 대하여 저자에 따라 5년 생존율을 90~100%까지 보고하고 있다. 그러나 일부에서는 내시경점막절제술 후 재발률이 25~30%에 이르므로 조기암에 대한 수술치료로 식도위경계부만을 부분적으로 절제하는 제한적 절제나 미주신경을 보전하여 수술 후 생리적 기능을 보존하는 미주신경보존 식도절제술(vagus nerve preserving esophagectomy)을 시행하기도 한다.

조기암에 대한 비침습적 치료가 실용화되려면 향후 더 많은 비교 연구와 장기 추적관찰이 필요하며, 적용 가능한 점막암 환자를 정확히 진단하는 것이 중요하다.

9. 항암화학요법 및 방사선치료

위암 및 식도위경계부 종양에서 항암화학요법 및 항암방사선치료에 대한 평가를 위한 두 건의 무작위 전향연구가 1990년대 후반에 서양에서 시행되었다. 첫 번째는 수술 후 플루오우라실(5-fluorouracil), 로이코보린(leucovorin)을 이용한 항암방사선치료군과 수술 단독군을 비교한 Intergroup 0116 연구로, 항암방사선치료군에서 3년 생존율이 향상되었으나(50% vs. 41%, p=0.005), 90%의 환자에서 불충분한 림프절절제(D0 or D1)가 시행되었다는 점이 지적된다. 두 번째는 영국에서 2기 이상의 위암 및 하부식도암 환자 503명을 대상으로, 플루오우라실, 시스플라틴(cisplatin), 에피루비신(epirubicin)을 이용한 수술 전후 항암화학요법군과 수술 단독군을 비교한 MAGIC 연구이다. 수술 전후 항암화학요법군의 5년 생존율이 수술 단독군의 생존율보다 유의하게 높았으나(36.3% vs. 23.0%, p=0.009), 이 연구 역시 많은 수의 환자들에서 불충분한 림프절절제(D0 or D1)가 시행되었고 수술 단독군의 5년 생존율이 25%로 비슷한 병기와 비교해 볼 때 한국과 일본에 비해 현저히 낮았다.

식도 및 식도위경계부 종양에서 카보플라틴(carboplatin)과 파클리탁셀(paclitaxel)을 이용한 수술 전 항암방사선치료에 대한 무작위 전향연구(Dutch CROSS)가 2000년대에 들어 시행되었고, 363명의 환자를 항암방사선치료 후 수술군 및 수술 단독군에 무작위 배정하였다. 수술 전 항암방사선치료군에서 R0 절제율이 23% 정도 높았으며, 병리학적 완전 관해율이 29%에 달했다. 5년 생존율은 수술 전 항암방사선치료군에서 유의하게 높았다(47% vs. 34%, p=0.003). 비록 편평상피암에서 가장 뚜렷한 생존율의 향상을 보이기는 했지만, 식도 및 식도위경계부 선암에서도 유의한 생존율의 향상이 관찰되었다(HR: 0.453-편평상피암, 0.732-선암). 수술 전 항암방사선치료에 대한 12개의 무작위 전향연구에 대한 메타분석에 따르면, 항암방사선치료군에서 생존율 향상이 유의하게 관찰되었다. 수술 전 항암화학요법군과 항암방사선치료군에 대한 비교를 위해, 식도위경계부 선암에서 수술 전 플루오우라실, 시스플라틴, 로이코보린을 이용한 항암화학요법군과 방사선치료를 추가한 항암방사선치료군을 비교하는 POET 연구가 유럽에서 시행되었다. 수술 전 항암방사선치료군에서 병리학적 완전 관해율 및 3년 생존율이 높게 관찰되었으나 통계적으로 유의하지는 않았으며 수술 후 사망률이 높게 관찰되었다. 이 연구는 조기에 종료되어 결과의 해석에 논란이 있다.

서양에서는 이들 연구결과에 따라 절제 가능한 식도 및 식도위경계부 종양에서 수술 전후 항암화학요법 또는 수술 전 항암방사선치료가 시행되고 있다. 하지만 지금까지 시행된 많은 연구들은 식도위경계부 종양뿐 아니라 식도암 및 위암을 포함하고 있고, 또한 식도암의 경우 상피세포암 및 선암을 모두 포함하는 경우가 있어서 해석에 주의를 요한다.

아시아권에서는 절제 가능한 위암 및 식도위경계부 종양에서 근치적 절제술 후 보조항암화학요법에 대한 두 개의 대규모 무작위 전향연구가 시행되었다. 첫 번째는 일본에서 시행된 ACTS-GC 연구로, D2 림프절절제를 동반한 근치적 절제술 후 1년간 S-1 보조항암화학요법을 시행한 군과 수술 단독군을 비교하였으며, 수술 후 보조항암화학요법을 시행한 군에서 5년 생존율이 유의하게 높았다(71.7% vs. 61.1%, p=0.003). 두 번째는 한국, 중국, 대만이 참여한 CLASSIC 연구로, D2 림프절절제를 동반한 근치적 절제술 시행 후 6개월간 카페시타빈(capecitabine), 옥살리플라틴(oxalipaltin) 보조항암화학요법을 시행한 군과 수술 단독군을 비교하였다. 보조항암화학요법을 시행한 군의 5년 무병생존율은 68%로 수술 단독군의 53%보다 유의하게 높은 결과를 보였다. 두 개의 연구 모두 수술 후 항암화학요법 군에서 생존율이 향상되었다. 동양에서는 이들 연구결과에 따라 2, 3기 위암 및 식도위경계부 종양에서 수술 후 보조항암화학요법이 표준치료가 되었다. 하지만 식도위경계부 종양의 비율이 적었기 때문에, 위암과 생물학적 특성이 다른 식도위경계부 종양에 적용 가능한가에 대해서는 확실치 않다.

수술 후 항암화학요법군과 항암방사선치료군을 비교하는 ARTIST 연구가 한국에서 시행되었다. 위암 및 식도위경계부 종양에서 D2 림프절절제를 동반한 근치적 절제술 후 항암화학요법을 시행한 군과 항암방사선치료를 시행한 군을 비교하였으며 두 군 간 유의한 생존율의 차이는 관찰되지 않았다(74.2% vs. 78.2%, p=0.086). 하지만 하위집단 분석에서 림프절 전이가 있는 군에서는 3년 무병생존율의 유의한 증가가 있음이 관찰되었다(77.5% vs. 72.3%, p=0.0365). 이는 아직 이론의 여지는 있지만 광범위 림프절절제에 익숙한 동양에서는, 항암방사선치료가 효과적이지 않음을 시사한다.

10. 식도위경계부 종양의 예후

식도위경계부 종양의 예후에 영향을 미치는 가장 중요한 인자는 효과적인 림프절절제를 포함한 근치적 절제 여부임에는 이견이 없다. 국내 발표된 보고에 따르면 식도위경계부 종양 환자의 전체 5년 생존율은 약 79.5%이며 제2형와 제3형 간에 차이는 없다. 서구의 경우 5년 생존율은 약 30%이며, 제1형이 제3형에 비하여 생존율이 유의하게 높고 제2형은 중간 정도이다. 하지만 식도위경계부 종양의 Siewert 아형의 비율, 병기, 치료방침 등의 차이로 인하여 해석에 주의를 요한다. 식도에서 기원하는 제1형과 위에서 기원하는 제3형 간의 서로 다른 병태생리학적 특성으로 예후의 차이를 일부분 설명할 수 있지만, 제1형이 제3형에 비하여 상대적으로 조기에 발견되는 경우가 많고 다변량 분석에서 종양의 림프절 전이와 근치적 절제만이 유의한 예후인자로 분석되었기 때문에, 예후의 차이가 각 유형 간의 서로 다른 생물학적 특성 때문이라고 단정짓기는 어렵다. 특히 제2형의 경우 아직도 수술 접근방법부터 적절한 림프절 절제범위에 대한 논란이 지속되고 있어 향후 치료법의 변화에 따라 식도위경계부 종양의 예후는 유의하게 영향을 받을 수 있다.

11. 요약

식도위경계부 종양은 국소 해부학적 분류에 근거한 정의와 분류가 흔히 사용되어 왔으나, 해부학적 특성 및 병태생리학적 특성상 여전히 위암 또는 식도암의 일부로 분류되어야 하는가에 대한 논란이 남아있다. Siewert 제1형에 대하여 경흉부 접근법을 통한 위식도 절제를 시행하며 제3형에는 경열공 접근법을 통한 위 전절제를 먼저 고려하지만, 제2형 식도위경계부 종양의 경우 림프절 절제범위를 포함한 적절한 수술치료법에 대해서는 아직도 이견이 있다. 다만 일본위암학회 가이드라인은 원위부 식도의 침범이 3 cm 이내인 경우에는 하부 종격동 림프절절제를 포함한 경열공 접근법을 권고하고 있다. 서구와 다른 뚜렷한 역학적 특성을 고려할 때, 국내에서 발생하는 식도위경계부 종양의 병태생리학적 특징에 대한 보다 깊은 이해와 더불어 체계적인 임상연구를 통해 최선의 분류, 치료법을 찾아야 할 것이다.

참고문헌

1. Amenabar A, Hoppo T, Jobe BA. Surgical management of gastroesophageal junction tumors. Semin Radiat Oncol 2013;23:16-23.
2. Amin MB, Edge S, Frederick Greene DRB, et al. AJCC Cancer Staging Manual. 8th ed. New York, NY: Springer International Publishing, 2017.
3. Bai J, Lv Y, Dang C. Adenocarcinoma of the esophagogastric junction in China according to Siewert's classification. Jpn J Clin Oncol 2006;36:364-367.
4. Bang YJ, Kim YW, Yang HK, et al. Adjuvant capecitabine and oxaliplatin for gastric cancer after D2 gastrectomy (CLASSIC): a phase 3 open-label, randomised controlled trial. Lancet 2012;379:315-321.
5. Barbour AP, Rizk NP, Gonen M, et al. Adenocarcinoma of the gastroesophageal junction: influence of esophageal resection margin and operative approach on outcome. Ann Surg 2007;246:1-8.
6. Blank S, Schmidt T, Heger P, et al. Surgical strategies in true adenocarcinoma of the esophagogastric junction (AEG II): thoracoabdominal or abdominal approach? Gastric Cancer 2018;21:303-314.
7. Blot WJ, Devesa SS, Kneller RW, et al. Rising incidence of adenocarcinoma of the esophagus and gastric cardia. JAMA 1991;265:1287-1289.
8. Briel JW, Tamhankar AP, Hagen JA, et al. Prevalence and risk factor for ischemia, leak, and stricture of esophageal anastomosis: gastric pull-up versus colon interposition. J Am Coll Surg 2004;198:536-541.
9. Briez N, Piessen G, Bonnetain F, et al. Open versus laparoscopically-assisted oesophagectomy for cancer: a multicentre randomised controlled phase III trial—the MIRO trial. BMC Cancer 2011;11:310.
10. Chevallay M, Bollschweiler E, Chandramohan SM. Cancer of the gastroesophageal junction: a diagnosis, classification, and management review. Ann N Y Acad Sci 2018;1434:132-138.
11. Chow WH, Blaser MJ, Blot WJ, et al. An inverse relation between cagA+ strains of *Helicobacter pylori* infection and risk of esophageal and gastric cardia adenocarcinoma. Cancer Res 1998;58:588-590.
12. Chung JW, Lee GH, Choi KS, et al. Unchanging trend of esophagogastric junction adenocarcinoma in Korea: experience at a single institution based on Siewert's classification. Dis Esophagus 2009;22:676-681.
13. Cohen DJ, Leichman L. Controversies in the treatment of local and locally advanced gastric and esophageal cancers. J Clin Oncol 2015;33:1754-1759.
14. Cunningham D, Allum WH, Stenning SP, et al. Perioperative chemotherapy versus surgery alone for resectable gastroesophageal cancer. N Engl J Med 2006;355:11-20.
15. DeMeester SR. Adenocarcinoma of the esophagus and cardia: a review of the disease and its treatment. Ann Surg Oncol 2006;13:12-30.
16. De Manzoni G, Pedrazzani C, Pasini F, et al. Results of surgical treatment of adenocarcinoma of the gastric cardia. Ann Thorac Surg 2002;73:1035-1040.
17. Devesa SS, Blot WJ, Fraumeni JF, Jr. Changing patterns in the incidence of esophageal and gastric carcinoma in the United States. Cancer 1998;83:2049-2053.
18. Edge S, Byrd D, Carducci M, et al. AJCC cancer staging manual. 7th ed. New York, NY: Springer, 2010.
19. Feith M, Stein HJ, Siewert JR. Adenocarcinoma of the esophagogastric junction: surgical therapy based on 1602 consecutive resected patients. Surg Oncol Clin N Am 2006;15:751-764.
20. Furukawa H, Hiratsuka M, Imaoka S, et al. Limited surgery for early gastric cancer in cardia. Ann Surg Oncol 1998;5:338-341.
21. Gee DW, Rattner DW. Management of gastroesophageal tumors. The oncologist 2007;12:175-185.
22. Gertler R, Stein HJ, Loos M, et al. How to classify adenocarcinomas of the esophagogastric junction: as esophageal or gastric cancer? Am J Surg Pathol

2011;35:1512-1522.

23. Harrison LE, Karpeh MS, Brennan MF. Proximal gastric cancers resected via a transabdominal only approach: results and comparison to distal adenocarcinoma of the stomach. Ann Surg 1997;225:678-683.
24. Hasegawa S, Yoshikawa T, Cho H, et al. Is adenocarcinoma of the esophagogastric junction different between Japan and Western countries? The incidence and clinicopathological features at a Japanese High-Volume Cancer Center. World J Surg 2009;33:95-103.
25. Huang Q, Shi J, Feng A, et al. Gastric cardiac carcinomas involving the esophagus are more adequately staged as gastric cancers by the 7th edition of the American Joint Commission on cancer staging system. Mod Pathol 2011;24:138-146.
26. Hulscher JB, Tijssen JG, Obertop H, et al. Transthoracic versus transhiatal resection for carcinoma of the esophagus: A meta-analysis. Ann Thorac Surg 2001;72:306-313.
27. Hulscher JB, van Sandick JW, de Boer AG, et al. Extended transthoracic resection compared with limited transhiatal resection for adenocarcinoma of the esophagus. N Engl J Med 2002;21:1662-1669.
28. Hulscher JB, van Landschot JJ. Individualized surgical treatment of patients with an adenocarcinoma of the distal esophagus or gastro-esophageal junction. Dig Surg 2005;22:130-134.
29. Information Committee of Korean Gastric Cancer Association. Korean Gastric Cancer Association Nationwide Survey on Gastric Cancer in 2014. J Gastric Cancer 2016:131-140.
30. Japanese Gastric Cancer Association. Japanese classification of gastric carcinoma: 3rd English edition. Gastric cancer 2011;14:97-100.
31. Japanese Gastric Cancer Association. Japanese gastric cancer treatment guidelines 2014 (ver. 4). Gastric Cancer. Springer Japan, 2017:1-19.
32. Jonansson J, DeMeester SR, Hagen JA, et al. En bloc vs transhiatal esophagectomy for stage T3N1 adenocarcinoma of the distal esophagus. Arch Surg 2004;139:627-631.
33. Jikke MT, Lagarde SM, Hulscher JB. Extended transthoracic resection compared with limited transhiatal resection for adenocarcinoma of the mid/distal esophagus. Ann Surg 2007;246:992-1001.
34. Kamangar F, Dawsey SM, Blaser MJ, et al. Opposing risks of gastric cardia and noncardia gastric adenocarcinomas associated with *Helicobacter pylori* seropositivity. J Natl Cancer Inst 2006;98:1445-1452.
35. Kleinberg L, Brock M, Gibson M. Management of locally advanced adenocarcinoma of the esophagus and gastroesophageal junction: finally a consensus. Curr Treat Options Oncol 2015;16:35.
36. Kodera Y, Yamamura Y, Shimizu Y, et al. Adenocarcinoma of the gastroesophageal junction in Japan: relevance of Siewert's classification applied to 177 cases resected at a single institution. J Am Coll Surg 1999;189:594-601.
37. Kurokawa Y, Hiki N, Yoshikawa T, et al. Mediastinal lymph node metastasis and recurrence in adenocarcinoma of the esophagogastric junction. Surgery 2015;157:551-555.
38. Kusano C, Gotoda T, Khor CJ, et al. Changing trends in the proportion of adenocarcinoma of the esophagogastric junction in a large tertiary referral center in Japan. J Gastroenterol Hepatol: Blackwell Publishing Asia, 2008:1662-1665.
39. Lagergren J, Bergstrom R, Lindgren A, et al. Symptomatic gastroesophageal reflux as a risk factor for esophageal adenocarcinoma. N Engl J Med 1999;340:825.
40. Lee J, Lim do H, Kim S, et al. Phase III trial comparing capecitabine plus cisplatin versus capecitabine plus cisplatin with concurrent capecitabine radiotherapy in completely resected gastric cancer with D2 lymph node dissection: the ARTIST trial. J Clin Oncol 2012;30:268-273.
41. Lerut T, Coosemans W, Decker G, et al. Anastomotic

complications after esophagectomy. Dig Surg 2002;19: 92-98.
42. Liu K, Yang K, Zhang W, et al. Changes of esophagogastric junctional adenocarcinoma and gastroesophageal reflux disease among surgical patients during 1988–2012. Ann Surg 2016:88-95.
43. Ludwig DJ, Thirlby RC, Low DE. A prospective evaluation of dietary status and symptoms after near total esophagectomy without gastric emptying procedure. Am J Surg 2001;181:454-458.
44. Macdonald JS, Smalley SR, Benedetti J, et al. Chemoradiotherapy after surgery compared with surgery alone for adenocarcinoma of the stomach or gastroesophageal junction. N Engl J Med 2001;345:725-730.
45. Maish MS, DeMeester SR. Endoscopic mucosal resection as a staging technique to determine the depth of invasion of esophageal adenocarcinoma. Ann Thorac Surg 2004;78:1777-1782.
46. Mariette C, Castel B, Toursel H, et al. Surgical management of and long-term survival after adenocarcinoma of the cardia. Br J Surg 2002;89:1156-1163.
47. Mullen JT, Kwak EL, Hong TS. What's the best way to treat GE junction tumors? approach like gastric cancer. Ann Surg Oncol 2016;23:3780-3785.
48. Noh SH, Park SR, Yang HK, et al. Adjuvant capecitabine plus oxaliplatin for gastric cancer after D2 gastrectomy (CLASSIC): 5-year follow-up of an open-label, randomised phase 3 trial. Lancet Oncol 2014;15:1389-1396.
49. Okereke IC. Management of gastroesophageal junction tumors. Surg Clin North Am 2017;97:265-275.
50. Omloo JM, Lagarde SM, Hulscher JB, et al. Extended transthoracic resection compared with limited transhiatal resection for adenocarcinoma of the mid/distal esophagus: five-year survival of a randomized clinical trial. Ann Surg 2007;246:992-1000.
51. Pedrazzani C, de Manzoni G, Marrelli D, et al. Lymph node involvement in advanced gastroesophageal junction adenocarcinoma. J Thorac Cardiovasc Surg 2007;134:378-385.
52. Pohl H, Welch HG. The role of overdiagnosis and reclassification in the marked increase of esophageal adenocarcinoma incidence. J Natl Cancer Inst 2005;97: 142-146.
53. Rice TW, Patil DT, Blackstone EH. 8th edition AJCC/UICC staging of cancers of the esophagus and esophagogastric junction: application to clinical practice. Ann Cardiothorac Surg 2017;6:119-130.
54. Sakuramoto S, Sasako M, Yamaguchi T, et al. Adjuvant chemotherapy for gastric cancer with S-1, an oral fluoropyrimidine. N Engl J Med 2007;357:1810-1820.
55. Sano T, Sasako M, Mizusawa J, et al. Randomized controlled trial to evaluate splenectomy in total gastrectomy for proximal gastric carcinoma. Ann Surg 2017;265:277-283.
56. Sasako M, Sakuramoto S, Katai H, et al. Five-year outcomes of a randomized phase III trial comparing adjuvant chemotherapy with S-1 versus surgery alone in stage II or III gastric cancer. J Clin Oncol 2011;29: 4387-4393.
57. Sasako M, Sano T, Yamamoto S, et al. Left thoracoabdominal approach versus abdominal-transhiatal approach for gastric cancer of the cardia or subcardia: a randomised controlled trial. Lancet Oncol 2006;7: 644-651.
58. Siewert JR, Stein HJ. Classification of adenocarcinoma of the oesophagogastric junction. Br J Surg 1998;85:1457-1459.
59. Siewert JR, Feith M. Adenocarcinoma of the esophagogastric junction: competition between Barrett and gastric cancer. J Am Coll Surg 2007;205:49-53.
60. Siewert JR, Feith M, Stein HJ. Biologic and clinical variations of adenocarcinoma at the esophago-gastric junction: relevance of a topographic-anatomic subclassification. J Surg Oncol 2005;90:139-146.
61. Spechler SJ. Intestinal metaplasia at the gastroesophageal junction. Gastroenterology 2004;126:567-575.
62. Suh YS, Han DS, Kong SH, et al. Should adenocarci-

noma of the esophagogastric junction be classified as esophageal cancer? A comparative analysis according to the seventh AJCC TNM classification. Ann Surg 2012;255:908-915.
63. Stahl M, Walz MK, Stuschke M, et al. Phase III comparison of preoperative chemotherapy compared with chemoradiotherapy in patients with locally advanced adenocarcinoma of the esophagogastric junction. J Clin Oncol 2009;27:851-856.
64. Takiguchi S, Miyazaki Y, Shinno N, et al. Laparoscopic mediastinal dissection via an open left diaphragm approach for advanced Siewert type II adenocarcinoma. Surg Today 2016;46:129-134.
65. Urschel JD, Blewett CJ, Young JE, et al. Pyloric drainage (pyloroplasty) or no drainage in gastric reconstruction after esophagectomy: a meta-analysis of randomized controlled trials. Dig Surg 2002;19:160-164.
66. van Hagen P, Hulshof MC, van Lanschot JJ, et al. Preoperative chemoradiotherapy for esophageal or junctional cancer. N Engl J Med 2012;366:2074-2084.
67. von Rahden BH, Stein HJ, Siewert JR. Surgical management of esophagogastric junction tumors. World J Gastroenterol 2006;12:6608-6613.
68. Vrouenraets BC, van Lanschot JJ. Extent of surgical resection for esophageal and gastroesophageal junction adenocarcinomas. Surg Oncol Clin N Am. 2006;15:781-791.
69. Wijnhoven B, Siersema P, Hop W, et al. Adenocarcinomas of the distal oesophagus and gastric cardia are one clinical entity. Br J Surg 1999;86:529-535.
70. Williams VA, Peters JH. Adenocarcinoma of the gastroesophageal junction: benefits of an extended lymphadenectomy. Surg Oncol Clin N Am 2006;15: 765-780.
71. Wei MT, Zhang YC, Deng XB. Transthoracic vs transhiatal surgery for cancer of the esophagogastric junction: a meta-analysis. World J Gastroenterol 2014;20: 10183-10192.
72. Wu A, Crabtree J, Bernstein L, et al. Role of *Helicobacter pylori* CagA+ strains and risk of adenocarcinoma of the stomach and esophagus. Int J Cancer 2003;103:815-821.
73. Yamashita H, Seto Y, Sano T, et al. Results of a nationwide retrospective study of lymphadenectomy for esophagogastric junction carcinoma. Gastric Cancer 2017;20:69-83.
74. Ye W, Held M, Lagergren J, et al. *Helicobacter pylori* infection and gastric atrophy: risk of adenocarcinoma and squamous-cell carcinoma of the esophagus and adenocarcinoma of the gastric cardia. J Natl Cancer Inst 2004;96:388-396.

잔위암

잔위암(remnant gastric cancer)은 과거에는 양성질환으로 위를 부분절제하고 5년 이상 경과한 후 잔위에 발생하는 위암으로 정의하였다. 1922년 Balfour 등이 양성질환으로 위부분절제 후에 발생한 잔위암을 최초로 보고한 이후 여러 연구자들에 의해 계속 보고되었으며, 근래에는 양성질환 또는 위암으로 원위부위절제술 후 잔위에 발생한 암 전부를 포함하여 잔위암으로 부르고 있다. 원위부위절제술 후 잔위암 발생률은 정상 위의 4~7배이며, 전체 위암의 1~8%로 보고되고, 십이지장-위 역류(duodenogastric reflux), 탈신경지배(denervation) 등이 원인으로 알려져 있다.

내시경검사가 보편화되지 못한 시대에는 병변이 상당히 진행된 상태에서 발견된 경우가 많아서 절제율이 낮았고, 수술 술기상의 어려움, 수술 후의 높은 합병증 발생률 때문에 예후가 상당히 불량하다고 알려져 왔으나, 최근의 보고에 의하면 원발성 근위부위암(primary proximal gastric cancer)과 비교하여 차이가 없거나 오히려 예후가 더 좋다는 보고도 있다. 1970년대 후반부터 1980년대 초반까지는 소화성궤양의 합병증이 발생하거나 내과적 치료에 실패했을 때 위부분절제술이 치료의 한 방법으로 자주 시행되었고, 위부분절제술 후 약 20~40년이 지나서 잔위암이 발생할 수 있다고 알려져 왔다. 그러나 최근 수십 년 동안 위산 억제제의 개발로 소화성궤양 질환에 대한 위절제술은 급격히 감소했고, 앞으로 양성질환에 대한 위절제술 후 발생하는 잔위암 환자 수는 감소할 것으로 예상된다. 반면에 위암의 조기발견 및 치료, 위암에 대한 치료결과의 향상으로 위암절제술 후 장기 생존 환자 수는 증가하였고 따라서 위암절제술 후 잔위암 환자 수는 점차 증가할 것으로 예상된다. 또한 진단 및 치료기술의 발전은 잔위암의 조기발견 및 최소침습치료에 기여해 왔다. 국내에서도 조기위암 발견율이 증가하고 있고 위부분절제술을 받은 환자가 장기간 생존하는 경우가 많아져서 잔위암에 대한 관심이 점차 높아질 것이다.

1. 정의와 분류

잔위암은 일반적으로 양성질환으로 위를 부분절제하여 5년 이상 경과한 후 잔위에 발생한 암으로 정의하나, 넓은 의미로는 최초수술 시 진단에 관계없이 위부분절제 후 10년 이상 경과하여 발견되거나 10년 이하라도 최초수술의 병변과 관계없이 발생했다고 간주되는 암으로 정의된다. 최근에는 잔위에 발생한 암을 모두 '잔위암'으로 보며, 몇 개로 나누어 분류하고 있다. 잔위에 생긴 암을 분류할 때는 일차질환, 잔위암으로 진단되기까지의 기간, 발생부위 등이 중요한 요소이다. 이를 기준으로 1) 양성, 악성에 관계없이 수술한 지 10년 이상 경과한 후에 발생한 경우, 2) 첫 수술 시 암을 발견하지 못했거나 암의 다발 병변을 남겨놓아 발생한 경우, 3) 위의 절단면에 암세포가 남아 재발한 경우의 세 가지로 나누고 각각을 신생 잔위암, 잔류 잔위암, 재발 잔위암으로 정의하였다(표 36-1).

2. 발생 원인

잔위암의 주요 위험인자는 원위부위절제술 후 재건술의 유형(Billroth I 또는 Billroth II), 십이지장-위 역류, 무위산증(achlorhydria), 위축위염, N-nitroso 복합물, 위절제술과 잔위암 진단 사이의 경과시간, 선행 부분위절제술의 병인, 성별, 연령, 헬리코박터 파일로리(*Helicobacter pylori*) 감염, 엡스타인-바 바이러스(Epstein-Barr virus) 감염, 위점막의 탈신경지배(denervation) 등 여러 가지 가설이 있지만 아직 인과관계가 분명하게 밝혀진 것은 없다. 가장 유력한 가설은 다음과 같다. 위절제술 후에 위 내의 pH가 상승하면 위 내의 질산염(nitrate) 환원성 세균이 증식하게 된다.

음식물 등에 함유된 질산염을 환원시켜 발암성 물질

표 36-1. **잔위암의 분류와 정의**

신생 잔위암	일차 병변의 양성, 악성에 관계없이 수술한 지 10년 이상 지난 후 발견된 경우
잔류 잔위암	일차 수술 후 10년 이내에 발견된 암으로 ① 일차 병변이 양성이었던 경우 ② 일차 병변이 악성으로 비단단부에서 암이 발견된 경우
재발 잔위암	일차 병변이 악성으로 문합부 또는 단단부에서 암이 발견된 경우 ① 수술후 10년 이내의 경우 ② 일차 수술이 비치유절제였던 경우

인 니트로사민(nitrosamine)을 생성해 암 발생을 촉진한다. 또한 위의 유문부가 절제되면 가스트린(gastrin)의 분비가 감소되어 위점막이 위축되며, 담즙 및 췌장액이 역류해 남은 위는 지속적으로 알칼리성 역류에 접촉하게 된다. 또한, lysolecithin과 tripsin은 위 점액을 소화시켜 점막장벽(mucosal barrier)이 손상되어 정상적인 방어기전에 장애가 생겨 결국은 만성위축위염이 발생하고 발암물질의 작용을 높이게 된다(그림 36-1). 담즙 역류는 잔위의 역류성위염의 잘 알려진 주요 병인으로 점막홍반(mucosal erythema)의 내시경 소견은 알칼리성 역류와 관련이 있다고 한다. 이 밖에도 잔위 절단부의 물리적·화학적 자극, 위절제술 후의 병태생리학적 변화 등도 가능한 원인으로 보고되었다.

헬리코박터 파일로리(*Helicobacter pylori*) 감염은 원발성 위암의 발암 원인으로 잘 알려져 있다. 위절제 후 감염률은 점차 감소한다고 하며, 최근 연구에서도 원위부위절제술 후 전체 환자의 감염률은 50~68.2%였고, Billroth I 재건술 후는 55.6~72.2%, Billroth II는 58.3~66.7%였다. Roux-en-Y 재건술을 한 환자에서는 감염률이 낮을 것으로 예상하나 확실한 결과는 아직 없다. 따라서 Billroth I과 II 재건술 사이에는 유의한 차이가 없는 것으로 보인다. 원위부위절제술을 시행받은 헬리코박터 파일로리 감염 환자의 이중 및 삼중 치료를 통한 제균이 각각 70%와 90%에서 성공적이었으며 원위부위절제술을 받은 환자와 그렇지 않은 환자의 치료 효능이 동일하다고 보고했다. 또한 잔위에서 헬리코박터 파일로리가 제균된 후 염증 정도가 감소하고 pH 수준이 정상화된다는 것이 입증되었다. 따라서 잔위에서 헬리코박터 파일로리 감염과 잔위암 발생 사이에 유의한 상관관계가 보고되지는 않았지만, 잔위암의 발생을 예방하기 위해서는 잔위의 헬리코박터 파일로리의 제균치료가 권장된다.

엡스타인-바 바이러스 감염은 위암을 비롯한 다양한 종류의 암과 관련이 있는 것으로 보고되었다. 몇몇 연

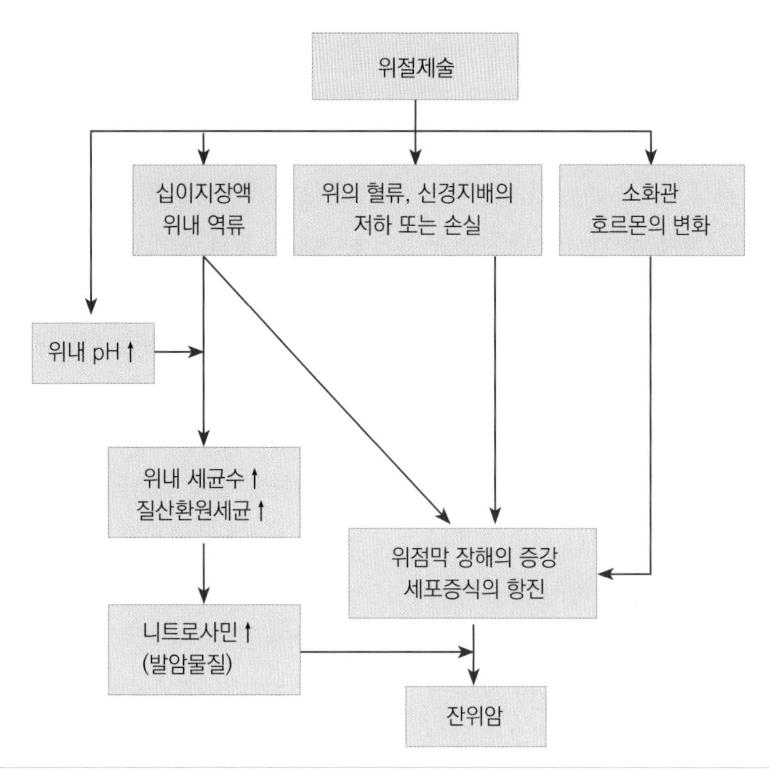

그림 36-1 **잔위암 발생기전의 가설.**

구에서는 잔위암 환자에서 엡스타인-바 바이러스 감염을 조사했다. 이들 연구에 따르면, 원위부위절제술을 시행한 모든 환자 중 감염률은 22.2~41.2%, Billroth I 재건술 후 환자에서는 0~12.5%, Billroth II는 30.4~58.3%였다. 따라서, Billroth II 재건술을 받은 환자에서 엡스타인-바 바이러스 감염률이 더 높았다. 엡스타인-바 바이러스 감염은 낭포성용종성위염(gastritis cystic polyposa)의 발생과 관련이 있는 것으로 알려졌고, 또한 신생 잔위암 발병을 촉진시킬 수도 있을 것이다.

원위부위절제술 시 수술적 미주신경절단술은 발암의 원인이 된다. 신경차단 후, 위의 상피는 더 증식하게 되고, 이 때문에 결국 잔위의 점막은 더욱 손상을 받고 DNA의 변이를 일으켜 잔위암의 발생을 초래한다. 미주신경절단술의 결과는 점막으로의 혈액순환, 점액분비 및 점막재생을 포함한 방어요소가 감소되어 잔위암의 발생으로 이어진다. 십이지장-위 역류, 신경차단 및 가스트린의 감소는 잔위암의 발병에 관여하는 주요 병인이다. 원위절제술은 가스트린 같은 전정부에서 분비되는 호르몬을 줄임으로써 남은 위점막 자체의 위축을 유발한다.

3. 임상병리학적 특징

잔위암의 발생빈도는 전체 위암의 1~8%를 차지하는 것으로 알려져 있다. 이렇게 비교적 넓은 범위의 편차는 적은 수의 연구대상, 적절한 비교군의 부재, 불충분한 환자 관리, 소화성궤양 수술의 다양화에 기인한다고 할 수 있다. 선행질환이 양성질환인 경우에는 위부분절제술을 받은 환자의 0.9~2.5%에서 잔위암이 발병한다. 잔위암의 임상병리학적 특징은 유사한 해부학적 위치 때문에 원발성 근위부위암(primary proximal gastric cancer)과 비교되었다. 여성보다 남성의 잔위암 발생률이 4~9배가량 높아서, 위부분절제술을 받은 남성의 생존율을 떨어뜨린다. 양성질환 중 가장 많은 질환이 소화성궤양인데, 소화성궤양으로 수술 받는 환자들이 대개 남성이고, 위암도 남자에게 호발하기 때문에 이 같은 현상이 나타나는 것으로 생각된다.

잔위암의 발생빈도에 가장 영향을 주는 인자는 처음 수술 후부터 잔위암이 발생하기까지의 기간과 처음 수술 시 재건술의 유형이다. 다수의 보고에서 양성질환에 대한 원위부위절제술 후 잔위암의 발생까지는 300개월 이상이 걸리고, 대조적으로 위암의 경우는 100개월이 걸리는 것으로 나타났다. 양성질환으로 위절제 후 발생하는 잔위암은 대부분 수술 후 15년까지는 발생빈도가 낮아서 상대적 위험도가 1.5~2배이지만 15년이 지나면 3~5배로 높아진다고 한다. 따라서 위부분절제술 후 15~25년까지 잔위암 발생 여부를 감시해야 한다. 선행질환이 악성질환이면 첫 수술 이후 잔위암으로 진단되기까지의 기간이 양성질환에 비하여 대체적으로 짧아 5~10년 정도이다. 원발성 위암과 동일한 병인을 통해 발생하는 잔위암은 일차 수술 후 상대적으로 일찍 나타날 수 있지만 양성질환에서 잔위암 발병의 긴기간은 십이지장-위 역류에 의한 만성 자극으로 인한 것으로 생각된다.

선행질환이 악성인 경우에 발견되기까지의 기간이 짧은 이유는 발견하지 못한 동시성 다발성 병변이 있었거나 위축위염과 장상피화생 등 위암의 전구성 병변이 처음 수술 당시부터 존재하여 발암과정이 이미 진행 중인 상태여서 이시성 병변이 발생했기 때문일 수 있다. 특히 헬리코박터 파이로리와 연관된 원발성 위암의 위치에 따른 빈도에 근거하면, 이시성 다발성 위암의 빈도는 근위부위절제술 후 높을 수 있다. 아마도 근위부위절제술은 원위부위절제술과 비교했을 때 잔위암에 대한 추가 위험을 유발할 수 있다. 또 주기적인 추적검사로 조기에 발견된다거나, 재발암이므로 빨리 진행되기 때문이라는 설명도 있다.

위 부분절제 후 재건방식에 따라 잔위암의 발생빈도가 달라진다고 한다. 양성질환으로 위절제술을 받은 후 발생한 잔위암은 Billroth I 재건술을 한 경우보다 Billroth II를 시행한 경우에 1.6~10배 정도 더 많았다. 잔위암은 Billroth II 재건술을 받은 환자의 문합부에서, Billroth I 재건술을 받은 환자의 비-문합부에서 발생하는 경향이 있다. 하지만, 메타분석과 최근 많은 인구를 대상으로 한 스웨덴 연구에서는 재건술의 유형이 신생 잔위암의 위험에 영향을 주지 않는다고 하였다. 이러한 결과에서, Billroth II 재건술이 Billroth I보다 신생 잔위암의 높은 위험을 초래하는지 여부는 불확실하다.

잔위암의 발생 위치는 문합부, 단단부, 비단단부로 나뉘는데 문합부에서 호발하는 경향이 있다. 문합부위나 잔위 단단부는 수술 시 위점막의 원형이 파괴되고 점막층이 점막하층으로 함몰되는 등 기계적·화학적 자극을 받으며, 혈액공급이 감소한다. 또 위 주위신경이 단절되어 점액과 장내 호르몬이 부족해져 담즙이나 췌장액이 역류하면 직접적으로 영향을 받게 되어 점막세포가 쉽게 증식해 악성세포로 변이되어 잔위암 발생률이 높아질 수 있다. Billorth I 재건술은 최소한 잔위암의 발병을 막을 때 Billroth II 방법보다 더 적합한 것으로 간주된다. 또한 최근 Roux-en-Y 재건술이 십이지장-위 역류를 예방하기 위해 선택되는데, 잔위점막이 담즙 역류에 노출된 시간은 더 짧으며 위염의 정도는 Roux-en-Y 재건술을 받은 환자에서 Billroth I보다 더 경미하였다. Rou-en-Y 재건술을 받은 환자의 잔위암 발병률이 Billroth I보다 더 낮다는 연구결과는 아직 없다. 그러나 Roux-en-Y 재건술은 십이지장-위 역류의 발생과 위암 발병기전과 관련된 잔위점막 손상을 줄이는 관점에서 선호된다(표 36-2).

잔위암은 원발성 근위부위암에 비해 독특한 림프절 전이 방식을 가지고 있다. 원발성 근위부위암에서 주 림프액 흐름은 소만곡부 림프절, 좌위동맥 주위 림프절을 거쳐 복강동맥 주위 림프절로 흘러 들어가며, 분문부의 우측 림프절을 통해 배액된다. 선행수술 중 림프관 경로를 차단한 결과로 잔위암에서는 비정형적인 림

표 36-2. **선행질환과 최초 재건술 유형에 따른 잔위암의 발병 기간 및 위치**

저자(연도)	선행질환	최초 재건술	잔위암 발병기간(개월)			잔위암의 위치
	양성/악성	B-I/B-II	전체	양성/악성	B-I/II	B-I 문합부/B-I 비문합부/B-II 문합부/B-II 비문합부
Takeno 등(2006)	11/21	21/11	-	360/63	84/276	4/17/6/5
Ohashi 등(2007)		71/28	90	-	-	7/64/5/23
Ahn 등(2008)	13/45	26/25	150	384/83	-	11/15/16/9
Tanigawa 등(2010)	578/309	368/519	252	-	252/372	81/176/289/114
Komatsu 등(2012)	19/14	16/16	240	360/144	144/384	2/5/9/2
Li 등(2013)	88/24	42/70	-	384/204	-	19/23/45/25

B-I, Billroth I; B-II, Billroth II.

프액 흐름이 유발되기 때문에 림프절 전이의 특징이 원발성 근위부위암과 상이한 것이다. 원위부위절제술 후 림프액 배액의 변화가 진행성 병기의 잔위암 환자의 장기 생존에 영향을 미칠 수 있다고 했다. 이전 연구에서 비장동맥 주위, 비문 주위 및 하부 종격동 림프절 전이의 빈도가 잔위암이 더 높다는 것을 보여 주었고, 따라서 이 부위의 림프절절제술은 근치적 수술에 권장된다.

선행질환이 양성인 경우 50~70%에서, 악성인 경우 9~20%에서 림프절 전이가 일어난다고 보고된다. 이러한 차이는 병변이 양성이면 수술 시 림프액의 흐름을 유지시키지만, 병변이 악성이면 위절제술 시 림프절을 근치적으로 절제해 위 주위 림프액의 흐름이 차단되기 때문으로 설명된다. 선행수술이 위암에 대한 수술이었던 경우 선행 수술의 림프절절제술로 인해 잔위암 수술 시 몇 개의 림프절만 남아 있을 수 있고, 림프절 전이의 발생 빈도는 낮을 수 있지만 예기치 못한 림프절 전이가 가능할 수 있다(표 36-3).

4. 치료

잔위암 환자의 주된 치료는 근치적 절제술이다. R0 절제는 기존의 위암뿐만 아니라 잔위암에서도 중요한 예후인자이다. 잔위암 환자에서 적극적인 외과적 수술을 통한 R0 절제는 기술적으로 어렵지만 장기적인 결과를 개선하는 데 도움이 될 수 있다. UICC 분류는 이전 수술의 재건술 유형과 양성 또는 악성질환에 관계없이 잔위암 환자의 N 병기를 결정하는 데 사용되었다. 그러나, 절제된 림프절의 수는 이전에 악성질환으로 수술을 받은 잔위암 환자의 경우 N 병기를 결정하기에 불충분할 것으로 예상되어 불확실한 병기를 유발할 수 있다. 실제로 일부 보고에서 절제된 림프절의 총 개수와 위 주위 림프절 전이율이 원발성 근위부위암에 비해 낮았다는 것을 보여 주었다. TNM 병기분류법 제 7판의 N 병기분류법은 잔위암 환자의 결과를 예측하는 데 적합하지 않으며, 따라서 잔위암을 위한 특정 병기분류법을 만드는 것이 필요하다.

잔위암의 치료는 원발암에서와 같이 원격전이나 국소적으로 주변 장기의 심각한 침윤이 없다면, 종양의 완전한 절제와 근치적 림프절절제에 목적을 둔다. 환자의 예후는 절제표본의 절단면에 종양이 잔존하지 않을 때 더 좋으며, 종양의 위치에서 절단면까지의 안전거리는 성장형태에 따라서 다르다. 미만형(diffuse type)이 장형(intestinal type)보다 절단면까지의 거리가 더 길어야 한다.

잔위암 환자의 주위 장기와 해부학적 위치는 이전에 받은 수술 때문에 정상적인 위치와 조금 다르다. 잔위암에서 또 고려할 사항은 림프절 전이의 형태가 원발성 위암과 다르므로 원발성 위암 수술 때 일반적으로 포함

표 36-3. **잔위암과 원발성 근위부위암의 림프절 전이율**

저자(연도)	증례수	림프절 1~4번(%)	림프절 7~9번(%)	비문림프절 10번(%)	비장동맥 림프절 11번(%)	공장 장간막 림프절 (%)	하부 종격동 림프절 (%)
Sasako 등(1991)	52	12~17	9~13	15.2	23.5	15.2	-
PGC	656	7.8~29.0	6.2~18.0	10.4	10.4	-	
Ikeguchi 등(1994)	20	10.0~15.0	0~5.0	0	25.0	10.0	-
PGC	266	17.3~50.0	9.0~25.2	11.3	15.4	-	-
Isozaki 등(1998)	23	9~45	0~18	17~45	-	0.8	-
PGC	-	14~46	10~22	16~21	-	-	-
Komatsu 등(2012)	33	-	-	12.1	-	67.0	-
PGC	207	-	-	6.8	-	-	-
Li 등(2012)	83	25~44.4	23.5~33.3	21.4	14.2	54.5	33.3
PGC	300	30.6~52.5	15.8~23.9	36.4	16.7	-	13.6
Di Leo 등(2014)	176	4.2~25.3	8.3~19.6	10.0	7.1	46.4	-
M/SM	-	0~4.3	0~7.7	0	-	0	-
MP/SS	-	0~21	8.3~33.3	0	-	55.5	-

PGC, proximal gastric cancer; M, mucosa; SM, submucosa; MP, mp muscularis propria; SS, subserosa.

되지 않는 림프절군들을 잔위암 수술 시에는 절제범위에 포함해야 한다는 것이다. 잔위 주위의 림프액 흐름이 이전의 수술로 인하여 막히거나, 새로 생기거나 누출되거나 변한 경우가 많다. 따라서 잔위암에서의 림프액의 주요 통로는 좌위동맥, 후위동맥, 비장동맥 주위가 된다. 이전에 양성질환으로 위절제술을 한 후 발생한 잔위암의 경우, 림프액 흐름이 차이가 거의 없기 때문에 위주위 림프절(1~4번)과 2군 림프절(7~12번)의 절제가 이루어져야 한다. 비문주위(10번)와 비장동맥(11d번)주위 림프절절제를 목적으로 한 비장절제술의 적응증은 원발성 위암절제술과 비슷하다. 그러나 악성 종양에 대한 이전 수술 후 발생한 잔위암의 경우, 이전 수술에서 시행된 소만곡부의 완전한 절제는 아마도 림프액의 흐름을 대만곡 부위로 증가시켜 비문주위에 비교적 쉽게 전이를 일으킬 수 있다고 한다. 진행성 잔위암의 경우에는 비문주위(10번)와 비장동맥(11d번)주위 림프절절제가 필요하다.

이전 수술 때 Billroth II 재건술을 시행한 후 발생한 잔위암은 약 31~35%에서 위-공장문합부 침습이 발견된다. 특히 주위 공장(jejunum)으로의 침습은 암을 전이시키는 데 중요한 역할을 하는 것으로 보인다. 잔위암 환자의 공장이 침습되면 장간막(mesentery)으로 림프절 전이가 종종 동반되는데, 장간막 림프절 전이는 7.0~67%에서 발견된다. 따라서 문합부의 공장이 암에 의하여 침습되었으면 공장 장간막을 포괄하여 절제하는 것이 바람직하겠다. 그러나 이 부위의 전이가 있는 환자의 예후가 좋지 않기 때문에 이 절제술의 효능은 논란의 여지가 있다. 공장 장간막 림프절 전이를 가진 환자의 예후는 나빴고 중간생존기간(median survial time)은 13.2개월이었고, 다른 부위에 림프절 전이를 가진 환자보다 더 나쁜 예후를 보였다.

또한 림프액은 종격동 공간으로도 퍼져 나가지만 종격동 림프절 박리가 잔위암에 대해 기본적으로 수행되지 않기 때문에 종격동 림프절 전이의 정확한 비율은 알려져 있지 않다. 비슷한 이유로 대동맥 림프절 전이에 대한 정보는 거의 없다.

그러므로 잔위암을 외과적으로 치료할 때는 문합부를 포함한 잔위 전체를 일괄절제(en-bloc dissection)한다. 이전의 재건술이 Billroth I 술식인 경우에는 림프절 17번을 포함하고, Billroth II 술식을 받은 경우에는 최소 10 cm의 공장, 트라이츠인대, 공장 장간막을 절제하고, 식도가 침범된 경우에는 분문부 주위와 19, 20, 110, 111번 림프절을 절제해야 할 수도 있다. 종양이 주위 장기로 침윤된 경우에는 원발성 위암일 때처럼 합병절제 수술을 시행한다. 합병절제하는 장기는 비장, 간, 췌장, 횡행결장 등이다. 따라서 원발 위암을 수술할 때보다 합병장기 절제가 더 많아지고, 수술시간도 길어지며, 합병증의 발생률도 높아진다(그림 36-2). 악성질환에 대한 이전 수술은 양성질환에 대한 수술보다 더 호발하는 추세이다. 따라서, 악성질환에 대한 위절제술 후 발생한 잔위암에 대한 전향적 코호트 연구는 림프절절제의 적절한 범위를 결정하는 데 중요하다.

잔위암은 특히 이전에 악성질환으로 수술한 경우, 복강내 유착과 관련이 있다. 외과의사는 때때로 장기간의 수술시간 및 과도한 출혈로 수술 중에 기술적인 어려움을 겪을 수 있다. 또한, 수술 중 장 손상과 같은 합병증이 발생할 수도 있다. 하지만 잔위암절제술이 기존의 근위부위암절제술보다 수술 후 이환율과 사망률이 높은지는 불확실하다. 잔위암의 수술 이환율은 20~40%, 수술 사망률은 2.1~3.4%로 보고된다. 원발성 위암 수술과 비교한 몇몇 연구를 보면 이환율과 사망률은 동등한 것으로 나타났으며, 대부분 잔위암절제술과 원발성 위암절제술 사이에 어떤 중요한 차이점도 보고되지 않았다. 이러한 결과들로부터 잔위암절제술 후 합병증 및 사망률은 기존의 근위부위암절제술과 유사할 것으로 보인다.

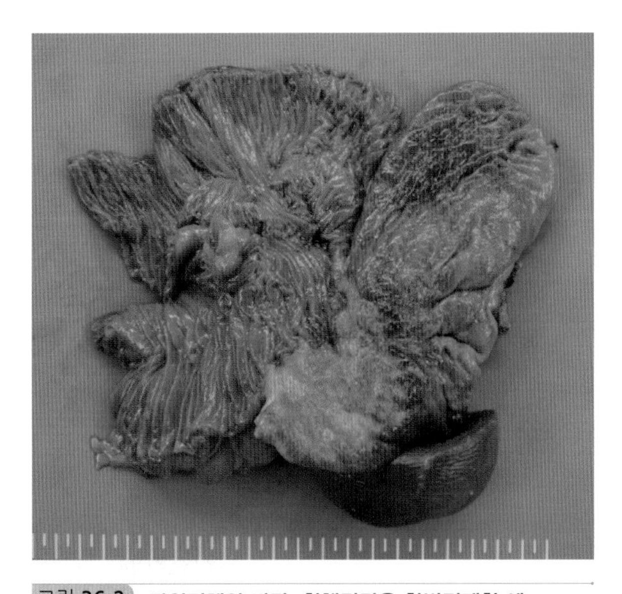

그림 36-2 잔위전체와 비장, 횡행결장을 합병절제한 예.

최근에는 잔위암이라 할지라도 조기암인 경우는 내시경점막하박리술(endoscopic submucosal dissection, ESD)이 가능하다. 특히 분화도가 좋고, 점막 내에 위치해 있고, 문합부에 생긴 잔위암이 아닌 경우에는 내시경점막하박리술을 시도해볼 수 있다. 그렇지만 잔위암에서 내시경점막하박리술은 조작할 공간이 제한적이며 문합부에 발생한 암은 점막하침윤이 많고, 문합부 및 봉합부 주변의 스테이플 또는 심한 섬유화로 인해 시술하는 데 기술적인 어려움이 있다. 수술 전 침윤의 정도를 정확히 진단하기 힘들고, 림프액의 흐름이 이전의 수술로 인하여 변형되어 있어서 주변 림프절로의 전이 여부를 판단하기도 상당히 어려워 내시경점막하박리술을 시행하기가 쉽지는 않다. 그러나 최근 조기잔위암에 대한 내시경점막하박리술에 관한 여러 후향적 연구들에 따르면, 일괄절제율(en bloc resection rate)과 완전절제율(complete resection rate)은 각각 91~100% 및 74~94%로 보고되었다.

내시경점막하박리술의 완전절제율에서 잔위암과 원발 근위부위암 사이에는 유의한 차이가 없었고, 병변이 봉합선에 있거나 없을 때 완전절제율은 각각 58%와 84%였다. 합병증과 관련하여, 천공 및 출혈률은 각각 0~17.7% 및 0~17.6% 이었고, 천공 발생은 문합부위(27.3%)가 비문합부위(0%)보다, 잔위암이 비잔위암보다 유의하게 높았다. 잔위암에 대한 내시경점막하박리술 후 암관련 생존율은 4.5년의 중간 추적관찰(median follow-up) 기간 동안 100%라 하였으나, 잔위암에 대한 내시경점막하박리술의 적응증 및 종양학적 유용성을 확인하기 위해서는 추가 연구가 필요하다(표 36-4).

복강경 위절제술은 위암치료에 광범위하게 적용되는 최소침습수술 기법이지만, 이전의 위절제술로 인한 유착 및 해부학적 변화로 인해 복강경수술이 복잡하고 어려워지고 절제의 근치성을 고려할 때 잔위암치료에는 일반적으로 고려되지 않았다. 복강경 장비 및 기술의 개선으로 조기 잔위암에 대한 최초의 복강경 근치적 위전절제술을 보고한 이후 잔위암의 근치적 치료에 성공적이고 안전한 복강경 위절제술이 가능하게 되었다. 복강경 경험이 풍부한 외과의사는 기존의 복강내 유착, 위장관 변위 및 단절된 수술시야에도 불구하고 성공적인 복강경 위절제술을 수행할 수 있다는 것을 보여 주었다. 이러한 수술에는 몇 가지 주의사항이 필요하다. 첫째, 첫 번째 복강경 투관침은 흉터가 없는 부위를 통해 삽입하고, 가장 흔히 치골상부 영역에 삽입한다. 둘째, 장을 잔위암이 노출되도록 적절히 견인하며 세 번째로, 복강내 유착, 특히 췌장 실질과 십이지장 후벽 사이, 간의 좌측 측엽의 후방과 잔위의 복측부 사이 및 췌장상부 주위에서 대량 출혈과 위장관 천공 같은 수술 중 의인성 손상(iatrogenic injury)을 예방하고 수술시야 확보를 위해 세심한 박리가 필요하다.

잔위암의 낮은 발생률과 복강경 잔위절제술이 소수의 센터에서만 수행되는 이유로 복강경과 개복 위절제술을 비교한 연구가 많지 않지만 최근에는 매년 증가하고 있다. 복강경 위절제술은 잔위암의 근치적 치료에 있어 개복 위절제술보다 수술시간은 길었으나, 수술 중 출혈량이 적고, 빠른 경구섭취의 개시 및 장운동의 재개, 짧은 입원기간을 보였으며, 창상감염, 수술 후 폐렴, 수술 후 출혈, 문합부 누출, 복강내 농양과 같은 수술 후 합병증의 발생은 서로 비슷하였다. 또한 복강경 위절제술은 충분한 종양절단면까지의 안전거리와 림프절 절제를 할 수 있으며, 5년 생존율에서 서로 차이를 보이지 않았다. 5% 정도에서 개복수술로 전환을 하였는데, 이전 수술이 개복 위절제술, 이전 수술의 문합법이 Billroth I인 경우, 집도의의 수술 경험과 같은 인자가 개복수술로의 전환과 유의한 관련이 있다고 보고하였다 (표 36-5).

5. 예후

위내시경검사 같은 진단방법이 발달하지 못한 1980년대 초반까지는 병변이 상당히 진행되어 발견된 경우가 많아서 절제율이 30%, 5년 생존율이 10% 내외로 상당히 불량했지만, 진단기술의 발달로 인하여 잔위암의 조기 진단율이 높아지고 수술술기가 발달함에 따라 1990년대 이후에는 절제율이 60~80%, 5년 생존율이 40~50%까지 향상되었다. 즉 근치적으로 절제한다면 원발성 위암과 차이가 없거나 일부에서는 오히려 원발성 근위부위암에 비해 생존율이 높다고 한다. 이는

표 36-4. **잔위암의 내시경점막하박리술의 임상적 결과**

저자(연도)	ESD 증례수	일괄절제율(en bloc resection rate) (%)	완전절제율(complete resection rate) (%)	합병증		사망률
				천공(%)	출혈(%)	
Takenaka 등(2008)	31	30 (96.8)	23 (74.2)	4 (12.9)	0	0
Hirasaki 등(2008)	17	17 (100)	14 (82.4)	0	3 (17.6)	0
Lee 등(2010)	13	13 (100)	11 (84.6)	0	0	0
Nishide 등(2012)	62	59 (95.2)	53 (85.5)	11 (17.7)	5 (8.2)	0
Nonaka 등(2013)	94	86 (91.5)	77 (81.9)	2 (2.1)	2 (2.1)	0
Tanaka 등(2014)	33	33 (100)	31 (93.9)	3 (9.1)	1 (3.0)	0

ESD, endoscopic submucosal dissection.

표 36-5. 잔위암에 대한 복강경수술과 개복수술의 비교

저자(연도)	수술방법	증례수	성비 (남: 여)	잔위암발병 기간(year)	선행질환		선행 문합술		수술시간(분)	수술중 출혈 (ml)	절제 림프절수	병기 (1/2/3/4)	입원기간 (일)	이환율
					악성	양성	B-I	B-II						
Luo 등(2015)	LG	9	7/2	19-41	4	5	NA	NA	221.1±19.4	105.5±35.0	16.2±2.9	0/4/5/0	NA	1
	OG	9	6/3	20-42	3	6	NA	NA	212.8±14.3	147.7±41.9	16.6±3.2	0/5/4/0	NA	2
Son 등(2015)	LG	17	13/4	17.2	10	7	4	11	234.4±65.2	227.6±245.0	22.7±13.8	13/4/0	8.8±4.2	44.4%
	OG	17	13/4	NA	11	6	6	9	170.0±39.5	184.1±123.1	19.8±13.4	5/8/4	9.5±2.7	28.0%
Kim 등(2014)	LG	17	11/6	NA	NA	NA	NA	NA	197.2±60.6	NA	12.9±8.7	12/2/NA	11.1±8.7	2
	OG	50	NA	NA	NA	NA	NA	NA	49.3±46.9	NA	NA	NA	13.8±9.4	NA
Nagai 등(2013)	LG	12	10/2	26.7±16.9	5	7	5	5	362.3±68.4	65.8±62.0	23.7±10.7	10/2/0/0	4.2±0.8	0
	OG	10	9/1	21.8±16.3	8	2	4	5	270.5±94.9	746.3±577.1	15.9±7.6	6/2/2/0	8.7±1.6	2
Park 등(2008)	LG	4	2/2	17.3±7.6	2	2	1	3	357.5±13.8	292.5±37.5	16.3±4.4	1/1/1/1	NA	1
	OG	4	3/1	22.8±11.3	2	2	1	3	271.3±71.3	227.5±131.2	19.7±3.1	1/1/0/2	NA	1
Pan, Y 등(2014)	LG	3	3/0	21.3±11.4	3	0	0	2	260.2±23.8	62.8±22.0	16.6±7.4	1/NA/NA/NA	8.0±1.0	0
Tsunoda 등(2014)	LG	10	8/2	21.3±9.6	7	3	2	5	307.5±23.8	80.2±40.5	19.1±5.5	10/0/0	10.8±1.1	1
Qian 등(2010)	LG	15	13/2	11-23	6	9	2	13	205±25	110±40	18±5	0/3/12/0	NA	1
Shinohara 등 (2012)	LG	5	3/2	NA	4	1	3	2	370.8±86.6	63.6±67.8	18.2±4.2	5/0/0/0	NA	0
Liu 등(2013)	LG	18	11/7	6-22	7	11	4	14	194±20	95±25	16±5	0/8/10/0	NA	1
Li 등(2011)	LG	16	10/6	NA	NA	NA	2	14	229.1±27.7	89.4±30.2	19.9±3.3	1/4/11/0	11.2±1.9	1
Corcione 등(2008)	LG	3	3/0	>15	0	3	0	3	210(160-260)	NA	18(12-26)	NA	11(8-18)	1

LG, laparoscopic gastrectomy; OG, open gastrectomy; NA, not applicable.

원발성 근위부위암의 경우에 림프액이 좌위동맥 부위를 거쳐 총간동맥 림프절군으로 흘러 암이 조기에 파급될 수 있지만, 잔위암의 경우에는 문합부가 장벽 역할을 하여 종양의 진행이 늦어지고, 기존의 외과적 절제로 인한 반흔 조직이 총간동맥 림프절군으로의 전이를 방해하므로 잔위암의 병기가 초기일 때는 오히려 예후가 향상될 수 있기 때문이다. 많은 연구에서 잔위암과 원발성 근위부위암 사이의 예후에는 유의한 차이가 없다고 한다. 최근 총 6,383명의 환자(잔위암 906명과 원발성 근위부위암 5,477명)가 포함된 메타분석에서 잔위암의 5년 사망률이 원발성 근위부위암보다 1.08배 높았으나 통계적으로 유의하지 않았다. 1기 또는 2기의 그룹에서 5년 사망률은 유의한 차이가 없었고, 반면 3 또는 4기의 잔위암은 원발성 근위부위암과 비교하여 14%의 더 나쁜 예후를 보였다. 위암절제술은 대개 광범위한 림프절절제술을 동반하기 때문에 이전의 악성질환의 수술때문에 림프절 전이경로는 양성질환의 이전 수술과 다를 수 있다. 따라서 악성그룹과 양성그룹 간의 예후에 차이가 있는지 여부는 논란의 여지가 있다. 이전의 연구들은 양성질환과 악성질환에 대한 이전 수술 사이의 5년 생존율에 관한 모순된 결과를 나타냈다. 하지만 대부분의 연구에서 5년 생존율은 두 군 간에 비슷하게 보였다(표 36-6).

국내의 잔위암 관련 보고에서도 병변의 위벽 침윤 깊이가 유일한 독립적 예후인자로 판명되었으므로, 위부분절제술 후 정기적으로 내시경 추적검사를 해 암을 조기에 발견하고 근치적 수술을 하는 것이 잔위암의 예후에 가장 중요한 요인이라 할 수 있다.

내시경 진단기술의 발전으로 원위부위절제술 후 조기잔위암을 더 자주 발견하게 되었다. 조기발견은 잔위암의 예후를 향상시킬 뿐만 아니라 내시경치료의 기회를 제공하는 데 필수적이다. 잔위암의 조기발견을 위해 위절제술 후 정기적인 추적 내시경검사의 중요성을 강조했다. 추적관찰 기간이 잔위암의 진행 병기와 유의한 관련이 있고, 매년 검사로 잔위암을 진단한 환자의 예후가 좋았으며, 재발 없이 5년 생존율이 100%임을

표 36-6. **잔위암과 원발성 근위부위암의 수술 후 5년 생존율 비교**

저자(연도)	잔위암(5년 생존율)	원발성근위부위암(5년 생존율)	통계적 유의성
Sasako 등(1991)	39%	45%	NS
Pointner 등(1994)	53.5%	32.8%	Better
Chen 등(1996)	25%	46%	NS
Bruno 등(2000)	17.4%	23.2%	NS
Inomata 등(2003)	69%	81%	NS
An 등(2007)	53.7%	62.9%	NS
Mezhir 등(2011)	53%	50%	NS
Costa-Pinho 등(2013)	30.7%	41.2%	NS
Li 등(2013)	13.6%	10.7%	NS
Tokunaga 등(2013)	53.6%	78.3%	Worse
Wang 등(2014)	16.7%	28.4%	Worse

NS, not significant.

보고했다. 따라서 주기적인 내시경검사로 조기발견하면 예후가 좋을 수 있다. 조기잔위암을 진단하기 위한 내시경검사의 최적 기간 및 간격은 결정되지 않았다. 위암으로 원위부위절제술을 받은 환자에서 내시경검사는 주로 잔존 및 이시성 위암을 진단하기 위한 것으로 간주되며, 2년 이내 간격으로 검사한 환자들 중 80%에서 조기에 잔위암이 진단되었기 때문에 조기에 잔위암을 진단하기 위한 주기적인 내시경검사를 2~3년 간격으로 권장한다고 했다. 원발성 위암에 대한 원위부위절제술 후 1년부터 적어도 10년까지는 매년 내시경검사를 권장하였고, 반면에 양성질환에 대한 위절제술 후 신생 잔위암의 위험은 20년 이후부터 증가할 것으로 예상되기 때문에 매년 내시경검사는 양성질환에 대한 위절제술 후 적어도 15~20년 후에는 시작하는 것이 좋으며, 환자가 잔위암에 대한 치료를 받을 수 있을 때까지는 계속한다.

6. 결론

잔위암에 대한 표준화된 병기분류법이나 최적의 치료법에 대한 전략을 제안하는 지침은 아직 없다. 그러나 잔위암 환자의 예후는 T 및 N 범주에 의해 결정되는 병기에 달려 있으며 R0 절제를 달성하기 위한 조기발견 및 적극적인 외과적 수술은 잔위암 환자의 예후를 향상시키는 데 필수적이다. 내시경치료나 복강경수술의 최근 발전은 잔위암 환자에게 최소침습치료를 통해 더 나은 삶의 질을 제공할 수 있다. 위암의 조기발견 및 치료, 위암에 대한 치료결과의 향상으로 위암절제술 후 장기생존 환자 수는 증가하였고 따라서 위암절제술 후 잔위암 환자 수는 증가할 것으로 예상된다. 국내에서도 조기위암 발견율이 증가하고 있고 위암절제술을 받은 환자가 장기간 생존하는 경우가 많아져서 잔위암에 대한 관심이 점차 높아질 것이다.

참고문헌

1. 김성수, 김경래, 김승주 등. 잔위암의 임상병리학적 연구. 대한외과학회지 2003;65:217-222.
2. 김욱, 이준현, 김진조 등. 잔위암의 임상적 고찰-대한위암학회 분류에 의거-. 대한외과학회지 2004;66:177-182.
3. 김재민, 권오정, 권성준 등. 잔위암. 대한외과학회지 1997;52:520-528.
4. 김진복. 위암. 서울: 의학문화사, 1999:220-226.
5. 대한위암학회. 위암 기재사항을 위한 설명서. 서울: 의학문화사, 2002:32.
6. 문덕주, 류창학, 노성훈 등. 양성질환으로 위부분 절제후 발생한 잔위암. 대한외과학회지 1999;56:211-216.
7. 이주호, 김수진, 유항종 등. 양성과 악성 위십이지장 질환으로 부분 위절제술 후 발생한 잔류위암의 임상병리학적 특성과 예후. 대한암학회지 1997;29:1076-1084.
8. An JY, Choi MG, Noh JH, et al. The outcome of patients with remnant primary gastric cancer compared with those having upper one-third gastric cancer. Am J Surg 2007;194:143-147.
9. Balfour DC. Factors influencing the life expectancy of patients operated on gastric ulcer. Ann Surg 1922;76:405-408.
10. Bushkin FL. Gastric remnant carcinoma. Major Probl Clin Surg 1976;20:106-113.
11. Caygill CP, Hill MJ, Kirkham JS, et al. Mortality from gastric cancer following gastric surgery for peptic ulcer. Lancet 1986;1:929-931.
12. Di Leo A, Pedrazzani C, Bencivenga M, et al. Gastric stump cancer after distal gastrectomy for benign disease: clinicopathological features and surgical outcomes. Ann Surg Oncol 2014;21:2594-2600.
13. Fujiwara T, Hirose S, Hamazaki K, et al. Clinicopathological features of gastric cancer in the remnant stomach. Hepatogastroenterology 1996;43:415-419.
14. Guanqun Liao, Shunqian Wen, Xueyi Xie, et al. Laparoscopic gastrectomy for remnant gastric cancer: Risk factors associated with conversion and a systematic analysis of literature. Int J Surg 2016;34:17-22.
15. Han SL, Hua YW, Wang CH, el al. Metastatic pattern of Iymph node and surgery for gastric stump cancer. J Surg Oncol 2003;82:241-246.
16. Helsingen N, Hillestead L. Cancer development in the gastric stump after partial gastrectomy for ulcer. Ann Surg 1956;143:173-179.
17. Hideaki Shimada, Takeo Fukagawa, Yoshio Haga, et al. Does remnant gastric cancer really differ from primary gastric cancer? A systematic review of the literature by the task force of Japanese Gastric Cancer Association. Gastric Cancer 2016,19:339-349.
18. Hori T, Tabata M, Iida T, et al. A case report of advanced gastric remnant cancer treated with extended resection accompanied with reconstructions of the portal vein and the hepatic artery with resultant disease free survival for one year and eight months. Nippon Shokakibyo Gakkai Zasshi 2005;102:190-195.
19. Hosokawa O, Kaizaki Y, Watanabe K, el al. Endoscopic surveillance for gastric remnant cancer after early cancer surgery. Endoscopy 2002;34:469-473.
20. Ikeda Y, Saku M, Kishihara F, et al. Effective follow-up for recurrence or a second primary cancer in patients with early gastric cancer. Br J Surg 2005;92:235-239.
21. Imada T, Rino Y, Takahashi M, et al. Clinicopathologic differences between gastric remnant cancer and primary cancer in the upper third of the stomach. Anticancer Res 1998;18:231-235.
22. Inomata M, Shiraishi N, Adachi Y, et al. Gastric remnant cancer compared with primary proximal gastric cancer. Hepatogastroenterology 2003;50:587-591.
23. Ishikawa M, Kitayama J, Kaizaki S, et al. Prospective randomized trial comparing Billroth I and Roux-en-Y procedures after distal gastrectomy for gastric carci-

noma. World J Surg 2005;29:1415-1420.

24. Kaizaki Y, Hosokawa O, Sakurai S, et al. Epstein-Barr virus-associated gastric carcinoma in the remnant stomach: de novo and metachronous gastric remnant carcinoma. J Gastroenterol 2005;40:570-577.
25. Kato S, Matsukura N, Matsuda N, et al. Normalization of pH level and gastric mucosa after eradication of *H. pylori* in the remnant stomach. J Gastroenterol Hepatol 2008;23:258-261.
26. Klarfeld J, Resnick G. Gastric remnant carcinoma. Cancer 1979;44:1129-1133.
27. Kobayashi T, Kazui T, Kimura T. Surgical local resection for early gastric cancer. Surg Laparosc Endosc Percutan Tech 2003;13:299-303.
28. Kodera Y, Yamamura Y, Torii A, et al. Gastric remnant carcinoma after partial gastrectomy for benign and malignant gastric lesion. J Am Coll Surg 1996;182:1-6.
29. Komatsu S, Ichikawa D, Okamoto K, et al. Progression of remnant gastric cancer is associated with duration of follow-up following distal gastrectomy. World J Gastroenterol 2012;18:2832-2836.
30. Kunisaki C, Shimada H, Nomura M, et al. Lymph node dissection in surgical treatment for remnant stomach cancer. Hepatogastroenterology 2002;49:580-584.
31. Lagergren J, Lindam A, Mason RM. Gastric stump cancer after distal gastrectomy for benign gastric ulcer in a population-based study. Int J Cancer 2012;131:1048-1052.
32. Lee JY, Choi IJ, Cho SJ, et al. Endoscopic submucosal dissection for metachronous tumor in the remnant stomach after distal gastrectomy. Surg Endosc 2010;24:1360-1366.
33. Lundegardh G, Adami HO, Helmick C, et al. Stomach cancer after partial gastrectomy for benign ulcer disease. N Engl J Med 1988;319:195-200.
34. Ohira M, Toyokawa T, Sakurai K, et al. Current status in remnant gastric cancer after distal gastrectomy. World J Gastroenterol 2016;22:2424-2433.
35. Matsukura N, Tajiri T, Kato S, et al. *Helicobacter pylori* eradication therapy for the remnant stomach after gastrectomy. Gastric Cancer 2003;6:100-107.
36. Morgenstern L, Yamakawa T, Seltzer D. Carcinoma of the gastric stump. Am J Surg 1973;125:29-37.
37. Mori G, Nakajima T, Asada K, et al. Incidence of and risk factors for metachronous gastric cancer after endoscopic resection and successful *Helicobacter pylori* eradication: results of a large-scale, multicenter cohort study in Japan. Gastric Cancer 2015;81:133.
38. Nonaka S, Oda I, Makazu M, et al. Endoscopic submucosal dissection for early gastric cancer in the remnant stomach after gastrectomy. Gastrointest Endosc 2013;78:63-72.
39. Northfield TC, Hall CN. Carcinoma ofthe gastric stump: risks and pathogenesis. Gut 1990;31:1217-1219.
40. Ohashi M, Katai H, Fukagawa T, et al. Cancer of the gastric stump following distal gastrectomy for cancer. Br J Surg 2007;94:92-95.
41. Ojima T, Iwahashi M, Nakamori M, et al. Clinicopathological characteristics of remnant gastric cancer after a distal gastrectomy. J Gastrointest Surg 2010;14:277-281.
42. Onocdera H, Tokunaga A, Yoshiyuki T, et al. Surgical outcome of 483 patients with early gastric cancer: prognosis, postoperative morbidity and mortality, and gastric remnant cancer. Hepatogastroenterology 2004;51:82-85.
43. Orland R, Welch JP. Carcinoma of the stomach after gastric operation. Am J Surg 1981;141:487-491.
44. Ovaska JT, Harvia TV, Kujari HP. Retrospective analysis of gastric stump carcinoma patients treated during 1946-1981. Acta Chir Scand 1986;152:199-204.
45. Păduraru DN, Nica A, Ion D, et al. Considerations on risk factors correlated to the occurrence of gastric stump cancer. J Med Life 2016;9:130-136.
46. Pointner R, Wetscher GJ, Gadenstatter M, et al. Gastric remnant cancer has better prognosis than primary

gastric cancer. Arch Surg 1994;129:615-619.
47. Sasako M, Maruyama K, Kinoshita T, et al. Surgical treatment of carcinoma of gastric stump. Br J Surg 1991;78:822-824.
48. Takeno S, Hashimoto T, Maki K, et al. Gastric cancer arising from the remnant stomach after distal gastrectomy: a review. World J Gastroenterol 2014;20:13734-13740.
49. Siewert JR, Böttcher K, Stein HJ. Operative strategies. In: Wanebo HJ, editor. Surgery for gastrointestinal cancer. Philadelphia: Lippincott-Raven, 1997:305-318.
50. Sinning C, Schaefer N, Standop J, et al. Gastric stump carcinoma-epidemiology and current concepts in pathogenesis and treatment. Eur J Surg Oncol 2007;33:133-139.
51. Sowa M, Kato Y, Onoda N, et al. Early cancer of the gastric remnant with special reference to the importance of follow up of gastrectomized patients. Eur J Surg Oncol 1993;19:43-49.
52. Takaaki Hanyu, Atsuhiro Wakai, Takashi Ishikawa, et al. Carcinoma in the remnant stomach during long-term followup after distal gastrectomy for gastric cancer: analysis of cumulative incidence and associated risk factors. World J Surg 2018,42:782-787.
53. Takeda J, Toyonaga A, Koufuji K, et al. Early gastric cancer in the remnant stomach. Hepatogastroenterology 1998;45:1907-1911.
54. Takenaka R, Kawahara Y, Okada H, et al. Endoscopic submucosal dissection for cancers of the remnant stomach after distal gastrectomy. Gastrointest Endosc 2008;67:359-363.
55. Takeno S, Noguchi T, Kimura Y, et al. Early and late gastric cancer arising in the remnant stomach after distal gastrectomy. Eur J Surg Oncol 2006;32:1191-1194.
56. Tanaka S, Toyonaga T, Morita Y, et al. Endoscopic submucosal dissection for early gastric cancer in anastomosis site after distal gastrectomy. Gastric Cancer 2014;17:371-376.
57. Tersmette AC, Giardiello FM, Tytgat GNJ, et al. Carcinogenesis after remote peptic ulcer surgery: the long term prognosis of partial gastrectomy. Scancd J Gastroenterol 1995;212:96-99.
58. Tersmette AC, Goodman SN, Offehaus GJ, et al. Multivariate analysis of the risk of stomach cancer after ulcer surgery in an Amsterdam cohort of postgastrectomy patients. Am J Epidemiol 1991;134:14-21.
59. Tersmette AC, Offehaus GJ, Giardiello FM, et al. Long-term prognosis after partial gastrectomy for benign conditions. Survival and smoking-related death of 2633 Amsterdam postgastrectomy patients followed up since surgery between 1931 and 1960. Gastroenterology 1991;101:148-153.
60. Tersmette AC, Offerhaus GJ, Tersmette KW, et al. Meta-analysis of the risk of gastric stump cancer: detection of high risk patient subsets for stomach cancer after remote partial gastrectomy for benign conditions. Cancer Res 1990;50:6486-6489.
61. Thorban S, Böttcher K, Etter M, et al. Prognostic factors in gastric stump carcinoma. Ann Surg 2000;231:188-194.
62. Toftgaard C. Gastric cancer after peptic ulcer surgery. A historic prospective cohort investigation. Ann Surg 1989;210:159-164.
63. Tokudome S, Kono S, Ikeda M, et al. A prospective study on primary gastric stump cancer following partial gastrectomy for benign gastroduodenal diseases. Cancer Res 1984;44:2208-2212.
64. Tokunaga M, Sano T, Ohyama S, et al. Clinicopathological characteristics and survival difference between gastric stump carcinoma and primary upper third gastric cancer. J Gastrointest Surg 2013;17:313-318.
65. Viste A, Biomestad E, Opheim P, et al. Risk of carcinoma following gastric operations for benign disease. A historical cohort study of 3470 patients. Lancet 1986;2:502-505.
66. Viste A, Eide GE, Gattre E, et al. Cancer of the gastric stump: analysis of 819 patients and comparison with

other stomach cancer patients. World J Surg 1986;10: 454-461.
67. Von Holstein CS. Long-term prognosis after partial gastrectomy for gastroduodenal ulcer. World J Surg. 2000;24:307-314.
68. Yamada H, Kojima K, Yamashita T, et al. Laparoscopy-assisted resection of gastric remnant cancer. Surg Laparosc Endosc Percutan Tech 2005;15:226-229.
69. Zhang Y, Tokunaga A, Masuda G, et al. Surgical treatment of gastric remnant-stump cancer. J Nippon Med Sch 2002;69:489-493.

CHAPTER 7 전이성 위암 및 합병증을 동반한 위암의 수술 및 내시경적 중재

1. 복막전이, 원격전이를 동반한 위암의 치료

최근 건강검진이 활성화되면서 위암을 조기에 발견하는 경우가 많아지고, 진단-검사방법의 발전에 힘입어 진단 정확도가 높아졌다. 대한위암학회에서 발표한 자료에 따르면 Stage IV 환자는 2004년 5.6%에서 2014년 4.5%로 감소하였고, 원격전이도 5.5%에서 4.5%로 감소하였다. 수술 후 잔위암에 대해서도, R1, R2 및 no resection은 2004년 1.5%, 3.2%, 3.4%에서 2014년 1.4%, 2.2%, 1.8%로 점차 감소하고 있는 추세이다. 고식적 수술인 bypass, exploration only의 경우 역시 2004년 1.5%, 2.2%에서 2014년 1.0%, 1.9%로 전반적으로 감소하는 추세로 최근 항암치료의 발전을 간접적으로 알 수 있다.

전이성 위암이란 원발성 위암이 주위 림프절 전이보다 특정 장기에 원격전이하는 경우를 지칭한다. 원발성 위암의 가장 흔한 원격 전이는 복막전이, 난소전이, 혈행성 전이(간, 폐, 뼈)와 함께 원격 림프절 전이(paraaortic, mesenteric, mediastinal or neck lymph node)이다.

Wu 등이 근치적위암 수술 후 재발양상에 대한 연구에 의하면 국소영역재발(locoregional recurrence)이 26%, 원격전이로 이루어진 경우는 74%였으며, 이중 복막전이가 38%, 혈액성 전이가 26.8% (간,17.8%, 폐, 7.3%, 뼈, 4%, 부신,0.8%, 뇌,0.8%)였고, 원격 림프절 전이가 8.9%였다. 이 연구에서 40.1%의 환자에서 재발을 경험하였는데, 53.5%가 첫 1년, 약 80%의 재발이 첫 2년 이내 발생하였고, 재발 환자의 약 40%의 환자에서 single recurrence를 경험하였다. 다른 연구에서 복강경과 개복수술 등 술식의 차이에 대해서도 두 그룹 간 재발 부위에서 유의한 차이가 없다고 보고하였다.

최근 스웨덴과 미국의 국가 암등록사업 데이터를 이용한 연구가 발표되었다. 스웨덴 암등록사업 위암 환자데이터(2002~2012, N=8,321)를 이용한 연구에서 원격전이암 환자는 전체 환자의 39%였고 (M1), 이중 전체 환자의 26% (N=1,945)에서 단독 전이가 있었고, 13% (N=980)에서는 다발성 전이가 있었다. 가장 흔한 전이 부위는 간(48%), 복막 (32%), 폐 (15%)였다. 또한, 미국 NIH의 암등록사업 위암 환자데이터(SEER, 2010~2014, N=19,022)를 이용한 연구에 의하면, 최초 진단 시 위암 4기가 40.96% (N=7,792)에 달하였다. 4기 환자 중 진단 당시 혈행성 전이의 분포를 보면, 간전이가 전체 환자의 16.9% (N=3,218)였고, 폐전이 5.92% (N=1,126), 뼈전이 5.08% (N=966), 뇌전이 1.94% (N=151)였다. 이 환자들의 생존중앙값(median survival)은 각각 4개월(간전이),

3개월(폐전이), 4개월(뼈전이), 3개월(뇌전이)로 낮게 보고되었다.

전이성 위암 환자에서 한 가지 혹은 두 가지 비치유인자가 있을 때 원발암의 절제 혹은 원발암과 전이암의 동시제거술이 생존기간을 늘리는가에 대해 여러 연구가 보고되었다. 하지만, 이 논란은 비치유인자를 가진 환자에 대한 무작위연구 REGATTA trial (2016)에서 항암치료 단독치료군과 위절제 및 항암치료군, 이 두 그룹의 무작위 비교연구에서 위절제 및 항암치료군이 항암치료 단독치료군에 비해 생존기간 연장을 가져오지 못하다는 결과가 나옴으로써 현재는 항암치료 단독치료로 결론이 나게 되었다.

이 장에서는 palliative surgery는 증상완화 수술만을 가리키고, 잔류암(residual tumor)이 있는 WHO 분류상의 R1, R2 수술은 비근치적 절제(non-curative resection)로 부르기로 한다. 또한 항암제를 이용한 치료법은 언급하지 않고 수술치료에 대해서만 기술한다.

1) 간전이

위암세포의 혈행 전이 시 간문맥을 타고 첫 관문인 간으로 먼저 진입하게 되고, 가끔씩 간을 지나 폐로 전이하며, 점점 진행되어 뼈, 부신과 뇌 등으로 진행하는 것으로 알려져 있다. 위암의 간전이는 위암 환자의 5~16.9%에서 발생한다. 이들은 전신적 항암화학요법, 간동맥 항암제 주입요법(hepatic artery chemoinfusion), 외과적 절제 등으로 치료한다. Adam 등이 각 장기별 종양에서 유래한 간전이에서 시행된 간절제(대장암, 내분비암 제외) 연구에서 부신, 고환, 난소, 자궁, 신장에서 발생한 비뇨기나 산부인과 종양의 경우 5년 생존율이 30% 이상, 유방암의 경우도 41%로 좋은 예후에 해당한다고 보고하였다. 반면, 위 및 십이지장에서 발생한 원발암에서 동반 간절제를 했을 때 5년 생존율은 15~30%였고, 췌장암의 경우 20%, 식도암은 15% 미만 정도로 보고하였다.

(1) 치료 및 예후

일본위암학회 위암치료지침을 보면 2010년 ver. 3에서는 간전이의 경우 M1으로 수술적 치료 없이 고식적 항암치료만을 시행하게 되어 있으나, 2016년 발표된 ver. 4에 의하면 역시 기본적 치료지침은 고식적 항암치료이나, 추가된 clinical question 2에서 간전이의 경우 단독전이 또는 적은 수의 간전이 시 다른 비치유인자가 없다면 일부 선택적으로 간절제를 할 수 있다고 하였다. Petrelli 등이 10명 이상의 위암 환자에서 간절제를 시행한 23개 연구를 대상으로 메타분석에서 5년 생존율을 23.8%로 보고하였다. 이들은 간절제 후 나쁜 예후인자로 multiple meta, large size of metastases를 보고하였으며, 이시성(metachronous)인 경우 일부 선택적으로 간절제를 시행 가능하다고 하였다. 최근 한국과 일본에서 발표된 대규모 후향적 연구는 표 37-1과 같으며, 이들 연구에서 solitary 간전이는 60% 이상이었으며, 간절제 후 5년 생존율은 20.8~42%였다. 수술 후 예후인자는 단독전이와, T, N의 stage가 낮고 3 cm 이하 작은 종양에서 예후가 좋은 것으로 나타났다.

최근에는 소규모 후향적 연구의 한계를 벗어나, nation-wide hospital data를 이용한 연구가 활발하게 발표되고 있다. 영국 Hospital Episode statistics (HES) database를 이용한 위암 환자의 간절제 분석에서(1997~2012)에서 87,482명의 위암 환자 중 336명이 간전이로 진단을 받았고, 이중 78명만이 동시성 위, 간절제술을 받았다. 이에 간전이가 있고 수술한 그룹과 간전이가 있지만 수술하지 않은 그룹 간 5년 사망률은 61.5%, 75.7%로 간절제를 시행한 그룹에서 유의한 사망률 감소를 보였다. 대만에서도 National health insurance Research Database를 이용한 연구에서 (1996~2012) 기간 중 위암 및 간전이가 있는 환자에서 수술한 그룹(N=34) vs. 수술하지 않은 그룹(N=619)과의 5년 생존율이 24.5% vs. 4.4%로 유의한 차이를 보였다.

최근 간절제와 함께 전이성 간암을 고주파열치료

표 37-1. Four recent Asian retrospective series of surgically treated hepatic metastasis from gastric cancer

Author/year	Cases	Type of study	Period	Characteristics	No. of metastatic nodules	5YSR (%)	Parognostic factors
Cheon (2009)	41	Retrospective single institutions	1995-2005	Includeds 9 RFA cases	Solitary (28, 68%), multiple (13)	20.8	Solitary metastasis
Kinoshita (2015)	256	Retrospective 5 institutions	1990-2010	All hepatectomy	Solitary(168, 66%), 2 nodule (44), 3 nodule(18), ≥4 nodules(26)	31	>2 metastatic nodules, primary tumor ≥pT3
Guner (2016)	98	Retrospective single institution	1998-2013	Includeds 30 RFA cases	Solitary(67, 68%), 2 nodule (20), ≥3 nodules(11)	30	Tumor diameter >3 cm
Oki (2016)	94	Retrospective Multi-institutions	2000-2010	Included 25 RFA cases	Solitary(56, 60%), 2 nodule (19), 3 nodule(9), ≥4 nodules(10)	42	Solitary metastasis, primary tumor> pN2

5YSR, 5 year survival rate; MRI, magnetic resonance imaging; RFA, radiofrequency ablation.

(radiofrequency ablation, RFA)가 시도되고 있다. Guner 등은 간절제와 고주파열치료 각각 치료법 후 발생한 단기 장기 결과를 비교연구한 결과 두 그룹 간 결과의 차이가 없다고 하였고, 5년 progression free survival 역시 간절제군 26% (N=68), 고주파치료군 32.8% (N=30)로 유의한 차이가 없었다.

(2) 결론

현재까지 증거능력만으로 보면 무작위 연구인 REGATTA tiral이 여러 후향적 연구보다 높은 수준의 증거능력을 가지고 있다고 할 수 있으므로 위암 간전이 환자의 기본 치료지침은 고식적 항암치료 단독이다. 하지만, REGATTA trial에 등록된 환자 175명 중 간전이가 있던 환자는 16명(9.1%)에 불과하다. 따라서, 일부 performance 등이 좋고 다른 비치료인자가 없는 환자에서 단독(solitary) 또는 적은 수의 간전이 환자의 수술에서 선택적으로 수술을 시도할 수 있겠다(그림 37-1).

2) 복막전이

근치절제술을 위해 개복했을 때 복막전이가 존재할

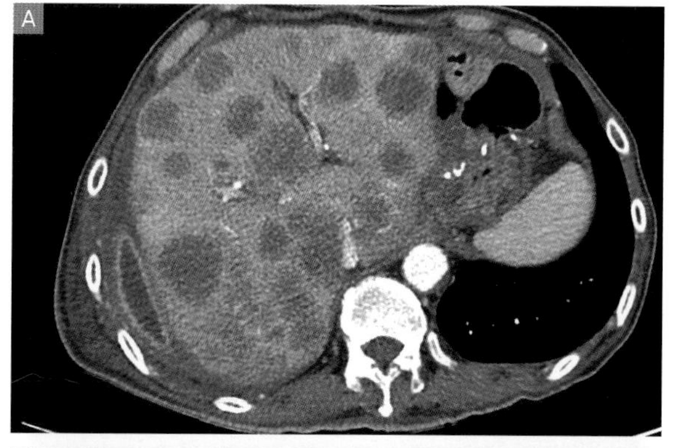

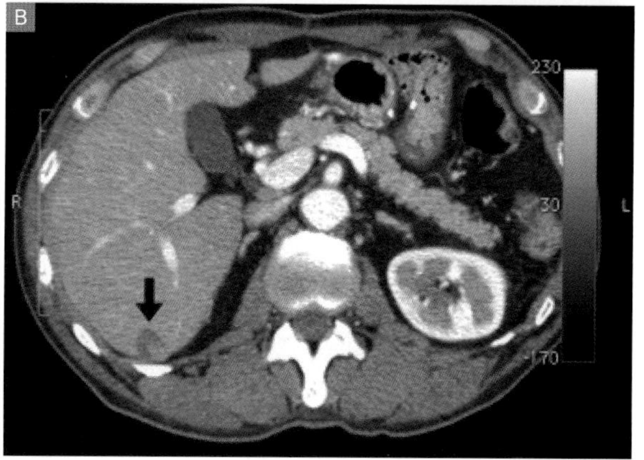

그림 37-1 **간전이 CT소견.**
A. 다발성 간전이
B. 단독 간전이 (검정 화살표)

확률은 10~20%이다. 원발암의 세포형으로 장형보다 반지세포형(signet ring cell type)이 복막전이를 더 잘 일으킨다. 복막전이는 암세포가 장막 표면(serosal surface)에서 떨어져 내리거나, 수술적 조작 중 떨어져 나온다고 생각된다. 따라서, 한국과 일본과 같이 체계적인 림프절절제술을 시행하는 지역의 경우 재발패턴 분석에서 가장 높은 재발 장소가 stomach bed나 국소영역재발보다는 복막재발이다. 또한, Bormann type IV (linitis plastic) 환자의 경우 최초 방문 시 복막전이까지 있는 경우가 많다.

(1) 복막전이에 환자에 대한 고식적 위절제술

과거 여러 연구에서 복막전이 환자에서 고식적 위절제술이 시도되었고, 좋은 결과를 보고하였다. 하지만, 고식적 위절제술의 효과에 대해 최근 Tokunaga 등이 보고한 148명의 후향적 연구에서 고식적 위절제를 시행한 군과 시행하지 않은 군은 13.1개월과 12개월로 차이가 없었지만, 항암치료를 시행한 군은 13.7개월 및 치료하지 않은 군은 7.1개월로 두 배가량 차이를 보였다. 양 등이 보고한 267명의 대규모 후향적 연구에서 고식적위절제술 및 항암치료군 모두 시행한 군은 18.3개월의 높은 생존율을 보였고, 그 다음은 항암치료 단독군으로 11.7개월이었고, 고식적 위절제의 경우 8.9개월로 낮았으며, 아무 치료도 하지 않은 군은 4.7개월이었다. 또한, 한국, 일본, 싱가포르 3개국 다기관 무작위 연구인 REGATTA trial는 항암치료+위절제술군(14.3개월)이 항암치료 단독군(16.6개월)에 비해 좋은 생존율을 보여주지 못했다(표 37-2).

이 결과에 대한 설명으로 저자들은 위절제 후, 특히 위전절제술 후 항암치료의 순응도 감소를 요인으로 꼽았다. 결국 복막전이 암 환자의 경우 항암치료가 치료의 중요한 열쇠인데, 항암치료 단독군에 비해 위전절제술 후 환자들이 수술 후 발생한 체중감소 및 위전절제술 후 식이섭취량 감소로 인한 컨디션 저하로 항암치료의 순응도가 좋지 못하여 오히려 생존율이 감소하였다고 분석하였다. 결론적으로 현재까지 증거로는 위암 및 복막전이 환자에게 단독 고식적 항암치료가 원칙이다(그림 37-2).

표 37-2. Three recent Asian large scale study of gastric cancer with peritoneal metastasis

Author/year	Cases	Type of study	Period	Characteristics (case)	Median survival (month)	Parognostic factors
Tokunaga (2012)	148	Retrospective single institutions	2002-2008	GTx alone (27) CTx alone (66) GTx + CTx (55)	GTx +/-: (13.1/12) CTx +/-: (13.7/7.1)	CTx 여부
Yang (2015)	267	Retrospective single institutions	2006-2013	GTx + CTx (71) CTx alone (83) GTx alone (43) No therapy (70)	GTx + CTX (18.3) CTx alone (11.7) GTx alone (8.9) No therapy (4.7)	Gastric resection, chemotherapy, P3
Fujitani (2016)	175	Randomized control study, mutination, multicenter	2008-2013	Non-curable factor : Liver meta (16), Peritoneal meta (131), Paraaortic LN meta (24) Treatment groups : CTx alone (86), CTx + GTx (89)	CTx alone (16.6) CTx + GTx (14.3)	

GTx, gastrectomy; CTx, chemotherapy; P3, Peritoneal Cancer Index (PCI) score 3.

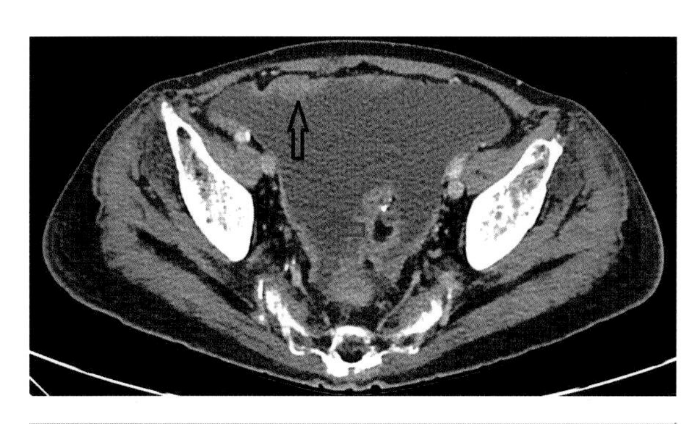

그림 37-2 **복막전이 CT소견.**
복막전이로 인해 두꺼워진 복막(붉은 화살표)과 앞쪽 복벽에 mass (검정 화살표)가 관찰된다.

(2) 복막절제술

복막절제술(peritonectomy)은 1995년 Sugarbaker가 처음 기술하였다. Yonemura 등은 복막절제술을 할 때 완전한 세포감소수술(cytoreductive surgery)을 위하여 복강내 모든 복막을 제거하고, 위전절제, 비장절제, 대망 및 소망절제, 담낭절제를 포함하여 복막전이가 있는 대장과 소장을 제거하며, 여자에서는 자궁 및 난소도 함께 제거했다(그림 37-3). 이 술식으로 복막전이가 있는 환자의 장기생존율이 거의 35%까지 향상되었다. 그러나 단순히 암종만 제거한 술식은 합병증 발생률이 8%에 비해, 복막절제술을 시행한 경우 합병증 발생률이 43%, 수술사망률이 7%에 달해 합병증 발생률과 수술사망률이 과도하다.

(3) 복강내 온열화학요법

복강내 온열화학요법(hyperthermic intraperitoneal chemotherapy, HIPEC)은 1955년 Hoffman에 의해 보고 되었으며 체내에서 41℃ 이상의 고온은 그 자체가 항암효과가 있고 항암제를 관류액에 섞으면 상승효과를 가져온다. 이러한 치료의 원리는 온열이 암세포의 apoptosis의 유도, 세포벽의 property의 변화, 세포내

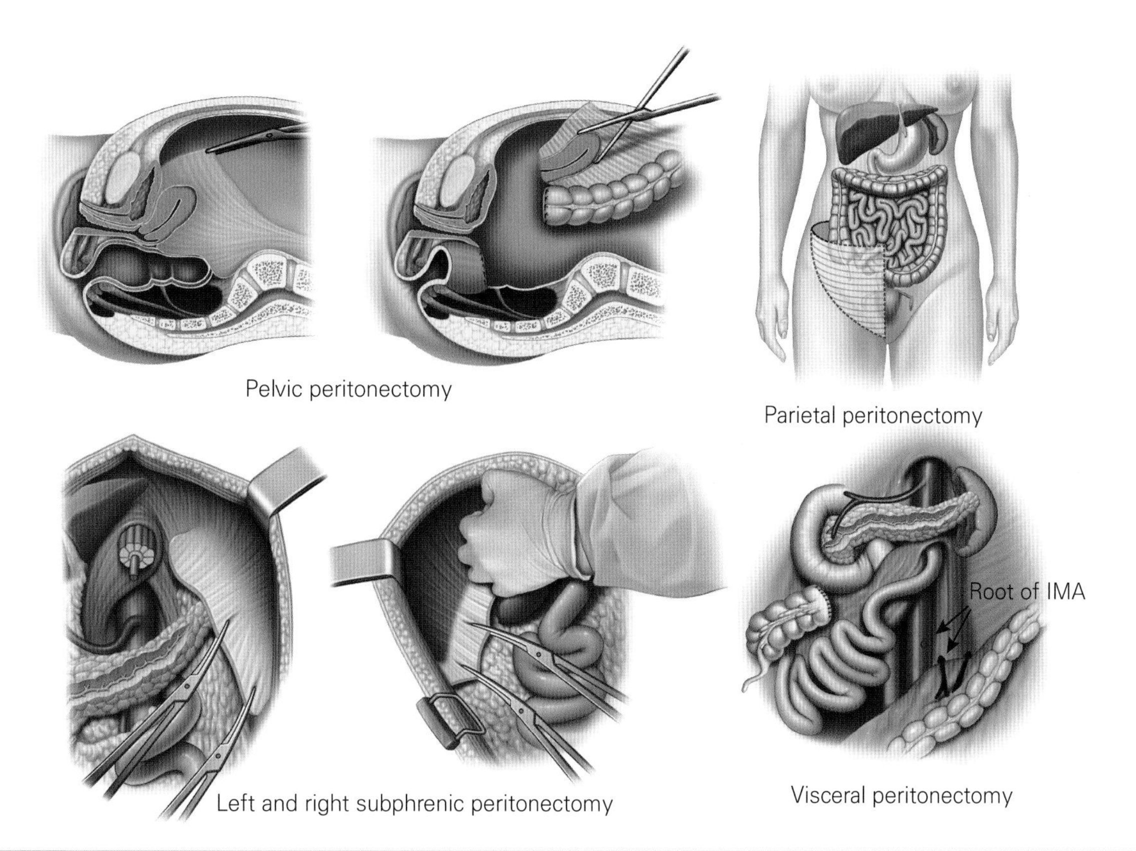

그림 37-3 **Yonemura가 제시한 Pelvic peritonectomy + parietal peritonectomy의 schematic feature**

단백질의 변화유도 및 생성에 영향을 미치고, 암세포의 DNA repair를 방해한다고 하며, 또한 세포내 heat-shock response를 방해한다고 한다. 이 치료방법은 그동안 여러 용어로 불리어 오다가 2004년 마드리드 컨센서스 모임에서 현재의 이름으로 부르기로 정하였다.

Fujimoto 등은 1988년에 복강내 온열화학요법이 안전한 치료법이라고 보고하고, 다음해에 미토마이신씨(mitomycin C)를 이용하여 복강내 온열화학요법으로 치료한 결과 historic control군에 비해 생존율이 향상되었다고 보고하였다(p=0.001). 그 후 여러 연구자들이 세포감소수술 후에 복강내 온열화학요법을 추가해서 생존율이 향상되었다고 보고하였다. 복강내 온열화학요법에 주로 쓰이는 약제는 미토마이신씨, 시스플라틴, 에토포시드(etoposide)이다. 복강내 온도는 41~43℃로 유지한다. Glehen 등은 위암 및 복막전이 환자 159명에서 cytoreductive surgery와 HIPEC을 적용하였다. 환자들의 전체 생존율(survival)은 9.2개월로 보고되었으며, 1년 생존율은 43%, 3년째 18%, 수술후 5년째 13%였다. Wu 등은 62명의 위암 복막전이 환자에서 surgery와 HIPEC 군(32명)의 생존율은 15.5개월로 control 군(30명)의 생존율 10.4개월에 비해 유의하게 증가함을 보고하였다. 하지만, 30일 사망률이 5%로 매우 높다($p<0.05$).

(4) 복막전이를 동반한 위암치료의 미래

최근에는 복강경수술장비를 이용한 pressurized intraperitoneal aerosol chemotherapy (PIPAC)를 시도하고 있다. 난소암에서 안전성과 효과를 보고하였으며, 위암에 대해서는 Nadiradze 등이 2011년부터 복막전이 위암 환자 24명에게 적용한 결과를 2016년 처음으로 보고하였다. 적용 약제는 저용량 시스플라틴(low dose cisplatin)과 독소루비신(doxorubicin)이며 환자들의 Median survival은 15.4개월로 50% (12/24)명의 환자에서 효과를 보고하였으며, 향후 좀 더 많은 연구가 필요하다.

3) 폐전이

위암의 진단 시 폐전이가 동반되는 경우는 0.3~6% 정도로 보고되고 있다. 최근 미국과 스웨덴의 대규모 암등록사업에서도 5.2~5.9%를 보고하고 있다.

(1) 임상증상 및 진단

최근 대규모 단일기관 후향적 연구로 국내에서 공 등이 총 20,187명의 위암 환자에서 0.96% (N=196)의 위암 및 폐전이 환자를 보고하였다(1995~2000). 이들은 위암에서 폐전이 패턴은 크게 혈행성(52.3%), 흉막(35.2%), 림프관염 패턴(26.4%) 3가지로 구분하여 보고하였다. 저자들은 간전이가 있는 경우와 남성에서 혈행성 폐전이의 위험성이 유의하게 높았으며, 뼈, 골수전이가 있는 환자에서는 림프관염 전이가, 위절제의 과거력과 복막전이 환자에서 흉막 전이가 유의하게 높았다고 하였다. 최초 위암 진단 시 폐전이가 같이 진단된 예는 총 폐전이 환자의 34.2% (N=66)였다. 또한, 폐전이 진단 시 단독 폐전이는 20.7% (N=40)에서 진단되었으며, 나머지 79.3% (N=153)은 다른 장기 전이와 동반되었다. 이중 복막전이(42.5%)가 가장 많았고, 간(40.9%), 뼈(17.6%), 골수(5.7%) 순이었다. 폐전이 진단 후 중위 생존율(median survival)은 4개월이었다(그림 37-4).

(2) 치료 및 예후

폐전이 환자들의 생존율은 약 3~4개월로 극히 불량하다고 알려져 있다. 따라서, 위암 환자의 폐전이 기본 치료지침은 고식적 항암치료이다. 따라서, 폐전이의 수술의 경우 극히 선택적인 경우 시행되므로 수술적 치료에 대한 보고는 많지 않다. Kanemitsu 등은 폐전이암의 외과적 절제수술의 네 가지 전제조건으로 ① 폐 이외의 장기에 전이가 없어야 하고, ② 환자가 절제술을 이겨낼 수 있고, 수술 후 삶의 질 향상이 예상되어야 하며, ③ 원발암을 절제해야 하고, ④ 전이암의 완전절제를 기대할 수 있어야 한다는 점을 들고 있다.

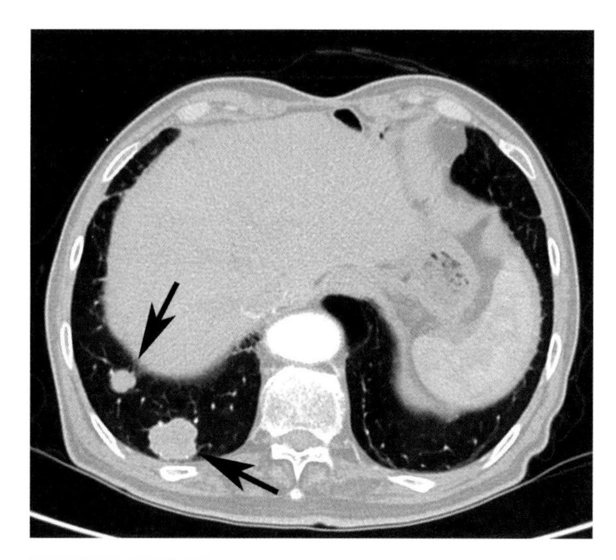

그림 37-4 **위암의 혈행성 폐전이.**
우측폐엽에 두개의 종괴가 관찰된다(화살표).

최근 1998~2014년 사이에 행해진 소규모 위암 환자의 폐전이 재발 수술 10건의 연구에 대한 메타분석이 발표되었다(N=1~11, total N=44). 위암 수술 후 median disease free survival은 35개월이었으며, 38명의 환자는 단발성 폐전이였고, 6명은 다발성이었다. 수술방법은 lobectomy가 43.2% (N=19), Wedge resection 22.7% (N=10), partial 11.4% (N=5), segmentectomy 2.3% (N=1), no report 20.4% (N=9)였다. 수술 후 median disease free survival은 9개월이었고, survival은 45개월이었다.

4) 골전이

위암의 골전이 발생률은 부검연구에서는 13.4%, 위절제 환자에서는 1.5%로 보고되고 있으며, 전이성, 재발 위암의 경우 10.5%에서 골전이가 있었다. 위절제술을 한 지 평균 14개월 후에 골전이가 일어나고, 단일전이보다 다발성 전이가 훨씬 많다.

(1) 임상증상 및 진단

주된 전이부위는 흉추, 요추, 늑골이다. 따라서 주증상은 등과 허리 통증이다. 전이 경로는 Batson's verrebral plexus를 통한 혈행성 전이로 생각된다. 진단 당시 골전이를 진단받은 군(N=90)에서 치료 중 골전이 진단을 받은 군(N=47)에 비해 환자들의 총 생존기간(overall survival)이 유의하게 짧다는 보고도 있다(5.0 vs. 12.2 months, $p<0.01$). 골전이를 잘 일으키는 임상병리학적 인자는 분화도가 나쁜 선암, 알칼라인포스파티아제(alkaline phosphatase, LDH) 값의 상승 등이다. 특히 혈액학적 변화가 올 정도로 골수에 미만형으로 암이 전이된 경우의 임상양상은 알칼라인포스파타아제, LDH 값의 상승과 다발성 골용해(osteolytic) 골파괴 소견들이고 고칼슘증은 골파괴가 심한 정도에 비해서 드문 편이다. 또한 파골골흡수(osteoclastic bone resorption)의 주 규제인자(master regulator)인 receptor activator of NF-kB ligand (RANKL)가 환자의 위암세포에서 증명되고 있다. 또한, 한 연구에서는 최초 골전이를 일으키는 독립인자로 나이가 65세 이하인지, signet ring cell history, 위암이 위의 2/3 이상 차지하는지, 흉막전이 여부, thrombocytopenia (PLT <10만), ALP 증가를 보고하였다. 환자의 생존에 영향을 주는 인자로 환자의 ECOG performance status, 골전이의 진단 시점(진단 당시 vs. 치료 중), 복막전이 여부, 고식적 항암치료의 여부, 고칼슘혈증, CEA 증가 등이 보고되고 있다.

(2) 치료 및 예후

치료로 전신온열요법이나 항암화학요법을 해볼 수 있으나 예후는 극히 불량하다. 최근에 개발된 bisphosphonate를 항암화학요법과 병용하여 다른 장기의 원발암이 골전이된 환자의 생존기간 연장을 기대할 수 있다는 보고가 있으나 위암에 대한 보고는 증례보고에 그치고 있다. 골전이가 있는 환자는 진단 후 평균 4.4~6개월간 생존한다. 한편 Etoh 등은 disseminated intravascular coagulopathy (DIC) 혹은 microangiopathic hemolytic anemia (MAHA)가 동반된 환자는 2개월간, 동반하지 않은 환자는 11개월간 생존했다고 보고하였다. 뼈 스캔(bone scan)을 자주 하는 것이 치료효과 판정에 좋다고 하나, 최근에 개발된 PET 스캔이 더 낫다는 보고도 있다. 증상 완화가 목적인 방사선치료는 환자의 75%에서 효과를 볼 수 있다(그림 37-5).

5) 뇌전이

뇌종양에서 뇌 자체에서 발생한 일차성 뇌종양보다 전이성 뇌종양이 보다 흔하다고 알려져 있다. 모든 암 환자의 약 10% 정도가 종양의 진행과정에서 뇌전이가 발생한다고 한다. 소화기 암의 경우 식도 및 대장직장암이 약 4% 이상의 뇌전이를 보이며, 위암(0.2~0.7%), 췌장암의 경우(0.3%)의 경우 1% 이하의 비교적 낮은 발생률을 보고한다. 뇌전이 장소는 뇌실질 전이와 연수막(leptomeningeal) 전이가 거의 반씩 나타난다고 한다.

(1) 임상증상 및 진단

위암의 뇌전이의 경우 통상 이미 다른 장기 전이가 있고, 절반 이상의 환자들은 다발성 뇌전이 상태로 발견된다. 뇌전이 환자의 증상은 뇌전이 초기부터 발생하며 무기력감, 구역, 두통, 신경학적 증상 등이 발생하므로 즉각적이고 신속한 치료를 요구한다. 신경학적 증상으로 흔한 것은 두통, 근력 약화, 평형감각 및 보행장애, 시야장애 등이었다.

진단은 CT나 MRI, EEG 등으로 시행되며, 필요시 spinal tapping을 이용한 cytology가 사용되기도 한다. 뇌전이 부위로는 supratentorial이 가장 많고, supra- and infratentorial이 그 다음이고 infratentorial이 제일 빈도가 낮다. 최근 보고된 10예 이상 보고된 연구를 통해 환자들의 특징을 살펴보면, 평균 나이는 44~61세였고, 뇌전이를 일으킨 위종양의 위치는 위 하부나 중부보다 위 상부(gastric upper body)의 비율이 높았다.

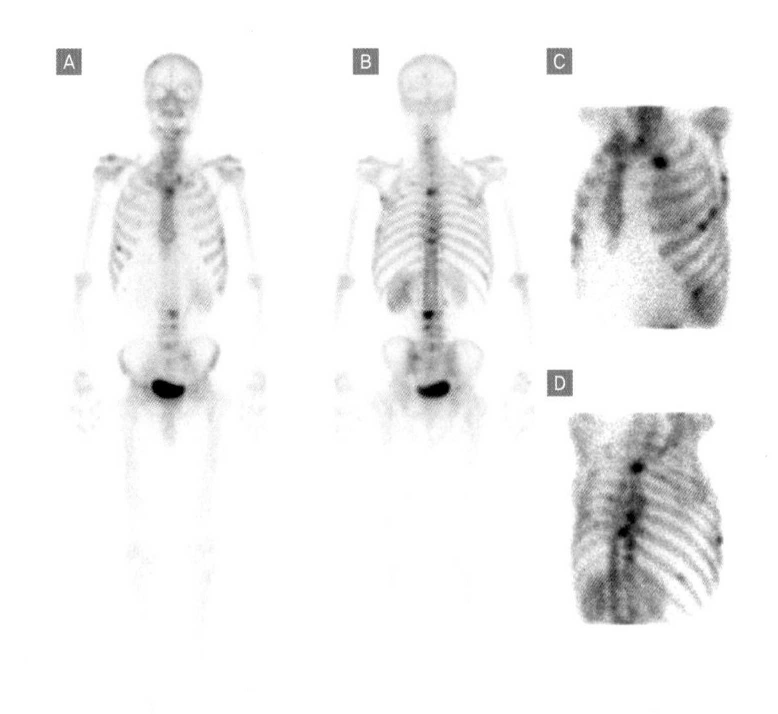

그림 37-5 골전이 bone scan.
전신(A, B) 및 흉부 스캔사진으로 right frontal bone, mid C-spine, T6~9, L4~5, right 4, 6 & 9th ribs, left 4~9th ribs, left scapula, left sacroiliac joint and right acetabulum에 전이가 보인다.

(2) 치료 및 예후

뇌전이의 치료의 목적은 증상 완화이다. 치료방법으로 뇌절제, whole brain radiotherapy (WBRT), stereotactic radio-surgery (Gamma knife), chemotherapy 등이 시행된다.

위암의 진단 후 생존율은 7개월로, 위암의 진단 후 뇌전이까지 진행하는 데 12개월이었다. 약 81%의 환자에서 폐, 간 및 림프절 등의 원격전이가 동반되었다. 치료는 항암치료, WBRT와 수술 등이었다. 뇌전이의 치료 후 생존기간은 3개월이었고, 환자들의 사망은 뇌전이보다는 일차적 위암의 진행에 따른 사망을 보고하였다. 따라서, 위암의 뇌전이 환자들의 예후는 매우 좋지 않으며, 5년 생존율을 5% 이내로 알려져 있으며, 생존율은 1.4~27.7개월로 보고된다(표 37-3, 그림 37-6). 흥미로운 점은 resection 등의 과감한 뇌전이 치료군의 생존율이 모두 향상되었다고 보고되었다는 것이다.

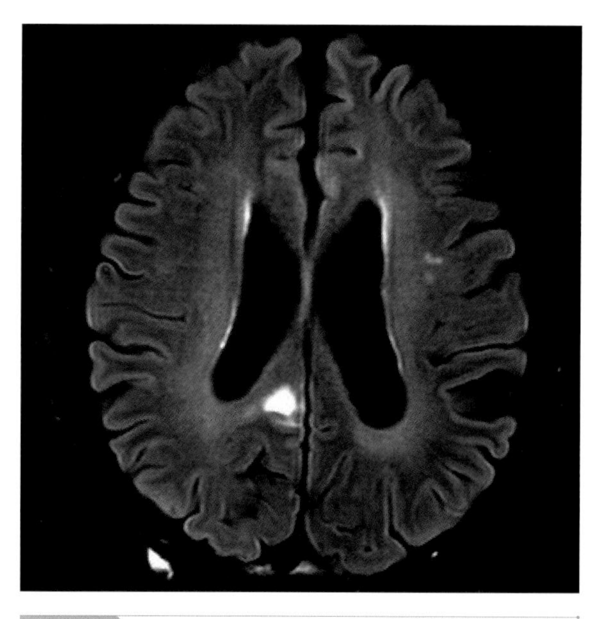

그림 37-6 **위암 뇌전이 MRI소견.**
우측 후 cingulate gyrus에 small enhancing nodule이 발생하였다.

2. 절제불능 위암의 치료

1) 서론

위암 수술의 목표는 완치를 위한 근치적 절제이다. 근치적 절제란 원격전이가 없는 환자에서 절제연이 확보되고 림프절절제의 범위가 전이된 림프절 범위보다 넓거나 같은 경우를 말한다. 이 기준에 합당하지 않은 경우를 비근치적 수술(non-curative resection)라고 정의할 수 있는데 수술의 목적과 결과에 따라 고식적 수

표 37-3. **위암에서 기원한 뇌전이 환자의 임상소견 및 생존율**

Author /year	Incidence (%)	Case	Mean age	ECM (%)	BM>1 (%)	Resection (%)	OS (Mo)	OS resection group(Mo)
York (1999)	0.7	24	53	88	55	21	2.4	12.5
Kim (1999)	0.2	11	44	n/a	n/a	0	1.4-2.2	n/a
Kasakura (2000)	0.5	11	55	20	55	27	2.7	6
Lee (2004)	0.17	19	47	84	n/a	0	10.4	n/a
Han (2010)	n/a	11	61	82	45	18	27.7	45.5
Park (2011)	n/a	56	56	91	55	n/a	2.1-9.3	n/a

ECM = percentage of patients diagnosed with extra-cranial metastases; BM > 1 = percentage of patients diagnosed with more than one brain metastases; Resection = percentage of patients that received surgical resection of brain metastases; OS = median survival of all patient diagnosed with brain metastases within the respective study; OS Resection = median survival of the patients who received surgical resection of brain metastases; n/a = data not available.

술(palliative surgery), 세포감소수술(cytoreductive surgery), 잔류암(residual tumor)이 남은 수술로 나눌 수 있다.

고식적 수술이란 진행 혹은 전이 위암에서 암의 치료적 목적이 아니라 출혈, 천공, 폐색 같은 심각한 증상을 완화할 목적으로 시행하는 수술을 의미하고 세포감소수술이란 병의 진행을 늦출 목적으로 암의 크기를 감소시키는 수술을 뜻한다. 수술이 필요한 구역의 광범위 림프절절제술을 시행하지 못하게 되는 경우도 이에 포함되는데 최근 발표된 국제 공동연구결과에 따르면(REGATTA), 세포감소수술 후 항암화학요법은 항암화학요법 단독 치료에 비해 위암 환자에서 생존율 증가를 가져오지 못한다고 한다.

WHO에서는 잔류암을 정도에 따라 R0, R1, R2로 분류하고 있다. 잔류암이 없이 완전한 절제가 이루어진 경우를 R0, 현미경적 잔류암이 남아 있는 경우를 R1, 육안으로 확인이 가능한 잔류암이 남아 있는 경우를 R2라고 정의한다. 육안적으로 잔류암이 있는 경우, 생명연장을 기대할 수 없기 때문에 가급적 수술 전 검사 결과 암 병소가 잔류하지 않게 수술할 수 있는 경우를 근치적 수술의 적응증으로 삼고 있다. 원격전이, 복막전이 등은 없으나 완전한 절제연을 확보하지 못하는 경우 1차 수술만으로 치료가 완전하지 못하는 경우가 발생할 수 있다. 특히 병소가 상부 1/3에 위치한 경우, 크기가 5 cm 이상인 경우, Borrmann type IV, 조직학적으로 Signet ring cell인 경우는 수술 전 내시경을 이용한 위치표시에도 불구하고 병소의 경계를 정확하게 파악하는데 실패할 가능성이 많아 잔류암을 발생시킬 위험이 높다. 광범위 림프절절제 시행 시 동맥손상 위험이 있는 경우나 대동맥을 따라 림프절 전이가 있어 림프절절제를 충분히 하지 못하는 경우나 환자의 전신상태가 허락하지 않아 어쩔 수 없이 근치적 수술을 시행하지 못하는 경우도 잔류암이 남아있을 가능성을 염두하고 추가 치료에 대한 계획 수립이 필요하다.

위의 어떠한 경우라도 근치적 수술을 달성하기 어렵거나 실패한 경우 절제불능위암이라고 한다. 절제불능위암은 수술이 기술적으로 가능한 경우부터 수술로는 도저히 근치적 절제를 달성하기 어려운 경우까지 다양한 경우의 수를 고려해볼 수 있겠다.

최근 연구에 따르면 Yoshida 등은 복막전이 여부와 치료 가능 여부에 따라 4가지의 범주로 4기 위암 환자를 분류하였다: 범주 1(육안적 복막전이가 없는 절제 가능한 전이), 범주 2(육안적 복막전이가 없는 절제가 어려운 전이), 범주 3(육안적 복막전이가 있고 고식적 치료로 절제가 가능한 전이), 범주 4(육안적 복막전이가 있고 치료효과가 없는 전이) (표 37-4). 이번 장에서는 절제불능 위암의 중요한 요소들과 임상양상을 확인하고 절제불능위암의 치료에 대하여 기술하였다.

2) 절제불능 요소

(1) 절제연 확보

절제연을 확보하기 위해서는 단순히 거대한 암의 크기로 인해 간, 췌장, 대장 등의 인접 장기를 침범하는 것과 점막하층이나 장막을 따라서 넓게 침윤하는 형태를 동시에 고려해야 한다. 병리검사에 따르면 양성 절제연은 전체 수술 건수에서 0.8~20% 정도로 확인이 되고 크게 환자군이 속한 병기에 따라 차이를 보인다. I기 암에서는 1% 이하, II기 암에서는 4~10%, III기 암에서는 약 20%로 보고된다. 병기 외 종양의 성질과도 양성 절제연은 연관성을 갖는데 종양의 크기, 종양의 깊이(T stage), 종양이 침범하고 있는 위의 넓이, 전이 림프절 수, 병기, 미만성 세포, Borrmann type이 높을수록, 림프관 침범이 많을수록 절제연을 확보하지 못할 가능성이 많은 것으로 조사된다. 위전절제술에서 절제연 양성이 많은 것으로 통계가 나타나지만 이는 술기 자체와의 관련이 있기보다는 고도로 진행된 위암에서 절제연을 확보하기 위해 위절제범위가 넓어서 나타나는 것으로 간주

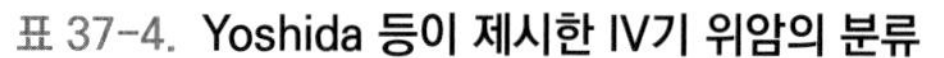

표 37-4. **Yoshida 등이 제시한 IV기 위암의 분류**

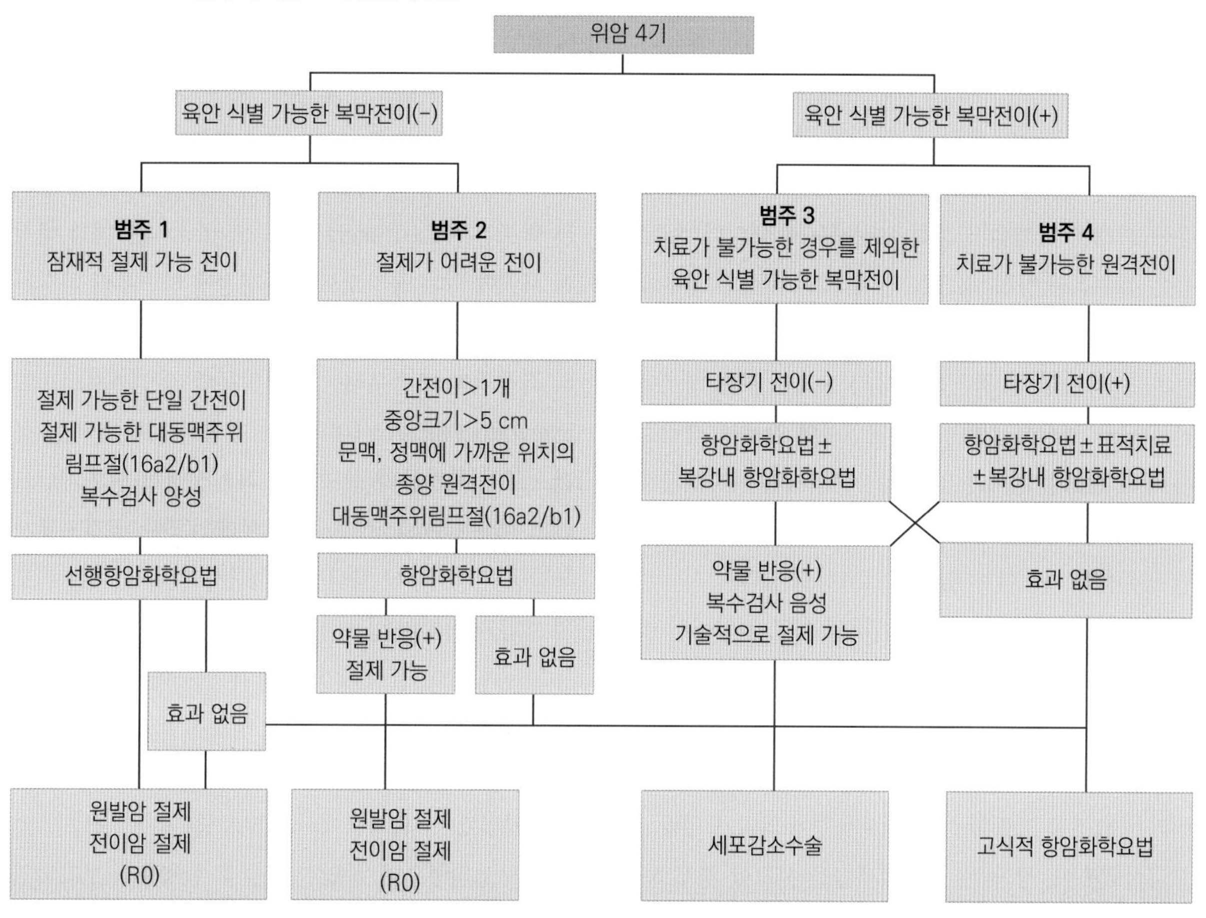

해야 한다. 안전한 절제연을 확보하기 위해서 위험요소가 높은 수술일수록 수술 중 냉동절편 병리검사(frozen margin)를 시행하는 것이 권장된다.

절제연을 확보할 수 있는 경우에 그렇지 못한 경우보다 재발률과 생존율이 더 우월하다는 결과들이 다양한 연구에서 보고되고 있는데 특히 광범위 림프절제술을 시행한 I기 혹은 II기 환자군에서 이러한 결과가 두드러진 반면, III기나 IV기의 경우에서는 절제연의 현미경적 잔존암이 생존율의 차이를 보이지 않는다는 결과들이 보고된다. 그 이유는 고도 진행 위암에서 절제연 양성 환자의 재발이 국소재발이나 문합부위 재발보다는 타장기나 복막재발이 주류를 이루고 있으며 그 시기도 국소재발 혹은 문합부위 재발이 나타나는 시기보다 이른 시기에 재발하는 경우가 많기 때문이다. 따라서 고도 진행성 위암에서는 병기가 말해주듯이 미세한 전신적 암의 침윤이 진행되었기 때문에 절제연의 확보 여부가 생존율에 큰 영향을 미치지 못하는 것으로 판단된다.

절제연에 암이 남아있는 환자 중 어떤 환자군에서 재절제술이 도움이 되는지에 대한 연구들이 있었다. 생존의 증가를 위한 재절제수술은 최종 병리검사의 림프절 전이가 음성인 경우, 혹은 침윤의 깊이가 T2 이하인 경우 시행할 것을 권유하고 있다. 선 등의 연구에서는 림프절 전이가 N0-1, T1-2 혹은 병기 I-II기인 경우 절제연 양성 시 국소재발률이 매우 높기 때문에 이러한 경우에만 재수술을 시행하는 것이 바람직하다고 보고하고 있다. 위암이 위 유문과 십이지장을 침범하고 있어 원위부의 절제연을 확보하기 위해 이자샘창자절제술(pancreaticoduodenectomy)을 고려해야 하는 경우가 있다. 이자샘창자절제술은 수술 후 합병증이 높아 시행 여부를 신중히 해야 한다. 진행 위암 환자에게 시행 여부에 관해서는 논란의 여지가 있고 대체로 선택적인 경우에 한해서 시행을 신중히 고려하는 추세이다. Saka 등은 복수검사 양성, 림프절 전이가 N3 이상인 경우에서는 생존 증가의 의미가 없다고 보고하였고, Nunobe 등은 수술 시행 전 원격전이 등의 요소가 없는 경우에만 수술을 권장하고 있다. 국내 연구에 따르면 병리검사 결과 림프절 전이가 없는 환자군에서만 이자샘창자절제술을 시행받은 환자들이 같은 병기의 환자와 비슷한 생존율을 기대할 수 있다고 보고하고 있다.

장막까지 암이 침윤된(T4) 환자의 치료에 있어서 이자샘창자절제술 외에도 대장, 비장, 간 등 주변 장기의 동반절제를 고려해야 하는 경우가 있다. Kunisaki 등은 원발 종양이 10 cm 이하의 크기, 6개 이하의 림프절 전이라는 요건을 만족할 때 동반절제술이 의미가 있다고 보고하였으며, 정 등은 동반절제술을 시도할 경우 N3 림프절 전이가 불량한 예후에 대한 독립적인 위험인자라고 발표하였다. 대다수의 연구들은 타장기동반절제수술이 근치적 치료를 시도할 수 있는 유일한 치료방법이지만 Borrmann type IV, N2 이상의 림프절 전이, 복막전이, 원격전이, 낮은 알부민 수치(<3 g/dl), 2개 이상의 장기가 동반 절제되어야 하는 경우는 불량한 예후인자로 간주하고 있다.

(2) 림프절 전이

위암의 림프절 절제범위는 ① 위암의 림프 흐름을 연구하고, ② 광범위 림프절절제술을 시행한 다음 각 림프절의 해부학적 위치에 따른 전이율을 확인하고, ③ 림프절절제에 따른 생존율의 향상 등을 고려하여 결정되었다. 여러 노력 끝에, 위암에서 영역림프절은 제2군 림프절까지이며, 그 외의 림프절은 원격 림프절이고 Virchow's node 등의 원격 림프절 전이는 전신적 전이로 판단되어 외과적 절제 대상이 아니라고 결론지었다.

대동맥 주위 림프절에 대해서는 오랫동안 논란이 이어졌다. 과연 대동맥 주위 림프절절제술이 환자에게 유용한가라는 점이 주요 쟁점이었고 절제의 대상이 되는 림프절은 16b1 interaortocaval area (대동맥과 대정맥 사이에 있는 공간으로서 좌신정맥 하연부터 하장간막동맥 상연까지), 16b1 lateroaortic area (대동맥 좌측의 좌신정맥 하연부터 하장간막동맥 상연까지), 16a2 interaortocaval area (대동맥과 대정맥 사이에 있는 공간으로서 복강동맥 상연부터 좌신정맥 하연까지), 그리고 16a2 lateroaortic area (대동맥의 좌측 공간으로서 복강동맥 상연부터 좌신동맥 하연까지)이다. 이는 림프의 흐름과 광범위 림프절절제술 후 림프절 전이의 확률 등을 종합하여 결정되었다. 과거 연구에서 대동맥 주변 림프절절제술을 포함한 D2 림프절절제술을 시행한 환자군에서는 약 20%의 대동맥주변림프절 전이가 발발견되었고 이 환자군에서의 5년 생존율도 불량한 것으로 보고되었으며, 상당한 수술 후 합병증이 보고되었다. JCOG 9501은 진행위암 환자에서 대동맥 주변 림프절의 효과를 알아보기 위한 무작위 임상연구로 그 결과 대동맥 주변 림프절절제술을 시행한 군에서 생존율이 증가하지 않았다. 하지만 대동맥 주변 림프절절제군에서 대동맥 주변 림프절 전이 양성률이 8.5%로 낮게 나타났기 때문에 대동맥 주변 림프절 비대와 같이 림프절 전이가 확실시되는 환자에서 대동맥 주변 림프절절제술의 효과는 아직 결론 난 바 없다.

광범위 림프절 전이란 대동맥 주변 림프절 전이(para-aortic lymph node)가 있거나 복강동맥, 간동맥 혹은 비장동맥 주변에 부피가 커다란 림프절이 존재하는 경우 (celiac, splenic, common, or proper hepatic arteries)를 의미한다. 림프절의 크기나 전이의 정도에 대한 정확한 기준에 대한 연구는 아직 없지만 혈관에 인접하여 박리가 어려울 것으로 예상되는 경우를 말하게 되는

데 최신 치료 가이드라인에 따르면 광범위 림프절 전이가 있는 경우 초기치료로 항암화학요법을 권장한다.

(3) 복막세척검사와 복막전이

복막전이 여부가 고도진행성 혹은 전이암에서 중요한 이유는 첫째 복막이 가장 빈번한(15~43%) 전이 병소이고 수술로는 치료가 어렵기 때문이다. 복막전이는 항암화학요법도 효과적이지 못하여 생존을 결정짓는 중요한 요소가 되고 있어 많은 연구에서 복막전이 양성은 재발에 대한 독립적인 원인인자로 보고되고 있다. 복막전이에 대한 최근의 많은 중개연구들에 따르면 복막전이가 다음과 같은 단계를 거쳐 나타난다고 보고되고 있다: ① 원발암에서 암세포의 유리 ② 복강안에서 미세환경에 암세포 생존 ③ 유리된 원발암 세포가 복막의 중피세포에 부착하여 기저막으로 침습 ④ 혈관 신생과 종양의 성장. 원발암에서 세포가 유리되는 과정이 복막전이의 개시 단계이기 때문에 복막전이는 진행성 위암 혹은 재발성 위암에서 더 자주 발견된다(T1-2, 0%; T3-4, 10%; M+, 59%). 암의 진행이 될수록 암세포가 림프관을 따라 혹은 복강에 유리되어 복막에 부착하여 복막전이가 진행될 가능성이 많아지는 것으로 여겨진다.

복막세척검사는 복막내에 유리된 암세포를 확인하는 작업으로 진행성 위암에서 병기의 결정과 치료의 계획을 수립하는 데 있어서 매우 중요하다. 진행성 위암 수술 전에 시행하는 것이 권장된다. 복수세척검사 양성은 그 자체로 원격전이로 분류되기 때문에(M1) 엄밀한 치료 가이드라인에 따라 광범위절제의 적응증이 되지 않는다. 하지만 과거에 다른 난치요소(incurable factor)가 없을 시 표준 위절제술이 종종 시행되었고 이러한 환자군에서 수술만 단독으로 시행된 환자들의 5년 생존율은 10% 미만으로 불량한 예후를 보였다. 반면 Kodera 등이 발표한 JCOG0301 연구에 따르면 근치 수술과 항암화학요법 병행치료 시 5년 생존율이 26.6%로 증가한다고 보고하였고 복막세척검사 양성 환자에서 선행화학요법 시행 후 재차 시행한 복막세척검사가 음전이 되는 치료 결과에서 보듯이 복막내 유리된 암세포는 불량한 예후를 보이고 수술적으로 치료가 어렵지만 적극적인 항암화학요법에 부분적으로 반응을 하는 것으로 보고되고 있다.

3) 절제불능 위암의 치료

(1) 항암화학요법

절제가 어려운 위암 환자의 최초 치료로는 항암화학요법이 권장된다. 육안적 잔류암(R2), 절제가 어려운(T4b) 인접장기 침윤, 광범위한 림프절 전이, 다수의 간전이, 복막전이를 포함한 원격전이(M1)가 있는 환자에서 전신상태와 주요 장기의 기능이 보존되어 있는(PS 0-2) 경우 시행한다. 절제불능 환자에서의 고식적 항암화학요법을 시행하는 경우 중앙 생존기간이 적게는 3개월에서 많게는 17개월로 보고가 되고 있다. 절제불능, 전이성 환자에 있어 항암화학요법의 종류는 세포독성항암요법, 표적항암요법, 면역항암요법으로 나누어 생각해볼 수 있는데 최근 면역항암요법에 대한 연구가 많이 이루어졌다.

세포독성 항암요법은 위암 조직에서 HER-2 발현이 음성을 혹은 약양성인 경우 해당이 된다. 일본에서 가장 많이 연구되어 온 에스원(S-1)은 JCOG9912 연구에서 에스원 단독요법이 플루오우라실(fluorouracil)과 이리노테칸(irinotecan) + 시스플라틴(cisplatin)과의 비열등성 실험에서 차이가 없음을 보여 단일약제로도 효과가 입증되었고 SPIRIT 연구에서 에스원 + 시스플라틴 병용요법이 S-1 단독요법에 비해서 생존기간이 11개월에서 13개월로 연장된 것이 발표되어 현재 일본위암 치료 가이드라인에는 에스원 + 시스플라틴 병용요법이 고식적 항암요법의 약제로서 권장되고 있고 한일 국제공동연구인 START 연구에서는 도세탁셀(docetaxel) + 에스원 약제가 에스원 단독 약제보다 중간 생존기간과 전체 생존율이 더 우월한 것으로 보고되었다. 진행성 위암에 대한 국내 후향성 연구에서도 카페시타빈(capecitabine) + 옥살리플라틴(XELOX) 요법이 에스원 단독요법보다 IIIb와 IIIc 환자에서 생존율이 더 우월한 것으로 나타났다. 표적항암요법 연구인 TOGA 연구 결과 FISH 양성/ IHC2+ 또는 IHC3+인 환자군에서 트라스투주맙(trastuzumab) + 카페시타빈 + 시스플라틴군이 카페시타빈 + 시스플라틴군보다 중앙 생존기간의 증가가 나타났고(13.8개월 vs. 11.1개월), 이것을 바탕으로 HER-2 감수성이 확인되는 환자에서는 트라스투주맙을 병용한 항암요법이 권장되고 있다

트라스투주맙 외 다른 monoclonal antibody에 대한 연구결과를 살펴보면 HER-2 양성 환자를 대상으로 퍼투주맙(pertuzumab)에 대한 double blind 무작위연구(JACOB trial)에서 퍼투주맙의 추가 투여가 더 나은 결과를 보이지 않았고 VEGF-A monoclonal 항체인 베바시주맙(bevacizumab)을 이용한 AVAGAST (Avastin in gastric cancer) 연구 시 베바시주맙 + 카페시타빈 + 시스플라틴군에서는 카페시타빈 + 시스플라틴군에 비하여 유의한 생존율의 증가는 관찰되지 않았다. 절제불능 위암에서 면역화학요법은 면역체크포인트 억제제(immune checkpoint inhibitor)를 통해 다양한 연구들이 진행되고 있다. ATTRACTION-2 (ONO-4538-12)는 절제불능 혹은 재발성 위암 환자를 대상으로 진행된 면역화학요법 최초의 무작위 3상 연구로 니볼루맙(nivolumab) 투여군이 Placebo군보다 중앙생존값이 증가하는 것으로 보고되어 면역화학요법의 효용을 알린 계기가 되었다(5.3개월 vs. 4.1개월, $p<0.001$). 펨브롤리주맙(pembrolizumab)은 KEYNOTE-059 연구에서 2차 이상의 항암화학요법 후 재발한 위암 환자를 대상으로 16.4%에서 치료반응을 보였고 KEYNOTE-061 연구결과에 따라 높은 microsatellite instability가 펨브롤리주맙의 효과에 대한 양성 예측인자로 나타나게 되었다. 이 두 가지 면역요법 제제는 현재 다른 항암제와 병용하는 방법들이 다양하게 연구되고 있으며 그 효과와 안전성을 인정받고 절제불능 위암 환자의 치료제로 미국 FDA 승인을 얻은 바 있다.

(2) 전환수술

최근 새롭게 개발된 항암요법이나 표적치료가 고도의 진행암이나 전이성 위암에서 예후가 만족스럽지는 않지만 치료효과가 보고되고 있다. 이렇게 항암치료에 반응을 보이는 환자군을 대상으로 광범위절제를 시행하여 R0 절제가 이루어진 경우 유의한 생존율 증가가 보고되고 있다. 이러한 치료방법을 전환수술(conversion surgery)이라고 부른다.

전환수술은 모든 절제불능 위암 환자가 혜택을 볼 수는 없지만 위암 진단 당시 한 가지 이상의 절제불능 조건이 있거나 근치적 절제가 어려울 것으로 생각되는 위암 환자에 적용한다. 최근에 좋은 효과를 보이고 있는 표적 항암제 등을 이용하여 항암화학요법을 시행하면 그 환자 중의 일부가 절제가 가능한 상태로 전환된다. 이런 환자에게서 수술을 시행함으로써 고도로 진행한 위암 환자의 생존율이 과거에 비해서 상당히 높아졌다. 국내외 학회에서 이에 대한 발표가 꾸준히 이어지고 있다. 전환치료(conversion therapy)란 치료전략이 항암화학요법에서 근치적 수술로 전환되는 종양외과 치료를 의미하고 전환수술은 전환치료에서 시행되는 수술을 의미한다. 여기서 전환수술은 근치적 절제를 시행하는 것을 목표로 한다는 점에서 선행항암화학요법과 차이점을 갖고 대상이 고도의 진행암, 전이성 위암 환자를 대상으로 한다는 점에서 국소진행성 식도암 환자를 대상으로 방사선치료 후 근치적 절제를 시행하는 구제수술(salvage surgery)과는 차이를 보인다.

전환치료의 적응증이 되는 환자들은 항암화학요법 시행 전 검사 결과 ① 육안확인 가능한 복막전이가 없이 단일 간전이나 혈관주위 림프절 비대가 존재하는 경우 ② 육안확인 가능한 복막전이가 있더라도 타장기 전

이가 있는 경우 ③ 육안확인 가능한 복막전이와 타장기 전이가 존재하더라도 항암화학요법 시행 후 근치적 절제가 가능한 경우에 전환수술의 대상이 된다. 육안으로 확인되었던 복막전이가 없어지거나 원격전이성 림프절의 소실, 간이나 폐전이 같은 타장기 전이가 소실되는 경우 근치적 위절제술과 광범위 림프절절제술을 시행하고 항암화학요법 시행 후 복막, 간, 림프절을 비롯한 타병소의 전이암이 없어지지는 않았지만 근치적 절제로 R0를 달성할 수 있는 경우 전이 병소를 포함한 절제, 근치적 위절제술과 광범위 림프절절제술을 시행하여 R0을 확보하도록 한다.

전환수술을 시행하는 시점은 항암화학요법을 시행 후 종양이 항암치료에 부분 혹은 완전한 반응이 나타나는 경우에 시행하도록 한다. 선행항암화학요법 환자들을 대상으로 하는 COMPASS 연구에서는 항암치료를 2회 시행한 군과 4회 시행한 환자군에서 항암치료 후 절제한 위암의 병리소견을 비교하여 항암치료의 횟수에 대한 치료반응을 비교하였다. 그 결과 항암화학요법에 따른 병리소견이 군 간 차이가 없는 것으로 나타났지만 완전한 반응은 항암화학요법을 4회 시행한 군에서만 약 10% 확인되었고 독성이나 합병증 재발의 증가가 유의하게 증가되지 않았다. 결과적으로 환자의 항암화학요법의 순응도를 유지할 수 있다면 4회의 항암화학요법을 시행 후 전환수술을 시행하는 것이 유리하다.

(3) 다학제 치료

다학제접근은 절제불능위암의 치료에 있어서 중요한 치료전략이다. 비근치적 수술을 무리하게 진행하기보다는 면밀한 치료계획을 세워서 다양한 항암화학요법, 근치적 절제, 복강내 항암화학요법에 대한 계획을 세워야 한다. 서양에서 4기 환자를 대상으로 시행된 GYMSSA 연구에서는 복강내온열화학요법 + 전이암절제술 + 위암절제술 + 항암화학요법을 시행한 군이 단독항암화학요법 시행군보다 생존이 연장되었고 Ishigami 등이 발표한 Phoenix-GC 연구에 따르면 복강내항암화학 요법과 항암화학요법 복합치료가 항암화학요법 단독치료에 비해서 통계적으로 우수한 성적을 보이지는 못했지만 복강내 항암화학요법이 향후 치료도구로서 임상적 의의가 있음을 시사하였다.

3. 합병증을 동반한 위암의 치료

1) 서론

위암 환자에서 발생할 수 있는 응급상황은 대량 출혈과 천공이다. 대량 출혈이 일어나면 환자는 혈역학적 불안정 상태에 빠지고, 천공으로 인해 복막염이 발생하면 패혈증에 걸릴 수 있다. 위암의 국소 합병증은 발병 병소의 해부학적 차이에 따라 천공과 출혈로 다르게 나타날 수 있다. 위암이 전벽과 대만곡에 위치하면 위벽 전체를 침습하여 복강 안으로 천공을 유발한다. 그러나 혈관이 풍부한 소만곡이나 후벽에 위암이 위치하면 위암의 침습이 진행되면서 심한 출혈이 일어나게 된다.

위암이 진행하여 위출구폐쇄(gastric outlet obstruction)를 일으키면 위 내용물이 소장으로 배출되지 않아 구역, 구토, 연하곤란, 영양실조 등을 유발하여 환자의 삶의 질이 떨어진다. 위출구폐쇄를 일으키는 질환으로 과거에는 위 전정부 및 십이지장궤양의 만성 염증과 섬유화로 인한 폐쇄가 흔히 관찰되었으나, 최근에는 위산분비 억제제 같은 약제가 개발되어 궤양의 치료율이 현저히 높아져 현재 가장 흔한 원인은 악성종양이다. 악성 위출구폐쇄는 위암뿐만 아니라 십이지장 또는 췌장에서 발생한 암의 국소적 확장으로 인한 후기 합병증으로 췌장암 또는 팽대 주위암 환자의 약 20%에서 발생한다고 보고된다.

이 장에서는 위암에서 합병할 수 있는 천공, 출혈, 폐쇄를 동반한 위암의 특징과 치료법에 관하여 알아보도록 하겠다.

2) 천공성 위암

위암으로 인해 위가 천공되면 위궤양으로 천공되었을 때처럼 위 내용물이 복강으로 유출되어 복막염을 일으키게 된다. 일반적으로 위암이 진행되면 출혈이 발생하거나 간, 췌장 또는 횡행결장 등의 인접 장기로 암이 직접 침윤하는 경우는 흔하지만, 위암으로 위가 천공되어 복막염이 유발되는 경우는 전체 위암의 3% 미만에 불과하다.

위암 환자에서 천공이 된 경우, 의료진은 정규 위암 수술 환자에서 볼 수 없는 특수한 어려움에 봉착하게 된다. 위장천공 환자를 수술하기 전에 조직검사를 통해 원인이 위암으로 밝혀지는 경우는 전혀 없거나 매우 낮다. 그 이유는 복막염 증상으로 응급수술을 하게 되므로 대부분 위내시경 및 조직검사를 생략하고 개복하기 때문이다. 개복한 후에도 진행성 위암과 위궤양을 육안으로 구별하기 어려워 수술 후 조직검사에서 악성종양으로 진단되는 경우가 있기 때문에 반드시 수술 중 동결절편 조직검사를 해야 하지만, 현실적으로 비정규 수술시간대에 조직학적 진단이 가능한 경우는 매우 드물다. 위장천공 환자의 수술 후에는 악성종양 유무와 관계없이 10~40%의 높은 사망률을 보인다. 이는 수술적 처치의 지연, 복막 오염의 범위, 환자의 전신적 건강상태에 기인하여, 이런 환자에서 적절한 치료의 방침에 대해서는 명확하지 않다. 현재까지 알려진 문헌 검토를 통해 보면, 천공 부위의 일차봉합술만을 시행하거나, 수술 도중 악성종양이 의심되면 절제술을 시행하는데, 이때도 림프절절제술을 할 것인지 말 것인지에 대해서도 의견이 정립되어 있지 않다. 게다가 혈역학적 불안정으로 인해 근치적 절제를 위한 림프절절제를 충분히 시행하는 R0 resection이 불가능한 경우가 많다.

복막염 환자에서 위암 천공을 의심할 만한 유일한 수술 전 특징은 환자의 연령이다. 위암 천공은 위궤양 천공보다 훨씬 고령에서 발생하므로 위십이지장 천공으로 인한 복막염으로 진단하고 응급수술을 할 때 환자가 위암 발생률이 높은 60세 이상이라면 항상 위암의 가능성을 염두에 두어야 한다. 조기위암도 천공을 일으킬 수 있으나 천공성 위암은 대개 장막침윤과 림프절 전이를 동반한 진행성 위암이다. 천공성 위암은 아시아보다 서구의 환자들에게 더 빈번히 발생하고, 비천공성 위암과 마찬가지로 60대에 호발하며 여성보다 남성에게서 더 흔하다.

천공성 위암은 복막염이라는 전신질환이 동반된 상태이므로 일반적인 위암과 비교하여 어떤 수술을 선택해야 할지 판단하기 어려울 수 있다. 1980년대 초반까지 천공성 위암에 가장 많이 시술한 방법은 단순봉합이었다. 그러나 단순봉합 같은 소극적 수술은 오히려 수술 후 사망률이 더 높을 수 있다. 기술적으로 암 조직 자체를 봉합하기가 쉽지 않기 때문에 봉합에 실패해 누출이 생길 위험성이 큰 데다 전신상태가 매우 불안정한 환자나 절제 불가능한 고도 진행성 위암 환자이기 때문이다. 수술 후 사망률이 더 높음에도 불구하고 단순봉합을 선호하는 이유는 위암 천공은 암세포의 복막전이를 수반하여 천공이 되면 항상 복막전이가 동반될 것이라고 생각했기 때문이다. 즉 천공성 위암은 복강내 오염과 말기 위암이라는 선입견이 있어서 그동안 소극적인 수술을 선호해왔다. 위암으로 위가 천공된 상태는 암세포가 복막에 전이된 것으로 간주될 뿐만 아니라 복막염을 유발하여 응급상황에서 수술을 하게 되므로 임상에서는 근치적 절제술을 포기하고 수술시간이 덜 소요되는 단순봉합이나 고식적 수술을 해왔다. 그러나 천공 때문에 위암세포가 복강내로 전이된다는 의학적 증거가 충분하지 않은 데다, 위암세포가 장막까지 침윤된 이후에만 천공되는 것은 아니며 심지어 조기위암에서도 천공이 발생할 수 있기 때문에 근치적 수술을 선별적으로 시행할 수 있다. 복강내 위암세포의 전이는 암세포의 장막 침윤 여부로 결정되지만 천공으로 복막염이 유발된 경우에는 유리된 암세포가 복강내에서 생존하거나 전이될 가능성이 확실하지 않다.

천공성 위암치료의 두 가지 목표는 복막염 치료에 요구되는 응급상황에서 대수술을 피하여 최소수술을 하는 것과 위암치료에 요구되는 종양학적으로 적합한 근치적 수술을 하는 것이다. 하지만, 종양학적 원칙에 따라 근치수술에만 집착한다면 복막염 환자에게 장시간 수술이 위험하고, 안전을 위하여 최소수술만 한다면 치유 가능한 환자가 장기 생존할 기회를 잃을 수도 있다. 환자의 상태나 암의 진행 정도를 고려해서 환자의 전신상태가 위험하지 않고 복강내 오염이 심하지 않아 패혈증 상태가 아니라면 비천공성 위암과 같은 기준으로 가능한 한 적극적인 근치절제술을 시행하는 것이 생존율을 높일 수 있는 방법이다. 최근에는 천공성 위암의 절제율이 상승하고 있어서 수술 후 사망률도 감소하고 있다. 응급상황에서 근치수술을 시행하는 부담을 덜기 위해 2단계 근치위절제술(two-stage radical gastrectomy)을 시행할 수 있다. 2단계 수술이란 처음 개복할 때 응급수술로 단순봉합 또는 단순 위절제를 하고 환자가 충분히 회복된 후 근치적 위절제와 림프절절제를 하는 방법이다. 응급수술 시에는 암의 진단뿐 아니라 염증으로 인해 침윤 정도를 파악하기가 어렵고 림프절 전이가 과장되게 보일 수 있어 천공과 복막염의 치료에 집중한 뒤, 환자가 회복하고 조직학적 확진까지 끝나면 종양학적 측면에서 근치적 수술을 계획한다. 2단계 근치위절제술의 대상은 수술 전 쇼크에 빠졌거나 진단이 늦어진 환자가 대상이 될 수 있다. 이와 같이 정규 시간 이후에 시행하는 응급수술의 경우 현실적으로 동결절편 조직검사가 불가능하여 술자의 임상경험에 의존할 수밖에 없어 2단계 수술을 제안하기도 하지만, 두 번의 수술에 따른 합병증의 발생 기회가 많아진다는 것이 오히려 단점이 될 수 있다.

천공성 위암이 예후가 불량하다고 알려진 이유는 대부분 진행성 위암 환자에게 발생하고 수술 시 암세포가 복강내에 전이되었다고 간주하거나, 환자의 전신상태가 좋지 않은 상황이므로 근치적 수술을 포기하기 때문이다. 일반적으로 비천공성 위암 환자에게 존재하는 복강내 유리 암세포는 좋지 않은 예후인자이나, 천공성 위암이 반드시 복강내 유리 암세포를 동반하는지는 아직 밝혀지지 않았으므로 예후와의 상관관계를 예단할 수 없다. 천공성 위암은 일반 위암과 임상병리학적 또는 조직학적 특성 면에서 특별한 차이가 없다. 천공성 위암 환자의 장기 생존을 예측할 수 있는 유일한 인자는 비천공성 위암처럼 TNM 병기이다. 천공이 있는 위암 환자와 없는 위암 환자를 비교해보면 천공 자체가 위절제술 후 장기생존에 영향을 미치지는 않는 또 다른 천공성 위암의 예후인자로 장막침윤 유무, 림프절 전이 상태, 원격전이 유무, 근치적 위절제술 시행 여부 등이 있다.

3) 출혈성 위암

위암의 합병증으로 대량 출혈이 발생할 수 있는 빈도는 5%로 보고된다. 출혈을 보이는 위암 환자가 대량 출혈로 인하여 수혈이 필요하게 되면 24시간 내에 치명적인 상태에 이를 수 있다. 또한 출혈이 있는 위암 환자의 치료과정에서 지혈 시술의 성공 여부가 위암 환자의 생존율을 의미 있게 증가시킨다.

위암의 출혈로 인하여 응급수술을 하는 경우 근치적 절제율이 낮고 수술 후 합병증 발생률이 높지만, 근치적 절제가 가능한 초기의 위암일 때는 양호한 장기생존율을 기대할 수 있다. 위암 출혈에 대한 응급 위절제술 시 환자의 나이가 65세 이상이거나 혈색소가 10 g/dL 미만이면 수술 후 합병증 발생 가능성이 높고, 입원 당시 이미 저혈압 상태였거나 수술 후 심폐 합병증이 발생했다면 사망할 가능성이 높기 때문에 특히 주의해야 한다. 위암 환자가 출혈로 인하여 혈역학적으로 불안정한 경우에는 봉합결찰을 한 후에 위절제를 하는 2단계 수술(two-step surgery)을 고려해야 한다. 조직학적 진단과 병기판정을 하지 않은 상황에서 1단계 근치적 위절제술은 불필요할 수 있고, 수술 합병증을 유발할 수 있다. 하지만 천공의 경우와 마찬가지로 환자의 상태가 양호하고 위암의 진단 및 병기가 확실하다면 초기 치료로서 근치적 위절제술을 시행할 수 있다.

심한 출혈을 동반한 국소 진행성 위암에 초기 처치로 방사선치료를 할 수 있다. 최근 한국과 일본에서 적은 증례 수이기는 하지만, 출혈성 위암에서 적극적인 방사선치료를 시행하여 좋은 결과들을 보고하였다. 방사선치료는 근본적인 치료는 될 수 없으나, 초기 치료로서 효과가 좋으며, 재출혈 시 반복적으로 시행할 수 있는 장점이 있다. 위암으로 인한 대량 출혈에는 내시경치료로 효과를 기대하기 어려우므로 내시경치료는 소량 출혈에 한하여 적용할 수 있으며, 위암으로 인한 출혈을 치료하기 위한 다양한 내시경적 시도들이 시도되고 있으나, 그 효과에 대해서는 의문이며, 장비가 비싸서 널리 사용되지 못하는 실정이다. 1980년대 말에 보고된 laser photocoagulation 방법은 소수의 환자에게 시행되어 단기적으로 좋은 효과를 보았다고 보고하였다. 최근 Tc-325 Hemospray를 99명의 상부위장관 암에 의한 출혈 환자에서 내시경적으로 사용하여 즉각적인 지혈을 97.7%에서 보았고, 재출혈률도 15~17% 정도임을 보고하였다.

출혈하는 위암에서 경동맥색전술(transcatheter arterial embolization, TAE)을 시행하여 좋은 결과를 보고하였다. 이 시술의 경우 현저한 출혈(active bleeding)과 수혈양이 많은 경우 시술 실패 가능성이 높았음을 보고하여 적응증 선정에 주의가 필요하다.

최근 수술 불가능한 위암 환자에서 출혈은 심각한 위협이 될 수 있으므로, 경구 lansoprazole 30 mg이 출혈 예방에 도움이 되는지를 알아보기 위한 다기관 전향적 이중맹검 위약 대조군 연구가 한국에서 시행되어 보고되었는데, 그 결과는 양성자펌프억제제(proton pump inhibitor, PPI)가 출혈예방을 줄이지 못한다는 것이었다. 이 부분에 대해서 좀 더 연구가 필요해 보인다.

4) 폐쇄성 위암

위암으로 인한 악성 폐쇄는 양성질환과 달리 점진적으로 진행하며 잦은 구토를 일으켜 위산을 포함한 저장성 위액을 소실시켜 전신적 탈수(dehydration)와 저칼륨혈성 대사성 알칼리증(hypokalemic metabolic alkalosis) 같은 전해질 불균형을 초래한다. 또한 경구 섭취를 할 수 없으므로 영양불량과 저알부민혈증(hypoalbuminemia)이 점점 심화된다. 전정부 협착을 동반한 위암(그림 37-7, 8)은 악성 위출구폐쇄를 야기하는 주요 원인으로 침윤성 양상과 미분화성 선암이 특징이다. 또한 장막침윤, 인접장기의 직접침범, 복막전이, 림프절전이, 간전이를 일으키는 경우가 많아 절제율이 낮고 예후가 불량하다. 전정부 폐쇄가 의심되면 먼저 비위관(nasogasiric tube)을 삽입하여 위를 감압시키며 탈수 및 전해질불균형 등을 교정하고 정맥영양을 통해 전신적 영양상태를 회복시킨다. 또한 진단을 위하여 내시경검사 및 조직검사를 실시하고 CT, PET-CT 등 영상의학검사로 병의 진행범위를 확인한다.

위출구폐쇄를 포함한 진행성 위암 환자의 경우, 고식적 위절제술을 하면 통증, 메스꺼움, 출혈, 폐쇄 및 천공의 신속한 증상 완화를 도모할 수 있다. 또한 국소 전이 위암 환자에서 시행한 여러 후향적 연구 및 소규모 전향적 연구결과, 고식적 위절제술이 생존율을 높일 수 있음을 보여준다. 그러나 이러한 모든 연구들의 중요한 문제는 선택 편견이 있을 수 있다는 점이다. 외과적 절제술을 시행한 환자들은 우회수술만 받았거나 수술을 전혀 받지 않은 환자들보다 낮은 병기의 환자이거나 전신상태 및 예후가 더 좋은 환자들일 수 있다. 또한, 대부분의 연구들이 수술 후 항암화학요법의 사용과 같이 생존에 영향을 줄 수 있는 다른 요인이 통제되지 못한 상태에서 진행되었다. 따라서, 2000년 이전의 연구들에서 5년 생존율을 향상시키기 위해 가능하면 근치적 절제를 시도하였으나, 최근에는 유문부 협착을 동반한 위암 환자에서 원격전이, 과도한 국소 진행 혹은 기타의

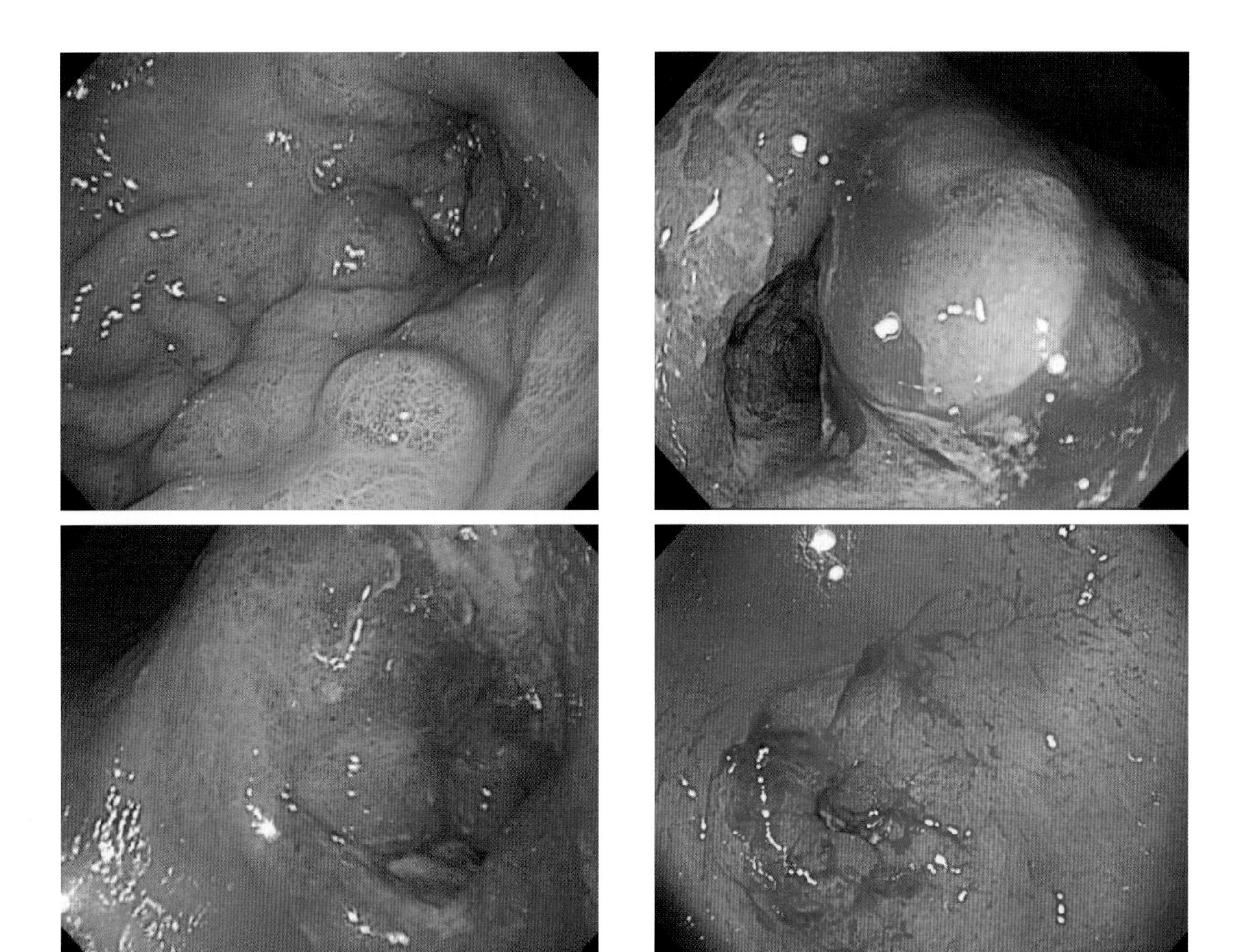

그림 37-7 **전정부 폐쇄의 내시경소견.**

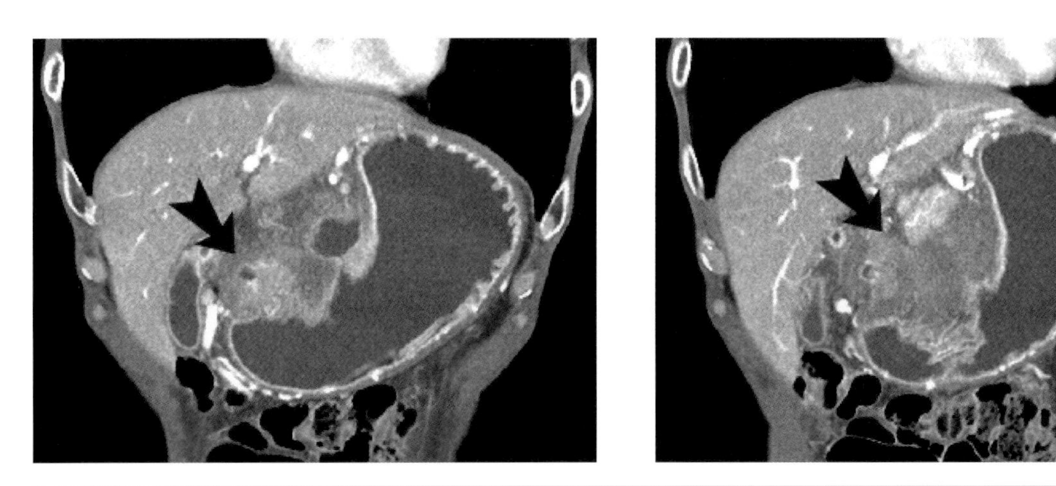

그림 37-8 **위암으로 인한 위전정부폐쇄의 CT소견.**
위암으로 인해 pylorus의 벽이 두꺼워져 완전폐쇄가 되었다. 검은 화살표는 출구 폐쇄가 된 pylorus를 가리키고 있다.

이유로 근치적 위절제가 불가능하다고 판단되는 경우 환자의 삶의 질을 높이기 위하여 고식적 치료 및 항암 치료를 시도하게 된다. 고식적 위공장문합술은 유문부 협착이 동반된 전이성 절제 불가능 위암 환자에서 식이 섭취를 개선하는 데 도움이 될 수 있다(그림 37-9 A). 개복 위공장문합술은 성공률이 높지만 수술 자체의 위험성과 개복의 불편함이 있다. 또한 대부분 환자가 고령이고 전신질환이 동반되어 있으며 암이 상당히 진행되어 영양상태가 매우 불량하기 때문에 수술 후 이환율과 사망률이 높다.

근래에는 덜 침습적이며 이환율과 사망률, 입원일수를 줄이기 위한 목적으로 여러 가지 방법의 복강경 위공장문합술이 소개되었고 많이 시행되고 있다. 초기에는 개복수술에 비해 복강경시술의 성공률이 낮았으나 지난 십여 년간 술기가 발달하면서 위암으로 인한 전정부 폐쇄에 복강경 위공장문합술이 많이 보고되고 있다. 적은 수의 증례이긴 하지만 후향적 비교연구에서 복강경수술 (n=10) vs. 개복 (n=10) 위공장문합술을 시행한 환자의 수술 시 평균 수술시간은 비슷했지만 수술 중 혈액 손실(23 mL vs. 142 mL)과 재원 기간이 짧았다(8일 vs. 124일). 위공장문합술의 방법 중 식사 내용물이 접촉하여 발생하는 부작용을 줄이기 위해 변형된 술식이 소개되어 시행하고 있다. 배제형 위공장문합술은 1925년 Devine이 난치성 십이지장궤양 환자에게 시행했던 술식으로, Maingot 등이 절제 불가능한 위암에 이 술식을 도입하였다(그림 37-9 B). 이 술식은 암 병소에 식사 내용물이 접촉하여 발생하는 출혈, 병변의 진행으로 인한 문합부 협착, 소장 내용물의 역행 등으로 발생하는 여러 문제를 해결할 수 있는 방법으로 생각되었다. 그러나, 병변에서 출혈이 발생하거나 위분비액 등이 고여서 위가 팽창한 경우에는 구역, 구토, 복통 등의 증상과 함께 위가 파열할 위험이 있으므로 배제된 원위부에 배액술을 시행하기도 하였다. 배제형 위공장문합술의 장점을 살리고 단점을 보완하고자 개발된 술식이 불완전배제형 위공장문합술이다(그림 37-9 C). 위의 하부를 분할하되 소만곡 쪽에 약 3 cm 정도의 통로를 유지하여 배제된 원위부의 팽창을 방지하고 근위부 위에 공장을 문합하는 방법이다. 일부에서는 소장 내용물의 역행을 막고자 위공장문합술을 Roux-en-Y 형태로 시도하였으며 최근에는 복강경수술을 시도하고 있으나 시행된 증례 수가 많지 않으며 장기간의 추적검사 결과가 없다(그림 37-9 D).

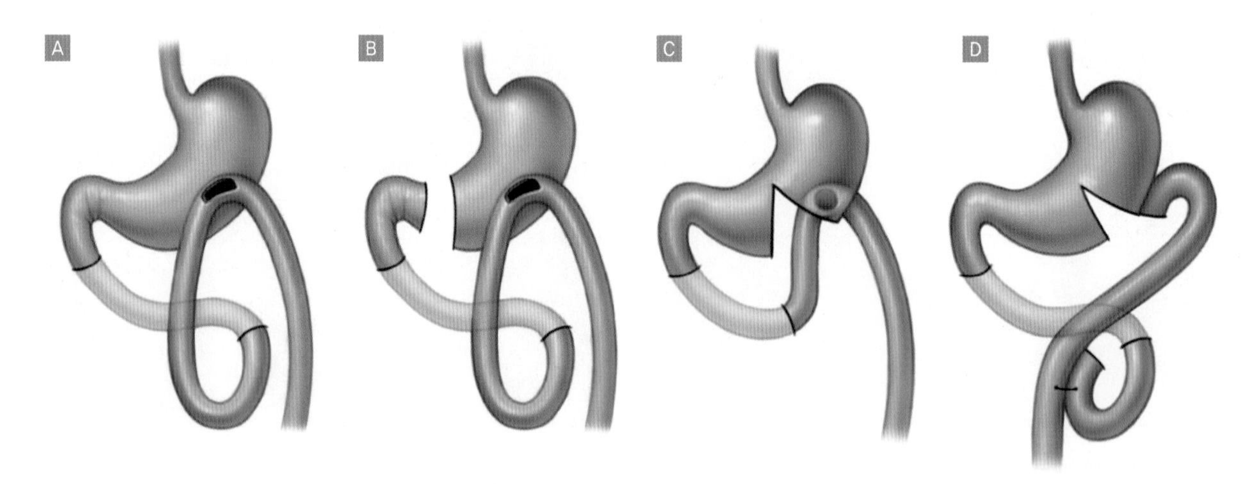

그림 37-9 A. 위공장문합술 B. 배제형 위공장문합술 C. 불완전배제형 위공장문합술 D. 불완전배제형 Roux-en Y 위공장문합술

개복 또는 복강경 위공장문합술은 전신마취에 따르는 위험이 있기 때문에 대부분 말기 상태인 폐쇄성 위암 환자에게 적용할 수 있는 비수술 치료에 대해 관심을 갖게 되었다. 비수술적 방법으로는 자가팽창성 금속스텐트가 가장 많이 시술되며, 내시경이나 투시검사로 스텐트를 삽입한다. 개복 및 복강경 위공장문합술과 스텐트 삽입술을 비교한 과거 연구들에 따르면 스텐트 삽입술은 수술치료보다 비침습적이며 시술 후 짧은 시간 내에 경구 섭취를 시작하고 입원일수를 단축할 수 있다는 것이 장점이다. 반면 스텐트를 삽입하는 데 기술이 필요하고 스텐트 이동, 종양의 내증식 또는 과증식, 음식으로 인한 폐쇄 등의 합병증이 있다. 또한 내시경으로 확인한 폐쇄부위보다 더 원위부에 다른 폐쇄, 출혈, 천공 등이 있을 수 있다는 점을 유의해야 한다. 최근 스텐트와 수술적 위공장문합술을 비교한 연구에 의하면 환자의 폐쇄증상을 해소하는 데 두 방법 모두 거의 동등한 효과를 보인다. 그러나, 스텐트를 한 경우 증상 해소가 빨리 이루어지는 반면 재발이 흔히 나타난다. 그리고 수술군에서는 증상 해소의 기간이 길고, 생존율이 더 길며 재수술률이 적었다고 보고하고 있다. 그러므로, 내시경 스텐트 삽입술은 기대 여명이 짧은 경우에, 수술 치료는 비교적 예후가 좋을 것으로 기대되는 경우에 적합하다고 할 수 있지만, 외과의는 환자의 전신상태, 여생의 기대치, 동반질환 유무 등을 충분히 파악하여 안전하면서 삶의 질을 향상시킬 수 있는 방법을 선택해야 한다.

4. 내시경적 중재

위장관 폐쇄 혹은 심각한 출혈을 동반하였으나 근치적 수술이 불가능한 위암에 대한 고식적 치료방법으로 내시경적 중재를 고려할 수 있다. 즉, 위장관 폐쇄에 대해서 위공장우회로술을 시행할 수도 있지만, 내시경적 중재로서 스텐트를 삽입할 수 있으며, 위암 출혈에 대해서는 내시경지혈술로 지혈을 기대할 수 있다.

1) 스텐트

위암으로 인한 위출구 혹은 위입구의 악성 폐쇄는 지속적인 구토나 복부팽만 등의 위장관폐쇄 증상 및 영양결핍을 일으켜서 삶의 질을 나쁘게 하고, 사망 가능성을 높인다. 따라서 악성 폐쇄를 해소하는 것이 중요하다. 이러한 악성 폐쇄에 대해 현재 가장 널리 사용되고 있는 고식적 내시경치료방법은 자가팽창성 금속스텐트(self-expandable metallic stent) 삽입술이다. 자가팽창성 금속스텐트 삽입술이란 유도선을 따라 들어간 금속스텐트가 복원력에 의해 자가 팽창하여 폐색을 해소하는 치료방법이다. 자가팽창성 금속스텐트는 유연성 및 탄력성 좋아 굴곡이 심한 부위에서도 시술이 가능하며 내시경 겸자공을 사용하여 스텐트 삽입이 가능하기 때문에 근치적 수술이 불가능한 위암 환자의 악성 폐쇄에 대한 고식적 치료로서 점차 사용이 늘어나고 있다.

기존 치료방법인 우회로수술(bypass surgery)과 스텐트 삽입술과의 전향적 비교 연구들은 많지 않고 소규모의 보고들만 있다. 주로 위출구폐쇄 환자들에 대해 우회로수술과 스텐트 삽입술을 비교한 서양의 연구들로서 연구 대상자들이 위암이 아닌 췌담도암 환자들이 대부분이다. 이들 연구에서 스텐트 삽입술은 위우회로수술에 비해 시술이 간단하고 비용이 적게 소요되고, 식이를 시작할 때까지의 입원기간이 짧아 단기 성적이 좋았다. 다만, 장기적으로는 폐쇄 증상의 재발이 발생하여 추가적인 시술이 필요한 경우가 많았다. 췌담도암은 위암과 달리 항암치료에 반응도가 낮고 생존기간도 짧아 위암 환자들을 대상으로 한 전향적 비교연구가 필요한 실정이다.

스텐트 삽입의 적응증으로는 악성 폐쇄로 인한 지속적 구토 등의 증상이 있으며, 내시경검사를 견딜 수 있어야 한다. 스텐트 삽입의 상대적 금기증으로는 위 이

외에 소장 등 내시경의 접근이 불가능한 위치의 소화관의 폐쇄, 장을 둘러싼 복막전이로 인한 심한 유착 그리고 종양으로 인한 기능적인 위출구폐쇄 등이다.

위암으로 인한 위입구의 폐쇄에는 식도 스텐트를 삽입하고, 위출구폐쇄에는 위십이지장용 스텐트를 삽입한다. 부위에 따른 위암 발생 빈도에서 위분문부 위암의 비율이 적어 위입구(위분문부) 폐쇄는 흔하지 않아, 위암으로 인한 위장관 폐쇄에 대한 스텐트 효과는 주로 위출구폐쇄에서 연구되어 있다. 위출구의 악성 협착에 대한 자가팽창성 금속스텐트 시술 성공률은 85~100%에 이른다. 시술에 실패하는 이유로는 협착부위가 매우 좁아 유도선을 통과시킬 수 없어 스텐트를 삽입하지 못하는 경우, 스텐트 삽입에는 성공하였으나 협착부위의 강한 압력으로 스텐트가 적절히 팽창되지 못하는 경우, 스텐트가 제대로 확장되었으나 기능적인 위출구폐쇄가 동반되어 시술 후에도 구강섭취가 어려운 경우 등이 있다. 급성 합병증으로는 출혈, 감염, 천공, 스텐트의 이탈 등이 있고, 후기 합병증으로는 종양의 성장으로 인한 재폐쇄, 음식물의 감입, 천공, 스텐트의 이탈 등이 있다.

스텐트 삽입 후 폐쇄 증상이 재발할 수 있으며 자가팽창성 금속스텐트의 형태에 따라 폐쇄 증상의 주된 이유가 상이하다. 즉, 자가팽창성 금속스텐트는 형태에 따라 비피막형(uncovered, bare)과 피막형(covered)으로 분류할 수 있다(그림 37-10). 비피막형 스텐트의 주된 재폐쇄 이유는 종양의 스텐트 내로의 증식으로 인한 재폐쇄이며, 피막형 스텐트의 주된 재폐쇄 이유는 스텐트의 이탈이다. 즉, 비피막형 스텐트는 폐쇄부위에 삽입된 후 시간이 경과함에 따라 스텐트 내로 암세포가 증식하여 재폐쇄를 유발한다. 피막형 스텐트는 스텐트 내로의 암세포 증식을 방지하기 위해 스텐트에 피막을 씌운 것으로 스텐트 내로의 종양 증식을 줄이지만, 종양이 스텐트로 파고들어 고정하는 효과가 없어 스텐트 이탈이 빈번하다. 전향적 무작위대조군 연구에서 비피막형 스텐트와 피막형 스텐트의 성적은 비슷하게 보고되고 있으나, 최근 개량된 구조의 피막형 스텐트의 성적이 비피막형 스텐트보다 장기 성적이 좋다는 보고도 있다. 즉, 국내 다기관 전향적 연구에서 스텐트의 평균 개존기간은 비피막형의 경우 92일, 피막형의 경우 95일로 차이가 없었으며(p=0.345), 재시술률(re-intervention)도 비피막형 스텐트의 경우 21.3%, 피막형 스텐트 환자군은 22.0%으로서 차이가 없었다(p=0.999). 또 다

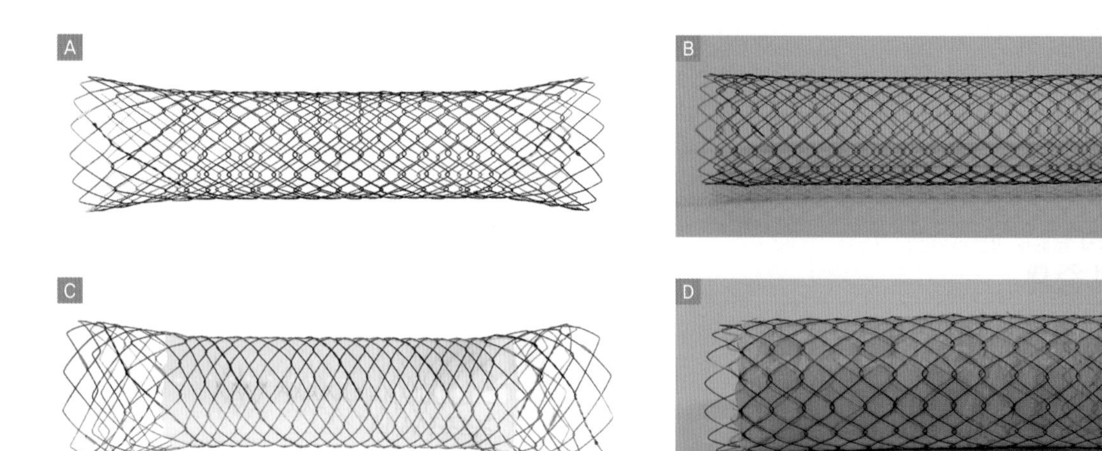

그림 37-10 **비피막형 스텐트와 피막형 스텐트.**
A, B. 비피막형 스텐트 C, D. 피막형 스텐트

른 국내 단일기관 전향적 무작위대조군 연구에서도 스텐트의 평균 개존기간은 비피막형이 13주, 피막형이 14주로 차이가 없었다. 하지만, 최근 좀 더 디자인이 개선된 피막형 스텐트의 경우 8주차의 스텐트 개존율은 비피막형과 성적에 있어 차이가 없었으나, 16주차의 개존율은 피막형 스텐트(68.6%)가 비피막형(41.2%)에 비해 높았다는 보고가 있다(p=0.005).

2) 내시경 지혈술

위암은 궤양의 형태로 발현하는 경우가 흔하고, 이에 따라 궤양에 노출된 혈관의 심한 출혈 역시 종종 발생한다. 내시경 지혈술은 위암 출혈을 내시경으로 진단하자마자 곧바로 지혈을 시도할 수 있기 때문에 위암 환자의 위출혈에 대한 첫 번째 치료로서 흔히 선택된다. 위암 출혈에 대한 내시경적 지혈술의 방법으로는 내시경적 약물주입치료, 열치료(소작술), 그리고 기계적 결찰 등이 있다.

약물주입치료는 에피네프린 희석액이나 에탄올 등을 내시경을 통해 주사침으로 주입하는 방법으로서 단독치료로도 사용될 수 있고 내시경 시야를 확보하기 위해 열치료 혹은 기계적 결찰을 시해하기 전에 시행할 수도 있다. 열치료는 출혈 부위에 열응고를 시켜 지혈하는 방법으로서 조직에 접촉하지 않는 아르곤소작술(argon plasma coagulation)과 조직에 직접 접촉하는 Coagrasper hemostatic forceps 혹은 hot biopsy forceps 등을 이용하는 방법이 있다(그림 37-11). 기계적 결찰은 클립이나 루프(loop) 등 내시경을 통해 삽입하여 출혈 부위를 결찰하는 방법이다.

이러한 내시경치료 방법들의 선택은 병변의 위치, 활동성 출혈의 유무 및 양상, 노출혈관의 유무 등에 따라 숙달된 내시경 시술의의 판단에 따라 선택될 수 있으며, 두 가지 이상의 방법을 조합하여 지혈하는 경우도 흔하다.

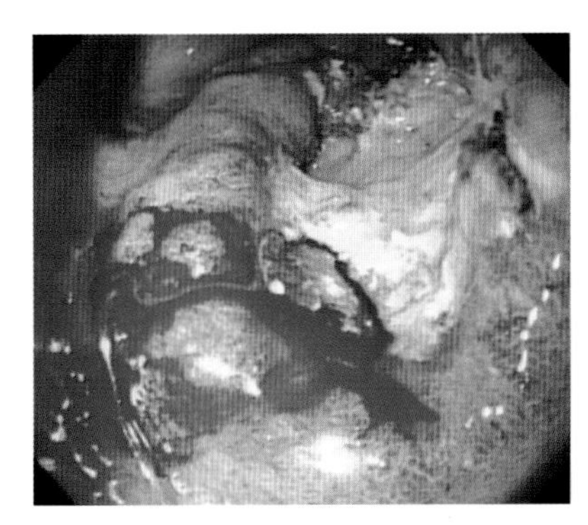
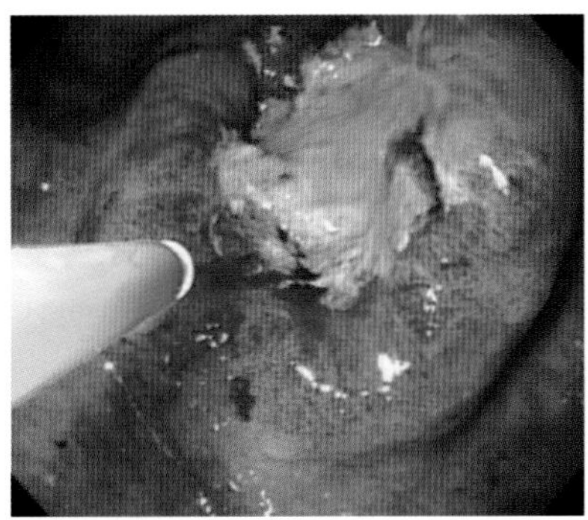
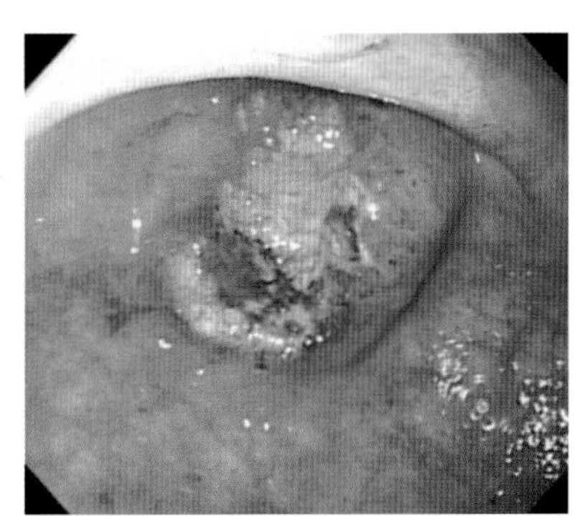

그림 37-11 **위암 출혈을 아르곤응고소작술로 지혈한 예.**

참고문헌

1. 김찬규. 상부위장관 금속스텐트(Upper Gastrointestinal Stent). In: 대한소화기내시경학회 eds. 진단 및 치료내시경 엑세서리. 서울: 도서출판 진기획, 2017:85-91.
2. 김찬규. 위종양의 내시경적 치료. In: 윤정환 김주성 류지곤 eds. 김정룡 소화기계 질환 Vol 1. 4th ed. 서울: 일조각, 2016:267-274.
3. Adachi Y, Mori M, Maehara Y, Matsumata T, Okudaira Y, Sugimachi K. Surgical results of perforated gastric carcinoma: an analysis of 155 Japanese patients. Am J Gastroenterol 1997;92:516-518.
4. Adam R, Chiche L, Aloia T, Elias D, Salmon R, Rivoire M, et al. Hepatic resection for noncolorectal nonendocrine liver metastases: analysis of 1,452 patients and development of a prognostic model. Ann Surg 2006;244:524-535.
5. Ajani JA, D'Amico TA, Almhanna K, Bentrem DJ, Chao J, Das P, et al. Gastric Cancer, Version 3.2016, NCCN clinical practice guidelines in oncology. J Natl Compr Canc Netw 2016;14:1286-1312.
6. Ajani JA, Ota DM, Jessup JM, Ames FC, McBride C, Boddie A, et al. Resectable gastric carcinoma. An evaluation of preoperative and postoperative chemotherapy. Cancer 1991;68:1501-1506.
7. Alam TA, Baines M, Parker MC. The management of gastric outlet obstruction secondary to inoperable cancer. Surg Endosc 2003;17:320-323.
8. Ammori BJ, Boreham B. Laparoscopic devine exclusion gastroenterostomy for the palliation of unresectable and obstructing gastric carcinoma. Surg Laparosc Endosc Percutan Tech 2002;12:353-355.
9. Arciero CA, Joseph N, Watson JC, Hoffman JP. Partial stomach-partitioning gastrojejunostomy for malignant duodenal obstruction. Am J Surg 2006;191:428-432.
10. Aurello P, Petrucciani N, Giulitti D, Campanella L, D'Angelo F, Ramacciato G. Pulmonary metastases from gastric cancer: Is there any indication for lung metastasectomy? A systematic review. Med Oncol 2016;33:9.
11. Aviv RI, Shyamalan G, Khan FH, Watkinson AF, Tibballs J, Caplin M, et al. Use of stents in the palliative treatment of malignant gastric outlet and duodenal obstruction. Clin Radiol 2002;57:587-592.
12. Bang YJ, Van Cutsem E, Feyereislova A, Chung HC, Shen L, Sawaki A, et al. Trastuzumab in combination with chemotherapy versus chemotherapy alone for treatment of HER2-positive advanced gastric or gastro-oesophageal junction cancer (ToGA): a phase 3, open-label, randomised controlled trial. Lancet 2010;376:687-697.
13. Barnholtz-Sloan JS, Sloan AE, Davis FG, Vigneau FD, Lai P, Sawaya RE. Incidence proportions of brain metastases in patients diagnosed (1973 to 2001) in the Metropolitan Detroit Cancer Surveillance System. J Clin Oncol 2004;22:2865-2872.
14. Barr H, Krasner N. Interstitial laser photocoagulation for treating bleeding gastric cancer. Bmj 1989;299:659-660.
15. Beom SH, Choi YY, Baek SE, Li SX, Lim JS, Son T, et al. Multidisciplinary treatment for patients with stage IV gastric cancer: the role of conversion surgery following chemotherapy. BMC Cancer 2018;18:1116.
16. Bergamaschi R, Arnaud JP, Marvik R, Myrvold HE. Laparoscopic antiperistaltic versus isoperistaltic gastrojejunostomy for palliation of gastric outlet obstruction in advanced cancer. Surg Laparosc Endosc Percutan Tech 2002;12:393-397.
17. Boku T, Nakane Y, Minoura T, Takada H, Yamamura M, Hioki K, et al. Prognostic significance of serosal invasion and free intraperitoneal cancer cells in gastric cancer. Br J Surg 1990;77:436-439.
18. Bonenkamp JJ, Songun I, Hermans J, van de Velde CJ. Prognostic value of positive cytology findings from abdominal washings in patients with gastric cancer. Br

J Surg 1996;83:672-674.

19. Cheon SH, Rha SY, Jeung HC, Im CK, Kim SH, Kim HR, et al. Survival benefit of combined curative resection of the stomach (D2 resection) and liver in gastric cancer patients with liver metastases. Ann Oncol 2008;19:1146-1153.
20. Cho BC, Jeung HC, Choi HJ, Rha SY, Hyung WJ, Cheong JH, et al. Prognostic impact of resection margin involvement after extended (D2/D3) gastrectomy for advanced gastric cancer: a 15-year experience at a single institute. J Surg Oncol 2007;95:461-468.
21. Denley SM, Moug SJ, Carter CR, McKay CJ. The outcome of laparoscopic gastrojejunostomy in malignant gastric outlet obstruction. Int J Gastrointest Cancer 2005;35:165-169.
22. Dolan K, Sue-Ling H. Proximal gastric exclusion for unresectable gastric cancer. ANZ J Surg 2003;73:929-931.
23. Eppink B, Krawczyk PM, Stap J, Kanaar R. Hyperthermia-induced DNA repair deficiency suggests novel therapeutic anti-cancer strategies. Int J Hyperthermia 2012;28:509-517.
24. Esmaeilzadeh M, Majlesara A, Faridar A, Hafezi M, Hong B, Esmaeilnia-Shirvani H, et al. Brain metastasis from gastrointestinal cancers: a systematic review. Int J Clin Pract 2014;68:890-899.
25. Etoh T, Baba H, Taketomi A, Nakashima H, Kohnoe S, Seo Y, et al. Diffuse bone metastasis with hematologic disorders from gastric cancer: clinicopathological features and prognosis. Oncol Rep 1999;6:601-605.
26. Fujimoto S, Shrestha RD, Kokubun M, Ohta M, Takahashi M, Kobayashi K, et al. Intraperitoneal hyperthermic perfusion combined with surgery effective for gastric cancer patients with peritoneal seeding. Ann Surg 1988;208:36-41.
27. Fujimura T, Yonemura Y, Fujita H, Kawamura Y, Hasebe K, Kaji M, et al. Dual arterial infusion chemotherapy, continuous hyperthermic peritoneal perfusion, and total parietal peritonectomy for peritoneal dissemination in gastric cancer--a case report. Gan To Kagaku Ryoho 1994;21:2335-2337.
28. Fujitani K, Yang HK, Mizusawa J, Kim YW, Terashima M, Han SU, et al. Gastrectomy plus chemotherapy versus chemotherapy alone for advanced gastric cancer with a single non-curable factor (REGATTA): a phase 3, randomised controlled trial. Lancet Oncol 2016;17:309-318.
29. Gavrilovic IT, Posner JB. Brain metastases: epidemiology and pathophysiology. J Neurooncol 2005;75:5-14.
30. Gill RS, Al-Adra DP, Nagendran J, Campbell S, Shi X, Haase E, et al. Treatment of gastric cancer with peritoneal carcinomatosis by cytoreductive surgery and HIPEC: a systematic review of survival, mortality, and morbidity. J Surg Oncol 2011;104:692-698.
31. Goetze OT, Al-Batran SE, Chevallay M, Monig SP. Multimodal treatment in locally advanced gastric cancer. Updates Surg 2018;70:173-179.
32. Gonzalez-Moreno S, Gonzalez-Bayon L, Ortega-Perez G. Hyperthermic intraperitoneal chemotherapy: methodology and safety considerations. Surg Oncol Clin N Am 2012;21:543-557.
33. Graziosi L, Marino E, Donini A. Multimodal treatment of locally advanced gastric cancer: will the west meet the east? Ann Surg Oncol 2019.
34. Guner A, Son T, Cho I, Kwon IG, An JY, Kim HI, et al. Liver-directed treatments for liver metastasis from gastric adenocarcinoma: comparison between liver resection and radiofrequency ablation. Gastric Cancer 2016;19:951-960.
35. Guzman EA, Dagis A, Bening L, Pigazzi A. Laparoscopic gastrojejunostomy in patients with obstruction of the gastric outlet secondary to advanced malignancies. Am Surg 2009;75:129-132.
36. Han JH, Kim DG, Chung HT, Kim CY, Park CK, Chung YS, et al. Radiosurgery for brain metastasis from advanced gastric cancer. Acta Neurochir (Wien) 2010;152:605-610.

37. Hildebrandt B, Wust P, Ahlers O, Dieing A, Sreenivasa G, Kerner T, et al. The cellular and molecular basis of hyperthermia. Crit Rev Oncol Hematol 2002;43:33-56.
38. Hirahara N, Matsubara T, Hyakudomi R, Hari Y, Fujii Y, Tajima Y. Laparoscopic stomach-partitioning gastrojejunostomy with reduced-port techniques for unresectable distal gastric cancer. J Laparoendosc Adv Surg Tech A 2014;24:177-182.
39. Ignjatovic N, Stojanov D, Djordjevic M, Ignjatovic J, Benedeto Stojanov D, Milojkovic B. Perforation of gastric cancer - what should the surgeon do? Bosn J Basic Med Sci 2016;16:222-226.
40. Imai Y, Asakura Y, Kinoshita M, Sueyoshi T, Eguchi Y, Oota S, et al. Disseminated bone marrow metastases from gastric cancer: detection and monitoring the effectiveness of chemotherapy by bone marrow scintigraphy. Kaku Igaku 2001;38:237-240.
41. Information Committee of Korean Gastric Cancer A. Korean Gastric Cancer Association Nationwide Survey on Gastric Cancer in 2014. J Gastric Cancer 2016;16:131-140.
42. Ishigami H, Fujiwara Y, Fukushima R, Nashimoto A, Yabusaki H, Imano M, et al. Phase III Trial comparing intraperitoneal and intravenous paclitaxel plus S-1 versus cisplatin plus S-1 in patients with gastric cancer with peritoneal metastasis: PHOENIX-GC Trial. J Clin Oncol 2018;36:1922-1929.
43. Ito S, Sano T, Mizusawa J, Takahari D, Katayama H, Katai H, et al. A phase II study of preoperative chemotherapy with docetaxel, cisplatin, and S-1 followed by gastrectomy with D2 plus para-aortic lymph node dissection for gastric cancer with extensive lymph node metastasis: JCOG1002. Gastric Cancer 2017;20:322-331.
44. Jamel S, Markar SR, Malietzis G, Acharya A, Athanasiou T, Hanna GB. Prognostic significance of peritoneal lavage cytology in staging gastric cancer: systematic review and meta-analysis. Gastric Cancer 2018;21: 10-18.
45. Jang SH, Lee H, Min BH, Kim SM, Kim HS, Carriere KC, et al. Palliative gastrojejunostomy versus endoscopic stent placement for gastric outlet obstruction in patients with unresectable gastric cancer: a propensity score-matched analysis. Surg Endosc 2017;31:4217-4223.
46. Japanese Gastric Cancer A. Japanese classification of gastric carcinoma: 3rd English edition. Gastric Cancer 2011;14:101-112.
47. Japanese Gastric Cancer A. Japanese gastric cancer treatment guidelines 2010 (ver. 3). Gastric Cancer 2011;14:113-123.
48. Japanese Gastric Cancer A. Japanese gastric cancer treatment guidelines 2014 (ver. 4). Gastric Cancer 2017;20:1-19.
49. Jeong SH, Lee YJ, Park ST, Choi SK, Hong SC, Jung EJ, et al. Risk of recurrence after laparoscopy-assisted radical gastrectomy for gastric cancer performed by a single surgeon. Surg Endosc 2011;25:872-878.
50. Jeurnink SM, Steyerberg EW, van Hooft JE, van Eijck CH, Schwartz MP, Vleggaar FP, Kuipers EJ, Siersema PD; Dutch SUSTENT Study Group. Surgical gastrojejunostomy or endoscopic stent placement for the palliation of malignant gastric outlet obstruction (SUSTENT study): a multicenter randomized trial. Gastrointest Endosc. 2010;71:490-499.
51. Jeurnink SM, van Eijck CH, Steyerberg EW, Kuipers EJ, Siersema PD. Stent versus gastrojejunostomy for the palliation of gastric outlet obstruction: a systematic review. BMC Gastroenterol 2007;7:18.
52. Jwo SC, Chien RN, Chao TC, Chen HY, Lin CY. Clinicopathological features, surgical management, and disease outcome of perforated gastric cancer. J Surg Oncol 2005;91:219-225.
53. Kaminishi M, Yamaguchi H, Shimizu N, Nomura S, Yoshikawa A, Hashimoto M, et al. Stomach-partitioning gastrojejunostomy for unresectable gastric carcinoma. Arch Surg 1997;132:184-187.

54. Kanda M, Kodera Y. Molecular mechanisms of peritoneal dissemination in gastric cancer. World J Gastroenterol 2016;22:6829-6840.
55. Kanemitsu Y, Kondo H, Katai H, Nakayama H, Asamura H, Tsuchiya R, et al. Surgical resection of pulmonary metastases from gastric cancer. J Surg Oncol 1998;69:147-150.
56. Kang YK, Boku N, Satoh T, Ryu MH, Chao Y, Kato K, et al. Nivolumab in patients with advanced gastric or gastro-oesophageal junction cancer refractory to, or intolerant of, at least two previous chemotherapy regimens (ONO-4538-12, ATTRACTION-2): a randomised, double-blind, placebo-controlled, phase 3 trial. Lancet 2017;390:2461-2471.
57. Kasakura Y, Ajani JA, Fujii M, Mochizuki F, Takayama T. Management of perforated gastric carcinoma: a report of 16 cases and review of world literature. Am Surg 2002;68:434-440.
58. Kasakura Y, Ajani JA, Mochizuki F, Morishita Y, Fujii M, Takayama T. Outcomes after emergency surgery for gastric perforation or severe bleeding in patients with gastric cancer. J Surg Oncol 2002;80:181-185.
59. Kasakura Y, Fujii M, Mochizuki F, Suzuki T, Takahashi T. Clinicopathological study of brain metastasis in gastric cancer patients. Surg Today 2000;30:485-490.
60. Kato K, Morita T, Miyasaka Y, Fujita M, Kondo S, Katoh H. Modified Devine exclusion for unresectable pancreatic head carcinoma. Hepatogastroenterology 2001;48:569-571.
61. Kato K, Satoh T, Muro K, Yoshikawa T, Tamura T, Hamamoto Y, et al. A subanalysis of Japanese patients in a randomized, double-blind, placebo-controlled, phase 3 trial of nivolumab for patients with advanced gastric or gastro-esophageal junction cancer refractory to, or intolerant of, at least two previous chemotherapy regimens (ONO-4538-12, ATTRACTION-2). Gastric Cancer 2018.
62. Kawabata H, Uno K, Yasuda K, Yamashita M. Experience of low-cose, short-course palliative radiotherapy for bleeding from unresectable gastric cancer. J Palliat Med 2017;20:177-180.
63. Kerkar SP, Kemp CD, Duffy A, Kammula US, Schrump DS, Kwong KF, et al. The GYMSSA trial: a prospective randomized trial comparing gastrectomy, metastasectomy plus systemic therapy versus systemic therapy alone. Trials 2009;10:121.
64. Kikuchi S, Arai Y, Morise M, Kobayashi N, Tsukamoto H, Shimao H, et al. Gastric cancer with metastases to the distant peritoneum: a 20-year surgical experience. Hepatogastroenterology 1998;45:1183-1188.
65. Kim CG, Choi IJ. Enteral Protheses. In: Kozarek R, Baron T, Son H-Y eds. Self-Expandable Stents in the Gastrointestinal Tract. New York: Springer, 2013:103-120.
66. Kim CG, Choi IJ, Lee JY, Cho SJ, Park SR, Lee JH, et al. Covered versus uncovered self-expandable metallic stents for palliation of malignant pyloric obstruction in gastric cancer patients: a randomized, prospective study. Gastrointest Endosc. 2010;72:25-32.
67. Kim IH, Park SS, Lee CM, Kim MC, Kwon IK, Min JS, et al. Efficacy of adjuvant S-1 versus XELOX chemotherapy for patients with gastric cancer after D2 lymph node Dissection: a retrospective, multi-center observational study. Ann Surg Oncol 2018;25:1176-1183.
68. Kim M. Intracranial involvement by metastatic advanced gastric carcinoma. J Neurooncol 1999;43:59-62.
69. Kim YI, Choi IJ, Cho SJ, Lee JY, Kim CG, Kim MJ, et al. Outcome of endoscopic therapy for cancer bleeding in patients with unresectable gastric cancer. J Gastroenterol Hepatol. 2013;28:1489-1495.
70. Kim YI, Kim MJ, Park SR, Kim HK, Cho SJ, Lee JY, et al. Effect of a proton pump inhibitor on tumor bleeding prevention in unresectable gastric cancer patients: a double-blind, randomized, Placebo-controlled trial. J Gastric Cancer 2017;17:120-131.

71. Kim YJ, Kim SH, Kim JW, Lee JO, Kim JH, Bang SM, et al. Gastric cancer with initial bone metastasis: a distinct group of diseases with poor prognosis. Eur J Cancer 2014;50:2810-2821.
72. Kinoshita T, Kinoshita T, Saiura A, Esaki M, Sakamoto H, Yamanaka T. Multicentre analysis of long-term outcome after surgical resection for gastric cancer liver metastases. Br J Surg 2015;102:102-107.
73. Kodera Y, Fujitani K, Fukushima N, Ito S, Muro K, Ohashi N, et al. Surgical resection of hepatic metastasis from gastric cancer: a review and new recommendation in the Japanese gastric cancer treatment guidelines. Gastric Cancer 2014;17:206-212.
74. Kodera Y, Ito S, Mochizuki Y, Ohashi N, Tanaka C, Kobayashi D, et al. Long-term follow up of patients who were positive for peritoneal lavage cytology: final report from the CCOG0301 study. Gastric Cancer 2012;15:335-337.
75. Kodera Y. Surgery with curative intent for stage IV gastric cancer: is it a reality of illusion? Ann Gastroenterol Surg 2018;2:339-347.
76. Koga S, Hamazoe R, Maeta M, Shimizu N, Kanayama H, Osaki Y. Treatment of implanted peritoneal cancer in rats by continuous hyperthermic peritoneal perfusion in combination with an anticancer drug. Cancer Res 1984;44:1840-1842.
77. Koizumi W, Kim YH, Fujii M, Kim HK, Imamura H, Lee KH, et al. Addition of docetaxel to S-1 without platinum prolongs survival of patients with advanced gastric cancer: a randomized study (START). J Cancer Res Clin Oncol 2014;140:319-328.
78. Koizumi W, Narahara H, Hara T, Takagane A, Akiya T, Takagi M, et al. S-1 plus cisplatin versus S-1 alone for first-line treatment of advanced gastric cancer (SPIRITS trial): a phase III trial. Lancet Oncol 2008;9:215-221.
79. Kondoh C, Shitara K, Nomura M, Takahari D, Ura T, Tachibana H, et al. Efficacy of palliative radiotherapy for gastric bleeding in patients with unresectable advanced gastric cancer: a retrospective cohort study. BMC Palliat Care 2015;14:37.
80. Kong JH, Lee J, Yi CA, Park SH, Park JO, Park YS, et al. Lung metastases in metastatic gastric cancer: pattern of lung metastases and clinical outcome. Gastric Cancer 2012;15:292-298.
81. Kunisaki C, Akiyama H, Nomura M, Matsuda G, Otsuka Y, Ono HA, et al. Surgical outcomes in patients with T4 gastric carcinoma. J Am Coll Surg 2006;202:223-230.
82. Kunisaki C, Makino H, Takagawa R, Oshima T, Nagano Y, Fujii S, et al. Impact of palliative gastrectomy in patients with incurable advanced gastric cancer. Anticancer Res 2008;28:1309-1315.
83. Kurokawa Y, Boku N, Yamaguchi T, Ohtsu A, Mizusawa J, Nakamura K, et al. Inter-institutional heterogeneity in outcomes of chemotherapy for metastatic gastric cancer: correlative study in the JCOG9912 phase III trial. ESMO Open 2016;1:000031.
84. Kusumoto H, Haraguchi M, Nozuka Y, Oda Y, Tsuneyoshi M, Iguchi H. Characteristic features of disseminated carcinomatosis of the bone marrow due to gastric cancer: the pathogenesis of bone destruction. Oncol Rep 2006;16:735-740.
85. Kwok SP, Chung SC, Griffin SM, Li AK. Devine exclusion for unresectable carcinoma of the stomach. Br J Surg 1991;78:684-685.
86. Kwon SJ, Lee HG. Gastric partitioning gastrojejunostomy in unresectable distal gastric cancer patients. World J Surg 2004;28:365-368.
87. Lasithiotakis K, Antoniou SA, Antoniou GA, Kaklamanos I, Zoras O. Gastrectomy for stage IV gastric cancer. a systematic review and meta-analysis. Anticancer Res 2014;34:2079-2085.
88. Lawrence W, Jr., Mc NG. The effectiveness of surgery for palliation of incurable gastric cancer. Cancer 1958;11:28-32.
89. Lee H, Min BH, Lee JH, Shin CM, Kim Y, Chung H, Lee SH. Covered metallic stents with an anti-

migration design vs. uncovered stents for the palliation of malignant gastric outlet obstruction: a multicenter, randomized trial. Am J Gastroenterol. 2015;110:1440-1449.

90. Lee HJ, Park DJ, Yang HK, Lee KU, Choe KJ. Outcome after emergency surgery in gastric cancer patients with free perforation or severe bleeding. Dig Surg 2006;23:217-223.
91. Lee JH, Ahn SH, Park DJ, Kim HH, Lee HJ, Yang HK. Clinical impact of tumor infiltration at the transected surgical margin during gastric cancer surgery. J Surg Oncol 2012;106:772-776.
92. Lee JL, Kang YK, Kim TW, Chang HM, Lee GW, Ryu MH, et al. Leptomeningeal carcinomatosis in gastric cancer. J Neurooncol 2004;66:167-174.
93. Lee YH, Lee JW, Jang HS. Palliative external beam radiotherapy for the treatment of tumor bleeding in inoperable advanced gastric cancer. BMC Cancer 2017;17:541.
94. Lehnert T, Buhl K, Dueck M, Hinz U, Herfarth C. Two-stage radical gastrectomy for perforated gastric cancer. Eur J Surg Oncol 2000;26:780-784.
95. Lemke J, Scheele J, Kapapa T, von Karstedt S, Wirtz CR, Henne-Bruns D, et al. Brain metastases in gastrointestinal cancers: is there a role for surgery? Int J Mol Sci 2014;15:16816-16830.
96. Li SC, Lee CH, Hung CL, Wu JC, Chen JH. Surgical resection of metachronous hepatic metastases from gastric cancer improves long-term survival: A population-based study. PLoS One 2017;12:0182255.
97. Li Z, Xue K, Ying X, Ji J. PHOENIX-GC Trial: Underpowered for Significant Results? J Clin Oncol 2018:JCO1800364.
98. Lim SG, Kim JH, Lee KM, Shin SJ, Kim CG, Kim KH, et al. Conformable covered versus uncovered self-expandable metallic stents for palliation of malignant gastroduodenal obstruction: a randomized prospective study. Dig Liver Dis. 2014;46:603-608.
99. Lo NN, Kee SG, Nambiar R. Palliative gastrojejunostomy for advanced carcinoma of the stomach. Ann Acad Med Singapore 1991;20:356-358.
100. Lu-Emerson C, Eichler AF. Brain metastases. Continuum (Minneap Minn) 2012;18:295-311.
101. Maekawa S, Saku M, Maehara Y, Sadanaga N, Ikejiri K, Anai H, et al. Surgical treatment for advanced gastric cancer. Hepatogastroenterology 1996;43:178-186.
102. Mahar AL, Brar SS, Coburn NG, Law C, Helyer LK. Surgical management of gastric perforation in the setting of gastric cancer. Gastric Cancer 2012;15:146-152.
103. Mariette C, Bruyere E, Messager M, Pichot-Delahaye V, Paye F, Dumont F, et al. Palliative resection for advanced gastric and junctional adenocarcinoma: which patients will benefit from surgery? Ann Surg Oncol 2013;20:1240-1249.
104. Mathus-Vliegen EM, Tytgat GN. Laser photocoagulation in the palliative treatment of upper digestive tract tumors. Cancer 1986;57:396-399.
105. Min JS, Jin SH, Park S, Kim SB, Bang HY, Lee JI. Prognosis of curatively resected pT4b gastric cancer with respect to invaded organ type. Ann Surg Oncol 2012;19:494-501.
106. Mita K, Ito H, Fukumoto M, Murabayashi R, Koizumi K, Hayashi T, et al. Surgical outcomes and survival after extended multiorgan resection for T4 gastric cancer. Am J Surg 2012;203:107-111.
107. Morgagni P, Garcea D, Marrelli D, De Manzoni G, Natalini G, Kurihara H, et al. Resection line involvement after gastric cancer surgery: clinical outcome in nonsurgically retreated patients. World J Surg 2008;32:2661-2667.
108. Murai N, Koga K, Nagamachi S, Nishikawa K, Matsuki K, Kusumoto S, et al. Radiotherapy in bone metastases-with special reference to its effect on relieving pain. Gan No Rinsho 1989;35:1149-1152.
109. Nadiradze G, Giger-Pabst U, Zieren J, Strumberg D, Solass W, Reymond MA. Pressurized Intraperitoneal Aerosol Chemotherapy (PIPAC) with low-dose cispla-

tin and doxorubicin in gastric peritoneal metastasis. J Gastrointest Surg 2016;20:367-373.
110. Nagata T, Ichikawa D, Komatsu S, Inoue K, Shiozaki A, Fujiwara H, et al. Prognostic impact of microscopic positive margin in gastric cancer patients. J Surg Oncol 2011;104:592-597.
111. Nakai T, Okuyama C, Kubota T, Ushijima Y, Nishimura T. FDG-PET in a case of multiple bone metastases of gastric cancer. Ann Nucl Med 2005;19:51-54.
112. Nakanishi H, Araki N, Kuratsu S, Narahara H, Ishikawa O, Yoshikawa H. Skeletal metastasis in patients with gastric cancer. Clin Orthop Relat Res 2004;208-212.
113. Nakata Y, Kimura K, Tomioka N, Sato M, Watanabe Y, Kawachi K. Gastric exclusion for unresectable gastric cancer. Hepatogastroenterology 1999;46:2654-2657.
114. Nishidoi H, Koga S. Clinicopathological study of gastric cancer with bone metastasis. Gan To Kagaku Ryoho 1987;14:1717-1722.
115. Nunobe S, Hiki N, Ohyama S, Fukunaga T, Seto Y, Yamaguchi T. Survival benefits of pancreatoduodenectomy for gastric cancer: relationship to the number of lymph node metastases. Langenbecks Arch Surg 2008;393:157-162.
116. Ohe H, Lee WY, Hong SW, Chang YG, Lee B. Prognostic value of the distance of proximal resection margin in patients who have undergone curative gastric cancer surgery. World J Surg Oncol 2014;12:296.
117. Okano K, Maeba T, Ishimura K, Karasawa Y, Goda F, Wakabayashi H, et al. Hepatic resection for metastatic tumors from gastric cancer. Ann Surg 2002;235:86-91.
118. Oki E, Tokunaga S, Emi Y, Kusumoto T, Yamamoto M, Fukuzawa K, et al. Surgical treatment of liver metastasis of gastric cancer: a retrospective multicenter cohort study (KSCC1302). Gastric Cancer 2016;19:968-976.
119. Ozmen MM, Zulfikaroglu B, Kece C, Aslar AK, Ozalp N, Koc M. Factors influencing mortality in spontaneous gastric tumour perforations. J Int Med Res 2002;30:180-184.
120. Park H, Ahn JY, Jung HY, Chun JH, Nam K, Lee JH, et al. Can endoscopic bleeding control improve the prognosis of advanced gastric cancer patients?: A retrospective case-control study. J Clin Gastroenterol 2017;51:599-606.
121. Park JH, Song HY, Yun SC, Yoo MW, Ryu MH, Kim JH, et al. Gastroduodenal stent placement versus surgical gastrojejunostomy for the palliation of gastric outlet obstructions in patients with unresectable gastric cancer: a propensity score-matched analysis. Eur Radiol 2016;26:2436-2445.
122. Park S, Shin JH, Gwon DI, Kim HJ, Sung KB, Yoon HK, et al. Transcatheter Arterial Embolization for Gastrointestinal Bleeding Associated with Gastric Carcinoma: Prognostic Factors Predicting Successful Hemostasis and Survival. J Vasc Interv Radiol 2017;28:1012-1021.
123. Park YS, Chang JH, Chang JW, Park YG. The efficacy of gamma knife radiosurgery for advanced gastric cancer with brain metastases. J Neurooncol 2011;103:513-521.
124. Pereira J, Phan T. Management of bleeding in patients with advanced cancer. Oncologist 2004;9:561-570.
125. Petrelli F, Coinu A, Cabiddu M, Ghilardi M, Borgonovo K, Lonati V, et al. Hepatic resection for gastric cancer liver metastases: A systematic review and meta-analysis. J Surg Oncol 2015;111:1021-1027.
126. Pittayanon R, Rerknimitr R, Barkun A. Prognostic factors affecting outcomes in patients with malignant GI bleeding treated with a novel endoscopically delivered hemostatic powder. Gastrointest Endosc 2018;87:994-1002.
127. Prasad V, Kaestner V. Nivolumab and pembrolizumab: Monoclonal antibodies against programmed cell death-1 (PD-1) that are interchangeable. Semin Oncol 2017;44:132-135.
128. Preusser P, Wilke H, Achterrath W, Fink U, Lenaz L, Heinicke A, et al. Phase II study with the combination etoposide, doxorubicin, and cisplatin in advanced

measurable gastric cancer. J Clin Oncol 1989;7:1310-1317.

129. Qiu MZ, Shi SM, Chen ZH, Yu HE, Sheng H, Jin Y, et al. Frequency and clinicopathological features of metastasis to liver, lung, bone, and brain from gastric cancer: A SEER-based study. Cancer Med 2018;7:3662-3672.

130. Raziee HR, Cardoso R, Seevaratnam R, Mahar A, Helyer L, Law C, et al. Systematic review of the predictors of positive margins in gastric cancer surgery and the effect on survival. Gastric Cancer 2012;15:116-124.

131. Riihimaki M, Hemminki A, Sundquist K, Sundquist J, Hemminki K. Metastatic spread in patients with gastric cancer. Oncotarget 2016;7:52307-52316.

132. Roberts P, Seevaratnam R, Cardoso R, Law C, Helyer L, Coburn N. Systematic review of pancreaticoduodenectomy for locally advanced gastric cancer. Gastric Cancer 2012;15:108-115.

133. Roviello F, Rossi S, Marrelli D, De Manzoni G, Pedrazzani C, Morgagni P, et al. Perforated gastric carcinoma: a report of 10 cases and review of the literature. World J Surg Oncol 2006;4:19.

134. Rudloff U, Langan RC, Mullinax JE, Beane JD, Steinberg SM, Beresnev T, et al. Impact of maximal cytoreductive surgery plus regional heated intraperitoneal chemotherapy (HIPEC) on outcome of patients with peritoneal carcinomatosis of gastric origin: results of the GYMSSA trial. J Surg Oncol 2014;110:275-284.

135. Ryu SY, Kim HG, Lee JH, Kim DY. Pancreaticoduodenectomy for advanced gastric carcinoma patients. Acta Chir Belg 2013;113:346-350.

136. Saidi RF, ReMine SG, Dudrick PS, Hanna NN. Is there a role for palliative gastrectomy in patients with stage IV gastric cancer? World J Surg 2006;30:21-27.

137. Saka M, Mudan SS, Katai H, Sano T, Sasako M, Maruyama K. Pancreaticoduodenectomy for advanced gastric cancer. Gastric Cancer 2005;8:1-5.

138. Sakamoto Y, Ohyama S, Yamamoto J, Yamada K, Seki M, Ohta K, et al. Surgical resection of liver metastases of gastric cancer: an analysis of a 17-year experience with 22 patients. Surgery 2003;133:507-511.

139. Sasako M, Sano T, Yamamoto S, Kurokawa Y, Nashimoto A, Kurita A, et al. D2 lymphadenectomy alone or with para-aortic nodal dissection for gastric cancer. N Engl J Med 2008;359:453-462.

140. Sekiguchi M, Suzuki H, Oda I, Abe S, Nonaka S, Yoshinaga S, et al. Risk of recurrent gastric cancer after endoscopic resection with a positive lateral margin. Endoscopy 2014;46:273-278.

141. Sheibani S, Kim JJ, Chen B, Park S, Saberi B, Keyashian K, et al. Natural history of acute upper GI bleeding due to tumours: short-term success and long-term recurrence with or without endoscopic therapy. Aliment Pharmacol Ther 2013;38:144-150.

142. Shiraishi N, Sato K, Yasuda K, Inomata M, Kitano S. Multivariate prognostic study on large gastric cancer. J Surg Oncol 2007;96:14-18.

143. So JB, Yam A, Cheah WK, Kum CK, Goh PM. Risk factors related to operative mortality and morbidity in patients undergoing emergency gastrectomy. Br J Surg 2000;87:1702-1707.

144. Spain L, Schmid T, Gore M, Larkin J. Efficacy of the combination of ipilimumab and nivolumab following progression on pembrolizumab in advanced melanoma with poor risk features. Eur J Cancer 2017;75:243-244.

145. Sudo H, Takagi Y, Katayanagi S, Hoshino S, Suda T, Hibi Y, et al. Bone metastasis of gastric cancer. Gan To Kagaku Ryoho 2006;33:1058-1060.

146. Sugarbaker PH, Yu W, Yonemura Y. Gastrectomy, peritonectomy, and perioperative intraperitoneal chemotherapy: the evolution of treatment strategies for advanced gastric cancer. Semin Surg Oncol 2003;21:233-248.

147. Sugarbaker PH. Peritonectomy procedures. Ann Surg 1995;221:29-42.

148. Sun J, Song Y, Wang Z, Chen X, Gao P, Xu Y, et al.

Clinical significance of palliative gastrectomy on the survival of patients with incurable advanced gastric cancer: a systematic review and meta-analysis. BMC Cancer 2013;13:577.
149. Sun Z, Li DM, Wang ZN, Huang BJ, Xu Y, Li K, et al. Prognostic significance of microscopic positive margins for gastric cancer patients with potentially curative resection. Ann Surg Oncol 2009;16:3028-3037.
150. Szymanski D, Durczynski A, Nowicki M, Strzelczyk J. Gastrojejunostomy in patients with unresectable pancreatic head cancer - the use of Roux loop significantly shortens the hospital length of stay. World J Gastroenterol 2013;19:8321-8325.
151. Takeno A, Takiguchi S, Fujita J, Tamura S, Imamura H, Fujitani K, et al. Clinical outcome and indications for palliative gastrojejunostomy in unresectable advanced gastric cancer: multi-institutional retrospective analysis. Ann Surg Oncol 2013;20:3527-3533.
152. Tempfer CB, Celik I, Solass W, Buerkle B, Pabst UG, Zieren J, et al. Activity of Pressurized Intraperitoneal Aerosol Chemotherapy (PIPAC) with cisplatin and doxorubicin in women with recurrent, platinum-resistant ovarian cancer: preliminary clinical experience. Gynecol Oncol 2014;132:307-311.
153. Tokunaga M, Terashima M, Tanizawa Y, Bando E, Kawamura T, Yasui H, et al. Survival benefit of palliative gastrectomy in gastric cancer patients with peritoneal metastasis. World J Surg 2012;36:2637-2643.
154. Tsuburaya A, Mizusawa J, Tanaka Y, Fukushima N, Nashimoto A, Sasako M, et al. Neoadjuvant chemotherapy with S-1 and cisplatin followed by D2 gastrectomy with para-aortic lymph node dissection for gastric cancer with extensive lymph node metastasis. Br J Surg 2014;101:653-660.
155. Wai CT, Ho KY, Yeoh KG, Lim SG. Palliation of malignant gastric outlet obstruction caused by gastric cancer with self-expandable metal stents. Surg Laparosc Endosc Percutan Tech 2001;11:161-164.
156. Wang XB, Yang LT, Zhang ZW, Guo JM, Cheng XD. Pancreaticoduodenectomy for advanced gastric cancer with pancreaticoduodenal region involvement. World J Gastroenterol 2008;14:3425-3429.
157. Watanabe A, Maehara Y, Okuyama T, Kakeji Y, Korenaga D, Sugimachi K. Gastric carcinoma with pyloric stenosis. Surgery 1998;123:330-334.
158. Woo JW, Ryu KW, Park JY, Eom BW, Kim MJ, Yoon HM, et al. Prognostic impact of microscopic tumor involved resection margin in advanced gastric cancer patients after gastric resection. World J Surg 2014;38:439-446.
159. Wu CW, Lo SS, Shen KH, Hsieh MC, Chen JH, Chiang JH, et al. Incidence and factors associated with recurrence patterns after intended curative surgery for gastric cancer. World J Surg 2003;27:153-158.
160. Yamagishi F, Arai H, Yoshida T, Tyou S, Nagata T, Bando T, et al. Partial separating gastrojejunostomy for incurable cancer of the stomach or pancreas. Hepatogastroenterology 2004;51:1623-1625.
161. Yamaguchi K, Sawaki A, Doi T, Satoh T, Yamada Y, Omuro Y, et al. Efficacy and safety of capecitabine plus cisplatin in Japanese patients with advanced or metastatic gastric cancer: subset analyses of the AVAGAST study and the ToGA study. Gastric Cancer 2013;16:175-182.
162. Yamaguchi K, Yoshida K, Tanahashi T, Takahashi T, Matsuhashi N, Tanaka Y, et al. The long-term survival of stage IV gastric cancer patients with conversion therapy. Gastric Cancer 2018;21:315-323.
163. Yang K, Liu K, Zhang WH, Lu ZH, Chen XZ, Chen XL, et al. The value of palliative gastrectomy for gastric cancer patients with intraoperatively proven peritoneal seeding. Medicine (Baltimore) 2015;94:1051.
164. Yonemura Y, Bandou E, Kinoshita K, Kawamura T, Takahashi S, Endou Y, et al. Effective therapy for peritoneal dissemination in gastric cancer. Surg Oncol Clin N Am 2003;12:635-648.
165. Yonemura Y, Kawamura T, Bandou E, Takahashi S, Sawa T, Matsuki N. Treatment of peritoneal dis-

semination from gastric cancer by peritonectomy and chemohyperthermic peritoneal perfusion. Br J Surg 2005;92:370-375.

166. York JE, Stringer J, Ajani JA, Wildrick DM, Gokaslan ZL. Gastric cancer and metastasis to the brain. Ann Surg Oncol 1999;6:771-776.

167. Yoshida K, Yamaguchi K, Okumura N, Tanahashi T, Kodera Y. Is conversion therapy possible in stage IV gastric cancer: the proposal of new biological categories of classification. Gastric Cancer 2016;19:329-338.

168. Yoshikawa T, Tanabe K, Nishikawa K, Ito Y, Matsui T, Kimura Y, et al. Induction of a pathological complete response by four courses of neoadjuvant chemotherapy for gastric cancer: early results of the randomized phase II COMPASS trial. Ann Surg Oncol 2014;21:213-219.

CHAPTER 38

기타 위선암의 발생양상과 고려사항

1. 임신과 위암

임신 중에 발견되는 악성종양의 빈도는 대략 1,000명당 1명이다. Smith 등(2003)이 9년간 480만 명의 분만 사례를 분석한 바에 따르면 정상 출산 1,000명당 0.94명꼴로 악성종양이 발생하였고, 시기적으로는 분만 이전 임신 중에 0.6명, 출산 직후 0.27명, 출산 시 0.07명이었다. 임신 중 발생할 수 있는 암은 악성흑색종, 자궁경부암, 림프종, 유방암, 난소암 및 백혈병의 순으로 알려져 있다. 임신 중 발견된 악성종양은 일반적인 치료와 달리 많은 문제를 안고 있는데, 기본적으로 환자의 암 종류 및 병기, 환자가 임신을 유지하기를 원하는지, 임신 중 일반적인 암치료를 변경 또는 지연해야 할 것인지를 고려해야 한다.

1) 임신 전후 암 환자의 일반적인 치료원칙

다음과 같은 원칙이 필요하다: ① 임산부의 생명 보호, ② 임산부의 악성종양의 치료, ③ 임산부의 암치료로 인한 태아 또는 신생아에 미치는 영향의 최소화, ④ 미래의 임신을 위해서 산모의 생식 장기를 보호하는 것. 암의 진단을 위해서 사용하는 방사선은 태아에 나쁜 영향을 미치게 되는데 피폭 양이 많을수록, 임신 주수가 이를수록 좋지 않게 된다(표 38-1).

수술치료가 가능하다면 언제든지 시행해야 한다. 난소 같은 생식기 기능에 장애를 일으키는 것이 아니라면 임산부 및 태아의 건강상태에 영향을 미치지 않는다. 진단적 복강경수술과 같은 진단 또는 병기설정 목적의 수술은 유산을 방지하기 위해 임신 2기 이후로 연기하는 것이 안전하나, 치료 목적의 수술은 임신 주수와 관계없이 시행한다. 전신마취는 태아나 임산부에게 영향

표 38-1. **임신 주수에 따른 방사선의 영향**

임신 기수	임신 주수	영향
착상 전/착상 직후	착상 후 9~10일	치명적
초기 장기형성기	임신 2~6주	기형 발생, 성장지체
후기 장기형성기/초기태아기	임신 12~16주	정신지체, 성장지체, 소두증
후기 태아기	임신 20~25주부터 출산까지	불임, 악성종양, 유전적 결함

을 끼치지 않는다고 알려져 있으나 임신은 생리적 변화를 수반하므로 마취 중에는 특별히 주의해야 한다. 이러한 변화로는 혈액량 및 심박출량의 증가, 혈소판 수치 및 피브리노젠의 증가, 체위저혈압, 폐활량 감소 및 위배출시간 지연 등이 있다.

임신 중의 항암화학요법은 모든 항암제가 태반을 통과하여 태아의 선천성 장애, 발육부전, 정신지체 및 장래의 암 발생 위험 등을 초래할 수 있으므로 이유로 일반적으로 시행하지 않는다. 대부분의 항암제는 Pregnancy category D 또는 X에 해당한다(표 38-2). 항암화학요법 약제로 인한 부작용의 위험도는 일차적으로 임신 주수와 연관이 있다. 기관이 형성되는 기간에 항암화학요법을 하면 태아에게 치명적인 위험을 유발할 수 있다. 배아기에 세포독성 약물을 사용하면 태아의 10~20%가 선천성 기형을 갖게 되며, 또한 40%에서 저체중아를 출산하게 된다. 항암제 중 항대사화합물[aminopterin, 메토트렉세이트(methotrexate), 플루오우라실(5-fluorouracil), arabinosyl cytosine], 알킬레이팅 항암제[부설판(busulfan), 시클로포스파미드(cyclophosphamide), 클로람부실(chlorambucil)] 등은 태아의 장기부전(malformation)과 기형(teratogenic)을 일으키는 대표적인 항암제로 알려져 있다.

임신 1기를 지난 상태에서 항암화학요법을 시행하면 대부분의 경우 심각한 부작용이나 후유증을 유발하지

표 38-2. 기형유발 위험성 범주와 항암제의 임신 중 사용 지침

Pregnancy category A	Controlled studies show no risk in pregnancy
Pregnancy category B	No evidence of risk in pregnancy
Pregnancy category C	Risk in pregnancy cannot ruled out
Pregnancy category D	Clear evidence of risk in pregnancy
Pregnancy category X	Absolutely contraindicated in pregnancy

는 않는다고 알려져 있으나 아직까지 장기관찰 결과가 없어 단정하기는 어렵다. 항암제가 모유로 어느 정도 분비되는지에 대한 정확한 자료가 없으므로 항암제 치료 후에는 모유수유를 권장하지 않는다. 항암치료를 받은 경력이 있는 환자는 남녀 모두 임신 가능성이 낮아진다. 예를 들어, 호지킨림프종에 사용되는 병합 항암화학요법 후에 남자는 무정자증이 생길 수 있으며, 여자는 난소의 섬유화로 인해 임신이 불가능해질 수 있다. 항암제 치료를 받은 후 임신하였다면 유산, 태아염색체 이상 또는 기형과 같은 임신 합병증의 위험도는 증가하지 않는 것으로 알려져 있다. 다만 독소루비신(doxorubicin) 같은 일부 항암제를 사용한 뒤 임신한 여성에서 저체중아 출산 비율이 두 배 증가하였다는 보고가 있다.

(1) 임신과 위암

① 임신 중 위암 발생의 일반적인 특징

임신 중 위암이 발생할 확률은 극히 드물어서 모든 임신 중 0.026%에서 0.1%로 알려져 있다. 위암의 발생빈도가 비교적 높은 일본에서 주로 보고되었지만 대부분 증례보고이며, 국내의 문헌보고도 매우 드물다. 임산부에게 위암이 발생할 수 있다는 사실이 간과되어 진단이 지연되기 때문에 실제 보고된 증례는 추정치보다 훨씬 적을 것으로 생각된다. 발생빈도가 낮은 이유는 위암이 60세 이상의 고령에서 주로 발생하며, 남성의 발생빈도가 여성보다 두 배 더 높기 때문이다.

임신 중 위암의 발생증례는 Fujimura와 Fukunda가 1916년에 처음으로 보고하였다. Ueo 등은 61예의 임신 중 위암 환자를 분석하였는데 59명(96.7%)이 진행성 위암이었고 절제가 가능한 환자는 29명(47.5%)에 불과하였다. 수술 후 예후도 불량하여 58.9%의 환자가 입원기간 중 사망하였고, 3년 이상 생존한 환자는 4명(21.1%)이었다. Kaoru 등은 메타분석을 통해서 1967년부터 2007년까지 일본에서 보고된 136명의 임신 중 위암 증

례를 분석하였는데 118명(95.2%)이 진행성 위암이었고 6명만이 조기위암이었다. 수술을 시도했던 103명 중 절제가 가능한 환자는 62명(45.3%)이었고 41명은 절제불능 암이었다. 병리학적으로는 Borrmann 4형이 많았고 미만형이 장형보다 많았다. 이와 같은 병리학적 특징은 젊은 여성 환자에서 발생하는 진행성 위암의 특징과 일치하는 점이기도 하다. 민 등은 20예의 임신 중 위암 환자를 분석하였는데 평균연령은 31세였고, 치유적 위절제술은 6명(30%), 수술 후 보조항암화학요법을 시행받은 환자는 4명(20%), 고식적 치료를 받은 환자는 12명(70%)이었다. 20명 전체의 중앙 생존값은 7개월, 치유적 위절제술을 시행받은 환자의 중앙 생존값은 32.5개월이었다. Fazeny와 Marosis는 문헌고찰을 통해 100예의 임신 중 위암 환자를 분석하였다. 100예 중 조기위암은 1예뿐이었으며, 대부분의 증례가 특징적으로 저분화도 선암이면서 복막전이를 동반하였다. Maeta 등은 위암으로 수술을 시행한 환자 2,325명을 분석한 결과, 임신 중 위암이 발견된 경우가 14예였으며, 일반적으로 Borrmann 4형암이 많고 분화도가 나쁘며, 복막전이의 빈도가 높다고 보고하였다.

② 임신 중 위암의 발생기전

임신과 위암 발생의 연관성은 분명하지는 않으나, 환경적 · 유전적 인자 이외에 임신 자체와 관련된 인자에 대한 몇몇 연구가 있었다. Furukawa 등은 34세 미만의 젊은 여성 위암 환자 중에서 임신 또는 출산한 지 2년 이내의 젊은 여성은 다른 젊은 여성에 비해 위암이 병기가 높고 절제 불가능한 경우가 더 많아서 5년 생존율도 낮으므로 임신 또는 출산이 위암의 성장을 촉진한다고 주장하였다. 쥐의 위를 이용한 실험에서는 성호르몬이 발암(carcinogenesis) 과정에 관여한다는 사실이 알려졌다. 에스트로젠을 저지하거나 거세한 숫쥐에서 위암이 의미 있게 감소하는 현상이 관찰되었다. 즉, 임신으로 인한 호르몬 환경의 변화가 위암의 발달과 성장을 촉진한다는 것이다. 에스트로젠이 위암 발생을 감소시키는 기전의 하나로 위산분비의 감소를 들고 있는데, 쥐에게 에스트로젠을 투여하면 위산분비가 줄고, 위의 벽세포 수가 감소한다고 알려져 있다. 그러나 에스트로젠의 영향이나 항에스트로젠 치료의 결과에 대해서는 아직 논란이 있다. 다른 실험 데이터에 따르면 위암세포주 및 누드마우스에서 에스트로젠에 의해 위암의 성장이 더 촉진된다고 한다. 젊은 여성에서 발생하는 진행성 위암의 경우 남성보다 예후가 좋지 않은 이유로서 에스트로젠과 같은 호르몬의 작용이 더욱 위험한 인자를 갖는 위암의 발생을 촉진한다는 보고도 있다. 임신으로 인한 면역능 저하 또한 암 발생에 영향을 미치는 주요인자로 생각된다. 그 밖에 암세포의 성장을 촉진하는 일부 소화호르몬이 암 발생에 영향을 미칠 것이라는 보고도 있다.

③ 임신 중 위암의 진단과 치료

임신 중 위암의 치료는 두 가지의 상충된 목표가 있다. 산모의 위암을 완치 시키기 위해서 가능한 한 빠른 시기에 수술을 시행하는 것과 태아의 안전을 위해서 임신을 유지하는 것이다. 위암은 조기에 진단하여 수술하면 예후가 매우 좋으므로 임신 중이라 할지라도 조기에 발견하기 위해 노력해야 한다. 임신 중 발견된 위암 중 초기 병기인 경우는 2%에 불과하며 대부분은 진행성 위암의 병기로 발견된다. 이는 젊은 여자에서 위암이 흔하지 않고, 임신 중 나타나는 구토, 구역, 상복부 통증과 같은 비특이적 증상만으로 내시경검사를 하지는 않기 때문이다. 내시경검사는 임신 중에 시행해도 안전하므로 임신 16주 이후의 비정형적이거나 난치성의 소화불량, 일반적인 처치에 반응하지 않는 구역이나 구토 등의 증상이 있는 경우 또는 임상적으로 악성종양이 의심되는 증상이 있는 경우에는 임신 중에도 적극적으로 내시경검사를 시행해야 한다. 또한 위암의 위험인자를 가지고 있는 경우(표 38-3)에는 임신 중이더라도 내시경검사를 추천한다. 임신 중 발견된 위암의 치료는 산모와 그 가족뿐만 아니라 치료하는 의사에게도 매우 어려운 문제이다. 기본적으로는 위암의 병기와 당시의 임신주기에 따라 치료방침을 결정하지만, 여기에 덧붙여 산모의 사회경제적 여건, 산모가 아이를 낳고 싶어 하는지, 종교관 또는 윤리적 문제 등을 고려해야 한다. Ueo 등은 문헌고찰을 통해 임신 중 위암의 치료가이드라인을 제안하였다. 위암으로 인한 출혈이나 폐색 또는 천공 등의 합병증이 동반된 경우에는 임신 주수와 관계없이 즉시 수술해야 한다. 임신 1기 또는 2기에 발견된 위암일 때는 임신지속 여부와 관계없이 수술치료를 고려한다. 임신 25~29주에 발견된 위암의 치료는 매우 복잡하다. 만약 조기위암이라면 분만을 위해 30주 이후까지 치료를 미룰 수 있다. 그러나 진행성 위암이고 절제가 가능하다면 태아에게 미칠 위험도에도 불구하고 수술치료를 고려해야 한다. 임신 30주 이후의 위암일 때는 분만과 동시에 또는 분만 이후에 절제수술을 고려한다. Ohsawa 등은 최근 주산기 치료의 발달로 임신 22주 미만인 위암 환자는 임신을 유지하면서 위암 수술이 가능하다고 제안했다. 하지만 임신 22주에서 27주와 임신 22주 미만의 환자에서는 치료방침을 정하기가 매우 어렵다. 국가에 따라서 종교적인 이유로 임신중절을 법으로 금하고 있는 경우도 있으므로 이 가이드라인을 일반적으로 적용하기도 어려운 일이다.

④ 임신 중 위암 환자의 예후

임신한 위암 환자의 예후는 매우 불량하다. 대부분의 환자가 진단이 늦어져 이미 암이 고도로 진행된 상태에서 발견되며, 임신으로 인해 치료방법이 제한적이고, 임신기간 중 호르몬 환경 등의 변화나 임신으로 인한 면역능 저하가 암 성장을 촉진할 수 있기 때문이다. 임신 3기에 위암이 진단되는 경우에도 특히 예후가 좋지 않은데 이는 4기 위암으로 진단되는 경우가 많고 진단과 치료를 시작하는 기간이 임신과 관계없는 위암 환자에 비해서 길어지며, 임신 3기의 산모들이 태아를 보호하기 위해서 위암에 대한 즉각적인 수술이나 항암 화학요법을 받기를 꺼려하기 때문이다. 비록 조기에 발견되는 예가 매우 적어 장기관찰 결과를 알 수는 없으나, 임신한 위암 환자의 생존율을 높이는 최선의 방법은 조기 발견이다. 임신 기간 중, 특히 임신 1기 이후에 지속적이거나 비정형적인 소화기 증상이 있을 때 위암의 가능성을 배재하지 않으며, 경험적 치료를 하기 전에 내시경검사를 적극적으로 시행해야 한다. 임신과 연관된 오심, 구토 증상이 위암의 증상과 구분이 되지 않아 위암의 진단이 늦어지지 않도록 주의를 기울여야 한다.

표 38-3. **임신 중 위내시경검사를 필요로 하는 위험인자**

위험인자
위암의 가족력
위-십이지장 소화성궤양의 병력
면역억제질환 및 약물 복용
심한 흡연
Pregnancy category X

⑤ 태아에게 미치는 영향

일반적으로 임신 중 위암 환자의 태아는 생존율이 양호하다고 알려져 있다. 태반에 전이된 위암 2예가 보고되었으나 태아에게 전이된 예는 아직까지 보고된 바 없다. 산모의 위암이 태아로 전이되는 경우는 태반장벽과 태아의 면역체계로 인하여 극히 드물며 혈행성으로 전이될 가능성은 있다. 임신 중 암이 태반과 태아로 전이되는 암 중 가장 많은 것은 악성 흑색종으로 임신과 동반된 암 중 30%로 보고되고 있다. 따라서 임신을 지속할 것인지는 태아의 상태 및 산모의 치료계획에 의거해서만 결정해야 한다. 위암치료를 받은 젊은 여성은 치료를 마친 지 3년 후에 임신을 계획하는 것이 좋다. 대개 3년 이내에 위암이 재발하기 때문이다.

2. 젊은 연령층의 위암

젊은 연령층에 대한 통일된 기준이 없지만 위암은 40세 이하의 젊은 연령층에서도 발생한다. 젊은 환자는 전체 위암 환자의 2~8%를 차지하며, 이들 대부분은 35세 이상이고 30세 이하는 드물다고 알려져 있다. 우리나라에서 보고된 젊은 환자의 위암 발생빈도는 30세 미만을 기준으로 할 때 2.5%, 35세 이하는 3.4%, 36세 미만은 7.5%, 40세 미만은 8.4%와 9.9%, 45세 미만은 19.5%이다. 국가 암등록 통계 보고에 의하면 위암은 2011년 이후 2015년까지 매년 6.2%씩 발생률이 크게 감소하고 있고 40세 이하 연령층의 위암 발생빈도는 조금씩 낮아지고 있다.

1) 남녀비

일반적으로 위암은 남성의 발생빈도가 높은 데 반해 젊은 연령층의 위암은 여성의 발생빈도가 상대적으로 높은 것이 특징이다.

우리나라의 경우 1995년에 30세 이하에서 0.9:1, 31~40세에서 1.5:1이었으며, 1999년 각각 0.7:1, 1.2:1, 2004년에는 각각 0.8:1, 1:1로 30세 이하 연령에서는 여자의 발생률이 높고, 31~40세에서는 남녀의 발생 비율이 비슷한 경향을 보였다(표 38-4). 노년층과 달리 젊은 연령층에서 여성의 발생빈도가 상대적으로 높은 이유는 아직 밝혀지지 않았으나 임신이나 여성 호르몬의 영향이라는 보고가 있다.

2) 위치 및 크기

젊은 연령층의 위암은 노년층의 위암과 비교하여 중부 및 상부에 많이 발생한다는 보고도 있고, 하부, 중부, 상부 순으로 발생빈도가 높다는 보고도 있어 논란의 여지가 있다. 구미에서도 위 전정부에서 암이 가장 많이 발생한다고 보고도 있고, 식도위경계부 24%, 상부 16%, 중부 17%로 상부에서 암이 가장 많이 발생했다고 보고도 있어 역시 비슷한 결과를 보였다. 우리나라의 경우, 위암등록사업 결과 보고에서 1995년도 조사에서는 30세 이하와 31~40세 모두 중부가 각각 49.5%와 46.4%, 하부가 각각 36.5%와 39.6%, 상부가 각각 14.0%와 10.6%로 중·상부의 암 발생률이 높았다. 1999년과 2004년에도 각각 52.4%와 44.0%, 44.1%와 42.0%로 중부의 암 발생률이 가장 높았는데, 이로 보아 젊은 연령일수록 중부 및 상부 암의 비율이 상대적으로 높다고 할 수 있겠다(표 38-5).

젊은 연령층의 위암 크기를 보면 노년층에 비해 크기가 더 크다고 하였고, 30세 이하의 환자는 2~5 cm가 48.9%로 가장 많았으며, 5 cm 이상도 40.6%를 차지하여 2 cm 이하인 10.5%보다 많았다고 하였다. 그러나 젊은 연령층의 위암 크기가 5 cm 미만과 5 cm 이상인 경우의 분포가 거의 같다는 보고도 있었다. 이상의 결과에서 젊은 연령층의 위암은 노년층의 위암에 비해 암의 크기가 상대적으로 큰 경향을 보이며 대부분 2 cm 이상의 크기에 포함된다.

3) 육안적 소견

젊은 연령층의 위암은 전반적으로 진행성 위암이 조기위암에 비해 많이 진단된다. 젊은 연령층에서 진단되는 조기위암의 육안형은 IIc형이 88%, 70.2%로 거의 대부분을 차지하며 함몰형 내시경적 형태를 더 많이 보여준다. 젊은 연령층의 진행성 위암 육안형은 Borrmann II형과 III형이 각각 43.0%와 40.9%를 차지하였다는 보고가 있으나, 다른 연구에서는 Borrmann III형이 약 2/3 이상을 차지하였다.

4) 조직형

젊은 연령층의 위암은 다른 연령층에 비해 저분화형과 반지세포형 위선암이 많았다. Lauren 분류로 보면 83.6%, 76.3%, 71.0%로 미만형이 대부분을 차지하였다.

표 38-4. **연령과 성 분포도**

1995		≤30	31~40	41~50	51~60	61~70	>70	종합
	남성	50	367	589	1,233	1,007	316	3,562
		1.4	10.3	16.5	34.6	28.3	8.9	100%
	여성	53	245	321	494	509	172	1,794
		3.0	13.7	17.9	27.5	28.4	9.6	100%
	남성: 여성	0.9: 1	1.5: 1	1.8: 1	2.5: 1	2.0: 1	1.8: 1	2.0: 1
1999		≤30	31~40	41~50	51~60	61~70	>70	종합
	남성	49	333	651	1,246	1,245	425	3,949
		1.2	8.4	16.5	31.6	31.5	10.8	100%
	여성	66	289	382	602	726	300	2,365
		2.8	12.2	16.2	25.5	30.7	12.7	100%
	남성: 여성	0.7: 1	1.2: 1	1.7: 1	2.1: 1	1.7: 1	1.4: 1	1.7: 1
2004		≤30	31~40	41~50	51~60	61~70	>70	종합
	남성	65	434	1,386	1,970	2,720	1,010	7,585
		0.9	5.7	18.3	26.0	35.9	13.3	100%
	여성	77	421	720	762	1,146	579	3,705
		2.1	11.4	19.4	20.6	30.9	15.6	100%
	남성: 여성	0.8: 1	1: 1	1.9: 1	2.6: 1	2.4: 1	1.7: 1	2: 1

표 38-5. **연령에 따른 위암 발생 부위**

1995		≤30	31~40	41~50	51~60	61~70	>70	종합
	상부	14.0	10.6	11.8	12.6	9.8	10.1	11.2
	중부	49.5	46.4	39.8	35.2	36.4	30.7	37.4
	하부	36.5	39.6	45.7	50.6	52.3	56.0	49.3
	전체	0	3.4	2.7	1.6	1.5	3.2	2.1
1999		≤30	31~40	41~50	51~60	61~70	>70	종합
	상부	12.6	12.0	13.4	12.8	12.7	10.4	12.5
	중부	52.4	44.0	36.3	34.5	32.1	30.7	34.8
	하부	29.1	40.0	45.6	50.2	52.6	56.8	49.6
	전체	5.8	4.0	4.8	2.5	2.5	2.1	3.0
2004		≤30	31~40	41~50	51~60	61~70	>70	종합
	상부	16.9	17.2	14.5	13.8	13.9	13.0	14.2
	중부	44.1	42.0	38.4	33.7	32.0	29.1	34.1
	하부	36.8	37.3	44.1	49.6	51.4	55.5	48.9
	전체	2.2	3.5	3.5	2.9	2.6	2.3	2.8

5) 림프절 전이 및 원격전이

젊은 연령층 위암에서 진행성 위암이 많으나 림프절 전이는 큰 차이가 없다. 젊은 연령층 위암에서 림프절 전이는 N0 43.4%, Nl 14.4%, N2 42.3%로 고른 분포를 보이기도 하였다. N0 58.6%, Nl 25.2%처럼 전이가 작은 경우도 있었고 림프절 전이가 없는 군과 있는 군의 비율은 각각 48.9%와 51.1%로 거의 비슷하기도 하였다. 젊은 연령층의 위암에서 원격전이도 큰 특이성을 가진다고 할 수는 없다. 30세 이하 위암 환자의 28.6%에서 원격전이가 발견되었으며, 36세 미만 위암 환자의 간전이와 복막전이의 빈도는 각각 3.6%와 15.3%였으며, 36세 이상 환자는 각각 5.8%, 14.5%였다. 다른 연구 보고에 의하면 9.9%, 21.5%의 환자에서 원격전이가 있었다.

6) 병기

젊은 연령층의 위암에서는 병기 4기가 32.3%로 가장 많았으며 통계적으로 유효하지는 않지만 TNM 병기 IV기와 N3 병기가 더 많다고 하였다. 최근 들어 위내시경 등을 이용한 조기검진의 확산으로 연령층에 상관없이 조기위암의 발견 빈도가 높아져 병기 I기 암의 빈도가 증가하였으며, 이는 젊은 연령층의 위암의 경우에도 마찬가지이다.

2007년 대한위암학회의 보고에 의하면 1995년에 30세 미만은 IV기가 32.7%로 가장 많았으나, 1999년과 2004년에는 IA기가 각각 26.7%와 32.5%로 가장 많았으며, IV기가 약 20%를 차지하였다. 2004년에도 IA기가 30세 미만과 30대 연령군에서 각각 39.3%와 38.6%로 가장 많았으며 그 다음으로 IV기, IB기가 각각 13.3%와 14.9%로 많았다. 이와 같이 국가건강검진의 도입으로 젊은 연령층의 위암에서도 조기위암의 발생빈도는 증가하였고 IV기는 점차 감소하고 있다(표 38-6).

표 38-6. **연령에 따른 위암의 병기**

1995		≤30	31~40	41~50	51~60	61~70	>70	종합
	Ia	22.1	30.4	25.8	26.9	23.5	18.6	25.3
	Ib	10.6	10.9	13.3	13.5	13.1	9.8	12.7
	II	11.5	13.7	14.8	15.0	17.7	16.6	15.7
	IIIa	11.5	14.1	14.7	14.7	15.8	17.6	15.2
	IIIb	7.7	7.2	7.3	7.9	8.6	10.9	8.2
	IV	32.7	20.1	21.8	19.3	18.5	22.5	20.1
1999		**≤30**	**31~40**	**41~50**	**51~60**	**61~70**	**>70**	**종합**
	Ia	26.7	32.5	32.2	30.4	28.3	22.8	29.3
	Ib	14.7	10.5	14.7	14.8	13.6	13.9	13.9
	II	17.2	14.3	13.1	14.7	14.9	17.2	14.8
	IIIa	8.6	12.4	12.7	12.5	14.1	14.9	13.2
	IIIb	7.8	5.6	5.8	6.0	606	7.2	6.3
	IV	20.7	19.1	17.9	17.3	18.1	19.4	18.1
2004		**≤30**	**31~40**	**41~50**	**51~60**	**61~70**	**>70**	**종합**
	Ia	39.9	38.6	43.2	43.9	42.5	36.8	41.8
	Ib	13.3	14.9	16.4	14.4	15.2	13.3	14.9
	II	12.6	14.1	11.5	13.1	14.6	15.9	13.8
	IIIa	8.9	10.5	9.5	9.9	9.8	12.3	10.2
	IIIb	5.9	5.3	4.8	4.6	4.3	6.2	4.9
	IV	20.0	16.6	14.6	14.1	13.6	15.6	14.5

7) 치료 및 예후

많은 연구자들이 젊은 연령층의 위암은 진행성인 경우가 많고 상대적으로 미분화 위암의 빈도가 높으며 종양학적으로 노령층의 위암보다 더 활발하기 때문에 예후가 나쁘다고 하였다. 젊은 연령층 위암 환자의 예후가 좋지 않은 것은 위암의 유전적 경향과 관련이 있다는 보고가 있으나 아직 확실하지 않다. 최근의 여러 연구에 따르면, 연령은 그 자체가 단독 예후인자로 작용하지 않아 젊은 연령이더라도 그렇지 않은 환자에 비해 생존율에 큰 차이가 없으며, 오히려 조기위암의 경우 예후가 더 좋다고 하였다. 따라서 젊은 위암 환자에게도 일반적인 위암치료방법을 적용하면 된다. 고령자에 비해 비교적 전신상태가 양호한 점을 고려한다면, 조기 발견에 힘쓰고 완전한 근치 절제를 해서 예후를 향상시킬 수 있을 것이다.

3. 고령층의 위암

1) 역학

고령에 대한 WHO의 정의는 65세이지만 많은 고령층 연구들에서 노인, 고령 혹은 'elderly'의 기준을 70, 75, 80세 등으로 다양하게 정하고 있다. 따라서 어떤 연구를 참고할 때 연령의 기준을 먼저 확인해야 한다.

2017년 현재 국내 65세 이상 노인 인구수는 전체 인구의 약 15%를 차지하고 있고 이미 한국사회는 고령화 시대로 접어 들었다. 또한 세계적으로 가장 빠른 고령화 사회로 되어감에 따라 2037년에는 노인 인구가 전체의 30%를 차지하는 초고령 사회로 진입할 것이 예상된다. 국가 암등록 통계 보고에 의하면 위암은 2011년 이후 2015년까지 매년 6.2%씩 발생률이 크게 감소하고 있지만 위암 발생률이 연령에 비례하여 증가하고 노년층의 위암 발생률은 전체 인구의 위암 발생률에 비해 4배 정도 높기 때문에 노인 인구 증가에 따라 노인 위암 환자 수는 지속적인 증가할 것이다.

미국에서 전체 인구의 위암 발생률은 10만 명당 8.1명인데 비하여 65세 이상에서는 43.5명이 증가해 있고, 국내의 경우 2015년 통계청 조사에 의하면 전체 인구의 위암 발생률은 10만 명당 57.3명이었으나 65세 이상에서는 227.8명으로 급격한 증가를 보인다. 전체 위암 환자 중 노인이 차지하는 비율도 자연히 증가하고 있다.

2) 병리학적 특성

그동안의 연구들에 의하면 고령층의 위암은 성년층 위암과는 다른 몇 가지 병리학적 특성을 보이고 있다. 첫째, 암세포의 분화도가 연령에 비례하여 높아지는 경향이 있어 고령층의 위암은 고분화암과 장형 형태 암이 상대적으로 많은데 고분화 위암과 장형 형태의 위암은 헬리코박터 파일로리 감염 후 위축위염 및 장이형성의 단계를 거치면서 형성되는 것으로 알려져 있다. 둘째, 느린 성장과 함께 국소적으로 고령층의 위암이 진행되며, 주로 원위부에 위치한다. 셋째, 고령층의 위암에서는 중복 위암의 발생이 높은데, 발생률은 7.7~13.2%로 성년층보다 높았다. 따라서 수술 전 위내시경검사에서 중복암의 가능성을 고려하여 세밀하게 검사를 시행하고 치료계획을 세워야 하겠다.

고령층 위암의 증상, 육안적 분류, 림프절 전이율, 조직학적 병기 등은 대부분의 연구에서 성년층의 위암과 큰 차이가 없었다. 다만 75~80세 이상의 고령에서는 진단의 지연 때문에 진행암이 상대적으로 많다. 또한 고령층의 위암에서는 혈관과 림프관 침윤 및 간전이의 빈도가 상대적으로 높았고 몇몇 연구에서는 남자의 비율이 상대적으로 증가하는 양상이 관찰되기도 하였다.

3) 노인 수술의 일반적인 문제점

노인에 대한 수술의 가장 큰 문제점은 신체기능의 저하 및 동반질환으로 인한 수술 위험도의 증가라 할 수 있다. 모든 수술사망의 75%가 노인에서 발생하며, 수술 사망률은 연령, 동반질환수에 비례하여 증가하며, 응급수술 시에는 더욱 증가한다. 연령 자체가 수술 위험도에 대한 독립인자인지에 대해서 논란의 여지가 있지만, 전통적으로 고령은 어느 정도 수술 위험도에 기여할 것으로 여겨진다. 미국마취과학회(American Society of Anesthesiologist, ASA)의 신체상태 분류(physical status classification)에서도 80세 이상의 연령을 II군으로 인정하고 있다. 그러나 가장 중요한 것은 연령과 함께 동반질환의 유무와 신체기능의 감소 정도 등을 동시에 고려하여 수술 위험도를 평가하는 것이다. 동반질환은 노인의 50% 이상에서 나타나며, 대사질환, 심폐질환, 영양불량 등이 흔하다. 이러한 질환들이 동반되면 수술 후 합병증과 사망은 연령에 무관하게 증가한다. 수술 후 불량한 결과를 초래할 수 있는 구체적인 위험인자로는 신체상태의 중등도 저하(ASA III - IV군 이상), 응급수술, 수술 중 빈맥, 저알부민혈증, 빈혈, 문합부 유출 등이 있다. 수술 규모, 수술시간, 출혈량 등도 예후에 영향을 끼친다. 노인 수술 합병증은 심장혈관, 신경계, 호흡기계에서 많이 발생한다. 다행히 20세기 후반부터 노인 수술사망률은 지속적으로 감소하고 있다. 이는 수술 및 마취방법의 발달, 수술 장비와 기계의 발전 수술 전후 관리의 체계화, 영양치료 등에 기인한다.

수술 전 위험도 평가는 연령, 전반적 건강상태, 기능상태, 영양상태, 심리상태, 동반질환 등을 포함하여 종합적으로 이루어진다. 심장, 경동맥, 폐, 간, 신장 등 주요 장기들의 기능 및 질환 유무를 검사하는 것이 중요하다. 위험도 평가를 위해 여러 도구들이 개발되었지만 대부분 위험도를 정확하게 예측하기에는 불충분하다. 많이 이용되는 도구들로는 전반적인 건강상태를 평가하는 ASA, PS (performance status), ADL (activities daily living), 정신상태를 평가하는 MMS (mini mental state), GDS (geriatric depression scale), 각 장기별로 평가하는 Goldman cardiac risk index, pulmonary complication risk, Charlson comorbidity index, prognostic nutritional index, 동반질환 상태를 포괄적으로 파악하는 APACHE I~III (acute physiology and chronic health evaluation), POSSUM (physiological and operative severity score for enumeration of mortality and morbidity) 등이 있다.

4) 노인 위수술의 위험도

(1) 수술사망률

고령층의 위암 수술사망률은 보고에 따라 매우 다양하다. 큰 규모의 연구들을 정리하면, 70세 이상에서 3~12.4%이며, 80세 이상에서는 0~15.8%이다(표 38-7). 1990년대 전까지는 사망률이 비교적 높은 편이었으나, 1990년대부터 향상된 성적들이 발표되고 있다. Macintyre와 Akoh가 1970년대 이전부터 1990년대 전까지의 영어 문헌을 조사한 바에 따르면 전 연령층의 위수술사망률이 1970년대까지는 16.2%였으나 1990년대에 들어서면서 7.8%로 감소하는 경향을 보였다. 서구의 위암수술성적은 일본에 비해 평균적으로 떨어지지만 일부 성적은 일본과 비슷하다(표 38-7).

(2) 연령 상관성

위수술 후 발생하는 합병증 발생률과 사망률이 연령의 영향을 받는지는 여러 상반된 조사 결과들 때문에 명확한 결론을 내리기가 어렵다. Damhuis와 Tilanus가 1,391명의 위절제 환자를 조사한 결과에서는 수술사망률이 70세 이하(622명)에서 3.4%인 데 반하여 70세 이상(769명)에서는 12.4%로 큰 차이를 보였다. Viste 등도 763명의 위절제 환자에서 70세 이하와 70세 이상의 수술사망률이 2.1% vs. 12.4%로 차이가 있다고 보고하였다. 두 연구에서 수술사망률은 연령 및 성별과 관련이 있었으며 그 외의 인자들과는 관계가 없었다. 그러나 노년층과 성년층의 수술사망률에 별 차이가 없다는 보고도 많고 나이는 예후인자가 아니라고 하였다. 이러한 결과들을 볼 때 연령만을 비교하는 연구는 큰 의미가 없어 보인다.

표 38-7. **다양한 대규모 연구에서 고령 위암 환자의 수술사망률, 합병증 발생률, 위절제율**

저자	연령	환자 수	수술사망률(%)	수술 후 합병증 발생률(%)	위절제율(%)
Viste 등(1988)	≥70	394	12.4	34.0	-
Damhuis 등(1955)	≥70	1,697	12.4	-	-
Bittner 등(1996)	≥70	163	3	33.7	-
Kitamura 등(1996)	≥70	380	4.0	-	-
Tsujitani 등(1996)	≥70	384	5.2	22.4	88.3
Orsenigo 등(2007)	≥75	249	3	29	93
Takeda 등(1994)	≥80	56	0	25	80
Hanazaki 등(1998)	≥80	50	2	10	86
Kitamura 등(1999)	≥80	60	3.1	35	88.3
Haga 등(1999)	≥80	62	11.1	37	-
Eguchi 등(2003)	≥80	80	3.8	18.8	-
Katai 등(2004)	≥80	141	0	17	95.7
Damhius 등(2005)	≥80	424	15.8	-	-

(3) 동반질환 및 위험인자

연령이 수술 후 합병증 발생률과 사망률에 영향을 미치는지에 대해서는 논란이 있지만, 동반질환은 합병증 발생률과 사망률에 확실히 영향을 미친다. 또한 합병증 발생률과 사망률은 동반질환의 수 및 중증도에 비례하여 증가한다. 일반적으로 70세 이상 노인의 65~90%가 동반질환을 앓고 있다. 수술 위험인자로는 빈혈(혈색소<10 g/dL), 저알부민혈증(<3 g/dL), 폐기능 감소(폐활량<50%, FEV1<60 %), 만성 신부전(creatinine <1.5 mg/dL), 당뇨병, 고혈압, 심전도의 이상, III군 이상의 ASA 점수 등이 있다.

(4) 수술규모 및 방법

노인 수술의 규모가 커질수록, 방법이 복잡해질수록 수술 후 합병증과 사망이 증가한다는 주장하지만 실제로 연구들에서 합병증 발생률 및 사망률에 차이가 없다고 보고하는 연구도 많다. 일반적으로 위전절제는 위아전절제에 비하여, 근위부 절제는 원위부 절제에 비하여 합병증 발생률과 사망률이 높다. Viste 등은 성별, 나이, 수술방법, 예방적 항생제 투여, 비장절제 등이 합병증 발생률과 관련이 있으며, 위전절제, 근위부절제 시 합병증이 증가한다고 하였다. D2 절제도 D1 절제보다 합병증과 사망을 증가시킬 수 있다. 반면에 많은 저자들이 노인에게 위험도가 높은 수술, 즉 위전절제술, D2 림프절절제술, 비장절제술 등을 시행하지 않으면 수술 후 합병증 발생률이 성년층과 비슷해질 수 있음을 보고하였다. Eguchi 등은 75세 이상의 환자를 대상으로 제한적 수술(D0, D1 절제)과 확대적 수술(D2 절제 이상)을 비교하였는데, 합병증 발생률(27% vs. 57%)과 수술 사망률(1% vs. 10%)에는 차이가 있었지만 5년 생존율에는 차이가 없었기 때문에, 75세 이상의 고령 환자에게는 표준 D2 수술이 필수적이지 않다고 주장하였다. 고령층 위암에서 복강경 위절제술은 빠른 회복과 적은 호흡기계 합병증을 나타나고 개복 위절제술과 비슷한 합병증 발생률과 사망률을 보여주어서 안전한 수술방법이다. 또한 생존율의 향상은 없지만 무병 생존율도 같았다. 노인 복강경 위수술의 장점은 일반적인 복강경수술의 장점과 같다. 즉 합병증이 적고, 위장기능이 빨리 회복되며, 입원기간이 단축된다. 다만 심폐질환이 있는 경우에는 복강내 압력(10 mmHg)을 낮추는 것이 안전하다.

(5) 합병증 및 사망의 예방

수술 후 합병증과 사망을 줄이기 위해서는 수술 전에 동반질환과 위험인자를 철저히 분석하고 이에 대해 적극적으로 처치해야 한다. 합병증으로는 심혈관계, 호흡기계와 관련된 일반적 합병증과 문합부 누출, 감염 등 수술 관련 합병증이 흔하다. 그 중 특히 성년층보다 많이 발생하는 호흡기와 감염 합병증이 중요하며, 호흡기 합병증은 수술사망의 중요한 원인이 된다. 노인 위수술의 합병증 발생률과 사망률은 1990년대부터 크게 감소하고 있는데, 이는 동반질환에 대한 예방처치, 수술기술의 발전, 예방적 항생제 투여, 혈전 및 색전증의 예방처치, 수술 전 호흡훈련, 영양불량 환자에 대한 수술 전 영양 지원, 경막외 진통 등 때문이다. Bittner 등은 적절한 수술 전후 관리를 통하여 70세 이상의 위전절제 환자의 사망률을 1970년대 말 32%에서 1990년대에 3%까지 낮출 수 있었다. Katai 등도 80세 이상 수술 환자 141명에서 합병증 발생률 27%, 사망률 0%의 좋은 결과를 보고하였다.

5) 노인 위암의 예후

(1) 장기 생존

단순 연령보다는 암의 병기, 근치절제, 동반질환의 중증도 등이 장기 생존에 영향을 끼친다. 장기 생존에 필수적인 위절제율은 80~95%이며(표 38-7), 성년층과 비슷하거나 약간 낮다. 수술 받은 노년층의 전체생존율은 평균적으로 40~50%이며, 근치절제를 시행한 경우에는 10% 정도 증가한다(표 38-8). 노년층의 생존율이 성년층과 비교하여 차이가 있는가는 보고에 따라 다르다. 그렇지만 대부분의 연구에서 일치하는 결론은 암과 관련된 생존율에는 별 차이가 없다는 것이다. 노년층의 전체생존율이 낮은 경우는 위암 외의 원인으로 인한 사망이 많기 때문이며, 위험인자가 없거나 근치절제를 하면 노년층과 성년층의 5년 생존율은 거의 같다. 한편 Kitamura 등은 70세 이상 환자의 위수술 후 전체생존율이 젊은층에 비해 낮고(44.6% vs. 7.1%), 근치절제 후에도 낮다고 보고하면서, 이러한 생존율 감소는 노화로 인한 방어기전의 약화 때문이라고 주장하였다.

(2) 제한적 수술과 예후

75~80세 이상의 고령 환자에서는 수술 규모를 줄여 수술 합병증과 사망을 최소화할 수 있다. 고령층의 위절제 범위, 림프절 절제범위 및 동반 절제는 예후에 영향을 미치고 있으므로 제한적 수술(limited surgery)이 장기 생존에 긍정적인 영향을 줄 것이다. 대부분의 연구결과를 보면 암과 관련된 생존율의 차이가 없었다. 따라서 동반질환이 3~4개 이상 되는 75~80세 이상의 고령 환자에게는 제한적 수술을 하는 것이 안전할 것이다.

표 38-8. **고령 위암 환자의 수술 후 생존율**

저자	연령	환자 수	수술사망률(%)	위절제율(%)
Wu 등(2000)	≥65	433	52.9	60
Bittner 등(1996)	≥70	163	30	-
Kitamura 등(1996)	≥70	380	44.6	-
Tsujitani 등(1996)	≥70	384	46.4	-
Kim 등(2005)	≥70	194	46.5	60.0
Kunisake 등(2006)	≥75	135	-	59.2
Orsenigo 등(2007)	≥75	249	47	-
Takeda 등(1994)	≥80	56	47	61
Haga 등(1999)	≥80	62	38.7	92.8
Katai 등(2004)	≥80	141	48.8	56.6

(3) 삶의 질

노인에서 위절제술 후 삶의 질을 확인하는 것은 매우 중요한 과정이다. Morel 등에 의하면 위장관 종양수술을 받은 80세 이상 노인들 중 82%가 정상적인 생활로 복귀하였다. Habu 등에 의하면 70세 이상 환자의 위절제 후 식사량, 체중변화는 성년층과 비교해 차이가 없었으나 활동도 performance status 면에서는 차이가 있었다. 두 환자군 모두 수술 후 활동도가 감소하지만, 노년층은 회복 속도가 늦다. 따라서 노년층 환자에게는 활동도 감소에 대한 주의 및 대처가 필요하다. 그러나 대부분의 고령 환자들이 독립적인 일상생활에 복귀할 수 있다는 점을 고려하면, 삶의 질에 대한 우려 때문에 수술을 기피하는 것은 올바른 결정이 아니다.

6) 80세 이상 초고령 환자의 특성

80세 이상의 환자는 생리적으로 신체기능, 장기 보유능, 반응력 등이 심하게 저하된 경우가 많기 때문에 수술 전부터 특별한 관리가 필요하다. 빈혈 또는 저알부민혈증 등 영양상태가 불량한 경우도 많다. 그리고 건강검진을 잘 받지 않아 진행암이 상대적으로 많다. 초고령 환자에게 위수술을 시행할 것인가, 수술한다면 언제, 어떻게 시행할 것인가는 성년층과 마찬가지로 위험도 평가 후 결정하면 된다. 초고령 환자에서는 연령 자체도 독립적인 위험인자로서 수술 합병증 발생률과 사망률을 증가시킨다. 또한 80세 이상 노년층을 다시 세분하면 수술위험도는 연령에 비례하여 크게 증가한다. Damhuis 등이 80세 이상 환자 436명을 80~84세, 85~89세, 90세 이상으로 세분하여 조사한 결과에서 수술사망률이 각각 11%, 20%, 44%로 연령이 높아질수록 급격히 증가하였다. 한편 많은 연구결과를 보면, 제한적 수술을 하는 경우에는 80세 이하와 비교하여 합병증 발생률과 사망률에 차이가 없었다.

사망률을 0%로 보고한 예도 있다. 장기 생존과 관련된 예후인자는 연령을 제외하면 성년층과 비슷하며, 병기, 근치성, 동반질환 등이 중요하다. 장기적인 전체생존율은 신체기능이 저하되어 성년층에 비해 불량한 편인데, 이는 암 외의 원인으로 사망하는 경우가 많기 때문이다. 암과 관련된 생존율만을 보면 성년층과 차이가 없으며, 제한적 수술을 하더라도 차이가 없다. 그러므로 초고령 환자라도 연령 자체 때문에 수술을 회피할 이유는 없으며, 수술 적응증은 성년층과 크게 다르지 않다. 다만 동반질환이나 위험인자가 많을 경우 제한적 수술을 하는 것이 보다 안전하다.

7) 결론

최근 노인 인구의 증가와 더불어 노인 위암 환자도 증가하고 있어서 이들에 대한 특별한 대책이 필요하다. 노인은 동반질환이 많고 생리기능이 저하되어 있으므로 수술 후 합병증과 사망이 증가할 가능성이 높다. 그러나 수술 전후 관리, 즉 수술 전 평가, 동반질환의 치료, 섬세한 수술술기, 합병증의 예방 및 치료 등을 체계적으로 시행한다면 성년층과 비슷하게 양호한 결과를 얻을 수 있다. 또한 근치절제가 이루어지면 장기생존의 가능성도 높아진다. 따라서 고령이라는 이유만으로 수술에 소극적인 것은 비합리적이다. 초고령 환자에게는 제한적 수술을 하는 것이 수술위험도를 낮출 수 있는 방법이다.

4. 유전성 위암증후군

1) 서론

위암이 한 가계에서 집단적으로 발생할 수 있다는 사실은 이미 200여 년 전 나폴레옹 및 그의 부친, 조부, 4명의 형제가 위암으로 사망한 보나파르트 일가의 가족력을 통해 인식되기 시작했다. 일반적으로 전체 위암 중 약 10~30% 정도가 가족 집단성(familial clustering)을 가진다고 알려져 있다.

위암의 주요 발병요인인 식이습관 및 헬리코박터 파

일로리(*Helicobacter pylori*) 감염 등의 환경적 요인이 모두 위암의 가족성 발생을 유발할 수 있으므로 모든 가족성 위암(familial gastric cancer)을 유전자 이상이 동반된 유전성 위암(hereditary gastric cancer)이라 할 수는 없겠지만, 이러한 가족에게 유전적 요인이 전혀 없다고 주장할 수도 없다. 위암은 일반적으로 개별적(sporadic)으로 발생하는 것으로 알려져 있지만 가계 내에서 집단적으로 발생하는 것은 전체 위암의 약 10% 정도이며 현재까지 유전적 요인이 밝혀진 유전성 위암은 1~3%로 추정되고 있다. 유전성 위암증후군은 그들의 육안형태(macroscopic morphology)나 조직형태에 따라 유전성 미만형 위암(herediraty diffuse gastric cancer, HDGC), 가족성 장형 위암(familial intestinal gastric cancer, FIGC), 위선암 및 근위부 위 용종증(gastric adenocarcinoma and proximal polyposis of the stomach, GAPPS)으로 분류된다.

2) 유전성 미만형 위암

(1) 진단기준

1998년 E-cadherin 유전자인 CDH1이 유전성 위암의 원인인자 중 하나로 밝혀진 후, 국제적으로 유전성 위암을 공동으로 연구하고자 IGCLC (International Gastric Cancer Linkage Consortium)가 발족하였다. 이 연구회에서는 Lauren 분류에 의거하여 유전성 위암을 다음과 같이 정의하였다. ① 부모, 형제, 자녀(first degree relatives) 또는 이들의 부모, 형제, 자녀(second degree relatives) 중 2명 이상에서 미만형 위암이 조직학적으로 확진되고, 이 중 1명 이상이 50세 이전에 발병한 경우 또는 ② 부모, 형제, 자녀 또는 이들의 부모, 형제, 자녀 중 연령에 관계없이 3명 이상에서 미만형 위암이 조직학적으로 확진된 경우로 두 가지 조건 중 하나를 만족해야 한다.

이후 IGCLC에 의해 2014년 진단기준은 개정되어 유전성 미만형 위암(hereditary diffuse gastric cancer, HDGC)은 ① 가족 중 2명 이상이 위암을 진단받고 한 명은 50세 이전에 미만형 위암이 확인된 경우, ② 연령과 관계없이 부모, 형제, 자녀(first degree relatives) 또는 이들의 부모, 형제, 자녀(second degree relatives) 중 3명 이상에서 미만형 위암이 연령과 관계없이 미만형 위암이 확인된 경우, ③ 가족력이 없는 40세 이전에 발생한 미만형 위암, ④ 50세 이전에 발생한 미만형 위암과 엽성 유방암(lobular breast cancer)의 개인병력 또는 가족력이 있는 경우로 정의된다.

(2) 유전적 요인 및 발생원인

현재까지 유전성 미만형 위암의 원인 유전자로 가장 많은 연구가 이루어진 것은 E-cadherin으로 발현되는 CDH1 유전자이다. CDH1은 염색체 16q22.1에 위치하고 있으며 E-cadherin은 세포의 극성과 상피조직의 구조를 유지하여 세포-세포 간 결합에 중요한 역할을 하는 결합당단백질로 알려져 있다. 1998년 Guilford 등은 젊은 연령에 미만형 위암이 집단적으로 발생하는 뉴질랜드 마오리(Maori) 부족의 세 가계에서 CDH1 변이에 의한 E-cadherin 생식세포 돌연변이(germ line mutation) 변이를 발견하였다.

유전성 미만형 위암 환자의 CDH1 변이 발견율은 30% 정도까지 보고되고 있으나, 이는 CDH1 변이가 많이 보고되는 유럽의 경우라는 점을 고려해야 한다. CDH1 변이가 있는 경우 80세까지 남자에서 70%, 여자에서 56% 정도에서 미만형 위암이 발생한다고 알려져 있고 소엽성 유방암은 42% 정도 발생한다. CDH1 변이는 대부분 미만형 위암과 관련된 것으로 알려져 있는데, 이는 미만형과 장형 위암의 형태학적 특성을 고려하면 해석이 가능하다. 즉, 미만형 위암은 극성(polarity)과 세포 간 결합성을 소실하는 형태학적 특정을 보이는 반면, 장형 위암은 세포 간 결합성을 잃지 않고 선(gland)을 형성하면서 성장한다. 따라서 세포 간 결합에 중요한 역할을 하는 CDH1 변이에 의한 기능소실이 미만형 위암 발생에는 중요한 역할을 담당하는 반면, 장형 위암과는 큰 관련이 없다고 생각된다.

유전성 미만형 위암에서 알려진 CDH1 변이는 100가지가 넘지만 주로 절단 돌연변이(truncation mutation)의 형태로 나타나며 특정 엑손(exon)에 집중되기보다는 전체 CDH1 유전자에서 고르게 발견된다. 이는 대부분의 돌연변이가 엑손 7~9번 부분에 집중되어 나타나는 E-cadherin 체세포 돌연변이와 대조를 이룬다. 이처럼 E-cadherin 생식세포 돌연변이의 전체 유전자 내 전반적 발생은, 미만형 유전성 위암이 의심되는 가계에서 유전자검사를 시행할 때 특정 구간이 아니라 전체 엑손을 검사해야 한다는 문제를 유발한다.

CDH1은 종양억제유전자(tumor suppressor gene)로서 E-cadherin 생식세포 돌연변이는 상염색체 우성(autosomal dominant) 유전 양상을 따른다. 즉, E-cadherin 생식세포 돌연변이는 다른 유전성 암증후군과 마찬가지로 하나의 유전자에서만 발생하며, 위 조직 내에서 대립유전자(allele)의 비활성화가 동반되어야(second-hit) 비로소 E-cadherin의 기능이 소실되고 위암이 발생하게 된다. 대립유전자 비활성화의 기전으로는 촉진부위 과메틸화(promoter hypermethylation), 체세포 돌연변이, 이형접합소실(loss of heterozygosity) 등이 알려져 있다. 유전성 미만형 위암에서의 CDH1 변이의 역할은 일반적인 미만형 위암(sporadic diffuse gastric cancer)에서도 CDH1의 발현 소실이 관찰되는 것으로 뒷받침된다. CDH1 변이에 의한 E-cadherin의 소실이 자가재생을 위한 세포가 고유판(lamina propria)의 세포기질(cell matrix) 내에 부적절하게 위치하게 되는 원인이 되고, 이것이 결국 반지형 암세포(signet ring cancer)로 진행하게 되는 것이다. 최근에 alpha-E-catenin gene (CTTNNA1)의 돌연변이가 유전성 미만형 위암 발생에 관여하는 새로운 유전적 요인으로 보고되었다. 이는 cadherin 연관 단백질로서 CDH1과 유사하게 세포내 접착분자(intracellular adhesion molecule)로서의 역할을 하는 것으로 알려졌다. 그 외 BRCA2, SDHB, PRSS1, PALB2, STK11, ATM 등도 연관이 있다고 알려져 있으나 유전성 미만형 위암 전체를 놓고 볼 때 CDH1 변이가 20% 전후이고 그 외 유전자 변이가 10%, 나머지 70%는 변이 유전자가 잘 알려지지 않았다.

(3) 임상양상

유전성 미만형 위암은 일반적인 위암과 비교하여 비교적 젊은 나이에, 다발성으로, 다른 부위의 암과 동반되어 발생하는 경향이 있다. 김 등은 IGCLC 유전성 위암의 진단기준에 맞는 위암 환자의 평균 연령이 46세로 일반적인 위암 환자보다 10년 정도 젊다고 보고하였다. CDH1 변이 보균자의 침윤성 위암의 중간 연령은 38세이며 이는 일반적인 위암 환자의 발생 연령보다 약 30년 이르지만 진단 나이는 14세부터 82세까지 매우 광범위한 연령대에서 발생하는 것으로 알려져 있다. 50세 이전에 발생한 미만형 위암 환자의 경우, 가족 중 위암 환자가 한 명만 더 있더라도 유전성 위암으로 분류될 수 있으므로 세심하게 가족력을 파악하는 것이 좋겠다.

E-cadherin 유전자 이상에 의해 발생하는 다른 암으로는 소엽성 유방암(lobular breast cancer), 대장암 등이 알려져 있다. 따라서 유전성 위암이 강력히 의심될 경우에는 이들 부위에 대한 추가검사를 고려해볼 수 있겠다. 특히 소엽성 유방암은 E-cadherin 유전자 이상 시 80세까지 40% 정도에서 발생한다고 알려져 있으므로 여성은 35세부터 6개월 간격으로 유방초음파 및 유방촬영을 받을 것을 권하기도 한다.

유전성 위암이 다발성(multiplicity)으로 발생하는 경향이 있다는 사실은 최근 서구를 중심으로 유전성 위암 환자에게 시도하고 있는 예방적 위전절제술의 병리조직 결과로 확인된다. 하지만 이들 환자의 경우 육안으로 보이지 않는 위암의 존재를 확인하기 위해 전체 위를 현미경적으로 관찰한 결과 다발성으로 확인된 것이므로, 일반적으로 얘기하는 '육안적' 다발성 위암과는 차이가 있다. 따라서 E-cadherin 돌연변이가 확인된 유전성 위암 환자에서는 병변 위치와 관계없이 위전절제술이 우선 고려될 수 있다. 반면, 가족력에서 유전성 위암이 의심되지만 특별한 유전자 이상이 확인되지 않는 경우에도 병변 위치와 관계없이 위전절제술을 시행할지에 대해서는 아직 임상의 간에 일치된 견해가 없다.

(4) 치료

기본적으로 유전성 미만형 위암 환자의 치료는 일반적인 위암의 치료와 다르지 않다 즉, 위암으로 진단되면 병기를 결정하고 근치적 절제가 가능한 병변으로 생각되면 위절제술을 시행한 후, 최종병기에 따라 보조항암화학요법 등 추가치료를 고려한다.

유전성 미만형 위암이 의심되는 가계에서는 E-cadherin 유전자 선별검사, 정기적인 내시경 추적관찰이 도움이 될 수 있다. 또한 E-cadherin 유전자 이상이 확인된 환자에게는 예방적 위절제술 등도 고려하지만, 아직까지는 연구 차원에서 시행되고 있는 수준이다. 현재 유전성 위암과 관련하여 다양한 치료 권고안이 제시되고 있으나 이들 대부분은 E-cadherin 유전자 이상이 확인된 환자를 대상으로 할 뿐이며, 위암 가족력이 있는 '가족성 위암' 환자는 대상이 아니라는 점을 분명히 해야 한다. 또한 이러한 치료 권고안은 대부분 유럽 등 서구에서 제시된 것으로 우리나라의 현실과 맞지 않는 부분이 많다는 사실도 염두에 두어야 한다.

① 유전자 선별검사

IGCLC에서는 유전성 미만형 위암의 IGCLC 진단기준을 만족하는 환자에 대해서 E-cadherin 유전자 선별검사를 권유하고 있다. 유전자 선별검사를 시행하는 근거는 E-cadherin 유전자 돌연변이가 있을 때 70% 정도에서 위암이 발생하며, 진행성 위암으로 발견되었을 때는 예후가 매우 나쁘다는 점 등이다. 유전자 선별검사상 E-cadherin 유전자 돌연변이가 발견되면 환자와의 상담을 통해 내시경 추적관찰 또는 예방적 위전절제술을 시행하고, 돌연변이가 발견되지 않으면 더 이상 검사는 필요 없다.

유전자 선별검사상 양성으로 확인되면 위암 발생에 대한 환자의 심리적 부담감 등을 고려해 충분한 상담을 거친 후 다음 검사를 시행한다. 만일 위암 환자에게서 E-cadherin 유전자 이상이 확인되면 다른 가족구성원들도 유전자 선별검사를 받을 것을 권유한다. 하지만 위암이 흔한 우리나라에서 이 같은 가이드라인을 그대로 적용하기에는 다소 무리가 있다. 즉, 우리나라와 같이 위암을 조기에 발견하기 위해 일반인을 대상으로 내시경 선별검사까지 시행하는 나라에서, 가족력이 있는 환자의 E-cadherin 유전자 선별검사 결과가 음성이더라도 내시경 추적 없이 경과관찰을 할 수 있는지에 대해서는 논란의 여지가 많다. 또한 유럽에서는 유전성 위암 환자에서 E-cadherin 유전자 돌연변이 발견율이 30% 정도까지 보고되지만, 우리나라나 일본에서는 E-cadherin 유전자 돌연변이가 보고된 사례 자체가 드물고, 있더라도 절단 돌연변이(truncation mutation)가 아니라 대부분 과오 돌연변이(missense mutation)임을 고려해야 한다. 실제로 최근 Kaurah 등의 연구에 의하면, 현재까지 보고된 E-cadherin 유전자 이상 환자의 상당수가 캐나다의 뉴펀들랜드 지역의 공통 조상에서 기원했다는 사실이 확인되었다. 따라서 우리나라의 경우 유전성 위암 의심 환자에 대한 E-cadherin 유전자 선별검사는 연구 목적으로만 시행하며, 검사 결과는 실제 환자의 치료방침 결정에 큰 영향을 미치지 않는다는 점이 사전에 충분히 설명되어야 하겠다.

② 내시경 추적관찰

그러나 내시경검사는 유전성 미만형 위암의 조기 병변을 발견하지 못할 수 있는데, 이는 유전성 미만형 위암의 병리학적 특성 때문으로, 미만형 유전성 위암의 암 병변은 크기가 1 cm 이하로 매우 작고 정상으로 보이는 상피에 싸여서 점막하층 쪽으로 침투해 들어가는 양상을 보이는 경우가 많기 때문이다. 따라서 내시경검사는 유전성 미만형 위암 환자에서 스크리닝 검사로 효과적이라고 말하기는 어렵지만 다음 환자군에서는 시행할 수 있다: ① 예방적 위절제술을 거부하거나 수술을 시행하기 어려운 CDH1 잠재적 변이 환자(CDH1 mutation carrier), ② CDH1 변이가 없는 유전성 미만형 위암의 가족구성원 또는 변이는 불확실하지만 임상적으로 필요하다고 판단되는 경우이다.

내시경적 무작위 조직생검(random biopsy)의 효과에 대해서는 위암 병변이 위 전체에 퍼져 있기 때문에 큰 도움이 안 된다는 의견이 있었으나 Charlton 등은 전정부(antrum)에서 체부(body)로 이행하는 이행 부위(transitional zone)에 위암 병변이 집중되므로 이 부위에서 무작위 조직생검을 시행할 것을 주장하였다. IGCLC에서는 유전성 미만형 위암의 진단기준에 부합하지만 예방적 위절제술을 시행하지 않는 환자에 대해서 매년 추적관찰할 것을 권고하고 있고 검사 시 주의깊은 육안 관찰을 통해 분문부, 기저부, 체부, 이행부에서 6건의 무작위 생검과 함께 전정부에서는 최소 30회의 생검을 시행해야 한다고 하였다. 유전성 미만형 위암에서 헬리코박터 파일로리의 영향은 아직 명확하게 밝혀지지는 않았지만 WHO 1등급의 발암원인만큼 내시경검사 시 헬리코박터 파일로리를 확인하고 감염되었다면 제균치료를 받는 것이 권고된다. 또한 색소내시경(chromoendography)을 함께 시행하면 진단율이 높아질 수 있다는 보고도 있으나 아직 이에 대한 추가 연구가 필요한 상황이다.

③ 유방암 선별검사

소엽 유방암의 발생 위험이 높기 때문에 CDH1 변이를 가진 여성은 35세 이후부터 매년 유방촬영술과 유방 MRI 검사를 시행하는 것이 권고된다. 예방적 유방절제술이 필요한 환자가 있을 수 있지만 이에 대해서는 아직 결론이 나지 않았다.

④ 예방적 위절제술

i) 술전 고려사항

앞서 언급하였듯 CDH1 변이 환자의 상당수에서 미만형 위암이 발생하지만 이러한 위암은 일반적인 내시경 추적관찰로는 쉽게 발견하기가 어렵다. 이 때문에 예방적 위전절제술(prophylactic total gastrectomy)의 역할에 대해서 많은 연구가 시행되어 왔다. 2001년 Huntsman 등은 5명의 E-cadherin 유전자 이상 환자에서 임상적인 위암의 증거 없이 예방적 위전절제술을 시행하였는데 놀랍게도 5명 모두에서 반지세포암(signet cell carcinoma)이 발견되었고, 2007년 Kaurah 등의 보고에 의하면 23명의 유전자 이상 환자에게 예방적 위전절제술을 시행 후 18명의 병리보고서를 확인해보니 12명(67%)에서 미세 병변이 발견되었다고 한다.

Vivian 등의 최근 보고에서도 41명의 CDH1 변이 환자에서 예방적 위전절제술을 시행하였고 술후 약 85%에서 미세 암조직이 발견되었고 술전에 내시경으로 진단된 환자는 1명에 불과하였다고 한다. 이러한 연구결과를 바탕으로 CDH1 변이와 관련한 유전성 미만형 위암 발생의 위험이 있는 환자에서는 예방적 위절제술만이 침습적 위암 발생을 예방하고 질환 발생 후 치료불가 상태로 진행되는 것을 막는 유일한 방법이라는 이유로 수술의 당위가 강조되기도 하지만 위암으로 진행되지 않는 소수의 잠재적 환자에서는 위절제가 불필요하다는 점도 고려해야 한다. 따라서 수술을 결정할 때는 반드시 이러한 부분과 수술의 장, 단기적 결과에 대한 충분한 정보를 제공하고 환자의 동의를 얻어야 한다(informed consent). 수술 시기에 대해서는 많은 연구자들이 20대에 시행할 것을 제안하기도 하였으나 현재는 유전성 미만형 위암의 가족구성원 중 CDH1 변이 잠재자로 확인이 되면 바로 수술을 받도록 권고하고 있다.

이는 내시경에서 음성 결과가 나왔을 때도 마찬가지인데 앞서 Vivian 등의 연구결과와 같이 절제된 표본을 주의 깊게 관찰해보면 미세 암조직이 자주 발견되기 때문이다.

정리하자면 대상이 되는 환자와 가족에게 예방적 위절제술은 근치적 방법으로 제시되는 것이 바람직하다. 하지만 그 의의에 대해서 충분한 설명이 필요하며 수술을 결정하기 전에 다음과 같은 사항들을 한 번쯤 고려하는 것이 필요하다. 첫째, CDH1 변이 환자 중 70% 내외에서 위암이 발생하므로 나머지 30%는 불필요한 수술을 받는 결과가 된다. 둘째, 위전절제술로 인한 사망률과 수술 후 지속되는 후유증 발생을 고려해야 한다. 셋째, 이상의 연구결과는 CDH1 변이 투과율이 아주 높은 뉴질랜드 마오리족 등이 다수 포함된 결과임을 고려해야 한다. 넷째, 유전성 미만형 위암이 임상적으로 확인 가능할 정도로 성장해도 계속 내시경으로 진단하기 어려울지는 아직 확실하지 않다.

ii) 수술방법

수술은 위전절제술과 루와이 문합을 기본으로 하며 수술 중 동결절편 검사를 통해 원위부 경계연에 암 침범이 없음을 확인해야 한다. 예방적 위절제술에서 림프절절제는 매우 드물기 때문에 광범위 림프절절제술은 필요 없는 것으로 알려져 있다. 따라서 환자의 술후 삶의 질 향상을 위해 미주신경을 보존할 필요가 있다.

3) 가족성 장형 위암

(1) 진단기준

가족성 장형 위암(familial intestinal gastric cancer, FIGC)은 장형 위암의 발생빈도 및 유전성비용종대장암(hereditary non-polyposis colorectal cancer, HNPCC)의 암스테르담 기준을 사용하여 다음과 같이 정의하고 있다. 즉, 한국, 일본, 포르투갈 등 장형 위암의 발생률이 높은 나라에서는 다음 세 가지 조건을 만족해야 한다: ① 3명 이상이 조직학적으로 확진된 장형 위암을 갖고 있고, 이 중 1명이 다른 2명과 부모, 형제, 자녀의 관계이고, ② 2대에 걸쳐 연속적으로 발생하며, ③ 1명 이상이 50세 이전에 발병한 경우이다. 미국, 영국 등 장형 위암의 발생률이 낮은 나라에서는 다음 두 가지 조건 중 하나를 만족해야 한다: ① 부모, 형제, 자녀 또는 이들의 부모, 형제, 자녀 중 2명 이상에서 장형 위암이 조직학적으로 확진되고, 이 중 1명 이상이 50세 이전에 발병한 경우, 또는 ② 부모, 형제, 자녀 또는 이들의 부모, 형제, 자녀 중 연령에 관계없이 3명 이상에서 미만형 위암이 조직학적으로 확진된 경우이다.

(2) 유전적 요인

유전성 장형 위암은 상염색체 우성 증후군으로 유전성 미만형 위암과 달리 현재까지 원인 유전자로 명확하게 규정된 유전자가 없다. 다만 유전성 위암증후군 외 Lynch 증후군, 가족성 선종성 용종증(familianl adenomatous polyposis, FAP), 포이츠-예거증후군(Peutz-Jegher syndrome, PJS)과 연관 있을 것으로 생각되며 위암 발생에 중요한 역할을 하는 바이러스 감염과 관련하여 다양한 연구가 진행 중이다.

(3) 발생원인 및 조직학적 특징

헬리코박터 파일로리균에 감염된 후 위암이 발생하는 데에는 균 자체의 위암 유발적 특성뿐만 아니라 숙주의 유전적 요인이 함께 관여한다. 즉, 헬리코박터 감염 자체가 위암을 유발하기보다는 헬리코박터균 감염에 대한 숙주의 면역반응이 위암이 발생하는 데 더 중요한 역할을 한다고 생각되기 때문이다. 현재까지 interleukin-1β, 종양괴사인자(tumor necrosis factor, TNF-a) 유전자 등이 숙주면역반응에 관여하는 중요한 인자로 알려졌으며, 이들 유전자의 특징적인 다형성

(polymorphism)이 위암 발생의 위험인자로 고려되고 있다. Epstein- Barr virus (EBV) 감염 또한 헬리코박터 감염과 마찬가지로 TNF-a, IL-10 같은 유전자의 다형성을 유발해 위암 발생과 관련된다고 보고된 바 있다. 육안소견은 일반적인 위암에서 관찰되는 것과 같이 장형 선암(intestinal type adenocarcinoma)의 특징을 나타낸다.

(4) 관리 및 치료

유전성 미만형 위암 가족에 대한 관리지침은 잘 확립되어 있는 반면, 가족성 장형 위암 가계에 대한 특별한 지침은 없는 상황이다. 미만형 위암을 특징으로 하는 CDH1 변이에 대한 검사는 추천되지 않으며 가계도 분석은 Li Fraumeni 증후군이나 Lynch 증후군의 가능성을 배재하기 위해 시행한다. 그러나 가족성 장형 위암 가계에서는 위암 발생위험이 높기 때문에 이환율, 사망률을 줄이기 위한 관리전략이 필요하다. 내시경은 최소 30분 이상 주의 깊게 시행하도록 하고 조직생검 시에는 조심스럽게 여러 번 생검하도록 한다.

4) 위선암 및 근위부 위 용종증

(1) 진단기준

위선암 및 근위부 위 용종증(gastric adenocarcinoma and proximal polyposis of the stomach, GAPPS)의 진단기준은 Worthley 등에 의해 제시되었고 다음과 같다: ① 위 용종은 체부와 기저부에 제한되고 십이지장 또는 대장에는 발생하지 않는다. ② 위 근위부에 100개 이상의 용종이 관찰되고 부모, 형제 또는 자녀(first degree relative)에서 30개 이상이 관찰되는 경우, ③ 주로 기저샘 용종이고 일부에서 이형성이 관찰되는 경우(또는 가족 중 이형성 기저샘 용종증이나 위 선암이 있는 경우), ④ 상염색체 우성 유전을 보이는 경우, ⑤ 다른 유전성 위 용종증이나 양성자펌프억제제(proton pump inhibitor, PPI)를 사용한 경우는 진단에서 제외한다.

(2) 유전적 요인

GAPPS는 유전적 원인이 잘 알려지지 않은 상염색에 우성증후군이다. GAPPS로 진단하기 전에 가족성 대장 용종증, 포이츠-예거증후군 등 다른 유전성 용종성 증후군들을 제외해야 한다. 엑손 분석을 통해 APC, MUTYH, CDH1, SMAD4, BMPR1A, STK11 및 PTEN의 돌연변이는 GAPPS에서 제외되었다.

(3) 임상양상

GAPPS 역시 알려진 유전적 요인은 없고 근위부 위에 10 mm 이하의 다발성 기저샘 용종증(fundic gland polyposis)을 특징으로 한다. 식도, 전정부, 십이지장, 대장에는 대개 발생하지 않으며 이 용종은 이형성 병변 또는 위암과 연관될 수 있다. 이형성과 관련한 기저샘 용종증은 10세 환자가 보고된 바 있고 가장 조기에 발생한 선암 환자는 33세였다. GAPPS에서 발생한 위암은 장형의 형태를 가진다.

(4) 임상관리

내시경 추적관찰이나 예방적 위절제술을 시행받을 수 있다. 내시경 추적의 한계와 예방적 위절제술의 장, 단점 그리고 특정 가계 내 위암 발생의 위험 등을 종합적으로 고려해야 한다. 환자의 일촌관계 가족 모두 위내시경, 결장경을 하도록 권고해야 한다.

5. 타 장기 원발암과 병발한 위암

1) 서론

다발성 원발암은 1889년 Billroth에 의해 처음 보고된 이래 최근에는 발생률이 약 2~5%로 드물지 않게 보고되고 있으며 점차 그 발생빈도가 증가하고 있다. 우리나라에서 1995년에 위암 수술을 받은 환자의 약 30%가 조기위암 환자였고 위암 환자의 진단 시 연령은 점점 높아지고 있다. 특히 조기위암 환자의 생존율이 높아지면서 오랜 기간 동안 추적관찰을 할 수 있게 되고 고령 환자들이 많아지면서 타 장기에 원발암(metachronous cancer)이 발견될 확률도 높아지고 있다. 또한 최근 2000년대 이후 컴퓨터단층촬영(CT)과 양전자방출단층촬영(PET) 등의 기술이 발전하면서 진단 정확도가 높아짐에 따라 위암 환자에서 타 장기의 원발암(synchronous cancer)이 동시에 발견되는 경우도 점차 많아지고 있다. 이렇게 진단기술이 발달하고 환자의 수명이 길어짐에 따라 동시성(synchronous)과 이시성(metachronous) 위암 모두에서 그 진단과 치료가 중요하게 되었다. 타 장기의 원발암은 위암 환자의 예후에 많은 영향을 미치기 때문에 이러한 타 장기 원발암의 고유한 특징을 살펴보는 것이 중요하나 이에 대한 자료는 여전히 부족한 편이어서 향후 더 많은 연구가 필요하다.

2) 호발 장기 및 빈도

(1) 대장

위암 환자의 타 장기 원발암 발생률은 약 0.7~3.5%이다. 이렇게 편차가 큰 것은 연구대상과 방법의 차이 때문으로 보인다. 한국, 일본 등 동아시아에서는 위암 환자의 발생빈도가 높아 다른 장기에서 원발암이 발견되는 빈도 또한 높은데, 그 중 대장암과 병발한 경우가 가장 많은 것으로 보고되고 있다. Yoshino 등은 위암 환자의 2.0%에서 타 장기의 원발암이 있었으며 그중 대장암이 26.6%로 가장 많았다고 보고하였고, Ikeguchi는 890명의 조기위암 환자에서 32명의 동시성 암과 65명의 이시성 암을 확인하여, 10.9%의 환자에서 타 장기 원발암이 발생하였고 대장암이 호발한다고 하였다. Saito 등도 466명의 위암 환자를 조사하여 동시성 대장암이 18명(4%)에서 확인되었다고 보고하였으며 그 중 11명은 조기였다. 우리나라에서는 이 등이 3.4%에서 타 장기의 원발암이 있었고 역시 대장암이 37.2%로 가장 많았다고 보고하였으며, 엄 등은 4,593명의 환자를 분석하여 3.4%에서 타 장기 원발암이 있었으며 대장암이 20.1%로 가장 높았고 폐암, 간암 순이라고 보고하였다. 김 등도 5,778명의 환자중 이시성 암이 214명이었고 이 중 대장암이 44명(20.6%)이었으며 폐암, 간암, 난소암 순이라고 하였다(각각 15.4%, 12.1%, 7%). 반대로 대장암 환자의 타 장기 원발암을 분석한 결과에서도 위암이 가장 많은 것으로 보고되었다.

(2) 대장 외

대장암 다음으로는 한국, 일본 모두 폐암과 병발하는 경우가 많은 것으로 보고되었는데 이는 원발성 폐암과 대장암이 과거에 비해 급격히 증가하고 있기 때문으로 보인다. 폐암 다음으로는 식도암과 간암이 많았는데 이 역시 한국, 일본이 비슷했다. 이 외에 신장암, 유방암, 담도 계통의 암, 전립선암, 두경부암 등이 병발한 것으로 보고되었는데, 이들은 대장암이나 폐암에 비해 숫자가 매우 적기 때문에 호발 순위에 큰 의미는 없지만 이런 암들의 발생위험이 증가한다는 연구들이 많고 특히 갑상선암, 식도암, 췌장암, 난소암, 방광암 등의 발생 위험도는 상당히 높아지는 것으로 보고되고 있다.

(3) 발생 원인

위암 환자에서 이시성 암은 남자에서, 또 고령일수록 많은 것으로 알려져 있는데 고령일수록 각종 암 환자가 증가하는 추세임을 고려하면 당연한 결과이다. 여러 가지 환경적 요인과 유전적 요인이 나이와 관련이 있다는 사실도 이를 뒷받침한다. 또 분화도가 좋은 위암 환자에서 타 장기의 원발암이 호발한다고 알려져 있는데 이는 조직학적으로 분화도가 좋은 위암이 조기위암인 경우가 많기 때문인 것으로 보이지만 아직 명확한 이유는 알 수가 없어 좀 더 연구가 필요하다. 특히 위암과 대장암의 병발이 많은 이유는 명확히 밝혀지지는 않았지만 최근 대장암의 발생빈도가 계속 증가하기 때문으로 보이며, 유전적 요인도 작용한다고 생각해 볼 수 있다. 유전자에 관한 많은 연구들에서 밝혀졌듯이 악성화 과정에는 여러 유전자의 변이가 관련된다. 그러나 다발성 종양의 발생과 관련된 유전적 요인에 대한 연구는 그리 많지가 않다. 어떤 특정한 유전자에 변이가 있을 경우 이와 관련된 여러 종양이 한 개체에서 다발성으로 발생할 수가 있다.

한 예로 DNA 불일치복구유전자(mismatch repair gene)의 변이와 관련이 있는 유전성비용종대장암(hereditary nonpolyposis colorectal cancer, HNPCC)은 대장암 이외에 자궁내막, 난소, 비뇨기계, 간담관계 종양을 동반하는 경우가 많고, 위암을 동반하는 경우도 많은 것으로 알려져 있다. Ericson 등은 다발성 원발성 악성종양이 발생한 대장암 환자를 대상으로 각 종양에 대한 DNA 불일치복구유전자를 분석한 연구에서 유전자의 변이와 현미부수체 불안정성(microsatellite instability)이 다발성 종양의 발생과 관련이 있다고 하였고, 김 등도 위암과 대장암의 병발이 현미부수체 불안정성과 관련이 있다고 보고한 바 있다. 위암을 비롯해 한 가지 암을 진단받은 사람은 그렇지 않은 사람에 비해 암 발생률이 높아진다고 알려져 있다. 그 이유로는 첫째, 최근 대장암, 폐암 등의 발생빈도가 계속 증가하기 때문이다. 둘째, 흡연과 음주, 식습관 등 환경적 요인이 여러 장기에 공통적인 원인으로 작용하기 때문이다. 한 예로 두경부 종양은 다른 장기의 암과 병발하는 경우가 많은데, 특히 호흡기와 소화기관에 잘 발생하는 것으로 알려져 있다. 즉, 어떤 특수한 환경적 요인이 서로 다른 여러 장기에 영향을 줌으로써 다발성 종양이 발생한다는 것이다. 셋째로 암치료과정 중 환자에게 노출된 세포독성물질이나 방사선 등이 발암물질로 작용하여 다른 암을 발생시킬 수 있다. 그러나 이는 이시성 종양에만 해당되며 동시성 암은 설명할 수 없다. 대장암 다음으로 많은 폐암의 주요 원인은 흡연이다. Kinoshita 등은 위암 환자에게 폐암이 발생하는 원인으로 흡연과의 연관성을 보고한 바 있다. 대부분의 경우 폐암은 이시성으로 발생했지만 흡연이 위암 및 폐암의 발생에 공통적인 위험인자라는 점은 널리 알려진 사실이다.

종합해보면, 위암 환자에게 타 장기의 원발암이 병발하는 것은 식습관, 흡연, 음주와 같은 환경적 요인과 유전적 요인이 중요한 위험인자로 작용하기 때문이다.

(4) 예후

타 장기의 원발암이 없는 위암 환자와 타 장기의 원발암이 있는 위암 환자의 10년 생존율을 비교해 본 연구결과를 보면, 각각 69.3%와 40.1 %로 의미 있는 차이를 보였고, 위암과 대장암이 같이 발진된 환자에서 위암으로 인한 증상은 경미하거나 없는 반면에 대장암으로 인한 폐색이나 출혈 등의 증상은 흔했다. 위암 환자에서 위암은 비교적 조기에 발견되나 대장암은 진행된 상태에서 발견되는 경우가 많으며 폐암도 진행된 상태로 발견되는 경우가 많다. 따라서 위암보다는 대장암, 폐암이 사망의 주요 원인인 경우가 흔해 타 장기의 원발암이 있는 위암 환자의 경우에는 환자의 예후 측면에서 위암보다는 타 장기의 원발암을 더 중요하게 고려해야 한다. 그리고 대장암과 폐암 모두 동시성보다 이시성일 때 조기암일 확률이 높았는데 Watanabe 등의 연구에서도 4,523명의 환자 중 96명에서 위암 환자에서 대장암이 병발한 것으로 보고하였는데 이시성 암이 조기암인 경우가 많아 동시성 암보다 예후가 좀 더 좋다고 하였다. 이는 정기적인 추적관찰 및 검사를 시행해 암을 조기에 발견하는 경우가 많았기 때문이므로 장기적인 추적관찰 및 검시는 매우 중요하다고 하겠다.

3) 결론

대장암, 폐암, 식도암, 간암 등 위암과 동시에 발견되는 대부분의 동시성 암들은 위내시경, 복부 CT와 흉부 방사선검사 등의 영상검사로 발견할 수 있지만 가장 많이 병발하는 대장암을 조기에 발견하기 위해서는 대장내시경검사가 필수적이다. 따라서 위암 환자의 수술 전 및 수술 후 추적관찰 시 대장내시경검사를 시행해야 하며 다른 장기에 암이 있을 수 있음을 항상 염두에 두고 암을 조기에 발견하기 위해 노력해야 할 것이다.

참고문헌

1. 고정현, 이승도. 약년층 위암 환자의 임상적 고찰. 대한외과학회지 1998;54:56-61.
2. 김신혜, 이정재, 박혜연 등. 임신 제 삼분이기에 발견된 진행성 위암 예. 대한산부인과학회 2006;49:2204-2209.
3. 김찬영, 양두현 젊은 층과 노년층 위암 환자들의 임상병리학적 특성의 비교와 생존율. 대한위암학회지 2006;6:257-262.
4. 대한산부인과 학회지 2006;49:2204-2209.
5. 대한위암학회 정보전산위원회. 2004년 전국 위암 등록사업 결과 보고. 대한위암학회지 2007;7:47-54.
6. 박동국. 노인 환자의 수술 및 처치. 노인병학. 서울: 의학출판사, 2005:61-193.
7. 보건복지부, 중앙암등록본부, 국립암센터. 2015년 국가암등록통계
8. 송락종, 김선팔, 민영돈. 양극연령층 위암 환자의 임상병리학적 특성 및 예후. 대한위암학회지 2007;7: 67-73.
9. 송병철, 최재원, 최원범 등. 한국 노인위암의 임상 및 병리학적 특징. 노인병 1997;1:35-42.
10. 신준한, 오제열, 박효진 등. 임신과 동반된 위암의 임상적 고찰. 대한내과학회지 1993;45:84-91.
11. 정호영, 유완식. 약년층과 노령층 위암 환자의 비교. 대한위암학회지 2002;2:200-204.
12. 조동현, 김수진, 이주호 등. 30세 이하 약년층 위암의 임상 병리 특성과 생존율 및 예후인자. 대한외과학회지 1997;29:67-73.
13. Arai T, Esaki Y, Ionoshita N, et al. Pathologic characteristics of gastric cancer in the elderly: a retrospective study of 994 surgical patients. Gastric Cancer 2004;7: 154-159.
14. Audisio RA , Ramesh H, Longo WE, et al. Preoperative assessment of surgical risk in oncogeriatric patients. Oncologist 2005;10:262-268.
15. Bandoh T, lsoyama T , Toyoshima H. Total gastrectomy for gastric cancer in the elderly. Surgery 1991;109: 136-142.
16. Bani-Hani KE. Clinicopathological comparison between young and old age patients with gastric adenocarcinoma. Int J Gastrointest Cancer 2005;35:43-52.
17. Barber M, Fitzgerald RC, Caldas C. Familial gastric cancer - aetiology and pathogenesis. Best Pract Res Clin Gastroenterol 2006;20:721-734.
18. Bittner R, Butters M, Ulrich M, et al. Total gastrectomy. Updated operative mortality and long-term survival with particular reference to patients older than 70 years of age. Ann Surg 1996;224:37-42.
19. Blair V, Martin I, Shaw D, Winship I, Kerr D, Arnold J, et al. Hereditary diffuse gastric cancer: diagnosis and management. Clin Gastroenterol Hepatol 2006;4:262-275.
20. Brooks-Wilson AR, Kaurah P, Suriano G, Leach S, Senz J, Grehan N, et al. Germline E-cadherin mutations in hereditary diffuse gastric cancer: assessment of 42 new families and review of genetic screening criteria. J Med Genet 2004;41:508-517.
21. Caldas C, Carneiro F, Lynch HT, Yokota J, Wiesner GL, Powell SM, et al. Familial gastric cancer: overview and guidelines for management. J Med Genet 1999;36:873-880.
22. Carneiro F, Huntsman DG, Smyrk TC, Owen DA, Seruca R, Pharoah P, et al. Model of the early develop-

ment of diffuse gastric cancer in E-cadherin mutation carriers and its implications for patient screening. J Pathol 2004;203:681-687.
23. Charlton A, Blair V, Shaw D, Parry S, Guilford P, Martin IG. Hereditary diffuse gastric cancer: predominance of multiple foci of signet ring cell carcinoma in distal stomach and transitional zone. Gut 2004;53: 814-820.
24. Chen Y, Kingham K, Ford JM, Rosing J, Van Dam J, Jeffrey RB, et al. A prospective study of total gastrectomy for CDH1-positive hereditary diffuse gastric cancer. Ann Surg Oncol 2011;18:2594-2598.
25. Chiarelli AM, Marrett LD , Darlington GA. Pregnancy outcomes in females after treatment for childhood cancer. Epidemiology 2000;11:161-166.
26. Chong VH, Lim CC. Advanced disseminated gastric carcinoma in pregnancy. Singapore Med J 2003;44: 471-472.
27. Chun YS, Lindor NM, Smyrk TC, Petersen BT, Burgart LJ, Guilford PJ, et al. Germline E-cadherin gene mutations: is prophylactic total gastrectomy indicated? Cancer 2001;92:181-187.
28. Colvin H, Yamamoto K, Wada N, Mori M. Hereditary gastric cancer syndromes. Surg Oncol Clin N Am 2015;24:765-777.
29. Damhuis RAM, Meurs CJC, Meijer WS. Postoperative mortality after cancer surgery in octogenarians and nonagenarians: results from a series of 5,390 patients. World J Surg Oncol 2005;3:71-73.
30. Damhuis RAM, Tilanus HW. The influence of age on resection rates and postoperative mortality in 2,773 patients with gastric cancer. Eur .J Cancer 1995;31:928-931.
31. Dinh TA, Warshal DP. The epidemiology of cancer in pregnancy. In: Barnea ER, Jauniaux E, chwartz PE, eds. Cancer and Pregnancy. London: Springer, 2001:1.
32. Dong Jin Kim, Wook Kim. Role of laparoscopic gastrectomy in very elderly patients with gastric cancer who have outlived the average lifespan J Gastric Cancer. 2018;18:109-117.
33. Drubin DG, Nelson WJ. Origins of cell polarity. Cell 1996;84:335-344.
34. Eguchi T, Fujii M, Takayama T, Mortality for gastric cancer in elderly patients, J Surg Oncol 2003;84:132-136.
35. Eguchi T, Takahashi Y, Ikarashi M, et al. Is extenclecl lymphnode dissection necessary for gastric cancer in elderly patients? Eur J Surg 2000;166:949-953.
36. Eom BW, Lee HJ, Yoo MW, Cho JJ, Kim WH, Yang HK, et al. Synchronous and metachronous cancers in patients with gastric cancer. J Surg Oncol 2008;98: 106-110.
37. Ericson K, Halvarsson B, Nagel J, Rambech E, Planck M, Piotrowska Z, et al. Defective mismatch-repair in patients with multiple primary tumours including colorectal cancer. Eur J Cancer 2003;39:240-248.
38. Fazeny B, Marosi C. Gastric cancer as an essential differential diagnosis of minor epigastric discomfort during pregnancy. Acta Obstet Gynecol Scancl 1998;77: 469-471.
39. Fitzgerald RC, Hardwick R, Huntsman D, Carneiro F, Guilford P, Blair V, et al. Hereditary diffuse gastric cancer: updated consensus guidelines for clinical management and directions for future research. J Med Genet 2010;47:436-444.
40. Fujimura M, Fukuda K. Gastric cancer associated with pregnancy. J Kinki Obstet 1916;3:208.
41. Furukawa H, lwanaga T, Hiratsuka M, et al. Gastric cancer in young adults: growth accelerating effect of pregnancy and delivery. J Surg Oncol 1994;550:3-6.
42. Furukawa H, lwanaga T, Koyama H, et al. Effects of sex hormones on carcinogenesis in the stomach of rats. Cancer Res 1982;42:5181-5182.
43. Gleicher N, Deppe G, Cohen CJ. Common aspects of immunologic tolerance in pregnancy and malignancy. Obstet Gynecol 1979;54:335-342.
44. Gretschel S, Estevez-Schwarz L, Hünervbein M, et al. Gastric cancer surgery in elderly patients, World J

Surg 2006;30:1468-1474.

45. Grunwald GB. The structural and functional analysis of cadherin calcium-dependent cell adhesion molecules. Curr Opin Cell Biol 1993;5:797-805.
46. Guilford P, Hopkins J, Harraway J, McLeod M, McLeod N, Harawira P, et al. E-cadherin germline mutations in familial gastric cancer. Nature 1998;392: 402-405.
47. Habu H, Saito N, Sato Y, et al. Quality of postoperative life in gastric cancer patients seventy years of age and over. Int Surg 1988;73:82-86.
48. Haga Y, Yagi Y, Ogawa M, Less-invasive surgery for gastric cancer prolongs survival in patients over 80 years of age. surg Today 1999;29:842-848.
49. Hanazaki K, Wakabayashi M, Sodeyama H, et al. Surgery for gastric cancer in patients older than 80 years of age. Hepato-gastroenterology 1998;45:268-275.
50. Hansford S, Kaurah P, Li-Chang H, Woo M, Senz J, Pinheiro H, et al. Hereditary Diffuse Gastric Cancer Syndrome: CDH1 Mutations and Beyond. JAMA Oncol 2015;1:23-32.
51. Harrison J, Watson S, Morris D, et al. The effect of sex hormones and tamoxifen on the growth of human gastric and colorectal cancer lines. Cancer 1989;63:2148-2151.
52. Horner M, Ries L, Krapcho M, Neyman N, Aminou R, Howlader N, et al. SEER Cancer Statistics Review, 1975-2006, National Cancer Institute. Bethesda: MD. 2009.
53. Humar B, Guilford P. Hereditary diffuse gastric cancer: a manifestation of lost cell polarity. Cancer Sci 2009;100:1151-1157.
54. Huntsman DG, Carneiro F, Lewis FR, MacLeod PM, Hayashi A, Monaghan KG, et al. Early gastric cancer in young, asymptomatic carriers of germ-line E-cadherin mutations. N Engl J Med 2001;344:1904-1909.
55. Ikeda Y, Saku M, Kawanaka H, Nonaka M, Yoshida K. Features of second primary cancer in patients with gastric cancer. Oncology 2003;65:113-117.
56. Ikeguchi M, Ohfuji S, Oka A, Tsujitani S, Maeda M, Kaibara N. Synchronous and metachronous primary malignancies in organs other than the stomach in patients with early gastric cancer. Hepatogastroenterology 1995;42:672-676.
57. Jaspers VK, Gillessen A, Quakenack K. Gastric cancer in pregnancy: do pregnancy, age or female sex alter the prognosis? Case reports and review. Eur J Obstet Gynecol Reprod Biol 1999;87:13-22.
58. Kaiser HE, Nawab E, Nasir A, et al. Neoplasms during the progression of pregnancy. In Vivo 2000;14:277-285.
59. Kaurah P, MacMillan A, Boyd N, Senz J, De Luca A, Chun N, et al. Founder and recurrent CDH1 mutations in families with hereditary diffuse gastric cancer. JAMA 2007;297:2360-2372.
60. Kim DY, Joo JK, Rull SY, et al. Clinicopathologic characteristics of gastric carcinoma in elderly patients: a comparison with young patients. World J Gastroenterol 2005;11:22-26.
61. Kim DY, Ryu SY, Kim YJ, et al. Clinicopathological characteristics of gastric carcinoma in young patients. Langenbecks Arch Surg 2003;388:245-249.
62. Kim HS, Cho NB, Yoo JH, Shin K-H, Park J-G, Kim YI, et al. Microsatellite instability in double primary cancers of the colorectum and stomach. Mod Pathol 2001;14:543.
63. Kim SJ CS, Heo SC, Yang HK, Kim WH, Park JG, Lee KU, et al. The incidence of hereditary gastric cancer in Korea. Journal of Korean Cancer Association 2000;32:6.
64. Kinoshita Y, Tsukuma H, Ajiki W, Kinoshita N, Oshima A, Hiratsuka M, et al. The risk for second primaries in gastric cancer patients: adjuvant therapy and habitual smoking and drinking. J Epidemiol 2000;10: 300-304.
65. Kitamura K, Sugimachi K, Saku M, Evaluation of surgical treatment for patients with gastric cancer who are over 80 years of age, Hepatogastroenterology

1999;46:2074-2080.
66. Kitamura K, Yamaguchi T, Taniguchi H, et al , Clinicopathological characteristics of gastric cancer in elderly. Br J Surg 1996;73:798-802.
67. Kluijt I, Sijmons RH, Hoogerbrugge N, Plukker JT, de Jong D, van Krieken JH, et al. Familial gastric cancer: guidelines for diagnosis, treatment and periodic surveillance. Fam Cancer 2012;11:363-369.
68. Koea BJ, Karpeh MS, Brennan MF. Gastric cancer in young patients: demographic, clinicopathological, and prognostic factors in 92 patients. Ann Surg Oncol 2000;7:346-351.
69. Kunisaki C, Akiyama H, Nomura M, et al. Comparison of surgical outcomes of gastric cancer in elderly and middle-aged patients. Am J Surg 2006;191:216-224.
70. Lee JH, Bae JS, Ryu KW, Lee JS, Park SR, Kim CG, et al. Gastric cancer patients at high-risk of having synchronous cancer. World journal of gastroenterology: WJG 2006;12:2588.
71. Leung JM. Dzankic S, Relative importance of preoperative health status versus intraoperative factors in predicting postoperative adverse outcomes in geriatric surgical patients. J Am Geriatr Soc 2001;49:1080-1085.
72. Lozzio BB, Gagliardi OP, Biempica L, et al. Effects of preg-nancy on gastric secretion in rats. Gastroenterology 1961;41:126-128.
73. Macintyre IMC, Akoh JA. Improving survival in gastric cancer review of operative mortality in English language publications from 1970 Br. J Surg 1991;78: 773-778.
74. Maehara Y, Emi Y, Tomisaki S, et al. Age-related characteristics of gastric carcinoma in young and elclerly patients, Cancer 1996;77;1774-1780.
75. Maehara, Y, Emi Y, Tomisaki S, et al. Lower survival rate for patients under 30 years of age and surgically treated for gastric carcinoma. Br J Cancer 1991;63: 1015-1017.
76. Maeta M, Yamashiro H, Oka A, et al. Gastric cancer in the young, with special reference to 14 pregnancy-associated cases: analysis based on 2,325 consecutive cases of gastric cancer. J Surg Oncol 1995;58:191-195.
77. Medina-Franco H, Heslin MJ, Cortes-Gonzalez R. Clinicopathological characteristics of gastric carcinoma in young and elderly patients: a comparative study. Ann Surg Oncol 2000;7:515-519.
78. Mitsudomi T, Matsusaka T, Wakasugi K, et al. A clinicopathological study of gastric cancer with special reference to age of the patients: an analysis of 1,630 cases. World J Surg 1989;13:225-231.
79. Mitsudomi T, Matsusaka T, Wakasugi K, et al. A clinicopathological study of gastric cancer with special reference to age of the patients: an analysis of 1,630 cases. World J Surg 1989;13:225-230.
80. Mochiki E, Ohno T, Kamiyama Y, et al. Laparoscopy-assisted gastrectomy for early gastric cancer in young and elderly patients, World J Surg 2005;29:1585-1591.
81. Morel Ph, Egeli RA, Wachtl S, et al. Results of operative treatment of gastrointestinal tract tumors in patients over 80 years of age, Arch Surg 1989;124:662-664.
82. Muslin M, Goldberg J, Hageboutros A. Chemo and radiation therapy during pregnancy. In: Barnea ER, Jauniaux E, Sch wartz PE, eds. Cancer and Pregnancy. London: Springer, 2001:108.
83. Nakamura T, Yao T, Niho Y , et al. A clinicopathological study in young patients with gastric carcinoma. J Surg Oncol 1999;71:214-219.
84. Nejsum LN, Nelson WJ. A molecular mechanism directly linking E-cadherin adhesion to initiation of epithelial cell surface polarity. J Cell Biol 2007;178: 323-335.
85. Nulman I, Laslo D, Fried S, et al. Neurodevelopment of child-ren exposed in utero to treatment of maternal malignancy. Br J Cancer 2001;85:1611-1618.
86. Oduncu FS, Kimmig R, Hepp H, et al. Cancer in pregnancy: maternal-fetal conflict. J Cancer Res Clin

Oncol 2003;129:133-146.
87. Ohsawa S. A case of an early gastric cancer associated with a pregnancy. Jpn J Cancer Clin. 1992;38:1269-1273.
88. Oliveira C, Pinheiro H, Figueiredo J, Seruca R, Carneiro F. Familial gastric cancer: genetic susceptibility, pathology, and implications for management. Lancet Oncol 2015;16:60-70.
89. Oliveira C, Seruca R, Hoogerbrugge N, Ligtenberg M, Carneiro F. Clinical utility gene card for: Hereditary diffuse gastric cancer (HDGC). Eur J Hum Genet 2013:21.
90. Orsenigo E, Tomajer V, Di Palo S, et al. Impact of age on postoperative outcomes in 1118 gastric cancer patients undergoing surgical treatment, Gastric Cancer 2007;10:39-44.
91. Pacheco S, Norero E, Canales C, et al. The rare and challenging presentation of gastric cancer during pregnancy: A report of three cases. Journal of gastric cancer. 2016;16:271-276.
92. Park JC1, Lee YC, Kim JH, Kim YJ, Lee SK, Hyung WJ, et al. Clinicopathological aspects and prognostic value with respect to age: an analysis of 3,362 consecutive gastric cancer patients. J Surg Oncol. 2009 Jun 1;99:395-401.
93. Park J-G, Yang H-K, Kim WH, Caldas C, Yokota J, Guilford PJ. Report on the first meeting of the International Collaborative Group on hereditary gastric cancer. JNCI: Journal of the National Cancer Institute 2000;92:1781-1782.
94. Partridge AH , Garber JE. Long-term outcomes of children exposed to antineoplastic agents in utero. Semin Oncol 2000;27:712-726.
95. Pavlidis NA. Coexistence of pregnancy and malignancy. Oncologist. 2002;7:279-287.
96. Pedersen H, Finster M. Anaesthetic risk in the pregnant surgical patient. Anesthesiology 1979;51:439-451.
97. Pedrazzani C, Corso G, Marrelli D, Roviello F. E-cadherin and hereditary diffuse gastric cancer. Surgery 2007;142:645-657.
98. Petrek JA. Breast cancer during pregnancy. Cancer 1994;74:518-527.
99. Peyre CG, DeMeester SR, Rizzetto C, Bansal N, Tang AL, Ayazi S, et al. Vagal-sparing esophagectomy: the ideal operation for intramucosal adenocarcinoma and barrett with high-grade dysplasia. Ann Surg 2007;246: 665-674.
100. Pharoah PDP, Guilford P, Caldas C. Incidence of gastric cancer and breast cancer in CDH1 (E-cadherin) mutation carriers from hereditary diffuse gastric cancer families. Gastroenterology 2001;121:1348-1353.
101. Purtilo DT, Hallgren HM, Yunis EJ. Depressed maternal lymphocyte response to phytohaemagglutinin in human pregnancy. Lancet 1972;1:769-771.
102. Ries LAG, Melbert D, Krapcho M, et al. SEER Cancer Statistics Review, 1975-2004, National Cancer Institute. Bethesda: MD, 2006.
103. Rustin GJ, Booth M, Dent J, et al. Pregnancy after cytotoxic chemotherapy for gestational trophoblastic tumours. Br Med J 1984;288:103-106.
104. Saito S, Hosoya Y, Togashi K, Kurashina K, Haruta H, Hyodo M, et al. Prevalence of synchronous colorectal neoplasms detected by colonoscopy in patients with gastric cancer. Surg Today 2008;38:20-25.
105. Sakamoto K, Kanda T, Ohashi M, et al. Management of patients with pregnancy-associated gastric cancer in japan: A mini-review. International journal of clinical oncology. 2009;14:392.
106. Shaw D, Blair V, Framp A, Harawira P, McLeod M, Guilford P, et al. Chromoendoscopic surveillance in hereditary diffuse gastric cancer: an alternative to prophylactic gastrectomy? Gut 2005;54:461-468.
107. Silverberg E, Lubera J. Cancer statistics. Cancer 1989;39:3-20.
108. Smith LH , Danielsen B, Allen ME, et al. Cancer asso-

ciarecl with obstetric delivery: results of linkage with the California cancer registry. Am J Obstet Gynecol 2003;189:1128-1135.
109. Song MJ, Park YS, Song HJ, et al. Prognosis of pregnancy-associated gastric cancer: An age-, sex, and stage-matched case-control study. Gut Liver. 2016;10: 731-738.
110. Strong VE, Gholami S, Shah MA, Tang LH, Janjigian YY, Schattner M, et al. Total gastrectomy for hereditary diffuse gastric cancer at a single center: postsurgical outcomes in 41 patients. Ann Surg 2017;266: 1006-1012.
111. Su Mi Kim, Ho Geun Youn, Ji Yeong An, Yoon Young Choi, Sung Hoon Noh, Seung Jong Oh, et al. Comparison of open and laparoscopic gastrectomy in elderly patients. Journal of Gastrointestinal Surg 2018;22: 785-791.
112. Takeda J, Tanaka T, Koufuji K, et al. Gastric cancer surgery in patients aged at least 80 years old. Hepatogastroenterology 1994;41:516-520.
113. Tan KY, Chen CM, Ng C, et al. Which octogenarians do poorly after major open abdominal surgery in our Asian population World J Surg 2006;30:547-552.
114. Theuer CP, de Virgilio C, Keese G, et al. Gastric adenocarcinoma in patients 40 years of age or younger. Am J Surg 1996;172:473-476.
115. Thomas D, Preoperative evaluation, In: Beers MH, Berkow R, eds. The Merck Manual of Geriatrics, New Jersey: Merck Research Laboratory, 2000:242-248.
116. Tokunaga A, Onda M, Kiyama T, et al. Contrasting actions of estradiol on the growth of human gastric cancer xenografts in nude mice. Jpn J Cancer Res 1989;80:1153-1155.
117. Tso PL, Bringaze III WL, Dauterive AH , et al. Gastric carcinoma in the young. Cancer 1987;59:1362-1365.
118. Tsujitani S, Katano K, Oka A, et al. Limited operation for gastric cancer in the elderly, Br J Surg 1996;83: 836-839.
119. Ueo H, Matsuoka H, Tamura S, et al. Prognosis in gastric cancer associated with pregnancy. World J Surg 1991;15:293-298.
120. Ukleja A. Dumping syndrome: pathophysiology and treatment. Nutr Clin Pract 2005;20:517-525.
121. Van Lier MG, Westerman AM, Wagner A, Looman CW, Wilson JP, de Rooij FW, et al. High cancer risk and increased mortality in patients with Peutz–Jeghers syndrome. BMJ Publishing Group, 2011.
122. Viste A, Haügstvedt T, Eide GE, et al. The Norwegian stomach cancer trial members, Postoperative complications and mortality after surgery for gastric cancer, Ann Surg 1988;207:713.
123. Wang, JY, Hsieh JS , Huang CJ, et al. Clinicopathologic study of advanced gastric cancer without serosal invasion in young and old patients. J Surg Oncol 1996;63:36-40.
124. Watanabe M, Kochi M, Fujii M, Kaiga T, Mihara Y, Funada T, et al. Dual primary gastric and colorectal cancer: Is the prognosis better for synchronous or metachronous? Am J Clin Oncol 2012;35:407-410.
125. Waxman J. Cancer, chemotherapy, and fertility. Br Med J(Clin Res Ed)1985;290:1096-1097.
126. Worthley D, Phillips K, Wayte N, Schrader K, Healey S, Kaurah P, et al. Gastric adenocarcinoma and proximal polyposis of the stomach (GAPPS): a new autosomal dominant syndrome. Gut 2012;61:774-779.
127. Wu CW, Lo SS, Shen KH, et al. Surgical motality, survival, and quality of life after resection for gastric cancer in the elderly. World J Surg 2000;24:465-472.
128. Yanaru-Fujisawa R, Nakamura S, Moriyama T, Esaki M, Tsuchigame T, Gushima M, et al. Familial fundic gland polyposis with gastric cancer. Gut 2012;61: 1103-1104.
129. Yang HK, Association ICoKGC. Nationwide survey of the database system on gastric cancer patients. Journal of the Korean Gastric Cancer Association 2004;4: 15-26.

130. Yasuda K' Sonoda K, Shiroshita H, et al. Laparoscopically assisted distal gastrectomy for early gasrric cancer in the elderly. Br J Surg 2004;9:1061-1065.
131. Yoon KA, Ku JL, Yang HK, Kim WH, Park SY, Park JG. Germline mutations of E-cadherin gene in Korean familial gastric cancer patients. J Hum Genet 1999;44:177-180.
132. Yoshino K, Asanuma F, Hanatani Y, Otani Y, Kumai K, Ishibiki K. Multiple primary cancers in the stomach and another organ: frequency and the effects on prognosis. Jpn J Clin Oncol 1985;15:183-190.

PART 07

위암의 재발 및 예후

THE KOREAN GASTRIC CANCER ASSOCIATION

CHAPTER 39

위암의 예후인자

1. 임상적 인자

위암의 예후는 여러 가지 임상병리학적 인자들에 의해 예측될 수 있다. 이러한 인자들로는 위암 수술의 근치도(R0), 종양의 크기, 종양의 위치, 조직학적 분류(분화도, Lauren분류 등) 등이 있다.

환자의 연령 또한 위암의 예후에 중요한 요소가 될 수 있겠으나, 예후인자로서의 의미는 아직까지 불분명하다. 최근 연구들에서 연령이 낮은 환자에서 p53의 과발현, HER2 (human epidermal growth factor receptor 2)의 과발현, MSI (microsatellite instability)가 낮게 관찰되고, 암연관 사망률이 유의하게 높게 나타났으나, 이런 차이들은 가장 주요한 예후인자라고 할 수 있는 위암의 병기에 따른 보정이 되지 않았기에, 연령이 독립적으로 사망률에 영향을 주었다고 보기는 어렵다. 반면에 연령이 T2-T4a 병기의 환자에서 조기 재발에 대한 유의한 예후인자라는 보고도 있었다.

PNI (prognostic nutritional index)는 환자의 영양상태와 관련된 예후인자이며, 혈청 알부민 수치와 총림프구수를 통해 계산된다. PNI는 위장관 수술 전후의 영양상태 평가와 수술 위험도를 예측하기 위해 개발되었지만, 위암 수술 후 합병증의 위험도와 연관성 또한 유의하게 나타나고 있으며, 낮은 PNI를 나타내는 환자일수록 위암의 병기가 높게 나타났다는 결과도 보고되었다.

2. TNM 병기

위암의 예후를 예측하기 위한 가장 잘 알려진 독립적 예후인자는 TNM 병기이다. T병기는 위암 원발병소의 침윤 깊이에 따라 나누어지며, 특히 원발종양의 침윤이 장막을 넘어섰거나, 주변장기로의 직접전이가 있는 T4 병기는 수술 후 사망률과 수술 후 합병증을 높이는 중요한 예후인자로 알려져 있다. 높은 T병기에 의해 R0 절제가 잘 이루어지지 않는다면 환자의 사망률 증가로 직접 연관될 수 있고, 일부 환자에서는 필요에 따라 다장기 병합절제를 해야만 하는 경우도 있으며, 이런 경우 또한 환자의 나쁜 예후로 직결될 수 있다고 볼 수 있다. 림프절 전이의 정도를 나타내는 N병기 또한 위암의 중요한 예후인자로 잘 알려져 있다.

광범위 림프절절제인 D2 림프절절제가 환자의 생존율을 높인다는 결과가 많은 연구들을 통해 보고되었고, 현재 세계적으로도 위암 수술의 표준술식으로 인정되고 있다. 2010년에 UICC (The Union International for Cancer Control)/AJCC (American Joint Committee on

Cancer) TNM 분류에서 15개 이상의 림프절절제가 적절하다고 제시하였고, 일본위암학회에서도 기존의 해부학적 위치에 따른 N병기 대신에 림프절 수를 이용한 병기 사용을 제시하였다. 제7판 UICC에서는 광범위 림프절절제의 중요성이 더 강조되었으며, 림프절 전이가 없는 국소진행성 암인 T2-4/N0 환자에서도 25개 이상의 림프절절제를 시행한 군이 그렇지 않은 군보다 더 낮은 국소재발률을 보인 결과가 발표되었고, 림프절 전이가 있는 군에서도 마찬가지로 25개 이상의 림프절절제를 시행한 경우에 환자의 수술위험도는 증가하지 않으며, 유의한 생존율의 향상이 있음이 보고되었다.

림프절 전이가 위암의 예후에 매우 중요한 인자이긴 하나, 술후 병리적 검사에서 림프절 전이가 없다고 해서(pN0) 재발이 없는 장기 생존이 보장되지는 않는다. 림프절에서 암세포영역이 2 mm 이하이며, 일반적인 병리검사로는 관찰되지 않는 경우를 미세전이로 정의하며, pN0 위암에서의 미세전이에 관한 연구가 최근까지 활발하게 보고되고 있다. TNM 병기분류에서도 면역화학염색을 통한 림프절 미세전이에 대한 검사의 필요성이 제시되고 있으며, 림프절 전이가 15개 이하인 경우 미세전이에 따른 N병기 변경의 필요성이나, 미세전이 또한 림프절 전이와 같이 취급해야 한다는 주장이 대두되고 있으나, 아직까지는 논란이 남아 있는 영역이며, 추가적인 연구가 필요할 것으로 보인다.

3. 혈청 종양표지자

혈청검사를 통해 나타나는 종양표지자는 암의 조기 진단과 재발 예측을 위한 평가에 유용하게 사용되며, 비침습적인 검사를 통해 쉽고 빠르게 진단에 도움을 줄 수 있다는 장점이 있다. 그러나 위암의 진단과 예후 평가에 사용되는 종양표지자는 현재까지 명확하게 밝혀지지 않았으며, 위암 종양표지자의 예후인자로서의 역할 또한 불분명한 상태이다. 위암 관련 종양표지자로 사용되고 있는 것으로는 CEA, CA 19-9, CA 72-4 등이 있으며, 몇몇 연구들에서 위암 환자의 TNM 병기 또는 환자의 예후와 연관성이 있다고 발표되었다. 그러나 이러한 종양표지자들과 위암의 예후와의 연관성이 임상적으로 사용되기에는 제한점이 많고, 독립적인 예후 예측인자로 사용되기 보다는 재발의 조기 예측이나 예후 평가에 보조적으로 사용되는 것이 적합하다고 볼 수 있다.

4. 염증성 인자

염증반응은 암의 발생과 진행에 중요한 역할을 하며, 위암을 포함한 여러 암종에서 염증인자의 수치에 따른 예후의 차이에 대한 연구가 활발히 이루어지고 있다. 종양에 대한 염증성 반응은 여러 가지 염증매개체, 사이토카인의 활성화, DNA 손상 및 세포자멸사의 억제 등을 통해 종양의 증가, 악화, 및 전이에 영향을 줄 수 있다. 이러한 염증반응 과정에 있는 인자를 혈액검사를 통해 평가함으로써, 암의 예후를 예측하는 지표로 사용할 수 있다.

혈액검사를 통한 총혈구수 중에서 절대호중구수와 림프구 수를 통해 계산되는 NLR (neutrophil-to-lymphocyte ratio)은 염증반응을 나타내는 중요한 지표로서, 암 환자의 예후 예측에 사용되고 있다. 최근 많은 연구들에서 NLR과 위암 예후와의 관계가 보고되고 있으며, 최근 여러 후향적 연구를 통해 NLR의 증가가 낮은 생존율과 유의한 관계가 있음이 보고되고 있다. 이런 결과들을 통해 간단하고 비침습적인 검사인 NLR이 유용한 예후인자로 사용될 수 있는 가능성이 제시되고 있으나, 아직까지 예후 예측을 위한 기준값이 제시되고 있지 않는 등의 제한점은 많이 있는 상태로, 추가적인 연구가 더 필요한 상태라고 할 수 있다.

5. 분자생물학적 인자

많은 연구에 의해 암의 발생 및 진행에 대한 분자생물학적인 기전에 대한 이해도가 높아짐에 따라, 암의 표적치료를 위한 분자생물학적인 인자들이 점차적으로 제시되고 있다. 위암에 대해서도 여러 가지 분자생물학적 인자들이 표적치료의 대상으로 연구되어 왔으며, 이런 인자들의 예후 예측에 대한 유용성 또한 활발히 연구되고 있다.

1) HER2

전이성 위암의 표적치료를 위한 HER2 (human epidermal growth factor receptor 2) 검사는 보편화되고 있는 추세이지만, HER2 발현의 예후인자로서의 임상적 의의는 아직까지 정립되지 않았다. 전이성 위암을 대상으로 시행된 HER2 관련 연구들은 대부분 HER2 발현이 있는 경우에 더 나쁜 예후를 가진다는 결과를 보이고 있다. 위암절제술을 시행했던 환자들을 대상으로 한 연구들에서는 HER2와 예후의 관계에 대해 서로 다른 결과들이 보고되어 왔다. 일본에서 최근 시행된 연구에 따르면 절제 가능한 위암에서 HER2의 발현율은 8.1%였고, HER2 발현이 전이성 위암에서 보다 많이 나타난다는 결과를 보였다. 또한 1,148명의 위암절제술을 시행한 환자를 대상으로 한 최근 연구에서는 HER2 양성인 환자가 모든 조직형이나 병기에서 보다 낮은 생존율을 나타내는 독립적인 예후인자로 발표되기도 하였다. 반면에, 몇몇 연구에서는 절제 가능한 위암에서 10% 정도의 HER2 발현율을 보였으며, 생존율과는 연관성이 없는 것으로 나타났다. 최근까지의 연구를 종합하였을 때 HER2 발현은 위암 발생의 초기에 나타나기는 하지만, 전이성이 아닌 초기의 위암, 즉 절제 가능한 위암에서는 HER2 발현 유무가 예후에 큰 영향을 주지 않는 것으로 받아들여지고 있다.

2) E-cadherin

위암의 진행 과정에서 E-cadherin의 발현 저하에 따른 기능적 소실은 위암세포와 세포외액물질 간의 신호전달체계를 변화시켜 위암의 전이를 야기시키는 역할을 할 수 있다. E-cadherin 기능 소실은 여러 가지 기전에 의해 발생할 수 있으며, CDH1 유전자의 돌연변이가 대표적이다. E-cadherin 발현 저하와 위암 예후와의 관계는 많이 연구되어 왔지만, 아직까지는 임상적 의의가 분명하지 않다고 볼 수 있다. 26개의 study에서 4,000명 이상의 위암 환자를 조합하여 시행한 메타분석에 따르면 E-cadherin 발현 저하가 나쁜 예후를 나타내는 독립적인 인자 중의 하나인 것으로 나타났으며, 최근 연구들에서 E-cadherin의 발현이 낮은 환자에서 위암의 병기가 높은 진행성 위암이 많았고, 림프절 전이나 미세전이가 더 많았으며, 더 높은 사망률을 보이는 것으로 발표되었다. 그러나 E-cadherin이 임상적으로 의미있는 예후인자로 사용되기 위에서는 향후 더 많은 연구들이 진행되어야 할 것이다.

3) VEGF

VEGF (vascular endothelial growth factor)는 혈관 생성과 혈관투과성을 촉진하는 주요 인자로서, 혈관 내피세포에 있는 수용체와 결합하여 작용하게 된다. VEGF는 암 발생 과정에 있어 중요한 요소인 혈관신생에 매우 중요한 역할을 하는 것으로 알려져 있다. 이런 VEGF의 역할에 주목하여, VEGF 발현과 암의 예후에 대한 연구가 많이 이루어져 왔고, 위암을 포함한 여러 가지 암종에서 재발 및 사망률과 연관된 예후인자로 제시되고 있다. 다만, 현재까지는 이런 연구들의 규모가 작거나, 상반된 결론을 나타내는 경우도 있다.

4) MSI

MSI (microsatellite instability)는 DNA 복구와 관련된 유전자인 MLH1, MSH2 등의 변화에 의해 나타난다. 위

암 중에서 보다 좋은 예후를 나타낼 가능성이 높은 원위부 위암, 장형의 조직형, 침윤성이 아닌 팽창성 위암에서 MSI가 높게 나타나는 경향을 보여, MSI가 위암의 예후인자 중의 하나로 사용될 가능성이 제시되었다. Kim 등의 연구에 따르면, 1,276명의 위암절제술을 시행 받은 2기와 3기의 환자들 중, 수술만으로 치료를 시행했던 군에서는 MSI가 좋은 예후와 연관된 유의한 인자라는 결과를 보였다. 그러나, 보조항암치료를 시행한 경우에서는 MSI의 예후인자로서의 영향이 희석되는 결과를 나타내었다.

참고문헌

1. An JY, Kim H, Cheong J-H, Hyung WJ, Kim H, Noh SH. Microsatellite instability in sporadic gastric cancer: its prognostic role and guidance for 5-FU based chemotherapy after R0 resection. Int J Cancer 2012;131:505-511.
2. Aurello P, Magistri P, Nigri G, et al. Surgical management of microscopic positive resection margin after gastrectomy for gastric cancer: a systematic review of gastric R1 management. Anticancer Res 2014;34:6283-6288.
3. Chen C, Yang J, Hu T, et al. Prognostic role of human epidermal growth factor receptor in gastric cancer: a systematic review and meta-analysis. Arch Med Res 2013;44:380-389.
4. Chen J, Li T, Wu Y, et al. Prognostic significance of vascular endothelial growth factor expression in gastric carcinoma: a meta-analysis. J Cancer Res Clin Oncol 2011;137:1799-1812.
5. Cheng C-T, Tsai C-Y, Hsu J-T, et al. Aggressive surgical approach for patients with T4 gastric carcinoma: promise or myth? Ann Surg Oncol 2011;18:1606-1614.
6. Corso G, Marrelli D, Pascale V, Vindigni C, Roviello F. Frequency of CDH1 germline mutations in gastric carcinoma coming from high- and low-risk areas: metanalysis and systematic review of the literature. BMC Cancer 2012;12:8.
7. De Manzoni G, Verlato G, Bencivenga M, et al. Impact of superextended lymphadenectomy on relapse in advanced gastric cancer. Eur J Surg Oncol 2015;41:534-540.
8. Degiuli M, Sasako M, Ponti A, et al. Randomized clinical trial comparing survival after D1 or D2 gastrectomy for gastric cancer. Br J Surg 2014;101:23-31.
9. Deng J, Liang H. Discussion of the applicability of positive lymph node ratio as a proper N-staging for predication the prognosis of gastric cancer after curative surgery plus extended lymphadenectomy. Ann Surg 2012;256:35-36.
10. Di Bartolomeo M, Pietrantonio F, Pellegrinelli A, et al. Osteopontin, E-cadherin, and β-catenin expression as prognostic biomarkers in patients with radically resected gastric cancer. Gastric Cancer 2016;19:412-420.
11. Fisher SB, Fisher KE, Squires MH, et al. HER2 in resected gastric cancer: is there prognostic value? J Surg Oncol 2014;109:61-66.
12. Galizia G, Lieto E, De Vita F, et al. Modified versus standard D2 lymphadenectomy in total gastrectomy for nonjunctional gastric carcinoma with lymph node metastasis. Surg 2015;157:285-296.
13. Giampieri R, Maccaroni E, Mandolesi A, et al. Mismatch repair deficiency may affect clinical outcome through immune response activation in metastatic gastric cancer patients receiving first-line chemotherapy. Gastric Cancer 2017;20:156-163.
14. Hsu J-T, Lin C-J, Sung C-M, et al. Prognostic sig nificance of the number of examined lymph nodes in

node-negative gastric adenocarcinoma. Eur J Surg Oncol 2013;39:1287-1293.
15. Hu Z-D, Huang Y-L, Qin B-D, et al. Prognostic value of neutrophil to lymphocyte ratio for gastric cancer. Ann Transl Med 2015;3:50.
16. Jeuck TLA, Wittekind C. Gastric carcinoma: stage migration by immunohistochemically detected lymph node micrometastases. Gastric Cancer 2015;18:100-108.
17. Jiang N, Deng JY, Ding XW, et al. Prognostic nutritional index predicts postoperative complications and long-term outcomes of gastric cancer. World J Gastroenterol 2014;20:10537-10544.
18. Jiexian J, Xiaoqin X, Lili D, et al. Clinical assessment and prognostic evaluation of tumor markers in patients with gastric cancer. Int J Biol Markers 2013;28:192-200.
19. Kang W-M, Meng Q-B, Yu J-C, Ma Z-Q, Li Z-T. Factors associated with early recurrence after curative surgery for gastric cancer. World J Gastroenterol 2015;21:5934-5940.
20. Kim SY, Choi YY, An JY, et al. The benefit of microsatellite instability is attenuated by chemotherapy in stage II and stage III gastric cancer: results from a large cohort with subgroup analyses. Int J Cancer 2015;137:819-825.
21. Kimura Y, Oki E, Yoshida A, et al. Significance of accurate human epidermal growth factor receptor-2 (HER2) evaluation as a new biomarker in gastric cancer. Anticancer Res 2014;34:4207-4212.
22. Kurokawa Y, Matsuura N, Kimura Y, et al. Multicenter large-scale study of prognostic impact of HER2 expression in patients with resectable gastric cancer. Gastric Cancer 2015;18:691-697.
23. Lee SJ, Kim JG, Sohn SK, et al. No association of vascular endothelial growth factor-A (VEGF-A) and VEGF-C expression with survival in patients with gastric cancer. Cancer Res Treat 2009;41:218.
24. Leite M, Corso G, Sousa S, et al. MSI phenotype and MMR alterations in familial and sporadic gastric cancer. Int J Cancer 2011;128:1606-1613.
25. Liang J, Zhang J, Zhang T, Zheng Z. Clinicopathological and prognostic significance of HER2 overexpression in gastric cancer: a meta-analysis of the literature. Tumor Biol 2014;35:4849-4858.
26. Liang Y, Ding X, Wang X, et al. Prognostic value of surgical margin status in gastric cancer patients. ANZ J Surg 2015;85:678-684.
27. Liu Y-Y, Fang W-L, Wang F, et al. Does a higher cutoff value of lymph node retrieval substantially improve survival in patients with advanced gastric cancer? Time to embrace a new digit. Oncologist 2017;22: 97-106.
28. Migita K, Takayama T, Saeki K, et al. The prognostic nutritional index predicts long-term outcomes of gastric cancer patients independent of tumor stage. Ann Surg Oncol 2013;20:2647-2654.
29. Mita K, Ito H, Fukumoto M, et al. Surgical outcomes and survival after extended multiorgan resection for T4 gastric cancer. Am J Surg 2012;203:107-111.
30. Nozoe T, Ninomiya M, Maeda T, Matsukuma A, Nakashima H, Ezaki T. Prognostic nutritional index: a tool to predict the biological aggressiveness of gastric carcinoma. Surg Today 2010;40:440-443.
31. Oh HS, Eom DW, Kang GH, et al. Prognostic implications of EGFR and HER-2 alteration assessed by immunohistochemistry and silver in situ hybridization in gastric cancer patients following curative resection. Gastric Cancer 2014;17:402-411.
32. Pacelli F, Papa V, Caprino P, Sgadari A, Bossola M, Doglietto GB. Proximal compared with distal gastric cancer: multivariate analysis of prognostic factors. Am Surg 2001;67:697-703.
33. Peng L, Zhan P, Zhou Y, et al. Prognostic significance of vascular endothelial growth factor immunohistochemical expression in gastric cancer: a meta-analysis. Mol Biol Rep 2012;39:9473-9484.
34. Pernot S, Voron T, Perkins G, Lagorce-Pages C,

Berger A, Taieb J. Signet-ring cell carcinoma of the stomach: impact on prognosis and specific therapeutic challenge. World J Gastroenterol 2015;21:11428.
35. Saad AA, Awed NM, Abd Elkerim NN, et al. Prognostic significance of E-cadherin expression and peripheral blood micrometastasis in gastric carcinoma patients. Ann Surg Oncol 2010;17:3059-3067.
36. Seo JY, Jin EH, Jo HJ, et al. Clinicopathologic and molecular features associated with patient age in gastric cancer. World J Gastroenterol 2015;21:6905-6913.
37. Shirong C, Jianhui C, Chuangqi C, et al. Survival of proper hepatic artery lymph node metastasis in patients with gastric cancer: implications for D2 lymphadenectomy. PLoS One 2015;10:0118953.
38. Xiao J, He X, Wang Z, et al. Serum carbohydrate antigen 19-9 and prognosis of patients with gastric cancer. Tumour Biol 2014;35:1331-1334.
39. Xing X, Tang YB, Yuan G, et al. The prognostic value of E-cadherin in gastric cancer: a meta-analysis. Int J Cancer 2013;132:2589-2596.
40. Zhang J, Niu Z, Zhou Y, Cao S. A comparison between the seventh and sixth editions of the American Joint Committee on Cancer/International Union against classification of gastric cancer. Ann Surg 2013;257: 81-86.
41. Zu H, Wang F, Ma Y, Xue Y. Stage-stratified analysis of prognostic significance of tumor size in patients with gastric cancer. PLoS One 2013;8:54502.
42. Zu H, Wang H, Li C, Kang Y, Xue Y. Clinico-pathological features and prognostic analysis of gastric cancer patients in different age groups. Hepatogastroenterology 2015;62:225-230.
43. Zu H, Wang H, Li C, Xue Y. Clinicopathologic characteristics and prognostic value of various histological types in advanced gastric cancer. Int J Clin Exp Pathol 2014;7:5692-5700.

CHAPTER 40

위암의 재발양상

국가암등록사업 연례 보고서 중 2015년 암등록통계에 따르면 우리나라에서 위암은 조금씩 발생률이 줄어들고 있으나 아직까지 가장 많이 발생하는 암이다. 성별로 구분하여 보자면 전체 암 발생 환자 중에 남자는 약 17.2% (1위), 여자는 약 9.5% (4위)를 위암 환자가 차지하고 있다. 우리나라와 환경이 비슷한 일본에서도 위암은 비슷한 발생률을 보이고 있고, 전 세계적으로 보았을 때 위암의 발생 추이는 조금씩 증가하고 있는 편이다. 2015년에 우리나라에서 발생한 위암 환자 중에 1기 위암이 75.7%로 가장 많았으며, 2기 9.8%, 3기 11.5%, 4기 3.0%를 차지하였다. 현재까지 4기를 제외한 위암의 치료 원칙은 모든 암 조직을 제거하는 내시경적 시술이나 근치적 수술이며, 수술은 충분한 절제연의 확보 및 위 주위 림프절의 광범위절제로 잔류암이 없는 R0 resection을 의미한다. 수술 후에 2기 혹은 3기 위암으로 진단된 경우에는 재발 가능성을 최소화하기 위하여 보조항암화학요법(adjuvant chemotherapy)를 시행받아야 한다. 따라서 재발암은 일반적으로 근치적 수술 후 일정 기간이 경과한 시점에 발생하는 암을 의미하며, 고식적 절제(palliative resection)나 절제가 불가능한 4기 위암의 경우는 재발이 아닌 암의 진행으로 간주한다.

위암이 발생할 때와 마찬가지로 위암의 재발도 특별한 증상 없이 발생할 수 있기 때문에 정기적인 추적관찰을 통한 조기발견이 중요하다. 이전 보고에 의하면 76%의 환자는 증상이 나타난 후 검사를 시행하여 재발이 진단되었고, 24%의 환자에서만 무증상 상태로 정기검진상 재발을 진단받았다고 한다. 또한 일부 국소재발을 제외하면 증상이 없을 때 재발된 위암을 빨리 발견하더라도 치료 효과는 큰 차이가 없으며 대부분의 환자는 재발 진단 후 조기에 사망하기 때문에 정기적인 추적관찰 프로그램에 대한 회의적인 의견도 있다. 그럼에도 불구하고 위암의 재발 원인과 양상에 대해서 자세히 연구하고 그 결과를 토대로 재발 위험을 예측할 수 있다면, 환자 개개인에 맞추어 수술 후 적절한 보조항암치료를 시행할 수 있으며 효과적인 추적관찰 프로그램도 계획할 수 있게 된다. 그러므로 위암의 재발양상에 대한 이해는 위암치료의 시작이자 끝이라 할 만큼 중요하다.

1. 재발의 병인

암이란 세포주기가 정상적으로 조절되지 않아 세포분열이 과도하게 계속되어 발생하는 질병이다. 암의 발생에 대한 일반적인 이론은 정상세포가 일련의 유전적 변형을 거쳐 1개의 종양세포로 변한 후 클론 증폭(clonal amplification)을 거쳐 암이 발생한다는 것이다. 따라서 암의 치료도 수술, 항암화학요법, 방사선치료 등을 사용하여 암 클론을 완전히 제거하거나 암세포 수를 최소화하는 것이 목표이다. 암의 재발 역시 단일세포 형질전환 이론(single cell transformation theory)에 따르는 것으로 알려져 있다. 수술 후 잔류암이 없거나 혹은 소수의 잔류암이 남아있더라도 보조항암화학요법으로 잔류암을 쇠퇴시키거나 환자의 면역체계가 이를 억제할 수 있다면 완치가 가능하지만, 암이 계속 증식하게 되면 결국 재발한다는 것이다. 잔류암의 지수성장(exponential growth) 결과 일정 시간의 지체(time lag) 이후 정점에 도달하는 S자형 곡선을 이루기 때문에 암은 일정 기간이 지난 후 재발하게 되며, 그 기간은 남아 있는 암세포의 수에 따라 결정된다. 3기 이상의 진행성 위암 환자는 잔류암의 가능성이 높으며 이럴 경우 잔류함의 성장곡선과 재발로 인한 사망을 기초로 한 생존곡선이 거의 일치하는 편이다. 이러한 재발을 줄이기 위하여 시행한 다기관 연구에서 2기 혹은 3기 위암의 근치적 위절제술 후 보조항암화학요법을 적용하여 잔류암을 억제시킬 수 있다고 보고한 바가 있다.

그러나 잔류암 가능성이 낮은 1기 위암 환자의 경우에는 이 이론으로 설명할 수 없는 몇 가지 문제점이 제기된다. 첫째, 종양의 부하량이 적은 만큼 재발이 늦게 나타나야 하지만 실제 임상에서는 조기 재발이 드물지 않게 발생한다는 점이며, 둘째, 성장곡선이 S자형이 아닌 일직선에 가까운 모양이 된다는 것이다. 따라서 암의 재발이 정상세포와 세포외기질(extracellular matrix)을 둘러싸고 있는 미세환경(microenvironment)에 좌우된다는 이른바 'seed and soil theory' 또는 'carcinogenic field theory'로 설명되고 있다. 이는 수술로 암은 제거되었지만 새로운 발암환경에 노출되면서 암이 재발하며, 시간이 경과함에 따라 일정한 속도로 진행되므로 일직선에 가까운 생존 곡선을 보인다는 가설이다. 따라서 수술 후 3~6개월 동안 세포독성 항암제로 보조항암화학요법을 시행하기보다는 암을 만성질환으로 이해하고 세포환경을 조절하는 약물투여로 장기간 치료해야 한다고 주장하였다. 이와 같이 재발의 정확한 병인이 아직까지 밝혀지지 않았기 때문에 임상병리학적 소견만으로 암의 재발 시기나 양상을 예측하기가 쉽지 않다.

2. 위암의 재발양상

1) 초기 연구결과

위암의 재발에 대한 연구결과들은 매우 다양하다. 이는 암의 재발양상과 진단시점의 차이뿐만 아니라 종양의 생태학 및 치료방법의 차이에 의해서 달라진다. 위암의 재발 양상에 대한 초기의 보고들은 주로 부검(autopsy) 연구에 의존하였다. 그러나 대부분의 연구들은 수술을 시행하지 않았거나 적절한 수준의 수술을 받지 못한 환자를 대상으로 한 경우가 많았으며, 사망시점의 환자는 대개 암이 확산된 말기암 상태이기 때문에 재발의 초기 양상을 알 수 없다는 문제점이 있었다. Wisbeck 등은 85명의 부검 예 중 근치적 위절제술을 받았던 16예를 분석한 결과 15예(94%)에서 국소영역재발, 8예(50%)에서 복막재발, 7예(44 %)에서 간재발을 발견하였으며 장막침윤과 복막재발의 상관성에 대해서 보고하였다. 1951년 McNeer 등은 근치적 위절제술을 받은 92명의 환자를 부검한 결과, 81%에서 국소영역재발이 있었지만 대부분은 원격전이로 사망했다고 하였다. 1954년 Wangensteen이 소화기암으로 수술을 받은 환자에게 이른바 'second-look' 수술을 최초로 시행하였으며, Gunderson과 Sosin이 위암으로 수술한 107명의 환자에게 second-look 개복술을 시행한 결과 80%에서 재발이 발견되었고 이 중 국소영역재발이 88%, 복막재발이 54%, 원격재발이 29%라고 보고하였다. 그러나 이러한 확인방법은 영상의학적 기술이 떨어졌던 이전 시대에서는 유용한 방법이 될 수 있겠지만, 환자가 실질적으로 얻을 수 있는 생존율 향상 및 수술 후 합병증 발생 가능성을 고려할 경우 환자에게 이득이 거의 없으므로 현재는 대부분 사용되지 않고 있다. 초기 이후의 연구들은 수술 후 환자의 임상병리학적 검사 및 발달된 영상검사 결과에 따른 재발 양상의 분석에 초점을 맞추는 것이 대부분이다.

2) 재발의 분류 및 양상

위암의 경우 복강내 국소재발 혹은 복막재발 병소를 발견하는 것이 힘들 뿐만 아니라, 위 주위의 림프관 배액 경로가 다양하고 예측하기 힘들어 국소재발, 원격재발, 복막재발 등이 다양하게 혼재되어 발생하는 경우가 많다. 따라서 위암이 재발하게 되면 치료가 매우 힘들고 치료 효과 또한 크지 않아 그 예후가 매우 불량한 것으로 알려져 있다. 그러나 국소재발만 있는 경우 혹은 절제가 가능한 단일 장기에만 원격재발을 한 경우 이를 수술적으로 제거함으로써 생존율을 향상시킬 수 있음은 여러 연구에서 보고되었다.

위암의 재발을 진단하고 양상을 분류하는 것은 간단하지 않다. 최근 진단영상 기술의 발전에 힘입어 이전보다는 재발을 진단하기가 쉬워진 편이지만 여전히 한계는 있다. 왜냐하면 위암의 재발은 전신의 모든 장기에 발생할 수 있으며, 또한 여러 장기에서 동시다발적으로도 발생할 수 있기 때문이다. 따라서 재발 양상의 분류가 복잡하며 연구마다 차이가 있다. 위암의 재발 양상을 분류해 보자면, 우선 암의 재발 위치가 국소적인지 전신적인지에 따라 국소영역(locoregional) 재발과 전신(systemic) 혹은 원격(distant) 재발로 나눌 수 있다. 또한 재발암의 확산 경로에 따라 국소영역, 복막(peritoneal), 림프성(lymphatic), 혈행성(hematogenous)으로 분류할 수 있다. 대부분의 연구자들은 위암의 재발 형태를 크게 복막재발, 국소재발, 원격재발 혹은 혈행성 재발로 나누는 경우가 많으며 원격재발을 혈행성 재발과 복강외 장기 재발로 구분하여 분석하기도 한다. 현재까지 위암의 가장 흔한 재발의 형태는 복막재발로 알려져 있으나 이는 원발암의 병기나 동, 서양의 차이에 의해 다르게 보고되고 있다. 원발암이 조기위암인 경우 혈행성 재발이 가장 많으며, 진행성 위암의 경우는 복막재발이 주로 발생한다. 또한 한국이나 일본을 포함한 동양의 경우 복막재발이 주로 발생하지만, 서양의 경우 국소재발이 가장 많이 발생한다고 보고되었다. 최근 일본위암학회의 전국조사 연구에 의하면 2001년부터 2007년까지 위절제술을 받은 총 118,367명의 위암 환자들 중에 복막재발이 44.3%로 가장 많았으며 혈행성(25.8%), 림프성(12.7%), 국소성(7.9%) 순으로 재발이 발생하였다.

(1) 국소영역재발

국소영역재발은 근치적 위절제술 후의 잔위(remnant stomach), 문합부(anastomotic site), 위가 위치했던 자리(gastric bed), 위 주위 영역림프절(regional lymph nodes), 위 주위 인접장기에서의 재발을 말한다.

국소재발의 원인은 식도나 위 절단면(resection margin)에 암이 남거나 영역림프절절제가 불충분한 경우, 수술 중 흘러나온 암세포가 gastric bed 혹은 주위 인접장기에 착상되면서 국소적인 암종을 형성하는 경우로 생각된다. 잔위나 문합부 재발은 국소영역재발 중 가장 많으며 15~20% 정도로 보고되고 있다. 대개는 위 부분절제 후 잔위에 남겨진 암에서 발생하지만, 수술 당시 절제연에 조직학적으로 종양이 없더라도 비연속적 종양 성장(discontinuous growth) 양상을 띤 경우 발생 가능하다. 그러나 실제적으로는 잔위에 남겨진 암의 재발인지 이차적으로 새로 발생한 잔위암인지 구분하기 힘든 경우가 많아서, 대개 발생 시기가 5년 이내인 경우를 재발암으로, 그 이후인 경우를 잔위암으로 구분하였다.

이와 같이 이전에는 잔위암을 양성 위질환으로 위 부분절제를 시행하고 5년 이상 경과한 후에 발생한 위암으로 정의하였으나, 최근의 추세로는 양성질환이나 악성종양으로 위절제술을 받은 후 10년 이상 경과 후에 생긴 위암으로 판단하는 것이 적절하다는 보고도 있다. 2002년 대한위암학회에서 잔위암을 3가지로 분류한 바에 따르면 ① 1차 병변의 양성, 악성에 관계없이 수술 후 10년 이상 경과 후 발견된 경우는 잔위 초발암(newly developed cancer), ② 10년 이내에 발견된 암으로 1차 병변이 양성이었거나 1차 병변이 악성인 경우에 발생부위가 단단부가 아닌 경우에는 잔위 유잔암(cryptic cancer; residual cancer), ③ 1차 병변이 악성으로 문합부 또는 단단부에 발생한 암으로 수술 후 10년 이내이거나, 1차 수술이 비치유 절제인 경우에는 잔위 재발암(recurrent cancer)이라고 정의하고 있다. 위암의 국소재발은 ②, ③의 경우에 해당된다.

Gastric stump cancer라는 용어를 사용하기도 하는데, 이는 위공장 혹은 위십이지장 문합부, 잔위의 소만곡과 후벽 사이 혹은 대만곡과 전벽 사이에 암이 발생하는 것을 지칭하는 것으로 잔위와 문합부 재발과 같은 의미이다. 창상(wound), 배액관(drain) 부위, 최근에 많이 시행되는 복강경수술 후 투관침(trocar) 부위의 재발이 국소영역재발인지 아니면 원격재발인지에 대해 정확하게 구분하는 것은 힘드나 원격재발로 분류하는 보고들이 많다. 국소영역재발은 재발암 부위를 광범위하게 제거하는 재수술이 가능한 경우가 많으므로 무엇보다도 조기발견이 중요하다. 잔위나 문합부 재발은 내시경으로 진단할 수 있으며, gastric bed, 영역림프절의 재발은 초음파, CT, PET-CT 등으로 진단할 수 있다.

(2) 원격재발

위의 점막층에는 모세혈관들이 많으며, 점막하층에는 모세혈관과 함께 림프관들이 매우 풍부하여 진행성 위암은 물론 조기위암일 때도 암세포가 림프관과 혈관으로 침투하여 전신순환을 통해 원격전이를 일으킬 수 있다. 혈행성과 림프성 전이는 각각 혈관과 림프관을 통해 발생하지만 서로 연관성을 갖기도 한다. 즉 림프관을 통해 림프절에 도달한 암세포가 피막하동에 갇히면서 림프절은 일시적으로 암전이의 장벽 역할을 한다. 그러나 림프절에서 암이 계속 증식하면 피막(capsule)을 뚫고 나와 주위 조직에 침윤이 되며, 이때 혈관으로 암이 들어가면 혈행성 전이가 발생할 수 있다. 반대로 폐의 모세혈관으로 들어간 암이 혈관을 뚫고 폐의 간질이나 림프관으로 들어가면 림프관성 재발이 발생할 수 있다. 또한 장막을 침투한 암세포가 위벽을 뚫고 나와 복강내로 퍼지거나 수술 중에 절단된 림프관 속에 고여 있던 암세포가 복강내로 흘러 나오거나, 암종을 만지는 수술자에 의한 의인성(iatrogenic) 파종이 생겨서 복막 재발을 일으킬 수도 있다.

① 혈행성 재발

혈관이나 림프관으로 들어간 위암세포는 대부분 간문맥을 통해 간에서 일차로 여과된 후 전신순환을 하여 폐에서 이차로 여과된다. 암세포가 하횡격막 혈관이나 흉관(thoracic duct)으로 바로 들어가는 경우에도 일차로 폐에 도달할 수 있다. 이때 간이나 폐에서 여과되지 않고 살아남은 암세포는 혈관내 유착(adhesion)과 혈관외 유출(extravasation) 과정을 거쳐 재발암으로 발전하고 전신순환을 통해 인체의 모든 장기에 재발을 일으킬 수 있다. 따라서 위암의 혈행성 재발의 경우 간재발이 가장 많으며, 다음으로 폐, 뼈의 순서로 재발이 많다. 드물게는 뇌, 피부, 부신, 고환 등에서도 재발하는 경우가 보고되고 있다. 뼈의 재발은 간문맥보다는 림프관이나 흉관 혹은 척추정맥이 주요 재발경로로 추정된다. 암의 최초 진단 시 발견되는 동시성(synchronous) 간전이의 빈도는 5~10% 정도로 높지 않으나, 근치적 위절제 후 발생하는 이시성(metachronous) 간전이의 빈도는 15~34% 정도로 동시성보다 높게 보고되고 있다.

② 림프성 재발

림프관을 통해 폐의 간질로 전이되는 림프관성(lymphangitic) 재발이 드물게 발생하지만 림프성 재발은 대부분 림프절 전이로 나타난다. 원격 림프절 재발은 주로 복강내 림프절(retropancreatic, mesenteric, aortocaval, paraaortic lymph node 등)에서 발생하지만 복강외 림프절(periumbilical, cervical, supraclavicular, mediastinal, axillary, inguinal lymph node 등) 재발도 드물지 않다.

③ 복막재발

복막재발은 위암의 가장 흔한 재발 양상이지만 초음파, CT, PET-CT 영상검사 만으로는 조기에 발견하는 것이 쉽지 않다. 초기에는 특징적인 증상 없이 식욕부진, 구역, 구토, 복통, 연하통, 연하곤란, 변비 등의 소화기 증상을 호소하다가 점차 진행되면서 복부 종괴, 황달, 복부팽만, 체중감소, 전신쇠약, 장폐색 등의 신체 증후가 나타날 수 있다. 이러한 증상 및 증후와 함께 CT 영상에 소장이나 대장 벽의 비후, 복수, 직장선반(rectal shelf), 수신증(hydronephrosis) 등이 발견되면 복막재발로 진단할 수 있다.

이전에는 국소재발로 분류하던 창상이나 배액관 부위 재발은 최근에는 복막재발로 분류되는 경우가 많으며, 난소에 발생하는 크루켄버그종양(Krukenberg tumor)도 복막전이로 인한 복막재발로 분류되어 그 발생률은 약 4.3~6.7%이다. 크루켄버그종양의 발생기전에 대해서는 이전부터 여러 가지 의견이 있으며, 현미경으로 관찰한 관점으로 보았을 때는 난소조직에서 점액질(mucin)을 분비하는 반지세포(signet-ring cell)로 간주된다. 크루켄버그종양을 치료하는 적절한 방법은 아직 불명확하지만 원발성 림프절 전이로 간주하는 경우에는 다른 전이가 없을 경우 동반절제를 권하는 보고도 있다.

3) 재발의 빈도

2015년 암등록통계에 따르면 우리나라 위암 환자의 5년 생존율은 2006~2010년에 68.1%, 2011~2015년에 75.4%로 조금씩 증가하고 있다. 이는 2011~2015년 동안의 5년 생존율이 76.3%인 대장암과는 비슷하나, 상대적으로 예후가 좋은 유방암(91.1%), 전립선암(91.1%), 신장암(82.2%)보다는 그 예후가 나쁜 편이다. 위암 환자 전체 5년 생존율에는 고식적 절제를 시행한 4기 위암 환자, 암 이외의 원인으로 사망한 경우, 추적 소실된 환자를 모두 포함하므로 근치적 위절제 후 재발률은 대략 25~35% 정도로 예상할 수 있다.

이전 연구결과에 따르면 근치적 위절제 후 재발빈도는 연구자에 따라 22~51% 정도로 보고되고 있다(표 40-1, 40-2). 초기 일본과 최근 서양의 연구결과들

표 40-1. **서양의 재발양상**

참고문헌	재발환자/근치적 수술환자(재발률)	재발양상
Gunderson & Sosin	86/107 (80%)	국소: 88% 원격: 26%
D' Angelica 등	496/1,172 (42%)	국소: 54% 복막: 29% 원격: 51% 다발성: 33%
Bennett 등	561/1,172 (49%)	국소: 45% 복막: 26% 원격: 48% 다발성: 28%
Roviello 등	272/536 (51%)	국소: 45% 복막: 36% 간: 27% 원격: 9% 다발성: 30%
Marrelli 등	272/536 (51%)	국소: 24% 복막: 16% 혈행성: 17% 다발성: 15%
Carboni 등	315/713 (44%)	국소: 12% 원격: 53% 다발성: 35%

표 40-2. **동양의 재발양상**

참고문헌	재발환자/근치적 수술환자(재발률)	재발양상
Moriguchi 등	168/405 (41)%	국소: 11% 복막: 32% 혈행성: 36%
Maehara 등	207/939 (22%)	국소: 22% 복막: 43% 간: 33% 원격: 21% 다발성: 25%
Park 등	91/351 (26%)	국소: 8% 복막: 46% 혈행성: 20% 원위부 림프절: 24% 다발성: 33%
Yoo 등	508/2,328 (28%)	국소영역: 19% 복막: 34% 혈행성: 26% 다발성: 16%
Yang 등	1,444/4,184 (34%)	국소: 8% 영역림프절: 8% 복막: 54% 간: 31%
Otsuji 등	290/1,181 (25%)	국소: 12% 원격: 53% 다발성: 35%
Lim 등	114/322 (39%)	국소: 7% 영역: 12% 원격: 35% 다발성: 32%

은 41~51%, 최근 일본과 한국의 연구결과들은 22~39%의 재발률을 보고하고 있다. 재발양상도 서양과 동양에 차이가 있다. 서구의 연구결과들은 국소영역재발이 45~55%로 가장 많았고 다음이 혈행성, 복막재발 순이지만, 동양의 경우에는 복막재발이 30~50%로 가장 많고 혈행성, 국소영역재발 순으로 보고되고 있다. D2 림프절절제술을 시행했다고 명기한 Italian group의 경우에는 국소영역재발을 12~24%로 낮게 보고하였고, Dutch trial에서도 D1군(36%)에 비해 D2군(27%)의 국소재발률이 유의하게 감소함을 발표하였다. 반면 미국의 INT-0116 trial에서는 절반 이상의 환자에게 D1 이하의 림프절절제술을 시행하여 72%의 높은 국소재발률을 보고하였다. 이러한 차이는 한국과 일본에서는 D2 술식이 보편화되어 있으므로 국소영역재발이 많이 발생하지 않는 것으로 생각된다. 위암 재발 양상의 또 다른 특징은 진단 당시 두 군데 이상의 다발성 재발이 많다는 것이다. 보고에 따라 차이가 있지만 다발성 재발률은 12~35%이며, Yoo 등은 국소재발과 복막재발이 함께 발견되는 경우가 8.3%로 가장 흔한 복합재발 양상이라고 하였다. 이러한 다발성 재발은 수술치료는 물론 항암화학요법의 치료효과를 감소시키는 불량한 예후 인자 중 하나이다.

4) 재발 시기

위암의 근치적 수술 후에 재발하는 시기에 대해서 많은 연구들이 이루어져 왔다. 과거에는 재발의 위험도가 시간이 경과해도 변하지 않는다고 추측되었으나, 그 이후 대부분의 연구에서는 수술 후 2년 이내에 재발이 일어나는 경우가 약 60~75%, 3년 이내에 재발되는 경우가 약 90%까지 보고된 반면, 5년이 지난 후 재발되는 경우는 5~7%로 비교적 드문 것으로 알려져 있다. 조 등은 근치적 수술 후 6개월 이내에 재발한 조기 재발군의 경우 2년 이후에 재발한 군보다 생존기간이 더 짧고 간전이가 많았음을 보고하였다.

최근 위암의 재발 시기에 관한 연구들은 대부분 비슷한 결과를 보였다. 수술 후 재발을 진단받기까지 걸린 시간은 평균 19~22개월이다. 2년 이내에 69~79%가 재발하였으며 5년 이후의 재발은 3~11%에 불과하다. 재발양상에 따른 시기는 혈행성 재발이 평균 15개월, 복막재발이 18개월, 국소영역재발이 27개월이었다. 수술 후 2년 이내 조기에 재발하는 위험인자는 림프절 전이나 장막침윤이 있는 경우, 침윤형 혹은 미만형 위암, 위전절제술을 시행한 경우, 진행성 위암 등이었으며, 5년 이후 늦게 재발하는 만기재발의 경우에는 대부분 잔위나 문합부에서 재발이 많이 발생하였다. Koga 등은 조기재발의 경우 복막재발의 비율이 높았고 5년 이상의 만기재발에서는 국소재발과 원위재발이 많았다고 보고하였다. Kusama 등에 의한 연구결과 위암의 재발시기와 연관이 있는 요인으로서 위암의 재발부위, 증상발현 기간, 재발 후의 생존기간, 환자의 연령이 유의한 인자들이라고 하였다.

5) 재발의 예측인자

TNM 병기는 위암 수술 후 예후를 예측하는 데 가장 중요한 인자이지만 어떤 형태의 재발이 발생할지 예측하는 것은 힘들다. 재발 환자의 임상병리학적 소견, 종양표지자, 면역조직화학염색, scoring system, 유전자 발현 프로필(gene expression profiling) 등을 이용하여 재발 양상과 시기를 예측하고자 하는 노력들이 많았으나 아직까지 만족할 만한 예측인자는 밝혀지지 않았다. 현재까지의 연구결과들을 종합해보면 장막침윤과 림프절 전이가 있는 경우, Lauren 분류상 미만형, Ming 분류상 침윤형, 미분화 조직형, 종양의 크기가 큰 경우, 상부 위암 등이 단변량 분석에서 재발 위험인자로 밝혀져 있다. 다변량 분석에서는 대부분 장막침윤과 림프절 전이가 가장 의미 있는 인자로 보고되고 있다.

재발양상에 따른 재발 예측인자는 연구결과에 따라 차이가 있다. 복막재발은 미만형 위암, 장막침윤, 림프절 전이, 미분화 조직형, 크기가 큰 종양 등이 예측인자이다. 혈행성 재발은 장형 위암, 림프절 전이, 혈관침윤 등이며, 국소영역재발은 미만형 위암, 상부에 위치한 위암, 종양이 크거나 이전에 위아전절제술을 시행한 경우 등이 위험인자로 알려져 있다(표 40-3). 위암의 종양표지자로는 CEA, CA19-9, CA125, CA 72-4, CA50, AFP 등이 있는데 대부분 암 조기진단의 민감도(sensitivity)와 특이도(specificity)가 낮은 편이다. 수술 후 재발을 예측하는 데도 각 종양표지자 단독으로는 민감도가 30~50%에 불과하지만 2개 이상을 조합하면 70%까지 증가하므로, 종양표지자들을 단독으로 사용하기보다는 2~3개를 조합하여 사용하는 경우가 많다. 종양표지자 중에 혈청 CEA는 간재발을, 복강세척액 CEA와 혈청 CA19-9는 복막재발을 예측하는 데 도움이 된다. 따라서 수술 전 종양표지자 수치가 정상이었으나 추적관찰 중 증가하거나 수술 전 수치가 높았다가 수술 후 정상 수치 이하로 떨어졌다가 추적관찰 도중에 다시 증가하는 경우에는 증상이 없더라도 재발을 의심하고 적극적으로 재발 확인검사를 시행해야 한다.

표 40-3. **각 재발양상에 따른 독립적인 예측인자**

재발양상	예측인자	참고문헌
복막재발	미만형	백 등, Gunderson 등, Marrelli 등, Meyer 등, Motoori 등, Noguchi, Sakar 등, Yang 등
	장막침윤	Gunderson 등, Noguchi, Saito 등, Sakar 등, Yang 등
	림프절 전이	Saker 등, Yang 등
	미분화형	김, Saker 등
	거대종양	Saker 등
	여성	Gunderson 등
	연령이 낮을수록	Yang 등
	원위부 암	Gunderson 등
	위전절제술	Yang 등
혈행성 재발	장형	Gunderson 등, Meyer 등, Motoori 등
	림프절 전이	Meyer 등, Noguchi, Yang 등
	혈관침윤	Noguchi, Ohno 등
	거대종양	Yang 등
	연령이 높을수록	Yang 등
	상부암	Gunderson 등
국소영역재발	미만형	Marrelli 등, Yang 등
	상부암	Yang 등, Yang 등
	남성	Gunderson
	거대종양	Yang 등
	연령이 높을수록	Yang 등
	위아전절제술	Yang 등

6) 암 재발에 있어서 영상의학적 검사의 역할과 의미

위암 수술 후 재발의 조기진단을 위해서 흔히 사용되는 영상의학적 검사는 조영증강 복부 CT로 위암의 국소영역재발과 원격전이의 조기진단을 목적으로 한다. 국소영역재발 중 잔위 혹은 접합부에 생기는 재발암의 경우 그 발견과 진단에 있어서 내시경이 주된 역할을 하게 되며 CT와 같은 단면 영상검사는 위장관의 내부 점막층의 재발보다는 장관외 지역, 즉 위가 있던 자리나 영역 혹은 원격 림프절 재발 발견을 담당하고, 복막재발과 혈행성 재발로 구분되는 원격재발의 발견을 담당하게 된다. 각 재발의 위치에 따른 CT영상 소견은 다음과 같다.

(1) 문합부 및 잔위 재발

장관내 재발로 CT에서 국소화된 장벽비후(localized bowel wall thickening)로 관찰된다(그림 40-1, 2). 그러나 유사한 소견이 수술과 관련된 해부학적으로 변화된 구조에도 보일 수 있어서 그 특이도가 높지 않은 실정이다. 보통 재발로 오인되는 원인을 살펴보면 주름형성술(surgical plication), 주변 장의 유착, 폴립양비후성위염(polypoid hypertrophic gastritis) 등이다. 또한 잔위나 문합부의 재발이 작은 점막병변으로 생기는 경우 CT로는 그 발견 자체가 쉽지 않다(그림 40-2). 따라서 위암 재발 감시 목적의 추적 CT 검사는 잔위 및 문합부의 재발 진단보다는 위 주변 구조물이나 림프절 혹은 원격장기에 생기는 재발암을 발견하는 것을 주된 목적으로 한다.

(2) 위 주변 장기의 재발

남아 있는 암조직이 주변 장기나 구조에 복막인대를 통해 침범해야 생기는 재발 형태로 간, 횡행결장, 췌장 등에 재발하는 경우이며 각각의 장기는 위간인대(gastrohepatic ligament), 위결장인대(gastrocolic ligament) 그리고 소낭(lesser sac)을 통해 위와 연결되거나 인접하여 있어 현미경적으로 병변이 해당 연결구조에 남아 있는 경우 해당 부위 재발의 원인이 된다. 특히 담관주위 재발(peribiliary spread)의 경우 담관의 벽비후와 이로 인한 근위부 담관의 폐쇄성 확장이 생길 수 있다(그림 40-3).

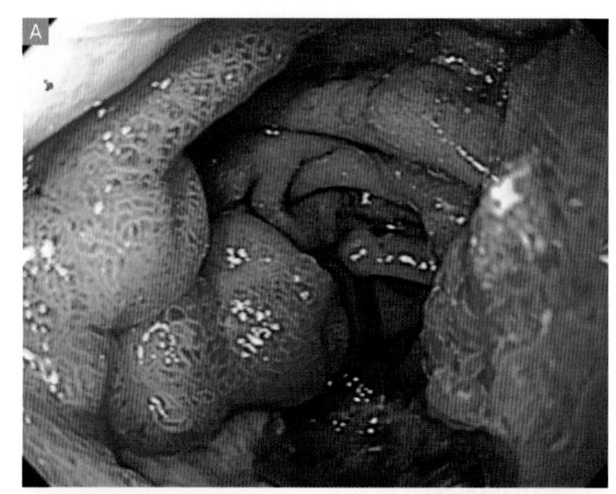

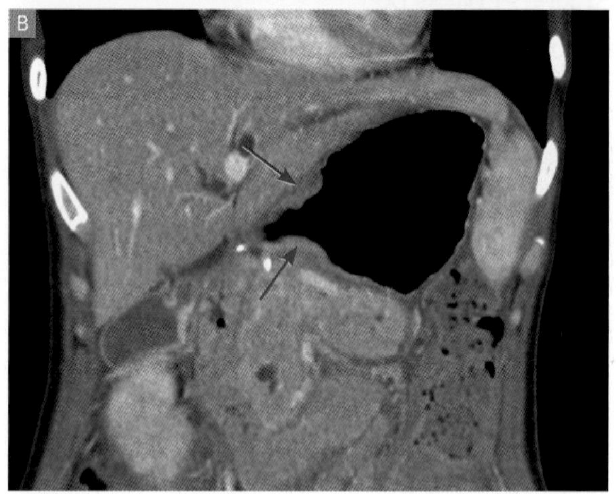

그림 40-1 문합부 잔위암.

A. 위아전절제술 시행 후 추적 내시경검사에서 문합부에 불규칙한 점막 표면을 보이는 융기 병변이 관찰되고 동반된 궤양성 병변은 변연이 불규칙하고 궤양면에서 불균일한 백태와 점상출혈이 관찰된다.

B. 동일 환자의 조영증강 관상면 CT영상으로 문합부의 국소적 벽비후로 관찰되는 종괴가 관찰된다(화살표).

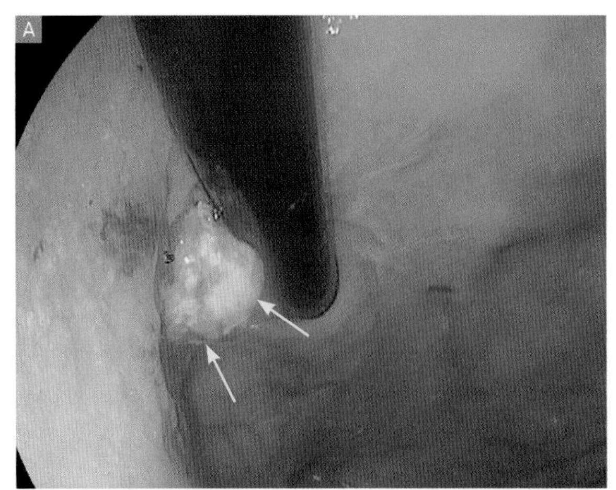

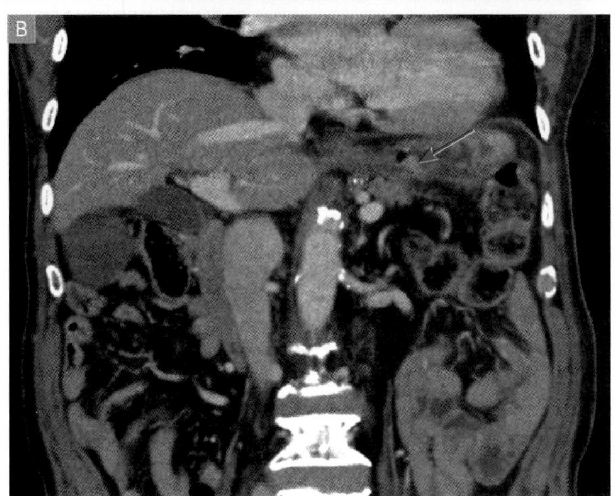

그림 40-2 **잔위 재발암.**
A. 위아전절제술 시행 후 추적 내시경검사상 잔위 분문부(cardia)에서 발생한 융기되어 있는 종양이 내시경에서 관찰된다(화살표).
B. 해당 환자의 관상면 CT영상으로 1 cm 크기의 조영증강되는 결절이 분문부에 관찰되나(화살표), 작은 크기로 인해서 내시경소견을 모르는 상태에서는 매우 발견하기 어렵다.

(3) 림프절 재발

위암 수술의 림프절 절제범위 밖의 림프절 부위(retropancreatic, mesenteric, aortocaval, paraaortic lymph node 등)에서 주로 나타나며(그림 40-4), CT상 전이성 림프절의 진단기준은 일반적으로 림프절의 단경(8~10 mm)을 그 기준값(cutoff value)으로 사용하나, 크기 기준 외에 이전 CT 검사와의 비교를 통한 크기 증가를 인지하는 것이 더 중요한 소견일 수 있다. 특히 좌측 쇄

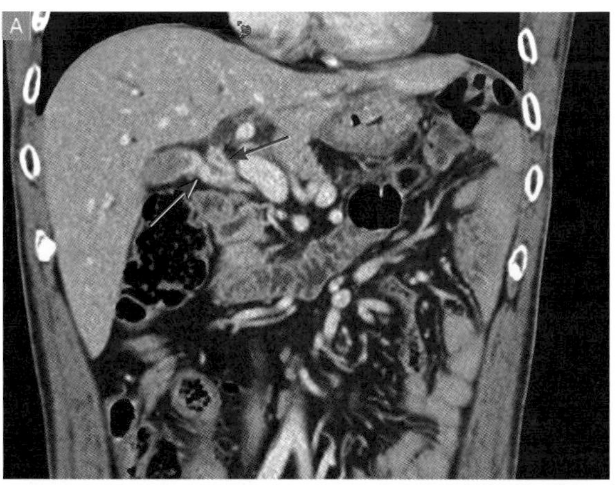

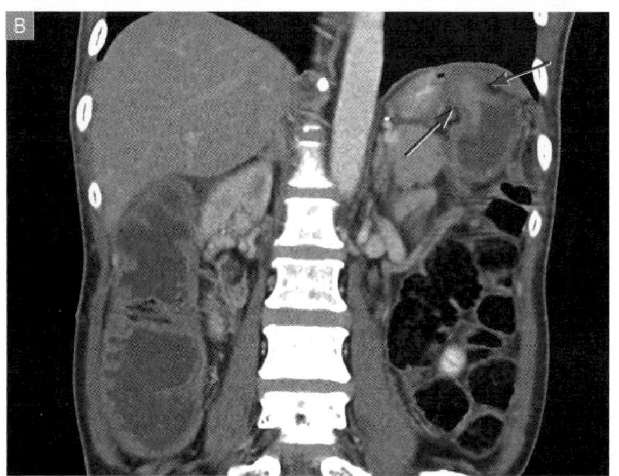

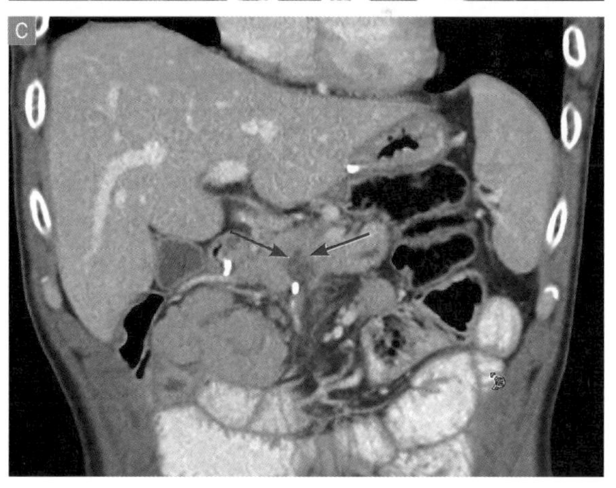

그림 40-3 **수술 후 위주변장기의 국소영역재발.**
A. 관상면 CT영상에서 위간인대를 통한 담도계의 국소영역재발로 총담관과 담낭관의 조영증강되는 벽비후 소견이 관찰된다(화살표).
B. 관상면 CT영상에서 위결장인대를 통한 국소영역재발로 대장 비장만곡부(splenic flexure)의 조영증강 벽비후 소견이 관찰된다(화살표).
C. 관상면 CT영상에서 소낭을 통한 국소영역재발로 췌장목(pancreatic neck) 주위의 저음영의 종괴가 관찰된다(화살표).

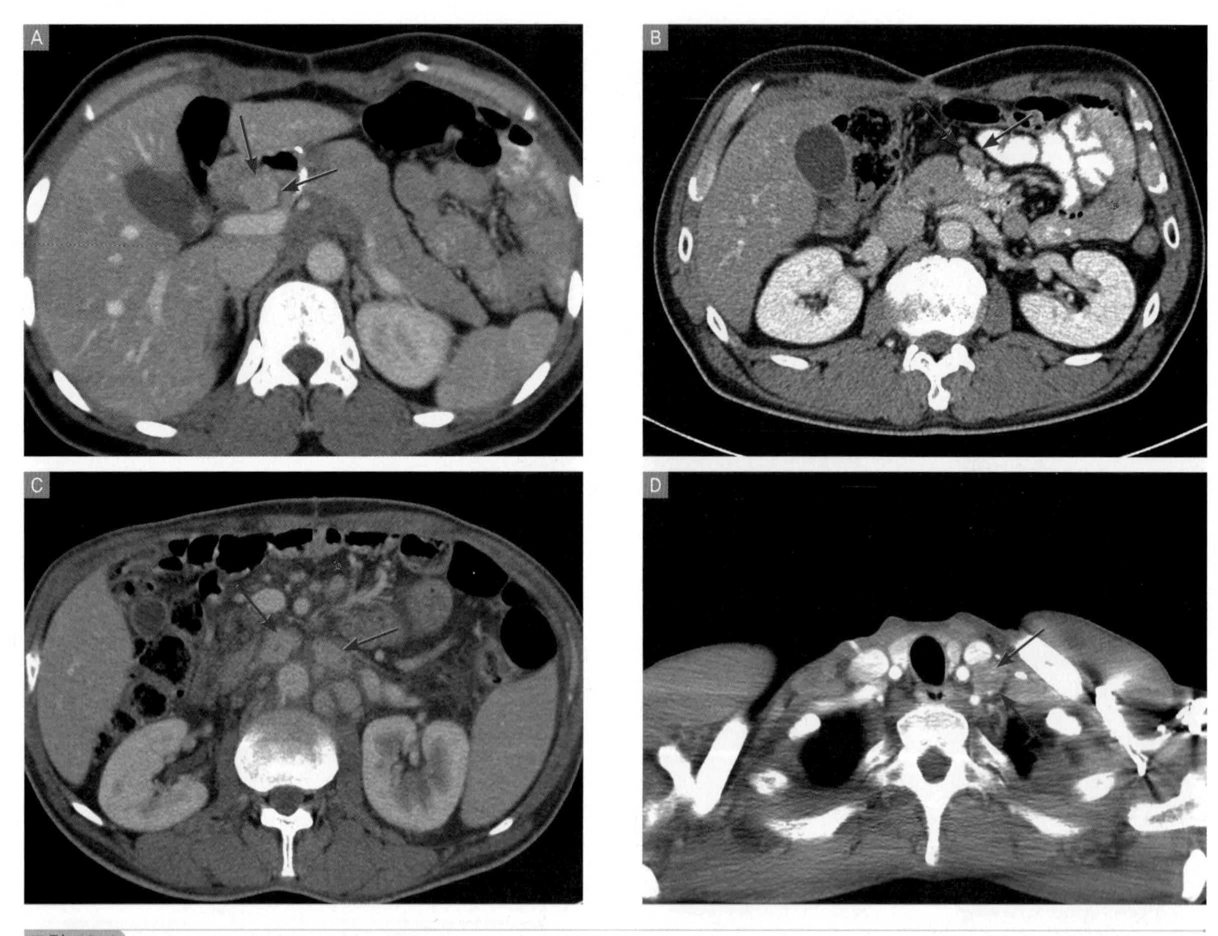

그림 40-4 **위암 수술 후 부위별 림프절 전이 재발.**
A. 간문맥 주위(12번 림프절)에 림프절 비후로 전이성 림프절이 관찰된다(화살표).
B. 상장간막 동정맥 주위(14번 림프절)에 림프절 비후로 전이성 림프절이 관찰된다(화살표).
C. 대동맥 주위(16번 림프절)에 림프절 비후로 전이성 림프절이 관찰된다(화살표).
D. 좌측 쇄골하 부위에 림프절 비후로 전이성 림프절이 관찰된다(화살표).

골위림프절(left supraclavicular lymph node; Virchow's node)은 흉관(thoracic duct)과 좌측 쇄골하정맥(left subclavian vein)의 연결부 주위에 위치하며, 복강내의 림프절과 흉선을 통해 연결되어 있다. 따라서 위암의 원격 림프절 재발의 한 형태로 발생 가능하다.

(4) 복막 파종

결절, 복수가 흔히 동반되며, 장간막(mesentery) 혹은 대망(omentum)의 불규칙적인 연부조직비후 등으로 관찰된다(그림 40-5). 인체 중 의존적 영역(dependent area)인 직장선반(rectal shelf)이 가장 빈번하게 일어나는 복막재발 위치로 알려져 있다. 장간막에 파종된 암세포가 장벽을 침범하는 경우 소장 혹은 대장 폐색을 야기시킬 수 있다. 또한 요관주위 복막파종에 의해 요관벽이 침범되어 요관벽의 비후와 협착이 생기고 이로 인해 근위부 요관의 확장과 폐쇄성 수신증이 발행할 수 있다. 드물게는 직장벽을 침범하여 원발성 직장암으로 오인되는 경우도 있으나, 동심형의 층상 직장벽비후(concentric layered rectal wall thickening)가 원발암보다는 재발암을 좀 더 시사하는 소견으로 알려져

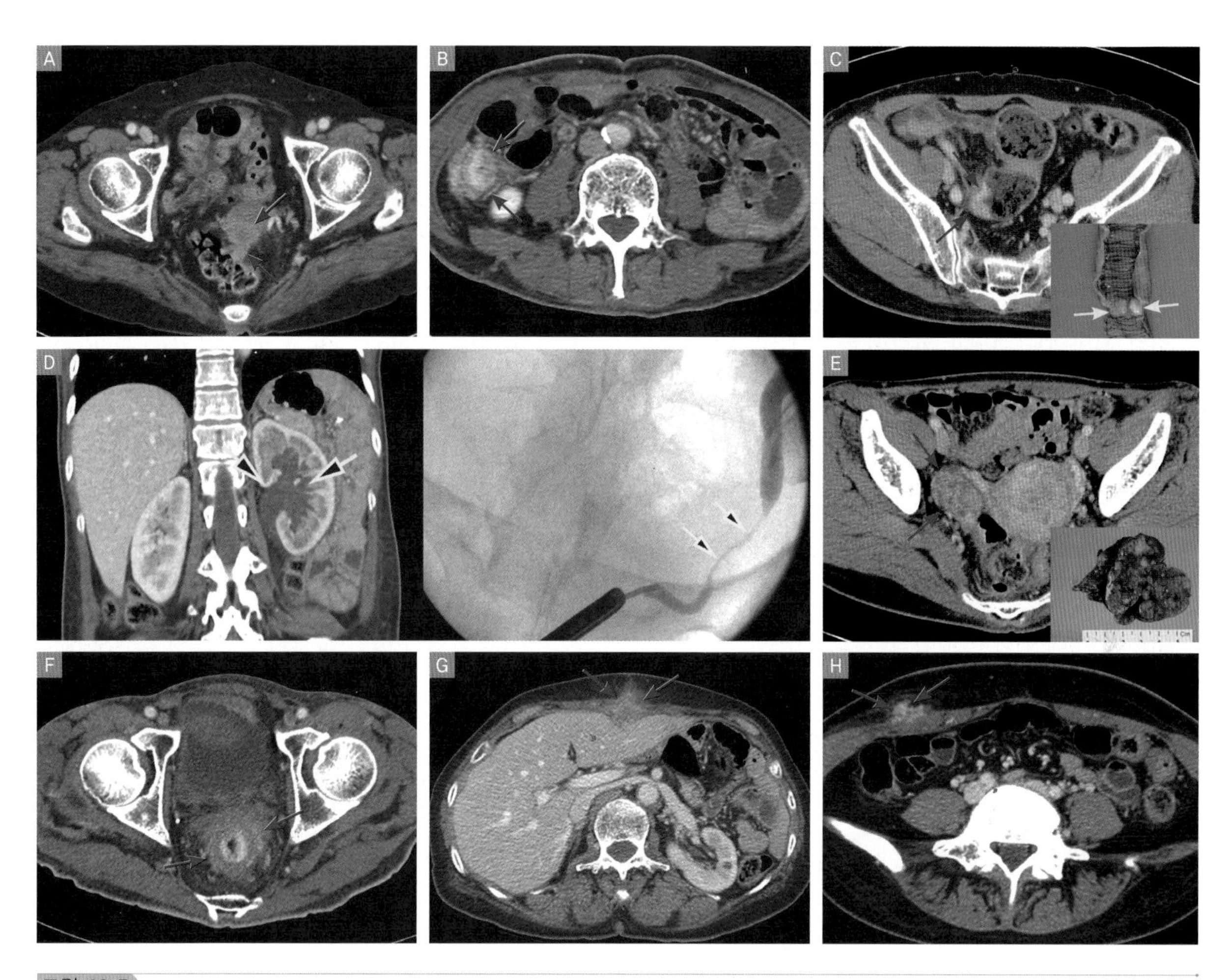

그림 40-5 **복막파종으로 인한 재발암의 영상소견.**
A. 직장선반에 파종된 복막재발암: 복강내 의존적 영역(dependent area)인 자궁과 직장 사이의 직장선반에 엽상의 고형성 종괴로 관찰된다(화살표).
B. 대장벽을 침범한 복막재발암: 결장옆고랑(paracolic gutter)에 복막파종으로 상행결장의 벽이 침범되어 조영증강되는 비후된 벽으로 관찰된다(화살표).
C. 소장벽을 침범한 복막재발암: 회장의 장간막에 복막파종이 회장벽에 침범하여 벽비후 소견이 관찰된다(화살표). 이로 인한 근위부 소장의 폐쇄성 확대가 동반되어 있다. 삽입된 수술 표본사진에 해당 종괴가 관찰된다(화살표).
D. 수신증으로 발현된 요관주위 복막재발암: 좌측의 관상면 CT영상에서 좌신의 폐쇄성 수신증으로 인한 신우(renal pelvis)의 확장이 관찰되며(화살표), 우측의 요관조영술 영상에서 원위부 요관협착이 관찰된다. 이러한 협착은 요관주위 복막의 복막파종에 기인한다.
E. 크루켄버그 종양: 우측 난소가 커지면서 종괴를 형성하고 있다. 삽입된 수술 표본사진에 해당 종괴가 관찰된다(화살표).
F. 직장벽을 침범한 복막재발암: 동심형 모양의 층상 직장벽 비후가 보인다(화살표).
G. 중간선 절개(midline incision)부위 재발암: 조영증강되는 침윤성 연부조직이 해당 부위에 관찰된다(화살표).
H. 투관침 삽입부위 재발암(trocar site recurrence): 조영증강되는 침윤성 연부조직이 해당 부위에 관찰된다(화살표).

있으며, 주로 반지세포암(signet ring cell carcinoma)에서 생기는 것으로 알려져 있다. 난소에 발생하는 크루켄버그종양(Krukenberg tumor)은 복막파종의 한 형태로 주로 발생하며 난소에 커다란 양측성 고형종괴로 관찰된다. 수술과 연관된 창상 혹은 복강경술식과 연관된 투관침 삽입 부위에도 암세포가 파종되어 재발암이 발생한다. 간혹 수술 후 변화인 육아조직(granulation tissue) 혹은 섬유성 변화와 감별이 어려울 수 있으나 이전 CT와 비교하여 그 크기의 변화 등을 관찰하여 정확한 진단에 도움을 받을 수 있으며, 초음파유도 생검(ultrasound guided biopsy)으로 비교적 쉽게 조직학적 진단이 가능하다.

(5) 혈행성 전이에 의한 원격장기 재발

위로 연결되는 정맥은 간문맥을 통해 연결된다. 따라서 간이 가장 흔한 혈행성 재발 기관이며 폐, 부신, 콩팥 그리고 뼈 순으로 호발한다. 위암 수술 후 재발 진단을 위한 추적 조영증강 CT 검사는 문맥기(portal phase)에 촬영하는 것을 원칙으로 하며, 이 시기에 간 전이암의 경우 저혈관성으로 저음영결절로 관찰된다(그림 40-6 A). 위암의 폐전이는 보통 두 가지 형태로 구분된다. 림프관성 전이인 경우 주로 기관지혈관다발 비후(bronchovascular bundle thickening)와 소엽간중격비후(interlobular septal thickening)로 보이고(그림 40-6 B), 혈행성으로 전이되는 경우 다발성의 경계가 잘 그려지는 결절 형태로 보인다(그림 40-6 C).

통상적으로 위암의 재발은 술후 3년 이내에 대부분 발견되며 5년 이후에는 드문 것으로 알려져 있다. 조영증강 CT 검사는 위암 수술 후 재발 감시(surveillance)를 위해 가장 많이 사용되는 영상검사로, 그 간격과 시기에 대해서 확립된 권고안은 존재하지 않으나 통상적으로 술후 2년 이내 6개월 간격으로 4회, 다음 3년간 1년 간격으로 3회의 추적 CT 검사를 하는 방식이 일반적으로 사용된다. 재발 진단의 대략적인 정확도는 60~70%로 알려져 있으며 특히 좁쌀같이 조그맣게 복막에 생기는 복막재발을 진단하는 데 있어서 어려움이

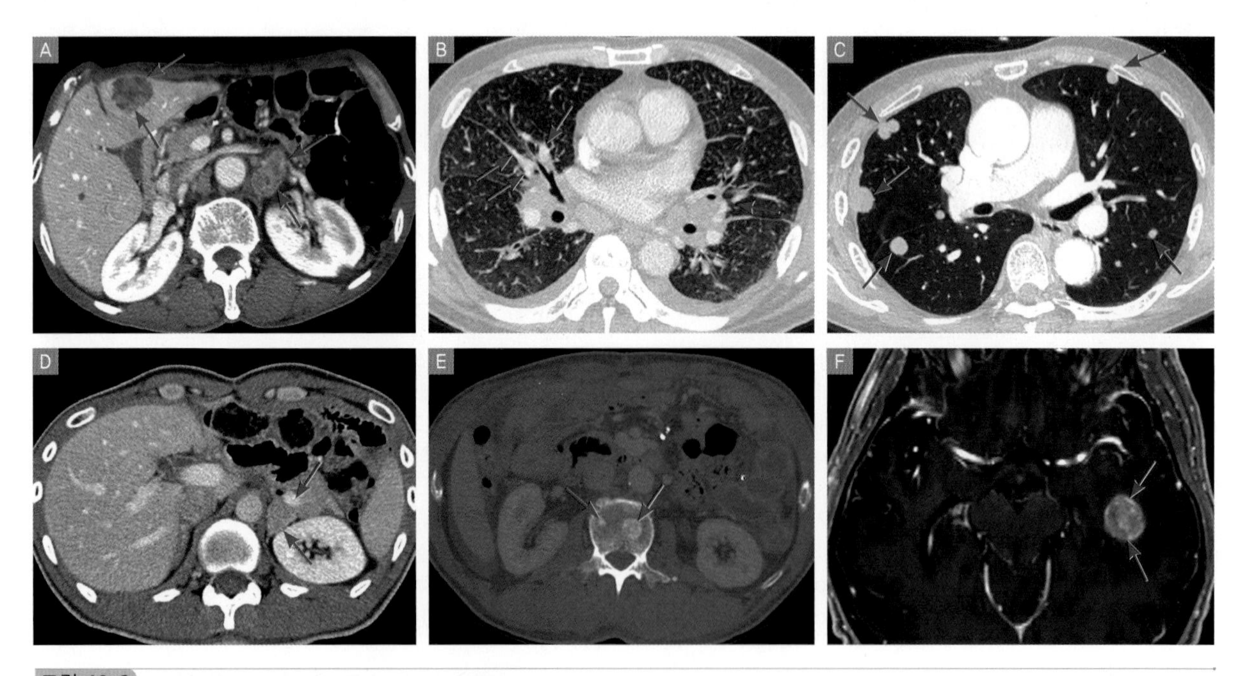

그림 40-6 **침범 장기별 위암의 혈행성 재발암의 영상소견.**
A. 간전이: 추적 CT영상에서 간 좌엽에 저음영 고형성 종괴가 관찰된다(화살표).
B. 림프관성 폐전이: 기관지혈관다발 비후(bronchovascular bundle thickening)가 양측 폐에 관찰된다(화살표).
C. 혈행성 폐전이: 다발성의 다양한 크기의 경계가 잘 그려지는 결절이 양측 폐에 관찰된다(화살표).
D. 부신 전이: 좌측 부신에 종괴가 관찰된다(화살표).
E. 뼈전이: 척추체에 두 개의 경화성 병변이 관찰된다(화살표).
F. 뇌전이: 조영증강 T1강조 자기공명영상에서 조영증강되는 결절이 관찰된다(화살표).

있다. 위암 환자의 재발 추적감시에 있어서 술후 얻어지는 T병기, 림프절 전이 여부, 성별 등 임상병리학적 인자(clinicopathologic factor)들을 이용해서 재발위험도를 예측하고, 위험도가 낮은 환자 군의 경우 빈번한 추적검사에 따른 비용대비 효과 문제와 반복적인 방사선 조사에 따른 이차 암 발생 가능성 등을 고려하여, 추적 CT 검사의 시행 여부, 그 시기 및 간격을 환자의 재발 위험도에 따라 달리하고자 하는 시도들이 있으나 아직 확립된 프로토콜은 없는 실정이다. 결국 위암 환자에서 집중적인 추적 영상검사를 할 것인가 하는 논의는 영상검사 자체의 진단정확도 등에 달려 있기보다는 조기에 진단된 재발암 환자의 생존 향상을 기대할 수 있는 효과적인 치료법의 개발에 달려 있다고 볼 수 있다.

7) 위암 재발에 있어서 핵의학검사의 역할과 의미

우리나라에서 위암은 높은 발생빈도(중장년 남성에서의 암 발생 1위, 고령 남녀에서의 암 발생 2위)를 보이는 암이며, 과거에 비해 생존율의 점진적인 향상을 보이고 있으나 여전히 높은 사망률의 원인이 되고 있다. 위암의 재발은 위암으로 인한 사망의 주된 원인이며 특히 수술 후 확인된 높은 조직학적 병기를 갖는 환자들에서는 조기에 암의 재발을 확인하는 것이 환자의 생존율을 높이는 필수적인 과정이다.

핵의학검사는 과거부터 위암 환자에서 암의 재발을 확인하는 데 유용하게 이용되어 왔으며 특히 핵의학검사 결과는 암 재발의 해부학적 진단에 덧붙여 암의 기능적/생물학적 특성을 반영하여 이는 환자의 예후를 예측하는 데 효과적으로 이용될 수 있다. 위암의 재발에 이용되는 핵의학검사는 혈액 내 종양표지자 검출을 위한 체외검사와 재발부위의 확인을 위한 체내검사로 구분할 수 있다. 다양한 핵의학검사들 중 위암 재발의 진단에 대표적으로 이용되는 영상검사는 뼈스캔(bone scan)과 F-18 Fluorodeoxyglucose (FDG) positron emission tomography (PET)를 들 수 있다.

(1) 뼈스캔

① 전이성 뼈종양에서 뼈스캔의 이용

뼈는 종양 환자의 진단 및 병기설정에 있어 전이 유무의 평가가 필수적인 기관이며 뼈스캔(bone scan)은 악성종양의 뼈전이를 조기에 민감하게 검출할 수 있는 검사이다. 방사선학적 검사에서 뼈전이의 진단을 위해서는 뼈 무기질의 30% 이상이 파괴되어야 하나 뼈스캔에서는 조기의 골 소실에도 양성 소견을 보일 수 있다. 반대로 뼈스캔에서 확인되는 열소 소견이 모두 종양 특이적인 소견은 아니며 뼈스캔 제제의 섭취 정도로만 종양 여부를 감별하기에는 제한이 있어 검사의 해석에 주의를 요한다. 뼈스캔은 1회의 검사로 전신의 뼈 상태를 판단할 수 있어 과거부터 종양 환자의 뼈전이 진단에 유용하게 이용되어 왔다.

뼈스캔에서 관찰되는 뼈전이 소견은 주로 적색골수가 분포하는 중축골 부위에 분포하는 다발성 국소섭취 증가 소견이다(그림 40-7). 전이성 뼈종양의 경우 방사선학적 검사에서 골형성(osteoblastic) 병변과 골용해성(osteolytic) 병변으로 나뉠 수 있으며 뼈스캔에서 골형성 병변은 주로 섭취의 증가, 골용해성 병변은 섭취의 감소로 보일 수 있다. 그러나 골용해성 병변의 경우에도 뼈스캔에서 섭취 증가로 보일 수 있으며 이는 조직학적 수준에서 골용해와 골형성 과정이 함께 증가되어 있을 수 있기 때문이다.

② 위암 재발에서 뼈스캔의 임상적 이용

진행성 위암 환자에서 수술 이후 추적관찰 기간 중 원격전이는 높은 빈도로 확인되며 이는 국소재발이 없는 경우에도 발생할 수 있다. 또한 뼈는 위암의 원격전이가 호발하는 장기로 이에 대한 추적관찰이 필수적이다. 위암 환자의 뼈스캔 소견을 후향적으로 관찰한 연구에서 뼈전이를 시사하는 이상 소견은 45.3%의 빈도로 확인되었으며 가장 호발하는 부위는 척추였다. 또한 뼈전이가 있는 환자에서 혈중 알칼리성인산분해효

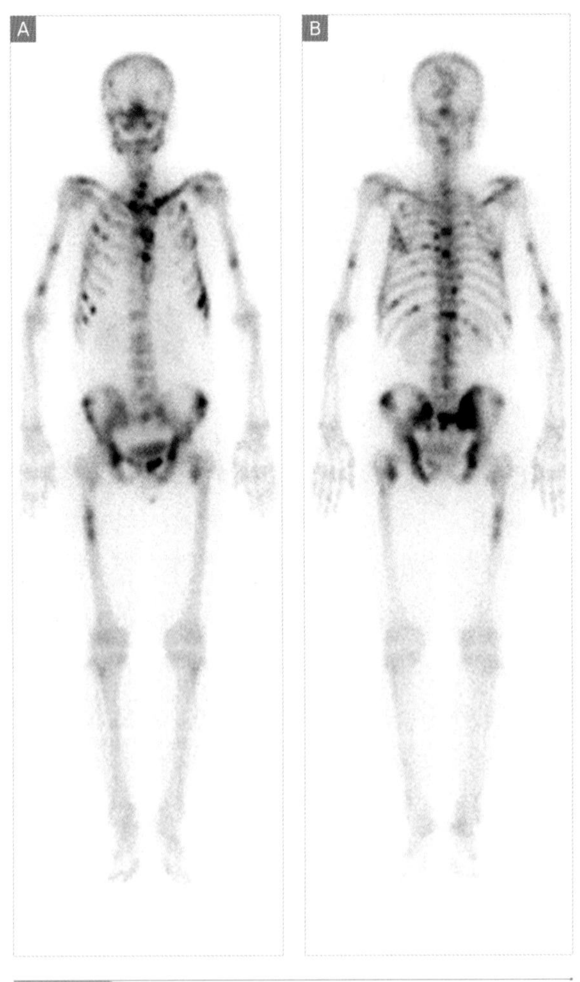

그림 40-7 **진행성 위암 환자의 다발성 뼈전이 소견.**
A. 전신 전면상.
B. 전신 후면상.

소(alkaline phosphatase)가 증가되어 있어 혈액검사의 이상 소견은 환자의 뼈전이를 의심해야 하는 단서가 될 수 있다. 뼈전이가 확인된 위암 환자의 생존기간 중간값은 약 4개월로 뼈전이는 위암 환자의 극히 불량한 예후인자이다. 또한 진단 당시 발견되는 뼈전이에 비해 진단 후에 발견되는 뼈전이는 불량한 예후인자이기 때문에 위암 환자의 추적관찰에서 뼈전이 여부의 확인은 증상이 없는 환자에서도 뼈스캔을 통한 적극적인 관찰이 요구된다.

(2) PET

① 위암 재발에서 FDG PET의 임상적 이용

진단 당시 원발 위암의 증가된 FDG (18F-Fluoro-2-deoxy-glucose) 섭취는 환자의 예후와 직접적인 관련이 있다. 한 연구에 따르면 진단 당시 원발 위암의 FDG 섭취가 낮은 경우 수술 후 2년간 95%의 환자들은 재발이 없이 생존하였다. 이에 반해 높은 원발 위암의 FDG 섭취를 보인 환자들은 약 74%에서 2년의 재발 없는 생존기간을 보였다. 또한 진단 당시 FDG PET에서 확인된 전이 림프절의 높은 FDG 섭취가 환자의 불량한 예후와 관련이 있었다. 진행성 위암 환자의 진단 및 병기 설정뿐만 아니라 이후 환자의 예후를 예측하기 위해 수술 전 FDG PET를 고려해볼 수 있다. FDG PET는 뼈스캔과 같이 한번의 검사로 전신의 질병상태를 평가할 수 있어 특히 종양의 재발평가에 유용하게 이용되고 있다. 진행성 위암 환자의 재발은 수술부위/잔여위 조직에서 발생하는 국소재발 이외에도 복막전이, 원격전이 등 다양한 형태로 발견될 수 있으며 FDG PET는 다양한 형태의 재발을 확인하고 진단할 수 있다. 위암의 수술적 절제 이후 환자들의 재발 평가 성능은 진단 성능보다 우월하며 정확도는 83%에 이른다. FDG PET를 통한 재발의 진단에 있어 원발암의 FDG 섭취 정도는 중요하게 고려해야 할 점이며 진단 당시 높은 FDG 섭취를 보였던 환자의 경우 FDG PET를 통한 재발 진단의 민감도가 증가하였다.

수술 후 원격전이가 확인된 위암 환자에서 항암치료가 시행되고 있으며 항암치료의 반응 평가 및 예후 예측에 FDG PET가 이용될 수 있다. 특히 FDG PET에서 얻을 수 있는 정보 중 종양의 FDG 섭취를 이용한 기능적 부피(metabolic tumor volume)는 종양의 치료반응 평가의 기준이 될 수 있으며 항암치료 후 종양의 FDG 섭취 감소 및 기능적 부피 감소는 환자의 재발 없는 생존기간 및 전체 생존기간과 직접적인 관련이 있었다. 재발성 위암 환자의 항암치료반응 평가 및 경과 관찰에 있어 FDG PET는 환자의 예후를 예측할 수 있는 중요한 수단이 된다.

전술한 내용에 근거하여 NCCN (National Comprehensive Cancer Network)의 권고안은 다른 영상검사에서 재발이 발견되지 않은 위암 환자에서 정확한 재발 평가를 위해 FDG PET를 권장하고 있다. 특히 아시아 지역-위암의 고유병률 지역-에서 치료 후 환자의 재발이 의심되는 경우 FDG PET를 이용하는 것은 재발의 진단 정확도 상승 및 이에 따른 치료방침의 변경을 가져올 수 있다(그림 40-8).

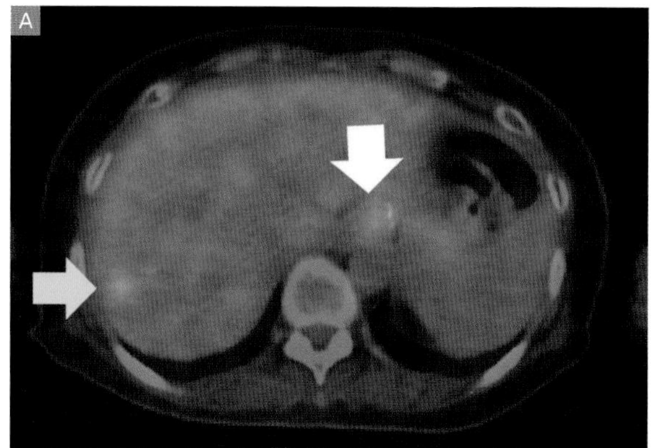

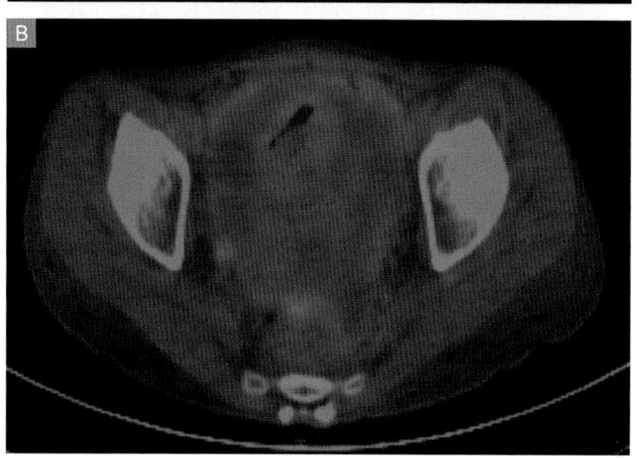

그림 40-8 **재발성 위암 환자의 FDG PET 단면 융합영상.**
A. 문합부위 재발(흰색 화살표)및 간전이(노란색 화살표).
B. 골반강 복막전이.

3. 조기위암의 재발

조기위암이란 림프절 전이 여부와 관계없이 위벽의 침윤도가 점막 혹은 점막하층에 국한된 위암을 말하며 예후가 매우 좋다. 최근 건강에 대한 관심이 높아지고 국가검진사업이 활발히 진행되고 있으며, 내시경 기술의 발전으로 조기위암의 진단이 많아지고 있다. 우리나라 건강보험심사평가원에서 발표한 2016년도 위암 적정성 평가결과 보고에 의하면 2015년에 발생한 전체 22,042명의 위암 환자 중에 1기 위암이 16,686명(75.7%)를 차지하였으며, 최근 일본에서도 전체 위암 환자 중 76%가 1기 위암으로 진단되어 우리나라와 비슷한 추세를 보이고 있다. 2015년에 우리나라에서 1기 위암으로 진단받은 경우 56%는 근치적 절제수술을 받았고 44%는 내시경 점막하박리절제술을 받았다. 현재 대부분 조기위암의 경우 복강경을 포함한 최소침습수술을 받는 것이 보편화되어 있고, 절제치료 후 항암화학요법과 같은 보조적인 치료가 필요 없음에도 불구하고 5년 생존율이 90% 이상으로 예후가 매우 양호하다. 드물기는 하지만 조기위암도 재발하는 경우가 있으며 그 재발률은 1.4~3.4%이다. 재발 양상은 혈행성 재발이 가장 많고 다음으로 국소영역재발, 복막재발의 순이다. 혈행성 재발 중에서는 간재발이 가장 많은 편이다. 재발 시기는 수술 후 약 23 ~41개월 정도이며 진행성 위암에 비해 조금 더 늦게 재발하는 경우가 많다. 이러한 이유는 미세 잔류암(micro-residual tumor)의 성장속도가 느리고 발견될 때까지 시간이 오래 걸리기 때문인 것으로 추측된다.

재발 위험이 높은 경우는 고령의 환자, 점막하층 침윤, 림프절 전이, 림프관 침윤, 육안적으로 융기형 혹은 조직학적으로 분화형인 조기위암이라고 보고되고 있으며, 다변량 분석에서는 대부분 림프절 전이가 가장 독립적인 재발 예측인자로 알려져 있다. 특히 림프절 전이가 있는 조기위암 환자의 경우 재발률이 7~20%에 이르므로 주의 깊은 추적관찰이 필요하다. 최근에는 조기위암에 대한 복강경수술이 보편화되면서 투관침 부위의 재발에 대한 증례보고도 있다. 투관침에 재발하는 기전은 아직까지 확실히 밝혀지지 않았지만 수술 중 종양의 조작, 기복증(pneumoperitoneum) 등에 의해서 투관침이 위치한 복막에 암세포 유착이 유발되는 것으로 예측된다. 진행성 위암의 복강경수술 후 투관침 부위 재발에 대한 보고는 있었으나 조기위암 환자에 대한 보고는 거의 없다.

참고문헌

1. 건강보험심사평가원. 2016년도(2차) 위암 적정성 평가결과 보고, 2017.
2. 권성준, 이웅수, 김현주. 위암 환자에서 혈청 및 복강세척액 종양표지자의 예후인자로서의 의미. Annals of Surgical Treatment and Research 2000;58:58-66.
3. 김성수, 김경래, 김승주, 김종석, 목영재. 잔위암의 임상병리학적 연구. Annals of Surgical Treatment and Research 2003;65:217-222.
4. 김인호, 손수상, 백성규. 위암 환자에서 수술 전 후 혈청 CEA 와 CA19-9 측정의 임상적 의의. Keimyung Medical Journal 2007.
5. 김찬동, 노혜린, 양대현, 최원진, 장명철, 채기봉. 진행성 위암의 근치적 절제술 후 재발에 영향을 주는 인자. Annals of Surgical Treatment and Research 2003;65:301-308.
6. 노성훈, 류창학, 김용일, 김충배, 민진식, 이경식. 위절제를 시행한 위암 환자 2603 예의 생존율 및 예후인자 분석. Annals of Surgical Treatment and Research 1998;55:206-213.
7. 박조현, 변재영, 김병기, 김인철. 위암의 근치적절제술 후 재발의 분석. 대한암학회지 1998;30:488-496.
8. 백상현, 양송이, 신연명. 1기 위암의 재발에 대한 임상적 고찰. Annals of Surgical Treatment and Research 2010;79:35-42.
9. 백상현, 양송이, 신연명. 1기 위암의 재발에 대한 임상적 고찰. J Korean Surg Soc 2010;79:35-42.
10. 백성욱, 조동호, 류창학, 한원곤. 위암 환자에서 수술 전 혈청 CEA 와 CA19-9 측정의 임상적 의의. Annals of Surgical Treatment and Research 2004;66:27-32.
11. 보건복지부, 중앙암등록본부, 국립암센터. 국가암등록사업 연례 보고서 (2015년 암등록통계) Annual report of cancer statistics in Korea in 2015, 2017.
12. 송교영. Surgical treatment for loco-regional recurrence of gastric cancer. 대한임상종양학회 학술대회지 2010:106-114.
13. 안정식, 방호윤, 이종인, 노우철, 황대용, 최동욱 등. 조기위암의 재발. Annals of Surgical Treatment and Research 2001;61:491-497.
14. 윤호근, 장원영, 노재형, 허진석, 손태성, 김성주 등. 잔위암의 임상, 병리학적 양상에 대한 고찰. 대한외과학회 학술대회 초록집 2002:132-132.
15. 정귀애, 조규석, 이문수, 김용진, 강길호, 김형수 등. 재발성 위암에서 재수술의 유용성. Annals of Surgical Treatment and Research 2009;77:96-105.
16. 정준기, 이명철 편저. 고창순 핵의학. 제3판. 고려의학
17. 조정남, 김용호. 위암의 치료적 절제술 후 6개월 이내에 재발한 환자들의 임상 병리학적 특성에 대한 연구. Annals of Surgical Treatment and Research 2009;77:385-390.
18. Acikgoz G, Kim SM, Houseni M, Cermik TF, Intenzo CM, Alavi A. Pulmonary lymphangitic carcinomatosis (PLC): spectrum of FDG-PET findings. Clin Nucl Med 2006;31:673-678.
19. Ajani JA, D'Amico TA, Almhanna K, Bentrem DJ, Chao J, Das P, et al. Gastric cancer, version 3.2016, NCCN clinical practice guidelines in oncology. J Natl Compr Canc Netw 2016;14:1286-1312.
20. Bang YJ, Kim YW, Yang HK, Chung HC, Park YK, Lee KH, et al. Adjuvant capecitabine and oxaliplatin for gastric cancer after D2 gastrectomy (CLASSIC): a

phase 3 open-label, randomised controlled trial. Lancet 2012;379:315-321.

21. Bennett JJ, Gonen M, D'Angelica M, Jaques DP, Brennan MF, Coit DG. Is detection of asymptomatic recurrence after curative resection associated with improved survival in patients with gastric cancer? J Am Coll Surg 2005;201:503-510.
22. Bilici A, Selcukbiricik F. Prognostic significance of the recurrence pattern and risk factors for recurrence in patients with proximal gastric cancer who underwent curative gastrectomy. Tumour Biol 2015;36:6191-6199.
23. Bines SD, England G, Deziel DJ, Witt TR, Doolas A, Roseman DL. Synchronous, metachronous, and multiple hepatic resections of liver tumors originating from primary gastric tumors. Surgery 1993;114:799-805.
24. Bohner H, Zimmer T, Hopfenmuller W, Berger G, Buhr HJ. Detection and prognosis of recurrent gastric cancer--is routine follow-up after gastrectomy worthwhile? Hepatogastroenterology 2000;47:1489-1494.
25. Bonenkamp JJ, Hermans J, Sasako M, van de Velde CJ, Welvaart K, Songun I, et al. Extended lymph-node dissection for gastric cancer. N Engl J Med 1999;340:908-914.
26. Carboni F, Lepiane P, Santoro R, Lorusso R, Mancini P, Carlini M, et al. Treatment for isolated loco-regional recurrence of gastric adenocarcinoma: does surgery play a role? World J Gastroenterol 2005;11:7014-7017.
27. Cheong JH, Hyung WJ, Chen J, Kim J, Choi SH, Noh SH. Survival benefit of metastasectomy for Krukenberg tumors from gastric cancer. Gynecol Oncol 2004;94:477-482.
28. Cheong JH, Hyung WJ, Shen JG, Song C, Kim J, Choi SH, et al. The N ratio predicts recurrence and poor prognosis in patients with node-positive early gastric cancer. Ann Surg Oncol 2006;13:377-385.
29. Choi CW, Lee DS, Chung JK, Lee MC, Kim NK, Choi KW, et al. Evaluation of bone metastases by Tc-99m MDP imaging in patients with stomach cancer. Clin Nucl Med 1995;20:310-314.
30. Choi KS, Kim SH, Kim SG, Han JK. Early gastric cancers: Is CT surveillance necessary after curative endoscopic submucosal resection for cancers that meet the expanded criteria? Radiology 2016;281:444-453.
31. Choi SR, Jang JS, Lee JH, Roh MH, Kim MC, Lee WS, et al. Role of serum tumor markers in monitoring for recurrence of gastric cancer following radical gastrectomy. Dig Dis Sci 2006;51:2081-2086.
32. Cole WH. The mechanisms of spread of cancer. Surg Gynecol Obstet 1973;137:853-871.
33. D'Angelica M, Gonen M, Brennan MF, Turnbull AD, Bains M, Karpeh MS. Patterns of initial recurrence in completely resected gastric adenocarcinoma. Ann Surg 2004;240:808-816.
34. D'Ugo D, Biondi A, Tufo A, Persiani R. Follow-up: the evidence. Dig Surg 2013;30:159-168.
35. Ferlay J, Soerjomataram I, Dikshit R, Eser S, Mathers C, Rebelo M, et al. Cancer incidence and mortality worldwide: sources, methods and major patterns in GLOBOCAN 2012. Int J Cancer 2015;136:359-386.
36. Fidler IJ. The pathogenesis of cancer metastasis: the 'seed and soil' hypothesis revisited. Nat Rev Cancer 2003;3:453-458.
37. Fujiwara M, Kodera Y, Misawa K, Kinoshita M, Kinoshita T, Miura S, et al. Longterm outcomes of early-stage gastric carcinoma patients treated with laparoscopy-assisted surgery. J Am Coll Surg 2008;206:138-143.
38. Gunderson LL, Sosin H. Adenocarcinoma of the stomach: areas of failure in a re-operation series (second or symptomatic look) clinicopathologic correlation and implications for adjuvant therapy. Int J Radiat Oncol Biol Phys 1982;8:1-11.
39. Ha HK, Jee KR, Yu E, Yu CS, Rha SE, Lee IJ, et al. CT features of metastatic linitis plastica to the rectum in patients with peritoneal carcinomatosis. AJR Am J

Roentgenol 2000;174:463-466.
40. Herfarth C, Schlag P, Hohenberger P. Surgical strategies in locoregional recurrences of gastrointestinal carcinoma. World J Surg 1987;11:504-510.
41. Hur H, Song KY, Park CH, Jeon HM. Follow-Up strategy ffter curative resection of gastric cancer: a nationwide survey in Korea. Annals of Surgical Oncology 2010;17:54-64.
42. Hwang GI, Yoo CH, Sohn BH, Shin JH, Park YL, Kim HD, et al. Predictive value of preoperative serum CEA, CA19-9 and CA125 levels for peritoneal metastasis in patients with gastric carcinoma. Cancer Res Treat 2004;36:178-181.
43. Ichiyoshi Y, Toda T, Minamisono Y, Nagasaki S, Yakeishi Y, Sugimachi K. Recurrence in early gastric cancer. Surgery 1990;107:489-495.
44. Ikeda Y, Saku M, Kishihara F, Maehara Y. Effective follow-up for recurrence or a second primary cancer in patients with early gastric cancer. Br J Surg 2005;92: 235-239.
45. Inada T, Ogata Y, Andoh J, Ozawa I, Matsui J, Hishinuma S, et al. Significance of para-aortic lymph node dissection in patients with advanced and recurrent gastric cancer. Anticancer Res 1994;14:677-682.
46. Japanese Gastric Cancer A. Japanese gastric cancer treatment guidelines 2014 (ver. 4). Gastric Cancer 2017;20:1-19.
47. Jung K-W, Won Y-J, Kong H-J, Lee ES. Cancer Statistics in Korea: Incidence, mortality, survival, and prevalence in 2015. Cancer Res Treat 2018;50:303-316.
48. Kang WM, Meng QB, Yu JC, Ma ZQ, Li ZT. Factors associated with early recurrence after curative surgery for gastric cancer. World J Gastroenterol 2015;21: 5934-5940.
49. Katai H, Ishikawa T, Akazawa K, Isobe Y, Miyashiro I, Oda I, et al. Five-year survival analysis of surgically resected gastric cancer cases in Japan: a retrospective analysis of more than 100,000 patients from the nationwide registry of the Japanese Gastric Cancer Association (2001-2007). Gastric Cancer 2018;21:144-154.
50. Kikuchi S, Katada N, Sakuramoto S, Kobayashi N, Shimao H, Watanabe M, et al. Survival after surgical treatment of early gastric cancer: surgical techniques and long-term survival. Langenbecks Arch Surg 2004; 389:69-74.
51. Kim HK, Heo DS, Bang YJ, Kim NK. Prognostic factors of Krukenberg's tumor. Gynecol Oncol 2001;82: 105-109.
52. Kim JH, Jang YJ, Park SS, Park SH, Mok YJ. Benefit of post-operative surveillance for recurrence after curative resection for gastric cancer. J Gastrointest Surg 2010;14:969-976.
53. Kim NK, Kim HK, Park BJ, Kim MS, Kim YI, Heo DS, et al. Risk factors for ovarian metastasis following curative resection of gastric adenocarcinoma. Cancer 1999;85:1490-1499.
54. Kim SJ, Cho YS, Moon SH, Bae JM, Kim S, Choe YS, et al. Primary tumor (1)(8)F-FDG avidity affects the performance of (1)(8)F-FDG PET/CT for Detecting gastric cancer recurrence. J Nucl Med 2016;57: 544-550.
55. Klinge U, Ackermann D, Lynen-Jansen P, Mertens PR. The risk to develop a recurrence of a gastric cancer-is it independent of time? Langenbecks Arch Surg 2008; 393:149-155.
56. Kobayashi M, Okabayashi T, Sano T, Araki K. Metastatic bone cancer as a recurrence of early gastric cancer -- characteristics and possible mechanisms. World J Gastroenterol 2005;11:5587-5591.
57. Kodera Y, Ito S, Yamamura Y, Mochizuki Y, Fujiwara M, Hibi K, et al. Follow-up surveillance for recurrence after curative gastric cancer surgery lacks survival benefit. Ann Surg Oncol 2003;10:898-902.
58. Koga S, Kishimoto H, Tanaka K, Kawaguchi H. Clinical and pathologic evaluation of patients with recurrence of gastric cancer more than five years postoperatively. Am J Surg 1978;136:317-321.

59. Komeda K, Hayashi M, Kubo S, Nagano H, Nakai T, Kaibori M, et al. High survival in patients operated for small isolated liver metastases from gastric cancer: a multi-institutional study. World J Surg 2014;38:2692-2697.
60. Kusama S. The factors influencing the postoperative free interval of gastric cancer. Stomach and Intestine 1997;12:61-72.
61. Kwon HW, An L, Kwon HR, Park S, Kim S. Preoperative nodal (18)F-FDG avidity rather than primary tumor avidity determines the prognosis of patients with Advanced Gastric Cancer. J Gastric Cancer 2018; 18:218-229.
62. Lee HJ, Kim YH, Kim WH, Lee KU, Choe KJ, Kim JP, et al. Clinicopathological analysis for recurrence of early gastric cancer. Jpn J Clin Oncol 2003;33:209-214.
63. Lee J, Lim T, Uhm JE, Park KW, Park SH, Lee SC, et al. Prognostic model to predict survival following first-line chemotherapy in patients with metastatic gastric adenocarcinoma. Ann Oncol 2007;18:886-891.
64. Lee JW, Jo K, Cho A, Noh SH, Lee JD, Yun M. Relationship between 18F-FDG uptake on PET and recurrence patterns after curative surgical resection in patients with advanced gastric cancer. J Nucl Med 2015;56:1494-1500.
65. Lee JW, Lee SM, Lee MS, Shin HC. Role of (1)(8)F-FDG PET/CT in the prediction of gastric cancer recurrence after curative surgical resection. Eur J Nucl Med Mol Imaging 2012;39:1425-1434.
66. Lee S, Choi KD, Hong SM, Park SH, Gong EJ, Na HK, et al. Pattern of extragastric recurrence and the role of abdominal computed tomography in surveillance after endoscopic resection of early gastric cancer: Korean experiences. Gastric Cancer 2017;20:843-852.
67. Lee SY, Seo HJ, Kim S, Eo JS, Oh SC. Prognostic significance of interim (18) F-fluorodeoxyglucose positron emission tomography-computed tomography volumetric parameters in metastatic or recurrent gastric cancer. Asia Pac J Clin Oncol 2017.
68. Lee YJ, Ha WS, Park ST, Choi SK, Hong SC. Port-site recurrence after laparoscopy-assisted gastrectomy: report of the first case. J Laparoendosc Adv Surg Tech A 2007;17:455-457.
69. Lehnert T, Erlandson RA, Decosse JJ. Lymph and blood capillaries of the human gastric mucosa. A morphologic basis for metastasis in early gastric carcinoma. Gastroenterology 1985;89:939-950.
70. Lichtenstein AV. On evolutionary origin of cancer. Cancer Cell Int 2005;5:5.
71. Macdonald JS, Smalley SR, Benedetti J, Hundahl SA, Estes NC, Stemmermann GN, et al. Chemoradiotherapy after surgery compared with surgery alone for adenocarcinoma of the stomach or gastroesophageal junction. N Engl J Med 2001;345:725-730.
72. Maehara Y, Emi Y, Baba H, Adachi Y, Akazawa K, Ichiyoshi Y, et al. Recurrences and related characteristics of gastric cancer. Br J Cancer 1996;74:975-979.
73. Maehara Y, Hasuda S, Koga T, Tokunaga E, Kakeji Y, Sugimachi K. Postoperative outcome and sites of recurrence in patients following curative resection of gastric cancer. Br J Surg 2000;87:353-357.
74. Marrelli D, De Stefano A, de Manzoni G, Morgagni P, Di Leo A, Roviello F. Prediction of recurrence after radical surgery for gastric cancer: a scoring system obtained from a prospective multicenter study. Ann Surg 2005;241:247-255.
75. Mc NeerG, Vandenberg H, Jr., Donn FY, Bowden L. A critical evaluation of subtotal gastrectomy for the cure of cancer of the stomach. Ann Surg 1951;134:2-7.
76. Mikami J, Kimura Y, Makari Y, Fujita J, Kishimoto T, Sawada G, et al. Clinical outcomes and prognostic factors for gastric cancer patients with bone metastasis. World J Surg Oncol 2017;15:8.
77. Miyazaki M, Itoh H, Nakagawa K, Ambiru S, Shimizu H, Togawa A, et al. Hepatic resection of liver metastases from gastric carcinoma. Am J Gastroenterol 1997;

92:490-493.

78. Motoori M, Takemasa I, Yano M, Saito S, Miyata H, Takiguchi S, et al. Prediction of recurrence in advanced gastric cancer patients after curative resection by gene expression profiling. Int J Cancer 2005;114: 963-968.
79. Nakamoto Y, Togashi K, Kaneta T, Fukuda H, Nakajima K, Kitajima K, et al. Clinical value of whole-body FDG-PET for recurrent gastric cancer: a multicenter study. Jpn J Clin Oncol 2009;39:297-302.
80. Noguchi Y. Blood vessel invasion in gastric carcinoma. Surgery 1990;107:140-148.
81. Ohashi M, Katai H, Fukagawa T, Gotoda T, Sano T, Sasako M. Cancer of the gastric stump following distal gastrectomy for cancer. Br J Surg 2007;94:92-95.
82. Otsuji E, Kuriu Y, Ichikawa D, Okamoto K, Ochiai T, Hagiwara A, et al. Time to death and pattern of death in recurrence following curative resection of gastric carcinoma: analysis based on depth of invasion. World J Surg 2004;28:866-869.
83. Papachristou DN, Fortner JG. Local recurrence of gastric adenocarcinomas after gastrectomy. J Surg Oncol 1981;18:47-53.
84. Park CJ, Seo N, Hyung WJ, Koom WS, Kim HS, Kim MJ, et al. Prognostic significance of preoperative CT findings in patients with advanced gastric cancer who underwent curative gastrectomy. PLoS One 2018;13: 0202207.
85. Park J-H, Lee Y-J, Jeong C-Y, Ju Y-T, Jung E-J, Hong S-C, et al. The laparoscopic approach for gastric remnant cancer. Annals of Surgical Treatment and Research 2008;74:418-423.
86. Roviello F, Marrelli D, de Manzoni G, Morgagni P, Di Leo A, Saragoni L, et al. Prospective study of peritoneal recurrence after curative surgery for gastric cancer. Br J Surg 2003;90:1113-1119.
87. Saito H, Osaki T, Murakami D, Sakamoto T, Kanaji S, Ohro S, et al. Prediction of sites of recurrence in gastric carcinoma using immunohistochemical parameters. J Surg Oncol 2007;95:123-128.
88. Saka M, Katai H, Fukagawa T, Nijjar R, Sano T. Recurrence in early gastric cancer with lymph node metastasis. Gastric Cancer 2008;11:214-218.
89. Sakar B, Karagol H, Gumus M, Basaran M, Kaytan E, Argon A, et al. Timing of death from tumor recurrence after curative gastrectomy for gastric cancer. Am J Clin Oncol 2004;27:205-209.
90. Sakuramoto S, Sasako M, Yamaguchi T, Kinoshita T, Fujii M, Nashimoto A, et al. Adjuvant chemotherapy for gastric cancer with S-1, an oral fluoropyrimidine. N Engl J Med 2007;357:1810-1820.
91. Schwarz RE, Zagala-Nevarez K. Recurrence patterns after radical gastrectomy for gastric cancer: prognostic factors and implications for postoperative adjuvant therapy. Ann Surg Oncol 2002;9:394-400.
92. Shiraishi N, Inomata M, Osawa N, Yasuda K, Adachi Y, Kitano S. Early and late recurrence after gastrectomy for gastric carcinoma. Univariate and multivariate analyses. Cancer 2000;89:255-261.
93. Sun L, Su XH, Guan YS, Pan WM, Luo ZM, Wei JH, et al. Clinical role of 18F-fluorodeoxyglucose positron emission tomography/computed tomography in postoperative follow up of gastric cancer: initial results. World J Gastroenterol 2008;14:4627-4632.
94. Takahashi T, Hagiwara A, Shimotsuma M, Sawai K, Yamaguchi T. Prophylaxis and treatment of peritoneal carcinomatosis: intraperitoneal chemotherapy with mitomycin C bound to activated carbon particles. World J Surg 1995;19:565-569.
95. Takeyoshi I, Ohwada S, Ogawa T, Kawashima Y, Ohya T, Kawate S, et al. The resection of non-hepatic intraabdominal recurrence of gastric cancer. Hepatogastroenterology 2000;47:1479-1481.
96. Viste A, Rygh AB, Soreide O. Cancer of the stomach--is a follow-up program of any importance for the patient? Clin Oncol 1984;10:325-332.
97. Wangensteen OH, Lewis FJ, Arhelger SW, Muller JJ, Maclean LD. An interim report upon the second

look procedure for cancer of the stomach, colon, and rectum and for limited intraperitoneal carcinosis. Surg Gynecol Obstet 1954;99:257-267.

98. Whiting J, Sano T, Saka M, Fukagawa T, Katai H, Sasako M. Follow-up of gastric cancer: a review. Gastric Cancer 2006;9:74-81.
99. Wisbeck WM, Becher EM, Russell AH. Adenocarcinoma of the stomach: autopsy observations with therapeutic implications for the radiation oncologist. Radiother Oncol 1986;7:13-18.
100. Wu CW, Lo SS, Shen KH, Hsieh MC, Chen JH, Chiang JH, et al. Incidence and factors associated with recurrence patterns after intended curative surgery for gastric cancer. World J Surg 2003;27:153-158.
101. Yang HK, Cho SJ, Chung KW, Kim YH, Lee HK, Lee KU, et al. A clinicopathological analysis of recurrent gastric cancer. Cancer Res Treat 2001;33:207-215.
102. Yoo CH, Noh SH, Shin DW, Choi SH, Min JS. Recurrence following curative resection for gastric carcinoma. Br J Surg 2000;87:236-242.
103. Young RH. From krukenberg to today: the ever present problems posed by metastatic tumors in the ovary: part I. Historical perspective, general principles, mucinous tumors including the krukenberg tumor. Adv Anat Pathol 2006;13:205-227.

CHAPTER 41

위암 환자의 일차 치료 후 추적관리

1. 서론

위암 진단 후에 근치적 절제술 등의 일차 치료를 받은 환자에게 치료 후 추적관리는 중요한 과정이다. 일차 치료 후 시행하는 추적검사는 암의 재발 및 새롭게 발생한 암을 조기에 발견하여 적절한 치료를 통해 생존율을 향상시키는 것이 근본적인 목적이다. 특별히 위암 진료영역에서 추적검사는 이러한 목적 이외에도 수술 후 발생할 수 있는 다양한 문제점의 발견과 진료와 치료 결과에 대한 자료의 수집이라는 목표에 근거해 시행하게 된다. 하지만 아직도 위암 진료영역에서 추적검사의 종류, 시행 간격, 기간과 효용성에 대해서 명확한 결론이 없고, 다양한 이견이 존재하는 것이 현실이다. 즉 위암의 추적관리에 대한 대부분의 연구는 후향적이거나 관찰연구이며, 아직까지도 전향적인 중재연구가 없다는 점은 근거중심 의학의 시대에 추적관찰에 대한 명확한 지침을 도출하기에는 매우 제한적이라고 할 수 있다.

이론적으로 초기에 재발을 발견하면 생존율 향상 등의 결과로 이어질 것으로 생각되어 검사의 빈도와 종류를 늘리는데, 위암의 경우 이러한 접근이 실제 환자의 생존율 향상에 미치는 영향에 대한 명백한 결과를 보고한 문헌을 찾기는 힘들다. 오히려 적극적인 추적검사가 무증상의 재발의 조기발견에는 도움이 되지만 환자의 생존율 향상에는 큰 도움이 되지 않는 보고가 있다. 최근의 논문에서는 비록 증상이 없는 재발성 위암 환자의 조기발견이 환자의 생존율 향상에 도움이 되지만 그 간격은 6개월보다 적을 필요가 없다는 결과를 보여주고 있다. 하지만 이 등은 근치적 위절제술 후 재발한 192명의 환자의 자료를 후향적으로 분석하여, 무증상환자군이 증상이 있는 환자군보다 생존율이 높다는 것을 관찰하고, 적극적인 추적검사의 필요성을 제안하였다.

위암의 추적관리 및 검사에 국제적인 의학단체의 권고안을 살펴보면, 먼저 European Society for Medical Oncology (ESMO)는 위암 환자에서 정기적인 추적의 필요성을 강조하고 있으나, 구체적인 부분에서는 병기와 환자의 개별성을 고려하여 진행하라고 권고하고 있다. National Comprehensive Cancer Network (NCCN)에서는 병력 및 이학적 검사를 수술 후 처음 2년 동안은 3~6개월 간격으로, 3~5년 동안은 6~12개월 간격으로 시행할 것을 명시하고, 필요하면 혈액검사, 내시경검사 및 영상학적 검사를 시행하라고 권고하고 있다. Japanese Gastric Cancer Association (JGCA)에서는 추적검사 시 위절제증후군과 영양상태를 고려해야 함을 강조하였으나, 현재 문헌의 근거능력 부족을 인정하며 진료권고안보다는 임상병기별로 추적검사의 모델을 만들어 제시하고 있다. 우리나라에서도 2012년 대한의학회 주관으로 개발된 '위암표준진료권고안'을 발표하였으나, 내시경절제술 후 추적검사에 대한 내용만 기술되어 있고, 위절제술 후 추적관리에 대한 내용은 기술되어 있지 않다.

우리나라의 경우 위암의 전체적인 발생빈도는 감소하고 있지만, 전체 위암 환자 중에서 조기위암 환자의 비중이 많고, 내시경절제술을 포함한 근치적 절제술의 비율이 높다는 것을 감안한다면, 추적관리가 필요한 환자가 큰 폭으로 증가할 것이라는 것은 명확하다. 따라서 지금까지 제시된 여러 문헌과 치료지침을 고려해서 우리 실정에 맞는 추적관리 및 검사에 구체적인 지침을 마련하는 것이 필요하다.

2. 근치수술 후 재발의 양상

위암의 근치적 절제술은 위암치료의 근간이다. 하지만 이러한 근치수술 이후에도 위암 환자는 약 22~51%에서 재발이 관찰된다. 재발의 양상을 설명하기 위한 분류는 다양하지만, 위암의 재발은 일반적으로 재발한 부위에 따라 국소재발, 복막재발, 혈행성 재발로 나뉜다. 국소재발은 절단면, 림프절 혹은 수술 시 위절제 인접면 surgical bed 등에서 위암이 재발한 것을 지칭하며, 복막전이는 복막파종으로 인해 복강내에서 위암의 재발을 의미한다. 마지막으로 혈행성 전이는 간과 폐를 포함한 원격장기로의 전이를 의미한다.

재발의 양상에 대해서는 많은 문헌들이 빈도와 재발양상에 대해 다양한 결과를 보고하고 있다. 이러한 점은 환자군과 진단 시 병기가 다르며, 수술방법과 지역적인 차이 등을 그 원인으로 보고 있다. 문헌을 종합하면, 서구 위암 환자의 재발은 국소재발 빈도가 높은 반면 위암의 빈도가 높은 우리나라와 일본의 경우에는 복막전이가 가장 흔한 재발의 형태임을 알 수 있다. 즉 우리나라와 일본에서 위암의 국소재발이 적은 이유는 D2 림프절절제술이 표준치료로 시행되고 있고, 심지어 이런 술식을 시행하는 서구에서도 국소재발의 빈도가 줄어드는 것을 관찰할 수 있다. 조기위암의 재발률은 진행암과 비교하여 높지않아 1.3~12.2% 정도로 보고되고, 혈행성 전이가 가장 흔한 재발의 형태이다.

위암이 재발되는 경우 70% 정도는 3년 이내에 발견되며, 5년 이내에 발견되는 경우는 90%에 달한다. 5년 이상에서 재발이 발견되는 경우는 10% 미만이며 평균기간은 14~29개월이다. 따라서 위절제술 후 재발은 수술 후 2~3년 사이에 발견되므로, 이 시기에 보다 면밀한 추적관찰이 필요하다.

대부분의 재발성 위암은 근치적 수술적 치료의 대상이 되지 않고, 완화적 요법의 대상이 된다. 즉 항암요법이 주된 치료방법이며, 생존율 향상 및 삶의 질 향상을 목표로 시행하게 된다. 하지만 여러 가지 노력에도 생존기간은 6~13개월 정도로 보고되고 있다.

3. 재발의 발견: 추적검사

진행된 병기에서는 근치적 절제술 이후에도 위암의 재발이 관찰되므로, 비록 명확한 지침이 없더라도 대부분의 위암진료 의사들은 추적관리 혹은 검사를 시행하게 된다. 이는 재발이 위암의 근치적 절제 후 사망의 가장 중요한 원인이 되며 치료방법 또한 완화적 요법이 대부분을 차지하기 때문이다. 일반적으로 암 진료 후 추적검사는 면밀한 이학적 검사 및 병력청취 등을 포함하며, 이와 더불어 다양한 검사를 시행하게 된다. 위암과 관련한 검사는 크게 상부위장관 내시경검사, 영상학적 검사 및 종양표지자로 나눌 수 있다. 추적검사의 간격에 대해서는 담당의사와 기관별로 상이하나, 대부분의 추적검사는 3개월부터 1년 사이의 간격을 두고 NCCN 등의 권고안을 따라 시행하고 있다.

1) 상부위장관 내시경검사

상부위장관 내시경은 수술 전 위암의 진단을 위한 기본 도구일 뿐만 아니라, 위암의 근치적 절제술 후 잔위의 상태를 평가하고, 잔위에서 생긴 암을 발견할 뿐만 아니라, 위절제술 후 발생하는 협착 및 출혈 등의 합병증의 치료에도 사용될 수 있는 검사법이다. 따라서 위암으로 위제술을 시행한 환자는 대부분 정기적인 간격으로 상부위장관 내시경검사를 시행받게 된다.

특히 위아전절제술을 시행한 환자의 경우 잔위에서 재발 및 원발성 위암이 발생할 수 있고, 잔위에 생긴 원발성 암도 조기에 발견하면 근치율이 높아지고 이런 경우 초발 위암과 마찬가지로 장기 생존을 기대할 수 있다. 하지만 잔위에 발생한 암이 T2 이상의 병변인 경우에는 근치적 절제를 시행하더라도 치료 성적은 불량하다. 특히 잔위암에 또 다른 원발성 위암 발생은 다발성 위암 또는 미분화암을 수술한 경우에 더 흔하다고 알려져 있어 이런 환자의 내시경추적검사에서는 더욱 세심한 관찰이 필요하고 점막의 융기 병변 등 이상소견이 관찰되면 조직학적 검사를 시행하여야 한다.

내시경추적검사의 간격과 언제까지 시행하여야 하는지에 대한 명확한 지침이나 권고안은 없다. 하지만 조기위암의 내시경적 치료 후 동시성 및 이시성 암이 발견될 확률이 높고, 동시성 암을 발견하지 못하는 경우도 20% 정도로 보고하고 있는 점을 고려하면, 위절제술 환자의 경우에서도 국가암검진 프로그램에서 권하는 2년 단위의 내시경검사보다는 짧은 최소한 1년 간격의 내시경검사가 적당하다고 판단된다.

2) 영상학적 검사

위절제술 후 추적검사에 사용되는 영상학적 검사 항목으로는 흉부 및 복부단순 방사선사진과 복부초음파 검사, 복부CT 검사, 복부MRI 검사와 PET 검사 등이 있다. 하지만 위암 재발에 사용되는 영상학적 검사에 대한 문헌은 드물고, 전형적인 소견에 대한 보고도 매우 제한적이다. 또한 재발위암 중 복막전이의 형태가 가장 많은 것을 고려하면 영상학적 검사만으로 재발을 진단하기는 힘들다.

조영증강 복부CT는 가장 흔하게 사용되며, 일부 보고에 의하면 재발암의 진단율이 60~70% 정도로 보고되어 신뢰할 수 있는 영상학적 검사 중 하나이다. 하지만 사용빈도에 비하여 위절제술 후 복부CT 소견에 관한 연구가 많지 않은 것이 현실이다. 일부에서는 수술 후 발생할 수 있는 형태적 변형과 위암의 재발을 구분하기 힘들고, 복막전이와 림프절 전이를 진단하기에는 정확도가 높지 않다는 보고도 있다.

비교적 최근에 많이 사용되는 PET 검사는 종종 다양한 형태의 위암의 재발을 진단하는 데 유용하게 사용될 수 있다. PET 검사는 기존의 검사소견이 의심스러울 경우 재발의 확인을 위해서도 사용되기도 하고, 간전이를 발견하는 데 가장 우수한 영상검사로 보고되기도 한다. 또한 전신을 촬영할 수도 있는 점, 기존의 CT 스캔과 융합한 이미지를 만들어 낼 수 있어 보다 광범위한 영상정보를 제공할 수도 있다. 특히 이러한 PET-CT 복합 이미지는 종양표지자의 이상소견과 다른 영상학적 검사소견이 의심스러울 경우 진단의 정확도를 75~97% 정도까지 높인다. 하지만 조기위암 혹은 반지세포 등 미분화 위암의 경우에는 위음성의 비율이 높아 해석에 주의를 해야 한다.

위암 수술 후 추적검사에서 영상학적 검사의 내용과 간격 등에 대한 명확한 진료지침은 없는 상태이다. 대부분은 각 병원의 사정에 맞게 다른 검사와 병행하여 검사를 진행하며, 초기에는 3~6개월 간격 그 이후에는 1년 단위의 간격으로 검사를 진행하고 있다.

3) 종양표지자

종양표지자를 검사는 종양의 재발을 발견하는 데 쉽게 접근할 수 있는 방법이지만, 민감도와 특이도가 높지 않고, 재발부위를 특정할 수도 없어 해석에 많은 주의가 필요하다. 하지만 대부분의 위암진료실에서는 위암의 재발을 추적하는 데 하나 이상의 종양표지자를 이용하고 있다. 특이 수술 후에 종양표지자를 시간 간격을 두며 추적검사하여 그 변화양상을 살펴 위암의 재발을 조기에 확인하는 데 도움이 될 수 있다.

흔히 사용되는 종양 표지자는 CEA와 CA19-9이다. 특히 이 두 가지 종양표지자는 진행암인 경우 수술 전에도 혈장에서 상승소견을 보일 수 있고, 이 두 가지 검사결과를 조합하여 추적관찰하면 수술 후 재발의 조기발견에 활용될 수 있다. 특히 각각의 경우 민간도가 낮지만(65% 이하), 두 가지를 조합하면 민감도가 85%라는 보고도 있다. 특히 CA19-9의 경우는 복막전이, 그리고 CEA의 경우는 간전이에 유용한 표지자로 사용할 수 있다는 문헌도 있다. 이 두 가지 종양표지자 이외에도 CA72-4와 CA125와 같은 종양표지자도 사용되나, CEA나 CA19-9에 비해 민감도가 높지 않다는 보고가 있다.

4) 술후 영양상태와 체중감소

위절제술은 다양한 정도의 위장관의 해부생리학적 변화를 초래한다. 이러한 변화는 환자의 영양부족 상태를 야기하여 환자의 삶의 질에 부정적 영향을 줄 수 있다. 따라서 환자의 추적관리는 위암 재발의 조기발견이라는 측면 이외에도 식이 문제, 영양 문제 등을 고려해서 진행하여야 한다. 특히 조기위암의 비중이 높은 우리나라 같은 경우에는 빈도가 낮은 재발의 문제보다는 장기생존한 환자들의 삶의 질 문제가 중요한 고려사항이 되고있다.

위절제술 후 식이와 관련한 문제는 약 30% 정도에서 관찰되지만 대부분은 경미하고, 심각한 증상을 호소하는 경우는 훨씬 적은 빈도로 알려져 있다. 이러한 위절제 환자의 다양한 형태의 증상은 위절제술후 증후군으로 기술되고 있다. 이러한 식이 문제 이외에도 위절제술후 발생하는 대사적인 문제로는 빈혈, 뼈질환 및 체중감소 등을 들 수 있다.

위암 환자에서 약 30% 정도에서 빈혈이 관찰되며, 빈혈의 원인은 철분과 비타민 B12 부족으로 인해 발생한다. 일반적으로 철분 결핍현상이 더 흔하게 관찰되며, 비타민 B12의 부족으로 인한 빈혈은 위전절제술 환자에게 더 흔하게 관찰된다. 따라서 주기적인 검사를 통해 빈혈을 확인하고 부족한 영양소를 확인하여 철분과 비타민 등을 공급하여야 한다. 특히 위전절제 환자의 비타민 B12 결핍은 비록 경구요법이 대안으로 제시되기도 하지만, 3~4개월 간격의 근육주사 요법이 표준치료로서 권장되고 있다.

위절제술은 골대사의 변화를 일으키고, 이러한 변화는 골감소, 골다공증 등의 위험인자가 될 수 있다. 칼슘 및 비타민 D의 섭취 부족 및 흡수장애 등이 원인으로 생각된다. 최근 우리나라에서도 위암으로 위절제술을 시행한 환자의 약 42%에서 골다공증이 관찰되고 더 나아가 한해 1,000명의 환자당 27.6예의 골다공증으로 인한 골절이 발생한다고 보고하고 있다. 심지어 이러한 골대사 이상의 문제는 대량의 칼슘이 뼈에 저장되어 있어 수술 직후에는 별다른 문제가 없다가 수술 후 10년 이상이 지난 시점에 나타날 수도 있다.

위절제술 후 체중감소는 흔한 현상이다. 보통은 수술 후 3~6개월에서 체중감소가 가장 현저하고, 위암의 재발이 없다면, 12개월 이후에는 체중이 안정적으로 유지된다. 이러한 체중감소는 여성, 수술 전 체질량지수(BMI)가 높거나, 여성 및 위전절제술의 경우 더 흔하게 관찰된다는 보고가 있다. 위절제술 후 체중감소는 여러 가지 원인으로 설명된다. 즉 혈청 그렐린(ghrelin)의 감소, 음식섭취의 감소, 식욕저하, 음식물의 빠른 통과, 췌장의 외분비기능부전 등이 복합적으로 작용하는 것으로 알려져 있다. 이러한 체중감소는 위절제술 후 일련의 과정처럼 인식되며, 삶의 질에만 영향을 주는 것이 아니라 위암절제술 후 암의 재발 및 전이와도 관련이 있을 수 있다. Yu 등은 위절제술 후 처음 6개월 후 체중보다 12개월 후 체중이 5% 이상 감소한 환자의 5년 생존율이 현저히 낮고, 이런 경우에는 위암의 재발을 의심해야 한다고 주장하였다. 따라서 체중감소가 일반적이지 않은 경우에서는 체중감소가 위암의 재발을 암시하는 소견이 될 수 있다는 점을 추적관리 시 참고해야 할 것이다.

5) 일차 치료 후 *H.pylori* 제균

위암의 일차 치료 후 *H. Pylori* 제균치료는 수술 후 잔위암의 발생과 내시경절제술 후 새롭게 발생할 수 있는 위암 발생을 미연에 방지하거나 줄이려는 것을 목표로 하고 있다. 여러 문헌에서 위절제술 후 남은 위에서 위암이 발생할 수 있는 가능성이 최소한 정상 집단과 비교하여 적지 않다고 보고하고 있으나, 수술 후 잔위암을 예방한다는 목적으로 *H. pylori* 제균요법의 필요성에 대해서는 명확한 결론이 없어 일반적인 권장사항은 아니다. 이러한 배경에는 위절제술 후에는 대부분 위산이 감소되어 잔위 자체가 헬리코박터균의 생존에 불리한 조건으로 변하여 제균치료의 필요성과 효용성이 의심스럽다는 점을 들 수 있다. 그렇지만 조기위암에 대한 내시경절제술 후에는 기존의 위에 발생할 수 있는 이시성 위암이 발생을 줄일 수 있다는 점에 어느 정도 의견의 일치를 보여, 내시경절제술 후 *H. pylori* 제균요법은 적극 권장된다. 실제로 일본과 우리나라의 전향적 연구에서 내시경절제술 후 이시성 암의 발생을 줄였다는 보고가 있고, 우리나라에서도 이러한 이러한 제균요법에 대한 비용효과를 증명하는 보고도 있다.

4. 결론

다른 고형암과 마찬가지로 위암에서도 일차 치료 후 추적검사 등을 포함한 관리는 꼭 필요한 진료과정이다. 이는 수술 후 생길 수 있는 문제점 등을 파악하고, 다양한 치료 결과에 따른 자료의 수집과 재발 및 전이를 조기에 발견하는 것이 주요한 목적이다. 이러한 추적관리가 필요한 환자군이 큰 폭으로 증가하였음에도 불구하고, 명확하게 합의된 진료지침이 우리나라에는 없는 것이 현실이다. 따라서 환자의 생존율 향상 및 삶의 질을 함께 도모하면서 비용효과가 입증된 추적관리 지침이 필요하다. 또한 대부분의 재발 및 전이는 위암 근치 수술 후 3년 이내에 주로 관찰되므로 이 기간 동안에는 집중적인 추적관리가 필요하다고 하겠다.

참고문헌

1. Ajani JA, D'Amico TA, Almhanna K, Bentrem DJ, Chao J, Das P, et al. Gastric Cancer, Version 3.2016, NCCN Clinical Practice Guidelines in Oncology. Journal of the National Comprehensive Cancer Network: JNCCN 2016;14:1286-1312.
2. Aurello P, Petrucciani N, Antolino L, Giulitti D, D'Angelo F, Ramacciato G. Follow-up after curative resection for gastric cancer: Is it time to tailor it? World journal of gastroenterology 2017;23:3379-3387.
3. Bae JM, Park JW, Yang HK, Kim JP. Nutritional status of gastric cancer patients after total gastrectomy. World journal of surgery 1998;22:254-260; discussion 260-251.
4. Barchi LC, Yagi OK, Jacob CE, Mucerino DR, Ribeiro U, Jr., Marrelli D, et al. Predicting recurrence after curative resection for gastric cancer: External validation of the Italian Research Group for Gastric Cancer (GIRCG) prognostic scoring system. European journal of surgical oncology : the journal of the European Society of Surgical Oncology and the British Association of Surgical Oncology 2016;42:123-131.
5. Bennett JJ, Gonen M, D'Angelica M, Jaques DP, Brennan MF, Coit DG. Is detection of asymptomatic recurrence after curative resection associated with improved survival in patients with gastric cancer? Journal of the American College of Surgeons 2005;201:503-510.
6. Bernstein CN, Leslie WD. The pathophysiology of bone disease in gastrointestinal disease. European journal of gastroenterology & hepatology 2003;15:857-864.
7. Bohner H, Zimmer T, Hopfenmuller W, Berger G, Buhr HJ. Detection and prognosis of recurrent gastric cancer--is routine follow-up after gastrectomy worthwhile? Hepato-gastroenterology 2000;47:1489-1494.
8. Cardoso R, Coburn NG, Seevaratnam R, Mahar A, Helyer L, Law C, et al. A systematic review of patient surveillance after curative gastrectomy for gastric cancer: a brief review. Gastric cancer : official journal of the International Gastric Cancer Association and the Japanese Gastric Cancer Association 2012;15 Suppl 1:S164-167.
9. Choi IJ, Kook MC, Kim YI, Cho SJ, Lee JY, Kim CG, et al. Helicobacter pylori Therapy for the Prevention of Metachronous Gastric Cancer. The New England journal of medicine 2018;378:1085-1095.
10. Choi IJ. [Helicobacter pylori Eradication Therapy and Gastric Cancer Prevention]. The Korean journal of gastroenterology = Taehan Sohwagi Hakhoe chi 2018;72:245-251.
11. Choi JM, Kim SG, Choi J, Park JY, Oh S, Yang HJ, et al. Effects of Helicobacter pylori eradication for metachronous gastric cancer prevention: a randomized controlled trial. Gastrointestinal endoscopy 2018;88:475-485.e472.
12. Choi SR, Jang JS, Lee JH, Roh MH, Kim MC, Lee WS, et al. Role of serum tumor markers in monitoring for recurrence of gastric cancer following radical gastrectomy. Digestive diseases and sciences 2006;51:2081-2086.
13. Cristallo M, Braga M, Agape D, Primignani M, Zuliani W, Vecchi M, et al. Nutritional status, function of the small intestine and jejunal morphology after total gastrectomy for carcinoma of the stomach. Surgery, gynecology & obstetrics 1986;163:225-230.
14. Eagon JC, Miedema BW, Kelly KA. Postgastrectomy syndromes. The Surgical clinics of North America 1992;72:445-465.
15. Eom BW, Yoon H, Ryu KW, Lee JH, Cho SJ, Lee JY, et al. Predictors of timing and patterns of recurrence after curative resection for gastric cancer. Digestive surgery 2010;27:481-486.
16. Fujita T, Gotohda N, Takahashi S, Nakagohri T, Konishi M, Kinoshita T. Relationship between the histolog-

ical type of initial lesions and the risk for the development of remnant gastric cancers after gastrectomy for synchronous multiple gastric cancers. World journal of surgery 2010;34:296-302.
17. Fukase K, Kato M, Kikuchi S, Inoue K, Uemura N, Okamoto S, et al. Effect of eradication of Helicobacter pylori on incidence of metachronous gastric carcinoma after endoscopic resection of early gastric cancer: an open-label, randomised controlled trial. Lancet (London, England) 2008;372:392-397.
18. Gunderson LL, Sosin H. Adenocarcinoma of the stomach: Areas of failure in a re-operation series (second or symptomatic look) clinicopathologic correlation and implications for adjuvant therapy. International Journal of Radiation Oncology • Biology • Physics 1982;8:1-11.
19. Han SL, Hua YW, Wang CH, Ji SQ, Zhuang J. Metastatic pattern of lymph node and surgery for gastric stump cancer. Journal of surgical oncology 2003;82:241-246.
20. Hosokawa O, Kaizaki Y, Watanabe K, Hattori M, Douden K, Hayashi H, et al. Endoscopic surveillance for gastric remnant cancer after early cancer surgery. Endoscopy 2002;34:469-473.
21. Jadvar H, Tatlidil R, Garcia AA, Conti PS. Evaluation of recurrent gastric malignancy with [F-18]-FDG positron emission tomography. Clinical radiology 2003;58:215-221.
22. Japanese Gastric Cancer A. Japanese gastric cancer treatment guidelines 2014 (ver. 4). Gastric cancer : official journal of the International Gastric Cancer Association and the Japanese Gastric Cancer Association 2017;20:1-19.
23. Kato M, Nishida T, Yamamoto K, Hayashi S, Kitamura S, Yabuta T, et al. Scheduled endoscopic surveillance controls secondary cancer after curative endoscopic resection for early gastric cancer: a multicentre retrospective cohort study by Osaka University ESD study group. Gut 2013;62:1425-1432.
24. Kikuchi S, Sato M, Katada N, Sakuramoto S, Shimao H, Kakita A, et al. Efficacy of endoscopic surveillance of the upper gastrointestinal tract following distal gastrectomy for early gastric cancer. Hepato-gastroenterology 2003;50:1704-1707.
25. Kim HI, Hyung WJ, Song KJ, Choi SH, Kim CB, Noh SH. Oral vitamin B12 replacement: an effective treatment for vitamin B12 deficiency after total gastrectomy in gastric cancer patients. Annals of surgical oncology 2011;18:3711-3717.
26. Kim JH, Jang YJ, Park SS, Park SH, Mok YJ. Benefit of post-operative surveillance for recurrence after curative resection for gastric cancer. Journal of gastrointestinal surgery : official journal of the Society for Surgery of the Alimentary Tract 2010;14:969-976.
27. Kim KA, Park CM, Park SW, Cha SH, Seol HY, Cha IH, et al. CT findings in the abdomen and pelvis after gastric carcinoma resection. AJR American journal of roentgenology 2002;179:1037-1041.
28. Kim KW, Choi BI, Han JK, Kim TK, Kim AY, Lee HJ, et al. Postoperative anatomic and pathologic findings at CT following gastrectomy. Radiographics : a review publication of the Radiological Society of North America, Inc 2002;22:323-336.
29. Kim SG, Jung HK, Lee HL, Jang JY, Lee H, Kim CG, et al. Guidelines for the diagnosis and treatment of Helicobacter pylori infection in Korea, 2013 revised edition. Journal of gastroenterology and hepatology 2014;29:1371-1386.
30. Kinkel K, Lu Y, Both M, Warren RS, Thoeni RF. Detection of hepatic metastases from cancers of the gastrointestinal tract by using noninvasive imaging methods (US, CT, MR imaging, PET): a meta-analysis. Radiology 2002;224:748-756.
31. Kodera Y, Ito S, Yamamura Y, Mochizuki Y, Fujiwara M, Hibi K, et al. Follow-up surveillance for recurrence after curative gastric cancer surgery lacks survival benefit. Annals of surgical oncology 2003;10:898-902.
32. Kong S-H, Yang H-K. Postoperative Follow-

up of Early Gastric Cancer. J Korean Med Assoc 2010;53:324-330.

33. Lai IR, Lee WJ, Huang MT, Lin HH. Comparison of serum CA72-4, CEA, TPA, CA19-9 and CA125 levels in gastric cancer patients and correlation with recurrence. Hepato-gastroenterology 2002;49:1157-1160.
34. Lee HJ, Kim YH, Kim WH, Lee KU, Choe KJ, Kim JP, et al. Clinicopathological analysis for recurrence of early gastric cancer. Japanese journal of clinical oncology 2003;33:209-214.
35. Lee JH, Lim JK, Kim MG, Kwon SJ. The influence of post-operative surveillance on the prognosis after curative surgery for gastric cancer. Hepato-gastroenterology 2014;61:2123-2132.
36. Liu D, Lu M, Li J, Yang Z, Feng Q, Zhou M, et al. The patterns and timing of recurrence after curative resection for gastric cancer in China. World journal of surgical oncology 2016;14:305.
37. Marrelli D, De Stefano A, de Manzoni G, Morgagni P, Di Leo A, Roviello F. Prediction of recurrence after radical surgery for gastric cancer: a scoring system obtained from a prospective multicenter study. Annals of surgery 2005;241:247-255.
38. Montori G, Coccolini F, Ceresoli M, Catena F, Colaianni N, Poletti E, et al. The treatment of peritoneal carcinomatosis in advanced gastric cancer: state of the art. International journal of surgical oncology 2014;2014:912418.
39. Nakagawa M, Kojima K, Inokuchi M, Kato K, Sugita H, Kawano T, et al. Patterns, timing and risk factors of recurrence of gastric cancer after laparoscopic gastrectomy: reliable results following long-term follow-up. European journal of surgical oncology : the journal of the European Society of Surgical Oncology and the British Association of Surgical Oncology 2014;40:1376-1382.
40. Oba K, Paoletti X, Bang YJ, Bleiberg H, Burzykowski T, Fuse N, et al. Role of chemotherapy for advanced/recurrent gastric cancer: an individual-patient-data meta-analysis. European journal of cancer (Oxford, England : 1990) 2013;49:1565-1577.
41. Ohashi M, Katai H, Fukagawa T, Gotoda T, Sano T, Sasako M. Cancer of the gastric stump following distal gastrectomy for cancer. The British journal of surgery 2007;94:92-95.
42. Omidvari AH, Meester RG, Lansdorp-Vogelaar I. Cost effectiveness of surveillance for GI cancers. Best practice & research Clinical gastroenterology 2016;30:879-891.
43. Ozkan E, Araz M, Soydal C, Kucuk ON. The role of 18F-FDG-PET/CT in the preoperative staging and posttherapy follow up of gastric cancer: comparison with spiral CT. World journal of surgical oncology 2011;9:75.
44. Park CH, Park JC, Chung H, Shin SK, Lee SK, Cheong JH, et al. Impact of the Surveillance Interval on the Survival of Patients Who Undergo Curative Surgery for Gastric Cancer. Annals of surgical oncology 2016;23:539-545.
45. Qiu MZ, Lin JZ, Wang ZQ, Wang FH, Pan ZZ, Luo HY, et al. Cutoff value of carcinoembryonic antigen and carbohydrate antigen 19-9 elevation levels for monitoring recurrence in patients with resectable gastric adenocarcinoma. The International journal of biological markers 2009;24:258-264.
46. Salem A, Hashem S, Mula-Hussain LY, Mohammed I, Nour A, Shelpai W, et al. Management strategies for locoregional recurrence in early-stage gastric cancer: retrospective analysis and comprehensive literature review. Journal of gastrointestinal cancer 2012;43:77-82.
47. Sano T, Sasako M, Kinoshita T, Maruyama K. Recurrence of early gastric cancer. Follow-up of 1475 patients and review of the Japanese literature. Cancer 1993;72:3174-3178.
48. Schwarz RE, Zagala-Nevarez K. Recurrence patterns after radical gastrectomy for gastric cancer: prognostic factors and implications for postoperative adjuvant

therapy. Annals of surgical oncology 2002;9:394-400.

49. Seo GH, Kang HY, Choe EK. Osteoporosis and fracture after gastrectomy for stomach cancer: A nationwide claims study. Medicine 2018;97:e0532.

50. Smyth EC, Verheij M, Allum W, Cunningham D, Cervantes A, Arnold D. Gastric cancer: ESMO Clinical Practice Guidelines for diagnosis, treatment and follow-up. Annals of oncology : official journal of the European Society for Medical Oncology 2016;27:v38-v49.

51. Song J, Lee HJ, Cho GS, Han SU, Kim MC, Ryu SW, et al. Recurrence following laparoscopy-assisted gastrectomy for gastric cancer: a multicenter retrospective analysis of 1,417 patients. Annals of surgical oncology 2010;17:1777-1786.

52. Sun L, Su XH, Guan YS, Pan WM, Luo ZM, Wei JH, et al. Clinical role of 18F-fluorodeoxyglucose positron emission tomography/computed tomography in postoperative follow up of gastric cancer: initial results. World journal of gastroenterology 2008;14:4627-4632.

53. Takachi K, Doki Y, Ishikawa O, Miyashiro I, Sasaki Y, Ohigashi H, et al. Postoperative ghrelin levels and delayed recovery from body weight loss after distal or total gastrectomy. The Journal of surgical research 2006;130:1-7.

54. Takahashi Y, Takeuchi T, Sakamoto J, Touge T, Mai M, Ohkura H, et al. The usefulness of CEA and/or CA19-9 in monitoring for recurrence in gastric cancer patients: a prospective clinical study. Gastric cancer : official journal of the International Gastric Cancer Association and the Japanese Gastric Cancer Association 2003;6:142-145.

55. Tan IT, So BY. Value of intensive follow-up of patients after curative surgery for gastric carcinoma. Journal of surgical oncology 2007;96:503-506.

56. Tanabe K, Takahashi M, Urushihara T, Nakamura Y, Yamada M, Lee SW, et al. Predictive factors for body weight loss and its impact on quality of life following gastrectomy. World journal of gastroenterology 2017;23:4823-4830.

57. Tovey FI, Hall ML, Ell PJ, Hobsley M. Postgastrectomy osteoporosis. The British journal of surgery 1991;78:1335-1337.

58. Wei J, Wu ND, Liu BR. Regional but fatal: Intraperitoneal metastasis in gastric cancer. World journal of gastroenterology 2016;22:7478-7485.

59. Whiting J, Sano T, Saka M, Fukagawa T, Katai H, Sasako M. Follow-up of gastric cancer: a review. Gastric cancer : official journal of the International Gastric Cancer Association and the Japanese Gastric Cancer Association 2006;9:74-81.

60. Yoo CH, Noh SH, Shin DW, Choi SH, Min JS. Recurrence following curative resection for gastric carcinoma. The British journal of surgery 2000;87:236-242.

61. Yu W, Seo BY, Chung HY. Postoperative body-weight loss and survival after curative resection for gastric cancer. The British journal of surgery 2002;89:467-470.

CHAPTER 42

재발 위암의 치료

위암의 표준수술법과 보조항암치료의 발전에도 불구하고 근치적 위절제술 후 재발은 위암 사망의 주요 원인이며 보고에 따라 40~80%로 다양하다. 국내 연구에 따르면 수술 후 재발까지의 중간값은 21.8개월이며 약 72%에서 수술 후 2년 이내에 발생한다고 보고하였다. 발생 빈도는 복막 파종, 혈행성 및 국소재발의 순이며 혈행성 재발 중에서는 간이 가장 흔한 장기이며 국소재발 중에서는 문합 부위 혹은 잔위가 가장 흔한 재발 부위이다. 일부의 국소재발의 경우에는 근치적 절제술을 시도할 수 있으나 복막이나 혈행성 재발의 경우 대부분 고식적 항암치료를 시행하게 된다.

국내단일기관에서 시행한 근치적 위암 수술 후 재발한 총 508명에 관한 연구를 살펴보면, 재발 후 평균 생존기간은 8.7개월이며, 재발 부위에 따른 평균 생존기간은 복막파종에서 6.4개월로 가장 짧았으며, 혈행성 재발 9.4개월, 국소재발 11.0개월 순이었다. 현재까지 모든 재발 위암의 표준치료는 고식적 항암치료이며 적극적 지지요법(best supportive care)에 비해 생존기간의 연장을 기대할 수 있다.

1. 국소재발에 대한 치료

위암이 국소부위에만 재발한 경우에는 수술로 재발 병소를 절제하여 근치적 치료를 할 수 있으나, 병소에 대한 국소 절제가 힘들고 근치적 절제가 가능한 경우는 매우 드물다. 유 등의 연구에 의하면 근치적 절제술 후 단독으로 국소재발한 98명의 환자 중 근치적 절제가 가능한 환자는 19명(19.4%)에 불과하였으며 이 중 5명(26.3%)에서 무병 생존이 가능하였다. 빈도가 낮기는 하나 위 주위의 림프절이나 하부절제술 후 발생한 문합부위 재발의 경우 근치적 절제술의 가능성이 있기 때문에 적절한 수술로 장기 생존을 기대할 수 있다. 현재까지 위암의 치료에 있어서 방사선치료의 효과는 명확하지 않으나 절제가 불가능한 국소재발에 대해서 항암치료와 동시에 방사선치료를 시행한 22명의 환자에 대한 후향적 연구에서 중간 생존기간은 35개월로 우수한 결과를 발표하였다. 그리고 XELOX 요법과 동시에 방사선치료를 추가한 군에서 XELOX 단독요법보다 반응률(87.8% vs. 63.0%, p=0.01)이 높았으며 통증, 출혈, 폐색과 같은 증상 개선에 도움이 되었다(85% vs. 55.9%, p=0.006).

그러므로, 근치적 절제 후 국소재발 환자에서 가능하다면 재발부위의 근치적 절제를 시행하고 근치적 절제술이 불가능한 경우는 환자의 상태에 따라 항암치료 및 방사선치료를 추가하면 생존율 및 증상의 개선에 도움이 될 수 있다.

2. 간전이 위암의 치료

간전이가 동반된 위암에서 간전이 병소의 특징은 대부분이 다발성이고 성장속도가 빠르기 때문에 예후가 불량하다. 위암으로 인한 간전이의 약 35%에서 복막전이가 동반되고 90% 이상의 환자에서 제2군 이상의 림프절 전이가 동반되기 때문에 그동안 간전이 병소의 절제에 대해서는 회의적인 의견이 많았다. 대장암에서는 단독 병소이거나 해부학적으로 절제가 가능할 경우 간절제술을 동반하여 근치적 절제술 후 장기 생존에 도움이 되어 권장되고 있는 반면에 위암의 간전이의 경우 단일 병소라 하더라도 수술적 절제술이 권장되지 않고 항암치료와 같은 고식적 치료가 추천된다. 그러나 간전이의 수술적 치료에 대한 전향적 연구결과는 부재하지만 최근의 후향적 연구들에서 간절제술의 긍정적인 결과가 발표되면서 간절제술에 대해 관심이 커지고 있다. Oki 등이 발표한 다기관 코호트 연구를 살펴보면, 2013년도부터 2014년까지 총 94명의 환자(동시성: 37명, 이시성: 57명)에서 간절제술이 시행되었으며 3년, 5년 생존율을 각각 51.4%, 42.3%로 발표하였다. 이 등이 보고한 국내단일기관의 연구에 의하면 2000년도부터 2014년까지 고주파소작술(radiofrequency ablation, RFA)과 간절제술을 각각 11예, 7예 시행하였으며 두 치료방법 간의 생존율의 차이는 없어(51.1개월 vs. 67.5개월, p=0.671) 고령의 환자나 다발성 전이를 보이는 경우 RFA를 시행할 수 있다고 하였다.

위암에서 단독 간전이는 상당히 드물어 임상연구가 많지는 않은 실정이다. 하지만 현재까지의 연구결과를 종합해 보면 환자의 상태에 따라 간절제술이나 RFA 등의 적극적인 치료로 생존율 증가를 기대해볼 수 있을 것으로 생각된다.

3. 복막전이 및 복막재발위암의 치료

위암의 복막전이는 절제 불가능한 환자의 30%와 근치적 절제술 후 재발한 환자의 약 60%에서 발생한다. 복막파종은 재발의 가장 흔한 양상이며 예후 또한 평균 생존기간이 6.4개월로 다른 부위의 재발에 비해 가장 좋지 못하다. 특히 다량의 암성 복수, 위장관 및 담도계의 폐색을 일으켜 삶의 질을 악화시킨다. 복막파종에 대한 치료로 전신항암치료, 복강내 항암치료, 종양감축술(cytoreductive surgery, CRS) 및 복강내온열화학요법(hyperthermic intraperitoneal chemotherapy, HIPEC) 등이 시도되고 있지만 효과적인 치료법에 대한 동의는 없는 상황이다. 현재까지 복막전이 및 복막재발의 치료는 대부분 고식적 항암치료이며 생존기간 연장을 기대할 수 있다. 하지만 항암치료를 시행하더라도 중간 생존값은 10개월 이내로 만족스럽지 못하다. 그러므로 복막전이에 대한 새로운 치료법이 요구되고 있다. 1990년대 Sugarbaker에 의해 고안된 종양감축술, 복막제거술 및 복강내온열화학요법이 국내와 일본에서도 위암의 복막전이에서도 시도되었으나 높은 합병증과 사망률로 널리 시행되지 못하였다. 하지만 최근 발표된 국내 단일기관 연구에서 총 38명의 환자 중 21명(55.2%)에서 완전절제(complete cytoreduction)가 가능하였으며 완전절제가 가능했던 환자에서 중간 생존기간이 26개월로 보고하였다. 그리고 복막파종지표(peritoneal cancer index, PCI) 등급이 낮을 경우와 완전절제를 시행한 경우 장기생존율을 기대할 수 있다고 하였다. 그러나, 높은 합병증률(42%)과 사망률(5.7%)은 여전히 문제점으로 생각된다. 일본에서는 Ishigami 등이 파클리탁셀(paclitaxel)을 이용한 복강내 항암요법(intraperitoneal chemotherapy, IP CTx)에 관한 연구를 진행하였다. 총 35명의 환자에서 정맥내 파클리탁셀 및 S-1의 항암요법에 복강내 파클리탁셀을 추가하여 1년 생존율 77.1%, 반응률 71%, 68%에서 복수가 사라지거나 감소하였다고 보고하였다. 최근에는 pressurized intraperitoneal chemotherapy (PIPEC)을 이용하여 항암제의 분포를 일정하게 유지하고 암세포로의 침투 깊이를 증가시키는 방법이 고안되고 있다.

위암의 복막전이를 치료하기 위해서는 통합적인 치료방법이 필요하다. 기존의 항암치료와 더불어 복강내 항암치료를 통해 종양을 최대한 축소하며 선별된 환자에서 가능하다면 전이병변에 대한 수술을 통해서 장기 생존을 기대할 수 있다.

4. 크루켄버그종양

크루켄버그종양(Krukenburg tumor)은 난소의 증식성 간질조직 내에 점액을 함유한 반지세포의 침윤이 명확한 전이성 난소암이다. 원발병소는 주로 위암(78%)이며 대장암(11%), 유방암(4%), 담도암(3%)에서도 발생한다. 전이 경로에 대해서는 림프성 및 혈행성 또는 복막전이 등 원인에 대한 논란이 있으며 평균 40~45세의 젊은 여성에서 주로 발생하며 35~40%에서는 40세 이하 여성에게서 발생한다. 위암의 크루켄버그종양의 예후가 다른 원발병소에 비해 가장 좋지 못하여 중간 생존기간은 13~19.2개월 정도로 보고되고 있다. 육 등에 의한 위암의 난소전이 환자 37명에 관한 연구에서 중간 생존기간은 17개월이며 생존에 영향을 미치는 유일한 인자는 동반된 복막파종의 유무였다(p=0.013). 크루켄버그종양은 전이성 병변으로 간주되며 근치적 절제술은 불가능하다. 종양으로 인한 증상(복부통증, 골반통, 복수, 배변곤란)이나 호르몬 변화에 의한 증상의 완화 목적으로 양측 난소절제술을 시행할 수 있으며, 크루켄버그종양은 항암제 효과가 도달하지 못하기 때문에(metastatic sanctuaries) 항암치료의 반응률을 높이기 위해 최근에는 항암치료 전에 절제를 시도하고 있다. 국내에서 위암의 난소전이 환자 216명을 대상으로 한 후향적 연구에서 난소절제술(metastasectomy) 후 항암치료를 시행한 군이 항암치료만을 시행한 군에 비해서 생존기간이 유의하게 증가하였다[동시성(18.0개월 vs. 8.0개월, $p<0.001$), 이시성(19.0개월 vs. 9.0개월, $p=0.002$)]. 그리고 생존에 영향을 미치는 요인으로는 난소절제술[hazard ratio (HR), 0.458; 95% confidence interval (CI), 0.287 to 0.732; p=0.001], 인환세포(HR, 1.583; 95% CI, 1.057 to 2.371; p=0.026), 복막파종(HR, 3.081; 95% CI, 1.610 to 5.895; p=0.001)이었다.

위암의 크루켄버그종양은 다른 원발병소에 비해 예후가 좋지 못하며 복수를 비롯한 여러 증상으로 환자의 삶의 질에 악영향을 미친다. 그러므로 난소 전이병변 절제를 통한 증상의 개선과 동시에 고식적 항암제의 반응을 증가시켜 생존기간의 연장을 시도해야 한다.

5. 재발 위암에 대한 고식적 수술

위암 환자가 수술을 받은 후 암이 재발하면 근치적 수술이 불가능한 경우가 대부분이다. 수술로 근치 또는 완치를 기대할 수 없거나 불가능한 경우에는 환자의 삶의 질을 높이기 위해 수술을 할 수 있다. 원격전이가 있는 위암 환자에서 폐색이나 출혈이 나타날 때 이를 제거하거나 경감할 목적으로 수술한다. 최근에는 방사선을 통한 중재적 시술이나 내시경을 통해서 환자의 증상을 완화할 수 있다.

참고문헌

1. 정호영, 유완식. 위암의 근치적 절제수술 후의 재발 양상. 대한외과학회지 2000;59:765-770.
2. Agnes A, Biondi A, Ricci R et al. Krukenberg tumors: seed, route and soil. Surg Oncol 2017;26:438-445.
3. Cho JH, Lim JY, Choi AR et al. Comparison of surgery plus chemotherapy and palliative chemotherapy alone for advanced gastric cancer with Krukenberg tumor. Cancer Res Treat 2015;47:697-705.
4. Girshally R, Demtröder C, Albayrak N et al. Pressurized intraperitoneal aerosol chemotherapy (PIPAC) as a neoadjuvant therapy before cytoreductive surgery and hyperthermic intraperitoneal chemotherapy. World J Surg Oncol 2016;14:253.
5. Ishido K, Higuchi K, Tanabe S et al. Chemoradiotherapy for patients with recurrent lymph-node metastasis or local recurrence of gastric cancer after curative gastrectomy. Jpn J Radiol 2016;34:35-42.
6. Kim DW, Park DG, Song SH et al. Cytoreductive surgery and hyperthermic intraperitoneal chemotherapy as treatment options for peritoneal metastasis of advanced gastric cancer. J Gastric Cancer 2108;18:296-304.
7. Kodera Y, Fujitani K, Fukushima N et al. Surgical resection of hepatic metastasis from gastric cancer: a review and new recommendation in the Japanese gastric cancer treatment guidelines. Gastric cancer. 2014;17:206-212.
8. Lee JW, Choi MH, Lee YJ et al. Radiofrequency ablation for liver metastases in patients with gastric cancer as an alternative to hepatic resection. BMC cancer 2017;17:185.
9. Nashimoto A, Sasaki J, Sano M, et al. Clinicopathological study for gastric cancer with liver metastasis. 2nd international Gastric Cancer Congress 1997:1727-1731.
10. Oki E, Tokunaga S, Emi Y et al. Surgical treatment of liver metastasis of gastric cancer: a retrospective multicenter cohort study (KSCC1302). Gastric cancer. 2016;19:968-976.
11. Roh HR, Suh KS, Lee HJ et al. Outcome of hepatic resection for metastatic gastric cancer. Am surg 2005;71:95-99.
12. Yamaguchi H, Kitayama, Ishigami H et al. A phase 2 trial of intravenous and intraperitoneal paclitaxel combined with S-1 for treatment of gastric cancer with macroscopic peritoneal metastasis. Cancer 2013;119:3354-3358.
13. Yoo CH, Noh SH, Shin DW et al. Recurrence following curative resection for gastric carcinoma. Br J Surg. 2000;87:236-242.
14. Yook JH, Oh ST, Kim BS. Clinical prognostic factors for ovarian metastasis in women with gastric cancer. Hepatogastroenterology 2007;54:955-959.
15. Yuan ST, Wang FL, Liu N et al. Concurrent involved-field radiotherapy and XELOX Versus XELOX chemotherapy alone in gastric cancer patients with postoperative locoregional recurrence. Am J Clin Oncol 2015;38:130-134.

CHAPTER 43

말기 위암 환자 관리

질환말기(end stage of life) 환자에서의 말기 돌봄과 임종 돌봄까지 포함한 '호스피스'는 1960년대 영국에서 말기암 환자들이 고통 속에서 임종하고 있음에도 사회가 이를 방치하고 있다는 문제 의식에서 호스피스 운동으로 시작되었다. 그 뒤 비교적 빠른 속도로 세계로 확산되었고 WHO가 2002년에 호스피스 철학을 완화의료(palliative care)로 정의하며 제도화의 계기가 되었다. 2014년엔 말기 환자뿐만 아니라 만성질환자까지, 말기 시기만이 아니라 치명적 질환 진단 이후 언제든지 환자와 가족의 고통을 돌봐주어야 하는 것으로 서비스 제공 시기와 대상자가 확대되었다.

WHO는 완화의료를 생명을 위협하는 질환으로 인한 통증과 여러 가지 신체적, 심리사회적, 영적인 문제를 조기에 알아내고, 적절한 평가와 치료를 통해 그로 인한 고통을 예방하고 경감시켜 환자 및 가족의 질을 향상시키는 접근으로 정의하고 있다. 핵심 제공 서비스는 적극적 증상조절, 환자의 가치관과 선호도에 기반한 돌봄계획 수립, 지속적인 의사소통, 정신사회적 및 영적 지지 제공 등이다. 우리나라는 「호스피스 · 완화의료 및 임종과정에 있는 환자의 연명의료 결정에 관한 법률」(이하 「연명의료결정법」, 법률 제14013호, 공포 2016.2.3. 시행 2017.8.4.)에서 말기암, 만성폐쇄성폐질환, 만성간경화, 후천성면역결핍증을 호스피스 · 완화의료 대상질환으로 정하고 있다. 호스피스는 전문완화의료의 형태로 질환말기 환자를 대상으로 다학제 팀접근으로 질 높은 전인적 돌봄을 제공하는 것이다. 최근에는 의료와 복지의 통합적 돌봄을 '생애말기돌봄(end of life care)'으로 개념화하고 있다(그림 43-1, 2). 호스피스 · 완화의료는 연명의료 결정의 대안이나 반대적 개념이 아니며 호스피스 · 완화의료를 선택하지 않은 모든 임종과정 환자에게도 완화의료적 접근, 즉 호스피스 철학을 가진 질 높은 '임종 돌봄'을 제공해야 한다. 위암은 세계적으로 다섯 번째로 많이 발생하는 암이며, 사망률로는 전체 암 중 두 번째에 해당하는 암이다. 국내 8개 대학병원에 내원한 진행성 암 환자 중 22.2%로 가장 많은 환자가 위암 환자로, 진행성 암 중 위암이 차지하는 비중이 높다는 것을 알 수 있다. 전이가 동반된 진행성 위암의 생존율은 매우 낮은 것으로 알려져 있는데, 일본의 경우 4기 위암의 5년 생존율은 15.2%에 불과하였다. 또한 위암은 진단될 당시 이미 전이가 동반된 상태로 진단되는 경우가 많아 말기 위암을 포함한 진행성 위암에 대한 관리가 필요하다. 그러므로 치료와 병행하여 그리고 질병의 진행에 따른 돌봄 요구를 충족시킬 수 있는 호스피스 · 완화의료가 점점 중요해지고 있다.

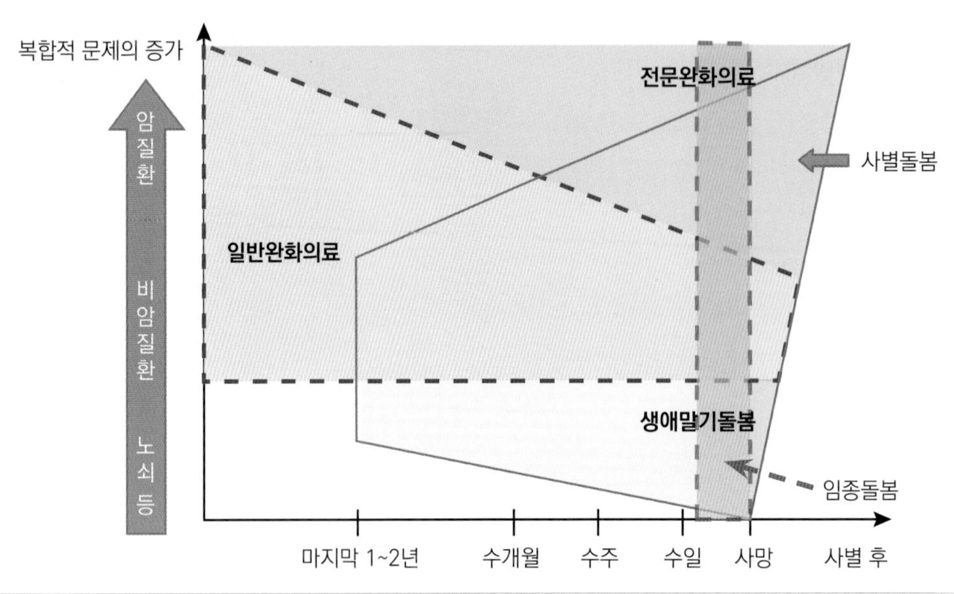

그림 43-1 **완화의료와 생애말기돌봄.**

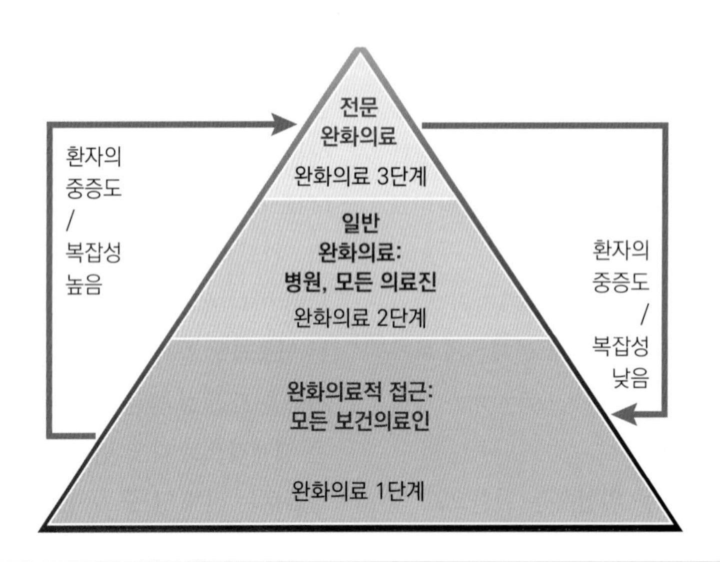

그림 43-2 **완화의료제공단계(level of palliative care).**

1. 호스피스 · 완화의료의 종류

말기암을 포함한 진행성 암 환자와 가족은 암에 대한 치료를 시행하는 단계에서부터 임종과정의 단계까지 여러 단계에서 다양한 돌봄에 대한 요구를 가지며, 호스피스 · 완화의료는 이러한 모든 단계에서 이루어져야 한다. 다양한 요구에 따라 다양한 유형의 서비스가 필요한데 입원형, 가정형, 자문형 호스피스의 형태로 이루어지고 있다. 각 호스피스 유형은 말기 환자와 가족의 필요를 중심으로 질병 경과에 따라 유기적으로 연계되어 호스피스 · 완화의료 서비스를 제공한다.

1) 입원형 호스피스

보건복지부에서 지정하는 의료기관에서 말기암 진단을 받은 환자를 대상으로 호스피스 독립병동을 운영한다. 입원형 호스피스에서 제공하는 서비스로는 포괄적인 초기 평가 및 돌봄계획 수립과 상담, 통증 및 신체 증상 완화, 환자 및 가족의 심리적·사회적·영적 문제 상담, 24시간 전화상담 및 응급입원 서비스, 사별가족 돌봄, 임종 관리, 음악요법, 미술요법 등 프로그램, 자원 연계 및 이벤트 프로그램 운영, 호스피스·완화의료 자원봉사자의 돌봄 봉사, 환자와 가족 교육(환자를 돌보는 방법, 증상조절 등)이다. 서비스 제공절차는 그림 43-3과 같다.

2) 가정형 호스피스

호스피스·완화의료팀이 가정으로 방문하여 신체적 증상 돌봄, 심리적·사회적·영적 돌봄, 임종 돌봄을 제공하며 가족을 지지하고 교육한다. 입원이 필요한 경우 입원형 호스피스와 연계할 수 있고 수시로 전화상담을 제공한다. 환자용 침대, 산소발생기 등 환자 돌봄에 필요한 장비를 안내한다. 가정형 호스피스에서 제공하는 서비스로는 포괄적인 초기평가 및 돌봄계획 수립, 심리적·사회적·영적 지지, 환자 및 돌봄제공자 교육, 장비 대여, 연계 및 의뢰 서비스, 24시간, 주 7일 전화상담, 임종 준비 교육 및 돌봄지원, 사별가족 돌봄 서비스가 있으며 서비스 제공절차는 그림 43-4와 같다.

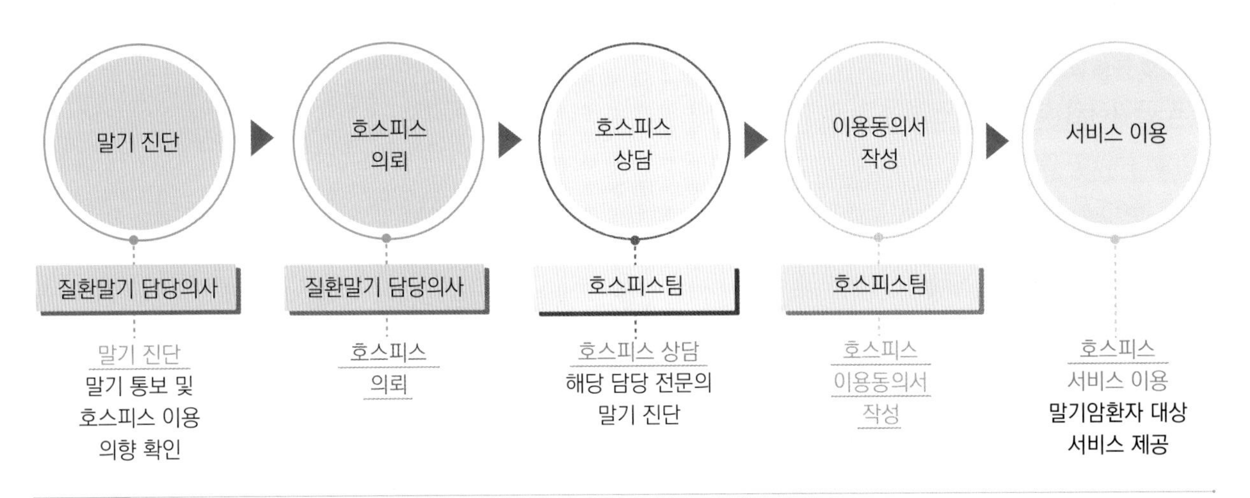

그림 43-3 입원형 호스피스 서비스 제공절차.

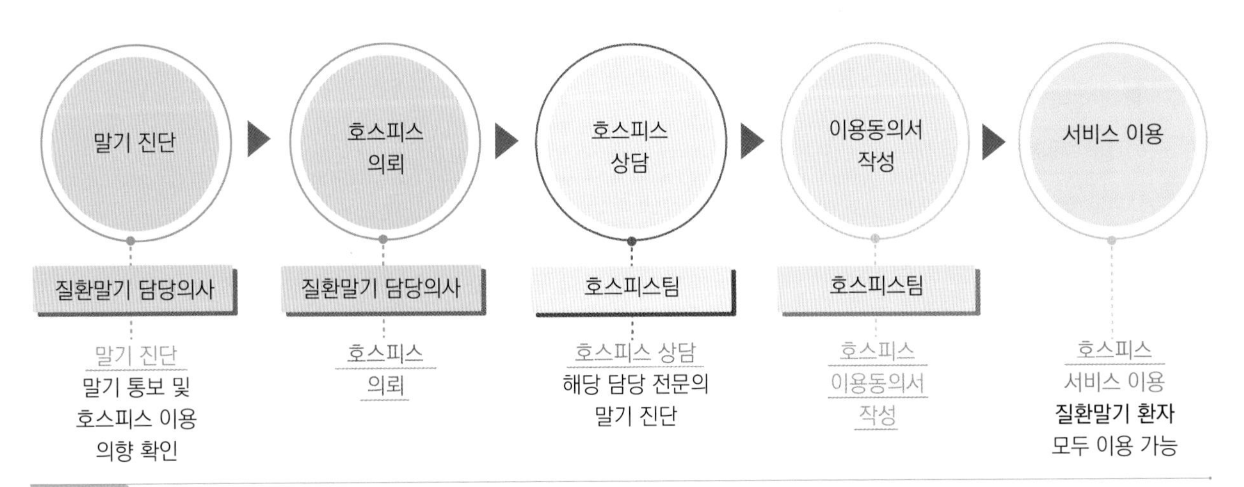

그림 43-4 가정형 호스피스 서비스 제공절차.

3) 자문형 호스피스

호스피스 · 완화의료 팀의 협의 진료를 통해 일반 병동이나 외래 진료를 통해 신체적 증상 돌봄, 심리적 · 사회적 · 영적 돌봄, 임종 돌봄에 대한 자문을 해준다. 필요시 입원형, 가정형 호스피스와 연계할 수 있다. 자문형 호스피스에서 제공하는 서비스로는 신체증상 관리 자문, 심리적 · 사회적 · 영적 지지, 사전 돌봄계획 상담 지원, 자원연계, 경제적 지원, 임종 준비 교육 및 돌봄 지원, 호스피스 입원 연계(말기암인 경우), 재가서비스 연계 등이 있고 서비스 제공절차는 다음 43-5와 같다.

3. 말기 진단과 임종과정에 대한 판단기준

「연명의료결정법」에서 말기는 '적극적 치료에도 불구하고 근원적인 회복의 가능성이 없고 점차 증상이 악화'하는 상태로, 임종과정은 '회생의 가능성이 없고 치료에도 불구하고 회복되지 아니하며 급속도로 증상이 악화되어 사망에 임박한' 상태로 정의하고 있다. 그러나 임상현장에 적용하기에는 어려움이 있어 「말기와 임종과정에 대한 정의 및 의학적 판단지침」이 대한의학회를 중심으로 의학계 전문가와 집단지성을 활용하여 마련되었으며, 말기와 임종과정에 대한 정의 및 판단기준, 그리고 임종과정에서 연명의료중단 등 결정에 대한 지침을 포함하고 있다.

말기 진단을 위해서는 담당의사와 해당 분야 전문의 1명으로부터 진단을 받아야 한다. 해외 문헌에서 말기(End of Life)는 두 가지 측면에서 논의되는데, 그중 하나는 임종 전 비가역적으로 악화되는 질환 중심의 관점이며, 또 하나는 6개월 이하 기대여명이 예상되는 시간 중심의 관점이다. 다음 항목 중 1개 이상에 해당하는 경

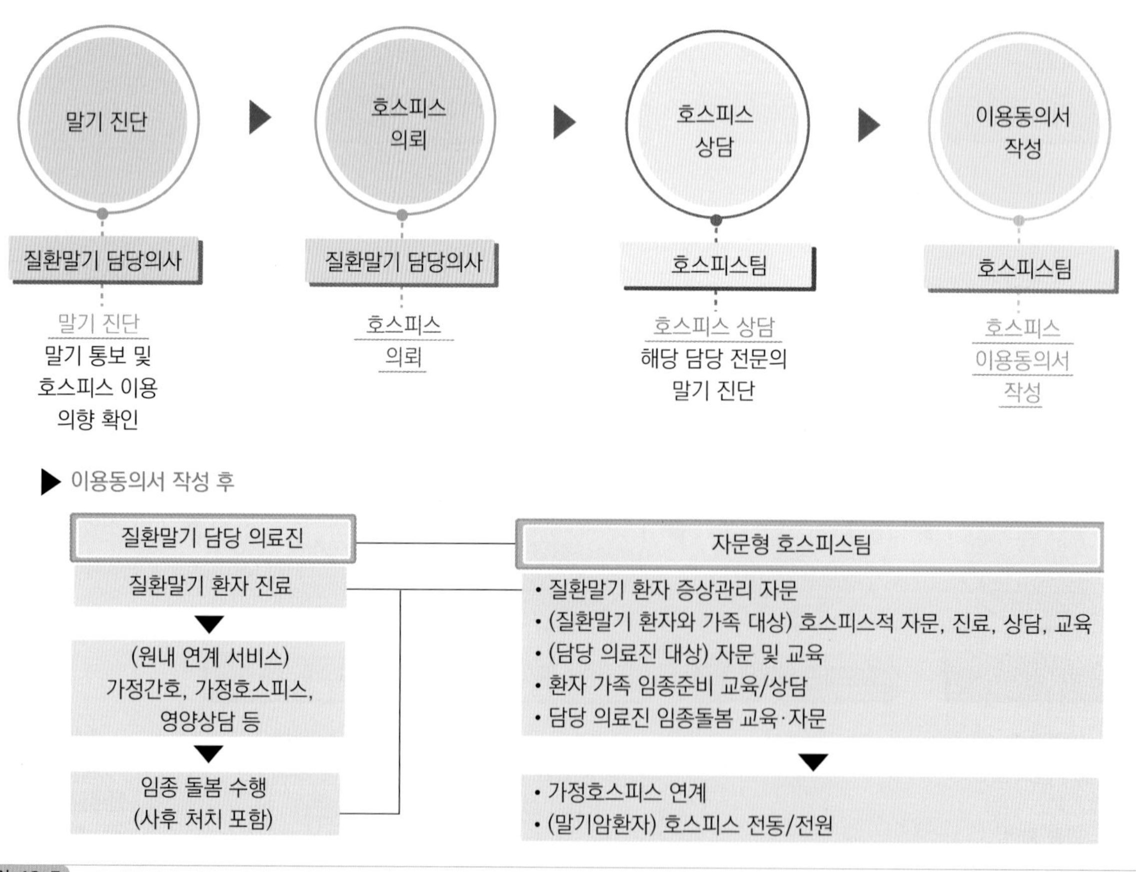

그림 43-5 자문형 호스피스 서비스 제공절차.

우 말기암으로 진단할 수 있다. ① 적극적인 암치료에도 불구하고 암으로 인하여 수개월 이내에 사망할 것이 예상되는 상태, ② 암의 진행으로 인하여 일상생활의 수행 능력이 심하게 저하되고 신체 장기의 기능이 악화되어 회복을 기대하기 어려운 상태인 경우이다. 「연명의료결정법」에 따라 말기 및 임종과정에 있는 환자의 경우 연명의료계획서 작성이 가능하므로 말기암에 대한 시기 적절한 진단이 환자의 최선의 이익을 보장하고 자기결정을 존중하여 인간으로서의 존엄과 가치를 보호하는 데 중요한 역할을 할 것으로 보인다.

연명의료를 유보 또는 중단하기 위해서는 담당의사와 해당 분야 전문의 1명으로부터 환자가 임종과정에 있다는 의학적 판단을 받아야 한다. 해외 문헌에서 임종과정에 대해 명확한 정의는 아직 부족하나 환자의 신체적 기능이 저하되면서 수일 혹은 수 시간 이내에 사망이 임박한 경우로 흔히 정의된다. 임종 과정임을 판단하기 위해 환자에게 불편을 줄 수 있는 침습적 검사보다 증상이나 징후에 의한 예측을 우선할 것이 권고된다. 완화의료병동에서 임종한 말기암 환자를 대상으로 한 국내 연구에서 의식 상태의 저하, 혈압 저하, 맥박 증가, 산소포화도 감소, 임종 전 천명(death rattle)의 발생이 48시간 이내 사망과 유의한 관계를 보였다. 임종과정 환자 돌봄에 대한 영국의 임상진료지침에서는 초조, 체인-스톡 호흡(Cheyne-Stokes breathing), 의식 수준의 악화, 피부 변화, 호흡기 분비물 증가, 지속적인 체중 감소, 피로의 증가, 식욕 소실 등을 임종과정으로 돌입하는 징후 및 증상으로 제시하였다.

4. 사전돌봄계획과 연명의료중단 등 결정

사전돌봄계획(advance care planning)은 환자의 자율성과 최선의 이익이 구현될 수 있도록 의료진과 환자 측이 향후 수행될 진료의 목표와 구체적 방식을 자율적으로 상담하는 과정을 말한다. 사전돌봄계획의 주요한 역할은 개인의 중요한 가치관을 파악하여 치료의 목표를 명확하게 하는 것으로, 사전연명의료의향서 또는 연명의료계획서 작성과 같은 향후 임종과정에서 연명의료중단에 대한 의사를 사전에 확인하고 결정하는 것 또한 사전돌봄계획의 과정에 포함된다. 연명의료의 대상이 되는 환자는 담당의사로부터 자신의 질병 상태와 치료방법에 대해 적절한 정보와 설명을 제공받고 협의를 통해 연명의료계획을 스스로 결정할 수 있으며, 이러한 과정에서 가능한 한 환자의 의사는 존중되어야 한다. 담당의사가 연명의료의 대상이 되거나 될 것으로 예상되는 환자나 환자 가족에게 연명의료의 적용 여부와 범위, 호스피스 등 사전돌봄계획의 필요성을 설명하고 논의를 시작할 것이 권장된다. 「연명의료결정법」에 따라 사전연명의료의향서와 연명의료계획서의 적용 시기는 임종과정에 국한된다. 환자가 임종과정에 있는지 여부에 대한 판단은, 담당의사가 해당분야 전문의 1명과 함께 판단하고 그 결과를 보건복지부령으로 정하는 바에 따라 기록(전자문서로 된 기록도 포함한다)하여야 한다. 그럼에도 불구하고 제25조에 따른 호스피스전문기관에서 호스피스를 이용하는 말기 환자가 임종과정에 있는지 여부에 대한 판단은 담당의사의 판단으로 가능할 수 있다(그림 43-6).

5. 위암 환자에서 호스피스 · 완화의료 제공의 필요성

2014년 5월 67회 세계보건총회에서는(WHA 67.19) 완화의료를 돌봄의 연속선상에서 치료에 통합되어야 함을 권고하였다("Strengthening of Palliative Care as a Component of Comprehensive Care Throughout the Life Course"). 완화의료 서비스는 진단의 시작부터 고려되어야 하며, 근치적 치료와 함께 제공되어야 한다는 것이다. 여명에 따른 서비스 제공에서 환자의 니즈에 따른 서비스 제공으로 패러다임의 전환이 필요한 것이

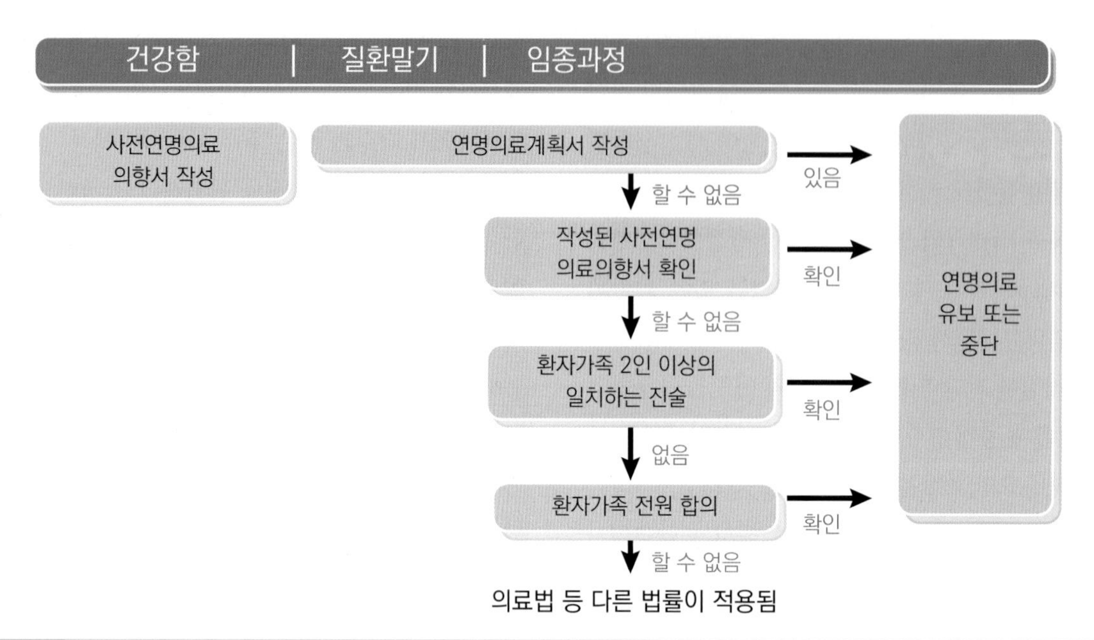

그림 43-6 **연명의료중단등결정에 대한 절차도.**

다. 완화의료는 건강 악화의 파악, 요구도의 전인적 평가, 통증을 비롯한 다른 신체적, 정신사회적, 영적 증상에 대한 조절과 환자 중심의 돌봄계획 수립을 통해 환자와 가족의 삶의 질을 향상시킬 수 있다.

특히 암에 있어 조기 완화의료의 제공이 가지는 장점은 기존의 많은 연구를 통해 잘 알려져 있다. 전이를 동반한 비소세포성폐암 환자를 대상으로 하여 종양학적 치료와 전문 완화의료를 종양학에 통합시킨 치료를 비교한 무작위 대조군 연구에서 완화의료를 제공한 군에서 삶의 질 뿐만 아니라 생존율 또한 향상된 바가 있다. 또한 최근에 이루어진 연구와 체계적 문헌고찰에서 완화의료 전문가를 포함한 체계적인 완화의료의 제공이 암 환자에 있어서 삶의 질을 향상시킨다는 결과가 보고되고 있다. 특히 위암 환자를 대상으로 한 연구에 따르면 위암 환자에 대한 호스피스 돌봄의 병행은 환자에 대한 연명의료와 적극적 치료를 줄였고, DNR (Do not resuscitate) 지시와 가정형 호스피스 활용을 늘려 위암 환자의 삶의 질을 향상시키는 것으로 나타났다.

암 환자들은 진단 당시부터 완화의료에 대한 요구를 가지는 것으로 나타나고 있다. 진행성 암 환자에 있어 신체적 약화와 사회기능 약화는 비교적 질환의 말기에 나타나는 것으로 알려져 있으나, 심리사회적 및 영적 건강은 진단 당시, 초기 치료 후의 퇴원 시점, 질환의 진행, 말기라는 네 번의 주요한 시점에 걸쳐 악화된다. 설상 치료가 불가능한 단계는 아니라 할지라도 암이 삶에 위협을 주는 단계의 모든 환자는 진단 시부터 완화의료의 대상으로 고려되어야 한다. 그들은 신체적으로는 건강을 유지할지라도 전인적 돌봄 및 돌봄계획과 같은 지원으로 혜택을 받을 수 있다. 이를 위해서는 암 자체에 대한 치료와 함께 호스피스 · 완화의료가 통합되어 제공되어야 하며, 국내에서 시행되고 있는 자문형 호스피스와 같은 제도의 활성화가 요구된다. 또한 암 진단의 초기부터 생애말기와 임종과정에서 이루어질 돌봄, 특히 연명의료에 대한 계획을 포함한 사전돌봄계획이 이루어질 필요가 있다. 위암 환자에 있어서 호스피스 · 완화의료는 진단 초기부터 생애말기, 임종과정에 걸쳐서 필요한 서비스이며, 국내에서도 이에 대한 더 큰 관심과 서비스 제공의 확대가 요구된다(그림 43-7).

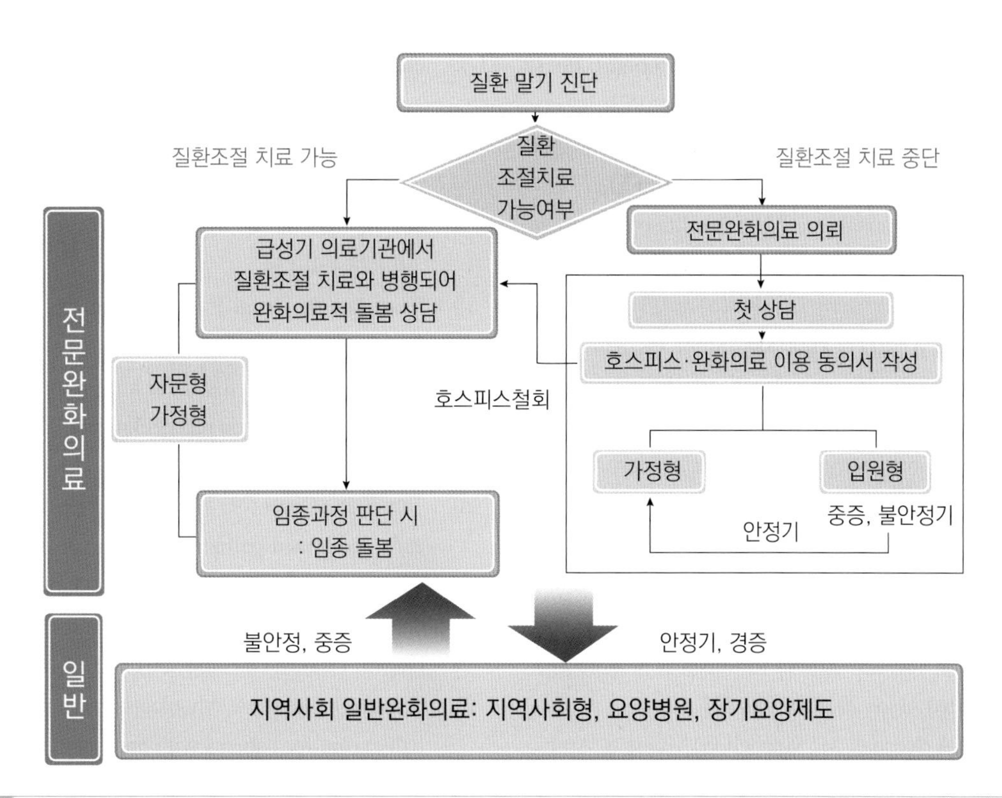

그림 43-7 **완화의료에서 통합 돌봄 모델.**

참고문헌

1. 한국호스피스·완화의료학회. 호스피스·완화의료. 1st ed. 파주: 군자출판사, 2018.
2. 보건복지부. 호스피스·완화의료 및 임종과정에 있는 환자의 연명의료결정에 관한 법률. 서울: 보건복지부, 2018.
3. 보건복지부. 2018 가정형 호스피스 시범사업 서비스 및 지원사업 안내. 서울: 보건복지부, 2018.
4. 보건복지부. 2018 자문형 호스피스 시범사업 서비스 및 지원사업 안내. 서울: 보건복지부, 2018.
5. 보건복지부. 2017 호스피스·완화의료 현황. 서울: 보건복지부, 2019.
6. Beernaert K, Pardon K, Van den Block L, et al. Palliative care needs at different phases in the illness trajectory: a survey study in patients with cancer. European journal of cancer care 2016;25:534-543.
7. Care of dying adults in the last days of life. National Clinical Guideline Center 2015.
8. Choi YS, Billings JA. Changing perspectives on palliative care. Oncology (Willingston Park) 2002;16: 515-522.
9. Dixon M, Mahar AL, Helyer LK, Vasilevska-Ristovska J, Law C, Coburn NG. Prognostic factors in metastatic gastric cancer: results of a population-based, retrospective cohort study in Ontario. Gastric cancer: official journal of the International Gastric Cancer Association and the Japanese Gastric Cancer Association 2016;19:150-159.
10. Fitzmaurice C, Dicker D, Pain A, et al. The Global Burden of Cancer 2013. JAMA oncology 2015;1:505-527.
11. Greenlee RT, Murray T, Bolden S, Wingo PA. Cancer statistics, 2000. CA: a cancer journal for clinicians 2000;50:7-33.
12. Huang KS, Wang SH, Chuah SK, et al. The effects of

hospice-shared care for gastric cancer patients. PloS one 2017;12:0171365.

13. Hui D, Nooruddin Z, Didwaniya N, et al. Concepts and definitions for "actively dying," "end of life," "terminally ill," "terminal care," and "transition of care": a systematic review. J Pain Symptom Manage 2014;47:77-89.
14. Hwang IC, Ahn HY, Park SM, Shim JY, Kim KK. Clinical changes in terminally ill cancer patients and death within 48 h: when should we refer patients to a separate room? Supportive care in cancer: official journal of the Multinational Association of Supportive Care in Cancer 2013;21:835-840.
15. Lee S-M, Kim S-J, Choi YS, et al. Consensus guidelines for the definition of the end stage of disease and last days of life and criteria for medical judgment. J Korean Med Assoc 2018;61:509-521.
16. Murray SA, Kendall M, Mitchell G, Moine S, Amblas-Novellas J, Boyd K. Palliative care from diagnosis to death. BMJ (Clinical research ed) 2017;356:878.
17. Nashimoto A, Akazawa K, Isobe Y, et al. Gastric cancer treated in 2002 in Japan: 2009 annual report of the JGCA nationwide registry. Gastric cancer: official journal of the International Gastric Cancer Association and the Japanese Gastric Cancer Association 2013;16:1-27.
18. World Health Organization. Strengthening of palliative care as a component of integrated treatment throughout the life course. J Pain Palliat Care Pharmacother 2014;28:130-134.
19. Tassinari D, Drudi F, Monterubbianesi MC, et al. Early palliative care in advanced oncologic and non-oncologic chronic diseases: a systematic review of literature. Reviews on recent clinical trials 2016;11:63-71.
20. Temel JS, Greer JA, El-Jawahri A, et al. Effects of early integrated palliative care in patients with lung and GI cancer: r randomized clinical trial. Journal of clinical oncology: official journal of the American Society of Clinical Oncology 2017;35:834-841.
21. Temel JS, Greer JA, Muzikansky A, et al. Early palliative care for patients with metastatic non-small-cell lung cancer. The New England journal of medicine 2010;363:733-742.
22. Yun YH, Heo DS, Lee IG, et al. Multicenter study of pain and its management in patients with advanced cancer in Korea. Journal of Pain and Symptom Management 2003;25:430-437.

CHAPTER 4

위암의 암생존자 관리

최근 암의 조기발견 증가, 치료 성적의 향상과 더불어 기대수명이 증가함에 따라 암 경험자의 수가 빠르게 증가하고 있다. 2018년 말 발표된 중앙암등록본부의 2016년 국가암등록통계에 따르면 1999년부터 2016년까지 암을 진단받은 사람 중 2017년 1월 1일 현재 기준으로 생존해 있는 사람으로 정의되는 암유병자 수는 170만 명을 돌파하여, 우리나라 전체 인구의 3.4%에 이르고 있다. 이는 암치료를 받고 있는 환자뿐 아니라 완치된 암환자도 포함하는 수치로 2015년을 기준으로 21만 5천 명이 새로 암 진단을 받았으나 암 사망은 7만 6천여 명에 불과하므로 암유병자의 수는 매년 14만 명 이상씩 증가할 것으로 예상된다.

특히 주목할 부분은 장기 암생존자가 증가하고 있다는 점인데, 2016년 암등록통계에 따르면 이미 전체 암유병자의 52.7%는 진단 후 5년이 초과한 장기 암생존자로 91만 명에 달하였다. 이는 암치료를 마친 많은 암생존자들이 암 전문치료기관이 아닌 지역의 병원과 일차의료기관을 찾아가게 됨을 의미한다. 암치료를 마치고 장기간 경과한 암 경험자들은 암 병력이 없는 사람들과 같은 기능 상태로 돌아가기도 하지만, 상당수의 암 경험자들은 암치료로 인한 후기 합병증에 대한 관리와 더불어 재발이나 이차암에 대한 적절한 검진, 동반된 만성질환을 관리하는 등의 지속적인 의학적 관리를 필요로 한다.

1. 암생존자 용어의 이해

암생존자(cancer survivor)라는 용어는 문헌에 따라 다양하게 사용되는데, 일반적으로는 암을 진단받은 시기와 관계없이 암을 진단받은 후 생존하고 있는 모든 사람을 의미하며, 경우에 따라서는 그 정의를 확장하여 암 환자의 가족이나 친구, 보호자를 포함하기도 한다. 의료인들은 흔히 암 진단 후 일차 치료가 종결되고 5년 이상 장기 생존한 암 경험자를 암생존자로 지칭한다.

'암생존자(cancer survivor)'라는 용어는 1985년에 Fitzhugh mullan이 처음 도입하였으며, 그는 암 여정을 급성 생존기, 확장된 생존기, 영구 생존기의 세 단계로 크게 구분하였다. 처음 암 진단 후 적극적인 치료를 받으면서 이로 인한 단기 합병증이나 사망에 대한 두려움을 겪게 되는 급성기를 지나면, 재발에 대한 두려움 속에서 정기적인 추적관찰을 하게 되는 확장기에 진입한다. 이 시기는 암치료 후의 피로감, 신체적 제한, 신체 이미지의 손상, 직업이나 가정 내에서의 역할의 변화에 따른 심리적 어려움 등이 주로 문제가 되는 시기이다.

암의 재발에 대한 위험이 줄어들고 완치의 판정을 받게 되는 영구 생존기에 접어들면 사회적으로는 새로운 정상 상태로 회귀하게 되나 암치료 후의 후기 부작용을 겪거나 여러 가지 정신사회적, 경제적 문제를 경험하기도 한다. 이러한 전환 과정을 잘 이해하는 것이 이상적인 암생존자의 관리에 있어서 매우 중요하다.

2. 국내 위암치료의 현황

2016년 암등록통계에 따르면 위암은 국내에서 가장 발생률이 높은 암으로 전체 암발생 중 13.3%를 차지하며, 남성에서는 발생률 1위(17.1%), 여성에서는 발생률 4위(9.2%)로 나타났다. 또한 일반 인구의 기대생존율에 비교한 위암의 5년 상대생존율은 1996~2000년의 46.6%에서 지난 20년간 지속적으로 향상되어 2012~2016년 간에는 75.8%에 도달하였다.

진행된 위암의 경우 여전히 예후가 나쁘지만, 한국의 경우 90년대 말부터 시행된 국가암검진사업의 성과에 힘입어 1기 위암 환자가 급증하면서 2015년 전체 위암 환자의 75% 이상을 차지하고 있으며, 이러한 1기 위암 환자의 경우 근치적 절제를 시행한 경우 5년 생존율 95%의 우수한 예후를 보인다. 위암치료 후 5년 이상 경과한 암생존자의 수는 2016년 말 기준 약 15만 명으로 갑상선암을 제외한 모든 암 중 가장 많은 수를 차지하고 있어, 위암 장기생존자에 대한 이해 및 체계적 관리가 필요한 시점이다.

3. 위암 장기생존자의 원발암에 대한 추적관찰

최근 한국과 일본의 연구결과에 따르면 위암에 대한 근치적 절제 후 재발률은 25~39%로 보고되고 있으며, 특히 조기위암 환자의 경우 5년 이내 재발률은 1.4~2.2%로 매우 낮은 것으로 밝혀져 5년 이상 장기 생존의 가능성이 높다. 통상적으로 완치가 되었다고 판단되는 초기 치료 후 5년 이상 경과한 위암 장기생존자들에 대해 얼마의 기간동안 어떻게 추적관찰을 해야 하는지에 대한 근거는 아직 마련되어 있지 않은 실정이다. 위암의 초기 치료 후 5년이 경과하면 재발의 위험률은 두드러지게 감소하는 것으로 알려져 있으나 여전히 2.8~8.8%의 환자가 5년 이후의 만기재발을 경험하게 되는 것으로 보고되었다. 이러한 만기재발의 경우 조기재발에 비하여 잔위나 문합부 등 국소재발의 빈도가 상대적으로 높아 보이기는 하지만 다수의 연구가 복막전이나 원격전이 형태가 더욱 흔하게 나타난다고 보고하고 있다.

위암이 재발한 경우 치료효과가 좋지 않아 예후가 매우 불량한 것으로 알려져 있고, 현재까지는 무증상 환자에 있어서 재발을 조기에 발견하기 위한 추적관리 프로그램이 전체 생존율 향상에 큰 도움이 되지 않는 것으로 보고되고 있다. 그러나 항암화학요법이 지속적으로 발전하고 있고 최근 급증하고 있는 조기위암의 경우 재발 시점이 상대적으로 늦다는 점을 감안할 때, 장기생존자에서도 조기에 재발을 발견하여 재발로 인한 증상을 완화하고 생존율을 향상시키기 위한 목적의 추적관리 프로그램의 마련이 필요할 것으로 보인다.

4. 이차암 발병 위험 및 검진

1) 잔위의 이차 원발암

위부분절제술 후 잔위에 위암이 발생할 가능성은 여전히 존재하는 것으로 알려져 있다. 조기위암으로 원위부 위아전절제술을 시행한 경우 추적관찰하는 기간동안 잔위의 위암 발생률은 5년 이내 2.4%, 10년 이내 6.1%로 나타나, 적어도 일반인과 비슷한 수준이거나 더 높을 것으로 보인다. 위암으로 위아전절제술 후 잔위암의 발생까지는 평균 6.8~18.8년이 소요되는 것으로 보고하고 있어, 위궤양과 같은 양성질환에 대한 부분위절제술 후 22~34.6년이 경과한 후에 잔위암이 발견되는 것에 비해 그 간격이 짧은 것으로 나타났다. 이는 위암으로 치료받은 환자의 경우 위축위염, 장상피화생 등의 위암 전구병변을 이미 가지고 있는 경우가 많고, 위암에 대한 초기 치료 후 추적관찰을 더욱 면밀히 하기 때문일 것으로 생각된다.

위암 초기 치료 후 잔위에 발생하는 이차암에 대한 검진을 어떻게 할 것인가에 대해서는 아직 합의된 지침이 없다. 최근 발표된 여러 연구결과를 살펴보면 잔위암의 예후는 초발 위암과 큰 차이가 없는 것으로 보고하고 있다. 또한 정기적인 내시경검사를 시행할 경우 잔위암이 조기에 진단되는 경우가 많았으며, 잔위에 국소재발한 위암이 조기 진단될 경우 근치적 절제의 가능성이 높아지고 따라서 생존율이 향상되는 것으로 알려졌다. 따라서 위암 장기생존자의 경우 1년에 1회 정기적인 위내시경검사를 시행하는 것이 바람직하겠다.

2) 타 장기에 발생한 이차암

위암 환자에서 이차 원발암의 발생률은 0.9~9.5%로 보고되고 있다. 한국의 장기 위암생존자를 대상으로 한 타 장기 이차암의 발생빈도에 대한 연구는 아직 부족한 실정이나 단일기관의 연구결과를 살펴보면 위암 환자에서 대장암, 담도암, 난소암, 자궁경부암의 발생위험도가 일반 인구 대비 각각 1.25, 1.60, 8.72, 3.33배 증가하는 것으로 보고하였으며, 그 중 약 1/3은 위암 초기 치료 후 5년 이상 경과 후 이차암이 발견되었다고 보고하였다. 한국과 유사한 역학적 특성을 보이는 일본의 오사카 암등록자료 연구에 따르면 대장암의 경우 1.40배, 폐암 1.26배, 유방암 1.63배, 전립선암 1.36배 등으로 위암 환자에서 일반 인구에 비해 전반적으로 약간 높은 이차암의 발생 위험도를 보여주었으며, 대만의 국가건강보험자료 연구결과에서도 위암 환자에서 두경부암 1.34배, 식도암 2.16배, 난소암 2.89배, 방광암 1.47배 등 일반 인구에 비해 이차암 발생위험도가 증가함을 보고하였다.

조기위암의 경우 치료 후 예후가 좋아 장기생존자의 비율이 높고, 따라서 위암이 아닌 이차암이 사망의 원인이 될 가능성이 높다. 따라서 위암 경험자도 일반 인구집단에 권고되는 수준의 암 검진은 기본적으로 받아야 하며, 다른 암에 대한 가족력이나 환자가 가지고 있는 이차암 발생 위험요인을 감안하여 검진 계획을 세워야 한다. 그러나 국내 보고에 따르면 암 경험자의 약 37.5%만이 연령과 성별에 적합한 이차암 검진을 받고 있는 것으로 확인되었다. 이는 암생존자의 상당수가 '이차암에 대한 검진'과 '원발암의 재발이나 전이에 대한 추적관찰'의 개념을 혼동하여 위암에 대한 추적관찰만으로 이차암에 대한 선별검사가 이루어 진다고 생각하고 이차암에 대한 적절한 검진을 받지 않고 있는 것에 기인한 것으로 보인다. 앞으로 위암의 장기생존자가 늘어남에 따라 이차암의 발생 위험에 노출되는 환자의 수도 증가할 것으로 예상되므로, 이차암에 대한 필수 암검진에 대한 적절한 권고가 필요하다.

5. 위암생존자의 후기 합병증 관리

위암 장기생존자에 있어서 항암화학요법이나 방사선치료로 인한 장기 후유증에 대해서는 알려진 바가 아직 많지 않다. 그러나 근치적 위절제술 자체에 의한 해부학적, 생리학적 변화는 위절제증후군으로 통칭하는 다양한 위장관 증상 및 영양학적인 문제를 유발하게 되며, 이로 인하여 장기적인 환자의 삶의 질에 영향을 미치는 것으로 알려져 있다. 따라서 의료진은 위암에 대한 수술적 치료를 받은 장기생존자가 가질 수 있는 증상에 대해 인지하고 이에 대한 적절한 지지적 치료와 관리를 할 수 있어야 하며, 수술 후 발생한 흡수장애로 인한 영양결핍에 대해서는 정기적인 추적관찰을 통하여 적절한 시기에 보충을 할 수 있도록 교육하여야 한다.

위암 장기생존자의 삶의 질에 대한 연구결과에 따르

면, 위절제범위에 따라 그 정도에 차이는 있으나 위암에 대한 근치적 절제술을 받은 환자는 수술 후 5년이 경과한 이후에도 오심, 구토, 역류 및 식이 제한과 같은 상부위장관 증상을 빈번하게 호소하였으며, 절반 이상의 환자가 지속되는 피로로 인한 삶의 질 저하를 경험하였다고 보고하였다. 식이 관련 문제 이외에도 위절제술 후 흡수장애로 인한 영양결핍도 장기생존자에서 흔히 관찰할 수 있는 문제이다.

빈혈은 위절제술 후 약 30~40%의 환자에서 발생하며, 위아전절제술에 비해 위전절제술을 받은 환자에서 더욱 빈번하게 나타나고 수술 후 시간이 경과할수록 그 발생빈도가 증가하는 것으로 나타났다. 위산분비 감소와 십이지장 우회로 인한 철분의 흡수 저하는 철결핍성 빈혈을 유발하며, 내인자 결핍으로 인한 비타민 B12 흡수장애는 거대적혈모구빈혈이나 신경장애를 유발할 수 있고 적절한 보충이 늦어질 경우 신경학적 후유증을 남길 수 있다. 따라서 위절제술을 받은 장기생존자에 대해서 정기적인 혈액검사와 더불어 혈중 비타민 B12, 철분, 페리틴(ferritin) 등의 빈혈 관련 지표를 확인하여야 하며, 결핍이나 이로 인한 빈혈이 확인될 경우 적절히 보충을 해 주어야 한다. 위절제술 후에는 십이지장에서의 칼슘 흡수가 저하되고 지방흡수 저하로 인한 지용성 비타민인 비타민 D의 흡수가 감소하며 수술 후 장기간 경과하면 골감소증 및 골다공증의 위험이 높아진다.

국내 연구에서도 위암 환자에서 높은 골다공증(약 40%) 및 골감소증(약 30%) 발생률을 보였으며, 일반적으로 골다공증의 검진대상이 되지 않는 남자 환자에서도 빈번하게 확인되었다. 따라서 위절제 후 장기생존자들에게는 정기적인 골밀도검사 결과에 따라 골감소증이 있는 경우 칼슘과 비타민 D를 보충하고, 골다공증이 확인된 경우에는 bisphosphonate를 사용할 것을 권고한다.

6. 생활습관 개선

1) 금연 및 절주

흡연과 음주는 암뿐만 아니라 다른 만성질환의 주요 위험인자로 암 경험자에게 원발암의 예후, 이차암의 발생, 동반질환의 악화 등 여러 가지 면에서 부정적인 영향을 미친다. 흡연은 위암 환자의 위절제 후 5년 무병생존율 및 전체생존율을 감소시키는 위험인자로 드러났다. 국내 연구결과에 따르면 일반 인구 대비 적은 빈도이기는 하나 위암생존자의 8.7%, 38.3%가 여전히 흡연 및 음주를 하고 있는 것으로 나타났으며 위암 진단 후 5년 이상 경과한 생존자의 흡연율이 3배 이상 증가하는 것으로 나타나, 건강한 생활습관을 유도하기 위한 장기적인 의료진의 노력이 필요함을 시사하였다.

2) 운동과 신체활동

적절한 신체적 운동은 위절제술 후 저하된 소화기능을 개선할 뿐 아니라 근력과 신체기능 유지에 도움을 줄 수 있어 위암생존자의 삶의 질 향상에 매우 중요하다. 암생존자에 대한 여러 연구결과에 따르면 적절한 운동은 피로 감소, 정신사회적 고통 및 우울감의 이완, 자신감 회복을 촉진하여 장기적인 삶의 질 개선에 영향을 미치는 것으로 나타났다. 그러나 국내 위암생존자의 50% 이상이 적절한 신체활동을 하지 않고 있는 것으로 나타나, 특별한 신체적 문제가 없는 한 일반인에게 권장되는 수준의 운동 권고안을 따를 수 있도록 유도해야 하겠다. 또한 위암생존자의 장기적인 건강 증진과 관리를 위하여 체계적인 재활 및 교육 프로그램의 개발이 이루어져야 할 것으로 보인다.

3) 예방접종

암생존자는 면역력의 저하되어 있어 인플루엔자나 폐렴구균 등의 감염으로 인한 합병증에 취약한 것으로 알려져 있어 일반인보다 철저한 예방접종이 필요하다.

면역이상이 없는 암생존자에게 일반적으로 권장되는 백신은 인플루엔자, 폐렴구균, 디프테리아-파상풍-백일해와 B형 간염이며, 접종량과 시기는 일반적인 성인 예방접종 권장안을 따른다. 그러나 국내 위암생존자의 경우 59.6%와 39.4%만이 각각 인플루엔자와 폐렴구균 예방접종을 받은 것으로 나타나, 위암생존자 관리에 있어서 적절한 예방접종에 대한 교육과 안내가 필요한 것으로 생각된다.

7. 정신사회적 문제에 대한 관리 및 지지

국내 연구결과에 따르면 위암 수술 후 1년 이상 경과한 위암 경험자의 44%가 우울증을 가지고 있는 것으로 나타났으며, 34.7%가 자살에 대해 생각해 본적이 있다고 보고하여 일반 인구에 비해 월등히 높은 정신사회적 문제를 가지고 있음을 확인할 수 있었다.

암생존자는 우울증, 불안, 외상 후 스트레스, 재발에 대한 두려움, 직장 복귀의 어려움 및 경제적인 문제 등 다양한 정신사회적 문제를 경험하게 된다. 시간이 경과함에 따라 이전의 정상적인 일상으로 돌아가게 되긴 하지만 여전히 다수가 스트레스를 경험하게 되며, 이러한 문제들은 약물이나 행동치료, 심리교육 등의 효과적인 치료방법이 있음에도 불구하고 제대로 진단되지 않거나 과소평가되어 적절히 관리되지 못하고 있는 실정이다. 이런 암생존자가 가진 정신사회적 문제에 대한 적극적인 선별검사 및 평가를 통해 적절한 스트레스 관리가 필요하며, 경우에 따라서는 전문간호사, 심리치료사, 사회복지사 등의 다양한 분야의 전문인력의 협조가 필요하다. 우리나라에서는 국립암센터의 「암환자의 삶의 질 향상을 위한 스트레스 관리 권고안」이 개발되어 스트레스에 대한 약물 및 비약물치료에 대한 지침을 제공하고 있다.

8. 장기생존자 관리를 위한 진료체계

위암 장기생존자는 치료 종결 후 장기간의 시간이 경과한 후에도 초기 치료와 관련된 여러 위장관 증상과 영양 문제, 이차암에 대한 위험, 정신사회적 문제를 가지고 있을 뿐만 아니라 위암과 직접적으로 관련되지 않은 다양한 만성질환에 대한 관리 역시 필요로 한다. 이러한 암 장기생존자에 대한 포괄적인 건강관리를 위해서는 암전문의와 일차진료의, 그리고 암생존자 간의 효과적인 의사소통을 위한 의료 모형의 마련이 필요하며, 최근 국내단일기관에서 위암생존자를 대상으로 한 암전문의와 일차진료의의 공동관리 프로그램의 경험을 통해 암전문의가 해결할 수 없었던 위암 장기생존자가 가지고 있는 다양한 문제에 대한 상호보완 관리가 가능함을 보여주었다. 앞으로 위암생존자의 진료 의뢰를 위한 표준 프로토콜의 개발 등 공동관리 모형을 체계적으로 발전시킬 수 있다면 점차 증가하는 위암 장기생존자의 건강 증진 및 삶의 질 개선에 크게 기여할 수 있을 것으로 기대한다.

참고문헌

1. 건강보험심사평가원. 2016년도(2차) 위암 적정성 평가결과 보고, 2017.
2. 공성호, 양한광. 조기위암의 수술 후 추적관리. J Korean Med Assoc 2010;53:324-330.
3. 임진호, 성관수, 김택현, 송교영, 강한철, 김승남 등. 타 장기 원발암을 동반한 위암 환자의 임상적 특성. Annals of Surgical Treatment and Research 2008;74: 105-109.
4. Bohner H, Zimmer T, Hopfenmuller W, Berger G, Buhr HJ. Detection and prognosis of recurrent gastric cancer--is routine follow-up after gastrectomy worthwhile? Hepatogastroenterology 2000;47:1489-1494.
5. Chen SC, Liu CJ, Hu YW, Yeh CM, Hu LY, Wang YP, et al. Second primary malignancy risk among patients with gastric cancer: a nationwide population-based study in Taiwan. Gastric Cancer 2016;19:490-497.
6. Choi IJ, Lee JH, Kim YI, Kim CG, Cho SJ, Lee JY, et al. Long-term outcome comparison of endoscopic resection and surgery in early gastric cancer meeting the absolute indication for endoscopic resection. Gastrointest Endosc 2015;81:333-341.
7. Choi YN, Kim YA, Yun YH, Kim S, Bae JM, Kim YW, et al. Suicide ideation in stomach cancer survivors and possible risk factors. Support Care Cancer 2014;22:331-337.
8. Eom BW, Lee HJ, Yoo MW, Cho JJ, Kim WH, Yang HK, et al. Synchronous and metachronous cancers in patients with gastric cancer. J Surg Oncol 2008;98: 106-110.
9. Feuerstein MJJocsr, practice. Defining cancer survivorship 2007;1:5-7.
10. Han KH, Hwang IC, Kim S, Bae J-M, Kim Y-W, Ryu KW, et al. Factors associated with depression in disease-free stomach cancer survivors. J Pain Symptom Manage 2013;46:511-522.
11. Hosokawa O, Kaizaki Y, Watanabe K, Hattori M, Douden K, Hayashi H, et al. Endoscopic surveillance for gastric remnant cancer after early cancer surgery. Endoscopy 2002;34:469-473.
12. Hu Y, Kim HI, Hyung WJ, Song KJ, Lee JH, Kim YM, et al. Vitamin B(12) deficiency after gastrectomy for gastric cancer: an analysis of clinical patterns and risk factors. Ann Surg 2013;258:970-975.
13. Hwang IC, Yun YH, Kim YW, Ryu KW, Kim YA, Kim S, et al. Factors related to clinically relevant fatigue in disease-free stomach cancer survivors and expectation-outcome consistency. Support Care Cancer 2014;22:1453-1460.
14. Ikeda Y, Saku M, Kawanaka H, Nonaka M, Yoshida K. Features of second primary cancer in patients with gastric cancer. Oncology 2003;65:113-117.
15. Ikeda Y, Saku M, Kishihara F, Maehara Y. Effective follow-up for recurrence or a second primary cancer in patients with early gastric cancer. Br J Surg 2005;92: 235-239.
16. Jang HJ, Choi MH, Shin WG, Kim KH, Baek IH, Kim KO, et al. Is annual endoscopic surveillance necessary for the early detection of gastric remnant cancer in Korea? A retrospective multi-center study. Hepatogastroenterology 2014;61:1283-1286.
17. Jun JH, Yoo JE, Lee JA, Kim YS, Sunwoo S, Kim BS, et al. Anemia after gastrectomy in long-term survivors of gastric cancer: A retrospective cohort study. Int J Surg 2016;28:162-168.
18. Kim JY, Jang WY, Heo MH, Lee KK, Do YR, Park KU, et al. Metachronous double primary cancer after diagnosis of gastric cancer. Cancer research and treatment: official journal of Korean Cancer Association 2012;44:173.
19. Kim M, Choi KS, Suh M, Jun JK, Chuck KW, Park B. Risky lifestyle behaviors among gastric cancer survivors compared with matched non-cancer controls: results from baseline result of community based cohort Study. Cancer Res Treat 2018;50:738-747.

20. Kodera Y, Ito S, Yamamura Y, Mochizuki Y, Fujiwara M, Hibi K, et al. Follow-up surveillance for recurrence after curative gastric cancer surgery lacks survival benefit. Ann Surg Oncol 2003;10:898-902.
21. Lee HJ, Kim YH, Kim WH, Lee KU, Choe KJ, Kim JP, et al. Clinicopathological analysis for recurrence of early gastric cancer. Jpn J Clin Oncol 2003;33:209-214.
22. Lee JE, Shin DW, Lee H, Son KY, Kim WJ, Suh YS, et al. One-year experience managing a cancer survivorship clinic using a shared-care model for gastric cancer survivors in Korea. J Korean Med Sci 2016;31:859-865.
23. Lee JH, Kim HI, Kim MG, Ha TK, Jung MS, Kwon SJ. Recurrence of gastric cancer in patients who are disease-free for more than 5 years after primary resection. Surgery 2016;159:1090-1098.
24. Lee SS, Chung HY, Kwon OK, Yu W. Quality of life in cancer survivors 5 years or more after total gastrectomy: a case-control study. Int J Surg 2014;12:700-705.
25. Lee SS, Chung HY, Yu W. Quality of life of long-term survivors after a distal subtotal gastrectomy. Cancer Res Treat 2010;42:130-134.
26. Lim JS, Kim SB, Bang HY, Cheon GJ, Lee JI. High prevalence of osteoporosis in patients with gastric adenocarcinoma following gastrectomy. World J Gastroenterol 2007;13:6492-6497.
27. Lim JS, Lee JI. Prevalence, pathophysiology, screening and management of osteoporosis in gastric cancer patients. J Gastric Cancer 2011;11:7-15.
28. Moon YW, Jeung HC, Rha SY, Yoo NC, Roh JK, Noh SH, et al. Changing patterns of prognosticators during 15-year follow-up of advanced gastric cancer after radical gastrectomy and adjuvant chemotherapy: a 15-year follow-up study at a single korean institute. Ann Surg Oncol 2007;14:2730-2737.
29. Mullan F. Seasons of survival: reflections of a physician with cancer. N Engl J Med 1985;313:270-273.
30. National Cancer Information Center. National cancer screening guidelines for 7 major cancers [Internet]. [cited 2019 Jan 3]. Available from: https: //www.cancer.go.kr/lay1/bbs/S1T261C264/B/36/list.do.
31. National Cancer Information Center. Recommendations for Distress Management in Cancer Patients. Goyang: National Cancer Information Center, 2008.
32. Oeffinger KC, McCabe MS. Models for delivering survivorship care. J Clin Oncol 2006;24:5117-5124.
33. Ohashi M, Katai H, Fukagawa T, Gotoda T, Sano T, Sasako M. Cancer of the gastric stump following distal gastrectomy for cancer. Br J Surg 2007;94:92-95.
34. Ohira M, Toyokawa T, Sakurai K, Kubo N, Tanaka H, Muguruma K, et al. Current status in remnant gastric cancer after distal gastrectomy. World J Gastroenterol 2016;22:2424-2433.
35. Park YK, Kim DY, Joo JK, Kim JC, Koh YS, Ryu SY, et al. Clinicopathological features of gastric carcinoma patients with other primary carcinomas. Langenbecks Arch Surg 2005;390:300-305.
36. Registry KCC. Annual report of cancer statistics in Korean in 2016, 2018.
37. Rock CL, Doyle C, Demark-Wahnefried W, Meyerhardt J, Courneya KS, Schwartz AL, et al. Nutrition and physical activity guidelines for cancer survivors. CA Cancer J Clin 2012;62:243-274.
38. Sano T, Sasako M, Kinoshita T, Maruyama K. Recurrence of early gastric cancer. Follow-up of 1475 patients and review of the Japanese literature. Cancer 1993;72:3174-3178.
39. Seto Y, Nagawa H, Muto T. Prognostic significance of non-gastric malignancy after treatment of early gastric cancer. Br J Surg 1997;84:418-421.
40. Shapiro CL. Cancer Survivorship. N Engl J Med 2018;379:2438-2450.
41. Shin CH, Lee WY, Hong SW, Chang YG. Characteristics of gastric cancer recurrence five or more years after curative gastrectomy. Chin J Cancer Res 2016;28:503-510.

42. Shin DW, Baik YJ, Kim YW, Oh JH, Chung KW, Kim SW, et al. Knowledge, attitudes, and practice on second primary cancer screening among cancer survivors: a qualitative study. Patient Educ Couns 2011;85:74-78.
43. Smyth EC, Capanu M, Janjigian YY, Kelsen DK, Coit D, Strong VE, et al. Tobacco use is associated with increased recurrence and death from gastric cancer. Ann Surg Oncol 2012;19:2088-2094.
44. Sowa M, Kato Y, Onoda N, Kubo T, Maekawa H, Yoshikawa K, et al. Early cancer of the gastric remnant with special reference to the importance of follow-up of gastrectomized patients. Eur J Surg Oncol 1993;19: 43-49.
45. Statistics Korea. 사망원인통계 [Internet]. 2017 [cited 2017 Dec 23]. Available from: http: //kosis.kr/statHtml/statHtml.do?orgId=101&tblId=DT_1B34E01&conn_path=I2.
46. Tabuchi T, Ito Y, Ioka A, Miyashiro I, Tsukuma H. Incidence of metachronous second primary cancers in Osaka, Japan: update of analyses using population-based cancer registry data. Cancer Sci 2012;103:1111-1120.
47. Tabuchi T, Ozaki K, Ioka A, Miyashiro I. Joint and independent effect of alcohol and tobacco use on the risk of subsequent cancer incidence among cancer survivors: A cohort study using cancer registries. Int J Cancer 2015;137:2114-2123.
48. Yoo S. Recent Update in Adult Immunization. Korean J Fam Med 2010; 31:345-354.
49. Yoshino K, Asanuma F, Hanatani Y, Otani Y, Kumai K, Ishibiki K. Multiple primary cancers in the stomach and another organ: frequency and the effects on prognosis. Jpn J Clin Oncol 1985;15:183-190.
50. Youn HG, An JY, Choi MG, Noh JH, Sohn TS, Kim S. Recurrence after curative resection of early gastric cancer. Ann Surg Oncol 2010;17:448-454.

PART 08

위의 기타 종양

THE KOREAN GASTRIC CANCER ASSOCIATION

CHAPTER 45

위의 비선암

1. 선편평세포암

선편평세포암(adenosquamous carcinoma)은 이름에서도 알 수 있듯이 선암의 분화를 보이는 부분과 편평세포암의 분화를 보이는 부분이 함께 관찰되는 종양이다(그림 45-1). 전체 위암에서 차지하는 비율은 0.5% 미만으로 보고되고 있으며, 각각의 증례에 따라 이 두 가지 종양의 비율은 다양하게 관찰된다. 보통 저분화 관상선암의 경우 관을 만들지 않는 고형성 성장을 하는 부분이 관찰되는데, 이때 편평세포암과 감별하는 것이 중요하다. 통상적으로 편평세포암으로 진단하기 위해서는 편평상피의 특징인 각질진주(keratin pearl)와 개별 세포의 각화(keratinization), 세포간결합체(intracellular bridge)를 확인해야 한다. 이 암은 일반적인 선암에 비해 주위 침윤이 심하고, 림프관이나 혈관 침윤이 흔히 관찰되어 예후가 불량한 암으로 알려져 있다. 또한 일반적인 선암에 사용하는 항암치료에도 반응이 좋지 않은 것으로 보고되고 있어, 표준화된 항암치료 정립을 위한 연구가 필요하다.

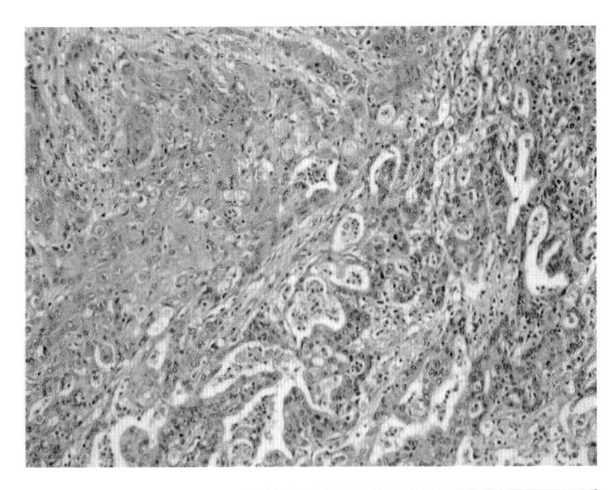

그림 45-1 **선편평세포암.**
한 종양에서 각화 현상을 보이는 편평세포암 부분(왼쪽)과 관 모양을 형성하는 선암 부분(오른쪽)이 함께 관찰된다(H&E 염색, ×100).

2. 편평세포암

위암에서 편평세포암(squamous cell carcinoma) 구조가 관찰되는 경우는 대부분 선편평세포암이다. 하지만 예외적으로 관구조가 전혀 없이 편평세포암세포로 만 구성된 암이 드물게 관찰되는데, 이 때 편평세포암으로 진단한다(그림 45-2). 따라서 편평세포암으로 진단하려면 육안 검사에서 많은 양의 종양 절편을 채취하여 선구조를 만드는 부분이 없는지를 확인해야 한다. 위의 원발성 편평세포암은 주로 남자에서 발생하고 원위부에 호발하는 것으로 알려져 있다. 이 암은 3기 매독, 부

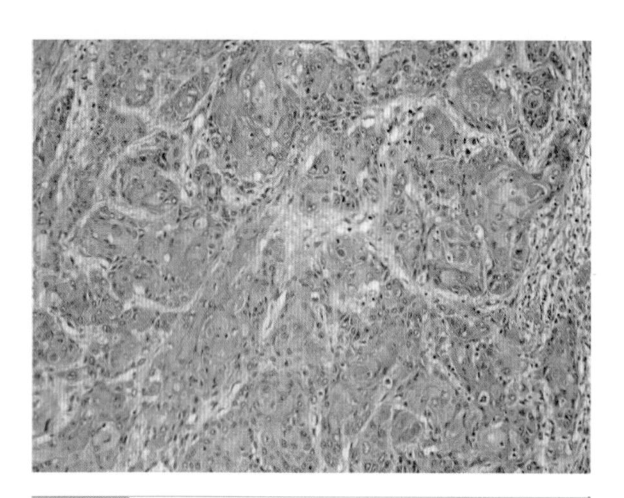

그림 45-2 **편평세포암.**
종양세포가 관 모양을 만드는 선암 부분 없이 편평세포암의 특징인 개별 세포의 각화 현상과 각질진주가 관찰된다(H&E 염색, ×100).

식산(corrosive acid)의 섭취, 오랜 기간의 cyclophosphamide 치료, 잔류(remnant) 위 등의 병력을 가진 환자에서 발생했다는 보고가 있다.

3. 간모양선암

간모양선암(Hepatiod adenocarcinoma)은 비교적 최근에 기술된 유형으로, 선암으로 구성된 부분과 간세포암과 유사하게 기둥 모양(trabecular)으로 배열한 부분이 섞여 나타나는 유형이다(그림 45-3 A). 간질의 양이 적고 유두형, 관상형이 섞여 나타나는 부분이 동반되는데 이 부분은 미분화된 소화기계 세포로 간주된다. 이 종양은 커다란 종괴를 이루거나 위 전체를 침범하는 큰 종양이며, 세포질 내에 유리질 방울(hyaline globule) 또는 글리코겐을 함유한다. 약 반수의 증례에서 면역조직화학염색을 통해 간세포암에서 발현되는 알파태아 단백발현을 세포질에서 확인할 수 있다(그림 45-3 B). 정맥 침윤이 흔하고 조기에 잘 전이(특히 간전이)하며 예후가 나쁜 것으로 알려져 있다. 수술 전후의 항암치료의 효과에 대해서 밝혀진 부분은 미미하나, 최근에

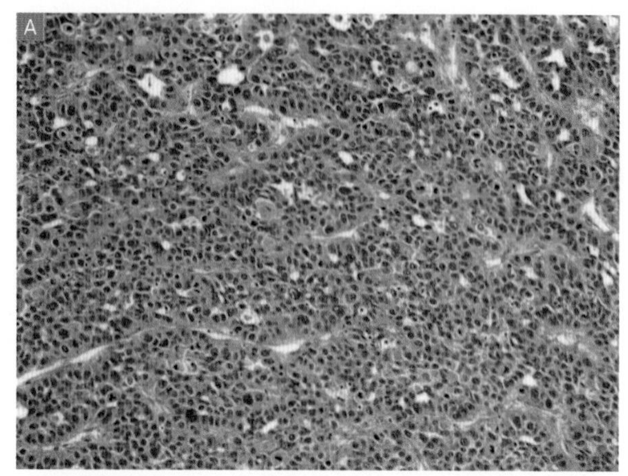

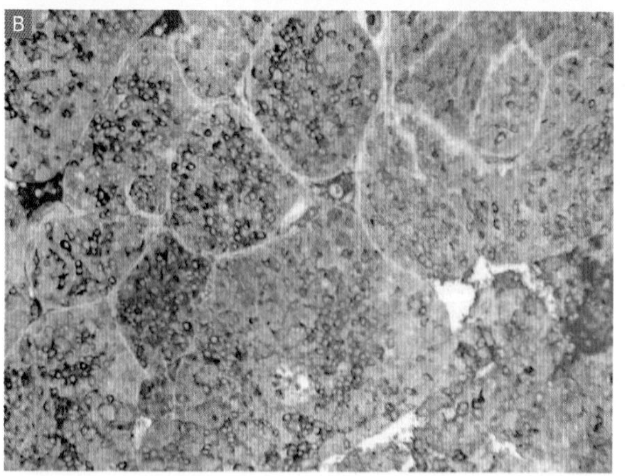

그림 45-3 **간모양선암.**
A. 조직학적 소견. 종양세포가 마치 간세포암에서처럼 기둥 모양으로 배열되며 간질이 거의 관찰되지 않는다(H&E 염색, ×100).
B. 알파태아단백 면역조직화학염색 소견(×100). 종양세포의 세포질 및 세포막이 양성 소견을 보인다.

간모양선암 환자에서 HER-2 단백질이 유의하게 과발현됨이 보고되어 trastuzumab항암치료의 가능성을 보여주었다.

4. 소세포암

소세포암(small cell carcinoma)은 주로 폐암에서 잘 알려진 조직학적 유형이다. 위에서도 원발성으로 발생할 수 있으나 발생빈도는 매우 낮다. 이름에서 알 수 있

듯이 특징적으로 종양세포의 크기가 작고 세포질이 거의 없으며 염색질이 매우 고운 과립 상이고, 핵인이 거의 관찰되지 않는다(그림 45-4 A). CD56, 시냅토피신(synaptophysin), 크로모그라닌(chromogranin) A 등의 항체를 이용한 면역조직화학염색을 통해 종양세포가 신경내분비 분화를 보이는 것을 확인할 수 있다(그림 45-4 B). 심한 악성종양으로 괴사가 현저하고 유사분열이 많으며, 주변으로 쉽게 침윤하고 전이를 잘해 예후가 불량하다고 알려져 있다.

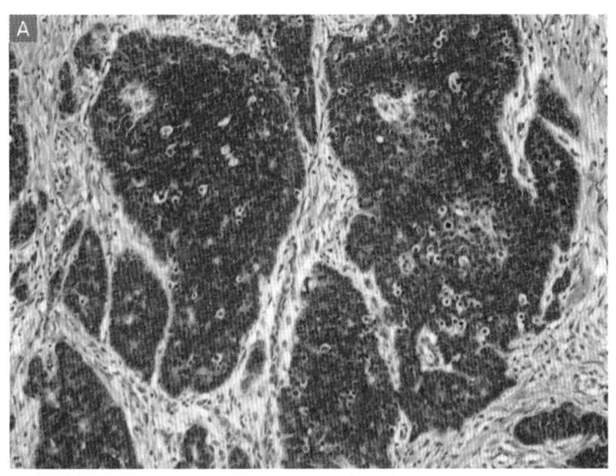

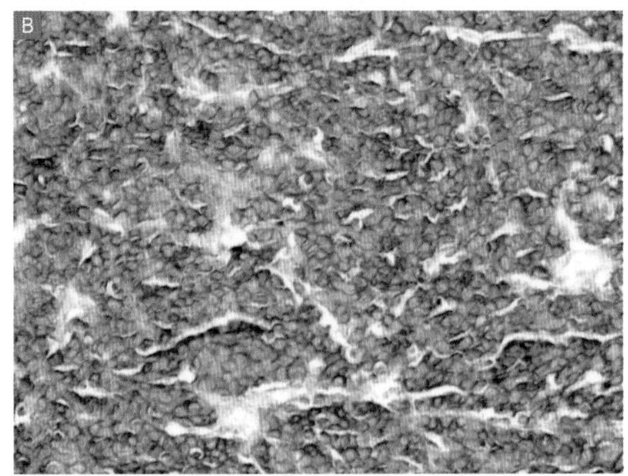

그림 45-4 **소세포암.**
A. 조직학적 소견. 세포의 크기가 작고 세포질이 적으며 염색질이 고운 과립상을 띠는 소세포암의 특징을 보여준다(H&E 염색, ×100).
B. CD56 면역조직화학염색(×200) 소견. 종양세포의 세포막을 따라 강하게 염색되어 종양세포의 신경내분비 분화를 알 수 있다.

5. 림프구성간질암

림프구성간질암(carcinoma with lymphoid stroma)은 단지 상피세포 기원임을 추정할 수 있는 면역조직화학염색에서 시토케라틴, 상피막항원(epithelial membrane antigen)에 대한 항체에 양성반응을 보일 뿐, 선을 만들거나 각화되는 등의 어떠한 분화도 보이지 않는 미분화암이며 특히 주변 간질에 림프구가 많이 침윤한 소견으로 수질암(medullary carcinoma)이나 림프상피종유사암(lymphoepithelioma-like carcinoma)이라고도 한다(그림 45-5 A). 이 종양은 종양세포 내에 엡스타인-바 바이러스(Epstein-Barr virus, EBV)의 게놈을 가진 것이 특징이다(그림 45-5 B). 엡스타인-바 바이러스와 관련된 위암에서는 DNA과메틸화(hypermethylation)나 면역관문단백질(immune checkpoint protein)의 증폭 같은 후생적 변이(epigenetic alternations)가 암발생에 중요한 역할을 하는 것으로 밝혀졌다. 상대적으로 남자에 흔하며 이시성(metachronous)암이나 잔위(remnant)암과 연관이 있음이 알려졌다. 육안적으로는 대개 궤양을 동반한 큰 종괴를 형성하여 팽창성으로 성장한다. 선암과 비교하여 예후는 비슷하고 림프절 전이가 덜 흔하게 나타나는 것으로 보고되고 있다.

6. 벽세포암

벽세포암(parietal cell carcinoma)은 위의 정상점막의 선에서 관찰되는 세포 중 하나인 벽세포와 유사한 세포로 이루어진 암으로 매우 드문 아형이다. 종양은 크기가 크고, 깊게 침윤한 진행성 위암이 대부분이며, 조직학적으로는 호산성의 과립상 세포질을 풍부하게 가진 종양세포의 집단으로 이루어진다. 정상적인 벽세포처럼 PTAH 염색에 양성반응을 보이며, 전자현미경검사에서 풍부한 미토콘드리아 같은 벽세포의 특징적인 모습을 확인할 수 있다. 예후는 비교적 좋은 편이다.

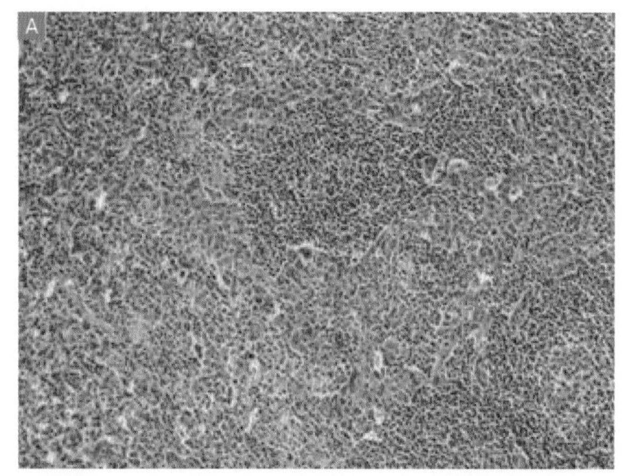

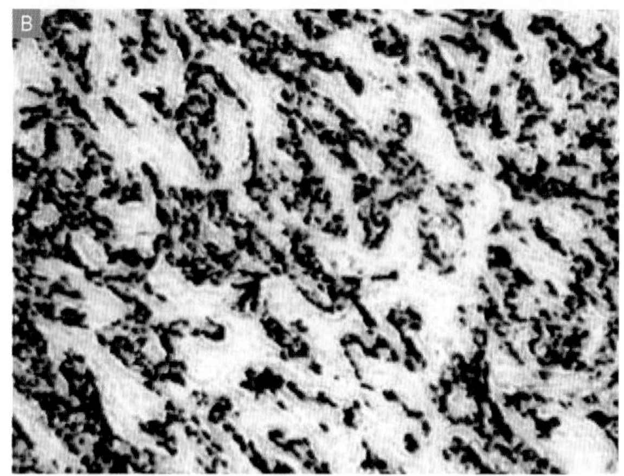

그림 45-5 **림프구성간질암.**
A. 조직학적 소견. 선을 만드는 등의 분화를 보이지 않는 미분화 종양세포가 관찰되며, 주위 간질에 많은 림프구가 침윤해 있다(H&E 염색, ×100).
B. 엡스타인-바 바이러스 제자리부합 검사. Epstein- Barr virus-encoded small RNA (EBER)에 대한 제자리부합법을 시행하면 종양세포의 핵에서 바이러스 게놈을 확인할 수 있다 (EBER in situ hybridization, ×100).

7. 파네트세포암

파네트세포암(Paneth cell carcinoma)은 위의 정상 점막에서 관찰되는 파네트세포를 닮은 세포로 구성된 것으로, 매우 드문 종양이다. 파네트세포는 크고 호산성의 세포질을 가지며 세포질 안에서 호산성 과립이 관찰되는 세포인데, PAS 염색과 Masson trichrome 염색을 하면 과립이 붉게 관찰된다. 전자현미경검사에서 관찰하면 세포질 안에 리소자임을 많이 함유하고 있다.

8. 융모막암

융모막암(choriocarcinoma)은 자궁에서 관찰되는 융모막암과 조직학적으로 같은 형태이며, 매우 드물다. 융합영양막(syncytiotrophoblast)과 세포영양막(cytotrophoblast)으로 구성되며, 항상 일반적인 선암과 함께 나타난다. 이 종양은 남자에게 더 흔하고, 연령 분포는 일반적인 위암과 유사하다. 육안적으로 출혈이 심한 점은 자궁이나 다른 장기의 융모막암과 유사하다. hCG 염색에 양성반응을 보인다.

9. 암육종

암육종(carcinosarcoma)은 조직학적으로 선형성이나 각화를 보이는 상피암 부분과 방추형의 육종 부분이 함께 관찰되는 종양이다(그림 45-6). 육종화암(sarcomatoid carcinoma)이라고도 불리며, 위에서는 매우 드

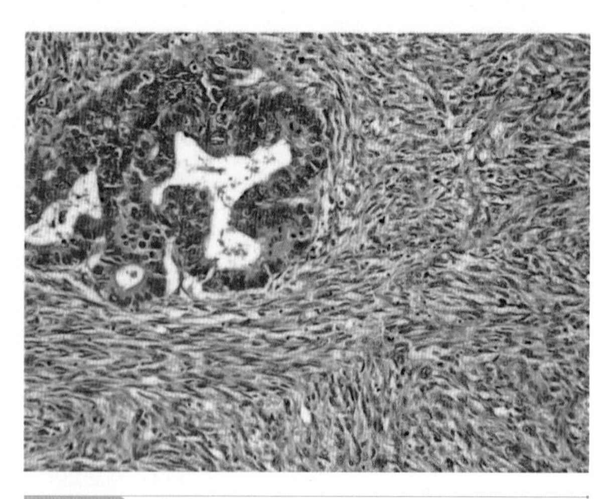

그림 45-6 **암육종.**
한 종양에서 관 모양을 만드는 선암 부분(왼쪽)과 방추형 세포로 구성된 육종 부분(오른쪽)이 함께 관찰된다(H& E 염색, ×100).

문 종양이다. 육종 부분은 횡문근육종(rhabdomyosarcoma), 평활근육종(leiomyosarcoma) 등의 다양한 육종으로 분화될 수 있다. 면역조직화학염색을 하면 상피암 부분은 시토케라틴(cytokeratin)에, 육종 부분은 비멘틴(vimentin)에 양성반응을 보인다. 육안적으로 위벽으로 돌출하거나 위벽이 전반적으로 두꺼워지며 침윤하는 형태를 보이고, 성장속도가 빨라 예후가 나쁜 종양으로 알려져 있다.

참고문헌

1. 김연수, 허원석, 채경훈 등. 위에서 발생한 원발 편평상피암종과 샘편평상피암종의 임상-병리 양상 및 Ki-67 표지 지수와 p. 53 단백발현의 차이. 대한소화기학회지 2006;47:425-431.
2. Cancer Genome Atlas Research Network. Comprehensive molecular characterization of gastric adenocarcinoma. Nature 2014;513:202-209.
3. Chen YY, Li AFY, Huang KH, et al. Adenosquamous carcinoma of the stomach and review of the literature. Pathol Oncol Res 2015;21:547-551.
4. Esteller M. Epigenetics in Cancer. N Engl J Med 2008;358:1148-1159.
5. Fenoglio-Preiser C, Carneiro F, Correa P, et al. Tumours of the stomach. In: Hamilton SR, Aaltone n LA. Pathology and Genetics of Tumours of the Digestive System. World Health Organization Classification of Tumours. Vol 2. Lyon: IARC Press 2000:37-52.
6. Giuffrè G, Ieni A, Barresi V, Caruso RA, et al. HER2 status in unusual histological variants of gastric adenocarcinomas. J Clin Pathol 2012;65:237-241.
7. Ikeda Y, Kosugi S, Nishikura K, et al. Gastric carcinosarcoma presenting as a huge epigastric mass. Gastric Cancer 2007;10:63-68.
8. Ishikura H, Fukasawa Y, Ogasawara K, et al. An AFP-producing gastric carcinoma with features of hepatic differentiation. A case report. Cancer 1985;56:840-848.
9. Jindark K, Bochetto JF, Alpert LI. Primary gastric choriocarcinoma. Case report with review of world literature. Hum Pathol 1976;7:595-604.
10. Kang GH, Kim YI. Alpha-fetoprotein-producing gastric carcinoma presenting focal hepatoid differentiation in metastatic lymph nodes. Virchows Arch 1998;432:85-87.
11. Matsui T, Kataoka M, Sugita Y, et al. A case of small cell carcinoma of the stomach. Hepatogastroenterology 43:156-160.
12. McLoughlin GA, Cave-Bigley DJ, Tagore V, et al. Cyclophosphamide and pure squamous-cell carcinoma of the stomach. Br Med J 1980;280:524-525.
13. Noffsinger AE. Fenoglio-Preiser's Gastrointestinal Pathology. 4th ed. Lippincott Williams & Wilkins; 2017: 244-248.
14. Ooi A, Nakanishi I, Itoh T, Ueda H, et al. Predominant paneth cell differentiation in an intestinal type gastric cancer. Pathol - Res Pract. 1991;187:220-225.
15. Piper MH, Ross JM, Bever FN, et al. Primary squamous cell carcinoma of a gastric remnant. Am J Gastroenterol 1991;86:1080-1082.
16. Robey-Cafferty SS, Ro JY, McKee EG. Gastric parietal cell carcinoma with an unusual, lymphoma-like histologic appearance: report of a case. Mod Pathol 1989;2:536-540.
17. Rubio CA. Paneth cell adenoma of the stomach. Am J Surg Pathol. 1989;13:325-328.
18. Shibata D, Tokunaga M, Uemura Y, et al. Association of Epstein-Barr virus with undifferentiated gastric carcinomas with intense lymphoid infiltration. Lymphoepithelioma-like carcinoma. Am J Pathol 1991;139:469-474.

19. Song H, Srivastava A, Lee J, et al. Host inflammatory response predicts survival of patients with Epstein-Barr Virus-associated gastric carcinoma. Gastroenterology 2010;139:84-92.
20. Soreide JA, Greve OJ, Gudlaugsson E, et al. Hepatoid adenocarcinoma of the stomach - proper identification and treatment remain a challenge. Scand J Gastroenterol 2016;51:646-653.
21. Tokunaga M, Land CE. Epstein-Barr virus involvement in gastric cancer: biomarker for lymph node metastasis. Cancer Epidemiol Biomarkers Prev 1998;7:449-450.

1. 신경내분비종양의 임상양상과 진단

신경내분비종양(Neuroendocrine tumor)은 과거에 카르시노이드(carcinoid)로 불렸으며, 비교적 양성의 경과를 취하면서 천천히 자라는 종양으로 악성화의 정도가 선암종과 구별된다는 의미에서 사용되었다. 신경내분비세포(neuroendocrine cell)에서 유래한다는 것이 밝혀지면서 현재는 신경내분비 계통의 종양으로 취급되고 있다.

과거 1990년 세계보건기구 분류에 따라서 불리던 카르시노이드라는 단어는 2010년 개정판에서 신경내분비종양 1등급, 2등급, 3등급 및 신경내분비암(neuroendocrine carcinoma)으로 세분화 되었다. 이렇듯 질환의 분류와 정의에서부터 혼선이 빚어지면서 임상에서는 암이냐 아니냐를 두고 논란이 빚어진다. 세계보건기구에서는 모든 신경내분비종양을 암종으로 봐야한다는 입장을 견지하고 있지만, 병리학자들 사이에서도 이에 대한 반대 의견이 많고, 임상적으로 암종으로 보기에는 양성의 경과를 취하는 경우가 많다.

대부분의 신경내분비종양은 위장관에서 기원하지만 그 외 장기에서도 생길 수 있다. 위장의 신경내분비종양은 전체 종양 중 4.1%정도를 차지하는 것으로 되어 있으나 영상기술의 발전으로 더 많은 발견이 이루어지면서 증가하는 것으로 보인다.

1) 위신경내분비종양의 분류 및 병인

(1) 기원 및 관련 질환

위신경내분비종양은 대부분 위의 체부에 주로 존재하는 장크롬친화유사세포(enterochromaffin like cell)에서 유래하는 것으로 위 이외의 다른 곳에서 발생하는 신경내분비종양과는 생물학적으로나 임상적으로 확연한 차이를 보인다. 이런 차이에 따라 위신경내분비종양은 세 개의 아형으로 나뉠 수 있다. Rindi 등이 제안한 3개의 아형은 자가면역성 만성위축위염과 관련되어 나타나는 1형, 졸링거-엘리슨 증후군과 관련된 2형, 산발적으로 나타나는 3형이 되겠다(표 46-1).

(2) 분류

위신경내분비종양 제1형과 제2형은 고가스트린혈증(hypergastrinemia)과 연관성이 있다. 제1형은 가장 흔하며 모든 위신경내분비종양의 약 70~80%를 차지한다. 남자보다는 여자에서 흔하고 발병 시 평균연령은 63세이다. 병변은 체부에 위치하는 경우가 많으며 주변

표 46-1. 위신경내분비종양의 분류

	1형	2형	3형
발생빈도	70~80%	5~10%	10~15%
연관질환	자가면역성 위축위염	졸링거엘리슨증후군 제1형 다발성내분비선종증	산발성
호발위치	기저부/체부	기저부/체부	모든 부위
혈청 가스트린	상승	상승	정상
남녀 비율	남<여	남=여	남>여
용종의 개수	다발성, <1 cm	다발성, <1 cm	단발성, >2 cm
장크롬친화세포의 과증식 유무	유	유	무
인접 점막 변화	위축위염	체세포의 과증식	비특이적
예후	5년 생존율 98% 전이 2~5%	5년 생존율 90% 전이 10~20%	5년 생존율 20~80% 전이 50% 이상
치료	경과관찰 또는 내시경 절제	경과관찰 또는 내시경 절제	내시경 또는 외과적 절제

조직에 만성위축위염이 동반된다. 보통 1.5 cm 미만의 작은 병변으로 다발성으로 생기며 편평하거나 돌출된 형태로 내시경에서 관찰된다. 병리적으로 점막과 점막하층에 국한되어 있으며 크기가 커질수록 침윤도가 커지는 양상을 보이나 다발성으로 생기는 것과 전이와 상관성은 없는 것으로 알려져 있다. 예후는 좋아 5년 생존율이 95%를 넘는다. 제2형은 1형과 마찬가지로 장크롬친화유사세포로 이루어져 있고 주변부에 이의 과증식(hyperplasia), 이형성(dysplasia) 또는 암성(neoplasia) 병변을 동반한다. 졸링거-엘리슨 증후군을 동반한 제1형 다발성내분비선종증(multiple endocrine Neoplasia, MEN)과 관련하여 발생하며 전체 위신경내분비종양의 8% 정도를 차지하는 것으로 알려져 있으니 실제 임상에서는 거의 볼 수 없다. 병변의 크기는 작으며 다발성으로 생기고 예후는 제1형과 3형의 중간 정도이며 동반된 가스트린종(gastrinoma)의 예후에 따라 결정된다. 제3형 위신경내분비종양은 1형보다 드물어 10~15%정도를 차지하며 상대적으로 침습적이며 전이의 확률이 높다. 병변은 단발성으로 평균크기가 3.2 cm로 크게 생기며 주변부는 정상 병리소견이며 가스트린의 혈중 농도도 정상이다. 종양을 이루는 세포와 성장양상이 다른 위신경내분비종양에 비하여 다양하게 나타난다. 임상적으로 비특이적 증상으로 나타나며 고유근층을 침범한 경우가 많다. 진단 시 평균연령은 55세로 남자에서 많으며 진단 당시 국소전이나 원격전이가 있는 경우가 많다.

(3) 병인

위신경내분비종양은 위축위염, 악성빈혈이나 다른 자가면역성질환 및 제1형 다발성내분비선종증에서 발생률이 증가하는 것으로 알려져 있다. 정상적으로 위장으로 음식이 들어오게 되면 전정부의 G세포(G cell)에서 가스트린을 분비하며 직접적으로 체세포를 자극하거나 장크롬친화유사세포를 자극하여 히스타민을 분비하여 체세포를 자극하게 되며, 이는 D세포(D cell)에 의해서 방해를 받게 되는 생리적인 흐름을 거치게 된다. 만성위축위염이나 악성빈혈에 동반한 무산증의 경우 D세포에서 나오는 소마토스타틴의 방해가 없게 되며 무산증이 G세포를 자극하므로 가스트린의 분비가 증가하고 이는 장크롬친화유사세포의 과증식을 불러

일으키게 된다. 장크롬친화유사세포의 과증식을 거쳐 이형성과 암성변화를 거치는 것이 일반적인 위신경내분비종양 제1형 및 2형의 병인으로 생각하지만 그 과정에 가스트린의 과분비만으로 설명할 수 없는 것이 존재한다. 즉, 미주신경절제술(vagotomy)이나 만성적인 프로톤펌프억제제를 쓰는 경우에는 장크롬친화유사세포의 과증식은 일어나지만 위신경내분비종양은 생기지 않는 것이 증거가 될 수 있겠다. 가스트린 이외에 발병기전에 관여하는 인자로 유전자, 세포사멸(apoptosis), 세균 및 주변의 기질환경 등이 관여할 것으로 생각하지만 아직도 명확하지는 않다. 위신경내분비종양 제3형의 경우 발생기전에 대하여 알려진 바는 거의 없다.

2) 위신경내분비종양의 임상양상 및 진단

(1) 임상양상 및 내시경 소견

위신경내분비종양은 별다른 증상이 없는 경우가 많고 검진에서 우연히 발견되는 경우가 대부분이다. 또한, 용종의 형태로 나타나므로 조직검사에서 진단되는 경우가 많다. 유암종의 내시경 소견도 그 아형에 따라 다르다. 제1형과 2형의 경우 군집상의 형태로 점막돌출로 나타나며 위의 체부에 주로 분포한다(그림 46-1). 주변의 점막은 위축을 보이거나 2형의 경우 궤양이 동반될 수 있다. 종양 자체는 둥글고 용종의 형태로 보이며, 색조 변화를 동반하여 노랗거나 붉게 보일 수 있다. 제 3형의 경우 산발성으로 단독으로 생기며 체부의 아래쪽이나 전정부에 생긴다(그림 46-2). 종양의 중간 부위에 함몰이 동반되는 경우가 흔하다. 내시경 소견이

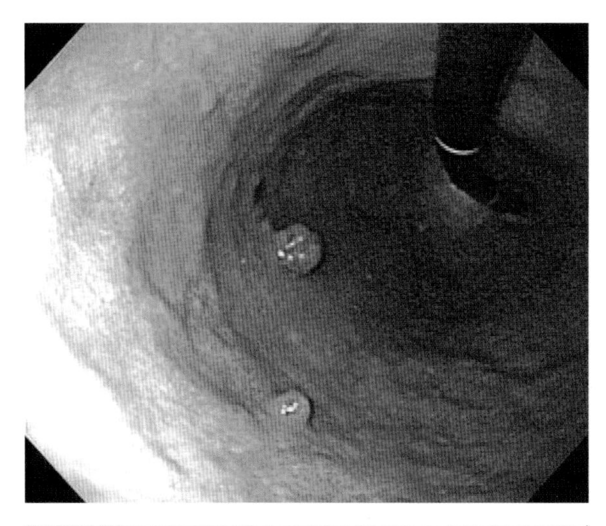

그림 46-1 **제1형 위신경내분비종양의 내시경 소견.**
위체부에 다양한 모양과 크기의 다발성 용종이 관찰된다. 조직검사를 통해 진단이 가능하다.

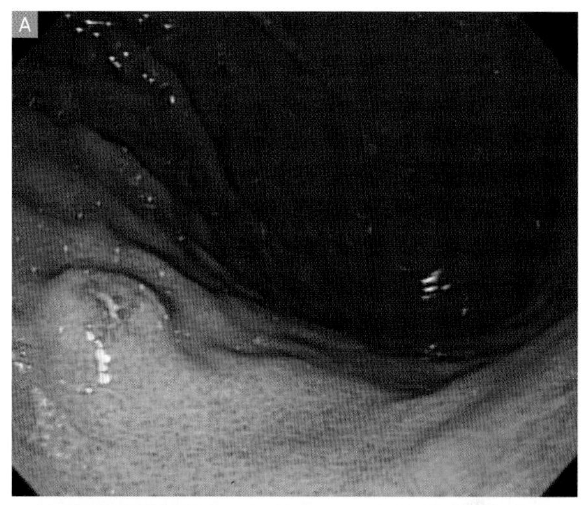

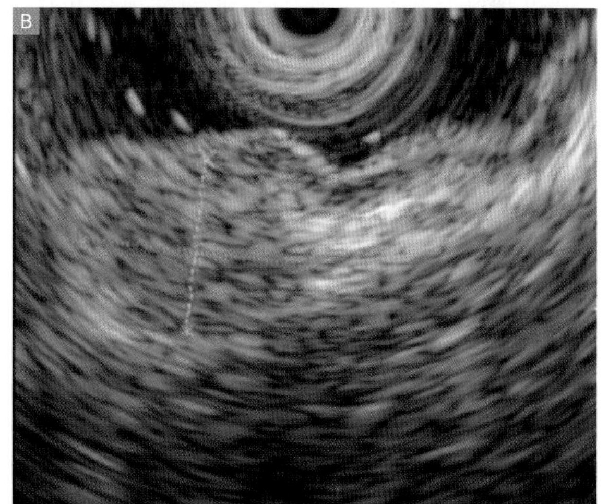

그림 46-2 **제3형 위신경내분비종양의 내시경 소견.**
A. 위내시경에서 위체부 대만 및 후벽 쪽에 약 1 cm 크기 점막하 병변형태의 신경내분비종양이 관찰된다.
B. 초음파내시경에서 크기는 7.9 mm 이며 점막과 점막하층에 국한되어 있다.

도움이 되기는 하지만 정확한 진단을 위해서는 조직검사가 필수이며 주변부의 조직검사를 시행하여 동반된 위염의 정도나 장크롬친화유사세포의 증식 정도를 보는 것이 도움이 된다. 제3형의 경우 간혹 히스타민을 분비하여 홍조나 부종, 천식, 설사 등을 일으킬 수 있다.

(2) 아형 분류를 위한 검사법

내시경조직검사에서 위신경내분비종양으로 진단된 경우 그 아형을 분류하기 위한 검사를 시행하여야 한다. 이는 예후를 예측하는데 도움이 되고 치료방향을 결정하기 위해서이다. 먼저 혈청의 가스트린을 측정하여 높을 경우 제1형이나 2형일 가능성이 많고 정상일 경우 제3형일 가능성이 많다. 제1형의 경우 앞서 밝힌 바와 같이 위저산증(hypochlorhydria)이나 위축위염에 의해 생기는 경우가 많으므로 비타민 B12 결핍을 동반한 악성빈혈을 감별하기 위하여 일반혈액검사와 함께 체세포(parietal cell) 및 내인성 인자(intrinsic factor)에 대한 항체를 검사한다. 주변조직을 같이 검사할 경우 위축위염의 정도를 평가할 수 있으므로 도움이 된다. 졸링거-엘리슨 증후군을 동반한 제2형의 경우 위산의 과분비를 특징으로 하므로 위산의 pH를 직접 측정하는 것이 도움이 되지만 임상에서 널리 사용되기에는 제한점이 있겠다.

졸링거-엘리슨 증후군의 경우 대부분 혈청 가스트린치가 1,000 pg/mL를 넘는 경우가 많으므로 이 경우 위산을 측정하여 낮으면 확진이 가능하지만 100~1,000 pg/mL로 나오는 경우에 진단은 애매해질 수 있다. 다른 검사를 통하여 동반된 가스트린종을 찾는 것이 이 경우 유용한 진단법이 되겠으며 제1형 다발성내분비선종증을 찾기 위한 검사로 부갑상선호르몬(Parathyroid hormone), 혈청 칼슘 및 뇌하수체기능검사를 시행한다. 또한, MENIN 유전자검사를 시행하는 것도 도움이 될 수 있겠다. 제3형의 경우 세크레틴 유발검사(secretin provocation test)를 시행하여 혈청 가스트린이 상승하는 양성의 소견을 보일 경우 졸링거-엘리슨 증후군을 배제하여 진단할 수 있는 것으로 되어 있으나 임상에서 쓰이기는 어렵다. 주변조직검사에서 위축성위염이 동반되지 않는 것도 진단에 도움을 줄 수 있다.

(3) 전이 및 국소 진행 평가

위신경내분비종양의 아형에 대한 검사와 더불어 시행하는 것이 질병의 국소 진행 정도 및 원격전이에 대한 영상 진단이다. 컴퓨터단층촬영을 시행할 경우 제2형에서 가스트린종의 위치를 찾거나 제3형에서 위신경내분비종양의 침범 정도나 전이를 평가하는데 유용하다. 컴퓨터단층촬영은 단순하게 해부학적 측면에서 종양을 찾는 것인데 반하여 소마토스타틴 수용체를 이용한 신티그래피(Octerotide scintigraphy)의 경우 종양을 기능적 측면에서 찾는 검사로 유용하게 쓰일 수 있겠다. 이 검사의 민감도는 63%이고 특이도는 95%로 좋지만 검사비가 고가인 점과 해부적인 위치를 추정하는 데에는 제한점이 있다. 양전자방출단층촬영술(^{11}C-5-hydroxytryptophan Positron Emission Tomography)도 기능적 측면에서 종양을 찾는데 도움을 줄 수 있다. 내시경초음파검사는 가스트린종을 찾고 세침흡입검사를 하는데 유용하나 그것보다는 위신경내분비종양의 점막침범 정도를 보기 위한 검사로 많이 쓰인다.

혈청 크로모그라닌 A (chromogranin A, CgA)의 수치가 위신경내분비종양에서 상승할 수 있다. 그러나, 수치의 상승이 진단에 특이적인 것은 아니다. 따라서, 선별검사로 사용하기보다는 질병이 진행할 경우 감시의 수단으로 사용하는 것이 적절하다.

3) 위신경내분비종양의 치료

위신경내분비종양의 치료는 다른 부위와 다르게 그 병변의 아형과 크기에 따라서 결정을 한다. 고가스트린혈증을 가진 환자에서 발견되는 제1형과 2형의 경우 크기가 1 cm 미만이고 점막하층에 국한되어 있으며 개수가 5개 미만이면 내시경 절제를 시행할 수 있다. 특히 1형의 경우에는 내시경을 통한 관찰만으로도 좋은 예후를 보인다. 한 연구에 따르면 약 12년간에 걸쳐 11명의 환자를 모집하여 중앙값 54개월의 추적관찰을 시행하였을 때, 4명(36%)의 환자에서 그 수가 증가하였으나 크기가 1 cm를 넘는 경우는 없었으며 컴퓨터단층촬영으로 추적검사하였을 때 원격전이나 국소전이는 없었다. 따라서 내시경 관찰만으로 제1형 위신경내분비종양의 추적은 충분하며 다른 치료는 필요하지 않을 수 있다. 경과관찰 대신에 내시경절제술을 시행해 볼 수 있다.

제1형 위신경내분비종양에서 내시경절제술의 초기 보고에서는 크기가 1 cm 이하일 경우 내시경절제를 생각하고 병리결과에 따라 추적검사를 시행하면 된다는 보고가 있는 반면에 양성의 경과를 취하지만 경우에 따라서 국소전이를 나타내므로 크기가 크고 환자의 증상이 있는 경우에는 전정부절제술(antrectomy) 보다 위전절제술과 림프 절제를 같이 해야 한다는 주장도 있었다. 전정부절제술의 경우 장크롬친화유사세포의 과증식과 신경내분비종양의 크기를 감소시키는데 효과적인 치료로 제시 되었지만 위신경내분비종양 자체에 대한 치료가 아니므로 최근에 언급이 되지는 않고 있다. 제2형의 경우 이런 치료원리를 이용하여 가스트린종을 찾아 제거할 경우 위신경내분비종양의 퇴행을 가져올 수 있다고 하지만 가스트린의 자극을 없애는 것에 위신경내분비종양이 반드시 반응하는 것은 아니어서 더 많은 연구를 필요로 한다.

소마토스타틴 유사체를 장기간 사용하여 효과를 본 연구도 있지만 예후와 관계된 것이 아니고 가격이 고가여서 아직 치료로 사용하기에는 이르다. 제1형의 경우 장기적인 추적관찰의 결과가 없는 상태에서 내시경절제술의 적응을 결론내기는 힘들지만 경과관찰만으로 예후가 좋다는 점과 유럽신경내분비종양학회의 권고사항 및 절제술의 경험으로 보아 정확한 병리평가와 내시경 평가가 이루어진다면 내시경절제술이 침습적인 수술을 대신할 훌륭한 대안이 있을 것으로 생각한다. 유럽신경내분비종양학회의 합의문에서도 이 점이 잘 반영되어있다(표 46-2).

제3형의 경우 수술적 치료가 원칙으로 되어 있으나 조기위암과 마찬가지로 검진 등을 통하여 조기에 발견되고 진행성이 아닌 경우에 한해 내시경절제술을 시행해 볼 수 있다. 가이드라인에서는 고가스트린혈증을 동반한 신경내분비종양에서 크기가 2 cm 이하인 경우 내시경절제술을 하나의 치료항목으로 인정하고 있으며, 크기가 2 cm 이상이라도 적절한 적응증에서는 내시경절제술을 추천하고 있다. 또한, 이전과 다르게 정상 가스트린을 가지는 3형에서도 크기가 2 cm 이하인 경우에 내시경 절제 또는 수술을 권하고 있다.

2. 조직학적 분류

세계보건기구(world health organization, WHO)는 신경분비과립이나 시냅스 소포 등의 신경내분비분화를 보이는 종양을 통칭하여 신경내분비종양이라 명명

표 46-2. **제1, 2형 위신경내분비종양의 치료**

상황	치료
용종크기 <1 cm	1년 마다 추적 내시경검사
1~6개 용종이며 크기 >1 cm	초음파내시경검사 후 절제, 이후 추적내시경
>6개 용종이며 크기 >1 cm, 근육층 침범이나 재발성의 경우	외과적 수술절제

하고, 악성도를 결정하는 주요 인자에 따라 분류하는 조직학적 분류체계를 2010년에 제안하여 세계적으로 사용되고 있으며, 2017년에 일부를 추가로 개정하였다. 신경내분비분화는 특이한 조직학적 소견을 동반하므로 분화가 좋은 경우 일반적인 현미경검사로 진단이 가능하지만 분화가 나쁘면 추가적으로 시냅토피신과 크로모그라닌 A에 대한 면역조직화학염색을 시행하여 확인할 수 있다. 발생 부위별로 종양세포가 분비하는 호르몬의 종류가 다르고 매우 복잡한 임상양상을 보이는 것과 달리 조직학적 분류는 발생부위, 기능성 여부 및 분비하는 호르몬의 종류에 상관없이 종양세포의 조직학적 분화와 등급(세포증식능)에 기초하여 구분한다. 그러나 병의 진행 정도를 평가하는 병기 기준은 발생부위별로 차이가 있다.

1) 조직학적 분화

일반적인 현미경검사에서 종양세포의 모양과 구조에 따라 고분화와 저분화로 구분한다. 고분화 종양은 과거에 암종과 유사하다는 의미로 유암종이라고도 불렸을 만큼 작고 균일하며 세포질이 풍부한 종양세포가 섬, 기둥 또는 거짓샘 등 특이한 배열을 보이는 특징이 있다. 이에 반해, 저분화 암종은 세포질이 적고 핵의 이형성이 심한 악성종양세포들로 구성되어 있고 괴사를 동반할 수 있으므로 저분화 샘암종 등 다른 악성종양과 구별이 어려울 수 있다(그림 46-3). 신경내분비종양의 진행양상은 분화에 따라 뚜렷한 차이가 있고 고분화 종양은 크기에 따라 예후가 유의하게 차이 나므로 종양의 크기가 포함된 별도의 병기 기준을 사용한다.

2) 등급

종양세포의 증식능력을 반영하는 유사분열 수와 Ki-67 표지지수(labeling index)를 평가하여 표 46-3에 제시한 기준에 따라 1등급(G1), 2등급(G2), 3등급(G3)으로 구분한다. 유사분열 수를 셀 때에는 적어도 40~50개의 고배율시야를 관찰한 후 환산하여 */10HPF로 표기하고, Ki-67 표지지수는 500~2,000개의 종양세포를 검사하여 양성세포의 백분율로 표기하는 것이 국제적 진단지침이다. 두 검사를 모두 시행하는 것을 권장하며 두 검사의 결과가 불일치 한 경우에는 둘 중 높은 결과값으로 최종 등급을 정한다. 2010년 WHO 분류에서는

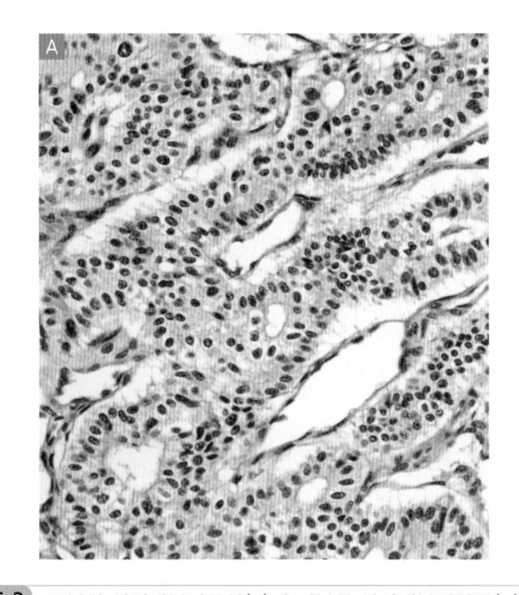

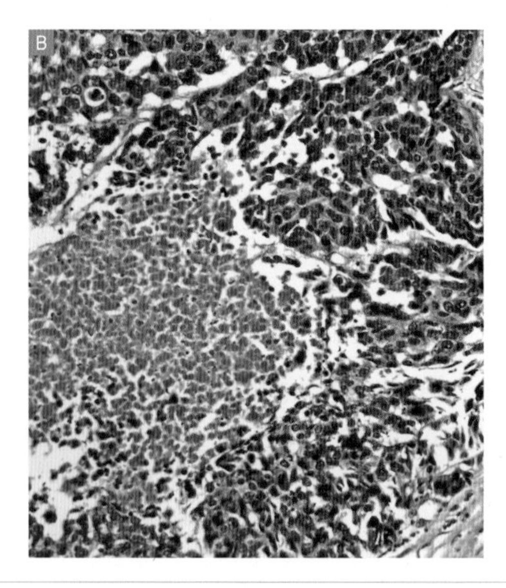

그림 46-3 고분화 신경내분비종양(A)과 저분화 신경내분비암종(B).

표 46-3. **신경내분비종양의 조직학적 분류 및 등급***

등급	기준	조직학적 분화도	진단
GX	등급 평가 불가능	고분화	NET
G1	유사분열 수 <2/10HPF, Ki-67 LI <3%	고분화	NET, G1
G2	유사분열 수 2~20/10HPF, Ki-67 LI 3~20%	고분화	NET, G2
G3	유사분열 수 >20/10HPF, Ki-67 LI >20%	고분화	NET, G3
	유사분열 수 >20/10HPF, Ki-67 LI >20%	저분화	NEC

*WHO 분류: 2017년 재개정
G: Grade, NET: neuroendocrine tumor, NEC: neuroendocrine carcinoma
HPF: high power field (고배율시야), 40~50개 시야에서 관찰한 후 10개 시야로 환산
LI: Labeling index, 종양세포 500~2000개 중 Ki-67염색에 양성세포인 세포의 백분율

대부분의 고분화 종양은 세포증식이 낮아서 G1 또는 G2 등급이고, G3 등급 종양은 모두 신경내분비암종으로 분류하였다. 그러나 고분화 종양이지만 드물게 G3 등급인 경우, 행동양식이 저분화 암종과 다르다는 것이 보고되면서 2017년에 개정된 췌장의 신경내분비종양 분류(WHO)부터는 G3 등급 종양을 고분화 종양과 저분화 암종으로 구분하였으며, 2017년에 개정된 AJCC 병기 메뉴얼에서도 췌장뿐 아니라 소화기계 모든 부위의 G3 신경내분비종양 중 고분화 종양은 G1 및 G2 고분화 종양과 동일한 병기 기준을 적용하는 것으로 변경하였다.

3) 전이성 신경내분비종양의 병리진단

고분화 신경내분비종양은 저분화 신경내분비암종에 비해 서서히 진행하는 것으로 알려져 있지만, 분화에 관계없이 모든 신경내분비종양은 원발병소를 모르는 상황에서 전이성 병변이 처음으로 진단되는 예가 있다. 특히, 간의 신경내분비종양은 대부분 전이성 병변으로 생각하며 고분화 종양일지라도 등급을 평가하여 표 46-3에 제시된 기준으로 분류하고, CDX-2, PDX-1, TTF-1 등에 대한 면역조직화학염색을 하면 원발 부위를 찾는데 도움이 된다.

3. 외과적 치료

유럽신경내분비종양학회(European Neuroendocrine Tumor Society, ENETS), 북미신경내분종양학회(North American Neuroendocrine Tumor Society, NANETS) 및 몇몇 개인 저자들은 위의 신경내분비종양치료에 대한 권고안을 발표했다.

분화도가 좋은 신경내분비종양(well-differentiated neuroendocrine neoplasm)의 치료는 타입에 따라 치료 방향이 정해진다. 제1형인 경우는 전이가 매우 적기 때문에 크기에 따른 치료 전략이 필요하다. 1 cm 보다 큰 경우 종양절제가 필요하다. 경험이 많은 의사는 내시경절제술도 가능하다. 그러나 크기가 2 cm 이상, 용종의 수가 6개 이상, 절제면에 종양이 있는 경우 그리고 근육층 이상 종양 침범이 의심된다면 국소절제 또는 위부분절제가 필요하다. 전정부의 만성위축위염과 연관된 1형인 경우 전정부절제(antrectomy)가 도움이 될 수 있지만 논란이 남아있다. 제2형은 MEN-1과 연관되어 있기 때문에 십이지장 또는 췌장의 신경내분비종양 존재 유무를 확인해야 하며 다학제진료를 통해 치료 방향을 결정하는 것이 필요하며 국소절제 또는 제한적절제가 권장된다. 제3형의 경우 위선암치료에 준하는 위절제

및 림프절절제가 원칙이다.

분화도가 좋지 않은 악성 신경내분종양(poorly-differentiated neuroendocrine carcinoma, PD-NEC) 또는 WHO 3등급(grade 3) 종양은 진단 당시에 이미 전이가 있는 경우가 많기 때문에 수술이 불가능한 경우가 많다. 그러나 수술적 치료가 가능한 국소 병변인 경우는 치료적 수술이 필요하다.

4. 전이성 신경내분비종양의 치료

전이성 위선암(Gastric adenocarcinoma)의 치료는 전신항암화학요법이 근간을 이루고 있으나, 전이성 신경내분비종양의 치료는 국소 및 전신 치료를 적절히 적용하는 것이 중요하다. 전이성 신경내분비종양의 치료 계획은 원발 부위, 병리학적인 소견(WHO 등급 및 분화도), 기능성 종양, 종양관련 증상 및 전이 부위에 따라 결정되며 다학제적 접근이 필요하다. 특히 WHO 등급에 따라 치료 약제 결정이 이루어지기 때문에 분화도, 유사분열 및 Ki-67 표지지수와 같은 병리학적 소견이 중요하며, 임상적인 소견과 일치하지 않는 경우 이에 대한 재검토가 필요하다.

분화도가 좋은 전이성 위신경내분비종양에서는 비록 원격전이가 있다고 하더라도 전신화학요법 이외의 국소치료적인 접근이 중요하며, 분화도가 나쁜 전이성 위신경내분비종양의 경우 3등급 전신항암화학요법이 치료의 근간을 이루게 된다.

1) 국소치료/종양감량수술

전향적 비교 임상연구에 기반한 명확한 근거는 없으나, 전이성 신경내분비종양, 특히 간전이에 대해서는 여러 국소치료(고주파열치료, 간혈관색전술 등)가 광범위하게 시행되어 왔다. 이러한 국소치료의 선택은 종양의 크기 및 WHO 등급, 전이 분포 형태 및 개수, 그리고 과혈관성(hypervascularity)와 같은 개별 환자의 특성에 따라 이루어져야 하며, 해당 의료진의 경험 및 전문성 역시 중요하다. 카르시노이드 증상이 심한 기능성 신경내분비종양의 경우 국소치료요법 시행 전 소마토스타틴 유도체 치료가 선행되어야 카르시노이드 위기(crisis)를 예방할 수 있다. 국소요법은 전신요법과 동시에 사용될 수 있으며, 환자에 따라 반복적으로 시행될 수 있다.

종양감량수술(debulking surgery)도 다른 국소요법과 함께 전이성 신경내분비종양의 치료에서 고려될 수 있다. 약물치료에도 조절되지 않는 카르시노이드 증상이 있는 기능성 신경내분비종양 환자들에게 일차적으로 고려될 수 있고, 비기능성 신경내분비종양 환자들에게도 적용 가능하다. 다만, 비기능성 신경내분비종양 환자들을 대상으로 종양감량수술을 시행할 때에는 6개월간 종양의 진행이 없는 안정적인 상태(stable disease)임을 확인하는 것이 필요하며, 종양 종괴효과(tumor mass effect)로 인한 증상이 있어 종양감량수술로 환자의 삶의 질이 좋아질 수 있을지에 대해 확인하는 것도 필요하다. 현재 종양관련 증상이 없는 비기능성 신경내분비종양 환자에서, 종양감량수술이 전신요법에 비하여 효과적인지에 대한 근거가 없으므로 무분별하게 시행되어서는 안되며, 시행 전에는 다학제적인 검토가 필요하다.

2) 1등급 혹은 2등급 신경내분비종양의 전신치료

WHO 1등급 및 2등급에서의 전신치료는 여러 대규모 3상 연구를 기반으로 표준 요법이 확립되어 있기는 하나, 신경내분비종양의 매우 다양한 임상양상을 고려할 때 환자들의 특성에 맞게 적용이 필요하다. 신경내분비종양의 전신요법은 췌장원발 및 췌장을 제외한 위장관 원발로 나뉘어 연구가 되어 왔다. 본 교과서에는 췌장을 제외한 위장관에서 기인한 신경내분비종양에 준하여 기술을 하도록 하겠다.

소마토스타틴 유도체는 기능성 신경내분비종양에서

카르시노이드 증상을 조절하기 위한 목적으로 오래전부터 사용되어 왔으나, 종양 진행을 억제하는 항암효과가 증명된 것은 비교적 최근이다. 중간창자(midgut) 원발 신경내분비종양 환자에서 소마토스타틴 유도체인 옥트레오타이드(octreotide)를 위약과 비교한 3상 임상 연구(PROMID) 결과, 옥트레오타이드는 위약과 비교하여 종양 진행 억제 측면에서 우월함을 보여주었다. PROMID 연구에 포함되지 않았던 췌장 및 위/대장 원발 신경내분비종양 환자를 포함하여, 더 포괄적인 신경내분비종양 환자를 대상으로 시행한 CLARINET 연구에서는 또 다른 소마토스타틴 유도체인 란리오타이드(lanreotide)가 위약과 비교되었고, 위약에 비해 더 우월한 종양 억제 효과를 보여주었다.

옥트레오타이드 및 란리오타이드 모두 경미한 설사, 복통 등의 부작용을 제외하면, 비교적 독성이 적은 약제이기 때문에, 수술이나 국소치료가 불가능한 1등급 및 2등급 위장관 신경내분비종양 환자에서의 1차 약제로 고려할 수 있다. 소마토스타틴 유도체에 적합한 환자군에 대해서는 몇 가지 제안들이 있으나, 여러 전문가들의 견해에 따르면 Ki-67이 10% 미만인 환자들에게 우선적으로 고려할 수 있다는 의견이 지배적이다. 소마토스타틴 기능영상(functional imaging) 혹은 조직학적 소마토스타틴 평가가 소마토스타틴 유도체의 효과 예측에 도움이 된다는 확고한 근거는 없으나, 일부 후향적 연구에서 이를 지지하는 근거들이 있다.

표적치료제(targeted agents)로서는 수니티닙(sunitinib)과 에버로리무스(everolimus)의 치료 효과가 전이성 신경내분비종양 환자를 대상으로 한 대규모 3상 연구에서 입증되었다. 다만 수니티닙은 췌장 신경내분비종양에서만 그 효과가 증명되었기 때문에, 위장관 신경내분비종양에서의 효과는 명확하지 않다. 이전 치료에 진행한 췌장 제외 위장관 신경내분비종양 환자에서 에버로리무스를 위약과 비교한 3상 임상연구(RADIANT-4) 결과, 에버로리무스는 위약에 비해 무진행생존기간(progression-free survival)을 유의하게 향상시켰고, 현재 표준치료로 인정되고 있다. 종양의 크기가 크거나 소마토스타틴 기능영상에서 음성인 경우 1차 치료 약제로 선택할 수 있으나, 구내염 및 폐렴과 같은 독성을 고려하였을 때 1차 약제로서 광범위한 사용은 권고 되지 않고, 이전 치료에 실패한 환자들을 대상으로 한 2차 혹은 3차 치료제로 선호된다.

소마토스타틴 기능영상(옥트레오스캔 혹은 갈륨 기반 영상)에서 소마토스타틴 수용체(Somatostatin Receptor, SSTR) 양성인 환자들에게는 Peptide Receptor Radionuclide Therapy (PRRT)를 고려할 수 있다. 유럽의 일부 센터에서는 십 수년 전부터 광범위하게 사용되어왔으나, 전향적 임상연구결과가 없어 전 세계적으로는 그 효과가 제한적으로 인정되어왔다. 최근 소마토스타틴 유도체 치료에 진행성 중간창자 원발 신경내분비종양 환자에서 177Lu-DOTATATE을 옥트레오타이드와 비교한 3상 연구(NETTER-1)에서, 177Lu-DOTATATE은 옥트레오타이드에 비하여 우월한 무진행생존기간 및 전체생존기간을 보여주었다. 이 연구결과에 따라 비로소 PRRT는 표준요법으로 인정받기 시작하고 있다. PRRT의 독성으로는 빈혈, 혈소판 감소증과 같은 혈액학적 독성 및 신장 독성이 있으며, 최근 3상 연구 및 기존의 후향적 연구결과를 바탕으로 전이성 신경내분비종양의 2차 혹은 3차 치료제로 선호된다.

3) 3등급 신경내분비종양의 전신치료(표 46-4)

3등급 신경내분비종양의 전신치료에서는 고전적인 항암화학요법이 주로 사용되고 있다. 시스플라틴/에토포사이드(cisplatin/ etoposide) 등의 시스플라틴 기반 항암화학요법이 1차 표준 요법으로 인정되고 있다. 비록 반응률은 40~67%로 높은 편이나, 무진행생존기간은 4~6개월에 불가하여 전반적인 예후는 좋지 않다. 테모졸로마이드(temozolomide) 요법이 췌장 원발 신경내분비종양에서 효과를 보여 위장관 원발 신경내분비

표 46-4. **위장관 신경내분비종양의 전신치료 옵션**

약제	WHO grade	주요 적용 원발 부위	소마토스타틴 수용체상태에 따른 적용	기타 고려사항
옥트레오타이드(octreotide)	1/2 등급	중간창자(midgut)	양성일 경우 우선적으로 고려	
란리오타이드(lanreotide)	1/2 등급	전체 위장관	양성일 경우 우선적으로 고려	
에버로리무스(everolimus)	1/2 등급	전체 위장관		소마토스타틴 수용체 영상에서 음성일 경우 1차 약제로 사용 고려
Peptide Receptor Radionuclide Therapy (PRRT)	1/2 등급	중간창자	양성 일시 우선적으로 고려	
시스플라틴/에토포사이드 (cisplatin/ etoposide)	3 등급	전체 위장관		

종양에서 연구가 되고 있으나, 아직 전향적 비교 임상 연구가 없어 표준치료로서 자리잡지 못한 상태이다.

최근 3등급 신경내분비종양의 분류가 세분화 되어 분화가 좋은 3등급 신경내분비종양과 분화가 나쁜 3등급 신경내분비암종 치료가 개별화 되어야 한다는 컨센서스가 이루어지고 있으나, 이를 지지할 명확한 임상적 근거가 없는 상태로 향후 추가적인 연구가 필요하다.

현재까지 표준치료로 받아들여져 왔던 시스플라틴 기반 항암화학요법은 분화도가 나쁜 3등급 신경내분비 종양에서는 효과가 제한적이라는 대규모 후향적 연구에 근거하여 플루로우라실 기반요법 혹은 테모졸라마이드 기반요법이 일부 가이드라인에서 권고가 되고 있으나, 이 역시도 임상근거가 부족하여 앞으로 이에 대한 추가적인 연구가 필요하다.

참고문헌

1. Agarwal SK, Kennedy PA, Scacheri PC, et al. Menin molecular interactions: insights into normal functions and tumorigenesis. Horm Metab Res 2005;37:369-374.
2. Annibale B, Lahner E, Negrini R, et al. Lack of specific association between gastric autoimmunity hallmarks and clinical presentations of atrophic body gastritis. World J Gastroenterol 2005;11:5351-5357.
3. Azzoni C, Doglioni C, Viale G, et al. Involvement of BCL-2 oncoprotein in the development of enterochromaffin-like cell gastric carcinoids. Am J Surg Pathol 1996;20:433-441.
4. Baiocchi GL, Ronconi M, Villanacci V, Gambarotti M, Giulini SM. Type 1 gastric carcinoid: is the conservative approach always indicated? Endoscopy 2004;36:459-460.
5. Borch K, Ahren B, Ahlman H, Falkmer S, Granerus G, Grimelius L. Gastric carcinoids: biologic behavior and prognosis after differentiated treatment in relation to type. Ann Surg 2005;242:64-73.
6. Brabander T, Teunissen JJ, Van Eijck CH, Franssen GJ, Feelders RA, de Herder WW, et al. Peptide receptor radionuclide therapy of neuroendocrine tumours. Best Pract Res Clin Endocrinol Metab 2016;30:103-114.

7. Burkitt MD, Pritchard DM. Review article: pathogenesis and management of gastric carcinoid tumours. Aliment Pharmacol Ther 2006;24:1305-1320.
8. Cadiot G, Laurent-Puig P, Thuille B, Lehy T, Mignon M, Olschwang S. Is the multiple endocrine neoplasia type 1 gene a suppressor for fundic argyrophil tumors in the Zollinger-Ellison syndrome? Gastroenterology 1993;105:579-582.
9. Capelli P, Fassan M, Scarpa A. Pathology - grading and staging of GEP-NETs. Best Pract Res Clin Gastroenterol 2012;26:705-717.
10. Caplin ME, Pavel M, Cwikla JB, Phan AT, Raderer M, Sedlackova E, et al. Lanreotide in metastatic enteropancreatic neuroendocrine tumors. N Engl J Med 2014;371:224-233.
11. Carney JA, Go VL, Fairbanks VF, Moore SB, Alport EC, Nora FE. The syndrome of gastric argyrophil carcinoid tumors and nonantral gastric atrophy. Ann Intern Med 1983;99:761-766.
12. Cho MY, Sohn JH, Jin SY, Kim H, Jung ES, Kim MJ, et al. Proposal for a standardized pathology report of gastroenteropancreatic neuroendocrine tumors: prognostic significance of pathological parameters. Korean Journal of Pathology 2013;47:227-237.
13. Davies MG, O'Dowd G, McEntee GP, Hennessy TP. Primary gastric carcinoids: a view on management. Br J Surg 1990;77:1013-1014.
14. Delle Fave G, Kwekkeboom DJ, Van Cutsem E, et al. ENETS consensus guidelines for the management of patients with gastroduodenal neoplasms. Neuroendocrinology 2012;95:74-87.
15. Delle Fave G, O'Toole D, Sundin A, et al. All other Vienna Consensus Conference participants: ENETS consensus guidelines update for gastroduodenal neuroendocrine neoplasms. Neuroendocrinology 2016; 103:119-124.
16. Dockray GJ. Clinical endocrinology and metabolism. Gastrin. Best Pract Res Clin Endocrinol Metab 2004;18:555-568.
17. Frilling A, Modlin IM, Kidd M, Russell C, Breitenstein S, Salem R, et al. Recommendations for management of patients with neuroendocrine liver metastases. Lancet Oncol 2014;15:8-21.
18. Garcia-Carbonero R, Sorbye H, Baudin E, et al. All other Vienna Consensus Conference participants: ENETS consensus guidelines for high-grade gastroenteropancreatic neuroendocrine tumors and neuroendocrine carcinomas. Neuroendocrinology 2016;103:186-194.
19. Gibril F, Reynolds JC, Lubensky IA, et al. Ability of somatostatin receptor scintigraphy to identify patients with gastric carcinoids: a prospective study. J Nucl Med 2000;41:1646-1656.
20. Grozinsky-Glasberg S, Thomas D, Strosberg JR, et al. Metastatic type 1 gastric carcinoid: a real threat or just a myth? World J Gastroenterol 2013;19:8687-8695.
21. Hirschowitz BI, Griffith J, Pellegrin D, Cummings OW. Rapid regression of enterochromaffinlike cell gastric carcinoids in pernicious anemia after antrectomy. Gastroenterology 1992;102:1409-1418.
22. Hopper AD, Bourke MJ, Hourigan LF, Tran K, Moss A, Swan MP. En-bloc resection of multiple type 1 gastric carcinoid tumors by endoscopic multi-band mucosectomy. J Gastroenterol Hepatol 2009;24:1516-1521.
23. Ichikawa J, Tanabe S, Koizumi W, et al. Endoscopic mucosal resection in the management of gastric carcinoid tumors. Endoscopy 2003;35:203-206.
24. Kim JY, Hong SM, Ro JY. Recent updates on grading and classification of neuroendocrine tumors. Ann Diagn Pathol 2017;29:11-16.
25. Klimstra DS. Pathology reporting of neuroendocrine tumors: essential elements for accurate diagnosis, classification, and staging. Seminars in Oncology 2013;40:23-36.
26. Kloppel G, Couvelard A, Perren A, Komminoth P, McNicol AM, Nilsson O, et al. ENETS consensus guidelines for the standards of care in Neuroendocrine tumors: towards a standardized approach to the diag-

nosis of gastroenteropancreatic neuroendocrine tumors and their prognostic stratification. Neuroendocrinology 2009;90:162-166.

27. Kloppel G, Komminoth P, Couvelard A, Osamura RY, HRUBAN rh, pERREN a, et al. Neoplasms of the neuroendocrine pancreas. In: Lloyd RL, Osamura RY, Kloppel G, Rosai J, eds. WHO classification of tumors endocrine organs. 4th ed. Lyon: International Agency for Research on Cancer (IARC), 2017:209-239.
28. Kulke MH, Anthony LB, Bushnell DL, et al. North American Neuroendocrine Tumor Society (NANETS). NANETS Treatment Guidelines Well-Differentiated Neuroendocrine Tumors of the Stomach and Pancreas-Pancreas 2010;39:735-752.
29. Kunz PL. Carcinoid and neuroendocrine tumors: building on success. J Clin Oncol 2015;33:1855-1863.
30. Kwon YH, Jeon SW, Kim GH, et al. Long-term follow up of endoscopic resection for type 3 gastric NET. World J Gastroenterol 2013;19:8703-8708.
31. Lehy T, Mignon M, Cadiot G, et al. Gastric endocrine cell behavior in Zollinger-Ellison patients upon long-term potent antisecretory treatment. Gastroenterology 1989;96:1029-1040.
32. Modlin IM, Lye KD, Kidd M. A 5-decade analysis of 13,715 carcinoid tumors. Cancer 2003;97:934-959.
33. Modlin IM, Lye KD, Kidd M. Carcinoid tumors of the stomach. Surg Oncol 2003;12:153-172.
34. Orlefors H, Sundin A, Garske U, et al. Whole-body (11)C-5-hydroxytryptophan positron emission tomography as a universal imaging technique for neuroendocrine tumors: comparison with somatostatin receptor scintigraphy and computed tomography. J Clin Endocrinol Metab 2005;90:3392-3400.
35. Pavel M, O'Toole D, Costa F, Capdevila J, Gross D, Kianmanesh R, et al. ENETS consensus guidelines update for the management of distant metastatic disease of intestinal, pancreatic, Bronchial Neuroendocrine Neoplasms (NEN) and NEN of unknown primary site. Neuroendocrinology 2016;103:172-185.
36. Plockinger U, Rindi G, Arnold R, et al. Guidelines for the diagnosis and treatment of neuroendocrine gastrointestinal tumours. A consensus statement on behalf of the European Neuroendocrine Tumour Society (ENETS). Neuroendocrinology 2004;80:394-424.
37. Ravizza D, Fiori G, Trovato C, et al. Long-term endoscopic and clinical follow-up of untreated type 1 gastric neuroendocrine tumours. Dig Liver Dis 2007;39:537-543.
38. Raymond E, Dahan L, Raoul J-L, Bang Y-J, Borbath I, Lombard-Bohas C, et al. Sunitinib malate for the treatment of pancreatic neuroendocrine tumors. New England Journal of Medicine 2011;364:501-513.
39. Richards ML, Gauger P, Thompson NW, Giordano TJ. Regression of type II gastric carcinoids in multiple endocrine neoplasia type 1 patients with Zollinger-Ellison syndrome after surgical excision of all gastrinomas. World J Surg 2004;28:652-658.
40. Rindi G, Bordi C, Rappel S, La Rosa S, Stolte M, Solcia E. Gastric carcinoids and neuroendocrine carcinomas: pathogenesis, pathology, and behavior. World J Surg 1996;20:168-172.
41. Rindi G, Kimstra DS, Arnold R, Kloppel G, Bosman FT, Komminoth P, et al. Nomenclature and classification of neuroendocrine neoplasms of the digestive system. In: Bosman FT, Carneiro F, Hruban RH, Theise ND, eds. WHO classification of tumors of the digestive system. 4th ed. Lyon: International Agency for Research on Cancer, 2010:13-14.
42. Rindi G, Luinetti O, Cornaggia M, Capella C, Solcia E. Three subtypes of gastric argyrophil carcinoid and the gastric neuroendocrine carcinoma: a clinicopathologic study. Gastroenterology 1993;104:994-1006.
43. Rinke A, Muller HH, Schade-Brittinger C, Klose KJ, Barth P, Wied M, et al. Placebo-controlled, double-blind, prospective, randomized study on the effect of octreotide LAR in the control of tumor growth in patients with metastatic neuroendocrine midgut tumors: a report from the PROMID Study Group. J Clin Oncol

2009;27:4656-4663.

44. Ruszniewski P, Delle Fave G, Cadiot G, et al. Well-differentiated gastric tumors/carcinomas. Neuroendocrinology. 2006;84:158-164.
45. Sato Y, Iwafuchi M, Ueki J, et al. Gastric carcinoid tumors without autoimmune gastritis in Japan: a relationship with *Helicobacter pylori* infection. Dig Dis Sci 2002;47:579-585.
46. Sorbye H, Strosberg J, Baudin E, Klimstra DS, Yao JC. Gastroenteropancreatic high-grade neuroendocrine carcinoma. Cancer 2014;120:2814-2823.
47. Sorbye H, Welin S, Langer SW, Vestermark LW, Holt N, Osterlund P, et al. Predictive and prognostic factors for treatment and survival in 305 patients with advanced gastrointestinal neuroendocrine carcinoma (WHO G3): the NORDIC NEC study. Ann Oncol 2013;24:152-160.
48. Srivastava A, Hornick JL. Immunohistochemical staining for CDX-2, PDX-1, NESP-55, and TTF-1 can help distinguish gastrointestinal carcinoid tumors from pancreatic endocrine and pulmonary carcinoid tumors. Am J Surg Pathol 2009;33:626-632.
49. Strosberg J, El-Haddad G, Wolin E, Hendifar A, Yao J, Chasen B, et al. Phase 3 trial of (177)Lu-Dotatate for midgut neuroendocrine tumors. N Engl J Med 2017;376:125-135.
50. Strosberg JR, Coppola D, Klimstra DS, et al. North American Neuroendocrine Tumor Society (NANETS). The NANETS consensus guidelines for the diagnosis and management of poorly differentiated (high-grade) extrapulmonary neuroendocrine carcinomas pancreas 22010;39:784-798.
51. Varro A, Hemers E, Archer D, et al. Identification of plasminogen activator inhibitor-2 as a gastrin-regulated gene: Role of Rho GTPase and menin. Gastroenterology 2002;123:271-280.
52. Woltering EA, Bergsland EK, Beyer DT, O'Dorisio TM, Reid-Lagunes D, Strosberg JR, et al. Neuroendocrine tumors of the stomach. In: Amin MB, Edge SB, Greene FL, Byrd DR, Brookland RK, Washington MK, eds. AJCC Cancer staging manual. 8th ed. Switzerland: Springer Nature 2017:351-359.
53. Yao JC, Fazio N, Singh S, Buzzoni R, Carnaghi C, Wolin E, et al. Everolimus for the treatment of advanced, non-functional neuroendocrine tumours of the lung or gastrointestinal tract (RADIANT-4): a randomised, placebo-controlled, phase 3 study. Lancet 2016;387:968-977.

CHAPTER 47 위장관기질종양 및 기타 점막하종양

위장관기질종양은 위장관에서 발생하는 간엽성 종양 중 가장 흔한 것으로 전체 위장관 종양 중 0.1~3%를 차지하나, 소장의 경우에는 20%에 달한다. 전체의 60%는 위에, 30%는 소장에 발생한다. 크기가 크거나 이미 전이를 동반한 경우를 제외한 대부분의 위장관기질종양은 환자가 호소하는 증상이 없다. 대부분 건강검진 또는 영상검사에서 우연히 발견되는 경우가 많다. 국내 연구에서 의하면 건강검진 환자를 대상으로 위상피하병변의 유병률은 1.66%였으며, 국내 검진내시경의 활성화로 무증상 위장관기질종양 진단 건수가 늘고 있다. 이 장에서는 위장관기질종양의 진단 및 내시경적 치료에 대해 알아보고자 한다.

1. 위장관기질종양의 진단

위내시경검사나 전산화단층촬영 등의 영상검사에서 상피하병변이 있는 경우 위장관기질종양을 의심할 수 있다. 위내시경검사에서 상피하병변은 점막표면이 매끈한 종괴의 형태로 나타나며 주변으로 다리주름이 있을 수 있다. 일단 상피하병변이 의심되는 경우 이 종괴가 위벽에서 유래하는 종괴인지 외부 장기의 압박에 의한 소견인지 구분이 필요하다. 정확한 감별진단을 위해서는 초음파내시경이 필수이다(그림 47-1). 경우에 따라 복부전산화단층촬영 등의 검사도 필요하다. 대부분의 위장관기질종양은 고유근층에서 기원하며 일부 점막근층이나 점막하층에서 발견되는 경우도 있다. 균질한 형태의 저에코를 보이는 경우가 많으며 내시경초음파 소견만으로 다른 고유근층 기원 종양인 평활근종과 감별이 불가능하다. 내시경초음파에서 정확한 크기 측정, 불규칙한 경계 여부 및 낭성 변화 등을 확인해야 한다. 복강경하 절제 혹은 내시경점막하박리술 전에 위장관기질종양의 세포학적 진단을 위해서 여러 방법이 사용될 수 있다. 대부분 병변이 상피하층에 존재하므로 일반적인 조직검사를 통해서는 진단에 필요한 조직을 채취하는 것이 불가능하다. 한곳을 집중해서 조직검사를 반복하는 'bite on bite' 방법을 이용하거나, 병변을 덮고 있는 점막과 점막하층을 제거한 후 조직검사를 시행할 수도 있다.

내시경초음파하 세침흡인검사는 22게이지의 세침을 이용하여 조직을 흡인해서 조직을 얻는 방법으로 흡인과정은 일반적으로 2~5회 정도 시행한다고 알려져 있다. 크기가 2~3 cm 이상인 병변에서는 19게이지의 trucut needle을 이용한 조직검사를 시행할 수 있다. 이는 세포흡인이 아닌 조직의 일부를 구조를 유지한

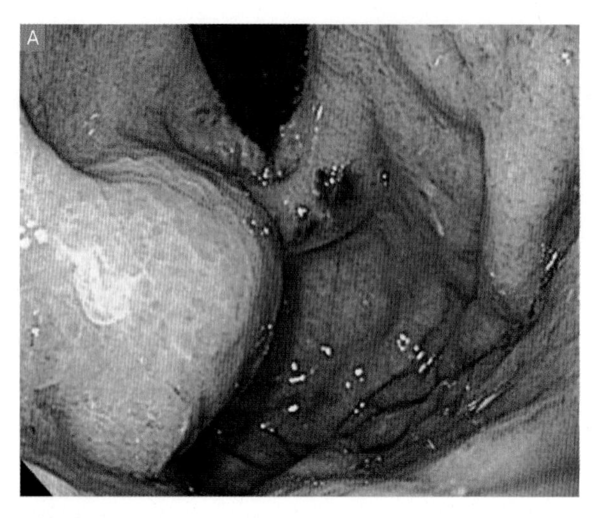

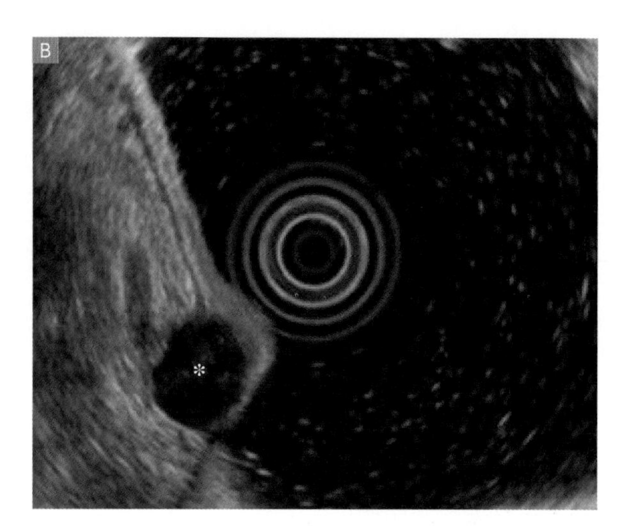

그림 47-1 **위장관기질종양의 내시경 소견 및 내시경초음파 소견.**
A. 위 기저부에 상피하병변이 관찰된다.
B. 내시경초음파에서 고유근층 기원 저에코 병변이 보인다.

상태로 채취할 수 있으므로 보다 정확한 진단이 가능하다. 그러나 내시경초음파를 이용한 조직검사는 그 진단율이 연구마다 차이가 있지만 진단율이 높지 못한 단점이 있으며 고가의 장비가 필요해서 3차 의료기관이 아니면 시행하기 어려운 점이 있다. 최근 내시경적 점막하박리술을 이용한 조직검사가 비교적 안전하며 높은 진단율을 보인다는 보고가 있어 향후 연구가 필요하다(그림 47-2).

2. 위장관기질종양의 내시경적 치료

1) 내시경적 점막하박리법

내시경적 시술 전 내시경초음파는 필수적인 검사로 제시되고 있다. 그 근거는 첫째, 내시경에서 관찰되는 상피하종양이 외부 장기에 의한 변화가 아닌 벽내(intramural) 병변인지 확인하고 둘째, 종양이 기원하는 층을 확인하며 셋째, 고유근층 유래의 종양일 경우 성장 방향을 확인해서 내강 쪽으로 자라는 종양인지 확인이 필요하다. 내시경적 점막하박리술은 천공과 같은 심각한 합병증이 상피하종양의 경우 많게는 10% 전후로 보고되고 있으므로 일반외과나 흉부외과가 갖추어져 있고 필요할 경우 즉각적인 수술이 가능한 시설에서 이루어져야 한다. 또한 절제된 조직에 대해 mapping이 가능하여 병리학적 완전절제 또는 불완전절제 여부를 확인할 수 있고, 비슷한 형태를 보이는 종양이 많음을 감안하여 다양한 면역화학염색을 통해 정확한 진단이 가능한 병리과 여건도 필요하다.

성공적인 내시경절제를 위해서는 내시경초음파에서 보이는 고유근층에서의 종괴의 성장 방향의 모양을 확인해서 결정해야 한다. 간단한 모식도로 그림 47-3 B, C, D인 경우에는 내시경점막하박리술에 의한 절제가 가능할 수 있으나 그림 47-3 A인 경우에는 천공의 위험도가 높을 수 있으므로 시술자의 경험이 중요하다. 시술 방법은 점막하조직에 에피네프린이 포함된 혼합액을 주입하여 고유근층과의 간극을 만든 상태에서 융기를 유지한 뒤, 다양한 종류의 절개도를 이용하여 점막하층을 병변과 수평 방향으로 박리함으로써 일괄적으로 병변을 제거하는 방법이다. 대개 점막하조직의 박리 전 병변 주변에 원형으로 일부 또는 완전한 점막 전절개(precut)를 선행하며, 융기를 유지하기 위한 혼합액이

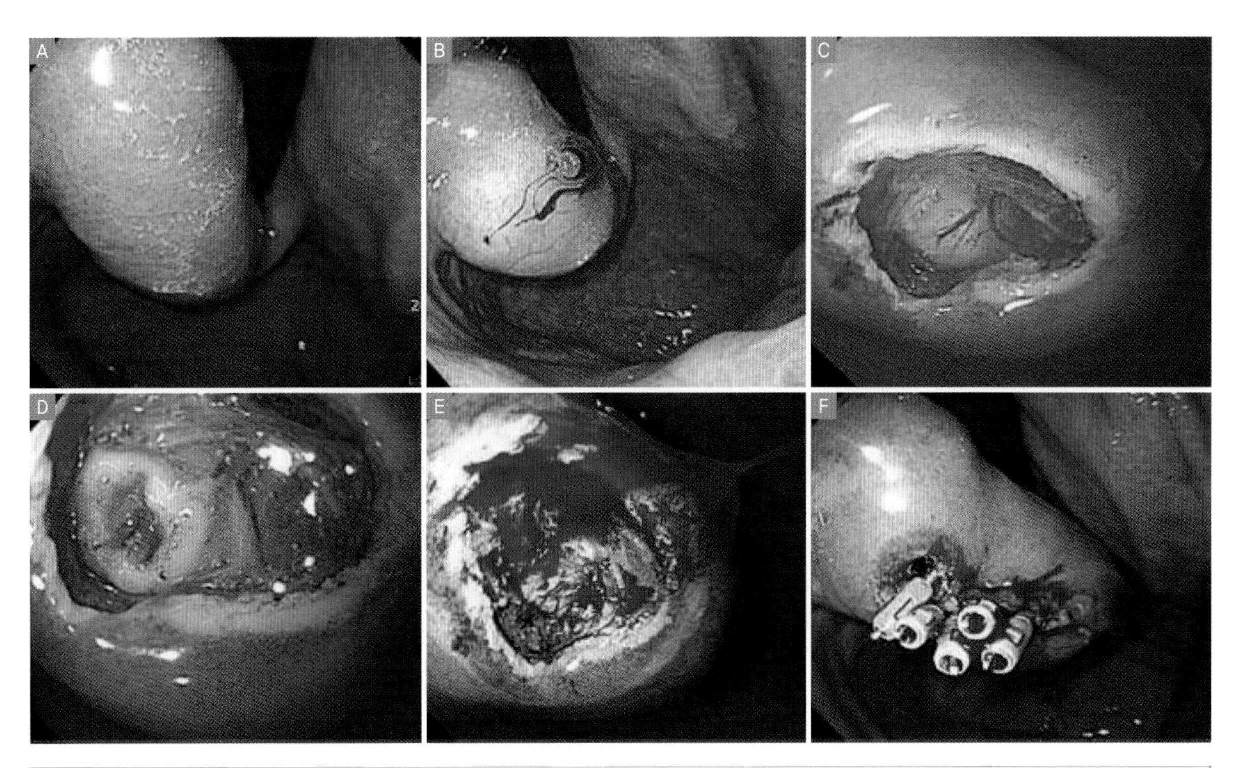

그림 47-2 **내시경적 점막하박리술을 이용한 위장관기질종양의 생검.**
A. 분문에 직경 4 cm가량의 상피하병변이 보인다.
B. 점막하층에 에피네프린 인디고카민 혼합액 주입 후 사진.
C. 나이프를 이용해서 점막층과 점막하층 제거 후 상피하종괴가 보인다.
D, E. 생검 겸자를 이용해서 생검 시행한다.
F. 클립을 이용해서 결찰을 시행한다.

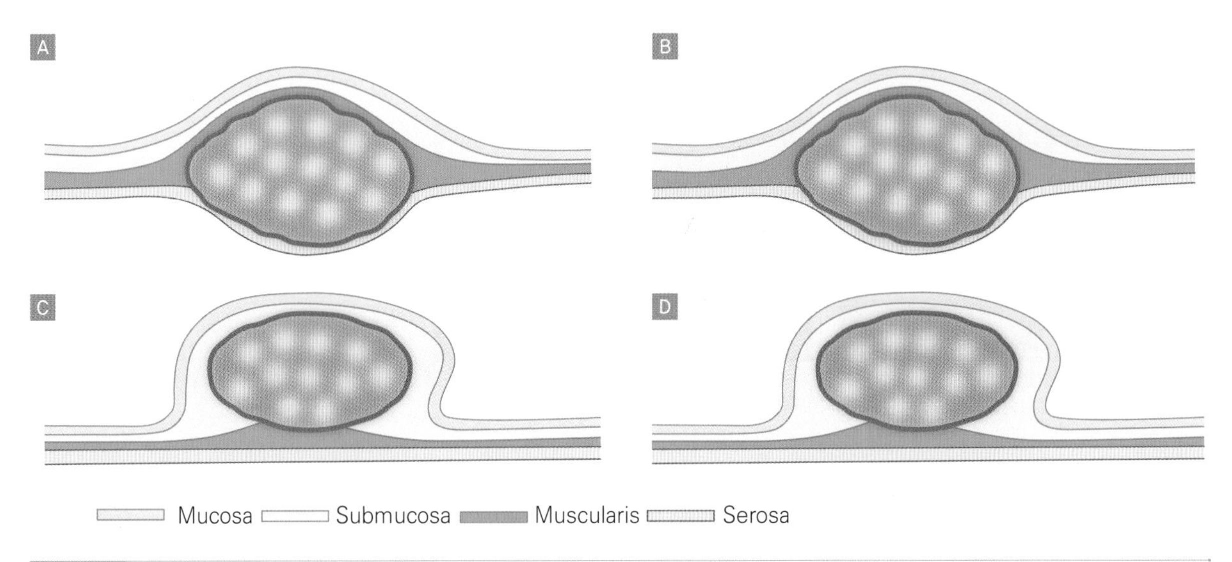

그림 47-3 **고유근층 침범 위치에 따른 위장관 기질종양의 분류.**

나 절개도는 시술자의 선호도에 따라 달라질 수 있다.

상피하종양에 내시경적 점막하박리술을 적용할 경우, 첫 점막 절개를 병변과 다소 거리를 두어 멀리서 접근해야 충분한 깊이의 종양 하부로 접근하여 박리할 수 있는 경우가 많다. 종양이 심부 점막하층에 위치하거나 고유근층에서 기원하는 경우, 또는 병변에 수평하게 내시경이 접근하기 힘든 위치(위의 상체부 대만이나 위저부 등)일 경우 절개도만으로는 완벽한 점막하박리가

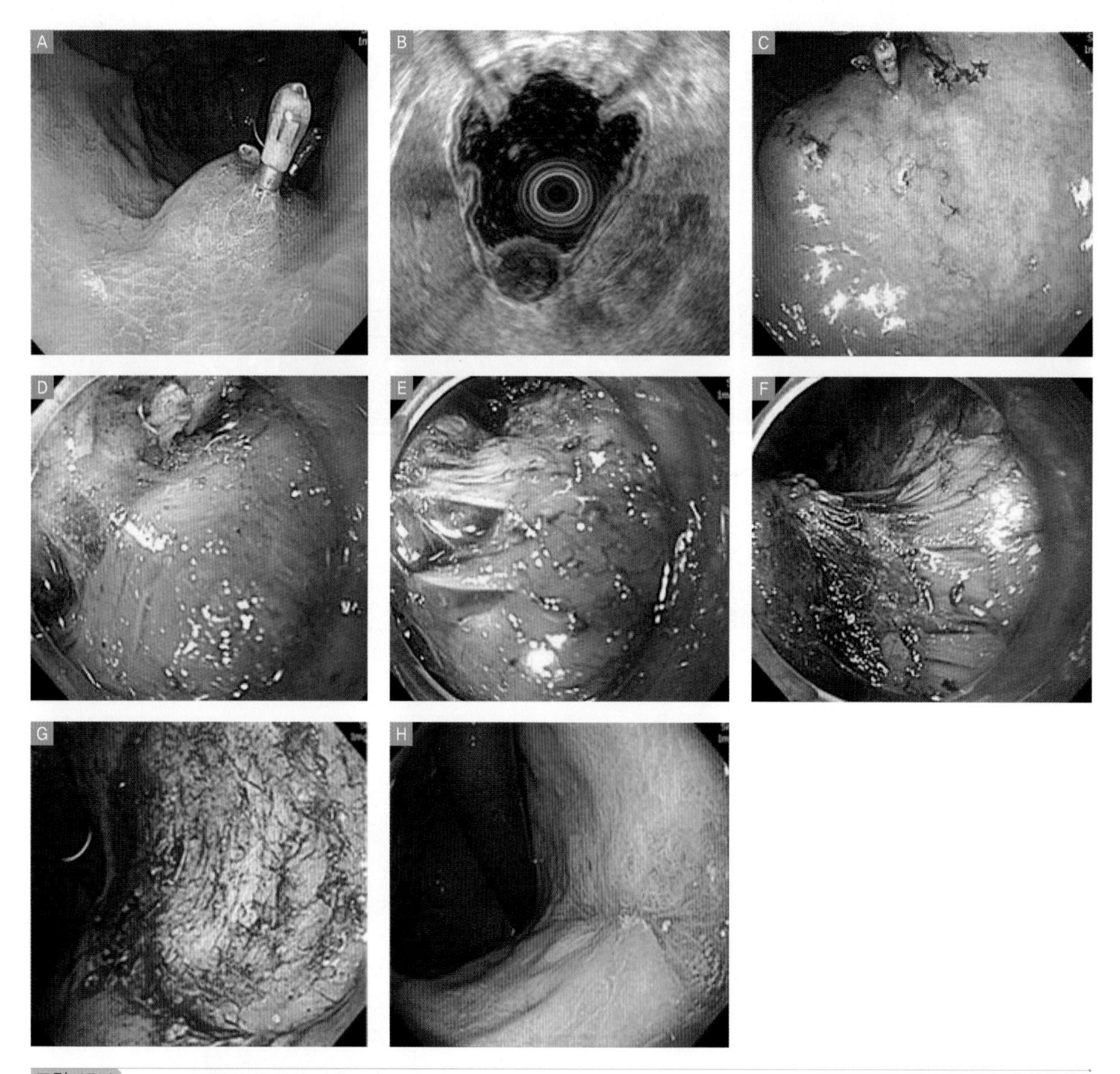

그림 47-4 **위장관기질종양의 내시경적 점막하박리술.**
A. 위하체부 소만부에 직경 2 cm가량의 상피하병변이 보인다.
B. 내시경초음파에서 고유근층 기원의 저에코 병변이 보인다.
C. 점막하 주사액 주입 후 사진.
D. 점막하층 박리 중인 사진이며 상피하병변과 고유근층이 붙어있다.
E. 캡슐로 덮혀 있는 상피하병변을 고유근층과 분리하고 있다.
F. 고유근층과 부착부위 박리 후 사진.
G. 내시경적 점막하박리 완료 후 궤양 사진. H. 2개월 후 내시경추적검사에서 궤양이 치유되어 반흔만 보인다.

힘든 경우가 많다. 따라서 마지막에 올가미를 이용하여 종양 아래층을 잡아 제거하게 되는데, 이렇게 하면 바닥 부분에 잔여 종양세포가 남아 있을 가능성이 높아지게 된다. 시술 방법을 정리하며 그림 47-4와 같다. 병변 주변으로 에피네프린 혼합액을 주입한 후 360° 전절제를 시행한다. 그 후에 내시경 선단부에 캡을 부착한 후 점막하층 박리를 시작한다. 일반적으로 위장관기질종양은 캡슐로 싸여 있는 경우가 많아 박리가 어렵지 않는 경우가 많다. 시술 성공의 가장 중요한 점은 고유근층과 부착되어 있는 종괴의 박리이며 이 부분을 박리할 때 천공의 위험도가 있더라도 R0 절제를 위해 고유근층의 일부 손상을 줄 수 있으며 미세한 천공이 발생하더라도 클립 등으로 결찰하면 큰 합병증 없이 치료가 가능하다. 위장관기질종양의 내시경적 점막하박리술의 유용성에 대한 여러 연구가 있으며 국내 대표적인 연구로 90명의 내시경 절제 환자와 40명의 복강경절제술을 시행한 환자를 비교했으며 총 45.5±29.1개월 동안 재발률에 차이가 없었다는 보고가 있었다. 단 내시경적 절제가 수술 절제보다 R0 절제율의 비율이 낮았다는 문제가 있어 향후 이에 대한 연구가 필요하다.

2) 변형된 방법들

고유근층에 위치하는 상피하종양은 일괄절제율(en bloc resection)이 떨어지고 천공의 위험이 높아 내시경적 점막하박리술을 변형시킨 여러 방법들을 적용한 경우가 많으며, 이에 대해 간단히 소개하면 다음과 같다.

(1) Endoscopic enucleation

기존의 내시경적 점막하박리술을 원형의 점막 절개를 필요로 하고 제거 후 점막의 결손이 넓은 단점이 있다. 주로 4층에서 기원하는 종양의 경우에 적용되는 방법으로, 절개도를 이용한 원형의 점막 절개 대신 올가미로 종양을 덮고 있는 점막만 제거하면(unroofing) 점막하조직 아래로 종양이 관찰되고, 마치 도려내듯 종양 주위의 점막하조직을 박리해 나가는 내시경 핵적출술(endoscopic enucleation) 방법이 있다. IT knife나 hook knife를 주로 이용하고 어느 정도 주변이 박리가 되고 종양이 드러나면 통전 없이 겸자, 절개도, 또는 내시경에 장착된 캡을 이용하여 물리적으로 종양을 밀어내어 아래층의 종주근과 박리하는 방법을 병용하기도 한다. 이 방법은 종양의 피막이 잘 형성되어 주변 조직과 쉽게 박리가 될 경우 유용하게 사용될 수 있다. 시술 초반에 올가미로 표면 점막을 제거하는 대신 절개도로 일자나 십자의 절개를 넣은 후 아래의 종양을 적출할 수도 있다. 대체로 이전의 통상적인 내시경점막하박리 방법에 비해 높은 성공률을 보고하고 있으나 천공의 빈도는 유사하며, 식도와 위 병변에 모두 적용할 수 있다.

(2) Endoscopic submucosal tunnel dissection

식도 병변에 주로 적용 가능한 방법으로서, per-oral endoscopic endoscopic myotomy (POEM)에 사용하는 방법을 이용한 submucosal endoscopic tumor resection은 상피하종양에서 5 cm 가량의 상부의 정상 점막에 점막하용액을 주입한 후 종주상으로 절개를 가하고 점막 하에 터널을 만든 뒤 종양으로 접근하여 선형 절개도를 사용하여 종양을 제거하는 기술이다. 이 방법은 endoscoic submucosal tunnel dissection (ESTD)라고 명명되어 있기도 하며 주로 식도나 분문부에 많이 사용되었으나 그 외 다른 부위에도 적응이 가능하다.

(3) Endoscopic full-thickness resection

일부 연구에서는 고유근층 기원의 상피하종양을 박리하기 힘든 경우 의도적으로 천공을 만들면서 종양을 일괄절제한 후 클립으로 봉합하는, 일종의 endoscopic full-thickness resection (EFTR) 방법을 사용하여 비교적 중한 합병증 없이 완전절제가 가능함을 보고하였다. 초기에는 이러한 시술을 위해서 복강경하 도움이 필요하였지만, 최근에는 복강경 도움 없이 시행되기도 한다. 그러나 전신마취하에 시술하여야 안정적인 시술이 가능한 점을 고려할 때, 의식하 진정상태에서 주로 시술하는 국내의 현실에 적용하기에는 철저한 봉합이 이루어지지 않았을 경우 발생할 수 있는 복막염이나 종격동염의 위험이 크기에 아직 적당한 방법은 아닌 것으로 보인다.

3) 영상의학적 진단

(1) 위장관기질종양을 포함한 상피하종양의 바륨조영술 소견

위장관기질종양(gastrointestinal stromal tumor, GIST)을 포함한 상피하종양(subepithelial tumor)은 모두 비슷한 소견을 보이는데, 즉 경계가 좋고 표면이 매끄러우며, 위를 덮고 있는 정상 점막의 위소구(area gastricae)가 보이거나 정상적인 점막주름이 종양을 가로질러 나가면서 종양의 중심으로 갈수록 퍼져서 안 보이는 형태(fading folds, bridging folds sign)를 띤다(그림 47-5). 종양의 크기가 2 cm 이상이면 궤양을 잘 동반하여 표적모양 병소(target like lesion)로도 보인다(그림 47-6).

소장에서도 역시 이 종양들은 경계가 평활한 구형 또는 난원형 충만결손으로 보인다. 특히 위장관기질종양의 경우 내강 내외로 자라는 성질이 있어(endo-exophytic growth) 크기가 커지면 주변 소장을 밀어낼 수 있고, 간혹 종괴 표면의 궤양과 내부의 공동(cavitation)이 연결되어 공동 내에 바륨이 고이기도 한다(그림 47-7).

(2) 위장관기질종양의 CT 소견

종양의 크기가 작으면 CT에서 대개 균일하게 조영이 증강되며 근육과 같거나 약간 강한 조영증강을 보인다. 크기가 커지면서 중심성 저음영을 자주 보이는데 이는 병리학적으로 출혈, 괴사, 낭종 형성을 의미한다(그림 47-8). 종괴내 석회화는 드물지만 발생할 수 있다. 위장관기질종양의 다양한 CT 소견 중 크기가 크거나, 심한 소엽 모양(lobulated contour), 궤양이나 장간막 침윤, 인접 장기 침범 등의 소견은 악성에서 주로 보이지만, 종괴 크기 외에 다른 소견이 악성을 시사하는지는 아직 불분명하다. 위 밖으로 팽창한 종양은 위간인대(gastrohepatic ligament) 혹은 위비장인대(gastrohenal ligament)를 따라서 자라고, 뒤쪽으로는 소낭(lesser

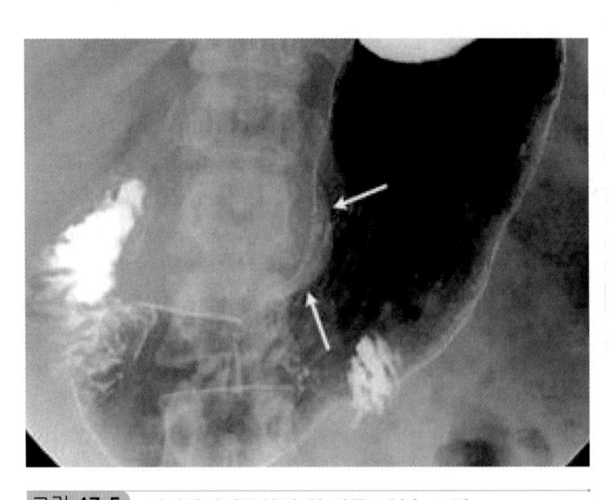

그림 47-5 **위장관기질종양의 위 바륨조영술 소견.** 위 하체부에서 bridging fold 형태를 띤 경계가 명확한 점막하종양(화살표)이 보인다.

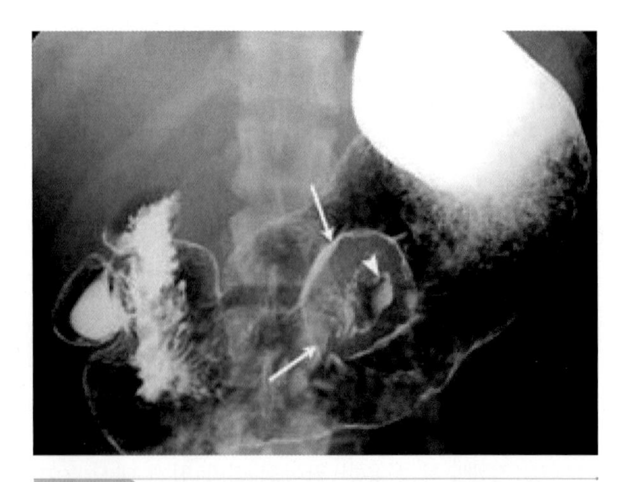

그림 47-6 **위장관기질종양의 위 바륨조영술 소견.** 위 하체부에 중심성 궤양(화살촉)을 동반한 점막하병변으로 표적 모양을 띤 위장관기질 종양(화살표)이 보인다.

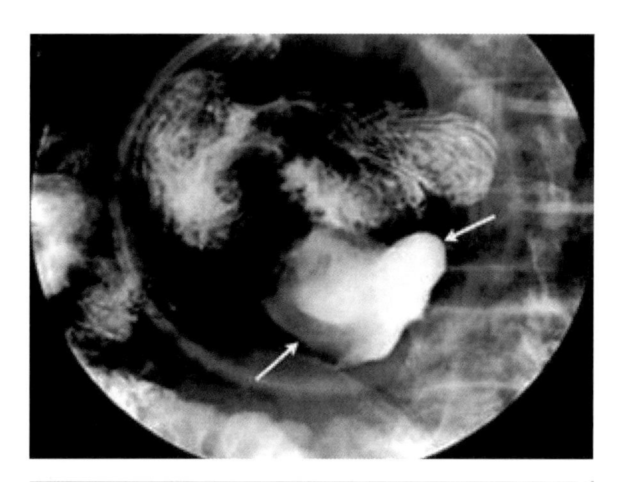

그림 47-7 **소장의 위장관기질종양.**
바륨조영술상 공장과 연결된 병변 내에 바륨이 고여 있다(화살표). 강외로 성장한 종양의 중심성 공동과 공장점막의 궤양이 연결되어 이 같은 소견을 만든다.

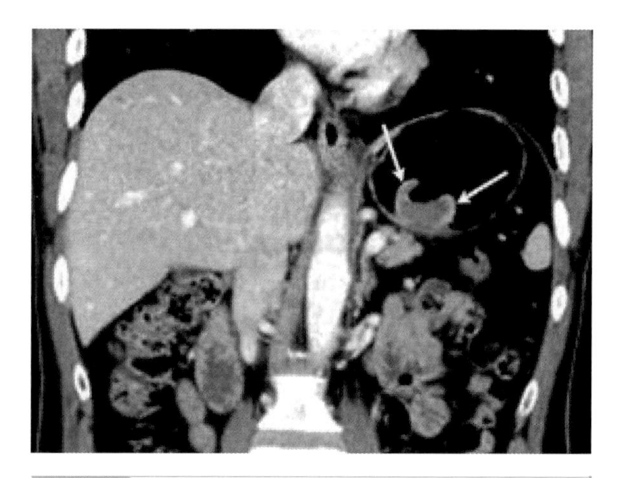

그림 47-8 **위 상체부에 중심성 궤양을 동반한 위장관기질종양(화살표)의 관상면 CT 영상.**
위강 안쪽으로 성장한 종양이다.

sac)을 침범할 수 있다. 이 때는 종괴 중 상당 부분이 위 바깥에 위치하므로 인접 장기인 간, 췌장, 비장에서 생긴 종양과 감별하기가 어렵다. CT에서 종괴와 붙어 있는 비후된 위벽을 발견하면 종괴의 기원을 위로 추정할 수 있다(그림 47-9). CT에서는 종괴 자체의 형태학적 특징을 파악하는 것 외에도 인접 장기로의 침범, 복막전이나 복수의 동반 여부, 간전이 등을 진단할 수 있다(그림 47-10). 위장관기질종양은 림프절 전이가 극히 드문데, 반면 위 바깥으로 자라는 위선암과 림프종의 경우 대부분 림프절병증을 동반해 림프절병증의 여부가 위장관기질종양을 감별하는 중요한 감별점이 된다(그림 47-11). 이 밖에도 위장관기질종양은 위에 생기는 평활근종, 평활근육종, 신경집종, 신경섬유종 같은 중간엽종양과 감별을 요하기도 한다. 소장에 생긴 경우 종괴자체의 소견은 위에서 발생하는 위장관기질종양과 동일하며, 위에서 발생한 경우와 비교했을 때 내강 밖으로 자라는 경우가 좀 더 많다. 종괴의 내부 괴사가 심한 경우 공동 내에 공기액체층(air-fluid level)을 보이기도 한다(그림 47-12).

(3) 기타 상피하종양의 CT 소견

① **지방종**

조영증강전 CT에서 마이너스값의 균일한 저음영을 보이는 것으로 확진할 수 있다. 조영증강시 내부에 괴사로 인한 균일하지 않은 음영이나 격막 등 조영증강되는 부분이 있거나, 크기가 5 cm 이상일 경우 지방육종의 가능성을 고려해야 한다(그림 47-13).

② **평활근종**

식도에서는 가장 흔한 점막하종양으로 위에서는 이보다 드물지만 주로 분문부(cardia), 저부(fundus) 등 식도에서 이행하는 부위에서 잘 생기는 것으로 알려져 있다. CT에서 경계가 분명한 난원형의 종괴로 주로 내강내로 자라며 크기에 비해 괴사가 없어 균일하게 조영증강되는 점이 위장관기질종양과의 감별점이다. 조영증강시에 동맥기, 문맥기에서 등근육과 비슷하거나 약간 높은 조영증강 값을 나타낸다(그림 47-14).

③ **이소성췌장**

대개 유문(pylorus)에서 3~4 cm 이내의 전정부 대만

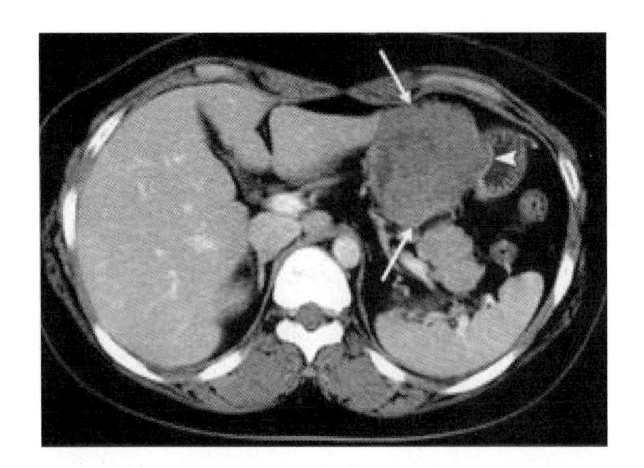

그림 47-9 **CT 소견으로 파악한 위장관기질종양의 기원.**
축상면 영상에서 위강 바깥으로 성장한 고형성 종괴(화살표)가 보인다. 종괴 일부가 간 좌측엽과 닿아 있어 종괴가 어디에서 기원했는지 알기 어렵지만, 위와 닿은 부분(화살촉)을 보면 위점막 직하부까지 조영증강이 뚜렷해 위에서 기원한 점막하종양으로 진단할 수 있다.

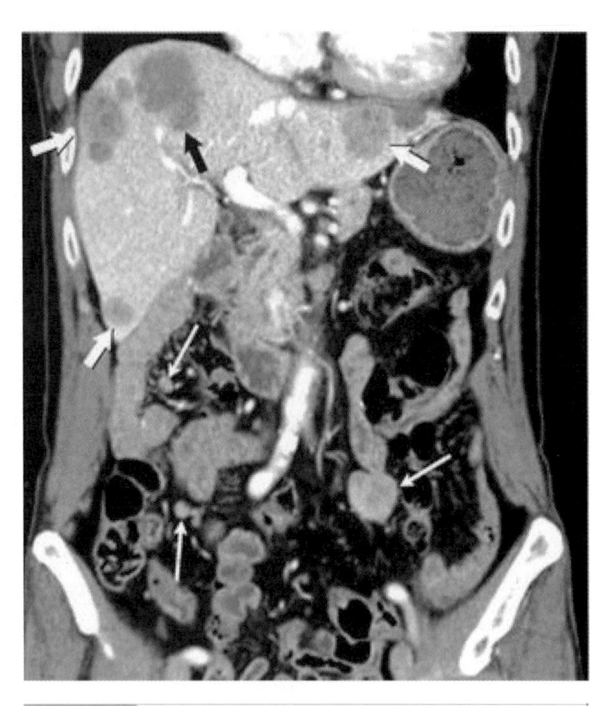

그림 47-10 **위장관기질종양의 CT 소견.**
위장관기질종양으로 수술한 후 추적검사로 시행한 CT의 관상면 영상. 간에서 여러 개의 전이성 결절이 보이고(굵은 화살표), 복강내 장간막에서도 여러 개의 복막전이가 관찰된다(화살표).

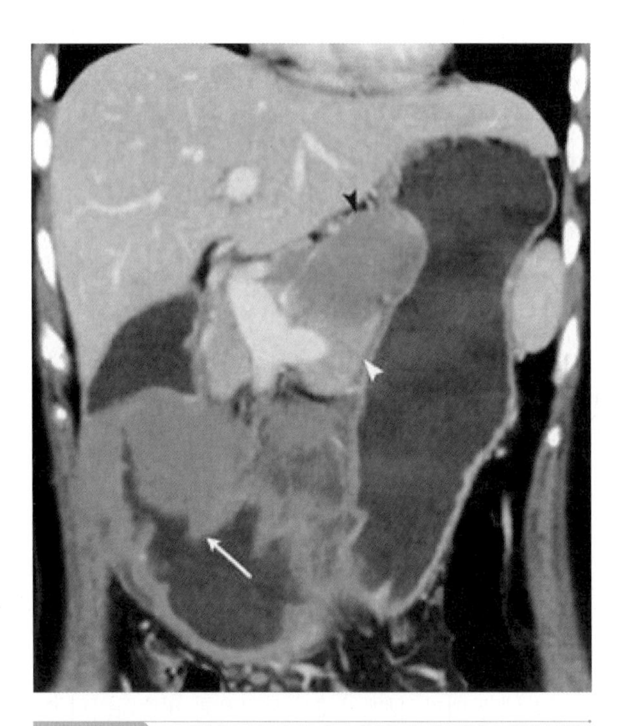

그림 47-11 **위장관기질종양과 림프종의 감별진단.**
관상면 CT 영상에서 위 유문동에 위장관기질종양과 유사한 점막하종양이 관찰되나(화살표), 복강동맥 주위에서 여러 개의 커진 림프절(화살촉)이 관찰되어 위장관기질종양보다는 림프종일 확률이 높다.

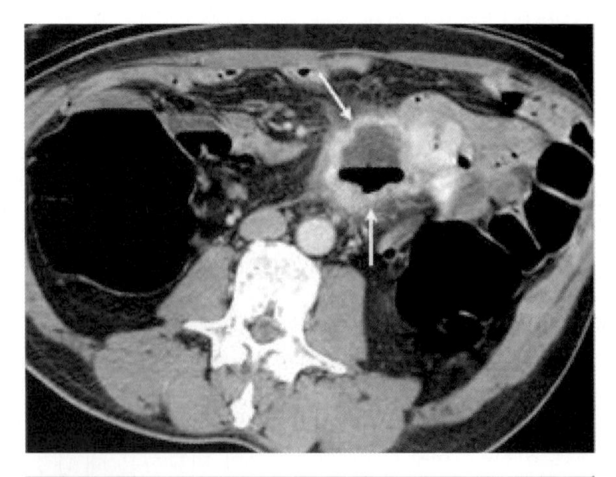

그림 47-12 **소장의 위장관기질종양.**
축상면 CT 영상 소견. 아령 모양을 띤 조영증강이 잘된 종괴가 관찰된다. 종괴의 강외 부분에서 소장바륨조영술(그림 47-7)상 보였던 종괴의 공동화가 관찰된다(화살표).

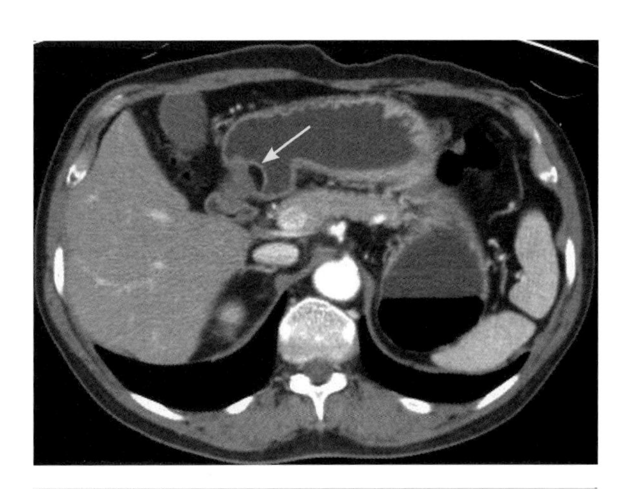

그림 47-13 **지방종.**
위 전정부의 대만곡을 따라 균질한 저음영을 띤 상피하종양이 보인다. 종양을 덮고 있는 매끈한 위 점막을 확인할 수 있다. 내부는 지방에 해당하는 네거티브 HU (- 10 HU)를 보인다.

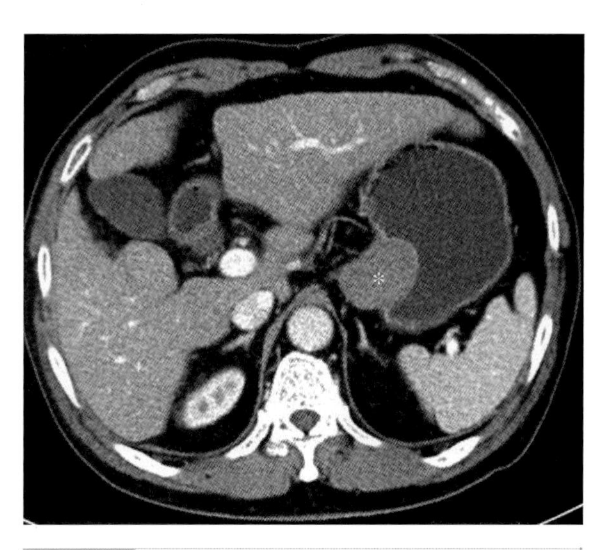

그림 47-14 **평활근종.**
위 분문부(cardia)에 내강으로 돌출한 균질한 저음영의 상피하종양(*)이 보이며, 조영증강 전후로 등근육과 비슷한 정도의 음영을 보인다.

곡과 십이지장에서 주로 보인다. 비교적 작고 편평하고 낮게 융기해 있는 난원형의 종괴로 관찰된다. 중앙부에 췌관의 개구부가 국소적으로 함몰된 경우를 관찰할 수 있으면 진단에 도움이 된다. 췌장조직으로 반복된 염증으로 인해 병변을 덮고 있는 점막이 두꺼워지거나 조영증강이 현저히 증가하기도 한다(그림 47-15).

④ **낭종**

위장관벽내 낭종은 발생과정에서 생기거나, 염증이 발생했다가 호전되면서 이차적으로 생기는데, 크기가 큰 경우 상피하종양과의 감별을 요하게 되는데 대표적인 것이 깊은위염낭종(gastritis cystica profunda)이다.

CT에서 물과 비슷한 정도의 균질한 저음영(<20 HU)의 경계가 분명한 상피하병변으로 조영증강이 되지 않는다(그림 47-16).

⑤ **전이성종양**

위장관을 침범하는 가장 흔한 전이성종양은 유방암, 흑색종, 폐암 등이다. 위에서 전이성종양은 위벽의 어느 층이든지 침범할 수 있으며 CT에서는 4형 위암(Bormann type IV)와 같은 형태의 위벽의 정상적인 확장성이 떨어진 불균일하게 두꺼워진 위벽을 보이며 조영증강된다(그림 47-17). 소장의 전이성종양은 근위부 소장의 환상 병소(annular lesion)로 발생해 위장관기질종양을 포함한 기타 상피하종양과는 구별된다.

⑥ **사구체종**

사구체종(glomus tumor, 그림 47-18)은 특징적으로 십이지장이나 위 전정부에서 보이는 3 cm 이하의 과혈관성 종괴로 문맥기에서 대동맥보다 약간 낮은 정도의 조영증강을 보인다(lesion to aorta ratio>0.86). 어린 나이에서는 비슷한 조영증강을 보이는 혈관종과 감별을 요한다.

⑦ **림프종**

림프종(lymphoma, 그림 47-19)은 위와 소장에서 균일하게 조영증강되는 비정상적으로 두꺼워진 벽의 형태로 나타나는 반면 내강은 동맥류처럼 확장되지만

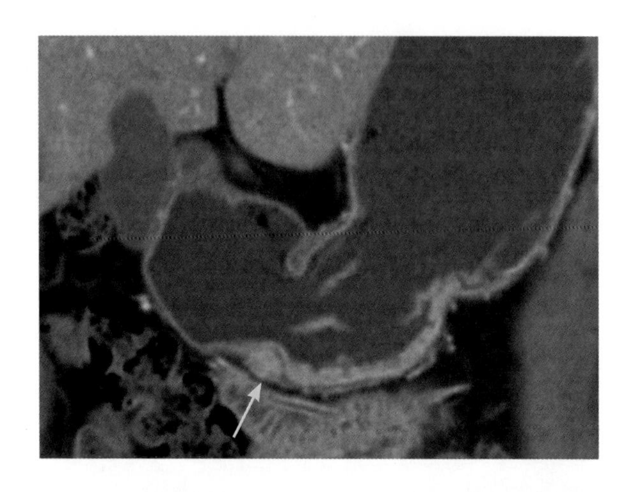

그림 47-15 **이소성췌장.**
근위 전정부대만곡에 난원형의 넓은 기저부를 가진 낮게 융기된 종괴(화살표)가 보인다. 덮고 있는 위점막이 뚜렷하게 잘 보인다.
CT, MR에서 췌장과 유사한 음영과 신호강도를 보인다.

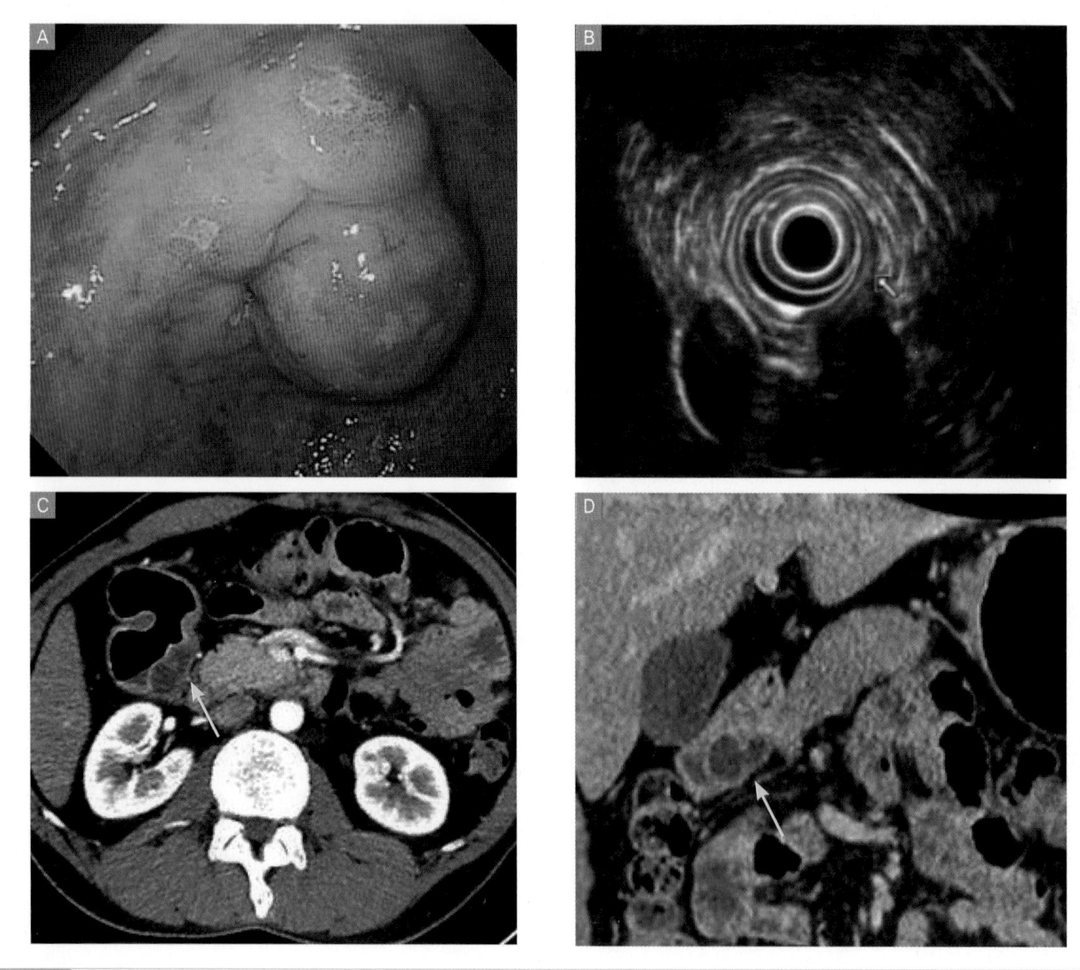

그림 47-16 **낭종.**
A. 내시경에서 유문부 입구에 굴곡진 형태의 점막하병변이 보인다.
B. 초음파내시경에서도 무에코의 점막하병변으로 관찰된다.
C, D. 늦은 동맥기의 CT 축상면(C), 관상면(D)의 영상에서 저음영의 아령형태의 낭성병변이 보이며 물과 유사한 10 HU 이하의 음영을 보인다. 이소성췌장에서 생긴 가성 낭종 또는 깊은 위염낭종으로 여기고 추적관찰해 점차 사라진 병변이다.

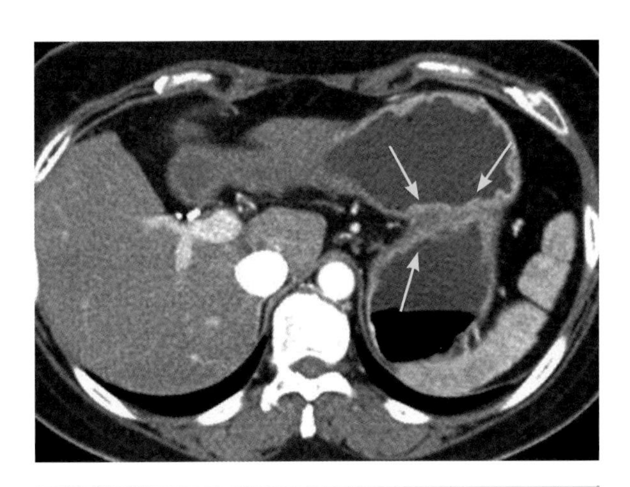

그림 47-17 **전이성 위암.**
위 내시경 조직검사로 유방암으로부터의 전이암으로 확진된 50세 여자 환자의 조영증강 CT.
늦은 동맥기에 얻은 CT 횡단면 영상으로 위체부에 불규칙적으로 두꺼워진 위벽이 조영증강되어 보인다. CT 영상에서 Borrmann type_III 또는 IV의 원발성 진행성 위암과의 감별이 어렵다.

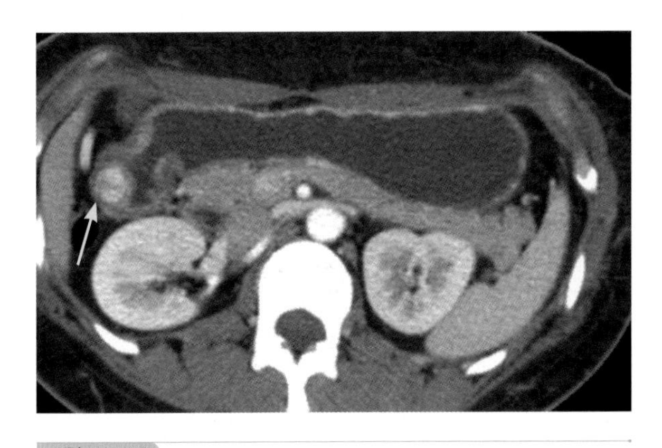

그림 47-18 **사구체종.**
동맥기의 CT 횡단영상에서 전정부에 혈관과 유사한 정도로 조영증강이 잘 되는 상피하종양이 보인다. 사구체종과 혈관종을 감별해야 하는 소견으로 특징적 위치가 감별에 도움이 된다.

(aneurysmal dilatation) 상부 장관의 폐색을 동반하지 않는 것이 특징이다. 궤양, 공동화, 인접 장간막을 따라서 성장하는 점 등은 위장관기질종양과 유사한 영상소견을 보이지만, 연관된 림프절병증이 있다면 림프종을 더 시사한다.

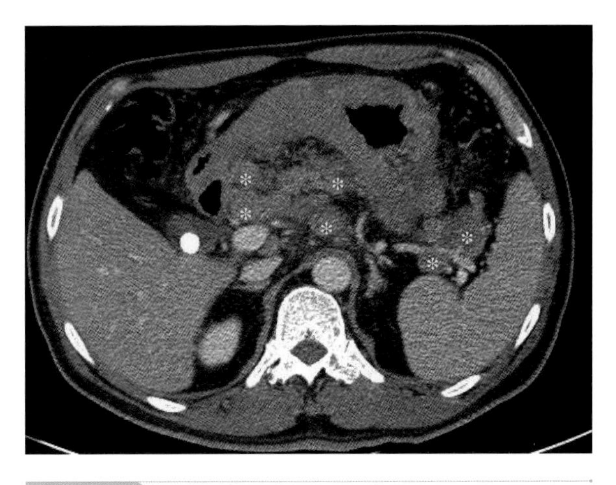

그림 47-19 **위의 림프종.**
위벽이 전반적으로 균일하게 두꺼워져 있으며 동반하여 비장 주위를 포함해 구역림프절과 대동맥 주위 림프절도 같은 조영증강 정도를 보이며 커져 있다(*). 위 전정부를 침범했지만 위출입구 폐색증상은 보이지 않는다.

⑧ 신경집종

신경집종(schwannoma) CT에서 경계가 분명한 난원형의 상피하종양으로, 역동적 CT에서 동맥기, 문맥기를 거쳐 균일하게 서서히 조영증강되는 것이 특징이다.

(4) 위장관기질종양의 치료후 추적검사시 CT 소견

최근 개발된 이마티닙(imatinib, Gleevec®)은 일종의 수용체 타이로신키나아제 억제제로서 위장관기질종양 세포에 선택적으로 작용해 수술이 어려운 경우나 재발한 종양, 간내 전이암에 치료제로 사용되고 있다.

치료 후 원발 종양이나 전이된 종양이 작아지고 낭성 혹은 저음영 병소로 변화하며(그림 47-20), CT 영상에서 종괴내 석회화가 보이면 치료에 반응하는 것으로 해석할 수 있다. 임상적으로 중요한 점은, 약물치료 후 종괴나 전이병변이 저음영으로 바뀌며 일시적으로 크기가 커질 수도 있으나 이는 악화의 소견이 아니며, 간내 저음영 병소가 새로이 발견되더라도 질환의 진행으로 해석하면 안 되고, 치료 전 발견하지 못했던 간내 전이가 괴사해 비로소 CT 영상에서 저음영 병소로 나타난 것으로 해석해야 한다는 것이다.

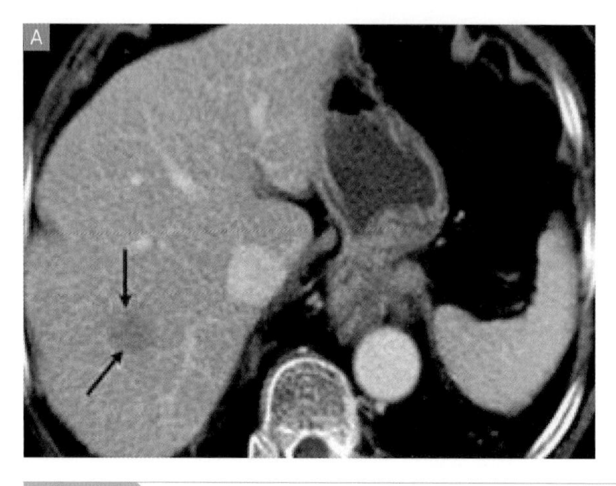

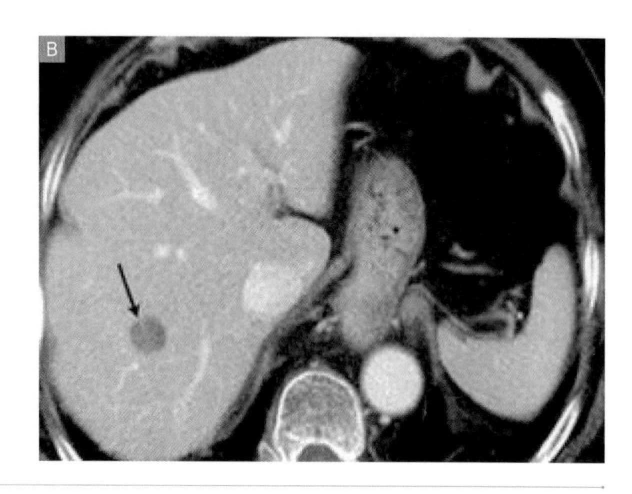

그림 47-20 위장관기질종양 간전이의 이마티닙 치료 전후.
A. 소장에서 발생한 위장관기질종양으로 인한 간전이 결절(화살표)이 우엽에서 관찰된다.
B. 이마티닙 치료 후의 추적 CT 영상. 기존 간전이 결절의 저음영이 심해지는 낭종성 변화가 보인다.

3. 위장관기질종양의 병리

1) 정의 및 임상 소견

위장관기질종양은 위장관의 가장 흔한 중간엽조직(mesenchymal) 기원 종양이다. 기질(stromal)이라는 용어에서 보듯이 역사적으로 그 기원에 대한 혼돈이 있었으나, 현재는 카할간질세포(Interstitial cell of Cajal, ICC) 혹은 그 전구세포로부터 기원한다는 것이 정립되어 있다. 카할간질세포는 위장관 고유근층(muscularis propria)의 연동운동에 관여하는 조정자세포(pacemaker cell)로 알려져 있다. 발생률은 우연히 발견되는 작은 종양을 포함하여 10만 명당 1명 혹은 100만 명당 10~20명 꼴이다. 소아를 비롯한 어느 연령대에서도 발생할 수 있으나, 주로 중년 혹은 노년기에 발생하여 약 75% 정도가 50세 이상에서 발생한다. 가장 잘 발생하는 부위는 위(60%)이며, 공장과 회장(30%), 십이지장(4~5%), 직장(4%), 대장 및 충수(1~2%), 식도(<1%) 그리고 드물게 위장관에 인접한 부위의 위장관 외 조직에 발생하는 경우도 있다. 우리나라의 조사에서도 발생률과 호발 장기의 순서가 이와 매우 유사하였다.

임상증상은 위장관 침범 부위, 종양의 크기 등에 따라 다양하게 나타날 수 있다. 상당수는 무증상으로 다른 병변의 수술 도중에 우연히 발견되기도 한다. 증상은 주로 종양의 종괴효과(mass effect)와 연관되어 나타나고, 점막 궤양, 그로 인한 출혈과 빈혈, 복부 통증, 오심, 구토, 체중감소 등이 흔하게 나타나며, 드물게 장폐색, 촉지 가능한 종괴 형성 등 다양한 양상을 보일 수 있다. 위장관기질종양은 양성부터 악성까지 다양한 예후를 보일 수 있는데, 이를 예측하는 지표로 해부학적 위치, 종양 크기, 유사분열 수, 종양 파열(tumor rupture) 등이 사용된다. 전이는 주로 진단 후 1~2년 내에 발생하며, 복강내 간이나 장간막 등에 흔히 발생한다. 복강외 조직으로의 전이는 드물지만, 그 중에서는 폐, 뼈, 말초 연부조직에 상대적으로 흔하다. 림프절 전이는 극도로 드물지만 숙신산탈수소효소 결핍 위장관기질종양[succinate dehydrogenase (SDH)-deficient GIST]의 경우 림프절 전이를 잘 하는 것으로 알려져 있다. 악성도가 높은 위장관기질종양의 경우 수술로 완전히 제거된 지 1~2년 후에 전이가 나타나지만, 간혹 5~15년 후에 전이가 나타나기도 한다. 후자의 경우는 유사분열 수가 매우 적거나 종양의 크기가 작은 경우에 일어나므로 수술 후 장기간의 추적관찰이 꼭 필요하다.

2) 병리소견 및 진단

(1) 육안 소견

대부분은 비교적 경계가 명확한 하나의 결절성 종괴로 위장관 벽에 가운데 위치하는 경우가 많다. 하지만 소아 환자나 위장관기질종양 증후군에서는 여러 개의 종괴가 발견되기도 한다. 종양은 점막을 침범하여 궤양을 만들기도 하고, 장간막 쪽으로 튀어나가 밖으로 자라기도 한다. 단면은 연회색 또는 연갈색의 생선살 모양을 보이는 경우가 많고(그림 47-21), 크기가 커지면 출혈, 괴사, 낭성 변화 등을 일으키기도 하는데, 이러한 변화가 악성을 시사하는 소견이 아니라는 것을 기억해야 한다.

(2) 조직학적 소견

조직학적으로는 종양세포의 모양에 따라 방추형(spindle type), 상피양형(epthelioid type), 혼합형(mixed type)으로 다양한 형태를 보이며, 방추형이 70%로 가장 흔하고, 상피양형이 20%, 혼합형이 10%에서 관찰된다. 방추형은 크기와 모양이 전체적으로 비슷한 길쭉한 세포로 구성되어 있다. 세포의 핵은 고르게 분산된 염색질을 가지고 핵인은 눈에 잘 띄지 않으며, 세포질은 창백하거나 호산성의 소섬유(fibrillary) 형태를 띈다(그림 47-22). 상피양형은 상피세포를 닮은 모양을 하는 것으로 주로 풍부한 호산성 혹은 투명한 세포질을 가지며 네스트(nest) 혹은 쉬트(sheet)의 형태로 배열하는 것이 특징이다. 핵은 둥글고 소낭성의 염색질을 보이며 핵인은 다양하게 나타난다(그림 47-23). 상피양형이 점막을 침범한 경우 내시경조직검사에서 다른 상피세포종양으로 오인될 수 있으므로 주의가 필요하다.

(3) 면역화학염색

위장관기질종양의 진단에 가장 중요한 면역조직화학염색은 KIT (CD117) 단백염색이며 그 외에 CD34, DOG1 (Discovered on GIST 1) 등의 몇몇 항체가 진단 및 감별진단에 도움이 된다. KIT은 위치에 관계없이 위장관기질종양의 가장 민감한 지표로서 전체의 95%에서 발현된다. KIT의 일차 항체로는 파라핀포매조직일 경우 다클론 항체를 사용한다. 염색을 판정할 때는 양성(비만세포, mast cell 혹은 카할간질세포) 및 음성 대

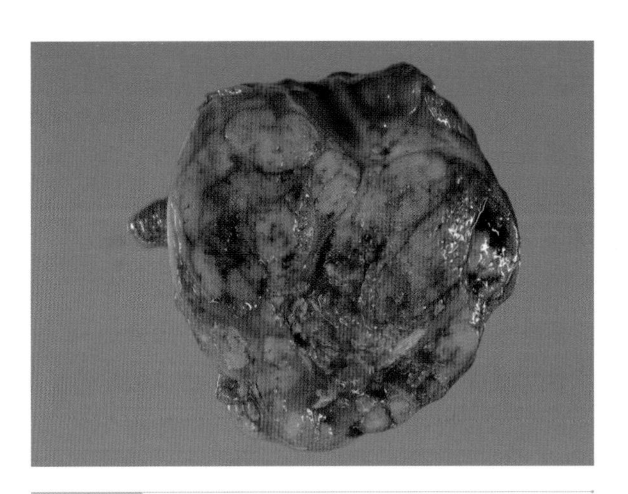

그림 47-21 위장관기질종양의 단면소견. 연회색 또는 연갈색의 충실성 종괴로 비교적 경계가 명확하며 내부에 괴사를 보일 수 있다.

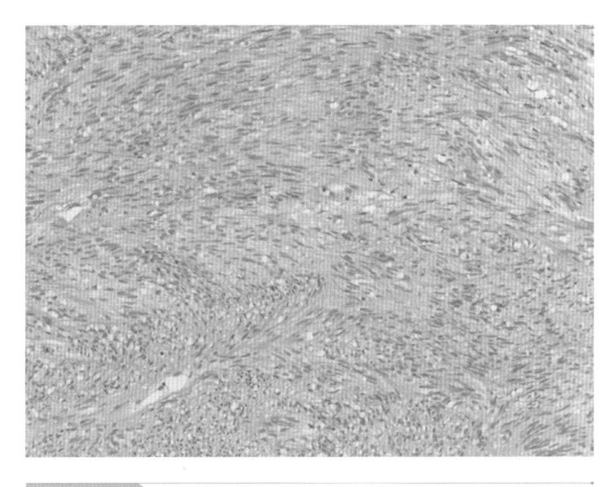

그림 47-22 위장관기질종양 방추형의 조직학적 소견. 크기와 모양이 전체적으로 비슷한 길쭉한 세포로 구성되어 있으며 세포질은 호산성의 소섬유(fibrillary) 형태를 띈다. 핵 주위 공포(paranuclear vasuoles)이 흔히 관찰된다.

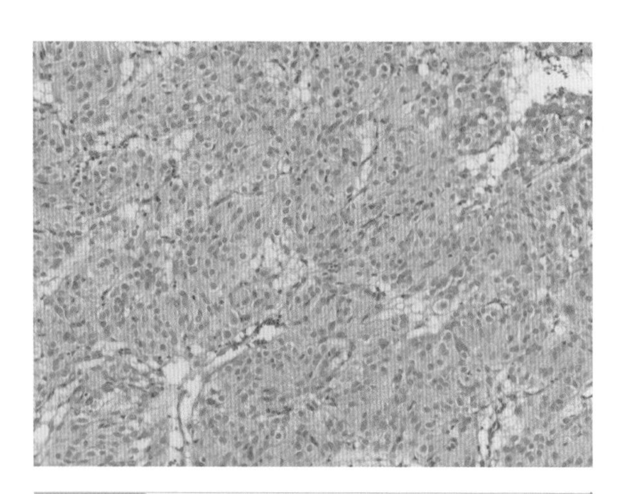

그림 47-23 **위장관기질종양 상피형의 조직학적 소견.** 상피세포를 닮은 세포로 구성되어 있으며 핵은 둥글고 풍부한 호산성, 혹은 투명한 세포질을 가진다.

조군(평활근세포 혹은 혈관내피세포)을 면밀히 살펴서 위양성 혹은 위음성이 없도록 주의해야 한다. KIT은 전형적으로 전체 세포질에 염색이 되며(그림 47-24 A), 일부에서는 막을 형성하거나(membranous) 핵 주변 점양(perinuclear dot-like)의 형태로 염색되기도 한다. 유의할 점은 전체 위장관기질종양 중 5%는 KIT 음성이라는 것이다. 이러한 KIT 음성 종양은 *PDGFRA* 유전자 변이가 있는 그룹에 속하는 경우가 많고, 위나 망(omentum) 혹은 장간막에서 발생한 상피양세포를 가지는 종양인 경우가 많다. KIT 음성 위장관기질종양의 진단을 위해서는 DOG1 혹은 PKC-θ (Protein kinase C-theta) 등의 면역화학염색과 *KIT/PDGFRA* 유전자검사를 고려해 볼 수 있다.

CD34는 전체의 약 70% 정도에서 양성을 보인다. 양성의 빈도는 위치에 따라 다르다. 식도 및 대장에서는 양성으로 염색되는 빈도가 높으나 소장 및 위장관외 종양에서는 그 빈도가 상대적으로 낮다. 소장에서는 50~60%가 양성인데 이 경우 대부분 KIT 염색 결과가 양성이므로 진단하는데 어렵지 않다. 그러나 평활근종(leiomyoma) 이나 염증성섬유소모양용종(inflammatory fibroid polyp)도 양성 반응을 보일 수 있으므로 판독할 때 주의해야 한다. 위장관기질종양의 유전자 발현 프로파일링 연구는 진단학적으로 유용한 2개의 새로운 면역화학염색 마커를 발굴하였다. DOG1 (Discovered on GIST 1)은 anoctamin 1(ANO1)으로도 알려져 있으며 *KIT/PDGFRA* 돌연변이 여부에 상관없이 약 95%의 민감도를 보인다고 알려져 있다. 특히 KIT 음성/ CD34 음성 혹은 *PDGFRA* 변이 종양에서 진단적 가치가 있으며, 실제 임상 진단 과정에서 널리 사용되고 있다(그림 47-24 B). 그러나, DOG1 양성은 평활근종(leiomyoma) 및 활막 육종(synovial sarcoma)을 포함하는 일부 간엽종양과 두경부/식두 편평세포암 등 일부 상피암종에서도 확인되었기에 진단 과정에서 주의가 필요하다.

PKC-θ (Protein kinase C-theta)는 초기 연구에서 상당히 민감하고 특이적인 마커로 보고되었다. 특히 일부 연구에서는 KIT 음성 종양의 96%에서 양성을 보인 바 있다. 하지만 상대적으로 백그라운드 염색이 강하다는 점과 일부 연구에서 확인된 제한된 특이도 등으로 인해 DOG1에 비해서는 임상 진단 과정에 널리 사용되고 있지는 않은 실정이다.

위장관기질종양은 SMA(Smooth muscle actin), S-100, 데스민 등 다른 간엽 종양의 분화를 나타내는 마커에도 양성일 수 있다는 점을 기억해야 한다. SMA는 20~30%의 위장관기질종양에서 양성으로 발현되는데 특히 소장과 식도에서 양성으로 염색되는 빈도가 높다. S-100 단백은 5~20%의 위장관기질종양에서 양성으로 발현하는데 소장에 발생한 경우 양성의 빈도가 다른 장기보다 높다. 데스민은 약 2~5%에서 양성으로 발현하는데 대부분 종양의 일부가 약하게 염색되며, 식도 및 위장관 외에 발생한 경우에 주로 발현된다. 이러한 염색 양상을 잘 이해하는 것이 작은 생검 샘플의 감별진단에 도움이 된다.

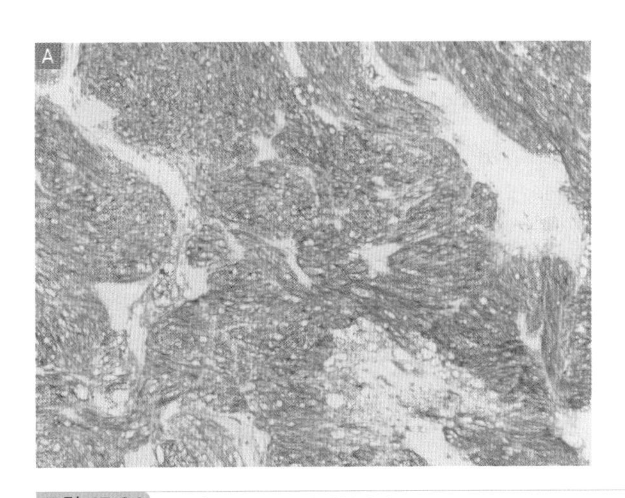

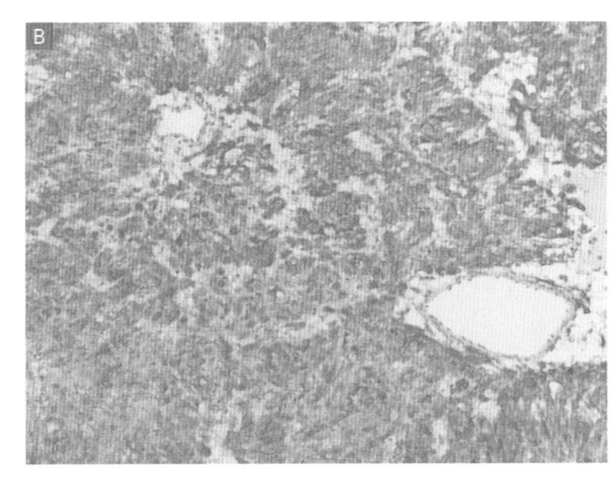

그림 47-24 **KIT/ DOG1 면역화학염색.**
대부분의 위장관기질종양은 KIT (A) 혹은 DOG1 (B) 면역화학염색에서 양성 소견을 보인다. 종양내부의 혈관내피세포를 음성대조군으로 사용할 수 있다.

(4) 분자 검사

① *KIT/PDGFRA*

전체 위장관기질종양의 약 75~80%에서 *KIT* 유전자의 변이가 발견되고 약 10%에서는 *PDGFRA* 유전자 변이가 발견된다. *KIT/PDGFRA* 유전자 변이는 상호 배타적이다.

KIT 유전자 돌연변이 중 엑손11은 70%, 엑손9는 15%, 엑손13과 엑손17은 각각 1%에서 관찰된다. 엑손11 돌연변이 중 결손 돌연변이(deletion mutation)가 있는 경우 나쁜 예후와 관계 있으며, 단일염기치환(single nucleotide substitution)의 경우, 위에서 발생한 경우에는 좋은 예후를 보인다. 엑손9 돌연변이는 소장에 발생하고 나쁜 예후와 관계있다. 엑손13, 17 돌연변이는 소장에 발생하고, 예후와 연관성은 명확하지 않다. *PDGFRA* 유전자 돌연변이는 엑손18에서 80% 이상 관찰되고, 엑손12, 13에서 나머지가 관찰된다. 엑손 18 돌연변이는 위에서 발생한 상피양(epithelioid)형에서 주로 나타난다. 이마티닙 치료와 관련하여, 일차성 저항(primary resistance)은 *KIT* 엑손9, *PDGFRA* 엑손18 돌연변이가 있거나 wild-type *KIT* genotype인 경우 주로 발생한다. 이차성 저항(Secondary resistance)은 엑손13, 14 (ATP-binding domain)과 엑손16, 17, 18 (activating loop domain)의 돌연변이와 관계 있으며, 가장 흔한 것은 엑손13 V654A로 전체의 40%를 차지한다. 약 10%는 유전자 돌연변이 대신 *KIT* 유전자의 copy number gain과 관계 있다.

② **숙신산탈수소효소 결핍**

KIT/PDGFRA 야생형(wild type) 위장관기질종양 중 가장 흔한 것은 숙신산탈수소효소 결핍 위장관기질종양[succinate dehydrogenase (SDH)-deficient GIST]로 전체 위장관기질종양의 7~8%를 차지한다. 숙신산탈수소효소는 Kreb's cycle 내의 효소 복합체로서, 이를 구성하는 A, B, C, D 서브유닛의 어느 부분이라도 불활성화 돌연변이(inactivating mutation)가 발생하게 되면 *HIF1α*의 안정화를 유발하여 종양발생을 유도하게 된다. 숙신산탈수소효소의 어떤 서브유닛의 불활성화도 결국 SDHB 서브유닛의 분해를 유도하기 때문에, SDHB 면역염색에서 발현이 없어지는 것이 SDH 변이를 검출하는데 믿을만한 방법으로 알려져 있다. 임상적으로 아이들과 여성에서 흔하고 주로 위에서 발생한다는 것이 중요하다. 다결절 증식(multinodular growth pattern)을 보이고 림프절 전이가 빈번하다. 그럼에도 불구하고 전체적으로는 좋은 예후를 보인다. 예후를 크기나 유사분열 수로 예측하기 어렵다는 점도 중요한데, 숙신산탈수소효소 결핍 위장관기질종양의 경우 크기가 작고 유사분열 수가 적은 종양도 전이를 할 수 있기 때문이다.

③ ***BRAF*/ *RAS* 경로**

BRAF V600E 돌연변이는 전체 종양의 2%에서 관찰되고 소장에 조금 더 흔한 경향이 있고 예후와는 관계가 없다고 알려져 있다. *RAS* 경로 중 *KRAS*, *NRAS*, *HRAS*, *PIK3CA* 유전자의 변이도 드물지만 보고된 바 있다.

④ ***NF1***

전체 종양의 약 1~2%는 *NF1* 유전자의 생식세포 돌연변이로 인해 발생하는 신경섬유종증(neurofibromatosis) 1형 환자에서 발생한다. 소장에 여러 개의 종양이 발생하고 방추형 세포로 구성된 것이 특징이다. 주변에 카할간질세포의 증식을 흔히 관찰할 수 있으며, 복강내 출혈을 잘 일으킨다고 알려져 있다. 최근 신경섬유종증이 없는 환자에서도 *NF1* 유전자 변이가 보고되기도 하였는데, 이런 경우 여러 개의 다결절(multinodular)종양이 위 이외에 다른 장기에서 발생하는 것이 특징이었다.

⑤ ***FGFR1* or *NTRK3* 유전자 융합(fusion)**

최근 상기 언급한 유전자 변이가 모두 없는 위장관기질종양의 차세대 염기서열 분석을 통해 *FGFR1* 유전자 융합과 *NTRK3* 유전자 융합 이 일부에서 보고된 바 있다.

3) 장기별 병리 소견

각 장기에 나타나는 위장관기질종양의 조직학적 소견을 열거하면 다음과 같다.

(1) 식도

식도에서 위장관기질종양은 매우 드물며 대부분의 중간엽 조직기원의 종양은 양성 평활근종(leiomyoma)이다. 대부분 하방 1/3에서 발생하며 종양의 크기가 큰 경우 연하곤란이 오기도 한다. 조직학적으로 방추세포형(spindle cell type)이 75%, 상피세포형(epithelioid cell type)이 25%를 차지한다. 거의 모든 예가 KIT 단백과 CD34 염색에 양성 반응을 보이며 SMA에 13%, 데스민에 19%가 양성으로 반응한다. 증례 수가 적어서 위치에 따른 예후를 따로 구분하기가 어렵다.

(2) 위

전체 위장관기질종양 중 약 60%가 위에서 발생하며 이중 1% 미만이 소아에서, 10% 미만이 40세 이전에 발병한다. 위암으로 수술한 환자의 약 10%에서 매우 작은 크기의 위장관기질종양이 발견된다는 보고가 있을 정도로 위장관기질종양의 발생빈도는 우리가 생각했던 것보다 높은 편이다. 위에 생기는 위장관기질종양 중 약 5%는 KIT 단백 음성이다. 종양의 크기는 수 mm에서 40 cm까지 다양하며 평균 6 cm이다. 종양이 작은 것은 단단하나 크기가 커지면 낭성으로 보이기도 한다. 일본에서의 보고에 의하면 위의 상부 쪽에서 현미경적 크기의(수 mm) 작은 위장관기질종양은 흔하게 발견되는 소견(35/100 예)이며 이 중 8%에서 *KIT* 유전자의 돌연변이가 관찰되었다. 위에서도 생기는 부위에 따라 조직학적 소견이 달라서 유문부에서는 상피양이 흔하고 위의 상부에서는 임상적으로 악성이 더 흔하다는 보고도 있다. 위에 생기는 위장관기질종양의 조직학적 소견에 따른 임상적 중요성을 요약하면 다음과 같다.

첫째, Sclerosing spindle cell 유형이다. 대부분 종괴의 크기가 작고 세포밀도도 낮으며 예후가 매우 좋다. 둘째, Palisading- vacuolated 유형이다. 가장 흔한 유형으로 유사분열 수가 적으며 예후는 비교적 좋다. 셋째,

Hypercellular spindle cell 유형이다. 세포밀도가 높은 편이며 전이 가능성은 중등도이다. 넷째, Sarcomatous spindle cell 유형이다. 세포의 크기가 커지며 이형성도 심하다. 전이율 및 사망률이 매우 높다(83.1%). 다섯째, Sclerosing epithelioid 유형이다. 상피양 위장관기질종양의 가장 흔한 유형으로 유사분열 수는 적으나 이형성도는 높을 수 있으며 다핵인 경우도 있다. 전이 발생률은 6.3% 정도로 낮은 편이다. 여섯째, Dyscohesive epithelioid 유형이다. Lacunar space를 가진 상피세포로 구성되며 일부는 이 형성을 보인다. 전이 발생률은 8.8% 정도이다. 일곱째, Hypercellular epithelioid 유형이다. 세포밀도가 높은 종양으로 세포의 경계가 분명하다. 전이 발생률은 21.6% 정도이다. 여덟째, Sarcomatoid epithelioid 유형이다. 이형성이 심한 상피형으로 유사분열 수가 많은데 크기가 5 cm 이상인 종양은 100% 전이하였다.

(3) 소장

대부분 방추형 세포로 구성되며 그중 과반수가 난원형의 호산성 PAS 양성인 skeinoid fiber를 갖고 있다. Skeinoid fiber는 양성 종양에서 더 흔하게 발견된다. 소장에 발생하는 위장관기질종양은 악성일지라도 위에서와 달리 이형성이 심하게 나타나지 않는 것이 특징이다. 소장에서 상피양 형태가 나타난다면 악성일 가능성이 높다. 소장에 생기는 위장관기질종양의 약 98%는 KIT 단백 양성이다.

(4) 대장

대장의 위장관기질종양은 매우 드물어서 전체의 1~2% 정도를 차지한다. 왼쪽 대장이 오른쪽 대장보다 흔하며 약 75%가 KIT 단백 양성이다. 유사분열 수가 많은 위장관기질종양은 대개 육종 형태를 띠며 질병연관 사망률이 80% 이상에 달한다. 종양의 조직학적 소견은 매우 다양하다.

(5) 위장관외기질종양

위장관 외에서 발생하는 위장관기질종양을 위장관외기질종양(extragastrointestinal stromal tumor, EGIST)이라고 부른다. 실제로 대부분의 위장관외기질종양은 위장관에서 생긴 위장관기질종양이 전이하여 생길 수 있으므로 주의해야 한다. 발생빈도는 매우 낮아서 전체 위장관기질종양중 1% 미만인데 엄격한 진단기준을 둘 경우 그 빈도는 더 낮아진다. 따라서 다른 연부조직 종양과의 감별을 우선으로 두고 진단을 생각해야 한다. 망(omentum), 중피하(submesothelial)에 존재하는 KIT 단백 양성인 세포에서 기원한다고 추측되고 있으나 정확히 밝혀지지는 않았다. 위장관외기질종양은 망, 장간막, 후복막강에서 발생하며 드물게 담낭에서의 발생이 보고된 바 있다.

4) 위험군 분류

위장관기질종양은 양성에서부터 악성까지 매우 다양한 범위의 예후를 보일 수 있다. 이를 예측하는 병리진단의 기준으로 2001년 NIH 컨센서스 미팅의 결과에서는 종양의 크기와 유사분열 수에 따라 위험군을 분류하였다(표 47-1). 이후 2006년 미티넨과 라소타의 다수 증례에 대한 연구에서는 종양의 위치가 중요한 인자로 추가되었으며(표 47-2), 2008년 조엔수는 종양파열을 중요한 인자로 추가하여 modified NIH criteria를 발표하였다(표 47-3).

5) 위장관기질종양증후군(Syndromic GISTs)

가족성(Familial) 위장관기질종양은 *KIT* 또는 *PDGFRA* 유전자의 생식세포(germline) 돌연변이에 의해 발생하며, 보통염색체 우성(autosomal dominant)한다. 소장, 대장, 위 등에 다수의 위장관기질종양이 발생하며, 카할간질세포의 과증식성 병변 혹은 현미경 크기의 (microscopic-sized) 위장관기질종양을 쉽게 관찰할 수 있다. *KIT* 활성화로 인해 과다색소침착, 모반, 비만

표 47-1. **위장관기질 종양의 NIH 컨센서스 위험군 분류**

Risk category	종양 크기 (cm)	유사분열 (150HPFs)
Very low risk	<2	≤5
Low risk	2-5	≤5
Intermediate risk	<5	6-10
	5-10	≤5
High risk	>5	>5
	>10	Any
	Any	>10

세포 질환 등 피부병변이 동반된다. 카니 트라이어드(Carney triad)는 SDHC promoter methylation에 의해 발생하며 주로 어린 여성에서 발생하며 유전되지 않는다. 위장관기질종양, 부신경절종(paraganglioma), 폐연골종(pulmonary chondroma)이 함께 나타난다. 카니스트라타케스 증후군(Carney Stratakis syndrome)은 SDH 서브유닛의 생식세포 돌연변이에 의해 발생하며, 위에 발생한 위장관기질종양과 부신경절종(paraganglioma)이 특징이다. 신경섬유종증(neurofibromatosis) 1형 환자의 약 7%에서 위장관기질종양이 발생한다.

표 47-3. **Modified NIH criteria by Joensuu**

Risk category	종양 크기 (cm)	유사분열 / 50 HPFs (high power fields)	종양 위치
Very low risk	<2.0	≤5	Any
Low risk	2.1-5.0	≤5	Any
Intermediate risk	2.1-5.0	>5	Gastric
	<5.0	6-10	Any
	5.1-10.0	≤5	Gastric
High risk	Any	Any	Tumor rupture
	>10	Any	Any
	Any	>10	Any
	>5.0	>5	Any
	2.1-5.0	>5	Nongastric
	5.1-10.0	≤5	Nongastric

4. 위장관기질종양의 수술치료

위장관기질종양은 수술 전 검사에서 국소 병변이고, 수술이나 마취 위험이 크지 않는 한 수술 절제하는 것이 가장 좋은 치료이다. 수술의 목표는 종양세포의 복

표 47-2. **GIST risk assessement accroding to AFIP criteria (modified from Miettinen and Lasota)**

종양 지표		종양 위치에 따른 전이 혹은 종양 관련 사망에 대한 위험도 (% of patients with progressive disease and characterization of risk for metastasis)			
유사분열 수	크기 (cm)	위	소장	십이지장	직장
≤5 per 50 HPF	≤2	None (0)	None (0)	None (0)	None (0)
	>2, ≤5	Very low (1.9)	Low (4.3)	Low (8.3)	Low (8.5)
	>5, ≤10	Low (3.6)	Moderate (24)	Insufficient data	Insufficient data
	>10	Moderate (12)	High (52)	High (34)	High (57)
>5 per 50 HPF	≤2	None[d]	High[d]	Insufficient data	High (54)
	>2, ≤5	Moderate (16)	High (73)	High (50)	High (52)
	>5, ≤10	High (55)	High (85)	Insufficient data	Insufficient data
	>10	High (86)	High (90)	High (86)	High (71)

강내 누출 없이, 1~2 cm의 종양 주위절제연을 두고 종양을 수술로 완전히 제거하는 것이다. 육안 및 현미경 병리검사에서 종양이 없는 절제연을 확보하는 위의 쐐기절제, 부분절제로 위장관 기능을 유지하도록 한다. 위장관기질종양에서 림프절 전이는 매우 드물어 전이가 확실한 경우를 제외하고는 림프절절제술은 하지 않는다. 병리검사에서 절제연 양성의 경우에는 재절제 또는 추적검사, 수술 후 이마티닙(imatinib) 치료가 가능하다. 표적항암치료가 사용되는 요즘은 완전절제가 되는 한 확대절제와 국소절제 간에 생존율 차이가 없어 절제연이 가까워도 추가 절제는 일반적으로 하지 않는다.

1) 수술 전 진단과 조직검사

위장관기질종양의 진단은 일반적으로 위내시경, 내시경초음파 또는 복부전산화단층촬영에 의해 이루어지며, 수술 전 병리조직 진단을 얻기는 힘들다. 전이를 판단하기 위해서는 골반강을 포함한 복부전산화단층촬영을 하며, 간혹 복부자기공명영상이 필요한 경우도 있다. 복부 외의 전이는 매우 드물게 나타나나, 전이가 의심되는 경우 흉부전산화단층촬영, 양전자방출단층촬영을 한다. 위장관기질종양이 강력히 의심되고 절제 가능한 것으로 판단되면 수술 전 조직검사는 생략한다. 병의 진행정도나 전신상태에 따라 이마티닙을 이용한 선행보조항암요법을 시행하려면 수술 전 조직검사가 필요하다. 내시경초음파를 이용하여 검사 때 종양의 파종이나 전이를 최소화하는 노력이 필요하다. 전이 병소의 위치에 따라 영상검사 하에서 조직검사가 가능한 경우도 있으며, 병리조직학적으로 위장관기질종양의 진단이 어려운 경우에는 유전자변이검사가 도움이 되기도 한다.

2) 수술치료의 적응증

위장관기질종양은 악성위험도가 높아 국소적이고 절제 가능한 것으로 진단되면 수술 절제가 최우선 치료이다. 종양이 ① 2 cm 이상 크기, ② 크기 증가, ③ 크기와 관계없이 불규칙한 변연, 출혈, 낭종성 변화, 괴사, 궤양, 불균질 초음파 상을 보이는 등 악성이 의심될 때 수술치료 적응이 된다. 악성 위험도가 적고 2 cm 이하의 작은 종양의 경우에는 6~12개월 간격의 정기 추적검사가 필요하며, 크기가 작더라도 악성의 위험성에 대하여 설명하도록 한다. 위 이외의 장기에 발생한 위장관기질종양은 크기나 형태와 관계없이 수술 절제를 권한다(그림 47-21).

3) 수술치료

절제 가능한 원발 위장관기질종양의 수술치료원칙은 종양의 파열 없이 절제연을 확보하는 것이다. 위선암과 달리 위벽을 침윤하지는 않으므로 절제연을 확보하기 위해 넓게 절제할 필요는 없다. 1~2 cm 절제연이 권장되므로 부분절제나 쐐기절제를 하며 현미경검사에서 절제연 침범이 없으면 R0 절제로 정의한다(그림 47-22). 국소, 주위 림프절 전이가 드물어 위선암의 치료에서와 같이 체계적인 림프절절제가 필요하지는 않으나 림프절 크기가 증가하는 등 종양 침윤이 의심되는 경우에는 같이 절제한다. 수술 중 종양의 파열은 복강내 파종에 따른 매우 나쁜 예후를 보이므로 수술 중 종양을 조작할 때 종양의 손상이 없도록 주의한다.

위장관기질종양이 주위 장기로 침습이 된 경우 크기에 관계없이 종양이 남지 않도록 완전절제를 한다. 위장관기질종양이 침습이 심한 경우 종양의 크기, 발생위치를 고려하여 위아전절제, 위전절제의 가능성도 있다. 종양이 주위 대망, 소망, 장간막, 간, 비장, 췌장, 결장 등에 침습이 있다면 위장관기질종양의 완전절제를 위해 침습장기의 합병절제도 준비한다. 크기가 작고 경계가 명확한 경우 점막 하 적출이나 내시경 절제를 보고하고 있으나 조작 중 위장관기질종양의 파종위험으로 표준치료는 아니다. 절제 후 육안적으로 절제연에 종양 침습이 의심되는 경우 가능하면 재절제가 권장된

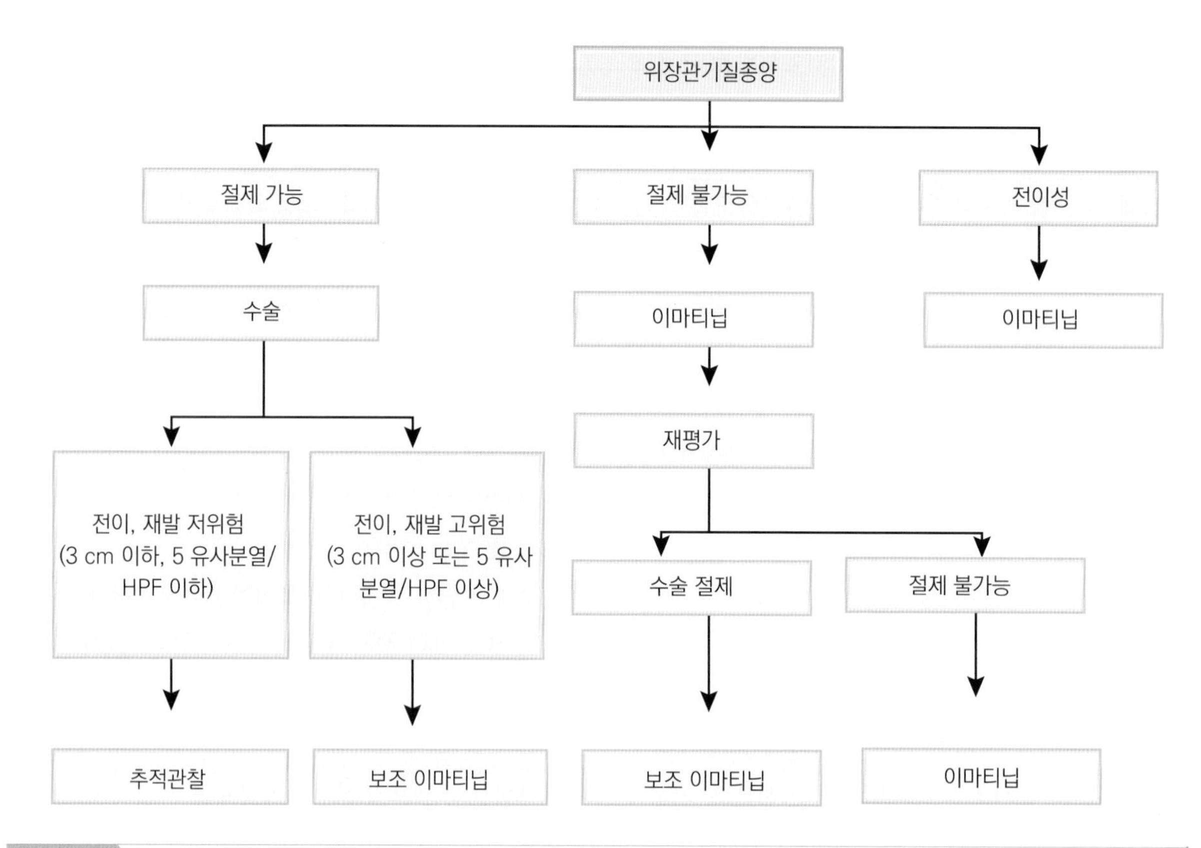

그림 47-21 위장관기질종양의 치료 알고리즘.

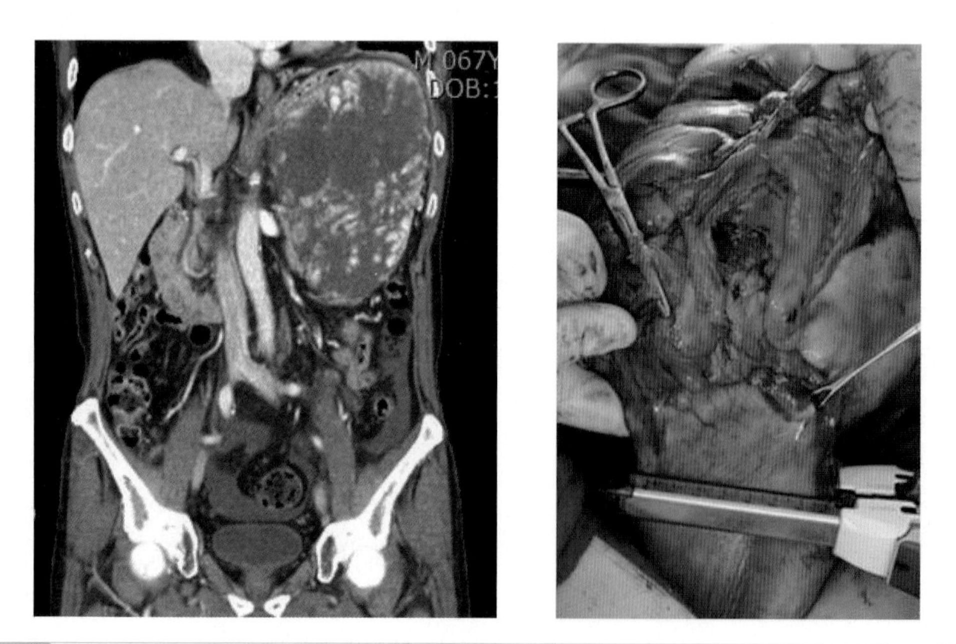

그림 47-22 위 대만곡의 거대 위장관기질종양에 대한 개복 위 쐐기절제.

다. 수술 후 현미경검사에서 절제연 침범이 있으면 종양 크기, 현미경 고배율 당 유사분열 수, 원발병소 위치를 고려하여 수술 후 보조 이마티닙 치료를 시행한다. 표적치료가 보편화된 현재는 절제연 침습이 장기무병생존의 중요한 예후인자는 아닌 것으로 발표되고 있다. 저위험군으로 진단되어 재발의 위험이 적다고 판단되면 추가 치료 없이 정기 추적검사를 한다.

4) 최소침습수술

위장관기질종양과 관련해 복강경수술에 대한 미국 및 유럽의 연구모임에서는 수술 중 종양 파열 가능이 적은 위의 전면이나 대만곡, 공장, 회장 등에 위치한 2 cm 미만의 위장관기질종양에 복강경 또는 복강경보조절제를 할 수 있다고 하였다. 이 보고에 따르면 복강경수술은 종양세포의 전이 및 복강내 종양 재발의 위험이 적은 작은 종양에만 적용할 수 있다. 그러나 이후 위선암에 대한 복강경위절제수술이 보편화되며 최소침습수술경험이 많은 보고자들에 따르면 위장관기질종양에 대한 복강경쐐기절제수술의 결과가 기존의 개복 쐐기절제와 동등하다는 발표가 많다. 최소침습 위장관기질종양수술은 종양학적 치료결과는 개복수술과 같고 수술 침습성이 적어 통증이 적고, 조기 회복이 가능하며 미용 상 이점이 있다. 이에 따라 최근의 NCCN과 ESMO 치료권고에서는 5 cm 미만의 위장관기질종양으로 적응이 확대되는 경향이며 이 이상 크기의 종양에 대해서는 발생 위치에 따른 접근성, 장관 내 또는 장관 외 종양을 고려한 절제 용이성, 다학제진료팀의 활발한 협진에 따라 적용 가능하다.

최소침습수술 때는 특히 종양을 직접 잡지 않고 종양 주위 연부조직이나 섬유조직을 견인하고 복강경용 선형문합기, 종양 제거용 플라스틱 백 등 기구를 사용한다(그림 47-23). 종양의 크기와 함께 분문, 체부, 전정부, 위식도 경계부, 위의 전면, 후면 등 위치에 따라 다른 최소침습수술 접근이 필요하다. 위의 소만곡이나 대만곡의 종양은 절제면을 확보하기 위해 주위 혈관을 봉합 결찰이나 복강경용 에너지기구로 처리한 후 복강경용 선형문합기를 이용하여 정상 위 조직을 포함하여 절제한다. 수술 중 종양 파열 방지와 절제연을 확보하기 위해 종양 주위 위벽을 기구나 봉합 실로 견인하는 것이 도움이 된다.

절제 봉합 후 위내강이 좁아지는 것을 줄이기 위해 가능하면 위의 장축에 직각 방향으로 절제 봉합을 하도록 한다. 크기가 큰 종양을 위 밖에서 선형문합기로 절제하는 경우 정상 위벽이 과도하게 절제되므로 종양의 경계부 일부를 열고 종양을 절제한 후 개구부를 봉합하면 정상 위 조직 절제를 최소화 한 수술이 가능하다. 위의 후면에 위치한 종양의 경우 위간인대나 위결장인대를 열어 병변의 경계가 확실한 종양은 선형문합기를 이

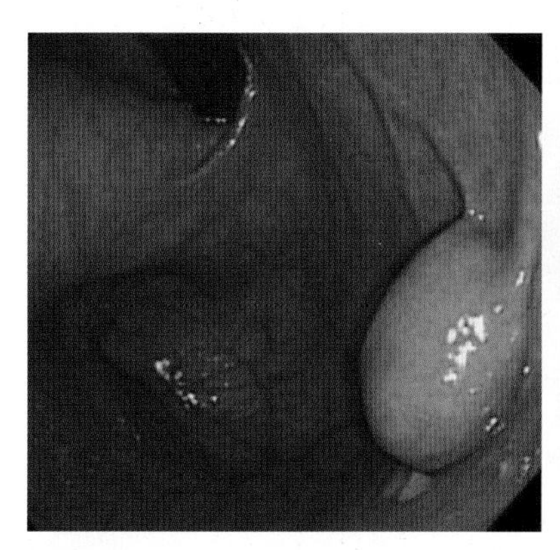
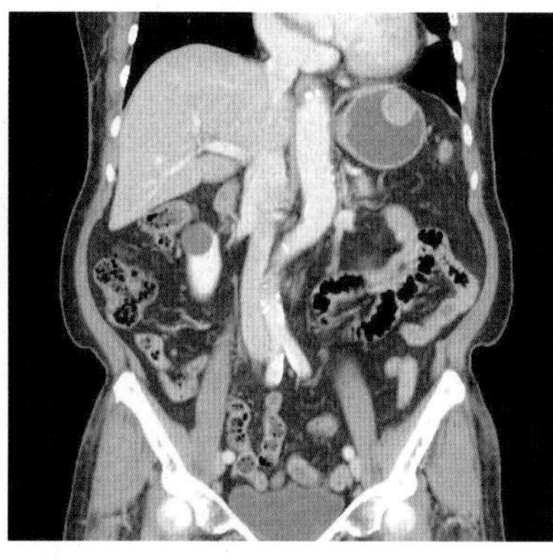
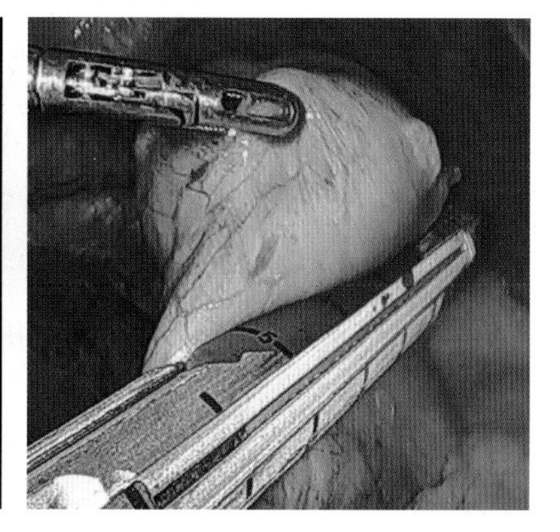

그림 47-23 위의 체부 전벽에 발생한 위장관기질종양의 복강경 위쐐기절제.

용한 절제를 한다. 위 내부로 자라는 종양이거나 절제 후 위 통로가 좁아질 위험이 큰 경우 정상 위 조직의 절제를 최소화하기 위해 전벽을 열고 종양을 절제하거나 위 전면에 투관창을 넣어 복강경 위 내 절제를 한다. 종양이 유문 부위에 발생한 경우는 쐐기절제 후 위 배출구가 좁아지지 않도록 주의한다. 폐쇄 가능성이 있으면 우회로 조성과 미주신경절단을 고려하며, 부분절제에 따른 합병증이 클 것으로 판단되면 상태에 따라 원위부 위절제를 계획한다.

위식도경계부에 발생한 종양의 경우 수술 후 협착은 중요한 수술 후유증으로 복강경 접근이 어려우면 개복수술을 계획하거나 복강경과 위내시경을 이용한 위 내 종양절제를 하여 협착, 출혈, 합병증을 최소화한 수술을 하도록 한다(그림 47-24). 종양의 크기가 작고, 위 체부의 전면, 대만곡에 위치하여 절제가 용이한 경우에는 종양 주위 위벽을 견인하는 조작을 통한 단일공 복강경 수술이 가능하다. 위식도 경계 주위의 종양인 경우 수술 기구의 접근성 및 절제 후 봉합의 이점으로 로봇수술을 시행하기도 하나 복강경수술에 비하여 환자의 만족도에 차이가 없는 점 및 비싼 수술료 등이 해결해야 할 문제이다.

5) 재발 및 추적관찰

위장관기질종양의 장기간 추적관찰에서 악성도에 대한 가장 중요한 위험인자는 10 cm 이상 크기, 5개 이상의 유사분열/50 HPF 경우이다. 고위험군의 장기무병생존은 약 50%로 보고되고 있으며, 환자의 20~80%는 위장관기질종양으로 사망한다(표 47-4).

전이는 간에 많이 발생하며 약 1/3에서는 국소 재발을 보인다. 재발은 수술 후 2년 이내에 많이 발생하나 수술 20년 후의 재발도 보고되므로 장기간의 추적관찰이 필요하다. 상태에 따라 다르나 고위험 또는 중위험군에서는 수술 후 3년까지 매 3~4개월, 이 후 5년까지는 6개월 검사, 이 후는 매년 검사가 권장된다. 저위험

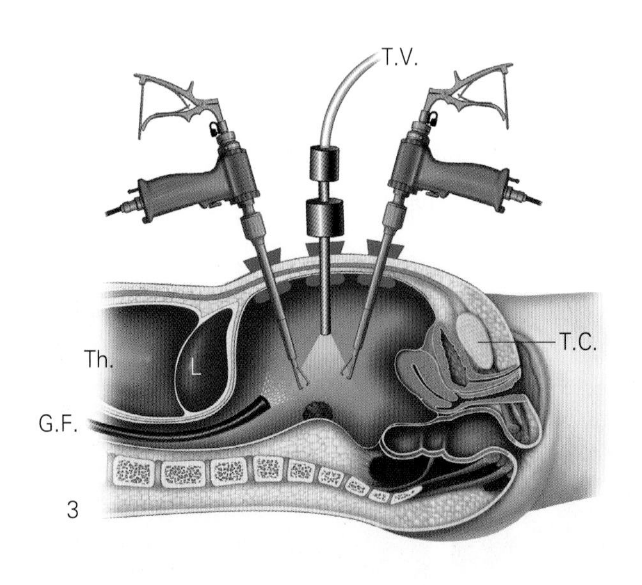

그림 47-24 위내시경과 복강경을 이용한 위 내 종양절제.

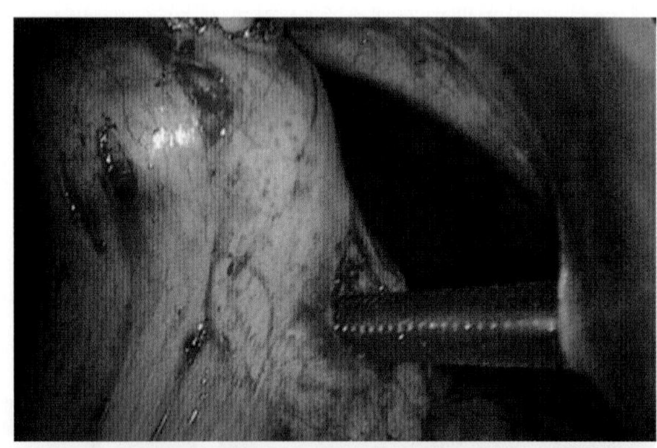

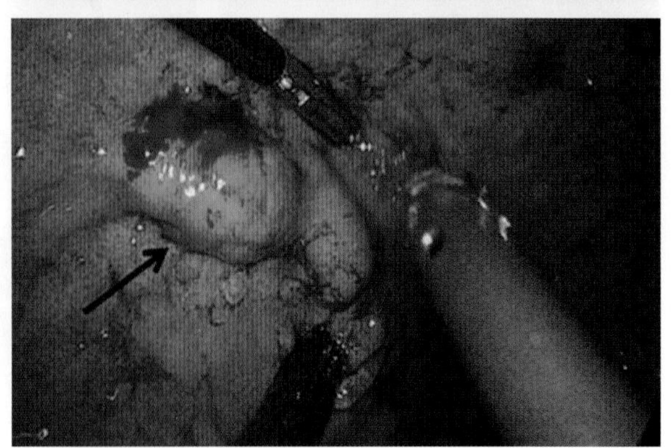

표 47-4. **위장관기질종양의 크기와 유사분열 정도에 따른 악성 진단 가이드라인과 사망률**

양성 (종양 관련 사망 없음)	<2 cm, <5 유사분열/50 HPF
양성 가능 (종양의 진행은 <3%)	2~5 cm, <5 유사분열/50 HPF
악성 위험도 적음	<2 cm, >5 유사분열/50 HPF
저위험 또는 중위험 악성도 (12~15% 종양 관련 사망)	>10 cm, <5 유사분열/50 HPF 2~5 cm, >5 유사분열/50 HPF
고위험 악성도 (49~86% 종양 관련 사망)	>5 cm, >5 유사분열/50 HPF

From Miettienen M, Sobin L, Lasota J: Gastrointestinal tumors of the stomach: A clinicopathologic, immunohistochemical, and molecular genetic study of 1765 cases with long-term follow-up. Am j Surg pathol 29: 52-58, 2005.
HPF: High-power field

이하 군에서는 수술 후 5년 간 매 6~12개월 검사가 추천되며, 매우 낮은 저위험군에서는 추적검사가 필요하지는 않다. 복부전산화단층촬영검사는 초음파검사나 복부자기공명영상검사로 대치될 수 있다.

6) 요약

위에 발생한 위장관기질종양은 고위험 종양이 많아 국소적이고 절제 가능한 것으로 진단되면 수술 절제가 최우선 치료이다. 종양의 손상 없이 절제연을 확보하는 쐐기절제가 대부분이나 침습정도에 따라 확대 수술이 필요한 경우도 있다. 최소침습수술의 발달로 다양한 수술법들이 개발되고 있어 종양 상태에 맞춘 적절한 절제치료를 하고 진료지침에 따른 보조항암요법을 한다. 악성도에 따라 재발 및 전이에 대한 정기추적관찰을 하도록 한다.

5. 위장관기질종양의 약물치료

위장관기질종양의 약물치료는 *KIT/PDGFRA* 단백을 표적으로 하는 표적치료제가 효과적이며, 현재 1차 치료로서 이마티닙(imatinib), 2차 치료로서 수니티닙(sunitinib) 그리고 3차 치료로서 레고라페닙(regorafenib)을 표준 약물로 사용하고 있다. 위장관기질종양의 약물치료는 크게 세 가지 상황 즉, 전이성 또는 절제 불가능한 위장관기질종양의 일차요법, 절제 불가능한 국소 위장관기질종양의 수술 전 선행화학요법(neoadjuvant treatment), 그리고 국소 위장관기질종양의 수술 후 보조요법(adjuvant treatment)으로 사용된다. 이 장에서는 그 동안 발표된 국내 자료 및, 2016년 아시아 가이드라인, 2018년 NCCN 가이드라인, 그리고 2018년 유럽가이드라인을 바탕으로 한국인의 위장관기질종양의 약물치료적용에 대해 알아본다.

1) 전이성 또는 절제불가능한 위장관기질종양

(1) 이마티닙 투여시점

전이성 또는 절제 불가능한 위장관기질종양으로 진단되면 증상의 유무와 관계없이 즉시 이마티닙 투여를 시작한다. 간 또는 복막 등 원격장기에 암이 전이된 환자의 경우 육안적, 조직학적으로 전이병소를 완전히 절제했더라도 미세전이병소 때문에 수술만으로 완치가 불가능하므로 이마티닙을 투여해야 한다. 이러한 경우 수술 후 보조치료와는 다르다.

(2) 이마티닙의 적정 용량

이마티닙의 일차 적정 용량은 1일 400 mg이다. 미국과 유럽인을 대상으로 1일 400 mg과 800 mg을 투약한 효과를 비교한 3상 임상연구에서 1일 800 mg 투약 시 생존율은 높아지지 않았고 오히려 부작용만 증가하였다. 그러나 하위집단분석에서 *KIT* 엑손9에 돌연변이가 있는 환자군에서는 1일 800 mg 투여 시 무진행 생존기간이 유의하게 향상되었다. 따라서 1일 800 mg의 고용량 이마티닙은 서구사회에서 *KIT* 엑손9 돌연변이가 있는 위장관기질종양 환자의 초기치료로 권장되고 있다.

그러나, 아시아인 환자에게도 *KIT* 엑손9 돌연변이의 경우 1일 800 mg 고용량의 이마티닙이 필요한지는 아직 전향적 비교 연구로 입증되지 않았다. 한국인과 대만인 위장관기질종양 환자를 대상으로 한 2개의 후향적 연구에서 *KIT* 엑손9 돌연변이가 있는 경우 1일 400 mg의 이마티닙 투여 시 치료 성적이 좋지 않았다. 이는 아시아인 위장관기질종양 환자에서도 *KIT* 엑손9 돌연변이가 있는 경우 1일 800 mg의 이마티닙이 필요할 수 있음을 시사하나 아직 안전성 확인이 필요한 상태이다.

(3) 이마티닙 투여 기간과 잔여 종양의 수술적 절제

이마티닙은 병이 진행되거나 감내할 수 없는 부작용이 발생하는 경우를 제외하면 계속 투여를 권장한다. 이마티닙을 투여해 질병이 안정화 또는 반응을 보이는 경우 투여를 중단하면 대부분의 경우 종양이 평균 수개월 내에 빠른 속도로 진행한다. 이마티닙을 중단해 병이 진행했을 때 재투여하면 다시 반응이 나타나지만, 일반적으로 임상시험이거나 꼭 필요하지 않은 경우 외에는 이마티닙 투여를 중단하지 않는다.

이마티닙 투여 후 질병이 안정되거나 반응을 보이는 경우에는 다학제 간에 충분한 논의를 거친 후 잔여 종양 병변의 수술적 절제를 고려할 수 있다. 이마티닙 사용 후 잔여 종양 절제술의 이론적 근거는 잔여 종양을 절제함으로써 이마티닙 내성 발생의 가능성을 최소화한다는 것이다. 여러 2상 또는 후향적 연구에서 이마티닙 사용 후 이마티닙에 반응하는 잔여 종양을 절제한 경우 좋은 성적을 보인 반면, 국소 또는 다발성 진행 후 수술적 절제를 시도한 경우에는 치료성적이 좋지 않았다. 더 나아가, 이마티닙으로 병이 조절된 후 잔여병소를 절제한 경우와 절제하지 않고 이마티닙만 계속한 경우를 후향적으로 비교한 연구에서도 절제한 경우가 유의하게 성적이 좋았다. 따라서 전향적 3상 연구에 의해 증명되지는 않았지만, 이마티닙에 반응하는 경우 잔여 종양을 제거하고 이마티닙을 유지하는 것이 잔여 종양의 제거 없이 이마티닙만 사용하는 것에 비해 치료 성적을 향상시킬 수 있는 것으로 판단되고, 이마티닙 사용 후 가능하면 잔여 종양의 제거가 권장된다. 반면, 전이성 위장관기질종양에서 이마티닙 사용 전 수술적 절제를 시행하는 것은 치료성적 향상을 유도할 수 없어 추천되지 않는다.

(4) 종양반응평가를 위한 표준검사

컴퓨터단층촬영(CT)는 현재 사용할 수 있는 가장 유용한 표준반응 판정수단이다. 조영증강 전 및 증강 후 동맥기, 정맥기를 따로 촬영하는 역동적(dynamic) 또는 삼상(triphasic) CT가 권장된다. 양전자단층촬영(FDG-PET)도 초기 종양반응평가가 가능한 매우 민감도 높은 검사이다. 반응판정주기는 임상상황에 따라 달라질 수 있으나 이마티닙을 이용한 초 치료의 경우 보통 초기 반응이 확인된 후에는 3~6개월마다 종양반응을 판정한다.

(5) 반응판정의 기준

반응의 평가는 위장관기질종양의 치료방침을 결정하는데 매우 중요한 요소이다. 특히 위장관기질종양은 일반 고형암과 달리 효과가 있음에도 불구하고 종양내 출혈이나 점액양변성 등의 이유로 종양의 크기가 작아지지 않고 심지어 커질 수도 있기 때문에 종양반응 또는 치료지속여부를 종양의 크기로만 판정하면 안 된다. 위장관기질종양은 과혈관성 종양으로 이마티닙 치료 시 혈관성 감소, 유리질 변성을 일으켜 저음영을 나타내며 경우에 따라 낭성 변화가 발생한다. 그러므로 고형암의 일반적 반응평가 기준인 RECIST 또는 WHO 기준을 적용할 때는 주의를 요한다. 특히 간전이의 경우 간문맥-정맥기 CT로 종양반응을 평가할 때 이마티닙 사용 초기에 작고 새로운 저음영 병변이 관찰될 수 있다. 이는 치료 전에 이미 간실질과 동일한 음영을 가진 종양이 존재했으나 이마티닙 사용 후 병변이 괴사하면서 윤곽이 뚜렷해져서 보이는 것일 가능성이 높으므로 이를 감별해야 한다. 종양의 크기와 밀도 두 가지 모두 반응평가 시 고려해야 하며, 환자의 증상 호전 또는 CT의 음영 감소 정도(HU) 또는 PET에서의 SUVmax를 종양반응판정에 이용할 수 있다. CT만으로 종양의 활성도(viability)를 판단하기 어려울 때는 PET로 활성도를 판정할 수 있다.

(6) 재발과 진행

재발 또는 진행은 수술 후 새로운 병변의 출현, 새로운 전이병소 발생 또는 종양의 크기 증가 등으로 알 수 있다. 일부 환자에서는 재발 또는 진행의 한 형태로 이전에 반응하였던 저밀도 낭성 종양에서 고밀도 고형조직이 새롭게 출현하거나 증가할 수 있다(nodule in nodule). 종양 크기만을 반영한 RECIST 또는 WHO 기준으로는 진행 유형을 명확히 판단할 수 없는 경우가 있으므로, 각 병변 내부 및 경계를 면밀히 관찰하여 종양밀도의 변화도 파악해야 한다.

(7) 이마티닙 치료 중 병이 진행한 경우의 치료

내성은 일차 내성과 이차 내성으로 분류된다. 일차 내성은 이마티닙 치료 후 처음 6개월 이내에 병이 진행된 경우로 대부분 다발성 진행이다. 이차 내성은 이마티닙 치료를 한 지 6개월 이후에 병이 진행되는 경우로 국소 진행과 다발성 진행으로 나뉜다.

① 국소 진행

하나 또는 제한된 숫자의 병변에서 종양내의 결절 또는 병변의 크기가 커져 PET 검사에서 FDG 섭취율(uptake)이 증가하나 나머지 병변들은 비교적 잘 조절되는 경우를 국소 진행이라 한다. 국소 진행을 치료하기 위해 다학제 간 접근이 필요하다. 간이나 복막으로 국소 전이된 부분의 절제, 고주파열치료, 색전술 등을 적극적으로 고려한다. 만약 국소 진행 병변이 수술적 절제 또는 고주파열치료와 같은 국소치료로 제거된 경우라면, 여전히 반응하는 나머지 병변들 또는 숨어 있는 미세전이의 치료를 위해 표준 용량인 1일 400 mg의 이마티닙을 계속 투여할 수 있고, 병변이 제거되지 않은 경우에는 이마티닙의 용량을 늘리거나 수니티닙으로 교체를 고려한다. 일부 후향적 연구에 따르면, 부분적 내성에 대해서도 약제를 증량 또는 교체하는 것 이외에 국소치료를 하는 것이 효과가 있었다.

② 다발성 진행

다발성 병변은 대부분 동시에 진행한다. 다발성 내성에 국소 치료의 효용성은 극히 제한적이다. 이마티닙을 표준용량인 1일 400 mg 투여했는데도 위장관기질종양이 진행한다면 이마티닙 용량을 늘리거나 수니티닙 같은 이차 약제의 투여를 고려한다.

③ 병의 진행 시 이마티닙 용량 증가

이마티닙을 표준용량으로 투여했는데 병이 진행됐을 때 1일 800 mg까지 용량을 늘리면 30~40%의 환자에서 종양이 일정 기간 조절되는 것으로 알려져 있다. 1일 400 mg에서 800 mg으로 이마티닙 증량 투여 시 전신 쇠약감과 빈혈 외에 다른 부작용의 증가는 거의 없는 것으로 보고되고 있으나, 감내할 수 없는 부작용이 발생한다면 1일 600 mg으로 용량을 줄일 수 있다. 또한 1일 800 mg으로 바로 용량을 늘렸을 때 중대 이상반응 발생이 우려되는 경우에는 일단 1일 600 mg으로 용량을 늘리고, 이후에 800 mg으로 순차적으로 늘려갈 수도 있다. 이마티닙 용량 증가 시 무진행 생존 중앙값은 3개월이며 12개월 무진행 생존율은 18~30%로 보고되고 있다.

④ 이마티닙 내성 발생 시 수니티닙 사용

이마티닙에 내성이 발생하면 수니티닙을 사용할 수 있다. 이마티닙에 내성을 보이거나 견디지 못한 환자를 대상으로 위약과 비교한 3상 임상연구에서 수니티닙을 1일 50 mg 씩 4주간 투약하고 2주간 휴약하는 투약방법으로 7%의 반응률이 관찰되었고, 65%의 환자에서 병이 조절되었으며 무진행 생존의 중앙값은 5.6개월이었다. 이러한 반응률과 무진행 생존기간은 이전의 이마티닙 사용 용량과는 관계가 없었다. 이후 1일 50 mg의 용량에 많은 환자들이 부작용을 호소하고, 2주간의 휴식기간 중 병이 진행하는 경우가 있어 저용량(1일 37.5 mg)으로 지속 투여하는 용법이 개발되었다. 간헐적 투약과 지속적 투약을 비교하는 무작위 연구는 시행된 바 없으나, 저용량의 지속 투약일정 또한 효과적이고 내약성이 뛰어나 현재 대부분의 수니티닙 치료 연구에서는 1일 37.5 mg 지속용법을 사용하고 있다.

⑤ 수니티닙치료 실패 시 레고라페닙 사용

수니티닙에 치료 실패하면 레고라페닙을 사용할 수 있다. 이마티닙과 수니티닙에 모두 실패한 절제 불가능 또는 전이성 위장관기질종양 환자를 대상으로 위약과 비교한 GRID 3상 임상연구에서 레고라페닙을 1일 160 mg씩 3주 투약하고 1주 휴약하는 투약방법으로 4.5%의 반응률이 관찰되었고, 52.6%의 환자에서 병이 조절되었으며 무진행 생존기간의 중앙값은 4.8개월로 종양 진행 혹은 사망 위험을 위약에 비해 73% 감소시켰다. 레고라페닙의 경우에도 수니티닙의 경우와 마찬가지로 표준투약방법은 부작용 때문에 용량을 감량해야 하는 경우가 많으며, 휴약기간 동안 병의 진행과 관련된 증상의 악화가 관찰되어, 저용량 지속투여방법이 임상연구로서 시도되고 있다.

⑥ 병의 진행 시 기존 세포독성 항암화학요법의 사용

기존의 세포독성 항암화학요법은 위장관기질종양에 효과가 없는 것으로 보고되어 임상시험의 경우를 제외하고는 권고하지 않는다. 방사선치료도 일반적으로 위장관기질종양에 효과가 없다.

⑦ 기존 치료 실패 시 이마티닙 재사용

기존 치료에 내성을 보여 질병이 진행한 위장관기질종양 환자에서 이마티닙을 재사용할 수 있다. 적어도 이마티닙과 수니티닙에 실패한 절제 불가능 또는 전이성 위장관기질종양 환자를 대상으로 위약과 비교한 RIGHT 3상 임상연구에서 이마티닙을 1일 400 mg씩 매일 재투약한 결과 32%의 질병 조절률과 1.8개월의 무진행 중앙생존기간이 관찰되었으며, 종양 진행 혹은 사망 위험을 위약에 비해 54% 감소시켰다.

⑧ 새로운 약제

PDGFRA 엑손18 D842V는 이마티닙에 듣지 않는 일차 유전자 변이이며, *KIT* 엑손13/14 또는 17/18 부위에 새로운 유전자 돌연변이의 획득은 이마티닙에 대해 내성을 일으키는 가장 중요한 기전 중 하나이다. 이러한 내성 유전자 변이에 대해 효과를 갖는 표적치료제가 개발 중인데, 최근 아바프리트닙(avapritinib)이 특히 *PDGFRA* D842V 돌연변이에 효과가 높음이 보고되었고, 현재 이마티닙 및 수니티닙에 실패한 환자를 대상으로 레고라페닙과 비교하는 3상 임상연구가 시행 중에 있다.

2) 수술 전 선행화학요법

최초 진단 시 국소 진행된 위장관기질종양의 크기를 줄여 수술결과를 향상시키기 위해 수술 전 선행화학요법으로 이마티닙을 사용할 수 있다. 전이성 또는 절제 불가능한 위장관기질종양과 동일하게 1일 400 mg을 사용한다. 그러나 임상적으로 확실한 근거가 있는 경우 외에는 수술할 수 있는 위장관기질종양에 수술 전 선행보조요법을 권하지 않는다. 수술 전 이마티닙 투여는 전이가 없는 위장관기질종양에서 수술만으로는 R0 절제가 불가능한 경우, 직장이나 식도 및 십이지장에 발생한 위장관기질종양일 때 장기들의 기능보존이 목적이거나, 위에 발생한 위장관기질종양이 췌장이나 십이지장으로 심한 국소 침윤을 동반한 경우 또는 위전절제술 등의 광범위한 수술이 예상되는 경우 고려한다.

수술 전 선행화학요법을 고려할 경우에는 CT 및 PET로 매우 주의 깊게 치료 전과 치료 중 종양의 진행 및 반응을 평가해야 하며, 숙련된 다학제 전문팀의 판단이 필요하다. CT 나 PET 또는 두 방법을 다 이용하여 이마티닙 치료 초기에 종양반응을 평가하여 반응이 없는 종양의 경우 수술이 지연되지 않도록 한다.

수술 전 이마티닙 사용기간은 종양의 반응 정도에 따라 달라질 수는 있으나, 종양의 충분한 위축이 관찰되고 이마티닙에 대한 내성이 나타나기 전에 수술한다. 대개 이마티닙 사용 후 보통 4~6개월 후부터 12개월 이내에 수술하는 것을 권장한다. 이마티닙 선행화학요법을 하려면 조직학적으로 위장관기질종양을 반드시 확인해야 한다. 돌연변이 분석은 *PDGFRA* 엑손18 D842V와 같은 이마티닙에 감수성이 없는 위장관기질종양을 선행화학요법에서 제외하는데 유용하다.

3) 수술 후 보조요법

육안으로 보기에 종양을 완전히 절제한 후에도 미세전이성 병변이 남아 있을 수 있으므로 이를 제거하기 위해 수술 후 보조요법을 시행한다. 전이성 또는 재발성 위장관기질종양에 이미 효과가 증명된 이마티닙을 수술 후 보조요법에도 적용할 수 있는지에 대해 임상연구가 진행되었다.

ACOSOG Z9001 3상 연구에서는 완전 절제된 3 cm 이상의 국소 위장관기질종양 환자 713명을 대상으로 하여 수술 후 이마티닙 하루 400 mg을 1년간 투여하는 군과 이마티닙 치료 없이 경과를 관찰하는 군으로 1:1 무작위 배정하여 치료성적을 비교하였다. 그 결과 1년 무재발 생존율은 수술 후 이마티닙을 사용한 경우 98%, 수술 단독의 경우 83%로 재발률에 차이가 있었다. 종양 크기를 3~6 cm, 6~10 cm, 10 cm 이상의 세 그룹으로 나누어 보았을 때, 수술 후 이마티닙 투여에 의한 재발률 감소는 종양의 크기가 클수록 즉, 재발 위험률이 높을수록 높게 관찰되었다. 그러나 전체 생존율은 수술 후 이마티닙을 사용한 경우와 사용하지 않은 경우 차이가 없었는데, 이는 관찰기간이 짧아 양군 모두 사망 예가 매우 적었고 수술 후 이마티닙을 사용하지 않은 경우에도 재발 시에는 이마티닙을 투여하여 재발된 위장관기질종양을 효과적으로 치료할 수 있었기 때문으로 판단된다. ACOSOG Z9001의 추가분석결과들을 보면, 재발의 고위험군에서는 이마티닙의 재발방지효과가 뚜렷한 데 비해 중위험군에서는 경미한 효과, 그리고 저위험군에서는 이마티닙의 재발방지효과가 없었다. 또한, ACOSOG Z9001 연구 환자들의 종양 돌연변이와 이마티닙 효과를 비교한 결과, *KIT* 엑손11의 돌연변이가 있는 경우 재발의 위험도 가장 높을 뿐 아니라 이마티닙의 재발방지효과도 가장 높았다.

국내 연구로 김 등은 국소 위장관기질종양에서 NIH 컨센서스 위험군 분류의 두 요소인 종양의 크기와 세포분열지수 외에 *KIT* 돌연변이가 있는 경우 절제술 후 재발위험이 높음을 관찰하였다. 한국인을 대상으로 한 수술 후 보조요법으로서 이마티닙 사용 2상 임상연구에서는 김 등의 관찰을 근거로 하여 재발의 위험이 매우 높은 환자, 즉 *KIT* 엑손11 돌연변이가 존재하면서 NIH 컨센서스 위험군 분류 기준으로 고위험군으로 분류된 환자 47명에게 2년간 수술 후 보조요법으로 하루 400 mg의 이마티닙을 투여하였다. 26.9개월의 중앙추적결과 2년 무재발 생존율은 93%로, 과거 대조군(historical control)의 약 30% 보다 현저히 개선되었다.

SSGXVIII/AIO 3상 연구는 NIH 컨센서스 기준으로 재발 고위험군 또는 수술 전이나 수술 도중 종양의 파열이 있었던 환자 400명을 대상으로 수술 후 이마티닙 하루 400 mg을 1년과 3년 사용을 비교한 무작위배정 연구이다. 그 결과 이마티닙 3년 사용 군에 배정된 환자의 무재발 생존기간과 전체 생존기간이 1년 사용군에 비해 유의하게 길었다. 54개월의 장기중앙추적

기간 후 5년 무재발 생존율은 3년 치료 군에서 65.6%, 1년 치료 군에서 47.9%였고, 5년 전체 생존율은 92.0% 대 81.7%였다. 포함된 환자 중 341명의 환자에서 *KIT* 과 *PDGFRA* 유전자돌연변이검사가 가능하였는데, 이 중 *KIT* 엑손11에 돌연변이가 있었던 환자들에서는 3년 치료 군에서 유의하게 5년 무재발 생존율이 높았으나, 다른 돌연변이나 야생형(wild type)에서는 양 군 간 유의한 차이가 관찰되지 않았다. 현재 SSGXVIII/AIO 3상 연구결과를 근거로 전 세계적으로 근치적 절제술 후 재발의 위험이 높은 환자에 대해서는 수술 후 3년간의 이마티닙 치료가 표준이 되었다. 그러나 이마티닙를 이용한 보조요법 시 몇 가지 해결되지 않은 고려사항들이 있다.

첫째, 이마티닙 보조치료가 완치율을 높일 수 있는지, 단지 재발을 지연시키기만 하는지는 확실하지 않다. ACOSOG Z9001 3상 연구에서는 1년간의 이마티닙 보조항암화학요법을 종료한 후 빠르게 재발하는 양상이 관찰되었고, 전체 생존기간 연장에 효과가 있는지는 입증하지 못하였다. 한국인을 대상으로 한 강 등의 2상 연구와 SSGXVIII/AIO 3상 연구에서도 이마티닙 종료 후에는 빠른 재발률이 관찰되었다. 이마티닙을 전이성 위장관기질종양에 사용했을 때, 생존기간은 이마티닙을 사용하지 않은 이전 과거 대조군과 비교하여 크게 향상되었으나 장기간의 추적관찰 후에도 생존 곡선에서 평탄부가 관찰되지 않았다. 즉, 이마티닙이 종양의 진행은 현저히 지연시킬 수 있으나 완치율을 높이거나 병을 완전히 제거하지는 못하는 것으로 생각되고, 전이성 위장관기질종양 환자의 대부분은 몇 년 후 결국 이마티닙에 내성이 생겨 치료에 실패하게 된다. 이러한 현상은 국소 위장관기질종양에도 적용될 수 있다. 그러나 현재까지 수술 후 보조요법의 임상시험에서 재발 위험도가 높아질수록 이마티닙 보조요법으로 무진행 생존기간이 현저히 개선되었고, 일단 재발하면 완치가 어려우므로 위험도가 높은 환자에게는 이마티닙 보조요법을 추천하는 것이 위장관기질종양 전문가들의 공통된 의견이다.

둘째, 이러한 관점에서 재발위험도의 분류방법 및 재발위험도가 어느 정도인 환자에게 이마티닙을 보조항암화학요법으로 사용할 것인지를 신중하게 결정해야 한다. 전문가들은 공통적으로 재발 고위험군 환자에게는 수술 후 이마티닙 보조요법을 권장하고, 재발의 위험이 낮은 저위험군 환자에게는 권장하지 않으며, 중등도 위험 환자에 대해서는 공통된 의견이 없고 환자와 상의가 필요하다. 수술 후 재발 고위험군을 어떻게 정의할 것인가는 논란이 있다. 2002년 제안된 미국 NIH 컨센서스 기준에서는 종양의 크기와 세포분열지수만으로 재발위험도를 분류하였는데, 이 후 Miettinen 등의 분류에서는 종양 크기와 세포분열지수 외에 원발 장기에 따라 재발률에 현저한 차이가 관찰되었다. 또한 조엔수 등은 수술 전 또는 수술 도중 종양파열의 유무가 재발 위험률을 결정하는 또 하나의 요인임을 보고한 바 있다. 이 중 수술 후 이마티닙 보조요법의 결정을 위해서는 SSGXVIII/AIO 연구에서 적용된 조엔수 등의 위험군 분류기준이 선호되고 있다. 재발위험도평가 이외에 돌연변이 분석이 이마티닙 보조요법으로 효과를 기대할 만한 환자를 선별하는 데 유용하다. 예를 들어, *PDGFRA* 엑손18에 D842V 돌연변이가 있는 위장관기질종양은 이마티닙에 감수성이 없어 이마티닙 사용이 추천되지 않는다. 특히 *PDGFRA* D842V 돌연변이는 주로 위에 발생한 위장관기질종양에서 발생하므로 원발 장기가 위인 경우 *PDGFRA* D842V 돌연변이 확인이 필요하다.

셋째, 이마티닙 보조요법의 기간도 아직 명확하게 결정되지 않았다. 현재 SSGXVIII/AIO 연구결과를 바탕으로 이마티닙 3년 사용이 표준치료로 인정되고 있으나, 이마티닙 중단 후 급격한 재발양상이 관찰되어, 기간을 5년까지 연장하여 사용하는 임상연구가 진행 중이다.

6. 위의 기타 점막하종양

점막하종양(submucosal tumor)은 주 병변이 상피(epithelium)보다 하층에 존재하고 주위점막과 동일한 점막으로 덮여 있는 병변을 총칭한다. 위벽내에 존재하는 종양은 점막고유판(lamina propria)부터 고유근층(proper muscle layer) 사이에 어느 곳에서든 기원할 수 있다. 따라서 정의상으로는 점막하종양보다는 상피하종양(subepithelial tumor)이 정확한 표현이다.

위점막하종양의 유병률에 대해서는 잘 알려지지 않았으나 진단내시경 시행 시 0.4%에서 점막하종양이 발견되었다고 보고된 바 있다. 호발연령은 40세 이후이다. 점막하종양 중 이소성췌장(ectopic pancreas), 평활근종(leiomyoma), 지방종(lipoma) 등은 양성 경과를 취하나 위장관기질종양, 림프종, 신경내분비종양(neuroendocrine tumor, carcinoid), 평활근육종(leomyosarcoma), 지방육종(liposarcoma) 등은 악성 경과를 취한다. 이 중 위장관기질종양, 림프종, 신경내분비종양는 다른 부분에서 자세히 다루므로 이 곳에서는 언급하지 않는다.

1) 증상

대부분의 점막하종양은 증상을 유발하지 않으며 내시경검사나 위장관조영술검사에서 우연히 발견된다. 하지만 드물게 장폐쇄나 장중첩증 등을 유발하여 증상이 발생할 수 있다. 위식도 경계부, 분문부 또는 위에서 십이지장으로 넘어가는 유문부에 점막하종양이 위치하면 장폐쇄가 일어날 수 있다. 크기가 큰 점막하종양에서 중심부로 혈류가 충분히 공급되지 못하면 종양 표면에 궤양이 생겨 출혈이 유발될 수 있다. 악성 경과를 보이는 매우 큰 점막하종양 환자에게는 복부 통증과 체중감소가 동반될 수도 있다.

2) 점막하종양의 내시경 소견

대부분의 점막하종양은 표면이 주위 조직과 동일한 정상적인 점막으로 덮여 있어서 표면이 평활하며 융기성 병변으로 보인다. 반구상(hemisphere) 혹은 야마다 I, II형 형태를 보이는 경우가 일반적이며, 기저부가 잘록한 야마다 III형이나 유경성(pedunculated)은 드물다. 종양이 상피 하부에 위치하기 때문에 주위점막에서 융기에 걸쳐 있는 것 같은 점막주름(bridging fold)이 관찰되는 경우도 흔하며, 점막내에서 궤양을 관찰할 수도 있다.

위에서 점막하종양이 의심되는 소견이 발견되었을 때는 우선 위벽내 종양인지 위 주위의 정상적인 기관이나 비정상적인 구조물에 위장관 벽이 눌려서 발생한 위벽외 압박으로 인한 병변인지를 감별해야 한다. 가장 흔한 위벽외 압박의 원인은 비장과 비장 혈관들이다. 이 외에도 간이나 담낭 등의 정상적인 복부 장기나 종양, 농양, 췌장가성낭종, 림프절 종대 등도 위벽외 압박을 유발할 수 있다. 내시경검사 결과 위벽내 종양으로 판단된 경우의 30%가 실제로는 위벽 외부 장기에 의한 압박으로 인한 경우라는 보고가 있을 정도로 감별하기가 쉽지 않다. 하지만 내시경검사 도중 환자의 체위 변화에 따라 종양의 모양과 위치가 달라지거나 공기의 흡기나 송기에 따라 종양 모양이 변할 경우에는 위벽외 압박으로 인한 병변을 시사한다고 판단할 수 있다. 또한 일반적으로 점막하종양의 표면에서 관찰되지 않는 혈관이 있는 경우에도 위벽외 압박으로 인한 병변으로 의심할 수 있다.

일반적으로 점막하종양의 내시경 육안 소견은 거의 동일하므로 감별진단을 하기가 매우 어려운데, 내시경검사에서 종양의 색조, 크기, 형태, 이동성, 경도, 박동 등을 관찰하면 진단에 도움이 된다. 중복낭종(duplication cyst)은 투명한 색조를, 지방종은 황색조를 보이는 경우가 많으며, 혈관종은 식도정맥류와 유사한 청색조를 보이는 경우가 많다. 겸자로 압박했을 때 단단하거나 이동성이 거의 없으면 근층에서 기원한 위장관기질종양이나 평활근종을 의심할 수 있다. 반면 겸자로 눌러보았을 때 부드럽거나 쉽게 함몰되는 경우는 지방종을 시사한다. 특히 이러한 병변이 황색조를 띠면 지방종으로 생각해도 무방하며 추가적인 검사는 불필요하다. 내시경검사 시 점막하종양의 표면에서 조직검사를 시행하더라도 진단적인 소견을 얻을 수 있는 경우는 많지 않다. 그러나 고유판이나 점막근층에서 유래한 병변일 때는 조직검사로 진단을 내릴 수도 있고 상피성 병변을 배제할 수 있으므로 조직검사는 시행하는 것이 바람직하다.

3) 점막하종양의 내시경초음파 소견

점막하종양을 진단하는 데 가장 정확한 방법은 내시경초음파(endoscopic ultrasonography, EUS)이다. 이 검사를 통해 병변의 기원, 크기, 경계의 불규칙성, 종양 내부의 불균일성 등에 대한 정보를 얻어 감별진단에 유용하게 이용할 수 있다. 또한 위벽내 종양과 위벽외 압박으로 인한 병변을 감별하는 데도 매우 유용하다. 위벽은 내시경초음파에서 5층으로 보인다. 고에코를 보이는 제1층은 점막의 표피층, 저에코를 보이는 제2층은 점막근층을 포함하는 심부점막층을 나타낸다. 고에코를 보이는 제3층은 점막하층, 저에코를 보이는 제4층은 고유근층이다. 고에코를 보이는 제5층은 식도에서는 종격동(mediastinum)과의 경계, 위에서는 장막층(serosa)을 나타낸다. 위벽내의 각 층에서의 발생 위치를 보면 점막하종양을 감별진단하는 데 도움이 되며 조직학적 진단명을 추측할 수 있다. 즉 종양이 점막근층에서 기원했을 것으로 판단되면 위장관기질종양, 평활근육종을 의심할 수 있고, 점막하층에서 기원했을 것으로 판단되면 낭종, 이소성췌장, 염증성섬유소모양용종(inflammatory fibroid polyp), 지방종, 섬유종(fibroma)을 의심할 수 있다. 고유근층에서 유래했을 것으로 판단되면 위장관기질종양, 평활근육종, 신경섬유종(neurofibroma) 등을 의심할 수 있다. 각 점막하종양의 내시경초음파 소견은 표 47-5과 같다.

4) 점막하종양의 조직학적 진단법

조직을 생검하는 다양한 방법이 쓰일 수 있다. 위내시경을 통한 점막생검은 얕은 생검만 가능하기 때문에 진단적 수득률이 낮다. 생검 부위를 다시 생검하는 방법들을 쓸 수 있지만 유의미한 수득률의 향상을 보여주지는 못하고 있다. "bite-on-bite" 방법으로 Jumbo 생검겸자를 사용한 경우 진단율이 올라간다는 보고도 있다.

내시경초음파 유도하 세침흡인검사(fine needle aspiration; 22게이지 세침)를 시행할 수도 있다. 세침

표 47-5. **위장관 점막하종양의 내시경초음파 소견**

점막하 병변	EUS 층	모양
위장관기질종양	4(드물게 2층)	저에코 병변(불규칙한 변연, 고에코 부위, 무에코 부위는 악성을 시사하는 소견)
평활근종	2 또는 4	저에코, 균질성 병변
지방종	3	고에코, 종종 용종성 모양
낭종	3	무에코, 압박이되며, 둥근 또는 달갈 모양
이소성췌장	2 또는 3	저에코 또는 혼잡에코(관구조가 보일수도 있다)
전이암	모든 층 가능 또는 모든 층	저에코, 비균질성 병변
카르시노이드	2 또는 3	저에코, 균질성 병변
정맥류	2 또는 3	무에코, 사행성(serpiginous)

으로 흡인한 검체를 이용한 세포진검사는 점막하종양의 양성 · 악성 감별에는 유용하지만 점막하종양을 구체적으로 감별진단하기는 어렵다. 정확한 조직학적 진단을 위해 내시경초음파 유도하 중심부바늘생검법(core needle biopsy)이 도입되었는데, 중심부바늘생검법이 세침흡인검사에 비해 민감도와 정확도가 높다는 연구가 있는 반면, 두 방법 간에 유사한 진단 정확도를 보인다는 메타분석도 있는 실정이다. 2 cm 미만의 고유근층보다 표면에서 기원한 종양의 경우는 내시경점막절제술(endoscopic mucosal resection) 방법으로 절제할 수도 있다. 또한 내시경점막하박리술(endoscopic submucosal dissection)을 통해 점막하종양의 조직을 채취할 수도 있다. 이 방법은 조직검사뿐 아니라 완전절제까지 가능하다. 내시경점막하박리술을 통하여 점막하종양에 대해서 90% 이상의 절제 성공률을 보고하고 있다. 그러나 비록 내시경적 처치가 가능하긴 했지만 14%에서 천공이 발생했다고 한다. 이 방법은 천공의 위험성 때문에 병변이 고유근층에 위치한 경우에는 사용하기 어려우며 병변이 점막층이나 점막하층에 국한해 존재할 때만 사용한다. 채취할 수 있는 조직의 크기가 크므로 진단율을 향상시킬 수는 있으나 병변이 점막하층에 위치할 경우 천공 발생률이 2~3% 정도이고 시술 도중이나 시술 후에 지연 출혈도 발생할 수 있다.

5) 점막하종양의 치료

내시경초음파검사에서 위벽내 낭종, 혈관 또는 지방종 소견이 보이면 추가적인 검사는 불필요하다. 하지만 이 외의 점막하종양의 경우 내시경초음파검사만으로는 양성과 악성을 감별하기가 어렵기 때문에 조직학적 진단을 위한 추가 검사를 고려해야 한다. 내시경초음파검사에서 고유근층인 제4층에서 기원하는 저에코와 변연이 불규칙한 3 cm 이상의 종양이 발견된 경우에는 악성위장관기질종양의 가능성을 배제할 수 없기 때문에 수술적 절제가 필요하다. 그 외의 제4층에서 기원한 점막하종양의 경우에는 세침흡인검사를 실시한다. 평활근종이나 신경초종(schwannoma)의 경우 세침흡인검사에서 악성이 배제되고 환자에게 증상이 없다면 추적검사는 불필요하다고 생각된다. 내시경초음파검사에서 점막근층을 포함하는 심부점막과 이와 인접한 점막하층에서 저에코성 종양이 관찰되는 경우에는 점막근층에서 발생한 위장관기질종양, 신경내분비종양, 전이성 종양 등의 가능성을 배제할 수 없으므로 조직학적 진단과 치료목적으로 내시경점막하절제술을 고려할 수 있다. 현 단계에서 내시경초음파 소견이나 세침흡인검사 등에서 얻은 소견만으로는 점막하종양의 악성화 가능성을 정확히 예측하기는 어렵다. 따라서 정확한 조직학적 진단이 내려지지 않은 점막하종양을 가진 환자는 반드시 주기적으로 내시경검사나 내시경초음파검사를 받아야 한다. 추적검사의 간격은 종양의 악성화 가능성, 환자의 연령, 건강상태 등을 종합적으로 고려하여 결정해야하며 대개는 6개월에서 1년이다. 각종 점막하종양의 추천되는 치료계획을 표로 정리하였다(표 47-6).

6) 지방종

지방종(lipoma)은 위장관기질종양 다음으로 빈번하게 발견되는 점막하종양이다. 일반적으로 지방종은 완만한 융기 형태를 보이며 전체적으로 약간 황색조를 띤다. 표면은 평활하고 겸자로 누르면 쉽게 함몰되는 베개 혹은 쿠션 징후(pillow or cussion sign)를 보이며, 점막을 겸자로 잡아서 당기면 점막이 들리면서 텐트처럼 보이는 텐트 징후(tenting sign)를 보이기도 한다. 생검 시 황색의 지방조직이 나오는 경우도 있다. 내시경초음파에서는 점막하층인 제3층에서 강한 고에코의 균질한 양상을 보이는 종괴로 관찰된다(그림 47-25). 지방종으로 강력히 의심되면 추가적인 검사나 치료는 불필요하다. 증상을 유발하거나 지방육종과 같이 악성질환과 감별이 어렵다면 절제가 필요하다.

표 47-6. **위장관 점막하종양의 추적검사 및 치료계획**

추가검사 및 추적검사 필요없음	정기적인 내시경과/또는 내시경초음파로 추적검사 또는 절제	절제
정상적인 위외벽 기관	위장관기질종양(2 cm 미만)	고가스트린혈증이 없는 신경내분비종양
지방종	사구종양(Glomus tumor)	위장관기질종양(2 cm 이상)
중복낭종		
이소성췌장		
염증성신경양용종		
신경원성종양(예, 신경초종)		

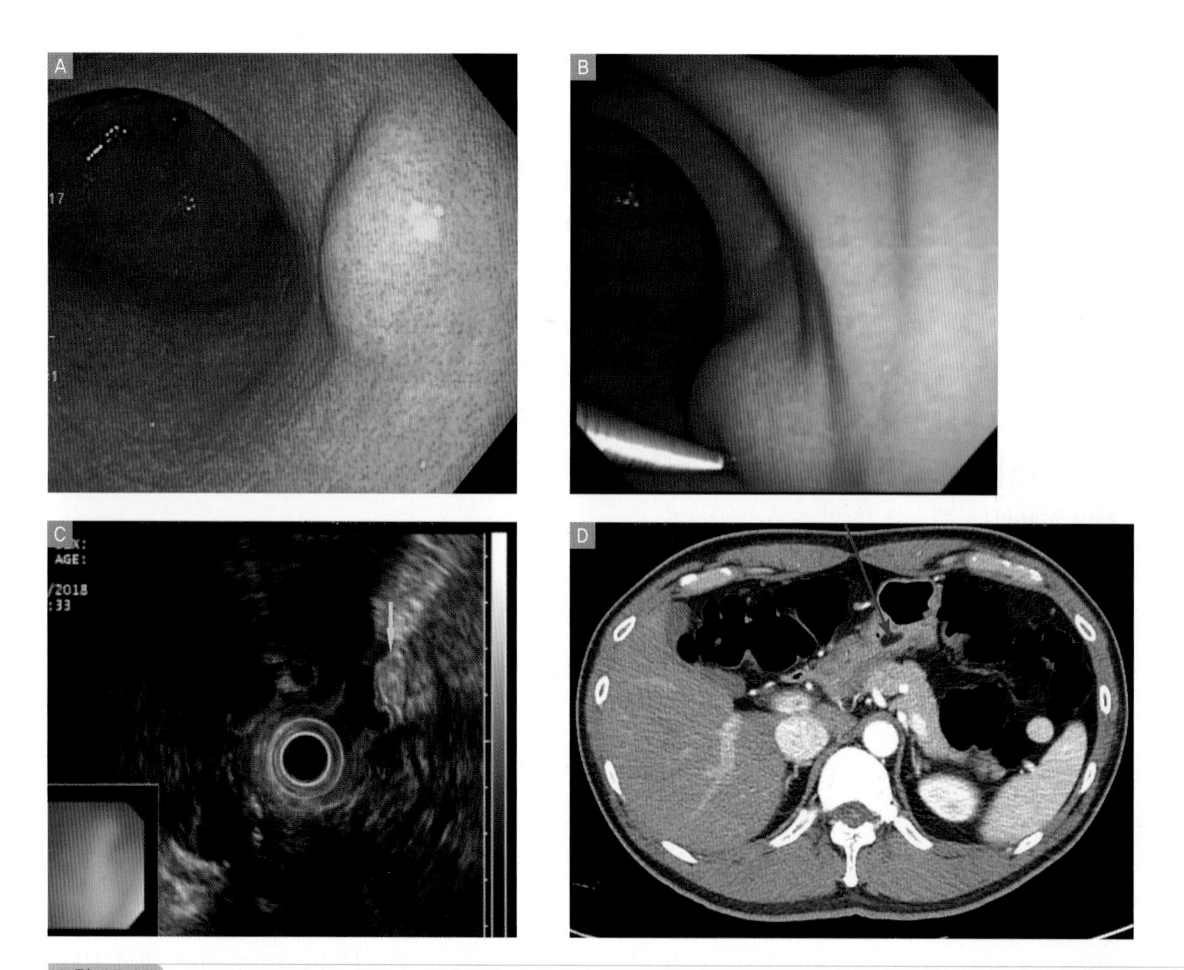

그림 47-25 **지방종 검사 소견.**
A. 전정부 후벽에서 황색조를 띄는 직경 약 2.5 cm 크기의 표면이 평활하고 완만한 융기형 병변이 관찰된다.
B. 생검 겸자로 눌렀을 때 쉽게 함몰되는 베개 혹은 쿠션 징후(pillow or cussion sign)가 관찰된다.
C. 내시경초음파검사에서 제3층(점막하층)에서 균질한 양상의 고에코를 보이는 종괴로 관찰된다.
D. 컴퓨터단층촬영에서 이 병변은 지방과 비슷한 저음영을 보이는 종괴로 관찰된다.

7) 평활근종

평활근종(leiomyoma)은 식도에서는 가장 흔한 점막하종양이나 위에서는 드물다. 육안적으로 창백한 색깔을 보이는 단단하고 탄력있는 종양이며 현미경으로는 다발이나 소용돌이 형태를 띠는 방추형 세포의 집합체로 관찰된다. 악성화되는 경우는 매우 드물며 내시경초음파에서는 점막근층인 제2층이나 고유근층인 제4층에서 기원한 저에코성 종괴로 관찰된다(그림 47-26). 악성이 의심되는 소견이 있거나 증상이 있는 경우 절제를 시행한다. 위식도접합부 근처에 발견된 점막하종양은 평활근종이 흔하며, 위식도접합부 점막하종양의 경우 쐐기절제술이 용이하지 않아서 근위절제술이 필요할 수도 있기 때문에, 치료방침결정을 위해 위장관기질종양과의 감별이 필요할 수 있다. 내시경초음파 유도하 중심부바늘생검이 도움이 될 수 있으며, 평활근종으로 진단되는 경우 종양적출술을 포함한 최대한 보존적인 방법으로 절제를 시행할 수 있다.

8) 낭종

위장관벽 내 낭종(cyst)은 중복낭종처럼 발생과정에서 생기거나, 염증이 발생했다가 호전되면서 이차적으로 생긴다. 내시경초음파에서 점막하층인 제3층에서 무에코를 보이는 원형 또는 타원형의 종괴로 관찰되며 겸자로 누르면 쉽게 함몰된다.

9) 이소성췌장

이소성췌장(ectopic pancreas)은 대개 유문에서 3~4 cm 이내의 전정부 대만곡에서 주로 관찰된다. 비교적

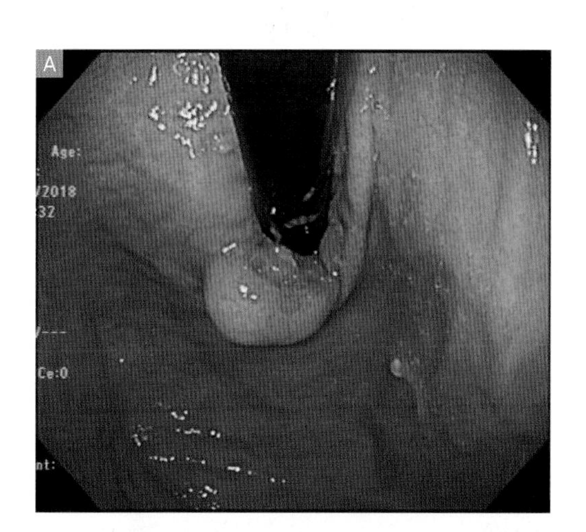

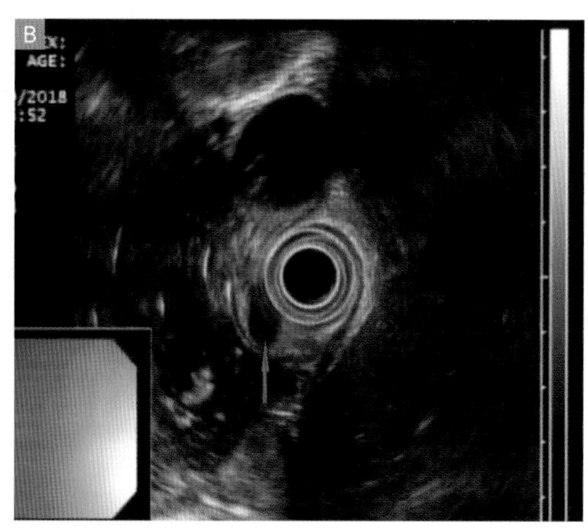

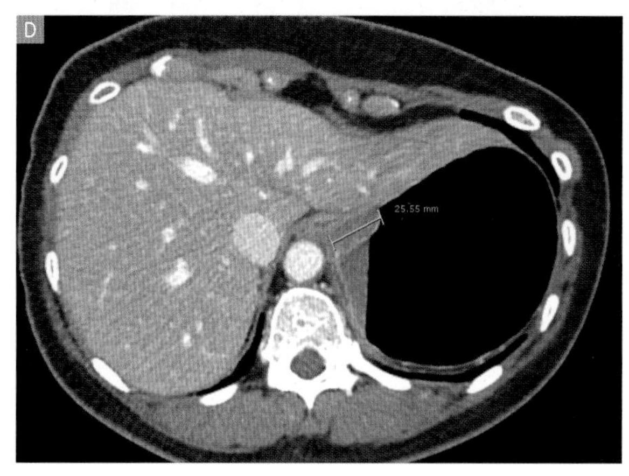

그림 47-26 **평활근종의 검사 소견.**
A. 위식도접합부에 약 2.5 cm 크기로 길쭉한 모양의 점막하종양이 관찰된다.
B. 내시경초음파에서 이 병변은 고유근층에서 기원한 균질한 저에코성 종괴로 관찰된다.
C. 컴퓨터단층촬영에서 중등도의 조영증강을 보이는 균질한 양상의 종괴가 관찰된다.

작고 편평하고 낮게 융기해 있으며 중앙부에 위치한 췌관의 개구부가 국소적으로 함몰된 경우가 많다. 조직생검으로 췌장 조직을 얻기는 어려우나 함몰된 부분에서 생검하면 진단에 도움이 되는 조직 소견을 얻을 수도 있다. 악성화되는 경우는 매우 드물다. 내시경초음파에서 2층 또는 3층의 저에코 또는 혼합에코를 보이는 종괴로 관찰된다(그림 47-27). 관상 구조물이 특징적인 소견이지만 관찰되는 경우는 드물다.

10) 전이성종양

종양이 위로 전이되는 경우는 매우 드물다. 0.2~0.7%로 보고된 바 있지만 증례수가 매우 적다. 전이되었을 때 위장관을 침범하는 가장 흔한 종양은 유방암, 폐암, 신장암, 흑색종 등이다. 진행성 유방암의 약 8%에서 위 전이가 발생한다고 보고되어 있다. 전이성종양은 위벽의 어느 층이든지 침범할 수 있으며 내시경초음파에서 불균일한 저에코성 종괴로 관찰되는 경우가 많다. 위의 전이성종양에 대한 특별한 치료법은 없다. 원발병소의 상태를 고려하여 치료방침을 결정해야 한다.

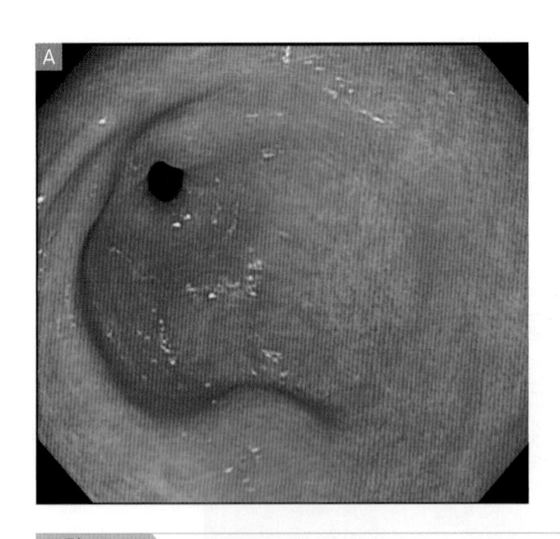

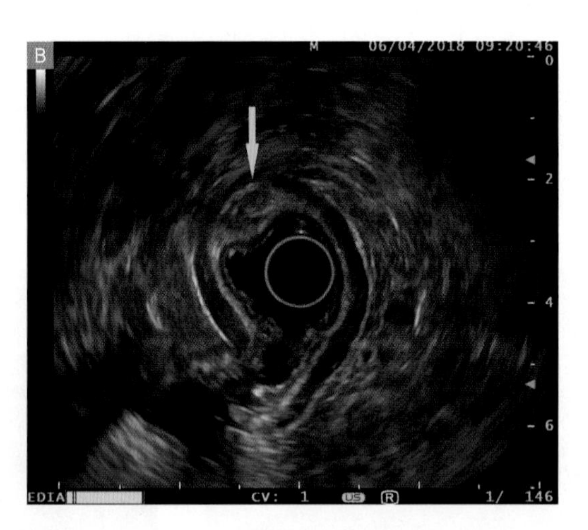

그림 47-27 **이소성췌장 검사 소견.**
A. 위전정부 대만곡에서 작고 편평하고 낮은 융기형 병소가 관찰되며, 췌관의 개구부로 추정되는 함몰이 관찰된다.
B. 내시경초음파에서 제3층에 혼합에코를 보이는 종괴가 관찰된다(화살표).

참고문헌

1. 박찬국, 점막하종양. 대한소화기내시경학회지 2004; 29:17-21.
2. American Gastroenterological Association I. American Gastroenterological Association Institute medical position statement on the management of gastric subepithelial masses. Gastroenterology 2006;130:2215-2216.
3. An HJ, Ryu MH, Ryoo BY et al. The effects of surgical cytoreduction prior to imatinib therapy on the prognosis of patients with advanced GIST. Ann Surg Oncol 2013;20:4212-4218.
4. Antoch G, Kanja J, Bauer S, et al. Comparison of PET, CT, and dual-modality PET/CT imaging for monitoring of imatinib (STI571) therapy in patients with gastrointestinal stromal tumors. J Nucl Med 2004;45:357-365.
5. Bauer S, Hartmann JT, de Wit M, et al. Resection of residual disease in patients with metastatic gastrointestinal stromal tumors responding to treatment with imatinib. Int J Cancer 2005;117:316-325.
6. Blackstein ME, Corless CL, Ballman KV, et al. Risk assessment for tumor recurrence after surgical resection of localized primary gastrointestinal stromal tumor (GIST): North American Intergroup phase III trial ACOSOG Z9001. 2010 Gastrointestinal Cancers Symposium abstract 06.
7. Blanke CD, Demetri GD, von Mehren, et al. Long-term results from a randomized phase II trial of standard-versus higher-dose imatinib mesylatefor patients with unresectable or metastatic gastrointestinal stromal tumors expressing KIT. J Clin Oncol 2008;26:620-625.
8. Blay JY, Bonvalot S, Casali P, et al. Consensus meeting for the management of gastrointestinal tumors: report of the GIST Consensus Conference of 20-21 March 2004, under the auspices of ESMO. Ann Oncol. 2005;16:566-578.
9. Blay JY, Le Cesne A, Ray-CoquardI, et al. Prospective multicentric randomized phase III study of imatinib in patients with advanced gastrointestinal stromal tumors comparing interruption versus continuation of treatment beyond 1 year: the French Sarcoma Group. J Clin Oncol 2007;25:110713.
10. Blay JY, ßonvalot S, Casali P, et al. Consensus meeting for the management of gastrointestinal stromal tumors. Report of the GIST Consensus Conference of 20-21 March 2004, under the auspices of ESMO. Ann Oncol 2005;16:566-578.
11. Brenca M, Rossi S, Polano M, Gasparotto D, Zanatta L, Racanelli D, et al. Transcriptome sequencing identifies ETV6-NTRK3 as a gene fusion involved in GIST. J Pathol 2016;238:543-549.
12. Buchs NC, Bucher P, Pugin F et al. Robot-assisted oncologic resection for large gastric gastrointestinal stromal tumor: a preliminary case series. J Laparoendosc Adv Surg Tech A 2010;20:411-415.
13. Casali PG, Abecassis N, Aro HT, et al. Gastrointestinal stromal tumours: ESMO-EURACAN clinical practice guidelines for diagnosis, treatment and follow-up. Ann Oncol 2018;29:267.
14. Cassier PA, Fumagalli E, Rutkowski P, et al. Outcome of patients with platelet-derived growth factor receptor alpha-mutated gastrointestinal stromal tumors in the tyrosine kinase inhibitor era. Clin Cancer Res 2012; 18:4458-4464.
15. Chak A. EUS in submucosal tumors. Gastrointest Endosc 2002;56:43-48.
16. Chang KJ, Katz KD, Durbin TE, Erickson RA, Butler JA, Lin F, et al. Endoscopic ultrasound-guided fine-needle aspiration. Gastrointest Endosc 1994;40:694-699.
17. Cho H, Ryu MH, Kim KH, et al. Role of resection following focal progression with standard doses of imatinib in patients with advanced gastrointestinal stromal tumor: Results of propensity score analyses. J Clin

Oncol 2018;36:11532.

18. Choi H, Charnsangavej C, de Castro Faria S, et al. CT evaluation of the response of gastrointestinal stromal tumors after imatinib mesylate treatment: a quantitative analysis correlated with FDG PET findings. AJR Am J Roentgenol 2004;183:1619-1628.
19. Choi H, Charnsangavej C, Faria SC, et al. Correlation of computed tomography and positron emission tomography in patients with metastatic gastrointestinal stromal tumor treated at a single institution with imatinib mesylate: proposal of new computed tomography response criteria. J Clin Oncol 2007;25:1753-1759.
20. Choi H, Charnsangavej C, Faria SC, et al. Correlation of computed tomography and positron emission tomography in patients with metastatic gastrointestinal stromal tumor treated at a single institution with imatinib mesylate: proposal of new computed tomography response criteria. J Clin Oncol 2007;25:1753-1759.
21. Choi SM, Kim MC, Jung GJ, et al. Laparoscopic wedge resection for gastric GIST: Long-term follow-up results. Eur J Surg Oncol 2007;33:444-447.
22. Choi YB, Oh ST. Laparoscopy in the management of gastric submucosal tumors. Surg Endosc 2000;14:741-745.
23. Choi YR, Kim SH, Kim SA, et al. Differentiation of large (>/= 5 cm) gastrointestinal stromal tumors from benign subepithelial tumors in the stomach: radiologists performance using CT. Eur J Radiol 2014;83: 250-260.
24. Chu YY, Lien JM, Tsai MH, et al. Modified endoscopic submucosal dissection with enucleation for treatment of gastric subepithelial tumors originating from the muscularis propria layer. BMC Gastroenterol 2012;12:124.
25. Corless CL, Ballman KV, Antonescu CR et al. Pathologic and molecular features correlate with long-term outcome after adjuvant therapy of resected primary GI stromal tumor: The ACOSOG Z9001 Trial. J Clin Oncol 2014;32:1563-1570.
26. De Palma GD, Masone S, Rega M, Simeoli I, Donisi M, Addeo P, et al. Metastatic tumors to the stomach: clinical and endoscopic features. World J Gastroenterol 2006;12:7326-7328.
27. Debiec-Rychter M, Sciot R, Le Cesne A, et al. KIT mutations and dose selection for imatinib in patients with advanced gastrointestinal stromal tumours. Eur J Cancer 2006;42:1093-1103.
28. Dellletri GD, van Oosterom AT, Garrett CR, et al. Efficacyand safety of sunitinib in patients with advanced gastrointestinal stromal tumour after failure of imatinib: a randomised controlled trial. La ncet 2006;368:1329-1338.
29. Dematteo RP, Ballman KV, Antonescu CR, et al. Adjuvant imatinib mesylate after resection of localised, primary gastrointestinal stromal tumour: a randomised, double-blind, placebo-controlled trial. Lancet 2009;373:1097-1104.
30. Dematteo RP, Heinrich MC, EI-RifaiWM, Demetri G. Clinical management of gastrointestinal stromal tumors: before and after STI-571. Hum Pathol 2002;33:466-477.
31. DeMatteo RP, Lewis JJ, Leung D, et al. Two hundred gastrointestinal stromal tumors: recurrence patterns and prognostic factors for survival. Ann Surg 2000;231:51-58.
32. Demetri GD, Benjamin R, Blanke CD, et al. NCCN task force report: optimal management of patients with gastrointestinal stromal tumor(GIST)-expansion and update of NCCN clinical practice guidelines. J Natl Compr Cancer Netw 2004;2:1-26.
33. Demetri GD, Reichardt P, Kang YK et al. Efficacy and safety of regorafenib for advanced gastrointestinal stromal tumours after failure of imatinib and sunitinib (GRID): an international, multicentre, randomised, placebo-controlled, phase 3 trial. Lancet 2013;381: 295-302.
34. Demetri GD, von Mehren M, Antonescu CR et al. NCCN task force report: update on th management of

patients with gastrointestinal stromal tumors. J Natl Compr Canc Netw 2010;8:1-41.
35. Desai J, Shankar S, Heinrich MC, et al. Clonal evolution of resistance to imatinib (IM) in patients (pts) with gastrointestinal stromal tumor (GIST): molecular and radiologic evaluation of new lesions. J Clin Oncol 2004;22:3010.
36. Dileo P, Randhawa R, Vansonnenberg E, et al. Safety and efficacy of percutaneous radio-frequency ablation (RFA) in patients (pts) with metastatic gastrointestinal stromal tumor (GIST) with clonal evolution of lesions refractoryto imatinib mesylate (IM). J ClinOncol 2004;22:9024.
37. Dumonceau JM, Polkowski M, Larghi A et al. Indications, results, and clinical impact of endoscopic ultrasound(EUS)-guided sampling in gastroenterology: European Society of Gastrointestinal Endoscopy (ESGE) Clinical Guideline. Endoscopy 2011;43:897-912.
38. Eckardt AJ, Wassef W. Diagnosis of subepithelial tumors in the GI tract. Endoscopy, EUS, and histology: bronze, silver, and gold standard? Gastrointest Endosc 2005;62:209-212.
39. ESMO/European Sarcoma Networking Group. Gastrointestinal stromal tumours: ESMO clinical practice guidelines for diagnosis, treatment and follow-up. Ann Oncol. 2014;25:21-26.
40. Fernández-Esparrach G, Sendino O, SoléMet al. Endoscopic ultrasound guided fine-needle aspiration and trucut biopsy in the diagnosis of gastric stromal tumors: a randomized crossover study. Endoscopy 2010; 42:292-299.
41. Fletcher CD, Berman JJ, Corless C, et al. Diagnosis of gastrointestinal stromal tumors: a consensus approach. Hum Pathol 2002;33:459-465.
42. Fletcher CD, Berman JJ, Corless C, Gorstein F, Lasota J, Longley BJ, et al. Diagnosis of gastrointestinal stromal tumors: A consensus approach. Hum Pathol 2002; 33:459-465.
43. George S, Blay JY, Casali PG, et al. Clinical evaluation of continuous daily dosing of sunitinib malate in patients with advanced gastrointestinal stromal tumor after imatinib failure. Eur J Cancer 2009;45:1959-1968.
44. Gold JS, Dematteo RP. Combined surgical and molecular therapy: the gastrointestinal stromal tumor model. Ann Surg 2006;244:176-184.
45. Gutierrez JC, Oliveira LOP, Perez EA et al. Optimizing diagnosis, staging, and management of gastrointestinal stromal tumors. J AM Coll Surg 2007;205:479-491.
46. He Z, Sun C, Wang J, Zheng Z, Yu Q, Wang T, et al. Efficacy and safety of endoscopic submucosal dissection in treating gastric subepithelial tumors originating in the muscularis propria layer: a single-center study of 144 cases. Scand J Gastroenterol 2013;48:1466-1473.
47. Hedenbro JL, Ekelund M, Wetterberg P. Endoscopic diagnosis of submucosal gastric lesions. The results after routine endoscopy. Surg Endosc 1991;5:20-23.
48. Hedenstrom P, Marschall HU, Nilsson B, Demir A, Lindkvist B, Nilsson O, et al. High clinical impact and diagnostic accuracy of EUS-guided biopsy sampling of subepithelial lesions: a prospective, comparative study. Surg Endosc 2018;32:1304-1313.
49. Heinrich MC, Jones RL, von Mehren M, et al. GIST: imatinib and beyond. Clinical activity of BLU-285 in advanced gastrointestinal stromal tumor (GIST). J Clin Oncol 2017;35:11011.
50. Hepworth CC, Menzies D, Motson RW. Minimally invasive surgery for posterior gastric submucosal tumors. Surg Endosc 2000;14:349-353.
51. Hidmarsh A, Koo B, Lewis MPN et al. Laparoscopic resection of gastric gastrointestinal stromal tumors. Surg Endosc 2005;19:1109-1112.
52. Hoda KM, Rodriguez SA, Faigel DO. EUS-guided sampling of suspected GI stromal tumors. Gastrointest Endosc 2009;69:1218-1223.

53. Hong X, Choi H, Loyer EM, et al. Gastrointestinal stromal tumor: role of CT in diagnosis and in response evaluation and surveillance after treatment with imatinib. Radiographics 2006;26:481-495.
54. Hornick JL, Fletcher CD. The role of KIT in the management of patients with gastrointestinal stromal tumors. Hum Pathol 2007;38:679-687.
55. Horton KM, Fishman EK: Multidetector-row computed tomography and 3-dimensional computed tomography imaging of small bowel neoplasms: current concept in diagnosis. J Comput Assist Tomogr 2004;28:106-116.
56. Hsu CC, Chen JJ, Changchien CS. Endoscopic features of metastatic tumors in the upper gastrointestinal tract. Endoscopy 1996;28:249-253.
57. Hur BY, Kim SH, Choi JY, et al. Gastroduodenal glomus tumors: differentiation from other subepithelial lesions based on dynamic contrast-enhanced CT findings. AJR Am J Roentgenol 2011;197:1351-1359.
58. Hwang JH, Kimmey MB. The incidental upper gastrointestinal subepithelial mass. Gastroenterology 2004;126:301-307.
59. Hwang SH, Park DJ, Kim YH, Lee KH, Lee HS, Kim HH, et al. Laparoscopic surgery for submucosal tumors located at the esophagogastric junction and the prepylorus. Surg Endosc 2009;23:1980-1987.
60. Hyung WJ, Lim JS, Cheong JH et al. Laparoscopic resection of a huge intraluminal gastric submucosal tumor located in the anterior wall: eversion method. J Surg Oncol 2005;89:95-98.
61. Jager PL, Gietema JA, van der GraafWT. Imatinib mesylate for the treatment of gastrointestinal stromal tumours: best monitoredwith FDG PET. Nucl Med Commun 2004;25:433-438.
62. Ji JS, Lu CY, Mao WB, et al. Gastric schwannoma: CT findings and clinicopathologic correlation. Abdom Imaging 2015;40:1164-1169.
63. Joensuu H, Eriksson M, Sundby Hall K et al. One vs three years of adjuvant imatinib for operable gastrointestinal stromal tumor: a randomized trial. JAMA 2012;307:1265-1272.
64. Joensuu H, Vehtari A, Riihimaki J et al. Risk of recurrence of gastrointestinal stromal tumour after surgery: an analysis of pooled population-based cohorts. Lancet Oncol 2012;13:265-274.
65. Joensuu H, Wardelmann E, Sihto H, et al. Effect of KIT and PDGFRA mutations on survival in patients with gastrointestinal stromal tumors treated with adjuvant imatinib: An exploratory analysis of a randomized clinical trial. JAMA Oncol 2017;3:602-609.
66. Joensuu H. Risk stratification of patients diagnosed with gastrointestinal stromal tumor. Hum Pathol 2008;39:1411-1419.
67. Joo MK, Park JJ, Kim H, et al. Endoscopic versus surgical resection of GI stromal tumors in the upper GI tract. Gastrointest Endosc 2016;83:318-322.
68. Kang B, Lee J, Ryu M, et al. A phase II study of imatinib mesylate as adjuvant treatment for curatively resected high risk localized gastrointestinal stromal tumors. J Clin Oncol 2009;27:21515.
69. Kang GH, Srivastava A, Kim YE, Park HJ, Park CK, Sohn TS, et al. DOG1 and PKC-theta are useful in the diagnosis of KIT-negative gastrointestinal stromal tumors. Mod Pathol 2011;24:866-875.
70. Kang HC, Menias CO, Gaballah AH, et al. Beyond the GIST: mesenchymal tumors of the stomach. Radiographics 2013;33:1673-1690.
71. Kang HJ, Ryu MH, Kim KM, et al. Imatinib efficacy by tumor genotype in Korean patients with advanced gastrointestinal stromal tumors (GIST): The Korean GIST Study Group (KGSG) study. Acta Oncol 2012;51:528-536.
72. Kang YK, Kang HJ, Kim KM et al. Korean GIST Study Group (KGSG). Clinical practice guideline for accurate diagnosis and effective treatment of gastrointestinal stromal tumor in Korea. Cancer Res Treat 2012;44:85-96.
73. Kang YK, Ryu MH, Yoo C, et al. Resumption of

imatinib to control metastatic or unresectable gastrointestinal stromal tumors after failure of imatinib and sunitinib (RIGHT): a randomized, placebo-controlled, phase 3 trial. Lancet Oncol 2013;14:1175-1182.

74. Keswani RN, Nayar R, Mahajan A, Komanduri S. Touch preparation of jumbo forceps biopsies allows rapid adequacy assessment of subepithelial GI masses. Gastrointest Endosc 2011;74:411-414.
75. Kim HH, Kim GH, Kim JH, Choi MG, Song GA, Kim SE. The efficacy of endoscopic submucosal dissection of type I gastric carcinoid tumors compared with conventional endoscopic mucosal resection. Gastroenterol Res Pract 2014;2014:253860.
76. Kim JY, Lee JM, Kim KW, et al. Ectopic pancreas: CT findings with emphasis on differentiation from small gastrointestinal stromal tumor and leiomyoma. Radiology 2009;252:92-100.
77. Kim KM, Kang DW, Moon WS, Park JB, Park CK, Sohn JH, et al. Gastrointestinal stromal tumors in Koreans: it's incidence and the clinical, pathologic and immunohistochemical findings. J Korean Med Sci 2005;20:977-984.
78. Kim KM, Kang DW, Moon WS, Park JB, Park CK, Sohn JH, et al. PKCtheta expression in gastrointestinal stromal tumor. Mod Pathol 2006;19:1480-1486.
79. Kim MY, Jung HY, Choi KD, et al. Natural history of asymptomatic small gastric subepithelial tumors. J Clin Gastroenterol 2011;45:330-336.
80. Kim TW, Lee H, Kang YK, et al. Prognostic significance of ckit mutation in localized gastrointestinal stromal tumors. Clin Cancer Res 2004;10(9):3076-3081.
81. Kobayashi O, Murakami H, Yoshida T, Cho H, Yoshikawa T, Tsuburaya A, et al. Clinical diagnosis of metastatic gastric tumors: clinicopathologic findings and prognosis of nine patients in a single cancer center. World J Surg 2004;28:548-551.
82. Koh YX, Chok AY, Zheng, HL et al. A systematic review and meta-analysis comparing laparoscopic versus open gastric resections for gastrointestinal stromal tumors of the stomach. Ann Surg Oncol 2013;20:3549-3560.
83. Kojima T, Takahashi H, Parra-Blanco A, Kohsen K, Fujita R. Diagnosis of submucosal tumor of the upper GI tract by endoscopic resection. Gastrointest Endosc 1999;50:516-522.
84. Koo DH, Ryu MH, Kim KM, et al. Asian consensus guidelines for the diagnosis and management of gastrointestinal stromal Tumor. Cancer Res Treat 2016;48:1155-1166.
85. Kopelman Y, Siersema PD, Bapaye A, Kopelman D. Endoscopic full-thickness GI wall resection: Current status. Gastrointest Endosc 2012;75:165-173.
86. Kwon OK, Yu W. Endoscopic and laparoscopic full-thickness resection of endophytic gastric submucosal tumors very close to the esophagogastric junction. J Gastric Cancer 2015;15:278-285.
87. Lee CK, Chung IK, Lee SH, et al. Endoscopic partial resection with the unroofing technique for reliable tissue diagnosis of upper GI subepithelial tumors originating from the muscularis propria on EUS (with video). Gastrointest Endosc 2010;71:188-194.
88. Lee HL, Kwon OW, Lee KN et al. Endoscopic histologic diagnosis of gastric GI submucosal tumors via the endoscopic submucosal dissection technique. Gastrointest Endosc 2011;74: 693-695.
89. Lee JH, Lee HL, Ahn YW, et al. Prevalence of Gastric Subepithelial Tumors in Korea: A Single Center Experience. Korean J Gastroenterol 2015;66:274-276.
90. Lee JL, Ryu MH, Chang HM, et al. Clinical outcome in gastrointestinal stromal tumor patients who interrupted imatinib after achieving stable disease or better response. Jpn J Clin Oncol 2006;36:704-711.
91. Lee NK, Kim S, Kim GH, et al. Hypervascular subepithelial gastrointestinal masses: CT-pathologic correlation. Radiographics 2010;30:1915-1934.
92. Levy AD, Remotti HE, Thompson WM, et al. Gastrointestinal stromal tumors: radiologic features with

pathologic correlation. Radiographics 2003;23:283-304.

93. Levy MJ, Jondal ML, Clain J, Wiersema MJ. Preliminary experience with an EUS-guided trucut biopsy needle compared with EUS-guided FNA. Gastrointest Endosc 2003;57:101-106.

94. Linton KM, Taylor MB, Radford JA. Response evaluation in gastrointestinal stromal tumors treated with imatinib: Misdiagnosis of disease progression on CT due to cystic change in liver metastases. Br J Radiol 2006;79:40-44.

95. Loughrey MB, Mitchell C, Mann GB, Michael M, Waring PM. Gastrointestinal stromal tumour treated with neoadjuvant imatinib. J Clin Pathol 2005;58:779-781.

96. Lu W, Xu MD, Zhou PH, Zhang YQ, Chen WF, Zhong YS, et al. Endoscopic submucosal dissection of esophageal granular cell tumor. World J Surg Oncol 2014;12:221.

97. Matsui M, Goto H, Niwa Y, Arisawa T, Hirooka Y, Hayakawa T. Preliminary results of fine needle aspiration biopsy histology in upper gastrointestinal submucosal tumors. Endoscopy 1998;30:750-755.

98. McCarter MD, Antonescu CR, Ballman KV, et al. American College of Surgeons Oncology Group (ACOSOG) Intergroup Adjuvant Gist Study Team. Microscopically positive margins for primary gastrointestinal stromal tumors: analysis of risk factors and tumor recurrence. J Am Coll Surg 2012;215:53-59.

99. Miettinen M, Fetsch JF, Sobin LH, Lasota J. Gastrointestinal stromal tumors in patients with neurofibromatosis 1: a clinicopathologic and molecular genetic study of 45 cases. Am J Surg Pathol 2006;30:90-96.

100. Miettinen M, Lasota J. Gastrointestinal stromal tumors: pathology and prognosis at different sites. Semin Diagn Pathol 2006;23:70-83.

101. Miettinen M, Lasota J. Gastrointestinal stromal tumors: review on morphology, molecular pathology, prognosis, and differential diagnosis. Arch Pathol Lab Med 2006;130:1466-1478.

102. Miettinen M, Wang ZF, Sarlomo-Rikala M, Osuch C, Rutkowski P, Lasota J. Succinate dehydrogenase-deficient GISTs: a clinicopathologic, immunohistochemical, and molecular genetic study of 66 gastric GISTs with predilection to young age. Am J Surg Pathol 2011;35:1712-1721.

103. Motoo Y, Okai T, Ohta H, Satomura Y, Watanabe H, Yamakawa O, et al. Endoscopic ultrasonography in the diagnosis of extraluminal compressions mimicking gastric submucosal tumors. Endoscopy 1994;26:239-242.

104. Namikawa T, Hanazaki K. Clinicopathological features and treatment outcomes of metastatic tumors in the stomach. Surg Today 2014;44:1392-1399.

105. NCCN guidelines for soft tissue sarcoma version 2.2018. Available from :https://www.nccn.org/professionals/physician_gls/default.aspx#sarcoma

106. Novitsky YW, Kercher KW, Sing RF, et al. Long–term outcomes of laparoscopic resection of gastric gastrointestinal stromal tumors. Ann Surg. 2006;243:738-745.

107. Oda, Kondo H, Yamao T, Saito D, Ono H, Gotoda T, et al. Metastatic tumors to the stomach: analysis of 54 patients diagnosed at endoscopy and 347 autopsy cases. Endoscopy 2001;33:507-510.

108. Oh JS, Lee J-L, Kim M-J, et al. Neoadjuvant imatinib in locally advanced gastrointestinal stromal tumors of stomach: Report of three cases. Cancer Res Treat 2006;38:178-183.

109. Ohashi S. Laparoscopic intraluminal (intragastric) surgery for early gastric cancer. A new concept in laparoscopic surgery. Surg Endosc 1995;9:169-171.

110. Otani Y, Kitagima M. Laparoscopic surgery for GIST: too soon to decide. Gastric Cancer 2005;8:135-136.

111. Pannu HK, Hruban RH, Fishman EK: CT of gastric leiomyosarcoma: patterns of involvement. AJR Am J Roentgenol 1999;173:369-373.

112. Park I, RyuMH, SymSJ, et al. Dose escalation of imatinib after failure of standard dose in Korean patients

with metastatic or unresectable gastrointestinal stromal tumor. Jpn J Clin Oncol 2009;39:105-110.
113. Park SJ, Ryu MH, Ryoo BY, Park YS, Sohn BS, Kim HJ, et al. The role of surgical resection following imatinib treatment in patients with recurrent or metastatic gastrointestinal stromal tumors: results of propensity score analyses. Ann Surg Oncol 2014;21:4211-4217.
114. Patil DT, Rubin BP. Gastrointestinal stromal tumor: advances in diagnosis and management. Arch Pathol Lab Med 2011;135:1298-1310.
115. Polkowski M. Endoscopic ultrasound and endoscopic ultrasound-guided fine-needle biopsy for the diagnosis of malignant submucosal tumors. Endoscopy 2005;37:635-645.
116. Ponsaing LG, Kiss K, Hansen MB. Classification of submucosal tumors in the gastrointestinal tract. World J Gastroenterol 2007;13:3311-3315.
117. Ponsaing LG, Kiss K, Loft A, Jensen LI, Hansen MB. Diagnostic procedures for submucosal tumors in the gastrointestinal tract. World J Gastroenterol 2007;13:3301-3310.
118. Rankin C, von Mehren M, Blanke C, et al. Dose effect of imatinib (IM) in patients (pts) with metastatic GIST-phase III sarcoma group study S0033. J Clin Oncol 2004;22:9005.
119. Raut CP, Posner M, Desai J, et al. Surgical management of advanced gastrointestinal stromal tumors after treatment with targeted systemic therapy using kinase inhibitors. J Clin Oncol 2006;24:2325-2331.
120. Rosch T, Kapfer B, Will U, Baronius W, Strobel M, Lorenz R, et al. Accuracy of endoscopic ultrasonography in upper gastrointestinal submucosal lesions: a prospective multicenter study. Scand J Gastroenterol 2002;37:856-862.
121. Rubesin SE, Levine MS, Laufer I. Double-contrast upper gastrointestinal radiography: a pattern approach for diseases of the stomach. Radiology 2008;246:33-48.
122. Rubin BP, Heinrich MC, Corless CL. Gastrointestinal stromal tumour. Lancet 2007;369:1731-1741.
123. Ryu MH, Lee JL, Chang HM, et al. Patterns of progression in gastrointestinal stromal tumor treated with imatinib mesylate. Jpn J Clin Oncol 2006;36:17-24.
124. Sasaki A, Koeda K, Nakajima J, et al. Single-incision laparoscopic gastric resection for submucosal tumors: report of three cases. Surg Today 2011;41:133-136.
125. Scatarige JC FE, Jones B et al. Gastric leiomyosarcoma: CT observations J Comput Assist Tomogr 1985;9: 320-327.
126. Sharp RM, Ansel HJ, Keel SB. Best cases from the AFIP: gastrointestinal stromal tumor. Armed Forces Institute of Pathology. Radiographics 2001;21:1557-1560.
127. Shi E, Chmielecki J, Tang CM, Wang K, Heinrich MC, Kang G, et al. FGFR1 and NTRK3 actionable alterations in “Wild-Type” gastrointestinal stromal tumors. J Transl Med 2016;14:339.
128. Shim CS, Jung IS. Endoscopic removal of submucosal tumors: preprocedure diagnosis, technical options, and results. Endoscopy 2005;37:646-654.
129. Son MK, Ryu MH, Park JO, et al. Efficacy and safety of regorafenib in Korean patients with advanced gastrointestinal stromal tumor after failure of imatinib and sunitinib: a multicenter study based on the management access program. Cancer Res Treat 2017;49:350-357.
130. ßümming P, Andersson J, Meis-Kindblom JM, et al. Neoadjuvant, adjuvant and palliative treatment of gastrointestinal stromal tumours (GIST) with imatinib: a centre-based study of 17 patients. Br J Cancer 2003; 89:460-464.
131. Stroobants S, Goeminne J, Seegers M, et al. 18FDG-positron emission tomography for the early prediction of response in advanced soft tissue sarcoma treated with imatinib mesylate (Glivec). Eur J Cancer 2003;39:2012-2020.
132. Sym SJ, Ryu MH, Lee JL, et al. Surgical intervention following imatinib treatment in patients with advanced gastrointestinal stromal tumors (GISTs). J Surg Oncol

2008;98:27-33.
133. Tae HJ, Lee HL, Lee KN, et al. Deep biopsy via endoscopic submucosal dissection in upper gastrointestinal subepithelial tumors: a prospective study. Endoscopy 2014;46:845-850.
134. Verweij J, Casali PG, Zalcberg J, et al. Progression-free survival in gastrointestinal stromal tumours with high-dose imatinib randomised trial. Lancet 2004;364:1127-1134.
135. von Mehren M, Randall RL, Benjamin RS, Boles S, Bui MM, Ganjoo KN, et al. Soft Tissue Sarcoma, Version 2.2018, NCCN clinical practice guidelines in oncology. J Natl Compr Canc Netw 2018;16:536-563.
136. Wiersema MJ, Vilmann P, Giovannini M, Chang KJ, Wiersema LM. Endosonography-guided fine-needle aspiration biopsy: diagnostic accuracy and complication assessment. Gastroenterology 1997;112:1087-1095.
137. Xu MD, Cai MY, Zhou PH, et al. Submucosal tunneling endoscopic resection: A new technique for treating upper GI submucosal tumors originating from the muscularis propria layer (with videos). Gastrointest Endosc 2012;75:195-199.
138. Yamamoto H, Oda Y. Gastrointestinal stromal tumor: recent advances in pathology and genetics. Pathol Int 2015;65:9-18.
139. Yeh CN, Chen YY, Tseng JH, et al. Imatinib mesylate for patients with recurrent or metastatic gastrointestinal stromal tumors expressing KIT: a decade experience from taiwan. Transl Oncol 2011;4:328-35.
140. Zalcberg JR, Verweij J, Casali PG, et al. Outcome of patients with advanced gastrointestinal stromal tumours crossing over to a daily imatinib dose of 800 mg after progression on 400 mg. Eur J Cancer 2005; 41:1751-1757.
141. Zhang XC, Li QL, Yu YF, Yao LQ, Xu MD, Zhang YQ, et al. Diagnostic efficacy of endoscopic ultrasound-guided needle sampling for upper gastrointestinal subepithelial lesions: a meta-analysis. Surg Endosc 2016;30:2431-2441.
142. Zhou XD, Lv NH, Chen HX, et al. Endoscopic management of gastrointestinal smooth muscle tumor. World J Gastroenterol 2007;13:4897-4902.
143. Zhu H, Chen H, Zhang S, et al. Differentiation of gastric true leiomyoma from gastric stromal tumor based on biphasic contrast-enhanced computed tomographic findings. J Comput Assist Tomogr 2014;38:228-234.

CHAPTER 48

위 및 위장관 림프종

조직학적으로 림프종은 크게 호지킨림프종(Hodgkin's lymphoma)와 비호지킨림프종(non-Hodgkin's lymphoma)로 분류되며, 발생위치에 따라 림프절 림프종(nodal lymphoma)와 림프절외 림프종(extranodal lymphoma)으로 나눈다. 원발성 위장관 림프종(primary gastrointestional lymphoma)은 림프종이 위장관에서 시작되어 림프절에 병변이 국한된 경우를 말하고, 이차성(secondary) 림프종은 위장관 외의 타장기나 림프절에서 시작된 림프종이 위장관을 침범한 경우로 정의되나, 진행된 경우 이들의 엄밀한 구분이 어렵다. 위장관 림프종은, 림프절외 림프종의 가장 흔한 형태이며, 전체 림프종의 5~10%, 림프절외 림프종의 30~40%, 비호지킨림프종의 5~20%를 차지한다. 이처럼 전체 림프종에서 위장관 림프종이 차지하는 비율이 높지만, 위장관 림프종이 전체 위장관 악성종양에서 차지하는 비율은 1~8% 정도로 낮아서 비교적 드문 악성종양에 속한다. 원발성 위장관 림프종의 가장 흔한 발생 부위는 위로 전체의 60~70%를 차지하면, 십이지장을 포함한 소장이 20~30%로 두 번째로 높은 빈도로 발생하는 반면, 직장과 대장 및 식도는 각각 5~10%, 1% 미만으로 비교적 드물게 발생한다.

1. 위림프종

위림프종은 위의 악성종양의 2~7%를 차지하며, 조직학적으로 대부분은 B세포에서 기원하나, 드물게 T세포 림프종과 호지킨림프종도 관찰된다. 1983년 Issacson과 Wright가 점막연관 림프조직(mucoa associated lymphoid tissue, MALT)림프종의 개념을 제시한 이후, 위림프종은 저등급(low grade)과 고등급(high grade)의 MALT 림프종으로 분류되었다. 이후 저등급의 MALT 림프종과는 달리, 고등급 MALT 림프종은 미만성B세포 림프종과 유사한 임상경과를 보임이 알려지면서, 저등급의 MALT 림프종만을 림프절외 변연부B세포림프종(extranodal marginal zone B cell lymphoma)으로 분류하게 되었다. 이에 따른 분류를 바탕으로 할 때, 위 MALT 림프종은 림프절외 림프종의 가장 흔한 형이다.

위 MALT 림프종은 여러 가지 감염에 의한 위점막의 지속적인 염증에 의해 이차적으로 발생하는 위점막의 림프조직의 자기면역성 증식의 결과로 인해 발생한다. 이러한 만성위염을 유발하는 여러 원인 중 *헬리코박터 파이로리(Helicobacter pylori)*의 감염은 가장 잘 알려진 위 MALT 림프종의 병인으로, 따라서 위 MALT 림프종의 경우 헬리코박터 파이로리에 대한 제균치료가 일차적인 치료접근이다. 헬리코박터 파이로리 이외의 헬리코박터 헤일마니(Helicobacter heilmannii), 헬리코박터 펠리스(Helicobacter felis) 등의 세균에 의해서도 위 MALT 림프종이 유발될 수 있다.

일부의 위 MALT 림프종에서 헬리코박터 파이로리 검사가 음성이며, 이의 유병률은 0~18%로 다양하다. 이에 대한 원인으로는 검사법에 따른 위음성율, 헬리코박터 파이로리 이외의 세균이나 바이러스 감염, t(11;18) (q21;q21) 염색체 전위에 의한 APT2-MALT1 키메라 단백 생성에 의한 림프구 증식 등이 제시되고 있다.

1) 증상과 신체검진

조직학적 분류에 상관없이 위림프종의 증상은 매우 비특이적이어서 일반적인 위염이나 위궤양뿐 아니라 기능성 소화불량증 증상과도 구분하기 힘들다. 따라서, 증상만으로 위림프종을 의심하기 힘들며, 위 MALT 림프종의 포함한 많은 위림프종이 무증상의 환자에서 우연히 발견된다. 위림프종 환자의 가장 흔한 증상은 소화불량증과 상복부 통증이다.

진행된 병기에서는 위의 다른 악성종양과 마찬가지로 식욕감소와 체중감소 및 위출혈로 인한 토혈이나 위출구 배출장애 등의 증상이 발생할 수 있다. 전신쇠약감, 야간진땀(night sweat), 열감 등 진행된 림프종에서 나타나는 증상은 매우 드물다. 저등급과 고등급 위림프종의 빈혈, 혈변, 흑색변, 지속적인 구토, 체중감소 등을 포함한 위험징후(alarm symptom)의 빈도를 조사한 연구에서는 전체 위림프종의 41%에서만 위험징후가 나타났고, 고등급은 45%에서, 저등급은 27%에서 위험징후가 나타나, 저등급 위림프종의 증상이 진단하기 힘든 것으로 보고되었다. 144명의 위 MALT 림프종 환자를 대상으로 한 최근의 유럽의 연구에서도 11%에서만 B 증상을 보였다. 신체검진에서도 55~60%의 위림프종은 특이한 소견을 나타내지 않는다. 진행된 병기의 위림프종의 경우 림프절비대나 비장비대, 명치 부위의 압통 등이 발견될 수 있다.

2) 위내시경 소견

위림프종은 위의 모든 위치에서 다양한 형태로 나타날 수 있다. 위림프종은 형태에 따라 용종이나 종괴 형태를 띠는 돌출형(exophytic type), 궤양이나 다양한 미란을 동반하는 궤양형(ulcerative type), 미만성 점막 변화나 비후를 동반하는 비후형(hypertrophic type) 등으로 분류하고 있으며, 고등급의 림프종의 경우 저등급 림프종에 비해 궤양형의 형태를 보이는 빈도가 높다. 그러나 이는 위림프종의 고유한 내시경 소견은 아니며 따라서, 진행성 위선암 등 다른 위종양과의 감별진단은 어렵다. 위 MALT 림프종은 대체로 발적, 미란, 궤양, 위축, 퇴색 등 조기위암 유사형이나 점막하종양 유사형태로 나타나며, 이에 대한 내시경적 분류는 연구마다 분류방법에 조금씩 차이가 있다. 크게 미만침윤형(diffuse infiltration), 궤양형(ulceration), 융기형(polypid lesion) 등으로 분류하나, 이보다는 대부분의 위 MALT 림프종에서 관찰되는 표재성 병변(superficial lesion)에 대한 분류가 더 유용하다. 표재성 병변은 표면함몰형(IIc-like type), 점막하종양형(submucosal tumor type), 조약돌점막형(cobble stone-mucosa type), 부분적 점막주름비후형(partial-fold swelling type), 퇴색형(discoloration type) 등으로 세분화하며, 실제로는 여러 형태가 혼재되어 나타나는 경우가 많다(그림 48-1).

55명의 위 MALT 림프종을 대상으로 한 국내의 연구에서는 전정부와 체부에 병변이 존재하는 경우가 전체의 94.6%로 가장 많았으며, 궤양형이 27.3%, 궤양침윤형이 18.2%로 궤양이 동반된 형태가 가장 흔했으며, 함몰형이 10.9%의 빈도로 발견되었으며, 그 외 융기형(protruding)과 결절형(granular)이 각각 5.5%와 1.8%를 차지하였고, 여러 형태가 혼합되어 나타나는 경우도 27.3%를 차지하였다. 144명의 위 MALT 림프종을 대상으로 한 유럽의 연구에서도 전정부와 체부에서 각각

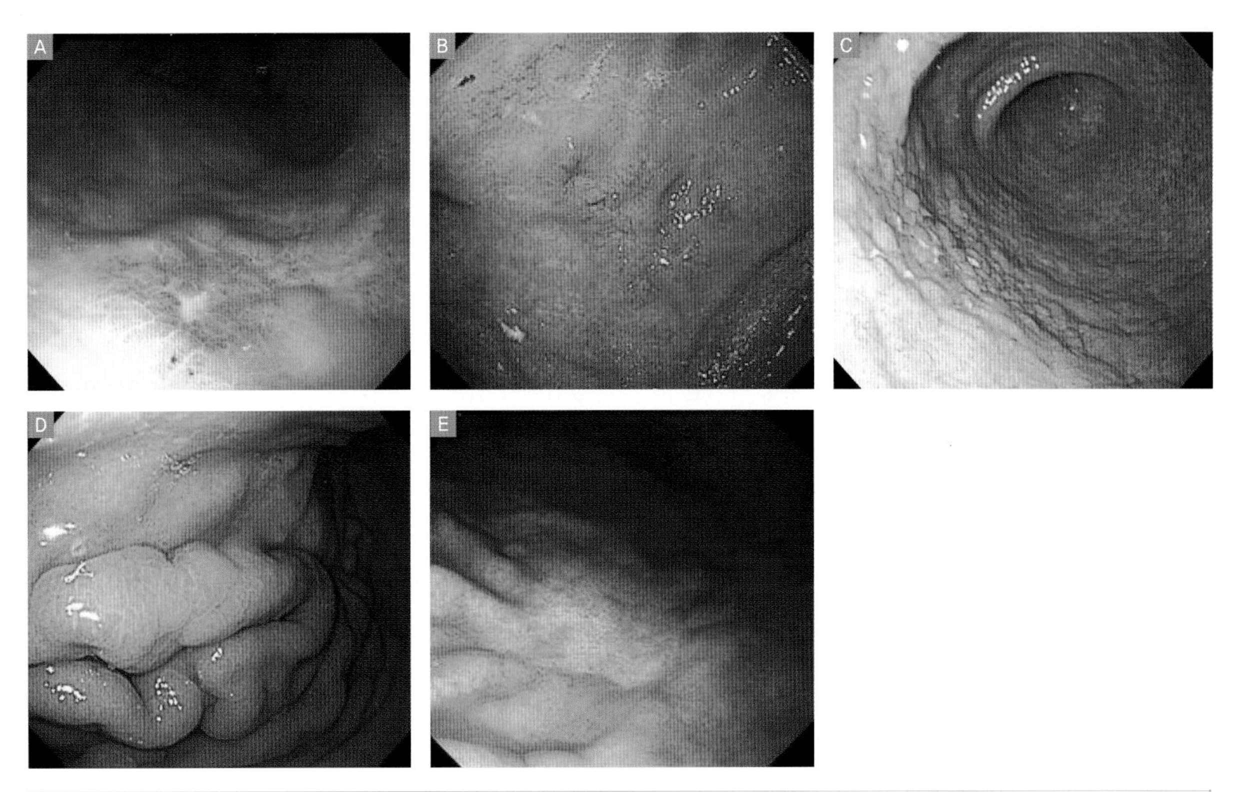

그림 48-1 **표재성 위 MALT 림프종의 내시경 소견.**
A. 표면함몰형. IIc형 조기위암과 유사한 형태로 다양한 정도의 점막결손이 동반된다.
B. 점막하종양형. 발적이나 미란과 같은 점막병변이 동반되거나, 정상점막으로 덮힌 상피하종양의 형태를 보인다.
C. 조약돌점막형. 점막의 융기와 함몰이 균일하게 혼재된 병변으로 정상점막과의 경계가 불확실하다.
D. 부분적 점막주름비후형. 위점막주름의 국소적 비후로 근위부 체부의 대만의 병변에서 흔히 관찰된다.
E. 퇴색형. 흰색으로의 점막색조의 변화가 주된병변으로 진단 시뿐 아니라 치료에 관해를 보일 때 흔히 관찰된다.

45% 와 33%의 빈도로 병변이 발견되었고, 미란이나 궤양형태가 46%로 가장 흔하였으며, 발적(hyperemia)이 18%, 점막주름비후형이 17%, 궤양이 동반된 종괴형병변이 14% 순이었으며, 용종성병변(polypoid)이 4%로 가장 낮은 빈도로 관찰되었다. 이 연구들을 종합해 볼 때 위 MALT 림프종은 궤양이나 미란의 형태가 동반된 표재성 병변으로 발견되는 빈도가 가장 많아, 조기 위선암이나 위염과의 감별진단이 어려움을 알 수 있다.

앞서 언급한 바대로 고등급과 저등급 위림프종 모두 내시경 소견만으로 위선암 등의 다른 종양성 질환뿐 아니라 위염이나 위궤양 등의 양성질환과 감별질환이 어렵기 때문에 진단을 위해서는 생검을 통한 조직검사의 역할이 매우 중요하다. 위림프종이 점막층보다는 주로 점막하층에서 발생하여 이를 통해 침윤하는 양상을 보이므로 점막을 주로 포함하게 되는 내시경적 생검에서 위음성의 결과를 보일 수 있다. 또한 림프종의 특성상 병변이 다발성으로 산재되어 있는 경우도 흔하다. 따라서 생검시 병변 부위뿐 아니라 정상 부위를 포함하여 반복적으로 시행하는 것이 중요하다. 특히 악성을 시사하는 내시경 소견임에도 불구하고 생검결과가 양성인 경우, 점막하종양의 형태로 발견된 경우에는 같은 부위를 반복적으로 생검하는 방법(bite-on-bite biopsy) 보다 많은 조직을 얻을 수 있는 점보생검자를 이용하는 방법, 점막절제술을 이용하는 등의 이용하는 적극적인 방법을 사용해 볼 수 있다.

3) 초음파내시경 소견

위림프종의 예후는 병변의 침윤 깊이와 림프절 전이의 정도에 따라 결정되므로 치료 전, 이에 대한 검사는 치료방침결정에 필수적이다. 이 중, 초음파내시경(endoscopic ultrasonography)검사는 병변의 침윤 깊이와 주위 림프절 전이 여부와 정도를 확인하는 데 있어 가장 정확도가 높은 검사법이다. 림프종은 내시경초음파 검사에서, 불균일한 저에코층으로 관찰되며, 이러한 소견의 침범 정도를 관찰함으로써 병변의 침윤 깊이를 예측할 수 있다. 병변의 침윤 깊이를 예측하는 데 있어서 내시경초음파는 검사의 민감도는 89%, 특이도 97%로 전체 정확도는 95%로 높게 보고되었다. 위림프종의 내시경초음파 소견은 병변의 진행 정도에 따라 표층발육형(superficial spreading), 미만침윤형(diffusely infiltrating), 종괴형성형(mass forming) 등으로 관찰되며, 이들이 혼합된 형태(mixed)로도 관찰된다(그림 48-2).

대체로 종괴형성형은 고등급 위림프종의 경우에서 관찰될 수 있으며, 저등급 위림프종이나 위 MALT 림프종은 표층발육형으로 관찰된다. 미만침윤형은 위 MALT 림프종이나 고등급 위림프종 모두에서 관찰될 수 있으며, 병변의 측면 경계가 불분명한 특징을 보인다. 조직학적으로 미만성B세포림프종을 포함하는 고등급의 위림프종에서 내시경초음파검사의 역할에 대해서는 아직 정립된 바가 없으나, 위 MALT 림프종에서 내시경초음파 소견은 치료방침설정에 결정적인 역할을 한다. 특히, 점막층과 점막하층에 국한된 병변, 즉 Ann Arbor 분류 IE1에 해당하는 병변은 헬리코박터 파이로리 제균치료로 80% 이상 관해를 보이므로, 초음파내시경검사를 통해 제균치료의 적응증이 되는 병변을 선별해야 한다. 또한 관해된 MALT 림프종에서 일정한 간격으로 추적한 EUS로 저에코 병변의 두께의 변화를 관찰함으로써 재발 여부를 아는 데 도움이 될 수 있다는 연구가 있으나, 조직학적 관해 이후에 천천히 비후된 위벽의 정상화가 일어나므로, EUS에서 병변이 남아 있다고 해서 치료 실패나 관해 여부를 정확히 판단하기는 어렵다. 따라서 현재까지 치료 후 관해 및 재발 여부의 표준검사는 내시경검사와 조직검사이며, 흰색의 퇴색 병변이 관해를 시사하는 특징적인 병변이다.

4) 위림프종의 영상의학적 소견

위림프종은 위의 악성종양 중 3~5% 및 전체 위장관 림프종의 50%를 차지한다. 진단 당시 위림프종 환자의 50% 이상은 위 및 주변 림프절에 국한된 원발성 위림프종이며 그 외 이차성 림프종이 전신 림프종의 형

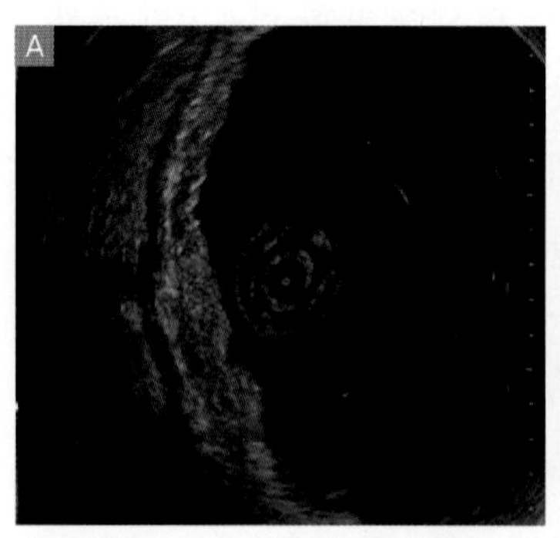

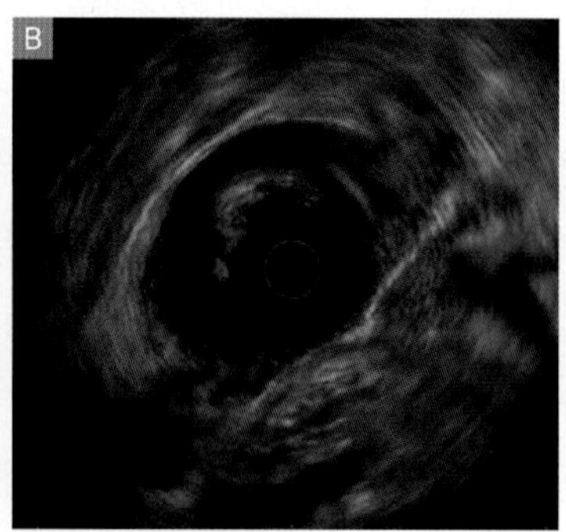

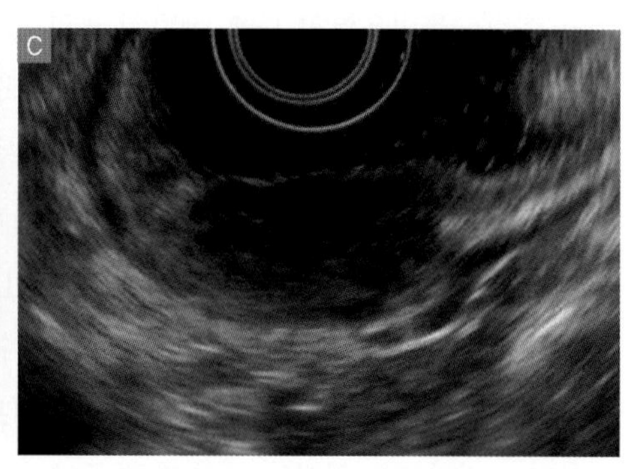

그림 48-2 위림프종의 초음파내시경 소견.
A. 표층발육형. 불균일한 저에코 병변에 의해 점막층이 비후된 소견으로 위 MALT 림프종에서 흔히 관찰된다.
B. 미만침윤형. 위벽이 비교적 균일한 저에코 병변으로 비후된 소견으로, 진행된 경우 점막, 점막하, 근육, 장막층의 구별이 어렵고, 측면경계가 불명확하다.
C. 종괴형성형. 경계가 분명한 돌출형 저에코 병변으로 관찰된다.

태로 위를 함께 침범하는 형태로 나타난다. 위림프종의 경우 B세포 기원의 비호지킨림프종이 가장 많고 헬리코박터 파일로리 만성 감염에 의한 점막연관림프조직(mucosa-associated lymphoid tissue, MALT)의 발생이 위림프종의 전 단계로 여겨진다. 병리조직학적 악성도에 따라 저등급 및 고등급으로 나뉘며 저등급 점막연관림프조직 림프종의 경우 원발성 위림프종의 50~72%로 보고되고 예후가 좋지만 고등급 점막연관림프조직 림프종의 경우 예후가 좋지 않다.

영상검사상 초기 위림프종과 진행성 위림프종과 감별하는 것은 어느 정도 가능하다. 저등급 점막연관림프조직 림프종은 용종형으로 보이는 경우 다양한 크기의 국소성 원형의 결절, 융합성 결절(confluent nodule)을 보이지만 때때로 미만성으로 나타날 수 있다. 다른 형태로는 얕은 궤양성 병변들이나 방사상으로 주행하는 위점막주름 비후를 동반한 불규칙한 점막병변으로 나타나는 경우가 많다. 반면 진행성 위림프종의 경우는 진단 당시 대개 10 cm 이상의 큰 병변으로 나타나며 위의 체부와 전정부에 호발하며 육안적 병리소견에 따라 결절형, 궤양형, 융기형, 침윤형으로 구별하나 실제로 다발성 종괴나 다발성 궤양, 광범위한 위점막주름 비후, 미만성 점막하 침윤 등이 서로 혼재된 양상을 보이며 간혹 식도위경계부나 유문을 넘어서는 광범위한 병변을 보인다(그림 48-3). 진행성 림프종의 경우 광범위한 큰 병변으로 나타나더라도 연관된 섬유화 반응이 적거나 없으므로 내강 확장성이 유지되어 심각한 협착을 초래하지는 않는다. 일부 비호지킨림프종의 경우 증식위벽염(linitis platisca)의 형태로 보여 경화성위암(scirrhous carcinoma)과 감별이 되지 않을 수 있는데 이 경우에는 위암처럼 섬유화에 따른 변화가 아니라 치밀한 림프종 조직 밀도의 결과이다. 이와 달리 호지킨림프종이 증식위벽염 형태를 보이는 경우는 경화성위암처럼 심한 섬유조직형성반응(desmoplastic reaction) 때문이다. 궤양형 위림프종은 단일 혹은 다발성의 궤양성 병변으로 나타나고 경계가 불규칙한 결절형 주변 점막이나 비후된 점막주름을 동반한다. 융기형 위림프종은 단일 혹은 다발성의 위강내 종괴들로 보일 수 있는데 용종형 위암과 감별이 어렵다. 침윤형 위림프종은 종양의 상피하, 점막하 침윤으로 위점막주름의 국소적 또는 미만성 비후가 특징이다. 위림프종은 위암에 비해 위병변의 식도하부 침범은 드물게 나타나나 십이지장 침범은 좀 더 흔하다.

(1) 상부위장관조영술

위림프종은 바륨을 이용한 상부위장관조영술(upper gastrointestinal series, UGIS)상 충만 결손, 위점막주름 비후, 중심성 궤양 등으로 인해 황소눈(bull's eye) 소견을 보일 수 있고 그 외에도 정상소견부터 점막하 종괴, 융기형 혹은 결절형 병변, 증식위벽염(linitis platisca) 등 다양한 형태를 보일 수 있다. 특히 결절형 위림프종은 수 mm에서 수 cm 크기의 다발성 점막하 결절 또는 종괴로 보일 수 있다.

점막의 결절형 병변인 경우 헬리코박터 파일로리 위염, 장상피화생(intestinal metaplasia)과 감별하기가 어렵다. 그러나 헬리코박터 파일로리 위염과 장상피화생은 저등급 점막연관림프조직 림프종보다 위소구(area gastricae)의 크기가 더 일정하고, 경계가 좋은 망을 형성하는 경향이 있다. 이와 달리 저등급 점막연관림프조직 림프종은 위소구의 크기와 모양이 다양하고 분포 범위가 넓다(그림 48-4). 위점막주름 비후로 나타나는 위림프종은 헬리코박터 파일로리 위염, 비후성위염(hypertrophic gastritis), 메네트리에병(Menetrier disease), 위암과 감별이 어려울 수 있다.

큰 점막하 종괴들은 특징적인 황소눈 또는 과녁형 형태로 중심성 바륨 충만과 주변부 융기형 충만 결손으로 보이게 된다. 주로 미만성대B세포림프종(diffuse large B cell lymphoma, DLBCL)이 궤양을 포함하는 큰 종양으로 나타난다. 상부위장관조영술상 큰 종괴나 미만성

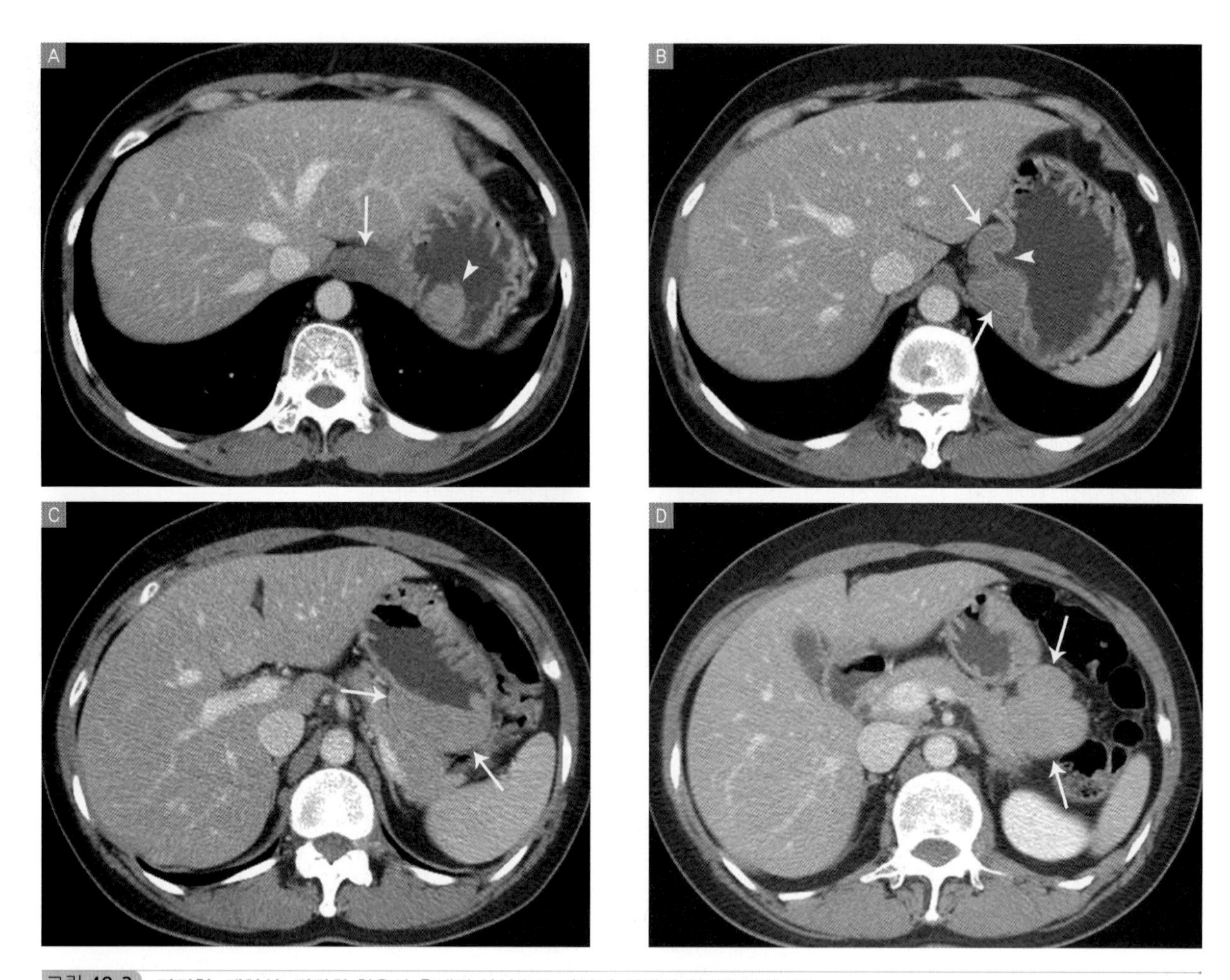

그림 48-3 **결절형, 궤양성, 점막하 침윤이 혼재된 양상으로 나타난 진행성 위림프종의 CT.**
A. 위의 기저부의 결절형 병변(화살촉)과 비후된 위식도경계 비후(화살표)가 보인다.
B. 균질한 조영증강을 보이는 위벽비후(화살표)와 중심부에 동반된 궤양(화살촉)이 보인다.
C. 점막하 침윤으로 인한 위벽비후(화살표)와 위벽의 매끄러운 외벽경계를 볼 수 있다. 췌장과 맞닿아 있으나 췌장 침범 소견은 보이지 않는다.
D. 좌위대망동맥구역의 동반된 큰 덩어리의 림프절 종대(화살표)가 보이며 위병변과 동일한 조영증강을 보인다.

위점막주름 비후, 환상 협착(circumferential narrowing)을 보이며 특징적으로 긴 분절을 침범하나 장폐색을 동반하지 않는다.

(2) 컴퓨터단층촬영

진행성 위림프종은 상부위장관조영술에서처럼 컴퓨터단층촬영(computed tomography, CT)상 침윤형, 궤양형, 융기형, 결절형 병변으로 나뉜다. 위림프종은 위암에 비해 점막하 침윤을 잘하기 때문에 CT상 위벽을 따라 미만성 및 분절형 위벽비후로 나타나는 경우가 많고 위암에 비해 2~5 cm로 상대적으로 두껍고 비후된 위벽은 비교적 매끄럽고 분엽화 외벽경계를 보이고 약하고 균질한 조영증강을 보인다(그림 48-5). 저등급 점막연관림프조직 위림프종의 경우 고등급에 비해 위벽비후 정도나 림프절 종대도 약하게 나타나는 편이다. CT상 병변이 보이지 않거나 경한 위벽비후 또는 얕은 병변으로 보이면 저등급 점막연관림프조직 위림프종인 경우가 많고 저명한 위벽비후를 보일수록 고등급

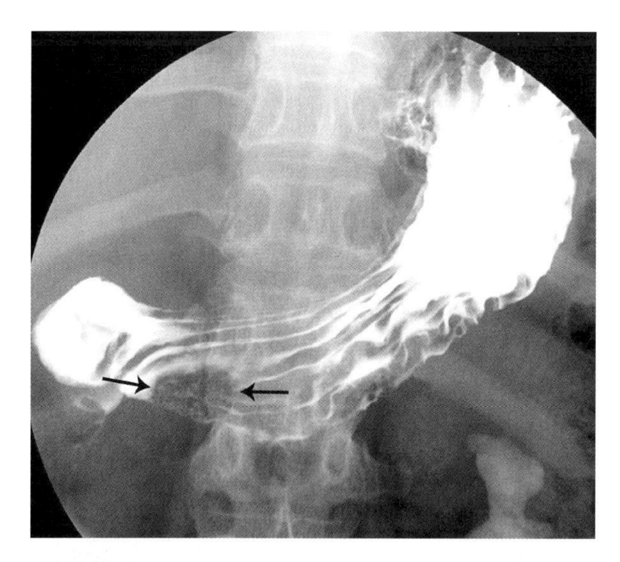

그림 48-4 상부위장관조영술상 점막의 결절형 병변(화살표)으로 보이는 저등급 점막연관림프조직 림프종으로 위소구의 크기와 모양이 다양하며, 조기위암, 위축위염, 헬리코박터 파일로리 위염 및 장상피화생과 감별해야 한다.

인 경우가 많다. 특히 미만성대B세포림프종의 경우 심한 위벽비후를 보이며 경우가 많다. 위암과의 다른 영상소견은 ① 큰 종괴나 심한 위벽비후에도 비교적 매끈한 외벽경계를 보이는 경향이 있다. ② 심한 림프종성 병변이 있더라도 섬유화를 동반하지 않기 때문에 위출구폐색(gastric outlet obstruction)은 잘 유발하지 않는다. ③ 유문을 넘어 십이지장 침범이 보이는 경우가 좀 더 흔하다. ④ 위림프종의 경우 조영증강 영상에서 위림프종과 같은 정도의 균질한 조영증강을 보이는 큰 덩어리의 림프절 종대가 동반되는 경향이 있고 그 범위가 종종 신장문부 하방이나 그 이하 부위까지 나타날 수 있으나, 이와 달리 위암의 림프절 종대는 상대적으로 작고 비교적 국소적인 분포를 보이며 중심부가 저음영을 보이는 과녁형 조영증강을 보일 수도 있다. ⑤ 큰 림프절 종대와 함께 비장비대가 있으면 위암보다 위림프종일 확률이 더 높다. 그러나 CT 소견만으로는 위암과 구별되지 않으므로 치료 전에 반드시 내시경으로 조직검사를 해야 한다(그림 48-6).

CT는 상부위장관조영술이나 내시경과는 달리 림프절 및 타장기 침범과 같은 내강 밖 병변을 진단할 수 있으므로 위림프종의 진단 및 치료 전 병기결정에 이용될 뿐만 아니라, 치료 후 반응평가 및 추적검사의 중추

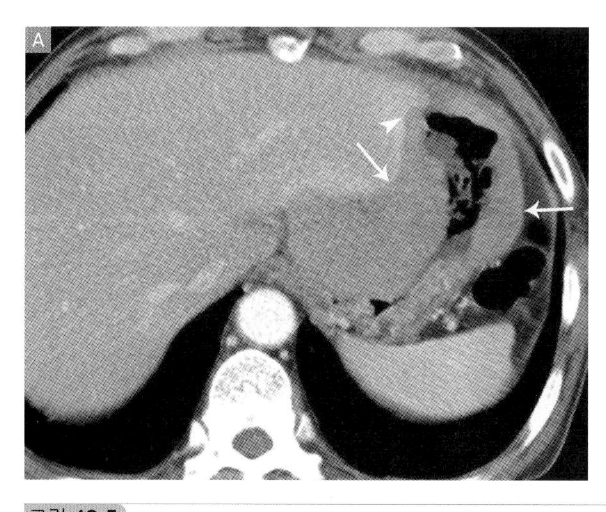

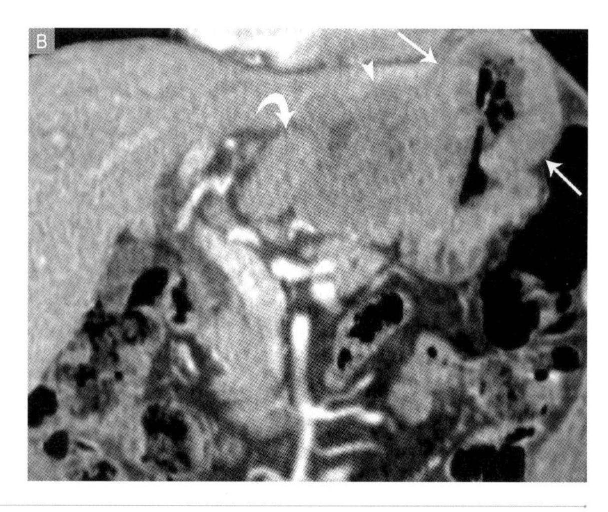

그림 48-5 **심한 위벽비후를 보이는 미만성대B세포림프종의 CT 소견.**
A. 심하게 비후된 위의 체부의 위벽비후(화살표)가 보인다. 위벽비후는 비교적 균질한 조영증강을 보이고 좌간엽에 침범소견(화살촉)이 보인다.
B. 위의 기저부와 체부에 심한 위벽비후(화살표)를 보이나 비교적 균질한 조영증강을 보이고 외벽경계가 비교적 매끄럽다. 좌간엽의 침범(화살촉)과 동반된 큰 림프절 종대(곡선화살표)가 보인다.

가 되는 영상검사이다(그림 48-7). 다만 저등급 점막연관림프조직 림프종와 같이 위벽비후와 림프절 종대가 저명하지 않은 경우 진단에 제한적이며 이 경우 내시경 초음파가 가장 도움이 된다. 위림프종의 방사선치료나 항암치료 시행 후 치료효과평가를 위해 CT나 시행하는 경우, 종종 병변의 현저한 감소를 보임에도 불구하고 병변 부위에 내강 협착이나 위의 형태 변형이 남아있을 수 있는데 이는 치료 후 반흔과 섬유화 때문이다. 항암치료 결과로 병변 부위에 궤양이나 드물게 천공이 나타날 수 있다.

상부위장관조영술은 CT에서 보이지 않는 미세한 점막병변을 보여줄 수 있다는 장점이 있다. 반면에 CT는 병변의 평가에 있어 상부위장관조영술에서 보여줄 수 없는 내강 외 병변과 림프절 침범을 보여줄 수 있고 위

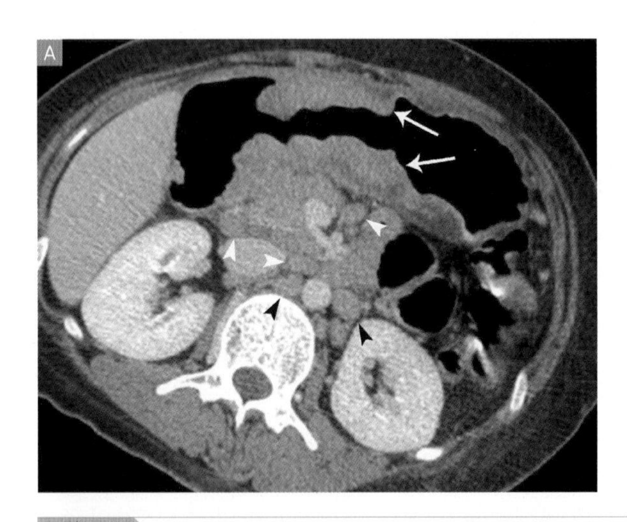

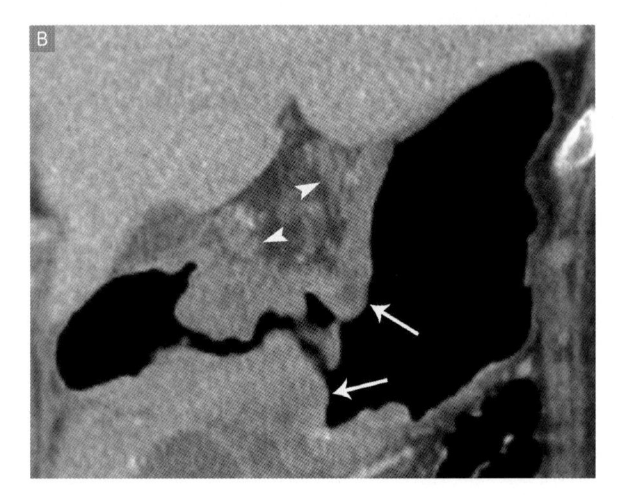

그림 48-6 **진행성 위암처럼 보이는 진행성 위림프종의 CT.**
A. 위의 체부와 전정부에 비균질한 조영증강을 보이는 분절성 위벽비후(화살표)와 주위에 많은 림프절 종대(화살촉)가 보인다.
B. 위의 체부와 전정부에 비균질한 조영증강을 보이는 위벽비후(화살표), 매끄럽지 않은 외벽경계, 및 위주위지방 침윤(화살촉)을 보여 CT상 진행성 위암과 감별이 되지 않는다.

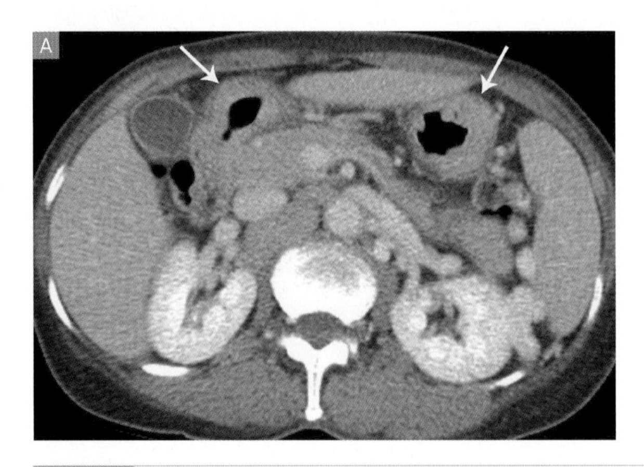

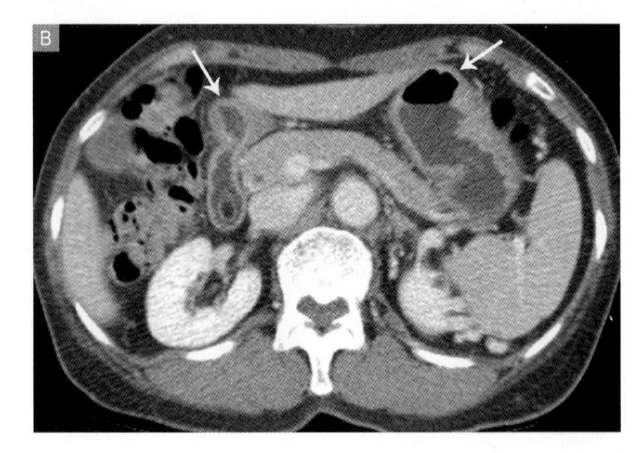

그림 48-7 **진행성 위림프종에서 항암화학요법치료의 평가.**
A. 치료 전 CT에서 위의 체부와 전정부의 균일한 조영증강을 보인 위벽비후(화살표)가 있다.
B. 항암화학요법을 한 지 3개월 후 시행한 추적 CT에서 진행성 위림프종을 보였던 위의 위벽비후가 거의 정상화(화살표) 되었다.

내시경의 경우 미세 점막병변에 대한 자세한 평가와 정확한 병리학적 진단을 위한 조직검사를 함께 시행할 수 있다는 장점이 있다. 그러나 최근에는 MDCT를 이용한 3차원 가상위내시경(Three-Dimensional Multidetector CT Gastrography)의 경우 볼륨 렌더링(volume rendering)의 여러 기법들을 이용하면 위내시경과 비슷한 가상위내시경 영상을 만들어 미세한 점막병변을 포함한 위점막주름을 보여줄 수 있을 뿐만 아니라 tissue transition projection 기법과 및 음영표면렌더링(shaded surface display) 기법을 이용한 3차원 영상은 상부위장관조영술상과 비슷한 위점막주름 영상을 보여 줄 수 있게 되었다(그림 48-8). 3차원 가상위내시경은 위내시경에 비해 맹점이 존재하지 않으며 자유롭게 광각을 조절할 수 있어 위내시경에 비해 넓은 부위와 위 전체 모습을 한 번에 볼 수 있다는 장점이 있다. 이러한 이유로 최근에는 위림프종의 진단 목적으로 상부위장관조영술은 거의 사용하지 않고 주로 내시경과 CT를 통해 진단되고 있다.

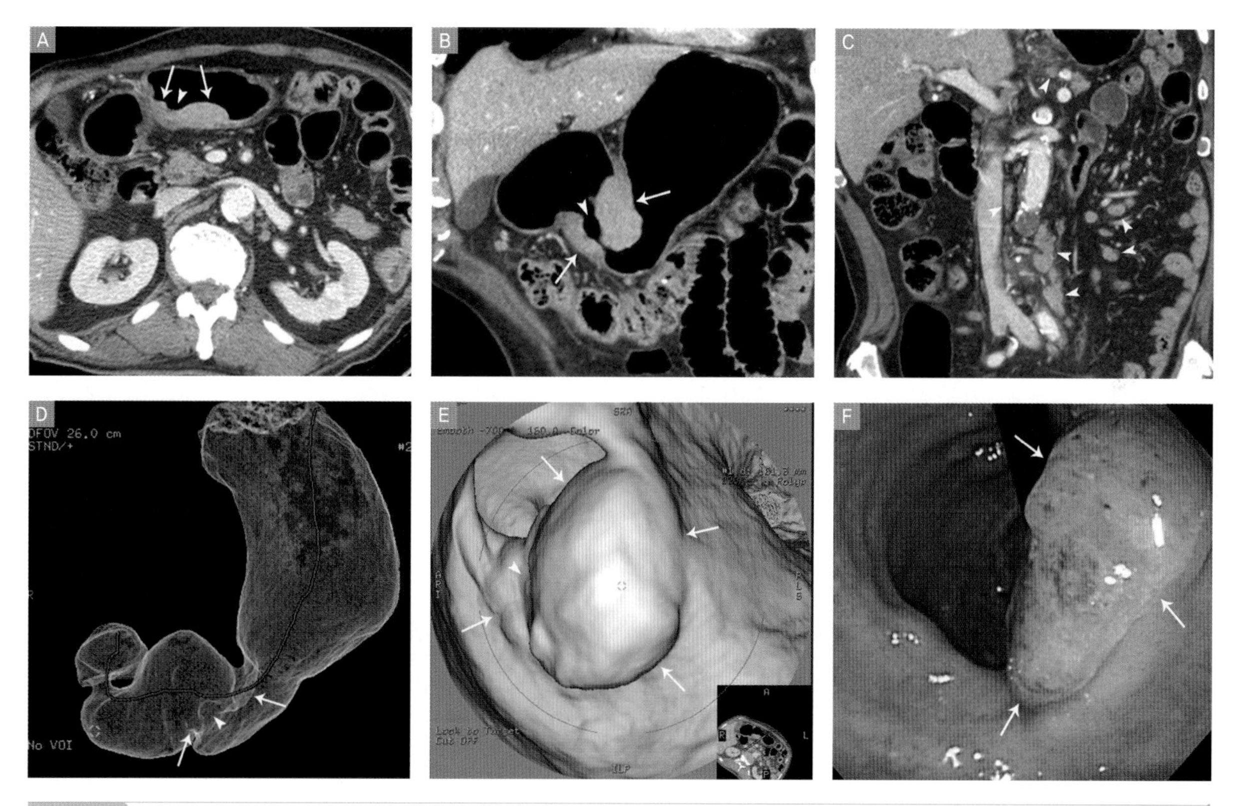

그림 48-8 미만성대B세포림프종의 MDCT를 이용한 3차원 가상위내시경.

A. 위의 전정부에 융기형 병변(화살표)과 얕은 궤양(화살촉)이 보인다.

B. 관상면 CT영상에서 융기형 병변(화살표)과 중심성 궤양(화살촉)이 보이며 상부위장관조영술을 시행하면 황소눈(bull's eye)으로 보이게 된다.

C. 위림프종과 같은 정도의 균질한 조영증강을 보이는 림프절 종대(화살촉)이 신장문부 하방을 넘어 장간막 및 하복부까지 분포하고 있다.

D. 상부위장관조영술상과 유사하게 보이는 tissue transition projection 기법을 이용한 위의 3차원 영상. 전정부에 중심부 궤양을 동반한 융기형 병변(화살표)이 보인다.

E. 3차원 가상위내시경 영상에서 융기형 병변(화살표)과 넓은 광각으로 인해 내시경 영상(F)에서는 보이지 않는 중심성 얕은 궤양(화살촉)을 볼 수 있다.

F. 내시경 영상에서 융기형 병변(화살표)이 보이나 중심성 궤양은 병변에 가려 보이지 않는다.

(3) 자기공명영상

위림프종은 자기공명영상(magnetic resonance imaging, MRI)상 CT와 마찬가지로 침윤형, 궤양형, 융기형, 결절형 병변으로 보이며 상대적으로 두껍고 비후된 위벽, 림프절 종대를 보인다. 위암에 비해 확산강조영상(diffusion weighted image, DWI)에서 증가된 신호강도를 보이고 높은 현성확산계수(apparent diffusion coefficient, ADC)를 보이는 것이 특징이다. 위림프종의 경우 MRI는 CT와 유사한 영상소견과 비슷한 정도의 검사능을 보이나 CT에 비해 비용이 비싸고 검사시간이 길며 위의 강한 수축으로 인한 인공음영이 발생할 수 있어 잘 시행되지 않는다. 다만 신장기능의 문제 등과 같이 조영증강 CT를 시행할 수 없는 환자의 경우에 한해 제한적으로 시행된다.

2. 위장관림프종의 병리

악성림프종의 진단은 2016년에 개정된 조혈 및 림프조직 종양의 세계보건기구 분류를 따른다. 위장관에서 원발하는 림프종의 대부분은 비호즈킨림프종이며 호즈킨림프종은 매우 드물다. 2011년 대한병리학회에서 시행한 전국 림프종 분포조사에 의하면 우리나라의 위장관에 발생하는 림프종은 전체 림프종의 29.2%를 차지하며 각각 위 20%, 소장 5.5%, 대장 3.8%의 빈도로 분포한다. 각 장기별 진단 분포는 표 48-1과 같다.

1) B세포 림프종

(1) 점막연관림프조직의 림프절외 점막변연부림프종

림프절외 점막변연부림프종은 전신장기 중에서 위에 가장 높은 빈도로 발생하며 위에서 발생하는 림프종의 56.1%를 차지한다. 장관의 소장과 대장에서 발생하는 변연부림프종은 드물며 서양에서는 소장에서 더 많이 발생하나 우리나라 자료에 의하면 두 기관에서 비슷한 빈도로 발생한다. 점막변연부 종양세포는 소포의 중심구처럼 핵막의 균열을 보이는 중심구 모양(centrocyte-like) 세포, 세포질이 풍부한 단구양(monocyte-like) 세포, 균열이 없는 소림프구로 구성되며 다양한 정도의 형질세포, 면역모구(immunoblast) 및 중심모구(centroblast)가 섞여 나온다. 종양세포는 림프소포의

표 48-1. 우리나라의 위장관에 발생하는 림프종의 장기별 진단별 분포

림프종의 아형	위	소장	대장
외투세포림프종	7 (0.9%)	11 (5.3%)	8 (5.5%)
미만성대세포림프종	267 (35.1%)	118 (56.5%)	88 (60.7%)
점막변연부림프종	427 (56.1%)	29 (13.9%)	25 (17.2%)
말초 T세포 림프종, 비특정형	16 (2.1%)	8 (3.8%)	7 (4.8%)
림프절 외 비형 NK/T세포 림프종	2 (0.3%)	4 (1.9%)	4 (2.8%)
역형성대세포림프종	4 (0.5%)	4 (1.9%)	1 (0.7%)
장병증형 T세포림프종	1 (0.1%)	9 (4.3%)	3 (2.1%)
림프모세포림프종	2 (0.2%)	0	1 (0.7%)
기타	35 (4.5%)	26 (12%)	8 (3.4%)
합계(백분율)	761 (100%)	209 (100%)	145 (100%)

출처: 대한병리학회지 2011; 45: 254-260

변연부를 따라 분포하며 주변의 정상 위샘과 표층 상피를 침윤하여 림프상피병소(lymphoepithelial lesion)를 형성하며 위의 점막변연부림프종을 진단하는데 중요한 기준이 된다.

림프상피병소는 점막변연부세포가 상피내에 침윤하여 상피를 변형시키거나 파괴하는 병변이며 때로는 상피의 호산성 변성을 동반한다(그림 48-9). 형질세포는 위점막변연부림프종의 약 30%에서 관찰되며 대부분 표면 상피 아래 고유층에 가장 많이 분포한다. 이 종양의 중요한 원인인자인 헬리코박터는 과거에는 조직학적으로 80% 이상에서 관찰되었으나 경제적 여건과 위생상태의 개선으로 인하여 일반인구의 *Helicobactor*의 유병률이 감소함에 따라 점막변연부림프종에서도 약 60%로 감소하였다. 종양에서 관찰되는 형질세포, 중심모구, 면역모구 및 반응성 림프소포들은 점막변연부림프종의 면역학적 반응을 잘 나타내주는 조직학적 변화이다. 점막변연부 림프종세포는 특징적으로 반응성 림프소포 내로 침윤하여 정상소포를 종양세포로 치환하므로 소포림프종으로 잘 못 인식될 수 있으며 주종괴로부터 떨어진 부위의 점막을 침범할 때 유사한 조직 변화를 보일 수 있어 주의하여야 한다. 점막변연부림프종은 소림프구의 종양이다. 변형대B세포 혹은 면역모구는 소수 섞여 나올 수는 있으나 이들이 충실성 혹은 판상으로 증식한 병소가 관찰될 때는 미만성대B세포림프종으로 진단하며 동반된 점막변연부림프종이 있는 경우 각각의 성분을 기술한다. 위점막의 점막변연부림프종은 위선암과 동반되는 경우가 드물지 않으므로 위선암을 간과하지 않도록 주의를 기울여야 한다.

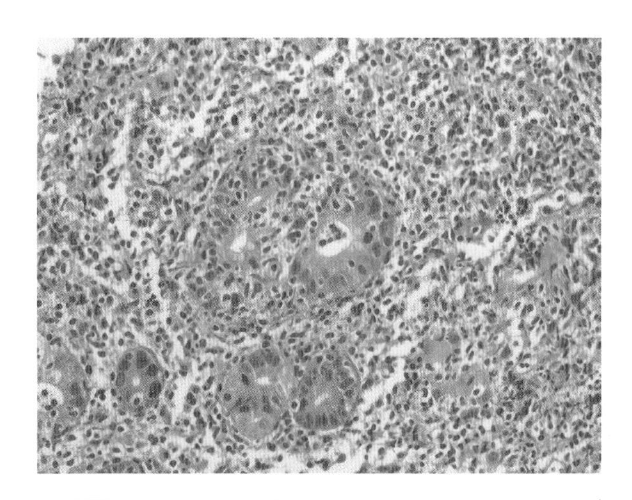

그림 48-9 **위의 점막변연부림프종.**
림프상피병소가 진단적이다.

면역표현형상 종양세포는 대부분 IgM을 발현하며 단세포군(monoclonal)의 면역글로블린 경쇄(light chain)를 발현한다. 유전자재배열검사에서 면역글로블린 경쇄 및 중쇄(heavy chain)의 단세포군 재배열을 보이며 면역글로불린 가변 부위의 과돌연변이(hypermutation)를 보여 후림프소포(post-germinal center)세포 즉 기억세포에서 기원하였음을 뒷받침한다. 점막변연부림프종과 연관된 염색체 전위중 API2-MALT1의 키메라 단백을 생성하는 t(11;18)(q21;q21)은 발생 부위에 따라 빈도가 다르며 위에서 6~26%에서, 장에서 12~56%에서 관찰된다.

① 대장의 점막변연부림프종

결장 및 직장에 원발성으로 단독으로 발생하는 점막변연부림프종(marginal zone B cell lymphoma of large intestine)은 드물다. 결장의 종양은 위와 다른 장기에 발생한 점막변연부림프종과 병발하는 경우가 많고 용종, 궤양, 결절 등의 형태를 취하며 림프상피양병소가 드물다는 점이 위의 종양과는 다르다. 직장의 점막변연부림프종은 용종으로 나타나는 빈도가 궤양의 10배에 달하며 20% 정도는 맹장 및 결장의 점막변연부림프종과 동시에 발생한다. 위의 종양이 헬리코박터와 높은 연관성을 보이는 것에 비해 대장의 종양에서는 알려진 감염인자가 아직 없다.

② 소장의 알파중쇄병

소장의 점막변연부림프종은 드물다. 지중해, 북아프

리카, 사우디아라비아, 이스라엘과 같은 지역에 발생하는 알파중쇄병(alpha heavy chain disease)은 중쇄병 중 가장 흔한 질환으로 점막변연부림프종과 조직학적으로 거의 동일하나 비정상적인 면역글로블린알파중쇄를 발현하는 점이 다르다. 일부에서는 *Campylobacter jejuni*가 원인인자로 알려졌고 젊은 환자에서 소장과 주변 장간막림프절을 주로 침범하며 만성적인 설사, 복통, 흡수장애 등을 호소한다. 우리나라에서도 드물게 보고된 예가 있다. 조직학적 변화와 함께 비정상적인 알파경쇄를 동정하기 위한 면역고정, 전기영동법 등으로 진단할 수 있다.

(2) 외투세포림프종

외투세포림프종(mantle cell lymphoma)은 위보다는 소장과 대장에서 보다 빈번하게 발생한다(표 48-1). 대부분 발병 시에 이미 진행된 병기로 발견되는데 위장관은 전체 외투세포림프종의 20~30% 이하에서 침범되며 육안적으로 다발성림프종성용종의 형태를 취한다. 그러나 증상이 없는 환자의 육안적으로 정상으로 보이는 점막도 조직학적으로는 종양의 침윤이 증명되는 점을 고려할 때 진행된 병기의 환자의 90% 이상에서 위장관을 침범한다고 할 수 있다. 종양세포는 둥글거나 얕은 균열을 보이며 일그러진 핵을 가진 작은 림프구로 세포질은 적고 핵염색질은 진하며 핵소체는 잘 보이지 않는다. 단조로운 형태의 종양세포들이 초기에는 림프소포의 배중심을 둘러싸는 외투층 양상을 취하다가, 소포를 완전히 점령하면 결절상으로 보이고 더 진행하면 결절상이 희미해지며 미만성으로 보인다. 변형된 세포, 즉 중심모구, 면역모구, 방면역모구와 같은 변형 림프구들이 없는 점이 다른 소림프구로 이루어진 림프종과의 중요 감별점이다. 종양조직 내에 상피양 조직구가 비교적 일정한 간격을 두고 산재한다(그림 48-10). 모구성 변종(blastoid variant), 다형성 변종(pleomorphic variant), 소림프구 변종(small cell variant), 변연부양 변종(marginal zone like variant)과 같은 형태학적으로 다양한 변종이 있으며 이중 모구성 변종과 다형성 변종은 좀 더 공격적인 임상경과를 보인다. 종양세포는 대부분 IgM과 IgD를 발현하며 cyclin D1(그림 48-11), CD20, FMC-7, CD5, CD43에 양성이다.

면역글로불린 중쇄와 *CCND1* 유전자가 있는 염색체 사이의 특징적인 전위 t(11;14)(q13;q32)로 인한 cyclin D1 단백의 비정상적 발현 증가는 RB1과 p27kip1의 세포주기의 진행억제효과를 감소시켜 외투세포림프종이 발생하는 데 기여한다. Cyclin D1은 외투세포림프종

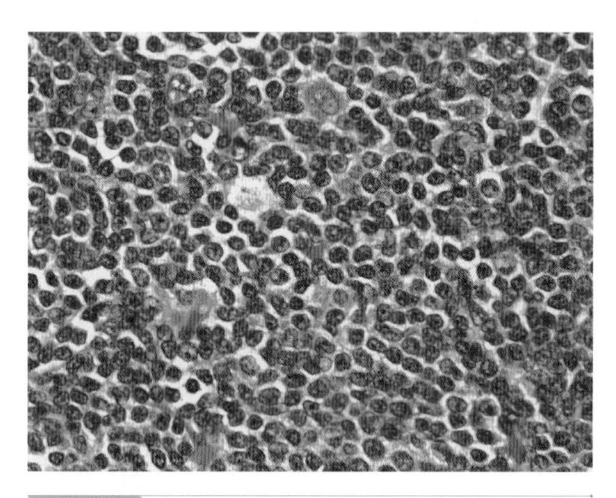

그림 48-10 **외투세포림프종(HE×400).**

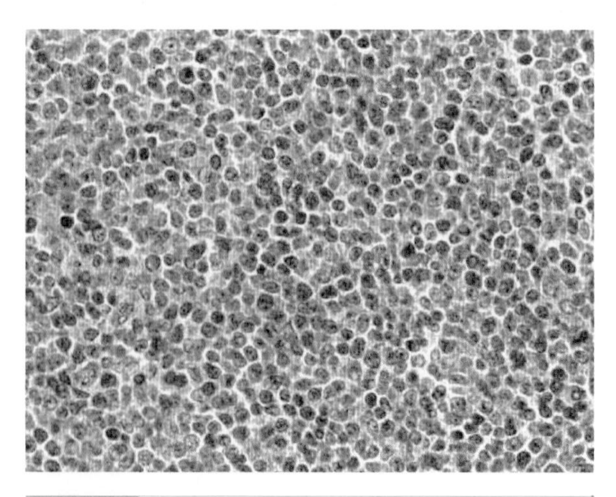

그림 48-11 **외투세포림프종.**
CyclinD1 종양세포의 핵에 발현된다(PAP×200).

을 진단하는데 필수적인 단백이나 드물게 음성인 경우가 있다. 이러한 종양은 cyclin D1 대신 cyclin D2 혹은 cyclin D3가 비정상적으로 과발현되기도 하나 음성인 경우가 많아 진단마커로서 유용하지 않은 반면 SOX-11은 민감도와 특이도가 높아 유용하다. 한편 디옥시리보핵산 손상에 대한 반응과 세포주기에 관련된 일련의 유전자들의 변이를 동반하는데 이중 *ATM*의 돌연변이는 40~50%에서 발견되며 증식성이 높고 예후가 나쁜 외투세포림프종은 *TP53*의 돌연변이, *INK4a/ARF*의 동종접합결손 등을 보인다.

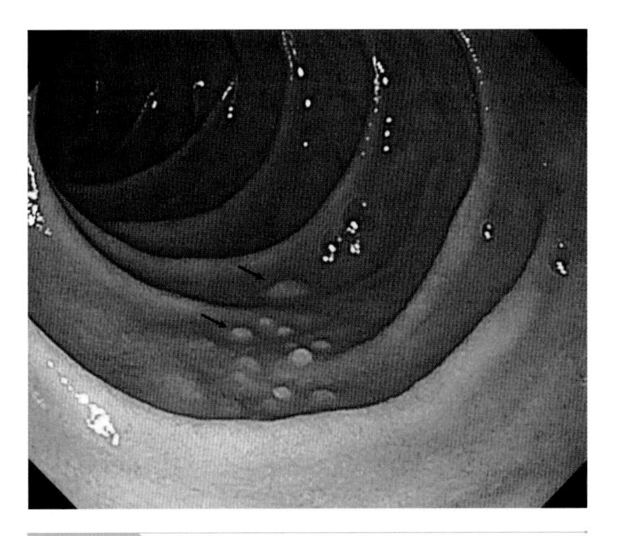

그림 48-12 **십이지장형소포림프종의 내시경사진.**

(3) 소포림프종

소포림프종(follicular lymphoma)은 주로 림프절에 잘 생기나 병기가 높아지면 위장관과 같은 림프절외 장기도 침범한다. 원발성 위장관의 소포림프종은 드문 종양의 하나로 대부분 소장에 호발하며 그 중에서도 십이지장 하행부에 많이 발생하여 2016년 세계보건기구 분류에서는 십이지장형소포림프종으로 명명되었다. 십이장형소포림프종은 저등급의 소포림프종이며 육안적으로 다발성 결절상 점막변화를 보인다(그림 48-12). 림프절에 발생하는 소포림프종과는 달리 골수나 전신 림프절 침범이 드물며 예후가 매우 좋다. 광학현미경적으로는 림프절에서 발생하는 소포림프종과 마찬가지로 중심구와 중심모구로 이루어진 결절형태를 취하나 림프절 기원의 소포림프종과는 달리 대부분 저등급의 종양이다(그림 48-13). 일반적으로 소포림프종의 등급 결정은 결절 내의 중심모구의 수에 따라 고배율 시야당 0~5개, 6~15개, 16개 이상이면 각각 1, 2, 3등급으로 분류하며 3등급은 다시 중심구의 유무에 따라 중심구와 중심모구가 섞여있는 3A 등급과 중심구가 없이 중심모구로만 이루어진 3B 등급으로 나눈다.

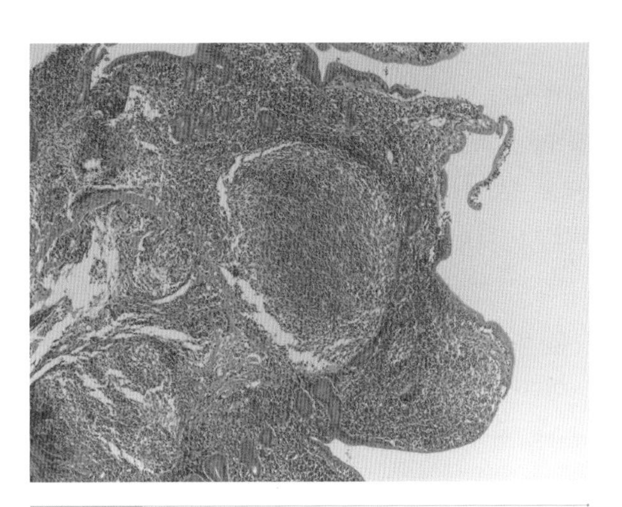

그림 48-13 **십이지장형소포림프종.**
점막고유층에 국한된 저등급의 소포림프종이다.

1등급과 2등급은 임상적으로 저등급의 종양이며 3등급은 고등급의 종양이다. 부위에 따라 결절의 등급이 다른 경우 진단에 이를 명시하여야 한다. 고등급의 종양은 종종 미만성 종양 부위를 동반하는데 이러한 부위는 미만성대B세포림프종으로 진단하며 소포성 부위와 미만성 부위의 영역 백분율을 진단에 명시한다. 면역조직화학염색에서 종양세포는 세포표면 면역글로불린 양성(대부분 IgM 양성이며 IgD는 음성), CD10 (그림 48-14), BCL2 (그림 48-15), 그리고 BCL6가 양성이며 CD5가 음성이다. 소포림프종은 염색체 14번과 18번 사이의 전위로 인한 BCL-2 유전자 재배열이 특징인데 1, 2등급의 소포림프종의 90%에서, 3등급의 종양에

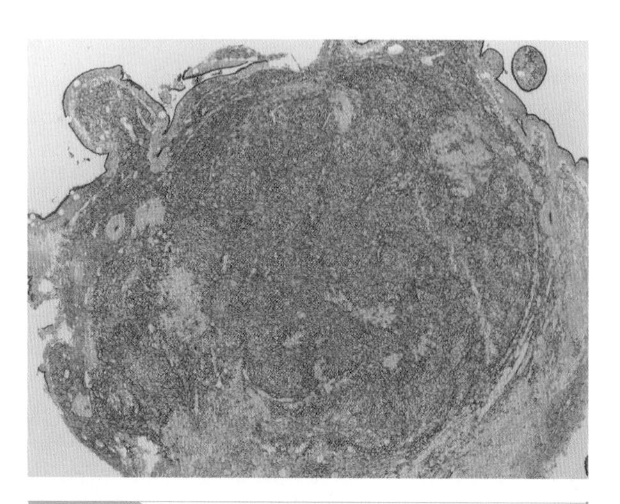

그림 48-14 **십이지장형소포림프종.**
종양세포는 대부분 CD10 양성이다.

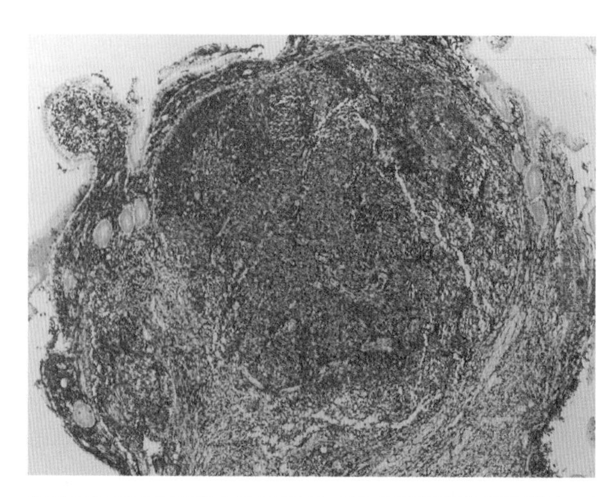

그림 48-15 **십이지장형소포림프종.**
종양세포는 BCL2 양성이다(BCL2×200).

서는 보다 낮은 빈도로 나타난다. 염색체 3q27에 위치한 BCL6 유전자의 재배열은 소포림프종의 10~25%에서 보고되었으며 특히 3B 등급의 종양에서 가장 높은 빈도를 보인다.

(4) 미만성대B세포림프종, 비특정형

미만성대B세포림프종(Diffuse large B cell lymphoma)은 소·대장에서 가장 많이 발생하는 림프종이다. 대식세포와 크기가 같거나 크며 소림프구보다 2배 이상 큰 B세포의 종양이다. 미만성으로 증식하며 다양한 정도의 기질의 섬유화를 동반할 수 있다. 종양세포의 세포학적 양상에 따라 중심모구형(centroblastic), 면역모구형(immunoblastic), 역형성형(anaplastic)으로 나눈다. 중심모구형은 중간 혹은 큰 세포로 핵이 둥글거나 난원형이며 염색질이 창백하고 핵소체는 2~3개가 핵막에 인접하여 있다. 같은 크기의 세포로 균일하게 구성되는 경우도 있으나 다엽상 핵을 가진 세포, 면역모구가 혼재되어 다형성으로 나타나는 경우도 있다. 면역모구형은 핵 중앙에 한 개의 큰 핵소체를 보이며 호염성의 세포질을 가지는 면역모구가 종양세포의 90% 이상을 차지한다(그림 48-16). 다양한 정도의 형질세포

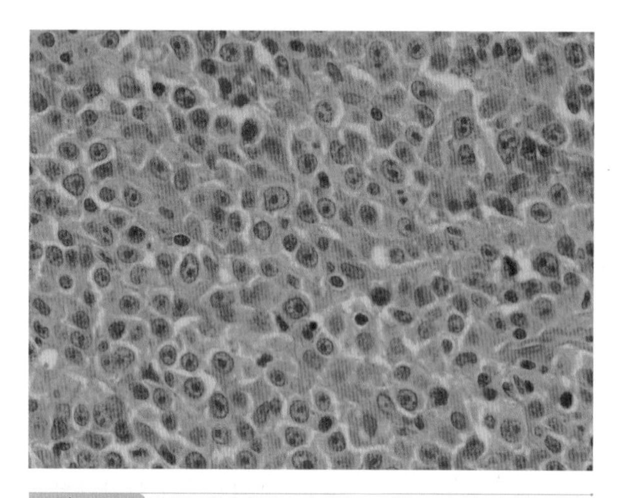

그림 48-16 **미만성대B세포림프종.**

분화 및 형질세포의 침윤을 동반한다. 역형성형은 종양세포가 크거나 매우 크고 둥글거나 난원형 혹은 다각형의 세포로 괴기한 다형성의 핵을 가진다. 밀착된 종양세포 집단이 판상으로 림프절의 굴을 따라 침윤하는 양상이 특징이다. 미만성대B세포림프종은 드물게 림프종세포가 반지세포 모양을 보여 반지세포 암종과 감별이 필요한 경우가 있다. 이러한 세포학적 양상의 차이는 임상적 의의는 크지 않으나 종양세포를 인지하여 진단하는데 유용하다.

종양세포는 CD20, CD79a와 같은 범 B세포 표지자에 양성이다. 50~70%의 경우 세포표면이나 세포질 내에 면역글로불린을 발현한다. 일부에서 CD5에 양성이다. CD30은 대부분의 역형성형에 양성이다.

미만성대B세포림프종은 림프구 분화 유전자의 mRNA 발현 양상에 따라 혹은 면역조직화학염색으로 CD10, Bcl-6, MUM-1과 같은 표지자의 발현양상에 따라 배중심B세포형(germinal center B-like), 활성 B-세포형(activated B-like)으로 나누는데 위장의 종양은 활성 B-세포형이 많은 반면 장의 종양은 배중심B세포형이 더 많으며 활성 B세포형이 좀 더 나쁜 예후를 보인다. cDNA를 이용한 유전자 전사 분석결과는 위의 미만성대B세포림프종은 점막변연부 B-세포림프종과 발생기전에 밀접한 연관성이 있음을 시사한다.

(5) 버킷림프종

버킷림프종(burkitt lymphoma)은 아프리카의 풍토병형과 비아프리카지역에서 산발적으로 발생하는 비풍토병형, 면역결핍 특히 사람면역결핍바이러스에 감염된 환자에서 발생하는 면역결핍형으로 구분한다. 비풍토병형의 버킷림프종은 복부종괴로 잘 발병하며 특히 회맹장을 잘 침범한다. 위장관에 발생하는 버킷림프종은 중동지역에 많고 주로 4~5세 어린이의 소장에 발생한다. 반면 서양에서는 어린이의 위장관 림프종이 드물지만 발생하는 경우 버킷림프종이 가장 흔하며 어린이뿐 아니라 젊은 성인의 회맹장에 호발한다.

버킷림프종은 2~5개 사이의 뚜렷한 핵소체를 보이는 원형 혹은 타원형의 핵을 가진 중간크기의 림프구가 균일하게 미만성으로 증식한다. 세포질은 약한 호염기성이거나 호산성으로 중등도의 양이며 작은 지질이 가득 찬 공포들이 도말표본상에서 잘 보인다. 유사분열을 많이 보이며 세포자멸사의 산물인 핵 파편을 섭취한 많은

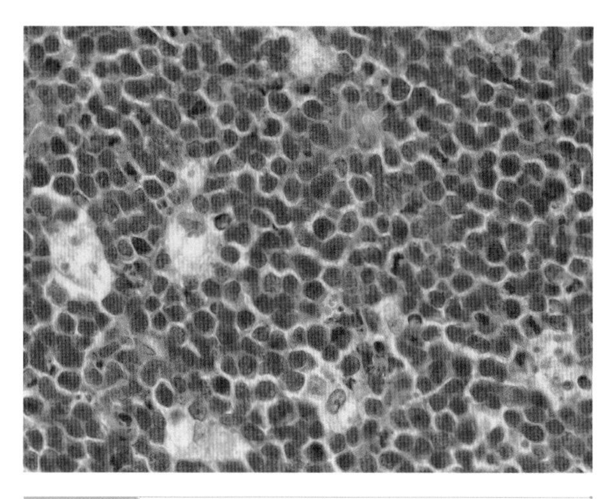

그림 48-17 버킷림프종.

대식세포가 빽빽한 종양세포 사이에 흩어져 있는 양상인 starry-sky pattern이 특징적이다(그림 48-17). 전형적인 조직소견을 보이는 전형적 종양 이외에 형질세포양분화변종(burkitt lymphoma with plasmacytoid differentiation)과 비정형버킷변종(atypical burkitt)이 있으며 이들의 유전자발현측면(gene expression profile)은 비슷하다. 면역표현형은 비교적 성숙한 B세포로 세포표면의 IgM이 양성이며 CD20과 같은 범 B세포 표지자와 CD10, Bcl6가 양성이고 Bcl2는 음성이다. Ki67은 거의 100%의 종양세포에서 양성이다. 염색체 8q24의 *MYC* 유전자와 면역글로불린유전자 사이의 전위를 보인다. 간혹 Bcl2 양성의 비정형적 면역형을 보이는 경우에는 *MYC*과 *BCL2* 혹은 *BCL6* 유전자전위를동반한 고등급B세포림프종의 가능성을 염두에 두고 감별진단을 하기 위해 *MYC*, *BCL2*, 그리고 *BCL6* 유전자에 대한 break apart probe를 사용하여 형광동소보합법(fluorescence in situ hybridization)를 하여야 한다. 풍토병형과 면역결핍형의 버킷림프종은 대부분의 경우에 EBV 양성인 반면 비풍토병형은 30% 미만에서 양성이다.

(6) *MYC*과 *BCL2*혹은 *BCL6* 유전자 전위를 동반한 고등급B세포림프종 (High grade B cell lymphoma with MYC and *BCL2* and/or *BCL6* rearrangements)

세포유전학적 변이에 의해 정의되는 고등급B세포림프종(high grade B cell lymphoma)으로 *MYC* 유전자의 전위와 함께 *BCL2* 혹은 *BCL6* 유전자의 전위를 보이며 예후가 매우 불량하다(그림 48-18). *MYC*, *BCL2*, *BCL6* 유전자 모두 전위를 보이는 경우도 있다. 조직학적으로 미만성대B세포림프종 혹은 버킷림프종 혹은 드물게 림프모구림프종 같은 다양한 형태를 취하므로 반드시 *MYC*, *BCL2*, *BCL6* 유전자전위를 동정할 수 있는 세포유전검사나 형광동소보합법을 시행하여야 한다. 면역표현형은 CD10과 BCL6를 발현하는 경우가 75~90%로 대부분이나 CD10 음성, IRF-4/MUM1 양성인 경우도 있다. Ki-67 양성지수는 버킷림프종 형태를 보이는 경우는 매우 높으나 미만성대B세포림프종 형태를 보이는 경우는 낮을수 있어 면역표현형이나 Ki-67 양성지수에 의존하여 유전자전위검사를 하는 것은 바람직하지 않다.

2) T 혹은 NK 세포림프종

(1) 장병증연관 T세포림프종

장병증연관 T세포림프종(Enteropathy-associated T-Cell lymphoma)은 Coeliac병이 있는 환자에서 발생하는 장상피내 T세포의 림프종이며 지역적으로 Coeliac병의 유병률이 높은 북유럽과 미국에 많으며 아시아에는 드물다. 공장 혹은 회장에서 흔히 발생하며 다발성인 경우도 32~54%에 달한다. 조직학적으로 다양한 형태의 중간크기 또는 큰 세포로 이루어지며 약 40%에서는 주로 큰 세포 혹은 역형성 세포로 이루어지기도 한다. 종양주변의 점막, 특히 소장의 점막은 점막 움 과증식, 융모위축, 점막고유층의 림프구 및 형질세포의 침윤, 상피내 T 림프구증가증을 포함한 장병증을 보인다. 장병증은 증례에 따라 그 정도가 다양하며 가장 지속적

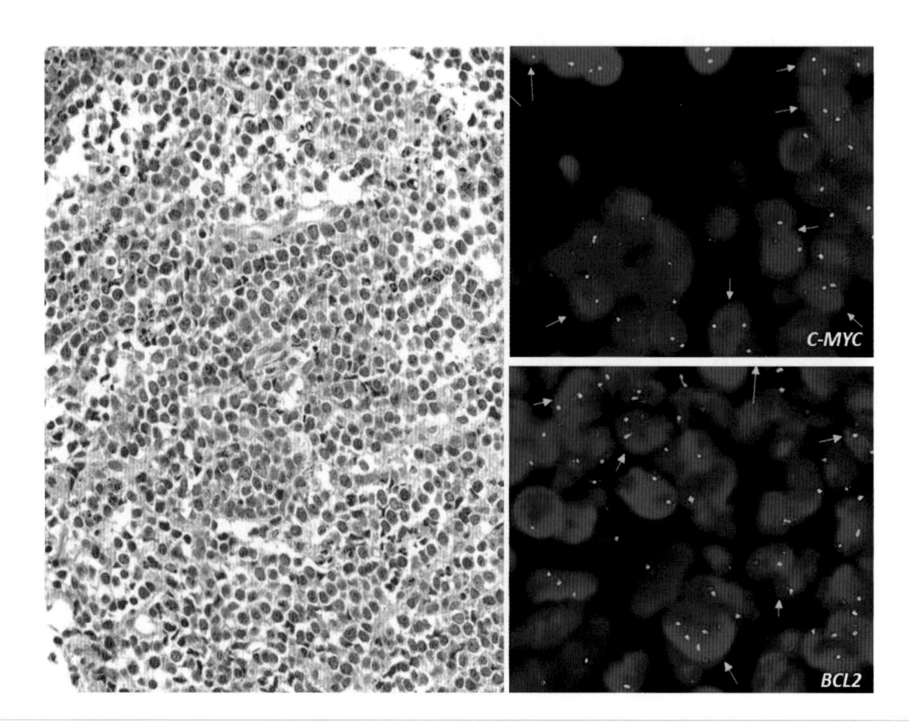

그림 48-18 *MYC*과 *BCL2* 혹은 *BCL6* 유전자전위를 동반한 고등급B세포림프종.

으로 관찰되는 것은 상피내 T림프구 증가증이다.

상피내 T림프구 증가증은 100개의 상피세포당 40개 이상의 림프구가 상피층에 침윤한 것으로 정의하여 왔으며, 조직의 두께가 3~4 um로 얇을 때에는 25개 이상의 상피내 T림프구 침윤도 비정상으로 간주하기도 한다. 전형적 장병증형 T세포림프종은 CD3 양성, CD4 음성, CD8 음성, CD103 양성인 세포독성 T세포로 이루어지나 CD8이 양성인 경우도 있다. 염색체 9q31.3로부터 9q 말단에 이르는 염색체 부위의 증폭(gain)이나 16q12.1의 결손(loss)을 보이는 경우가 많다.

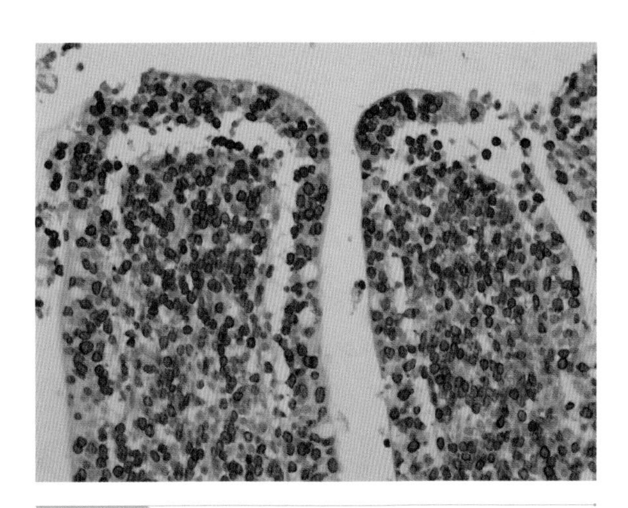

그림 48-19 단일형상피친화적장T세포림프종.

(2) 단일형 상피친화적 장T세포림프종

단일형 상피친화적 장T세포림프종(monomorphic epithliotropic intestinal T cell lymphoma)은 장상피내 T림프구로부터 기원하는 종양으로 중간 크기의 단형성 종양세포로 구성된다. 2008년 세계보건기구 분류에 장병증연관 T세포림프종 II형으로 분류하였으나 장병증연관 T세포림프종과는 역학, 유전, 조직학적 양상이 다른 별개의 종양으로 2016년 개정 세계보건기구 분류에서는 단일형 상피친화적 장T세포림프종으로 명명되었다. Coeliac병과 연관이 없으며 인종의 제한없이 광범위한 지역에서 발생한다. 소장 특히 공장에 호발하여 회장, 위에도 발생할 수 있다. 창백하고 풍부한 세포질을 가지는 단형성 종양세포가 종괴를 이루며 점막표면 상피내로 다수 침윤하는 것이 매우 진단적인 소견이다(그림 48-19). 주변 혹은 종양표면의 융모는 위축되며 간혹 장천공을 동반한다. 면역형은 CD3 양성, CD4 음성, CD8 양성, CD56, MATK 양성이다. JAK-STAT 신호전달계에 관여하는 STAT5B의 돌연변이가 60~90%에서 보고되었다.

(3) 장의 T세포림프종, 비특정형

비특정 장의 T세포림프종(Intestinal T-cell lymphoma, NOS)이라는 진단명은 특정한 림프종을 지칭하는 것이 아니며 위장관 원발림프종 중에서 장병증연관 장T세포림프종과 단일형 상피친화적 장T세포림프종과 같이 특정한 T세포림프종에 분류할 수 없는 증례들을 이 범주에 포함하여 진단한다.

(4) 위장관의 지연형 T세포림프증식장애

위장관의 지연형 T세포림프증식장애(indolent T-cell lymphoproliferative disorders of the gastrointestinal tract)는 단세포군 monoclonal의 T세포림프구의 증식 질환으로 소, 대장에 호발하나 위장관의 어느 부위에도 발생할 수 있다. 단형성의 소림프구로 이루어지며 비교적 표재성으로 침윤하여 주로 위 혹은 장점막의 고유층에 국한되는 경우가 많다. 침범한 세포는 범T세포 표지자인 CD3, CD2, CD5를 발현하며 세포독성단백인 TIA-1에 양성이다. 대부분의 경우 CD8이 양성이나 CD4가 양성인 경우도 있다. 특징적으로 종양세포의 세포증식분획이 낮아 Ki67 양성지수가 10% 미만이다. T세포 수용체 유전자재배열에서 단세포성재배열(monoclonal rearrangement)을 보인다. 항암치료에 완치되지 않으나 주변장기로 확산되거나 고등급 림프종으로 이행하지 않으며 만성적인 임상경과를 보이므로 부적절한 치료를 피하기 위해서 T세포림프종과의 감별이 중요하다. 그러나 드물게 다른 장기로 전이한 경우도 있어 이 질환의 임상적 경과에 대하여는 더 많은 증례를 기반으로 하는 연구가 필요하다.

(5) 림프절 외 비형 NK/T세포 림프종

림프절 외 비형 NK/T세포 림프종(extranodal NK/T cell lymphoma, nasal-type)은 EBV 양성인 NK세포의 종양이며 EBV 양성 세포독성 T세포 종양도 소수 포함한다. 주로 림프절외 부위에 호발하여 비강을 비롯한 상기도부가 주된 발생 장소이나 일부는 피부, 위장관, 연부조직에 발생한다. 위장관의 원발병소는 대부분 소장, 혹은 대장이며 불규칙한 지도 모양의 표재성 궤양을 광범위하게 보이고 심한 괴사로 인하여 흔히 장의 천공을 동반한다. 조직학적으로 비정형성의 소, 중, 대림프구들이 다양한 수의 호산구, 형질세포, 조직구와 같은 반응성 세포와 섞여 나오며 약 60%에서는 종양세포가 혈관벽을 침범하는 혈관중심성 소견을 나타낸다(그림 48-20). 전형적 면역표현형은 CD2 양성, CD56 양성, 세포표면의 CD3 음성, 세포질 내의 CD3 양성이며 TIA-1, granzyme B, perforin과 같은 세포독성 표지자에 양성이다.

CD56은 NK/T세포 림프종을 진단하는 데 유용한 표지자이나 비강의 종양은 10%~30%에서 음성일 수 있고 이러한 CD56 음성의 종양은 반드시 EBV 양성이며 세포독성 표지자에 양성인 경우에만 NK/T세포 림프종으로 진단한다. EBV는 모든 예에서 양성이며(그림 48-21) T세포 수용체 유전자의 재배열은 대부분 음성이나 0~27%에서 단세포군 T세포 수용체 유전자 재배열을 나타낸다. 비강 외의 부위에 발생한 종양은 비강에 발생한 전형적 NK/T세포 림프종의 소견을 보이며 CD56 양성 NK 혹은 세포독성 T세포종양으로서 EBV가 양성인 경우에 진단한다. 종양세포는 EBV 잠복감염 II형의 EBV 관련 항원을 나타내어 EBNA-1과 LMP-1이 양성이나 실제로 LMP-1에 대한 면역 염색결과는 일정하지 않으므로 진단적 표지자로서 가치가 낮다. 유전적 변화는 JAK-STAT 신호전달경로와 히스톤에 관여하는 유전자들의 돌연변이와 *DDX3X*, *P53*의 돌연변이가 높은 빈도로 보고되었다.

그림 48-20 림프절 외 비형 NK/T세포 림프종(HE×40).

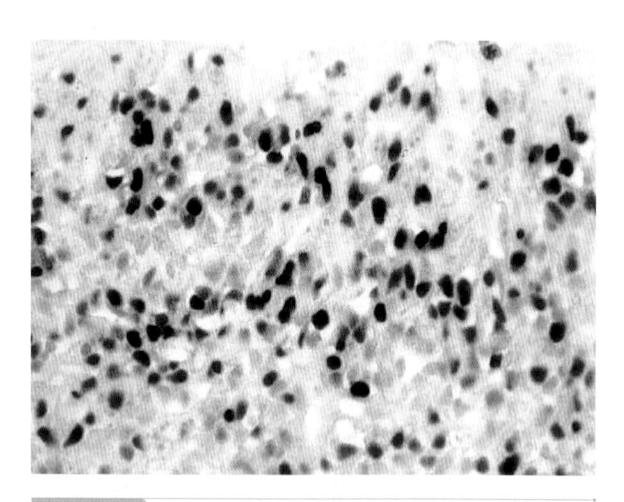

그림 48-21 림프절 외 비형 NK/T세포 림프종.
EBV (in situ hybridization×400).

3. 위장관 림프종의 수술적 치료

1) 고전적인 치료 개념

(1) 수술치료

위장관비호지킨림프종(gastrointestinal non-Hodgkin's lymphoma, GI-NHL)의 임상양상과 치료결과에 대하여 후향적 연구결과들이 많이 발표되었다. 그러나 이 연구들은 적절한 치료법이나 장기적인 무재발 생존율 등에 대하여 혼돈스런 결과를 보고하고 있는데, 그 주된 이유는 제한된 대상 환자 수, 병기 및 병리학적 분류의 혼돈, 환자 특성 및 치료법의 동질성 미확보 등이라 하겠다. 일차 및 이차 GI-NHL에 대하여 선택적 수술은 아주 오랫동안 진단 및 치료의 중요한 도구로 인식되어왔다. 또한 일차 GI-NHL에 대하여 항암화학요법이나 방사선치료의 부작용으로 발생하는 출혈과 천공을 예방하기 위하여 수술이 자주 권장되어왔다.

(2) 수술 후 보조요법의 적응증 및 치료효과

수술치료는 표재성 림프종 환자 대부분에게 근치적인 치료인 반면, 내장 장기의 심층부까지 암이 침윤했거나 주변 림프절로 전이된 경우에는 근치도가 30% 정도밖에 안된다고 알려졌다. 또 다른 연구보고들에 의하면 아주 국소적으로 발생한 경우에는 수술만으로도 완치될 수 있으나, 수술만 시행할 경우에는 병기 I, II기를 포함하여 전체 환자의 50% 이상에서 재발이 일어난다고 하였다. 이러한 이유로 인해 국소성 병변에 대하여 수술 후 방사선치료를 시행할 경우 완치되기도 하지만 적지 않은 예에서 특히 방사선조사영역 이외의 부위에 재발이 발생한다고 보고되었다. 외과적 완전 절제는 중요한 예후인자이며, 완전히 절제된 국소성의 GI-NHL에 대하여는 방사선치료 없이 항암화학요법만 시행해도 국소 및 전신적 재발 없이 장기간의 무병 생존율을 얻을 수 있다고 한다. 주변 림프절로 전이된 일차 GI-NHL에 대하여는 수술적 제거 후 방사선치료 및 항암화학요법을 추가하면 장기간 무재발 생존율(long-term relapse-free survival)이 각각 60%와 80%라고 보고되었다.

(3) 대단위 환자군을 대상으로 한 치료경험

1991년 홍콩에서 대단위 환자군에 대한 보고가 있었다. 홍콩 Queen Mary Hospital에서 치료받은 176명의 GI-NHL 환자(I, II기 51명, III, IV기 125명) (56%는 위, 44%는 소장 및 대장에서 발생한 경우) 가운데 122명이 절제술을 받았고, 특히 I, II기 환자 51명은 전체가 절제술을 받았다. 이중 8명이 수술 및 방사선치료를, 24명이 수술 및 항암화학요법을, 19명이 수술, 항암화학요법 및 방사선치료를 받았다. 항암화학요법은 III, IV기 환자 125명 중 112명에게 시행했는데 이 중 42명에게는 추후 방사선치료를 시행하였다. 수술 후 항암화학요법을 받은 I, II기 환지들은 수술 후 방사선치료만 받은 환자들보다 의미 있게 재발률이 낮고 무병생존기간이 길었다. 그러나 항암화학요법 후에 방사선치료를 받은 경우에는 생존율이 더 높아지지 못하였다.

독일의 단일 병원에서 20여 년간의 치료경험을 발표한 Tondini 등은 저등급이거나 표재성 림프종에 대하여 수술치료만 받은 23명과 수술 후 항암화학요법을 추가로 받은 환자군의 생존율이 유사하므로 특정한 경우에는 국소적 치료만으로도 적절한 치료를 받은 것으로 평가할 수 있다고 하였다. GI-NHL 환자 135명 중 123명이 수술을 받았고 그중 82%에게 광범위절제술을 시행하였다. 이들의 대부분(83%)은 수술 후 항암화학요법을 받았으며 나머지 저등급 또는 표재성 림프종 환자들은 국소적 치료, 즉 수술 단독 또는 수술 후 방사선치료를 받았다. 그 결과 국한적 림프종 환자와 진행성 림프종 환자의 각각 99%, 48%에서 종양이 완전 관해 되었고 10년 생존율은 각각 84%, 44%였다. 즉 GI-NHL을 수술한 후 항암화학요법을 보조적으로 사용하는 방법은 한정된 병기의 GI-NHL, 특히 림프절 전이가 있는 경우에 대한 적절한 치료라 평가할 수 있다. 또한 복강내 장기의 벽을 표재성으로 침윤한 저등급 림프종에는 국소치료만으로도 충분하며, 진행된 경우에 대하여는 다른 종류의 진행성 비호지킨림프종에 대한 일반적인 치료법을 따라야 한다고 주장하였다. 이와 같은 후향적 연구결과들을 통하여 I, II기 림프종의 치료에 대한 결론을 얻어내기는 어렵지만, 이런 연구결과들을 토대로 하여 향후 전향적 연구를 계획하는데 중요한 정보를 얻을 수 있다. 특히 I, II기 환자의 수술 필요성 및 수술 후 추가 치료의 적절성에 대하여는 향후 전향적 무작위 연구를 통해 정해 나가야 한다.

2) 최근의 치료개념

일차성 위림프종을 적절히 치료하려면 진단과 병기 설정을 정확히 하고 *H. pylori* 감염 여부를 확인해야 한다. 그러나 지금까지 보고된 일차성 위림프종에 대한 연구결과들은 공통점이 없고 들쑥날쑥하다. 과거 연구는 불충분한 병기 기준과 구식의 조직학적 분류에 기초했고, 최근 연구는 병기설정 기준이 연구마다 다르며 치료를 받은 환자군을 후향적으로 연구했기 때문이다. 이런 가운데 항암화학요법의 효과에 힘입어 일차성 위림프종의 치료법도 달라지고 있다. 예전에는 먼저 외과적 절제술을 시행한 후 후속 치료로 항암화학요법을 시행했으나 최근에는 순서가 바뀌었다. 더 나아가 일차성 위림프종의 치료계획은 나이, 임상양상, 조직학적 분류, 병의 진행 정도, 동반질환을 고려하여 수술, 항암화학요법, 방사선치료, 면역요법을 적절히 조합한 특성화된 치료로 세분화되어야 한다.

(1) 수술치료의 필요성에 대한 인식의 변화

GI-NHL은 발생빈도가 낮기 때문에 치료효과를 평가하기가 어렵고 전향적 연구를 하기도 쉽지 않다. 이 때문에 병의 진행 정도, 환자의 임상조건, 주치의사의 선호도 등에 따라 치료방법을 결정한다. 일본 사이타마 암센터의 보고에 따르면 최근까지도 위에 발생한 비호지킨림프종의 주요 치료방법은 위절제술이었고, 보조요법의 역할은 명확히 정의되지 않았다.

Kodera 등은 병기 I, II 위림프종 환자 60명에게 위절제술 및 D2 림프절절제를 시행해 그중 90% 이상이 5년 이상 생존했다고 보고하였고, Bartlett 등은 병기 I, II기 환자에게 수술만 시행한 결과 100%가 10년 이상 생존했다고 보고하였다. 반면 5년 생존율이 50~70%에 불과하다는 보고도 있다. 이런 가운데, 절제 가능한 일차성 비호지킨림프종에 절제술을 하지 않아도 상당히 유효한 치료결과를 얻을 수 있다는 연구결과가 보고되기 시작했다. 또한 비수술치료와 관련된 합병증으로 천공과 출혈이 자주 거론되어왔는데, 여러 연구보고들에 따르면 비수술 치료군과 수술 치료군의 천공, 출혈의 발생빈도가 각각 1.7%, 2.1% 및 0.9%, 2.2%로 큰 차이가 없을 뿐만 아니라 비수술 치료군의 발생빈도도 우려했던 것보다 상당히 낮았다.

German Multicenter Study GIT NHL 01/92에서는 국소적 GI-NHL에 수술 및 항암화학요법을 받은 군과 항암화학요법만 받은 군의 치료효과를 비교하기 위하여 1992~1996년에 치료받은 환자 185명을 대상으로 전향적 비무작위적 분석을 시행하여 그 결과를 2001년에 보고하였다. 수술시행여부는 각 병원의 방침에 따라 결정되었으며, 조직학적 등급, 병기, 수술시행여부에 따라 항암화학요법 및 방사선치료를 계층화하였다. 106명은 항암화학요법만 받았으며 5년 생존율은 84.4%였다. 이는 환자의 특징, 병기, 조직학적 등급 그 어느 것에도 영향을 받지 않았다. 79명은 수술 및 항암화학요법을 받았고 5년 생존율이 82%였다. 5년 생존율은 수술군과 비수술군이 각각 82%와 84%로 의미 있는 차이가 없었다. 비록 무작위 연구는 아니었으나 이 연구의 결과에 따르면, 조기 위림프종의 경우 일차 치료로 수술을 할 필요가 없고, 방사선치료나 항암화학요법 등 위를 보존하는 치료법으로도 좋은 결과를 얻을 수 있다.

인도에서는 1986~2000년에 일차성 GI-NHL 때문에 수술 및 항암화학요법을 받은 환자(44명/57%)와 항암화학요법만 받은 환자(33명/43%)의 치료효과를 비교하는 후향적 분석결과가 발표되었다. 그 결과, 두 치료군의 전체 생존율은 각각 67%와 64%였다. 이는 항암화학요법 같은 기관보존전략이 상당수의 일차성 GI-NHL에 성공적으로 적용될 수 있음을 의미한다.

(2) 저등급 점막연관림프조직림프종

근래 들어 림프종에 대한 역학적 이해와 *H. pylori* 균주의 제균치료, 방사선치료, 항암화학요법 등의 효용성에 대한 여러 임상연구들의 결과에 따라 비수술적 방향으로 치료원칙이 상당히 변화하였다.

국소적인 저등급 점막연관림프조직림프종[low-grade mucosa associated lymphoid tissue (MALT) lymphoma]의 경우 *H. pylori* 제균치료로 대부분 소멸되며 만약 치료에 실패할 경우에는 상대적으로 낮은 용량(30 Gy)의 체외 방사선조사요법으로 거의 전부를 조절할 수 있어 항암화학요법과 방사선치료의 병합치료로 저등급 및 고등급 위림프종의 대부분을 효율적으로 치료할 수 있다고 보고되고 있다. 저등급 MALT 림프종은 대부분 I기 또는 II기로 서서히 진행되며 10년 생존율이 80~90%로 예후가 양호하므로 이렇게 경과가 좋은 경우에 치료방법을 선택할 때는 삶의 질을 반드시 함께 고려할 필요가 있다고 주장되었다.

1993년 Wotherspoon 등이 *H. Pylori* 제균치료로 저등급 MALT 림프종을 성공적으로 치료한 이래 최근의 치료율은 80~95%에 이르고 있다. 또한, 최근 다기관 코호트 연구에서 *H. pylori* 제균치료로 저등급 MALT 림프종을 치료 후 10년 생존율은 95%로 보고하였다. 그러나 *H pylori* 음성 환자, 미만성대B세포림프종(diffuse large B-cell lymphoma) 성분의 존재, 내시경초음파검사상 위벽내로의 깊은 침윤, 염색체 전위[t(11;18)(q21;q21)]가 있는 경우에는 제균치료에 반응하지 않으며, 이런 경우들에 대한 치료전략은 잘 마련되어 있지 않다. 특히 위벽 침윤 정도는 다변량 분석결과 유일하게 예후에 영향을 미치는 인자이다.

이런 경우에 예전에는 대부분 수술적 절제술을 동원했으나, 최근 들어서는 절제 가능한 종양에 대해서도 위를 보존하는 항암화학요법이나 방사선조사요법 등을 점차 폭 넓게 적용하고 있다. De Jong의 재검토에 의하면 저등급 MALT림프종의 치료로 I기에는 19개 센터 모두에서, IIa기에는 19개 센터 가운데 8개 센터에서 제균치료를 사용하였다. 제균치료에 실패한 경우에 대한 치료방법은 센터마다 달라서, 혈액학을 선호하는 그룹에서는 방사선치료나 항암화학요법 같은 비수술 치료를 선택하였고, 소화기학에 기반을 둔 그룹에서는 수술을 하고 추가로 방사선치료나 항암화학요법의 추가 여부를 고려하였다. 약 20%의 *H. pylori* 양성 조기 위 MALT 림프종은 제균치료에 반응하지 않고 림프종이 성장한다. 더욱이 내시경이나 내시경초음파 소견은 정상적임에도 불구하고 림프종이 지속적으로 위벽을 침윤하는 경우가 있는데 이를 'minimal residual disease'라고 부른다. 그런데 이런 환자들에게 종양학적 치료가 추가로 필요하지 않은가라는 의문에 대하여 Fischbach 등은 제균치료 후 추가 치료를 받지 않은 환자 7명을 34개월간 추적한 결과, 림프종의 성장이나 고등급 전환이 일어나지 않았다는 사실에 근거하여 주의 깊은 추적관찰(watch-and wait) 전략이 여러 임상상황(연령, 동반 질병)에 따라서는 정당한 접근법이라고 평가하였다.

위 MALT 림프종의 약 5~10%는 *H. pylori* 음성이며 이들의 병인은 아직 밝혀지지 않았다. 이들에 대한 치료 가이드라인도 아직 없어 항암화학요법, 수술 및 방사선 치료 등이 이용되고 있으며, 다양한 반응률과 완화율이 보고되고 있다. 최근에 Asano 등의 보고에 의하면 *H. pylori* 음성 위 MALT 림프종은 그 병인이 유전자 변형, 자가면역 질환, *H. pylori* 이외의 박테리아 감염이라고 보고하였으며 제균치료에 의한 반응은 28%로 보고하였다. 따라서 *H. pylori* 음성 위 MALT 림프종의 초기 치료도 제균치료에 초점을 맞추어야 한다고 하였다.

(3) 고등급 림프종

미만성대B세포림프종(diffuse large B-cell lymphoma, DLBCL)은 가장 흔한 유형이다. 병기 I, II기인 위의 DLBCL에 대한 표준요법은 리툭시맙(rituximab)과 전통적인 anthracycline이 포함된 항암화학요법을 방사선치료와 함께 또는 따로 시행하는 것이다. 항암화학요법에 추가하여 *H. pylori* 감염이 확인된 경우에는 저등급 재발을 최소화하기 위하여 제균치료를 해야 한다. 최근에 면역치료를 포함한 다양한 치료방법이 제시됨에 따라 고등급 림프종과 저등급 림프종 사이에 생존율의 차이는 없다고 보고하였다. 수술은 대량 출혈이나 천공이 있을 경우에만 시행한다.

(4) 위림프종의 항암화학요법과 방사선치료

근래 20여 년에 걸쳐 조기 위림프종에 수술이 필요 없다는 주장이 거세지고 있다. Maor 등이 9명의 I, II기 림프종 환자에 대하여 수술하지 않고 항암화학요법과 방사선치료를 시행하여 1명에서만 재발했다고 보고하였고, Aviles 등이 보다 설득력 있는 보고를 한 바 있다. 즉 52명의 I, II기 림프종에 대하여 항암화학요법만 하는 그룹과 수술 이후 항암화학요법을 받는 그룹으로 무작위배정하여 연구를 시행한 결과 두 그룹의 5년 생존율은 거의 비슷(75%) 하다고 하였다. Ferreri 등은 I기 또는 II기인 고등급 림프종 환자 가운데 21명에게서 항암화학요법 단독 또는 항암화학요법 및 방사선치료의 병합요법을 시행하고 62명에게는 수술 후 보조요법을 하거나 하지 않았다. 그 결과 항암화학요법을 처음부터 한 경우와 수술 이후 항암화학요법을 받은 군 사이에 생존율 차이는 없었으며, 위절제술이나 방사선치료 같은 국소치료에 비하여 항암화학요법이 생존율을 향상시켰다. 또한 치료효과나 안전도를 고려하여, 고등급 림프종의 경우 비수술 치료방법을 제일 선택적 치료(first-line treatment)로 삼고 위급한 경우에 대해서만 수술 후 항암화학요법을 하는 것이 최선의 선택이며, IIa기에 대하여는 그 후 방사선치료를 추가하는 것이 좋겠다고 하였다.

(5) 진행성 병변

아직까지 치료의 표준은 항암화학요법이지만 치유 프로토콜은 불가능하다. 하지만 새로운 세포독성제(cytotoxic agent)인 백금(platinum) 유도체나 purine-analogue 등은 치료의 효율을 높일 수 있을 것으로 기대된다고 하였다. 출혈이 심한 림프종의 경우 내시경검사를 조속히 시행한 후 수술해야 한다. 완전히 또는 거의 완전히 폐쇄된 림프종인 경우 고농도의 스테로이드(dexamethasone 10 mg i.v., every 6 hours)를 주면 거의 대부분 즉각 반응이 나타난다. 이후 방사선치료나 항암화학요법과의 병합요법을 시행하지만 스테로이드에 반응하지 않는 아주 드문 경우에는 수술치료를 선택한다. 또한 주변 장기나 조직으로 침윤(병기 III) 되었거나 미만성 질환(병기 IV)인 경우에는 항암화학요법 또는 방사선치료와의 병합요법으로 치료한다. 그러나 이러한 병합요법에 반응한 뒤 위 내에 국소적으로 잔류한 병변이 있거나 출혈이나 천공이 있으면 수술해야 한다. 즉 진행성 림프종의 경우 수술은 합병증의 위험이 있고 전신요법 시작시기를 지연시키므로 일차 치료로서 부적합하다.

3) 요약

최근 비수술적 방법이 발전함에 따라 위림프종을 내시경 및 조직검사로써 진단하고 수술 없이도 적절히 병기를 설정할 수 있게 되었다. 저등급 림프종으로서 위벽 밖으로의 퍼짐이나 염색체 전좌와 같은 불량인자가 없는 경우에는 *H. pylori* 제균치료가 이주 효과적이다. 제균치료 후에는 림프종의 퇴화를 확인하고 재발 여부를 주의 깊게 추적관찰해야 한다. 또한 더 진행된 저등급 림프종이나 모든 고등급 림프종에는 이제 수술치료를 잘 동원하지 않고 항암화학요법이나 방사선치료와의 병합요법을 일차 치료법으로 동원한다. 수술은 이제 더 이상 일차 치료법이 아니며, 단지 합병증이나 국소적으로 지속되고 있는 병변의 치료법으로만 이용되고 있다. 앞으로는 환자 개개인에 대하여 병기, *H. pylori* 감염 여부, 전좌(translocation) 여부, B세포 단클론성(monoclolnality) 및 선택된 치료법에 대하여 치료가 실패할 개개인의 위험 정도를 예측할 수 있는 표지자에 따라 환자를 계층화(stratification) 해나가야 할 것이다.

4. 위림프종의 약물치료 및 방사선치료

1) 위림프종의 약물치료

악성림프종을 정확히 파악하려는 노력은 두 가지 방향으로 이루어져 왔다. 첫째는 병리학적인 분류이고, 두번째는 원발 부위에 따른 구분이다. 비호지킨림프종(non-Hodgkin lymphoma)에 대한 병리학적 분류법으로 Rappaport의 분류 방식이 널리 이용되어오다가 미국 국립암연구소의 분류체계(NCI Working Formulation)로 대체되었다. 이 체계는 병리학적 악성도를 임상소견과 연계해 크게 3등급으로 분류한 것으로, 임상의사들이 치료방침을 결정하는데 여전히 이용되고 있으나 림프종이 발생한 세포의 근원을 제대로 반영하지 못한다는 것이 단점이다. 이를 보완하여 현재 가장 널리 사용되는 분류체계가 WHO/REAL 분류체계이다.

그런데 병리학적 분류만으로는 비호지킨림프종을 정확히 파악할 수 없고, 치료방침을 결정하는데도 어려움이 많다. 이런 한계점을 인지하여 원발 부위별 악성림프종의 임상적 특성에 대한 연구가 대두돼왔고, 이를 병합한 치료방침 개발이 활성화되어왔다. 예로, 안구주위에 발생하는 악성림프종(ocular adnexal lymphoma)은 병리학적으로 악성도가 낮은 변연부B세포림프종(extranodal marginal zone B cell lymphoma, EMZL)이 대부분이고 임상적으로도 몇 년에 걸쳐 진행하는 완만한 경과를 보인다. 위장관에 발생하는 악성림프종도 다음과 같은 특징이 있다. 림프절 이외의 인체조직에서 발생하는 림프절외림프종(extranodal lymphoma)이 가장 흔히 발생하는 곳이 위장관이며, 주로 위를 중심으로 발생하고, 소장, 대장에서는 상대적으로 드물다. 특히 위에 발생하는 악성림프종 중 점막연관림프조직림프종(mucosa-associated lymphoid tissue (MALT) lymphoma)은 헬리코박터 파일로리(*helicobacter pylori*, *H. pylori*)와 연관되어있어 진단 및 치료방침이 특이하다.

(1) 림프절외변연부B세포림프종

림프절외변연부B세포림프종(EMZL)은 과거에 저등급점막연관림프조직림프종(low grade MALT lymphoma)으로 불리던 종양이다. WHO/REAL 분류체계가 보편화되면서 extranodal marginal zone B cell lymphoma로 용어가 정리되었다. 림프절외변연부B세포림프종은 상피세포와 관련 있는 장기에서 생기며, 국내 보고들에 의하면 위에서의 발생이 50%이다.

① 치료전 평가 및 병기설정

위에서 발생한 림프절외변연부B세포림프종의 진단을 위해 기본적 문진 및 이학적 검사와 함께 HIV, HBV/HCV 등이 함께 시행되어야 한다. 내시경조직검사가 반드시 이루어져야 하며, 조직검사와 요소호기검사(urea breath test)를 통해 *H. pylori* 검사를 반드시 시행해야 한다. 추가로 *H. pylori* 제균치료에 불응하는 t(11;18)과 같은 염색체 전위를 확인하기 위하여 t(11; 18) fluorescence in situ hybridization (FISH)나 polymerase chain reaction (PCR) 검사를 시행할 것을 권고한다. 병기설정을 위해 흉부, 복부골반 CT가 반드시 이루어져야하며, 의무적인 PET CT는 아직 논란이 있다. 1기/2기와 같은 조기 병기를 확인하기 위해 단측골수검사(bone marrow biopsy and aspiration)가 필요할 수 있다. 내시경초음파(endoscopic ultrasonography) 역시 침범깊이(depth of invasion)와 위주변림프절(perigastric lymph node)의 확인을 위해 시행될 수 있다.

기본적으로 Ann Arbor 병기체계를 기준으로 병기를 결정하지만, 위장관림프종을 중심으로 만들어진 Lugano 병기체계도 간편하게 이용할 수 있다(표 48-2).

② 초기 *H.pylori* 양성 림프절외변연부B세포림프종 (Early stage [Lugano I/II] EZML)

대부분의 환자는 Lugano I/II기에 해당하고, *H.pylori* 양성을 보인다. 현재까지 이와 관련한 무작위배정 임상시험은 시행되지 않았다. *H. pylori* 제균치료와 방사선, 수술 등의 효과가 후향적인 연구로 진행되었다.

i) *H. pylroi* 제균

H. pylroi 제균을 위해 항생제(antibiotics)와 위산분비를 억제하기 위해 양성자펌프억제제(proton pump inhibitor) 복합치료를 추천한다. 일차 치료로 omeprazole 20 mg bid, amoxicillin 1,000 mg bid, clarithromycin 500 mg bid 등으로 구성된 삼제요법 표 48-3을 1~2주간 시행하고, 일차요법에 실패하거나 재감염이 확인된 경우에는 omeprazole 20 mg bid, metronidazole 500 mg tid, tetracycline 500 mg qid, tripotassium dicitrate bismuthate 300 mg qid 로 구성된 이차요법을 1~2주간 시행한다. *H. pylori* 제균치료 성적을 요약하면 표 48-3와 같다. 대략 2/3의 환자에서 제균치료만으로 완전 관해가 일어나지만 재발의 위험이 있으므로 장기추적관찰을 권장한다.

약 1/3의 환자는 t(11;18)과 같은 translocation을 보이며, 이러한 환자는 *H.pylori* 제균치료에 반응할 확률이 낮다. 이전의 한 연구는, 제균치료 후 5년 추적관찰을 한 결과, t(11;18)을 보이는 환자가 그렇지 않은 경우에 비해 낮은 완전관해율(30% vs. 77%)을 보였다. 하지만 그렇다 하더라도, 낮은 독성과 장기관해가 소수의 환자에서 가능하기 때문에 초치료로 *H. pylori* 제균치료를 고려해 볼 수 있다.

ii) 반응평가

H. pylori 제균치료를 받은 환자는 제균치료의 성공여부를 확인 및 반응평가를 꼭 시행해야한다.

- 제균치료의 확인
  제균치료를 완료한 후 4주 후 *H. pylori* 박멸여부를 확인하여야 한다. 약 20% 미만에서 2차 제균이 필요할 수 있다.
- 종양반응평가
  제균치료 이후, 주기적인 위내시경과 조직검사를

표 48-2. **위장관림프종의 Lugano 병기체계**

I기	소화기계장기에 국한 (single primary or multiple, noncontiguous)
II기	복강내로 진행
IIE기	장막을 관통하여 주변 장기에 침범
III~IV기	림피즐 이외에 광범위하게 침범하거나 횡격막 위쪽의 림프절까지 진행된 경우

표 48-3. ***H.pylori* 제균치료**

저자	환자수	CR cases (%)	중앙추적기간(년)	병진행(%)	재발(%)	치료실패(%)
Hancock (2009)	199	92 (46%)	ND	ND	ND	25 (13)
Wündisch (2006)	193	146 (76)	2.3	0	5 (3.1)	5 (2.6)
Nakamura (2011)	420	ChR/pMRD 284/39 (68/9%)	6.5	27 (6.4)	10 (3.1)	37 (8.8%)

CR, complete response; ChR, complete histological response; pMRD, probable minimal residual disease, ND, not described

통하여 종양반응평가와 재발 여부를 모니터링 해야한다. 정립된 위내시경평가의 기준은 명확히 없는 상태이나, 치료종료 후 3개월 후 위내시경을 시행하고 이후 첫 2년간은 3~6개월마다 위내시경을 시행할것을 권고하며, 이후에는 1~2년 간격으로 위내시경을 시행할것을 권고한다.

iii) 치료 실패

약 20~30% 환자에서 *H. pylori* 제균치료에 불응하거나 완전관해 후 재발을 보인다. 때때로 제균치료에 대한 완전관해가 늦게 나타나는 경우가 있기 때문에 2차 치료의 시작에 대해서는 논의가 필요하다. 일반적으로 약 1년 정도는 위내시경을 통한 적극적 추적관찰을 시도해 볼수 있으며, 완전관해가 이루어지지 않거나 병진행의 진행이 확실한 경우 즉각적인 방사선치료 등을 고려해야 한다.

③ 초기 *H.pylori* 음성 림프절외변연부B세포림프종 (Early stage [Lugano I/II] EZML)

H. pylori 음성의 환자는 소수이긴 하나 제균치료에 반응을 하지 않는 경우가 많기 때문에 매우 깊은 주의가 필요하다. 이러한 환자에게는 방사선치료를 권고하며, 방사선이 어려운 경우 리툭시맙(rituximab) 등의 전신약물 치료를 권고한다.

④ 진행성 림프절외변연부B세포림프종(Lugano IV stage EZML)

H. pylori 양성이라면, 제균치료를 우선 시행 후, 적극적인 추적관찰을 시행해 볼 수 있으며, 리툭시맙이나 chemotherapy 병합요법 역시 고려해 볼 수 있다.

⑤ 치료의 흐름(그림 48−22).

환자 개개인의 특성에 따라 변형될 수 있으나 다음과 같은 치료의 흐름을 고려해 볼 수 있다.

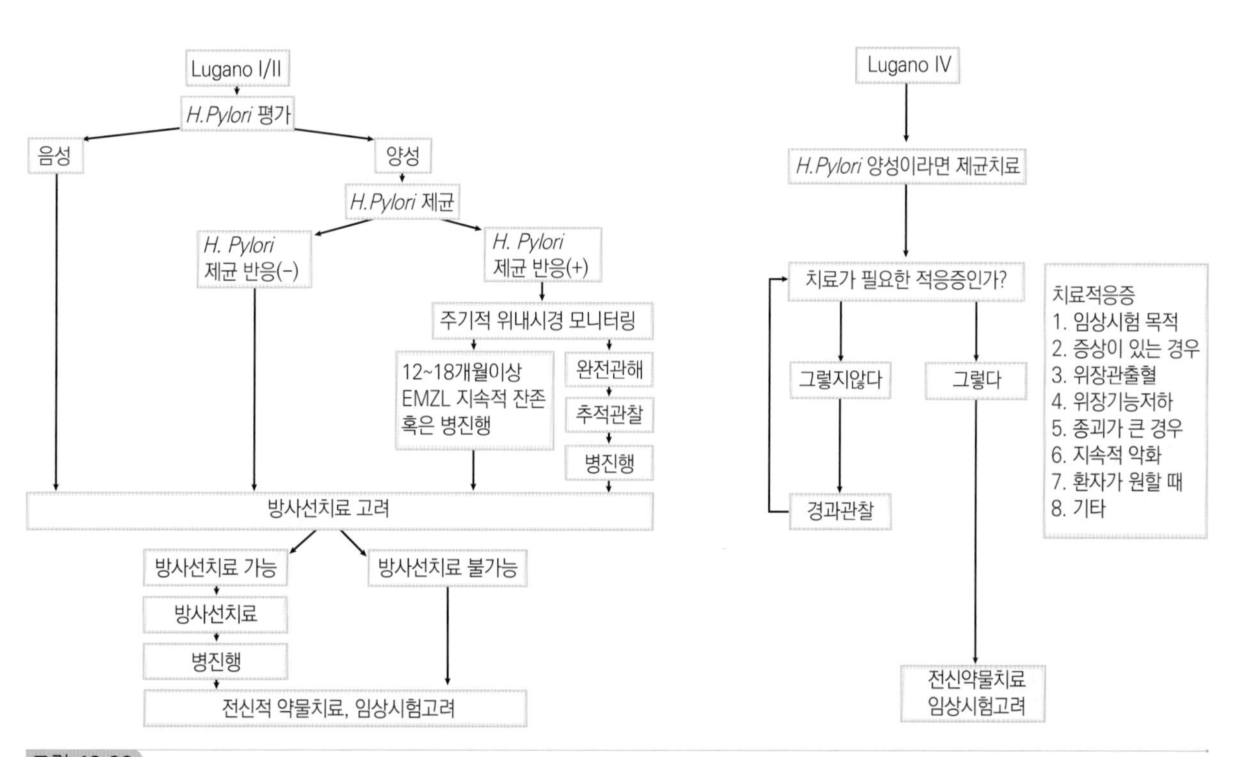

그림 48-22 위에서 시작한 림프절외변연부B세포림프종 치료의 모식도.

⑥ **치료 3개월 후 재평가 결과에 따른 진료지침 (표 48-4).**

환자 개개인의 특성에 따라 변형될 수 있으나 다음과 같은 치료의 흐름을 고려해 볼 수 있다.

(2) 미만성대B세포림프종

고등급 림프종에서 치료는 조직학적 아형에 따라 결정된다. 가장 흔한 형태인 미만성대B세포림프종(diffuse large B cell lymphoma, DLBCL)의 주된 치료방법은 복합항암화학요법이다.

① **진단 및 병기설정**

최근에는 내시경의 발전으로 위장에 발생한 악성림프종의 경우 비교적 용이하게 진단된다. 그러나 소장에 발생한 것은 여전히 수술을 통해 진단되어지는 경우가 많다. 병기의 설정은 일반적인 미만성거대B세포림프종의 병기설정 방법과 동일하다. PET CT 스캔과 함께 흉부/복부골반 CT를 시행하여야 하며 골수검사가 병기설정에 도움이 된다.

② **치료**

서두에 언급한대로 미만성거대B세포림프종의 주된 치료방법은 복합항암화학요법이다. 악성림프종이라는 질환 자체가 전신질환이기 때문에 국소치료법만으로는 완치를 기대하기 어렵기 때문이다. 위장관절제술도 환자에 따라서는 고려해 볼 수도 있지만, 위장관에 발생하였다고 하여 무조건적으로 위장관절제술을 시행한다면 완치 후에도 평생 기능장애를 초래할 수 있기 때문에 신중하게 고려하여야 하며 일반적으로는 권고되진 않는다. 처음부터 항암화학요법을 시행하면 출혈이나 위장관 파열 등이 발생할 수도 있다는 우려가 있었으나, 현재까지의 여러 가지 임상연구결과에 따르면 위장관에 발생한 악성림프종 환자에 대한 항암화학요법은 출혈이나 파열의 위험이 증가하지 않으면서도 치료성적이 우수하다.

i) 1차 면역화학요법

CHOP (cyclophosphamide, hydroxydaunorubicin, oncovin, prednisone) 요법은 지금도 림프종 치료의 근간으로 사용되며, 이는 1970년대에 개발되어 거의 50%의 완치율을 보였다. 1980년대에는 다른 약제를 추가하거나 투약일정을 변형하여 CHOP의 결과를 향상시키기 위한 노력이 있어왔으나 통계적으로 의미 있는 생존율의 차이는 없었고 CHOP의 독성이 가장 적어 계속 표준치료로 받아들여졌다. 국소침범 상태인 1~2기와 장경 10 cm 이상의 종양을 동반한 큰 부피 미만성거대B세포림프종에서 방사선요법의 역할은 아직 증명되지 않았고, 대규모의 3상 연구결과가 1~2년 안에 발표

표 48-4. **치료 3개월 후 재평가 결과에 따른 진료지침**

<table>
<tr><td rowspan="6">1차 치료 후 3개월 후 내시경 재평가
증상이 있으면 3개월 전이라도 재평가</td><td>H.pylori (−)
악성림프종 (−)</td><td colspan="2">경과관찰</td></tr>
<tr><td rowspan="2">H.pylori (−)
악성림프종 (+)</td><td>증상 없으면</td><td>1. 3개월 경과 관찰
2. 방사선치료</td></tr>
<tr><td>증상 있으면</td><td>방사선치료</td></tr>
<tr><td>H.pylori (−)
악성림프종 (+)</td><td colspan="2">2차제균</td></tr>
<tr><td rowspan="2">H.pylori (+)
악성림프종 (+)</td><td>안정적(stable disease) 이면</td><td>2차제균</td></tr>
<tr><td>병진행 혹은 증상이 있으면</td><td>방사선치료</td></tr>
</table>

될 예정이다. 2002년 Group d 'Etude des Lymphomes del' Adulte (GELA)가 60~80세의 고령 환자를 대상으로 CHOP 요법과 CD20에 대한 단클론항체인 리툭시맙을 CHOP에 추가한 병용요법(R-CHOP)을 비교한 결과 R-CHOP군에서 성적이 우수하였고, 임상적으로 의미 있는 독성의 증가는 없었다. 2006년 60세 이하를 대상으로 한 MabThera International Trial (MInT) 연구에서도 R-CHOP 치료군의 성적이 CHOP 군에 비해 우수하였다. 이들 연구결과로 현재 성인 광범위큰B세포림프종의 표준치료는 R-CHOP 병용요법이다. 최근 R-CHOP과 비교하거나 새로운 약제 등을 추가하는 임상연구 등이 진행중으로 향후 결과를 주목해야할 것이다.

ii) 자가조혈모세포치료

리툭시맙이 본격적으로 CD20 양성 미만성거대B세포림프종 치료에 이용되기 이전 시기에는, 복합 항암치료 후 1차 관해를 받은 고위험군의 미만성거대B세포림프종에서 고용량항암화학요법 후 자가조혈모세포치료의 효과는 논란의 여지가 있었다. 그러나, 리툭시맙이 사용되기 시작한 이후에 진행된 고위험군의 대규모 무작위 비교 3상 연구에 따르면, 2년 무병 진행생존율이 자가조혈모세포 이식을 받은 군에서 69%로, 표준항암치료만 받은 군의 55% 보다 자가이식 치료군에서 치료성적의 향상을 보여 주었다. 이에 선택적으로 필요한 환자에게서 고려해볼 수 있다.

iii) 구제요법

리툭시맙 사용으로 1차 면역화학요법의 성적이 많이 향상되었지만, 여전히 1차 요법에 완전반응을 얻지 못하거나, 완전반응 후 재발하는 경우가 발생한다. 이에 대한 구제요법으로 백금화학요법약제(cisplatin, carboplatin, oxaliplatin)를 기반으로 한 복합화학요법들이 개발되었다. 현재까지 어느 구제요법이 더 우수한지를 비교한 연구결과보고는 아직까지 없다. 최근에는 모든 치료에 불응하는 환자들의 경우 CD19-CAR-T 세포치료제에 우수한 치료성적이 보고되어 주목받고 있다.

(3) 기타

① **외투세포림프종**

외투세포림프종(mantle cell lymphoma)은 B세포림프종 가운데 예후가 불량한 유형이며 t(11;14)로 인한 cyclinD1의 과별현을 보이는 특정적 세포유전학적 이상을 동반하고 있어서 비교적 균질성을 갖는 B세포림프종 유형으로 활발한 신약개발연구가 이루어지고 있다. 최근 개발된 예후인자 cMIPI (combined mantle cell lymphoma international prognostic index)를 기반한 새로운 치료권고안의 구축과 다수의 비교 임상연구 성과를 바탕으로 치료성적이 점점 향상되고 있다. 외투세포림프종의 치료는 나이가 젊고 자가조혈모세포 이식을 수용할 수 있는 적극적 치료군(younger-fit group)과 고령이면서 적극적 치료가 어려운 표준치료군(older-unfilt group)으로 구별해서 일차요법을 적용할 수 있다. 적극적 치료군은 고용량의 ARA-C가 포함된 R-HyperCVAD 혹은 R-CHOP/R-DHAP 교대 요법 등으로 일차 관해를 획득한 이후 고용량 항암화학요법과 동반한 자가조혈모세포 이식이 추천되며, 적극적 치료가 어려운 표준치료군은 R-CHOP 등의 독성이 덜한 약제로 1차 치료가 권장된다. 외투세포림프종은 재발이 매우 흔한 유형의 림프종이지만 재발 후 치료성적이 좋지 못해서 확립된 가이드라인이 없지만, 최근에 개발되어서 사용이 확대되고 있는 Bruton's tyrosine kinase 억제제인 이브루티닙(ibrutinib) 단독 치료만으로 재발성 혹은 치료불응성 환자임에도 불구하고 치료 반응률이 68~72% 정도로 높은 효율을 보이고 있어서 생존율 향상에 도움이 되고있다.

② **버킷림프종**

버킷림프종은 매우 진행이 빠른 B세포림프종으로 풍

토형(endemic), 산발형(sporadic), 그리고 면역결핍 관련형이 있다. 산발형은 전 세계적으로 발생하며, 우리나라 버킷림프종의 거의 대부분을 차지한다. HIV 감염, 면역억제 치료, EBV 감염 등과도 연관된 경우가 많다. 예후가 좋지 않으나, 최근들어 리툭시맙 병용 투여하는 고강도 반복적 복합화학요법으로 이전에 비해 성적이 많이 향상되고 있다.

2) 위림프종의 방사선치료

위장관에 발생한 림프종은 최근 20여 년간 치료의 패러다임이 급격하게 변하였다. 과거에는 수술이 중심적인 역할을 하였으나 최근에는 수술과 비슷한 치료효과를 나타내면서 동시에 환자의 장기를 보존할 수 있는 치료법이 널리 보편화 되었다. 특히 원발성 위림프종에 방사선치료를 과거에 잘 시행하지 않은 이유는 림프종 세포가 방사선에 민감함에도 불구하고 위에 방사선이 조사되면 방사선 부작용으로 위출혈이나 위천공이 발생할 수 있으며, 주변 장기인 간이나 콩팥에 방사선 부작용 또는 방사선치료 후 이차 암이 발생할 수 있다는 우려 때문이었다. 그러나 위장관 이외의 장기에 발생하는 림프종에 대한 치료법으로 방사선치료가 효과적이라는 사실이 알려지고, 위출혈이나 천공 등의 심각한 부작용을 유발할 수 있는 방사선 선량보다 훨씬 적은 선량으로도 림프종 치료가 가능하다는 점 등이 알려지면서 방사선치료의 역할이 확대되었다. 그러나 무엇보다도 위절제술에 비해 방사선치료는 환자의 위를 보존할 수 있어 수술과 치료율이 비슷하면서도 환자의 삶의 질을 향상시킬 수 있다는 장점 때문에 최근에는 위림프종의 국소치료방법으로 수술 대신에 방사선치료를 시행하고 있다.

위에 발생하는 림프종은 주로 점막연관림프조직 림프종과 미만성대B세포림프종으로서 각각 근치를 위한 치료적 접근 방법은 크게 다르다. 그러나 두 종류의 림프종 모두 Ann Arbor 병기 2기 이하로서 림프종 병변이 위 및 주변 영역 림프절에 국한된 경우에만 근치적 목적의 방사선치료를 적용한다.

(1) 위림프종 치료방법의 변화

위절제술은 가장 전통적인 위림프종 치료법이다. 일부 연구에서 절제술 단독으로도 90% 이상의 5년 생존율을 보고하였으며, 5년 생존율이 항암화학요법 혹은 방사선치료에 비해 높다는 메타분석결과도 있다. 그러나 수술 후 부작용 발생률도 높은 것으로 발표되어, 임상의사의 선호도에 따라 수술치료 혹은 비수술 치료를 위림프종의 기본 치료로 간주하는 경향이 있어 왔다. 그러나 최근 20년에 걸쳐 수술치료와 비수술 치료를 비교하는 연구들이 발표되어, 방사선치료를 포함하는 비수술 치료가 조기 병변의 위림프종의 기본 치료법으로 자리 잡았다.

독일의 다기관 연구그룹에서는 저등급 및 고등급을 포함하는 조기 위림프종에 대한 수술적 방법과 비수술적 방법을 비교한 전향적 연구를 시행한 결과, 5년 생존율이 수술을 시행한 군에서 82%, 비수술적 방법으로 치료한 군에서 84%로 통계적으로 차이가 없음을 발표하였다. 한편 Aviles 등은 무작위 3상 연구에서 수술 혹은 방사선치료보다는 항암제의 역할을 강조하는 결과를 발표하기도 하였다. 따라서 현재 조기 위림프종의 치료방법으로 비수술적인 방법을 우선 고려해야 한다. 하지만 수술은 위림프종을 병리학적으로 진단하거나 병기를 결정할 때, 비수술적 치료에 실패하거나 비수술적 치료 후 나타난 부작용을 치료할 때 사용될 수 있다.

(2) 점막연관림프조직 림프종

2016년에 개정된 WHO 분류에 따르면 점막연관림프조직(mucosa-associated lymphoid tissue, MALT)의 림프절 외 변연부림프종은 점막연관림프조직 림프종으로 줄여 표기할 수 있다. 위에 발생한 점막연관림프조직 림프종 환자의 약 90% 이상은 *H. pylori* 검사결과 양성을 보인다. 1990년대에 *H. pylori* 양성인 이들 환자를 항생제로 치료하여 완전관해를 얻은 결과가 발표된 이후, 항생제 치료가 일차 치료로 사용된다. 반면 *H. pylori* 검사결과 음성인 환자에게는 일차 치료로 방사선치료를 시행할 수 있다. 따라서 점막연관림프조직 림프종 환자의 방사선치료 적응증은 다음과 같다.

① *H. pylori* 음성인 병기 1기 혹은 2기 환자
② *H. pylori* 양성 환자에서 항생제 치료 후
- *H. pylori* 감염은 치료되었으나 림프종 병변이 남아 있는 경우
- 계속 *H. pylori* 양성이면서 림프종 병변이 진행되고 있는 경우
- 관해상태였으나 추적관찰 기간 동안 림프종이 재발한 경우

H. pylori 양성인 환자에서 항생제 치료 이후 방사선치료 시점을 결정하는 데 있어 다음과 같은 요소를 고려해야 한다. 항생제 치료 후 완전관해에 도달하는데 걸리는 일반적으로 4주에서 12개월 정도이며, 평균값은 약 5개월이다. 따라서 6~12개월까지는 완전관해 가능성을 염두하여 추적관찰을 유지할 수 있다. 일부 환자에서는 15~19개월 시점에 완전관해가 관찰되었고, 따라서 제한적인 경우에 한하여 12개월 이상까지도 지켜볼 수 있다.

림프종의 방사선치료 범위는 현재 'involved-site' 방사선치료가 표준치료방법이다. 이는 기존에 사용되던 병소조사영역(involved-field) 방사선치료에 비해 더 작은 영역을 치료 범위로 설정한다. 다만 위림프종의 경우 다병소의 형태로 많이 관찰되며, 특히 점막연관림프조직 림프종의 경우 항암화학요법을 시행하지 않는 경우가 많기 때문에 involved-site 방사선치료 시에도 위 전체를 방사선치료 범위에 포함시키는 것이 원칙이다(그림 48-23). 위주변부림프절(perigastric lymph node)은 의도하지 않더라도 치료체적(treatment volume)에 포함되는 경우가 많으며, 비정상적으로 커졌거나 의심스러운 경우 해당 림프절 또한 임상표적체적(clinical target volume)에 포함시킨다. 국내 한 연구에 의하면

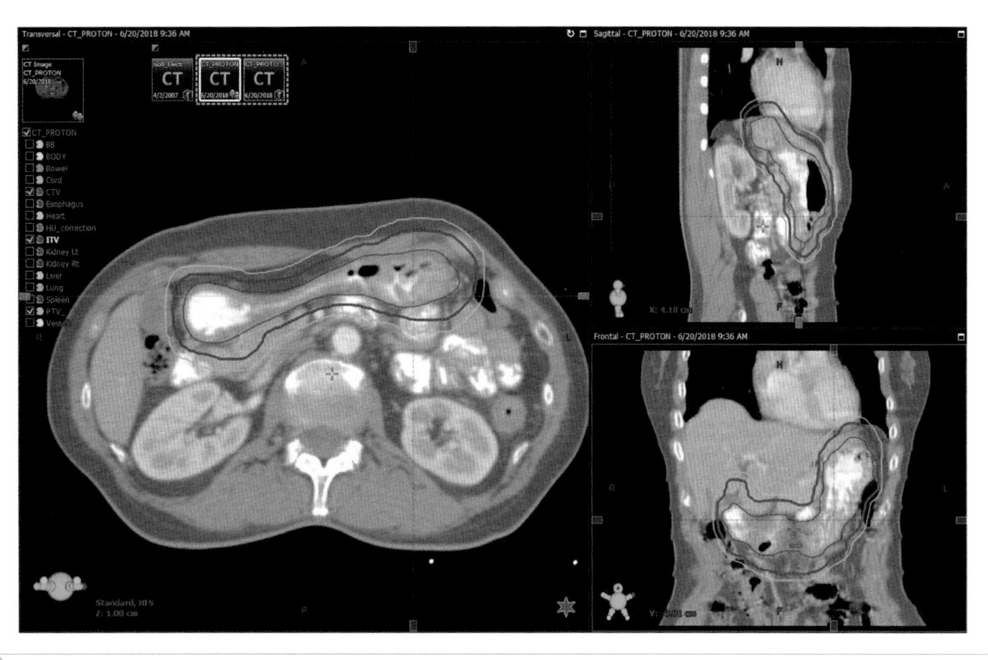

그림 48-23 위에서 시작한 림프절외변연부B세포림프종 치료의 모식도.

저등급 림프종의 경우 전체 45명 중 24.4%에서 림프절 전이가 있었으며, 이중 1명을 제외한 모든 환자에서 림프절 전이가 제1군 영역 림프절에 국한되어 있었다. 이는 점막연관림프조직 림프종의 경우 위벽 침범 정도에 상관 없이 림프절 전이가 위 주변 림프절에 국한되므로 방사선치료를 시행할 때는 위 전체와 주변 림프절을 포함하여 치료해야함을 뒷받침하는 결과이다.

방사선조사선량은 일반적으로 일일 선량 1.5~1.8 Gy로 총 30~36 Gy까지 조사한다. 현재 가장 널리 사용되는 선량분할은 30 Gy를 20회에 걸쳐 조사하는 것이다. 또한 환자에게 공복 상태를 유지하도록 하여 가능하면 방사선조사 범위를 충분히 좁혀 방사선 부작용을 최소한으로 줄이도록 한다. 위의 용적 및 위치는 내부 음식물의 양에 영향을 받으므로 금식 상태에서 치료계획 및 치료가 시행되어야 하며, 호흡에 따른 움직임을 반영하기 위하여 4D-CT 또는 fluoroscopy를 시행한다. 3차원 입체조형방사선치료(3-dimensiomal conformal radiotherapy) 또는 세기조절방사선치료(intensity-modulated radiotherapy) 등의 치료기법이나 양성자빔 치료 등의 입자방사선을 이용하면 간이나 콩팥에 조사되는 방사선 선량을 줄여 부작용을 감소시킬 수 있다.

위에 발생한 점막연관림프조직 림프종에 방사선치료를 시행한 일부 연구들은 30 Gy 정도의 방사선 선량으로 약 95%의 완전관해 및 90%의 무병 생존율을 이루었다고 보고하였다.

(3) 미만성대B세포림프종의 방사선치료

1990년대 위장관림프종을 포함한 고등급 림프종 환자의 치료에 있어서 항암화학요법이 효과적이라는 사실이 알려지고 수술 시행 여부가 치료결과에 영향을 끼치지 못한다는 연구결과가 발표되었다. 이후 위장관림프종에 대한 치료개념은 림프절에 발생한 림프종과 같이 비수술적 치료가 보편화되었다.

이후 미만성대B세포림프종을 치료하는 데 있어 고전적인 항암화학요법인 CHOP(cyclophasphamide, doxorubicin, vincristine, prednisone)만으로는 재발률이 높다는 사실이 알려지고, CHOP 항암화학요법과 함께 방사선치료를 시행하는 것이 재발률을 줄이고 치료성적을 향상시킨다는 연구결과가 발표되면서 CHOP 항암화학요법에 이은 방사선치료는 위림프종에 있어서도 표준치료로 간주되었다. 일부 전향적 연구를 통해 방사선치료를 생략하고 항암화학요법 만으로 비슷한 치료성적을 낼 수 있다는 연구결과가 발표되었으나, 이들 연구는 방사선치료군에서 방사선치료가 적절히 시행되지 못하였거나, 너무 강한 항암화학요법을 사용함으로써 그만큼 큰 부작용이 발생하였다는 문제점이 있었기에 방사선치료를 생략하는 근거로 인정되지 못하였다.

리툭시맙이 개발됨에 따라 3회의 R-CHOP 치료에 이은 방사선치료의 치료성적이 발표되었고 이는 과거에 CHOP+RT의 치료성적보다 좋은 것이 알려지게 되었다. 다만 R-CHOP 치료법이 기존의 CHOP 치료법에 비해 효과적이라는 사실은, 기존에 제기되던 방사선치료의 생략 가능 여부에 대한 질문으로 이어졌고 이는 아직까지 명확한 결론을 얻지 못하였다. 그 이유는 현재까지 R-CHOP 요법과 더불어 방사선치료 유무에 따른 치료성적을 분석한 전향적 3상 연구는 발표되지 않았기 때문이다. 다만 여러 후향적 연구들을 통해 방사선치료를 시행하는 것이 무병 생존율을 향상시키고 전체 생존율 향상에 도움이 될 수 있음이 알려졌다. 또한 이 쟁점에 대한 해답을 얻기 위해 계획된 UNFOLDER trial의 경우 R-CHOP-14와 R-CHOP-21의 치료성적 및 RT 유무에 따른 차이를 밝히기 위해 2x2 형태로 계획되었으나, RT를 시행하지 않은 군의 치료성적이 RT를 시행한 군에 비해 확연히 떨어지는 결과를 보여, 방사선치료에 대한 무작위 연구는 조기 종료되었다. 이러한 결과들을 바탕으로 현재 고등급 위림프종에 대한 치료는 국소적으로 제한된 병기 1, 2기 환자의 경우에는 첫 치료로 3~4회의 R-CHOP (rituximab, cyclophosphamide, doxorubicin, vincristine and prednisone) 치료 후 'involved-site' 방사선치료를 시행하는 것이 가장 일반적이다. 반면 전신적으로 진행된 위림프종의 경우에는 6~8회의 R-CHOP 치료를 시도한다.

참고문헌

1. Ahlawat S, Kanber Y, Charabaty-Pishvaian A. et al. Primary Mucosa-associated Lymphoid Tissue (MALT) lymphoma occurring in the rectum: a case report and review of the literature. South Med J 2006;99:1378-1284.
2. Al-Akwaa AM, Siddiqui N, Al-Mofleh IA. Primary gastric lymphoma. World J Gastroenterol 2004;10:5-11.
3. Amer MH, el-Akkad S. Gastrointestinal lymphoma in adults: clinical features and management of 300 cases. Gastroenterology 1994;106:846-858.
4. Andrea M, Renate S, Christian T, et al. Therapy of gastric mucosa associated lymphoid tissue lymphoma, World J Gastroenterol 2007;13:3554-3566.
5. Andriani A, Zullo A, Di Raimondo F, Patti C, Tedeschi L, Recine U, et al. Clinical and endoscopic presentation of primary gastric lymphoma: a multicentre study. Aliment Pharmacol Ther 2006;23:721-726.
6. Asano N, Iijima K, Koike T, et al. *Helicobacter-pylori*-negative gastric mucosa-associated lymphoid tissue lymphomas: A review. World J Gastroenterol 2015;21:8014-8020.
7. Aviles A, Diaz-Maqueo JC, de la Torre A, et al. Is surgery necessary in the treatment of primary gastric non-Hodgkin lymphoma. Leuk Lymphoma 1991;5:365-369.
8. Aviles A, Nambo MJ, Neri N, et al. Mucosa-associated lymphoid tissue (MALT) lymphoma of the stomach: results of a controlled clinical trial. Med Oncol 2005;22:57-62.
9. Aviles A, Nambo MJ, Neri N, et al. The role of surgery in primary gastric lymphoma: results of a controlled clinical trial. Ann Surg 2004;240:44-50.
10. Barth TFE, Barth CA, Kestler HA, et al. Transcriptional profiling suggests that secondary and primary large B-cell lymphomas of the gastrointestinal (GI) tract are blastic variants of GI marginal zone lymphoma. J Pathol 2007;211:305-313.
11. Bartlett DL, Karpeh MS Jr, Filippa DA, et al. Long-term follow up after curative surgery for early gastric lymphoma. Ann Surg 1996;223:53-62.
12. Bellesi G, Messori A, Alterini R, et al. Combined surgery and chemotherapy for the treatment of primary gastrointestinal intermediate-or high-grade Non-Hodgkin's lympliomas. Br J Cancer 1989;60:244-248.
13. Binn M, Ruskone-Fourmestraux A, Lepage E, Haioun C, Delmer A, Aegerter P, et al. Surgical resection plus chemotherapy versus chemotherapy alone: comparison of two strategies to treat diffuse large B-cell gastric lymphoma. Ann Oncol 2003;14:1751-1757.
14. Blazquez M, Haioun C, Chaumette MT, et al. Low grade B cell mucosa associated lymphoid tissue lymphoma of the stomach: clinical and endoscopic features, treatment, and outcome. Gut 1992;33:1621-1625.
15. BLOCH C. Roentgen features of Hodgkin's disease of the stomach. American Journal of Roentgenology 1967;99:175-181.
16. Bonadonna G, Valagussa P. Should lymphomas of gastrointestinal tract be treated differently from other disease presentations? Eur J Clin Oncol 1986;22:1295-1299.
17. Bonnet C, Fillet G, Mounier N, et al. CHOP alone compared with CHOP plus radiotherapy for localized aggressive lymphoma in elderly patients: a study by

the Groupe d'Etude des Lymphomes de l'Adulte. J Clin Oncol 2007;25:787-792.
18. Brady L, Asbell S. Malignant lymphoma of the gastrointestinal tract. Erskine Memorial Lecture, 1979. Radiology 1980;137:291-298.
19. Brands F, Monig SP, Raab M. Treatment and prognosis of gastric lymphoma. Eur J Surg 1997;163:803-813.
20. Brincker H, D' Amore F. A retrospective analysis of treatment outcome in 106 cases of localized gastric non- Hodgkin lymphoma. Danish Lymphoma Study Group, LYFO. Leuk Lymphoma 1995;18:281-288.
21. Brooks JJ, Enterline HT. Primary gastric lymphomas. A clinicopathologic study of 58 cases with long-term follow-up and literature review. Cancer 1983;51:701-711.
22. Buy J, Moss A. Computed tomography of gastric lymphoma. American Journal of Roentgenology 1982;138:859-865.
23. Caletti G, Ferrari A, Brocchi E, Barbara L. Accuracy of endoscopic ultrasonography in the diagnosis and staging of gastric cancer and lymphoma. Surgery 1993;113:14-27.
24. Cavalli F, Isaacson PG, Gascoyne RD, Zucca E. MALT lymphomas. Hematology Am Soc Hematol Educ Program 2001:241-258.
25. Chen Y, Chen Y, Chen S, Wu L, Xu L, Lian G, et al. Primary gastrointestinal lymphoma: a retrospective multicenter clinical study of 415 cases in chinese province of guangdong and a systematic review containing 5075 Chinese patients. Medicine (Baltimore) 2015; 94:2119.
26. Cho K, Baker S, Alterman D, Fusco J, Cho S. Transpyloric spread of gastric tumors: comparison of adenocarcinoma and lymphoma. AJR. American journal of roentgenology 1996;167:467-469.
27. Choi D, Lim HK, Lee SJ, Lim JH, Kim SH, Lee WJ, et al. Gastric mucosa-associated lymphoid tissue lymphoma: helical CT findings and pathologic correlation. American Journal of Roentgenology 2002;178:1117-1122.
28. Choi MK, Kim GH. Diagnosis and treatment of gastric MALT lymphoma. Korean J Gastroenterol 2011;57: 272-280.
29. Cogliatti SB, Schimid U, Schumacher U, et al. Primary B-cell gastric iymphoma: a clinicopathological study of 145 patients. Gastroenterology 1991;101:1159-1170.
30. Coiffier B, Lepage E, Briere J, Herbrecht R, Tilly H, Bouabdallah R, et al. CHOP chemotherapy plus rituximab compared with CHOP alone in elderly patients with diffuse large-B-cell lymphoma. N Engl J Med 2002;346:235-242.
31. Connor J, Ashton-Key M. Gastric and intestinal diffuse large B-cell lymphomas are clinically and immunophenotypically different. An immunohistochemical and clinical study. Histopathology 2007;51:697-703.
32. Cook JR, Harris NL, Isaacson PG, et al. Heavy chain disease. In: WHO classification of tumours of haematopoietic and lymphoid tissues. Swedlow SH, Campo E, Harris NL, eds. Lyon: IARC 2017:237-240.
33. Dave SS, Fu K, Wright GW, et al. Molecular diagnosis of Burkitt's lymphoma. N Engl J Med. 2006;354:2431-2442.
34. de Dong D, Aleman BM, Taal BG, et al. Controversies and consensus in the diagnosis, work-up and treatment of gastric iymphoma: an international survey. Ann Oncol 1999;10:275-280.
35. de Jong D, Boot H, van Heerde P, Hart GA, Taal BG. Histological grading in gastric lymphoma: pretreatment criteria and clinical relevance. Gastroenterology 1997;112:1466-1474.
36. Di Marco A, Altini E, Rizzotti A, et al. Primary non-Hodgkin's lymphomas of gastrointestinal tract: analysis of 41 cases. Tumori 1990;76:379-384.
37. Du M, Diss TC, Xu C, et al. Ongoing mutation in MALT lymphoma immunoglobulin gene that antigen stimulation plays a role in the clonal expansion. Leukemia. 1996;10:1190-1197.
38. Dunnick NR, Harell G, Parker B. Multiple "bull's-

eye"lesions in gastric lymphoma. American Journal of Roentgenology 1976;126:965-969.

39. Eidt S, Stolte M, Fischer R. *Helicobacter pylori* gastritis and primary gastric non-Hodgkin's lymphomas. J Clin Pathol 1994;47:436-439.

40. Farinha P, Gascoyne RD. *Helicobacter pylori* and MALT lymphoma. Gastroenterology 2005;128:1579-1605.

41. Ferfuson A. Intraepithelial lymphocytes of the small intestine. Gut 1977;18:921-937.

42. Ferreri AJ, Cordio S, Paro S, et al. Therapeutic management of stage I-II high-grade primary gastric lymphomas. Oncology 1999;56:274-282.

43. Ferrucci PF, Zucca E. Primary gastric lymphoma pathogenesis and treatment: what has changed over the past 10 years? Br J Haematol 2007;136:521-538.

44. Fischbach W, Goebeler-Kolve M, Starostik P, et al. Minimal residual low-grade gastric MALT-type lymphoma after eradication of *Helicobacter pylori*. Lancet 2002;360:547-548.

45. Fischbach W, Goebeler-Kolve ME, Dragosics B, et al. Long term outcome of patients with gastric marginal zone B cell lymphoma of mucosa associated lymphoid tissue (MALT) following exclusive *Helicobacter pylori* eradication therapy: experience from a large prospective series. Gut 2004;53:34-37.

46. Fleming JD, Mitchell S, Dilawari RA. The role of surgery in the management of gastric lymphoma. Cancer 1982;49:1135.

47. Fox ER, Laufer I, Levine M. Response of gastric lymphoma to chemotherapy: radiographic appearance. American Journal of Roentgenology 1984;142:711-714.

48. Fox JG. The non-*H. pylori* helicobacters: their expanding role in gastrointestinal and systemic diseases. Gut 2002;50:273-283.

49. Fu K, Weisenburger DD, Greiner TC, et al. Cyclin D1-negative mantle cell lymphoma: a clinicopathologic study based on gene expression profiling. Blood 2005; 106:4315-4321.

50. Gaal K, Sun NC, Hernandez AM, et al. Sinonasal NK/T-cell lymphomas in the United States. Am J Surg Pathol 2000;24:1511-1517.

51. Ghai S, Pattison J, Ghai S, O'Malley ME, Khalili K, Stephens M. Primary gastrointestinal lymphoma: spectrum of imaging findings with pathologic correlation. Radiographics 2007;27:1371-1388.

52. Ghimire P, Wu GY, Zhu L. Primary gastrointestinal lymphoma. World J Gastroenterol 2011;17:697-707.

53. Gong EJ, Ahn JY, Jung HY, Park H, Ko YB, Na HK, et al. *Helicobacter pylori* eradication therapy is effective as the initial treatment for patients with *H. pylori*-negative and disseminated gastric mucosa-associated lymphoid tissue lymphoma. Gut Liver 2016;10:706-713.

54. Gospodarowicz M, Tsang R. Mucosa-associated lymphoid tissue lymphomas. Curr Oncol Rep 2000;2:192-198.

55. Hammel P, Haioun C, Chaumette MT, et al. Efficacy of single-agent chemotherapy in low-grade B-cell mucosa-associated lymphoid tissue lymphoma with prominent gastric expression. J Clin Oncol 1995;13:2524-2529.

56. Hancock BW, Qian W, Linch D, Delchier JC, Smith P, Jakupovic I, et al. Chlorambucil versus observation after anti-Helicobacter therapy in gastric MALT lymphomas: results of the international randomised LY03 trial. Br J Haematol 2009;144:367-375.

57. Harris NL, Jaffe ES, Stein H, Banks PM, Chan JK, Cleary ML, et al. A revised European-American classification of lymphoid neoplasms: a proposal from the International Lymphoma Study Group. Blood 1994; 84:1361-1392.

58. Herrmann R, Panahon AM, Barcos MP, et al. Gastrointestinal involvement in non-Hodgkin's lymphoma. Cancer 1980;46:215-222.

59. Horning SJ, Weller E, Kim K, et al. Chemotherapy with or without radiotherapy in limited-stage diffuse

aggressive non-Hodgkin's lymphoma: Eastern Cooperative Oncology Group study 1484. J Clin Oncol 2004;22:3032-3038.

60. Howden CW, Hunt RH. Guidelines for the management of *Helicobacter pylori* infection. Ad Hoc Committee on Practice Parameters of the American College of Gastroenterology. Am J Gastroenterol 1998;93: 2330-2338.
61. Hricak H, Thoeni RF, Margulis A, Eyler WR, Francis IR. Extension of gastric lymphoma into the esophagus and duodenum. Radiology 1980;135:309-312.
62. Hummel M, Bentink S, Berger H, et al. A biologic definition of Burkitt's lymphoma from transcriptional and genomic profiling. N Engl J Med 2006;354:2419-2430.
63. Hyeon J, Lee B, Shin SH, et al. Targeted deep sequencing of gastric marginal zone lymphoma identified alterations of TRAF3 and TNFAIP3 that were mutually exclusive for MALT1 rearrangement. Mod Pathol. 2018;31:1418-1428.
64. Illidge T, Specht L, Yahalom J, et al. Modern radiation therapy for nodal non-Hodgkin lymphoma-target definition and dose guidelines from the International Lymphoma Radiation Oncology Group. Int J Radiat Oncol Biol Phys 2014;89:49-58.
65. Isaacson P, Wright DH. Malignant lymphoma of mucosa-associated lymphoid tissue. A distinctive type of B-cell lymphoma. Cancer 1983;52:1410-1416.
66. Isaacson PG. Gastrointestinal lymphomas of T- and B-cell types. Mod Pathol 1999;12:151-158.
67. Ishihara R, Tatsuta M, Iishi H, Uedo N, Narahara H, Ishiguro S. Usefulness of endoscopic appearance for choosing a biopsy target site and determining complete remission of primary gastric lymphoma of mucosa-associated lymphoid tissue after eradication of *Helicobacter pylori* infection. Am J Gastroenterol 2002;97:772-774.
68. Jaffe ES, Chott A, Ott G, et al. Intestinal T cell lymphoma. In WHO classification of tumopurs of haematopoietuc and lymphoid tissues. Swerdlow SH, Campo E, Harris NL, eds. Lyon: IARC, 2017:372-380.
69. Jaffe ES. The 2008 WHO classification of lymphomas: implications for clinical practice and translational research. Hematology Am Soc Hematol Educ Program 2009:523-531.
70. Jares P, Campo E, Pinyol M, et al. Expression of retinoblastoma gene product (pRb) in mantle cell lymphomas. Correlation with cyclin D1 (PRAD1/CCND1) mRNA levels and proliferative activity. Am J Pathol 1996;148:1591-1600.
71. Jiang L, Gu ZH, Yan ZX, et al. Exome sequencing identifies somatic mutations of DDX3X in natural killer/T-cell lymphoma. Nat Genet 2015;47:1061-1066.
72. Juarez-Salcedo LM, Sokol L, Chavez JC et al. Primary gastric lymphoma, epidemiology, clinical diagnosis, and treatment. Cancer Control 2018;25:1-12.
73. Kajanti M, Karkinen-Jauskelainen M, Rissanen P. Primary gastrointestinal non-Hodgkin's lymphoma. Acta Oncol 1988;27:51-55.
74. Kim JH, Kim WS, Ko YH, et al. Clinical investigation of gastric MALT lymphoma. Korean J Med 2001;61: 417-423.
75. Kim JM, Ko YH, Lee SS, et al. WHO classification of malignant lymphomas in Korea: report of the third nationwide Study. Korean J Pathol 2011;45:254-260.
76. Kim JS, Chung SJ, Choi YS, Cheon JH, Kim CW, Kim SG, et al. *Helicobacter pylori* eradication for low-grade gastric mucosa-associated lymphoid tissue lymphoma is more successful in inducing remission in distal compared to proximal disease. Br J Cancer 2007;96:1324-1328.
77. Kim JW, Shin SS, Heo SH, Lim HS, Lim NY, Park YK, et al. The role of three-dimensional multidetector CT gastrography in the preoperative imaging of stomach cancer: emphasis on detection and localization of the tumor. Korean journal of radiology 2015;16:80-89.
78. Kim SY. Time trends in the prevalence of *Helicobacter pylori* infection and future directions in Korea.

Korean J Helicobacter Up Gastrointest Res. 2016;16; 123-128.

79. Kluin PM, Harris NL, Stein H, et al. High-grade B-cell lymphoma. In WHO classification of tumopurs of haematopoietuc and lymphoid tissues. Swerdlow SH, Campo E, Harris NL, eds. Lyon: IARC, 2017:335-341.
80. Ko YH, Ree HJ, Kim WS, et al. Clinicopathologic and genotypic study of extranodal nasal-type natural killer/T-cell lymphoma and natural killer precursor lymphoma among Koreans. Cancer 2000;89:2106-2016.
81. Koch P, del Valle F, Berdel WE, et al. Primary gastrointestinal non-Hodgkin's lymphoma: II. Combined surgical and conservative or conservative management only in localized gastric lymphoma-results of the prospective German Multicenter Study GIT NHL 01/92. J Clin Oncol 2001;19:3874-3883.
82. Koch P, del Valle F, Berdel WE, et al. Primary gastrointestinal non-Hodgkin's lymphoma: II. Combined surgical and conservative or conservative management only in localized gastric lymphoma-results of the prospective German Multicenter Study GIT NHL 01/92. J Clin Oncol 2001;19:3874-3883.
83. Koch P, del Valle F, Berdel WE, Willich NA, Reers B, Hiddemann W, et al. Primary gastrointestinal non-Hodgkin's lymphoma: I. Anatomic and histologic distribution, clinical features, and survival data of 371 patients registered in the German multicenter study GIT NHL 01/92. J Clin Oncol 2001;19:3861-3873.
84. Koch P, Probst A, Berdel WE, et al. Treatment results in localized primary gastric lymphoma: data of patients registered within the German multicenter study (GIT NHL 02/96). J Clin Oncol 2005;23:7050-7059.
85. Koch P, Probst A, Berdel WE, Willich NA, Reinartz G, Brockmann J, et al. Treatment results in localized primary gastric lymphoma: data of patients registered within the German multicenter study (GIT NHL 02/96). J Clin Oncol 2005;23:7050-7059.
86. Kodera Y, Yamamura Y, Nakamura S, et al. The role of radical gastrectomy with systematic lymphadenectomy for the diagnosis and treatment of primary gastric lymphoma. Ann Surg 1998;227:45-50.
87. Lee JY, Kim N. Future trends of *Helicobacter pylori* eradication therapy in Korea. Korean J Gastroenterol 2014;63:158-170.
88. Lee S, Park HY, Kang SY, et al. Genetic alterations of JAK/STAT cascade and histone modification in extranodal NK/T-cell lymphoma nasal type. Oncotarget. 2015;6:17764-17776.
89. Lee SK, Lee YC, Chung JB, Chon CY, Moon YM, Kang JK, et al. Low grade gastric mucosa associated lymphoid tissue lymphoma: treatment strategies based on 10 year follow-up. World J Gastroenterol 2004;10: 223-226.
90. Lee SY, Kim JJ, Lee JH, Kim YH, Rhee PL, Paik SW, et al. Synchronous adenocarcinoma and mucosa-associated lymphoid tissue (MALT) lymphoma in a single stomach. Jpn J Clin Oncol 2005;35:591-594.
91. Levine M, Rubesin S, Pantongrag-Brown L, Buck J, Herlinger H. Non-Hodgkin's lymphoma of the gastrointestinal tract: radiographic findings. AJR. American journal of roentgenology 1997;168:165-172.
92. Levine MS, Pantongrag-Brown L, Aguilera NS, Buck JL, Buetow PC. Non-Hodgkin lymphoma of the stomach: a cause of linitis plastica. Radiology 1996;201: 375-378.
93. Lewis RB, Mehrotra AK, Rodríguez P, Manning MA, Levine MS. From the radiologic pathology archives: gastrointestinal lymphoma: radiologic and pathologic findings. Radiographics 2014;34:1934-1953.
94. Liang R, Chiu E, Todd D, et al. Chemioterapy for early-stage gastrointestinal lymphoma. Cancer Chemiother Pharmacol 1991;27:385-388.
95. Liang R, Todd D, Chan TK, et al. Gastrointestinal lymphoma in Chinese-a retrospective analysis. Hematol Oncol 1987;5:115-126.
96. Libshitz HI, Lindell MM, Maor MH, Fuller LM. Appearance of the intact lymphomatous stomach following radiotherapy and chemotherapy. Gastrointestinal

radiology 1985;10:25-29.

97. Lim HW, Kim TH, Choi IJ, et al. Radiation therapy for gastric mucosa-associated lymphoid tissue lymphoma: dose-volumetric analysis and its clinical implications. Radiat Oncol J 2016;34:193-201.
98. List AF, Greer JP, Cousar JC, et al. Non-Hodgkin's Lymphoma of the gastrointestinal tract: An analysis of clinical and pathologic features affecting outcome. J Clin Oncol 1988;6:1125-1133.
99. lymphoma of the stomach. Am Gastroenterol 1983; 78:780-787.
100. Mafune K, Tanaka Y, Suda Y, et al. Outcome of patients with non-Hodgkin's lymphoma of the stomach after gastrectomy: clinicopathologic study and reclassification according to the revised European-American lymphoma classification. Gastric Cancer 2001;4:137-143.
101. Maor MH, Maddux B, Osborne BM, et al. Stage IE and IIE non-Hodgkin's lymphomas of the stomach: comparison of treatment modalities. Cancer 1984;54: 2330-2337.
102. Marcheselli L, Marcheselli R, Bari A, et al. Radiation therapy improves treatment outcome in patients with diffuse large B-cell lymphoma. Leuk Lymphoma 2011;52:1867-1872.
103. Megibow A, Balthazar E, Naidich D, Bosniak M. Computed tomography of gastrointestinal lymphoma. American Journal of Roentgenology 1983;141:541-547.
104. Menuck LS. Gastric lymphoma, a radiologic diagnosis. Gastrointestinal radiology 1976;1:157-161.
105. Miller TP, Dahlberg S, Cassady JR, et al. Chemotherapy alone compared with chemotherapy plus radiotherapy for localized intermediate- and high-grade non-Hodgkin's lymphoma. N Engl J Med 1998;339:21-26.
106. Mittal B, Wasserman TH, Griffith RC. Non-Hodgkin's
107. Moleiro J, Ferreira S, Lage P, Dias Pereira A. Gastric malt lymphoma: analysis of a series of consecutive patients over 20 years. United European Gastroenterol J 2016;4:395-402.
108. Morgner A, Lehn N, Andersen LP, Thiede C, Bennedsen M, Trebesius K, et al. Helicobacter heilmannii-associated primary gastric low-grade MALT lymphoma: complete remission after curing the infection. Gastroenterology 2000;118:821-828.
109. Mozos A, Royo C, Hartmann E, et al. SOX11 expression is highly specific for mantle cell lymphoma and identifies the cyclin D1-negative subtype. Haematologica 2009;94:1555-1562.
110. Nairismägi ML, Tan J, Lim JQ, et al. JAK-STAT and G-protein-coupled receptor signaling pathways are frequently altered in epitheliotropic intestinal T-cell lymphoma. Leukemia 2016;30:1311-1319.
111. Nakamura S, Akazawa K, Yao T, et al. Primary gastric lymphoma: a clinicopathologic study of 233 cases with special reference to evaluation with the MIB-1 index. Cancer 1995;76:1313-1324.
112. Nakamura S, Matsumoto T, Iida M, Yao T, Tsuneyoshi M. Primary gastrointestinal lymphoma in Japan: a clinicopathologic analysis of 455 patients with special reference to its time trends. Cancer 2003;97:2462-2473.
113. Nakamura S, Matsumoto T, Suekane H, et al. Long-term Clinical Outcome of *Helicobacter pylori* Eradication for Gastric Mucosa-Associated Lymphoid Tissue Lymphoma with a Reference to Second- Line Treatment. Cancer 2005;104:532-540.
114. Nakamura S, Sugiyama T, Matsumoto T, et al. Long-term clinical outcome of gastric MALT lymphoma after eradication of *Helicobacter pylori*: a multicenter cohort follow-up study of 420 patients in Japan. Gut 2012; 61:507-513.
115. Nakamura S, Sugiyama T, Matsumoto T, Iijima K, Ono S, Tajika M, et al. Long-term clinical outcome of gastric MALT lymphoma after eradication of *Helicobacter pylori*: a multicentre cohort follow-up study of 420 patients in Japan. Gut 2012;61:507-513.
116. Nakamura S, Sugiyama T, Matsumoto T, Iijima K,

Ono S, Tajika M, et al. Long-term clinical outcome of gastric MALT lymphoma after eradication of *Helicobacter pylori*: a multicentre cohort follow-up study of 420 patients in Japan. Gut 2012;61:507-513.

117. Nakamura S, Ye H, Bacon CM, Goatly A, Liu H, Banham AH, et al. Clinical impact of genetic aberrations in gastric MALT lymphoma: a comprehensive analysis using interphase fluorescence in situ hybridisation. Gut 2007;56:1358-1363.
118. Ng SB, Lai KW, Murugaya S, et al. Nasal-type extranodal natural killer/T-cell lymphomas: a clinicopathologic and genotypic study of 42 cases in Singapore. Mod Pathol 2004;17:1097-1107.
119. Ohsawa M, Nakatsuka S, Kanno H, et al. Immunophenotypic and genotypic characterization of nasal lymphoma with polymorphic reticulosis morphology. Int J Cancer. 1999;81:865-870.
120. Ott G, Katzenberger T, Lohr A, et al. Cytomorphologic, immunohistochemical, and cytogenetic profiles of follicular lymphoma: 2 types of follicular lymphoma grade 3. Blood 2002;99:3806-3812.
121. Park W, Chang SK, Yang WI, et al. Rationale for radiotherapy as a treatment modality in gastric mucosa-associated lymphoid tissue lymphoma. Int J Radiat Oncol Biol Phys 2004;58:1480-1486.
122. Perry AM, Bailey NG, Bonnett M, et al. Disease Progression in a Patient With Indolent T-Cell Lymphoproliferative Disease of the Gastrointestinal Tract. Int J Surg Pathol. 2018 1:1066896918785985. doi: 10.1177/1066896918785985. [Epub ahead of print] PubMed PMID: 29986618.
123. Perry AM, Warnke RA, Hu Q, et al. Indolent T-cell lymphoproliferative disease of the gastrointestinal tract. Blood 2013;122:3599-3606.
124. Persky DO, Unger JM, Spier CM, et al. Phase II study of rituximab plus three cycles of CHOP and involved-field radiotherapy for patients with limited-stage aggressive B-cell lymphoma: Southwest Oncology Group study 0014. J Clin Oncol 2008;26:2258-2263.
125. Pfreundschuh M, Trumper L, Osterborg A, Pettengell R, Trneny M, Imrie K, et al. CHOP-like chemotherapy plus rituximab versus CHOP-like chemotherapy alone in young patients with good-prognosis diffuse large-B-cell lymphoma: a randomised controlled trial by the MabThera International Trial (MInT) Group. Lancet Oncol 2006;7:379-391.
126. Phan J, Mazloom A, Medeiros LJ, et al. Benefit of consolidative radiation therapy in patients with diffuse large B-cell lymphoma treated with R-CHOP chemotherapy. J Clin Oncol 2010;28:4170-4176.
127. Psyrri A, Papageorgiou S, Economopoulos T. Primary extranodal lymphomas of stomach: clinical presentation, diagnostic pitfalls and management. Ann Oncol 2008;19:1992-1999.
128. Puspok A, Raderer M, Chott A, Dragosics B, Gangl A, Schofl R. Endoscopic ultrasound in the follow up and response assessment of patients with primary gastric lymphoma. Gut 2002;51:691-694.
129. Qin Y, Greiner A, Trunk MJ, et al. Somatic hypermutation in low-grade mucosa-associated lymphoid tissue-type B-cell lymphoma. Blood 1995;86:3528-3534.
130. Quintanilla-Martinez L, Davies-Hill T, Fend F, et al. Sequestration of p27Kip1 protein by cyclin D1 in typical and blastic variants of mantle cell lymphoma (MCL): implications for pathogenesis. Blood 2003; 101:3181-3187.
131. Raina V, Sharma A, Vora A, et al. Primary gastrointestinal non Hodgkin's lymphoma chemotherapy alone an effective treatment modality: experience from a single centre in India. Indian J Cancer 2006;43:30-35.
132. Remstein ED, Dogan A, Einerson RR, et al. The incidence and anatomic site specificity of chromosomal translocations in primary extranodal marginal zone B-cell lymphoma of mucosa-associated lymphoid tissue (MALT lymphoma) in North America. Am J Surg Pathol 2006;30:1546-1553.
133. Reyes F, Lepage E, Ganem G, et al. ACVBP versus CHOP plus radiotherapy for localized aggressive lym-

phoma. N Engl J Med 2005;352:1197-1205.

134. Roggero E, Zucca E, Pinotti G, et al. Eradication of *Helicobacter pylori* infection in primary low-grade gastric lymphoma of mucosa-associated lymphoid tissue. Ann Intern Med 1995;122:767-769.
135. Romaguera J, Hagemeister FB. Lymphoma of the colon. Curr Opin Gastroenterol 2005;21:80-84.
136. Salar A, Juanpere N, Bellostillo B, et al. Gastrointestinal involvement in mantle cell lymphoma: a prospective clinic, endoscopic, and pathologic study. Am J Surg Pathol 2006;30:1274-1280.
137. Salles G, Herbrecht R, Tilly H, et al. Aggressive primary gastrointestinal lymphomas: review of 91 patients treated with the LNH-84 regimen. A study of the Groupe d'Etude des Lymphomes Agressifs. Am J Med 1991;90:77-84.
138. Sato T, Sakai Y, Ishiguro S, Furukawa H. Radiologic manifestations of early gastric lymphoma. American journal of roentgenology 1986;146:513-517.
139. Schechter NR, Portlock CS, Yahalom J. Treatment of mucosa-associated lymphoid tissue lymphoma of the stomach with radiation alone. J Clin Oncol 1998;16:1916-1921.
140. Seifert E, Schulte F, Weismuller J, de Mas CR, Stolte M. Endoscopic and bioptic diagnosis of malignant non-Hodgkin's lymphoma of the stomach. Endoscopy 1993;25:497-501.
141. Shepherd FA, Evans KW, Kutas G, et al. Chemotheray following surgery for stage IE and IIE non- Hodgkin' s lymphoma of the gastrointestinal tract. J Clin Oncol 1988;6:253-260.
142. Sherrick DW, Hodgson JR, Dockerty MB. The roentgenologic diagnosis of primary gastric lymphoma. Radiology 1965;84:925-932.
143. Song IS, Kim CW, Kim NK, et al. Mediterranean Lymphoma: A Case Report. Korean J Gastroenterol. 1998;32:104-109.
144. Steward WP, Harris M, Wagstaff J, et al. A retrospective study of the treatment of high grade histology non-Hodgkin's lymphoma involving the gastrointestinal tract. Eur J Cancer Clin Oncol 1985;21:1195.
145. Stiff PJ, Unger JM, Cook JR, Constine LS, Couban S, Stewart DA, et al. Autologous transplantation as consolidation for aggressive non-Hodgkin's lymphoma. N Engl J Med 2013;369:1681-1690.
146. StreubelB, Simonitsch-Klupp I, Mullauer L, et al. Variable frequencies of MALT lymphoma-associated genetic aberrations in MALT lymphomas of different sites. Leukemia 2004;18:1722-1726.
147. Suarez F, Lortholary O, Hermine O, Lecuit M. Infection-associated lymphomas derived from marginal zone B cells: a model of antigen-driven lymphoproliferation. Blood 2006;107:3034-3044.
148. Suekane H, Iida M, Yao T, Matsumoto T, Masuda Y, Fujishima M. Endoscopic ultrasonography in primary gastric lymphoma: correlation with endoscopic and histologic findings. Gastrointest Endosc 1993;39:139-145.
149. Taal BG, Boot H, van Heerde P, et al. Primary non-Hodgkin lymphoma of the stomach: endoscopic pattern and prognosis in low versus high grade malignancy in relation to the MALT concept. Gut 1996;39:556-561.
150. Taal BG, den Hartog Jager FC, Burgers JM, van Heerde P, Tio TL. Primary non-Hodgkin's lymphoma of the stomach: changing aspects and therapeutic choices. Eur J Cancer Clin Oncol 1989;25:439-450.
151. Taal BG, den Hartog Jager FC, Tytgat GN. The endoscopic spectrum of primary non-Hodgkin's lymphoma of the stomach. Endoscopy 1987;19:190-192.
152. Tondini C, Giardini R, Bozzetti F, et al. Combined modality treatment for primary gastrointestinal non-Hodgkin's lymphoma: The Milan Cancer Institute Experience. Annals of Oncology 1993;4:831-837.
153. Torigian DA, Levine MS, Gill NS, Rubesin SE, Fogt F, Schultz CF, et al. Lymphoid hyperplasia of the stomach: radiographic findings in five adult patients. American Journal of Roentgenology 2001;177:71-75.

154. Toth I, Nagy Z, Barna T, et al. Changes in the treatment Strategy of primary gastric lymphoma. Magy Seb 2007;60:79-86.
155. Tsang RW, Gospodarowicz MK, Pintilie M, et al. Localized mucosa-associated lymphoid tissue lymphoma treated with radiation therapy has excellent clinical outcome. J Clin Oncol 2003;21:4157-4164.
156. Verress B, Franzen L, Bodin L, et al. Duodenal intraepithelial lymphocyte-count revisited. Scand J Gastroenterol 2004:39:138-144.
157. Vrieling C, de Jong D, Boot H, et al. Long-term results of stomach-conserving therapy in gastric MALT lymphoma. Radiother Oncol 2008;87:405-411.
158. Weingrad DN, Decossa JJ, Sherlock P, et al. Primary gastrointestinal lymphoma, a 30-year review. Cancer 1982;49:1258-1265.
159. Weisenburger DD, Armitage JO. Mantle cell lymphoma-an entity comes of age. Blood 1996;87:4483-4494.
160. WHO classification of tumours of haematopoietic and lymphoid tissues. Swerdlow SH, Campo E, Harris NL, eds. Lyon: IARC, 2017.
161. Wotherspoon A, Ortiz-Hidalgo C, Falzon M, Isaacson P. *Helicobacter pylori*-associated gastritis and primary B-cell gastric lymphoma. The Lancet 1991;338:1175-1176.
162. Wotherspoon AC, Doglioni C, Diss TC, et al. Regression of primary low-grade B-cell gastric lymphoma of mucosa-associated lymphoid tissue type after eradication of *Helicobacter pylori*. Lancet 1993;342:575-577.
163. Wotherspoon AC, Doglioni C, Diss TC, Pan L, Moschini A, de Boni M, et al. Regression of primary low-grade B-cell gastric lymphoma of mucosa-associated lymphoid tissue type after eradication of *Helicobacter pylori*. Lancet 1993;342:575-577.
164. Wotherspoon AC, Doglioni C, Isaacson PG. Low-grade gastric B-cell lymphoma of mucosa-associated lymphoid tissue (MALT): a multifocal disease. Histopathology 1992;20:29-34.
165. Wotherspoon AC, Ortiz-Hidalgo C, Falzon MR, Isaacson PG. *Helicobacter pylori*-associated gastritis and primary B-cell gastric lymphoma. Lancet 1991;338:1175-1176.
166. Wundisch T, Thiede C, Morgner A, Dempfle A, Gunther A, Liu H, et al. Long-term follow-up of gastric MALT lymphoma after *Helicobacter pylori* eradication. J Clin Oncol 2005;23:8018-8024.
167. Yokoi T, Nakamura T, Nakamura S. Differential diagnosis of gastric MALT lymphomas. Stomach Intest 2001;36:13-20.
168. Yoon SS, Daniel GC, Carol SP, et al. The diminishing role of surgery in the treatment of gastric lymphoma. Ann Surg 2004;240:28-37.
169. Zornoza J, Dodd GD. Lymphoma of the gastrointestinal tract. Seminars in roentgenology: Elsevier, 1980: 272-287.
170. Zucca E, Bertoni F, Roggero E, Cavalli F. The gastric marginal zone B-cell lymphoma of MALT type. Blood 2000;96:410-419.

위장관 용종은 주변 점막에 비해 내강 쪽으로 돌출한 병변을 말한다. 위의 용종은 내시경검사 도중 약 2~3%에서 발견되는데 대부분 크기가 1 cm 이내이고, 증상이 없다. 위의 용종은 병리학적으로 위저선(fundic gland) 용종 같은 비종양성 용종, 위선종(adenoma) 같은 종양성 용종으로 분류할 수 있으며, 대부분이 종양성 용종인 대장 용종과는 달리 많은 경우가 비종양성 용종이다.

1. 위저선 용종

위저선 용종(fundic gland polyp)은 점막의 선구조(gland structure)가 국소적으로 증가하여 발생하는데 벽세포(parietal cell) 및 주세포(chief cell)로 이루어진 고유선이 확장되어 낭성(cystic) 변화를 보이는 것이 특징이다. 전체 위 용종의 47% 정도를 차지하며 여성에서 호발하고 40~69세의 연령에서 가장 많이 발견된다. 위저선 용종의 병인은 정확히 알려져 있지 않으며 대부분 산발성으로 발생한다. 그러나 가족성선종용종증(familial adenomatous polyposis) 환자의 약 반수에서 위저선 용종이 관찰되고, 흔히 베타카테닌(β-catenin) 유전자의 돌연변이가 동반되기 때문에 APC-카테닌계의 기능 소실이 원인으로 추측되고 있다. 대부분의 위저선 용종은 증상을 유발하지 않으며, 비종양성 용종이어서 악성화하는 경우는 거의 없으나 위저선 용종 환자의 대장 선종 또는 선암 발생 위험도가 높다는 보고도 있다. 위저선 용종의 이형성(dysplasia) 발생률은 산발성으로 발생한 경우 1~1.9%, 가족성선종용종증 환자에서 발생한 경우 25~44% 정도이다. 양성자펌프억제제를 12개월 이상 장기사용 시 위저선 용종의 발생이 증가할 수 있다.

내시경적으로 위저선 용종은 대부분 위 저부(fundus)나 체부(body)에서 발견되며 산발성인 경우 위저부와 체부에 주로 분포하는 10개 이하의 병소로 관찰되는 것이 보통이나, 50개 이상의 용종이 발생하기도 하며, 가족성선종성용종증 등의 유전 질환과 연관된 경우에는 수백 개 이상의 용종으로 관찰되기도 한다. 내시경적으로는 일반적으로 1~5 mm 크기의 무경성 반구형태로 나타나며, 주위 정상 점막과 닮은 연분홍색으로 보인다(그림 49-1). 일부 카르시노이드(carcinoid)의 경우 작은 용종들이 다발성으로 위저부에만 발생하는데, 위저선 용종과 감별하기가 어렵다. 표면이 황색조를 띠고, 겸자(forcep)로 눌러보았을 때 단단하다면 카르시

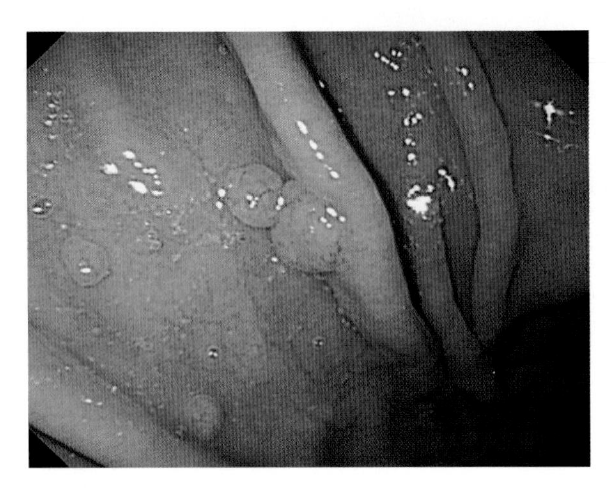

그림 49-1 **위저선 용종(내시경 소견).** 4개의 다양한 크기의 용종이 위체부 대만부에 모여 관찰된다.

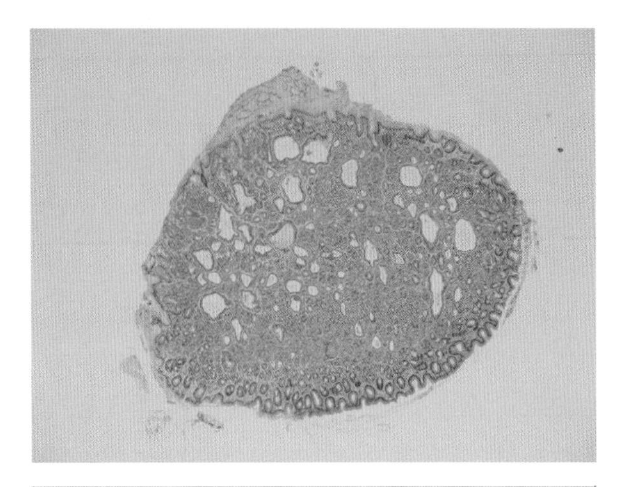

그림 49-2 **위저선 용종(현미경검사 소견).** 기저샘이 확장되어 소낭을 형성하고 있다.

노이드종양을 의심할 수 있다.

병리학적으로 낭성으로 확장되고 불규칙적으로 분지된 저선으로 보이는데, 이는 평평한 벽세포, 주세포, 점액함유경세포 등으로 구성되어 있다(그림 49-2).

산발성 발생이나 양성자펌프억제제 연관된 경우에 악성종양과의 연관성이 희박하기 때문에 일반적인 수준에서 위암 선별검사를 하는 것이 타당하다. 다수의 용종이 발생하였을 때는 유전질환과의 연관성에 대한 추가검사를 위하여 선택적으로 1~3년 내 추적검사를 시행하는 것과 유전질환 감별을 위한 대장내시경의 시행은 비교적 타당할 것으로 생각된다. 약화 가족성선종성용종증은 대장내시경 음성결과만으로 질환을 배제할 수 없으므로, 임상적으로 강하게 의심될 때에는 가족력의 확인 및 추가 유전자검사 등이 고려되어야 한다.

2. 증식성 용종

증식성 용종(hyperplastic polyp)은 조직학적으로 분지형성(ramification)과 낭성 확장을 보이는 길고 비틀린 상피로 이루어진 것이 특징이다. 증식성 용종은 위에서 가장 빈번하게 발견되는 용종으로 전체 위 용종의 28~75%를 차지한다. 남녀간 발생률은 동일하며 60세 이상의 연령에서 호발한다. 비종양성 용종이지만 이형성을 거쳐 악성 변화가 일어나는 경우가 드물지 않다. 이형성 발생빈도는 1.9~19%로 알려져 있으며, 선암 발생빈도는 0~13.5% 정도로 보고된다. 헬리코박터 파일로리(*Helicobacter pylori*)에 의한 위염이나 자가면역성 위염과 증식성 용종 간의 연관성이 보고되어 있는데, 헬리코박터 파일로리 제균치료 시 증식성 용종이 소실될 수 있다는 연구결과도 있다.

증식성 용종은 위의 어느 곳에서나 관찰될 수 있으며, 형태와 크기가 다양하여 크기가 큰 증식성 용종은 선암으로 오인될 수 있다. 크기가 작은 증식성 용종의 표면은 주변 정상 점막과 유사한 경우가 있으나, 크기가 커지면 종종 표면이 적색조를 띠고 미란이나 궤양이 동반되는 경우가 많다(그림 49-3, 4).

이형성 변화가 동반된 증식성 용종은 증상이 없더라도 반드시 절제해야 한다. 그러나 이형성이 동반되지 않은 대부분의 증식성 용종의 경우 치료나 추적관찰에 대해서 아직 명확한 가이드라인이 없다.

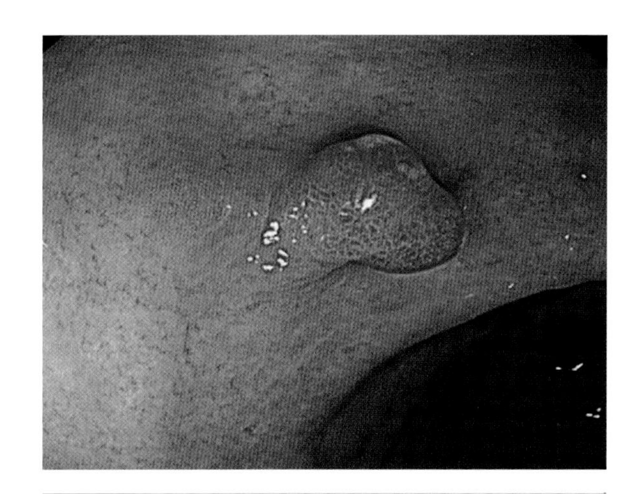

그림 49-3 **증식성 용종(내시경 소견).**
전정부 전벽에서 표면에 점상 발적이 관찰되는 유경성 용종이다.

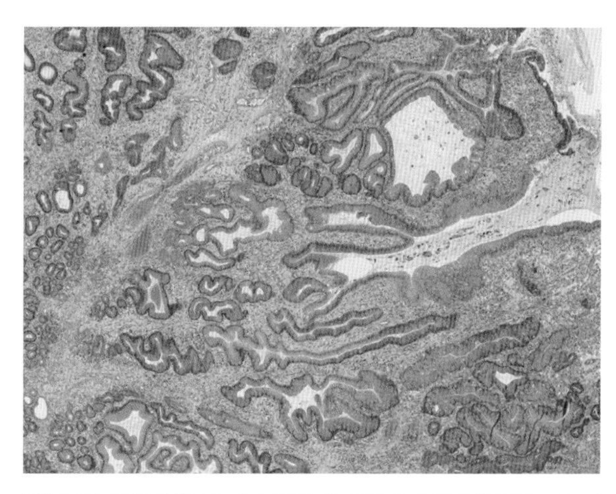

그림 49-4 **증식성 용종(현미경검사 소견).**
기질은 심한 부종과 염증세포의 침윤 및 점막 고유층 내로 얇은 평활근 증식을 볼 수 있다.

3. 염증성 섬유소모양용종

염증성 섬유소모양용종(inflammatory fibroid polyp)은 깊은 점막(mucosa)이나 점막하층(submucosa)에 위치하며 조직학적으로 혈관, 염증세포, 호산구를 포함하는 점액양 기질(mucinous stroma)로 구성된, 피막으로 둘러싸이지 않은 중간엽조직(mesenchymal tissue) 기원 종양이다. 점막이 반복해서 국소적으로 손상되어 생성되는 반응성 병변으로 생각된다. 기원 세포에 대해서는 잘 알려져 있지 않으나 최근 섬유모세포(fibroblast)나 근섬유모세포(myofibroblast)가 주목 받고 있다. 또한 구성 세포가 CD117 (*c-kit*)과 CD34 염색에 양성을 보이므로 카할세포(Cajal cell) 기원이라는 주장도 있지만 조직학적으로 위장관기질종양과는 뚜렷이 구별된다. 가장 호발하는 장기는 위로, 원위부에서 빈번하게 발견된다. 위용종의 약 3%를 차지한다. 악성화하거나 절제 후 재발하는 경우가 거의 없는 것으로 알려져 있고, 대개 증상을 유발하지 않는다. 그러나 표면세포가 탈락하여 미란이나 궤양을 형성하면서 출혈을 일으키는 경우가 드물게 있고, 크기가 큰 용종이 장폐쇄나 장중첩증을 유발한 경우가 보고된 바 있다.

4. 포이츠-예거스용종

포이츠-예거스용종(Peutz-Jeghers polyp)은 조직학적으로 가지(dentritic) 분지 형태를 보이는 점막근층(musularis mucosae)과 정상적인 표피점막층(superficial mucosal layer)의 소견을 보이는 것이 특징이며 위 용종의 0.3%를 차지한다. 산발적으로 발생하는 경우도 있으나 대개는 상염색체 우성유전질환인 포이츠-예거스증후군 환자에게 발생한다. 포이츠-예거스증후군은 위장관의 용종, 점막-피부의 색소 침착이 특징인 질환으로, 19번 염색체에 위치한 세린/트레오닌 키나제 유전자인 LKB1 (STK11)의 돌연변이에 의해 발생한다. 포이츠-예거스증후군 환자의 약 50%에서 위 용종이 발견되며, 드물지만 이형성이나 암성 변화를 보이기도 한다.

포이츠-예거스증후군의 주요 임상증상은 소장의 용종으로 인해 장폐쇄나 장중첩증이 발생하여 복통과 만성 출혈로 인한 빈혈이 오는 것이다. 포이츠-예거스증후군 환자는 위장관 또는 다른 장기에 암종이 발생할 확률이 높으며, 40~50세에 대장암 발생의 누적 위험률은 36% 정도로 알려져 있다. 포이츠-예거스증후군과 관련된 특정적인 위장관외 종양은 난소의 성삭기질종양(sex cord-stromal tumor), 자궁경부의 최소편위선암(minimal deviation adenocarcinoma (adenoma malignum)), 고환의 세르톨리세포종양(Sertoli cell tumor) 등이다. 위암과 대장암을 조기에 발견하기 위해 포이츠-예거스증후군 환자는 위내시경과 대장내시경검사를 정기적으로 받아야 한다.

5. 소아용종

소아용종(juvenile polyp)은 조직학적으로 풍부하고 성긴 기질과 다발성의 긴 낭성 확장을 보이는 선구조가 특징이다. 산발적으로 발생하는 경우도 있으나 대개는 상염색체 우성유전질환인 소아용종증증후군(juvenile polyposis syndrome)에서 발생한다. 소아용종증증후군은 대장을 잘 침범하나 드물게 소장이나 위를 침범하는 경우도 있다. 위를 침범하는 경우 용종은 일반적으로 다발성으로 발생하며 대부분 1 cm 이하이다. 소아용종증증후군은 10번 염색체에 위치한 PTEN 유전자나 18번 염색체에 위치한 DPC4/SMAD4 유전자의 돌연변이에 의하여 발생한다.

소아용종증증후군의 위장관 암종 발생위험도는 9~17% 정도로 알려져 있다. 주요 임상증상은 장폐쇄나 장중첩증으로 인한 복통과 만성 출혈이나 철 흡수장애로 인한 빈혈이다. 이 환자는 포이츠-예거스증후군 환자와 마찬가지로 위암과 대장암을 조기에 발견하기 위해 위내시경과 대장내시경검사를 정기적으로 받아야 한다.

6. 선종

위선종(adenoma)은 종양성 용종으로 조직학적으로는 거짓중층원주(pseudostratificated columnar) 세포로 이루어진 선구조를 형성하며, 비전형적인 핵과 증가된 유사분열 소견이 특징이다. 위선종은 위용종의 7~10%를 차지하며, 남자에서 호발하고, 평균 50~60세에 발생한다. 구조적 형태에 따라 관상(tubular), 관융모(tubulovillous), 융모(villous) 선종으로 나누고, 세포의 이형도 및 구조의 이상 정도에 따라서 저등급과 고등급으로 분류한다. 저등급 이형성을 동반한 선종 중 0~15%는 고등급 이형성을 동반한 선종으로 진행하며, 드물지만 고등급 이형성을 동반한 선종을 거치지 않고 직접 위선암으로 진행한 경우도 보고되어 있다. 고등급 이형성을 동반한 선종은 50% 이상이 위선암으로 진행하며, 임상적으로 상피내암과 동일한 종양으로 받아들여지고 있다. 따라서 위선종은 전암성 병변으로 인정되는데, 위선종 환자에게 위선암이 발생하는 비율은 연구마다 차이가 커서 4%에서 60%까지 다양하게 보고되었다. 일반적으로 크기가 큰 종양이나 관융모선종 및 융모선종, 고등급 이형성을 동반한 선종 환자에게 위선암이 호발하며, 위선종이 발견될 경우 위의 다른 부위에서 위선종이나 위선암이 발생할 확률도 증가하는 것으로 알려져 있다.

위선종은 위의 원위부에 호발하고 단발성인 경우가 많다. 대부분 무경형의 융기형 병변이지만, 드물게 편평형 또는 함몰형 병변의 형태를 보일 때도 있다. 위선종의 표면은 대개 평활하나 크기가 커지면 분엽상(lobulation)을 띠기도 한다(그림 49-5).

위선종은 전암성 병변으로 내시경 혹은 수술적 절제의 대상이다. 고등급 이형성을 동반한 위선종은 발견되면 절제해야 한다. 저등급 이형성을 동반한 위선종은 위선암으로의 진행 가능성이 상대적으로 낮다고 알려져 있지만 고등급 이형성 혹은 위선암이 혼재되어 있을 수 있기 때문에 절제해 주어야 한다(그림 49-6).

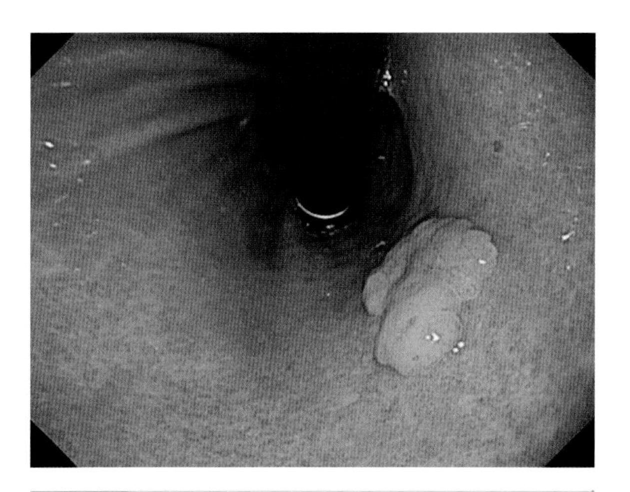

그림 49-5 **위선종(내시경 소견).**
위 상체부 소만부에 약 2cm 크기의 표면이 매끈하고 반투명 색깔을 띠며, 무경성 융기형 병변이 관찰된다.

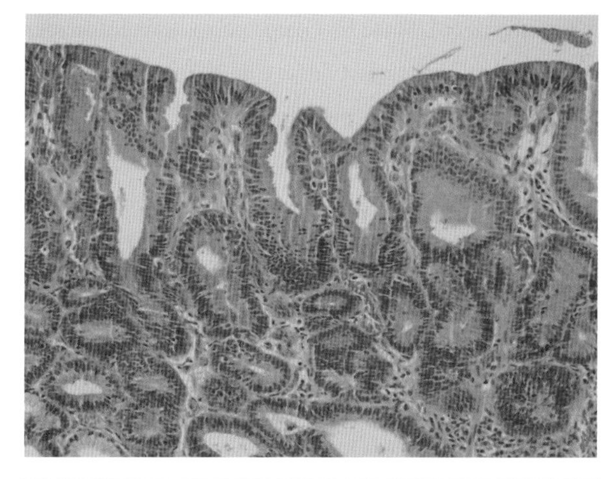

그림 49-6 **위선종(현미경검사 소견).**
선종의 구성세포는 저등급 형성 이상을 함유한 비정형세포로 이루어져 있다.

참고문헌

1. American Society for Gastrointestinal Endoscopy. The role of endoscopy in the surveillance of premalignant conditions of the uppergastrointestinal tract. Gastrointest Endosc 1998;48:663-668.
2. Daibo M, Itabashi M, Hirota T. Malignant transformation of gastric hyperplastic polyps. Am J Gastroenterol 1987;82:1016-1025.
3. Deppisch LM, Rona VT. Gastric epithelial polyps. A 10-year study. J Clin Gastroenterol 1989;11:110-115.
4. Hemminki A, Markie D, Tomlinson I, et al. A serine/threonine kinase gene defective in Peutz-Jeghers syndrome. Nature 1998;391:184-187.
5. Hofgartner WT, Thorp M, Ramus MW, et al. Gastric adenocarcinoma associated with fundic gland polyps in a patient with attenuated familial adenomatous polyposis. Am J Gastroenterol 1999;94:2275-2281.
6. Howe JR, Mitros FA, Summers RW. The risk of gastrointestinal carcinoma in familial juvenile polyposis. Ann Surg Oncol 1998;5:751-756.
7. Kamiya T, Morishita T, Asakura H, et al. Long-term follow-up study on gastric adenoma and its relation to gastric protruded carcinoma. Cancer 1982;50:2496-2503.
8. Lall CF, Hui PK, Mak KL. Gastric polypoid lesions-illustrative cases and literature review. Am J Gastroenterol 1998;93:2559-2564.
9. Lauwers GY, Riddell RH. Gastric epithelial dysplasia. Gut 1999;45:784-790.
10. Nakamura T, Nakano G. Histopathological classification and malignant change in gastric polyps. J Clin Pathol 1985;38:754-764.
11. Oberhuber G, Stolte M. Gastric polyps: an update of their pathology and biological significance. Virchows Arch 2000;437:581-590.
12. Ohkusa T, Takashimizu I, Fujiki K, et al. Disappearance of hyperplastic polyps in the stomach after eradicarion of *Helicobacter pylori*. A randomized, clinical trial. Ann Intern Med 1998;129:712-715.

13. Schmitz JM, Stolte M. Gastric polyps as precancerous lesions. Gastrointest Endosc Clin N Am 1997;7:29-46.
14. Stolte M. Clinical consequence of the endoscopic diagnosis of gastric polyps. Endoscopy 1995;27:32-37.
15. Stolte M, Finkenzeller G. Inflammatory fibroid polyp of the stomach. Endoscopy 1990;22:203-207.
16. Weston BR, Helper DJ, Rex DK. Positive predictive value of endoscopic features deemed typical of gastric fundic gland polyps. J Clin Gastroenterol 2003;36:399-402.
17. Tran-Duy A, Spaetgens B, Hoes AW, et al. Use of proton pump inhibitors and risks of fundic gland polyps and gastric cancer: systematic review and meta-analysis. Clin Gastroenterol Hepatol 2016;14:1706-1719.

CHAPTER 50

위의 기타 질환

1. 위의 염전

염전(volvulus)은 장기가 해당 장간막을 축으로 180도 이상 회전하여 장관의 폐쇄와 정맥혈의 순환장애 초래하여 허혈에 빠지게 되는 상태를 의미한다. 맹장이나 에스자 결장의 염전보다는 발생 빈도가 적으나 위나 소장의 염전 역시 발생하며, 진단이 늦어지면 장관의 폐색과 괴사를 일으켜 합병증과 사망을 초래한다.

1) 원인

위는 정상적으로 근위부는 식도열공(esophageal hiatus)에 고정되고, 원위부는 십이지장 제2부에서 후복막에 고정된다. 소만곡은 좌위동맥과 위간인대(gastrohepatic ligament)에 의해 고정되며, 대만곡은 단위동맥, 위비장인대(gastroplenic ligament), 위결장인대(gastrocolic ligament)에 의하여 느슨하게 고정된다. 위염전은 위에 부착된 지지 인대가 없거나 헐거워졌을 때, 횡격막 결손 등으로 인해 발생할 수 있다. 위 전체나 일부가 위의 종축이나 횡축을 따라 180° 이상 회전하는 상태로 장관의 해부학적 축, 원인에 따라 분류하기도 하며, 발생 시기에 따라서는 급성과 만성으로 분류한다. 해부학적 축에 따른 분류로는 위의 위간인대에 평행한 횡축을 중심으로 회전하는 형태(organoaxial volvulus)와, 식도위경계부와 위 유문 사이의 종축을 중심으로 회전하는 형태(mesenteroaxial volvulus)의 두 종류로 나누며, 전자가 전체 위염전의 60% 이상을 차지한다(그림 50-1).

원인에 따라서는 일차, 이차 위염전으로 분류한다. 일차 위염전은 간, 결장, 비장, 횡격막과 위를 지지하는 해부학적 구조의 이완이나 선천성무비증(congenital asplenia), 유주비장(wandering spleen) 등이 원인이며, 횡축 염전이 많고, 증상이 간헐적으로 나타나는 만성 염전인 경우가 많다. 이차 위염전은 위의 해부학적 구조 이상 외의 원인이 있는 경우로 위염전의 70~90%를 차지한다. 가장 많은 원인은 횡격막 결손이다. 흉강 내에 위의 일부가 끼어들어가 위의 종축을 중심으로 위아래가 뒤바뀐 형태로, 혈행장애로 인해 위가 괴사하는 경우가 많으므로 주의를 요한다. 성인에서는 외상성이나 식도주위열공탈장(paraesophageal hiatal hernia)이 원인인 경우가 많으며, 소아에서는 선천성 횡격막 탈장인 좌측 보흐달레크탈장(Bochdalek hernia)과 관계가 많다. 외상성 횡격막탈장, 횡격막내장탈출(diaphragmatic eventration), 모르가니탈장(morgagni hernia)도 관계 된다. 대부분의 경우 흉강 내에 위가 위치하지

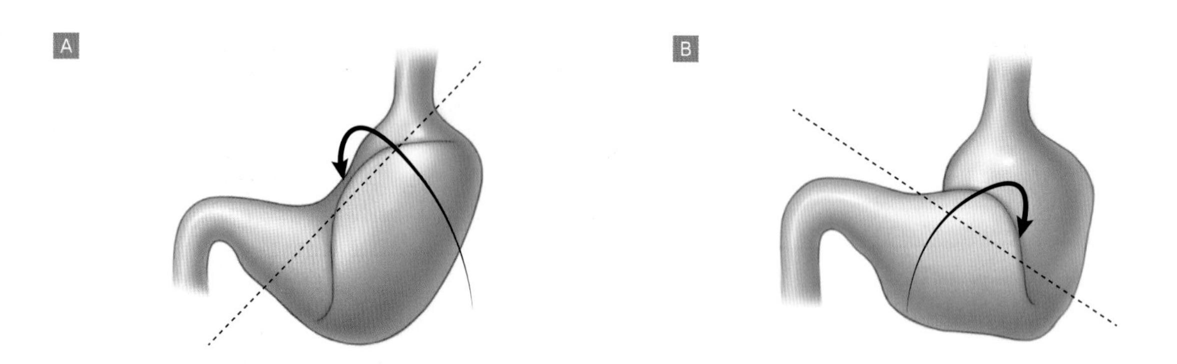

그림 50-1 A. Organoaxial rotation, 식도위경계부와 위 유문사이의 종축을 중심으로 회전한다.
B. Mesenteroaxial rotation, 위간인대에 평행한 횡축을 중심으로 회전한다.

만, 위의 종양, Nissen 위저부주름술(nissen fundoplication), 고도비만 치료를 위한 조절형 위밴드 삽입술 후에 발생하는 위염전의 경우에는 복강내에서 이차 위염전이 발생하기도 한다.

2) 증상

주요 증상은 급성 복부 통증과 팽만, 구토, 상부위장관출혈 등이나, 염전의 원인, 급성이냐 만성이냐에 따라 특징이 조금씩 다르다. 종축을 중심으로 급성으로 염전이 발생한 경우에는 상복부 통증이 있고 구역질 때문에 토하려 하나 구토물은 배출되지 않는다. 코위관을 위장 내에 삽입하기가 힘들지만, 횡축을 따라 염전된 경우에는 식도위경계부가 열려 있고 위장관에 비위관이 통과할 만큼의 공간이 남은 경우도 있어 해부학적 원인에 따라 증상이 달라진다. 특히 염전된 위가 흉강 내에 위치한 경우에는 복부 증상이 경미하며, 오히려 흉통과 가쁜 호흡, 종격동의 압박으로 인한 증상과 부정맥을 보이는 경우도 있어 진단할 때 주의해야 한다. 염전된 위가 교액(strangulation)되거나 천공된 경우 장관 내 출혈과 패혈증 증상이 나타날 수 있다.

만성위염전은 급성위염전과 달리 증상이 경미하며, 간헐적으로 나타나 증상으로 진단하기가 쉽지 않으며, 영상검사 도중에 우연히 발견되기도 한다. 만성 일차위염전의 경우 상복부 불편감과 구토, 조기 포만감, 소화불량 증세 등 위 폐쇄로 인한 증상이 나타난다. 염전된 위가 흉강 내에 위치한 경우 식사 후 흉부 통증과 가쁜 호흡이 특정이어서 위식도역류질환이나 소화성궤양과 감별해야한다.

3) 진단

영상진단이 도움이 되나 일차 위염전에서 간헐적 염전이있는 경우 염전된 상태가 아니면 진단하기가 쉽지 않다. 이차 위염전의 경우, 환자를 눕혀서 찍은 단순복부방사선 영상에서 둥근 위 모양이 보이고, 세워 놓고 찍은 방사선검사 영상에서 2개의 공기액체층이 관찰된다. 측면흉부 방사선검사에서 심장 뒤에 위치한 공기액체층이 나타나 흉강 내에 위치한 위염전을 의심할 수 있다(그림 50-2), 상부위장관조영술은 꼭 필요한 검사는 아니지만 염전부가 좁아지고 정상 위치의 식도위경계부 위쪽에서 조영체가 충만한 위가 보이면 위염전으로 진단할 수 있다. 상부위장관내시경검사도 진단에 도움이 된다.

4) 치료

급성위염전의 경우 응급염전정복수술이 필요하다. 위장관의 교액이 없고 연관된 횡격막 결손이 없는 경우

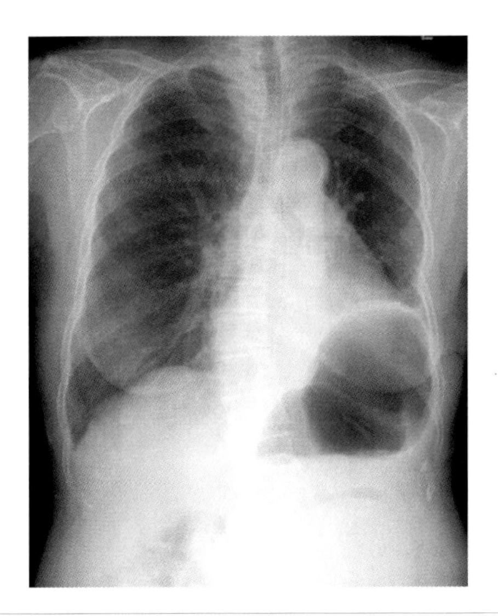
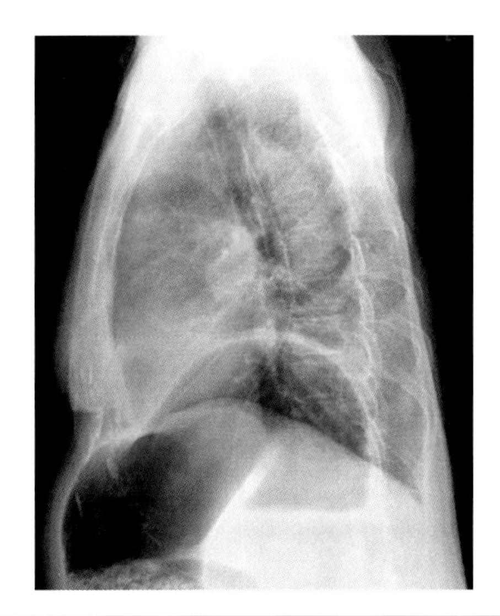

그림 50-2 횡격막 탈장으로 인한 위염전의 흉부 방사선검사 소견.
좌측횡격막 상승과 폐하부의 위축, 횡격막상부의 공기액체층소견이 보인다.

에는 염전된 위를 정복하고 위를 복벽에 고정하여 재발을 방지하고 염전의 원인이 되는 해부학적 소인을 제거하는 것이 수술의 목표가 된다. 위를 앞쪽 복벽에 고정할 때는 위조루술(gastrostomy)을 이용하여 고정하는데, 단위동맥(short gastric artery)을 보존하고, 가능하면 위의 대만곡을 고정해 두면 재발 방지에 유용하다. 경우에 따라서는 위공장 연결, 위저부와 유문부 사이에 짧은 연결창을 내주는 위-위조루술(gastro-gastrostomy; Oppolzer 수술) 등을 시행한다.

횡격막탈장에 따른 이차 위염전의 경우 횡격막 결손부에 대한 수술이 필요하다. 위염전의 정복과 위고정술이 요구되나, 메시(mesh)를 이용해 횡격막 결손부를 치료하는 방법은 수술 후 감염의 위험을 고려하여 선택하도록 한다. 위염전 환자의 5~28%에서 교액이 관찰되는데, 교액이 있으면 수술 시 패혈증으로 사망할 확률이 30~50%에 이른다. 교액 때문에 위가 천공되거나 괴사해 국소 위절제, 심지어 위아전절제나 전절제가 필요할 수도 있다. 다른 합병증으로는 궤양, 위장관출혈, 망찢김(omental avulsion), 비장파열, 췌장 괴사 등이 보고되고 있다. 만성위염전의 경우에는 수술적 치료를 할 것인지와 언제할 것인지가 중요한데, 횡격막 탈장에 이은 이차 만성위염전 환자에게 교액이 발생하면 합병증 발생률과 사망률이 높으므로 증상이 없더라도 수술치료를 고려한다. 반면 일차 만성위염전은 간헐적으로 발생하고 교액의 위험이 적으므로 각 환자에게 알맞은 치료방법을 선택한다. 소아의 일차 위염전에는 비수술적 체위변화(postural therapy)가 치료효과가 있으므로 수술치료를 일률적으로 적용하지는 않는다.

최근에는 상부위장관내시경과 복강경술기가 발달하여 급·만성위염전의 치료에 시용되고 있다. 흉강 내에 염전된 위가 위치한 경우에는 내시경치료가 쉽지 않으나, 위의 괴사, 궤양, 출혈 등을 일차 진단할 수 있고 염전이 정복된 뒤에는 내시경을 이용한 위조루술로 위를 고정히는 효과를 기대할 수 있다. 위루를 2개 만들면 위고정 효과가 좋으나 내시경만을 이용한 치료방법은 위염전을 일으킬 만한 특이 원인이 없고 고위험 환자에게 해당하는 치료법이다. 복강경을 이용한 치료와 내시경을 동시에 사용하는 치료방법을 횡격막 결손을 동반한 위염전에 적용할수 있으나, 수술술기가 어려워 경험이 많은 외과의가 시행할 것을 권장한다.

2. 십이지장게실

게실은 장간막이나 복강 쪽으로 장막을 통해 장벽의 여러 층이 튀어나온 형태를 말한다. 메켈게실(meckel diverticulum)처럼 정상 장벽이 모두 튀어나온 선천성 진성게실과 근육층의 약화로 발생한 후천성 가성게실로 나누며, 후자가 많이 발생한다. 십이지장게실(duodenal diverticulum)은 합병증 발생이 적어 임상에서 큰 의미를 두지 않으나 간혹 생명을 위협하는 합병증도 발생하므로 주의를 요한다. 십이지장게실은 대부분 장간막 쪽으로 발생하므로 해부학적으로나 영상검사로 찾기가 힘들어 발생빈도를 측정하기 어려우나, 상부위장관조영술에서 0.16~6%, 상부위장관내시경에서 5~27%, 부검검사에서 23%로 보고되고 있어 비교적 흔한 병변으로 보인다. 진단되는 평균 연령은 56~76세이며, 여자의 발생빈도가 2배 더 높다. 장관 바깥으로 나온 형태가 장관 안으로 나오는 것보다 많으며, 장관 바깥으로 나온 게실은 췌장 쪽으로 위치한 가성게실이 많다. 십이지장 제1부위에서 4~12%, 제2부위에서 56~80%, 제3, 4부위에서 4~36%가 발생하는 것으로 보고된다. 제2부위에서 발생하는 게실의 60% 이상이 바터 팽대부(ampulla of vater)의 2 cm 이내에서 나타난다. 대부분의 십이지장게실이 췌장을 향한 안쪽에 발생하지만, 4~16%는 십이지장의 바깥쪽 또는 앞쪽에 발생하며, 그 대부분이 진성게실이다.

1) 원인

십이지장의 게실은 선천적으로 발생하는 진성게실과 후천적으로 발생하는 가성게실로 나눌 수 있다. 가성게실은 장관벽의 혈관 통과부나 바터팽대부가 지나는 곳의 근육층이 약해져 연령이 증가함에 따라 점막이나 점막하조직이 튀어나오는 내압성 게실(pulsion diverticula) 형태를 띤다. 십이지장의 오목부(concave), 즉 췌장 쪽을 향한 곳에 주로 발생한다. 이 부위에 많이 발생하는 이유로는, 십이지장과 췌장이 만나는 부위가 다른 부위와 달리 원형(circular) 근육만으로 점막과 구분되어 있고, 간혹 췌장 조직이 장관쪽으로 파고들며 장관벽이 약해지는 해부학적 구조와 관련이 있다.

평활근이나 근육층신경총(myenteric plexus)의 질환, 면역 질환의 양상을 띠는 피부경화증(scleroderma), 류머티스관절염, 궤양결장염, 갑상선염으로 인한 점액부종이 있을 때 소장게실이 많으므로 동반 질환을 주의해서 살펴본다.

2) 증상

대부분의 게실 환자에게는 특이 증상이 없다. 그러나 게실이 막혀 저류가 일어나고, 이곳에서 세균이 증식하여 게실이 확장되거나 염증이 지속되는 경우 비타민 B12 결핍, 거대적아구성(megaloblastic) 빈혈, 흡수장애, 지방변을 볼 수 있으며 장관이나, 췌관, 담관을 압박하는 증상이 나타나게 된다. 주 증상은 게실 위치에 따라 상복부나 우상복부에서 나타나는 식후 불편감이며, 자세를 바꾸어 저류액이 배액되면 증상이 호전되기도 한다. 구역과 구토를 보이거나 위식도역류, 담도결석을 동반하는 경우도 있다. 십이지장게실이 궤양, 폐색, 천공, 주위 장기 압박 등의 합병 증세를 보이면 소화성궤양이나 급성췌장염으로 오인되기도 한다.

3) 진단

영상진단으로 십이지장게실을 진단하기는 어려우나 투시검사를 했을 때 조영제가 게실쪽으로 빠르게 빠져나가는 것이 보이면 진단할 수 있다. 조영검사 후 단순방사선검사에서 게실의 윤곽이 보이는 소견은 진단에 도움이 된다(그림 50-3).

복부 CT에서 십이지장게실은 공기나 조영제, 액체가 저류된 종괴로 보이므로 췌장의 가성낭종, 췌장 농양과 감별 진단해야 한다(그림 50-4).

상부위장관내시경검사로 게실의 발견율이 높아졌

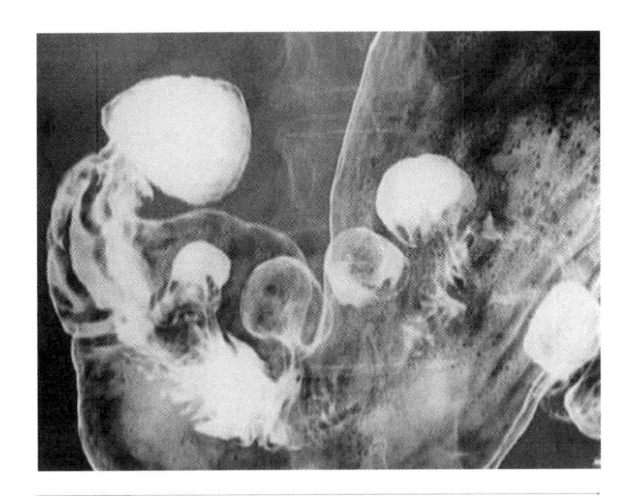

그림 50-3 **십이지장게실의 상부위장관조영술.**
십이지장 오목부의 다발성게실이 췌장을 향해 있다.

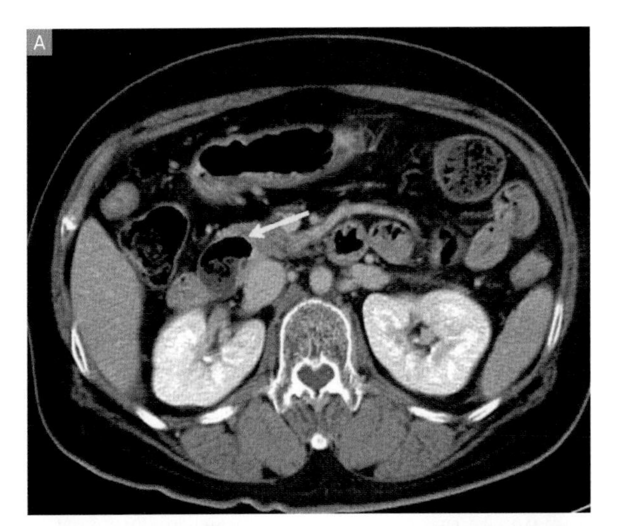

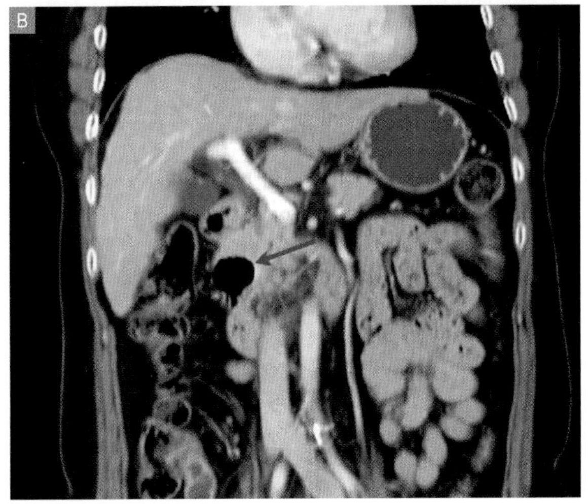

그림 50-4 **십이지장게실의 복부 CT 소견.**

으며, 이 검사는 분류에도 많은 도움이 된다. 팽대부 주위에 발생한 게실의 경우 내시경역행담췌관조영술(endoscoplc retrograde cholangiopancreatography, ERCP)로 췌관, 담도, 게실의 해부학적 관계를 진단할 수 있다. 출혈을 동반한 게실일 때는 혈관조영술이 진단에 도움이 된다.

4) 합병증

십이지장게실의 6~10%에서 출혈, 천공, 게실염, 흡수장애 등의 합병증이 나타나며 진단과 치료가 늦어지면 이환율이 증가하고 환자가 사망할 수 있다.

(1) 출혈

게실 내 궤양, 해면혈관종(cavernous hemangioma), 혈관이형성증(angiodysplasia)이 있을 때 출혈이 발생한다. 상부위장관내시경과 혈관조영술로 진단한다.

(2) 천공

십이지장게실의 천공은 드문 편이며 60대, 남자, 십이지장의 제2부위에서 많이 발생한다. 게실염, 장관내 결석, 궤양, 이물, 손상 등이 천공의 원인이다. 치료가 늦어지면 사망률이 높아 조기 진단과 치료가 중요하다.

(3) 폐쇄

십이지장 장관내 게실에서 나타나는 증상이다. 담즙 섞인 구토, 방사선 검사상 위와 상부 십이지장의 팽창이 보인다. 상부위장관내시경으로 진단한다.

(4) 담도췌장합병증

바터팽대부 주위의 게실은 담도결석과 담도폐색의 원인이 된다. 특히 재발성 담관 결석 환자에게 팽대부 주위 게실이 동반된 경우 결석이 쉽게 재발하고 치료 횟수도 많다. 게실 내 정체와 염증은 팽대부의 부종과 오디괄약근 기능이상의 원인이 되어 십이지장 내용물의 역류와 세균의 집락 형성을 초래하며, 담도연관췌장염과 폐쇄성 황달을 일으킬 수 있다.

5) 치료

합병증이 없고 증상이 있는 십이지장게실일 때는 저지방 식사, 제산제, 항연축제(antispasmodics), 바비튜레이트(barbiturate) 등으로 치료효과를 기대할 수 있다. 담도폐색을 동반한 팽대부 주위 게실일 때는 내시경을 이용한 총담관의 확장술을 계획할 수 있다. 총담관결석은 유두절개(papillotomy)로 치료한다. 게실로 인한 출혈도 내시경으로 치료할 수 있으나, 치료과정 중의 합병증에 대하여 정확히 이해하고 치료계획을 짜야 한다. 중증의 게실합병증이 발생한 경우 수술치료가 필요하다.

수술치료를 할 때는 주위에 췌관과 총담관, 간문맥 등의 주요 구조물이 있으므로 매우 세심하게 시행한다. 장관 내로 발생한 게실에는 내시경으로 절개, 절제, 확장술을 시행할 수 있으나 내시경역행담췌관조영술로 정확한 총담관, 췌관의 해부학적 위치를 확인하기 어렵다면 개복수술로 합병증을 최소화하는 치료를 고려한다. 게실 출혈의 경우 십이지장 절개 후점막 절제를 추천하며, 게실이 십이지장의 바깥쪽에 발생하거나 게실의 시작 부분이 정확히 구분되는 경우에는 절제수술을 간단히 시행할 수 있다. 게실에 대한 수술치료 중 많은 예가 십이지장 절개를 통한 괄약근성형술(sphinctero-plasty)이므로 술자는 총담관과 췌관의 정확한 해부학적 구조를 이해해야 하고 십이지장 점막에 대한 미세수술술기에 익숙해야 한다. 팽대에 근접한 게실의 경우 수술 후 담도폐쇄, 십이지장루, 전격성 췌장염 등의 합병증이 예상되면 우회수술도 고려해야 하므로 Roux-en-Y 십이지장공장우회술을 주로 시행한다. 술자는 음식물 통과를 피하고, 게실 내 정체와 담도염, 췌장염을 줄일 수 있는 수술에 대해서도 이해하고 있어야 한다.

참고문헌

1. 엄재철, 최동환, 이용배 등. 횡격막 허니아에 의한 급성 위 염전. 대한외과학회지 1993;44:911-915.
2. 윤대선, 김강성, 김곤홍. 담관 결석의 재발에 있어 십이지장팽대부 주위 게실의 임상적 의의. 대한외과학회지 2006;70:457-461.
3. 이상준, 김종훈. 만성 위 염전. 대한외과학회지 1991;40:121-125.
4. 차제선, 전해명, 김승남 등. 횡격막탈장에 합병된위염전 4 예. 대한외과학회지 1993;44:463-470.
5. Chai BD, Hong KM, Ku KB, et al. Acute Gastric Volvulus due to Diaphragmatic Eventration
6. Annals of Surgical Treatment and Research 2008;74:222-227.
7. Thorson CM, Paz Ruiz PS, Roeder R, et al. The Perforated duodenal diverticulum. Arch Surg 2012;147:81-88.
8. White RR , Jacobs DO. Volvulus of the stomach and small bowel. In: Yeo C, ed. Shackelford' s Surgery of the Alimentary Tract. 6th ed. Philadelphia: Saunders, 2007:1037-1040.
9. Whang EE, Ashley SW, Zinner MJ. Small intestine; Acquired diverticula. In: Brunicardi FC, Anderson D , Billiar T, eds. Schwartz's Principles of Surgery. 8th ed. New York: McGraw-Hill, 2005:1045-1047.
10. Mercer DW, Robinson EK. Stomach: Gastric volvulus. In: Townsend CM, Beauchamp RO, Evers BM , et a1, eds. Sabiston Textbook of Surrgery: The Biological Basis of Modern Surgical Practice. 18th ed. Philadelphia : Saunders, 2008:1273-1274.
11. Naim HJ, Smith R, Gorecki PJ. Emergent 1aparoscopic reduction of acute gastric volvulus with anterior gastropexy. Surg Laparosc Endosc Percutan Tech 2003;13:389-391.

PART 09

위염 및 소화성궤양

THE KOREAN GASTRIC CANCER ASSOCIATION

CHAPTER 51

위염의 분류

1. 위염의 내시경적 분류

1) 개괄

(1) 위염의 정의

위염(gastritis)이란 위점막에 염증세포의 침윤이 있는 상태를 뜻하는 병리학적인 용어이다. 그러나 염증세포의 침윤이 있더라도 임상증상이 나타나지 않는 경우가 많으며, 소수의 림프구는 정상적으로 위점막에 존재하는 것으로 알려져 있어서, 어느 정도의 염증세포 침윤이 있을 때 위염이라고 할 것인가는 명확히 정립되어 있지 못하다. 임상에서는 구체적인 병변의 유무와 상관없이 상복부 불쾌감 등의 의미로 흔히 남용되는 병명이기도 하다. 지금까지 많은 분류법과 이름이 제시되었지만 어느 하나 만족스러운 것은 없으며, 최근에는 내시경기법의 발달과 *Helicobacter pylori (H. pylori)*의 발견에 따라서 위염의 개념도 과거와는 많이 달라졌다. 위염과 구별되는 용어로 위병증(gastropathy)이 있는데 이는 위점막에 염증세포의 침윤을 거의 동반하지 않는 위점막의 손상을 뜻한다. 그러나 이 둘 간의 구별이 항상 명확한 것은 아니다.

(2) 위염의 분류: 급성위염과 만성위염

아직까지 위염의 통일된 분류법은 없다. ① 원인별 분류, ② 임상상에 의한 분류, ③ 발생기전에 의한 분류, ④ 형태학적인 분류 등 다양한 분류법이 시도되어 왔으나 어느 하나 만족스럽지는 못하다. 최근에는 임상상, 내시경적 육안소견과 조직검사로 얻을 수 있는 병리학적 소견을 종합한 분류가 많이 이용되고 있으며, 만성위염의 Sydney 체계(Sydney system)가 그 대표적인 예이다. 최근 일본에서 헬리코박터 감염 여부를 중시한 Kyoto 분류가 제창되어 임상에 적용되기 시작하였다.

다른 염증성 질환과 마찬가지로 위염도 급성과 만성으로 나눌 수 있다. 그러나 급성위염과 만성위염을 구분하는 명확한 기간 구분은 없다. 단지 단기간에 발생한 심한 증상과 함께 호중구 침윤이 현저한 경우를 급성위염으로 부르는데, 급성 호중구 위염은 세균 감염에 의한 경우가 많다. 급성위염의 대표적인 형태인 봉와직염성 위염(phlegmonous gastritis)은 주로 점막하층을 침범하나 결국 전층에 괴사를 초래하는 치명적인 질환이다. 가장 흔한 원인균은 β-hemolytic Streptococcus-hemolytic *Streptococcus*가 가장 많고 그 외에 *Staphylococcus*, *E. coli* 등이 있으나 일부에서는 균이 발견되지 않는 경우도 있다. 유발인자로는 저산소증, 알코올 중독, 위궤양 및 위암, 위수술, 고령 등이 있으며 면역결핍증, 신부전에 동반되기도 하며 최근에는 내시경적 용종절제술 후에도 발생한 예가 있다. 임상증상은 주로 복통으로 나타나며 폐혈증의 소견을 보이는 경우가 많다. 예후가 매우 불량하므로 내시경을 통하여 조기에 진단하고 항생제 치료와 수술 등 적극적인 치료가 필요하다. 봉와직염성 위염의 드문 형태로 기종성 위염(emphysematous gastritis)이 있다.

임상에서 만날 수 있는 대부분의 위염은 비특이적 만성위염이다. 지금까지 만성위염의 내시경적 분류법이 제시되었으나 아직까지 통일된 방법은 없다. 1947년 Schindler 등은 내시경 소견을 토대로 만성 표재성 위염(chronic superficial gastritis), 위축위염 및 비후성 위염으로 분류하였다. 1990년 발표된 시드니 체계에서는 만성위염의 병리학적인 분류법뿐만 아니라 내시경 소견과 그에 따른 내시경적 분류를 제시하고 있다. 시드니 체계에서 위염의 내시경적 소견으로 부종(edema), 발적(erythema), 유약성(friability), 삼출물(exudates), 편평미란(flat erosion), 융기성 미란(raised erosion), 소결절상(nodularity), 점막주름의 비후(rugal hyperplasia), 점막주름의 위축(rugal atrophy), 혈관의 투영성(visibility of vascular pattern), 벽내출혈반(intramural bleeding spot) 등이 제시되었다. 이 중 가장 주된 이상소견을 중심으로 발적/삼출성 위염(erythematous/exudative gastritis), 편평미란성위염(flat erosive gastritis), 융기미란성위염(raised erosive gastritis), 위축위염(atrophic gastritis), 출혈성위염(hemorrhagic gastritis), 비후성위염(rugal hyperplastic gastritis) 등으로 진단하고, 각 진단에서의 중증도는 경증, 중등도, 중증으로 평가하도록 권고되고 있다. 위염의 병리학적 진단기준을 보다 명확히 제시한 updated Sydney system에서는 위염의 분포에 따라서 위전역염(pangastrits), 전정부위염(gastritis of antrum), 체부위염(gastritis of corpus)로 나누며 염증, 호중구의 활성도, 만성염증, 위축, 장상피화생 등 5가지 항목에 대하여 정상, 경증, 중등도, 중증과 같이 4단계로 기술하도록 하고 있다. 다소 복잡한 내시경 분류에 비하여 시드니 체계에 따른 병리학적 분류는 비교적 간결하고 각 항목을 정량적으로 표현할 수 있다는 장점이 있어서 병리학적 진단과 연구에 많이 사용되고 있다.

2) 위염의 내시경적 분류: Kyoto 분류

(1) 서론

위염의 내시경 진단은 1922년에 Schindler가 위경을 이용하여 내시경 위염의 존재를 보고한 것부터 시작된다. 이후 Schindler의 위염 분류를 바탕으로 여러 가지의 위염 분류가 제시되었고, 위축의 범위 진단에 대해서는 Kimura-Takemoto 분류가 이용되어 왔다. 1983년 Warren과 Marshall이 *H. pylori* 균을 발견하였고, 이후 *H. pylori* 감염이 위염의 원인이 될 수 있다는 것이 밝혀진 후 1990년에 원인, 조직 소견, 내시경 소견을 체계화한 Sydney 분류가 제창되었다. 조직학적 분류는 그 후 updated Sydney 분류로 개편되어 국제적인 분류로서 지위를 확립하였다. 당시는 조직학적 위염을 내시경 검사로 진단하지 못하였기 때문에 Sydney 분류는 조직 부문과 내시경 부문으로 나뉘어져 있다. Sydney 분류는 국제적으로 통용되어 왔지만, 내시경 분류에 있어서는 몇 가지 문제점이 있어 일반 임상에서 널리 보급되지 못하였다.

2013년 일본에서는 *H. pylori* 위염에 대한 제균치료의 보험적용 확대로 *H. pylori* 제균 시대를 맞이하게 되었으며, 또한 내시경 기기의 발달로 조직학적 위염을 어느 정도 내시경으로 진단할 수 있게 되었다. 그러므로 *H. pylori* 위염을 중심으로 하여 세계에 통용될 수 있는 새로운 위염 분류의 제창이 필요하게 되었으며, 이러한 배경을 토대로 2013년 일본 소화기내시경학회에서 새로운 위염 분류에 관한 주제를 토의하게 되었으며, 학회 종료 후에도 계속 심의되어 위염의 Kyoto 분류가 제창되었다.

위염의 Kyoto 분류는 위점막의 상태를 *H. pylori* 미감염 점막, *H. pylori* 감염 점막 및 *H. pylori* 기감염(제균 후) 점막으로 나누어 진단하기 위해, 내시경검사에서 관찰되는 19개의 위염 소견을 정의하여 각각을 *H. pylori* 감염상태에 따라 분류하고 있다(표 51-1). *H. pylori* 감염상태와 위암의 연관성이 명확한 현 시점에서 내시경검사 시 *H. pylori* 감염상태에 따라 위염을 분류할 수 있다면, 이는 추후 위암의 선별검사에서 도움이 될 것이다.

Sydney 분류에서 사용되는 내시경 소견과의 차이점은 미만성 발적, 지도상 발적, 장상피화생, 백탁 점액, 다발성 백색 편평융기, regular arrangement of collecting venules (RAC)가 새로운 내시경 소견으로 Kyoto 분류에 추가되었고, 반면 삼출물(exudate)과 점막 취약성(friability)은 Kyoto 분류에서 제외되었다.

(2) *H. pylori* 감염에 따른 내시경

① ***H. pylori* 미감염 내시경 소견**(그림 51-1 A~D)

H. pylori 감염이 없는 위저선 점막에는 규칙적으

표 51-1. **위염의 Kyoto 분류**

위치	내시경 소견	*H. pylori* 감염	*H. pylori* 미감염	*H. pylori* 제균 후
위점막 전체	위축(atrophy)	O	X	O~X
	미만성 발적(diffuse redness)	O	X	X
	선와상피 과형성 폴립(foveolar-hyperplastic polyp)	O	X	O~X
	지도상 발적(map-like redness)	X	X	O
	황색종(xanthoma)	O	X	O
	헤마틴(hematin)	△	O	O
	선상 발적(red streak)	△	O	O
	장상피화생(intestinal metaplasia)	O	X	O~△
	점막 종창(mucosal swelling)	O	X	X
	반상 발적(patchy redness)	O	O	O
	함요형 미란(depressive erosion)	O	O	O
위체부	주름종대, 사행(enlarged fold, tortuous fold)	O	X	X
	백탁 점액(sticky mucus)	O	X	X
위체부~위저부	위저선 폴립(fundic gland polyp)	X	O	O
	점상 발적(spotty redness)	O	X	△~X
	다발성 백색 편평융기(multiple white and flat elevated lesions)	△	O	O
하부 체부 소만~ 위각부 소만	RAC (regular arrangement of collecting venules)	X	O	X~△
위전정부	닭살 모양의 결절(nodularity)	O	X	△~X
	융기형 미란(raised erosion)	△	O	O

O: 관찰되는 경우가 많음, X: 관찰되지 않음, △: 관찰되는 경우가 있음.

로 배열하는 미세한 붉은 점들이 관찰된다. 이 소견을 RAC라고 하며, 정상 위점막에서 보이는 소견이다. 염증이 없는 위저선 점막에서는 원형의 선관 구조가 배열하고 선관 주위를 에워싸는 미세혈관들이 벌집 모양의 네트워크를 형성한다. 이러한 미세혈관들이 융합하여 집합세정맥(collecting vein)이 되고, 점막하층의 정맥으로 이어진다. 집합세정맥은 350 μm (10~12선관) 마다 있고, 내시경검사 시 집합세정맥이 위점막 표면에 투영되는 형태가 RAC이다. 전정부 근위부와 위체부에서 RAC가 관찰된다면 *H. pylori* 미감염 점막을 시사한다. RAC는 멀리서는 미세한 붉은 점들로 인식되지만, 근접 시 불가사리 형태의 혈관들을 확인할 수 있다. *H. pylori* 감염 점막에서 때때로 볼 수 있다는 점상 발적은 근접 시 점(dot) 형태이기 때문에 RAC와의 감별은 그다지 어렵지 않다. 하지만 위전정부에 국한된 *H. pylori* 감염 위염에서는 위체부 점막에 RAC가 관찰될 수 있으므로, *H. pylori* 미감염과 현감염 여부를 감별하기 위해서는 RAC의 판정은 위각부 소만에서 실시하는 것이 좋다. 한편 유문선 점막에서는 선관의 구조 형태가 다르기 때문에 *H. pylori* 미감염에서도 RAC는 보이지 않는다.

위저선 폴립은 일반적으로 *H. pylori* 미감염 또는 *H. pylori* 제균 후 위에서 관찰되며, 위저선 폴립의 존재는 *H. pylori* 음성을 시사한다. 특히, 양성자펌프억제제(proton pump inhibitor, PPI)의 장기 복용에 의해 위저선 폴립의 발생이 증가될 수 있다. 헤마틴, 선상 발적, 융기형 미란은 *H. pylori* 미감염자에서 좀 더 많이 관찰되지만, *H. pylori* 감염자에서도 보일 수 있으므로 이러한 소견만으로는 *H. pylori* 미감염을 단정지을 수는 없다.

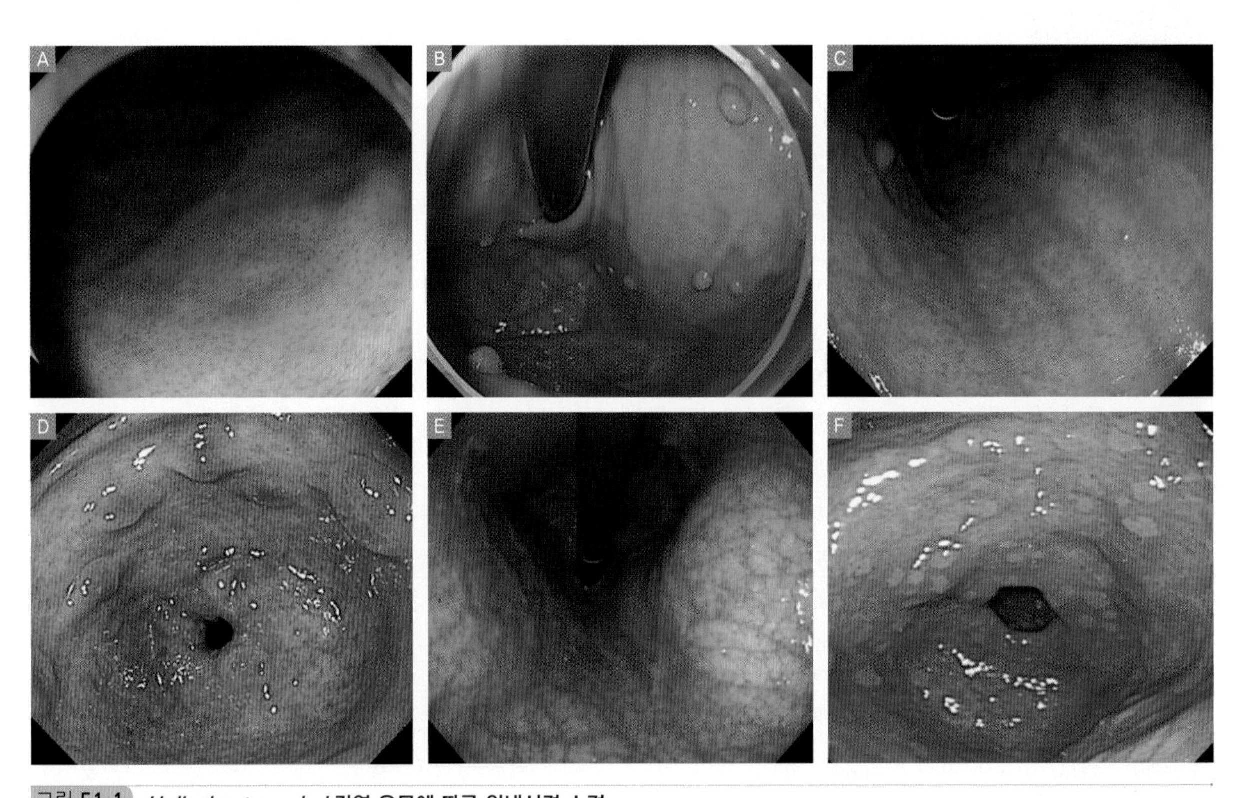

그림 51-1 ***Helicobacter pylori* 감염 유무에 따른 위내시경 소견.**
A. Regular arrangement of collecting venules B. Fundic gland polyp C. Red streak D. Raised erosion E. Atrophy F. Intestinal metaplasia

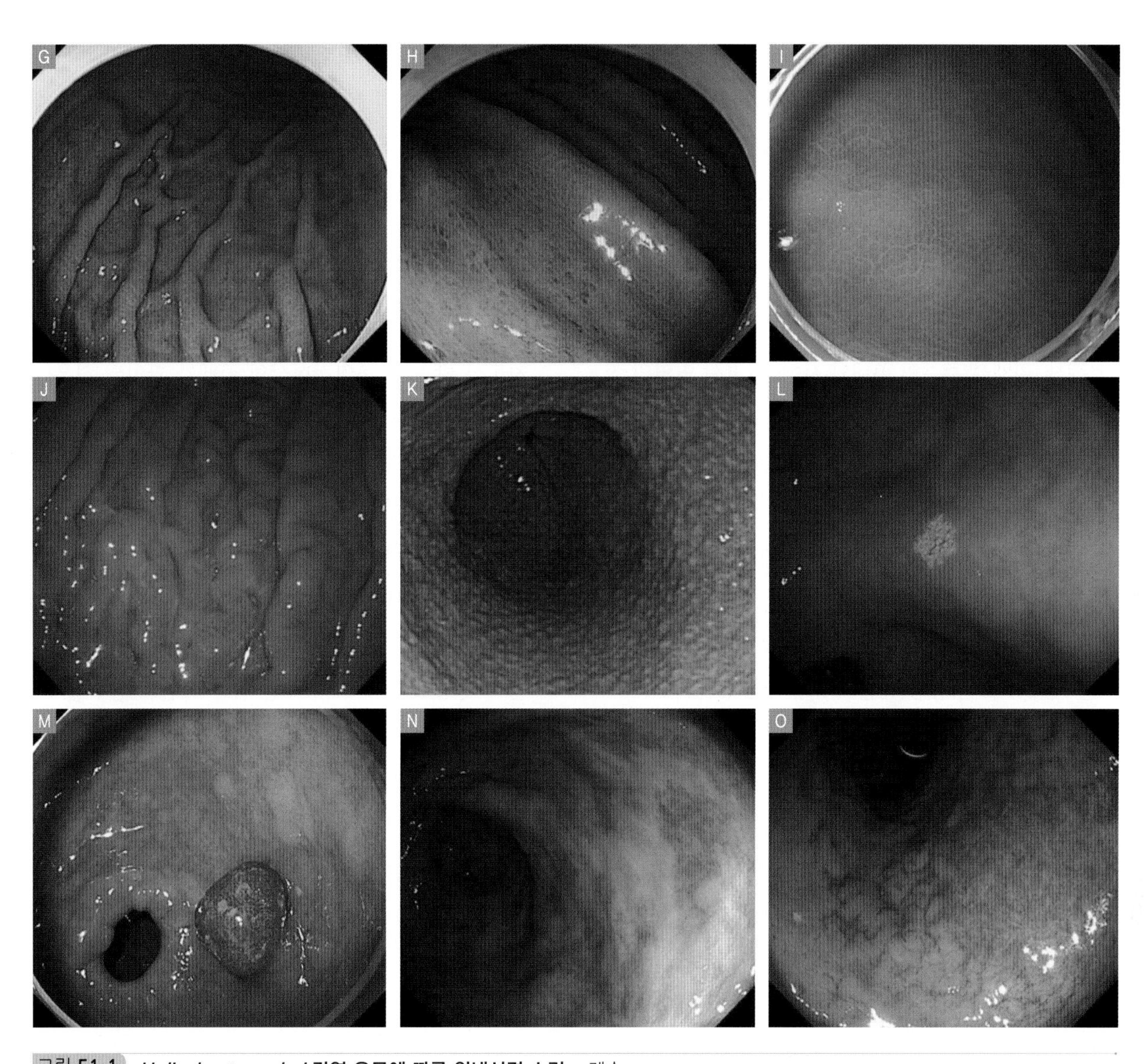

그림 51-1 ***Helicobacter pylori* 감염 유무에 따른 위내시경 소견.** -계속
G. Diffuse redness H. Spotty redness I. Mucosal swelling J. Enlarged fold and sticky mucus
K. Nodularity L. Xanthoma M. Foveolar-hyperplastic polyp N. Patchy redness O. Map-like redness

② ***H. pylori* 감염 내시경 소견**(그림 51-1 E~M)

H. pylori 감염 시 염증을 동반한 위점막에서는 점막 표층에 존재하는 모세혈관의 울혈·확장에 의해 점막 전체가 발적을 띠게 되는데, 이를 미만성 발적이라고 한다. 이러한 점막의 색조 변화는 hemoglobin index가 *H. pylori* 위염일 때 상승하는 것과 비슷한 의미이다. 또한 미만성 발적으로 인해 좀 더 깊은 곳에 위치한 집합세정맥이 점막 표면에서 관찰되지 않게 되는데, 이를 RAC의 소실이라고 한다.

H. pylori 감염이 장기간 지속되면 고유위선의 감소로 인한 위축성 변화가 발생하여, 내시경검사 시 다양한 정도의 점막주름의 위축, 혈관 투견 등의 위축 소견이 나타난다. 장상피화생은 위축이 진행함에 따라 나타나며, 내시경검사 시 회백색조의 편평 융기가 관찰되면 장상피화생에 특이적인 소견이라 할 수 있다. 하지만 장상피화생이 이렇게 관찰되는 경우는 일부에 불과

하며, 정확한 진단을 위해서는 methylene blue 염색이 유용하다고 알려져 있으나, 우리나라에서는 거의 사용되지 않는다. 최근에는 위점막의 융모상 변화나 indigo carmine 염색에서 위소구의 크기와 모양이 불규칙한 경우가 장상피화생 진단의 유용한 지표가 된다고 알려져 있다.

H. pylori 감염과 관련된 기타 내시경 소견으로는 점막 종창, 위체부 주름의 종대와 사행, 위저선 영역의 점상 발적, 백탁 점액, 황색종, 닭살 모양의 결절성 변화가 있다. 반상 발적과 편평 미란은 *H. pylori* 감염상태와 관련 없이 나타나는 소견으로, 비스테로이드성 항염증 약물(non-steroidal anti-inflammatory drug, NSAID) 등으로 인한 점막 손상과 관련이 많다.

③ *H. pylori* 기감염(제균 후) 내시경 소견
(그림 51-1 N~O)

*H. pylori*의 제균치료가 이루어지면 위점막의 염증이 개선된다. 조직학적으로 제균 성공 직후 다핵구 침윤은 저명하게 개선되어 거의 사라지며, 단핵구 침윤도 제균 직후 크게 감소하고 남아있는 단핵구 침윤은 제균 후 4~5년에 걸쳐 점진적으로 개선된다. 그러므로 제균 후 내시경 소견의 변화는 제균 당시의 위염의 상태와 관찰 시기에 따라 차이가 있다. 따라서 제균 후에는 *H. pylori* 감염 시 내시경 소견과 *H. pylori* 미감염 시 내시경 소견이 같이 관찰되는 경우가 흔하다. 제균 성공 후 단기간 내에 점상 발적, 미만성 발적, 점막 종창, 위주름의 종대와 사행, 백탁 점액은 개선되는 경우가 많다. 한편 제균 후 장기적으로는 RAC가 회복되거나 일부에서 위축, 장상피화생도 개선되기도 하지만, 개선의 속도와 정도는 개인차가 있다.

제균 후 특징적인 내시경 소견으로는 지도상 발적이 있다. *H. pylori* 양성인 만성위축위염에서는 흔히 혈관투견이 있는 위축 영역이 퇴색·백색으로, 위저선이 남아 있는 비위축 영역이 발적으로 관찰된다. 하지만 제균 후에는 위축 영역의 장상피화생을 가진 점막이 발적으로, 반대로 비위축 영역의 위저선 점막은 미만성 발적이 소실하기 때문에 백색조로 나타나게 된다. 이처럼 제균 후 나타나는 위축 영역의 발적을 지도상 발적으로 부르며, 이 선 경계에서의 색조의 역전은 현저하여 색조역전현상(reversed phenomenon on mucosal borderline)이라고 하기도 한다.

지도상 발적, 색조역전현상의 존재가 확인된 경우나 위축 점막과 동시에 미감염 소견인 RAC와 위저선 폴립이 관찰되는 경우에는 제균 후 점막이라고 진단하기에는 별로 어려움이 없다. 하지만 위축 점막에서는 부정형의 집합세정맥을 관찰될 수 있어서 제균 후의 RAC 회복을 평가할 때에는 주의가 필요하다.

④ 내시경 소견을 토대로 한 위암 위험도 점수체계

내시경 소견(위축, 장상피화생, 주름의 종대, 닭살 모양의 결절)을 토대로, 그리고 *H. pylori* 감염과 *H. pylori* 제균 후를 구별하는 소견으로 미만성 발적을 포함시켜 위암의 위험도를 예측할 수 있는 점수화 체계를 구성할 수 있다(표 51-2).

i) 위축(A)

위축이 관찰되지 않는 C-0, C-1은 점수 0점, 위축이 경한 C-2, C-3는 점수 1점, 위축이 중정도부터 심한 경우인 O-1~O-P는 점수 2점으로 계산한다. 예를 들면, 점수 1점의 경우에는 A_1로 기재한다.

ii) 장상피화생(IM)

장상피화생은 일반 백색광 관찰 및 영상 강화 내시경(image enhancing endoscopy, IEE)을 이용한 관찰에서 전혀 다른 소견을 보인다. 백색광으로는 특이형 장상피화생이라고 불리는 백색 융기 병변과 제균 후 나타나는 발적 함몰병변의 관찰만 가능하다. 그러나 methylene blue를 사용한 색소내시경에서는 특이형 이외의 장상

표 51-2. **내시경 소견을 토대로 한 위암 위험도의 점수체계**

위축(A): 백색광 관찰과 IEE 관찰을 구분하지 않음.
A → 0(없음: C-0~C-1), 1(경도: C-2~C-3), 2(고도: O-1~O-P)
장생피화생(IM): 백색광 관찰과 IEE 관찰을 구분하여 기재함.
IEE 관찰 시에는 light blue crest와 white opaque substance의 정도와 범위를 평가함. IEE 관찰 점수는 괄호 내에 표기하며 최종 점수에는 포함하지 않음. 예: $IM_{1(2)}$ IM → 0(없음), 1(전정부), 2(전정부와 체부)
주름의 종대(H)
H → 0(없음), 1(있음)
닭살 모양의 결절(N)
N → 0(없음), 1(있음)
미만성 발적(DR)
체부선 영역의 집합세정맥의 관찰 여부를 토대로 하며, 제균 후의 변화도 고려함. DR → 0(없음), 1(경도: 일부에 RAC가 관찰됨), 2(고도)
기재 방법
모든 인자들을 표시하며, 합계 점수는 제일 뒤 괄호 내에 표시함 (최소 0점~최대 8점). 예: A_1 IM_1 H_1 N_1 $DR_{2(6)}$

피화생도 청색으로 염색되어 관찰된다. Narrow band imaging (NBI)와 같은 단파장의 협대역 내시경에서 선와상피의 표면에 청백색의 선이 보이는 light blue crest (LBC)가 관찰되면 장상피화생으로 진단할 수 있다. 또한 특이형의 장상피화생에서는 NBI로 관찰 시 점막상피에 백색 물질이 부착되어 있는 white opaque substance (WOS)를 볼 수 있다. IEE 관찰에서는 이러한 LBC, WOS의 정도와 범위를 평가한다. 따라서 백색광 관찰 및 IEE 관찰 소견을 구분하여 기재한다.

장상피화생이 관찰되지는 않는 경우는 점수 0점, 장상피화생이 전정부에 국한되어 있는 경우는 점수 1점, 장상피화생이 체부까지 확장되어 있는 경우는 점수 2점이다. 백색광 관찰에서 점수 1점인 경우는 IM_1으로 기재한 뒤 IEE 관찰 소견은 괄호 내에 표기한다. 백색광 관찰 점수 1점, IEE 관찰 점수 2점의 경우에는 $IM_{1(2)}$로 기재한다.

iii) 주름의 종대

충분한 공기를 주입하여 관찰 시 주름의 폭이 4 mm 이하인 경우는 점수 0점, 5 mm 이상인 경우는 점수 1점이며 H_1으로 기재한다.

iv) 닭살 모양의 결절

닭살 모양의 결절이 관찰되지 않는 경우는 점수 0점, 관찰되는 경우는 1점이며 N_1이라고 기재한다.

v) 미만성 발적

위축이 없는 체부선 영역을 관찰한다. 숙련되지 않는 경우에는 체부선 영역의 집합세정맥의 관찰 여부를 토대로 미만성을 평가하는 것이 좋다. RAC가 관찰되는 경우는 미만성 발적이 없으므로 점수 0점, RAC가 소실된 경우는 점수 2점, 제균 후와 같이 일부에서 RAC가 관찰되는 경우는 점수 1점으로 한다. 점수 2점인 경우는 DR_2로 기재한다.

vi) 전체 점수

모든 인자를 A_1 $IM_{1(2)}$ H_0 N_1 DR_2로 기재하며, 전체 최종 점수(IEE 점수는 계산하지 않음)는 괄호 내에 기입하여 A_1 $IM_{1(2)}$ H_0 N_1 $DR_{2(5)}$로 기재한다. 전체 점수는 최소 0점~최대 8점이다.

3) 위염의 내시경적 분류: 기타 위염

(1) 만성 비특이성 위염

다양한 형태의 만성 비특이성 위염(chronic nonspecific gastritis)은 그 자체가 임상적으로 중요한 증상과는 크게 관련성이 없다. 그러나 위축위염, 화생성 위염과 같은 상황은 소화성궤양이나 위암의 발생과 관련성이 있다는 점에서 중요하다.

① 만성 비위축성위염

대부분의 만성 비위축성위염(chronic nonatrophic gastritis)은 *H. pylori* 감염과 관련하여 발생한다. 조직학적으로 병변의 위치에 따라 전정부위염(antral-predominant gastritis)과 위전역염(pangastritis)로 분류된다. 위점막에 미만성으로 호중구를 중심으로 한 다양한 염증세포가 침윤된다('active gastritis'). 이와 함께 상피세포의 손상, 점액의 감소, 반응성 핵변화, 미란 등이 관찰될 수 있으며 *H. pylori* 감염이 있는 경우에는 종자 중심을 가지는 림프여포(lymphoid follicles with germinal centers)가 특징적으로 발견된다. *H. pylori*는 위점막층을 침윤하지는 않으며 점액층 내에서 위상피세포와 근접하여 관찰된다. 일반적인 H&E 염색에서도 *H. pylori*를 발견할 수 있으나 Giemsa 염색이나 Warthin-Starry 은염색과 같은 특수염색으로 보다 잘 관찰할 수 있다. 대부분의 만성전정부위염 환자는 증상이 없으며, 위암의 발생률이 증가되지는 않는다. 기능성 소화불량 환자의 상당수에서 만성전정부위염의 소견이 발견되지만 임상증상과의 관련성은 뚜렷하지 않다.

② 다병소성위축위염

다병소성위축위염(multifocal atrophic gastritis)은 산재된 미만성의 위점막 위축과 장상피화생(intestinal metaplasia)으로 특징지어진다. 위점막의 염증에 의하여 위상피세포와 위선(gastric gland)이 파괴되고 장형(intestinal-type)의 세포로 대치되어 발생되는데, 그 기전은 숙주요소 및 환경적 요인이 모두 관여되는 것으로 생각되지만 대부분의 환자에서 *H. pylori* 감염과 관련되어 있다. 위점막은 표면에 선와상피(foveolar epitheliam)가 있고 그 아래에 주세포(chief cell), 방세포(parietal cell) 등으로 이루어진 고유선(proper gland)이 있다. 위축위염에서 위축이 일어나는 부위는 고유선이며, 선와상피는 오히려 과형성을 일으키기도 한다. 위축위염의 병리학적인 진단은 매우 어려워 병리학자 간에도 이견이 많지만 updated Sydney System을 이용한 위축위염의 중증도 평가가 보편적이다. 한편 대부분의 위축위염에는 장상피화생이 어느 정도는 동반되므로 이의 유무로 위점막 위축의 지표로 삼기도 한다. 장상피화생은 전정부와 위체부의 연결 부위의 소만부, 즉 위각부에서부터 시작되어 점차 전정부와 위체부와 방향으로 진행되는 경향을 보인다. 위점막의 위축이 진행되면 점차적으로 위산의 분비가 감소되며, 장상피화생이 진행되면 정상적인 위점막에서만 생존할 수 있는 *H. pylori*는 점차 감소된다. 위축위염은 위암, 특히 장형(intestinal type) 위암의 위험인자이다. 따라서 위축위염을 가진 환자에서는 위암의 위험인자가 없는 일반인에 비하여 자주 내시경검사를 시행하여 위암의 조기발견에 노력해야 할 필요가 있다.

내시경적으로는 점막이 창백하고 반짝거리며 점막하혈관이 현저하고, 심한 경우에는 위주름이 소실되어 보인다(그림 51-2). 내시경으로 장기간 관찰하여보면 위축위염은 주로 전정부에서 시작되어 점차 근위부로 진행하는 경향을 보인다. 이러한 과정에서 위축 부위와 비위축 부위의 경계 부위를 선경계(F선) 또는 경계영역으로 부르기도 하는데 Congo-red 등의 색소내시경을 시행하면 구분이 용이하나 일반 내시경검사에서는 뚜렷하지 않을 수 있다. 위축위염의 기무라 분류(kimura classification)에서는 위축된 점막의 범위에 따라 위축위염을 폐쇄형(closed type)과 개방형(open type)으로 나누기도 한다. 일본에서는 위축위염의 내시경 소견과 혈청검사를 바탕으로 위암 발생의 위험을 분류하려는 움직임도 있다(ABC 분류).

Correa의 가설에서 위축위염은 장상피화생을 거쳐 위암으로 진행한다. 장상피화생은 조직학적으로 두 가지 형태로 분류된다. 완전형(제I형)에서 위점막은 소장

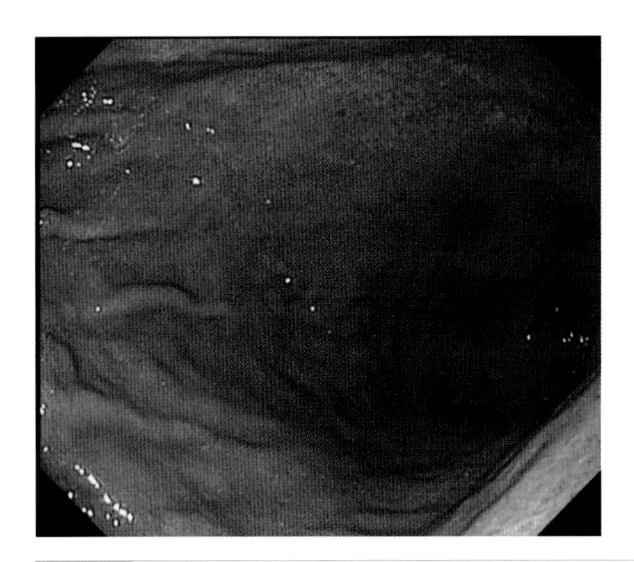
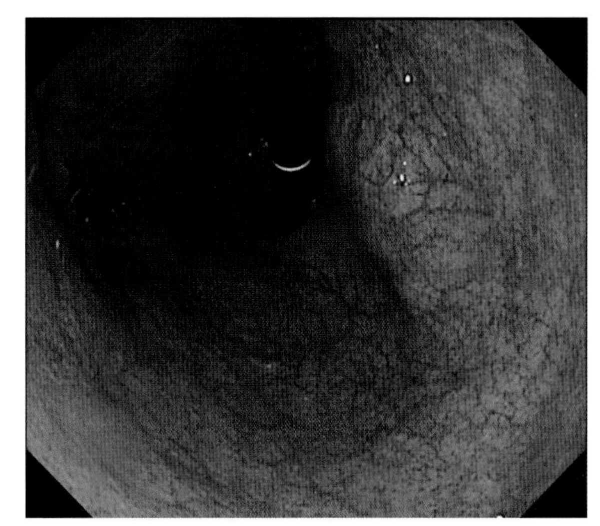

그림 51-2 **위축위염.**

점막과 유사한데, 솔가장자리(brush border)를 가지는 성숙된 흡수세포, 산성의 sialomucin을 분비하는 술잔세포(goblet cell) 및 호산성과립세포(paneth cell)를 관찰할 수 있다. 반면 불완전형에서 위점막은 대장점막과 유사하며, 소수의 술잔세포를 가지고 있는 불규칙한 비흡수성 원주세포를 관찰할 수 있다. 불완전형 장상피화생은 산성의 sialomucin을 분비하는 배세포를 가지는 제II형과 sulfomucin을 분비하는 배세포를 가지는 제3형으로 나눌 수 있다. 위암 발생의 위험은 불완전형 장상피화생, 특히 제III형에서 크게 증가된다. 화생성 위염은 내시경에서는 전정부에서 시작하여 위체부까지 분포하는 회백색의 과립상 융기 혹은 평탄한 색조 변호로 관찰된다(그림 51-3). *H. pylori*를 제균하면 위축위염이나 화생성 위염이 호전되는가는 명확하지 않다. 최근 조기위암 내시경치료 후 *H. pylori* 제균치료의 효과를 분석한 대규모 전향적 연구에서 제균치료 후 위축위염이 호전된다고 보고되었다.

③ 미만성 체성 위축위염

미만성 체성 위축위염(diffuse corporal atrophic gastritis)은 과거 위축위염을 위체부를 주로 침범하는 A형과 전정부를 주로 침범하는 B형으로 나누었을 때, A형 위축위염에 해당된다. 벽세포 항원인 H^+/K^+-ATPase 등을 T세포가 공격하는 등의 자가면역에 의하여 위저선(fundic gland)이 파괴되어 발생된다. 북미 등 서구에서 흔하며 우리나라에서는 거의 발견되지 않는다. 벽세포의 파괴에 의하여 위산분비능이 현저히 감소하여 무위산증(achlorhydria)이 발생하고, 이차적으로 고가스트린혈증과 G세포 과형성이 발생한다. 환자의 혈액 내에서는 벽세포나 내인자(intrinsic factor)에 대한 항체가 발견되기도 한다. 임상적으로는 비타민 B12의 부족에 인한 악성빈혈(pernicious anemia)을 보이며, 장상피화생이 동반되고 위암의 발생률이 증가한다.

(2) 감염성 위염

감염성 위염(infectious gastritis)은 매우 드문 질환으로 다른 장기의 감염과 동반되는 경우가 대부분이고 후천성면역결핍증 등 면역억제 환자에서나 수술 또는 장상피화생을 동반한 위축위염 등의 위에 변화가 생긴 경우에 주로 발생한다. 최근 다소 증가하는 경향이며, 임상적으로 감염성 위염이 의심되면 내시경으로 조직을 채취하여 특수염색과 배양검사를 시행해야 한다.

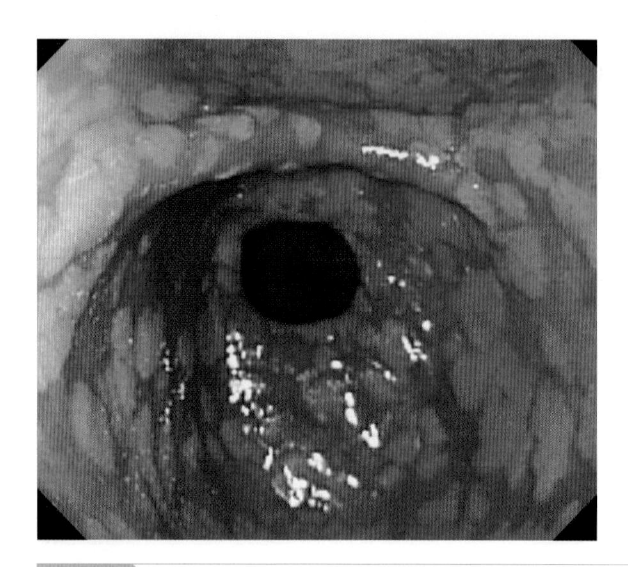
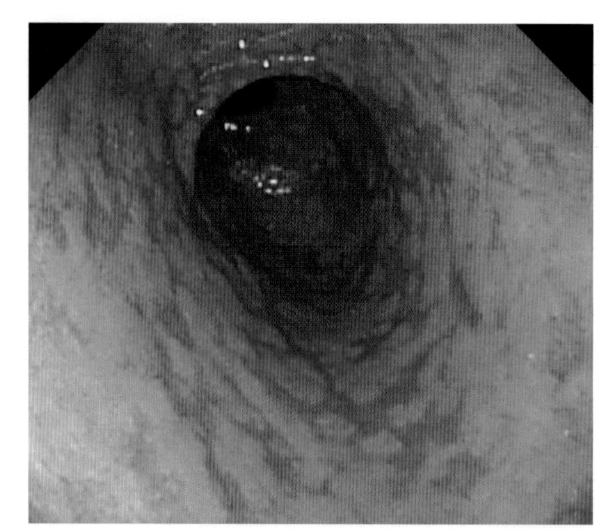

그림 51-3 **화생성 위염.**

① **세균성 위염**

결핵성 위염은 폐, 신장 등의 결핵에 동반된 2차성인 경우가 많으며 1차성인 경우는 매우 드물다. 일반적으로 위장관의 결핵은 회맹부에 호발한다. 내시경에서 특징적인 소견은 없으며 점막의 비후나 발적, 불규칙한 미란이나 궤양을 보일 수 있다. 임상적으로는 일반적인 궤양치료로 호전되지 않는 경우 의심할 수 있다. 위매독은 매독의 병기에 따른 차이 없이 발생될 수 있는데 심와부 통증, 트림, 구토, 식욕부진 등 다양한 증세로 나타날 수 있다. 봉와직염성 위염(phlegmonous gastritis)은 주로 점막하층을 침범하나 결국 전층에 괴사를 초래하는 치명적인 질환이다. 가장 흔한 원인균은 β-hemolytic *Streptococcus*가 가장 많고 그 외에 *Staphylococcus*, *E.coli* 등이 있으나 일부에서는 균이 발견되지 않는 경우도 있다. 유발인자로는 저산소증, 알코올 중독, 위궤양 및 위암, 위수술, 고령 등이 있으며 면역결핍증, 신부전이 동반되기도 하며 최근에는 내시경적용종절제술 후에도 발생한 예가 있다. 임상증상은 주로 복통으로 나타나며 폐혈증의 소견을 보이는 경우가 많다. 예후가 매우 불량하므로 내시경을 통하여 조기에 진단하고 항생제 치료와 수술 등 적극적인 치료가 필요하다. 봉와직염성 위염의 드문 형태로 기종성 위염(emphysematous gastritis)이 있다.

② **바이러스성 위염**

위의 cytomegalovirus에 의한 감염은 후천성면역결핍증, 신장 및 골수이식 후 등의 면역억제 상태에서 발생할 수 있는 기회감염으로 herpes simplex virus와는 달리 점막의 심부, 내피세포, 위선 등에 감염된다. 복통, 발열, 비전형적 림프구증이 발생되며 내시경적으로 궤양을 동반한 위점막의 비후로 보이는 경우가 많고 조직검사에서 Owl-eye intranuclear inclusion이 특징적이다. 효과적인 치료법이 없지만 ganciclovir나 foscarnet을 사용할 수 있다(그림 51-4). 위의 herpesvirus 감염도 면역억제 환자에서 발생할 수 있는데 구역, 구토, 발열, 오한, 체중감소 등의 증상을 일으킨다. 호흡기 감염을 동반하는 경우가 많으며 이때에는 예후가 훨씬 불량하다. 상부위장관 조영술이나 내시경에서 다발성의 미란이나 얕은 궤양을 동반한 cobblestone appearance가 대표적이다. 효과적인 치료는 없으나 acyclovir를 사용할 수 있다.

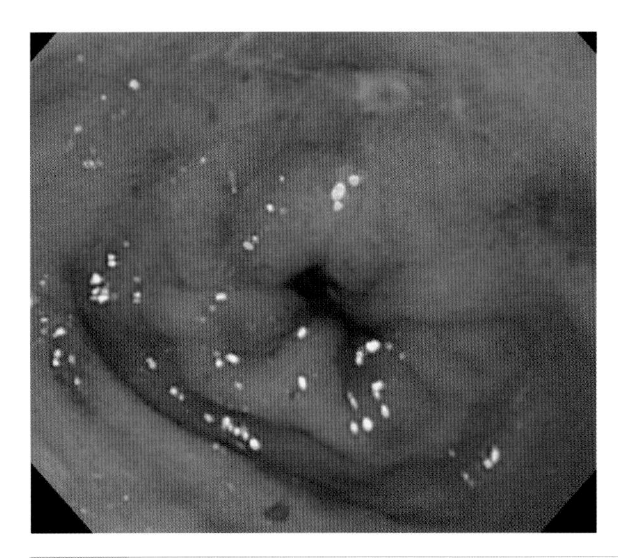
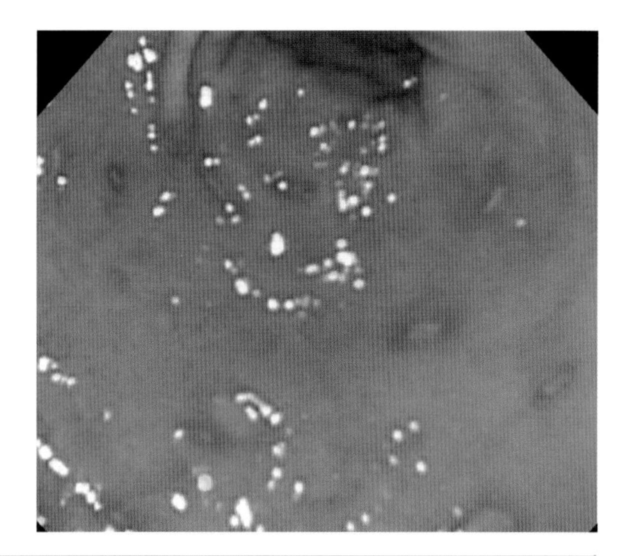

그림 51-4 거대세포바이러스 위염.

③ 진균성 위염

위의 *Candida* 감염은 건강한 성인에서도 양성 위궤양의 일부에서 병발할 수 있으나 대개 비침습성이며, 침습성 감염은 주로 면역억제 환자에서 발생된다. 이외에 histoplasmosis나 mucormycosis가 위에 발생하기도 한다.

④ 기생충성 위염

아니사키스증은 *Anisakis simplex* (고래회충, Anisakis type I)과 *Pseudoterranova decipiens* (물개회충, Terranova type A)의 유충의 인체감염으로 해산어류(참조기, 명태, 아나고, 조기, 방어, 광어)나 두족류(낙지, 오징어) 등의 생식을 통하여 감염된다. 생선회나 낙지를 먹은지 3~5시간 후부터 배가 메스껍고 거북하기 시작하여 식은 땀이 나고 급성 복통을 호소하게 된다. 병소는 주로 소화관, 특히 위 또는 소장벽에 형성되며 유충 침입 부위가 크게 붓고 출혈이 나타난다. 통증이 심한 경우 급성 복증으로 수술을 받는 경우도 있다. 복통 이외에도 구토, 복부팽만, 설사, 두드러기, 흉통, 발열, 백혈구증다증, ESR의 상승, 호산구증다증 등이 가능하다. 만성화되어 호산구성 육아종을 형성하여 수개월 고생하는 경우가 많으며, 드물게는 위벽을 뚫고 나가 복강내를 이동하여 갑작스런 복통을 유발하기도 한다. 또한 십이지장, 회장, 공장 및 충수돌기로 이동하여 그곳에서 장 아니사키스증을 일으키기도 한다. 고래회충과 향유고래회충은 위 및 소장에 각각 1:1 정도, 물개회충은 주로 위에 병소를 형성한다.

감염 초기에는 위충은 위내시경상 흰색의 짧은 실처럼 보이며 움직이면서 위벽을 뚫고 침입하는 모습을 보인다. 진단과 동시에 충체를 제거할 수도 있다. 그러나 대부분은 충체가 이미 위벽 또는 장벽으로 들어간 후이므로 진단을 받지 못한 채 만성적인 경과를 취하게 되는 것이 보통이다. 만성적으로 위나 장에 궤양 또는 종괴를 형성하여 위궤양이나 악성종양으로 오인되고 수술로 종괴를 제거한 후에야 충체를 확인하는 경우가 흔하다. 구충제로는 마땅한 것이 없다. 예방법은 생선회를 안 먹으면 되지만 실제로 이것은 어렵고 또 감염의 확률이 그리 높지 않으므로 생선회를 먹되 다음 두 가지를 주의하면 된다. 첫째, 생선의 내장은 결코 피해야 한다. 근육보다는 내장에 아니사키스 유충이 절대 다수로 많기 때문이다. 둘째, 생선회는 싱싱한 것을 선택한다. 생선의 신선도가 떨어지면 유충이 일부 근육으로 이동하기 때문에 이 경우 근육을 먹는다 해도 위험하다. 기생충에 의한 또 다른 위 감염증으로는 크립토스포리디움증과 분선충증이 있다.

(3) 기타 여러 종류의 위염/위병증

① 메네트리에병(Menetrier's disease)

메네트리에병은 ① 위체부의 거대 점막주름, ② 위산분비능의 저하, ③ 단백손실성 위병증(protein-losing gastropathy)에 의한 저알부민혈증, ④ 조직학적으로 소와의 증식(foveolar hyperplasia)과 위선의 위축 및 낭성 확장(gland atrophy and cystic dilatation)을 특징으로 하는 드문 질환이다. 원인으로는 면역학적, 화학적 요인, cytomegalovirus, *H. pylori* 등이 거론되고 있으나 명확하지 않다. 50세 이후의 남자에서 호발하며 복통, 구역, 구토, 체중감소, 부종 등의 임상상을 보인다. 내시경적으로 위점막이 두꺼워지는 소견을 보이며 침윤성 위암, 림프종, 유전분증(amyloidosis) 등과 감별이 필요하다. 저알부민증이 발생하면 고단백식과 H_2 수용체 억제제를 사용하며, 궤양이 동반 시에는 일반적인 궤양약제를 사용한다. 내과적으로 치료에 반응하지 않는 심한 단백상실성 위병증, 반복적인 대량 출혈, 악성질환과의 감별이 되지 않는 경우, 유문폐쇄 등에서는 수술이 필요하다. 본 질환에서 위암의 위험이 증가되지는 않는다.

② 육아종성 위염(granulomatous gastritis)

위의 육아종성 병변으로는 크론병과 sarcoidosis가 대표적이다. 크론병은 모든 위장관을 침범할 수 있는데 위의 크론병은 대부분 장의 크론병과 함께 나타나는 경우가 많다. 증상은 구역, 구토, 복통, 체중감소 등 비특이적이며 내시경적으로는 점막의 발적, 전정부의 불규칙한 궤양(serpinginous or longitudinal ulcer)과 미란으로 관찰된다. 치료는 일반적인 크론병과 크게 다르지 않다.

③ 호산구성 위염(eosinophilic gastritis)

호산구성 위염은 ① 말초혈액의 호산구증, ② 조직학적으로 호산구의 침윤, ③ 다양한 위장증상을 특징으로 하는 드문 질환으로 위에만 국한되어 발생되거나 소장을 포함한 호산구성 위장염의 일부로 나타날 수 있다. 위점막에 고배율상 20개 이상의 호산구가 관찰되면 비정상적인 호산구의 침윤으로 판단한다. 위에만 국한된 경우에는 전정부에 호발하며 약간의 미란을 동반한 위주름이나 점막의 비후로 관찰되며 드물게 위출구폐쇄가 발생되기도 한다. 스테로이드 치료에 반응한다.

④ 림프구성 위염(lymphocytic gastritis)

림프구성 위염은 위점막의 림프구 침윤을 특징으로 하는 원인미상의 드문 질환이다. 서구에서는 celiac sprue와 관련성이 있다고 알려져 있다. 최근 *H. pylori* 감염과 림프구성 위염 간에 상관관계가 있고, 단백상실성 비후성 림프구성 위염(protein-losing hypertrophic lymphocytic gastritis)이 *H. pylori* 제균치료 후 호전되었다는 보고가 있다. 내시경적으로 림프구성 위염은 위주름의 비후, 소결절형성(nodularity), 아프타성 미란 등의 양상을 보일 수 있다('varioliform gastritis').

⑤ 심부 낭종성 위염(gastritis cystica profunda)

심부 낭종성 위염은 주로 소화성궤양으로 부분 위절제술을 받은 환자의 남아 있는 위에서 발견되지만 수술을 받지 않은 환자에서도 드물게 발생한다. 낭종성 병변을 특징으로 하며 내시경이나 방사선검사에서는 다발성의 돌출된 종괴로 관찰된다.

⑥ 반응성 위병증(reactive gastripathies)

급성 미란성 위염(acute erosive gastritis)으로도 불린다. 위점막은 약제나 스트레스 등의 다양한 원인에 의하여 손상을 받을 수 있는데, 이 경우 염증세포의 침윤이 미미하기 때문에 위염보다는 위병증이라는 용어가 더 적합하다고 할 수 있다. Aspirin이나 NSAIDs 등의 약제나 알코올, 코케인, 방사선치료, 담즙의 역류, 위점막의 허혈 등이 원인이 될 수 있다. 내시경적으로는 작은 출혈성 병소, 미란, 궤양으로 관찰되는 경우가 많다. 문맥항진증성 위병증(portal hypertensive gastropathy)은 간경변 환자에서 발견되는 점막층의 혈관확장(vascular ectasia)에 의한 위점막의 변화로 염증세포의 침윤을 거의 동반하지 않으므로 위염보다는 위병증으로 부르는 것이 적절한다.

2. 위염의 병리학적 분류

1) 개괄

정상 위점막 고유판에 존재하는 단핵구성 염증세포의 수는 지역 및 인종에 따라 달라 병리의사들마다 견해의 차이가 있다. 하지만 일반적으로 적은 양의 림프구와 형질세포가 골고루 분포하고 있으면 정상으로 간주한다. 림프구 결절이 체부 점막에서 가끔 관찰될 수 있지만 림프여포를 형성하면 비정상적 소견으로 생각한다. 정상 위점막 고유판에 드물게 호중구가 관찰되기도 한다. 위점막에 정상 범주를 넘어서는 염증세포 침윤이 있다는 것은 위점막조직 손상을 의미하며 손상에 대한 조직 반응은 손상의 유형, 부위 및 기간에 따라 다르다.

위염은 크게 급성위염, 만성위염, 그 외 특수형태의 위염으로 분류된다. 중성구와 같은 급성염증세포의 침윤이 있을 때를 급성위염이라 하며, 림프구와 형질세포와 같은 만성염증세포의 침윤이 있을 때를 만성위염이라 한다. 특수형태의 위염은 원인 인자를 알 수 있을 정도로 특징적인 조직 소견을 보여 헬리코박터 만성위염이나 만성 비특이적 위염과 쉽게 구별된다. 여기에는 반응성 위염(reactive gastritis), 림프구위염(lymphocytic gastritis), 아교질위염(collagenous gastritis), 호산구위염(eosinophilic gastritis), 육아종위염(granulomatous gastritis), 방사선위염(radiation gastritis), 감염성 위염(infectious gastritis) 등이 속한다.

1994년 미국 텍사스 주 휴스톤에서 여러 나라의 위장관 병리의사들이 모여 1990년 발표된 Sydney system을 재평가하고 일부 수정하여 updated Sydney system을 제정하였다. Updated Sydney system은 위생검 조직 진단의 임상적 효용성을 최대화할 수 있도록 조직학적 소견과 원인을 결합한 최종진단 용어를 쓰도록 하였으며, 조직학적 소견은 점막의 염증, 활동도, 위축, 장상피화생, 헬리코박터 파일로리 밀도 등에 대해 경도, 중등도, 고도의 3등급 체계를 사용하도록 하였다. 정확한 등급을 위해서는 전층의 점막 생검과 정확한 방향으로 조직을 포매하는 것이 필수적이다. 또한 정확한 위생검 조직의 평가를 위해 위체부 전벽과 후벽, 전정부 대만과 소만, 위각(incisura angularis) 등 다섯 부위에서 각각 조직을 채취할 것을 명시하고 있다. 생검 부위에 따라 염증의 정도가 다를 때는 따로따로 기술하며 염증이 심한 부위를 명시한다. Updated Sydney system이 보편화되어 위암의 전암병변인 위축 및 장형화생에 대해 병리보고서에 기술하고 있지만, 이 분류는 위암 고위험군 예측에는 유용하지 않다. 위암 고위험군 예측에는 OLGA (Operative Link on Gastritis Assessment) 또는 OLGIM (Operative Link on Gastritis/Intestinal Metaplasia Assessment) system이 유용하다. 최근 메타분석을 이용한 연구결과 OLGA 또는 OLGIM 병기 III/IV인 경우 위암의 위험이 증가함을 보고하였다. OLGA system은 관찰자 간 일치도는 낮으나 민감도가 높으며, OLGIM system은 관찰자 간 일치도는 높으나 민감도가 떨어진다. 따라서 두 system을 병용하면 더 정확한 예측결과를 얻을 수 있다.

2) 급성위염

급성위염의 원인으로는 비스테로이드성소염제, 알코올, 항암제, 세균이나 바이러스 감염, 허혈과 쇼크 등이

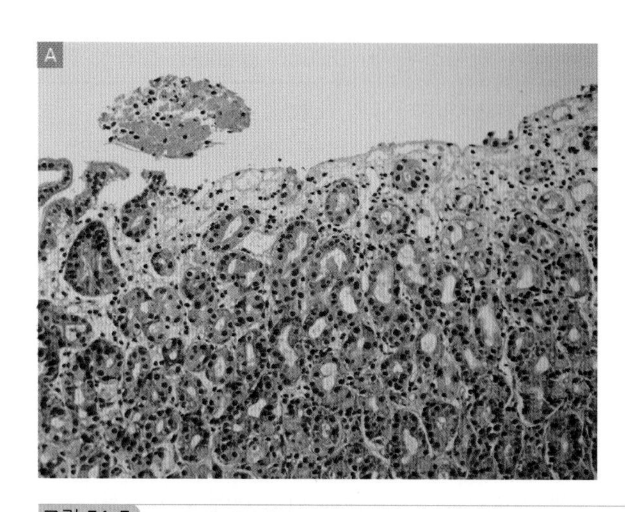

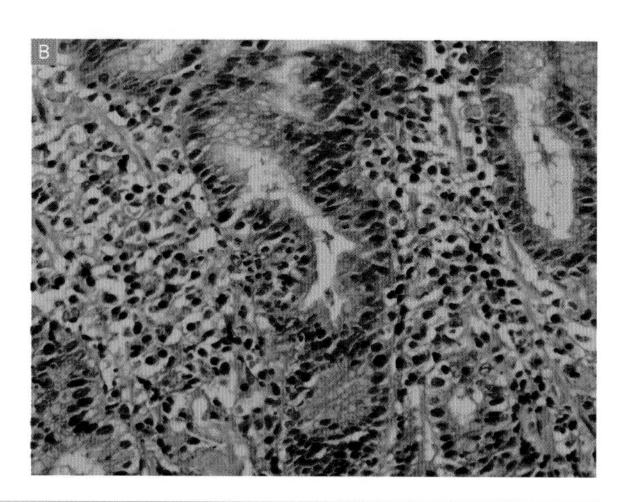

그림 51-5 **A. 급성미란위염:** 위점막 표재성 조직 결손과 위 내강 쪽 화농삼출물이 관찰된다.
B. 헬리코박터 만성위염: 고유판에 림프구와 형질세포가 침윤하고 있으며 상피세포 내에 중성구 침윤이 관찰된다. 상피세포 내강 쪽 표면과 점액층에 헬리코박터가 존재한다.

있다. 이러한 원인 요소들은 위상피세포를 손상시키거나 산과 펩신에 대한 저항력을 약화시켜 급성염증을 일으킨다. 급성위염은 대개 일시적이며 원인요소를 제거하면 없어진다. 하지만 심한 경우 급성위궤양을 일으킨다. 미란을 동반하는 경우 급성미란위염(그림 51-5 A), 출혈을 동반하는 경우 급성출혈위염이라 하며, 염증세포 침윤이 거의 없는 경우 급성위병증(acute gastropathy)이라 한다.

3) 만성위염

만성위염의 가장 흔한 원인은 헬리코박터 파일로리 감염이며, 그 외 자가면역, 십이지장 분비물 역류, 방사선조사, 요독증, 위석, 이식대숙주병 등이 있다. 만성위염이 오래 지속되면 위점막은 위축되며 장상피화생의 발생빈도가 높아지고 정도도 심해진다. 장상피화생된 상피세포의 비정형성이 심해지면 이형성(dysplasia)이 되고 더욱 심해지면 고등급 이형성을 거쳐 샘암종이 된다.

(1) 헬리코박터 만성위염

헬리코박터 만성위염은 대개 위방에 발생하며, 헬리코박터 파일로리 감염 시 만성염증세포와 함께 중성구 침윤이 있는 만성활동 위염의 소견을 보인다(그림 51-5 B). 고유판에서 림프소절이 자주 관찰되며 배중심(germinal center)이 보이기도 한다. 이러한 림프소절은 염증에 의해 유발된 점막연관 림프조직이며 여기서 림프종이 발생할 수 있다. 헬리코박터 파일로리는 불규칙하게 분포하여 조직생검 부위에 따라 전혀 발견되지 않기도 하며 장상피화생이 있는 곳에서는 관찰되지 않는다. 만성활동위염의 소견을 보이는 경우 대부분에서 헬리코박터가 관찰된다. 병리과에서 통상적으로 사용하는 헤마톡실린 에오신염색으로도 관찰이 가능하지만, 숫자가 적은 경우 와틴스타리(warthin-Starry) 염색이나 김자(Giemsa) 염색이 유용하다.

(2) 자가면역위염

자가면역위염은 위샘 벽세포와 내인자(intrinsic factor)에 대한 자가면역반응 때문에 생기는 병으로 헬리코박터 만성위염과 달리 위체부과 기저부 손상이 더 심하다. 위점막 고유판 깊은 곳 위샘 주변에 림프구 침윤이 관찰되며 벽세포 소실이 심한 경우 위점막이 얇아지고 저염산증 또는 무염산증이 되며 혈중 가스트린치가 높아진다. 내인자 또한 소실되어 비타민 B12가 결핍되므로 악성빈혈이 발생한다. 만성위염이 지속되면 위축과 장상피화생이 발생하며 위축의 정도와 상응하여 전정부 내분비세포가 증식한다. 이는 산의 분비 감소에 따른 것이다. 고가스트린혈증은 위체부와 기저부에서도 내분비세포의 증식을 초래하며, 드물게 신경내분비 종양을 만들기도 한다.

4) 특수형태의 위염

(1) 반응성 위염

반응성 위염(reactive gastritis)은 만성염증세포의 수가 정상이거나 약간 증가하며, 표면 소와세포의 증식(foveolar hyperplasia), 부종, 고유판 내 평활근 증식 등의 소견이 특징적이다. 미란이 없으면 호중구는 관찰되지 않는다. 이런 조직학적 소견은 화학적 자극 또는 약이 원인일 가능성을 시사하는 소견이다. 담즙 역류, 비스테로이드성소염제 복용, 과음 등과 관련 있다.

(2) 림프구위염

상피내 T림프구 침윤 증가가 특징적인 질환이다. 조직 소견상 헬리코박터 만성위염과는 쉽게 구별되며, 일반적으로 상피세포 100개당 상피내 침윤한 림프구가 25개 이상일 때 림프구위염(lymphocytic gastritis)으로 진단한다. 원인은 알려져 있지 않으나 40%가량에서 복강병(celiac disease)을 동반하여 면역매개 발병기전으로 여겨진다. 내시경상 특징적인 천연두모양 위염(varioliform gastritis) 소견을 보인다.

(3) 아교질위염

아교질위염(collagenous gastritis)은 특징적인 상피하 두꺼운 아교질 띠와 염증세포 침윤을 보이는 매우 드문 질환이며 아직까지 원인은 알려져 있지 않다.

(4) 호산구위염

전정부와 유문부 점막과 근육층에 많은 호산구 침윤으로 조직이 손상되는 것이 특징적인 소견이다. 병변은 위장관 다른 부위에도 있을 수 있으며 말초 호산구증가증과 혈청내 IgE 증가가 동반된다. 알레르기 반응, 전신경화증이나 다발근육염, 기생충 감염 및 헬리코박터 파일로리 감염 시 호산구위염이 발생한다.

(5) 육아종위염

육아종위염(granulomatous gastritis)은 육아종 형성을 특징으로 하는 위염으로, 많은 경우 원인불명이다. 크론병, 사르코이드증, 결핵, 진균 감염, 거대세포바이러스 감염, 헬리코박터 파일로리 감염 시 육아종이 관찰되기도 한다.

(6) 방사선위염

방사선조사로 인해 위염이 생기는 경우는 매우 드물다. 초기에 기저샘 괴사, 부종, 단핵구성 염증세포 침윤 등이 관찰되며 추적 결과 정상으로 회복되었다는 보고가 있다.

(7) 감염성 위염

① 세균성 위염

파종성 결핵을 앓고 있는 환자의 위점막에서 괴사성 육아종이 관찰될 수 있다. 후천성면역결핍증후군 환자가 증가하면서 *Mycobacterium avium* complex 감염도 증가하는 추세이나 위는 드물게 침범된다. 결핵성 위염 시 특수염색으로 항산균을 관찰할 수 있으며 결핵 중합효소연쇄반응법을 보조적인 진단방법으로 활용할 수 있다. 위매독 역시 후천성면역결핍증후군 환자가 증가하면서 증가하였는데, 형질세포가 대부분인 혼합염증세포 침윤, 점막궤양, 점막하층 및 근층 내 큰 혈관을 침범하는 단핵구성 혈관염이 특징적이다.

② 바이러스성 위염

거대세포바이러스위염은 주로 어린이나 면역결핍 환자에 발생하며, 대개 소화기계 다른 부위의 감염과 동시 발생한다. 현미경적으로는 정상세포보다 3~4배 가량 커진 감염된 세포에서 커다란 핵 내 호염기성 봉입체와 작고 과립형의 세포질 내 호산성 봉입체를 관찰할 수 있다. 면역조직화학염색을 통해 바이러스감염을 확인할 수 있다.

③ 진균성 위염

칸디다, 히스토플라스마 캡슐라튬, 뮤코르 감염 등이 발생할 수 있다. 대개 비침습성이며, 침습성 감염은 주로 면역억제 환자에서 발생한다. 위궤양의 기저부에 칸디다균사가 관찰되는 것은 이미 존재하는 궤양에 이차적 집락형성으로 생각한다.

④ 기생충성 위염

아니사키스, 크립토스포리디움, 편모충, 분선충 등에 의한 감염이 발생할 수 있다. 기생충 감염 시 조직반응은 염증이 전혀 없거나 육아종 형성, 드물게 점막손상, 출혈 및 괴사까지 다양하게 나타날 수 있다. 기생충이 지나간 자리에서 다수의 호산구가 관찰되며, 충체 주변으로 육아종성 반응이 관찰되기도 한다.

참고문헌

1. 강경훈, 고경혁, 박도윤, 박호성, 손진희, 이미자, 등. 위장관질환. 서울: 대한병리학회 eds. 병리학. 제8판. 서울: 고문사, 2017;582-594.
2. Chen MJ, Shih SC, Wang TE, Chan YJ, Chen CJ, Chang WH. Endoscopic patterns and histopathological features after eradication therapy in *Helicobacter pylori*-associated nodular gastritis. Dig Dis Sci 2008;53: 1893-1897.
3. Choi IJ, Kook MC, Kim YI, et al. *Helicobacter pylori Therapy for the Prevention of Metachronous Gastric Cancer*. N Engl J Med 2018;378:1085-1095.
4. Cotruta B, Gheorghe C, Iacob R, Dumbrava M, Radu C, Bancila I, et al. *The Orientation of Gastric Biopsy Samples Improves the Inter-observer Agreement of the OLGA Staging System*. J Gastrointestin Liver Dis 2017;26:351-356.
5. Dixon MF, Genta RM, Yardley JH, Correa P. Classification and grading of gastritis. The updated Sydney System. International Workshop on the Histopathology of Gastritis, Houston 1994. Am J Surg Pathol 1996;20:1161-1181.
6. Fukuta N, Ida K, Kato T, Uedo N, Ando T, Watanabe H, et al. Endoscopic diagnosis of gastric intestinal metaplasia: a prospective multicenter study. Dig Endosc 2013;25:526-534.
7. Haruma K, Kato M, Inoue K, Murakami M, Kamada T, eds. Kyoto classification of gastritis. Tokyo: Nihon Medical Center, 2017.
8. Kamada T, Haruma K, Inoue K, Shiotani A. *Helicobacter pylori* infection and endoscopic gastritis – Kyoto classification of gastritis. Nihon Shokakibyo Gakkai Zasshi 2015;112:982-993.
9. Kang KH, Ko KH, Park DY, Park HS, Sohn JH, Lee MJ, et al. Gastrointestinal Disease. In: Korean Society of Pathologists eds. Pathology. 8th ed. Seoul: Komoonsa, 2017;582-594.
10. Kato M, Terao S, Adachi K, Nakajima S, Ando T, Yoshida N, et al. Changes in endoscopic findings of gastritis after cure of *H. pylori* infection: multicenter prospective trial. Dig Endosc 2013;25:264-273.

11. Kato T, Yagi N, Kamada T, Shimbo T, Watanabe H, Ida K, et al. Diagnosis of *Helicobacter pylori* infection in gastric mucosa by endoscopic features : a multicenter prospective study. Dig Endosc 2013;25:508-518.
12. Kim GH. Status of *Helicobacter pylori* eradication in Japan. Korean J Helicobacter Up Gastrointest Res 2017;17:4-10.
13. Kumar V, Abbas AK, Aster JC. Robbins and Cotran Pathologic basis of disease. 9th ed. Philadelphia: Elsevier, 2015:760-768.
14. Miki K. Gastric cancer screening by combined assay for serum anti-*Helicobacter pylori* IgG antibody and serum pepsinogen levels - "ABC method". Proc Jpn Acad Ser B Phys Biol Sci 2011;87:405-414.
15. Oda Y, Miwa J, Kaise M, Matsubara Y, Hatahara T, Ohta Y. Five-year follow-up study on histological and endoscopic alterations in the gastric mucosa after *Helicobacter pylori* eradication. *Digest Endosc* 2004; 16:213-218.
16. Quach DT, Le HM, Hiyama T, Nguyen OT, Nguyen TS, Uemura N. Relationship between endoscopic and histologic gastric atrophy and intestinal metaplasia. Helicobacter 2013;18:151-157.
17. Rugge M, Correa P, Di Mario F, El-Omar E, Fiocca R, Geboes K, et al. OLGA staging for gastritis: A tutorial. Dig Liver Dis 2008;40:650-658.
18. Saka A, Yagi K, Nimura S. Endoscopic and histological features of gastric cancers after successful *Helicobacter pylori* eradication therapy. Gastric Cancer 2016;18:524-530.
19. Yagi K, Nakamura A, Sekine A. Characteristic endoscopic and magnified endoscopic findings in the normal stomach without *Helicobacter pylori* infection. J Gastroenterol Hepatol 2002;17:39-45.
20. Yue H, Shan L, Bin L. The significance of OLGA and OLGIM staging systems in the risk assessment of gastric cancer: a systematic review and meta-analysis. Gastric Cancer 2018;21:579-587.

CHAPTER 52 헬리코박터 파일로리와 위염

1. 헬리코박터 파일로리 위염

1) 헬리코박터 파일로리균이 위염을 일으키는 기전

헬리코박터 파일로리(*Helicobacter pylori*)균은 위점막 표면의 점액에 거주하는 나선형의 그람음성균으로, 상피세포에 접착하여 염증을 유발한다. *H. pylori* 감염성 위염은 현미경으로 400배율상에서 3개 이상의 염증세포 침윤이 보이면 진단할 수 있다. 염증으로 인한 위암화 과정에는 균주, 숙주, 환경요인이 관여하며 *H. pylori* 균이 위염을 일으키는 기전은 그림 52-1과 같다.

(1) *H. pylori* 균이 낮은 위내 pH를 극복하고 증식하는 기전

건강한 위내 환경은 pH 1~2로 낮아서, 생존할 수 있는 균은 요소분해효소(urease)를 분비할 수 있는 *Helicobacter*, *Proteus*, *Staphylococcus*, *Klebsiella*, *Citrobacter*, *Actinomyces*, *Corynebacterium*, *Enterobacter*, *Streptococcus* 속(genus)이나 낮은 pH를 견딜 수 있는 *Lactobacillus*, *Yersinia*, *Vibrio* 속에 불과하다. *H. pylori*는 요소분해효소를 분비하여 요소를 이산화탄소와 암모니아로 분해하고, 암모니아가 물과 반응하면 수산화암모늄으로 바뀌어 산을 중화시킨다.

(2) 편모를 이용해서 상피세포로 접근하는 기전

*H. pylori*는 편모의 운동성이 좋을수록 상피세포에 심한 염증을 유발한다. 편모는 몸통, 고리(hook), 편모 필라멘트(filament)로 구성되며, 필라멘트에는 움직임을 담당하는 두 개의 flagellin (FlaA, FlaB)이 있다. 편모는 부착소(adhesin)를 발현시켜 상피세포에 붙는다.

(3) 균이 세포에 부착하여 독성인자를 주입하는 기전

*H. pylori*는 Hpa (*H. pylori* adhesion) A를 통해 상피세포에 부착하여, 집락을 형성하고 세포 안으로 cytotoxin-associated gene (*cag*) A나 vacuolating cytotoxin (*vac*) A과 같은 독성인자를 주입한다. *H. pylori*가 상피세포에 잘 부착하기 위해서는 외막 단백질이 필요하다.

① CagA 단백

*H. pylori*는 *cag* pathogenicity island (PAI)를 형성하여 상피세포에 4형 분비기구(type IV secretion system)를 발현시킨 뒤, CagA 단백을 세포 내로 주입한다. CagA는 동양에서는 거의 모든 감염자에서 발견되지만, 서양에서는 감염자의 약 60%에서만 발견된다. CagA는

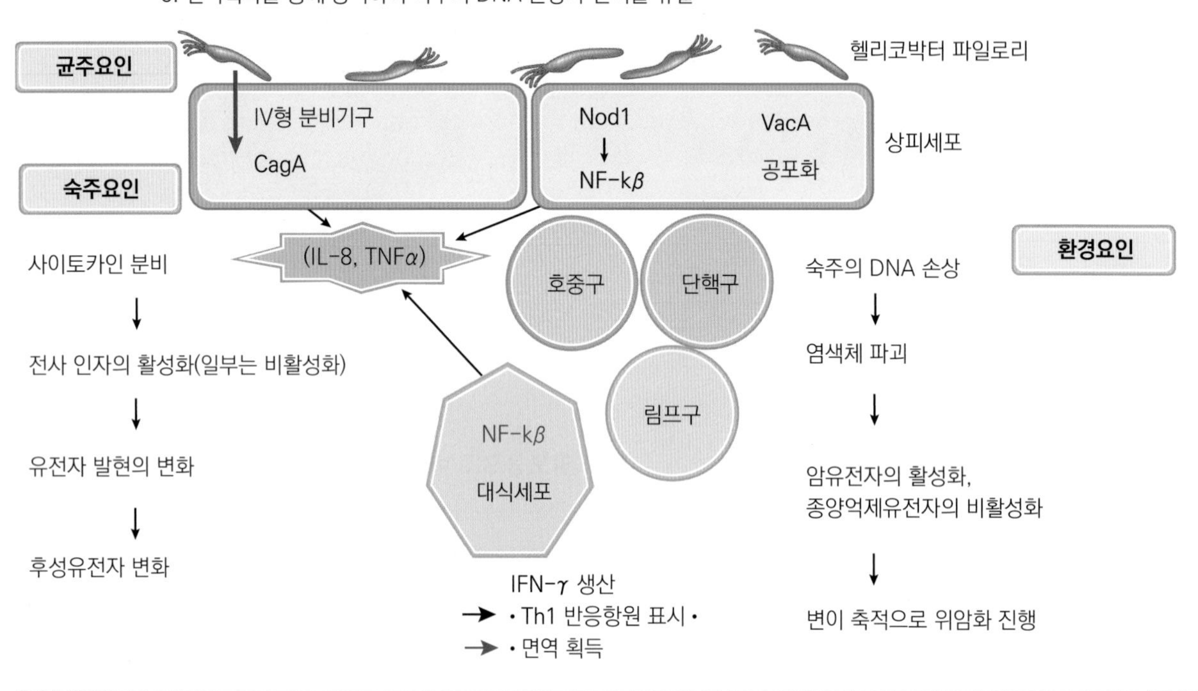

그림 52-1 *H. pylori*가 위점막에 염증을 일으키는 과정.

C-terminal 다양성인 Glu-Pro-Ile-Tyr-Ala (EPIYA)에 따라서 EPIYA-A, EPIYA-B, EPIYA-C, EPIYA-D로 분류되는데, ABD의 조합은 동아시아에서 흔하다. 동아시아형(east-asian type)이나 ABCC, ABCCC, ABBD의 다발성 반복을 보이는 *cagA* 유전자를 지닌 *H. pylori*는 위체부까지 심한 염증을 유발하여 위궤양과 위암의 위험성을 높인다. 동아시아형 *cagA*로 불리는 *cagA* EPIYA-ABD 유전자형은 한국과 일본에서만 흔하며, 상피세포 접착능이 뛰어나서 위암 발생률이 높다.

② VacA **단백**

VacA는 대부분의 *H. pylori* 감염자에서 발견되며, 상피세포의 공포화(vacuolation)와 세포자멸(apoptosis)을 유발한다. VacA는 ‘s’와 ‘m’형으로 각각 불리는 신호 중간(signal middle) 영역의 구조에 따라 소화성궤양과 위암 발생률이 달라지며, *vacA* s1m1 유전형이 가장 높다. 한국인 감염자에서 주로 발견되는 유전자는 *vacA* s1/i1/m1, *cagA*, *outer inflammatory protein* (*oip*) *A*, *induced by contact with epithelium* (*ice*) *A1* 등이며, *duodenal ulcer protein* (*dup*) *A*는 드물다.

(4) 세포독소 분비를 통해서 염증을 일으키는 기전

H. pylori 감염 시 tumor necrosis factor-α (TNF-α), interferon-γ (IFN-γ), tumor growth factor-β (TGF-β), interleukin (IL) 등의 다양한 사이토카인(cytokine)과 케모카인(chemokine)이 생성된다. IL-8은 강력한 호중구 활성화 물질로, 대식세포의 TNF-α, IL-6, IL-1β 생성과 IFN-γ의 발현을 유도하여 nuclear factor-kappa B

(NF-κβ)를 생성하여 염증을 악화시킨다. 8-hydroxydeoxyguanosine (8-OHdG)는 산화 스트레스로 인한 변이를 측정할 수 있는 척도로, *H. pylori* 감염 시 cyclooxygenase-2 (COX-2) 및 산화질소(nitric oxide) synthase (iNOS)와 함께 상승한다.

① CagA와 VacA 단백 주입에 의한 염증

CagA는 염증인자를 생성시켜 균일한 상피세포 배열을 파괴한다. VacA는 상피세포의 형태를 변형시켜 방벽 효과를 파괴하고, 세포의 공포화와 사멸을 유도한다. 수용체형 단백 티로신 포스파타제(receptor type protein tyrosine phosphatase)는 세포의 증식, 분화, 부착에 관여하며, 숙주세포의 T세포 반응을 억제하여 감염이 지속되도록 한다.

② 외막단백질 발현에 의한 염증

OipA, heat shock protein 60 (Hsp60), neutrophil activating protein (Nap) A 등의 외막단백은 IL-8, IL-12, TNF-α 등의 생성을 유도하여 호중구에서 유리 산소를 생성시킨다. 이로써 균의 DNA를 보호하고, sialic acid-binding (Sab) A 단백과 함께 호중구가 상피세포 가까이로 이동하도록 유도한다. 한편, blood-antigen binding (Bab) A 단백은 ABO와 Lewis B 혈액 항원에 접합하며, *H. pylori*의 밀도와 비례해서 증가한다. BabA 수용체의 구조는 혈액형 O형과 유사하며, BabA 양성인 균주는 NF-κβ를 자극하여 위축위염, 소화성궤양, 위암을 유발한다. Lewis X와 Lewis Y는 CagA PAI와 VacA 작용을 도우며, Le a+b−형이 Le a−b+형보다 위암의 위험성이 높다.

(5) 면역획득을 통해서 세포를 손상시키는 기전

*H. pylori*는 면역회피, 자연 혹은 획득면역 등의 방법으로 면역체계를 피해서 생존한다. 상피세포가 손상되어 염증성 사이토카인이 생성되면 T조절세포는 IL-10을 생성하여 면역력을 획득하게 한다. 이외에도 면역반응유전자, 암유전자, 신경내분비인자 등이 면역반응에 관여하며, 독성인자를 생성하여 숙주의 면역세포가 증가하지 못하도록 억제한다.

H. pylori 감염성 위염은 DNA 메틸화와 microRNA의 조절장애를 통해 유전학적 불안정성과 염색체 이상을 유발한다. *H. pylori*는 전사인자(transcription factor) 및 신호전달체계를 활성화시켜 후생학적 변화(epigenetic change)를 유도함으로써 DNA 메틸화의 변화, histone 구조의 개편, messenger RNA 이상을 유발한다. 메틸화 변화 시 위점막에서는 세포성장관련 유전자, DNA 복구 유전자, 종양억제 유전자, 세포부착관련 유전자, E-cadherin 및 microRNA 관련 유전자 등이 이상발현을 보인다. 이 과정이 일단 진행되면 *H. pylori*가 사라진 후에도 CpG 영역의 과메틸화(CpG island hypermethylation)과 반복적인 DNA 저메틸화(hypomethylation)는 계속 진행된다. 유전 다형성 중 *IL-1β*-31 T 대립유전자(allele), *IL-1β*-511 T 대립유전자, *IL-1RN* 2 대립유전자는 *H. pylori* 감염으로 인한 염증을 악화시켜 위암의 위험성을 높인다. 한국인에서는 *IL-8*-251A 대립유전자가 *IL-8* 상승 및 위암 발생과 연관이 있다.

(6) 결론

H. pylori 감염성 위염은 균이 상피세포에 접착한 후에 일어나는 이상 신호화 과정에 의해서 발생한다. 균이 면역반응을 피해서 염증을 일으키는 기전에는 CagA, VacA, 편모, 요소분해효소, 부착을 돕는 독성인자 등 균주요인이 중요하다. 독성인자 중에서도 동아시아형 *cagA* 유전자형은 위암을 유발하는 가장 위험한 인자로, 대부분의 한국인 감염자에서 발견된다. 독성인자 이외에 숙주의 유전다형성과 면역획득도 위암화 과정에서 관찰되므로 주의해야 한다.

2) 헬리코박터 파일로리 감염의 임상적 의미

헬리코박터 파일로리 감염성 위염은 위점막에 염증 세포 침윤을 보이는 조직학적 진단명으로, 항생제로 치료하지 않으면 만성위염으로 진행한다. *H. pylori*에 감염되면 전염자로서 감염 전파의 위험성과 감염자로서 질병 발생의 위험성이 동시에 높아진다.

(1) 균 전염자로서의 의미

*H. pylori*는 타액, 치석, 구토물, 위액, 대변을 통해 구강대 구강이나 항문대 구강 경로로 전염된다(그림 52-2).

① 가족 간의 전염

*H. pylori*는 주로 유아기에 부모나 조부모로부터 음식물을 통해 전염되는 수직감염이지만, 청소년기 이후에 새로 전염되는 수평감염도 드물지 않다. *H. pylori* 감염자의 배우자가 감염자일 가능성은 미감염자에 비해서 6배 높으며, 부부에서 동일한 *H. pylori* DNA를 보일 수 있다. *H. pylori*는 타액과 치석에도 존재하므로, 음식물을 같이 먹고 식기를 같이 사용하면서 전염되는 것으로 추정된다. 감염 진단 시 가족들의 감염 여부는 비침습적 검사를 통해서 확인할 수 있으며, 16세 이상에서 양성으로 보고되면 위내시경검사로 확인한 뒤, 치료를 하는 것이 바람직하다. 최근의 혈청검사키트는 결과를 단순히 양성이나 음성이 아닌, 혈청항체 수치(AU/mL)로 보여준다. 항체 수치가 균의 양을 의미하는 것이 아니지만 비례관계를 보인다. 제균치료 성공 시에는 항체 수치가 서서히 감소하여 6개월 후에 50% 이상 감소하고, 대부분 수년 안에 음전화된다. 한국인 혈청항체 양성자 318명에게 같은 날 대변항원검사를 시행한 결과, 80.5%에서 양성으로 보고되었다는 것은 혈청검사 양성자 5명 중 4명이 항문대 구강 전염까지 시킬 수 있다는 것을 시사한다. 즉, 혈청검사에서 양성으로 나온 한국인 중 기감염자는 5명 중 1명에 불과하며, 대부분이 제균치료가 필요한 감염자이다.

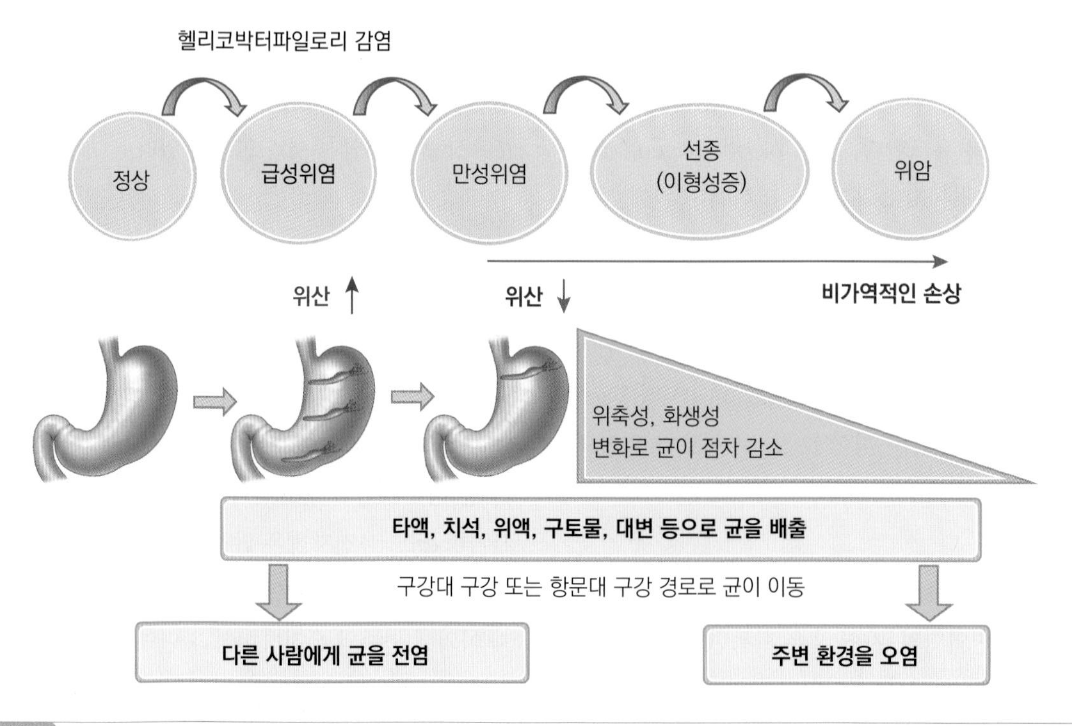

그림 52-2 헬리코박터 파일로리 감염에 의한 위암화 과정과 분비물을 통한 전염.

② 동료 간의 전염

학동기 아동의 *H. pylori* 감염의 전염경로를 조사한 일본 연구에서는 교사들 간에 동일한 균이 증명되었다. *H. pylori* 감염의 과거력이 없는 한국인 미감염자 267명을 3년 넘게 추적관찰한 결과, 9.7%에서 혈청검사가 양성으로 전환되었다. 이 연구에서 혈청전환의 위험성은 음주량과 비례하여 증가했는데, 이는 국내의 다른 대규모 연구와도 결과가 일치한다. 이처럼 음주가 *H. pylori* 전염과 연관이 있다는 결과는 한국에서만 보고되었으며, 외국에서는 연관성이 없거나 상반되는 결과를 보인다. 술잔을 돌리는 한국의 독특한 음주 문화가 전염을 일으키기 때문으로 추정된다.

③ 주변환경 및 의료기기 오염을 통한 타인에게의 전염

냉장고의 보급으로 음식물을 통한 *H. pylori* 전염은 감소했으나, 물이나 음료에서 *H. pylori*가 종종 보고된다. 스페인 연구에서는 대부분의 식수에서 *H. pylori*가 배양되었으며, 판매용 음료 450병 중 8병(1.8%)에서 균이 배양되었다. 감염자는 대변을 통해 주변의 토양도 오염시키기에 흙에 노출된 직업을 가진 사람일수록 감염자가 많다는 보고도 있다.

*H. pylori*는 위점막과 치석에서 증식하므로, 감염자의 균이 위내시경검사나 치과 시술을 통해서 타인에게 전염될 수 있다. 급성 감염 시 위점막 손상으로 인한 통증이 발생할 수도 있으나 대부분은 증상이 없거나 비특이적이어서 전염되어도 알 수 없다. 지침에 맞춰서 소독을 제대로 해도 위내시경 기기를 통한 전염율은 0%가 될 수 없으며, 내시경 전용 소독기를 사용하지 않을 경우에는 더 높다. 위내시경 본체뿐만 아니라 조직겸자 등의 기구도 균 전염의 위험성이 있으므로, 감염자에게 치과 시술이나 위내시경검사를 할 때는 별도의 검사실과 기기로 미감염자들을 보호하는 것이 바람직하다. 일회용 기구 사용이 용납되지 않아 재사용할 때는 윤활제가 도포된 기구는 압력멸균소독을 하고, 열에 약한 기구는 에틸렌산 가스로 멸균소독한다.

④ 동물과의 전염

*H. pylori*의 주숙주는 인간으로, 동물에게 어느 정도의 비율로 전염시키는지는 알 수 없다. 하지만 우유와 육류 섭취 후에 VacA 양성 *H. pylori* 감염이 증가했다는 연구 결과로 볼 때, 인간으로부터 *H. pylori*가 전염된 동물도 있다. 이와 반대로 애완동물이 인간에게 *Helicobacter* 속(genus)를 전염시켰다는 보고는 많으며, *H. pylori* 보다는 non-*H. pylori Helicobacter* (NHPH) 전염이 더 흔하다. NHPH 중에서 사람에게 궤양이나 암을 유발하는 종(species)은 표 52-1과 같다. NHPH는 *H. pylori*보다 길고, 편모도 많아서 병리검사에서는 흔히 양성으로 보고된다. 그러나 요소분해효소 생성력이 *H. pylori*보다

표 52-1. **사람의 위에서 병을 유발할 수 있는 *Helicobacter***

종	주숙주	상부위장관질환
H. pylori	사람	궤양, 위염, 위암, MALT림프종
H. heilmannii	사람, 개, 고양이	궤양, 위염, 위암
H. bizzozeronii	사람, 개, 고양이, 여우	궤양, 위염
H. salomonis	개, 고양이, 토끼	궤양, 위염
H. felis	고양이, 개, 쥐	궤양, 위염
H. bovis	소	궤양, 위염
H. mustalae	족제비, 밍크	궤양, 위염, 위암
H. suis	돼지, 원숭이	궤양, 위염, MALT림프종

떨어져서 요소호기검사나 급속요소분해효소검사(rapid urease test)에서는 흔히 음성으로 보고된다.

(2) 감염자로서의 위험성

H. pylori 감염성 위염이 궤양이나 종양을 유발하는 경우는 10% 미만에 불과하지만, 동아시아형 *cagA*를 지닌 *H. pylori*에 감염되면 위점막 접착력이 높아서 체부위염, 위궤양, 위암을 유발하기 쉽다. 일본 헬리코박터학회 연구에 의하면 *H. pylori* 감염성 위궤양이 십이지장궤양보다 흔한 나라는 한국과 일본뿐이다.

① 기능성 소화불량증

기능성 소화불량증은 여러 원인에 의한 복합적 질환으로, 한국인에서는 *H. pylori* 감염 여부보다 위암의 가족력이 있을 때, 교육수준이 낮을 때, 고염식을 할 때 더 흔하다. 대부분의 감염자는 증상이 없으며, 증상이 있는 *H. pylori* 감염자를 제균치료한 후에도 일부에서만 증상이 호전된다. 따라서 *H. pylori* 연관성 기능성 소화불량증은 제균치료 6~12개월 후에 호전을 보일 때만 진단한다. 부종이나 발적이 심한 급성 *H. pylori* 감염성 위염 환자에서는 위산분비가 증가되어 명치부의 통증, 오심, 구토 등이 발생할 수도 있지만 대부분의 *H. pylori* 감염자는 증상이 없다.

② 급성위염

*H. pylori*에 감염되어 호중구(neutrophil)가 증가하면, 급성 염증으로 인해 점막 부종과 탁한 삼출물이 발생하고, 위점막이 자극되어 분비능이 상승한다. 부종이 심하여 위주름이 5 mm 이상으로 두꺼워지는 비후성 위염(hypertrophic gastritis)과 점막자극으로 인해 기저부에 생기는 발적과 다발성 점상출혈은 활동성 감염을 시사하는 소견이다. 호중구와 단핵구(monocyte)가 주로 침윤하는 급성위염에서 만성위염으로 진행하는 과정에서 림프구가 밀집하여 위점막이 닭살 모양처럼 보일 수 있다. 이러한 결절성 위염(nodular gastritis)은 상피하 림프성 여포(lymphoid follicle)에 의한 것으로, 젊은 여성일수록 흔하며, 제균치료를 하면 수개월에 걸쳐 사라진다.

③ 만성위염

만성감염 시에는 위축과 장상피화생으로 인해서 호중구는 거의 사라지고, 단핵구, 림프구, 형질세포(plasma cell)가 관찰될 수 있다. 만성위축위염은 위내시경검사 시 얇아진 위점막 아래로 투영되는 혈관상이 보이면 진단할 수 있으며, 화생성 위염(metaplastic gastritis)과 흔히 동반된다. 위축의 경계선(atrophic border)이 위각을 넘지 않는 전정부에 국한된 폐쇄형(closed-type) I형 위축은 *H. pylori* 감염 없이도 나타날 수 있는 현상으로, 전암성 병변이 아니다. 위축의 경계선이 위각을 넘어 체부에 있는 폐쇄형 2형부터는 위암의 위험성이 높아지며, 위축의 진행 정도는 혈청 펩시노겐 수치와 반비례해서 혈액검사로 반영된다. 화생성 위염은 위점막이 술잔세포(goblet cell)가 있는 장점막처럼 바뀌는 장상피화생의 내시경적 진단명으로, *H. pylori* 만성 또는 과거 감염을 시사한다. 위축위염이나 황색종과 흔히 동반되며, 불규칙하고 납작한 흰색 융기나 함몰형 미란이 관찰되면 진단할 수 있다. 장상피화생이나 위축이 있어도 제균치료 시 위암의 발생률이 유의하게 감소하므로, 제균치료를 권해야 한다.

④ 소화성궤양

궤양은 공격인자(*H. pylori*, 비스테로이드성소염제, 항혈전제, 스테로이드 등의 약제, 과도한 위산분비, 펩신 등의 단백융해효소, 흡연 등)가 방어인자(점액, 중탄산염, 점막혈류, 상피세포 재생 등)보다 우세할 때 발생한다. 소화성궤양은 점막층이 손상되어 점막하층이 노출되는 위와 십이지장의 질환으로, 약 70%에서 *H. pylori* 감염이 진단된다. *H. pylori* 감염으로 인한 궤양은 조기위암처럼 무증상인 경우가 흔하고, 남성에서 흔하며, 단일 궤양인 경우가 많다. *H. pylori* 감염에 의한 위궤양은 벽세포(parietal cell)에서 분비되는 펩시노겐에 의해 영향받기 쉬운 위각부나 체부의 소만 측에서 흔하다.

⑤ **위암**

H. pylori 감염이 위에서 유발할 수 있는 악성종양은 선암과 원발성 저위도 MALT 림프종이다. 2014년 WHO의 International Agency for Research on Cancer *Helicobacter pylori* Working Group에서는 *H. pylori*가 위암의 주요 위험인자이기에 위암 예방을 위해서 제균치료가 필요하다고 선언했다. 탄 음식이나 발암성 물질의 섭취, 하루 10 g을 초과하는 고염식도 위암 발생에 영향을 줄 수 있으며, *H. pylori* 감염이 있으면 위암의 위험성이 더욱 증가한다. 비타민 부족, 영양실조, 흡연, 음주도 *H. pylori* 감염성 위염을 악화시킬 수 있으나, 감염 없이 단독적으로 위암을 유발할 가능성은 적다. 한국인 위암 환자는 현 감염자(75.2%)나 과거 감염자(22.5%)이며, 감염력이 없는 환자는 2.3%에 불과하다.

⑥ **기타 질환**

감염자에게 발생할 수 있는 대표적인 *H. pylori* 연관성 위장관 외 질환으로는 철분결핍성 빈혈과 특발성 혈소판감소성 자반증이 있다. 이외에도 *H. pylori* 감염과 연관성이 보고된 질환들은 많지만, 앞서 언급된 질환들과 달리 제균치료만으로 호전된다는 증거는 불충분하다(그림 52-3).

(3) 결론

H. pylori 감염성 위염은 제균치료가 필요한 감염성 질환으로, 증상 유무로 진단할 수 없다. *H. pylori* 감염이 지속되면 타액, 치석, 구토물, 위액, 대변 등으로 균을 배출하여 다른 사람에게 전염시킬 수 있고, 감염자 본인에게는 위암이나 소화성궤양 등을 유발할 수 있다. 따라서 위내시경 검진 시 주름비대, 탁한 위액, 기저부의 발적, 닭살 모양의 결절이 보이면 현감염자일 가능성이 높으므로, *H. pylori* 검사를 시행하고 제균치료해야 한다. 만약 체부까지 위축이 진행되었거나 황색종, 불규칙한 흰색 융기나 납작한 발적 등 화생성 위염이 있으면 만성 감염자나 기감염자일 가능성이 높으므

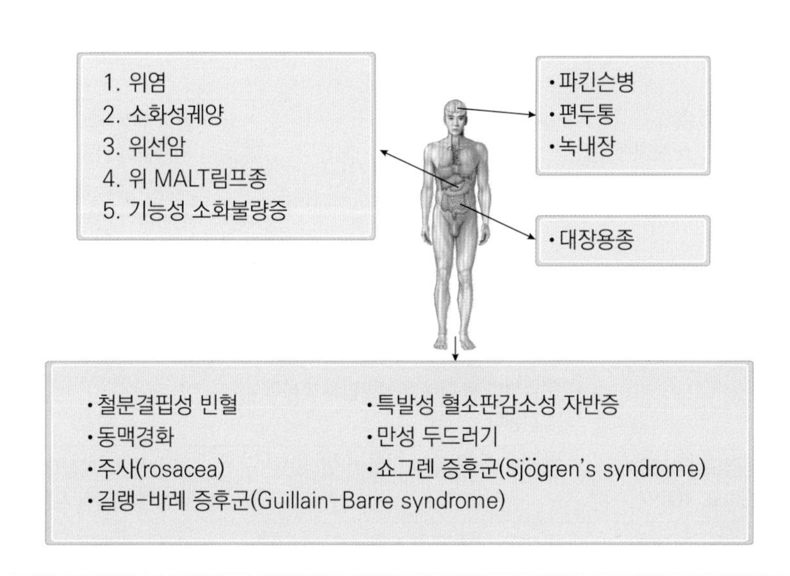

그림 52-3 **헬리코박터 파일로리 감염과 연관성이 보고된 질환들.**

로, 감염이 없다는 것이 확인되면 정기적인 위내시경추적검사만 권한다. 그러나 아직 감염된 상태라면 위축이나 화생성 변화가 있더라도 위암 발생률을 낮추기 위해서 제균치료를 해야 한다. 이렇게 위암의 일차예방(*H. pylori* 제균치료)을 이차예방(조기에 발견하는 위내시경)과 병행하면 검진의 효과를 더욱 높일 수 있을 것이다.

2. 헬리코박터 파일로리 감염의 진단

헬리코박터 파일로리 감염 여부를 확인하는 방법은 크게 내시경검사로 조직을 채취하여 검사하는 침습적 검사 방법과 내시경생검 조직이 필요 없는 비침습적 검사로 나눌 수 있다. 내시경검사를 이용한 방법은 급속요소분해효소검사(rapid urease test), 조직검사, 배양검사, 중합효소연쇄반응(polymerase chain reaction, PCR) 검사 등이 있고, 비침습적 검사는 요소호기검사, 대변항원검사, 혈청검사 등이 있다. 각 검사의 정확도, 장단점은 표 52-2에 요약하였다.

1) 급속요소분해효소검사

헬리코박터 파일로리가 분비하는 요소분해효소에 의해 암모니아가 생성되면서 pH가 상승하게 된다. 급속

표 52-2. **헬리코박터 파일로리 감염의 진단적 검사**

	정확도	장점	단점
비침습적검사			
요소호기검사	민감도: > 95% 특이도: > 95%	• 민감도와 특이도가 높다. • 헬리코박터 감염 진단 및 제균치료 후 제균 확인을 위한 검사로 적합하다.	• 항생제 또는 양성자펌프억제제 투여로 인해 위음성이 가능하다.
대변항원검사	민감도: > 95% 특이도: > 95%	• 민감도와 특이도가 높다. • 소아에게 유용하다.	• 항생제 또는 양성자펌프억제제 투여로 인해 위음성이 가능하다.
혈청검사	민감도: > 95% 특이도: 60~90%	• 저렴하고, 쉽게 검사 가능하다. • 위장관출혈에 영향을 받지 않는다. • 항생제 또는 양성자펌프 억제제 투여에 영향을 받지 않는다.	• 특이도가 낮다. • 제균치료 후 제균 확인을 위한 검사로 적합하지 않다.
침습적검사			
급속요소분해효소검사	민감도: 90% 특이도: > 95%	• 민감도와 특이도가 높다.	• 균이 위점막에 균일하게 분포하지 않은 경우 위음성이 가능하다. • 항생제 또는 양성자펌프억제제 투여로 인해 위음성이 가능하다. • 상부위장관출혈의 경우 위음성이 가능하다.
조직검사	민감도: 60~90% 특이도: > 95%	• 조직진단에 대한 정보를 추가로 얻을 수 있다. • Giemsa 염색법이나 Warthin-Starry 은염색법 등 다른 염색방법의 병용이 추천된다.	• 균이 위점막에 균일하게 분포하지 않은 경우 위음성이 가능하다.
배양검사	민감도: 50~90% 특이도: 100%	• 항생제 감수성을 확인할 수 있다.	• 검사방법이 복잡하고, 시간이 오래 걸려 임상에서 널리 사용되지 않는다.
중합효소연쇄반응검사	민감도: > 95% 특이도: > 95%	• 민감도와 특이도가 높다. • 항생제 감수성을 확인할 수 있다 .	• 가격이 비싸다.

요소분해효소검사는 pH가 상승하면서 나타나는 색조 변화를 통해 헬리코박터 감염 여부를 알아보는 검사이다. 이 검사는 민감도와 특이도가 높고, 빠른 결과를 얻을 수 있어 내시경검사의 적응이 되는 환자의 헬리코박터 감염을 진단하기 위한 일차 검사로 추천된다. 위축위염이나 장상피화생과 같이 균이 위점막에 균일하게 분포하지 않은 경우에는 위음성의 결과를 얻을 수 있으므로, 가능하면 전정부와 체부에서 각각 조직을 채취하여 검사하는 것이 바람직하다. 한 곳에서만 생검을 시행하는 경우 가능한 위축위염 및 장상피화생이 없거나 적은 체부 대만 부위에서 조직을 채취하는 것이 진단율을 높일 수 있다. 상부위장관출혈이 있거나 양성자펌프억제제, 항생제 등의 약제를 복용하는 경우에 위음성으로 나올 수 있어 주의가 필요하다.

2) 병리학적 진단

헬리코박터균은 S자 모양으로 약간 구부러진 그람음성 막대균으로 크기는 3.5 × 0.5 μm이다. 주로 점액층, 상피세포 내강 쪽 표면, 옆면 상피세포 사이에 존재하며 세포 안으로 침습하는 경우는 드물다. 병리과에서 통상적으로 사용하는 헤마톡실린 에오신염색으로도 관찰이 가능하지만, 숫자가 적은 경우 와틴스타리(Warthin-Starry) 염색이나 김자(Giemsa) 염색이 유용하다(그림 52-4). 김자 염색은 염색 방법이 간단하고 민감도가 높고 비용이 적게 든다는 장점이 있어 많은 병리과에서 사용하고 있다. 하지만 비록 적은 수이긴 하나 위음성과 위양성 증례들이 보고되어 있는 바 헬리코박터균 검출의 민감도와 특이도를 높이기 위해 헬리코박터균 특이 항체를 이용한 면역조직화학염색이나 다양한 헬리코박터균 유전자 표적을 이용한 PCR 검사를 시도해 볼 수 있다.

3) 요소호기검사

95% 이상의 높은 민감도와 특이도를 보이며, 시행하기가 용이해서 헬리코박터 파일로리 감염의 진단 및 제균치료 후 제균 확인에 널리 사용된다. 탄소 동위원소가 포함된 요소(^{13}C 또는 ^{14}C-labeled urea)를 섭취하면, 이를 헬리코박터 파일로리의 요소분해효소가 분해하여 이산화탄소가 발생하고, 흡수된 이산화탄소가 폐를 통하여 배출되는 양을 분광계(spectrometer)를 이용하여 측정하는 방법이다. ^{13}C-요소는 비방사성동위원소로 소아나 임산부에도 안전하게 사용 가능하여, 최근에는 대부분 ^{13}C-요소를 이용하는 검사를 시행하고 있다. 항생제나 양성자펌프억제제를 사용 중이거나, 이를 중단한 직후에 시행된 요소호기검사는 30% 이상의 위음성을 보일 수 있다. 따라서 항생제나 양성자펌프억제제를 최소한 검사 시행 2주 전에 중단하여야 한다.

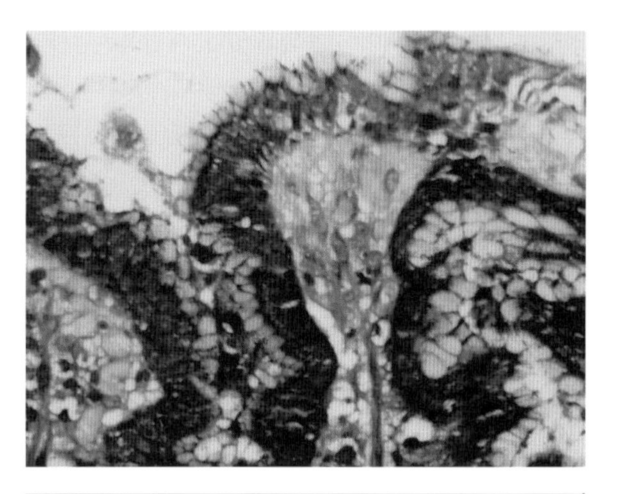

그림 52-4 헬리코박터 김자(Giemsa) 염색 결과 푸른색으로 염색된 s자 모양의 세균들이 점액세포와 소와세포(foveolar cell) 표면에서 관찰된다.

4) 대변항원검사

대변항원검사는 환자의 대변에서 헬리코박터 항원을 검출하는 검사로, 헬리코박터 파일로리 감염의 진단 및 제균치료 후 제균 확인에 유용한 비침습적 검사이다. 소아를 비롯한 모든 연령에서 적용이 가능한 장점이 있다. 대변항원검사는 다클론 항체를 이용하는 검사법이 흔하게 사용되고 있으나, 최근 단클론 항체를 이용한 방법도 도입되어 사용되고 있다. 대변항원검사의 전체 민감도 및 특이도는 요소호기검사와 유사하며, 단클론항체법의 검사 정확도가 다클론항체법에 비해 높다. 수양성 설사변을 이용한 대변항원검사는 헬리코박터 대변항원이 희석될 수 있어 정확도가 낮아질 수 있어 권장되지 않는다. 요소호기검사와 마찬가지로 항생제나 양성자펌프억제제를 사용 중이거나, 이를 중단한 직후에는 위음성을 보일 수 있는 제한점이 있다.

5) 중합효소연쇄반응검사

중합효소연쇄반응(polymerase chain reaction, PCR) 검사는 표적 DNA를 증폭시켜 검출 민감도를 높이는 방법이다. 이 방법은 내시경생검으로 얻은 위 조직뿐만 아니라 대변, 타액 및 소변 등의 검체에도 사용할 수 있다. 소량의 세균이 존재하더라도 검출할 수 있으므로 민감도와 특이도가 기존의 방법보다 높으며, 위장관 출혈이 있어도 진단율이 상대적으로 높다. 헬리코박터 파일로리의 여러 유전자(16S rRNA, 23S rRNA, UreA, UreC, HSP60 등)를 표적으로 하여 세균의 존재를 확인할 수 있으며, 항생제 내성을 일으키는 돌연변이를 확인할 수 있는 이점이 있다. 위내시경생검으로 조직을 얻는 경우, 세균이 위점막에 균일하게 분포하지 않는 경우 위음성이 가능하다. 빠르고, 정확하며, 민감도가 높지만 비교적 비싸며 검사를 위한 기술과 장비가 필요하다는 단점이 있다.

6) 진단을 위한 고려 사항

헬리코박터 제균치료 이후 제균 확인을 위한 검사로, 비침습적 검사로는 요소호기검사 또는 대변항원검사, 침습적 검사로는 전정부와 체부에서 조직검사 혹은 급속요소분해효소검사가 추천된다. 혈청검사는 제균치료 후에 항체가 사라지거나 역가가 의미 있게 감소하기 위해서는 1년 이상의 기간이 소요되는 경우가 50% 가까이 되므로, 제균 확인을 위한 검사로는 적합하지 않다. 제균 확인검사는 제균치료 종료 4주 경과 후에 시행하는 것이 바람직하다.

위 부분절제를 받은 환자에서 헬리코박터 파일로리 진단을 위한 검사는 조직검사가 제일 정확한 검사이며, 급속요소분해효소검사도 시행할 수 있다. 급속요소분해효소검사를 시행할 경우에는 문합 부위보다는 잔위의 기저부에서 조직을 얻는 것이 추천된다. 위 부분절제술 후에는 섭취한 요소의 위내 저류시간이 짧아져 요소호기검사는 정확도가 떨어진다. 따라서 위 부분절제를 받은 환자에서 헬리코박터 파일로리 검사를 위한 요소호기검사는 추천되지 않는다.

3. 헬리코박터 파일로리 제균치료

1) 제균치료의 적응증

일단 헬리코박터 파일로리에 감염되면 균이 자연적으로 소멸되는 경우는 거의 없고 항균제 투여 등 적절한 치료를 통해서만 제균할 수 있다. 학자들 간에 헬리코박터 파일로리 제균 대상에 대해 다양한 의견이 있는데, 우리나라의 2013년 가이드라인에서 권고등급 강함은 ① 반흔을 포함한 소화성궤양, ② 변연부 B세포림프종, ③ 조기위암의 내시경적 절제술 후, ④ 만성 특발성 혈소판감소증 등이다. 권고등급 약함은 ① 위축위염/장상피화생, ② 위암의 가족력, ③ 기능성 소화불량증, ④ 소화성궤양의 병력이 있는 환자에서 장기간 저용량 아스피린을 투여하는 경우 등으로 한정되어 있다. 그러나 Kyoto 합의 이후 유럽 가이드라인 등에서도 헬리코박터 파일로리 감염은 일종의 감염성 질환으로 헬리코박터 파일로리에 감염된 모든 환자는 제균치료가 필요하다는 경향을 보이고 있다.

2) 제균치료 방법

헬리코박터 파일로리의 이상적인 제균치료는 치료 성공률이 치료를 완전히 마친 군을 대상으로 하는 분석

(per protocol analysis)에서 90% 이상, 치료를 시도한 군을 대상으로 하는 분석(intention-to-treat analysis)에서 80% 이상이어야 하고 가급적 단기간인 1주 요법이면서 내성 발현율이 30% 이하이며, 심한 부작용 발생률이 5% 미만이어야 한다. 2013년 대한상부위장관 헬리코박터학회에서는 클래리스로마이신(clarithromycin) 내성 가능성이 낮은 경우[이전에 클래리스로마이신 등 마크로라이드(macrolide)계 항생제를 복용하지 않은 경우] 양성자펌프억제제(proton pump inhibitor)와 클래리스로마이신, 아목시실린(amoxicilline)을 7~14일간 투여하는 3제 요법을, 클래리스로마이신 내성 가능성이 높은 경우에는 양성자펌프억제제, 비스무스(bismuth), 메트로니다졸(metronidazole), 테트라사이클린(tetracycline)을 7~14일간 투여하는 4제요법을 1차 치료로서 제시하였다. 3제요법을 이용한 1차 제균치료에 실패하였을 경우 2차 제균요법으로 양성자펌프억제제와 비스무스, 메트로니다졸, 테트라사이클린을 7~14일간 투여하는 4제요법을 권고한다.

국내 연구결과들을 종합해보면 표준으로 제시되는 3제 7일 요법의 제균율이 1995~2003년에는 평균 85% 정도였으나, 최근에는 항균제에 대한 내성률 증가 등으로 제균 효과가 감소하는 추세이다(그림 52-5). 제균율을 향상시키기 위해서는 궁극적으로 항생제 내성을 확인한 후 맞춤 치료를 시행하는 것이 가장 좋겠지만, 헬리코박터 파일로리의 경우 배양 성공률이 낮고, 비용 및 소모되는 시간 등을 고려할 때 아직은 경험적 치료가 주된 치료이다. 해외에서도 항생제 내성 증가 등으로 3제요법의 제균율이 감소하자 이를 극복하기 위해 순차적 치료(sequential therapy), 비스무스를 포함하지 않는 4제 동시치료(concomitant therapy), 혼합치료(hybrid therapy) 등이 시도되었고, 국내에서도 이에 대한 많은 연구가 이루어졌다. 이 중 동시치료가 비교적 높은 제균율을 보이고 있지만 동시에 3개의 항생제를 사용한다는 점, 제균 실패 시 명확한 2차 치료방법이 없다는 점 등을 고려해야 한다.

강력한 위산분비 억제는 헬리코박터 파일로리 제균치료에 있어 매우 중요하다. 그 이유는 위내 pH가 4 이상으로 유지되어야 헬리코박터 파일로리가 분화하

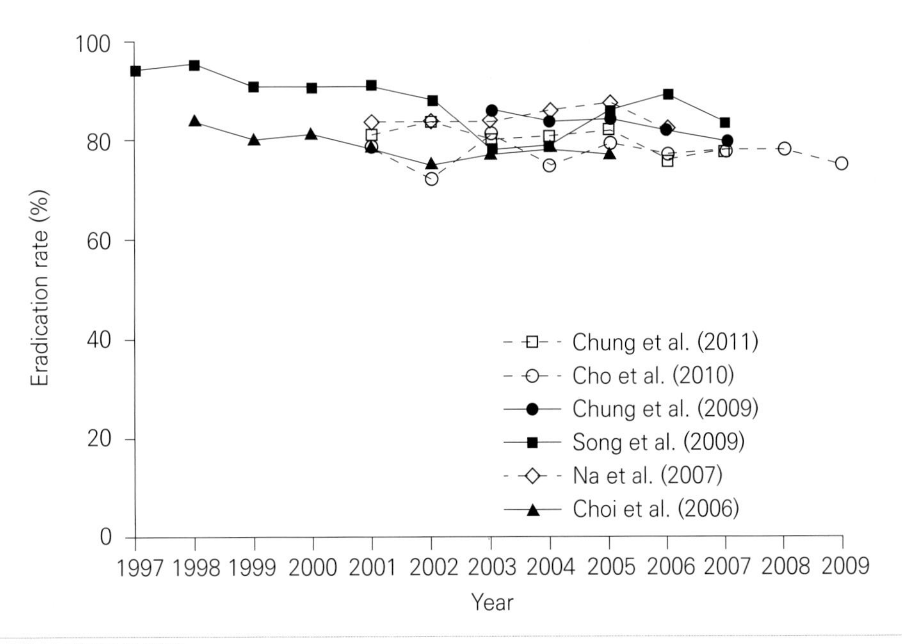

그림 52-5 **국내에서 제균율의 변화.**

기 쉬운 환경이 되고, 클래리스로마이신 등의 항생제는 pH가 높아야 활성 형태로 작용할 수 있다. 또한 속쓰림 등 증상을 호전시켜 환자의 순응도를 높이는 역할을 한다. 최근 양성자펌프억제제보다 더 강력한 위산분비억제제인 칼륨 경쟁적 위산 차단제(potassium competitive acid blocker, P-CAB)를 투여할 경우 제균율을 높일 수 있다는 보고가 있지만 아직 연구가 더 필요하다.

3) 항생제 내성

헬리코박터 파일로리 제균치료 실패의 가장 중요한 원인은 항생제 내성균에 의한 감염으로 알려져 있는데, 그 중 클래리스로마이신과 메트로니다졸의 내성이 가장 빠르게 증가하고 있다. 우리나라에서 최근 항생제 내성율의 변화는 그림 52-6과 같다. 위에서 언급한 것처럼 헬리코박터 파일로리균 배양검사는 성공률이 낮

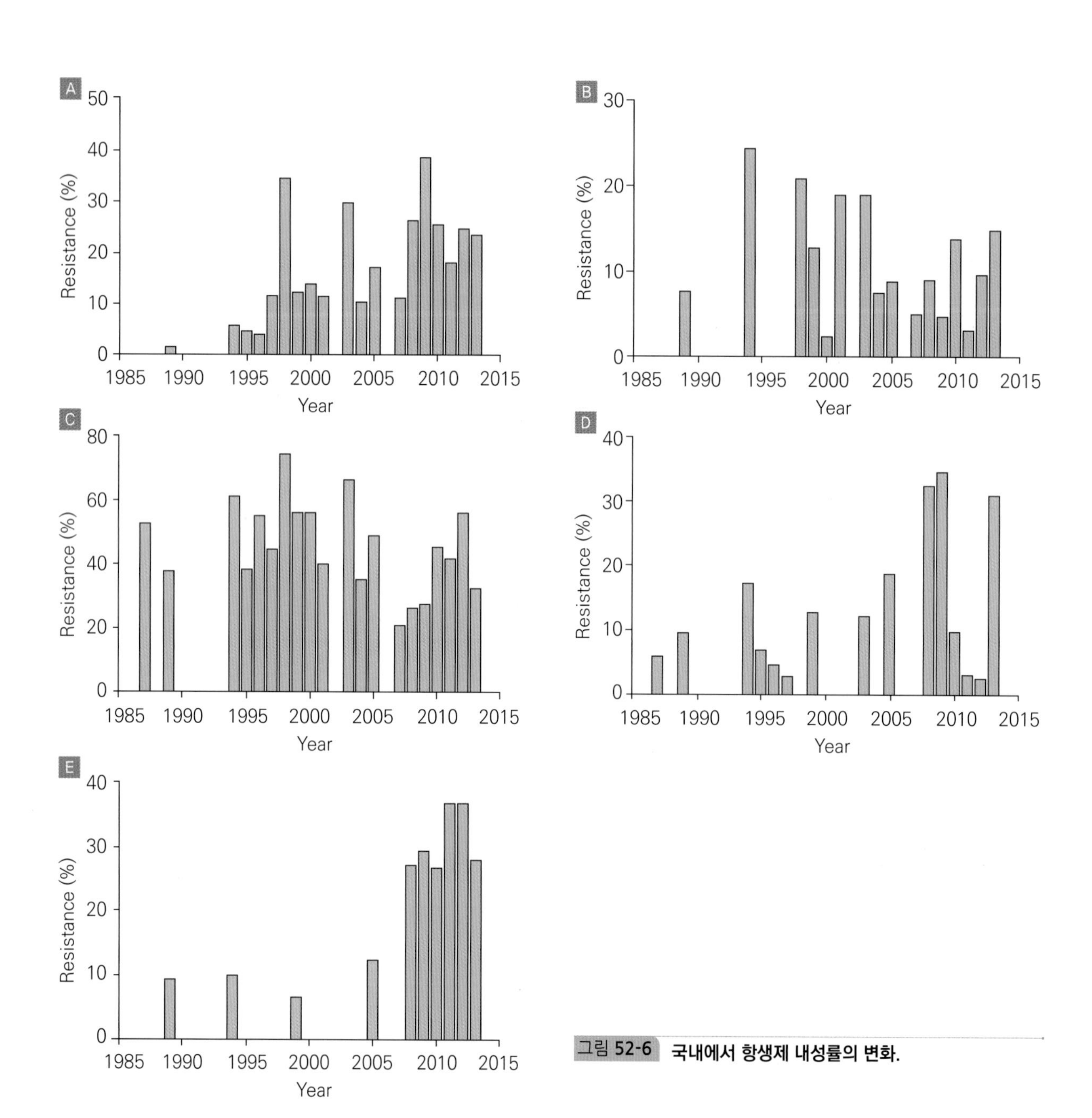

그림 52-6 국내에서 항생제 내성률의 변화.

고, 시간 및 비용이 많이 들어 잘 시행하지 않는데, 최근 헬리코박터 파일로리균 배양을 하지 않고 분자생물학적인 방법으로 클래리스로마이신에 대한 내성을 검사하는 방법이 소개되어, 이를 이용하여 제균율을 높이려는 시도가 있다.

4) 제균치료의 확인

헬리코박터 파일로리 제균치료가 100% 성공하는 것이 아니기 때문에 제균치료 후 성공 여부를 확인하는 것은 항생제 내성 증가를 억제하고 다른 사람들에게 전염을 감소시키기 위해 매우 중요하다. 현재 시행되고 있는 제균확인검사 중 검사의 정확도가 가장 높은 방법은 요소호기검사이다. 그러나 아동 등 협조가 잘 안될 경우 대변항원검사를 시행할 수 있다.

참고문헌

1. 공은정, 안지용. 한국인 *Helicobacter pylori* 균주의 항생제 내성률 변화. 대한상부위장관헬리코박터학회지 2018;18:82-88.
2. 김윤경, 김준성, 김병욱. 헬리코박터 제균 치료의 현재와 미래-국내의 제균 치료 현황. 대한상부위장관헬리코박터학회지 2012;12:219-223.
3. Al-Hawajri AA, Keret D, Simhon A, et al. *Helicobacter pylori* DNA in dental plaques, gastroscopy, and dental devices. Dig Dis Sci 2004;49:1091-1094.
4. Bae HJ, Kim JS, Kim BW, Nam YJ. Concomitant or sequential therapy as the first-line therapy for eradication of *Helicobacter pylori* infection in Korea: A systematic review and meta-analysis. Korean J Gastroenterol 2018;71:31-37.
5. Bae SE, Choi KD, Choe J, et al. The effect of eradication of *Helicobacter pylori* on gastric cancer prevention in healthy asymptomatic populations. Helicobacter 2018;23:12464.
6. Breckan RK, Paulssen EJ, Asfeldt AM, et al. The all-age prevalence of *Helicobacter pylori* infection and potential transmission routes. A population-based study. Helicobacter 2016;21:586-595.
7. Brenner H, Weyermann M, Rothenbacher D. Clustering of *Helicobacter pylori* infection in couples: differences between high- and low-prevalence population groups. Ann Epidemiol 2006;16:516-520.
8. Cellini L, Grande R, Artese L, et al. Detection of *Helicobacter pylori* in saliva and esophagus. New Microbiol 2010;33:351-357.
9. Chey WD, Leontiadis GI, Howden CW, et al. ACG Clinical Guideline: Treatment of *Helicobacter pylori* infection. Am J Gastroenterol 2017;112:212-239.
10. Choi IJ, Kook MC, Kim YI, et al. *Helicobacter pylori* therapy for the prevention of metachronous gastric cancer. N Engl J Med 2018;378:1085-1095.
11. Choi KD, Kim N, Lee DH, et al. Analysis of the 3' variable region of the cagA gene of *Helicobacter pylori* isolated in Koreans. Dig Dis Sci 2007;52:960-966.
12. El-Omar EM, Carrington M, Chow WH, et al. Interleukin-1 polymorphisms associated with increased risk of gastric cancer. Nature 2000;404:398-402.
13. Gong EJ, Ahn JY. Antimicrobial Resistance of *Helicobacter pylori* Isolates in Korea. Korean J Helicobacter Up Gastrointest Res 2018;18:82-88.
14. Han HS, Lee KY, Lim SD, Kim WS, Hwang TS. Molecular identification of Helicobacter DNA in human gastric adenocarcinoma tissues using Helicobacter species-specific 16S rRNA PCR amplification and pyrosequencing analysis. Oncol Lett 2010;1:555-558.
15. Huh CW, Kim BW. Diagnosis of *Helicobacter pylori*

infection. Korean J Gastroenterol 2018;72:229-236.

16. Hwang YJ, Kim N, Lee HS, et al. Reversibility of atrophic gastritis and intestinal metaplasia after *Helicobacter pylori* eradication - a prospective study for up to 10 years. Aliment Pharmacol Ther 2018;47:380-90.
17. Jung JH, Choi KD, Han S, et al. Seroconversion rates of *Helicobacter pylori* infection in Korean adults. Helicobacter 2013;18:299-308.
18. Jung YS, Kim EH, Park CH. Systematic review with meta-analysis: the efficacy of vonoprazan-based triple therapy on *Helicobacter pylori* eradication. Aliment Pharmacol Ther 2017;46:106-114.
19. Kao CY, Sheu BS, Sheu SM, et al. Higher motility enhances bacterial density and inflammatory response in dyspeptic patients infected with *Helicobacter pylori*. Helicobacter 2012;17:411-416.
20. Ki MR, Hwang M, Kim AY, et al. Role of vacuolating cytotoxin VacA and cytotoxin-associated antigen CagA of *Helicobacter pylori* in the progression of gastric cancer. Mol Cell Biochem 2014;396:23-32.
21. Kim JJ, Tao H, Carloni E, et al. *Helicobacter pylori* impairs DNA mismatch repair in gastric epithelial cells. Gastroenterology 2002;123:542-553.
22. Kim JY, Kim N, Nam RH, et al. Association of polymorphisms in virulence factor of *Helicobacter pylori* and gastroduodenal diseases in South Korea. J Gastroenterol Hepatol 2014;29:984-991.
23. Kim N, Kim JJ, Choe YH, et al. Diagnosis and treatment guidelines for *Helicobacter pylori* infection in Korea. The Korean J Gastroenterol 2009;54:269-278.
24. Kim SE, Park HK, Kim N, et al. Prevalence and risk factors of functional dyspepsia: a nationwide multicenter prospective study in Korea. J Clin Gastroenterol 2014;48:12-18.
25. Kim SG, Jung HK, Lee HL, et al. Guidelines for the diagnosis and treatment of *Helicobacter pylori* infection in Korea, 2013 revised edition. Korean J Gastroenterol 2013;62:3-26.
26. Kim Y, Yokoyama S, Watari J, et al. Endoscopic and clinical features of gastric ulcers in Japanese patients with or without *Helicobacter pylori* infection who were using NSAIDs or low-dose aspirin. J Gastroenterol 2012;47:904-911.
27. Kim YK, Kim JS, Kim BW. Recent Trends of *Helicobacter pylori* Eradication Therapy in Korea. Korean J Helicobacter Up Gastrointest Res 2012;12:219-223.
28. Kumar V, Abbas AK, Aster JC. The gastrointestinal tract. In: Mitchell RN, Kumar V, Abbas AK, eds. Robbins & Cotran Pathologic basis of disease. 9th ed. Philadelphia: Elsevier, 2015:760-768.
29. Kwak HW, Choi IJ, Cho SJ, et al. Characteristics of gastric cancer according to *Helicobacter pylori* infection status. J Gastroenterol Hepatol 2014;29:1671-1677.
30. Kwon YH, Heo J, Lee HS, et al. Failure of *Helicobacter pylori* eradication and age are independent risk factors for recurrent neoplasia after endoscopic resection of early gastric cancer in 283 patients. Aliment Pharmacol Ther 2014;39:609-618.
31. Lee JH, Choi KD, Jung HY, et al. Seroprevalence of *Helicobacter pylori* in Korea: A multicenter, nationwide study conducted in 2015 and 2016. Helicobacter 2018;23:12463.
32. Lee SP, Lee SY, Kim JH, et al. Factors related to Upper gastrointestinal symptom generation in 2275 *Helicobacter pylori* seroprevalent adults. Dig Dis Sci 2017;62:1561-1570.
33. Lee SP, Lee SY, Kim JH, et al. Link between serum pepsinogen concentrations and upper gastrointestinal endoscopic findings. J Korean Med Sci 2017;32:796-802.
34. Lehours P, Siffré E, Mégraud F. DPO multiplex PCR as an alternative to culture and susceptibility testing to detect *Helicobacter pylori* and its resistance to clarithromycin. BMC Gastroenterol 2011;11:112.
35. Lim JH, Kim SG, Choi JM, et al. *Helicobacter pylori* is associated with miR-133a expression through

promoter methylation in gastric carcinogenesisIs Associated with. Gut Liver 2018;12:58-66.
36. Malfertheiner P, Megraud F, O'Morain CA, et al. Management of *Helicobacter pylori* infection-the Maastricht V/Florence Consensus Report. Gut 2017;66:6-30.
37. Moon HW, Lee SY, Hur M, et al. Characteristics of *Helicobacter pylori*-seropositive subjects according to the stool antigen test findings: a prospective study. Korean J Intern Med 2018;33:893-901.
38. Naito M, Yamazaki T, Tsutsumi R, et al. Influence of EPIYA-repeat polymorphism on the phosphorylation-dependent biological activity of *Helicobacter pylori* CagA. Gastroenterology 2006;130:1181-1190.
39. Nam JH, Choi IJ, Cho SJ, et al. *Helicobacter pylori* infection and histological changes in siblings of young gastric cancer patients. J Gastroenterol Hepatol 2011;26:1157-1163.
40. Ogiwara H, Sugimoto M, Ohno T, et al. Role of deletion located between the intermediate and middle regions of the *Helicobacter pylori* vacA gene in cases of gastroduodenal diseases. J Clin Microbiol 2009;47:3493-3500.
41. Okiyama Y, Matsuzawa K, Hidaka E, et al. Helicobacter heilmannii infection: clinical, endoscopic and histopathological features in Japanese patients. Pathol Int 2005;55:398-404.
42. Osaki T, Konno M, Yonezawa H, et al. Analysis of intra-familial transmission of *Helicobacter pylori* in Japanese families. J Med Microbiol 2015;64:67-73.
43. Park SY, Yoo EJ, Cho NY, et al. Comparison of CpG island hypermethylation and repetitive DNA hypomethylation in premalignant stages of gastric cancer, stratified for *Helicobacter pylori* infection. J Pathol 2009;219:410-416.
44. Ranjbar R, Khamesipour F, Jonaidi-Jafari N, et al. *Helicobacter pylori* in bottled mineral water: genotyping and antimicrobial resistance properties. BMC Microbiol 2016;16:40.
45. Santiago P, Moreno Y, Ferrús MA. Identification of viable *Helicobacter pylori* in drinking water supplies by cultural and molecular techniques. Helicobacter 2015;20:252-259.
46. Seo TH, Lee SY, Uchida T, et al. The origin of non-H. pylori-related positive Giemsa staining in human gastric biopsy specimens: A prospective study. Dig Liver Dis 2011;43:23-27.
47. Sheu BS, Odenbreit S, Hung KH, et al. Interaction between host gastric Sialyl-Lewis X and H. pylori SabA enhances H. pylori density in patients lacking gastric Lewis B antigen. Am J Gastroenterol 2006;101:36-44.
48. Shin CM, Kim N, Jung Y, et al. Role of *Helicobacter pylori* infection in aberrant DNA methylation along multistep gastric carcinogenesis. Cancer Sci 2010;101:1337-1346.
49. Song JH, Kim SG, Jung SA, et al. The interleukin-8-251 AA genotype is associated with angiogenesis in gastric carcinogenesis in *Helicobacter pylori*-infected Koreans. Cytokine 2010;51:158-165.
50. Sugano K, Tack J, Kuipers EJ, et al. Malfertheiner P; faculty members of Kyoto Global Consensus Conference. Kyoto global consensus report on *Helicobacter pylori* gastritis. Gut 2015;64:1353-1367.
51. Sung J, Kim N, Lee J, et al. Associations among gastric juice pH, Atrophic gastritis, intestinal metaplasia and. Gut Liver 2018;12:158-164.
52. Tanaka A, Kamada T, Yokota K, et al. *Helicobacter pylori* heat shock protein 60 antibodies are associated with gastric cancer. Pathol Res Pract 2009;205:690-694.
53. Tian W, Jia Y, Yuan K, et al. Serum antibody against *Helicobacter pylori* FlaA and risk of gastric cancer. Helicobacter 2014;19:9-16.
54. Tian XY, Zhu H, Zhao J, et al. Diagnostic performance of urea breath test, rapid urea test, and histology for *Helicobacter pylori* infection in patients with partial gastrectomy: a meta-analysis. J Clin Gastroenterol 2012;46:285-292.

55. Ye BD, Kim SG, Park JH, et al. The interleukin-8-251 A allele is associated with increased risk of noncardia gastric adenocarcinoma in *Helicobacter pylori*-infected Koreans. J Clin Gastroenterol 2009;43:233-239.
56. Yokota S, Konno M, Fujiwara S, et al. Intrafamilial, preferentially mother-to-child and intraspousal, *Helicobacter pylori*-infection in japan determined by mutilocus sequence typing and random amplified polymorphic DNA fingerprinting. Helicobacter 2015;20:334-342.
57. Yoo EJ, Park SY, Cho NY, et al. Influence of IL1B polymorphism on CpG island hypermethylation in *Helicobacter pylori*-infected gastric cancer. Virchows Arch 2010;456:647-652.

53 CHAPTER

스트레스 관련 점막손상

1. 스트레스 관련 점막손상의 정의 및 역학

1) 정의

스트레스 관련 점막손상(stress-related mucosal damage, SRMD)은 중증질환과 관련되어 상부위장관에 급성, 미란성, 염증성 변화를 유발하는 병리 현상을 기술하기 위해 사용되는 용어이다. SRMD는 내시경검사 중에 우연히 발견되는 무증상의 표재성 병변부터 빈혈을 유발하는 잠재 위장관출혈(occult gastrointestinal bleeding), 현성 위장관출혈(overt bleeding), 그리고 임상적으로 의미 있는 위장관출혈까지 다양한 형태로 나타나게 된다.

이 질환은 스트레스 위염으로 불리기도 하지만 조직학적으로 스트레스에 의한 손상의 경우에는 염증이나 헬리코박터 파일로리(*Helicobacter pylori*)가 발견되지 않으므로 '위염'이라는 명칭은 잘못된 표현이다. 한편으로는 일부 환자에서 급성 미란성 점막변화 혹은 출혈을 동반한 궤양이 쇼크, 패혈증, 광범위한 화상, 심한 외상 및 두부 손상을 받은 환자들에게 발생할 수 있다. 주로 위산이 분비되는 체부와 기저부에서 가장 흔히 발생하며 이러한 병변들이 스트레스 유발성 위염 혹은 궤양으로 분류된다. SRMD가 있는 두부 손상(Cushing's ulcer) 및 심한 화상(Curling's ulcer)을 입은 환자에서 산분비가 증가되어 있기는 하지만, 이외에도 점막의 허혈이나 정상적인 방어기전의 붕괴, 사이토카인(cytokine)의 전신적인 분비, 위장관 운동의 감소, 산화 스트레스가 발병기전에서 중요한 역할을 한다.

2) 역학

스트레스궤양이란 용어는 1969년에 150명 중 7명의 중증 환자 부검 시에 위점막 국소 병변이 발견되면서 처음 사용되었다. 내시경적 연구에 따르면 중증 환자의 74~100%에서 입원 후 24시간 이내에 스트레스 관련 점막 미란과 상피하 출혈이 발생하였다고 보고되었다. 이러한 병변은 일반적으로 표재성이며 무증상이나 때로는 점막하층, 고유근층으로 확장될 수 있으며 더 큰 혈관을 침범하여 현성 및 임상적으로 유의한 출혈을 발생시킬 수 있다.

현성 및 임상적으로 유의한 출혈의 유병률은 이러한 출혈의 조건이 어떻게 정의되는지에 달려있으며 Cook에 의한 정의가 가장 널리 받아들여지고 있다. 이에 따라 현성 출혈은 토혈, 혈변의 존재로 정의되는 반면 임상적으로 유의한 출혈은 현성 위장관출혈과 함께 혈역학적인 요인과 관련이 있는 경우, 수혈을 필요로 하거나 수술이 필요한 경우로 정의된다. 스트레스 관련 점막 손상에 정맥류 출혈은 포함되지 않는다. 그러나 일부 연구에서는 출혈 그 자체를 임상 목표로 설정하여 하부위장관출혈을 포함하여 정맥류에 의한 출혈도 대상에 잘못 포함되었을 수도 있다. 일부 연구에서는 이러한 구분이 불분명하고 특히 임상적으로 유의한 출혈을 일차 결과(primary outcome)로 하는 관찰 연구에서 연구자들은 정맥류 또는 스트레스와 관련이 없는 출혈을 부적절하게 포함시켰을 수 있다.

임상적으로 유의한 위장관출혈이 있었던 22명의 환자에서 내시경이나 수술을 통해 출혈의 원인을 확인한 Cook의 전향적 연구에서 이러한 구분의 중요성이 강조되었다. 이 연구에서 스트레스궤양이 14명의 환자에서 출혈의 유일한 원인으로 확인되었다. 다른 출혈 원인이 확인된 나머지 8명 중에 4명에서도 궤양이 발견되었다. 따라서 스트레스궤양 예방요법으로 예방될 수 없는 정맥류 출혈 혹은 스트레스와 관련이 없는 출혈도 임상적으로 유의한 출혈의 흔한 원인이다. 이러한 출혈 원인의 구분은 관찰연구에서는 확인되지 않는 반면 스트레스 관련 점막질환의 예방을 위한 여러 치료법을 비교하는 무작위 통제연구에서는 이전에 궤양이나 정맥류 질환의 과거력이 있는 경우를 연구 대상에서 배제하였다. 이러한 이유로 중재연구에서 유병률 데이터는 관찰연구와 일치하지 않을 수 있다.

그럼에도 불구하고 이전 연구결과에 따르면 중증 환자에서 현성 위장관출혈이 빈번하게 발생하였고, 일부 연구에서는 중증 환자의 25%까지 현성 출혈이 발생하였다. 하지만 현재 보고되는 유병률은 0.6에서 4%로 매우 드문 것으로 보고되고 있다. 이러한 유병률의 다양성은 적어도 부분적으로 연구대상 환자집단과 스트레스 관련 점막질환 발병위험요인의 차이에 기인하며 위험인자가 없는 환자에서 임상적으로 유의한 스트레스성 궤양 출혈의 발생은 매우 낮다고 볼 수 있다(~0.1%). 스트레스 궤양에 의한 출혈의 빈도는 최근 의미 있게 감소하였다. 감소 정도는 과거 20~30%에서 현재는 5% 미만으로 추정되며, 한 연구에서는 2002년도에 상부위장관출혈의 발생빈도는 대략 100,000명당 81명으로 보고하였으나, 2012년도의 연구에서는 100,000명당 67명으로 감소하는 것으로 보고한 바 있다. 이러한 감소는 위염과 궤양 질환의 발생의 감소와 관련되어 있으며 감소율은 각각 55% 와 30%였다. 이는 초기에 적극적인 소생 치료의 시행, 양성자펌프억제제(proton pump inhibitors) 및 히스타민 H2 수용체 차단제(histamine H2 receptor antagonist, H2RA)의 조기 사용, 조기 경장영양공급의 중요성에 대한 인식, 점막관류 감소를 줄여줄 수 있는 중환자에 대한 전반적인 치료의 발달에 기인한 것으로 보인다.

2. 스트레스 관련 점막손상의 병태생리

1) 위산

전신 스트레스를 받은 환자에서는 위산의 분비가 증가되며, 특히 출혈 발생에 관련하여서는 위산분비 증가가 매우 중요하게 작용하기 때문에 아주 적절한 위산분비 조절이 예방에는 매우 중요하여 스트레스성 위장궤양 예방요법(stress ulcer prophylaxis, SUP)과 같이 미리 위산억제 치료를 해주는 것이 중요하다고 하겠다. 위산분비 증가는 절대적 산분비 증가 및 신경학적 증가, 그리고 위벽에서의 H^+ 역확산이나 조직 내 저산소증(hypoxia)과 같은 공격인자 증가가 주된 기전이라 하겠다.

2) 점막혈류

심부전, 혈액공급부족, 혹은 내독소혈증으로 인한 쇼크 등 위점막 허혈이 동반되면 SRMD로 인한 출혈이 증가한다. 출혈성 쇼크에 대한 동물실험에 따르면 점막관류는 점막손상과 출혈을 예방하고, 관류를 중단하면 점막 내 산소와 영양분이 소실됨으로써 점막하 조직 내

pH가 저하되고 산-염기 평형이 파괴되어 상피세포 수복기전이 손상된다. 또한 분자생물학적으로는 조직 내 저산소증(hypoxia)과 연관된 HIF-1α와 같은 전사인자의 증가, 그리고 혈관수축에 관여하는 endothelin-1의 증가 등이 심화되어 위점막 혈류의 심각한 저하가 초래되어 점막손상으로 이어지게 된다.

3) 순환독소와 국소조절인자

쇼크나 패혈증에서 위점막 손상에 관여하는 인자로 독성 대사물질의 생성에 대한 연구가 활발하다. 실험동물의 동맥에 유리산소를 생성하는 물질, 예를 들면 platelet activating factor (PAF)를 주입하면 관강내 산도와 점막혈류에 상관없이 점막손상이 초래된다. 또한 유리산소 생성을 억제하는 약제를 처치하면 위점막 손상과 출혈이 예방된다. 이 같은 결과는 혈관 내에서 생성되는 유리산소가 점막손상과 연관되어 있음을 시사한다. 또한 출혈성 쇼크 동물모델에서 혈액 내 중성구(neutrophil)가 감소하면 점막 및 점막하층의 혈류가 증가하고 점막 손상 및 출혈이 감소한다는 연구결과에 기반해 중성구가 점막혈관 내피세포에 부착하여 혈류에 대한 저항을 증가시키고 조직 내 저산소증을 악화시킨다는 가설이 제시되었다.

4) 점막손상의 위험인자

점막손상의 위험인자들로는 위십이지장궤양 발생에 관여하는 과도한 공격인자나 약화된 방어인자, 즉 이들의 불균형이 점막손상의 아주 기본이 된다. 그런데 추가적인 특기사항으로는 바로 위십이장 점막내 강력한 혈관수축인자인 endothelin-1이 관여하고, 이에 파생된 각종 혈관증식성장인자(vascular endothelial growth factor, VEGF)나 재생에 관련되는 상피세포 성장인자(epithelial growth factor, EGF)의 결함을 대표적인 위험인자로 들 수 있다. 이러한 병태생리 하에 관여하는 중요한 위험인자로는 쇼크, 패혈증, 심한 화상, 간부전, 심한 뇌손상, 항응고제 사용, 그리고 코르티코스테로이드의 장기사용 등을 위험인자로 들 수 있겠다.

3. 스트레스 관련 점막손상의 예방

스트레스 관련 점막손상 치료의 주 목표는 임상적으로 중대한 위장관출혈의 치료이다. 그러나 점막병변으로 인한 출혈은 치료하기가 어렵고 환자의 사망률을 높이기 때문에 예방에 초점이 맞춰진다. 특히 중증질환을 가진 환자가 중환자실에 입실한 후 빈번하게 발견되는 급성 위장질환인 스트레스성 위장궤양(stress ulcer)에서 유발된 위장관출혈은 중증 환자에서 발생하는 매우 위중한 합병증에 속한다. 1999년 이전 발표된 연구에서는 스트레스성 위장궤양 예방요법(stress ulcer prophylaxis, SUP)을 하지 않으면 임상적으로 치명적인 위장관출혈 발생률이 2~6%로 보고된 반면, 2000년 이후 발표된 연구에서는 그 발생률이 0.1~4%로 줄었다. 그러나 많은 국제 임상치료지침에서는 모든 고위험군, 즉 중환자실 입원환자에서 위산분비 억제제를 SUP로 사용할 것을 권고하고 있다.

어떤 환자에서 SUP를 시행해야 하는지는 심각한 위장관출혈 발생의 위험인자 여부를 통해 결정되어야 한다. Cook 등이 발표한 연구에서는 중증질환 환자에서 치명적인 스트레스성 위장관출혈의 발생빈도를 높이는 위험인자로서 혈액응고장애(odds ratio, OR 4.3)와 장기간의 기계호흡을 요하는 호흡부전(OR 15.6)을 보고하였다. 이어 미국 병원약사회(American Societyof Health-System Pharmacists, ASHP)에서 위장관출혈 위험을 높이는 기타 인자들로 심각한 외상, 뇌손상, 다발성 장기부전, 체표면적 25~30% 이상의 중증화상, 대수술 등을 추가로 제시하였다. 이후 발표된 update on stress ulcer prophylaxis in critically ill patients에서는 혈액응고장애, 48시간 이상의 기계호흡, 최근 1년 사이 위장관출혈이나 궤양력과 같은 세 가지 요인을 각각 독립 위험인자로 명시하고 이 가운데 단 하나라도 해당되는 환자에서는 즉시 위산억제제를 사용하여 SUP를 시행할 것을 권고하고 있다.

위산분비를 억제하면 위의 pepsin은 pH 4 내지 5에서 불활성화되기 시작하여 pH 5에서 완전히 불활성화되며 99.9%의 위산을 중화시키는데 실제로 점막출혈을 예방하기 위해 요구되는 위내 산도는 4.0 이상이다. 이러한 배경하에 다음과 같은 여러 가지 약제가 현재 임상에 사용되고 있다.

1) 제산제

Aluminum hydroxide, sodium bicarbonate, calcium carbonate, magnesium hydroxide, sodium alginate 등의 제형이 있으며, 위산을 중화하는 것뿐 아니라 화학 손상에 대한 점막의 보호작용 등을 통하여 궤양의 치유를 돕는다. 제산제의 점막 보호작용은 손상된 점막에서 성장인자를 촉진시키고 신생혈관의 생성을 촉진하며 담즙과 결합하여 담즙에 의한 소화작용을 억제한다. 위내 산도가 pH 3.5~4.0 이상이면 펩신이 불활성화되기 때문에 SRMD로 인한 출혈을 예방하기 위해 제산제를 사용할 수 있으나 최근에는 많은 위산분비 억제제가 개발되어 사용됨에 따라 그 유용성은 초기에 비하여 많이 낮아져 있다.

이상반응의 발생은 제산제의 사용기간과 양에 따라 결정된다. 흔한 부작용으로 마그네슘 제제는 설사를 유발하며 반대로 알루미늄 제제는 변비를 일으킨다. 신부전이 있는 경우 마그네슘 제제와 알루미늄 제제는 요배설의 감소로 인하여 혈중 농도가 상승하고 전신 부작용을 일으킬 수 있으므로 주의하여야 한다. 마그네슘 제제는 고마그네슘혈증을 유발할 수 있으며 제산제에 포함된 나트륨은 체내의 수분 저류를 가져올 수 있다. 칼슘은 고칼슘혈증과 대사성알칼리증, 신부전을 유발할 수 있으므로 투여에 주의가 필요하다.

2) 수크랄페이트

수크랄페이트(sucralfate)는 complex metal salt로서 위산의 중화작용이나 위산 및 펩신의 분비에 영향을 주지 않고 급성 화학 손상으로부터 점막을 보호하고 치유과정에 관여한다. 수크랄페이드는 위산에 노출된 후 수산화 알루미늄은 해리되어 sulfate anion이 궤양저의 노출된 조직에 정전기력에 의해 부착된다. 궤양저 노출 조직에 부착된 수크랄페이드는 산성소화 손상으로부터 보호 장벽의 역할을 하게 되며 점막 프로스타글란딘(prostaglandin)의 농도를 높이고 점액과 중탄산의 생산을 자극하며 담즙산과 부착하고 상피세포성장인자(epidermal growth factor)와 결합하며 혈관생성을 촉진한다. 투약은 sucralfate가 pH 3.5 이하에서 효과적으로 궤양저에 부착하므로 매 식사 30~60분 전에 하도록 한다. 십이지장궤양과 위궤양에서 히스타민 H_2 수용체 길항제(histamine H_2 receptor antagonist, H2RA)에 상응하는 치료적 유효성이 있다. 위내 산성도에 영향을 미치지 않고 점막을 보호하고 치유과정에 관여한다는 점에서 위산 억제에 따른 폐렴 등의 감염성 부작용을 증가시키지 않는 장점을 생각해볼 수 있으나 위산 억제제와 비교한 연구들은 다양한 결과를 보고하고 있다.

수크랄페이트는 중대한 이상반응은 드물지만 알루미늄에 관련된 독성이 발생할 수 있다. 정상에서 알루미늄의 혈중농도 상승은 이상 반응을 초래하지 않지만 신부전이 있는 경우 알루미늄의 저류로 인한 신경독성과 빈혈이 발생할 수 있다. 수크랄페이트는 경구로 투여되는 타약물과 동시에 투여될 경우 서로 결합하여 약물의 흡수를 방해할 수 있다고 알려져 있다. 약효에 미치는 영향은 임상적으로 유의하지 않다는 보고도 있으나 가능하다면 타 약물 투여 후 최소 2시간의 간격을 두고 투여하는 것이 좋다.

3) 히스타민 H_2 수용체 길항제

히스타민 H_2 수용체 길항제(histamine H_2 receptor antagonist, H2RA)는 벽세포의 H_2 수용체에 히스타민과 경쟁적으로 결합하여 위산분비를 억제한다. 벽세포의 위산분비는 미주신경 말단에서 분비되어 무스카린 M3 수용체(muscarinic M3 receptor)에 작용하는 아세틸콜린, 전정부 G세포에서 분비된 가스트린, 그리고 벽세포 근처의 장크롬친화세포에서 분비되어 벽세포의 기저측면에 존재하는 H_2 수용체에 작용하는 히스타민에 의해 조절되며 이 중 히스타민이 가스트린에 의한 위산분비 기전에서 가장 중요한 역할을 함에 따라 1970년대까지 H2RA는 위산 억제를 위한 가장 중요한 수단이었다. 약물의 역동은 경구투여 시 신속히 흡수되고 음식에 의해 영향 받지 않으나 동시에 투여한 제산제에 의해 10~20%의 흡수가 저해될 수 있다. 약물의 제거는 간대사와신배설에 의해 이루어진다. 간부전이 있는 경우 약물의 혈중 농도가 증가하지만 용량 조절은 중증의 신부전이 동반된 경우에만 필요하다. H2RA는 2주 이상 장기간 투여 시 장크롬친화세포(enterochromaffin cell)의 상향 조정에 따른 고가스트린혈증(hypergastrinemia) 등으로 인해 위산억제 효과가 상쇄되는 약물 내성이 발생한다.

시메티딘(cimetidine)은 FDA가 스트레스궤양 예방에 유용한 약제로 공인한 유일한 약이다. 중환자에서 지속적으로 시메티딘을 주입한 후 위장관출혈의 예방효과를 조사한 다기관 이중맹검 연구에 따르면, 시메티딘군의 82%에서 위내 산도가 pH 4.0 이상으로 유지된 반면, 위약군은 41%에서만 위내 산도가 유지되었다. 시메티딘군은 14%에서만 위장관출혈이 일어난 반면 위약군은 33%에서 출혈이 일어나 시메티딘을 예방 약제로 인정하게 되었다. 제산제, H2RA, 수크랄페이트 세 가지의 약제들 간의 예방효과의 차이에 대한 연구에서는 다양한 결과를 보인다. 1,200명의 인공호흡기 치료를 받고 있는 중환자들을 대상으로 한 대규모의 다기관 연구에서 간헐적인 H2RA 투여가 수크랄페이트보다 위장관출혈의 예방에 효과적임을 보고한 연구가 있는가 하면, H2RA와 수크랄페이트, 제산제 사이에 비해 스트레스 유발 위장관출혈 예방효과에 차이가 없음을 보고한 메타분석 연구결과도 있다. 그러나 최근에 아주 우수한 위산억제 약물이 많이 개발됨에 따라 그 유용성은 과거에 비하여 많이 낮아져 있다.

ASHP 임상치료지침에서는 SUP 선택약으로 H2RA 사용을 권고하고 있고, SUP 약물 행태를 분석한 국내한 연구에서도 H2RA 계열 위산 억제제를 양성자펌프억제제(proton pump inhibitor, PPI)보다 더 빈번히 처방하고 있었다(66.7% vs. 22.2%). 그러나 2012년 발표된 Surviving Sepsis Campaign 가이드라인에서는, PPI가 H2RA에 비해 위장관출혈 발생률을 낮추는 데 더 효과적이라는 연구결과를 반영하여, PPI 계열 약물을 H2RA보다 더 우선적으로 사용할 것을 권고하고 있다.

4) 양성자펌프억제제

양성자펌프억제제(proton pump inhibitor, PPI)는 위산분비의 마지막 단계인 벽세포의 양성자펌프에 작용하여 강력한 위산분비 억제효과가 있고, 지속적으로 사용해도 내성이 생기지 않으며 약효의 지속시간이 길기 때문에 위산관련 질환 치료 시 선호되는 약물이다. 양성자펌프는 수소-칼륨 교환 ATP 효소로서 벽세포의 분비세로(secreting cannaliculi)에서 내강 측으로 수소이온 경사를 가지고 능동적으로 수소이온과 칼륨이온을 교환하여 위산을 분비한다. 그러나 위산분비 자극이 없는 기저상태의 벽세포에서 양성자펌프는 세포질 내의 관소포(tubulovesicle)에 존재하며 위산 자극이 있는 경우 관소포가 미세융모의 형태로 분비세로에 융합하여 양성자펌프가 세포의 첨측면으로 이동하게 된다.

PPI는 모든 제제가 유사한 구조를 가지며 약염기인 전구약물의 상태로 벽세포 내로 이동하고 산성의 환경에서 활성화된 후 전구 약물의 SH-기가 양성자펌프의

cystein기와 이중-황 결합(disulfide bond)을 형성하는 3단계의 과정을 통하여 효소를 억제한다. 따라서 PPI의 활성화가 벽세포 내부 환경의 산성도에 의존하므로 벽세포가 활성화되지 않은 공복 시 또는 다른 위산 억제제를 투여하는 경우 PPI의 활성도는 감소한다. 따라서 PPI의 투여는 벽세포가 활성화되는 식사 시점의 직전에 하는 것이 최대 효과를 얻을 수 있기 때문에 일반적인 투여는 아침 첫 식사 전 또는 식사와 함께하는 것을 원칙으로 한다.

PPI 제제도 SRMD의 예방에 효과적이다. 중환자실에 입원한 환자 중 위장관출혈 고위험군을 대상으로 라니티딘(ranitidine)을 지속적으로 정맥 투여한 군과 오메프라졸(omeprazole)을 경구 투여한 군을 비교한 연구에 따르면, 중대한 출혈이 발생한 비율은 각각 31%와 6%로 오메프라졸군이 유의하게 낮았다. 적어도 1개 이상의 스트레스궤양 출혈의 위험인자를 지닌 중환자를 대상으로 한 연구에서도 오메프라졸 투여군에서는 단 한 명의 출혈 환자도 나오지 않은 데 비해 라니티딘 투여군과 수크랄페이트 투여군은 출혈 발생률이 각각 10.4% 와 9.3%여서. 다른 약제보다도 PPIs가 유용한 예방약제임을 시사한다. 판토프라졸(pantoprazole)을 간헐적으로 정맥내 투여한 군과 시메티딘을 정맥내 투여한 군을 비교한 연구에서도 판토프라졸 투여군이 더욱 안정적으로 위산분비를 억제하여, 판토프라졸이 스트레스궤양 출혈을 예방하는 데 효과적이라는 사실을 보여주었다.

PPIs는 그 동안 액상형 약제가 없어 연하곤란이 있는 환자에게 투여하기가 어려웠으나 최근 설하제제나 정맥제제가 개발되고 이에 관한 연구가 이루어지고 있어 투여상의 문제는 해결될 것으로 보인다. 이와 더불어 정맥 투여가 기능한 제제들이 속속 개발되면서 스트레스 관련 점막질환의 예방에 중요한 역할을 할 것으로 기대 된다. 그러나 강력한 산분비억제제 투여는 병원성 폐렴의 위험성을 높일 수도 있고 위산은 강력한 세균 억제물질인데 위내 산도의 감소가 세균 증식을 일으킬 수 있기 때문에 PPI가 아주 유용한 약제이기는 하나 조심해서 모니터링을 하면서 사용하여야 하는 약제라 하겠다. 이전 보고들에 따르면 PPI를 사용한 환자들은 그렇지 않은 환자들에 비해 원외폐렴 발생률이 2배 이상 높았으며, 또한 PPI 복용한 환자가 원내폐렴 발생위험이 약 30% 이상 높았다는 보고도 있다. 많은 연구에서 *Clostridium difficile* 위막성 장염과 PPI의 연관성을 보고하였다. PPI와 감염성 부작용에 있어서는 일치하지 않는 보고들도 있으나, PPI 사용에 따른 감염성 부작용은 환자의 임상양상뿐 아닌 SUP 사용의 비용-효과 측면에서 영향을 미치는 중요한 인자이므로 이에 대한 고려가 필요하다. 즉, 강력한 위산억제제인 PPI의 예방적인 투여는 병원 내 폐렴이나 *Clostridium difficile* 연관 설사의 빈도 증가 등 감염성 부작용의 가능성을 고려할 때 모든 중환자에서 추천되지는 않는다. 그러나, 지속적인 인공호흡기 치료가 필요하거나 응고장애가 동반된 환자, 여러 가지 위험인자가 같이 동반된 환자 등의 고위험군에서는 적극적인 예방치료를 고려해야 할 것이다.

5) 칼륨 경쟁적 위산분비억제제

PPI는 현재까지는 SUP의 일차 약제로 권고되고 있다. 가장 확실한 위산분비 조절 기능과 함께 다양한 경로로 투여가 가능하며, 비교적 큰 부작용이 없는 장점에 선택되어 왔으나 점차 사용량이 증가하면서, 그리고 약의 태생 자체가 양성자펌프(proton pump)를 먼저 발견하고 이를 억제하기 위한 약제로 개발이 된 것이 아니라 prodrug으로 개발이 되었고, specialized proton pump가 벽세포(parietal cell)에 있기에 주작용을 하기는 하나 실제로 양성자펌프는 인체에 아주 다양한 세포에 있기 때문에 예상치 않은 부작용이 발생할 수 있다. 이에 위산분비에만 초첨을 맞춘 약물의 필요성에 따라 개발된 약품이 바로 acid pump antagonist (APA)라고도 명명되는 칼륨 경쟁적 위산분비 억제제(potassium competitive acid blocker, P-CAB)이다. P-CAB이 향후 PPI를 대체할 것인지에 대한 이슈도 있어 P-CAB에 대한 기대치는 높아지고 있다.

물론 P-CAB은 아직은 전 세계적으로 널리 사용되고 있지는 않으나 위산분비 억제를 주요 타겟으로 하는 산 연관 질환의 치료제로는 큰 조명을 받고 있으며 같은 맥락으로 SRMD의 치료는 물론 예방에도 그 기대치가 높으며 더구나 Hahm 등의 연구에 의하면 레바프라잔(revaprazan)이라는 한국에서 세계 최초로 개발된 P-CAB은 SRMD의 산 이외의 병태생리에도 유효한 효능을 보였고, 특히 P-CAB이 위점막 손상의 주요한 기전 중 하나인 소포체 스트레스(endoplasmic reticulum stress)에 의한 점막세포 손상을 억제시키는 작용이 있음이 발표된 바 있다.

6) 기타 치료법

위산분비 증가가 점막손상에 따른 출혈 등을 유발시킬 수 있으나 또 다른 발생기전으로는 아주 심한 허혈 상태가 발생하고 재관류에 따른 상당한 수준의 산화 스트레스의 결과로 심각한 허혈성 손상이 뚜렷하게 발생한다. 그러므로 이러한 병태생리를 타켓으로 하는 다양한 약제 및 치료제 개발이 활발하게 진행되고 있다. 이 중 몇 가지를 소개하면 다음과 같다.

(1) Zanthoxylumrhoifolium Lam (Rutaceae)는 브라질을 포함한 남미에서 이미 소화기계를 포함한 다양한 질환에 사용되는 약용식물인데 그 어느 장기보다도 위보호 효능이 뛰어나 이미 알코올, NSAID와 같은 약물에 의한 위손상을 예방해주는 효능이 인정되는데 특히 스트레스 연관 위점막 손상에 아주 뛰어나 효능이 규명되어 현재 활발한 임상시험 중에 있는 약용식물이라 하겠다.

(2) 침술이나 전기자극과 같은 전통의학 분야의 침술은 현대의 전기자극과 더불어 동물실험 등의 여러 모델에서 약물치료에 버금가는 위장보호 효능이 규명이 되어 있고 구체적으로 ITF (intestinal trefoil peptide)와 같은 세포보호 단백질이 실질적으로 증가되는 등의 기전이 규명되어 있어 향후 좀 더 많은 중개연구를 통하여 나름 SRMD의 치료방법 중 하나로 활용될 수 있겠다. 또 약간 다른 접근이지만 cerebellar fastigial nucleus를 자극할 수 있는 물질들은 어느 정도는 SRMD를 완화시키는 작용이 알려져 있다.

(3) 3-hydroxy-3-methyl-glutaryl-CoA reductase inhibitor인 Simvastatin 등의 statin 계열 약제는 원래에는 혈중 콜레스테롤을 저하시키는 약제이기는 하나 이외의 항염증이나 항산화능이 뛰어나 이를 SRMD에 적응시 아주 유의한 보호효능이 밝혀 짐에 따라 병용요법 혹은 단독으로도 충분히 SRMD를 완화시키는 효능이 규명됨에 따라 drug repositioning 개념으로 주목을 받고 있다.

(4) L-arginine은 이미 산화질소(nitric oxide, NO) 생성 증가에 관여함이 잘 알려져 있으며 SRMD에는 특히 NO 연관 허혈성 병변이 발생한다는 근거에 따라 L-arginine 투여에 따른 SRMD 개선능이 치료제로 주목을 받고 있다.

(5) 여러 가지 gaseous transmitter에 의한 위점막 손상이 잘 알려져 있는데, 일산화탄소(carbon monoxide, CO) 생성을 하는 heme oxygeanse-1 (HO-1)나 carbon monoxide (CO)를 증가시키는 CORM (CO releasing molecule) 이외에도 최근에는 hydrogen sulfide (H_2S) release가 주목을 받고 있다. H_2S-release NSAID가 위장관계 합병증이 낮은 NSAID로 개발중인 것과 같은 맥락

으로 H_2S 생성을 시키는 천연물이나 약제가 SRMD의 대안으로 각광을 받고 있다.

(6) 임상에는 다양한 위점막 보호증강제 위염이나 기능성 위장장애, 그리고 위궤양의 치료에 이용되고 있는데, 이 중 teprenone (6, 10, 14, 18-tetramethyl-5, 9, 13, 17-non-adecatetraen-2-one, geranylgeranylacetone)은 스트레스에 대한 생체반응 중 중요한 열충격단백질(heat shock protein, HSP)과 같은 단백질 접힘(protein folding)에 관련하는 chaperone 단백질의 생성과도 연관이 되어 있다.

7) 스트레스성 위장궤양 예방요법

현재로는 여러 단점에도 불구하고 그래도 가장 권고되는 방법이 SUP는 환자의 사망률 감소나 여러 가지 임상결과에 기초하여 가장 권고되고 있다. 그러나 PPI의 단점이 부각되고 있고, 여러 가지 병태생리가 추가 규명됨에 따라 개정안이 필요한 시기라 하겠다. 가장 최근의 randomized controlled trial의 결과에 따르면 아직까지는 ICU care 환자에게는 PPI prophylaxis가 필요하며, 이러한 사실은 폐렴만 조심을 한다면 PPI에 의한 SUP는 꼭 필요한 조치임이 증빙되고 있다. 특기할 것은 사실 SRMD는 동물에서 흔한 사인 중 하나이기 때문에 sucralfate나 threonine amino acid를 가축의 사료에 첨가하는 방법이 이용되고 있어 참고할 만하다고 하겠다.

참고문헌

1. Alhazzani W, Alenezi F, Jaeschke RZ, et al. Proton pump inhibitorsversus histamine 2 receptor antagonists for stress ulcer prophylaxis incritically ill patients: a systematic review and meta-analysis. Crit CareMed 2013;41:693-705.
2. Alhazzani, W. et al. *Proton pump inhibitors versus histamine 2 receptor antagonists for stress ulcer prophylaxis in critically ill patients: a systematic review and meta-analysis*. Critical care medicine, 2013;41:693-705.
3. Andersson B, Nilsson J, Brandt J, et al. Gastrointestinalcomplications after cardiac surgery. Br J Surg 2005;92:326-333.
4. ASHP Therapeutic Guidelines on Stress Ulcer Prophylaxis. ASHPCommission on therapeutics and approved by the ASHP Board of directors on November 14, 1998. Am J Health Syst Pharm 1999;56:347-379.
5. Barkun AN, Bardou M, Pham CQ, et al. Proton pump inhibitors vs. histamine2 receptor antagonists for stress-related mucosal bleeding prophylaxisin critically ill patients: a meta-analysis. Am J Gastroenterol 2012;107:507-520.
6. Barletta JF, Bruno JJ, Buckley MS, et al. Stress ulcer prophylaxis. Crit Care Med 2016;44:1395-1405.
7. Cheung DY, Jung HY, Song HJ, et al. Guidelines of treatment for non-bleeding peptic ulcer disease. Korean J Gastroenterol 2009;54:285-297.
8. Choung RS, Talley NJ. Epidemiology and clinical presentation ofstress-related peptic damage and chronic peptic ulcer. CurrMol Med 2008;8:253-257.
9. Cook D, Guyatt G, Marshall J, et al. A comparison of sucralfateand ranitidine for the prevention of upper gastrointestinal bleeding in patients requiring mechanical ventilation.Canadian Critical Care Trials Group. N Engl J Med 1998;338:791-797.
10. Cook DJ, Fuller HD, Guyatt GH, et al. Risk factors for gastrointestinal bleeding in critically ill patients. Canadian Critical Care Trials Group.N Engl J Med

1994;330:377-381.

11. Cook DJ, Laine LA, Guyatt GH, et al: Nosocomial pneumonia and therole of gastric pH. A meta-analysis. Chest 1991;100:7-13.
12. Cook DJ, Reeve BK, Guyatt GH, et al: Stress ulcer prophylaxis in criticallyill patients. Resolving discordant meta-analyses. JAMA 1996;275:308-314.
13. Cook, D. J. et al. *Risk factors for gastrointestinal bleeding in critically ill patients.* New England journal of medicine, 1994;330:377-381.
14. Dellinger RP, Levy MM, Rhodes A, et al. Surviving sepsis campaign:international guidelines for management of severe sepsis and septicshock, 2012. Intensive Care Med 2013;39:165-228.
15. Eom CS, Jeon CY, Lim JW, et al: Use of acid-suppressive drugs andrisk of pneumonia: A systematic review and meta-analysis. CMAJ 2011;183:310-319.
16. Faisy C, Guerot E, Diehl JL, et al. Clinically significant gastrointestinal bleeding in critically ill patients with and without stress-ulcer prophylaxis.Intensive Care Med 2003;29:1306-1313.
17. Hastings, P.R. et al. *Antacid titration in the prevention of acute gastrointestinal bleeding: A controlled, randomized trial in 100 critically ill patients.* New England Journal of Medicine 1978;298:1041-1045.
18. Herzig SJ, Howell MD, Ngo LH, et al. Acid-suppressive medicationuse and the risk for hospital-acquired pneumonia. JAMA 2009;301:2120-2128.
19. Huang J, Cao Y, Liao C, et al: Effect of histamine-2-receptor antagonistsversus sucralfate on stress ulcer prophylaxis in mechanicallyventilated patients: A meta-analysis of 10 randomized controlled trials.Crit Care 2010;14:194.
20. Jayatilaka S, Shakov R, Eddi R, et al. Clostridium difficile infection inan urban medical center: five-year analysis of infection rates amongadult admissions and association with the use of proton pump inhibitors. Ann Clin Lab Sci 2007;37:241-247.
21. Krag M, Perner A, Wetterslev J, et al: Stress ulcer prophylaxis versusplacebo or no prophylaxis in critically ill patients. A systematic review of randomised clinical trials with meta-analysis and trial sequentialanalysis. Intensive Care Med 2014;40:11-22.
22. Laheij RJ, Sturkenboom MC, Hassing RJ, et al. Risk of community acquired pneumonia and use of gastric acid-suppressive drugs. JAMA 2004;292:1955-1960.
23. Laine L. Proton pump inhibitors and bone fractures? Am J Gastroenterol 2009;104:21-26.
24. Lin PC, Chang CH, Hsu PI, et al. The efficacy and safety of proton pump inhibitors vs histamine-2 receptor antagonists for stress ulcerbleeding prophylaxis among critical care patients: a meta-analysis. CritCare Med 2010;38:1197-1205.
25. Marik PE, Vasu T, Hirani A, et al. Stress ulcer prophylaxis in the new millennium: A systematic review and meta-analysis. Crit Care Med 2010;38:2222-2228.
26. Messori A, Trippoli S, Vaiani M, et al. Bleeding and pneumonia in intensive care patients given ranitidineand sucralfate for prevention of stress ulcer: meta-analysisof randomised controlled trials. BMJ 2000; 321:1103-1106.
27. Mutlu, E.A., P. Factor. *GI complications in patients receiving mechanical ventilation.* Chest 2001;119:1222-1241.
28. Noh Y, Lee JM, Shin S. Analysis of healthcare personnel's clinical beliefs and knowledge behind overutilization of stress ulcer prophylaxis in hospitalized patients. Korean J Clin Pharm 2015;25:264.
29. Peura, D.A. *Stress-related mucosal damage*: an overview. The American journal of medicine 1987;83:3-7.
30. Skillman, J.J. et al. *Respiratory failure, hypotension, sepsis, and jaundice: A clinical syndrome associated with lethal hemorrhage from acute stress ulceration of the stomach.* The American Journal of Surgery 1969; 117:523-530.
31. Spirt MJ. Stress-related mucosal disease: risk factors and prophy lactictherapy. ClinTher 2004;26:197-213.
32. Thorens J, Froehlich F, Schwizer W, et al. Bacte-

rial over growth during treatment with omeprazole compared with cimetidine: a prospective randomised double blind study. Gut 1996;39:54-59.

33. Tryba M. Prophylaxis of stress ulcer bleeding. A meta-analysis. J Clin Gastroenterol 1991;13:44-55.

34. Tryba M. Sucralfate versus antacids or H2-antagonists for stress ulcer prophylaxis: A meta-analysis on efficacy and pneumonia rate.Crit Care Med 1991;19:942-949.

35. Wilder-Smith CH, Ernst T, Gennoni M, et al. Tolerance to oral H2-receptor antagonists. Dig Dis Sci 1990;35:976-983.

36. Wuerth, B.A., D.C. Rockey. *Changing epidemiology of upper gastrointestinal hemorrhage in the last decade: a nationwide analysis.* Digestive diseases and sciences 2018;63:1286-1293.

37. Yang YX. Proton pump inhibitor therapy and osteoporosis. Curr Drug Saf 2008;3:204-209.

38. Zedtwitz-Liebenstein K, Wenisch C, Patruta S, et al. Omeprazole treatmentdiminishes intra- and extracellular neutrophil reactive oxygenproduction and bactericidal acitivity. Crit Care Med 2002;30:1118-1122.

CHAPTER 4

소화성궤양

1. 소화성궤양의 정의 및 역학

1) 정의 및 분류

소화성궤양(peptic ulcer)은 위산과 펩신(pepsin)으로 인해서 위장관의 점막하층 이상의 조직결손이 생긴 경우를 의미하며 손상이 점막층에만 국한된 경우는 미란이라고 한다. 점막결손의 크기에 따라서도 분류를 하기도 하는데 0.5 cm 이상의 점막근층을 넘어서는 점막결손을 궤양이라고 하고, 이보다 작은 결손은 미란이라 부르기도 한다. 소화성궤양은 식도를 포함한 위장관 전체에서 발생할 수 있으나 임상에서는 주로 위와 십이지장에 발생한다.

위궤양은 위치에 따라 체부에 있는 경우 상부궤양으로, 전정부와 위각부에 있는 경우 하부궤양으로 세분한다. 위궤양은 주로 위체부와 전정부 이행 부위의 소만곡 쪽에서 호발한다. 십이지장궤양은 십이지장 구부의 전벽 혹은 후벽에서 호발하며, 양측면에 발생할 경우 'kissing ulcer'라고 부른다. 십이지장 구부 이하 부위에 발생할 경우 후구부궤양(postbulbular ulcer)이라 한다. 하부위절제(Billroth I이나 II 수술) 후 문합부에 궤양이 생길 수 있으며 Billroth II 수술 후에는 주로 문합부의 공장 쪽에 잘 발생한다. 소화성궤양은 장상피화생 또는 메켈게실(Meckel diverticulum) 같은 이소성 위점막, 직장, 바레트식도(Barrett esophagus) 등에서도 생길 수 있다. 큰 식도열공탈장에서도 궤양이 생길 수 있는데, 이를 카메론궤양(Cameron ulcer)이라 부른다.

2) 역학

소화성궤양의 가장 흔한 원인은 헬리코박터 파일로리(*Helicobacter pylori*) 감염과 아스피린(aspirin)을 포함한 비스테로이드 항염증제(nonsteroidal anti-inflammatory drugs, NSAIDs)의 복용이라고 알려져 있다. 국내의 헬리코박터 파일로리의 혈청학적 유병률은 감소하고 있으나, 인구의 고령화 등으로 인하여 근골격계의 퇴행성 질환 증가와 심혈관 질환의 예방 목적으로 비스테로이드 항염증제 또는 아스피린의 사용량이 증가하는 등 소화성궤양을 유발하는 원인이 크게 변하고 있다.

소화성궤양은 19세기와 20세기 초에 증가했다가 30년 전부터 감소하는 추세이나 일생 동안 유병률은 약 10% 정도로 알려져 있고 지역이나 인종에 따른 차이를 보인다. 세계적으로 소화성궤양의 유병률은 외래 환자의 경우 0.10~0.19%, 입원환자는 0.03~0.17%이다. 연간 발생률은 외래 환자의 경우 0.12~1.50%, 입원 환자의 경우 0.10~0.19%였다. 여러 연구들을 통해 서구에서는 소화성궤양의 유병률이 감소하다가 최근에는 정체를 이루는 것으로 추정된다. 헬리코박터 파일로리에 감염되지 않은 환자의 일생 동안의 유병률은 5~10%, 감염된 환자의 경우 10~20%로 알려져 있다. 소화성궤양은 일반적으로 여자보다 남자의 발생빈도가 높아 20세기 초 미국에서는 남자의 발생률이 5배나 더 높았으나, 1980년대에는 남녀비가 1.7배로 여자의 발생률이 점차 증가하고 있다.

우리나라에서 보고된 소화성궤양 유병률에 대한 보고는 많지 않다. 2007년 한국에서 보고된 소화성궤양 유병률은 2.4%로, 이 중 위궤양은 61.2%, 십이지장궤양은 38.8%였다. 다른 보고들을 종합해 보면 국내에서 소화성궤양의 유병률은 2~3% 정도로 추정할 수 있다. 또한, 우리나라에서는 소화성궤양의 유병률은 여자보다 남자에서 유의하게 높았고, 위궤양은 연령이 많아질수록 유의하게 증가하였으나 십이지장궤양은 연령과 상관이 없었다. 소화성궤양은 매년 천 명당 1~2명꼴로 발생한다. 헬리코박터 파일로리 감염자가 비감염자에 비해 3~8배 정도 많은데, 전체 감염자 중 매년 1%에서 궤양이 발생한다. 소화성궤양 환자 중 헬리코박터 파일로리 양성이 48.0%였으며, NSAIDs 등 소화성궤양을 유발할 수 있는 약제를 복용한 경우는 21.0%, 헬리코박터 파일로리 음성이면서 약제 복용력이 확인되지 않는 특발성 궤양은 40.6%였다.

국내에서 헬리코박터 파일로리 감염률은 점차 감소하고 있다. 그러나 소화성궤양의 유병률은 변화 없거나 점차 증가하는 경향을 보이기도하고, 그 발병 연령도 점차 증가하고 있다. 이는 헬리코박터 파일로리 감염에 의한 소화성궤양의 발생은 감소하고 있으나 NSAIDs에 의한 소화성궤양은 증가하고 있음을 시사한다. 인구의 고령화로 아스피린이나 NSAIDs를 복용하는 환자들은 더 증가할 가능성이 높으므로 이로 인한 소화성궤양의 발생도 더 증가할 것으로 예상된다.

소화성궤양은 첫 치유 후에도 재발이 잦은 질환으로 50% 이상의 환자가 1년 내에 재발한다. 산분비억제제 유지요법으로 재발을 줄일 수 있으나 근본적으로는 궤양의 기저질환을 제거해야 소화성궤양의 재발을 예방할 수 있다. 1970년대 히스타민 H_2 수용체 길항제(histamine H_2 receptor antagonist, H2RA) 1980년대 후반에 개발된 양성자펌프억제제(proton pump inhibitors; PPIs)의 등장, 헬리코박터 파일로리 유병률의 감소로 인해 소화성궤양으로 입원하거나 수술하는 환자의 수가 많이 줄어들었으나 궤양으로 인한 사망의 빈도에는 큰 차이가 없다.

2. 위액 분비의 생리

위는 위산(HCl), 펩신, 점액, 내인자, 지방분해효소 등을 포함한 위액을 분비한다. 위액은 분문선(cardiac gland), 유문선(pyloric gland), 주위선(main gastric gland)에서 분비된다. 점액은 공통적으로 분비되고, 유문선에서는 가스트린이, 주위선에서는 위산, 펩시노겐, 내인자 등이 분비된다.

산분비세포(oxyntic cell)로 알려져 있는 벽세포(parietal cell)는 위선의 협부(isthmus), 경부(neck) 또는 산분비 부위의 산분비선(oxyntic gland)에 존재하며 산과 함께 내인자를 분비한다. 벽세포에는 산분비 촉진물질에 대한 수용체인 히스타민(H2), 가스트린(cholecystokinin B/가스트린 수용체), 아세틸콜린(무스카린, M3) 수용체가 존재한다. 이 수용체들은 모두 G단백질과 연관된 수용체(G protein-linked, seven transmembrane-spanning receptor)이다. 벽세포에는 산분비를 억제하는 물질인 프로스타글란딘(prostaglandin, PG), 소마토스타틴, 표피성장인(epidermal growth factor, EGF) 등의 물질에 대한 수용체도 존재한다. 프로스타글란딘은 산분비의 조절뿐만 아니라 중탄산염 분비와 위점막 혈류에 있어서도 중요한 역할을 한다.

1) 위산분비

히스타민이 H_2 수용체에 작용하면 adenylate cyclase가 활성화되어 cyclic AMP가 증가하며, 가스트린과 무스카린 수용체의 활성화는 protein kinase C/phosphoinositide 신호체계의 활성화를 유도하여 산분비에 관여하는 H^+K^+-ATPase 펌프를 작동시킨다. H^+K^+-ATPase는 원통형의 세관소포(tubovesicle)에 존재하며 세포가 자극을 받으면 첨부의 막과 함께 긴 융모를 가진 소관 네트워크를 이룬다. 에너지가 많이 필요한 산분비 작업은 소관이 존재하는 부위에서 일어나며, 미토콘드리아가 필요한 에너지를 공급한다.

식이와 연관하여, 위산분비는 세 과정으로 나뉠 수 있다: 두부기(cephalic phase), 위기(gastric phase), 장기(intestinal phase). 위산의 분비는 주로 식이가 위 안에 존재하는 위기일 때 일어난다. 그 외 다른 위 산물들의 분비는 산과 비례하여 일어난다.

• 두부기(cephalic phase)

위산분비의 두부기는 시상하부와 대뇌피질에 의해 조절된다. 이 시기에는 미주신경이 활성화되고 벽세포가 직접 자극을 받아 위산분비가 증가한다. 식이가 소화되기 전에도, 위는 이미 두부기로 인해 식이를 소화할 준비를 갖춘다. 두부기 때에는 췌장이나 담낭과 같은 위 외의 다른 여러 위장관 기관에서도 조절이 일어난다.

• 위기(gastric phase)

위기에서의 분비는 양적으로 가장 중요한 기간으로, 두부기에서 이어져 오는 미주신경의 영향 이외에도 위내강을 채운 식이로 인한 여러 물리적, 화학적 자극으로 인해 분비는 증폭된다. 위기의 분비는 또한 위의 눈에 띄는 혈류량 증가로 인해 발생하게 되고, 활발히 분비하는 세포종들의 대사적인 요구들을 충족시켜 준다. 또한, 단백질을 포함한 여러 식이요소들이 효과적인 완충제로 작용한다. 그러므로, 위산의 분비율이 높게 유지되는 동안, 위내강의 효과적인 pH 5까지 오를 수 있다. 이것은, 위기에서 위산의 분비 속도가 소마토스타틴을 매개로 한 가스트린 분비의 억제에 의해 증폭되는 것이 아닌 것을 확인시켜 준다.

• 장기(intestinal phase)

장기에는 소장 근위부의 음식과 펩신이 위산분비를 증가시킨다. 식이가 위를 지나 십이지장으로 넘어가게 되면, 내강에서의 완충 용적은 줄어들고 pH는 하강하게 된다. 이러한 피드백 반응은 위억제폴리펩타이드(gastric inhibitory polypeptide, GIP)와 콜레시스토키닌(cholecystokinin, CCK)를 포함하는 여러 내분비, 측분비 요소들에서 비롯되며, CCK의 경우 D세포의 CCK1 수용체와 결합한다. 소화간(interdigestive) 위산분비는 식사와 무관하게 신경에 의해 조절된다. 자정 무렵에 가장 많이, 오전 7시에 가장 적게 분비된다.

(1) 위산분비 촉진인자

분비를 촉진하는 주요인자는 위 전정부선과 십이지장 근위부(전정부 농도의 10%)에 존재하는 가스트린, 비만세포/장크롬친화세포/상피내분비세포에 존재하는 히스타민, 위의 신경절 이후 벽내 신경세포(postganglionic intramural neuron)에서 분비되는 신경펩타이드 아세틸콜린(acetylcholine)이다. 헬리코박터 파일로리 감염의 정도와 감염의 해부학적 위치로 위산분비능이 증가 또는 감소할 수 있다. 벽세포의 H^+K^+-ATPase 펌프 기능을 억제하는 약물[proton pump inhibitor (PPI), potassium competitive acid blockers (P-CABs)]로 위산분비를 줄일 수 있으며, 이에 따라 소마토스타틴이 감소하여 가스트린 분비를 자극하게 된다. 미주신경 뉴런은 위벽 내에 위치한 신경절 이후 신경세포와 시냅스를 이루어 직접적으로 위산분비를 조절하며, 간접적으로는 G세포의 가스트린 분비와 D세포의 소마토스타틴 분비를 조절한다. 신경절이후 신경세포에서 방출되는 아세틸콜린은 M3 무스카린 수용체(M3 muscarinic receptor)를 통해 벽세포를 직접적으로 자극하며 간접적으로는 M2와 M4 수용체를 자극하여 D세포의 소마토스타틴 분비를 억제한다.

커피는 위산분비와 가스트린 분비를 모두 자극하며, 알코올은 위산분비를 자극하고, 정맥내 칼슘도 위산분비를 자극하고 혈중 가스트린치를 약간 상승시킨다.

(2) 위산분비억제인자

위액의 공복상태에서의 평균 pH는 1.5로 0.3~2.9까지 정상 범위로 간주한다. 위 내의 산도가 pH 1.5 이하이면 거의 모든 자극에 대한 가스트린 분비가 완전히 없어진다. 소마토스타틴(somatostatin)은 가스트린 분비를 억제하고 직접 벽세포를 억제하여 위산분비를 감소시킨다. 십이지장 내의 산은 위산분비를 억제하는 장펩타이드의 분비를 증가시켜 위산분비를 감소시킨다. 세크레틴(secretin)은 점막 산성화에 대응하여 소장 근위부의 내분비세포에서 분비되며 위산분비를 억제한다. 이 외에도 위억제 펩타이드(gastric inhibitory peptide), 고혈당, 고장성용액, 십이지장 내의 지방, 혈관운동장펩타이드(vasoactive intestinal peptide, VIP), 창자글루카곤(enetroglucagon), 뉴토텐신(neurotensin), YY 펩타이드, 우로가스트로(urogastrone), 등에 의해서도 위산분비가 억제된다.

2) 펩신 분비

단백분해효소인 펩신은 위선의 주세포(chief cell)에서 전구 물질인 펩시노겐 형태로 세포질내 과립속(zymogen granule)에 저장되어 있다가 음식물 섭취 시 분비된다. 위강내에서 위산의 작용으로 pH2에서 활성형인 펩신으로 변환된다. 펩신의 최적 pH는 1.8~3.5이며, pH7에서는 효소 활성도를 소실하고 알칼리 용액에서는 비가역적으로 파괴된다.

펩시노겐I은 위의 체부와 기저부의 점액세포 및 주세포에서 발견되며, 소변에서 검출되고 최대 위산분비와 직접 관련된다. 펩시노겐 II는 전정부선의 세포, 십이지장의 브루너선(Brunner glands), 위 심부선의 점액세포 및 펩시노겐I이 발견되는 세포 등에 존재한다. 현재 위산분비를 측정하는 가장 비침습적인 검사로 펩시노겐 I검사를 한다. 펩시노겐의 분비를 촉진하는 인자는 위산분비를 자극하는 대부분의 요인과 콜린성 자극, 세크레틴에 의해 분비된다.

3) 가스트린 분비

가스트린은 유문선에 있는 G세포와 십이지장에서 생산된다. 아세틸콜린, 단백질 소화산물(펩타이드, 아미노산), 위의 확장에 의하여 분비가 촉진되고, 유문동의 산과 소마토스타틴에 의하여 억제된다. 유문동의 pH가 3.5 이하가 되면 분비억제 현상이 나타나고, 1.5 이하로 떨어지면 분비가 중단된다.

가스트린의 종류는 아미노산이 17개(G-17, little gastrin)으로 구성된 것과 34개(G-34, big gastrin)로 구성된 것이 있다. 위 전정부에는 G-17이, 혈중에는 G-34가 주로 있으며 G-17이 G-34보다 반감기는 짧지만 위산분비의 효과는 비슷하다. 외분비인자인 가스트린은 인슐린 분비를 촉진한다고 알려져 있어, PPI에 의한 고가스트린혈증(PPI-induced hypergastinemia)이 2형 당뇨병 환자에서는 당 조절에 도움이 되기도 한다고 알려져 있다. 또한 기존의 주 역할인 위산분비의 촉진제와 더불어, 세포증식, 세포이동 그리고 혈관신생, apoptosis 억제와 autophagy 활성화와 같은 성장호르몬으로서의 기능도 가지고 있는 것으로 인식되고 있다.

3. 소화성궤양의 병태생리 및 원인

소화성궤양은 활동성 염증에 의하여 위와 십이지장 점막에 국소적인 결손이나 함몰이 발생한 상태로서 점막의 구조적 안정성과 완결성(integrity)이 훼손된 병적 상태이다. 염증은 구조적 안정성을 유지하기 위한 방어인자와 다양한 공격인자의 불균형에 의해 일어난다(그림 54-1). 헬리코박터 파일로리와 비스테로이드성소염제(NSAIDs)는 소화성궤양의 가장 주된 원인이다. 고령, 만성폐쇄성폐질환, 만성 신부전, 흡연, 관상동맥질환 등은 잘 알려진 위험요소이다. 위산과 펩시노겐/펩신, 담즙산 등은 위점막 상피에 대한 내인성 공격인자이며, NSAIDs를 비롯한 여러 가지 약제와 헬리코박터 파일로리 등 미생물도 손상의 외인성 원인이다. 위점막에서는 다양한 공격 인자에 대한 세밀하고도 복잡한 방어와 손상 복구기전이 작동하고 있다.

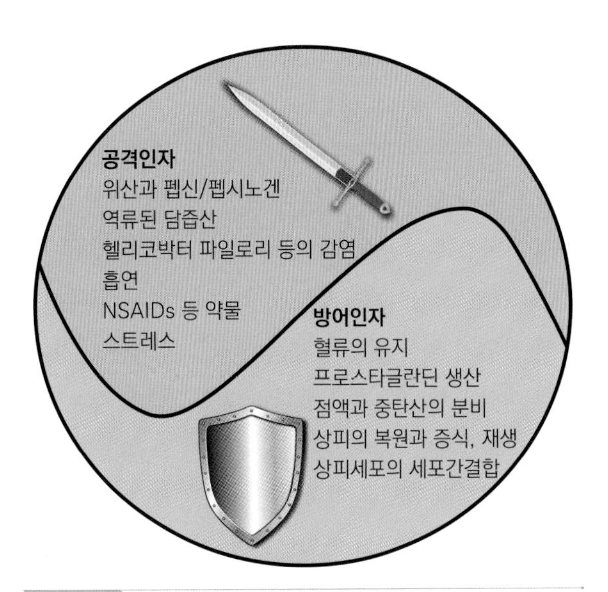

그림 54-1 **소화성궤양 발생의 균형.**
위점막상피의 구조적 안전성과 완결성은 공격인자와 방어인자 사이의 균형으로 유지되지만, 공격인자가 강해지거나 방어인자가 약해지면 균형이 깨지고 소화성궤양이 발생한다.

1) 공격인자

(1) 위산

산(HCl)과 펩시노겐(pepsinogen)은 위상피세포에서 분비되어 위점막의 손상을 유도할 수 있는 주된 내인성 공격인자이다. 생리적인 역할로서 위산과 펩시노겐은 섭취된 미생물을 제거하고 단백질을 소화할 뿐 아니라 철, 칼슘, 마그네슘 그리고 비타민 B12의 흡수에도 관여한다. 위산의 분비는 기저 수준(basal)의 분비와 촉진된 수준(stimulated)의 분비로 나눌 수 있다. 기저 산분비는 24시간 주기의 생체리듬에 따라 야간에 분비량이 최대에 이르고 아침에 최저로 감소한다. 미주신경을 통한 콜린성 자극과 국소 히스타민 자극이 기저 산분비의 주된 인자이다. 촉진 산분비는 자극 신호의 위치에 따라 세 개의 단계로 나뉜다. 뇌 단계(cephalic phase)는 음식에 대한 시각, 후각, 미각신호에 따라 미주신경을 통해 위산분비를 자극하고, 위 단계는 위강 내 음식이 직접 아미노산 수용체를 통하거나 간접적으로 가스트린 분비를 통해 산분비를 자극하며, 장 단계(intestinal phase)의 위산분비는 장관의 팽만이나 영양소의 흡수에 의해 시작된다.

위산분비에 대한 길항체계는 위점막의 D세포에서 분비하는 소마토스타틴(somatostatin) 호르몬이 대표적이다. 소마토스타틴은 벽세포에 직접 작용하거나, 간접적으로 ECL세포에서 히스타민 분비를 억제하거나 Gr세포에서 Ghrelin 분비를 억제하거나 G세포에서 가스트린 분비를 억제함으로써 위산분비를 억제한다. 위산은 소화성궤양의 발생에 주요한 역할을 한다. 특히 십이지장궤양 환자는 평균 기저 산분비와 야간 산분비가 정상에 비해 증가하고, 십이지장 구부의 중탄산 분비는 유의한 수준으로 감소한다. 다만, 증가된 산분비의 범위는 정상 산분비와 일정 부분 중복되기 때문에, 산분비의 양으로 궤양의 발생을 예측하거나 원인으로 단정하기는 어렵다. 위궤양은 십이지장궤양과 달리 산분비의 수준은 정상이거나 오히려 감소하는 경향을 가지고 있다. 이는 위궤양의 발생이 공격인자의 활성화보다는 방어체계의 취약성 때문인 것을 시사한다.

(2) 헬리코박터 파일로리 감염

헬리코박터 파일로리는 소화성궤양의 가장 주된 원인으로서, 소화성궤양뿐 아니라 위 MALT 림프종과 위선암의 발생 원인이며, 드물게 성인의 특발성 혈소판감소성 자반증과 연관되기도 한다. 과거의 통계는 위궤양의 30~60%와 십이지장궤양의 50~70% 이상이 헬리코박터 감염에 의한 것으로 분석하였으나, 최근 환경 위생의 개선과 항생제 치료에 따라 헬리코박터 파일로리 유발 소화성궤양의 분율은 점차 감소하고 있다. 헬리코박터 파일로리 감염은 지속적인 소화성궤양의 재발 원인이 되어, 헬리코박터 파일로리의 발견 이전에는 소화성궤양이 만성 재발성 질환으로 여겨졌으나, 최근 제균치료 이후 재발하는 소화성궤양은 전체의 20% 미만이다. 감염은 사람과 사람 사이에서 구강-구강 또는 항문-구강의 경로로 이루어지며, 가족내 감염이 많은 것이 이를 뒷받침 한다. 대개의 감염은 유년기에 발생하며, 성인의 감염은 상대적으로 드물다.

헬리코박터 파일로리는 미세 호기성의 그람음성간균으로 흔히 위점막의 점액젤 층에서 발견된다. 헬리코박터 파일로리는 점막상피에 침습하지 않고 부착 상태로 집락을 이루는데 대개 위 전정부에서 시작하여 시간이 지남에 따라 위 체부로 이동한다. 환경에 따라 형태를 구형(coccoid)으로 바꾸고 휴면기(dormant) 상태로 장기간 생존을 유지할 수 있다. 위점막의 점액층에서 편모를 이용하여 이동하며, 요소분해효소(urease)는 요소로부터 NH_3를 생산하여 산성인 환경을 중화시킬 수 있다.

헬리코박터 파일로리는 위에 집락을 이루고, 숙주의 방어체계를 회피하여 장기간 생존하면서 점막의 손상을 유도할 수 있다. 이러한 병리에 기여하는 세균요소는 cytotoxin-associated gene A (cagA) 단백질, virulence component vacuolating toxin (vacA) 단백질, γ-glutamyl transpeptidase (GGT), outer membrane protein (Hop protein), 요소분해효소(urease) 등이 중요하다. 편모(flagella)와 인지질다당체제(lipopolysaccharide, LPS)는 병원체관련 분자패턴(pathogen-associated molecular pattern, PAMP)에 속하지만 다른 세균에 비해 면역학적 활성도가 낮아 저도의 만성 염증을 유지할 수 있다. CagA는 *cag* pathogenicity island (cag-PAI)라 불리는 유전자 구역에 의해 코딩 되어 있는데, cap-PAI는 cagA뿐 아니라 picB와 type IV secretion system도 함께 포함하고 있다. CagA는 type IV secretion system에 의해 숙주세포로 주입되며, 숙주세포의 성장과 이동, 사멸에 관여하는 세포내 경로에 영향을 미침으로써 병인으로 작용한다. CagA 양성 균주에 감염된 환자는 소화성궤양과 위암 및 전암병변으로 진행하는 위험이 높다. VacA는 숙주세포에 공포를 형성하여 세포 사멸을 유도할 뿐 아니라, CD4 T세포의 증식을 억제하고 B세포, CD8 T세포, 대식세포, 비만세포의 기능을 교란한다. 그 외에도 catalase, lipase, adhesins, platelet-activating factor, picB 등도 알려진 세균인자이다.

헬리코박터 파일로리에 의한 십이지장궤양의 병인은 세 가지 가설로 설명한다. 첫째는 특정한 독소요인을 가진 독성 균주에 의해 십이지장궤양이 유발된다는 것으로 dupA (DU promoting gene A) 양성 균주가 그 예이다. 둘째는 위산에 노출된 십이지장점막에 위상피 화생이 발생하고, 화생된 십이지장점막에 헬리코박터 파일로리가 부착하여 국소염증과 손상을 일으킬 수 있다. 셋째는 헬리코박터 파일로리 감염은 직접적으로 또는 IL-8, TNF, IL-1 등의 염증성 사이토카인을 통해 간접적으로 G세포, D세포, 그리고 벽세포에 영향을 미쳐 산분비를 증가시키고 십이지장의 중탄산 분비는 감소시키는 것이다. 반면 위궤양 환자의 산분비는 정상 범위이거나 오히려 저하되어 있다. 헬리코박터 파일로리는 위점막에서 상피세포 사멸 등 직접적인 손상을 유발시킬 수 있으며, 손상 조직에서 IL-1α/β, IL-2, IL-6, IL-8, TNF-α, INFγ 등 염증성 사이토카인이 유리 된다. 국소의 염증 반응은 헬리코박터 파일로리를 제거하기보다는 조직의 손상을 초래한다. 조직에서 활성화된 중성구는 반응성 유리 산소기나 산화질소(nitric oxide) 등 질소기를 생산하며 세포와 조직의 손상을 악화시킨다.

(3) 비스테로이드성소염제와 아스피린

비스테로이드성소염제(NSAIDs)는 인구의 노령화와 만성 근골격계 질환의 증가에 따라 전 세계적으로 사용이 증가하고 있으며, 약물 사용에 따른 부작용은 건강 관련 경제적-사회적 부담을 증가시키고 있다. 특히 출혈을 포함한 소화성궤양은 NSAIDs에 관련되어 나타나는 가장 중요한 부작용이다. NSAIDs를 사용하는 환자는 투약 후 2주 이내에 약 5%에서 미란 또는 궤양이 나타나고 4주 이상 투여한 경우 약 10%에서 점막손상이 나타난다. 1년 내 증상을 동반한 소화성궤양을 경험하는 환자는 4~5%이며, 소화성궤양에 따른 출혈이나 천공 등의 심각한 부작용은 약 1.5% 인-년(person-year)의 빈도로 발생한다. 하지만, 심각한 NSAID 연관 소화성궤양 부작용을 겪는 80%의 환자에서는 선행하는 증상이 없기 때문에 고위험군에 대한 인지와 투약에 주의가 필요하다. 하루 75~325 mg의 아스피린을 사용하는 경우 점막 궤양이나 미란의 발생 빈도는 약 8~60%에 이른다. 저용량(75 mg/일)의 아스피린도 소화성궤양의 충분한 원인이 될 수 있다.

헬리코박터 파일로리 감염이 있는 경우 저용량 아스피린을 장기 복용하는 환자의 소화성궤양 출혈 위험은 더욱 높아 진다. 헬리코박터 파일로리 감염 이외에 NSAIDs 유발 소화성궤양의 위험인자는 다음과 같다: 고령, 궤양의 과거력, 코르티코스테로이드의 병용, 고용량의 NSAID, 여러 종류의 NSAIDs 병용, 항혈전제나 항응고제 사용, 중증이나 다장기 질환이 있는 경우이다. 흡연이나 음주도 위험을 높이는 가능한 요인이다(표 54-1).

NSAIDs의 약리기전은 COX(시클로옥시게나아제, cyclooxygenase)효소 억제를 통하여 프로스타사이클린의 생산을 감소시켜 염증과 통증의 수준을 낮추는 것이다. 인체의 COX 효소는 COX-1과 COX-2의 두 가지 이소체가 존재한다. COX-2는 염증 반응에 의해 유도되며 프로스타사이클린을 생산하는 반면 COX-1은 프로스타글란딘을 생산하여 점막의 혈류유지와 점막의 방어와 손상 회복체계에 관여한다. NSAIDs는 COX-1와 COX-2에 모두 작용하지만, COX-1 또는 COX-2에 서로 다른 친화도를 가지고 있기 때문에, 위점막의 손상을 줄이기 위해서는 COX-2에 선택적인 NSAIDs가 유리하다.

NSAIDs에 의한 프로스타글란딘의 감소는 점막의 프로스타글란딘 생산 감소로 이어져 점막의 방어와 회복을 방해함으로써 점막손상을 초래한다. NSAIDs와 아스피린은 화학적으로 약산으로 산성의 위 내에서 비이온화 친유성 형태로 존재하여 상피세포의 인지질 세포막을 통과할 수 있다. 중성 환경의 세포 내에서 NSAIDs는 이온화하여 세포 내에서 빠져나갈 수 없어 세포 내 손상을 유발한다. 또한 점액층의 변화를 유발하여 H^+과 펩신이 조직으로 역확산함으로써 조직의 손상을 가중한다.

표 54-1. 비스테로이드성소염제 유발 소화성궤양의 위험인자

위험인자
이전 소화성궤양 합병증 병력
여러가지의 NSAIDs 병용
고용량의 NSAIDs
항응고제
이전 소화성궤양 병력
70세 이상 고령
헬리코박터 파일로리 감염
글루코코르티코이드 병용
흡연

(4) 흡연

흡연은 소화성궤양 발생의 위험인자이다. 임상적으로 흡연하는 사람에서 소화성궤양의 발생 빈도가 약 2배 높으며 이는 흡연의 기간과 양의 상관관계를 보인다. 흡연은 궤양의 약물 반응을 저지하여 치유를 방해하며 천공 등 합병증의 위험을 증가시킨다. 담배에 포함된 니코틴은 위 배출을 변화시키고, 위산분비는 증가시키며, 점액 생산을 감소시키며, 십이지장 근위부의 중탄산 분비를 감소시킨다. 흡연은 점막의 xanthine oxidase 활성도를 증가시키고 leukotrienes와 nitric oxide를 포함하는 독성 유리 활성기의 생산을 증가시키고 점막의 호중구 침윤을 일으킬 뿐 아니라 헬리코박터 파일로리 감염 위험을 증가시켜 국소 염증에 의한 소화성궤양의 발생에 기여한다.

2) 점막방어인자

점막의 방어체계는 3개의 층으로 구성되어 있다. 3개의 층은 점막의 상층과 점막상피층 그리고 상피하 구조로 나뉘어 각각의 독립된 기능을 수행한다.

(1) 점막상층

점막의 상층(preepithelial layer)은 점막 방어의 1차 관문으로서 점액-중탄산-인지질층의 구조를 가지고 위산을 포함한 다양한 분자와 입자에 대하여 물리적-화학적 장벽을 형성한다. 점액은 점막의 상피세포에서 분비되며 수분(95%)과 인지질과 뮤신(mucin) 당단백(glycoprotein)으로 이루어진다. 점액은 약 0.2 mm 두께의 젤 상태로 상피를 덮어 위산 등 이온과 펩신 등의 분자의 확산을 막는 고정 수막(unstirred water layer)을 형성한다. 위와 십이지장 점막 상피세포에서 점액층으로 분비된 중탄산(bicarbonate)은 위산을 중화함으로써 위 내강(pH 1~2)에서부터 상피세포의 표면(pH 6~7)까지 pH 경사를 만들어 낸다.

(2) 점막상피

점막의 상피세포(epithelial layer)는 2차 방어선으로 역할을 한다. 상피세포는 점액을 생산하고 세포막의 이온 운반체(ion transporter)를 이용하여 중탄산을 분비하고 세포 내 pH를 유지하며 세포와 세포 사이에는 치밀이음부(tight junction)를 형성한다. 치밀이음부에 의해 결합된 상피세포는 물리적 장벽을 형성하여 위 내강의 산이 역확산되지 않도록 한다. 세포 내에서 생산되는 열충격단백질(heat shock protein)은 열이나 세포독성물질, 산화 스트레스 등에 의한 손상으로부터 세포를 보호하고 단백 변성을 막아주는 역할을 한다.

Trefoil factor family와 cathelicidins등은 상피세포에서 생산되어 세포의 보호뿐 아니라 재생에 역할을 한다. 점막상층의 방어선이 손상되어 점막 상피세포의 손상과 결손이 발생한 경우에는 손상된 경계의 위상피세포가 손상 부위로 이동하여 결손을 복원(restitution)한다. 복원의 과정은 세포의 분할과정 없이 이루어지며 복원이 이루어지는 위치에 충분한 혈류의 공급과 알칼리성 환경의 조성이 중요하다. 복원 과정에는 epidermal growth factor (EGF), transforming growth factor (TGF)-α, 그리고 basic fibroblast growth factor (FGF) 등이 관여한다. 복원으로 충분히 회복될 수 없는 광범위한 결손이 발생한 경우에는 세포의 증식(proliferation)이 필요하다. 상피세포의 재생과정은 prostaglandin과 EGF, TGF-α 등의 성장인자에 의해 조절된다. 상피세포의 재생에 동반하는 새로운 혈관의 형성(angiogenesis)은 FGF와 VEGF (vascular endothelial growth factor)가 중요한 역할을 한다. 가스트린은 세포의 증식과 이동, 침윤과 혈관생성을 자극하고 위 줄기세포를 조절하는 역할을 한다.

(3) 점막하층

상피하 방어구조의 핵심은 점막하층(subepithelial layer)의 정교한 미세혈관 구조이다. 점막하층 미세혈관은 중탄산을 조직에 공급하여 산을 중화하고 미세영양분과 산소를 공급하는 한편 독성이 있는 대사성 부산물을 제거한다. 조직의 NO (nitric oxide)와 황화수소(hydrogen sufide) 그리고 프로스타사이클린(prostacyclin, prostaglandin I2) 그리고 프로스타사이클린(prostacyclin)은 미세혈관의 확장을 조절하여 방어기전에 기여한다.

(4) 프로스타글란딘

프로스타글란딘(prostaglandin)은 위상피의 방어와 손상 회복과정에 중요한 역할을 한다. 프로스타글란딘은 위점막의 중탄산과 점액분비를 조절하고, 벽세포에서 산분비를 억제하고, 점막의 혈류와 상피세포의 복원을 유지한다. 프로스타글란딘은 세포막의 인지질에서 유래하는데, 프로스타글란딘의 생산은 cyclooxygenase (COX) 효소에 의한 arachidonic acid의 에스테르화 반응에 의해 결정된다. COX 효소는 COX-1과 COX-2 두 개의 isoform 형태로 존재한다. 이중 COX-1은 위점막에서 기본적 구성요소로 존재하며 arachidonic acid를 프로스타사이클린과 프로스타글란딘 E_2로 전환하여 위장관 점막의 구조적 안정성을 유지하는 데 기여한다.

(5) 점막의 혈류

점막의 혈류가 유지되는 것은 상피세포가 방어벽으로 온전한 역할을 하기 위한 중요한 조건이다. 위각과 십이지장 구부에 소화성궤양이 잘 생기는 것은 점막하층의 혈관구조가 그물망 형태가 아닌 말단 혈관의 형태를 가지고 있기 때문에 점막의 허혈이 쉽게 발생하기 때문이다. 산화질소(NO, nitric oxide)는 점막의 구성 효소(constitutive enzyme)인 산화질소합성효소(NO synthase)에 의해 생성된다. 산화질소는 점막상피에서 점액 생산을 촉진하고, 혈류를 증가시킴으로써 상피의 구조를 온전하게 보호하고 유지하는 역할을 한다. 점막의 혈류 유지에는 중추신경계로부터의 원심성 자극과 호르몬도 함께 영향을 미친다.

3) 원인불명 소화성궤양과 헬리코박터-음성-NSAID-음성 소화성궤양

원인불명 소화성궤양 또는 특발성 소화성궤양(idiopathic peptic ulcer)이란 헬리코박터 감염이나 NSAID의 사용 그리고 기타의 궤양을 일으킬 수 있는 모든 원인을 확인할 수 없고 자발적으로 발생한 궤양으로 정의하는 배제진단(exclusion diagnosis)이다. 대부분의 소화성궤양이 헬리코박터 파일로리 감염이나 NSAID 사용에 관련되어 발생하기 때문에 헬리코박터-음성-NSAID-음성 소화성궤양과 원인불명 소화성궤양을 상호교차하여 사용하기도 하지만 엄밀한 의미에서 동일한 진단은 아니다. 환경위생의 향상으로 인해 국가와 지역의 헬리코박터 유병률이 낮아지면서 헬리코박터 음성의 원인불명 소화성궤양이 전체 소화성궤양의 발생에서 차지하는 분율은 전 세계적으로 증가하고 있다. 우리나라의 경우 과거 0.3% 미만이었으나 최근의 통계에 따르면 약 20%의 소화성궤양이 헬리코박터 음성 원인불명 소화성궤양이다. 원인불명 소화성궤양은 산분비억제제 치료에 잘 반응하지 않고, 궤양의 치유 후에도 재발이나 재출혈의 경향이 높다. 따라서 궤양의 치유 정도에 따라 장기간의 산분비억제제 유지요법을 고려해야 하는 경우도 있어 가능한 원인에 대한 치밀하고 정확한 진단이 중요하다. 원인불명의 진단을 위해서는 적어도 세 가지 이상의 헬리코박터 감염 진단검사를 시행하고 환자의 약물 복용력을 치밀하게 확인하는 것이 기본이다. 소화성궤양을 일으킬 수 있는 드문 감염병이나 약물(bisphosphonate, 염화칼륨 제제, mycophenolate mofetil 등)의 사용 여부도 반드시 확인하여야 한다(표 54-2).

표 54-2. **헬리코박터 음성 NSAID 음성 소화성궤양의 원인**

Infection
Cytomegalovirus
Herpes simplex virus
Helicobacter heilmannii
Drug/Toxin
Bisphosphonates
Chemotherapy
Clopidogrel
Crack cocaine
Glucocorticoids (when combined with NSAIDs)
Mycophenolate mofetil
Potassium chloride
Miscellaneous
Basophilia in myeloproliferative disease
Duodenal obstruction (e.g., annular pancreas)
Infiltrating disease
Ischemia
Radiation therapy
Eosinophilic infiltration
Sarcoidosis
Crohn's disease
Idiopathic hypersecretory state

NSAIDs, nonsteroidal anti-inflammatory drugs.

4) 소화성궤양의 발생과 연관된 전신질환

전신상태로서 고령, 만성폐질환, 만성신질환, 간경변증, 신결석, α_1-antitrypsin 결핍증, 전신성 비만세포증은 소화성궤양과 높은 연관성을 보이는 전신진환이다. 기타 부갑상선항진증, 관상동맥질환, 진성 적혈구증다증, 만성췌장염, 음주력, 비만 등도 연관 가능성이 있는 질환이다. 고령의 사람이 소화성궤양이 발생에 취약한 것은 방어체계의 약화로 설명할 수 있다. 동물과 사람에 대한 연구결과 노화는 위점막의 방어기전에 중심적 역할을 하는 프로스타글란딘의 수준을 감소시킬 뿐 아니라 만성 장간막 허혈과 같은 혈관성 질환의 위험도 증가시킨다. 노화에 따른 위점막의 프로스타글란딘 생산의 저하와 혈류의 감소는 위점막의 유약성을 높이고 궤양 등의 손상이 일어나기 쉬운 조건을 만든다.

(1) 만성폐질환

만성폐쇄성폐질환이 있는 환자의 약 30%에서 소화성궤양이 동반되는데, 이는 흡연과 연관 가능성이 높다.

2) 만성신질환

혈액투석을 받거나 신장이식수술을 받은 환자의 50% 이상에서 십이지장궤양이 발생한다. 이는 고가스트린혈증이나 신기능 저하로 인한 산분비 관련 물질의 체내 축적 때문으로 추정한다.

(3) 만성간질환

간경변증 환자의 소화성궤양 발생은 정상인구의 약 10배이다. α_1-antitrypsin 결핍증 또는 고가스트린혈증을 원인으로 추정한다. 간경변증에 병발하는 울혈성 위염이나 혈관 확장으로 인한 혈류정체도 원인으로 기여할 것으로 추정한다.

(4) 심혈관 및 내분비질환

심혈관질환 환자의 소화성궤양 발생은 정상인구의 약 3배이다. 카테콜아민의 소변 배설량이 증가하며, 스트레스와 순환장애를 원인으로 추정할 수 있다.

(5) 부갑상선항진증

부갑상선항진증 환자의 소화성궤양 발생은 정상인구의 약 2배이다. 칼슘 증가와 위산분비 증가가 관련이 있을 것으로 추정한다.

(6) 전신적 염증성 질환

크론병, 진성 적혈구증다증, Henoch-Schönlein 자반증, 전신 아밀로이드증, 사르코이드증(sarcoidosis), 고리췌장 등은 전신질환으로 소화성궤양을 병발할 수 있는 질환이다. 크론병은 위장관 전체를 침범할 수 있으며, 위에도 부정형의 다발성 종주궤양을 나타낼 수 있다. 크론병에서 보이는 육아종은 소화성궤양의 생검에서 약 30%에서만 확인할 수 있다.

5) 기타 소화성궤양과 연관된 인자

(1) 스트레스

정신심리적 부담과 소화성궤양 발생 사이의 상관관계에 대해서는 여러 주장이 있어왔다. 2차 세계대전 당시 런던 공습 이후 소화성궤양 환자의 증가가 첫 역학적 근거였으며, 최근 일본에서 발생한 지진과 해일의 생존자들에서 소화성궤양의 발생이 1.5배 증가하고 궤양 출혈은 2.2배 늘었으며, 원인불명 소화성궤양의 분율이 13~24%로 증가한 것은 시사하는 바가 크다. 덴마크의 성인대상연구에서도 스트레스의 정도에 따라 소화성궤양의 발생이 1.6~3.5%로 차이가 있어 정신심리적 부담이 소화성궤양 발생의 독립적 위험인자임을 시사하였다. 정신적 스트레스는 미주신경계 또는 시상하부-뇌하수체-부신 축을 통한 corticotrophin releasing hormone (CRH) 분비를 통하여 위산분비를 증가시키고 점막상피의 투과성을 증가시키고 국소의 염증 사이토카인을 증가시켜 염증세포를 집적하여 점막손상을 유발한다.

(2) 식이

동물실험에서 알코올은 위산분비를 촉진하고 조직에 직접적으로 손상을 줌으로써 급성 위점막손상을 일으킨다. 하지만 낮은 농도의 알코올에서 실제 위점막의 손상이 발생하는지에 대한 근거는 아직 충분하지 않다. 커피나 매운 음식은 위산 관련 증상을 악화시킬 수 있으나 위점막의 손상을 유발하거나 악화시킨다는 근거는 없다.

(3) 유전인자

십이지장궤양 환자의 직계 가족은 십이지장궤양 발생 위험이 정상인구의 약 3배이다. 유전적 요인에 대한 연구는 아직 근거가 충분하지 않지만, ABO 혈액형 O형인 경우와 무분비형(non-secretory type)인 경우 소화성궤양의 위험이 높다고 알려져 있다. NSAIDs 유발 소화성궤양에 대한 위험이 시토크롬(cytochrome) P450 2C9과 2C8 (CYP2C9과 CYP2C8) 유전자를 가진 사람에서 증가한다는 보고가 있으나 근거는 많지 않다. 영국의 연구에서 CYP2C19*17 기능획득 다형성(gain-of-function polymorphism)이 백인의 소화성궤양 위험과 관련있다는 연구가 있지만 단정하기는 어렵다. 아시아 지역에서는 인도인과 비교하여 중국인과 말레이인에서 헬리코박터-음성-NSAID-음성 소화성궤양의 빈도가 높다. 위점막의 방어인자인 mucin의 분자 변화를 일으키는 HLA-DQA1*0102 allele의 유전적 또는 후성적 변화가 있는 경우 소화성궤양의 위험이 높아진다.

4. 소화성궤양의 임상소견

위궤양은 위체부의 산분비 점막과 유문동 접합부의 원위부 소만곡에 많이 발생한다. 십이지장궤양은 95% 이상이 십이지장의 첫 번째 부위에서 발생하고 이 중 약 90%는 유문부와 십이지장점막 경계부의 3 cm 이내에 위치한다. 십이지장 제2부위 혹은 그 이상 부위에 궤양이 발생했다면 졸링거-엘리슨증후군을 의심해 볼 수 있다.

1) 증상

복통은 소화성궤양의 대표적인 임상표현이다. 하지만, 복통의 소화성궤양 진단 예측도는 매우 낮아 임상적 가치는 없다. 전체적으로 소화성궤양의 1/3은 선행증상 없이 진단된다. 특히 출혈이나 천공, 폐쇄 등의 합병증을 동반한 NSAIDs 유발 소화성궤양에 대한 분석 결과 87%에서 선행하는 소화성궤양의 증상이 없었다.

소화성궤양의 전형적인 증상은 명치부 통증이며, 타는 듯한 느낌이나 긁어내는 듯한 통증으로 표현된다.

통증은 주로 상복부에서 느껴지며 등이나 흉곽으로 전파되기도 한다. 십이지장궤양의 통증은 식사 후에 완화되고, 식후 90분에서 3시간 사이에 통증 악화가 발생한다. 위궤양의 통증은 십이지장궤양의 통증보다 덜 전형적이며 식사는 통증을 완화시키지 않고 오히려 유발하거나 악화시킨다. 야간 통증으로 수면 방해가 생길 수 있으며, 십이지장 후구부 궤양(postbulbar ulcer)은 통증이 우상복부에서 느껴지고 등으로 방사되기도 하고 폐쇄와 출혈을 흔히 동반한다.

통증 이외에도 흉골 아래의 작열감(burning sense)이나 산역류 같은 증상을 호소하기도 하는데, 위산분비가 많거나 위배출이 지연되는 경우에 나타난다. 구역과 구토는 위장관의 기계적 폐쇄 없이도 일어날 수 있으나 소화성궤양의 진단에는 비특이적이다. 지속적으로 심한 설사가 동반되는 경우 졸링거-엘리슨 증후군이나 마그네슘을 함유한 제산제 복용 여부를 확인하여야 한다. 치료를 받지 않은 경우 증상이 2~8주 동안 간헐적이지만 매일 호전과 악화를 반복하다가 오랫동안 증상이 없는 기간을 거치기도 한다.

통증의 양상 변화는 합병증 발생의 신호이다. 천공, 출혈, 위출구폐쇄 등의 합병증이 발병하면 심한 복통, 쇼크, 토혈, 혈변, 빈혈, 포만, 구역, 구토, 체중감소 등의 증상이 나타난다. 위출구폐쇄가 나타나면 음식을 먹어도 통증이 완화되지 않고 더 심해지며 구토가 유발된다. 활동성 궤양이 있어도 궤양 증상이 없는 경우가 흔하다. 위 천공은 십이지장궤양 천공보다 발생빈도가 낮지만 치사율은 3배에 달한다.

2) 신체검사 소견

합병증이 없는 소화성궤양 환자에서는 특이한 신체검사 소견을 볼 수 없으나 배꼽과 검상돌기 사이의 심와부 압통이 보일 수 있다. 출혈이 있는 경우 결막이 창백해지고, 혈변, 빈맥, 저혈압 등의 소견이 보인다. 천공이 일어나면 심한 복통과 함께 반발통을 동반한 딱딱한 복벽 등의 복막자극 소견이 보인다. 진행되면 청진 시 장음이 작아지거나 사라진다. 위출구가 폐쇄되면 팽창된 위내 공기와 액체층으로 인한 진탕음(succession sound)을 들을 수 있다.

5. 소화성궤양의 진단

소화성궤양의 진단에는 내시경이나 위장관조영술을 이용한 형태학적 진단과 원인 규명을 위한 조직학적 그리고 미생물학적 검사를 포함한 감별진단이 필요하다. 복통이 대표적 표현이기는 하지만 소화성궤양은 증상이 비특이적이기 때문에 기능성 소화불량증이나 위식도 역류질환과 감별되지 않는다. 따라서 증상만으로 소화성궤양을 진단하여서는 안된다. 임의로 제산제를 복용하거나 NSAIDs를 복용하는 경우에는 복통의 증상이 가려질 수 있기 때문에 판단에 주의가 필요하다. 특히, 우리나라의 경우 위암의 발생률이 높은 지역이기 때문에 악성궤양의 감별과 배제가 매우 중요하다. 고령을 포함한 위암의 고위험군에 대해서는 반드시 내시경 등의 적극적 검사가 필요하다. 55세 이상으로 최근 증상이 발생한 경우, 혈변이나 토혈 등 분명한 위장관출혈이 있는 경우, 점차 심해지거나 통증을 동반한 삼킴곤란이 있는 경우, 지속되는 구토가 있는 경우, 의도하지 않은 체중감소가 있는 경우, 위암이나 식도암의 가족력이 있는 경우, 복부나 명치부에 비정상 종괴가 만져지는 경우, 빈혈이 있는 경우 등은 경고증상으로 반드시 내시경검사 등 적극적인 평가가 필요하다.

1) 소화성궤양의 형태학적 진단

(1) 상부위장관내시경검사

상부위장관내시경검사(esophagogastroduodenoscopy, EGD)는 궤양의 진단 특이도와 민감도가 매우 높다. 상부위장관내시경검사는 궤양의 유무를 판단하고,

원인 감별을 위한 조직생검이 가능하며, 헬리코박터 파일로리 감염 여부 확인을 위해 점막조직을 채취하고, 필요한 경우 지혈술 등 치료가 가능한 장점이 있다. 과거 위장조영술이 많이 사용되었으나 진단의 민감도와 특이도가 낮고 조직학적 평가 등 추가적 기능이 없기 때문에 선별검사 목적을 제외하면 그 사용은 점차 감소하고 있다. 상부위장관내시경은 직시경으로서 식도와 위, 십이지장 구부를 포함한 내강을 관찰하는 데 용이하다. 다만, 십이지장 2부의 측면은 직시경으로 잘 보이지 않기 때문에 측시경인 십이지장경을 사용하는 것이 유리하다. 최근에는 내시경초음파의 보급이 넓어져 궤양을 포함한 상피하 병변이나 침습 병변의 크기와 범위를 확인할 수 있는 내시경초음파검사도 궤양의 특성을 판단하기 위해 사용할 수 있다.

상부위장관내시경검사에서 소화성궤양의 존재가 확인된 경우 헬리코박터 파일로리 감염의 확인을 위한 생검이 필요하다. 환자의 출혈성 경향으로 인해 생검에 따른 출혈의 위험이 높은 경우 요소호기검사나 혈청학적 검사로 대체할 수 있다. 악성궤양의 여부를 판단하기 위한 생검은 위궤양에서 반드시 필요하다. 십이지장궤양은 악성이 드물기 때문에 반드시 생검이 필요하지는 않다. 첫 진단에서 육안적으로 악성궤양으로 의심된 경우 생검 결과가 육안 소견과 일치하지 않는다면, 반드시 추적검사를 시행하여 궤양의 치유 여부를 확인하고 재생검을 시행하여야 한다.

(2) 영상의학적 검사

위장조영술이 위암의 선별검사로 사용되고 있지만, 상부위장관내시경검사에 비하여 진단의 민감도와 특이도는 열등하다. 위배출구 폐쇄나 협착이 의심되는 경우로서 내시경의 집입이 어려운 경우 바리움 위십이지장조영술을 시행할 수 있지만, 폐쇄로 인한 조영제의 저류가 발생할 수 있으므로 충분한 고려가 필요하다. 최근 위 CT 검사의 정확도가 매우 향상되었으며, 특히 악성궤양이 의심된 경우 궤양의 범위와 크기, 주변 림프절의 침범 여부를 확인할 수 있는 것이 장점이다.

2) 소화성궤양의 원인 감별진단

소화성궤양은 대부분 헬리코박터 파일로리 감염과 아스피린을 포함함 NSAIDs의 복용에 의해 발생한다. 헬리코박터 감염이나 NSAIDs 복용 외에도 감염이나 약물, 전신질환의 위장관 표현으로 소화성궤양이 발생할 수 있으므로 가능한 원인에 대한 미생물학적, 혈액화학적 또는 전신계통적 평가와 검사가 수행되어야 한다. 특정할 수 있는 원인 없이 자발적으로 발생한 소화성궤양을 특발성 또는 원인불명 소화성궤양이라고 진단하는데, 감염이나 약물, 전신질환 등 특정 가능한 원인이 있는 경우를 제외한다면 특발성 또는 원인불명 소화성궤양과 헬리코박터-음성-NSAID-음성 소화성궤양은 거의 동일한 의미로 서로 혼용하여 사용할 수 있다.

(1) 헬리코박터 파일로리 진단검사

헬리코박터 파일로리의 감염 확인은 소화성궤양의 원인 감별에서 가장 중요한 과정이다. 헬리코박터 파일로리의 진단은 내시경생검을 이용한 조직학적 검사, 배양, 중합효소연쇄반응(PCR), 유전자서열검사, 신속요소분해효소검사(RUT)와 비침습적인 방법인 요소호기검사(UBT), 혈청검사, 분변항원검사(SAT), 소변항체검사 등이 있다. 이들 검사에 대한 알려진 민감도와 특이도는 각각 표 54-3과 같다. 서로 다른 모든 검사법은 독립적으로 완벽하지 않으며 각각의 제한점을 가지고 있다. 따라서 한 가지 검사만으로 헬리코박터 음성을 판단하는 것은 오류의 위험이 높고, 적어도 세 가지 이상의 검사를 병행하여 확인하는 것이 안전하다. 또 다른 간섭요인은 위산억제제와 항생제가 헬리코박터 진단의 정확성을 감소시키는 것이다. 십이지장궤양 환자로서 헬리코박터 음성으로 진단된 환자의 22%가 진단 시점으로 부터 최근에 항생제를 사용했다는 보고를 한 연구가 있는가 하면, 항생제 사용여부에 따라서 십이지장 궤양 환자의 헬리코박터 감염률이 각각 78% 와 96%로 서로 유의한 차이를 보인다. 위산억제제도 헬리코박터의 성장을 억제하여 위음성의 결과를 유도할 수 있다. 양성자펌프억제제(PPI)의 복용에 따른 UBT 검사의 헬리코박터 위음성 빈도는 약 1/3에 이른다. PPI의 중단 후에는 3일째 91%, 7일째 97%, 그리고 14일째가 되어야 100%에서 양성으로 전환된다. 소화성궤양의 출혈은 혈청 알부민이 RUT의 pH 지시자에 대한 완충 작용을 함으로써 헬리코박터 진단의 위음성을 초래한다. 출혈성 궤양의 RUT 위음성은 약 25%이며, 출혈성 궤양에서 헬리코박터 음성으로 진단하였던 55.1%는 추적검사에서 양성으로 변경될 수 있다.

(2) 비스테로이드성소염제

NSAIDs의 복용 여부는 기본적으로 병력 청취와 의무기록을 이용하여 조사한다. 그러나 환자가 인지하지 못하거나 불명확하게 보고하는 경우에 대해서도 반드시 고려하여야 한다. 우리나라에서는 한약이나 대체의학 등이 인지하지 못하는 NSAIDs의 복용 경로로 사용될 수 있다. 환자의 보고 이외에 약물의 복용 여부에 대한 객관적 판단을 위해 혈소판 cyclo-oxygenase 활성도 검사나 혈액 salicylic acid 농도, 혈청 thromboxane B2 농도를 조사한 연구들도 있다. 이들 연구는 적게는 12.7%에서 많게는 59.3%의 환자에서 병력 조사에서 확인할 수 없었던 NSAID나 aspirin의 사용여부를 확인할 수 있었다.

표 54-3. 헬리코박터 파일로리 감염의 진단 방법의 민감도와 특이도, 양성-음성 예측도

검사방법	민감도	특이도
신속요소분해효소검사	88~90	95~100
조직검사	93	99
배양검사	80~95	100
항체검사	83~94	74~78
요소호기검사	90	96

(3) 졸링거-엘리슨 증후군

졸링거-엘리슨 증후군[위산과다분비증후군, 전정 G세포 증식(antral G-cell hyperplasia)]은 고가스트린혈증으로 인해 위산분비가 과도하게 발생하여 다발성, 재발성, 난치성 소화성궤양이 발생하는 것으로서 소화성궤양의 병태생리를 설명할 수 있는 좋은 예시이지만, 실제 임상에서는 극히 드물다. 위와 십이지장에 다발성의 궤양이 산재하고, 위체부 점막의 주름이 과도하며, 표준치료인 산분비억제제에 잘 반응하지 않으며, 헬리코박터 파일로리의 감염이 없는 상태에서 지속적인 재발을 한다면 혈청 가스트린 수준의 이상 여부를 확인하는 것이 필요하다. 졸링거-엘리슨 증후군을 진단하기 위해서는 세크리틴 자극검사, 혈청 가스트린검사, 위 pH 검사, 위산분비량검사를 시행하고, 종양의 해부학적 규명을 위하여 CT와 동위원소검사 등 영상의학검사를 시행한다. 졸링거-엘리슨 증후군은 가스트린 분비 신경내분비종양으로서 단독으로 발생할 수도 있지만 부갑상선종양을 동반한 다발내분비종양의 표현으로 발생할 수 있으므로 그에 대한 고려와 조사가 필요하다.

3) 감별진단

소화성궤양과 유사한 증상을 유발하여 감별이 필요한 진단은 상복부 장기의 악성종양, 담석증, 췌장염, 위장관운동질환이다. 특별한 원인 없이 소화불량 증상을 일으키는 '비궤양성' 혹은 '기능성' 소화불량증은 위식도역류질환, 궤양, 운동질환과 증상이 같기 때문에 감별해야 한다.

6. 소화성궤양의 치료

1) 제산제

제산제는 이미 분비된 위산(염산)을 중화하는 역할을 하므로 증상을 가장 빠르게 호전시킬 수 있다. 그러나 위내 pH가 3 이상으로 유지되는 시간이 10분 정도로 소화성궤양의 치료 효과는 미약하다. 가장 흔하게 사용하는 제산제는 수산화알루미늄(aluminum hydroxide)과 수산화마그네슘(magnesium hydroxide)이 있는데, 수산화알루미늄의 부작용은 변비, 전신적인 인결핍, 무력감, 피로감, 식욕부진 등이 있고, 만성 알코올중독이 있거나 단백질 섭취량이 적은 환자에서는 인 결핍을 잘 일으킨다. 수산화마그네슘의 부작용은 묽은변, 고마그네슘혈증 등이나 주로 신기능이 저하된 일부 환자에서만 발생한다.

2) 산분비억제제

위에서 위산을 분비하는 세포는 벽세포(parietal cell)인데, 벽세포의 아세틸콜린(acetylcholine) 수용체, 가스트린(gastrin) 수용체, 히스타민(histamine) 수용체를 자극하면 위산분비가 촉진된다. 대부분의 약제는 이러한 수용체를 차단하는 약제이고, 위산분비의 마지막 단계인 양성자펌프에서 양성자이온(H^+)과 칼륨이온(K^+)의 교환을 통하여 나온 양성자와 염소이온(Cl^-)이 결합하여 위산이 생성된다(그림 54-2). 양성자펌프억제제는 이 양성자펌프를 영구적으로 차단하여 위산분비를

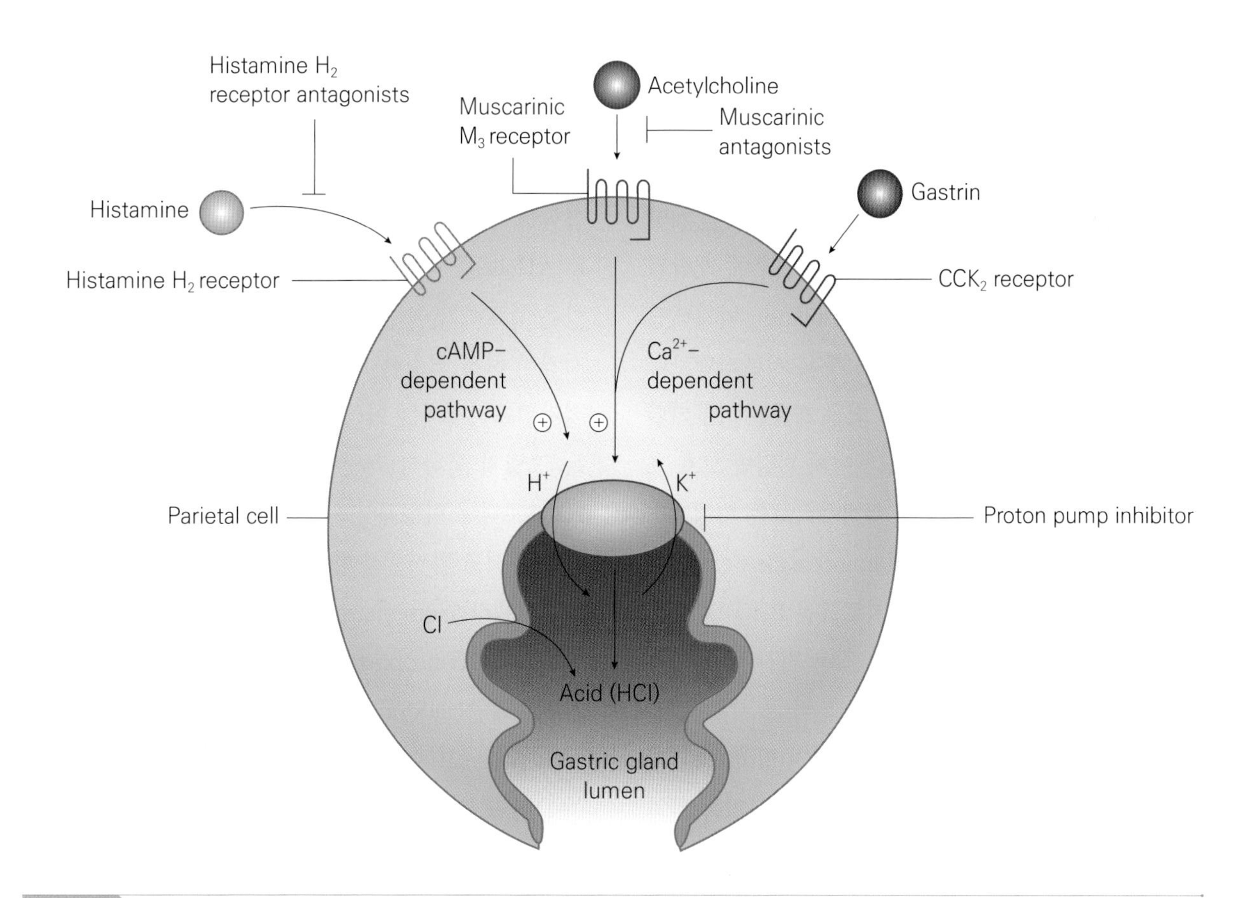

그림 54-2 위벽세포에서 위산분비 과정과 차단 약제.

억제한다. 최근 개발된 칼륨 경쟁적 위산차단제(potassium competitive acid blocker, P-CAB)는 양성자펌프를 가역적으로 차단하여, 효과가 빠르고 위산분비 억제 효과가 양성자펌프억제제보다 더 강력한 것으로 알려져 있다.

(1) 무스카린 길항제

무스카린 길항제(muscarinic antagonist)는 미주신경 말단에서 분비되는 아세틸콜린을 차단하여 위산분비를 억제한다. 그러나 무스카린 수용체는 인체에 광범위하게 분포하여 무스카린 길항제를 투여할 경우 시야 흐림, 구강 건조, 방광기능장애 등의 부작용을 일으키므로, 현재 무스카린 길항제를 소화성궤양 치료 목적으로 사용하지는 않는다.

(2) 히스타민 H_2 수용체 길항제

1980년대에 히스타민 H2 수용체 길항제(H_2 receptor antagonists, H2RA)는 소화성궤양의 일차 치료제였다. 치료 효과가 우수해 환자들의 삶의 질을 향상시켰고, 이전의 어떤 약물보다도 효과가 탁월하였다. 처음 개발된 H2RA는 시메티딘(cimetidine)이며, 이후에 개발된 라니티딘(ranitidine), 파모티딘(famotidine), 니자티딘(nizatidine), 록사티딘(roxatidine) 등은 시메티딘보다 위산분비 억제 효과가 우수하다. 최근 개발된 라푸티딘(lafutidine)은 위산분비 억제 효과 이외 위점막 보호 효과가 있는 것으로 알려져 있다. 부작용으로는 시메티딘의 경우 혈청 아미노전달효소(aminotratransferase)와 크레아티닌의 가역적인 증가, 시토크롬 P-450 효소계 억제로 대사된 약물의 혈액 농도, 작용 기간 및 약리학적 효과의 증가, 여성형 유방, 유즙 분비, 발기부전, 일시적인 정신장애, 혈구감소 등이 알려져 있고, 라니티딘의 경우 혈청 아미노전달효소 치를 증가시키는 가역적 간염이 보고되어 있다.

(3) 가스트린 길항제

가스트린 길항제(gastrin antagonists)는 엔테로크로마핀유사세포(enterochromaffin-like cells, ECL cells)를 자극하여 히스타민을 분비하도록 하는 가스트린의 역할을 차단함으로써 위산분비를 억제한다. 콜레시스토키닌(cholecystokinin, CCK) 수용체의 비펩타이드성 길항제가 합성되었는데, 일부는 수용체 아형에 대해 선택적이고 강력하지만 H2RA보다 효과가 좋지 않고 국내에서 시판되지 않았다.

(4) 양성자펌프억제제

양성자펌프억제제(proton pump inhibitor, PPI)는 현재 소화성궤양의 치료에 가장 보편적으로 사용하는 약물이다. PPI는 벤지미다졸(benzimiclazole) 유도체로, 전구약물(prodrug) 형태로 벽세포의 기저막을 통과하여 분비 소관(secretory canaliculi)에 축적되어 존재하다가 식사 후 위내 pH가 4 이하로 떨어질 때 활성화되어 설펜아마이드(sulphenamide) 형태로 변환되며, 양성자펌프의 시스테인 그룹(cysteine group)과 공유결합함으로써 위산분비의 마지막 단계인 위벽세포의 H^+, K^+-ATPase를 억제하여 위산분비를 차단한다. 소화성궤양을 치료하기 위해 위내 pH가 3~4 이상으로 유지되는 시간이 하루 최소한 18~20시간 이상이어야 하는데, 양성자펌프억제제는 이러한 조건을 충족시키지만 H2RA는 그렇지 못하다(75~90% vs. 37~68%). 또한 PPI는 H2RA보다 소화성궤양 치유 효과와 증상 개선, 비용-효과 면에서도 훨씬 우수하다.

오메프라졸(omeprazole)이 PPI로 처음 개발된 이후, 란소프라졸(lansoprazole), 판토프라졸(pantoprazole), 라베프라졸(rabeprazole), 일라프라졸(ilaprazole) 등이 개발되었고, 이성질체 중 약리작용이 주로 이루어지는 D형 또는 S형만을 추출한 에소메프라졸(esomeprazole), 에스판토프라졸(S-pantoprazole), 덱스란소프라졸(dexlansoprazole) 등이 시판되고 있다. 위산분비 억제 효과를 최대화할 수 있는 PPI의 투여 시기는 장기간 금식하고 있는 상태, 즉 불활성 H^+, K^+-ATPase가 가장 많이 존재하는 아침 식전이다. 하루 2회 투여할 경우에는 아침 식전과 저녁 식전에 복약하도록 한다. 헬리코박터 파일로리와 연관이 없고 합병증이 없는 소화성궤양을 치료할 때는 양성자펌프억제제 표준용량을 8주 동안 투여할 것을 권장한다. 용량을 늘리면 위궤양의 치유율이 유의하게 높아지고 재발률도 낮아진다는 보고가 있다. 그러나 소화성궤양의 크기가 큰 경우, 난치성 소화성궤양 환자, 졸링거-엘리슨증후군 환자, 비스테로이드 소염제(non-steroidal anti-inflammatory drug, NSAID)를 중단할 수 없는 소화성궤양 환자, 그리고 재발성 소화성궤양의 유지요법의 경우에는 치료 기간을 늘려야 한다.

부작용으로는 드물게 고가스트린혈증과 시토크롬 P-450 효소 저해 등으로 다른 약제의 흡수장애를 유발할 수 있고, 약제 중단 시 위산분비가 반동 상승할 수 있다. 동물실험결과 위에서 신경내분비종양(neuroendocrine tumor)이 발생하였다는 보고가 있으나 사람에서는 아직 보고가 없다. 양성자펌프억제제를 장기간 투여할 경우 골다공증, 만성신부전, 장내 세균총의 변화 등을 유발할 수 있다는 보고가 있으나 아직 연구가 더 필요하다.

(5) 칼륨 경쟁적 위산분비억제제

최근 각광을 받고 있는 약제로 레바프라잔(revaprazan)이 우리나라에서 처음 개발된 이후 일본에서 보노프라잔(vonoprazan), 우리나라에서 테고프라잔(tegoprazan) 등이 개발되었다. 양성자펌프억제제에 비해 가역적으로 작용하므로 작용 발현시간이 짧고 더 강력한 위산분비 억제 효과가 알려졌으나, 고가스트린혈증 등을 유발할 수 있다.

3) 점막방어기능 증강제

(1) 프로스타글란딘

프로스타글란딘(prostaglandin, PG)은 아라키돈산(arachidonic acid)에서 유도되는 천연물로 COX-1과 COX-2 두 종류의 시클로옥시게나아제(cydooxygenase)가 대사 경로에 관여한다. 아라키돈산이 우선 프로스타글란딘 핵심 구조로 전환된 후 몇 번의 변형을 통해 여러 가지 프로스타글란딘 수용체에 특이한 친화도를 가지는 다양한 프로스타글란딘이 생성된다. 프로스타글란딘은 위점액 분비 촉진, 위, 십이지장의 중탄산염 분비 촉진, 위점막 혈류 유지, 양성자 이온(H^+)의 역확산으로부터 위점막 방어벽 유지, 점막세포 재생 촉진 등의 효과가 있어 합성한 프로스타글란딘이 소화성궤양의 치료에 이용되고 있다. 프로스타글란딘 E1 유사화합물인 미소프로스톨(misoprostol)은 수용체 아형에 비선택적이어서 장 분비를 자극하기 때문에 치료받은 환자의 20%에서 복통 및 설사가 발생한다. 미소프로스톨은 COX-1 억제제의 부작용을 줄이는 데 효과가 있으나 일반적으로 사용되는 궤양치료제는 아니고, 아스피린이나 인도메타신(indomethacin)과 같은 COX-1 억제제를 투여받아 체내 프로스타글란딘이 고갈된 경우 이를 보충한다는 근거하에 비스테로이드계 소염제로 인한 위점막 손상의 치료에 주로 이용되된다.

(2) 수크랄페이트

산성 pH에서 극성이 높아져 12시간 이상 궤양 바닥에 결합하지만 상대적으로 정상인 위, 십이지장 점막에는 잘 결합하지 않고 담즙산과 펩신에 결합해 이들의 점막손상 효과를 줄인다. 또한 프로스타글란딘 생성을 증가시켜 점막보호를 촉진한다. 각 식사 전 1시간과 취침 시에 1 g씩 복용한다. 수크랄페이트는 pH가 낮아야 폴리머(polymer)를 형성하여 작용할 수 있으므로 원칙적으로 양성자펌프억제제와 같은 위산분비억제제와 같이 투여하지 않아야 한다.

(3) 비스무스

비스무스(Bismoth)는 산성 상태에서 비스무스-단백질 응고체를 형성하고, 산-펩신 소화로부터 궤양 형성을 막고, 펩신의 활동성을 억제하며, 위점막 젤층에 붙어 H^+의 확산을 억제한다. 또한 위점막의 프로스타글란딘과 중탄산염, 당단백 분비를 촉진한다. 헬리코박터 파일로리에 대한 항균 효과가 있어 헬리코박터 파일로리 제균치료에 사용한다.

(4) 기타 점막방어기능 증강제

레바미피드(rebamipide), 테프레논(teprenone 또는 geranylgeranylacetone), 에카베트나트륨(ecabet sodium), 폴라프레징크(polaprezinc), 유파틸린(eupatilin) 등이 국내에서 시판되고 있고, 각기 다른 구조를 가지고 있다. 대부분 위점막의 프로스타글란딘 합성을 촉진하여 뮤신, 중탄산 분비를 촉진하거나 점막 결손에서 상피세포가 재생하는 것을 촉진하는 작용을 가지고 있다.

4) 헬리코박터 파일로리 제균치료

제52장 3절 헬리코박터 파일로리 제균치료를 참조한다.

5) 비스테로이드성소염제로 인한 소화성궤양의 치료

비스테로이드성소염제로 인한 소화성궤양의 첫 번째 치료 원칙은 NSAIDs를 중단하는 것이다. 그러나 인구 고령화로 인한 근골격계 질환의 증가, 심혈관계 및 뇌혈관계 질환의 증가 및 만성화로 아스피린을 포함한 NSAIDs의 처방이 증가하고 있고, 현실적으로 약을 중단하기 어려운 경우가 많다. NSAIDs를 중단하기 어려운 경우 선택적 COX-2 억제제인 셀레콕시브(celecoxib) 등으로 바꾸는 것이 추가적인 점막손상을 예방할 수 있다. 출혈 등의 합병증이 발생한 후 아스피린을 포함한 NSAIDs를 다시 투여하는 것이 필요한 경우, 투약 중단으로 인한 심혈관계 또는 뇌혈관계 질환의 위험성과 재출혈의 위험성을 모두 고려하여 심장내과 또는 신경과전문의 등과 상의하여 결정해야 한다. NSAIDs로 인한 소화성궤양의 치료에서 PPI 투여가 H2RA에 비해 우월하다. 비스테로이드 소염제로 인한 소화성궤양의 경우에도 헬리코박터 파일로리 감염이 동반될 수 있으므로, 반드시 이를 검사하여 양성으로 확인되면 헬리코박터 파일로리 제균치료를 해야 한다. 그러나 헬리코박터 파일로리 제균치료가 PPI를 유지하는 것과 비교하여 NSAIDs로 인한 소화성궤양의 재발을 예방하는 효과가 우월하다는 근거는 없다.

NSAIDs를 장기간 투여받아 체내 프로스타글란딘이 고갈되었다고 판단되면 미소프로스톨을 투여할 수 있다. 미소프로스톨이 복통, 설사 등의 부작용을 유발하는 것을 감안하여 PPI와 함께 미소프로스톨 대신 점막방어기능 증강제를 투여할 수 있다.

6) 특발성 소화성궤양(헬리코박터 파일로리 음성, 비스테로이드 소염제 음성)의 치료

표준 치료법으로 전통적인 소화성궤양 치료법을 시행하며, 히스타민 H_2 수용체 길항제 또는 PPI를 주로 사용한다. 표준 치료가 잘 듣지 않고 합병증이 발생하거나 재발했을 때에는 장기간의 유지요법이 필요하며, 점막방어기능 증강제를 같이 처방할 수 있다. 이런 종류의 궤양을 치료하기 전에는 헬리코박터 파일로리 검사 결과의 위음성 가능성과 NSAIDs의 복용 병력을 반드시 확인해야 한다. 현재 임상에서 시용하고 있는 헬리코박터 파일로리 검사를 한번만 시행한 경우 위음성이 나올 확률은 십이지장궤양의 경우 25%, 위궤양의 경우 20% 정도이다. 특히 출혈, 천공 등의 합병증을 동반한 경우에는 반드시 재검사를 시행하여 위음성 가능성을 배제해야 한다.

7) 난치성 궤양의 치료

8~12주 동안 PPI를 투여한 후에도 치유되지 않는 궤양을 난치성 궤양(intractable or refractory ulcer)이라고 한다. 난치성 궤양의 원인으로는 헬리코박터 파일로리가 지속적으로 존재하거나 치료 약제에 내성을 보이는 경우, 치료 약제에 대한 순응도가 떨어지는 경우, 궤양유발 약제를 계속 복용하는 경우, 거대 궤양, 졸링거-엘리슨 증후군과 같이 위산분비가 항진된 경우, 크론병 등과 같은 전신질환에 의해 발생한 궤양 등이다. 난치성 궤양의 치료원칙은 먼저 기저질환을 치료하는 것이며, 표준 용량의 PPI를 지속적으로 투여하고, 반응이 없을 때는 PPI 표준 용량의 2배를 투여한다.

7. 소화성궤양의 합병증

1) 출혈

출혈은 소화성궤양의 가장 흔한 합병증으로 전체 환자 중 15~20%에서 일어나며 NSAIDs로 인한 경우가 많은 부분을 차지한다. 소화성궤양 출혈 환자의 약 80%는 궤양 증상을 동반하며, 20~30%는 이전에 소화성궤양 출혈의 병력이 있다. 또한 아스피린을 포함한 NSAIDs로 인한 위궤양 출혈은 약 20%에서 궤양 증상 없이 나타난다.

소화성궤양 환자에서 출혈이 발생하면 우선 출혈의 정도를 평가해 수혈 요구량 및 향후 치료방법을 결정한다. 출혈 후 체액이 혈관 내로 충분히 이동하거나 정맥 내 수액을 충분히 보충한 후 헤마토크리트가 출혈 정도와 일치하므로, 내원 당시 측정한 헤마토크리트는 출혈 정도를 정확하게 반영하지 않는다. 창백한 얼굴, 수축기 혈압이 90 mmHg 이하, 맥박이 분당 100회 이상 등은 심각한 출혈을 시사하는 소견이므로, 순환 허탈을 예방하기 위하여 수액과 수혈이 필요하다.

내시경검사를 시행하기 전에 응급 내시경적 처치 및 수혈의 필요성을 예측하고, 사망률, 재출혈률 등을 가늠하는 지표로 Glasgow-Blatchford score, Rockall score, AIMS65 score 등을 사용할 수 있다. 환자의 혈역동학적 상태가 안정되면 내시경검사를 시행하며 궤양저부의 출혈 징후에 따라 재출혈의 위험성을 평가하는데, 일반적으로 Forrest 분류를 가장 흔하게 사용한다(표 54-4, 그림 54-3). 내시경치료는 재출혈과 수술치료를 75% 정도 감소시키고 사망률을 40% 낮춘다. 내시경 지혈요법으로는 온열요법, 경화요법, 클립을 이용한 기계적 압박술 등이 있는데, 단독요법보다는 2가지 이상 복합 요법의 효과가 더 우수한 것으로 알려져 있다. 출혈에 대한 응급치료 후에는 일반적인 궤양 치료를 시행한다. 헬리코박터 파일로리 제균치료는 재발과 재출혈을 예방하는 데 도움이 된다. 이상의 치료에도 불구하고 출혈이 지속되거나 재발하는 경우에는 혈관색전술이나 수술적 처치가 필요하다.

2) 천공

소화성궤양의 2~10%에서 천공이 발생한다. 천공이 가장 잘 일어나는 부위는 십이지장 전벽으로 소화성궤양 천공의 60%를 차지한다. 십이지장궤양 천공 환자의

표 54-4. **Forrest 분류에 따른 재출혈률 및 사망률**

Forrest score	내시경 양상	재출혈률	사망률
Ia	분출성 출혈	55%	11%
Ib	삼출성 출혈		
IIa	출혈이 멈춘 혈관 노출	43%	11%
IIb	궤양저 혈괴 부착	22%	7%
IIc	궤양저 헤마틴	10%	3%
III	출혈 징후 없음	5%	2%

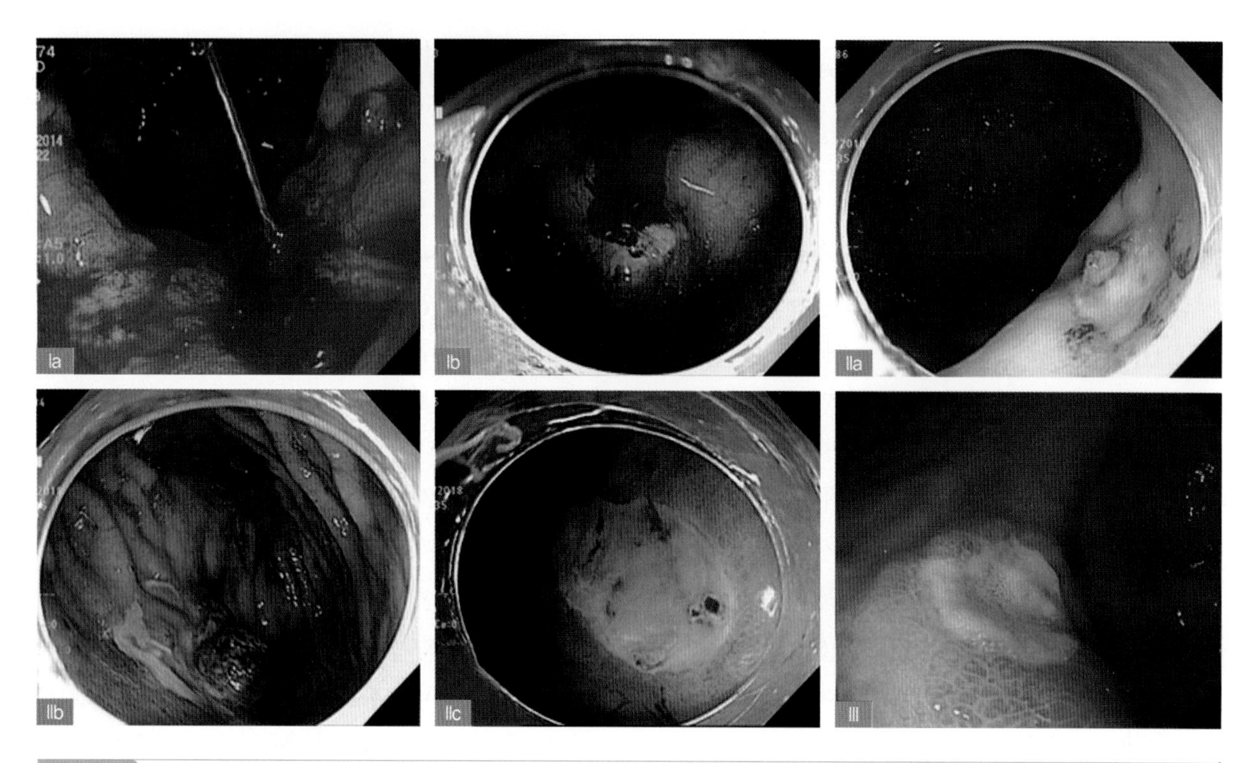

그림 54-3 **소화성궤양 출혈의 Forrest 분류.**

10%에서는 출혈이 동반되며, 천공은 췌장 주변으로 침범하여 혈청 아밀라아제 수치가 증가하기도 하고 드물게 간, 담도계, 대장을 침범할 수도 있다.

신체검사에서 복부압통, 반사통, 복부강직 등의 복막자극 증상이 관찰된다. 소화성궤양 천공은 복부단순촬영만으로도 80% 정도는 진단할 수 있으나 진단이 의심스러운 경우 복부전산화단층촬영을 시행한다. 고령의 환자나 스테로이드 또는 면역억제제를 복용하고 있는 환자에서는 복막자극 소견이 보이지 않을 수 있다.

치료는 응급수술을 시행하는 것이지만 수술 전에 생체 징후를 안정시키기 위해 수액 및 전해질 투여, 비위흡인, 항생제 치료 등을 시행한다. 고령 환자는 천공으로 인한 사망률이 30~50% 정도로 높다.

3) 협착

위 출구의 폐쇄는 궤양의 조기진단 및 효과적인 궤양약제가 개발된 요즈음에는 매우 드물지만 십이지장 또는 유문부 궤양 환자의 2~4%에서 발생한다. 염증, 부종, 경련, 궤양으로 인한 반흔이나 섬유화가 주된 원인이다. 환자는 복부팽만감, 구역, 반복적인 구토, 체중감소 등을 호소한다.

치료는 다음의 세 단계를 거쳐 이루어진다. 첫째, 정확한 진단을 위한 내시경검사를 시행하기 위하여 비위흡인이나 위세척을 시행하여 위를 깨끗이 비운다. 둘째, 양성자펌프억제제를 정맥내로 투여하고 비위 흡인은 구토가 사라질 때까지 수일간 유지한다. 마지막으로, 기저질환의 치료를 위해 헬리코박터 파일로리 제균치료를 시행하거나 비스테로이드 소염제를 중단한다. 염증과 부종으로 인한 협착은 위산분비억제제에 잘 반응하나, 섬유화로 인한 협착이 심한 경우에는 내시경 풍선확장술이나 수술치료가 필요하다.

참고문헌

1. Bartholomeeusen S, Vandenbroucke J, Truyers C, et al. Time trends in the incidence of peptic ulcers and oesophagitis between 1994 and 2003. Br J Gen Pract 2007;57:497-499.
2. Blatchford O, Murray WR, Blatchford M. A risk score to predict need for treatment for upper-gastrointestinal haemorrhage. Lancet 2000;356:1318-1321.
3. Di Mario F, Goni E. Gastric acid secretion: changes during a century. Best Pract Res Clin Gastroenterol 2014;28:953-965.
4. Echizen H. The first-in-class potassium-competitive acid blocker, vonoprazan fumarate: pharmacokinetic and pharmacodynamic considerations. Clin Pharmacokinet 2016;55:409-418.
5. Gisbert JP, Abraira V. Accuracy of *Helicobacter pylori* diagnostic tests in patients with bleeding peptic ulcer: a systematic review and meta-analysis. Am J Gastroenterol 2006;101:848-863.
6. Haastrup PF, Thompson W, Søndergaard J, Jarbol DE. Side effects of long-term proton pump inhibitor use: a review. Basic Clin Pharmacol Toxicol. 2018;123:114-121.
7. Kanno T, Iijima K, Abe Y, Koike T, Shimada N, Hoshi T, et al. Peptic ulcers after the Great East Japan earthquake and tsunami: possible existence of psychosocial stress ulcers in humans. J Gastroenterol 2013;48:483-490.
8. Kim JJ, Kim N, Park HK, et al. Clinical characteristics of patients diagnosed as peptic ulcer disease in the third referral center in 2007. Korean J Gastroenterol 2012;59:338-346.
9. Kim SG, Kim JG, Shin SK, et al. Guidelines of diagnosis for peptic ulcer disease. Korean J Gastroenterol 2009;54:279-284.
10. Laine L, Estrada R, Trujillo M, Knigge K, Fennerty MB. Effect of proton-pump inhibitor therapy on diagnostic testing for *Helicobacter pylori*. Ann Intern Med 1998;129:547-550.
11. Lee TH, Lin CC, Chung CS, Lin CK, Liang CC, Tsai KC. Increasing biopsy number and sampling from gastric body improve the sensitivity of rapid urease test in patients with peptic ulcer bleeding. Dig Dis Sci 2015;60:454-457.
12. Levenstein S, Rosenstock S, Jacobsen RK, Jorgensen T. Psychological stress increases risk for peptic ulcer, regardless of *Helicobacter pylori* infection or use of nonsteroidal anti-inflammatory drugs. Clin Gastroenterol Hepatol 2015;13:498-506.
13. Niv Y, Boltin D. Secreted and membrane-bound mucins and idiopathic peptic ulcer disease. Digestion 2012;86:258-263.
14. Rockall TA, Logan RF, Devlin HB, Northfield TC. Variation in outcome after acute upper gastrointestinal haemorrhage. The National Audit of Acute Upper Gastrointestinal Haemorrhage. Lancet 1995;346:346-350.
15. Saltzman JR, Tabak YP, Hyett BH, Sun X, Travis AC, Johannes RS. A simple risk score accurately predicts in-hospital mortality, length of stay, and cost in acute upper GI bleeding. Gastrointest Endosc 2011;74:1215-1224.
16. Schubert ML. Physiologic, pathophysiologic, and pharmacologic regulation of gastric acid secretion. Curr Opin Gastroenterol 2017;33:430-438.
17. Sulz MC, Manz M, Grob P, Meier R, Drewe J, Beglinger C. Comparison of two antacid preparations on intragastric acidity--a two-centre open randomised cross-over placebo-controlled trial. Digestion 2007;75:69-73.
18. Vergara M, Bennett C, Calvet X, Gisbert JP. Epinephrine injection versus epinephrine injection and a second endoscopic method in high-risk bleeding ulcers. Cochrane Database Syst Rev 2014;10:005584.
19. Yeo SH, Yang CH. Peptic Ulcer Disease Associated with *Helicobacter pylori* Infection. Korean J Gastroenterol 2016;67:289-299.

CHAPTER 55

소화성궤양의 수술치료

위의 산분비를 감소시키는 히스타민 수용체 길항제 [H2 receptor antagonist (H_2 차단제)], 양성자펌프억제제(proton pump inhibitors, PPIs) 등의 궤양 예방약제의 사용이 증가하면서 소화성궤양의 발생은 1950년도부터 1980년도까지 점차 감소하여, 소화성궤양으로 인한 입원이나 수술, 사망은 현저히 줄어든 상황이다. Warren과 Marshall의 *H. pylori* 발견 이후 *H. pylori* 감염이 소화성궤양 발생의 주된 원인으로 확인되었고, 이후 *H. pylori* 제균치료가 소화성궤양의 치유 및 재발을 방지하는 데 가장 중요한 역할을 하게 되었다. 그러나 최근 인구 고령화와 함께 근골격계질환, 심혈관계질환 증가 등으로 비스테로이드 소염제 또는 아스피린 등의 사용이 증가하면서 중증의 합병증을 동반하지 않는 소화성궤양의 경우에는 발생률이 감소하지 않고 있다.

난치성 궤양에 대한 수술은 매우 드물어졌고, 효과적인 내시경적 지혈로 출혈에 대한 수술도 줄고 있으나 천공에 대한 응급수술은 꾸준히 시행되고 있다. 대부분 소화성궤양 환자는 약으로 치료되지만 합병증으로 천공, 출혈 등이 발생하면 생명이 위태로워질 수 있고 응급수술이 필요한 경우가 많다. 수술로 천공을 봉합하고 출혈 부위를 지혈하며 일부 환자에게는 적절한 산억제 수술이 필요하다. 내과적 치료의 발달에도 불구하고 노령인구 증가 등으로 최근 30년간 소화성궤양의 사망률은 줄지 않고 있으므로, 외과적 치료의 중요성은 여전하다.

1. 소화성궤양 수술치료의 역사

1) 수술방법의 역사

(1) 폐쇄, 천공의 교정

1881년 Rydygier가 양성궤양으로 인해 위출구폐쇄(gastric outlet obstruction)가 발생한 환자에게 원위부분위절제(distal partial gastrectomy)를 시행하였고, 1880년 Mikulicz가, 1882년 Krieger가 궤양천공 부위를 봉합폐쇄(suture closure)하였다.

(2) 유문성형술과 위공장문합술

1881년 Heinecke, 1888년 Mikulicz가 위십이지장 경계 영역의 유문 부위를 종으로 열어 횡으로 이중봉합하였고, 1956년 Weinberg 등이 이중이 아닌 단층봉합을 하여 이중 봉합으로 위 출구가 좁아지는 것을 방지하였다. 1881년 Wolfler가 제안한 위공장문합을 1884년 Rydygier가 폐쇄성 십이지장궤양에 적용하였다.

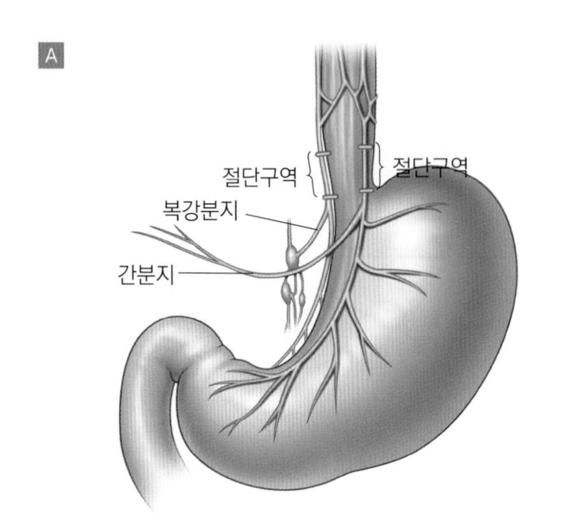

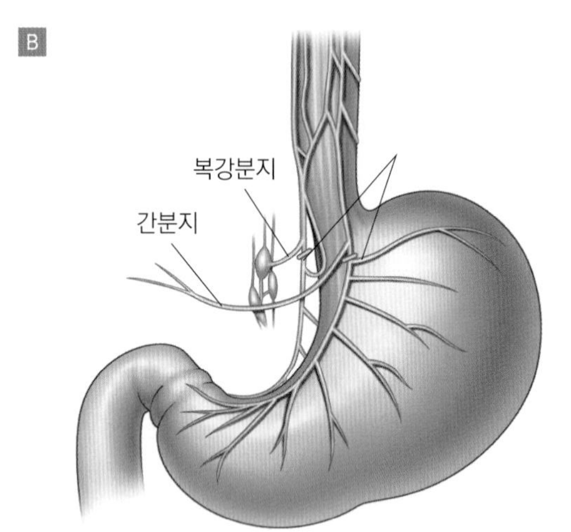

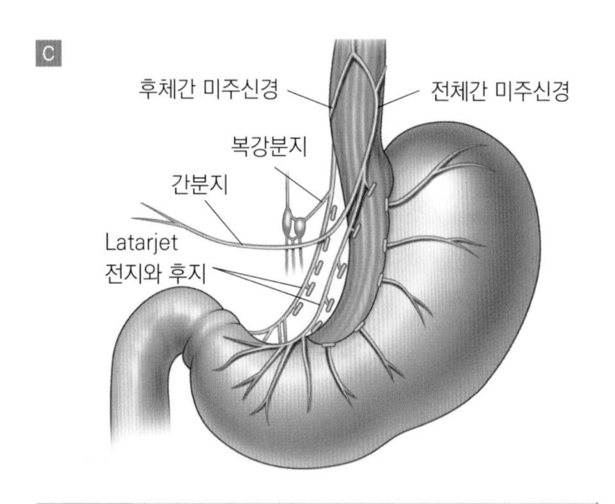

그림 55-1 미주신경절단술의 종류.
A. 체간미주신경절단술
B. 선택체간미주신경절단술
C. 근위부미주신경절단술

Billroth는 위암 환자의 위절제술 후 위십이지장 문합을 1881년에, 위공장문합을 1885년에 시행하였다. 이 수술방법들은 각기 빌로스 I, II 문합법으로 불리고 있다. 1892년 Braun이 위공장 문합 후 수입각(afferent loop)과 수출각(efferent loop) 사이에 측측연결(side to side anastomosis)을, 1897년 Roux가 루와이 술기로 위공장 문합을 시행하였다.

(3) 원위부위절제술

1918년 Phemister가 위의 원위부 2/3를 절제하여 가스트린 분비영역과 벽세포(parietal cell) 분포 부위를 없애 위산분비를 줄여서 궤양을 치유하는 근본적인 산분비 감소 수술을 하면서 궤양 치유수술의 시대가 시작되었다.

(4) 미주신경절단술

1943년 Dragstedt와 Owens가 십이지장궤양 환자에게 개흉으로 체간미주신경절단술(truncal vagotomy)을 시행하여 안전하고 후유증이 적은 궤양치유수술을 개발하였다(그림 55-1 A). 1948년 Griffith와 Harkins가 이 술기를 선택미주신경절단술(selective vagotomy)로 변형해 덤핑(dumping)과 설사를 완화하고자 하였고(그림 55-1 B), 1967년 Holle와 Kert가 고선택미주신경절단술(highly selective vagotomy, HSV), 근위부위미주신경절단술(proximal gastric vagotomy, PGV) (그림 55-1C), 벽세포미주신경절단술(parietal cell vagotomy, PCV)로 위의 기능을 보존하여 수술 후 후유증을 줄이려 하였다.

(5) 최소침습수술

복강경수술은 최소침습적인 수술방법(minimally invasive surgery)으로서, 천공의 봉합 및 복강세척의 응급수술에 널리 사용되고 있다. 체간미주신경절단술, 후체간미주신경절단술(posterior truncal vagotomy)과 전

장막근절개술[anterior seromyotomy (Tylor 술식)], 후체간미주신경절단술과 전고선택미주신경절단술(anterior highly selective vagotomy), 고선택미주신경절단술 등이 복강경으로 시술되고 있다. 복강경위공장문합술(laparoscopic gastrojejunostomy), 유문성형술 또는 위공장문합술이 동반된 복강경미주신경절단술, 복강경원위부위절제술(laparoscopy distal gastrectomy)을 시행할 수 있다.

2) 수술의 역할

소화성궤양의 수술은 1880년대에 통과장애 개선, 천공의 합병증 교정을 목적으로 시작되어 1918년에 2/3 위절제(원위부위절제)가 시행되면서 궤양 치유를 위한 산분비 감소수술의 시대가 열렸다. 위절제의 수술사망률(1~3%), 유병률(15~20%) 때문에 새로운 대안이 필요하던 중 1940년대 미주신경절단술이 개발되어 미주신경절단술과 배액술(vagotomy with drainage), 미주신경절단술과 전정부절제술(vagotomy with antrectomy), 혹은 반위절제술(hemigastrectomy)이 1970년대까지 궤양 치료법으로 널리 쓰여왔다.

이후 위절제가 없고 유병률이 낮은 안전한 수술방법인 고선택미주신경절단술이 개발되어 앞의 수술방법들과 같이 시행되어 왔다. 1970년대 이후 H2 차단제, PPIs가 개발되고, 그 후 *H. pylori*와 NSAIDs를 조절하는 내과치료가 획기적으로 개선되면서 산분비 감소수술의 필요성이 크게 줄어들어 지금은 주로 천공, 출혈의 합병증에 대해 최소침습수술을 이용한 수술을 하게 되었다. 소화성궤양의 산분비 감소수술은 비록 시행빈도가 줄었으나 여전히 필요한 수술이므로 지속적인 교육과 관심이 필요하다. 내과적 치료는 천공, 출혈의 치료와 예방에 미흡한 경우가 많아 이들 궤양 합병증에 대한 응급수술의 역할은 매우 중요하다.

3) 소화성궤양 수술 환자의 변화

국내의 다기관 연구에 의하면 근래의 소화성궤양 빈도는 과거와 비슷한 수치를 보이고 있다. 위생상태 향상, *H. pylori* 제균치료의 증가, NSAIDs 사용 노인 인구의 증가 등으로 소화성궤양의 원인이 점차 변하고 있으며, 출혈 등의 소화성궤양 합병증의 양상도 변하고 있다. 수개월, 수년에 걸쳐 펩신 작용이 활성화되어 발생하는 천공, 폐쇄는 감소하고 있다. 약물치료와 내시경치료의 발달로 수술 빈도는 많이 줄어들었고, 특히 난치성궤양에 대한 수술은 매우 드물어져서 자연히 선택수술이 크게 감소하였다. 주로 천공, 출혈에 대한 응급수술이 시행되고 있으며 최근에는 출혈에 대한 수술도 많이 감소하였다. 그러나 NSAIDs를 복용하는 노인 인구가 증가하면서 천공, 출혈 등의 합병증 환자들의 연령이 높아지고 심혈관계 등 동반질환이 있는 경우가 많아 응급수술의 사망률은 줄지 않고 있다.

2. 소화성궤양의 치유를 위한 수술방법

소화성궤양의 치유를 위한 수술적 치료는 산분비 감소를 주 목적으로 한다. 산분비 억제를 위해 미주신경 절단으로 미주 자극을 차단하는 방법, G세포가 존재하는 전정부를 제거하여 가스트린에 의한 위산분비를 차단하는 방법, 또는 이를 동시에 시행하는 방법이 있으며, 대표적으로 미주신경절단술과 배액술(vagotomy with drainage), 미주신경절단술과 전정부절제술(vagotomy with antrectomy), 고선택미주신경절단술(highly selective vagotomy), 위아전절제술이 시행되고 있다.

1) 미주신경절단술과 배액술

체간미주신경절단술은 소화성궤양의 치유를 위한 수술 중 가장 흔히 시행되는 수술로, 좌, 우 미주신경을 식도위경계부 상방, 간분지와 복강분지의 분지부보다 근위부에서 절단하게 된다. 이는 위산분비의 뇌상(cephalic phase, cholinergic input)을 차단하여 위산분비를 억제하게 되며, 효과적으로 위산을 줄이는 효과가 있어, 기저위산분비(basal acid output, BAO)는 약 85%, 최대위산분비(maximal acid output, MAO)는 약 50% 감소된다. 미주신경절단술이 불완전하면 궤양의 재발의 원인이 되므로 미주신경을 철저히 절단해야 한다. 선택미주신경절단술(selective vagotomy)은 미주신경의 간분지와 복강분지를 보존하고 그 하방에서 절제하는 방법으로, 소화기 기능의 부작용(설사, 담석 형성 등)을 줄이려는 목적에서 시행되었으나, 그 효과가 불확실하며, 체간미주신경절단술에 비해 궤양 재발률이 높고, 술기가 복잡하여 잘 시행되지 않고 있다.

유문 이완이 미주 자극에 의해 이루어지게 되므로, 배액술을 시행하지 않으면 유문 폐쇄 및 지연성 위배출이 동반될 수 있다. 따라서, 체간미주신경절단술 시행 시 유문성형술 또는 위공장문합술을 같이 시행하여 위배출을 도와주어야 한다. 배액술로는 통상 Heineke-Mickulicz법 유문성형술을 많이 시행하며, 십이지장 구부의 변형이 있는 경우는 Finney법 유문성형술 또는 Jaboulay법 위십이지장문합술을 시행할 수 있으나, 현재는 거의 시행되지 않는다. 위출구폐쇄가 있거나 십이지장 구부에 상흔이 심하다면 위공장문합술이 안전하다. 일반적으로 부작용(덤핑, 설사) 발생률과 재발률이 약 10%이다. 배액술 방법에 따른 합병증은 큰 차이가 없으나, 위십이지장 또는 위공장문합술의 경우 담즙역류가 더 흔하며, 설사는 유문성형술 이후 더 빈번히 발생한다. 덤핑 발생률은 큰 차이가 없다. 수술 후 *H. pylori*를 제균하고 NSAIDs를 중단하면 재발률이 감소할 가능성이 있다.

2) 미주신경절단술과 전정부절제술

위의 산분비는 G세포가 분비하는 가스트린에 의해 촉진된다. 전정부절제술(antrectomy) 혹은 반위절제술(hemigastrectomy)은 G세포가 분포된 전정부를 제거하여 산분비를 억제하는 술식이다. 미주신경 절단과 같이 시행 시 산분비 억제에 매우 효과적이어서 수술 후 재발률이 0~2%로 매우 낮다. 하지만, 수술시간이 길고, 위를 절제하므로 1~2%의 수술사망률을 보이며, 위절제 및 미주신경 절단으로 인한 부작용 발생률이 20%로 높다. 합병증을 동반하는 궤양수술에 적용할 수 있으나 *H. pylori* 시대의 축소수술을 지향하는 추세에 따라 점차 줄어들고 있다. 합병증이 있는 위궤양을 수술할 때는 위궤양을 포함해 위를 절제하는 경우가 많아 이 술식(혹은 미주신경 절단 없이)을 주로 시행한다. 혈역동학적으로 불안정하거나, 간경화, 당뇨 등의 내과 질환이 동반된 경우 혹은 면역억제제를 사용하는 경우, 십이지장 근위부에 상흔이 심하여 십이지장 단단부의 폐쇄가 곤란한 경우에는 피하거나 신중하게 선택해야 한다. 절제 후 문합은 위십이지장문합술이나 위공장문합술(Billroth II 또는 Roux-en-Y 술식)을 선택할 수 있다. 일반적으로 위십이지장문합술이 잔류전정부증후군(retained antrum syndrome), 십이지장 단단부 누출, 수입각 증후군 등의 위공장문합술과 관련한 합병증을 예방할 수 있어 선호되나, 만약 십이지장의 상흔이 심하다면 위공장문합술을 선택하는 것이 좋다. 위공장문합술을 시행하는 경우, 결장후방문합(retrocolic anastomosis)을 선택하는 것이 수입각의 길이를 최소화할 수 있고, 따라서 수입각증후군 및 십이지장 단단부 누출을 가져올 수 있는 수입각의 꼬임을 예방할 수 있어 추천된다.

3) 고선택미주신경절단술

고선택미주신경절단술(highly selective vagotomy)은 근위 부위 미주신경절단술(proximal vagotomy) 또는 벽세포미주신경절단술(parietal cell vagotomy)이라고도 불리운다. 이 술식은 체간미주신경절단술과 달리 유문기능을 보존하고자 하는 술식으로, 소만곡을 따라 유문부 약 7 cm 상방에서부터 식도위경계부 상방 최소 5 cm까지 Latarjet 신경의 위저부와 체부를 지배하는 위분포 분지(Crow's feet)를 절단하고, 전정부와 유문부의 마지막 2~3개 분지는 보존한다. 따라서 위에서 위산분비와 관여하는 벽세포 분포 영역의 미주신경만을 절단하며, 위의 원위부와 위 이외의 장기에 대한 미주신경은 보존하게 된다. 이때, 우측 미주신경의 맨 첫 분지인 Criminal nerve of Grassi의 절리가 매우 중요하며, 이의 불충분한 절리는 수술 후 궤양 재발의 중요한 인자로 알려져 있다.

체간미주신경절단술과 산분비 감소 효과가 유사하며(총 위산분비 60~75% 감소), 많은 무작위 임상연구 결과 치료 효과가 시메티딘(cimetidine)과 유사하다고 밝혀졌다. 위를 절개하지 않아 안전하고(수술 사망률 0.5% 미만), 부작용 발생률도 매우 낮다. 술기가 복잡하여 재발률은 외과의의 숙련도에 따라 다양하게 보고되나 일반적으로 숙련된 술자에 의해 시행되는 경우 재발률이 10~15%이며, 체간미주신경절단술에 비해 약간 높은 것으로 알려져 있다. 다만, 덤핑, 설사 등의 발생률은 낮다. 드물지만, 합병증으로 위소만곡의 허혈성 괴사, 비장손상, 식도 천공이 발생할 수 있다.

보다 쉽게 시술할 수 있도록 변형된 후체간미주신경절단술과 전장막근절개술[posterior truncal vagotomy and anterior seromyotomy (Taylor 술식)]을 시행하는데, 결과는 유사하다. 고선택미주신경절단술, Taylor 술식은 복강경으로 시술이 가능하다. 이 수술은 매우 이상적인 수술로 구미에서 1960년대에 개발되어 1970~1980년대부터 널리 보급되었으나 산분비 감소수술의 퇴보 추세로 인해 점차 시행 빈도가 줄고 있다. 우리나라, 일본에서는 1970~1990년대에 H_2 차단제, PPI가 보편적으로 사용되며 산분비 감소수술이 퇴보하는 시기와 맞물려 이 수술이 별로 보급되지 않았다.

4) 위절제술

위의 하부 2/3를 절제하는 위아전절제술은 가스트린 분비영역을 없애고 벽세포 영역을 줄여 재발률(2~3% 내외)이 낮으나, 수술사망, 합병증의 위험성 때문에 드물게 시행된다. 위궤양은 네 가지 유형으로 나뉜다. I형은 위각 부근의 소만곡에 위치하고, II형은 십이지장궤양이 동반되어 있거나 병력이 있는 경우, III형은 유문앞(prepyloric)에, IV형은 상체부 소만측에 위치하는 궤양이다. 위절제는 I형 위궤양에서 미주신경 절단 없이 시행할 수 있으며, 수술 후 3~5%에서 합병증이 발생하며, 사망률은 1~2%이다. 재발률은 5% 미만이나, 궤양 국소절제와 치료성적에 있어서 차이는 없다. II형, III형 위궤양에서는 위절제를 하면 미주신경절단술을 추가한다. 위공장문합술을 할 때는 변연부 궤양이 우려되므로 미주신경절단술을 고려해야 한다.

3. 수술 적응증 및 수술방법

1) 수술 적응증

소화성궤양에 대한 수술적 치료는 지금까지 많은 변화를 겪어온 분야 중의 하나이다. 이러한 수술적 치료는 궤양의 천공, 출혈에 대한 수술과 만성적 궤양에 따른 결과인 위출구폐쇄에 대해 시행하는 수술이 있다. 최근 소화성궤양에 대한 약물의 발달과 내시경적 치료술의 발달로 응급수술이 시행되는 경우는 많이 줄어들었으며, 특히 난치성 궤양에 대한 수술이 많이 드물어지게 되었다. 하지만 천공이나 내시경적으로 지혈이 되지 않는 소화성궤양에 대한 수술은 외과의가 기본적으로 치료할 수 있어야 하기 때문에 그에 대한 이해와 치료는 필수적이라 하겠다.

최근 소화성궤양에 대한 가장 흔한 수술적 적응증은 출혈이다. 그 다음으로 천공이고, 다음이 폐쇄에 따른 수술이라 하겠다.

2) 수술방법

수술방법은 소화성궤양과 관련된 합병증을 어떻게 치료하느냐에 따라서 다르게 결정할 수 있다. 국소적 치료(local treatment)와 근본치료(definite treatment)로 나누어 볼 수 있다.

근본치료인 고선택적 미주신경절단술, 미주신경절단술 및 배액술이나 위절제술은 위산분비를 감소시키고 재발률을 줄이기 위한 방법이다. 그러나 이러한 치료들은 궤양에는 확실한 치료가 될 수 있지만 수술 전후 합병증 발생률을 감수해야 하며, 위절제후 증후군과 같은 후기 합병증이 발생할 수도 있다.

3) 수술방법의 결정

소화성궤양에 대한 수술방법의 결정은 여러 가지를 고려하여 환자의 상태에 따라 결정하여야 한다. 소화성궤양의 수술방법 고려 시 다음과 같은 요소들을 고려하여야 한다.

(1) 궤양의 위치와 형태(위궤양, 십이지장궤양, 재발성 궤양, 변연 궤양)

(2) 궤양의 적응증

(3) 수술의 응급 정도

(4) 복강내 상태(십이지장 반흔 정도/염증, 유착, 수술부위 노출의 난이도)

(5) 환자의 궤양에 의한 상태(virulence of the ulcer diathesis)

(6) 환자의 의학적 상태 및 동반질환(medical condition, nutrition, and associated diseases)

(7) 외과의의 경험과 선호

(8) *H.pylori* 감염유무 및 NSAID 치료 필요성 및 과거 치료 경험

이러한 요소들을 고려하여 고선택적 미주신경절단술, 미주신경절단술 및 배액술, 미주신경절단술 및 위절제술을 시행할지, 아니면 국소적인 치료를 시행할 지 여부를 결정하게 된다(표 55-1).

표 55-1. 위십이지장궤양 수술의 선택

적응증	십이지장궤양	위궤양
출혈	1. 봉합결찰* 2. 봉합결찰과 V+D 3. V+A	1. 봉합결찰과 조직검사* 2. 1과 V+D 3. 원위부 위절제술#
천공	1. Patch* 2. Patch, HSV# 3. Patch, V+D	1. 조직검사와 patch* 2. 쐐기절제, V+D3. 원위부 위절제술#
폐쇄	1. HSV + GJ 2. V+A	1. 생검; HSV + GJ 2. 원위부 위절제술#
난치성	1. HSV# 2. V+D 3. V+A	1. HSV와 쐐기절제 2. 원위부 위절제술

* 쇼크이거나 중한 상태가 아니면 산분비 감소수술을 고려한다.
# 저위험 환자에게 적합하다.
GJ=gastrojejunostomy, HSV=highly selective vagotomy, V+A=vagotomy and antrectomy, V+D=vagotomy and drainage.

4) 수술 위험도 및 사망률

만성적인 궤양에 대한 대기수술(elective surgery)은 비교적 안전한 수술이라 할 수 있다. 하지만, 출혈이나 천공, 위출구폐쇄로 인한 응급수술은 수술적 위험성을 안고 있다. 특히 쇼크를 동반하는 대량 출혈 및 진행된 복막염 때문에 수술할 때는 환자의 전신상태가 악화되므로 사망률이 증가한다. 수술 후 30일내 사망률은 환자의 특성이나 지리적인 분포에 따라 다양하게 나타난다. 수술 후 합병증이나 사망률이 높아진 경우는 공통적으로 고령의 환자에서 진단이나 수술적 치료의 지연이 나타난 경우이거나 내원 시 쇼크의 상태인 경우가 많다. 수술 후 합병증으로는 상처부위 감염이나 복강내 감염, 혈전증 및 다발성 장기부전 등이 있을 수 있으며, 4% 정도에서 패치 부위의 누출로 재수술을 시행해야 하는 경우가 있다. 소화성궤양의 수술 후 재수술이 이루어진 경우에는 사망률이 29%, 평균 입원기간 23일 정도로 치명적인 결과를 초래할 수 있기 때문에 고령의 환자가 쇼크상태로 내원한 환자의 경우 치료에 더욱 집중하는 것이 중요하다.

4. 수술이 필요한 소화성궤양의 치료

1) 천공

(1) 특성

궤양의 천공은 사망률(mortality)이 30%에 이르는 질병이다. *H. pylori*와 NSAID의 사용은 궤양의 천공을 일으키는 주요인자이다. 조기 발견하여 적절한 처치를 하는 것이 환자의 예후를 결정하는데 주요인자이지만 고령 및 면역력이 저하되어 있는 경우는 진단이 지연되기도 한다. 궤양에서 가장 많은 합병증은 출혈이지만 수술을 요하는 가장 흔한 질환은 천공에 기인한다. 궤양으로 인한 출혈은 전 세계적으로 천공과 비교하여 7배 많이 보고되고 있지만, 전체 궤양과 연관된 사망 중 위궤양 천공에 의한 사망이 37%를 차지하고 있어 궤양 출혈에 의한 사망에 비하여 5배 높은 수준인 것으로 보고되고 있다. *H. pylori*가 유발인자로 알려져 있으며, 지난 20년 동안 선진국의 경우 발생 연령은 30~40대에서 60세 이상으로 증가하였고, 남녀의 발생 비율은 점차 비슷해지고 있는 것으로 보고되고 있다.

(2) 임상양상 및 진단

궤양의 천공을 동반한 환자의 경우 정도가 심하며, 급작스러운 통증을 호소한다. 국소적인 복통은 점진적으로 범발성 복통으로 진행된다. 복통의 원인은 천공 부위로부터 위십이지장분비액의 유출에 의한 것으로, 비만이 있는 환자나, 면역력이 떨어져 있는 환자, 혹은 고령의 환자에서 특징적 증상을 호소하지 않는 경우도 있다. 약 60% 환자만이 전형적인 복막염 증상을 나타내며, 이 때문에 진단이 늦어지기도 한다. 빠른 진단과 수술로 환자의 생존율을 높일 수 있다. 혈액 검사는 궤양의 천공을 확진할 수 있는 방법은 아니지만 유사한 증상을 나타내는 췌장염이 아님을 확인하거나, 염증반응 정도를 볼 수 있는 중요한 검사이다. 혈액배양검사를 시행한 후, 경험적 항생제의 빠른 투여가 환자의 예후를 결정하는 중요한 요소이다. 동맥혈검사는 환자의 전신상태와 패혈증 환자의 심각성 정도를 볼 수 있는 지표가 될 수 있다. 단순흉부촬영에서 보이는 복강내의 유리가스는 75% 정도 환자에서 볼 수 있으나, 그 원인이 궤양 천공에 의한 것인지 확진할 수는 없다. 복부 컴퓨터단층촬영(computed tomography, CT)이 진단의 기본이라 할 수 있고 이 검사를 통한 진단의 예민도는 약 98%로 보고 되고 있다. 조금이라도 궤양의 천공이 의심되는 경우, 환자의 전신상태가 허락하는 한 빠른 CT 촬영과 적절한 항생제의 투여 및 외과적 처치가 필요하다.

(3) 예후인자

궤양 천공이 있는 환자가 나이가 많을수록, 동반된 내과적 질병이 많을수록, 수술이 늦어질수록 사망률이 증가한다고 보고되고 있다. 천공 후 6시간 이내에 치료한 경우 예후가 좋으며, 천공 후 12시간이 경과한 후 치료가 시작될 경우, 병에 따른 이환율과 사망률이 증가한다고 보고하고 있다. 현재까지 가장 유용한 예후 예측 방법은 1982년 발표된 'Boey 점수'로 천공이 진단 시 48시간을 경과 하였거나, 수술 전 환자의 전신 상태가 쇼크 상태인 경우, 내과적 질환을 동반한 경우 나쁜 예후를 보인다고 하였다. 각각의 예후인자에 1점씩 부여하여 한 개의 인자가 있는 경우 사망률은 8%, 질병이완율은 47% 두 개의 인자가 있는 경우 사망률은 33%, 질병이완율은 75% 세가지 인자를 모두 가지고 있는 경우, 사망률은 38%, 질병이완율은 77%에 이른다(표 55-2).

(4) 치료

궤양 천공의 치료 목표는 천공 부위의 재건과 복막염의 치료에 있다. 천공이 발생하는 부위는 십이지장이 제일 많고(62%), 유문 부위가 그 다음이며(20%), 위에 발생하는 경우가 약 18%에 이른다. 궤양의 천공은 단기적 사망률이 10~30%에 이르는 위중한 질병으로 빠른

표 55-2. **Boeyscore.**

Risk score	Mortality (OR)	Morbidity (OR)
1	8% (2.4)	47% (2.9)
2	33% (3.5)	75% (4.3)
3	38% (7.7)	77% (4.9)

Boey score factors.
Concomitant severe medical illness.
Preoperative shock.
Duration of perforation > 24 hours.
Score: 0-3 (Each factor scores 1 point if positive).
Adapted from Lohsiriwat V, PrapasrivorakulS, LohsiriwatD. Perforated peptic Ulcer. Clinical presentation, surgical outcomes, and the accuracy of the Boey Scoring system in predicting postoperative morbidity and mortality. World J surg. 2009 Jan;33(1):88-65.

진단이 요구되며 수액 공급, 항생제 투여 등의 즉각적인 소생술이 필요하다.

① 수술 전 처치

수술실에 도착하는 환자의 약 30%에서 패혈증을 동반하고 있으며, 이에 대한 세계중환자의학회에서 추천하는 적절한 처치(survival sepsis campagn), 즉 적절한 수액의 공급과 혈액배양, 경험적 광범위 항생제의 투여로 패혈증에 따른 50%에 가까운 사망률을 낮출 수 있다.

② 비수술적 치료

환자의 상태가 국소적이거나, 임상양상이 나쁘지 않은 경우 수술을 연기하고 경과를 관찰할 수 있다. 이때는 국소적인 천공이 망(comentum)에 의하거나 혹은 조직 스스로 해결이 된 경우로, 약 50% 환자에서 저절로 천공이 해소되며, 수술적 처치 없이도 치료가 될 수 있다. 이러한 비수술적 치료는 광범위 항생제의 투여, 상부위장관 조영상 가스트로그라핀의 누출이 없어야 하며, 비위관 흡인, 양성자펌프억제제의 적절한 투여가 전제되어야 한다. 하지만 70세 이상 환자의 경우 비수술적 접근이 실패할 가능성이 높으며, 위궤양 천공 환자 중 수술의 적응이 되는 환자의 수술을 연기할 경우 사망률이 증가함을 항상 염두해 두고 조심스러운 접근을 하여야 한다.

③ 수술

궤양 천공에 따른 응급수술은 사망률이 6~30%에 이른다. 궤양의 천공 부위가 십이지장인 경우 천공 부위를 단순봉합하거나 대망덮어 막기, Fibrin glue 도포와 같은 방법을 단독 혹은 병합하여 천공을 해결할 수 있다. 현재는 궤양의 원인이 되는 위산분비를 줄이기 위한 수술인 미주신경절단술은 잘 시행되지 않는다. 최근 복강경을 통한 수술이 많이 진행되고 있으나, 궤양천공의 크기가 1 cm를 넘는 경우 개복수술로의 전환해서 문제를 해결해야 할 가능성을 염두해 두고 수술을 진행하여야 한다. 위에 발생한 궤양 천공의 경우, 위치에 따라 수술 술식을 다소 달리한다. I형은 천공변연부의 조직검사를 시행하고 쐐기 절제수술을 시행하며, 궤양의 모양이 전면부와 후면부를 함께 둘러싸고 있는 경우이거나 혹은 악성종양이 의심되는 경우는 위절제수술을 시행한다. 산분비가 많은 II형과 III 형의 경우, 혹은 환자의 전신상태가 좋지 않은 경우는 천공부위 조직검사를 하고 쐐기 절제수술을 시행하고, 산분비를 낮추어 주는 수술인 미주신경절단수술을 하거나, 궤양의 모양이 전면부와 후면부를 함께 둘러싸고 있는 경우 위절제수술을 시행한다. IV형의 경우 조직검사와 Pauchet 수술 혹은 Csendes 수술을 고려할 수 있다(그림 55-2). Pauchet 위절제수술은 원위부 위절제를 하고, 소만곡을 혀 모양으로 궤양을 포함하여 절제하고, Hofmeister 방식으로 재건하는 수술방법이다. Csendes 수술은 원위부 위아전절제술로 식도에 근접한 위궤양을 절제하고 Roux-en-Y 위공장문합술을 하는 수술방법이다. 전 세계적으로 위궤양 천공에서 위절제가 필요한 경우는 30% 내외라고 보고하고 있지만, 일본에서는 위궤양 천공의 경우 60% 가까운 환자에서 위절제를 시행하고 있다.

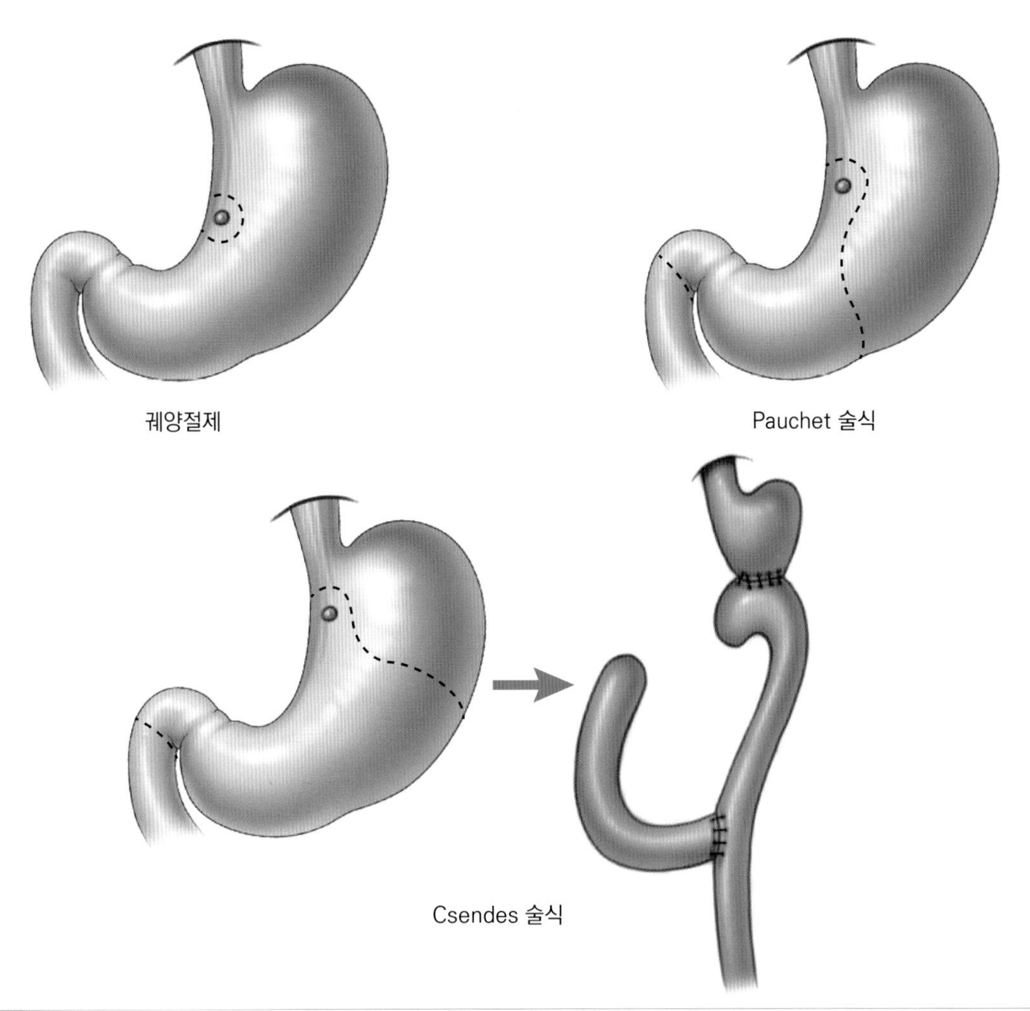

그림 55-2 **천공 수술방법.**

④ 복강경수술

최근 복강경을 이용한 궤양수술은 약 39~45%에 이르며, 개복수술을 한 경우와 복강경수술을 한 경우 수술 후 사망률에 있어서 큰 차이가 없다고 보고하고 있다. 또한 복강경수술을 넘어 새로운 치료방법이 소개되고 있는데 내시경을 이용한 클립 봉합술이나 스텐트 삽입, 줄기세포를 이용한 치료 등이 있으나 그 효용성에 대한 증거는 아직 충분치 않다.

⑤ 수술 후 관리

수술 전후에는 세계중환자의학에서 추천하는 surviva sepsis campaign에 따라 환자를 관리함으로써 수술 후 사망률을 낮출 수 있고, 또한 *H. pylori*의 제균치료를 함으로써 수술 후 8주째와 수술 후 1년째의 궤양의 재발을 낮출 수 있다.

2) 출혈

(1) 특성

소화성궤양 출혈의 경우 내시경의 적절한 치료와 중재적 방사선시술의 발달로 수술이 요구되는 환자의 수는 줄고 있다. 하지만 약물치료와 내시경치료의 발달에도 불구하고 현재까지 궤양 출혈에 따른 치료의 사망률은 줄지 않고 있다.

환자가 나타내는 증상으로는 토혈(hematemesis), 흑변(melana)을 호소하거나 혹은 이 두 가지가 함께 나타나기도 한다. 하지만 다량의 출혈을 하는 경우 혈변(hematochezia)의 형태로 나타나기도 하며, 환자는 의식저하로 응급실을 방문하는 경우도 있다.

궤양의 출혈이 있는 경우, 의사에게 일차적인 치료의 목표는 적절한 지혈이다. 대부분의 출혈은 스스로 멈추고 수술이 필요한 경우는 5~10% 정도로 보고되고 있다.

Hlasgoa 점수를 사용하여 내시경적 치료와 혈관조영술이나 수술 등의 중재적 치료의 필요성을 예측할 수 있으며(표 55-3), 환자의 수치가 3 이하인 경우는 약 6% 정도에서만 중재적 치료가 필요하였고, 수치가 6 이상인 경우 약 50%에서 중재적 치료가 필요하였다.

표 55-3. Glasgow-Blatchford score

Admission risk marker	Score component value
Blood Urea (mmol/dL)	
6.5-8.0	2
8.0-10.0	3
10.0-25	4
>25	6
Hemoglobin (g/dL) for men	
12.0-12.9	1
10.0-11.9	3
<10.0	6
Hemoglobin (g/dL) for women	
10.0-11.9	1
<10.0	6
Systolic blood pressure (mmHg)	
100-109	1
90-99	2
<90	3
Other markers	
Pulse ≥100(per min)	1
Presentation with melaena	1
Presentation with syncope	2
Hepatic disease	2
Cardiac failure	2

In the validation group, scores of 6 or more were associated with a greater than 50% risk of needing an intervention.

(2) 내과적 치료

환자가 혈역동학적으로 안정적인지에 대한 판단이 우선되어야 하며, 수액의 공급 혹은, 혈액의 공급을 염두에 두고 접근하여야 한다. 이때 양성자펌프억제제 주사는 필수적이다. 특히, 뇌경색이나, 심근경색으로 약을 복용해온 환자나, 65세 이상의 환자의 경우 입원 치료가 요구된다. 하루 두 번 주사를 사용함으로써, 위의 산도를 높여서 위궤양 출혈 부위의 피딱지를 안정화시켜 치료의 효과를 높일 수 있다. 혈역동학적으로 안정화된 후 응급내시경검사를 시행한다.

내시경치료는 에피네프린을 사용하는 방법, 헤모크립을 사용하는 방법, 피브린을 사용하는 방법, 전기소작하는 방법 등이 있으며, 단독 혹은 병합하여 사용할 수 있다. 메타분석에서 내시경적 치료접근은 사망률을 줄이고 외과적 치료의 가능성을 줄여주는 치료방법이라고 보고하고 있다. 대부분의 궤양의 출혈은 내시경적으로 치료가 가능하나, 내시경적 치료 시행 6시간 이후에 토혈이 있거나, 변이 정상화되었다가 흑변이 있는 경우, 혹은 혈변이 있는 경우, 맥박수가 110회 이상을 나타내거나, 수축기 혈압이 90 mmHg 이하인 경우, 3시간 간격으로 혈색소 수치를 체크했을 때 2 g/dL 이상 떨어진 경우 재출혈을 의심하여야 한다. 이 경우 다시 내시경적 치료를 시도하고, 두 번째 내시경적 치료가 효과적이지 않은 경우, 영상의학과적 중재술(angio-embolization)을 하거나, 수술을 선택하여야 한다.

Rockall은 1996년에 궤양에서 재출혈은 사망률에 중요한 영향을 미친다고 보고 하였다. 환자의 특성과 내시경 성상이 환자의 사망과 재출혈을 예측할 수 있는

표 55-4. **Rockall score**

Clinical parameters				Score
Objective findings	Heart rate (beats/min)	≥100		1
	Systolic blood pressure (mmHg)	100-109		1
		90-99		2
		<90		3
	Blood urea nitrogen (mmol/L)	5.5-7.9		2
		8.0-9.9		3
		10.0-24.9		4
		≥25		6
	Hemoglobin (g/dL)	Men	Women	
		12.0-12.9	10-12	1
		10.0-11.9		3
		<10.0	<10	6
Subjective findings	Comorbidities	Heart failure		2
		Liver disease		2
	Presentation	Melena		1
		Syncope		2

중요한 인자이며, 그 수치가 3 이하인 경우 재출혈의 가능성은 11% 사망률은 5% 이하이며, Rockall 점수가 5점 이상인 경우, 재출혈의 가능성은 25% 내외이며, 사망률은 10%에 이른다고 보고 하였다(표 55-4).

최근 보고에 의하면 혈역동학적으로 불안정한 경우, 동반질환이 있는 경우, 활동성 출혈(active bleeding)이 있는 경우, 2 cm 이상의 궤양이 있는 경우, 궤양의 위치가 십이지장의 후벽에 있거나, 위의 소만부에 있는 경우 재출혈의 위험이 높다고 하였다. 이러한 재출혈의 위험성이 높은 환자는 일차적인 치료로 외과적 치료를 고려하는 것이 필요하다.

(3) 수술

현재 많은 환자들이 수술적 치료에 앞서 혈관조영술로 지혈을 시도하고 있다. 수술의 경우 일차적 치료의 목표는 지혈이며, 이차적 치료의 목표는 궤양을 유발하는 요인의 제거다. 수술방법은 궤양의 출혈 위치에 따라 달라질 수 있다. 궤양의 출혈이 십이지장에 있는 경우, 십이지장의 앞벽을 횡으로(tranverse) 열고, 궤양의 출혈혈관 부위의 근위부와 원위부를 조절하기 위하여 8자 모양으로 봉합을 시행하고, 십이지장의 앞벽은 Heineke-Mikulicz pyloroplasty를 시행한다. 고전적으로는 미주신경절단술을 같이 시행하였지만, 현재는 내과적 치료로 양성자펌프억제제를 사용함으로써 미주신경절단술을 모든 경우에 시행하지는 않는다.

위궤양에서 출혈 발생한 경우, 출혈 부위를 절제(excision)하고, 봉합하는 것이 기본이나, 궤양의 출혈부위가 위의 소만부(lesser curvature)에 있는 경우, 좌측 위동맥에서 분지한 혈관을 결찰하는 것이 쉽지 않으며, 소만부를 쐐기절제(wedge resection)하는 경우, 위

모양의 변형이 올 수 있어, 위아전절제술이 선호되기도 한다. 식도 위경계 부위에서 시작된 출혈성 궤양의 경우, 천공에서 소개한 Csendes 방법을 선택하여 수술하기도 한다. 혈역동학적으로 불안정하여 쇼크가 있는 환자나, 궤양의 천공이 있는 환자, 3 unit 이상의 적혈구의 수혈이 필요한 경우, 내과적 치료를 중단하고 빠른 수술을 고려해야 한다.

3) 폐쇄(위출구의 폐쇄)

궤양의 합병증 중의 하나로 유문부나 십이지장이 좁아져서 발생한다. 단순히 근육경련에 의하기도 하지만, 부종이나, 활동성 궤양으로 인한 이차양상으로 생기기도 하고 궤양의 치유과정에서 반흔에 의하여 발생하기도 한다. 이러한 폐쇄가 악성 신생물에 의한 것이 아닌지 확인하기 위하여 내시경적 검사가 반드시 필요하다. 또한 식도열공탈장(hiatal hernia), 위식도 역류(gastro-esophageal reflux), 부신기능 저하와도 감별진단이 필요하다. 비위관 삽관 후 감압과 양성자펌프억제제를 투여해 부종과 위근육의 수축력의 회복을 기다릴 수 있다. 5~7일간의 내과적 치료에도 상태의 호전이 없는 경우 수술적 치료를 고려하여야 한다. 내시경적 풍선확장술은 반복적인 시술로 76% 경우에서 위출구폐쇄의 문제를 해결할 수 있다. 수술을 시행하기에는 위험성이 많은 내과적 질환을 가지고 있거나, 수술을 원치 않는 환자에서 위출구폐쇄의 치료방법으로 선택할 수 있는 방법이다. 수술로는 위공장문합술을 통하여 음식이 내려갈 수 있는 새로운 길을 만들어 주게 되는데, 수술전 상부위장관 조영술을 통하여 궤양의 범위가 넓은 것이 확인된 경우나, 내시경상 유문부의 하부가 확인되지 않는 경우는 위공장문합술과 더불어 미주신경절단술을 시행하는 것이 효과적이다.

4) 난치성 소화성궤양

8~12주의 내과적인 치료에도 불구하고 재발하는 경우를 난치성 소화성궤양이라 정의하며, 가장 흔한 원인으로는 *H. pylori* 제균 실패가 원인이며, 그 이외에 비스테로이드성 항염증약제(NSAID)의 지속적 사용이 원인이 될 수 있다.

난치성 궤양의 원인이 *H. pylori*의 치료 후 균의 잔존에 의한 경우는, 균이 약제에 대한 내성이 있어 잔존 하는 경우와 제균치료 후 검사상 위음성에 의한 따른 균의 지속적 잔존이 원인이 될 수 있다. 위음성에 따른 대처 방안으로는 민감도가 높은 검사를 선택하여 검사하거나, 진단검사를 이중으로 시행하여 검사 결과를 재확인하는 방법이 있겠다. 1차 약제 내성에 의한 치료 실패의 경우 2차 약제를 선택하여 치료할 수 있다. 난치성 소화성궤양에 대한 수술적 치료는 출혈, 천공이나 위출구폐쇄가 있는 경우 시행할 수 있다.

5) 거대 소화성궤양

거대 소화성궤양은 위에 있는 3 cm 이상의 궤양이나 십이지장에 있는 2 cm 이상의 궤양으로, 궤양이 치유되기까지는 크기가 작은 소화성궤양보다 많은 시간이 필요하다. 십이지장에 생긴 2 cm 이상의 궤양이 천공된 경우, 일차 봉합이 여의치 않아 대망덮어 막기를 한경우 수술 부위의 누출의 위험성은 12%에 이른다. 이 경우 어느 수술방법이 우위에 있다고 할 수 없다. 대망을 덮어 수술 하거나, 공장의 일부를 천공이 있는 부위에 덮어 이식하거나, 십이지장 천공 부위의 원위부까지 처리하고 위아전절제술을 선택할 수도 있다.

6) 재발 및 변연부 궤양

소화성궤양의 치료 후 재발의 위험인자는 70세 이상의 고령층과 동반된 질환이 많을수록, 치료 시작 4주 이내에 아스피린 사용 병력이 있는 경우 증가하는 것으로 보고하고 있다. 또한 헬리코박터의 제균치료에 실패하는 경우 증가한다.

위절제와 위공장문합술 후 공장 부위에 발생하는 변

연부 궤양은, 당뇨가 있거나 궤양 치료를 위한 위절제를 한 경우 많이 발생하고, 흡연자에서 비흡연자에 비하여 높게 발생한다. 변연부 궤양의 치료는 양성자펌프 억제제와 H_2 수용체 길항체를 사용하는 내과적 치료에서부터 변연부에 출혈이 발생하거나 천공이 있는 경우, 외과적 치료가 필요한 다양한 경우가 있다. 근위부 미주신경절단술 후 재발한 십이지장궤양의 경우 산분비 세포인 벽세포를 줄일 수 있는 방법인 미주신경절단술과 전정부 절제술을 시행한다. 근위부 미주신경절단술 후, 덤핑 증상이 있거나 조절되지 않는 설사가 있는 경우 역방향으로 공장을 삽입하여 음식의 배출 시간을 늘리는 술식을 선택할 수 있다.

참고문헌

1. 이해완, 안승익, 양대현, 이창현, 손종하, 권오중 등. 22년간(1968~1989)의 소화성궤양의 임상적 고찰 대한외과학회지 1993;44:159-174.
2. Banerjee S, Cash BD, et al. ASGE Standards of Practice Committee, The role of endoscopy in the management of patients with peptic ulcer disease. Gastrointest Endosc 2010;71:663-668.
3. Bertleff MJ, Lange JF. Laparoscopic correction of perforated peptic ulcer: first choice? A reviewof literature Surg Endosc 2010;24:1231-1233.
4. Blatchford O, Murray WR, Blatchford M. A risk score to predict need for treatment for upper gastrointestinal haemorrhage. Lancet 2000;356:1318-1321.
5. Byrne BE, Bassett M, Rogers CA, Anderson ID, Beckingham I, Blazeby JM, et al. Short-term outcomes after emergency surgery for complicated peptic ulcer disease from the UK National Emergency Laparotomy Audit: a cohort study. BMJ Open 2018;8:023721.
6. Cao F, Li J, Li A. et al. Nonoperative management for perforated peptic ulcer: who can benefit? Asian J Surg 2014;37:148-153.
7. Cook DJ, Guyatt GH, Salena BJ, et al. Endoscopic therapy for acute nonvariceal upper gastrointestinal hemorrhage: a meta-analysis. Gastroenterology 1992; 102:139-148.
8. Crofts TJ, Park KG, Steele RJ, et al. A randomized trial of nonoperative treatment for perforated peptic ulcer. N Engl J Med 1989;320:970-973.
9. Csendes A, Braghetto I, Calvo F, et al. Surgical treatment of high gastric ulcer. Am J Surg 1985;149:765-770.
10. Doherty GM, Way LW. Stomach and Duodenum. In: Current Surgical Diagnosis and Treatm. 12th ed. New York: McGraw-Hill, 2006.
11. Donahue PE. Ulcer surgery and highly selective vagotomy-Y2K. Arch Surg 1999;134:1373-1377.
12. Dubois F. New surgical strategy for gastroduodenal ulcer: laparoscopic approach. World J Surg 2000;24:270-276.
13. Elmunzer BJ, Young SD, Inadomi JM, et al. Systematic review of the predictors of recurrent hemorrhage after endoscopic hemostatic therapy for bleeding peptic ulcers. Am J Gastroenterol 2008;103:2625-2632.
14. Gu WJ, Wang F, Bakker J. et al. The effect of goal-directed therapy on mortality in patients with sepsis - earlier is better: a meta-analysis of randomized controlled trials. Crit Care 2014;18:570.
15. Güzel H, Kahramanca S, Şeker D. et al. Peptic ulcer complications requiring surgery: what has changed in the last 50 years in Turkey. Turk J Gastroenterol 2014; 25:152-155.
16. Harbison SP, Dempsey DT. Peptic ulcer disease. Curr Probl Surg 2005;42:346-454.
17. Hirschowitz BI, Simmons J, Mohnen J. Clinical outcome using lansoprazole in acid hypersecretors with and without Zollinger-Ellison syndrome: a 13-year

prospective study. Clin Gastroenterol Hepatol 2005;3: 39-48.

18. Jani K, Saxena AK, Vaghasia R. Omental plugging for large-sized duodenal peptic perforations: A prospective randomized study of 100 patients. South Med J 2006;99:467-471.
19. Jin Il Kim, Sang Gyun Kim, Nayoung Kim, Jae Gyu Kim, Sung Jae Shin, Sang Woo Kim et al. Changing prevalence of upper gastrointestinal disease in 28893 Koreans from 1995 to 2005. Eur J Gastroenterol Hepatol 2009;21:787-793.
20. Jin Wook Choi, Hak Yang Kim, Kyung Ho Kim, Ja Young Lee, Gwang Ho Baek, Myoung Kuk Jang et al. Has any improvement been made in the clinical outcome of patients with bleeding peptic ulcer in the past 10 years? Korean J Gastrointest Endosc 2005;30:235-242.
21. Johnson AG, Chir M. Proximal gastric vagotomy: does it have a place in the future management of peptic ulcer. World J Surg 2000;24:259-263.
22. Kim JJ, et al. Risk factors for development and recurrence of peptic ulcer disease. 대한소화기학회지 2010;56:220-228.
23. Kyaw M, Tse Y, Ang D, Ang TL, Lau J. Embolization versus surgery for peptic ulcer bleeding after failed endoscopic hemostasis: a meta-analysis. Endosc Int Open 2014;2:6-14.
24. Lam YH, Lau JY, Fung TM, et al. Endoscopic balloon dilation for benign gastric outlet obstruction with or without *Helicobacter pylori* infection. Gastrointest Endosc 2004;60:229-233.
25. Lau JY, Barkun A, Fan DM. et al. Challenges in the management of acute peptic ulcer bleeding. Lancet 2013;381:2033-2043.
26. Leontiadis GI, Sharma VK, Howden CW. Systematic review and meta-analysis of proton pump inhibitor therapy in peptic ulcer bleeding. BMJ 2005;330:568.
27. Levy MM, Rhodes A, Phillips GS, et al. Surviving sepsis campaign: association between performance metrics and outcomes in a 7. 5-year study. Intensive Care Med 2014;40:1623-1633.
28. Liu L, Chiu PW, Lam PK, et al. Effect of local injection of mesenchymal stem cells on healing of sutured gastric perforation in an experimental model. Br J Surg 2015;102:158-168.
29. Maghsoudi H, Ghaffari A. Generalized peritonitis requiring re-operation after leakage of omental patch repair of perforated peptic ulcer. Saudi J Gastroenterol 2011;17:124-128.
30. Møller MH, Adamsen S, Thomsen RW, et al. Multicentre trial of a perioperative protocol to reduce mortality in patients with peptic ulcer perforation. Br J Surg 2011;98:802-810.
31. Napolitano L. Refractory peptic ulcer disease. Gastroenterol Clin North Am 2009;38:267-288.
32. Reisig J, Vinz H, Georgi W. Revision operations following vagotomy. Zentralbl Chir 1985;110:505-523.
33. Rickard J. Surgery for peptic ulcer disease in sub-Saharan Africa: systematic review of published data. J Gastrointest Surg 2016;20:840-850.
34. Rosenstock SJ, Møller MH, Larsson H. et al. Improving quality of care in peptic ulcer bleeding: nationwide cohort study of 13,498 consecutive patients in the Danish Clinical Register of Emergency Surgery. Am J Gastroenterol 2013;108:1449.
35. Sapala JA, Wood MH, Sapala MA, et al. Marginal ulcer after gastric bypass: a prospective 3-year study of 173 patients. Obes Surg 1998;8:505-516.
36. Soreide K, Thorsen K, Soreide JA. Strategies to improve the outcome of emergency surgery for perforated peptic ulcer. Br J Surg 2014;101:51-64.
37. Svanes C, Lie RT, Svanes K, et al. Adverse effects of delayed treatment for perforated peptic ulcer. Ann Surg 1994;220:168-175.
38. Svanes C. Trends in perforated peptic ulcer: incidence, etiology, treatment, and prognosis. World J Surg 2000;24:277-283.
39. Sverdén, E, Mattsson, F, Sondén. et al. Risk factors for marginal ulcer after gastric bypass surgery for

obesity: a population-based cohort study. Ann Surg 2016;263:733-737.

40. Tan HJ, Goh KL. Changing epidemiology of *Helicobacter pylori* in Asia. J Dig Dis 2008;9:186-189.

41. Tanaka R, Kosugi S, Sakamoto K, et al. Treatment for perforated gastric ulcer: a multi-institutional retrospective review. J Gastrointest Surg 2013;17:2074-2081.

42. Thorsen K, Glomsaker TB, von Meer A. et al. Trends in diagnosis and surgical management of patients with perforated peptic ulcer. J Gastrointest Surg 2011;15: 1329-1335.

43. Thorsen K, Søreide JA, Søreide K. What is the best predictor of mortality in perforated peptic ulcer disease? A population-based, multivariable regression analysis including three clinical scoring systems. J Gastrointest Surg 2014;18:1261-1268.

44. Wang YR, Richter JE, Dempsey DT. Trends and outcomes of hospitalizations for peptic ulcer disease in the United States, 1993 to 2006. Ann Surg 2010;251:51-58.

45. Wilhelmsen M, Moller MH, Rosenstock S. Surgical complications after open and laparoscopic surgery for perforated peptic ulcer in a nationwide cohort. Br J Surg 2015;102:382-387.

46. Wong CS, Chia CF, Lee HC, et al. Eradication of *Helicobacter pylori* for prevention of ulcer recurrence after simple closure of perforated peptic ulcer: a meta-analysis of randomized controlled trials. J Surg Res 2013;182:219-226.

47. Wysocki A, Budzyński P, Kulawik J, et al. Changes in the localization of perforated peptic ulcer and its relation to gender and age of the patients throughout the last 45 years. W World J Surg 2011;35:811-816.

PART 10

식도 질환

THE KOREAN GASTRIC CANCER ASSOCIATION

CHAPTER 56

식도의 종양

1. 식도의 악성종양

1) 역학

식도암은 전 세계에서 여덟 번째로 흔한 악성종양이고, 암으로 인한 사망이 여섯 번째로 흔한 질환이다. 2012년 GLOBOCAN 자료에 의하면 매해 456,000명이 발생하고, 약 400,100이 사망한다. 식도암의 발생률과 사망률은 지역적 차이가 뚜렷한 암종으로, 동아시아 및 남아프리카와 동아프리카에서 가장 높으며 전 세계 식도암의 약 80%는 저개발국에서 발생한다. 식도암은 사망률이 높은 암으로 전체 식도암 환자의 5년 생존율은 약 20% 정도이다. 주로 편평상피암과 선암, 이 두 가지 조직학적 아형이 대부분을 차지한다. 식도 편평상피암은 서구에서 주로 발생하던 암종이나 최근 30년 동안 감소하여 드물고, 아시아 등에서 호발하나 최근 감소하는 추세이다. 식도선암은 북미, 캐나다와 유럽에서 호발하며 비만 및 위식도역류질환의 증가와 비례하여 1970년대 이후 지속적으로 증가하는 추세이다. 식도암은 남성에서 호발하며, 편평상피암 및 식도선암 모두 남성에서 4~8배까지 호발한다.

2) 원인 및 발생기전

식도암의 밝혀진 위험인자는 표 56-1에 정리하였다. 흡연과 음주는 식도암의 주요한 원인으로 알려진 인자로서 흡연은 식도편평상피암을 약 3~7배 증가시키는 것으로 알려져 있고, 식도선암도 약 2배가량 증가시킨다. 음주, 특히 과도한 음주는 편평상피암을 증가시키나 선암과의 연관성은 뚜렷하지 않다. 또한 신선한 야채나 과일의 섭취가 적은 경우 편평상피암과 연관성이 높고, 니트로소아민(nitrosoamine)이나 아세트알데히드(acetaldehyde)와 같은 발암인자도 식도암과 연관성이 있다(표 56-1).

3) 증상

식도암은 대부분 늦게 증상이 발현되는데, 식도관강을 막을 정도로 종양이 커지면 이로 인하여 연하곤란, 식욕부진 및 체중감소가 발생한다. 빈혈이나 위장관출혈, 위식도역류 증상, 구토, 연하통 및 흉통 등이 생길 수 있다. 기침이나 반복적인 폐렴이 발생하면 식도-기관지누공이나 흡인성 폐렴 등의 가능성을 고려하여야 한다. 목쉰소리가 발생하면 되돌이후두신경을 침윤했을 가능성이 있다.

표 56-1. **식도암의 아형에 따른 위험인자**

식도편평상피암	식도선암
흡연 및 과도한 음주	흡연
식이인자: 과일이나 채소 섭취부족	위식도역류질환
뜨거운 음료 및 차의 섭취	바레트식도
식도이완불능증	
부식성 손상	
번지증(tylosis)	
Plummer-Vinson syndrome	
두경부 종양	

4) 진단

(1) 문진, 신체검사 및 혈액검사

우선적으로 식도암의 위험인자, 즉 흡연이나 음주 여부, 역류증상이 있는 경우 그 정도와 기간 등을 물어본다. 신체검사에서 림프종양 여부나 악액질(cachexia) 정도 등을 평가한다. 빈혈이나 저알부민혈증 여부 등으로 병의 심한 정도를 알 수 있다.

(2) 내시경

식도암의 위치와 범위를 알 수 있고, 조직검사로 확진이 가능하며, 조직학적 아형과 분화도를 알 수 있어 진단에 필수적이다. 조기식도암은 점막병변이므로 색조의 변화 혹은 점막의 미세한 융기 혹은 얕은 미란 등으로 관찰된다(그림 56-1). 진행식도암은 융기형 종양, 궤양형 병변, 식도내강을 막는 종양 형성 등 다양한 형태로 나타난다(그림 56-2). 루골용액 등을 이용한 색소내시경은 조기식도암을 발견하는 데 도움이 되며, 협대역 영상(narrow band imaging)은 색소를 직접 뿌리는 대신 녹색과 청색 파장을 이용하여 위장관 점막과 혈관 등의 대비를 뚜렷하게 보이게 하여 가시력을 높인 방법이다.

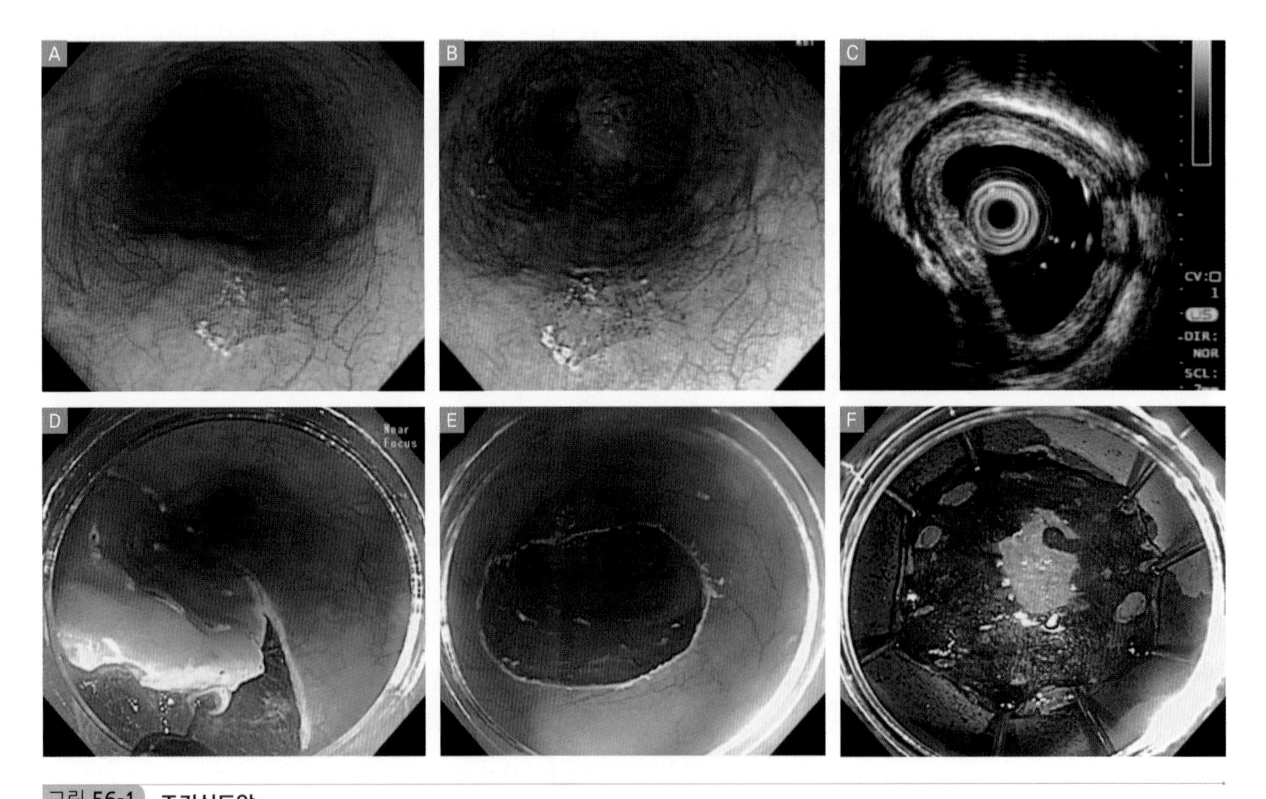

그림 56-1 **조기식도암.**
A, B. 내시경 C. 내시경초음파 D, E, F. 내시경점막하박리술.

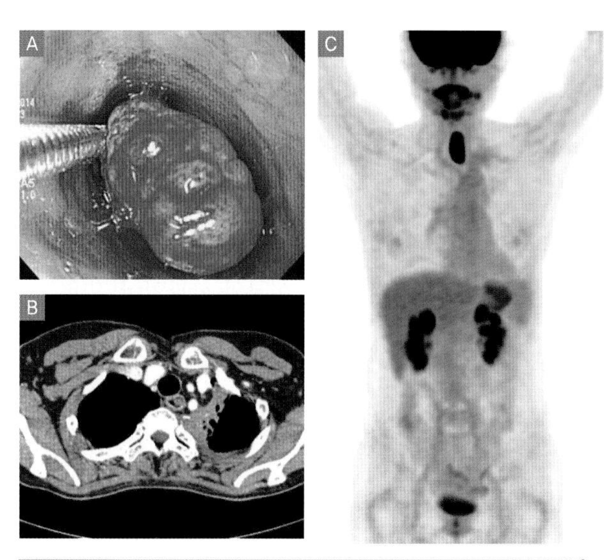

그림 56-2 **진행식도암.**
A. 내시경 B. 컴퓨터단층촬영술 C. 양전자방출단층촬영술.

(3) 단순 가슴X선검사

식도암으로 인한 주변장기의 압박이나 전이로 인한 폐 및 종격동 합병증을 확인할 수 있다.

(4) 바륨식도조영술

종양의 위치와 범위를 관찰할 수 있고, 폐쇄와 누공이 의심되는 경우 확인할 수 있으나 검사 도중 흡인성 폐렴이 발생할 수 있으므로 주의가 필요하다.

(5) 컴퓨터단층촬영

컴퓨터단층촬영술(computed tomography, CT)은 식도암으로 인한 식도벽의 비후, 주변 림프절 혹은 복강내 전이 여부, 폐전이 혹은 간전이 여부를 알려주어 병기설정에 중요한 검사법이다. 그러나 조기식도암에서식도벽 침윤 정도를 자세히 알기 어렵고, 1 cm 미만의 림프절 전이 여부를 감별하는 데 제약이 있다(그림 56-2).

(6) 내시경초음파

내시경초음파(endoscopic ultrasonography, EUS)는 종양 주변부 침윤의 정도를 알기 위하여 시행하며, 특히 내시경 절제가 가능한 식도점막암의 침윤 정도에 대한 자세한 정보를 줄 수 있어 치료방법 결정에 도움이 된다. 암종 병기결정 중에서 침윤 깊이(T staging)는 컴퓨터단층촬영보다 우수하며, 주변 림프절 전이 여부를 확인하기 위하여 내시경초음파 유도 하에서 침생검이 가능하다(그림 56-1).

(7) 양전자방출단층촬영술

양전자방출단층촬영(positron emission tomography, PET)은 당대사 정도로 전이성 병변이나 치료 후 재발 여부를 확인할 때 유용하다. 컴퓨터단층촬영에서 안 보이는 병변이나 전이성 병변이 확실하지 않을 때 도움이 되고, 치료 후 다시 병기를 재설정할 때 도움이 된다.

(8) 자기공명영상

종양의 침윤 정도(특히 식도 주변 조직의 침윤, T4)를 확인하는 데 도움이 되나 비용이 높아 제한적으로 사용한다.

(9) 기타 검사

식도암 환자의 일부에서 필요한 경우 추가로 시행할 수 있다. 기관지경은 상부 및 중부 식도암 환자에서 기도 침윤 여부를 확인하기 위해 사용하며, 식도절제술 가능 여부를 결정하는 데 도움이 된다. 흉강경은 전체 식도, 기관, 홀정맥(azygos vein), 대동맥, 횡격막을 관찰할 수 있으며 림프절 생검도 가능하다. 복강경은 복강내 림프절 전이, 복강표면, 식도위경계부와 같은 원격전이를 관찰하고 생검을 할 수 있다.

5) 등급과 병기

AJCC (American Joint Committee on Cancer) 병기(staging)가 UICC (International Union against Cancer) 병기와 함께 가장 널리 사용되는 병기 시스템이다. 식

도암의 병기는 특히 조직학적 유형이 중요한 예후인자 중 하나이며, 병기결정(stage grouping)에 조직학적 등급(histologic grade)과 편평상피세포암의 경우 병변의 위치도 고려하는 것이 특징이다.

(1) 침윤 깊이에 따른 분류

① **표재성 식도암** (superficial esophageal cancer)

암의 침윤이 림프절 전이나 원격 전이 여부와 상관없이 점막하층 이내에 국한된 경우이며(pT1NxMx), 일본 식도질환 연구회(Japan Esophageal Society)의 분류에 따라 다음과 같이 분류한다(표 56-2, 그림 56-3). 내시경적 절제 조직의 경우에는 점막하층 일부만 포함되므로 점막근층 하방 200 ㎛ 이내의 점막하 침윤은 sm1으로 분류하고, 점막근층 하방 200 ㎛ 이상의 점막하 침윤은 sm2로 분류한다(표 56-3, 그림 56-4).

표 56-2. **표재성 식도암의 육안적 소견에 따른 분류**

Type 0-I 융기형	(superficial and protruding type)
Type 0-II 편평형	(superficial and flat type)
Type 0-IIa	(slightly elevated type)
Type 0-IIb	(flat type)
Type 0-IIc	(slightly depressed type)
Type 0-III 함몰형	(superficial and excavated type)

② **조기 식도암**(early esophageal cancer)

림프절 전이나 원격 전이 여부와 상관없이 점막층에 국한된 경우(pT1aNxMx)이다.

③ **진행성 식도암**(advanced esophageal cancer)

암의 침윤이 근육층 이상을 침범한 경우이다.

(2) 조직학적 등급

식도암의 조직학적 분류는 국제보건기구(WHO) 분류를 따르며, 다음 표 56-4와 같다. 그 중 가장 흔한 암종은 편평세포암종과 샘암종이며, 조직학적 등급(grade)은 표 56-5와 같다. 편평세포암종은 세포의 비정형성과 각질화(keratinization) 정도에 따라, 샘암종은 샘 형성의 정도에 따라 등급을 구분한다.

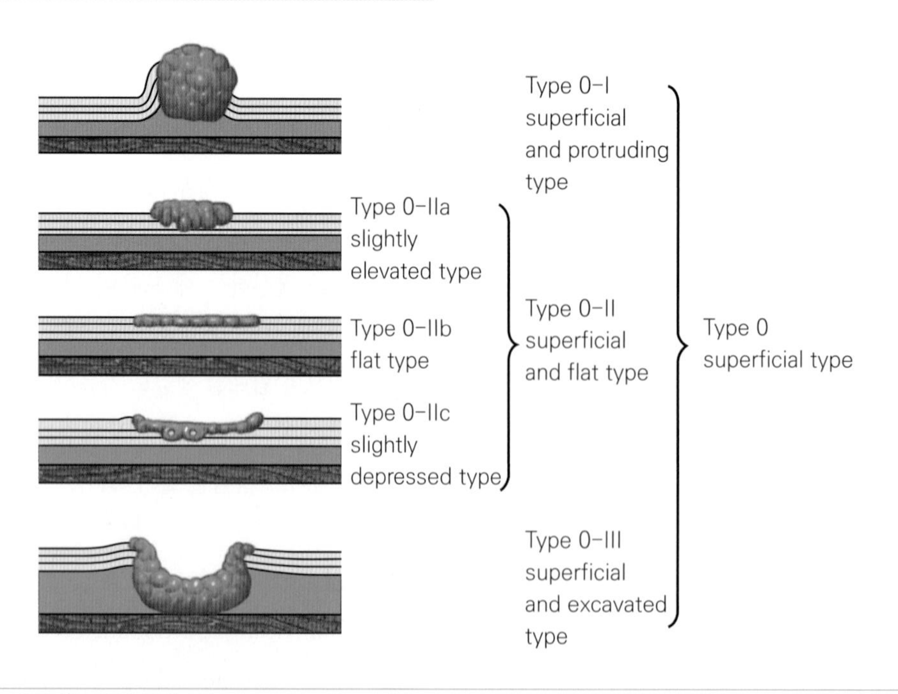

그림 56-3 **표재성 식도암의 육안적 소견.**
(Japanese Classification of Esophageal Cancer, 10th ed.)

표 56-3. **표재성 식도암의 침윤 깊이에 따른 분류**

m1: 상피내암 (Carcinoma in situ)
m2: 점막고유층 침윤 (Tumor invades lamina propria mucosa)
m3: 점막근층 침윤 (Tumor invades muscularis mucosa)
sm1: 점막하층의 상부 1/3까지 침윤 (Tumor invades the upper third of the submucosal layer)
sm2: 점막하층의 중부 1/3 까지 침윤 (Tumor invades the middle third of the submucosal layer)
sm3: 점막하층의 하부 1/3 까지 침윤 (Tumor invades the lower third of the submucosal layer)

표 56-4. **식도암(esophageal carcinoma)의 조직학적 분류 (WHO classification)**

Squamous cell carcinoma
Adenocarcinoma
Adenoid cystic carcinoma
Adenosquamous carcinoma
Basaloid squamous cell carcinoma
Mucoepidermoid carcinoma
Spindle cell (squamous) carcinoma
Verrucous (squamous) carcinoma
Undifferentiated carcinoma

(3) 병기

식도의 편평세포암종(squamous cell carcinoma)과 샘암종(adenocarcinoma)의 병기(staging)에 따른 예

표 56-5. **편평세포암종과 샘암종의 조직학적 등급(grading)**

GX	Grade cannot be assessed
G1	Well differentiated
G2	Moderately differentiated
G3	Poorly differentiated, undifferentiated

후가 서로 달라서 조직학적 유형에 따라 병기(stage grouping)가 다르다. 편평세포암종의 경우 병변의 위치도 병기에 중요한 요소이다. 식도샘암종의 병기는 위치는 고려하지 않으나 조직학적 등급이 예후에 중요한 영향을 미치는 요소로서 병기에 반영되어 있다(표 56-6, 7, 8, 9).

(4) 국소 침윤 및 전이

① 국소 침윤

식도암은 수직 및 수평적 침윤을 하며, 장막층이 없는 부분이 있어 주변 종격동, 흉막, 기관, 기관지, 대동맥, 심막 등을 침범할 수 있다.

② 림프절 전이

림프절 전이는 주로 국소림프절을 따라 일어난다. 림프절 전이의 빈도는 침윤 깊이와 관련 있으며, 벽내

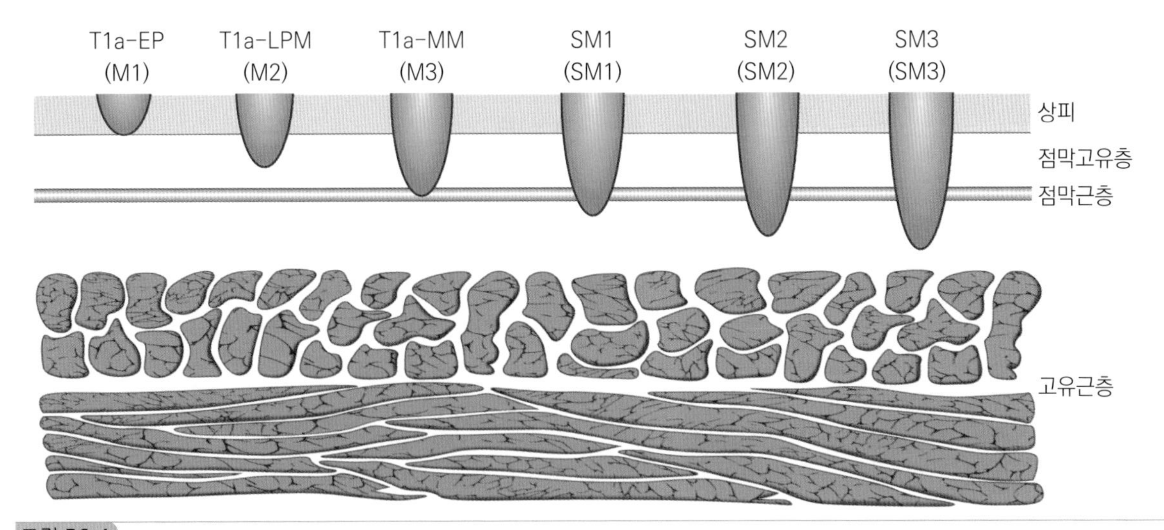

그림 56-4 **표재성 식도암의 침윤 깊이에 따른 분류.**

표 56-6. **식도암의 TNM 분류(AJCC staging 8th ed.)**

Primary Tumor (T)	
TX	Primary tumor cannot be assessed
T0	No evidence of primary tumor
Tis	High-grade dysplasia, defined as malignant cells confined to the epithelium by the basement membrane
T1	Tumor invades the laminal propria, muscularis mucosae, or submucosa
T1a	Tumor invades the laminal propria or muscularis mucosae
T1b	Tumor invades the submucosa
T2	Tumor invades the muscularis propria
T3	Tumor invades adventitia
T4	Tumor invades adjacent structures
T4a	Tumor invades the pleura, pericardium, azygos vein, diaphragm, or peritoneum
T4b	Tumor invades other adjacent structures, such as the aorta, vertebral body, or airway
Regional Lymph Nodes (N)	
NX	Regional lymph nodes cannot be assessed
N0	No regional lymph node metastasis
N1	Metastasis in 1 or 2 regional lymph nodes
N2	Metastasis in 3 to 6 regional lymph nodes
N3	Metastasis in 7 or more regional lymph nodes
Distant Metastasis (M)	
M0	No distant metastasis
M1	Distant metastasis

표 56-7. **식도 편평세포암종의 위치 분류(AJCC staging 8th ed.)**

Location	
X	Location Unknown
Upper	Cervical esophagus to lower border of azygos vein
Middle	Lower border of azygos vein to lower border of inferior pulmonary vein
Lower	Lower border of inferior pulmonary vein to stomach, including gastroesophageal junction

전이(intramural metastasis, intramural lymphatic spread)도 흔하게 일어난다. 상부 식도암은 경부림프절, 상부 종격동 림프절 등으로 전이가 일어나고, 중부와 하부식도암은 하부 종격동 림프절, 및 위 주위의(perigastric) 림프절로 전이가 일어난다.

③ **혈행성 전이**

혈행성 전이는 간, 폐, 부신, 신장 등으로 전이가 흔하며, 중추신경계로 전이도 일어난다.

6) 치료

(1) 내시경치료

조기식도암은 수술적 절제로 완치가 가능하나 수술 자체로 인한 합병증과 사망률이 있고 비용이 높다. 내시경 점막절제술(endoscopic mucosal resection, EMR) 혹은 점막하박리술(endoscopicsubmucosal dissection, ESD)은 점막층에 국한된 조기식도암을 치료하는 데 수술과 비슷한 생존율을 보이면서 합병증이 적고, 삶의

표 56-8. **식도 편평세포암종의 병기(AJCC staging 8th ed.)**

Stage grouping	T	N	M	Grade	Location
0	Tis	N0	M0	N/A	Any
IA	T1a	N0	M0	G1, GX	Any
IB	T1a	N0	M0	G2-3	Any
	T1b	N0	M0	G1-3, GX	Any
	T2	N0	M0	G1	Any
IIA	T2	N0	M0	G2-3, GX	Any
	T3	N0	M0	Any	Lower
	T3	N0	M0	G1	Upper/Middle
IIB	T3	N0	M0	G2-3	Upper/Middle
	T3	N0	M0	GX	Any
	T3	N0	M0	Any	Location X
	T1	N1	M0	Any	Any
IIIA	T1	N2	M0	Any	Any
	T2	N1	M0	Any	Any
IIIB	T2	N2	M0	Any	Any
	T3	N1-2	M0	Any	Any
	T4a	N0-1	M0	Any	Any
IVA	T4a	N2	M0	Any	Any
	T4b	N0-2	M0	Any	Any
	Any T	N3	M0	Any	Any
IVB	Any T	Any N	M1	Any	Any

표 56-9. **식도 샘암종의 병기(AJCC staging 8th ed.)**

Stage grouping	T	N	M	Grade
0	Tis	N0	M0	N/A
IA	T1a	N0	M0	G1, GX
IB	T1a	N0	M0	G2
	T1b	N0	M0	G1-2, GX
IC	T1	N0	M0	G3
	T2	N0	M0	G1-2
IIA	T2	N0	M0	G3, GX
IIB	T1	N1	M0	Any
	T3	N0	M0	Any
IIIA	T1	N2	M0	Any
	T2	N1	M0	Any
IIIB	T2	N2	M0	Any
	T3	N1-2	M0	Any
	T4a	N0-1	M0	Any
IVA	T4a	N2	M0	Any
	T4b	N0-2	M0	Any
	Any T	N3	M0	Any
IVB	Any T	Any N	M1	Any

질이 높다(그림 56-1). 점막근층까지만 침윤이 있으면 (T1a) 림프절 전이가 없으나 점막근층 이상 침윤이 발생하면 8%에서 림프절 전이가 동반되고, 종양이 1.2 cm 이상 크거나 분화도가 나쁜 경우 림프절 전이의 가능성이 높아져 내시경절제술로 완전 절제가 어렵다.

(2) 이외 고식적 치료

삼킴곤란의 증상을 해결하기 위하여 스텐트 삽입, 확장술, 위루술, 광선역학요법(photodynamic therapy), 레이저요법 등을 시행한다.

① 식도스텐트

종양으로 인한 식도내강 협착으로 삼킴곤란이 발생하는 경우 고식적인 목적으로 삽입하고, 수술 이외의 치료를 받는 경우 치료 전에 삽입하고 치료 후 호전되는 경우 제거가 가능하다. 자가확장형 금속스텐트(self-expandable metal stent)가 일반적으로 많이 사용되며, 식도누공 등이 있는 경우 피막형 스텐트(covered stent)를 삽입한다. 내시경이나 투시검사 하에서 시술이 가능하다.

② 위루술

스텐트 삽입이 불가능한 경우 식이를 위하여 삽입한다.

③ 기타

협착이 발생한 경우 내시경을 이용하여 확장술을 시행할 수 있다. NdYAG 레이저를 이용하여 진행식도암의 종양을 제거하였다는 보고가 있다. 그러나 여러 번 시술해야 하고, 고가이며 천공의 위험이 있다. 광선역학요법은 종양에 친화도가 높은 광감각제를 사용하여 낮은 용량의 레이저를 이용하여 조직괴사를 유발하는 방법이다. 삼킴곤란을 완화시키는 데 레이저와 유사하거나 조금 나은 효과를 보인다.

(3) 수술적 치료

식도암의 수술적 치료는 암의 위치, 침윤도, 림프절 전이, 수술에 대한 환자 전신상태의 적합도 그리고 수술하는 주체인 외과의와 그 해당 기관의 준비 정도, 신념 등에 의해 좌우된다. 특히 마지막의 두 가지 요인은 여타의 다른 암들의 치료에서보다 식도암의 치료에서 객관적인 암의 상태와 연관해서 요구되는 치료를 할 수 있는지의 여부를 결정하는 데 있어서 상대적으로 더 중요한 요인인데, 그 이유는 식도절제술이 외과영역에서 시행되는 여러 가지 암 수술 중에서 가장 규모가 크고 복잡하며 수술 후 많은 수술 합병증과 사망을 동반할 수 있는 수술이기 때문이다. 이상적으로는 식도암의 병기별로 적합한 단일한 치료방법이 있어야 하고 무작위 전향적 연구들이나 메타분석의 결과들이 환자들의 수술 합병증이나 수술에 의한 사망과 수술에 의한 생존기간의 연장과 삶의 질의 개선 그리고 수술 전후의 환자 관리 사이의 적절한 균형을 따져서 적합한 범위의 수술을 결정할 수 있게 해주고 수술적 치료와 비수술적 치료 중 어느 것이 해당 환자에게 더 유리한지를 결정할 수 있게 해주어야 하나, 그간의 많은 노력에도 불구하고 식도암의 적절한 치료에 대해서는 아직도 많은 부분에서 이견들이 존재한다. 그러나 이 분야에서 의견이 일치하는 유일한 지점은 R0 절제가 불가능한 어떠한 경우에도 식도절제술을 시행하면 안 된다는 것이다. 다시 말해 외과의가 전이된 모든 림프절을 절제하고 암이 없는 근위부, 원위부 그리고 방사상(radial)의 절제연을 얻을 수 없는 어떠한 경우에도 식도절제술을 시행하면 안 된다는 것이다.

식도절제술은 크게 림프절절제를 동반하는 식도절제술, 림프절절제를 동반하지 않는 식도절제술 그리고 앞에서 언급한 모든 수술들을 최소침습수술의 방법으로 시행하는 최소침습식도절제술(minimally invasive esophagectomy, MIE) 등으로 분류할 수 있다.

① **림프절절제를 동반하는 식도절제술**

국제식도질환학회(International Society for Diseases of the Esophagus, ISDE)는 2003년에 종격동림프절절제술(mediastinal lymph node dissection)을 다음과 같이 분류한 바가 있고 이러한 분류는 아직까지 국제적으로 통용되고 있다.

i) 표준형

식도열공부터 기관분지점(carina)까지의 림프절절제.

ii) 확장형

표준형에서의 범위 및 오른쪽 기관옆림프절(paratracheal lymph node)까지 포함한 림프절절제.

iii) 전종격동형

표준형에서의 범위 및 좌우 기관옆림프절 그리고 좌우 후두회귀신경림프절(recurrent laryngeal lymph node)까지 포함한 림프절절제.

iv) 3구역림프절절제(three-field lymph node dissection)

상복부림프절, 전체 종격동림프절 그리고 경부림프절까지 포함한 림프절절제.

이들 중 서구에서는 주로 표준형 림프절절제술을 시행하는데 이는 서구에서 발생하는 식도암의 70% 이상이 하부식도 혹은 위식도경계부에 호발하는 식도선암이고 식도선암의 경우 기관분지점 위로의 림프절 전이의 확률이 5% 정도로 낮기 때문이다. 반면 일본에서는 주로 3구역림프절절제술을 시행하는데 이는 일본에서 발생하는 식도암의 90% 이상이 중흉부 혹은 상흉부에 호발하는 식도편평상피암이며 식도편평상피암의 경우 좌우 기관옆림프절, 좌우 후두회귀신경림프절 그리고 경부림프절로의 전이가 흔하기 때문이다. 다시 말하면 서구와 아시아는 같은 식도암을 다루고 있다고 하더라도 서로 완전히 다른 질환을 다루고 있다고 할 수 있고 바로 이러한 차이에서 서구와 아시아에서의 식도절제술에서 림프절절제술의 차이가 발생한다고 할 수 있다. 그러나 우리나라를 비롯한 아시아 국가들의 외과의들 중 일부에서는 식도편평상피암 수술을 하면서 서구의 표준형 림프절절제술을 차용하여 그대로 시행하는 경우가 있는데 이런 경우 상종격동과 경부에 전이된 림프절이 남아서 불완전 절제가 될 위험성이 높다. 3구역림프절절제술을 선호하는 일본을 비롯한 아시아 국가들에서는 식도절제 후 위관(gastric tube) 등의 식도대용물(esophageal conduit)을 경부에서 문합하는 것을 선호한다. 그러나 서구에서는 문합을 상흉부에서 시행하는 Ivor-Lewis 식도절제술을 선호하며 일부에서는 문합을 경부에서 시행하는 Mckewon 식도절제술을 시행하기도 한다.

② **림프절절제를 동반하지 않는 식도절제술**

림프절절제를 동반하지 않는 식도절제술은 고도이형성이나 초기 식도암의 일부에서 사용할 수 있는 수술방법인데 대표적인 것은 경열공식도절제술(transhiatal esophagectomy)과 미주신경보존식도절제술(vagal-sparing esophagectomy)이 있다. 경열공식도절제술은 Orringer에 의해서 널리 보급된 수술인데 Orringer는 식도암은 조기에 전이가 많이 일어나서 완치가 불가능한 질환이므로 식도절제술은 환자가 식사를 할 수 있게 해주는 고식적 수술(palliative surgery)이라고 생각하여 림프절절제를 시행하지 않고 식도열공 및 경부로부터 손을 이용한 무딘 박리(blunt dissection)를 통해 식도절제를 시행하였다. 그러나 Orringer group은 화학방사선요법(chemoradiation)이 보급되기 시작한 1990년대 이후부터 수술 후 화학방사선요법을 추가하여 애초에 10% 대에 머물던 5년 생존율을 23%까지 끌어올리기도 했다. 경열공식도절제술에서 림프절절제술이 아주 불가능한 것은 아니어서 넓힌 식도열공을 통해서 최소한

하중격동림프절(lower mediastinal lymph node)에 대한 체계적인 림프절절제술은 가능한데 이런 특징들이 근래에 관심이 높아지고 있는 위식도경계부암의 수술에서 유용하게 활용될 수 있다.

미주신경보존식도절제술은 Akiyama에 의해 처음 발표되었는데 당시 Akiyama는 주로 림프절절제가 필요 없는 고도이형성 환자를 대상으로 이런 수술을 시행했다. 이 수술이 경열공식도절제술과 다른 점은 미주신경을 보존한 채 식도절제술을 시행한다는 것이다. 식도는 복재정맥박리술(saphenous vein stripping)에서 사용하는 박리기(stripper)를 이용하여 종격동으로부터 박리해내고 위는 고위선택미주신경절단술(highly selective vagotomy)을 시행한 후 위관을 형성한다. 미주신경보존식도절제술에서는 일반적인 식도절제술에 비해 수술 후 위관의 기능이 향상되나 식도가 주위조직과 유착이 심한 경우 식도의 불완전 절제가 문제가 될 수 있다. 그리고 고도이형성 및 초기 식도암에서 내시경점막하박리술이 발달한 지금에 있어서 이 수술의 효용성에는 의문이 있다.

③ 최소침습식도절제술

위에서 언급했던 모든 형태의 식도절제술에 최소침습수술의 기법인 흉강경, 복강경 그리고 로봇수술 등을 적용해서 식도절제술을 시행하는 것을 통칭해서 MIE라고 명명하며 아직까지 개흉 및 개복에 의한 식도절제술과의 비교연구결과가 충분하지는 않으나 유럽에서 진행된 다기관무작위전향적연구인 TIME 연구의 결과 MIE가 개흉 및 개복 식도절제술에 비해 수술 후 호흡기 감염의 발생률이 유의하게 낮았고 재원기간이 짧았으며 수술 후 삶의 질 점수가 더 높았다. 그러나 절제된 림프절의 개수는 양 군에서 차이가 없었고 수술 후 1년 및 3년째 생존율에 차이가 없었다. 물론 대상 환자 수가 적어서 생존율과 관련된 통계학적인 차이를 따지기는 힘드나 이 연구의 결과가 발표된 이후 식도절제술에 있어서 MIE가 광범위하게 받아들여지고 있다.

MIE는 대개 복와위(prone position)나 좌측와위(Lt. lateral decubitus position)에서 시행하며 최근에는 복와위가 여러 가지 장점들 때문에 점점 더 선호되고 있는 추세이다. 기술적으로 MIE에서는 개흉 및 개복술에 비해 더 좋은 시야를 확보할 수 있으므로 좀 더 섬세한 종격동 림프절절제술을 시행할 수 있다(그림 56-5).

(4) 항암치료

선행보조화학방사선치료(neoadjuvant chemoradiotherapy): 흉부에 위치한 식도의 편평상피세포암(thoracic esophageal squamous cell carcinoma)의 경우 T3N0, T4aN0 병기 또는 림프절 전이 양성의 경우 수술 단독보다는 복합치료를 우선 고려할 수 있다. 이는 수술 전 선행보조화학방사선치료와 수술단독치료를 비교한 연구들의 메타분석 결과, 수술 전 선행보조화학방사선치료가 수술단독치료에 비해 유의미한 생존율 향상을 보고한 연구를 근거로 한다. 단, 경부의 식도 편평상피세포암(cervical esophageal squamous cell carcinoma)의 경우는 근치적 화학방사선치료가 권고된다.

수술 후 보조항암화학 치료: 식도의 편평상피세포암은 수술적 완전절제(R0) 된 경우 림프절 전이 여부에 상관없이 수술 후 감시 및 추적관찰을 권장한다. 수술 절제 부위에 미세암 침윤이 남아 있거나(R1 절제) 또는 수술 절제 부위에 육안적 침윤이 관찰되는(R2 절제)경우 화학방사선요법이 권장된다. 그러나 수술 후 보조항암화학요법을 시행한 군의 생존기간 향상 보고도 있어 적절히 계획된 임상연구가 필요한 상태이다.

고식적 목적(palliative) 항암치료제: 원격전이가 있거나, 수술이나 항암방사선치료가 불가능한 경우 고식적 목적의 항암치료를 시행할 수 있다. 현재 가장 많이 사용하고 있는 세포독성 항암치료제의 경우 대략 20~30%의 항암치료반응률을 보여주며, 중앙생존기간

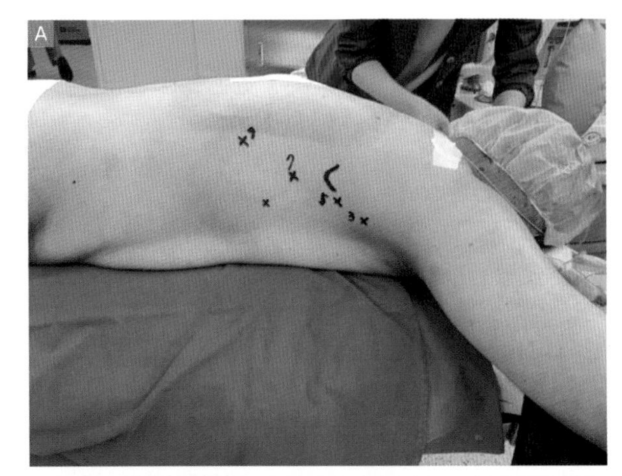

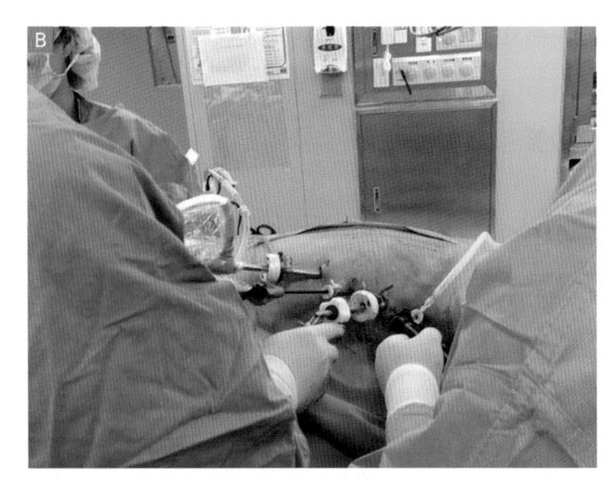

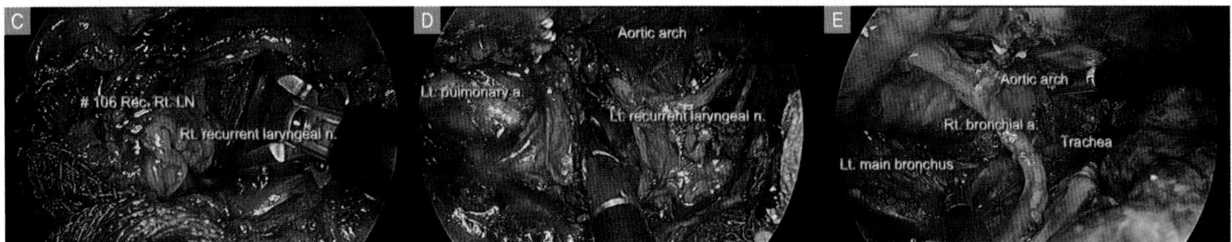

그림 56-5 **Minimally invasive mediastinal lymph node dissection in prone position.**
A. Prone position with marking on the trocar site.
B. Surgical view of thoracoscopic mediastinal lymph node dissection.
C. Upper mediastinal lymph node dissection (around Rt. recurrent laryngeal nerve).
D. Upper mediastinal lymph node dissection (around Lt. recurrent laryngeal nerve).
E. Operative view after minimally invasive mediastinal lymph node dissection.

은 약 7~10개월 정도로 보고하고 있다. 최근 이러한 세포독성항암치료제의 한계를 넘어서기 위해, 표적치료제 및 면역항암제를 사용한 연구가 활발히 진행되고 있다.

① 세포독성 항암치료제

1970년대 이후 현재까지 여러 세포독성 항암제가 수술 불가능한 또는 전이성 식도의 편평상피암의 치료에 사용되고 있다. 단일제제로서 항암효과를 보여주었던 블레오마이신(bleomycin), 탁센 계열 항암제(docetaxel, paclitaxel), 이리노테칸(irinotecan), 시스플라틴(cisplatin)이 가장 중요한 항암제이다.

블레오마이신의 경우 몇몇 연구에서 항암효과를 보여주었으나, 이후 진행되었던 블레오마이신과 보존적 치료(best supportive care)를 비교한 무작위 배정 연구에서 유의미한 생존율 향상을 보여주지 못하면서 현재는 잘 사용하지 않는다.

도세탁셀(docetaxel)의 경우 절반 이상이 플래티넘 항암치료에 노출되었던 전이성 식도암 환자를 대상으로 한 2상 임상연구에서, 단일제제로서는 20%의 부분반응률을 보여주었다. 또 다른 탁센 계열의 약물인 파클리탁셀(paclitaxel)의 경우에도 전이성 식도의 편평상피암 환자를 대상으로 한 2상 임상연구에서 28%의 부분 반응을 보여주어, 단일 제제로서 탁센 계열의 약들이 식도암에 효과적인 항암제임을 확인할 수 있었다.

시스플라틴(cisplatin)의 경우 식도암뿐 아니라 고형암 항암치료에 가장 많이 사용되는 약 중의 하나이다. 시스플라틴은 식도암에서 단일 또는 다른 약물과의 병합용법으로 여러 연구가 진행되었는데, 단일용법으로 사용하였을 경우 약 25~26%의 반응률을 보여주었다. 이러한 연구결과를 바탕으로 국소진행성 또는 전이성 식도의 편평상피암 환자 92명을 대상으로, 시스플라틴과 5-FU 병합용법을 시스플라틴 단일용법과 비교하는 무작위 2상 연구가 진행되었다. 생존 기간은 두 군(시스플라틴 + 5FU병합용법군 33주, 시스플라틴 단일용법군 28주) 간에 유의한 차이를 보여주지는 못하였지만 반응률에 있어서는 시스플라틴 + 5FU병합용법군이 35%, 시스플라틴 단일용법군이 19%으로 병합치료로 약제 반응률을 35%까지 올릴 수 있음을 보여주었다. 비슷한 연구로 일본에서 진행된 JCOG9407 연구는, 시스플라틴(20 mg/m^2)과 5-FU(800 mg/m^2)를 5일 동안 연속해서 주입하고, 4주 간격으로 반복하는 2상 임상연구이다. 해당 연구를 통해 33%의 반응률과 함께 약 29주의 중앙 생존기간(1년 생존율 28%)을 보여주었다. 이상의 연구결과를 바탕으로 식도암에서 가장 효과적인 항암용법으로 시스플라틴과 5-FU의 병합용법이 표준치료로 자리 잡게 되었다.

이리노테칸(irinotecan)은 다른 약제에 비해 비교적 최근에 수술 불가능한 전이성 식도의 편평상피암에서 연구가 된 약이다. 단일용법보다는 병합용법으로 주로 연구가 되었는데 우리나라에서 시행된 2개의 2상 임상연구에서 기존에 항암치료를 받지 않았던 전이성 식도의 편평상피암 환자에서 이리노테칸과 시스플라틴을 병합하여 사용하였을 때 약 30%의 반응률과 4.4개월의 무진행 생존기간, 약 9~10개월의 중앙생존기간을 보여주어, 이리노테칸과 시스플라틴의 병합용법이 전이성 식도암의 항암용법 중 하나가 될 수 있음을 보여주었다. 표준치료로서 시스플라틴과 5-FU의 병합용법에, 단일용법으로 효과적인 탁센(도세탁셀)을 추가한 3제용법(DCF 용법)으로 치료 성적을 높이려는 노력은 두경부암에서부터 시작되었다. 해당 연구결과를 바탕으로 식도의 편평상피암에서도 여러 연구그룹에서 시스플라틴과 5-FU의 병합용법에 도세탁셀을 추가한 3제용법의 효과와 안전성을 연구하였다. 일본에서 진행성 식도의 편평상피암에 대한 2상 임상연구에서, 30명 또는 29명을 대상으로 34.5%에서 72%까지의 반응률과 약 10.5개월의 생존기간을 보고하여, 식도암에서도 3제요법이 견딜 수 있는 항암치료이면서, 향후 식도암의 향상된 치료법으로 발전할 가능성을 보여주었다. 이러한 결과를 바탕으로 DCF 3제용법을 시스플라틴과 5-FU의 병합 표준용법과 비교하는 3상 임상연구가 현재 진행중이다.

② 표적치료제

세포독성 항암치료제를 기반으로 한 진행성 또는 전이성 식도의 편평상피암의 치료는 위에서 확인할 수 있듯이 그 효과가 제한적이다. 최근 개발된 표적치료제를 기존 세포독성 항암치료제에 병합하여 성적을 향상시키려는 노력이 계속되고 있다. 예를 들면, 신생혈관억제제인 베바시주맙(bevacizumab)을 수술 전 시스플라틴과 5-FU의 병합용법에 병합하려는 시도가 있었으나 기존 용법에 비해 성적향상을 보여주지 못하였다. 기존 항암화학치료에 실패한 식도암 환자(전체 환자 중 25%가 편평상피세포암 환자였음)에서 EGFR 티로신활성효소수용체 억제제인 제피티닙(gefitinib)과 보존적 치료를 비교한 3상 연구에서도, 보존적 치료에 비해 제피티닙이 유의한 생존율 향상을 보여주지 못하였다.

③ 면역항암제

면역관문억제제(immune checkpoint blockade)는 흑색종, 비소세포폐암, 그리고 신세포암 등 다양한 암종들의 치료의 패러다임의 변화를 가져왔다. 이러한 치료의 성공은 당연히 다른 암종으로 관심이 넓어지게 되는 계기가 되었다. 몇몇 작은 연구가 식도의 편평상피암에서 면역억제신호(immune inhibitory signals)를 확인하였다. 각각 41명과 106명의 식도의 편평상피암에서

PD-1 (programmed cell death-1) 단백질의 리간드인 PD-L1 그리고 PD-L2의 발현율이 43.9% 와 59.4% 정도로 보고되었고, 이러한 PD-L1 또는 PD-L2의 발현이 높은 암일수록 예후가 좋지 않았다.

진행성 또는 전이성 식도의 편평상피암에 좀 더 효과적인 치료제를 원하는 요구와 식도의 편평상피암의 뚜렷한 면역학적 특징 때문에 면역관문억제제에 대한 연구도 활발하게 진행되었다. 이미 비소세포폐암의 편평상피암과 두경부 편평상피암에서는 면역관문억제제인 니볼루맙(nivolumab)이 기존의 표준항암치료를 비교한 3상 임상연구에서 니볼루맙이 표준항암치료에 비해 유의한 생존율의 향상을 보여주었다. 식도의 편평상피암의 경우, 면역관문억제제의 효과를 보기 위한 무작위 배정 연구가 없지만 일본에서 기존에 5-FU, 플래티넘, 탁센에 모두 노출되었던 환자 65명의 식도의 편평상피암 환자를 대상으로 단일군 2상 임상연구가 시행되었다. 연구결과 17%에서 객관적 반응률을 보여주었고, 42%의 질병조절률, 중앙무진행 생존기간 1.5개월, 중앙생존기간 10.8개월의 고무적인 성적을 발표하여 식도의 편평상피암에서도 면역항암치료가 중요한 치료 옵션이 될 수 있음을 보여주었다. 하지만 아직 어떠한 환자에서 해당 약제가 잘 반응하는지에 대한 바이오마커(predictive biomarker)가 확립되지 않아 이에 대한 추가적인 연구가 필요한 실정이다. 또 다른 면역관문억제제인 펨브로리주맙(pembrolizumab)의 경우 진행성 고형암을 대상으로 한 Keynote-028의 식도암 코호트 분석에서 펨브로리주맙을 투여받은 식도의 편평상피암 환자 중 28%에서 객관적인 반응률을 보여주었으며 약 15개월 동안 반응이 유지되는 한편 중앙생존기간이 7.0개월임을 보고하였다. 이러한 초기 임상연구결과를 바탕으로 진행성 식도의 편평상피암에서 기존 세포 독성 항암제와 비교하는 3상 임상연구가 진행되고 있어서 이에 대한 결과를 기다려 볼 필요가 있다.

(5) 방사선치료

방사선치료는 과거 수술치료를 시행하기 어려운 환자들에서 수술 대신, 또는 증상 완화 목적으로 사용되기도 하였으나 그 성적은 매우 저조하여 수술이 가능한 환자에서 일차적인 치료로 권장되기는 어려웠다. 그러나 항암화학요법과 병용 시 국소완치율 및 생존율이 크게 향상되면서 수술에 근접한 결과를 보이는 여러 임상연구들이 발표되었고, 그 적용범위가 크게 넓어지고 다변화되면서 현재는 화학방사선치료가 표준적인 치료의 하나로 사용되고 있다. 이런 화학방사선치료는 조기식도암이지만 환자의 전신상태가 수술을 감당하기 어려운 경우 수술 대신 사용되기도 하며, 국소진행된 식도암에서는 수술 전에 선행요법으로 사용하여 완전절제율을 높이고 생존율을 향상시키는 역할을 하는 것이 입증되어 점차 화학방사선치료 후 수술을 시행하는 다학제적치료(multidisciplinary treatment)가 표준치료로 자리 잡아가고 있다. 초기암으로 수술을 먼저 시행한 후 병리조직 소견상 위험인자가 발견되는 경우에도 수술 후 방사선치료를 시행하여 국소재발을 낮추고 생존율을 향상시킨다는 보고가 꾸준히 이어지고 있다. 따라서 식도암에서 방사선치료의 역할은 크게 조기암에서 근치적 목적으로 사용되거나, 국소진행암에서 수술 전후 보조적치료(adjuvant treatment)로 사용되고, 진행성암으로 완치를 기대할 수 없는 경우 고식적 치료(palliative treatment)로 사용되며 각각의 내용은 다음과 같다.

① 근치적 화학방사선치료

50 Gy 내외의 중선량방사선과 항암화학요법의 병용이 60 Gy 이상의 고선량방사선 단독치료보다 국소완치율 및 생존율에서 월등한 성적을 나타낸 RTOG 8501 연구 발표 이후 방사선치료 단독 사용은 과거와 비교해 크게 줄었으나 항암화학치료를 사용할 수 없는 일부 환자에서는 단독으로 사용되기도 한다. 과거 식도 내로 방사선동위원소를 직접 삽입하는 강내근접방사선

치료(intraluminal brachytherapy)도 사용되었으나 국소재발을 줄이는 효과가 있는 반면 치료에 따른 식도협착 및 누공 발생 등의 부작용이 발생할 수 있어 그 사용이 점차 줄어드는 추세라 할 수 있다. 따라서 최근에는 근치적 방사선치료라는 용어가 방사선단독치료보다는 항암화학요법과의 병행치료를 의미하는 경우가 많아졌기에 근치적 화학방사선치료라고 하는 것이 보다 정확한 표현이라고 할 수 있다.

cT1b~T2N0 조기 식도암의 경우 수술을 시행하는 것이 우선적으로 권장되지만 환자의 전신상태가 수술을 시행하기에 적합하지 않거나 수술을 거부하는 경우 근치적 화학방사선치료가 대안으로 사용될 수 있다. cT4의 진행성 병변인 경우는 수술적 절제가 불가하므로 근치적 화학방사선치료가 일차적인 치료방법으로 권장된다.

② 수술 전 화학방사선치료

2000년대 초반까지 발표된 중소규모의 무작위 3상임상연구들에서는 수술 전에 화학방사선치료를 시행한 경우 국소재발은 향상되는 경향을 보였으나 생존율이 증가되지 못해 뚜렷한 역할을 보이지 못하였고, Walsh 등의 Irish trial 및 Tepper 등의 CALGB trial에서만 의미있는 생존율 향상이 있었으나 수술단독치료군의 성적이 워낙 저조하거나 등록된 환자 수가 적어 큰 의미를 부여 받지는 못했다. 그러나 2012년 발표된 CROSS trial은 비교적 많은 수의 환자를 등록하여 분석한 결과 과거 연구들과는 달리 통계적으로 의미 있는 생존율 향상을 보고하여 수술 전 화학방사선치료가 표준적인 치료방법으로 자리 잡는 데 결정적인 역할을 하였고, 이후 2018년 발표된 NEOCRETEC trial은 동양인에서 주로 발생하는 편평상피세포암만을 대상으로 비교연구를 진행하여 CROSS trial과 마찬가지로 통계적으로 의미 있는 생존율 향상을 보고함으로써 서양인에서 발생하는 선세포암을 대상으로 한 연구결과가 동양인에 호발하는 편평상피세포암에서도 같은 효과를 나타냄을 증명하였다. 두 연구에서 관찰된 화학방사선치료의 역할은 병기저하를 유도하여 수술적 완전절제 가능성을 높였고, 국소재발 감소 및 생존율의 향상을 가져왔다는 점이다. 또한 두 연구 모두 수술 전에 화학방사선치료를 시행함에 따른 심각한 부작용이 증가하지 않음을 보고하여 이 치료가 환자들에게 안전하게 권할 수 있는 치료임을 밝힌 바 있다. 수술 전 치료에 대해 좋은 반응을 보인 환자의 경우 추후 수술을 시행하지 않아도 수술을 시행한 환자군과 대등한 생존율을 보인다는 일부 보고들도 있으나 수술을 시행하지 않은 환자의 50% 정도의 환자에서 국소재발을 보이고, 무병생존율 및 생존율도 수술을 시행한 환자군에서 월등히 좋다는 보고들도 있어 아직은 표준적인 치료로 인정되고 있지는 않다.

일본에서는 화학방사선치료 대신 항암화학요법만을 수술 전 표준치료로 인정하고 있는데 이는 일본 내에서 이루어진 일련의 JCOG trial들의 결과에 기반한 것으로 국제적인 표준치료로 인정되고 있지는 않은 상태이지만, 현재 JCOG에서 항암화학치료와 화학방사선치료를 비교하는 연구가 진행되고 있어 향후 두 가지 수술 전 치료 중 어느 것이 더 우월한지에 대한 답을 얻을 수 있을 전망이다. 과거 발표된 연구들을 종합하여 분석한 메타연구 결과들을 보면 수술 전 화학방사선치료는 편평상피세포암과 선세포암 모두에서 의미 있는 생존율 향상을 보인 반면 항암화학치료는 선세포암에서는 효과가 뚜렷하지만 편평상피세포암에서는 그 효과가 분명하다고 단정하기는 어려운 상태이다(표 56-10).

③ 수술 후 방사선치료

수술 전 화학방사선치료는 활발한 연구를 통해 표준치료로 자리를 잡아가고 있는 반면 수술 후 방사선치료는 상대적으로 대규모 3상 연구가 부족한 편이다. 그러나 중국을 중심으로 꾸준히 발표되고 있는 결과들을 관찰해 보면 수술 후 방사선치료가 어떤 환자군에서 효과를 보이는지 알 수 있다. 초기암에 대해 수술로 완전

표 56-10. **수술 전 화학방사선치료와 수술 단독치료군을 비교한 3상 임상연구들의 결과**

저자	연도	치료군	환자수	절제율	pCR (%)	중앙생존값(월)	3년 생존율	p-value
Apinop	1994	CRT+S	35	74	20	9.7	26	0.4
		S	34	100		7.4	20	
LePrise	1994	CRT+S	41				47 (1년)	-
		S	45				47 (1년)	
Walsh (Irish)	1996	CRT+S	58	90	22	16	32	0.01
		S	55	100		11	6	
Bosset	1997	CRT+S	143	78	26	19	36	0.8
		S	139	68		19	34	
Walsh (Irish)	1999	CRT+S	46	46	30		36 (5년)	0.017
		S	52	52			11 (5년)	
Urba (Michigan U.)	2001	CRT+S	50		28	17	32	0.15
		S	50			18	15	
Burmeister (TROG)	2005	CRT+S	128	82	16	22	36	0.57
		S	128	86		19	33	
Tepper (CALGB)	2008	CRT+S	30		40	54	39 (5년)	0.002
		S	26			22	16 (5년)	
Hagen (CROSS)	2012	CRT+S	178	92	29	49	58	0.003
		S	188	69		24	45	
Yang (NEOCRETEC)	2018	CRT+S	224	98	43	100	69	0.025
		S	227	91		67	59	

CRT+S, pCR 등.

절제가 이루어진 경우라면 수술 후 보조치료인 방사선치료는 그 역할이 미미하지만 국소진행된 병변의 경우, 특히 3기 식도암이나 pT3~T4 병변, 또는 인접림프절전이나 절제면에서 암세포가 확인된 경우는 수술 후 방사선치료를 시행하여 생존율이 향상됨을 보고하고 있다. 한 가지 특이한 점은 중국에서 발표된 연구결과들은 대부분 항암화학치료 없이 방사선 단독으로 치료했다는 점인데 이는 표준적인 치료가 정립되기 전 국가별 상황에 맞게 시행된 치료이므로 잘못되었다고 할 수 없으며 오히려 항암화학치료의 효과를 제외한 방사선치료만의 효과를 보여준 것이므로 방사선의 역할을 확인하는데 오히려 도움이 된 측면도 있다.

④ 고식적 방사선치료

이미 수술이나 근치적 치료의 시기를 지난 식도암 환자의 경우 가장 문제가 되는 것은 연하곤란으로 인한 영양섭취의 부족인데 식도에 대해 고식적 방사선치료를 시행하는 경우 약 70~80%에서 증상이 호전된다. 치료 후반부 방사선에 의한 식도염으로 인해 일시적인 증상 악화가 발생할 수 있으나 치료종료 후 대개 해소되므로 큰 문제가 되지는 않는다. 식도 이외의 장기로 전이가 되어 증상이 발생하는 경우에도 방사선치료는 국소증상을 완화하기 위한 목적으로 사용되며 역시 70~80%의 환자에서 증상호전을 보이고 있다.

⑤ **방사선치료의 방법**

방사선치료의 범위는 통상 원발병소와 주변 림프절을 포함하여 상하 약 3~5 cm, 방사 방향으로 약 0.5~1 cm 정도의 여유 범위를 두고 시행되며, 주변 림프절로의 전이 가능성이 높은 상부식도암의 경우 양측쇄골상림프절 부위를 포함하고 하부식도암의 경우 복강동맥주변 림프절을 포함시키기도 한다. 방사선량은 수술 전후의 보조적인 치료인 경우 회당 1.8~2 Gy씩 총 40~50 Gy, 근치적 목적인 경우 총 50 Gy 정도를 조사한다.

방사선량을 높일수록 국소완치율이 높아질 것으로 기대할 수 있으나 RTOG에서 시행된 일련의 연구결과로는 항암제와 함께 사용 시 50 Gy를 초과하여 투여하여도 치료효과의 상승 없이 부작용만 증가되어 현재로서는 50 Gy가 표준선량으로 사용되고 있다. 치료 도중 방사선으로 인한 식도염이 발생할 수 있어 이 시기에 환자의 영양섭취에 주의를 기울여야 하며 대개 치료 종료 후 2주 정도 경과하면 회복되는 경우가 대부분이다. 그러나 수술 후 문합 부위나 범위가 넓은 원발병소 부위가 방사선치료 범위에 포함되는 경우 치료 후 식도협착이 발생할 수도 있다. 식도와 인접한 폐와 심장의 일부 범위에서 방사선폐렴이나 심근경색 등이 발생할 수 있으나 최근 널리 시행하는 3차원 입체조형방사선치료나 세기변조방사선치료 등으로 방사선치료 범위에 포함되는 폐와 심장의 체적을 최소화하기에 대개는 영상으로 확인되는 정도에 그치거나 자각증상 없이 지나가며 임상적으로 치료가 필요한 상황이 발생하는 경우는 드물다.

7) 예후

식도암은 예후가 나쁜 암으로 30일 생존율은 98%, 1년 생존율은 77%, 5년 생존율 39%, 10년 생존율 27% 정도이다. 조직아형에 따라 차이가 있으나 조기 사망률이 높고, 이 이후 1년에 7% 정도로 사망률이 증가한다. American Joint Committee on Cancer (AJCC) 8판에 의하면 조직학적 아형과 분화도에 따라 예후에 차이가 있다. 종양의 침윤 정도에 따라 예후가 달라져 T1암의 경우 5년 생존율이 65~75% 정도이나 T4는 20% 정도로 낮아진다. 림프절 전이가 없는 경우 5년 생존율은 55~70% 정도이나, N3 전이인 경우 10% 이하로 낮아진다.

내시경치료의 적응증이 되는(T1a) 조기 식도암의 경우 수술절제술과 내시경절제술은 효과가 비슷하며 모두 예후가 양호하여 5년 생존율이 95% 내외이므로 조기 병변을 발견하려는 노력이 중요하다. 식도편평상피암의 경우, 절제 가능한 진행 식도암은 수술과 함께 보조항암화학요법을 받으며 위험대비 혜택(risk-benefit)을 고려하여 치료를 결정하고, 수술이 어려운 경우 근치적 항암화학요법도 생존율 향상을 보인다.

2. 식도의 양성종양

1) 개요

식도의 양성종양은 악성종양에 비해 드물어 전체 식도종양의 10% 미만을 차지한다. 일반적으로 상부위장관 내시경을 시행하는 동안 우연히 관찰되는 경우가 많으며, 악성화는 드물다. 발생하는 기원에 따라 상피종양(epithelial tumor)과 상피하종양(subepithelial tumor)으로 분류할 수 있다(표 56-11). 식도의 양성 종양의 대부분은 상피하종양이며, 이 중 평활근종이 제일 흔하다.

2) 임상증상

대개 크기가 작고 증상이 없어서 우연히 발견되지만, 크기가 큰 경우에는 종양의 위치에 따라 다양한 증상들이 나타난다. 출혈, 협착, 흉통, 연하곤란을 초래할 수 있다.

표 56-11. **식도의 양성종양**

상피종양
유두종
샘종
비상피종양, 상피하종양
평활근종
위장관기질종양(gastrointestinal stromal tumor)
과립세포종양
낭성종양
기관지기원낭(bronchogenic cyst)
중복낭종(duplication cyst)
림프관종
섬유혈관폴립
염증성섬유성폴립
지방종
혈관종

3) 진단

(1) 흉부방사선검사

대부분의 경우 특이 소견이 발견되지 않으나 종양이 상당히 크거나 평활근종에 석회가 침착된 경우에 종격동에 석회화를 보여 드물게 식도종양을 의심할 수 있다.

(2) 식도조영술

대개 정상적인 식도 양상과 달리 충만결손, 연동운동의 부분적 소실, 종양의 움직임을 관찰할 수 있다. 종양이 발생한 부위의 점막이 비정상적이며 반대편 식도점막은 정상으로 나타나는 소견도 관찰할 수 있다. 식도내강 및 상피종양과는 달리 상피하종양의 경우 이러한 소견이 잘 나타나지 않는다. 표면이 부드럽고 경계가 명확하며 전체를 둘러싸지 않은 종양으로 나타난다. 종양이 커서 내시경의 진입이 어려운 경우, 식도조영술을 통해 병변의 위치, 크기, 상태를 유추하는 데 유용할 수 있다.

(3) 내시경

내시경검사에서 식도의 종양을 발견하면 크기, 모양, 이동성, 경도, 색조를 잘 관찰해야 한다. 벽외압박에 의한 경우에는 공기를 흡입하거나 송출함으로써 종양의 변화하는 양상이 감별에 도움을 준다. 낭성 병변은 다소 투명하게 관찰되며, 지방종은 노란 색조를 띠며, 혈관성 병변은 정맥류처럼 푸르스름한 색조를 보인다. 내시경검사의 가장 큰 장점은 조직을 얻을 수 있다는 점이다. 상피종양이 의심되는 경우와 상피하병변이라도 표면 궤양으로 인해 병변의 내부가 노출된 경우에는 조직검사를 시행해야 한다.

(4) 내시경초음파

내시경초음파검사는 상피하종양과 벽외압박을 가장 정확히 구별할 수 있으며 상피하종양의 크기, 기원 층, 에코 양상, 내부 성상, 변연, 주위의 림프절 종대 등을 관찰하여 병변을 감별할 수 있는 가장 정확한 진단법이다. 또한 추가적 검사의 필요성이나 치료방침을 결정하는 데 도움이 된다. 위장관벽은 내시경초음파 영상으로 5층으로 구분되는데 조직학적으로 점막층과 점막근층, 점막하층, 고유근층, 장막층의 구분과 대개 일치하여 병변의 기원층을 파악하는 데 매우 유용하다. 점막근층에서 기원한 평활근종이 있으며, 점막하층에서 기원한 상피하종양은 낭종, 림프관종, 염증성섬유성폴립, 지방종, 섬유종 등이 있고, 고유근층에서 원발한 상피하종양에는 평활근종, 위장관기질종양 등이 있다. 병변의 에코양상은 주위의 정상 장기의 에코와 비교하여 고에코, 동일에코, 저에코, 무에코로 구별되어서 병리 조직학적 진단을 유추할 수 있는데, 무에코를 보이는 경우는 낭종, 림프관종, 혈관성 병변, 저에코를 보이는 경우는 위장관기질종양, 평활근종, 신경내분비종양, 섬유종, 림프종 등이 있으며 고에코를 보이는 경우는 지방종이 있다.

(5) 다른 영상진단법

복부초음파검사, 전산화단층촬영, 자기공명영상, 양성자단층촬영 등이 있다. 이들 검사법으로는 위장관벽을 관찰하기 어렵기 때문에 상피하종양의 기원층을 관찰하는 데 유용하지 않으며, 벽외 압박, 큰 지방종의 진단, 악성 위장관기질종양의 전이 유무를 진단하는 데 도움이 된다.

4) 종류

(1) 유두종

유두종은 드문 양성 상피성종양으로 조직검사에서 수적으로 증가한 편평세포들에 의해 둘러싸인 손가락 모양의 잎사귀형 구조물로 특징된다. 드물게 다발성 병변으로 관찰되기도 한다. 다양한 염증성 상태 또는 사람유두종 바이러스가 식도유두종의 병인과 관련 있는 것으로 보인다. 내시경검사에서는 작고, 흰색의, 표면이 울퉁불퉁한 사마귀 형태의 융기형 병변으로 관찰된다(그림 56-6). 유두종과 조기편평세포암의 구별이 어려운 경우가 많아, 유두종이 의심될 경우 조직검사를 시행해야 한다.

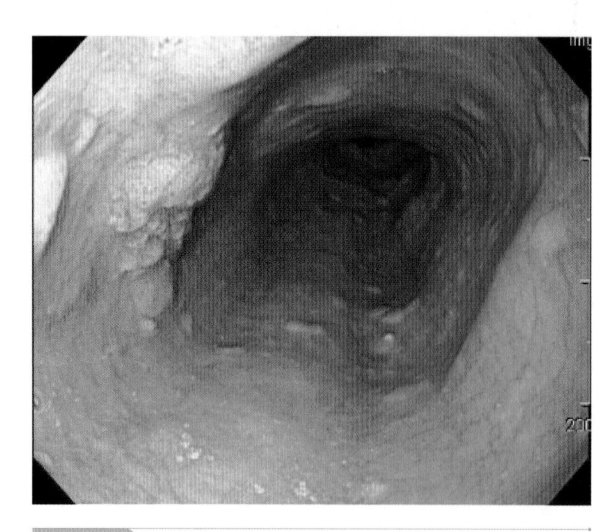

그림 56-6 **식도 유두종.**
중부식도의 9시 방향에 약 8 mm 크기의 희고 표면이 불규칙한 융기형 병변이 관찰된다. 조직검사에서 유두종으로 진단되었다.

(2) 평활근종

평활근종은 식도에서 가장 흔하게 관찰되는 상피하종양이다. 점막근층 또는 고유근층에서 기원하며 분화된 평활근세포로 구성되어 있다. 매우 천천히 자라므로 악성 가능성은 매우 드물며, 대개 원위 또는 중부식도에서 관찰된다. 80%는 고유근층에서 기원하며, 13%는 환

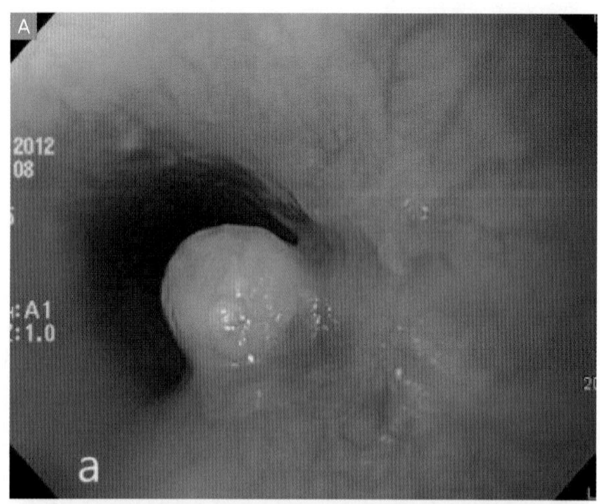

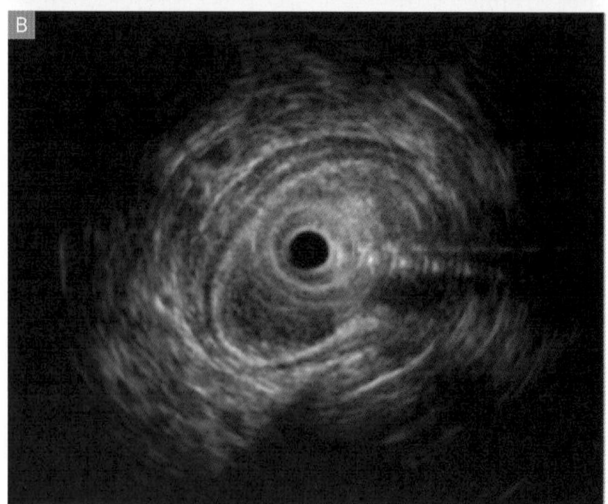

그림 56-7 **식도 평활근종.**
A. 중부식도에 약 8 mm 크기의 정상 상피로 둘러싸인 상피하종양이 관찰된다.
B. 내시경초음파에서 2층에서 기원한 균질한 저에코 병변으로 관찰된다.

상으로 발견된다. 내시경초음파 소견은 대부분이 2층 또는 4층에서 기원한 균일한 경계를 갖는 균등한 저에코성 병변이다(그림 56-7 A, B). 증상이 없고 작은 병변이고 내시경초음파에서 림프절 이상 소견이 관찰되지 않으면 내시경 또는 내시경초음파로 1~2년 마다 추적검사를 추천한다. 증상이 있거나, 과거보다 커지거나 악성이 의심될 때는 수술적 절제를 시행한다. 내시경적 절제는 내시경초음파에서 점막근층에서 기원한 것이 확인되고, 2 cm보다 작은 경우 안전하게 시행할 수 있다.

(3) 위장관기질종양

가장 흔하게 관찰되는 위장관 상피하종양으로 전체 종양의 1%를 차지하는 것으로 알려져 있다. 위에서는 가장 흔한 상피하종양이지만, 식도에서는 평활근종보다 적은 빈도로 관찰된다. 내시경초음파 소견은 다른 중간엽 종양과 동일하게 4층인 고유근층에 위치한 저에코의 타원형 병변으로 관찰되지만 때로는 다분엽상 또는 유경성 종양의 형태로도 보일 수 있다. 병변의 변연이 불규칙하고, 내부에 무에코 영역과 고에코 영역을 포함하며 크기가 3 cm 이상인 경우 악성화의 가능성이 높다. 위장관기질종양은 발생하는 기관에 따라 악성화 정도가 다른 것으로 보고되었다. 식도에 발생한 위장관기질종양은 일반적으로 악성이며, 꽤 진행된 상태에서 진단되는 경우가 많으며 나쁜 예후를 보인다.

(4) 과립세포종양

과립세포종양은 Schwann 세포에서 기원한 드문 종양이다. 8%가 소화관에서 관찰되며, 소화관 과립세포종양의 1/3은 식도에서 발생한다(65% 원위부식도, 20% 중부식도, 15% 근위부식도). 대개 발견 당시 무증상으로 양성인 경우가 대부분이나, 악성인 경우(크기가 4 cm 이상, 급격한 크기 증가, 절제 후 재발 소견)도 2~4%를 차지한다. 내시경 소견은 약간 융기되고 하얗거나 노란색의 부드러운 종양으로 관찰된다.

내시경초음파 소견에서 2층 또는 3층에 위치하고 주변과 경계가 잘 지워지는 균일한 저에코성 병변으로 관찰된다(그림 56-8 A, B). 정해진 치료 지침은 없지만, 병변이 1 cm 이하이고 악성화 소견이 관찰되지 않는 경우 1년마다 추적관찰하기를 권고한다. 증상이 있거나, 크기가 2 cm 이상인 경우, 악성화가 의심될 경우 수술을 권유하며, 크기가 2 cm 이하이고 고유근층을 침범하지 않은 경우에는 내시경 절제가 가능한 것으로 보고되었다.

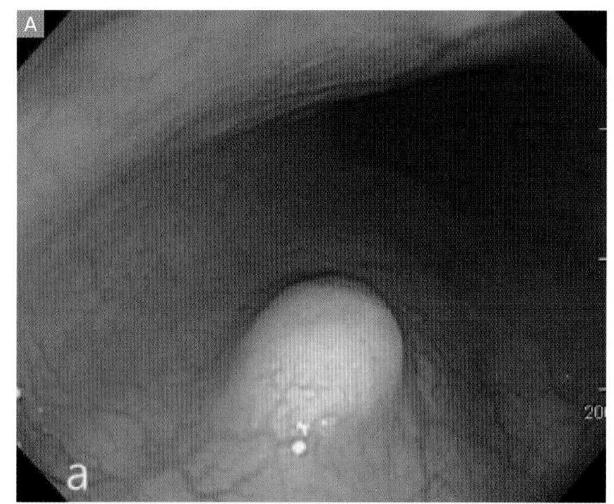

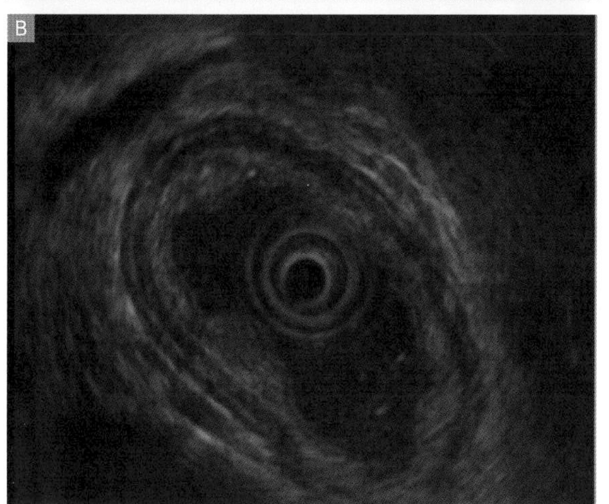

그림 56-8 **과립세포종양.**
A. 중부식도에 약 5 mm 크기의 단단하고 누런색의 병변이 관찰된다.
B. 내시경초음파에서 3층에서 기원한 균질한 저에코 병변으로 관찰된다.

(5) 낭종성 병변

소화관의 낭종성 병변은 중복낭종과 같은 선천성 낭종이나 염증 후 반응으로 발생하기도 한다. 낭종의 전형적인 내시경초음파 소견은 3층에 원형, 혹은 타원형의 무에코 병변이다. 림프관종은 선천적으로 림프계의 국소 확장에 의해 발생한다. 내시경초음파 소견으로는 역시 3층에 무에코의 낭포로 관찰되며 내부에 격막이 있는 경우가 많다. 그러나 이 자체만으로 단순 낭종과의 구별은 어렵다. 중복낭종은 장벽이 장내로 함몰되면서 발생하는 선천적으로 드문 질환이며 대부분은 소아에서 통증과 출혈, 폐쇄 증상 등으로 발현할 수 있다. 중복낭종의 전형적인 내시경초음파 소견으로는 낭종을 둘러싸는 벽구조가 점막층, 점막하층, 고유근층의 2겹 겹침으로 인하여 특징적인 저에코, 고에코, 저에코, 고에코, 저에코의 5층 구조를 관찰할 수 있다.

(6) 지방종

지방종은 위 상피하종양의 1%를 차지하나, 결장에서도 흔하게 관찰되며, 위장관 어디에도 발생할 수 있다. 내시경 소견에서 부드러워 보이며 황색조를 띠고, pillow sign이 관찰될 경우에는 어느 정도 진단이 가능하다. 그러나 내시경으로 진단이 불명확한 경우 내시경초음파검사에서 3층 내에 경계가 뚜렷한 균일한 경계의 균일한 고에코의 종양으로 관찰되어 비교적 쉽게 진단이 가능하다(그림 56-9 A, B).

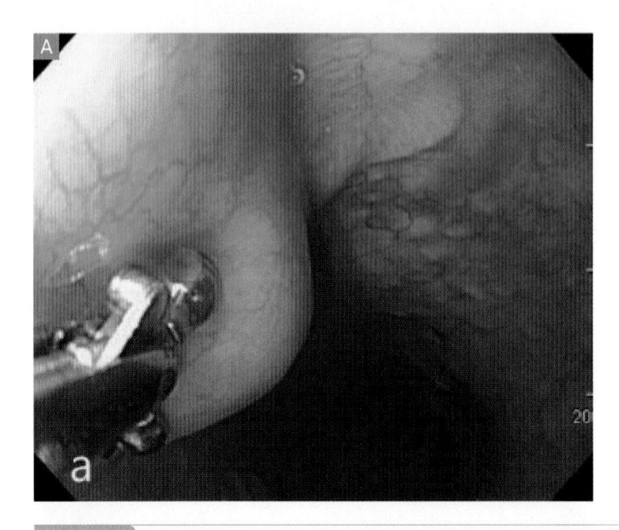

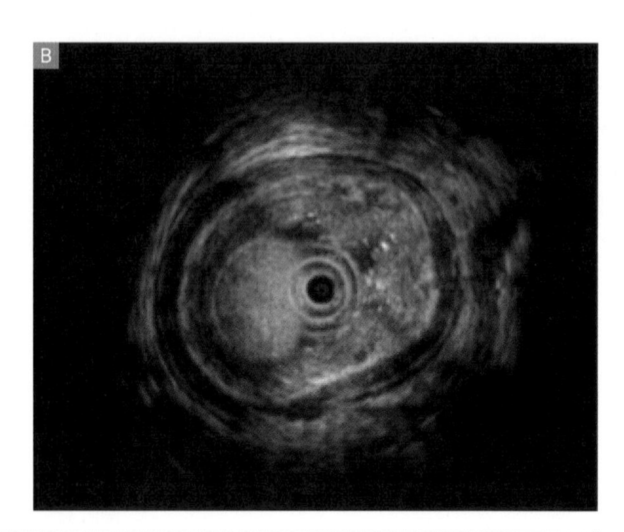

그림 56-9 **지방종.**
A. 상부식도에 약 1 cm 크기의 노란색의 부드러운 상피하종양이 관찰된다.
B. 내시경초음파에서 3층에서 기원한 균질한 고에코 병변으로 관찰된다.

참고문헌

1. Ajani JA, D'Amico TA, Almhanna K, Bentrem DJ, Besh S, Chao J, et al. Esophageal and esophagogastric junction cancers, version 1.2015. J Natl Compr Canc Netw 2015;13:194-227.
2. Ajani JA, Ilson DH, Daugherty K, Pazdur R, Lynch PM, Kelsen DP. Activity of taxol in patients with squamous cell carcinoma and adenocarcinoma of the esophagus. J Natl Cancer Inst 1994;86:1086-1091.
3. Akiyama H, Tsurumaru M, Ono Y, Udagawa H, Kajiyama Y. Esophagectomy without thoracotomy with vagal preservation. J Am Coll Surg 1994;178:83-85.
4. Amin MB, American Joint Committee on Cancer, American Cancer Society. Esophagus and Esophagogastric Junction. In: Amin MB, American Joint Committee on Cancer, American Cancer Society, eds. AJCC cancer staging manual. 8th ed. Chicago: Springer, 2017:185-202.
5. Ando N, Iizuka T, Ide H, Ishida K, Shinoda M, Nishimaki T, et al. Surgery plus chemotherapy compared with surgery alone for localized squamous cell carcinoma of the thoracic esophagus: a Japan Clinical Oncology Group Study-JCOG9204. J Clin Oncol 2003; 21:4592-4596.
6. Bashash M, Shah A, Hislop G, et al. Incidence and survival for gastric and esophageal cancer diagnosed in British Columbia, 1990 to 1999. Can J Gastroenterol 2008;22:143-148.
7. Biere SS, van Berge Henegouwen MI, Maas KW, Bonavina L, Rosman C, Garcia JR, et al. Minimally invasive versus open oesophagectomy for patients with oesophageal cancer: a multicentre, open-label, randomised controlled trial. Lancet 2012;379:1887-1892.
8. Bleiberg H, Conroy T, Paillot B, Lacave AJ, Blijham G, Jacob JH, et al. Randomised phase II study of cisplatin and 5-fluorouracil (5-FU) versus cisplatin alone in advanced squamous cell oesophageal cancer. Eur J Cancer 1997;33:1216-1220.
9. Bosman FT, World Health Organization, International Agency for Research on Cancer. Tumours of the oesophagus. In: Bosman FT, World Health Organization, International Agency for Research on Cancer, eds. WHO classification of tumours of the digestive system. 4th ed. Lyon: International Agency for Research on Cancer 2010:16-24.
10. Brahmer J, Reckamp KL, Baas P, Crino L, Eberhardt WE, Poddubskaya E, et al. Nivolumab versus Docetaxel in Advanced Squamous-Cell Non-Small-Cell Lung Cancer. N Engl J Med 2015;373:123-135.
11. Chak A, Canto MI, Rosch T, et al. Endosonographic differentiation of benign and malignant stromal cell tumors. Gastrointest Endosc 1997;45:468-473.
12. Chak A. EUS in submucosal tumors. Gastrointest Endosc 2002;56:43-48.
13. Chan KKW, Saluja R, Delos Santos K, Lien K, Shah K, Cramarossa G, et al. Neoadjuvant treatments for locally advanced, resectable esophageal cancer: a network meta-analysis. Int J Cancer 2018;143:430-437.
14. Cooper JS, Guo MD, Macdonald AH, et al. Chemoradiotherapy of locally advanced esophageal cancer. Long-term follow-up of a prospective randomized trial (RTOG 85-01). JAMA 1999;281:1623-1627.
15. Cuesta MA, van der Peet DL, Gisbertz SS, Straatman J. Mediastinal lymphadenectomy for esophageal cancer: Differences between two countries, Japan and the Netherlands. Ann Gastroenterol Surg 2018;2:176-181.
16. Doi T, Piha-Paul SA, Jalal SI, Saraf S, Lunceford J, Koshiji M, et al. Safety and antitumor activity of the anti-programmed death-1 antibody pembrolizumab in patients with advanced esophageal carcinoma. J Clin Oncol 2018;36:61-67.
17. Dutton SJ, Ferry DR, Blazeby JM, Abbas H, Dahle-Smith A, Mansoor W, et al. Gefitinib for oesophageal cancer progressing after chemotherapy (COG): a

phase 3, multicentre, double-blind, placebo-controlled randomised trial. Lancet Oncol 2014;15:894-904.

18. Engstrom PF, Lavin PT, Klaassen DJ. Phase II evaluation of mitomycin and cisplatin in advanced esophageal carcinoma. Cancer Treat Rep 1983;67:713-715.
19. Esophagus JESJ. Japanese classification of esophageal cancer, 10th edition: part I. Esophagus 2009;6:1-25.
20. Ferlay J, Soerjomataram I, Dikshit R, et al. Cancer incidence and mortality worldwide: sources, methods and major patterns in GLOBOCAN 2012. Int J Cancer 2015;136:359-386.
21. Ferris RL, Blumenschein G, Jr., Fayette J, Guigay J, Colevas AD, et al. Nivolumab for recurrent squamous-cell carcinoma of the head and neck. N Engl J Med 2016;375:1856-1867.
22. Hatch GF 3rd, Wertheimer-Hatch L, Hatch KF, et al. Tumors of the esophagus. World J Surg 2000;24:401-411.
23. Hayashi K, Ando N, Watanabe H, Ide H, Nagai K, Aoyama N, et al. Phase II evaluation of protracted infusion of cisplatin and 5-fluorouracil in advanced squamous cell carcinoma of the esophagus: a Japan Esophageal Oncology Group (JEOG) Trial (JCOG9407). Jpn J Clin Oncol 2001;31:419-423.
24. Hwang JH, Kimmey MB. The incidental upper gastrointestinal subepithelial mass. Gastroenterology 2004; 126:301-307.
25. Idelevich E, Kashtan H, Klein Y, Buevich V, Baruch NB, Dinerman M, et al. Prospective phase II study of neoadjuvant therapy with cisplatin, 5-fluorouracil, and bevacizumab for locally advanced resectable esophageal cancer. Onkologie 2012;35:427-431.
26. International Conference on Harmonisation of Technical Requirements for Registration of Pharmaceuticals for Human Use. Code of Federal Regulation & ICH Guidelines. https://www.ich.org/home.html: Parexel Barnett, 1996.
27. Kataoka K, Tsushima T, Mizusawa J, Hironaka S, Tsubosa Y, Kii T, et al. A randomized controlled Phase III trial comparing 2-weekly docetaxel combined with cisplatin plus fluorouracil (2-weekly DCF) with cisplatin plus fluorouracil (CF) in patients with metastatic or recurrent esophageal cancer: rationale, design and methods of Japan Clinical Oncology Group study JCOG1314 (MIRACLE study). Jpn J Clin Oncol 2015;45:494-498.
28. Kim M, Keam B, Kim TM, Kim HG, Kim JS, Lee SS, et al. Phase II Study of Irinotecan and Cisplatin Combination Chemotherapy in Metastatic, Unresectable Esophageal Cancer. Cancer Res Treat 2017;49:416-422.
29. Kozarek RA. Endoscopic palliation of esophageal malignancy. Endoscopy 2003;35:9-13.
30. Kudo T, Hamamoto Y, Kato K, Ura T, Kojima T, Tsushima T, et al. Nivolumab treatment for oesophageal squamous-cell carcinoma: an open-label, multicentre, phase 2 trial. Lancet Oncol 2017;18:631-639.
31. Lee DH, Kim HT, Han JY, Lee SY, Yoon SJ, Kim HY, et al. A phase II trial of modified weekly irinotecan and cisplatin for chemotherapy-naive patients with metastatic or recurrent squamous cell carcinoma of the esophagus. Cancer Chemother Pharmacol 2008;61:83-88.
32. Leng C, Li Y, Qin J, Ma J, Liu X, Cui Y, et al. Relationship between expression of PD-L1 and PD-L2 on esophageal squamous cell carcinoma and the antitumor effects of CD8(+) T cells. Oncol Rep 2016;35: 699-708.
33. Lin Y, Totsuka Y, He Y, et al. Epidemiology of esophageal cancer in Japan and China. J Epidemiol 2013;23: 233-242.
34. Mannell A, Becker PJ, Melissas J, Diamantes T. Intubation v. dilatation plus bleomycin in the treatment of advanced oesophageal cancer. The results of a prospective randomized trial. S Afr J Surg 1986;24:15-19.
35. Mellow MH, Pinkas H. Endoscopic laser therapy for malignancies affecting the esophagus and gastroesophageal junction. Analysis of technical and functional

efficacy. Arch Intern Med 1985;145:1443-1446.
36. Muro K, Hamaguchi T, Ohtsu A, Boku N, Chin K, Hyodo I, et al. A phase II study of single-agent docetaxel in patients with metastatic esophageal cancer. Ann Oncol 2004;15:955-959.
37. National Comprehensive Cancer Network: NCCN. Clinical Practice Guidelines in Oncology: Esophageal and Esophagogastric Junction Cancers, Version 2 [Internet]. NCCN; 2018. Available from: https://www.nccn.org/professionals/physician_gls/pdf/esophageal.
38. Noffsinger A. The Neoplastic Esophagus. In: Noffsinger A, ed. Fenoglio-Preiser's gastrointestinal pathology. 4th ed. Philadelphia: Wolters Kluwer, 2017:96-135.
39. Ohigashi Y, Sho M, Yamada Y, Tsurui Y, Hamada K, Ikeda N, et al. Clinical significance of programmed death-1 ligand-1 and programmed death-1 ligand-2 expression in human esophageal cancer. Clin Cancer Res 2005;11:2947-2953.
40. Orringer MB, Marshall B, Chang AC, Lee J, Pickens A, Lau CL. Two thousand transhiatal esophagectomies: changing trends, lessons learned. Ann Surg 2007;246: 363-372.
41. Osaka Y, Shinohara M, Hoshino S, Ogata T, Takagi Y, Tsuchida A, et al. Phase II study of combined chemotherapy with docetaxel, CDDP and 5-FU for highly advanced esophageal cancer. Anticancer Res 2011;31: 633-638.
42. Panettiere FJ, Leichman LP, Tilchen EJ, Chen TT. Chemotherapy for advanced epidermoid carcinoma of the esophagus with single-agent cisplatin: final report on a Southwest Oncology Group study. Cancer Treat Rep 1984;68:1023-1024.
43. Pasquali S, Yim G, Vohra RS, Mocellin S, Nyanhongo D, Marriott P, et al. Survival after neoadjuvant and adjuvant treatments compared to surgery alone for resectable esophageal carcinoma: a network meta-analysis. Ann Surg 2017;265:481-491.
44. Ravry M, Moertel CG, Schutt AJ, Hahn RG, Reitemeier RJ. Treatment of advanced squamous cell carcinoma of the gastrointestinal tract with bleomycin (NSC-125066). Cancer Chemother Rep 1973;57:493-495.
45. Rice TW, Chen LQ, Hofstetter WL, et al. Worldwide Esophageal Cancer Collaboration: pathologic staging data. Dis Esophagus 2016;29:724-733.
46. Sjoquist KM, Burmeister BH, Smithers BM, et al. Survival after neoadjuvant chemotherapy or chemoradiotherapy for resectable oesophageal carcinoma: an updated meta-analysis. Lancet Oncol 2011;12:681-692.
47. Sjoquist KM, Burmeister BH, Smithers BM, Zalcberg JR, Simes RJ, Barbour A, et al. Survival after neoadjuvant chemotherapy or chemoradiotherapy for resectable oesophageal carcinoma: an updated meta-analysis. Lancet Oncol 2011;12:681-692.
48. Straatman J, Van der Wielen N, Cuesta MA, Daams F, Roig Garcia J, Bonavina L, et al. Minimally invasive versus open esophageal resection: three-year follow-up of the previously reported randomized controlled trial: the TIME Trial. Ann Surg 2017;266:232-236.
49. Tamura S, Imano M, Takiuchi H, Kobayashi K, Imamoto H, Miki H, et al. Phase II study of docetaxel, cisplatin and 5-fluorouracil (DCF) for metastatic esophageal cancer (OGSG 0403). Anticancer Res 2012;32: 1403-1408.
50. Tepper J, Krasna MJ, Niedzwiecki D, et al. Phase III trial of trimodality therapy with cisplatin, fluorouracil, radiotherapy, and surgery compared with surgery alone for esophageal cancer: CALGB 9781. J Clin Oncol 2008;26:1086-1092.
51. The CROSS Group. Preoperative chemoradiotherapy for esophageal or junctional cancer. N Engl J Med 2012;366:2074-2084.
52. Trivers KF, Sabatino SA, Stewart SL. Trends in esophageal cancer incidence by histology, United States, 1998-2003. Int J Cancer 2008;123:1422-1428.
53. Vermorken JB, Remenar E, van Herpen C, Gorlia T,

Mesia R, Degardin M, et al. Cisplatin, fluorouracil, and docetaxel in unresectable head and neck cancer. N Engl J Med 2007;357:1695-1704.
54. Voskuil JH, van Dijk MM, Wagenaar SS, van Vliet AC, Timmer R, van Hees PA. Occurrence of esophageal granular cell tumors in The Netherlands between 1988 and 1994. Dig Dis Sci 2001;46:1610-1614.
55. Walsh TN, Noonan N, Hollywood D, et al. A comparison of multimodal therapy and surgery for esophageal adenocarcinoma. N Engl J Med 1996;335:462-467.
56. Yagoda A, Mukherji B, Young C, Etcubanas E, Lamonte C, Smith JR, et al. Bleomycin, an antitumor antibiotic. Clinical experience in 274 patients. Ann Intern Med 1972;77:861-870.
57. Yang H, Liu H, Chen Y, et al. Neoadjuvant chemoradiotherapy followed by surgery versus surgery alone for locally advanced squamous cell carcinoma of the esophagus (NEOCRTEC5010): A phase III multicenter, randomized, open-label clinical trial. J Clin Oncol 2018;36:2796-2803.

CHAPTER 57

식도의 손상

1. 부식성 손상

부식성 물질의 섭취는 드물지만 치명적인 손상을 유발할 수 있으며 치료를 위해서 여러 분야에 걸친 종합적인 접근이 필요하다. 그러나 드물게 발생하는 만큼 임상의의 진료 경험이 충분하지 않고 증거중심 진료를 실현하는 데 제한이 있다. 일부는 섭취 후 단시간 내에 심각한 조직 손상을 유발할 수 있으므로 조기 치료에 대한 숙지가 필요하며, 만성화 되면서 발생할 수 있는 다양한 문제점을 예측하고 관리할 수 있어야 하겠다.

주로 2~6세 사이 소아나 30~40세 사이 성인에서 발생하는데, 소아의 경우가 그중 약 80% 정도를 차지하며 이는 우발적이고 소량인 경우가 많아 경한 손상이 대부분이나, 성인의 경우는 대개 자살을 시도하여 계획적으로 상당히 많은 양을 마시기 때문에 이런 경우 생명을 위협하는 심각한 손상을 받게 된다. 부식성 물질 중 산은 주로 위 손상을 일으키며 마시자마자 입안이 불타는 듯한 느낌을 주는 반면, 알칼리는 주로 식도의 손상을 일으키며 즉각적인 증상이 없기 때문에 알칼리로 인한 부식성 손상이 더 흔하고 더 치명적이며 장기간의 기능장애를 초래한다.

부식성 식도손상은 급성기와 만성기로 나눌 수 있다. 급성기 손상은 손상의 부위, 섭취한 물질의 유형(산 또는 알칼리), 물질의 형태(액체 또는 고형물), 섭취된 물질의 양이나 농도, 위 내에 남아 있는 음식의 양, 조직과의 접촉 시간 등에 따라 결정된다. 만성기 손상은 식도의 협착이나 연하기전의 파괴가 문제가 된다.

1) 원인 물질에 따른 병태생리

(1) 알칼리 섭취

알칼리는 조직에 닿으면 비누화 반응을 일으키면서 심부 조직으로 침투해 들어가는 융해괴사(liquefaction necrosis)를 일으키며 조직과 접하고 수초 이내에 세포 손상을 야기하기 때문에 가장 흔히 손상을 받는 부위가 식도의 편평상피이다. 위 내에서는 위산에 의해 부분적으로 중화되기 때문에 손상의 정도가 제한적이다. 알칼리 섭취로 인한 조직손상은 3단계로 진행된다.

① 1단계

급성 괴사 단계가 수상 후 1~4일간 계속되며 이 시기에 세포 내 단백질이 응고되어 세포괴사가 일어난다. 주위 조직에는 심한 염증반응이 일어난다.

② 2단계

궤양 및 육아형성 단계로 수상 후 3~5일경에 시작하여 3~12일 동안 지속된다. 조직에 허물(slough)이 생기고 육아조직이 궤양 부위를 채우며 나중까지 남게 된다. 이 단계는 식도가 가장 약해지는 시기이다.

③ 3단계

흉터(cicatrization)와 반흔이 형성되고 새로 형성된 결체조직이 수축되면서 식도가 좁아지는 시기로 수상 후 3주경에 시작된다. 또한 형성된 육아조직끼리 유착되어 식도를 더욱더 수축시킨다. 이 기간 동안 협착 형성을 줄이기 위해 노력해야 한다.

(2) 산 섭취

산은 섭취 시 응고괴사(coagulation necrosis)가 발생하면서 가피(eschar)가 형성되어 손상이 깊게 진행되지 않는 경향이 있으며, 식도 내는 알칼리 pH를 유지하기 때문에 산이 어느 정도 중화될 수 있고 식도의 편평상피가 산에 내성을 가지고 있어서 아주 강산을 섭취했을 때, 혹은 식도운동장애가 있을 때에만 식도손상이 깊이 일어난다. 다만 정상 해부학적 협착으로 음식물 통과가 상대적으로 느린 부위인 상부식도괄약근 높이의 상부식도, 대동맥이 좌측 주기관지에 인접한 부위의 중부식도, 하부식도괄약근 직상방의 하부식도는 산 섭취 시에 산과의 접촉시간이 증가되면서 식도손상이 잘 생긴다고 한다.

위 내로 섭취된 산은 즉각적인 유문경련을 일으켜 산이 저류되면서 유문부에 심한 위염을 유발한다. 이 상태가 점차 진행되면 24~48시간 내에 위벽 전층이 괴사하거나 천공될 수 있다.

2) 부식성 손상의 병리적 분류

부식성 손상 정도는 병리적으로 3단계로 분류할 수 있다.

(1) 1도 손상

점막 표면에 국한된 손상으로 국소적 혹은 미만성 발적, 부종, 출혈 등의 양상을 나타낸다.

(2) 2도 손상

점막층 및 점막하층의 손상에 의해 발생하며 궤양, 삼출, 수포 형성 등의 양상을 나타내는데 궁극적으로 육아조직 형성과 섬유화 반응 등을 통한 반흔성 변화가 나타난다.

(3) 3도 손상

장관벽 전층을 포함하는 손상으로 깊은 궤양과 흑색 변색 및 장관벽의 천공 등이 특징이다.

3) 증상 및 진단

(1) 임상양상

부식성 손상의 임상양상은 섭취한 물질의 유형, 형태 및 양이나 농도, 그에 따른 화상의 정도에 따라 다양하게 나타난다. 고형 물질의 경우는 쉽게 삼킬 수 없어 식도보다는 구강, 상부기도나 인두 등에 국한된 손상이 심하게 나타나는 반면에, 액상 물질의 경우는 식도와 위를 쉽게 통과하여 광범위한 손상을 유발하게 된다. 손상 범위가 넓어질수록 사망률과 추후 만성 합병증의 발생 정도가 증가하게 된다.

부식성 손상의 급성 단계에서 환자는 구강 및 흉골하 통증, 타액분비 과다, 연하통(odynophagia), 연하곤란(dysphagia), 토혈, 구토 등을 호소한다. 쉰 목소리, 천명(stridor), 호흡곤란 등은 상기도 부종을 시사하며 그 외에 등이나 가슴의 통증은 종격동 식도의 천공을 의미하고, 복통은 복부 장기의 천공을 의미할 수 있다. 만성 단계에 이르러서는 상기 증상이 점차로 사라지고 섬유화와 반흔 형성으로 식도가 좁아지면서 연하곤란이 다시 나타난다.

(2) 진단

환자가 호소하는 불편감 정도로 위장관 손상 여부와 부위, 범위를 예측할 수 없기 때문에 초기에 위장관 손상 정도를 평가하여 응급수술이 필요한 심각한 손상을 입은 환자와 내과적 치료만으로도 회복 가능한 경한 손상의 환자를 감별하는 과정이 중요하다.

① **혈액검사**

혈액검사가 정상 소견을 보인다 하여 조직괴사를 배제할 수는 없으나, 백혈구증가증, C-reactive protein 상승, 대사성산증(동맥혈의 pH 감소, 젖산 축적), 신부전, 간기능장애, 혈소판 감소가 확인될 경우 조직괴사가 동반된 심한 식도손상 및 불량한 예후를 예측할 수 있다. 또한 혈액검사의 변화 추이는 환자 감시 및 관리 방향 결정에 유용하다.

② **내시경**

내시경은 부식성 물질의 섭취 후 3~48시간 내에 시행되어야 하며 이를 통해 병변의 심도, 범위 등을 평가하고 치료방침을 결정하며 예후를 예측할 수 있다. 그러나 혈역학적으로 불안정하거나 천공이 의심되는 환자, 심한 호흡부전 환자, 심한 인후두의 부종이나 괴사가 있는 환자에서는 내시경을 시행해서는 안 되며, 24~48시간이 지나 검사를 시행하게 될 경우 점막하 출혈이나 부종에 의해 오진할 가능성도 있다. 부식성 손상 환자의 내시경검사 결과로 Zagar 분류가 가장 널리 사용되고 있다(표 57-1). 내시경에서 초기 점막손상의 정도가 grade 0, 1, 2a인 환자들은 대부분 손상받은 부위의 부작용 없이 회복되나, grade 2b 또는 3인 환자는 천공, 출혈, 사망 등의 급성 합병증이 발생할 수 있으므로 입원하여 경과 관찰하는 것이 필요하다(그림 57-1, 2).

③ **내시경초음파**

내시경초음파를 통해 식도근육층의 손상 정도를 파악하는 것이 추후 협착의 발생과 풍선확장술에 대한 치료반응을 예측하는 데 도움이 된다는 보고가 있었고, 한편으로는 조기 혹은 후기 합병증을 예측하는 데 있어 일반 내시경 이상의 정확도를 보이지 않는다는 보고도 있었다. 부식성 식도손상에서 내시경초음파의 역할에 대한 추가적인 연구가 더 필요하다.

표 57-1. **부식성 식도염의 내시경적 분류**

Zagar classification	내시경 소견
Grade 0	정상 점막
Grade 1	점막의 부종과 발적
Grade 2a	표면적 궤양, 출혈성, 수포
Grade 2b	깊은 윤상 궤양
Grade 3a	다수의 깊은 궤양과 국소적 괴사
Grade 3b	광범위한 괴사

④ **영상학적 검사**

흉 · 복부 신체검사에서 손상이 의심될 때에는 단순 흉부방사선촬영을 통해 종격동이나 횡격막 아래의 가스 음영 여부를 확인하여 식도나 위 천공을 진단할 수 있다. 천공이 강력히 의심되지만 내시경검사 결과가 애매할 때에는 CT로 확인한다. CT는 초기에 식도나 위벽의 손상 두께나 범위 파악에 내시경보다 더 효율적이며, 조직 전층의 괴사 여부를 확인하고 수술이 필요한 환자들을 선택하는 데 유용하다.

4) 치료

(1) 비수술적 치료

① **보존적 치료**

증상이 없고 병력청취를 통해 매우 소량, 저농도의 산이나 알칼리를 우연히 넘긴 사실이 확인되면 굳이 내시경을 할 필요는 없고 퇴원 후 외래를 통해 추적할 수

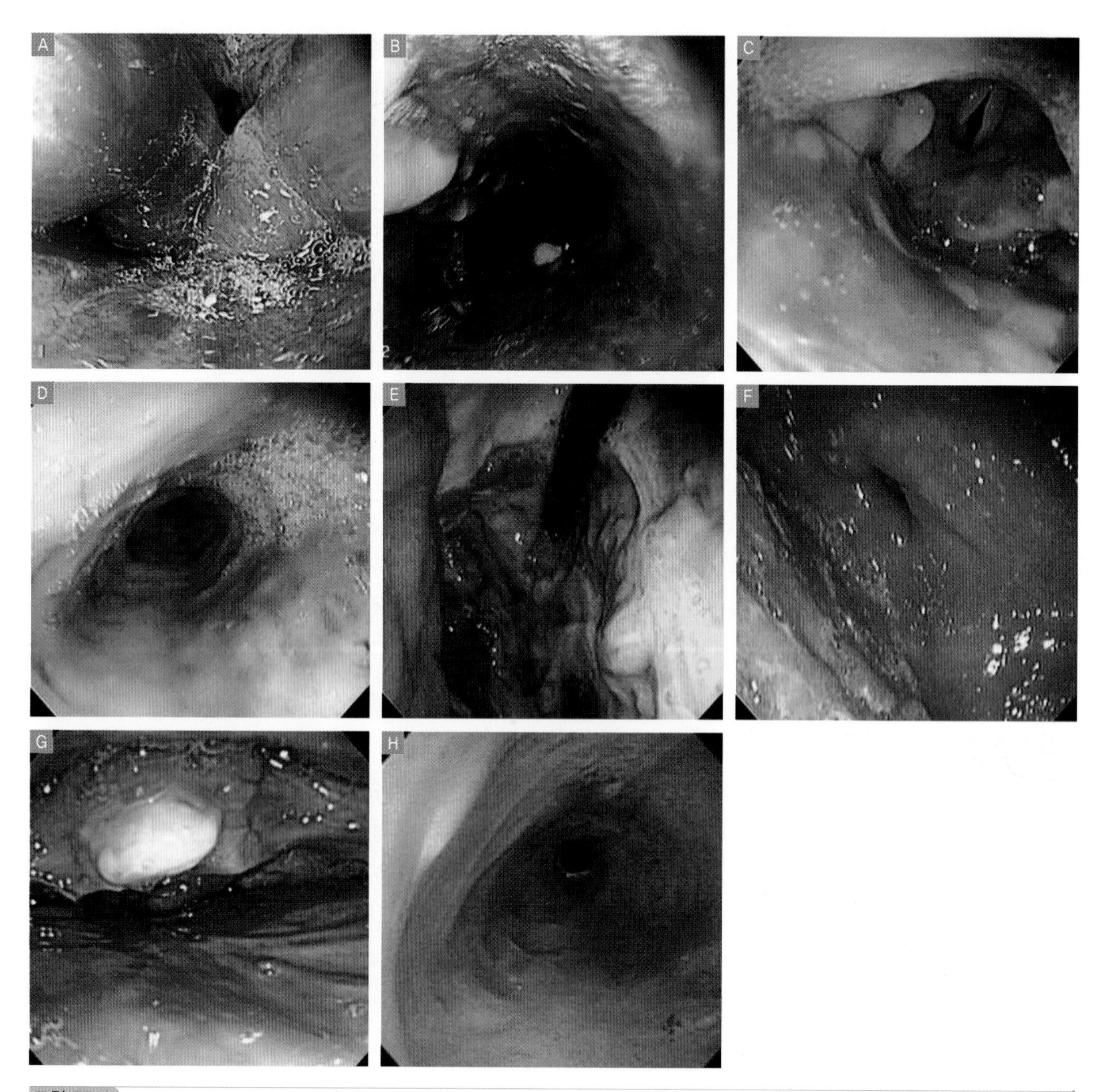

그림 57-1 **양잿물 음독 후 내원한 환자의 내시경 소견.**
A. 1일째. 인후부의 심한 부종, 발적, 출혈 B. 1일째. 식도 점막의 궤양과 괴사 C, D. 14일째. 인후부와 식도 점막에 궤양의 형성 E, F. 14일째. 체부의 궤양과 위산에 의한 부분적 중화로 손상받지 않은 전정부 점막 G. 41일째. 흉터와 반흔이 형성된 인후부 점막 H. 흉터와 반흔으로 인해 새로 형성된 결체 조직이 수축되면서 좁아진 식도
[자료제공. 강릉아산병원 공은정선생님]

있으나, 많은 양의 산이나 알칼리를 삼킨 사실이 의심되면 입원치료를 해야 한다. 금식을 유지하면서 흉부 및 복부X선을 촬영하여 천공 유무를 판단하고 정맥라인을 확보하여 충분한 수액 공급 및 경정맥 영양을 해주며 스트레스성 위궤양을 예방하고 역류된 위산에 의한 식도의 추가적 손상을 예방하기 위해 경정맥 양성자펌프억제제(proton pump inhibitor)를 주사할 수도 있다. 통증을 호소하는 경우에는 마약성 진통제를 정맥주사하여 통증을 조절할 수 있다. 다만 증상이나 증후만에 기초하여 손상의 정도를 예측할 수 없음에 유의하

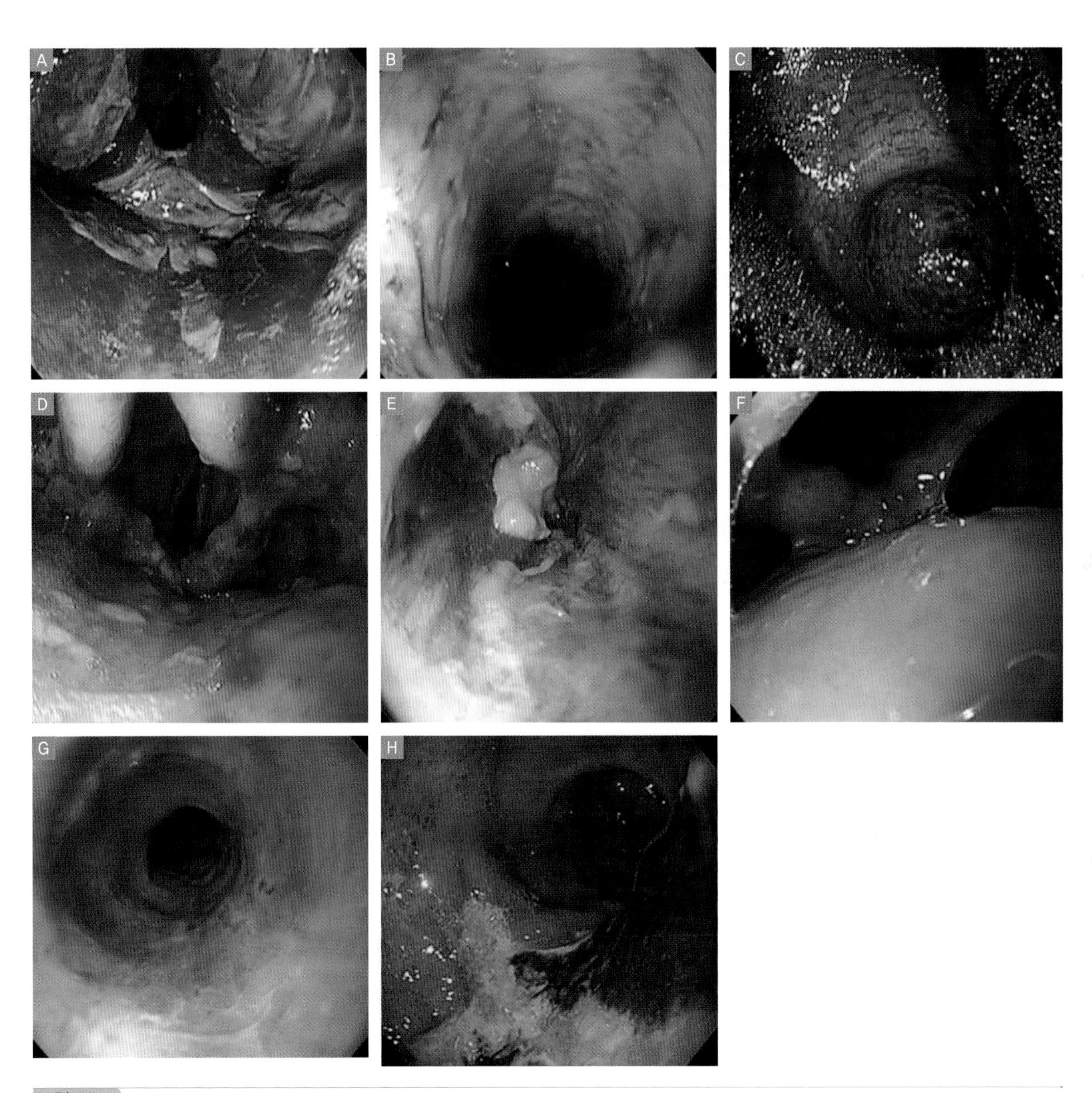

그림 57-2 빙초산 음독 후 내원한 환자의 내시경 소견.
A. 1일째. 인후부 점막의 가피 형성과 얕은 궤양 B. 1일째. 식도 점막의 궤양 C. 1일째. 유문경련을 통한 산 저류로 인해 발생한 유문부의 심한 위염과 위출혈 D. 11일째. 인후부 점막취약성과 발적 E. 11일째. 상부식도 점막의 궤양과 부종으로 내시경 진입이 불가능함 F. 27일째. 경한 반흔만 남은 인후부 점막 G. 27일째. 식도 점막의 치유기 궤양과 협착 H. 27일째. 위 전정부와 체부 점막의 궤양과 출혈반 [자료제공. 강릉아산병원 공은정선생님]

여야 한다.

섭취 후 1시간 이내이면 알칼리에는 절반 농도의 식초나 감귤로, 산에는 우유, 달걀 흰자, 제산제 등으로 중화를 시도해 볼 수 있다. 구토를 유발하는 약물은 투여해서는 안 되는데, 위로 이미 넘어간 부식성 물질들이 식도에 다시 노출될 수 있는 환경을 유발하기 때문이다. 비위관 삽입도 피해야 하는데 구토를 유발하여 역시 부식성 물질의 식도 노출을 증가시키며 구토 시 상승한 압력에 의해 천공 발생 가능성을 높이기 때문이다. 이후의 치료는 내시경으로 확인된 손상

정도와 환자 상태에 따라 결정한다. 내시경에서 grade 1 혹은 2a의 경우 특별한 치료 없이 조기 퇴원이 가능하며, grade 2b 혹은 3 환자는 입원하여 집중관찰이 필요하고 임상증상 확인과 혈액검사를 통하여 수술적 치료의 적응증에 해당되지 않는지 반복적으로 확인해야 한다. Grade 3 이상의 손상이 있거나 식도천공이 의심되는 경우 즉시 3세대 cephalosporin 등의 광범위 항생제를 정맥 투여한다.

② 기도 확보

급성 기도손상의 소견이 있으면 기도폐쇄를 예방하기 위하여 연무(aerosolized) 스테로이드를 사용하며 필요한 경우에는 기관삽관을 시행한다. 후두나 후두개 부종이 있는 경우 기관삽관술보다는 기관절개술을 통해 기도를 확보해야 한다.

③ 식이

부식성 물질의 섭취 후 식이 진행의 적절한 시점은 아직 명확치 않으나 대부분의 임상의들이 환자가 통증 없이 침을 삼킬 수 있다면 바로 경구 식이를 시작하기를 권한다. 만약 경구 식이가 불가능하다면 경정맥 영양을 하거나 비공장관 삽입 혹은 공장루(jejunostomy)를 통하여 조기에 장관영양(enteral feeding)을 시행하기를 권한다.

(2) 수술적 치료

소화기관의 전층 괴사, 천공, 종격동염, 복막염을 시사하는 소견은 응급수술의 적응증이다.

내시경으로 진단하는 것이 안전하지 못하다고 판단될 경우 환자가 안정상태일 때는 복강경으로, 불안정 상태일 때는 개복술을 시행한다. 살아 있는 위와 식도는 그대로 둔 채로 공장루를 설치하고 수술실에서 식도 스텐트를 삽입한다. 손상이 의심스러운 식도나 위는 그대로 두고 36시간 후 이차 확인수술(second-look operation)을 계획한다. 이차 확인수술의 소견에 따라 치료방침을 결정한다. 식도나 위의 전층 괴사가 발견되면 즉각 개복하여 식도, 위 및 모든 침범된 조직을 제거하고 말단경부 식도조루술(end-cervical esophagostomy)을 시행한다. 식도위절제술(esophagogastrectomy)이 가장 흔한 수술로, 수술에 따른 사망률과 이환율이 높으며 호흡기계 합병증이 가장 흔히 발생한다. 또한 급식공장루(feeding jejunostomy)를 설치하여 조기 관장 영양이 가능하도록 한다.

(3) 재건

소화관은 6개월~1년 정도 기다렸다가 복구한다. 이 시기는 환자가 급성 손상에서 회복되고 반흔 형성이 크고 완전해지며 협착에 대한 내시경치료가 종료되는 시기이다. 식도와 위가 동시에 손상된 경우는 대용 식도로 대장을 주로 이용하며(그림 57-3), 식도만 손상된 경우 위를 흉강 내로 끌어올려 대용 식도로 사용한다. 식도의 대체 장기로 가능하면 후종격동 공간을 이용하지만 이 부위에 반흔이 심하게 형성되어 있으면 흉골후방

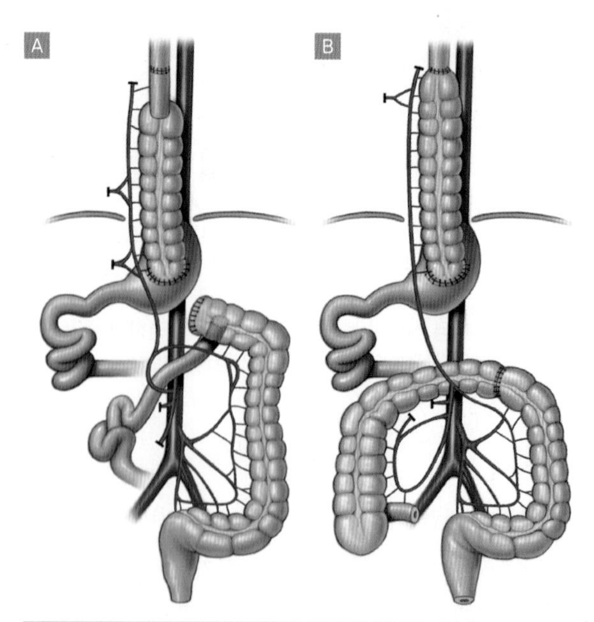

그림 57-3 A. 오른쪽 대장과 B. 왼쪽 대장을 이용한 식도재건술

(retrosternal) 위치에 놓는다. 근위부 문합부위는 하인두(hypopharynx)나 근위부 식도의 손상 정도에 따라 결정한다.

5) 만성 단계에서 발생하는 합병증

(1) 출혈

출혈은 드문 합병증으로 부식성 식도손상 환자의 3% 이내에서 발생하며 대개 부식물을 섭취하고 3~4주 후에 발생한다. 출혈 발생 부위의 절제 혹은 색전술 등을 시행할 수 있으나 사망률이 16%, 이환율이 75%로 매우 높다.

(2) 누공

강한 부식물을 다량 섭취 후 언제든 주변 기관과의 누공이 발생할 수 있다. 만성적인 식도기관누공은 3% 이내로 매우 드물게 발생하는데 단계적인 수술적 접근을 통해 기도결손 부위를 봉합하거나 식도를 재건하여 치료한다.

(3) 협착 형성

협착은 가장 흔한 후기 합병증으로 대개 부식물 섭취 후 2개월 내(3주~1년)에 발생하며 조기 내시경과 CT를 시행하여 미리 평가 및 예측할 수 있다. 협착을 방지하기 위한 여러 가지 노력들이 있으나 아직 임상적으로 이득이 명백히 입증되지 못했다. 스테로이드 사용은 협착 예방에 도움이 되지 않으면서 부작용만 증가시키기 때문에 일반적으로 권장되지 않는다. 협착 방지를 위한 항생제 사용이 도움이 된다는 연구가 있었으나 감염이 동반되지 않은 경우에서의 유용성에 대해서는 입증이 되지 않았다. 협착을 방지하기 위해 특별히 고안된 스텐트를 유치하는 것이 도움이 되는 것으로 나타났으나 효용성이 50%에 못 미치고 25%의 높은 이탈률이 문제가 되었다. 부지확장술도 제안되고 있으나 아직까지 효과는 분명치 않으며 좀 더 많은 연구가 필요하다.

협착은 예방이 가장 중요하지만, 일단 협착이 발생했다면 초기부터 스텐트를 설치하는 것이 좋다. 급성 단계에서 스텐트를 삽입했다면 21일간 유지한 후 제거한다. 재상피화가 완료된 후에는 증상 유무에 관계없이 협착 부위에 부지확장술을 시행한다. 증상이 있을 때까지 기다리면 장기간의 협착이 초래되어 부지 확장이 어려워지고 결국 식도를 절제해야 할 수도 있다.

2. 식도천공

식도천공은 흔하지 않지만 발생 시 높은 이환율과 사망률을 보이며, 증상이 비특이적이고 심근경색과 같은 다른 심각한 흉강 내 질환의 증상과 유사하여 진단이 늦어질 수 있다. 천공 발생부터 치료까지의 시간이 환자의 치료 결과와 예후를 예측하는 데 중요한 요소로 작용하는데, 천공 여부를 조기에 알아내 24시간 이내에 봉합한 경우에는 환자의 생존율이 80~90%이지만 24시간 후에는 생존율이 50% 이하로 감소하였다. 따라서 초기 병력과 신체검사를 근거로 천공을 의심하고 빠르게 평가해서 조기에 적절한 치료가 이루어질 수 있어야 하겠다.

1) 원인

식도천공의 원인은 매우 다양한데 그 중 가장 흔한 원인은 내시경을 시행하는 동안 해부학적으로 좁은 부위(윤상인두, 대동맥 융기, 위식도접합부, 종양이나 협착과 같은 병적 부위)에서 의인성으로 발생하는 것이다. 따라서 식도천공 환자들 중에는 식도에 후천적으로 좁은 부위를 발생시킬 수 있는 기저질환들이 함께 존재하는 경우가 많다(표 57-2).

이 외에도 부르하베증후군(Boerhaave syndrome)처럼 심한 구토 이후에 식도 원위부에 열상이 생기면서 자발적으로 식도천공이 발생할 수도 있고, 드물게 외상

표 57-2. **식도천공과 연관된 기저질환**

기저질환
악성종양
위식도역류질환
식도이완불능증
식도협착(eg, caustic, benign, anastomotic)
피부경화증
식도열공탈장

에 의해 발생하기도 한다. 둔상(blunting trauma)에 의해서는 주로 식도 원위부에 천공이 발생하며 관통성 외상(penetrating trauma)에 의해서는 식도 어느 부위에서든 천공이 유발될 수 있다. 부식성 물질을 포함하여 이물질을 섭취한 경우에도 식도 전층에 천공이 발생할 수 있다.

2) 증상 및 진단

(1) 증상

통증이 가장 흔한 증상이다. 식도가 천공되면 경부, 흉골 하방, 상복부의 통증이 나타나며 드물게 구토, 토혈, 연하곤란 등도 동반될 수 있다(표 57-3). 이러한 증상과 함께 외상, 진행성 식도암, 심한 구역, 이물 섭취, 최근의 기구 사용 등의 병력이 있으면 반드시 식도천공을 염두에 두어야 한다.

① 경부식도 천공 시

연하곤란 또는 통증이 발생하며, 척추전공간(prevertebral space)이 오염되어 경부에 통증과 강직이 올 수 있다.

표 57-3. **식도천공의 증상 및 징후**

증상 및 징후	빈도(%)
통증	70
발열	44
호흡곤란	26
폐기종(emphysema)	25
기종격(pneumomediastinum)	19
구역, 구토	19
기흉	14
흉수	14
연하통	12

② 흉부식도 천공 시

등, 가슴, 상복부로 통증이 발생할 수 있다. 그 밖에 숨이 차고(shortness of breath) 천공부 쪽의 흉골 후방으로도 통증이 올 수 있다. 대부분의 흉부식도 천공은 주변 구조물들에 의한 보호에 가장 취약한 부위인 식도의 원위부 좌측에서 발생한다.

③ 복부식도 천공 시

복통과 복막염을 유발시킬 수 있다. 횡격막 자극에 의해 상복부 통증이 어깨로 방사되기도 하며 후방으로 천공된 경우에는 통증이 등 쪽으로 방사된다.

천공의 소견은 시간이 경과함에 따라 변하는데 초기에는 빈호흡(tachypnea), 빈맥, 경도의 발열만 있고 천공의 명백한 소견이 없을 수 있다. 종격동이나 흉막강에서 오염이 진행되면 환자가 혈역학적으로 불안정해지고 쇼크에 빠질 수 있다. 신체검사에서 보이는 목과 가슴의 피하기종, 얕고 감소한 호흡음, 복부 압통 등은 모두 천공을 의심할 수 있는 소견이다. 유의한 검사실 소견은 백혈구치의 상승, 혈액이나 흉막액에서의 타액 아밀라아제의 상승 등이다.

(2) 진단

① **흉부 방사선촬영**

식도천공은 방사선학적으로 진단할 수 있는데 흉부 방사선촬영에서 종격동 공기음영, 흉수, 기흉, 횡격막하 공기음영(subdiaphragmatic air) 등을 확인할 수 있다.

② **식도조영술**

조영제를 이용한 식도조영술을 할 때 첫 번째로 가스트로그라핀 투약을 고려해야 하는데 바륨은 염증반응을 유발할 수 있고 누출된 다음 흉막강 내에 이물질로 남아 육아종을 형성할 수 있기 때문이다. 그러나 가스트로그라핀을 이용한 식도조영술의 위음성률이 10% 정도 되기 때문에 식도조영술검사에서 진단이 안되었으나 식도천공이 강하게 의심될 때에는 바륨을 조심스럽게 사용해 볼 수 있다(그림 57-4).

③ **흉부 컴퓨터단층촬영**

흉부 CT에서 종격동의 공기음영이나 천공부의 조영제 누출(contrast extravasation) 및 체액 고임(fluid collection)을 확인할 수 있다(그림 57-5). 이를 바탕으로 하여 종격동염 및 농양의 존재와 범위를 확인하고 경피적 배액술(percutaneous drainage)을 시행할지 혹은 수술적으로 괴사조직제거(debridement)를 할지 결정할 수 있다.

④ **내시경**

대부분의 식도천공이 내시경시술과 연관되어 발생하기 때문에 천공을 진단할 목적으로 내시경을 재시행하는 것은 권하지 않는다. 그러나 악성종양과 같은 이차적 원인에 의해 천공이 발생했을 것으로 의심되면 진단 및 치료 목적으로 내시경을 시행할 수 있다.

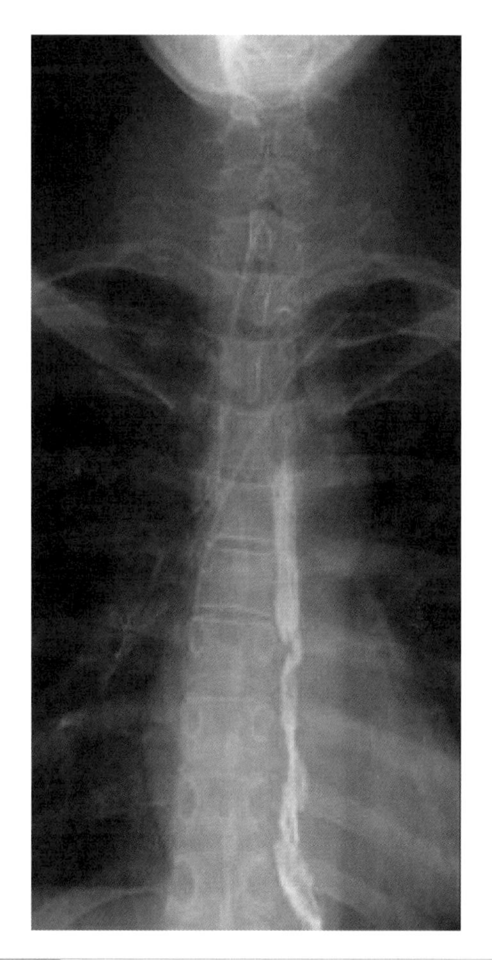

그림 57-4 **식도조영술검사.**
하인두의 협착과 식도 체부의 다발성 협착 소견

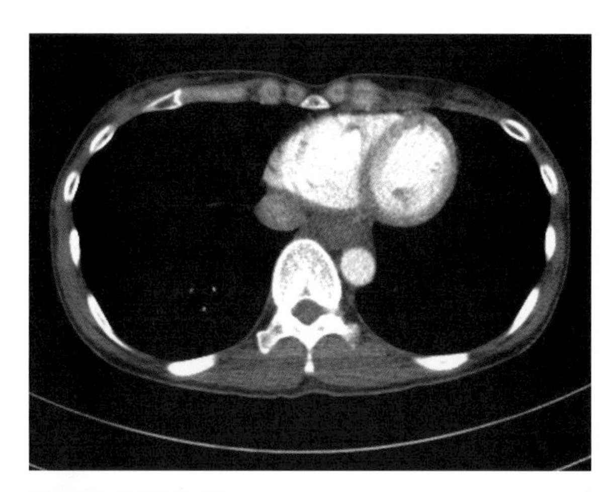

그림 57-5 **흉부 CT 소견.**
부종으로 인한 하부식도벽의 비후 소견

3) 치료

식도천공 환자는 패혈성 쇼크로 빠르게 진행할 수 있기 때문에 지속적인 집중관찰이 필요하다. 천공이 의심되면 진단을 위한 검사를 하기 전에 말초정맥관 삽입 및 수액 투여, 요관 및 안전한 기도확보 등의 소생 처치를 적절히 시행해야 한다. 조기에 광범위 항생제 투여를 시작하고 기흉 혹은 흉수액의 배액을 위해 필요 시 흉관 삽입을 시행한다. 식도천공 환자의 처치는 환자의 안정 상태, 오염의 범위, 염증의 정도, 기존 식도 병변, 천공 부위 등 몇 가지 변수에 따라 결정된다. 따라서 일률적인 치료지침의 적용은 어렵고 각 환자의 상태에 따라 달라져야 할 것으로 보인다.

① 보존적 치료

식도손상이 의심되는 모든 환자는 금식과 함께 적절한 영양공급을 유지하기 위한 노력이 필요하다. 적어도 7일간은 금식을 지속해야 하며 안전하게 장관영양이 가능해질 때까지 정맥영양을 유지한다. 천공의 치유 여부는 주기적인 식도조영술이나 내시경으로 확인한다. 천공이 부분적으로 호전되면 보존적 치료를 계속하지만 치유의 기미 없이 천공이 지속되거나 환자의 상태가 악화되면 수술을 시행한다. 천공이 억제되어 있으면 일시적인 장관내(endoluminal) 스텐트를 삽입하고 보존적 치료를 할 수 있으며 이는 6~12주 후에 제거한다. 식도문합 누출 부위에도 스텐트 삽입을 시도할 수 있다. 그러나 스텐트 치료에 실패하였거나 개방성 천공(free perforation)이 있는 불안정 환자에게는 수술적 치료를 시행해야 한다.

② 수술적 치료

부르하베증후군이나 의인성으로 식도천공이 발생한 경우 일차 봉합을 시행하는 것이 적합하다(그림 57-6). 식도천공의 수술에 가장 큰 영향을 미치는 변수는 천공 주위 염증의 정도인데 천공 후 24시간 이내이면 염증이 대개 적기 때문에 일차 봉합을 시행할 수 있다. 시간이 경과할수록 염증이 진행되어 조직이 부서지기 쉬워져

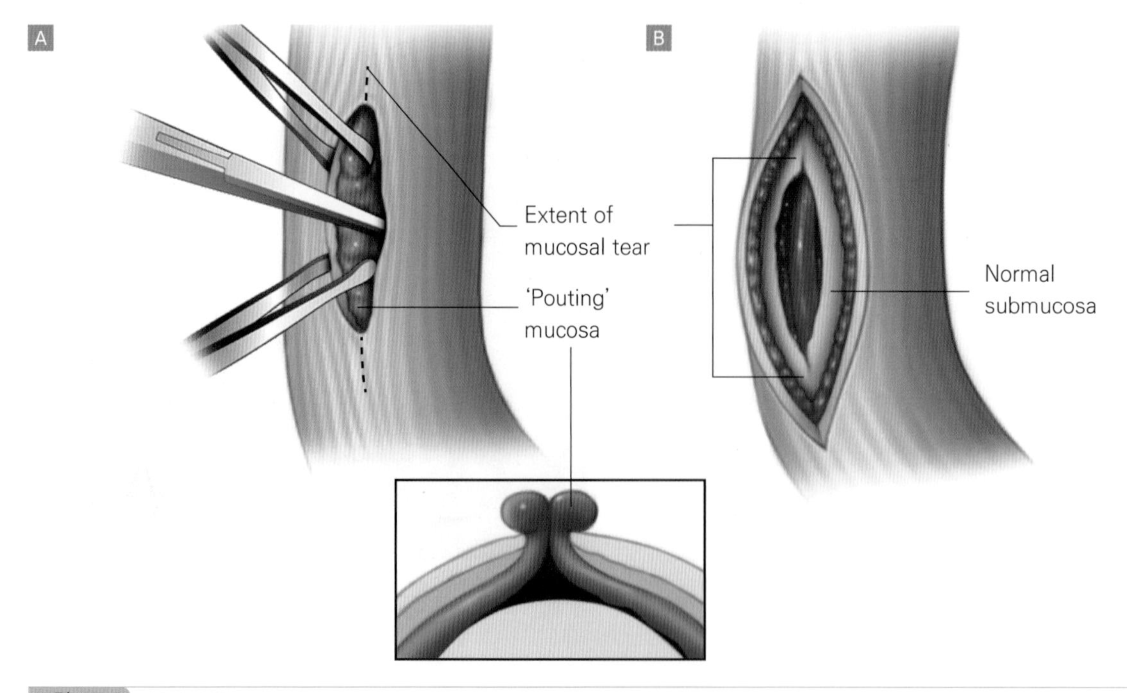

그림 57-6 **일차 봉합.**

일차 봉합이 어려워진다. 식도천공에서 일차 봉합이 가능한 소위 'golden period'는 24시간 이내이지만 이것이 한계 시간을 의미하지는 않으며 수술 중 조직의 건강한 부분이 있다면 언제든지 일차 봉합을 시행할 수 있다.

개방성 천공에 대한 처치에 영향을 미치는 네 가지 기존 질환은 절제 가능한 암종, 말기 식도이완불능증으로 인한 거대식도(megaesophagus), 심한 소화성협착(peptic stricture), 부식성 손상의 기왕력 등이다. 이 경우에는 원위부 협착이나 폐색이 있을 수 있어 이를 해결하지 않고 일차 봉합을 시행하면 누공 형성을 초래하게 되므로 건강한 조직이 있다 하더라도 일차 봉합을 시행하지 않는다. 일차 봉합이나 근판이 실패한 경우에는 식도절제(esophagectomy) 또는 배제술(exclusion)을 시행하고 경부식도루, 위루술, 급식공장루를 조성하고 나중에 재건술을 시행한다. 중부 및 상부 식도 천공일 때는 절제술을 시행하고 식도의 구제(salvage)가 가능한 하부 천공의 경우나 절제를 견뎌내지 못할 만큼 상태가 불안정한 환자에게는 배제술을 시행한다.

천공 부위에 따라 수술 시 접근경로와 수술방법을 결정한다. 경부식도 천공에는 천공부위와 같은 쪽의 경부를 절개하여 접근하는데 천공부위가 작으면 확인하기 어려울 수 있으며 일차 봉합 없이 배액만으로도 충분한 경우가 많다. 일차 봉합이 가능하다면 근판 보강은 대개 필요없으나 부드러운 배액관을 설치해야 한다. 큰 천공부에 대한 일차 봉합을 시행해야 할 경우에는 띠근육(strap muscle)을 이용한 근판으로 봉합을 보강할 수 있다. 흉부식도 천공의 경우 상부 및 중부 식도의 천공에는 우측 개흉술로, 하부식도의 천공에는 좌측 개흉술로 접근한다. 기관분기부(carina) 또는 그 상부에 천공이 있을 때는 우측 제4늑간을, 중부식도 천공에는 우측 제6늑간, 하부식도 천공에는 좌측 제7늑간, 복부식도 천공에는 좌측 흉부 또는 복부를 통하여 접근한다. 개방성 천공으로 복강내 오염이 있거나 흉부를 포함하지 않는 복강내 천공이 확실하다면 복부 접근을 이용하는데, 이러한 경우는 매우 드물다. 대부분의 복부식도 천공에는 좌측 개흉술을 이용하여 접근한다. 이 부위에서는 근판 대신 일차 봉합 후 흉막편(pleural patch)이나 위저부주름술(fundoplication)로 보강한다.

3. 후천성 기관식도루

1) 서론

기관식도루(tracheoesophageal fistula)는 식도의 벽구조 전층(full-thickness)이 손상되어 인접한 기관 또는 기관지 사이에 연결이 발생하는 질환이다. 환자는 음식 섭취가 어려워 심각한 체중감소 또는 반복적인 흡인성 폐렴이 발생할 수 있어 현저한 삶의 질 저하를 경험하게 되므로 신속한 진단과 적절한 치료가 필수인 질환이다.

2) 원인과 발생기전

후천적으로 발생하는 기관식도루의 원인은 악성질환과 양성질환으로 나눌 수 있다. 악성질환 중에는 식도암이 가장 흔한 질환으로, 종양이 기관지에 직접 침윤하여 발생할 수도 있고, 항암화학요법 또는 방사선치료 중간 또는 후에 종양이 괴사하면서 기관식도루를 형성하기도 한다. 악성종양세포 또는 방사선에 의해 손상된 조직에 염증세포와 반흔조직이 상피관(epithelial tract)을 만들기 때문에 치료가 쉽지 않다. 양성질환으로는 장기간의 기관내삽관 또는 기관조루술(tracheostomy)로 인한 손상, 수술 후 합병증, 외상, 감염 등이 있다. 입기관튜브(orotracheal tube)의 고정을 위한 풍선의 과도하고 장기적인 압력으로 식도벽이 괴사되거나 기관조루술 삽입관이 기관의 후벽을 지속적으로 자극하여 기관식도루를 형성할 수 있다. 우리나라 단일 기관의 보고에 의하면 10년 동안의 기관식도루 환자 368명 중에 약 95%가 악성질환이 원인이었으며, 양성질환 중에는 결핵감염이 가장 많았다.

3) 증상과 징후

기관식도루의 원인질환, 기관식도루 자체, 또는 기관식도루를 통해 음식물이 폐로 흡인되는 등의 합병증에 의해서 매우 다양하고 비특이적인 증상을 호소할 수 있으므로 기관식도루를 의심하고 검사를 진행하는 것이 진단에 중요하다. 입으로 영양분을 섭취할 때마다 반복되는 기침은 기관식도루를 강력히 시사하는 증상이다(Ono's sign). 음식물이 섞인 객담 배출, 삼킴곤란, 입으로 영양공급 시 구역질의 증가 등이 나타날 수 있으며, 이러한 증상은 체위 변화 또는 액체를 삼킬 때 심해지는 경향이 있다. 반복되는 흡인성 폐렴과 영양섭취가 불량하여 심한 체중감소를 보인다.

4) 진단

컴퓨터단층촬영, 기관지내시경, 식도위샘창자내시경 검사에서 누공을 확인하거나, 식도조영술에서 누관을 통해 기관지가 조영 되는 소견으로 진단할 수 있다. 고해상도 컴퓨터단층촬영(high resolution computerized tomography)은 작은 누관을 찾아내는 데 도움이 된다.

5) 치료

(1) 보존적 치료

음식물의 흡인으로 인한 폐렴이 있는 경우 경정맥 항생제를 투여하며, 반복적인 흡인을 막기위해 누관이 폐쇄될 때까지 경구를 통한 영양공급은 중단한다. 적절한 영양섭취가 중요하므로 위루 또는 공장루 등의 영양관 설치를 고려해야 한다.

(2) 누관 폐쇄 치료

① 밀봉제(fibrin glue)

밀봉제가 쉽게 씻겨 내려가지 않을 수 있는, 누공의 크기가 작고 비교적 긴 누관이 있는 양성질환으로 발생한 식도기관루의 치료에 사용해 볼 수 있다. 대체로 누공이 3~5 mm 이상으로 넓고, 누관이 길고 곧은 경우에는 실패할 확률이 높아 몇 차례 반복해서 시술해야 하는 경우가 흔하다. 따라서 밀봉제를 누관에 먼저 주입하고 누공 주위에 2~3군데 주입하여 누공을 폐쇄하는 방법을 제안하기도 한다. 최근에는 십이지장의 내시경 점막하박리술 이후 지연 천공을 막기위해 처음 사용한 생분해성 그물인 폴리글리콜릭산 판(polyglycolic acid sheet)과 밀봉제를 함께 사용하는 방법도 소개하고 있다.

② 클립

양성질환이 원인인 식도기루의 치료에 사용할 수 있다. 그러나, 오랜 시간에 걸쳐 상피화되고 반흔 조직으로 누관이 형성되어 딱딱한 경우가 흔하므로 성공하는 경우가 많지 않다. 따라서 브러쉬 또는 아르곤 플라즈마 소작술로 상피를 벗겨낸 이후에 밀봉제와 폴리글리콜릭산 판, 클립을 병합해서 치료하기도 한다. 최근에는 내시경 선단부에 캡과 함께 클립을 장착하고 내시경 조작부에 위치한 손잡이를 돌려 클립을 장착하는 Over-the scope clip (OTSC)이 개발되어 점막결손을 봉합하는데 사용하고 있다(그림 57-7). 조직 grasper를 함께 사용할 수 있으며 3 cm까지의 큰 점막결손 부위 봉합에도 사용할 수 있다. 2018년 11월 현재까지 우리나라에서는 사용할 수 없으나 조만간 우리나라에도 도입되어 임상에서 사용할 수 있을 것이다.

③ 스텐트

수술적 치료가 불가능한 악성질환으로 인해 협착이 있는 식도기관루의 치료에 막부착형 자가확장 스텐트(covered self-expandable metal stent)가 가장 좋은 치료이다. 누공이 큰 경우에는 기관 스텐트가 추가로 필요할 수 있다(그림 57-8). 방사선치료 또는 항암치료 후에 협착이 없는 식도에 생긴 누공의 치료에는 스텐트를 일정한 위치에 고정하기 힘들고 이탈이 빈번하게

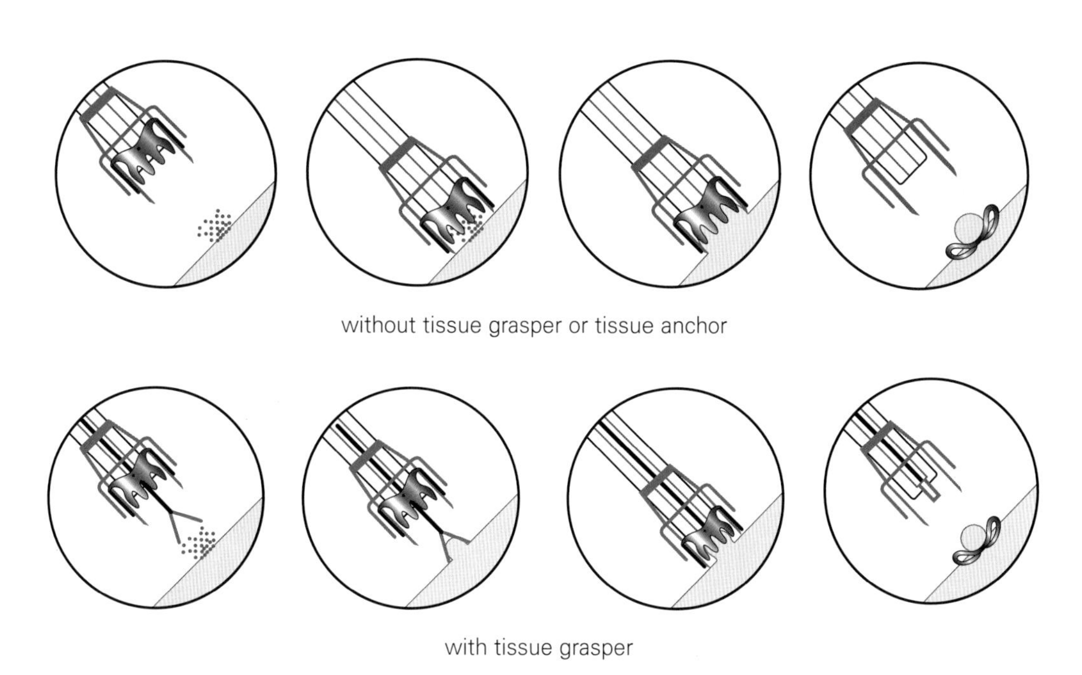

그림 57-7 Over-the scope clip (OTSC) system.

발생하여 유용성이 낮다. 장기간 유치할 경우에 오히려 스텐트 양쪽 끝에 천공 또는 누공을 초래하기도 한다. 최근에는 식도 수술 후 누출 부위가 비교적 큰 경우에 시도하는 내시경진공치료법(Endoscopic vacuum therapy, E-vac)을 누공 치료에도 사용하기도 하지만 아직 연구결과가 부족한 상태이다.

④ **외과적 수술**

기관식도루의 수술적 치료는 반드시 자발호흡이 가능한 환자여야 한다. 수술 후 지속적인 인공호흡기 및 기관삽관상태의 유지는 수술 부위의 파열이 우려되기 때문이다. 수술의 범위나 방법은 기관식도루의 위치, 손상의 크기 및 기관의 동반된 손상에 의해 결정된다. 수술의 방법은 두 가지로 나눌 수 있다. 첫 번째는 기관식도루를 박리한 후 각각을 단순봉합하여 해결하는 방법이며 두 번째로 기관식도루 박리한 후 식도 결손부위를 단순봉합하고 기관을 부분 절제한 후 단단문합하여 이루어진다. 환자의 2/3 이상에서 기관의 손상이 동반되는 경우가 많아 후자의 방법이 사용된다.

기관식도루의 수술은 일반적인 기관 수술과 같이 일단 구강을 통한 기도삽관을 통해 전신마취를 시행하며 수술 중에 기도에 직접 삽관하여 호흡을 유지할 준비를 하여 시작한다. 기존의 기도삽관부를 양측으로 연장하여 피부 절개를 한 후 기관과 식도를 노출시킨다. 기관과 식도를 노출시킬 때 회귀후두 신경의 손상이 없도록 주의한다. 기관식도루의 위치가 명확하지 않을 때는 기관삽관 부위를 절개하여 내강을 통해 정확한 부위를 확인할 수 있다. 기관의 손상이나 변형여부를 확인한 후 기관의 부분 절제가 필요하다면 기관분기부까지 박리하여 기관이 쉽게 움직일 수 있도록 한다. 기관이 손상된 부위의 근위부를 열고 기관식도루를 확인한 후 기관의 막성 부위를 기관 손상이나 기관식도루의 원위부까지 박리한다. 이때 식도벽의 손상이 가하지 않도록 주의하며 기관의 막성부분이 향후 단단문합에서 원위부로 2 cm 이상 박리되지 않도록 주의한다. 식도루 주변의 염증조직을 제거한 후 식도 점막과 근육층을 각각

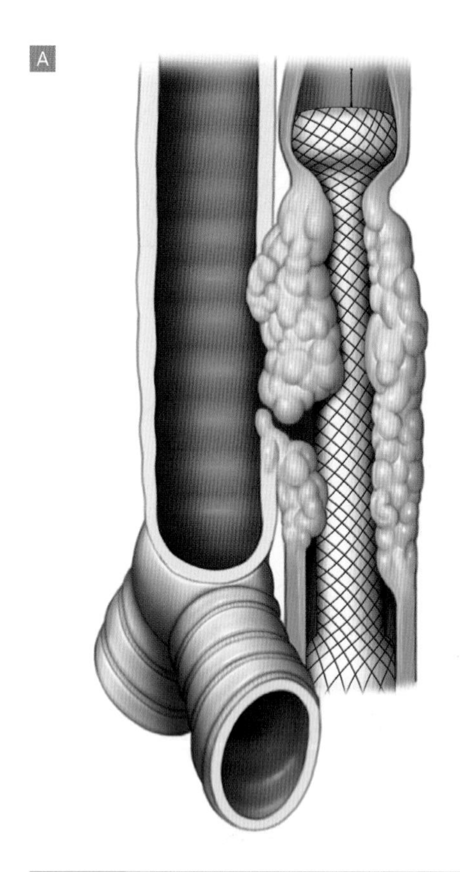

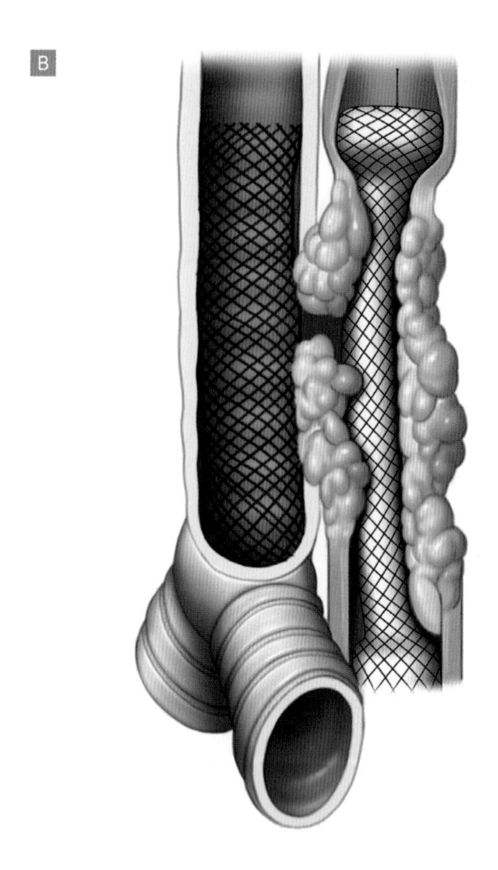

그림 57-8 **식도 스텐트.**
A. 협착이 있는 기관식도루에서 식도스텐트 유치
B. 큰 누공에서 기관 스텐트 동시 유치

흡수사를 이용하여 단순 단속 봉합한다. 기관을 흡수사를 이용하여 단순 단속 봉합한다. 식도와 기관의 봉합선 사이에 근육판을 이용하여 위치시킴으로써 치유를 도울 수 있으며 누출이나 누공의 재발을 줄일 수 있다. 턱과 전흉벽에 두꺼운 나일론 봉합을 이용하여 고정하면 수술 후 목을 신장시키면서 발생하는 기관 봉합부 파열을 예방할 수 있다(그림 57-9).

수술 후 가능하면 기도삽관을 제거하는 것이 좋다. 수술 후 1주일에 턱선과 전흉벽의 고정실을 제거하고 식도조영술을 통해 식도 봉합부의 이상소견이 없음을 확인한 후 식사가 가능하다.

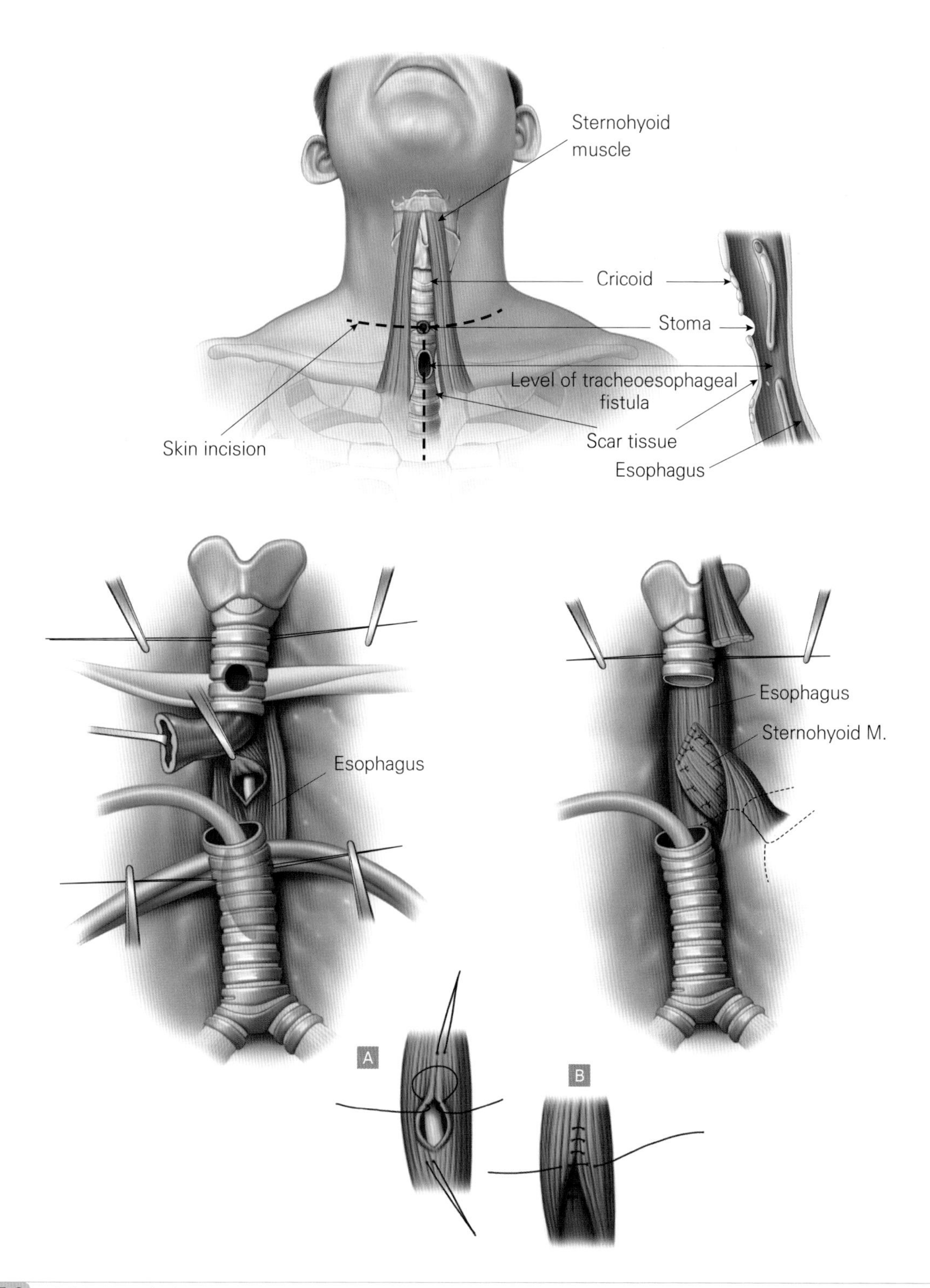

그림 57-9 기관식도루 수술법.

참고문헌

1. 박경식. 산-알칼리 삼킴 손상의 평가와 관리. 대한소화기내시경학회 제50회 세미나집 2014.
2. Ahn JY, Jung HY, Choi JY, et al. Benign broncho-esophageal fistula in adults: endoscopic closure as primary treatment. Gut Liver 2010;4:508-513.
3. Aronberg RM, Punekar SR, Adam SI, et al. Esophageal perforation caused by edible foreign bodies: a systematic review of the literature. The Laryngoscope 2015;125:371-378.
4. Bemelman WA, Baron TH. Endoscopic management of transmural defects, including leaks, perforations, and fistulae. Gastroenterology 2018;154:1938-1946.
5. Biancari F, D'Andrea V, Paone R, et al. Current treatment and outcome of esophageal perforations in adults: systematic review and meta-analysis of 75 studies. World journal of surgery 2013;37:1051-1059.
6. Bibas BJ, Cardoso PFG, Minamoto H, et al. Surgery for intrathoracic tracheoesophageal and broncho-esophageal fistula. Ann Transl Med 2018;6:210.
7. Brangewitz M, Voigtlander T, Helfritz FA, et al. Endoscopic closure of esophageal intrathoracic leaks: stent versus endoscopic vacuum-assisted closure, a retrospective analysis. Endoscopy 2013;45:433-438.
8. Cheng HT, Cheng CL, Lin CH, et al. Caustic ingestion in adults: the role of endoscopic classification in predicting outcome. BMC gastroenterology 2008;8:31.
9. Chirica M, Bonavina L, Kelly MD, et al. Caustic ingestion. Lancet (London, England). 2017;389:2041-2052.
10. Contini S and Scarpignato C. Caustic injury of the upper gastrointestinal tract: a comprehensive review. World journal of gastroenterology 2013;19:3918-3930.
11. Eroglu A, Turkyilmaz A, Aydin Y, et al. Current management of esophageal perforation: 20 years experience. Diseases of the esophagus 2009;22:374-380.
12. Fulton JA and Hoffman RS. Steroids in second degree caustic burns of the esophagus: a systematic pooled analysis of fifty years of human data: 1956-2006. Clinical toxicology (Philadelphia, Pa) 2007;45:402-408.
13. Han S, Chung H, Park JC, et al. Endoscopic management of gastrointestinal leaks and perforation with polyglycolic acid sheets. Clin Endosc 2017;50:293-296.
14. Hurtgen M, Herber SCA. Treatment of malignant tracheoesophageal fistula. Thorac Surg Clin 2014;24:117-127.
15. Koivukangas V, Biancari F, Merilainen S, et al. Esophageal stenting for spontaneous esophageal perforation. The journal of trauma and acute care surgery 2012;73:1011-1013.
16. Lee HL, Cho JY, Cho JH, et al. Efficacy of the over-the-scope clip system for treatment of gastrointestinal fistulas, leaks, and perforations: A Korean Multi-Center Study. Clin Endosc 2018;51:61-65.
17. Mathisen DJ, Grillo HC, Wain JC. Management of acquired nonmalignant tracheoesophageal fistula. Ann Thorac Surg 1991;52;759-765.
18. Muir AD, White J, McGuigan JA, et al. Treatment and outcomes of oesophageal perforation in a tertiary referral centre. European journal of cardio-thoracic surgery: official journal of the European Association for Cardio-thoracic Surgery 2003;23:799-804.
19. Muniappan A, Wain JC, Wright CD, et al. Surgical treatment of nonmalignant tracheoesophageal fistula: a thirty-five year experience. Ann Thorac Surg 2013;95:1141-1146.
20. Nirula R. Esophageal perforation. The Surgical clinics of North America. 2014;94:35-41.
21. Park KS. Evaluation and management of caustic injuries from ingestion of Acid or alkaline substances. Clinical endoscopy. 2014;47:301-307.
22. Paspatis GA, Dumonceau JM, Barthet M, et al. Diagnosis and management of iatrogenic endoscopic per-

forations: European Society of Gastrointestinal Endoscopy (ESGE) position statement. Endoscopy 2014;46: 693-711.

23. Patterson GA, Cooper JD, eds. Pearson's thoracic and esophageal surgery. 3rd ed. Philadelphia: Churchill Elsevier, 2008:303-305.
24. Ryu HH, Jeung KW, Lee BK, et al. Caustic injury: can CT grading system enable prediction of esophageal stricture? Clinical toxicology (Philadelphia, Pa). 2010; 48:137-142.
25. Shaker H, Elsayed H, Whittle I, et al. The influence of the 'golden 24-h rule' on the prognosis of oesophageal perforation in the modern era. European journal of cardio-thoracic surgery 2010;38:216-222.
26. Sung SW, Park JJ, Kim YT et al. Surgery in thoracic esophageal perforation: primary repair is feasible. Diseases of the esophagus 2002;15:204-209.
27. Temiz A, Oguzkurt P, Ezer SS, et al. Predictability of outcome of caustic ingestion by esophagogastroduodenoscopy in children. World journal of gastroenterology. 2012;18:1098-1103.
28. Zargar SA, Kochhar R, Mehta S, et al. The role of fiberoptic endoscopy in the management of corrosive ingestion and modified endoscopic classification of burns. Gastrointestinal endoscopy. 1991;37:165-169.

CHAPTER 58

식도이완불능증

1. 정의 및 역학

식도이완불능증(Achalasia)은 연하 시 하부식도괄약근의 불완전한 이완과 식도 체부 연동운동의 소실을 특징으로 하는 대표적인 식도의 일차성 운동질환이다. 역사적으로는 1672년에 심각한 연하곤란 환자에게 고래뼈를 이용한 식도-위 경계부 확장술을 적용하여 성공적으로 치료한 증례가 최초로 보고되었지만, 이러한 환자들의 연하곤란 원인에 대해서는 밝혀지지 않던 중에, 1927년 Hurst가 식도바륨조영술을 이용해서 이러한 환자들에서 하부식도괄약근이 이완되지 못하는 것을 확인하였고 achalasia라는 용어를 최초로 사용하였다. Achalasia라는 병명은 '이완'을 뜻하는 그리스어 'khalasis' 앞에 '없다'는 의미의 접두사 'a' 를 붙여서 achalasia라고 명명되었다. 하부식도괄약근에 해부학적인 협착은 없지만 연하 시에 기능적으로 이완하지 못하기 때문에, 결과적으로 식도에서 위로 음식물이 이동하기 어려워서 대부분의 식도이완불능증 환자들은 만성적인 연하곤란, 역류, 가슴통증, 체중감소 등의 증상과 그로 인한 상당한 삶의 질 저하를 경험하게 된다.

식도이완불능증은 비교적 드문 질환으로 전 세계적으로 광범위하게 역학연구가 되어 있지는 않다. 근래의 서구의 연구들에서는 연간 발생률을 인구 10만 명당 약 1명(0.4~1.6명) 정도로 보고하고 있고, 유병률은 만성적인 경과로 인해 그보다 높은 10만 명당 9~10명으로 보고되고 있다. 최근 2014년 국내에서 의료보험 빅데이터 자료를 이용한 연구가 시행되었는데 한국에서의 식도이완불능증은 인구 10만 명당 발생률 0.39명, 유병률 6.29명으로 보고되었다. 식도이완불능증은 어떤 연령층에서도 발생할 수 있어서 소아 또는 노령의 환자들도 드물지 않지만, 주로 40~60세 사이에 진단되는 경우가 많다. 발생률이나 유병률에는 성별이나 인종 등에 따른 차이는 없는 것으로 알려져 있지만 샤가스병(Chaga's disease)의 발생률이 높은 브라질 등의 국가에서는 이 감염병에 의한 이차성 식도이완불능증 때문에 다른 지역에 비해 월등히 높은 유병률이 보고되기도 한다.

흥미로운 점은 지난 20여 년 동안의 식도이완불능증의 역학연구들을 시대별로 자세히 살펴보면, 연간 발생률이 과거 0.4~0.6/100,000 에서 최근에는 1~1.6/100,000으로 증가하는 경향을 볼 수 있는데, 이는 최근 고해상도식도내압검사(high resolution manometry)와 같은 새로운 정밀 검사기법의 사용이 늘어나면서, 과거에 식도이완불능증 환자가 위식도역류질환 등으로 오진되는 비율이 줄어든 데 기인한다고 추정된다. 실제로 식도이완불능증 환자가 위식도역류질환으로 오인되어 수년간 양성자펌프억제제(proton pump inhibitor, PPI)를 복용하며 지내다가 결국 수년 뒤에야 식도이완불능증으로 진단되는 경우를 드물지 않게 볼 수 있다.

2. 원인 및 병태생리

정상적인 식도 평활근은 흥분성(excitatory, acetylcholine) 신경과 억제성(inhibitory, nitric oxide, VIP) 신경을 모두 가지고 있는 근육층간신경얼기(myenteric plexus, 아우어바흐신경얼기, Auerbach plexus)에 의해서 조절된다. 하부식도괄약근은 생리적으로 위 내용물의 역류를 막기 위해서 평소 어느 정도의 긴장을 통해 휴지기 압력을 유지하며, 연하 시에만 억제성 신경의 활성화를 통해 이완하여 음식물을 내려 보낸다. 반면에 식도 체부 평활근은 휴지기 압력 없이 평소 이완된 상태로 있다가 연하가 시작되면서 흥분성 신경의 활성화로 수축이 시작되는데, 식도의 근육이 갑작스런 동시성 수축을 하지 않고 순차적인 수축에 의한 부드러운 연동운동을 나타내게 되는 것은 억제성 신경을 통한 '연하 시 억제 기전(deglutive inhibition)' 때문이다. 연하 시 억제 기전은 식도 내 말초 신경총의 역할로서, 수축하는 근육 부위에서 사이신경(interneuron)을 통해 원위부로 억제성 신경 활성화 신호를 내려 보냄으로써 수축 부위의 원위부가 이완을 유지하여 삼킨 내용물이 하방으로 내려가도록 도와주고, 원위부의 수축 시점을 지연시켜서 순차적인 연동성 수축이 이루어지도록 하는 것이다.

식도이완불능증의 대표적인 병태생리는 식도 아우어바흐신경얼기에서 억제성 신경세포(ganglion cell)가 선택적으로 소실되면서, 흥분성 및 억제성 신경의 균형이 깨지게 되고, 그로 인해 하부식도괄약근의 휴지기 압력 상승과 연하 시의 불충분한 이완, 그리고 체부의 정상적인 연동운동 소실이 나타나게 된다. 식도이완불능증 환자의 식도 조직검체에서 관찰되는 병리적 소견으로서 식도 근육의 비후, 식도 근육 내 신경 섬유의 감소, 식도 아우어바흐신경얼기 내 억제성 신경절 세포 감소, 남아 있는 신경절 세포 주위로 활성화된 세포독성 T 림프구(cytotoxic T-cell lymphocyte)의 침윤, 미주신경의 퇴행성 변화 등과 같은 다양한 이상 소견들이 보고되었다. 신경절 세포의 소실 정도가 질병의 이환기간과 비례한다는 보고도 있었다. 원위부 식도와 하부식도괄약근에서 관찰되는 가장 일관된 병리 소견은, 아우어바흐신경얼기 내 신경절 세포의 감소와 신경얼기 주변에 약간의 염증(plexitis)이 관찰되는 것인데, 이러한 소견이 식도이완불능증의 병인에서 일차적인 원인인지, 아니면 속발성으로 나타나는 것인지에 관해서는 아직도 논란이 있다. 억제성 신경세포가 소실되는 근본적인 원인에 대해서는 아직까지 정확히 알려지지 않고 있는데, 식도이완불능증 환자의 식도 조직검체에서 수두대상포진바이러스(varicella-zoster virus), 거대세포바이러스(cytomegalovirus), 인유두종바이러스(human papilloma virus), 제1형 헤르페스바이러스(herpes simplex type 1) 등의 바이러스 감염을 관찰하였다는 연구들이 있어서, 이러한 바이러스 감염이 장관 신경총에 염증을 유발하고, 이 염증의 결과로 억제성 신경세포 퇴행성 소실이 나타나는 것으로 설명하는 가설이 있다. 헤르페스바이러스가 편평상피에만 감염을 일으키고 원주상피에는 감염을 일으키지 않는다는 특징으로 다른 위장관 부위 이외에 식도에만 신경세포 소실이 나타나는 현상을 설명하기도 한다. 그러나 이후 많은 후속 연구들에서 수술로 얻어진 식도 조직검체에서 특정 바이러스를 반복적으로 확인하는데 실패했기 때문에, 특정 바이러스 감염을 신경세포 소실의 직접적 원인으로 보기에는 무리가 있으며, 따라서 신경세포의 소실에는 바이러스 감염뿐만 아니라 자가면역 기전과 유전적인 감수성 등이 복합적으로 작용한다는 가설이 설득력을 얻는다. 즉 특정 바이러스에 감염된 모든 사람들이 식도이완불능증에 이환되는 것이 아니고, 유전적으로 감수성이 있는 특정 환자에서만 어떠한 항원에 의한 자극으로 면역계에 자가면역 기전이 발동하여 염증세포가 침윤하게 되고 결과적으로 신경세포의 소실이 나타난다고 보는 것이다. 실제로 식도이완불능증 병태생리에 자가면역 기전의 역할을 뒷받침하는 근거로 혈청에서 장관신경에 대한 자가항체가 검출되는 비율이 높다는 연구와, 식도이완불능증 환자에서 다른 자가면역질환이 병발하는 비율이 일반 인구에 비해 높다는 점을 들 수 있고, 유전적 감수성의 역할을 뒷받침하는 근거로 드물지만 약 2% 이하에서 보고되고 있는 가족형 식도이완불능증 환자도 있다.

대개의 식도이완불능증은 원인을 알 수 없는 일차성, 특발성인 경우가 대부분이지만, 이차적인 원인질환에 의해 발생하는 경우도 있는데, 이를 속발성 또는 이차성 식도이완불능증이라고 한다. 대표적인 이차적 원인으로는 *Trypanosoma cruzi* 라는 기생충 감염에 의한 샤가스(Chagas)병이 있는데, 이 질환은 브라질 등의 남미 국가에 흔하고, 감염되게 되면 기생충이 여러 장기에 침범하게 되며 수년에 걸쳐 면역반응이 일어나고 결국 식도의 신경얼기가 파괴되어 특발성 식도이완불능증과 거의 유사한 임상양상을 나타내게 된다. 또 다른 대표적인 이차성 원인으로 악성종양에 의한 속발성 식도이완불능증이 있는데 이를 가성식도이완불능증(pseudoachalasia)이라고도 부른다. 원위부 식도암 또는 위-식도접합부암으로 인한 국소적 협착으로 식도이완불능증과 유사한 임상양상을 보이는 경우도 있고, 유방암이나 소세포폐암 등에 의한 종양연관증후군(paraneoplastic syndrome)으로 인해 식도 근육의 운동장애가 유발되어 나타나는 경우도 있다. 이러한 가성식도이완불능증은 드물지만 전체 식도이완불능증의 4%를 차지한다고 하며, 특발성식도이완불능증과 치료적 접근이 완전히 다르기 때문에 감별진단이 중요하다.

3. 증상

식도이완불능증을 의심할 수 있는 특별한 증상은 따로 없다. 환자들은 연하곤란, 가슴쓰림, 역류, 가슴통증 등의 비특이적 증상을 호소하기 때문에 증상만으로는 위식도역류질환 등으로 오인되어 수 년간 양성자펌프억제제를 복용하다가 진단되는 경우도 드물지 않으며, 병원에 내원하기 전 평균 증상 기간은 2년 정도로 알려져 있다. 식도이완불능증의 흔한 증상과 징후들을 아래 표 58-1에 열거하였다.

식도이완불능증 환자의 가장 흔한 증상인 연하곤란은 거의 대부분의 환자들에서 나타나는데 고형 음식뿐만 아니라 액상 음식물, 심지어는 물을 마시는 것에 대해서도 비슷한 정도의 연하곤란이 점차 진행된다는 점이 특징이다. 이는 식도암 환자의 연하곤란이 고형 음식에서 시작되어 점차 액상 음식물로 진행되는 점과는 차이가 있다. 식도이완불능증의 연하곤란은 초기에

표 58-1. **식도이완불능증의 대표적인 증상과 빈도**

증상	호소 빈도
식도 관련 증상	
연하곤란	90~100%
가슴쓰림	40~75%
역류 또는 구토	45~66%
비심인성 흉통	20~40%
상복부 통증	15%
연하통	5~20%
식도 외의 증상 또는 징후	
기침 또는 천식	20~40%
만성적 흡인	20~30%
쉰 목소리 또는 인후통	33%
원치 않은 체중감소	10~30%

는 간헐적으로 나타나다가 시간이 경과함에 따라 천천히 악화되다가 결국 액상 및 고형식에 대한 연하곤란이 만성적으로 지속하게 된다. 환자는 이를 극복하기 위해서 식사 시 항상 물을 함께 많이 마신다든가, 식사량을 줄여서 자주 먹는다든가, 삼키는 동작을 반복해서 하기도 하며, 차가운 음식을 먹으면 증상이 심해져서 따뜻한 음식을 선호한다고 하기도 한다. 역류도 흔한 증상 중 하나인데 식도에 저류되어 있는 음식물이 누워서 자는 동안 입 밖으로 흘러나와 있는 것을 아침에 발견하거나, 야간에 역류된 음식물이 폐로 흡인되어 폐렴, 천식 등의 호흡기계 증상을 유발하기도 한다.

가슴 쓰림이나 가슴 통증을 호소하는 빈도도 흔하기 때문에 종종 위식도역류질환으로 오인되는 경우가 많은데, 식도이완불능증에서 가슴 쓰림이나 통증 증상이 나타나는 원인은 아직 정확히 밝혀져 있지 않지만, 식도 내부에서 소화되지 않은 음식이 저류되면서 일부 발효가 진행되어 산도가 낮아져서 발생한다는 가설과 식도의 윤상근과 종주근육의 지속적인 수축을 하면서 식도 점막으로 공급되는 혈류가 일시적으로 저하되는 허혈에 의해 통증이 발생한다는 가설, 식도의 음식물 저류로 인한 팽창이 통증의 원인이라는 가설 등이 있다.

체중감소의 경우는 과거에는 흔한 증상으로 보고되었지만 근래 보고에서는 고칼로리 음식 섭취가 흔해지면서 점차 호소 빈도가 적어지고 있는 경향이다.

식도이완불능증의 증상과 치료의 효과를 평가하는 데 가장 널리 사용되는 방법으로 Eckardt 증상 점수가 있는데, 이는 연하곤란, 역류, 가슴통증, 체중감소의 4가지 증상을 빈도와 심한 정도에 따라서 각각 0~3점으로 평가하고, 각 점수를 합산하여 총 0~12점으로 증상 정도를 평가하는 방법이다. 치료에 대한 반응을 평가할 때에는 보통 Eckardt 점수가 3점 미만으로 감소하는 경우를 성공적이라고 평가한다(표 58-2).

식도이완불능증 환자에서는 식도암이 발생할 위험도 높은 것으로 알려져 있다. 식도선암의 발생은 드물지만 식도편평상피암의 상대 위험도는 정상인에 비해 약 7~140배 높다는 연구결과들이 있는데, 식도이완불능증에서 식도암의 발생률이 증가하는 기전으로는 음식물의 만성적인 저류로 인해 식도점막염증이 지속되는 저류성 식도염이 식도점막세포의 이형성 변화를 유발하여 암으로까지 진행한다고 보는 가설과, 식도 내에서 발생하는 음식물의 발효에 의해 생성되는 물질 중 아플라톡신(aflatoxin) 등의 독성물질이 암을 발생을 촉진한다는 가설 등이 있다. 식도이완불능증 환자에서 증상 이환기간이 15년 이상인 경우에는 식도암의 조기 발견을 위해 환자의 증상과 상관없이 매년 내시경검사를 시행할 것을 권하고 있다.

표 58-2. 식도이완불능증의 Eckardt 증상 점수

점수	연하곤란	역류	흉통	체중감소 (kg)
0	없음	없음	없음	없음
1	가끔	가끔	가끔	<5
2	매일	매일	매일	5-10
3	매 끼니	매 끼니	매 끼니	>10

4. 진단

식도이완불능증의 진단을 위해서는 내시경검사, 식도바륨조영검사, 식도내압검사가 필요하다. 먼저 병력청취에서 식도이완불능증이 의심되면 검사를 진행하여 진단에 접근할 수 있는데, 문제는 증상이 비특이적이어서 증상만으로 식도이완불능증을 의심하는 것이 어려운 경우가 많다는 점이다. 따라서 식도이완불능증 환자를 위식도역류질환으로 오인하지 않기 위해서는 환자의 식도증상, 특히 연하곤란 증상에 대해서 면밀하게 질문하고 자세히 청취하는 것이 중요하다.

1) 바륨식도조영술

바륨식도조영술은 연하곤란 증상이 있는 환자에서 가장 먼저 접근할 수 있는 비침습적 검사기법이다. 검사 소견은 바륨의 배출 지연, 식도 체부의 확장, 위식도접합부가 새부리 모양으로 좁이지는 소견(bird beak appearance)이 특징이다(그림 58-1). 그러나, 특징적인 새부리 모양의 좁은 위식도접합부 소견과 식도 확장이 보이는 경우라 하더라도 악성종양에 의한 가성식도이완불능증을 배제하기 위해서 추가로 내시경검사를 확인하여야 한다.

바륨식도조영술의 식도이완불능증에 대한 진단 정확도는 85% 정도로 비교적 높은 것으로 알려져 있지만, 많게는 약 1/3 정도의 식도이완불능증 환자에서 바륨식도조영술 소견이 정상일 수 있다는 보고가 있고, 특히 이환 초기이거나, 또는 경련성 수축을 동반하는 제3형 타입의 경우에는 식도 확장 소견이나 바륨 배출 지연 소견이 관찰되지 않는 경우가 많기 때문에 바륨식도조영술만으로 식도이완불능증을 배제하여서는 안된다. 식도조영술검사에서 식도 확장이나 바륨 배출 지연의 정도는 환자의 증상의 심한 정도와 비례하지는 않지만, 치료 전후에 식도의 바륨 배출 지연 정도를 비교하는 것은 증상 개선과 성공적인 치료에 대한 객관적인 평가로 사용될 수 있다.

2) 내시경검사

진단에 있어 내시경검사의 가장 중요한 역할은 종양성질환이나 협착 등에 의한 기계적인 폐색을 배제하고, 간혹 특발성 식도이완불능증으로 오인될 수 있는 악성종양에 의한 가성식도이완불능증의 가능성을 배제하는 데 있다. 따라서 내시경검사 시 위 내에서 내시경을 후굴하여 위식도 접합부를 자세히 관찰하고 점막 이상 소견이 조금이라도 관찰된다면 조직생검으로 확인하는 것이 좋다. 또한 연하곤란을 호소하는 환자에서 배제해야 하는 또 하나의 주요질환인 호산구성 식도염을 배제하기 위해서 점막생검을 시행하는 것이 권고된다.

치료 전 식도이완불능증의 특징적인 내시경 소견으로는 꽉 조여진 하부식도괄약근 및 위식도접합부의 소견과 식도 체부 내강의 현저한 확장, 식도 내 음식물 또는 타액의 저류 등이다(그림 58-2).

내시경검사 시에는 식도 내에 저류되어 있는 음식물

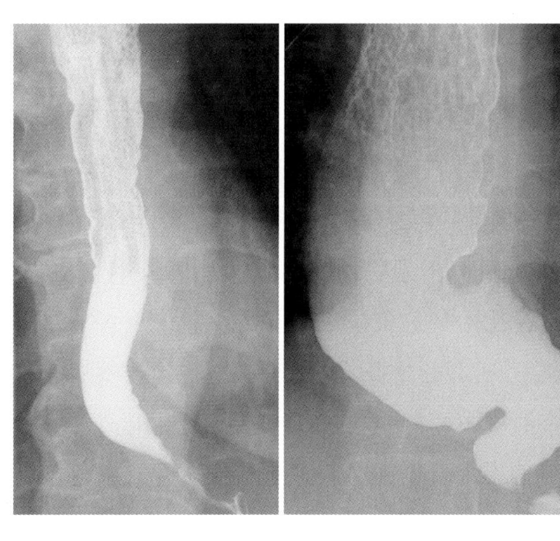

그림 58-1 **식도이완불능증의 전형적인 바륨식도조영술 소견.** 식도의 확장과 바륨의 배출 지연, 새부리 모양의 위식도접합부 소견이 관찰된다.

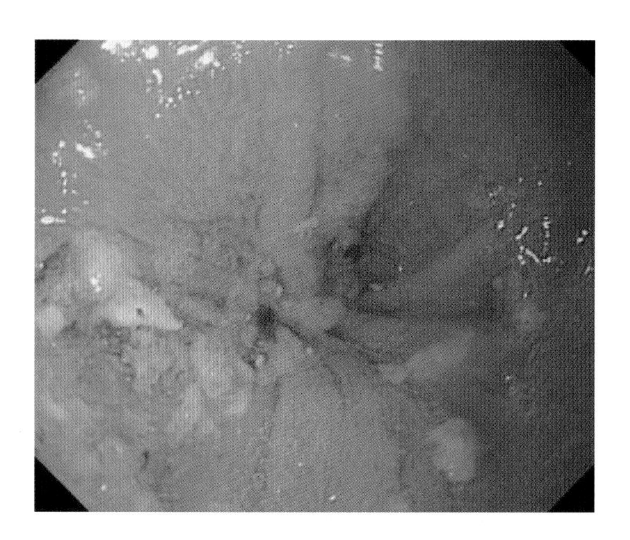

그림 58-2 **식도이완불능증 환자의 전형적인 식도 내시경 소견.** 식도의 확장, 음식물의 저류, 점막 부종으로 인한 모세혈관상 소실이 관찰된다.

로 인해 내시경검사 도중 기도로 흡인될 위험성이 있기 때문에 주의가 필요하다. 만성적인 음식물 저류에 의해서 점막에 저류성식도염(retention esophagitis)이 동반되기 때문에, 점막 부종과 비후로 인해 정상적으로 잘 관찰되어야 할 식도 점막 모세혈관이 보이지 않는 소견이 관찰되기도 한다. 하지만 식도이완불능증 환자 약 40% 정도에서는 정상적인 내시경 소견을 보이기 때문에 내시경검사 단독으로 식도이완불능증을 진단하거나 또는 배제하여서는 안된다. 따라서 병력과 증상에서 식도이완불능증의 가능성이 있는 환자에게는 내시경 소견이 정상이어도 바륨식도조영술이나 식도내압검사를 추가로 시행하여야만 한다.

그림 58-3 **고해상도 식도내압검사 카테터.**
36개의 금속 압력센서가 1 cm 간격으로 내장되어 있다.

3) 식도내압검사

압력측정센서가 내장된 유연한 도관을 코를 통해 식도에 삽입하고 연하 시 식도 체부 및 하부식도괄약근의 압력을 측정하는 식도내압검사는 식도이완불능증을 진단하는데 가장 중요한 표준검사이다. 상당수의 식도이완불능증 환자는 바륨식도조영술이나 내시경검사에서 정상 소견을 보일 수 있기 때문에 이 질환이 의심된다면 식도내압검사를 시행하는 것은 필수적이다. 식도의 확장이 심한 경우에는 도관을 위식도접합부로 통과시키는 것이 어려울 수 있는데, 이러한 경우 내시경 또는 방사선 투시를 통한 가이드가 도움이 될 수 있다.

과거에는 도관 내부의 작은 구멍으로 물을 관류시켜서 압력을 측정하는 고식적 식도내압검사가 주로 시행되었지만, 1 cm 간격의 36개 고형 압력센서가 내장된 카테터를 사용하는 고해상도내압검사(high resolution manometry)가 훨씬 더 정확한 식도압력정보를 제공할 수 있기 때문에 최근에는 대부분 고해상도 식도내압검사로 대체되는 경향이며, 그로 인해 식도이완불능증 진단의 정확성이 더욱 향상되었다(그림 58-3).

가장 특징적이고 핵심적인 식도내압검사 소견은 하부식도괄약근의 불충분한 이완과 식도 체부 정상적인 연동운동의 소실이다. 고해상도 식도내압검사에서는 하부식도 괄약근의 연하 시 4초간의 통합적 이완 압력값이(4 sec integrated relaxation pressure, 4s-IRP) 15 mmHg 이상인 경우를 불충분한 이완이라고 정의한다. 만약 하부식도괄약근의 4s-IRP는 15 mmHg 이상이지만 정상적인 식도 체부의 연동운동이 관찰되는 경우에는 식도이완불능증으로 진단해서는 안되고, '위식도접합부배출이상(esophago-gastric junction outflow obstruction)'이라는 다른 질환으로 분류한다.

고해상도 내압검사의 도입으로 식도이완불능증에 특징적인 아형이 존재함이 알려지게 되었는데, 2008년 Pandolfino 등은 식도이완불능증에서 기본적이고 필수적인 내압검사 소견인 하부식도괄약근의 불완전한 이완 소견과 함께, 동반되는 식도 체부의 수축양상에 따라서 3가지 아형으로 분류하였다. 제1형은 식도 체부의 연동운동이나 압력 증가 소견이 전혀 나타나지 않는 경우, 제 2형은 적어도 20% 이상의 빈도로 연하 시 식도 전체의 압력이 동시에 30 mmHg 이상으로 상승하는 'panesophageal pressurization' 소견이 보이는 경우, 제3형은 최소 20% 이상의 빈도로 조기 경련성 수축(premature spastic contraction)이 나타나는 경우로 정의하였다(그림 58-4).

이러한 분류는 각 아형에 따라서 임상양상이나 치료에 대한 반응이 조금씩 다르다는 최근의 연구결과로 인해 많은 학자들에 의해서 표준 분류법으로 받아들여지고 있다. 실제로 제3형 식도이완불능증은 증상의 이환기간이 짧은 경우가 많고, 가슴통증을 호소하는 빈도가 높으며, 바륨식도조영술에서 식도확장이 없는 경우가 대부분이고, 치료에 대한 반응은 가장 나쁜 편이면서 풍선확장술 치료보다는 복강경 또는 내시경적근절개술 치료에 반응이 더 좋다는 등의 연구들이 알려지고 있으며, 또한 제2형의 경우 복강경 근절개술이나 풍선확장술 치료에 의해 호전될 확률이 다른 아형에 비해 높다는 연구결과도 새로운 분류법의 당위성을 뒷받침한다.

5. 치료

식도이완불능증에서 나타나는 식도의 신경세포 소실이나 및 근육의 연동운동 이상을 근본적으로 정상화시킬 수 있는 치료법은 아직 없다. 다만 확장술이나 근절개술 등의 다양한 방법을 동원하여 하부식도괄약근의 압력을 감소시킴으로써 삼킨 음식물이 식도에서 위로 배출되는 기능을 개선시키는 것이, 본 질환의 증상개선을 위한 치료의 핵심이다. 식도이완불능증의 치료 목표는 연하곤란과 역류 등의 증상을 개선하고, 식도 내 음식물의 위 내로 배출을 향상시키며, 장기적으로 거대식도의 발생을 방지하는 것이다. 현재까지 도입되어 이용되고 있는 치료법 중에서 약물요법은 효과가 제한적이어서 널리 사용되고 있지는 않고, 근래에는 주로 풍선확장술, 내시경적 보툴리눔 독소 주입법, 경구 내시경적 근절개술(peroral endoscopic myotomy, POEM)을 포함하는 내시경적 치료와 수술적인 근절개술 치료가 적용되고 있다.

1) 약물요법

질산염(nitrate) 제제, 칼슘 통로 차단제(calcium channel blocker) 등이 하부식도괄약근 압력을 낮추는 효과가 있기 때문에, 식도이완불능증의 증상개선을 위해 사용되어 왔다. 칼슘 통로 차단제인 니페디핀(nifedipine)을 식전 30분에 10~30 mg 설하 투여하거나, 질산염 제제인 isosorbid dinitrate를 식전 10~15분 전에 5 mg씩 설하 투여하는 것이 연하곤란 증상을 완화

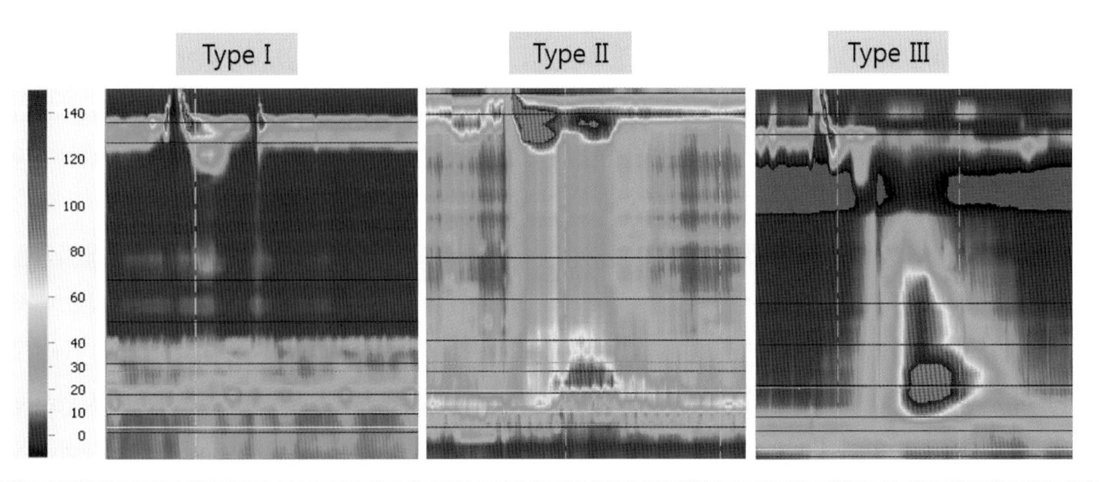

그림 58-4 고해상도 식도내압검사 소견에 따른 식도이완불능증의 3가지 아형 분류.

하는데 도움이 된다. 이외에도 포스포디에스터라제 억제제(phosphodiesterase inhibitors)나 항콜린성 제제 등이 유사한 효과가 있는 것으로 알려져 있다. 하지만, 이러한 약물요법의 가장 큰 단점은 증상 완화 효과가 50~80% 정도로 제한적이고, 호전이 일시적이며, 장기간 투약하기에는 부작용이 흔하게 동반된다는 점이다. 따라서 약물요법은 고령이나 동반 질환이 있어서 다른 치료를 적용하기 어려운 경우, 풍선확장술이나 수술적 근절개술을 거부하거나 협조가 불가능한 환자, 증세가 경미한 환자에서 보조적인 목적 정도로만 사용되고 있다.

2) 내시경적 치료

(1) 풍선확장술

풍선확장술(pneumatic balloon dilatation)은 내시경을 식도에 삽입한 상태에서 내시경 겸자공을 통해, 확장 시 직경이 3, 3.5, 4 cm까지 늘어나는 풍선이 부착된 확장기를 위식도접합부로 통과시킨 뒤에, 연결된 압력 밸브를 통해 공기를 순간적으로 불어넣어서 압력을 빠르게 증가시킴으로써 하부식도괄약근의 근섬유의 파열을 초래함으로써, 하부식도괄약근의 압력을 감소시키는 치료법으로 내시경 직시하에 시행한다. 풍선확장술은 비교적 치료 성공률이 높고, 치료효과가 장기간 지속되며, 비용이 저렴하면서 입원기간이 짧아 가장 보편적으로 널리 사용되어온 방법이다. 치료 성적은 보고마다 다양하지만, 시술 후 성공적인 증상 개선 비율은 1년에 약 80~90% 정도이며, 5년째에는 약 60% 정도에서만 치료 효과가 지속된다. 즉, 풍선확장술은 단기 반응률이 높은 반면에, 재발률이 높아 장기 반응률이 떨어지는 단점이 있으며 5년 내에 약 40~50%에서 추가 치료가 필요하다. 확장술로 인한 합병증으로는 식도 천공, 출혈, 통증, 역류 등이 발생할 수 있는데, 특히 2~4%에서 발생할 수 있는 식도 천공은 심각한 종격동염으로 이환될 수도 있다는 것이 이 치료법의 단점이지만, 경험이 많은 시술자에 의해 시행되는 경우에는 시술 관련 합병증이나 사망이 현저하게 적었다는 보고도 있다. 풍선확장술 후에 증상이 재발한 환자에서는 다시 풍선확장술을 반복해서 시행할 수도 있으며, 수술적 근절개술이나 경구내시경근절개술도 고려할 수 있다. 풍선확장술 후 치료효과 판정은 치료 후 바륨식도조영술에서 위식도 접합부 직경의 증가나, 1개월 후 추적 식도내압검사상 하부식도괄약근 압력의 감소 등으로 평가할 수 있다.

(2) 보툴리늄 독소 주입

보툴리늄 독소(Botulinum toxin)는 근육에 분포하는 신경의 시냅스전 신경원 말단에서 아세틸콜린의 분비를 억제함으로써 근육의 수축을 억제하여 강력한 신경-근 마비를 일으키는 약물이다. 안면근육의 수축에 의한 주름을 개선하기 위한 심미적 목적과 과도한 근육 수축에 의한 질환 등의 치료에 광범위하게 사용되고 있다. 보툴리늄 독소를 내시경을 통해 하부식도괄약근에 주사하게 되면, 괄약근의 콜린성 신경 작용이 차단되면서 괄약근의 압력을 감소하게 되어 연하곤란 증상을 완화시킨다. 통상적으로 보툴리늄 독소 100 단위를 증류수에 희석하여 하부식도괄약근 부위에 최소한 네 방향에 나누어 주사한다.

단기 치료효과는 상당히 좋아서 치료 직후에는 약 85~90%에서 증상 개선 효과를 보이지만, 보툴리늄 독소의 신경-근 마비효과가 영구적이지는 않기 때문에, 6개월 이내에 수용체가 재생되면서 약 50%에서 증상이 재발하고, 1년 추적관찰 후 증상 호전이 유지되는 비율은 16%에 불과하기 때문에, 장기적인 효과 면에서는 풍선확장술의 효과에 미치지 못한다. 또한 증상이 재발하는 경우 보툴리늄 독소를 다시 주사하는 방법은 반복적인 주사에 의해 항체가 형성되어 치료반응이 초치료에 비해 감소한다는 점도 단점 중 하나이다. 합병증으로는 일시적인 흉통, 안면 홍조 등이 있으나, 대부분 보존적 치료로 쉽게 조절된다. 보툴리늄 독소 주입법은 우수한 단기적 효과와 시술이 안전하고 간편하다는 장점이 있는 반면에, 치료효과가 오래 지속되지 못하고 재발률이 높다는 단점이 명확하여 표준치료로 사용되기에는 적절하지 못하다. 따라서 고령 환자 또는 심각한 동반 질환을 가진 환자에서 수술이나 침습적 치료의 위험성이 높아 적용하기 어려운 경우, 풍선확장술이나 근절개술을 거부하는 환자, 다른 치료를 적용하기 전에 일시적인 증상 개선을 위한 가교적 치료 등으로서 제한적으로 사용하는 것을 권장한다.

(3) 경구 내시경적 근절개술

경구 내시경적 근절개술(peroral endoscopic myotomy, POEM)은 식도이완불능증의 치료법 중에서 가장 효과적이면서도 그 효과가 오래 지속되는 치료방법은 외과적으로 하부식도괄약근을 절개하는 방법이다. 그러나 다른 치료법에 비해 침습적이고 비용이 비싸다는 단점이 있었다. 반면, POEM은 외과적인 근절개술 기법을 무흉터 내시경수술(natural orifice transluminal endosurgery, NOTES)기법으로 시행하여 피부 절개 없이 경구 내시경적 접근을 통해 시행하는 최신 치료법이다. 2010년에 Inoue 등에 의해서 처음 소개된 이후, 우수한 치료효과와 안전성으로 인해 전 세계적으로 빠르게 확산되면서, 식도이완불능증의 표준치료 중 하나로 자리를 잡고 있다. POEM 수술의 기법은 전신마취 하에서 경구로 진입한 내시경을 통해서 중부식도 점막에 점막하주입과 점막절개를 시행한 후, 점막하층으로 내시경 선단을 진입시킨다(그림 58-5A). 점막하층에 진입한 내시경으로 점막하박리 기법을 통해서 계속 하방으로 진행하면서 공간을 확보하여, 점막과 근육층 사이의 점막하 공간에 식도 체부로부터 위식도접합부 하방까지 긴 터널을 형성시킨다(그림 58-5B). 점막하 터널 내로 노출된 식도의 근육층에 대해서 내시경 절개도를 사용해서 원위부 식도체부의 윤상근과 하부식도괄약근을 절개한 뒤에(그림 58-5C), 내시경이 진입했던 점막 절개부위를 내시경 클립을 사용하여 봉합함으로써 마무리된다(그림 58-5D). 식도에는 장막층이 없어서 근절개술 과정에서 터널 내부를 통해 공기가 종격동으로 새어나가는 것을 피할 수 없기 때문에, POEM 수술에서는 내시경을 통한 공기 주입에 흡수가 빠른 100% 이산화탄소를 사용하는 것이 필수적이다.

POEM은 수술적 근절개술에 비해서 다양한 장점들을 가지고 있는데, 첫째는 피부 절개가 없어 수술의 반흔이 없다는 점, 둘째는 근절개의 방향이나 길이를 시술자 마음대로 조절할 수 있기 때문에 식도 체부의 경련성 수축이 흉통의 원인으로 판단되는 경우에는 복강경수술로는 접근이 어려운 식도 체부 윤상근의 근절개술까지도 가능하다는 점, 셋째로 외과적 근절개술은 위식도접합부의 수술적 시야 확보를 위해 횡격막식도인대(phrenoesophageal ligament)와 가로막 열공 주변의 구조물들을 박리하여, 위식도접합부 주변의 해부학적 구조가 일부 손상되는데 반해, POEM에서는 점막하층을 통해 안쪽에서부터 식도 근육층에 접근하므로 이러한 정상 구조물들의 손상이 전혀 없다는 점, 넷째는 식도 내부에서 근절개를 시행하기 때문에 종주근에 대한 손상이 거의 없이 선택적으로 윤상근만을 절개하는 것이 가능하다는 점, 다섯째로 외과적 수술에 비해 최소침습적 치료법으로서 합병증이 적다는 점 등이다.

POEM의 치료성적은 단기적으로는 95~98% 정도의 높은 증상 개선효과가 보고되고 있고, 장기적으로도 3년 이상 추적관찰 하였을 때 88%에서 증상 개선이 유지되었다는 보고로 미루어, 장기적인 치료효과도 매우 우수한 것으로 알려지고 있다. 가능한 합병증으로 시술 중 터널을 통해 공기기 유출되어 피하 기종, 폐기종, 종격동 기종, 기복증(pneumoperitoneum) 등이 발생할 수 있지만 심하지 않은 대부분의 경우에는 자연적으로 호전되고, 드물게 발생하는 출혈이나 감염, 흉막삼출

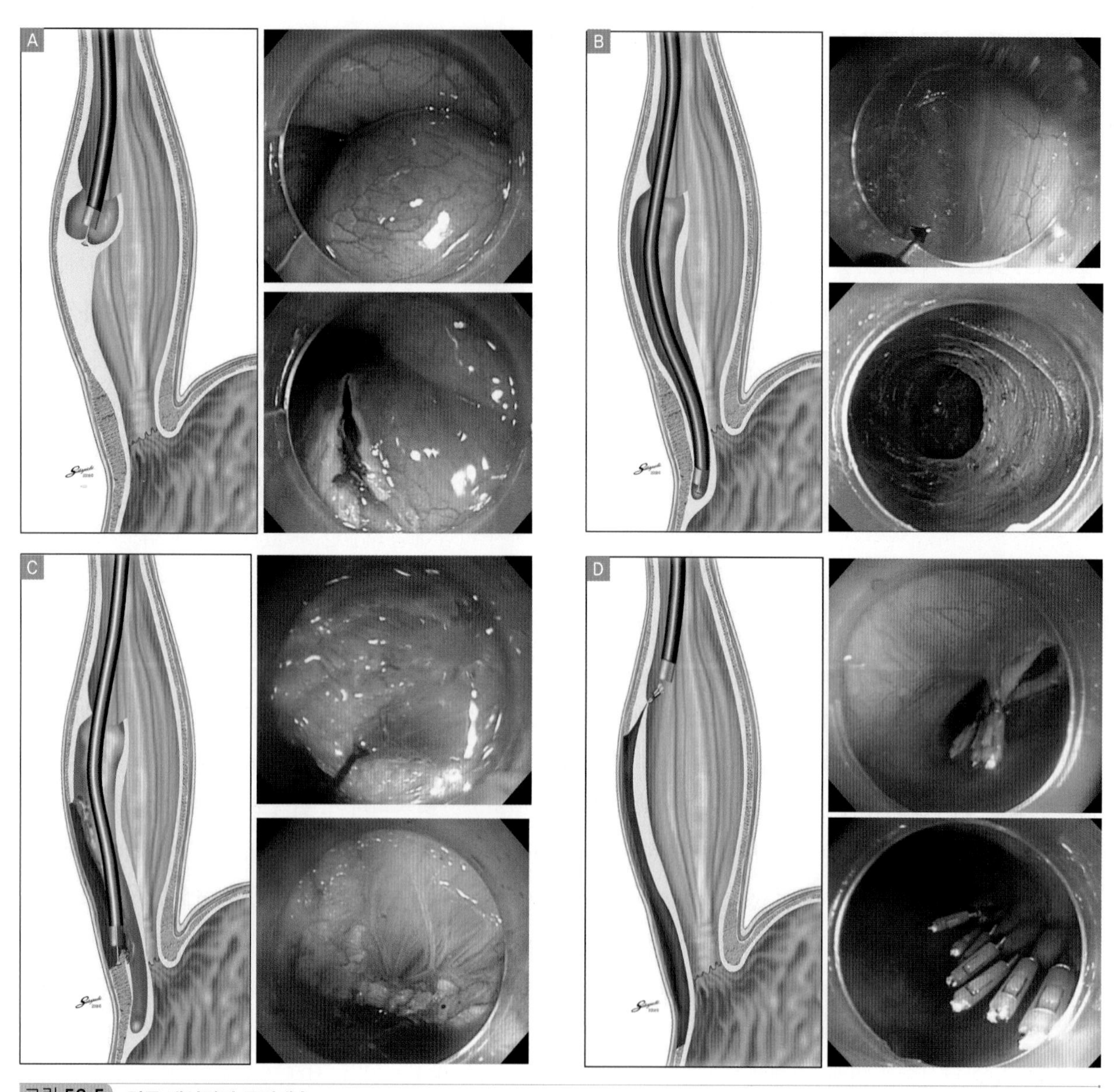

그림 58-5 **경구 내시경적 근절개술.**
(Peroral endoscopic myotomy, POEM; Reprinted from J Neurogastroenterol Motil 2016;22:14-24 with permission; Youn et al. reference 69)

(pleural effusion) 등의 합병증은 내과적 보존적 치료로 호전이 가능하다. POEM 시술의 단점으로는 시술 후 역류성식도염과 위식도역류질환의 발생 빈도가 풍선확장술에 비해서 높다는 점인데, 이에 대해서는 향후 장기적인 추적관찰이 필요하다. POEM은 단기, 장기 치료효과가 매우 뛰어난 식도이완불능증의 최소 침습적 치료법으로 많은 장점을 가지고 있기는 하지만, 아직 임상에 소개된 지가 수년 밖에 되지 않은 최신 치료법이기 때문에 향후 장기적인 추적관찰에 대한 연구가 필요한 상태이다.

3) 수술적 치료

식도이완불능증의 치료방법으로 1970년대부터 1990년대 초반까지 내시경적 풍선확장술(balloon dilatation)

이 주된 치료방법이었고 수술적 근절개술(Myotomy)은 풍선확장술이 실패했을 때 시행하는 이차적인 치료방법으로 간주되어 왔으나 1990년대 이후 복강경하 근절개술(laparoscopic myotomy)이 보급된 이후 수술의 적용이 점차적으로 확대되면서 좋은 수술결과가 발표되어 점차적으로 많은 내과의들이 식도이완불능증 환자들에게 풍선확장술이 아닌 근절개술을 권유하게 되었다.

(1) 식도이완불능증 수술의 역사

1913년 Heller는 식도이완불능증 환자에게 개흉술을 통해 식도의 전벽과 후벽에 이중으로 근절개술을 처음으로 시행하여 보고하였고, Heller의 술식이 약간 변형되어 후벽에 가하던 근절개술을 생략하였는데, 이 근절개술 방법이 이후 수십 년간 식도이완불능증에 대한 수술적 치료의 근간을 이루어 왔다. 하지만, 1970년대에 들어와서 내시경적 풍선확장술이 소개되어 개흉술이나 개복술에 비해 훨씬 덜 침습적인 면이 부각되면서 풍선확장술이 수술적 근절개술 치료를 대신하게 되었다. 1991년 Shimi 등은 복강경하 근절개술을 처음 시행하여 보고하였고 연이어 Pellegrini 등은 흉강경하 근절개술을 처음 보고하였는데 두 보고 모두 기술적인 용이성과 안전성 그리고 환자들의 연하곤란을 해결하는데 있어 좋은 초기결과를 보고하였으며 근절개술에 최소침습수술을 접목함으로써 수술 후 통증이 줄어들고 환자들이 조기에 퇴원하여 일상생활로 복귀할 수 있는 장점을 보고하였다. 이후 이러한 새로운 수술방법들이 지난 20여 년 간 널리 받아들여지게 되었다.

식도이완불능증의 치료에 최소침습수술이 널리 받아들여지면서 초기에 많은 외과의들은 흉강경을 이용한 근절개술을 시행하였다. 이 방법은 개흉술에서 시행하던 근절개술의 방법을 그대로 가져와 하부식도괄약근을 포함한 식도의 전벽에 6~7 cm의 긴 근절개를 가하고 위의 방향으로는 위 분문부의 sling fiber를 보존하여 수술 후 역류를 막기 위해서 5 mm 정도의 근절개만을 가하는 것이다. 이러한 방법은 초기에 80% 이상의 환자에서 연하곤란의 완전 관해를 보여 좋은 결과를 나타내었으나 흉강 내로 접근하기 위하여 한쪽 폐 마취(one-lung ventilation)가 필요하고 수술 후 흉관을 삽관해야 하는 복잡함과 함께 예방적인 항역류수술을 하지 않음으로 인해 수술 후 높게는 60%에 이르는 환자에서 위식도역류질환이 발생하는 등의 문제가 있어 시간에 지남에 따라 서서히 예방적 항역류수술을 동반하는 복강경하 근절개술로 대체하게 되었다.

(2) 복강경하 식도분문근절개술 및 위저부주름술

근절개술을 시행할 수 있는 충분한 공간을 확보하기 위하여 복부 식도를 종격동으로부터 수 cm에 걸쳐서 박리하여 유동화한다. 미주신경의 전방(혹은 좌) 분지를 복부식도에서 박리하여 분리해서 근절개술 시 손상을 방지한다. 만약 열공탈장(hiatal hernia)이 있으면 근절개술이 끝난 다음 횡격막의 crus를 식도후방에서 복원해 준다. 근절개술은 위식도접합부에서 식도방향으로 먼저 시작하여 최소한 4 cm를 시행하고 아래쪽으로 위의 방향으로는 대략 2 cm 정도를 시행한다(그림 58-6).

근절개술을 마친 뒤에는 내시경을 이용하여 완전한 근절개가 이루어졌는지 확인하고 내시경으로 근절개

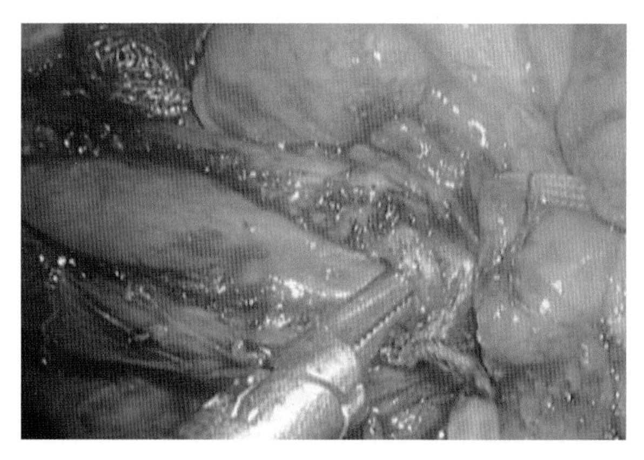

그림 58-6 복강경하 식도분문절개술 이후 식도전면으로 식도 점막의 노출을 볼 수 있다.

술 자리에서 점막의 천공이 없는지를 확인한다. 만약 점막의 천공이 확인이 되면 봉합하고 연이은 위저부주름술을 시행하여 보강한다. 180° 전방부분 Dor 위저부주름술을 위해 위의 대만을 유동화하여 위식도접합부로 끌어올린다. 이때 wrap에 너무 긴장이 가지 않도록 여유 있게 형성될 수 있도록 주의를 기울인다. Wrap을 형성할 때 근절개술의 가장자리와 횡격막의 crus와 함께 봉합하여 근절개술의 마진이 서로 분리되도록 한다(그림 58-7).

(3) 식도이완불능증 수술 시 항역류수술의 방법

식도이완불능증 수술 시 근절개술을 시행하게 되면 결국 위식도역류질환이 발생하게 되는데 이것은 식도 점막의 손상을 통해 궤양이나 협착 등을 유발할 수 있으며 좀 더 궁극적으로는 바레트식도를 통해 식도선암을 유발할 수 있다. 그러므로 근절개술 후에는 위식도역류질환의 발생을 방지하기 위하여 예방적인 항역류수술을 추가로 해주어야 한다. Richards 등은 복강경하 근절개술에서 Dor 위저부주름술의 의미를 알아보는 이중맹검 무작위 전향적 연구에서 Dor 위저부주름술을 추가한 군에서 수술 후 연하곤란의 관해율에서는 차이가 없으면서도 24시간 식도산도검사에서 위식도역류질환의 빈도가 9%로 추가하지 않은 군의 48%에 비해 유의하게 낮음을 보고하였다. 또한, 추가하는 위저부주름술의 형태의 차이에 대한 연구에서 부분위주름술(Partial fundoplication)이 전위주름술(Nissen or total fundoplication)에 비해 수술 후 위식도역류질환 발생빈도에 차이는 없으면서 수술 후 연하곤란의 발생빈도가 낮아서 부분 위주름술을 추가할 것을 추천하였다.

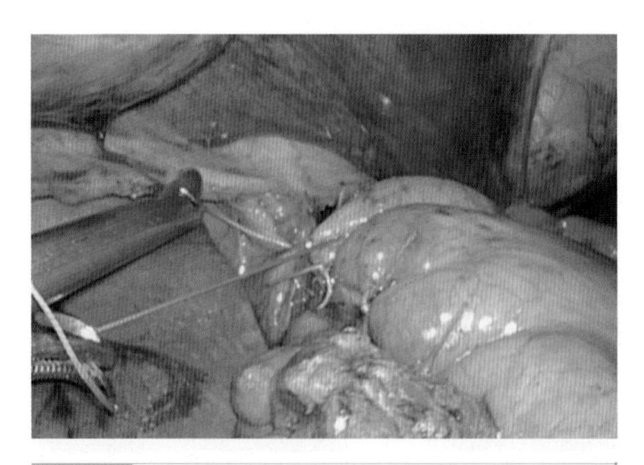

그림 58-7 식도근절제술 이후 180° 전방부분 Dor 위저부주름술을 시행한 모습.

일반적으로 식도이완불능증에서 식도 체부의 연동운동이 소실되는 점을 감안하면 복부 식도를 360° 둘러싸는 전 위저부주름술은 수술 후 음식물의 통과장애를 유발할 수 있는 위험성이 있을 뿐만 아니라 수술 후 연하곤란이 더 빈번하게 발생하기 때문에 전방 180°를 둘러싸는 Dor 위저부주름술이나 후방 270°를 둘러싸는 Toupet 위저부주름술이 더 추천된다. Dor와 Toupet 둘 중 어느 것이 더 유리한지에 대해서는 이견이 많으나 Dor의 경우에는 근절개술로 인해 노출된 점막을 덮어서 보호할 수 있고 기술적으로 하기가 더 쉽다는 장점이 있는 반면, Toupet의 경우에는 근절개술의 양쪽 마진이 wrap에 의해 완전히 분리되어 수술 후 식도이완불능증의 재발이 더 줄어들 수 있다는 장점이 있으나 일반적으로는 Dor 위저부주름술이 더 선호된다.

(4) 근절개술과 풍선확장술의 치료결과 비교

현재까지 근절개술과 풍선확장술을 비교한 장기간의 추적조사 결과가 있는 무작위 전향적 연구로 81명의 환자들을 대상으로 개복술에 의한 근절개술 및 Dor 위저부주름술과 풍선확장술을 비교하였는데, 5년간 추적검사에서 근절개술은 95%의 환자에서 증상의 완전 관해를 보였던 반면에 풍선확장술은 65%의 환자에서 완전 관해를 보여 근절개술이 풍선확장술에 비해 식도이완불능증 환자의 치료에 있어서 더 유용함을 보고하였다. 2011년에는 유럽의 5개국에 걸쳐서 진행되었던 무작위 전향적 연구에서 2년간의 단기간 추적조사 결과가 발표되었고 이 연구에서 보고된 증상 관해율은 풍선확장술이 86%, 복강경하 근절개술이 90%로 양 군 간에 유의한 차이를 보이지 않았으나, Campos 등은 105개의 문헌, 7,855명의 환자를 분석한 메타분석에서 항역류수술을 동반한 복강경하 근절개술이 풍선확장술이나 다른 외과적 수술들에 비해 가장 높은 증상 관해율(90%)을 보였고 낮은 합병증 발생률(6.3%)을 보여 식도이완불능증에 대한 가장 좋은 치료방법이라고 주장하였다. 이상을 놓고 볼 때 아직까지 명확한 증거는 존재하지 않으나 식도이완불능증에 대한 치료는 항역류수술을 동반한 복강경하 근절개술이 풍선확장술에 비해 더 효과적이라고 할 수 있다.

(5) 근절개술 이후 추적관찰

근절개술의 효과는 시간이 지나면서 감소되어 약 5년이 경과하면 18~20%에서 추가적인 치료를 필요로 하는 것으로 알려져 있다. 이러한 추가적인 치료에는 재수술을 시행할 수도 있으며 수술적 치료 이외에 보트리눔 독소주사요법을 비롯한 약물치료를 시행할 수 있다. 따라서 근절개술 이후 개개인의 증상에 대한 특성에 맞게 식도이완불능증 환자에 대한 장기적인 추적관찰 및 내시경적 확장술, 내시경적 점막하 절제술을 비롯한 다학제적인 접근이 필요할 것으로 사료된다.

참고문헌

1. Annese V, Basciani M, Perri F, et al. Controlled trial of botulinum toxin injection versus placebo and pneumatic dilation in achalasia. Gastroenterology 1996;111:1418-1424.
2. Bassotti G, Annese V. Review article: pharmacological options in achalasia. Aliment Pharmacol Ther 1999;13:1391-1396.
3. Birgisson S, Galinski MS, Goldblum JR, et al. Achalasia is not associated with measles or known herpes and human papilloma viruses. Dig Dis Sci 1997;42:300-306.
4. Birgisson S, Richter JE. Achalasia in Iceland, 1952-2002: an epidemiologic study. Dig Dis Sci 2007;52:1855-1860.
5. Boeckxstaens GE, Annese V, des Varannes SB, et al; European achalasia trial investigators. Pneumatic dilation versus laparoscopic Heller's myotomy for idiopathic achalasia. N Engl J Med 2011;364:1807-1816.
6. Boeckxstaens GE, Zaninotto G, Richter JE. Achalasia. Lancet 2014;383:83-93.
7. Boeckxstaens GE. Achalasia: virus-induced euthanasia of neurons? Am J Gastroenterol 2008;103:1610-1612.
8. Booy JD, Takata J, Tomlinson G, Urbach DR. The prevalence of autoimmune disease in patients with esophageal achalasia. Dis Esophagus 2012;25:209-213.
9. Bredenoord AJ, Fox M, Kahrilas PJ, et al. International High Resolution Manometry Working Group. Chicago classification criteria of esophageal motility disorders defined in high resolution esophageal pressure topography. Neurogastroenterol Motil 2012;24:57-65.
10. Burpee SE, Mamazza J, Schlachta CM, et al. Objective analysis of gastroesophageal reflux after laparoscopic heller myotomy: an anti-reflux procedure is required. Surg Endosc 2005;19:9-14.
11. Campos GM, Vittinghoff E, Rabl C, et al. Endoscopic and surgical treatments for achalasia: a systematic review and meta-analysis. Ann Surg 2009;249:45-57.
12. Castagliuolo I, Brun P, Costantini M, et al. Esophageal achalasia: is the herpes simplex virus really innocent? J Gastrointest Surg 2004;8:24-30.
13. Clark SB, Rice TW, Tubbs RR, et al. The nature of the myenteric infiltrate in achalasia: an immunohistochemical analysis. Am J Surg Pathol 2000;24:1153-1158.
14. Costantini M, Zaninotto G, Guirroli E et al. The laparoscopic Heller-Dor operation remains an effective

treatment for esophageal achalasia at a minimum 6-year follow-up. Surg Endosc 2005;19:345-351.

15. Csendes A, Braghetto I, Henríquez A, Cortés C. Late results of a prospective randomised study comparing forceful dilatation and oesophagomyotomy in patients with achalasia. Gut 1989;30:299-304.
16. De León AR, de la Serna JP, Santiago JL, et al. Association between idiopathic achalasia and IL23R gene. Neurogastroenterol Motil 2010;22:734-738.
17. De Oliveira RB, Rezende Filho J, Dantas RO, et al. The spectrum of esophageal motor disorders in Chagas' disease. Am J Gastroenterol 1995;90:1119-1124.
18. Eckardt VF, Köhne U, Junginger T, et al. Risk factors for diagnostic delay in achalasia. Dig Dis Sci 1997;42:580-585.
19. Eckardt VF. Clinical presentations and complications of achalasia. Gastrointest Endosc Clin N Am 2001;11:281-292.
20. Enestvedt BK, Williams JL, Sonnenberg A. Epidemiology and practice patterns of achalasia in a large multi-centre database. Aliment Pharmacol Ther 2011;33:1209-1214.
21. Farrukh A, DeCaestecker J, Mayberry JF. An epidemiological study of achalasia among the South Asian population of Leicester, 1986-2005. Dysphagia 2008;23:161-164.
22. Ferguson MK, Little AG. Angina-like chest pain associated with high-amplitude peristaltic contractions of the esophagus. Surgery 1988;104:713-719.
23. Francis DL, Katzka DA. Achalasia: update on the disease and its treatment. Gastroenterology 2010;139:369-374.
24. Gennaro N, Portale G, Gallo C, et al. Esophageal achalasia in the Veneto region: epidemiology and treatment: epidemiology and treatment of achalasia. J Gastrointest Surg 2011;15:423-428.
25. Ghoshal U, Kumar S, Saraswat V, et al. Long-term follow-up after pneumatic dilation for achalasia cardia: factors associated with treatment failure and recurrence. The American journal of gastroenterology 2004;99:2304-2310.
26. Gockel I, Bohl JRE, Doostkam S, et al. Spectrum of histopathologic findings in patients with achalasia reflects different etiologies. J Gastroenterol Hepatol 2006;21:727-733.
27. Gockel I, Bohl JRE, Eckardt VF, et al. Reduction of interstitial cells of Cajal (ICC) associated with neuronal nitric oxide synthase (n-NOS) in patients with achalasia. Am J Gastroenterol 2008;103:856-864.
28. Gockel I, Junginger T. The value of scoring achalasia: a comparison of current systems and the impact on treatment–the surgeon's viewpoint. Am Surg 2007;73:327-331.
29. Goldblum JR, Whyte RI, Orringer MB, et al. Achalasia: a morphologic study of 42 resected specimens. Am J Surg Pathol 1994;18:327-337.
30. Gordillo-González G, Guatibonza YP, Zarante I, et al. Achalasia familiar: report of a family with an autosomal dominant pattern of inherence. Dis Esophagus 2011;24:1-4.
31. Goyal RK, Chaudhury A. Pathogenesis of achalasia: lessons from mutant mice. Gastroenterology 2010;139:1086-1090.
32. Goyal RK, Chaudhury A. Physiology of normal esophageal motility. J Clin Gastroenterol 2008;42:610-619.
33. Heller E. Extramukose Kardioplastik beim chronischen Kardiospasmus mit dilation des oesophagus. Mitt Grenzgeb Med Chir 1913;27:141-149.
34. Herbella FA, Oliveira DR, Del Grande JC. Are idiopathic and Chagasic achalasia two different diseases? Dig Dis Sci 2004;49:353-360.
35. Hirano T, Miyauchi E, Inoue A, et al. Two cases of pseudo-achalasia with lung cancer: case report and short literature review. Respir Investig 2016;54:494-499.
36. Howard PJ, Maher L, Pryde A, et al. Five year prospective study of the incidence, clinical features, and

diagnosis of achalasia in Edinburgh. Gut 1992;33: 1011-1015.
37. Hurst AF, Rowlands RP. Case of achalasia of the cardia relieved by operation. Proc R Soc Med 1924;17: 45-46.
38. Inoue H, Minami H, Kobayashi Y, et al. Peroral endoscopic myotomy (POEM) for esophageal achalasia. Endoscopy 2010;42:265-261.
39. Inoue H, Sato H, Ikeda H, et al. Per-Oral Endoscopic myotomy: a series of 500 patients. J Am Coll Surg 2015;221:256-264.
40. Jung DH, Park H. Is gastroesophageal reflux disease and achalasia; coincident or not? J Neurogastroenterol Motil 2017;23:5-8.
41. Katzka DA, Farrugia G, Arora AS. Achalasia secondary to neoplasia: a disease with a changing differential diagnosis. Dis Esophagus 2012;25:331-336.
42. Kessing BF, Bredenoord AJ, Smout AJ. Erroneous diagnosis of gastroesophageal reflux disease in achalasia. Clin Gastroenterol Hepatol 2011;9:1020-1024.
43. Kim E, Lee H, Jung HK, Lee KJ. Achalasia in Korea: an epidemiologic study using a national healthcare database. J Korean Med Sci 2014;29:576-580.
44. Kraichely RE, Farrugia G, Pittock SJ, et al. Neural autoantibody profile of primary achalasia. Dig Dis Sci 2010;55:307-311.
45. Moonka R, Patti MG, Feo CV, et al. Clinical presentation and evaluation of malignant pseudoachalasia. J Gastrointest Surg 1999;3:456-461.
46. Ng KY, Li KF, Lok KH, et al. Ten-year review of epidemiology, clinical features, and treatment outcome of achalasia in a regional hospital in Hong Kong. Hong Kong Med J 2010;16:362-366.
47. Nuñez C, García-González MA, Santiago JL, et al. Association of IL10 promoter polymorphisms with idiopathic achalasia. Hum Immunol 2011;72:749-752.
48. Oelschlager BK, Chang L, Pellegrini CA. Improved outcome after extended gastric myotomy for achalasia. Arch Surg 2003;138:490-495.
49. Pandolfino JE, Kwiatek MA, Nealis T, et al. Achalasia: a new clinically relevant classification by high-resolution manometry. Gastroenterology 2008;135:1526-1533.
50. Patti MG, Arcerito M, De Pinto M, et al. Comparison of thoracoscopic and laparoscopic Heller myotomy for achalasia. J Gastrointest Surg 1998;2:561-566.
51. Patti MG, Fisichella PM, Perretta S, et al. Impact of minimally invasive surgery on the treatment of esophageal achalasia: a decade of change. J Am Coll Surg 2003;196:698-703.
52. Patti MG, Herbella FA. Fundoplication after laparoscopic Heller myotomy for esophageal achalasia: what type? J Gastrointest Surg 2010;14:1453-1458.
53. Pellegrini C, Wetter LA, Patti M, et al. Thoracoscopic esophagomyotomy. Initial experience with a new approach for the treatment of achalasia. Ann Surg 1992;216:291-296.
54. Pérez-Molina JA, Molina I. Chagas disease. Lancet. 2017;6736:31612-1614.
55. Ramzan Z, Nassri AB. The role of Botulinum toxin injection in the management of achalasia. Curr Opin Gastroenterol 2013;29:468-473.
56. Rebecchi F, Giaccone C, Farinella E, Campaci R, Morino M. Randomized controlled trial of laparoscopic Heller myotomy plus Dor fundoplication versus Nissen fundoplication for achalasia:long-term results. Ann Surg 2008;248:1023-1030.
57. Richards WO, Torquati A, Holzman MD, et al. Heller myotomy versus Heller myotomy with Dor fundoplication for achalasia: a prospective randomized double-blind clinical trial. Ann Surg 2004;240:405-412.
58. Richter JE. The diagnosis and misdiagnosis of Achalasia: it does not have to be so difficult. Clin Gastroenterol Hepatol 2011; 9:1010-1011.
59. Robertson CS, Martin BA, Atkinson M. Varicella-zoster virus DNA in the oesophageal myenteric plexus in Achalasia. Gut 1993;34:299-302.
60. Sadowski DC, Ackah F, Jiang B, et al. Achalasia: in-

cidence, prevalence and survival: a population-based study. Neurogastroenterol Motil 2010;22:256-261.
61. Sinan H, Tatum RP, Soares RV, et al. Prevalence of respiratory symptoms in patients with achalasia. Dis Esophagus 2011;24:224-228.
62. Stefanidis D, Richardson W, Farrell TM, Kohn GP, Augenstein V, Fanelli RD. Society of American Gastrointestinal and Endoscopic Surgeons. SAGES guidelines for the surgical treatment of esophageal achalasia. Surg Endosc 2012;26:296-311.
63. Stewart KC, Finley RJ, Clifton JC, Graham AJ, Storseth C, Inculet R. Thoracoscopic versus laparoscopic modified heller myotomy for achalasia: efficacy and safety in 87 patients. J Am Coll Surg 1999;189:164-169.
64. Tsuboi K, Hoshino M, Srinivasan A, et al. Insights gained from symptom evaluation of esophageal motility disorders: a review of 4,215 patients. Digestion 2012;85:236-242.
65. Tuset JA, Luján M, Huguet JM, et al. Endoscopic pneumatic balloon dilation in primary achalasia: predictive factors, complications, and long-term follow-up. Dis Esophagus 2009;22:74-79.
66. Vaezi MF, Baker ME, Achkar E, et al. Timed barium oesophagram: better predictor of long term success after pneumatic dilation in achalasia than symptom assessment. Gut 2002;50:765-770.
67. Vaezi MF, Pandolfino JE, Vela MF. ACG clinical guideline: diagnosis and management of achalasia. Am J Gastroenterol 2013;108:1238-1249.
68. Vigo AG, Martínez A, De la Concha EG, et al. Suggested association of NOS2A polymorphism in idiopathic achalasia: no evidence in a large case-control study. Am J Gastroenterol 2009;104:1326-1327.
69. Youn YH, Minami H, Chiu PW, et al. Peroral endoscopic myotomy for treating achalasia and esophageal motility disorders. J Neurogastroenterol Motil 2016;22:14-24.

PART 11

위식도역류질환

THE KOREAN GASTRIC CANCER ASSOCIATION

CHAPTER 59

위식도역류의 개요

1. 식도 및 하부식도괄약근의 기능 및 병태생리

위 내용물의 식도역류를 방지하는 기전은 크게 다음의 세 가지로 분류될 수 있는데 첫 번째는 정상적인 기능을 하는 하부식도괄약근(lower esophageal sphincter, LES) 두 번째는 효과적인 식도청소능(esophageal clearance) 그리고 세 번째는 적절한 위배출능(gastric emptying)이다. 이 세 가지의 요인들 중 어느 한 가지라도 그 기능에 이상이 생겼을 때 위 내용물(주되게는 위산)의 식도 노출이 증가하게 되어 식도점막의 손상을 유발하게 된다. 항역류수술은 이들 중 LES의 기능부전에 의해 초래되는 위식도역류질환을 주 대상으로 한다. 그러므로 항역류수술 대상을 선정할 때에는 내시경검사, 식도내압검사, 식도pH검사, 식도조영술 그리고 필요에 따라 신티그래피 위배출검사 등 여러 가지 기능적인 검사들을 통해 환자의 위식도역류질환의 증상이 식도청소능의 감소나 위배출능의 감소에 의해 발생하는 증상이 아닌지를 감별해야 한다. 그리고 식도청소능의 감소나 위배출능의 감소가 LES의 기능저하와 동반되어 있는 경우에는 표준적인 항역류수술방법에서 이를 감안한 변화를 주어야 한다. 예를 들어 심한 위식도역류질환 환자에서는 식도 체부의 수축능 감소에 의한 식도청소능의 감소가 동반되는 경우가 있는데 이럴 경우에는 Nissen과 같은 전위저부주름술(total fundoplication)보다는 Toupet와 같은 부분위저부주름술(partial fundoplication)을 고려해 보아야 한다.

LES의 일차적인 역할은 위 내용물이 식도로 역류하는 것을 방지하는 일인데 LES는 유문이나 괭대부처럼 해부학적으로 명확하게 드러나는 구조를 가진 괄약근은 아니고 위식도경계부에 위치하면서 분명한 고유의 생리작용을 갖는 여러 가지 해부학적 구조물들의 복합체이다. 식도내압검사를 할 때 압력센서가 위에서 식도 방향으로 이동하면서 주위와 구분되는 분명한 고압지대(high pressure zone)를 확인할 수 있다. 이러한 고압지대를 형성하는 데 관여하는 중요한 해부학적 구성요소들은 다음의 네 가지이다.

첫 번째는 식도의 돌림근층(circular muscle layer)의 아래쪽 끝 부분에 괄약근으로 분화된 돌림근섬유들이 있는데 이들을 갈고리근섬유(clasp fiber)라고 하며 이 근섬유들은 식도의 다른 부분의 근섬유들과는 다르게 괄약근 기능을 위한 긴장성 수축상태(tonic contraction)에 놓여 있다. 정상적으로 이 근섬유들은 연하가 시작됨과 거의 동시에 이완되었다가 음식물이 통과하고 나면 바로 다시 긴장성 수축상태로 돌아온다.

두 번째는 위분문부의 걸이근섬유(sling fiber)이다. 이 근섬유들은 위의 분문부-저부 경계부에서부터 소만곡 쪽으로 비스듬하게 달리는 근섬유들인데 해부학적인 층으로는 식도의 돌림근섬유층과 일치한다(그림 59-1). 이 근섬유들도 하부식도의 고압지대를 형성하는 데 중요한 역할을 담당한다.

세 번째는 복부식도를 통해 전도되는 복압이다. 위식도경계부가 복강내의 정상적인 위치에 잘 고정되어 있을 때 흉강내압보다 높은 복압이 복부 LES에 전도되게 되는데 이것은 위식도경계부에서 고압지대를 형성하여 위 내용물이 식도로 역류하는 것을 방지하는 데 중요한 역할을 한다.

네 번째는 횡격막다리(diaphragmatic crus)이다. 식도가 흉강을 지나 복강내로 들어가면서 횡격막다리에 의해 둘러싸이게 되는데 흡기(inspiration) 중에는 횡격막다리에 의해 형성되는 식도열공의 전후방지름(antero-posterior diameter)이 작아지면서 식도를 밖에서 압박하게 되어 LES의 압력을 높이게 된다. 흡기 중에는 흉강내압이 상승하게 되는데 이렇게 되면 복압과 흉강내압 간의 압력 차가 거의 소실되어 위에서 언급한 세 번째 요소에 의한 고압지대 형성 작용이 제한을 받게 된다. 횡격막다리의 수축에 의한 복부 LES의 압박은 흡기 시 발생하게 되는 고압지대에서 압력의 감소를 보상하는 효과가 있다. 또한 이런 호흡운동에 따른 LES의 압력의 차이는 식도내압검사 결과를 판독하는 데 중요한 영향을 미칠 수 있어서 식도내압검사 시에는 보통 호흡의 중간 지점이나 혹은 호기 말(end expiration)에서 압력을 측정하도록 하고 있다.

위식도역류는 하부식도의 고압지대의 압력이 위의 압력보다 낮아서 위의 내용물이 식도로 역류하는 것을 방지할 수 없을 때나 혹은 압력은 정상이라도 상부의 연하운동과 연관 없이 자발적으로 이완될 때(transient

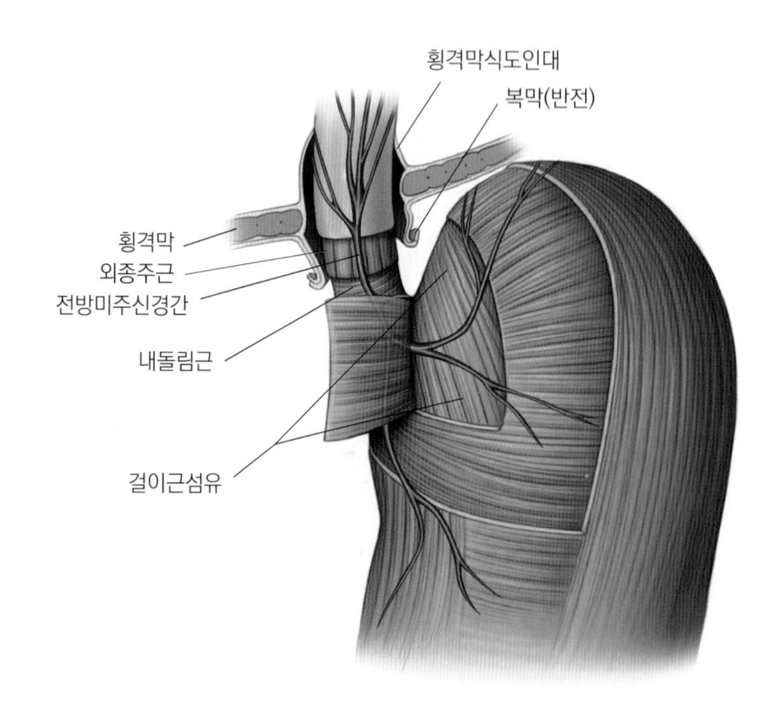

그림 59-1 **위식도경계부의 근육.**
식도의 내윤상근층, 횡격막 그리고 분문부의 걸이근섬유가 하부식도괄약근압을 형성한다. 식도의 내돌림근층은 분문부의 걸이근섬유층과 같은 층에 위치한다.

LES relaxation, TLESR) 발생한다. 그 이외에도 LES가 위쪽 흉강 내로 이동하거나 혹은 음식이나 공기에 의한 위의 확장 과정에서 고압지대가 짧아질 때 역류에 대한 장벽으로서의 기능이 사라져서 역류를 초래하게 된다. 고압지대에서 발생하는 미세한 변화에도 그 기능의 장애를 초래할 수 있기 때문에 정상인에서도 역류가 발생할 수 있다. 위식도역류질환(병적 역류)과 위식도역류(생리적 역류)를 구분하는 것은 굉장히 중요하고도 섬세한 일인데 여기에는 연관된 증상, 식도점막의 손상, 위산에 노출된 양 그리고 기타 다른 요인들 등에 대한 지식을 요한다.

위식도역류는 종종 열공탈장과 연관되어 나타나는데 모든 종류의 열공탈장이 위식도역류를 동반할 수 있지만 가장 흔한 것은 제1형, 활주열공탈장(sliding hiatal hernia)이다. 1형 탈장은 위식도경계부가 횡격막식도인대(phrenoesophageal ligament)에 의해 복강내의 위치를 유지할 수 없을 때 발생하게 되는데 이때 위의 분문부는 후종격동(posterior mediastinum)과 복강 사이를 왔다 갔다 하게 된다. 횡격막식도인대는 복부내근막(endoabdominal fascia)의 연장선상에 있는 구조물로서 식도열공 부위에서 식도방향으로 꺾어져 올라간다. 이것은 식도열공 부위에서 복막반전(peritoneal reflection) 보다 약간 더 표층에 있으며 종격동(mediastinum) 방향으로 연결된다(그림 59-2). 작은 활주열공탈장이 존재하는 것이 바로 LES의 무력증(incompetency)을 의미하는 것은 아니나 열공탈장의 크기가 커질수록 비정상적인 위식도역류가 발생할 확률이 높아진다.

열공탈장의 존재 여부가 위식도역류질환 진단의 필수 조건은 아니고 탈장이 있다고 해서 반드시 수술로 교정해야 하는 것은 아니다. 이론적으로 열공탈장이 있다고 하는 것은 LES가 흉강 내의 음압에 노출될 수 있는 가능성이 높다는 것이고 이것에 의해 LES의 압력이 약화될 수 있기 때문에 역류를 더 용이하게 할 수는 있다. 그러나 대부분의 열공탈장 환자들은 별다른 증상 없이 잘 지낸다.

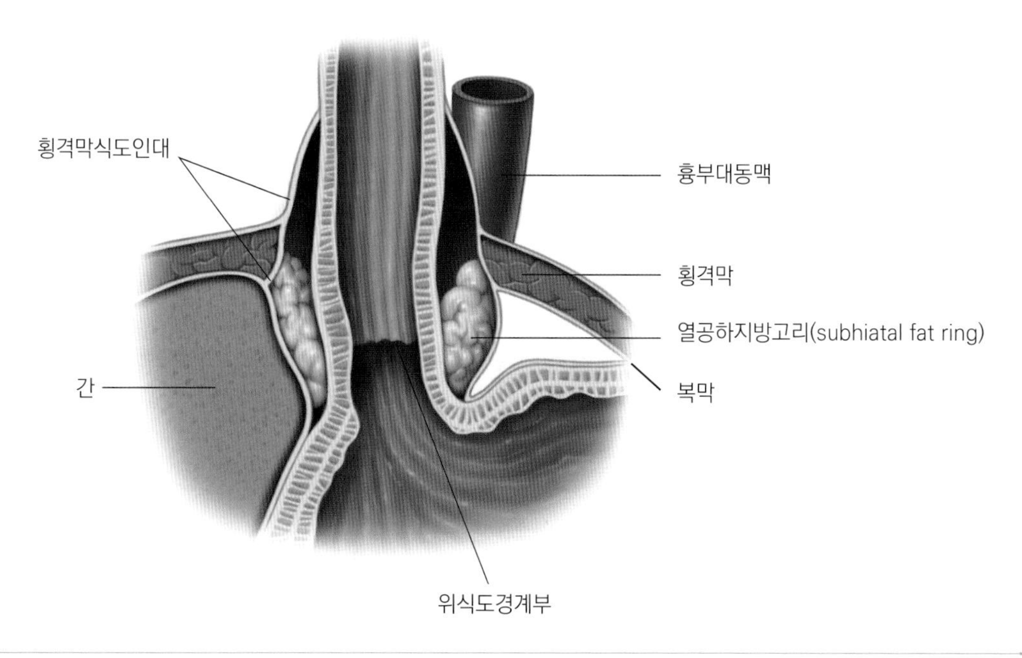

그림 59-2 위식도경계부의 단면도.
횡격막식도인대의 상행부는 독립적인 구조물로 후종격동까지 유지되고 하행부는 위에서 꺾어지면서 위의 장기복막을 형성한다.

2. 열공탈장

1) 발생기전

내부 장기가 원래 위치에서 벗어나 있는 것을 탈장이라고 부른다. 열공(hiatus)은 횡격막(복부과 가슴을 가르는 근육)의 개구부이다. 정상적으로 식도는 열공을 통해서 위로 연결이 된다. 열공탈장은 이 개구부를 통해서 위가 흉부로 올라간 것을 말한다. 열공탈장의 발생기전에 대해서는 아직까지 명확하게 밝혀진 것은 없다. 지금까지 열공탈장의 발생에 대한 명확한 설명을 하는 한 개의 이론은 존재하지 않고 여러 인자가 복합적으로 작용하는 것으로 이해된다. 그러나 복압이 올라가는 상황 즉, 임신, 비만, 기침 등이 영향을 미칠 것으로 생각이 된다. 열공탈장은 여자에서 자주 발생하며 주로 과체중이거나 50대 이상이다. Weber 등은 열공탈장의 병태생리를 3가지의 주요한 이론으로 설명을 하였다. ① 증가된 복강내 압력으로 위식도경계부를 흉부내로 밀어올리는 것, ② 섬유화나 과도한 미주신경의 자극으로 식도의 길이가 짧아져 위식도경계부가 흉강으로 올라가는 것, ③ 선천적 또는 후천적으로 콜라겐 3형 알파 1(Collagen type 3 alpha 1)의 이상과 같은 분자, 세포의 변화로 인한 횡격막 개구부의 확장으로 위식도경계부가 이차적으로 흉강내로 올라가는 것으로 설명을 하였다.

2) 종류

열공탈장은 위식도경계부의 위치과 탈장된 장기에 따라서 4가지 형태로 분류한다(그림 59-3). 제1형인 활주열공탈장은 가장 흔하며 전체의 약 95%를 차지한다. 제1형 탈장은 위식도경계부만 미끄러져(sliding) 흉강내로 올라간 경우이며, 2형, 3형, 4형 탈장을 진정한 의미의 식도주위탈장(Paraesophageal hernia)이라고 부른다. 2형 탈장은 위식도경계부는 정상적인 해부학적 위치에 존재를 하나, 위의 일부분(대부분 위의 기저부)이 열공으로 탈장된 경우이다. 3형은 2형과 마찬가지로 위의 일부분이 열공으로 탈장되어 있으면서 위식도경계부도 같이 흉강으로 탈장된 경우를 말한다. 4형은 1, 3형과 마찬가지로 위식도경계부가 비정상위치에 있으면서 다른 장기(예: 대장의 일부분)가 흉강내로 탈장이 된 경우를 지칭한다.

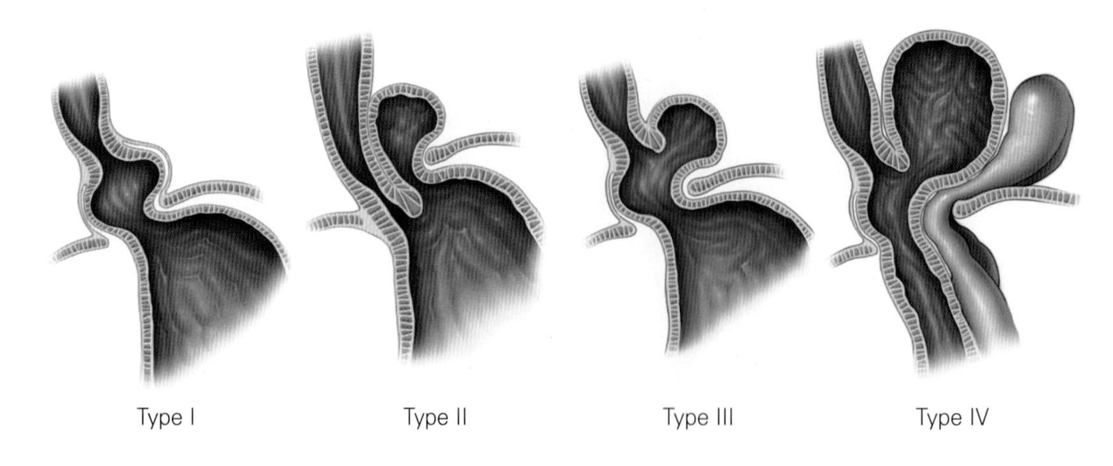

그림 59-3 **열공탈장의 형태.**

참고문헌

1. Barrett NR. Hiatus hernia: a review of some controversial points. Br J Surg 1954;42:231-243.
2. Landreneau RJ, Del Pino M, Santos R. Management of paraesophageal hernias. Surg Clin North Am 2005;85:411-432.
3. Weber C, Davis CS, Shankaran V, Fisichella PM. Hiatal hernias: a review of the pathophysiologic theories and implication for research. Surg Endosc 2011;25:3149-3153.

CHAPTER 60

위식도역류질환의 진단 및 약물적 치료

1. 위식도역류질환의 임상양상

위식도역류질환의 정의와 분류에 관한 몬트리올 합의에서는 위식도역류질환의 임상양상을 식도증후군과 식도외증후군으로 구분하고 있다. 식도증후군은 다시 식도손상이 확인되는지 여부에 따라 두 그룹으로 분류되는데, 식도 증상이 있으나 식도손상의 근거가 확실하지 않은 경우를 식도증상증후군으로 하였고, 역류와 관련된 식도염, 협착, 바레트식도, 그리고 식도선암 등, 식도손상이 내시경으로 확인된 경우를 식도손상이 동반된 증후군으로 분류하였다. 식도증상증후군 중에 전형적인 식도 증상이 있는 경우와 별도로 역류에 의한 흉통증후군을 포함시켰다. 식도외증후군은 증상의 위식도역류와 연관성 정도에 따라 다시 구분하고 있다(그림 60-1).

1) 식도증상증후군

(1) 전형적 역류증후군

위식도역류질환의 전형적 역류 증상은 불편감을 느끼는 가슴쓰림(heartburn)이나 산역류(acid regurgitation)이다. 그 밖에도 역류 증상으로 상복부 통증이나 수면장애가 있을 수 있다.

가슴쓰림은 흉골 뒤로 뜨겁게 느껴지는 증상인데 위식도역류질환 환자의 약 75%에서 나타나는 가장 흔한 증상이다. 이 증상에 해당하는 적절한 한국어 표현이 없기 때문에 '흉부작열감' 또는 '가슴앓이'로 표현되기도 한다. 그리고 위식도역류질환의 다른 증상이 동반된 경우는 특히 가슴쓰림 증상을 정확히 표현하지 못하는 경우가 많다. 따라서 증상을 설명하는 데 있어서 의사와 환자 간에 정확한 의사소통이 안 되는 경우가 있을 수 있으므로 병력 청취할 때 주의가 필요하다고 할 수 있다.

산역류는 역류된 위내용물이나 그 맛이 입이나 목에서 느껴지는 증상이며 환자가 '음식물이 넘어온다'거나 '신물이 올라온다'고 표현하는 증상이다. 산역류 증상이 있다는 것은 일반적으로 가슴쓰림 증상만 있을 때보다 위식도역류질환이 더 진행된 것을 나타낸다. 그러나 소화되지 않은 음식물이 역류되는 증상이 있다면 이것은 소화된 음식물이 올라오는 역류와 구분할 필요가 있는데 이때는 식도게실이나 식도이완불능증 같은 다른 질환을 의심하여야 한다.

위식도역류질환을 진단하기 위한 확실한 진단기준이 없기 때문에 전형적 위식도역류 증상이 실제 위식도역류질환을 얼마나 예측할 수 있는지에 대한 연구는 많

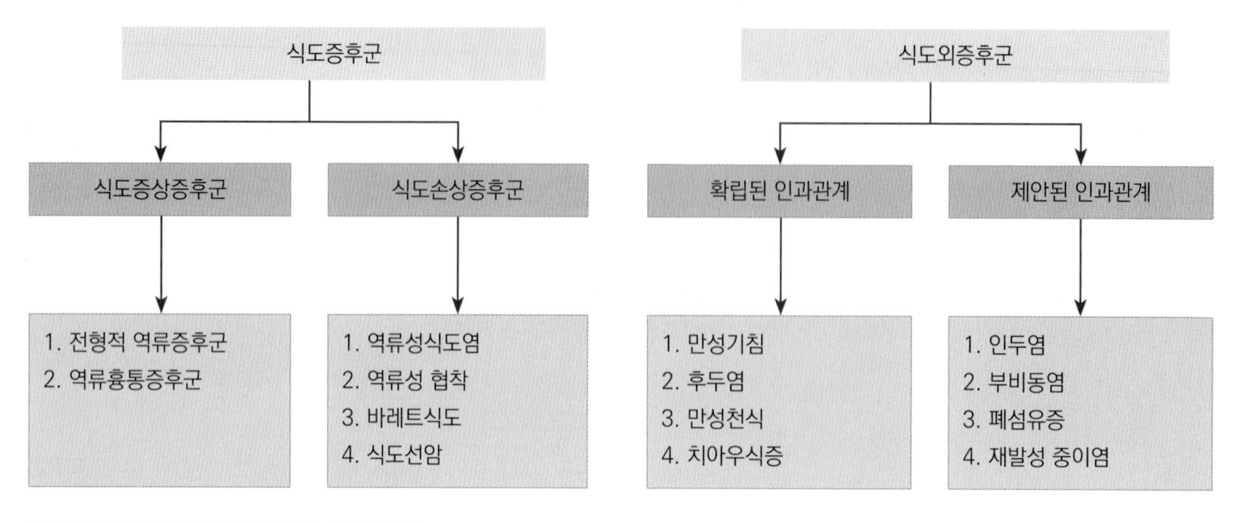

그림 60-1 **위식도역류질환의 증상 및 증후군.**

지 않다. 식도pH검사를 시행하여 진단된 위식도역류질환 환자의 연구에서 가슴쓰림과 산역류 증상으로 위식도역류질환을 진단하는 데 있어서 78%의 민감도와 60%의 특이도를 나타냈다. 항역류수술을 받은 환자를 대상으로 한 연구에서는 가슴쓰림은 산도검사에서의 병적 산역류와 관련성 있는 유일한 증상이었으며 43%의 양성예측도, 82%의 음성 예측도, 그리고 78%의 진단 정확도를 보인다고 하였다.

상복부 통증이 위식도역류질환의 주요 증상이 되기도 한다. 위식도역류질환에서 상복부 통증이 얼마나 나타나는지에 대해서는 자료가 부족하지만 일부 보고에 의하면 위산억제치료에 반응하는 상복부 통증이나 불편감을 가진 대부분의 환자들은 식도pH검사를 해보면 산 역류가 있다고 하였고, 위산억제 약물치료에 대한 반응이 가슴쓰림 증상과 상복부 통증에서 서로 연관되어 동시에 나타나면 이는 역류증상으로 상복부 통증일 가능성이 더 높다고 할 수 있다. 상복부 통증은 증상 자체가 매우 비특이적인데, 역류에 의한 상복부 통증은 위산이 하부식도에 영향을 주어 나타나는 증상이며 상복부 통증을 일으키는 다른 위장관질환과는 감별이 필요하다.

위식도역류질환의 증상은 수면장애를 일으키는 경우가 많다. 수면 중에 발생하는 가슴쓰림이나 산역류 증상으로 인한 수면장애는 23%에서 81%까지 있는 것으로 보고되었다. 위식도역류질환의 다양한 증상 중에서 수면장애가 삶의 질의 저하를 가져오는 주요한 원인이 된다. 약물치료 또는 항역류수술의 효과가 수면장애의 개선으로 흔하게 나타나며 수면장애는 위식도역류질환의 치료, 특히 항역류수술을 필요로 하게 하는 주요 증상이라고 할 수 있다.

(2) 역류흉통증후군

위식도역류로 인한 흉통은 심인성 흉통과 구분이 잘 안되는 경우도 있고 전형적인 위식도역류 증상의 동반 없이 단독으로 나타나거나 흉통 때문에 위식도역류 증상이 가려지면서 나타나기도 한다. 비심인성 흉통에 대한 코호트 연구들에 의하면 비심인성 흉통은 그 유병률은 25%까지 보고되며 이 중 51%에서 위식도역류질환이 있다고 하였다. 식도 운동성질환들도 위식도역류와는 관련 없이 비심인성 흉통을 일으키는 원인이 되지만 위식도역류질환만큼 흔하지는 않고 상대적으로 드문 것으로 알려져 있다.

2) 식도손상증후군

식도손상으로 나타나는 임상양상은 역류성식도염, 출혈, 협착, 바레트식도, 선암 등이 있다. 가장 흔한 식도손상의 양상인 내시경상의 식도염은 임상적으로 전형적인 위식도역류질환 증상이 있는 환자의 50% 미만에서만 관찰된다. 즉, 50% 이상은 비미란성 역류질환이다. 내시경상으로 역류성식도염은 식도점막의 균열이 관찰됨으로써 확인되는데 이것은 위식도역류질환의 진단에 객관적인 근거를 제공해주는 소견이면서 내시경으로 보이는 식도염이 치유되는 것은 증상의 개선과 연관성이 있기 때문에 치료의 성공 여부를 평가하는 소견으로 사용될 수 있다.

하부식도의 협착에 의해 나타나는 증상은 연하장애(dysphagia) 증상으로 위식도역류질환 환자의 5% 이하에서만 나타난다. 연하장애 증상은 위식도역류질환 환자의 증상을 평가하는 데 중요하게 고려되어야 할 증상 중의 하나이다. 전형적인 증상들에 의해서 위식도역류질환이 의심되더라도 연하장애 증상이 있다면 식도협착에 의한 것으로 판단하기 이전에 식도의 종양, 게실, 또는 운동성 질환이 있는지 반드시 살펴보아야 한다. 식도 내강이 좁아져서 나타나는 연하장애 증상은 대개의 경우 유동식보다 고형식을 먹을 때 증상이 심해지는 것이 일반적이며 유동식에서도 삼킴곤란 증상이 심하다면 식도의 운동성질환을 좀 더 의심해야 한다. 연하장애는 식도를 통해 음식물이 통과되는 데 장애를 느끼는 경우만을 말하며 입에서 식도로 음식물을 넘기는 데 장애가 있는 경우는 위식도역류질환과 관련 없는 경우가 많으니 구별하여야 한다. 그리고 위식도역류질환과 관련된 연하장애 증상은 대개는 생활에 크게 불편하지 않는 경미한 경우가 많으며 불편감을 많이 느끼는 연하장애 증상은 소화성 협착이나 식도암 같은 더 심각한 질환일 가능성이 크다고 할 수 있다.

바레트식도는 지속적인 위산의 노출로 식도의 편평상피가 장상피로 대체되는 것으로 위식도역류의 결과로 나타나는 대표적인 식도손상의 임상양상이다. 바레트식도는 식도선암의 가장 중요한 위험인자이며 따라서 식도선암 역시 위식도역류질환의 장기 합병증의 하나로 볼 수 있다. 환자대조군 연구를 비롯한 많은 인구학적 연구들에서 만성적인 위식도역류 증상을 가진 환자들에서 식도선암의 위험도가 증가하였다고 하였다. 과거에 비하여 요즘에는 식도암에서 선암이 차지하는 비율이 증가하여 편평세포암의 발생률을 앞서고 있다. 이는 위식도역류질환의 유병률 증가와 관련 있는 것이다. 그리고 위식도역류질환, 바레트식도, 그리고 식도선암의 유병률이 같이 동반하여 증가하는 경향을 보인다는 것도 바레트식도와 식도선암이 위식도역류질환으로 인한 식도손상의 합병증임을 말해준다.

3) 식도외증후군

위식도역류질환의 식도외 증상은 대부분의 위식도역류질환 증상인 위장관 증상과 대비되는 개념으로 호흡기 등 위장관 이외의 부분에 위식도역류의 증상이 나타나는 것을 말한다. 몬트리올 합의에서 식도외 증상은 위식도역류와의 관련성이 확실한지의 정도에 따라 다시 두 그룹으로 분류되는데, 연관성이 높다고 알려진 증상은 만성기침, 후두염, 천식 및 치아 우식증이며, 인과관계가 더 불확실한 증상으로는 부비동염, 특발성 폐섬유증, 중이염 등이 있다. 위식도역류질환은 이러한 다양한 질환들의 원인 또는 악화요인이 될 수 있지만 전형적인 위식도 역류 증상이 없이 식도외 증상만 있는 경우는 매우 드물며, 위식도역류에 대한 치료가 이러한 식도외 증상에 효과적인지에 대해서는 근거가 부족하다. 따라서, 전형적인 위식도역류 증상이 없이 식도외 증상만 단독으로 있을 때는 위식도역류질환으로 인해 증상이 나타난 것이라고 보기는 어렵다. 즉, 식도외 증상은 전형적인 증상과 동반된 경우에 한해서만 위식도역류질환으로 인한 증상일 가능성이 있다고 할 수 있다.

2. 위식도역류질환의 진단법 및 약물적 치료

위식도역류질환은 위내용물이 식도로 역류되어 식도염 또는 일상 생활에 장애를 줄 수 있는 증상을 일으키는 질환이다. 유병률은 서구에서는 10~20%, 아시아에서는 3~5%로 아시아보다 서구에서 좀 더 흔하다고 알려져 있지만 국내도 점차 유병률이 높아지고 있다. 위식도역류질환의 진단 및 치료방법에 있어 여러 연구들로 인해 진단 및 치료에 많은 발전이 있어 왔다. 현재 위식도역류질환의 진단방법으로 여러 검사들이 이용되고 있으나 아직까지 확실한 방법은 없는 실정이다. 몬트리올 합의안에서는 가슴쓰림이나 신물이 올라오는 전형적인 증상을 보이는 경우 위식도역류질환으로 진단할 수 있다고 언급했지만 이러한 전형적인 증상이 있더라도 위식도역류질환이 아닌 다른 질환 가능성도 염두에 두어야 한다.

1) 위식도역류질환의 진단

(1) 전형적인 증상 및 양성자펌프억제제 검사

속쓰림과 산역류가 위식도역류질환의 전형적인 증상으로 식도 상피층의 깊은 곳에 위치하는 신경이 산에 의하여 자극받기 때문으로 생각된다. 정확한 진단을 위하여 상부위장관 내시경 및 24시간 보행성 식도 pH 측정 같은 검사를 활용할 수 있으나 전형적인 증상이 있다면 검사를 하지 않고도 치료를 시작할 수 있다. 임상에서 병력 등에 의해 위식도역류질환이 의심되면 양성자펌프억제제를 투여하여 치료반응을 보는 것이 위식도역류질환의 진단에서 일반적으로 시행되는 방법이다. 하지만 투여 용량, 투여 기간, 양성 소견에 대한 표준화된 지침은 없다. 일반적으로 위식도역류질환을 시사하는 가슴쓰림이나 신물이 올라오는 전형적인 증상을 가진 환자에서 일반 용량 또는 고용량의 양성자펌프억제제를 1~4주 정도 투여 후 50~75%의 증상 호전을 보일 경우 양성자펌프억제제 검사 양성 소견으로 간주하고 위식도역류질환으로 진단할 수 있다. 이러한 양성자펌프억제제 검사는 비침습적이며 치료효과 예측이 가능하고 경제적이나 진단 민감도는 높지만 특이도가 낮을 수 있다.

(2) 상부위장관 내시경검사

내시경검사는 위식도역류에 의한 식도점막의 손상을 직접 진단할 수 있는 검사이다. 특히 소화성궤양이나 위암의 빈도가 높은 우리나라에서는 상부위장관 내시경검사가 우선적인 검사로 추천된다. 따라서 여러 권고안에서는 내시경검사의 임상적 중요성과 역할을 강조하고 있다.

2012년 대한소화기기능성질환 · 운동학회에서 위식도역류질환 임상진료지침에는 '내시경검사는 다른 기질적인 질환을 배제하기 위하여 혹은 식도점막의 손상 및 합병증 진단을 위하여 권장된다'라고 언급하고 있다. 우리나라는 위암 발생률이 높으며 다른 나라와 비교 시 내시경의 접근성이 좋기 때문에 위식도역류질환의 일차적인 진단검사로 내시경검사를 많이 사용되고 있다. 위식도역류질환의 내시경적 분류체계는 여러 분류가 있으나 1996년 소개된 Los Angeles (LA) 분류가 가장 많이 사용된다(표 60-1). 이 분류는 A부터 D까지 분류 잣대를 사용하며 점막결손의 수, 길이, 위치로 식도염의 정도를 평가한다(그림 60-2). 그러나 전형적인 증상인 가슴쓰림 및 산역류 증상이 있더라도 상부위장관 내시경에서 정상소견을 보일 수 있으므로 주의가 필요하다. 또한 내시경적 중증도와 임상적 중증도가 비례하지 않는 경우도 흔하다.

(3) 보행성 식도pH검사

24시간 보행성 식도pH검사는 민감도 면에서 내시경검사에 비해 월등히 우수한 검사이지만 환자에게 불편감을 주는 검사이며 1차 의료기관에서 쉽게 이용하기

표 60-1. **식도염의 Los Angeles 분류**

Grade	소견
A	하나 또는 그 이상의 점막결손이 있으며 그 길이가 5 mm를 넘지 않는 경우
B	최소한 하나의 점막결손이 5 mm를 넘지만 점막결손이 서로 만나지 않는 경우
C	점막결손이 융합하지만 내강을 에워싸지는 않는 경우
D	내강을 에워싸는 양상의 점막결손이 있는 경우

어렵다는 단점이 있는 검사이다. 내시경에서 미란성 식도염이 없는 경우 양성자펌프억제제를 투여하여 치료반응을 보는 것이 위식도역류질환의 진단에서 일반적으로 시행되는 방법이다. 식도pH검사는 위산분비억제제에 치료반응이 없는 환자 또는 비심인성 흉통과 같은 비전형적인 증상을 가진 환자를 평가하거나 항역류수술 시행 전에 비정상적인 산 노출을 알아보기 위해 유용하게 사용된다. 식도pH검사를 통하여 단순히 산 역류의 양만을 보는 것이 아니라 역류와 증상과의 상관관

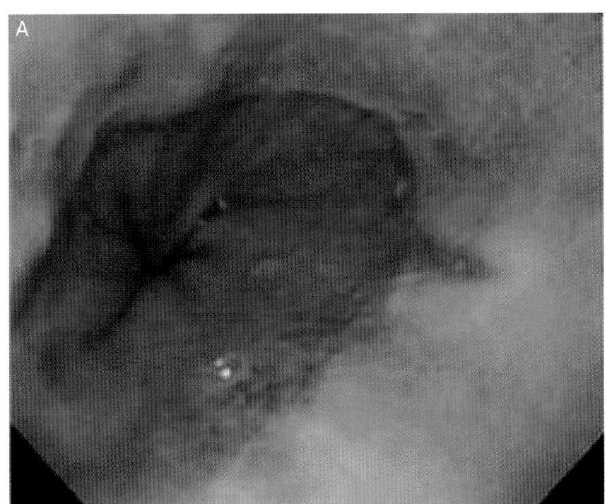

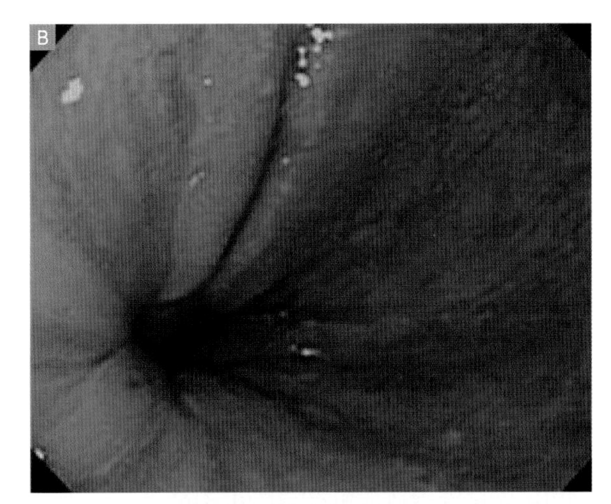

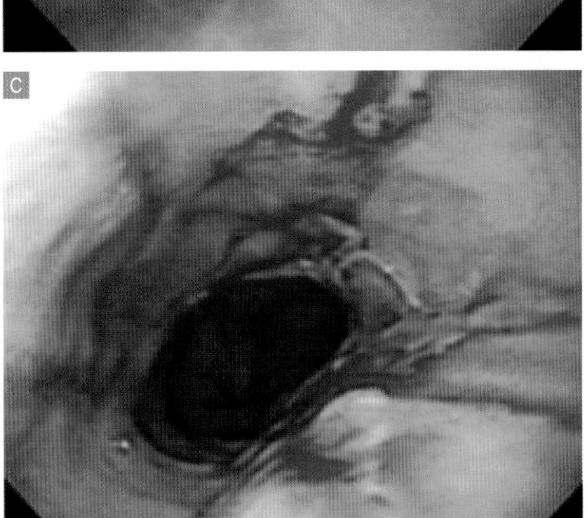

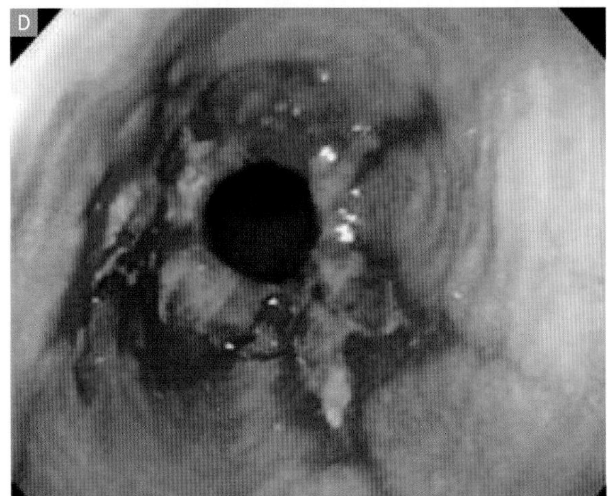

그림 60-2 **위식도역류질환 내시경 소견 (LA분류).**
A. 위식도역류질환 LA A 사진으로 점막결손이 5 mm 이하이다.
B. 위식도역류질환 LA B 사진으로 점막결손이 5 mm 이상보다 크다.
C. 위식도역류질환 LA C 사진으로 점막결손이 융합하는 소견이다.
D. 위식도역류질환 LA D 사진으로 점막결손이 내강을 에워싸고 있다.

계를 봄으로써 양성자펌프억제제 투여 시 치료효과 여부를 예측할 수 있는 장점이 있다.

식도pH검사는 미란성 식도염 환자의 진단에서는 높은 민감도(77~100%)와 특이도(85~100%)를 나타내지만 비미란성 역류질환의 진단에서는 민감도가 0~71%로 높지 않다. 식도pH검사를 시행할 때 양성자펌프억제제를 끊고 시행하는 것이 일반적이지만 양성자펌프억제제를 쓰면서 시행할 경우 약제의 효과에 대해서 평가가 가능한 이점이 있다. 유선 식도pH검사의 경우, pH 전극으로 인한 비강이나 인두부의 불편감으로 피검자가 식사나 운동과 같은 일상적인 생활에 제한이 있어 검사의 정확도가 떨어지고, 유선검사를 할 때 24시간 동안 검사를 시행하기 때문에 증상이 나타나는 데 불충분할 수 있다. 근래 48시간의 장기간 기록이 가능한 무선 식도pH검사(Bravo®; Medtronic, Minneapolis, MN, USA)가 이러한 단점들을 개선하고자 이용되고 있다. 무선 식도pH검사는 장기간 기록이 가능하여 민감도가 높으나, 가격이 고가이다.

무선 식도pH검사의 성공률은 1일 성공률 96%, 2일 성공률 89%였고, 검사 실패의 이유로는 캡슐 부착 실패, 데이터 회수의 실패 등이 있었으며, 검사 후 2주 내 캡슐의 자연 배출이 실패하는 경우가 있었다. 결론적으로 식도pH검사는 위산분비억제제에 치료반응이 없는 환자 또는 비전형적인 증상을 가진 환자를 평가하는 데, 또는 항역류수술 시행 전에 유용하게 이용될 수 있다.

2) 약물적 치료

(1) 양성자펌프억제제

양성자펌프억제제는 위벽세포에서 위산분비에 관여하는 수소-칼륨에이티피아제(H+-K+ ATPase)를 억제하는 작용을 하며 하루 한번 투여로 충분한 효과를 나타내며 위식도역류질환의 치료에 있어 가장 중요한 약물이다. 현재 다양한 약물이 쓰이고 있으며 오메프라졸(omeprazole), 란소프라졸(lansoprazole), 라베프라졸(rabeprazole), 에스오메프라졸(esomeprazole) 등을 쓰며 약물들 간에 효과는 차이가 없다고 알려져 있다. 양성자펌프억제제 표준용량은 오메프라졸 20 mg, 란소프라졸 30 mg, 판토프라졸 40 mg, 라베프라졸 20 mg, 에스오메프라졸 40 mg을 지칭한다. 역류성식도염 환자에서 1일 1회 표준용량의 양성자펌프억제제를 8주일간 치료하면 평균 85~96%의 치유율을 보인다. 최근 칼륨경쟁적 위산분비억제제가 국내에 시판될 예정이며 기존의 양성자펌프억제제 보다 좀 더 강한 위산억제능력이 있어 위식도역류질환 치료에도 좀 더 좋은 효과가 있을 것으로 기대된다. 양성자펌프억제제는 식전에 투여해야 음식물에 의한 위산분비를 억제하는 데 더 큰 효과를 나타내며 하루 한번 투여로 증상호전이 미비한 불응성 위식도역류질환인 경우 하루 두 번으로 투여량을 늘릴 수 있다. 양성자펌프억제제가 가장 좋은 약물이지만 8주간 투여해도 증상이 지속되는 불응성 위식도역류질환이 있으며 이는 비미란성 역류질환에서 더 흔하다고 알려져 있다. 불응성 위식도역류질환 환자의 접근 방법은 일단 생활습관 교정, 양성자펌프억제제 약물을 제대로 복용했는지 확인이 필요하다. 불응성 위식도역류질환의 치료 방침으로 지금까지 확실한 방법이 제시되고 있지는 않지만 일단 양성자펌프억제제 약물 용량을 두 배로 올리는 방법이 있으며 다른 종류의 양성자펌프억제제로 변경하는 방법 등이 제시되고 있다. 또한 위식도역류질환이 아닌 다른 질환이 있는지 다시 한번 환자 병력청취 및 추가검사가 필요한 경우도 있다.

양성자펌프억제제의 부작용은 일부에서 두통, 설사, 변비, 어지러움, 구역, 소양감 등이 보고되고 있다. 장기간 사용하는 경우 영양소 및 무기질 흡수를 저해한다는 우려가 있고 50세 이상의 환자에서 대퇴골 골절의 위험률을 높인다는 보고도 있다.

(2) 히스타민 H_2 수용체 길항제

히스타민 H_2 수용체 길항제는 양성자펌프억제제에 비하여 유효성이 떨어지나 대조군에 비하여 가슴쓰림 증상이나 역류질환 전반적 증상 호전에 효과가 있다. 메타분석 결과, 위식도역류질환 치료에 있어 히스타민 H_2 수용체 길항제 치료 후에도 증상이 지속될 상대적 위험도는 위약에 비하여 0.72 (95% 신뢰구간 0.63~0.81)로 유의하게 낮아 효과적이었다. 결론적으로는 히스타민 H_2 수용체 길항제는 위산의 중화 및 분비억제 작용을 하며 위식도역류질환의 전형적인 증상이 간헐적으로 나타나는 환자에서 증상 완화에 도움을 줄 뿐만 아니라 지속적인 약물치료를 받고 있는 환자에서 증상이 악화되었을 때 보조제로 사용할 수 있다.

(3) 점막보호제

일부 역류성식도염 환자의 치료에 점막보호제가 도움을 줄 수 있다. Sucralfate는 점막에 부착되어 점막을 치유하며 위산에 의한 손상으로부터 점막을 보호한다고 알려져 있는 약물이다. 하지만 작용시간이 짧으며 양성자펌프억제제와 비교 시 효과가 많이 떨어져서 임신 초기 역류 증상이 있는 임산부에게 주로 사용된다. 알지네이트(alginate)는 해초에서 추출한 다당류로 위강 내에서 떠있다가 식사 후에 위 근위부 생성되는 산주머니(acid pocket)를 중화시키는 역할을 한다. 여러 연구에 의하면 식사 후 역류 증상이 심한 환자에게 효과적이라는 보고가 많기 때문에 식후 증상을 보이는 환자에게 투여할 수 있다. 또한 불응성 위식도역류질환 환자에게 양성자펌프억제제와 함께 같이 사용하면 효과가 있을 수 있다. 레바미피드(rebamipide)는 미란성 식도염에서 식도점막의 인터루킨-8(interleukin-8) 유전자 발현을 감소시켜 항염증 작용을 통하여 식도염을 호전시켰다는 보고가 있다. 양성자펌프억제제에 효과적인 위식도역류질환 환자의 유지요법에서 란소프라졸 15 mg 단독투여와 비교하여 레바미피드와 란소프라졸 병용투여는 증상 재발을 유의하게 감소시켰다. 따라서 점막보호제는 임상근거가 충분하지 않지만 역류성식도염 환자에서 도움을 줄 수 있다.

(4) 위장운동촉진제

위식도역류질환의 발생기전으로 하부식도조임근 압력의 감소, 식도 산청소 지연, 위배출 지연 등의 식도 및 위 운동의 이상 등이 보고되고 있기 때문에 양성자펌프억제제와 위장운동촉진제의 병용투여가 도움이 될 수 있다. 한 국내 연구에서 위식도역류질환 환자에게 이토프리드(itopride) 150 mg과 300 mg을 투여한 경우 가슴쓰림 등 증상의 감소가 있었으며 300 mg의 경우 병적 역류 및 경증 식도염의 증상 개선 효과가 있었다. 모사프리드(mosapride)도 양성자펌프억제제와 같이 투여한 경우 양성자펌프억제제 저항성 비미란성 역류질환 환자의 위배출 호전과 위식도역류증상의 호전을 가져왔다는 보고도 있다. 따라서 위장운동촉진제는 위산분비억제제와 병합치료로 위식도역류질환 환자의 치료에 도움을 줄 수 있다.

(5) 기타 약물

- **하부식도조임근 작용제**

위식도역류질환의 병인 중 하나가 일과성 하부식도조임근 이완의 증가이다. 감마아미노부티르산(Gamma-amino butyric acid, GABA) 수용체 항진제인 바클로펜(baclofen)은 일과성 하부식도조임근 이완을 억제하는 기전으로 위식도역류질환 치료에 사용할 수 있다. 다른 GABA 수용체 항진제인 레소가베란(lesogaberan)도 위약에 비하여 일과성 하부조임근 이완의 빈도가 감소하였으며 하부식도조임근의 압력이 상승하였다. 가장 흔한 부작용은 두통과 저림 등이 있다. 산분비억제제와 비교하였을 때 산 역류뿐 아니라 비산 역류에도 효과적으로 작용할 수 있다는 장점이 있다. 따라서 산분비억제제에 호전을 보이지 않는 불응성 환자에게 사용해볼 수 있다.

참고문헌

1. American Gastroenterological Association medical position statement. guidelines on the use of esophageal pH recording. Gastroenterology 1996;110:1981.
2. American Gastroenterological Association, Spechler SJ, Sharma P, Souza RF, Inadomi JM, Shaheen NJ. American Gastroenterological Association medical position statement on the management of Barrett's esophagus. Gastroenterology 2011;140:1084-1091.
3. Armstrong D, Marshall JK, Chiba N, et al. Canadian Association of Gastroenterology GERD Consensus Group. Canadian Consensus Conference on the management of gastroesophageal reflux disease in adults - update 2004. Can J Gastroenterol 2005;19:15-35.
4. Bate CM, Griffin SM, Keeling PW, et al. Reflux symptom relief with omeprazole in patients without unequivocal oesophagitis. Aliment Pharmacol Ther 1996;10:547-555.
5. Ciriza de los Rios C, Garcia Menendez L, Diez Hernandez A, Delgado Gomez M, Fernandez Eroles AL, Vega Fernandez A, et al. Role of stationary esophageal manometry in clinical practice. Manometric results in patients with gastroesophageal reflux, dysphagia or non-cardiac chest pain. Rev Esp Enferm Dig 2004; 96:606-608.
6. Dekel R, Pearson T, Wendel C, De Garmo P, Fennerty MB, Fass R. Assessment of oesophageal motor function in patients with dysphagia or chest pain - the Clinical Outcomes Research Initiative experience. Aliment Pharmacol Ther 2003;18:1083-1089.
7. Eubanks TR, Omelanczuk P, Richards C, Pohl D, Pellegrini CA. Outcomes of laparoscopic antireflux procedures. Am J Surg 2000;179:391-395.
8. Farup C, Kleinman L, Sloan S, Ganoczy D, Chee E, Lee C, et al. The impact of nocturnal symptoms associated with gastroesophageal reflux disease on health-related quality of life. Arch Intern Med 2001;161:45-52.
9. Farup PG, Hovde O, Torp R, Wetterhus S. Patients with functional dyspepsia responding to omeprazole have a characteristic gastro-oesophageal reflux pattern. Scand J Gastroenterol 1999;34:575-579.
10. Fass R, Quan SF, O'Connor GT, Ervin A, Iber C. Predictors of heartburn during sleep in a large prospective cohort study. Chest 2005;127:1658-1666.
11. Fock KM, Talley NJ, Fass R, et al. Asia-Pacific consensus on the management of gastroesophageal reflux disease: update. J Gastroenterol Hepatol 2008;23:8-22.
12. Futagami S, Iwakiri K, Shindo T, et al. The prokinetic effect of mosapride citrate combined with omeprazole therapy improves clinical symptoms and gastric emptying in PPI-resistant NERD patients with delayed gastric emptying. J Gastroenterol 2010;45:413-421.
13. Jeong ID. A review of diagnosis of GERD. Korean J Gastroenterol 2017;69:96-101.
14. Kahrilas PJ, Shaheen NJ, Vaezi MF. American Gastroenterological Association Institute; Clinical Practice and Quality Management Committee. American Gastroenterological Association Institute technical review on the management of gastroesophageal reflux disease. Gastroenterology 2008;135:1392-1413.
15. Katada K, Yoshida N, Isozaki Y, et al. Prevention by rebamipide of acute reflux esophagitis in rats. Dig Dis Sci 2005;50:97-103.
16. Kim YS, Kim TH, Choi CS, et al. Effect of itopride, a new prokinetic, in patients with mild GERD: a pilot study. World J Gastroenterol 2005;11:4210-4214.
17. Klauser AG, Schindlbeck NE, Müller-Lissner SA. Symptoms in gastro-oesophageal reflux disease. Lancet 1990;335:205-208.
18. Lagergren J, Bergstrom R, Lindgren A, Nyren O. Symptomatic gastroesophageal reflux as a risk factor for esophageal adenocarcinoma. N Engl J Med 1999; 340825-831.

19. Lee JH, Cho YK, Jeon SW, et al. Guidelines for the treatment of gastroesophageal reflux disease. Korean J Gastroenterol 2011;57:57-66.
20. Lidums I, Lehmann A, Checklin H, Dent J, Holloway RH. Control of transient lower esophageal sphincter relaxations and reflux by the GABA(B) agonist baclofen in normal subjects. Gastroenterology 2000;118:7-13.
21. Locke GR 3rd, Talley NJ, Fett SL, Zinsmeister AR, Melton LJ 3rd. Prevalence and clinical spectrum of gastroesophageal reflux: a population-based study in Olmsted County, Minnesota. Gastroenterology 1997;112:1448-1456.
22. Min BH, Huh KC, Jung HK, et al. Prevalence of uninvestigated dyspepsia and gastroesophageal reflux disease in Korea: a population-based study using the Rome III criteria. Dig Dis Sci 2014;59:2721-2729.
23. Miyamoto M, Haruma K, Takeuchi K, Kuwabara M. Frequency scale for symptoms of gastroesophageal reflux disease predicts the need for addition of prokinetics to proton pump inhibitor therapy. J Gastroenterol Hepatol 2008;23:746-751.
24. Miyamoto M, Manabe N, Haruma K. Efficacy of the addition of prokinetics for proton pump inhibitor (PPI) resistant non-erosive reflux disease (NERD) patients: significance of frequency scale for the symptom of GERD (FSSG) on decision of treatment strategy. Intern Med 2010;49:1469-1476.
25. Modlin IM, Hunt RH, Malfertheiner P, et al. Vevey NERD Consensus Group. Diagnosis and management of non-erosive reflux disease--the Vevey NERD Consensus Group. Digestion 2009;80:74-88.
26. Numans ME, Lau J, de Wit NJ, Bonis PA. Short-term treatment with proton-pump inhibitors as a test for gastroesophageal reflux disease: a meta-analysis of diagnostic test characteristics. Ann Intern Med 2004;140:518-522.
27. Oh JH. Gastroesophageal reflux disease: recent advances and its association with sleep. Ann N Y Acad Sci 2016;1380:195-203.
28. Pandolfino JE, Richter JE, Ours T, Guardino JM, Chapman J, Kahrilas PJ. Ambulatory esophageal pH monitoring using a wireless system. Am J Gastroenterol 2003;98:740-749.
29. Richter JE, Kahrilas PJ, Johanson J, et al. Esomeprazole Study Investigators. Efficacy and safety of esomeprazole compared with omeprazole in GERD patients with erosive esophagitis: a randomized controlled trial. Am J Gastroenterol 2001;96:656-665.
30. Shaker R, Castell DO, Schoenfeld PS, Spechler SJ. Nighttime heartburn is an under-appreciated clinical problem that impacts sleep and daytime function: the results of a Gallup survey conducted on behalf of the American Gastroenterological Association. Am J Gastroenterol 2003;98:1487-1493.
31. Vakil N, van Zanten SV, Kahrilas P, Dent J, Jones R; Global Consensus Group. The Montreal definition and classification of gastroesophageal reflux disease: a global evidence-based consensus. Am J Gastroenterol 2006;101:1900-1920.
32. van Pinxteren B, Sigterman KE, Bonis P, Lau J, Numans ME. Short-term treatment with proton pump inhibitors, H2-receptor antagonists and prokinetics for gastro-oesophageal reflux disease-like symptoms and endoscopy negative reflux disease. Cochrane Database Syst Rev 2010;11:002095.
33. Vela MF. Diagnostic work-up of GERD. Gastrointest Endoscopy Clin N Am 2014;24:655-666.
34. Vigneri S, Termini R, Leandro G, et al. A comparison of five maintenance therapies for reflux esophagitis. N Engl J Med 1995;333:1106-1110.
35. Ward EM, Devault KR, Bouras EP, et al. Successful oesophageal pH monitoring with a catheter-free system. Aliment Pharmacol Ther 2004;19:449-454.
36. Wong WM, Lam KF, Cheng C, Hui WM, Xia HH, Lai KC, et al. Population based study of noncardiac chest

pain in southern Chinese: prevalence, psychosocial factors and health care utilization. World J Gastroenterol 2004;10:707-712.

37. Yoshida N, Kamada K, Tomatsuri N, et al. Management of recurrence of symptoms of gastroesophageal reflux disease:synergistic effect of rebamipide with 15 mg lansoprazole. Dig Dis Sci 2010;55:3393-3398.

38. Zhang Q, Lehmann A, Rigda R, Dent J, Holloway RH. Control of transient lower oesophageal sphincter relaxations and reflux by the GABA(B) agonist baclofen in patients with gastro-oesophageal reflux disease. Gut 2002;50:19-24.

61 CHAPTER

위식도역류질환의 수술적 치료

1. 수술적 치료의 적응증

위식도역류의 수술적 치료는 1956년 Rudolph Nissen에 의해 시행된 사례가 처음 보고되면서 주로 약물치료로 증상 조절이 안 되거나 열공탈장(hiatal hernia) 등 구조적 문제가 동반된 경우 시행되어 왔다. 1990년대 항역류수술이 복강경접근법으로 시행되면서 수술 건수가 늘어났다. 최근에는 약물치료의 부작용이 주목받으면서, 약물치료를 수술치료로 대체할 수 있는지, 약물과 수술치료 간 비용효과 면에서 무엇이 더 우수한지가 연구의 대상이 되고 있다.

1) 불충분한 약물치료의 효과

약물치료의 효과가 낮거나 없는 경우로 수술적 치료가 권장된다. 위산역류에 의한 전형적인 위식도역류의 경우 약물사용 초기에는 효과가 있지만 복용기간이 장기간 지속되면 약효가 줄어들어 거의 효과가 없는 시기에 이르게 된다. 비미란성역류질환(nonerosive reflux disease, NERD), 즉 위산역류가 명백하지 않는 위식도역류의 경우에는 약물사용초기부터 증상호전 효과가 전혀 없는 경우가 많아 약물사용과 증상호전 여부와 관련된 병력 자체로도 위식도역류질환과 비미란성역류질환을 감별하는 단서가 될 수 있다. 약물치료에 반응이 없던 경우 항역류수술 이후 증상 완화 및 삶의 질의 개선이 보고되었고, 2013년 미국의 위식도역류 진단 및 치료 가이드라인은 양성자펌프억제제에 반응이 없거나 저하된 환자에서 내시경, 식도pH검사 등을 통해 위식도역류가 객관적으로 확인된 경우 항역류수술을 시행해 볼 것을 권고하고 있다.

2) 약물 순응도 및 부작용

위식도역류질환의 약물치료에 대표적으로 사용되는 양성자펌프억제제는 장기 복용할 경우 비타민과 미네랄의 흡수에 중요한 위산분비를 낮춰 비타민 B12 저하증 및 저마그네슘 혈증을 일으킬 수 있고, *Salmonella*, *Campylobacter jejuni*, *Clostridium difficile* 등 장내 미생물에 대한 감염의 위험이 높아진다. 또한 골다공증 및 골절의 위험성을 높이며, 드물게 예상치 못한 급성 간질성신장염을 일으켜 신부전을 초래하며, 쥐에서 카르시노이드 종양 발생률을 높이는 것으로 보고되었다. 따라서 상기한 부작용을 고려하여 약물 순응도가 불량하다고 예상되면 수술을 고려하는 것이 좋다. 또한 기존 약물 관련 질환이 없더라도 투약 지속 이후 단기적으로 두통, 설사, 속쓰림 등 약물 관련 직접 부작용이 발생하면 수술의 대상이 된다. 그 외에 투약 자체에 대한 거부감이 있거나 장기간의 약물 복용을 원치 않을 경우에도 수술의 적응이 된다.

3) 삶의 질 측면

약물치료와 동시에 식습관 및 생활습관을 주의 깊게 통제할 경우 증상 조절이 가능하지만 약물 외 행동양식이 적절히 조절되지 못할 경우 증상이 발생하게 되면 이는 삶의 질 측면에서 항역류수술을 고려할 수 있다.

특히 사회생활이 활발한 연령대의 경우 위식도역류를 악화시키는 식생활 요인을 완벽히 통제하는 것은 불가능한 경우가 대부분이기 때문에 수술의 필요성이 증가되고 있다. 항역류수술 이후 환자의 삶의 질을 연구한 결과 식생활 등을 포함한 여러 분야의 삶의 질이 건강한 사람과 유사한 정도로 호전되었고, 이를 추적관찰한 결과 10년 이상 장기적으로 수술의 효과가 유지되었다.

4) 식도외 증상이 동반된 경우

위식도역류가 지속되어 호흡기에 영향을 준 경우 만성기침, 흡인, 천식, 진행성 폐섬유화 및 반복적인 인후두의 통증과 목쉼 등 다양한 식도외 증상을 동반할 수 있다. 식도 외 증상을 주로 호소하는 경우도 항역류수술의 적응증이 될 수 있는데, 이런 경우 항역류수술을 시행한 결과 목소리, 기침, 인후통 등의 식도외 증상이 유의미하게 호전되었고 60% 이상에서 수술의 효과가 3년 이상 장기적으로 유지되었다. 그러나 식도외 증상을 보이는 모든 환자가 수술에 반응하지는 않으며 전형적인 증상에 비해 수술적 치료 이후 호전 정도가 낮으므로 수술 전 환자 평가가 특히 중요하다. 이를 위해 수술 전 후두경을 통해 성대와 그 주변의 접촉궤양(contact ulcers)이나 육아종 등 위산역류로 인한 상기도의 손상을 확인하거나, 인두와 식도하부 산도를 측정해 인두로의 위산역류를 확인할 수 있다. 감별진단으로는 천식, 심장 질환, 성문암 등의 상기도 악성 병변, 식도운동 이상, 치아 우식증 등이 있으며 병력청취, 후두경 및 조직검사, 상부위장관 내시경이나 식도내압검사, 구강검사를 실시해야 한다. 또한 양성자펌프억제제에 식도외 증상이 반응할 경우 위식도역류로 인한 증상임을 시사할 가능성이 있어 2013년 미국의 위식도역류 진단 및 치료 가이드라인에서도 식도외 증상에 대해 양성자펌프억제제 치료를 우선적으로 시도해본 후 수술적 치료를 적용해 볼 것을 권고하고 있다.

5) 위식도역류의 합병증이 확인된 경우

위식도역류질환의 대표적인 합병증인 바레트식도, 식도협착 그리고 식도출혈의 경우도 수술치료의 적응증이 된다. 바레트식도의 경우 전암병변 유무에 따라 등급이 나뉘어지고 치료방법이 달라지므로 조직검사 시행이 매우 중요하다. 조직검사 결과에 따라 ① 비암성 장상피화생(non neoplastic Intestinal metaplasia), ② 불확정성 신생물(indefinite for neoplasia), ③ 저등급 상피내 이형성(low grade intraepithelial neoplasia, LGIN), ④ 고등급 상피내 이형성(high grade intraepithelial neoplasia, HGIN) ⑤ 점막내암(intramucosal carcinoma)으로 분류된다. 이중 ①, ②, ③의 경우 내시경적으로 제거가 필요한 조직이 없다면 항역류수술이 필요하다. 내시경적 절제가 필요한 경우 항역류수술은 절제와 함께 시행될 수 있다. 하지만 ④, ⑤의 경우 항역류수술 치료가 아닌 식도절제나 방사선치료를 통해 암 병변을 제거한 후 수술치료가 이뤄져야 한다. 만성적인 위식도역류로 인한 염증으로 발생한 식도협착 및 출혈의 경우도 수술치료가 효과적이라고 알려져 있다.

표 61-1은 미국의 위식도역류질환 진단 및 치료 가이드라인과 수술적 치료 가이드라인을 참고하여 만든 것으로 항역류수술의 적응증과 관련된 개별적인 상황에 대해 수술의 효과를 예측할 수 있는 요인들과 수술 전 시행해야 하는 검사를 정리한 것이다. 표 61-2는 대한

위암학회 산하 위식도역류질환수술연구회에서 발간한 근거기반 항역류수술 가이드라인을 요약 정리한 것으로 상기 기술한 내용의 의학적 근거를 확인할 수 있다.

표 61-1. **항역류수술의 개별적인 적응증에 대한 수술반응 예측 및 수술 전 검사항목**

	수술 후 높은 치료반응 관련 요인	권고 검사
위식도역류질환	약물 치료에 대한 반응성 전형적인 증상 > 비전형적 증상[a] 정상 체중 > 비만[b]	상부위장관 내시경
		후두경검사 식도 및 후두 pH검사, 상부위장관 내시경
비미란성역류질환	객관적인 위식도역류의 확인 다른 동반 질환의 배제	상부위장관 내시경, 24 h 식도pH검사
열공탈장	활주형 혹은 식도주위 탈장[c] 3 cm 이하의 탈장[d]	상부위장관 내시경, 24 h 식도pH검사
바레트식도	확진된 악성 병변에 대한 선행 치료	상부위장관 내시경, 조직검사
약물불용성	다른 동반 질환의 배제	상부위장관 내시경, 24 h 식도pH검사

[a] 전형적인 증상에 비해 비전형적인 증상의 경우 항역류수술치료에 대한 반응 및 증상조절 정도가 더 낮았다.
[b] 체질량지수에 의해 항역류수술에 대한 효과성 차이에 대해서는 논란이 있으나 비만은 항역류수술의 효과를 저하시키는 요인으로 간주된다. 2010년 미국의 위식도역류 수술적 치료 가이드라인에 따르면 병적인 비만(체질량 지수 35 이상)을 동반한 위식도역류질환 환자에서는 루와이 문합(Roux-en-Y anastomosis)을 이용한 위우회술이 최선의 치료법으로 권고되고 있다.
[c] 열공탈장의 경우 위식도경계부의 이동성 및 식도주위 위저부의 탈장 유무에 따라 세 종류로 분류되는데 두 요소를 모두 갖는 3형에서 탈장의 크기가 크며 중증도의 합병증이 잘 동반된다.
[d] 식도 열공의 크기가 3 cm 이상인 경우 열공탈장의 경우 항역류수술에 대한 해부학적인 실패 요인으로 생각된다.

표 61-2. **국내 항역류수술 가이드라인**

항목	질문	권고
1	위식도역류 치료에 있어 항역류수술이 양성자펌프억제제 보다 더 효과적인가?	항역류수술은 위식도역류 환자의 증상을 완화하고 삶의 질을 개선시키며 비용효과적으로 장기적으로 유지할 수 있기에 권고된다.
		(증거 수준: 높음, 권고 등급: 강함)
2	약물불응성 위식도역류 치료에 있어 항역류수술이 양성자펌프억제제 보다 더 효과적인가?	항역류수술은 양성자펌프억제제 치료에 불충분한 반응을 보이는 상당수의 환자에게서 시행될 수 있다. 단 수술 전 세세한 감별진단 및 환자 평가가 이뤄져야 한다.
		(증거 수준: 중간, 권고 등급: 약함)
3	위식도역류의 식도외 증상 조절에 있어 항역류수술이 양성자펌프억제제보다 더 효과적인가?	항역류수술은 식도외 증상을 보이는 위식도역류질환 환자에게 시행이 권고된다.
		(증거 수준: 중간, 권고 등급: 강함)
4	위식도역류치료에 있어 부분(partial) 위저부주름술이 전(total) 위저부주름술에 비해 효과적인가?	전(total) 혹은 부분(partial) 위저부주름술은 위식도역류치료에 있어 동등한 효과를 지닌다.
		(증거 수준: 높음, 권고 등급: 약함)
5	식도주위 탈장에 있어 위저부주름술 시행이 필요한가?	식도주위 탈장 교정수술 후 위식도역류 및 식도염의 발생을 줄이기 위해 교정수술과 함께 위저부주름술을 시행할 것이 권고된다.
		(증거 수준: 높음, 권고 등급: 강함)

증거 수준은 높음, 중등도, 낮음, 매우 낮음으로 분류됨.
권고 등급은 사용할 것과 사용하지 말 것에 대해 각각 강함과 약함 그리고 근거 불충분 다섯 가지로 분류됨.

3. 수술적 치료

1) 위저부주름술의 종류와 선택

항역류수술(antireflux surgery)의 종류는 식도를 감싸는 정도와 부위에 따라 3가지로 구분할 수 있다. 360°로 식도 뒤쪽으로 완전히 감싸는 전위저부주름술(Nissen fundoplication)과 식도의 앞면만 감싸는 전방부분위저부주름술(Tahl or Dor fundoplication) 그리고 식도의 뒷면을 일부 감싸는 후방부분위저부주름술(Toupet fundoplication)으로 구분할 수 있다(그림 61-1).

역사적으로 1956년에 Rudolf Nissen이 전위저부주름술을 처음 소개하였고, 이를 변형한 후방부분위저부주름술을 1963년 Toupet가 발표하였다. 복강경술기가 발전하면서 1991년 Dallemagne이 복강경 전위저부주름술(Laparoscopic Nissen Fundoplication, LNF)방법을 소개하면서 항역류수술의 르네상스 시대가 시작되었고 이후로는 위저부주름술은 거의 복강경으로 접근하고 있다.

처음 Nissen이 위저부주름술을 소개하고 반세기가 지났지만 아직까지 어떤 수술방법이 더 우수한지 논란의 여지는 많다. 그 동안은 식도연동운동장애(impaired esophageal motility, IEM)가 있는 환자에게 복강경 전위저부주름술(laparoscopic Nissen fundoplication, LNF)을 시행하면 연하곤란(Dysphagia)이 더 많다는 우려 때문에 후방부분위저부주름술(Laparoscopic Toupet Fundoplication, LTF)이 더 낫다고 믿어왔다. 하지만 Booth 등이 수술 전 IEM이 있는 환자에 대해 LNF와 LTF에 대한 무작위전향적연구에서 수술 후 1년째 증상의 차이를 비교 보고하였는데, 속쓰림이나 역류의 차이는 없었고, 연하곤란증상만 LNF 시행한 경우 좀 더 많이 보고 되었다고 한다. 비록 LNF에서 연하곤란(dysphagia)의 발생빈도가 높았지만 새로 생긴 혹은 수술 후 악화되는 연하곤란(new onset or worsening dysphagia)의 빈도는 LNF나 LTF에서 차이가 없는 것으로 나타났고, 수술 전 IEM이 있는 환자에서 오히려 수술 후 악화되거나 새로 생기는 연하곤란의 빈도가 더 낮은 것으로 나왔다. 특히 부분위주름술 후 역류증상의 악화가 더 많다는 보고가 있어 수술방법에 선택에 있어 수술 전 식도내압검사 결과로 수술방법을 결정해서는 안 된다고 보고하였다.

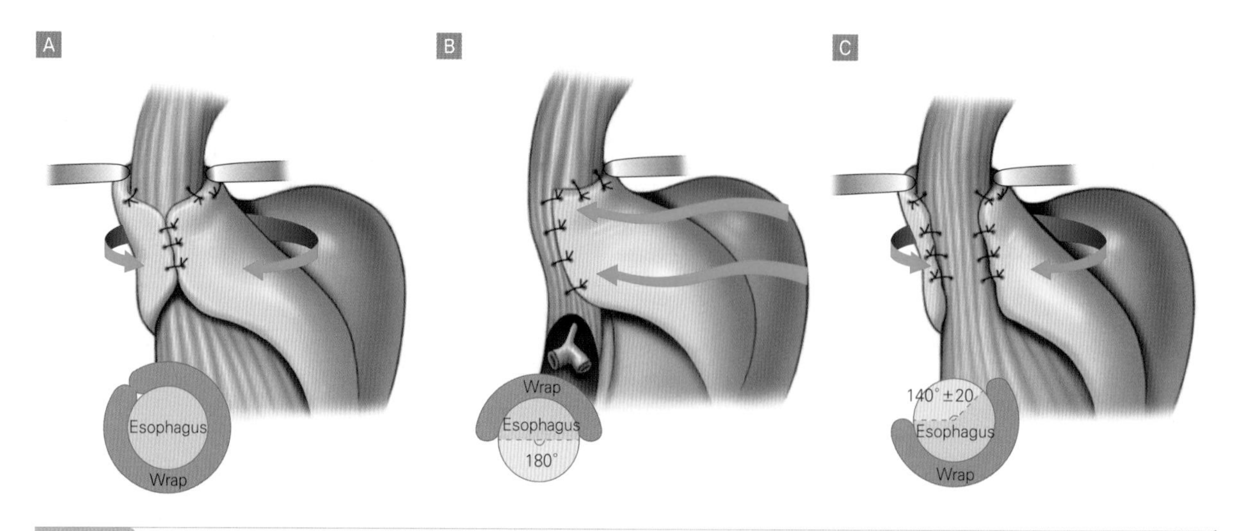

그림 61-1 A. 전위저부주름술(Nissen fundoplication)
B. 전방부분 위저부주름술(Tahl or Dor fundoplication)
C. 후방부분 위저부주름술(Toupet fundoplication)

Tian 등은 13개의 무작위전향적연구를 메타분석을 통해 LNF과 LTF의 결과를 비교분석하여 보고하였는데, 연하곤란(dysphagia, 12.56% vs. 4.84%), 가스찬 느낌(gas bloating, 31.19% vs. 23.91%) 그리고 트림하기 어려운 증상(inability to bletch, 14.93 % vs. 8.41%)이 LNF의 경우 더 많이 발생한다고 보고하였고 수술 후 증상이 재발되어 양성자펌프억제제를 다시 먹어야 하는 경우는 각각 13.08% (LNF)와 11.61% (LTF)로 통계적으로 차이가 없었고 증상 재발로 재수술은 각각 4.74% (LNF)와 6.54% (LTF)로 역시 비슷한 결과가 나왔다. 그리고 LNF의 경우 연하곤란으로 재수술한 경우가 전체 분석에서 11명이었으나 LTF의 경우는 없었다고 보고하고 있다. 하지만 수술 후 하부식도괄약근 압력이나 24시간 pH 측정값인 DeMeester score는 LNF가 더 나은 것으로 나왔다. 또 이후 장기간 성적이 추가된 무작위전향적연구(RCT)을 비교한 Du 등의 메타분석에 의하면 LNF와 LTF가 수술의 합병증 발생에 차이가 없고, Visick score을 이용한 환자 만족도 또한 두 군에 차이가 없었다고 한다. 수술 후 속쓰림이나 역류의 차이는 없었으나 재수술은 LNF가 더 많은 것으로 나왔다. DeMeester score의 차이도 두 군에 차이가 없었고 하부식도괄약근 압력만 LNF의 경우 좀 더 높은 것으로 나왔다. 연하곤란의 경우 수술 후 36개월 이전의 경우는 LNF에서 통계적으로 유의하게 더 높은 것으로 나왔지만 36개월 이상 지나면 두 군 간의 차이가 없어지는 것으로 나타났다. 비록 LNF 경우 식도 연동운동장애가 없는 군에서 연하곤란이 더 높은 빈도로 발생하였지만 술전 IEM가 있는 환자를 비교한 경우는 두 군 간의 차이가 없는 것으로 나타났다. 하지만 가스관련 증상인 가스찬 느낌이나 트림하기 어려운 증상은 LNF에서 더 많은 것으로 나타났다.

지금까지 보고된 메타분석을 통해 LNF와 LTF를 비교해보면 수술 후 연하곤란이 LNF군에서 좀 더 많은 것으로 나왔지만 장기적으로 비교하면 두 수술법에 따른 증상 호전, 합병증, 환자 만족도 등에서 차이가 크게 없고 어느 수술법이 더 낫다고 결론내리기는 어려운 상황이며, 좀 더 많은 수의 환자를 대상으로 한 다기관 무작위 전향적연구가 필요하다.

2) 복강경 위저부주름술

(1) 환자의 자세 및 위치

일반적으로 복강경 위수술 시 앙와위(supine position)를 많이 이용하고 있지만 환자의 다리를 벌려 결석제거술자세(lithotomy position)를 이용하여 술자가 환자 다리 사이에 위치하면 더 편하게 수술에 임할 수 있다. 제1 보조의는 환자의 좌측 상방에, 카메라 조수(scopist)는 환자의 좌측 하방에 위치하면 된다. 그리고 환자를 충분히 역트렌델렌버그자세(reverse Tredelenburg)를 취하는 것이 수술시야 확보에 도움이 된다.

(2) 투관침의 위치

일반적으로 5개 투관침을 이용하여 10 mm 투관침은 배꼽 부위에, 술자가 주로 이용하는 두 개의 5 mm 투관침은 각각 좌우 늑골모서리(costal margin)의 중간 부분에, 제1 보조의가 이용하는 투관침은 중간겨드랑선(midaxillary line)에 위치하도록 한다(그림 61-2). 그리고 간을 견인하기 위한 5 mm 투관침은 일반적으로 칼돌기(xiphoid process)나 이곳에서 11~12 cm 떨어진 우측 늑골모서리(costal margin)에 위치한다. 하지만 저자는 투관침을 사용하지 않고 횡격막식도인대(phreno-esophageal ligament)에 프롤렌 3.0(prolene 3.0)을 이용하여 V자로 간 견인을 하는 방법을 이용하고 있다(그림 61-3).

(3) 소만의 박리

식도위결합부에 도달하기 위해서는 우선 소만의 위간인대(gastrohepatic ligament) 이완부분(Pars flaccida)

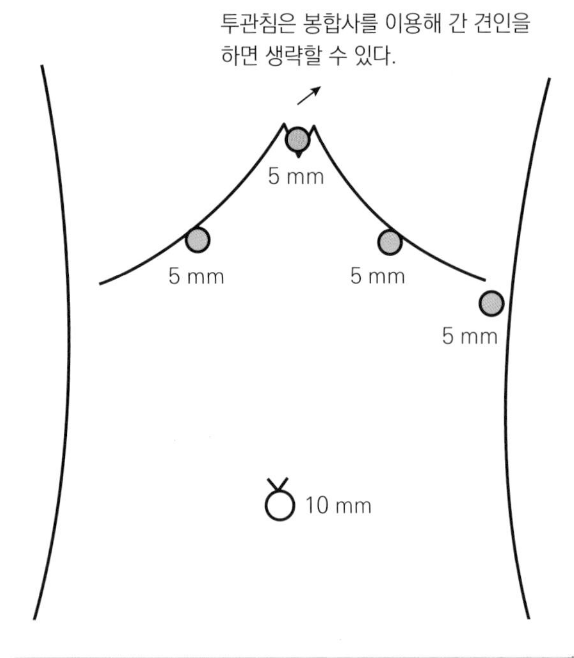

그림 61-2 복강경 투관침의 위치.

그림 61-3 프롤린 3.0을 이용한 V자 간 견인법.

을 초음파절삭기(ultrasonic shears)로 절개하여야 한다. 이때 미주신경(vagus nerve)의 간분지(hepatic branch)를 살리는 것이 좋다. 아직 보고된 바는 없지만 미주신경의 간분지는 담낭수축에 관여하는 것으로 생각되고 이를 살리면 담낭결석의 발생을 줄이는 데 도움이 될 것으로 여겨진다. 그리고 약 13% 정도에서 이완부분에 변형좌간동맥(aberrant left hepatic artery)이 발견될 수 있는데, 미주신경의 간분지 상방에서 절개를 시작한다면 변형좌간동맥이 손상받을 확률은 매우 낮다. 하지만 거대한 열공탈장이 있다면 미주신경 간분지나 변형좌간동맥을 잘라야만 횡격막다리(right crus)에 도달할 수 있다.

(4) 좌우횡격막다리의 박리

소만을 절개하여 식도위결합부까지 박리를 진행하게 되면 횡격막다리(right crus)와 식도열공(hiatus)에 도달하게 된다. 횡격막다리를 덮고 있는 얇은 복막을 초음파절삭기로 열고 나서 내측경계(medial border)를 박리한 뒤 상부로 진행하게 되면 식도의 앞면을 덮고 있는 횡격막식도인대를 만나고 이를 초음파절삭기를 이용하여 분리한다. 이때 미주신경의 전방 분지(anterior branch of vagus nerve)가 나오므로 이 부위 절개 시 신경을 분리하여 확인 후 보존하여야 한다. 식도주변 종격동의 절개는 되도록 초음파절삭기를 사용하지 말고 끝이 둥근 겸자(atraumatic grasper)를 이용하여 9시나 3시 방향으로 양쪽으로 펴주면서 시행하여야 미주신경 손상을 막을 수 있다.

(5) 위저부와 대만의 박리

위저부 절개의 시작은 히스각(angle of His)과 전정부를 기준으로 상부 1/3 지점에서 시작하는 것이 좋다. 다른 방법으로는 비장의 아래끝(inferior pole)을 기준으로 하면 된다. 술자는 왼손으로 위의 대만부를 앞 안쪽으로(anteromedially) 견인하고 보조의는 대만을 반대로(anterolaterally) 견인하면서 초음파절삭기를 이용하여 대만에서 약 5~10 mm 떨어져서 절개하여야 위에 손상을 줄이면서 효과적으로 절개를 할 수 있다(그림 61-4). 그리고 절개를 하면서 대만과 짧은 위동맥을 확인하여 위에 열손상을 최소한으로 줄여야 한다. 만일 열손상이 발생하였다면 반드시 봉합을 시행하도록 한다.

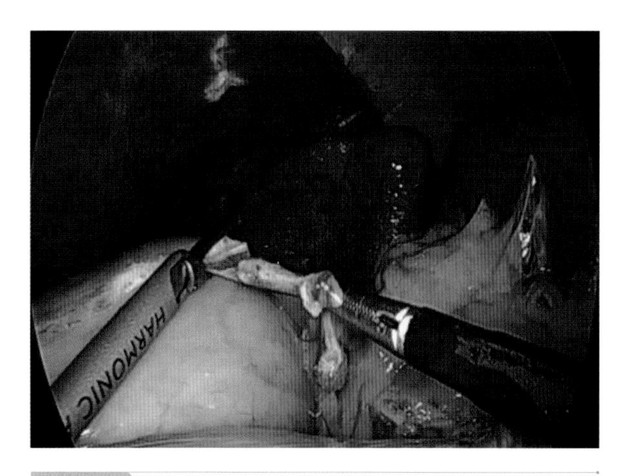

그림 61-4 초음파절삭기를 이용한 대만과 위기저부의 절개.

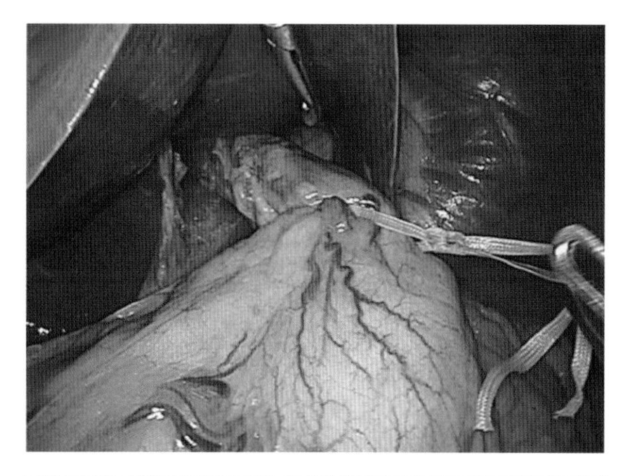

그림 61-5 펜로즈드레인(Penrose drain)이나 나일론 테이프(nylon tape)를 이용한 위의 견인.

(6) 식도의 박리

위저부 박리가 다 끝나면 횡격막다리의 바깥쪽과 식도 사이를 박리하여 구멍을 내고 펜로즈드레인(Penrose drain)이나 나일론테입(nylon tape) 등을 통과시켜 조수가 위를 환자의 왼쪽 편으로 견인한다(그림 61-5). 종격동내 식도는 주변부를 끝이 둥근 겸자를 이용하여 무딘 박리(blunt dissection)를 시행한다. 이때 미주신경의 뒤가지(posterior branch of vagus nerve)가 견인된 식도에 같이 딸려오게 되는데 미리 분리하면 오히려 추후 박리 시 손상을 줄 수 있다. 가끔 대동맥에서 식도로 바로 분지되는 혈관이 있을 수 있는데 초음파절삭기를 이용하여 지혈이 가능하다. 종격동내 식도를 얼마나 박리할지는 복강내 식도가 얼마만큼 확보가 되는지가 중요한 결정요소이다. 이전에 바레트식도(Barrett esophagus)나 심한 염증에 의한 식도 협착(esophageal stricture), 큰 열공탈장이 있다면 종격동내 식도를 더 많이 박리해야 할 수 있다. 복강내 식도는 적어도 2.5 cm 정도가 확보되어야 하고 충분히 종격동내 식도를 박리하고도 복강내 식도가 2.5 cm 이상 확보가 안된다면 Collis 위성형술(Collis gastroplasty)이나 위쐐기성형술(Wedge gastroplasty)을 시행해야 한다(그림 61-8).

(7) 좌우횡격막다리의 봉합

좌우횡격막다리의 봉합(Crual closure)은 좌우식도횡격막다리 기시부에서 약 1 cm 간격으로 비흡수성 봉합사(nonasorbable suture)를 이용하여 2~3개 정도 단속봉합(interrupted suture)을 시행하게 된다. 저자는 주로 ETHIBOND EXCEL 2-0(ETHICON™)을 이용하고 있는데 비흡수성 봉합사이면서 테프론패치(Teflon patch)가 붙어 있다. 테프론패치를 사용하여 봉합한 경우 좌우식도횡격막다리 사이로 탈장이 생기는 빈도를 줄일 수 있다고 한다.

좌우식도횡격막다리를 봉합할 때 주의할 점은 다음과 같다. 우선 좌우식도횡격막다리를 덮고 있는 복막을 포함하여 봉합해야 하고 봉합 시 그 아래에 있는 근육층까지 포함되도록 충분히 깊게 봉합을 해야 한다. 그리고 봉합 후 52Fr 부지튜브(Bougie tube)를 이용하여 튜브가 봉합한 부위의 식도로 저항 없이 잘 통과되는지 확인해야 한다. 저항이 느껴진다면 봉합사를 적절히 제거하여 저항이 없도록 만들어야 한다.

(8) 전위저부주름술

전위저부주름술(nissen fundoflication)을 하기 위해서는 위저부의 후벽(posterior wall of fundus)을 겸자를

이용하여 왼손으로 잡아 식도의 후벽을 통하여 식도 왼쪽으로 빼고 위저부의 전벽을 오른손으로 잡아 좌우로 움직여 식도 뒤쪽으로 위저부가 남지 않고 팽팽하게 감쌀 수 있는지 확인하는 작업을 하게 된다. 이를 구두닦이 수기(Shoeshine maneuver)라 한다. 전벽과 후벽을 잡는 위치는 겸자로 잡기 전에 봉합사 등을 이용하여 미리 표시해 두면 훨씬 수월하게 진행할 수 있는데 그 위치는 각각 위식도접합부에서 대만을 따라 3 cm 원위부 그리고 대만을 기준으로 앞 뒤로 각각 2 cm 부위를 봉합사를 이용하여 표시하고 겸자로 잡으면 비교적 쉽게 구두닦이 수기를 시행할 수 있다(그림 61-6).

이후 복강내 식도를 위식도접합부에서 최소한 2.5cm 정도 확보되도록 겸자로 잡은 위저부 양쪽을 고정하는 과정이 남게 된다. 이전에 시행해야 하는 중요한 과정이 있는데 바로 52Fr 부지튜브를 미리 통과시켜 놓는 것이다. 마취과의사나 조수로 하여금 부지튜브를 입을 통해 천천히 밀어 넣게 하여 위식도접합부를 저항없이 부드럽게 통과하는지 확인하고 미리 거치시켜 놓는 것이 좋다. 그 다음 복강내 식도가 2.5 cm 정도 확보되게 하여 가장 상부에 위치한 위저부 양쪽을 Ethibond 2-0을 이용하여 전층(full-thickness)을 단순봉합(simple interrupted suture)을 하고 중간의 식도는 부분층(partial-thickness)이 포함되게 봉합을 시행한다. 그렇게 2번 1 cm 간격으로 추가로 봉합을 시행하면 된다(그림 61-7). 위저부주름이 움직이지 않도록 좌우 횡격막에 고정시키거나 식도에 봉합매듭을 추가로 만들 수 있다. 위저부주름술을 시행하고 나서 식도주변을 둘러싼 주름이 너무 꽉 조이지 않는지 확인이 필요한데 보통 겸자를 이용하여 주름과 식도 사이로 겸자가 잘 통과할 정도의 여유가 있으면 된다.

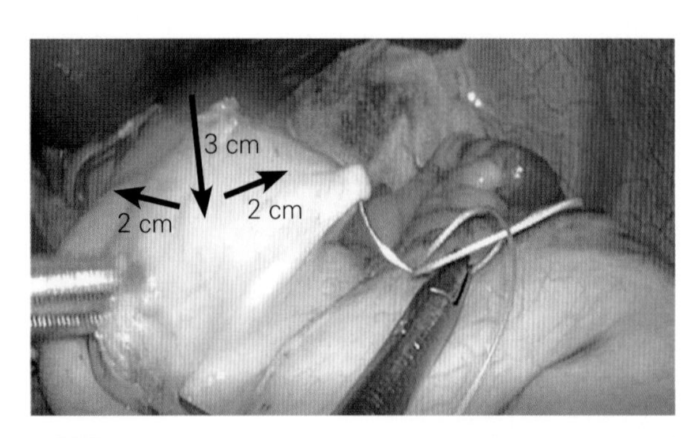

그림 61-6 대만을 따라 위식도접합부에서 원위부 3 cm 그리고 전벽과 후벽에 각각 2 cm 되는 곳에 봉합사를 이용하여 표시한다.

(9) 부분위저부주름술

앞서 기술한 대로 식도 체부의 운동능력이 저하되어 있다면 수술 후 음식물의 위식도접합부 통과장애를 예방하기 위해 부분위저부주름술을 시행할 수 있다. 하지만 그 동안 많은 연구결과는 연동운동장애가 있는 환자를 분석하였을 때 전위저부주름술과 부분위저부주름술과 성적의 차이는 없으므로 식도 체부의 연동이 완전히 없는 환자들을 제외한 나머지 환자들에게서 전위저부주름술을 시행해도 무방하다. 어느 방법이든 간에 수

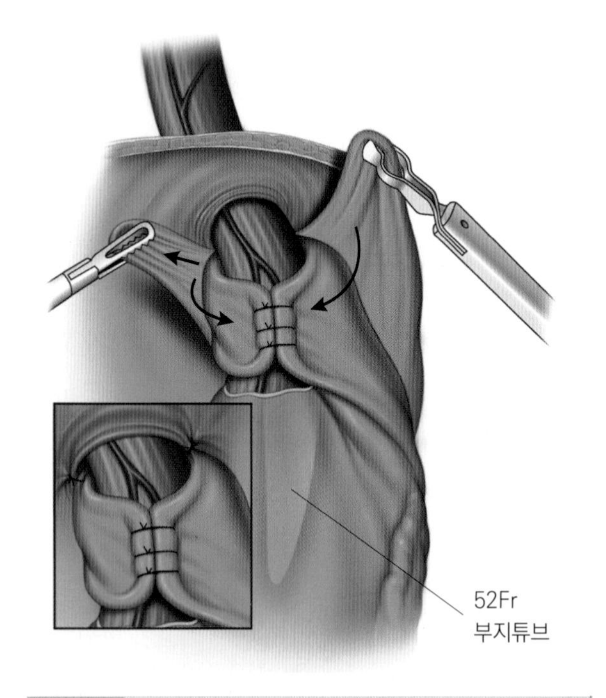

그림 61-7 **전위저부주름술(Nissen fundoflication).**

술 초기에 식도주변을 박리하는 과정은 동일하다. 하지만 식도이완불능증 환자에서 주로 시행되는 전방부분위저부주름술(Thal, Dor)은 식도의 후방 유착부를 박리할 필요는 없다. 전방 부분위저부주름술은 식도의 전방에 약 180° 정도 감싸도록 위저부주름을 덮어주는 방법이다. 이 랩을 시행할 때는 반드시 식도와 횡격막다리에 모두 고정이 필요하다.

후방부분위저부주름술(Toupet fundoplication)을 시행하려면 전위저부주름술과 같이 위저부의 후벽을 식도 뒤로 당겨서 랩의 양쪽 끝을 식도의 좌, 우 전측방에 봉합하여 식도의 앞면의 약 1/3만 노출이되도록 한다(그림 61-1). 랩을 봉합한 가장 위쪽으로 좌, 우 한 바늘씩과 아래쪽으로 좌, 우 횡격막다리에 식도와 랩을 모두 한꺼번에 봉합한다. 이후 랩의 후방을 조여준 횡격막다리와 2~3바늘 더 고정한다.

(10) 식도단축 시 대처 방안

일반적으로 위식도접합부가 식도열공 아래에 위치해 있다면 복강내 식도 길이는 3 cm 정도 확보가 가능하다. 하지만 반복적인 염증이나 손상으로 위식도접합부가 환자의 머리 쪽으로 올라간 경우를 종종 볼 수 있는데, 대부분 후종격동(posterior mediastinum)을 박리하면 복강내 식도를 2~3 cm 정도 확보할 수 있다. 드물게 큰 열공탈장이나 식도탈장이 있는 경우 위식도접합부가 후종격동의 깊은 곳에 위치하여 적적한 복강내 식도의 확보가 매우 어려운 경우가 있다. 다행히 대부분의 경우 종격동내를 충분히 박리하면 대부분의 경우 위식도접합부을 복강내로 가져올 수 있지만 때로는 한쪽 미주신경을 절단해야 하는 경우도 있다. 미주신경 절단 시 약 1~2 cm 정도 여유가 더 생기게 된다. 만일 이와 같은 방법으로도 적절한 복강내 식도 확보가 어렵다면 기존에는 원형자동문합기와 선형문합기를 이용한 Collis 위성형술을 했지만 최근엔 선형문합기만을 이용하여 위쐐기성형술(Wedge gastroplasty)를 더 많이 시행하고 있다(그림 61-8).

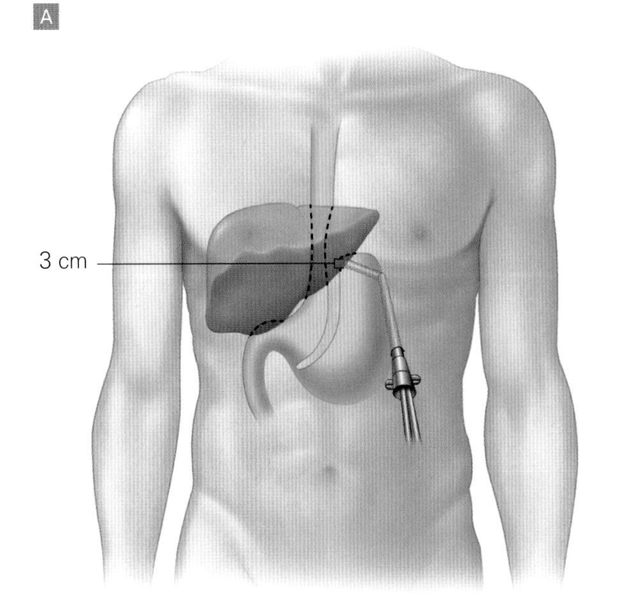

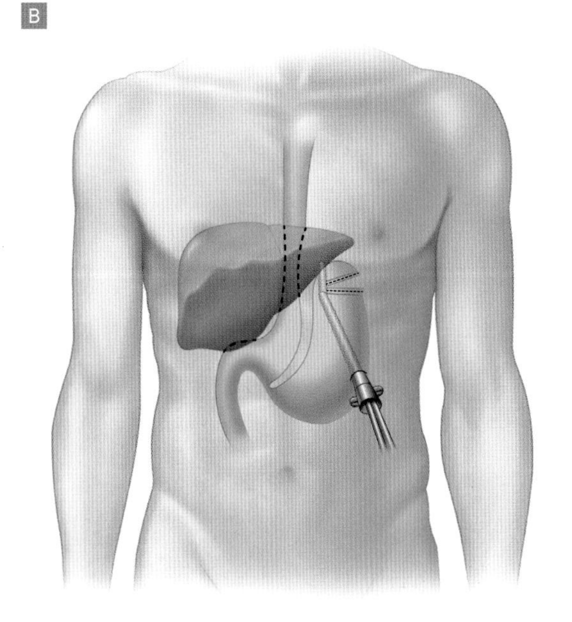

그림 61-8 A. 선형문합기를 이용하여 His of angle에서 3~4 cm 아랫쪽에서 부지(Bougie tube)에 직각이 되도록 위를 절단한다.
B. 이후 부지튜브와 평행하게 절단하여 복강내 식도 길이를 확보한다.

3) 수술의 합병증

복강경 위저부주름술을 숙련된 외과의사가 시행한다면 30일 사망률은 1%도 안되는 안전한 수술이다. 수술 후 합병증 보고는 통상 4.7~8.3% 정도 발생한다고 하고 대부분 수술 후 겪는 일반적인 합병증들로 뇨정체, 상처감염, 정맥혈전증, 장마비 등이 대표적인 것들이다.

(1) 수술 중 합병증

① 기흉

기흉은 가장 흔한 합병증 중의 하나지만 발생은 약 2% 정도만 생긴다고 보고되었다. 일반적으로 기흉은 수술 중 흉막이 찢어지면서 이산화탄소가 흉강 내로 들어가서 발생하고 대부분 저절로 흡수가 되기 때문에 별다른 문제 없이 잘 해결되지만 환자가 증상이 생기거나 흉부 엑스레이에서 기흉이 발견된 경우 산소요법으로 대부분 치료가 된다.

② 위 또는 식도의 손상

위와 식도의 손상은 굉장히 드물고 발생률은 약 1% 정도로 알려져 있다. 수술 중 손상이 발견된다면 봉합이나 자동문합기를 이용하여 대부분 해결이 가능하다. 하지만 수술 중 손상을 발견하지 못하면 재수술이 필요하게 된다.

③ 비장 또는 간의 손상

비장 손상의 빈도는 약 2.3%이나 간의 손상은 매우 드물게 보고되고 있다. 비장 손상은 대부분 위저부와 대만곡을 박리하는 중에 발생하기 때문에 좌측 횡격막다리 접근법을 사용하면 수술 초기에 단위동맥과 비장을 잘 노출시킬 수 있어 이 방법이 선호된다.

간 손상은 주로 시야를 확인하기 위해 간을 견인하는 과정에서 발생하는데 견인기를 보조의에게 잡게 하는 방법보다 견인기를 고정하거나 저자가 이용하는 봉합사를 이용한 간견인을 이용하는 것이 더 좋다.

(2) 수술 후 합병증

① 가스참

정상적으로 가스를 삼키게 되면 위가 늘어나게 되고 이는 보통 트림(belching)으로 배출하게 된다. 하지만 항역류수술을 받게 되면 미주신경에 의한 일시적인 하부식도괄약근 이완이 랩에 의해 불가능해지기 때문에 가스 배출이 어렵게 된다. Kessing 등은 LNF와 LTF 후 생기는 가스참 증상에 대해 주관적 증상 변화와 객관적 결과의 변화를 비교 분석하였는데, 술전 가스참 증상이 술후 가스참(gas bloating) 증상의 발현과는 관련이 없고, 주로 위가 가스에 의해 늘어난 뒤 생기는 위장관의 과민반응(gastrointestinal hypersensitivity)에 의한 것이라 발표하였다. 이 연구에서는 두 항역류수술을 받은 모든 환자들이 수술 후 식도의 위산 노출은 정상화가 되었지만 수술 후 가스참 증상이 생기는 경우 수술에 대해 만족하지 못하는 주 원인이라 발표하였다. 수술 초기에 지속적으로 구역감을 호소하거나 유동식도 불가능한 경우를 제외하고는 비위관을 삽입해야 하는 경우는 매우 드물다. 수술 직후 가스참을 호소하는 경우는 약 30% 정도이나 수술 후 2달이 경과하면 약 4% 미만으로 줄어든다.

② 연하곤란

수술을 받은 많은 환자에서 수술 후 약 2~4주 사이 일시적으로 연하곤란(dysphagia)을 경험하게 된다. 이 원인을 주로 수술 후 랩이나 식도열공 주변에 부종이 생겨 발생하는 것으로 믿고 있다. 드물지만 랩을 만드는 과정에서 시행하는 봉합술에 의해 식도주변에 혈종이 생길 수 있다. 이러한 두 가지 원인에 의해 생기는 연하곤란은 대개 일시적이고 환자를 안심시키고 적절히 영양공급을 하고 수액을 주면 호전된다.

하지만 심한 연하곤란으로 물도 삼키기 어려워하는 경우는 상부위장관조영술(UGI)을 반드시 시행해야 한다. 이 검사를 통해서 랩의 위치가 횡격막 아래에 잘 위치해 있다면 대증적 치료를 하며 3개월 정도 경과를 지켜볼 수 있다. UGI 검사가 정상임에도 연하곤란을 호소한다면 경험적으로 내시경을 통한 식도 이완술(esophageal dilatation)을 시행하면 증상이 호전될 수 있다.

③ **사망**

수술 후 사망은 매우 드물고 대개 0.5% 미만으로 보고하고 있다. 환자의 나이가 증가할수록 수술사망률이 증가할 수 있으므로 수술 전에 환자의 증상의 정도와 환자의 연령도 수술치료 여부 결정에 고려되어야 한다.

4) 치료의 실패

항역류수술 후 치료 실패하는 주 원인은 랩이나 열공의 해부학적인 문제 때문에 발생하는 경우가 많다. 탈장이 남아있거나 재발하는 경우, 랩이 열공으로 다시 들어가는 경우들이 있다. 치료 실패가 되면 환자들은 전형적인 위식도역류 증상(예: 속쓰림, 역류와 연하곤란)을 호소하게 된다. 보고에 의하면 약 1,700여 명 환자를 조사한 결과 약 5.6% 환자가 증상이 재발되어 재수술을 받게 되었다 보고하고 있다.

이러한 증상의 재발 시에는 식도내압검사와 식도pH 검사(ambulatory pH study)를 시행해야 한다. 식도pH 검사에서 산노출이 증가되어 있으면 식도조영술과 내시경을 시행하여 해부학적 구조에 문제가 없는지 확인해야 한다. 그리고 환자의 증상 경감을 위해 양성자펌프억제제를 시작해야 한다. 약물치료로 증상이 호전되지 않는다면 재수술을 시행해야 한다. 수술 후 연하곤란이 만성 합병증으로 나타나는 경우는 식도폐쇄가 주원인으로 주로 열공탈장이 재발했거나 랩이 열공으로 다시 올라간 경우이다. 따라서 식도조영술과 내시경검사를 시행하여 해부학적 구조에 문제가 없는지 확인하고 재수술을 시행해야 한다.

4. 국내 가이드라인

서구에서는 위식도역류질환에 대하여 1995년에 임상진료지침을 만들기 시작하였고, 이후 수 차례 개정을 거쳐 표준을 제시하고 있으며, 아시아 지역에서는 2004년에 임상진료지침을 만들기 시작하였고, 일본에서 2015년 개정안이 발표되었다. 국내에서는 2005년에 대한소화관운동학회(현 대한소화기기능성질환 · 운동학회)에서 위식도역류질환의 임상진료지침을 처음 공표하였고, 2010년과 2012년에 각각 개정하여 근거기반 진료지침으로 발표하였다. 하지만, 대부분의 근거문헌은 질환의 특성이 우리와 다른 북미와 유럽 등 서구에서 이루어진 연구자료였으며, 국내 자료는 부족한 실정이었다. 이러한 한계점을 극복하기 위하여 2012년에 델파이 기법을 이용하였으나, 총 32인의 패널이 소화기전문의 28인, 항역류수술 외과전문의 2인, 대한의학회 전문진료지침 평가위원 2인으로 구성되어 외과적 수술에 대한 영역이 잘 설명되지 않았다는 문제점이 있었다.

현재 한국에서는 위식도역류질환의 유병률이 증가하고 있으나 외과적 치료의 효과를 보고하는 수많은 연구에도 불구하고 국내에 위식도역류질환의 수술치료에 대한 인식이 부족하기 때문에 양성자펌프억제제를 이용한 약물치료가 대부분을 차지하고 있다. 따라서 위식도역류질환의 수술적 치료에 대한 이해를 증진시키기 위해 항역류수술의 적응증, 수술방법 등을 고려한 임상진료지침이 필요한 실정이다. 이에 대한위암학회 산하 대한위식도역류질환수술연구회(Korean Anti-Reflux Surgery Study Group)는 2018년 12월 위식도역류질환의 외과적 치료에 위한 증거기반실무지침(Evidence-Based Practice Guideline)을 발표했다.

이 가이드라인은 한국에서 위식도역류질환의 수술적 치료의 효과에 대한 최초의 증거기반 실무지침으로, 위식도역류질환의 정의, 증상 및 진단방법과 같은 기본내용과 외과적 치료에 대한 권고안의 2개 부분으로 구성되어 있다. 권고안은 항역류수술에 관한 5가지 논점 사항을 다루고 있다. 5가지 권고안의 근거 수준은 4단계(high, moderate, low, very low)로 분류하였고 권고 등급은 5단계(strong for, weak for, no recommendation, weak against, strong against)로 구분하였다. 권고안의 요약은 다음과 같다.

1) 항역류수술
양성자펌프억제제에 비하여 증상의 해소, 삶의 질 상승, 장기적 효과 및 비용효과 측면에서 우수성을 보이는 치료방법이다(근거수준: High, 권고등급: Strong for).

2) 항역류수술
양성자펌프억제제 불응성 위식도역류질환의 치료로 고려될 수 있다. 수술전 정확한 감별진단과 철저한 환자조사가 필요하다(근거수준: Moderate, 권고등급: Weak for).

3) 항역류수술
식도 외 증상을 가지고 있는 위식도역류질환 환자에게 치료방법으로 추천된다(근거수준: Moderate, 권고등급: Strong for).

4) 부분위저부주름술
위식도역류질환의 치료에 있어서 전위저부주름술과 동일한 효과를 보인다(근거수준: High, 권고등급: Weak for).

5) 식도주위탈장의 수술적 치료에 있어서 위저부주름술의 시행은 수술 후 위식도역류와 식도염을 감소하는데 효과적이다(근거수준: High, 권고등급: Strong for).

본 가이드라인의 발행으로 국내 위식도역류질환의 외과적 치료에 대한 국민적 인식의 고취할 뿐만 아니라 위식도역류질환을 다루는 의사들에게 항역류수술의 가치 및 효용성을 알리고자 한다.

참고문헌

1. Akyuz F, Mutluay Soyer O. How is gastroesophageal reflux disease classified? Turk J Gastroenterol 2017;28:10-11.
2. Anvari M, Allen C. Five-year comprehensive outcomes evaluation in 181 patients after laparoscopic Nissen fundoplication. Journal of the American College of Surgeons 2003;196:51-57.
3. Armijo PR, Hennings D, Leon M, et al. Surgical management of gastroesophageal reflux disease in patients with severe esophageal dysmotility. J Gastrointest Surg 2018:36-42.
4. Bavishi C, DuPont HL. Systematic review: the use of proton pump inhibitors and increased susceptibility to enteric infection. Alimentary Pharmacology & Therapeutics 2011;34:1269-1281.
5. Bizekis C, Kent M, Luketich J. Complications after surgery for gastroesophageal reflux disease. Thorac Surg Clin 2006;16:99-108.
6. Booth MI, Stratford J, Jones L, Dehn TC. Randomized clinical trial of laparoscopic total (Nissen) versus posterior partial (Toupet) fundoplication for gastro-oesophageal reflux disease based on preoperative oesophageal manometry. Br J Surg 2008;95:57-63.
7. Bredenoord AJ, Draaisma WA, Weusten BL, Gooszen HG, Smout AJ. Mechanisms of acid, weakly acidic and gas reflux after anti-reflux surgery. Gut 2008;57:161-166.
8. Catania RA, Kavic SM, Roth JS, Lee TH, Meyer T, Fantry GT, et al. Laparoscopic Nissen fundoplication effectively relieves symptoms in patients with laryngopharyngeal reflux. Journal of Gastrointestinal Surg 2007;11:1579-1588.

9. Craig B. Morgenthal, Edward Lin, Matthew D. Shane, John G. Hunter, Smith CD. Who will fail laparoscopic Nissen fundoplication? Preoperative prediction of long-term outcomes. Surgical Endoscopy 2007;21:1978-1984.
10. Cunningham R, Dale B, Undy B, Gaunt N. Proton pump inhibitors as a risk factor for clostridium difficile diarrhoea. Journal of Hospital Infection 2003;54:243-245.
11. DeVault KR, Castell DO. Guidelines for the diagnosis and treatment of gastroesophageal reflux disease. Practice Parameters Committee of the American College of Gastroenterology. Arch Intern Med 1995;155:2165-2173.
12. DeVault KR, Castell DO. Updated guidelines for the diagnosis and treatment of gastroesophageal reflux disease. Am J Gastroenterol 2005;100;190-200.
13. DeVault KR, Castell DO. Updated guidelines for the diagnosis and treatment of gastroesophageal reflux disease. The American Journal Of Gastroenterology 2005;100:190.
14. DeVault KR, Castell DO. Updated guidelines for the diagnosis and treatment of gastroesophageal reflux disease. The Practice Parameters Committee of the American College of Gastroenterology. Am J Gastroenterol 1999;94:1434-1442.
15. Dimitrios Stefanidis WWH, Geoffrey P. Kohn, Patrick R. Reardon, William S. Richardson, Robert D. Fanelli, The SAGES Guidelines Committee. Guidelines for surgical treatment of gastroesophageal reflux disease. Surgical Endoscopy 2010;24:2647-2669.
16. Du X, Hu Z, Yan C, Zhang C, Wang Z, Wu J. A meta-analysis of long follow-up outcomes of laparoscopic Nissen (total) versus toupet (270 degrees) fundoplication for gastro-esophageal reflux disease based on randomized controlled trials in adults. BMC Gastroenterol 2016;16:88.
17. Farrell TM, Richardson WS, Trus TL, Smith CD, Hunter JG. Response of atypical symptoms of gastro-oesophageal reflux to antireflux surgery. BJS 2001;88:1649-1652.
18. Fock KM, Talley N, Hunt R, et al. Report of the Asia-Pacific consensus on the management of gastroesophageal reflux disease. Journal of gastroenterology and hepatology 2004;19:357-367.
19. Fuchs KH, Babic B, Breithaupt W, et al. EAES recommendations for the management of gastroesophageal reflux disease. Surg Endosc 2014;28:1753-1773.
20. Galmiche J-P, Hatlebakk J, Attwood S, Ell C, Fiocca R, Eklund S, et al. Laparoscopic antireflux surgery vs esomeprazole treatment for chronic GERD: The LOTUS randomized clinical trial. JAMA 2011;305:1969-1977.
21. Granderath FA, Schweiger UM, Kamolz T, Asche KU, Pointner R. Laparoscopic Nissen fundoplication with prosthetic hiatal closure reduces postoperative intrathoracic wrap herniation: preliminary results of a prospective randomized functional and clinical study. Arch Surg 2005;140:40-48.
22. Hashemi M, Peters JH, DeMeester TR, Huprich JE, Quek M, Hagen JA, et al. Laparoscopic repair of large type III hiatal hernia: objective followup reveals high recurrence rate11No competing interests declared. Journal of the American College of Surgeons 2000;190:553-560.
23. Hirschowitz BI, Worthington J, Mohnen J. Vitamin B12 deficiency in hypersecretors during long-term acid suppression with proton pump inhibitors. Alimentary Pharmacology & Therapeutics 2008;27:1110-1121.
24. Hoppo T, Carr SR, Jobe BA. Chapter 15. Gastroesophageal Reflux Disease and Hiatal Hernia (Including Paraesophageal). In: Zinner MJ, Ashley SW, eds. Maingot's Abdominal Operations, 12th ed. New York: The McGraw-Hill Companies, 2013.
25. Iwakiri K, Kinoshita Y, Habu Y, et al. Evidence-based clinical practice guidelines for gastroesophageal reflux disease 2015. Journal of gastroenterology 2016;51:

751-767.
26. Jung H-K, Hong SJ, Jo Y, et al. Updated guidelines 2012 for gastroesophageal reflux disease. The Korean Journal of Gastroenterology 2012;60:195.
27. Katz PO, Gerson LB, Vela MF. Guidelines for the diagnosis and management of gastroesophageal reflux disease. The American Journal Of Gastroenterology 2013;108:308.
28. Kessing BF, Broeders JA, Vinke N, Schijven MP, Hazebroek EJ, Broeders IA, et al. Gas-related symptoms after antireflux surgery. Surg Endosc 2013;27:3739-3747.
29. Kim KM, Cho YK, Bae SJ, et al. Prevalence of gastroesophageal reflux disease in Korea and associated health-care utilization: a national population-based study. J Gastroenterol Hepatol 2012;27:741-745.
30. Lamb PJ, Myers JC, Jamieson GG, Thompson SK, Devitt PG, Watson DI. Long-term outcomes of revisional surgery following laparoscopic fundoplication. Br J Surg 2009;96:391-397.
31. Lee JH, Cho YK, Jeon SW, et al. Guidelines for the treatment of gastroesophageal reflux disease. The Korean Journal of Gastroenterology 2011;57:57.
32. Lundell L, Miettinen P, Myrvold HE, Hatlebakk JG, Wallin L, Engström C, et al. Comparison of outcomes twelve years after antireflux surgery or omeprazole maintenance therapy for reflux esophagitis. Clinical Gastroenterology and Hepatology 2009;7:1292-1298.
33. McColl KEL, Gillen D. Evidence that proton-pump inhibitor therapy induces the symptoms it is used to treat. Gastroenterology 2009;137:20-22.
34. Ng VV, Booth MI, Stratford JJ, Jones L, Sohanpal J, Dehn TCB. Laparoscopic Anti-Reflux Surgery is Effective in Obese Patients with Gastro-Oesophageal Reflux Disease. The Annals of The Royal College of Surgeons of England 2007;89:696-702.
35. Niikura R, Yamada A, Hirata Y, Hayakawa Y, Takahashi A, Shinozaki T, et al. Efficacy of vonoprazan for gastroesophageal reflux symptoms in patients with proton pump inhibitor-resistant non-erosive reflux disease. Internal medicine (Tokyo, Japan) 2018;57:2443-2450.
36. Nwokediuko SC. Current trends in the management of gastroesophageal reflux disease: a review. ISRN Gastroenterol 2012;2012:391631.
37. Oelschlager BK, Eubanks TR, Maronian N, Hillel A, Oleynikov D, Pope CE, et al. Laryngoscopy and pharyngeal pH are complementary in the diagnosis of gastroesophageal-laryngeal reflux. J Gastrointest Surg 2002;6:189-194.
38. Oh DK, Hur H, Kim JY, Han S-U, Cho YK. V-shaped liver retraction during a laparoscopic gastrectomy for gastric cancer. J Gastric Cancer 2010;10:133-136.
39. Perez AR, Moncure AC, Rattner DW. Obesity adversely affects the outcome of antireflux operations. Surgical Endoscopy 2001;15:986-989.
40. Richter JE, Kumar A, Lipka S, et al. Efficacy of laparoscopic nissen fundoplication vs transoral incisionless fundoplication or proton pump inhibitors in patients with gastroesophageal reflux disease: a systematic review and network meta-analysis. Gastroenterology 2018;154:1298-1308.
41. Richter JE. Gastroesophageal reflux disease treatment: side effects and complications of fundoplication. Clin Gastroenterol Hepatol 2013;11:465-471.
42. Salminen P, Karvonen J, Ovaska J. Long-Term outcomes after laparoscopic Nissen fundoplication for reflux laryngitis. Digestive Surgery 2010;27:509-514.
43. Semb S, Helgstrand F, Hjørne F, et al. Persistent severe hypomagnesemia caused by proton pump inhibitor resolved after laparoscopic fundoplication. World J Gastroenterol 2017;23:6907-6910.
44. Seo HS, Choi M, Son S-Y, Kim MG, Han D-S, Lee HH. Evidence-Based Practice Guideline for Surgical Treatment of Gastroesophageal Reflux Disease 2018. Journal of gastric cancer 2018;18:313-327.
45. Sierra F, Suarez M, Rey M, Vela MF. Systematic review: proton pump inhibitor-associated acute intersti-

tial nephritis. Alimentary Pharmacology & Therapeutics 2007;26:545-553.
46. Spivak H, Lelcuk, S., Hunter, J. Laparoscopic Surgery of the gastroesophageal Junction. World Journal of Surgery 1999;23:356-367.
47. Stefanidis D, Hope WW, Kohn GP, et al. Guidelines for surgical treatment of gastroesophageal reflux disease. Surg Endosc 2010;24:2647-2669.
48. Tekin K, Toydemir, T., Yerdel, M.A. Is laparoscopic antireflux surgery safe and effective in obese patients? Surgical Endoscopy 2012;26:86-95.
49. Tian ZC, Wang B, Shan CX, Zhang W, Jiang DZ, Qiu M. A meta-analysis of randomized controlled trials to compare long-term outcomes of Nissen and toupet fundoplication for gastroesophageal reflux disease. PLoS One 2015;10:0127627.
50. Watson DI, de Beaux AC. Complications of laparoscopic antireflux surgery. Surg Endosc 2001;15:344-352.
51. Westcott CJ, Hopkins MB, Bach K, Postma GN, Belafsky PC, Koufman JA. Fundoplication for laryngopharyngeal reflux disease. J Am Coll Surg 2004;199:23-30.
52. Yang YX, Metz DC. Safety of proton pump inhibitor exposure. Gastroenterology 2010;139:1115-1127.
53. Zaninotto G, DeMeester TR, Bremner CG, Smyrk TC, Cheng SC. Esophageal function in patients with reflux-induced strictures and its relevance to surgical treatment. Ann Thorac Surg 1989;47:362-370.
54. Zhang C, Hu ZW, Yan C, et al. Nissen fundoplication vs proton pump inhibitors for laryngopharyngeal reflux based on pH-monitoring and symptom-scale. World J Gastroenterol 2017;23:3546-3555.

PART 12

소장 질환

CHAPTER 62

소장의 염증성 장질환

염증성 장질환(inflammatory bowel disease)은 만성적으로 장에 염증을 일으키는 질환으로 넓은 의미로는 세균성, 바이러스성, 아메바장염, 장결핵(intestinal tuberculosis) 등의 감염성 장염과 허혈성 장질환, 방사선 장염 등을 모두 포함하는 질환이며 원인불명의 염증성 장질환과는 감별해야 한다. 좁은 의미의 염증성 장질환은 소장에서 발생할 경우 통상적으로 특발성 염증성 장질환인 크론병을 지칭하지만 우리나라에서 비교적 흔한 베체트장염도 이에 속한다고 할 수 있다.

염증성 장질환의 원인은 아직까지 확실히 밝혀지지는 않았으나 유전적 및 환경적 영향을 받으며 면역학적 이상으로 인해 매개된다는 학설이 유력하다. 최근 여러 동물 모델의 개발과 면역학적 연구 기술의 발전에 힘입어 염증성 장질환의 병태생리가 점차 밝혀지고 있다. 아직까지 염증성 장질환을 완치하는 방법은 나오지 않았지만 병태생리에 근거한 여러 가지 약제가 개발되어 사용되고 있다. 염증성 장질환은 주로 보존적으로 치료하나, 다른 방법으로 조절되지 않고 생명을 위협하거나 일상생활이나 성장에 심각한 장애를 일으킬 때는 수술을 시행할 수도 있다.

이 장에서는 소장에서 발생하는 크론병(Crohn's disease), 베체트장염(intestinal Behcet's disease)과 우리나라에서 호발하는 감염성 장염인 장결핵을 중심으로 염증성 장질환의 역학, 원인 및 병태생리, 진단, 내과적 치료에 대해 살펴본다.

1. 크론병

1) 역학

서구의 문헌에 따르면 크론병의 발생률은 각각 인구 10만 명당 2명이고 유병률은 20~40명이다. 남녀 비는 비슷하고 15~35세 정도의 비교적 젊은 층에서 호발하지만 55~60세에 발병하는 경우도 비교적 흔한 이중 호발 연령 형태(bimodality)를 보인다. 인종적으로는 흑인이나 황인보다 백인에게 흔하고, 특히 유태인의 발생빈도가 높다. 비흡연군보다 흡연군의 발생 빈도가 2~4배 더 높다. 2001~2005년까지 우리나라의 크론병 발생률은 인구 10만 명당 1.34명으로 1986~1990년도의 0.05명보다 의미있게 증가하였고, 유병률은 11.24명이다. 최근 우리나라와 일본에서 최근에 염증성 장질환의 빈도가 급격하게 증가하고 있는데 이는 점차 서구화되어가는 생활습관과 위생상태 개선 등과 관련되며, 진단 술기의 발달도 영향을 끼쳤다고 생각된다.

2) 원인 및 병태생리

크론병의 원인은 아직 구체적으로 밝혀진 바 없으나 장의 면역기능과 관련이 있을 것으로 생각되며 그 밖에도 유전적 감수성(genetic susceptibility), 장내 세균이나 음식물, 흡연 등의 환경적 요인, 정신적 요인, 기타 여러 요인들이 복합적으로 작용하여 발병하는 것으로 생각된다(그림 62-1).

염증성 장질환은 가족집적성(family aggregation)이 높으며, 다유전자 유전(polygenic inheritance) 형태로 발생한다. 염증성 장질환의 원인으로 미생물의 역할은 아직까지 확인되지 않았으나, 항생제가 크론병 치료에 효과적이리는 사실을 보았을 때 미생물이 직접적인 원인일 수 있다는 주장이 있다. 염증성 장질환의 원인으로서 심리적 요인의 역할은 명확히 규명되지 않았으나, 염증성 장질환이 재발하거나 악화된 경우에 환자의 심리적 불안이 흔히 관찰된다. 염증성 장질환의 병인에서 면역학적 기전은 실험동물 모델 등을 포함하여 최근에 가장 활발하게 연구되고 있는 분야이며 면역학적 항상성(homeostasis) 소실이 염증성 장질환의 진행에 중요한 역할을 하리라고 생각된다. 염증성 장질환의 진행과정은 비특이적인 염증단계 반응의 개시(initiation), 영속화(perpetuation), 증폭(amplification)으로 나뉘진다. 증폭이란 면역조절기능의 결함 때문에 적절하게 감쇠되지 않은 염증반응이 조직손상과 임상증상을 일으키는 현상을 일컫는다.

유전적 요인
비정상적 면역조절
변화된 장 점막장벽
외부 병원체에 대한 취약성

숙주 방어
면역세포방어 결손
외부 병원체에 대한 비정상적 반응

염증성 장질환

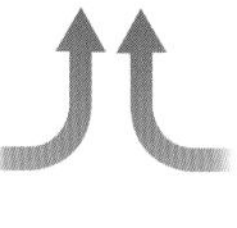

국소 방어
증가된 조직 취약성
증가된 점막 투과성
면역 '민감' 림프조직

환경적 병원체
박테리아, 바이러스,
독소, 음식 항원,
화학물질, 스트레스
정신적 요인

그림 62-1 염증성 장질환의 원인.

3) 임상증상 및 진단

(1) 증상

크론병은 입에서부터 항문에 이르기까지 위장관 어디에서나 생길 수 있으나 회맹부에 특히 호발하며 병변은 비연속적, 비대칭적, 다발성으로 발생할 수 있다. 크론병의 주 증상은 물설사와 복통이며 혈변은 드물다. 상당수의 환자에서 항문 주위의 열상 또는 누공이 동반되며 장관협착 또는 누공으로 인한 증상도 비교적 흔하다. 체중감소 또는 발열 등의 전신증상이 흔하며 임상경과도 다양하여 만성, 재발 및 호전을 반복할 수 있다.

(2) 진단

크론병은 만성적인 경과를 밟으며 환자에 따라 병변이 침범하는 부위와 범위 및 염증 정도의 차이가 매우 크다. 호전과 재발이 반복되기 때문에 내시경 또는 방사선 소견이 매우 다양하게 나타나 진단하기가 쉽지 않다. 일반적으로 병변은 오른쪽 대장, 특히 회맹부 근처에 호발하며 병변이 국소적, 구역성, 비연속적, 비대칭적으로 분포하는 것이 가장 특징적인 소견이다. 환자의 약 1/3에서는 소장에만, 1/3에서는 대장에만, 나머지 1/3에서는 소장과 대장을 동시에 침범한다. 초기 병변으로 아프타 궤양이 보일 수 있으며 진행되면 특징적인 종주성 궤양이 관찰되고, 조약돌점막상이나 염증성 용종이 관찰된다(그림 62-2). 병소는 소장과 대장에 다발성으로 나타날 수 있다. 컴퓨터단층촬영(computed tomography, CT) 검사에서 장벽의 비후가 현저하고 장간막에서 섬유성지방(fibrofatty)의 증식이 관찰되기도 한다. 최근에는 캡슐내시경과 이중풍선 소장내시경

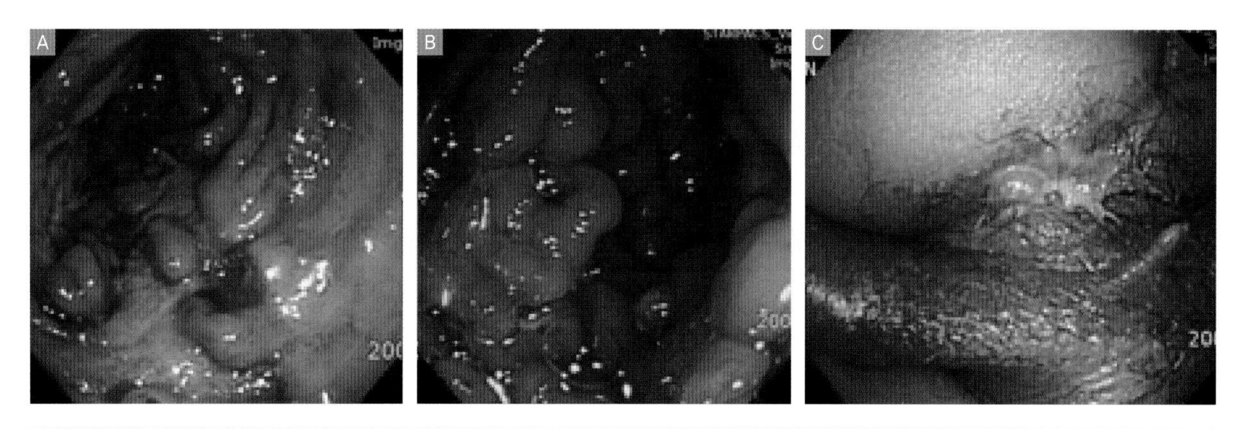

그림 62-2 **크론병의 내시경 소견.**
A. 종주성 궤양(longitudinal ulcer) B. 조약돌점막상(cobblestone appearance) C. 항문주위 농양(perianal abscess)

(double balloon enteroscopy)이 소장 크론병의 새로운 진단법으로 시도되고 있는데, 캡슐내시경은 장관협착이 배제된 소장 증상이 있는 환자에서 대장내시경과 영상검사에서 음성인 경우 시행해 볼 수 있으며 이중투선 소장내시경의 경우 조직검사가 필요한 경우 고려해 볼 수 있다.

크론병의 특징적인 조직학적 소견은 만성염증 배경에 비치즈육아종(noncaseous granuloma)이 관찰되는 것이다(그림 62-3). 그러나 진단적인 육아종은 30% 내외로 관찰되어 민감도가 높지 않다. 수술 검체에서는 육아종 외에도 장벽 전층을 침범하는 염증 및 섬유화, 틈새(fissure), 누공(fistula)과 같은 특징을 관찰할 수 있어서 비교적 진단이 용이하다. 그러나 내시경생검 조직에서는 흔히 비특이성 만성염증만 관찰될 수 있기 때문에 내시경생검 조직검사만으로는 감염성 장염, 장결핵, 베체트장염 등 기타 장 질환과의 감별이 어려운 경우가 많다.

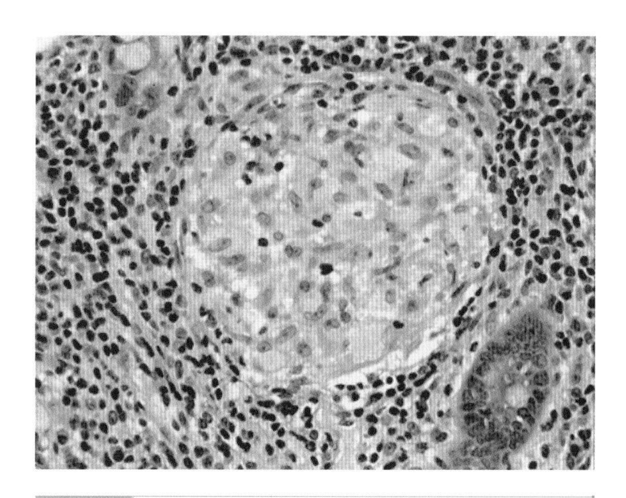

그림 62-3 **크론병의 병리 소견.**
치즈괴사를 동반하지 않고 경계가 뚜렷하며 림프구와 형질세포에 둘러싸인 크론병의 특징적인 육아종(헤마톡실린에오신염색, 400배)

(3) 합병증

장폐쇄가 약 20~30%에서 발생하며 농양과 누공 및 장천공 등의 장관 합병증이 알려져 있다. 그 외에도 관절통, 피부점막 증상, 안과적 합병증, 간담도계 합병증 등 여러 전신적인 장관 외 증상이 흔히 동반된다. 오래된 장 크론병은 소장암을 유발할 가능성이 있다. 따라서 유병기간이 오래된 환자의 체중이 감소하고 복부 종괴가 만져지면 암가능성을 고려해야 한다.

(4) 치료

① **내과적 치료**

급성기에는 보편적으로 설파살라진(sulfasalazine)

또는 메살라민(mesalamine) 등의 항염증제와 스테로이드를 처방한다. 그러나 소장을 침범한 크론병에는 설파살라진(sulfasalazine)이 이론적으로 효과가 적으므로 메살라민(mesalamine)을 처방하는 것이 좋다. 경구용 메살라민은 활동성 크론병에 효과가 있을 뿐만 아니라 질환의 완화를 유지해준다. 스테로이드는 소장 및 장 크론병의 완화를 유도할 때 유용하여 환자의 75~90%에서 증상이 호전되지만 유지요법에는 효과가 없으며 부작용이 증가하므로 완화기에는 사용하면 안 된다. 아자티오프린(azathioprine) 및 6-메르캅토푸린(6-mercatopurine) 등의 면역억제제는 2~2.5 mg/kg/day 용량으로 60~80%의 환자에게 효과가 있고 50%에서 스테로이드 사용량과 빈도를 감소시킬 수 있으며 누공에도 약 2/3에서 치료효과가 관찰된다. 그 외 항문 주위 농양이나 누공이 관찰될 경우에는 우선적으로 메트로니다졸(metronidazole)과 시포로플루사신(ciprofloxacin) 등의 항생제를 사용해 볼 수 있다.

최근에는 병태생리에 근거하여 다양한 생물학제제인 항종양괴사인자(anti-tumor necrosis factor, TNF) 제제가 개발되어 사용되고 있다. 크론병에서 사용 가능한 생물학제제는 염증성 사이토카인 TNF-α를 억제하는 인플럭시맵(infliximab), 아달리무맙(adalimumab) 등과 림프구의 표면 당 단백질인 $\alpha 4\beta 7$ intergrin을 억제하여 림프구가 장으로 이동하는 것을 선택적으로 차단하는 vedolizumab이 있다. 이중 infliximab과 adalimumab은 크론병의 관해 유도 및 유지 요법에 효과적이라는 보고와 함께 사용 빈도가 증가하고 있으며, 누공성 크론병에도 우수한 효과를 보였다. 그러나 전반적인 면역억제 효과로 인해 결핵, B형간염 및 기타 감염증, 림프종과 같은 악성종양 등 여러 가지 심각한 부작용을 초래할 수 있어 주의를 요한다. 최근에 개발된 베돌리주맙은 장에만 선택적으로 작용하기 때문에 전신적인 면역억제 효과에 비교적 자유롭고 면역성이 적어 상대적으로 이러한 부작용이 덜 발생할 것으로 예상된다.

성분 영양(elemental diet) 및 경구적 영양(total parenteral nutrition)은 일차 치료법으로 크론병의 활동성을 감소시킬 수 있으며 특히 소장 크론병에 유용하나 완화 유지가 잘 안 된다는 것이 단점이다. 내과적 치료로 호전되지 않거나 호전되더라도 부작용이 심각하거나 장폐쇄, 농양, 패혈증, 누공 등의 합병증이 동반되면 수술을 시행해 볼 수 있다.

② 외과적 치료

크론병은 전 위장관에 생길 수 있으며, 악화와 호전을 반복하고, 수술이 요할 수 있으며 수술 후 재발이 빈번하다는 점을 항상 염두에 두어야 한다. 수술의 원인은 장천공, 장폐쇄, 장누공, 내과적 치료 실패, 장출혈, 항문주위질환, 암 발생 등이다.

장염의 범위가 적을 때는 장절제 후 문합하며, 장을 반복해서 대량으로 절제하면 짧은창자증후군을 일으키므로 장염의 범위가 클 때는 광범위한 수술보다는 심한 합병증을 일으킨 부분만을 절제하거나 섬유화된 협착부위의 성형술, 우회로조성술 등을 시행하고 광범위한 협착이나 다른 합병증이 같이 있을 때는 한 환자에게 여러 수술법을 동시에 적용하기도 한다. 회맹장 침범이 가장 많아 결장 절제 및 문합을 가장 많이 시술하는데 육안상 2 cm의 절제연을 두고 절제하며 문합부가 넓을 때 재발이 더 적으므로 단단문합(end to end anastomosis) 보다는 측측문합(side to side anastomosis)을 한다.

섬유증 협착 시 협착 길이가 10 cm 이하면 Heineke-Mikulicz 협착성형술, 25 cm 이하면 Finney 협착성형술, 30cm 보다 길거나 짧은 장분절 내에 다발성으로 협착했을 때는 측측 동향연동성 협착성형술을 한다(그림 62-4). 십이지장 폐쇄 수술 시에는 절제보다는 위공장문합술을 한다. 장출혈이 있을 때는 수술하기 전에 혈관조영술로 위치를 확인한다. 항문주위질환이 있을 때는 좀 더 보존적으로 치료하며 농양은 배농하고 복잡한

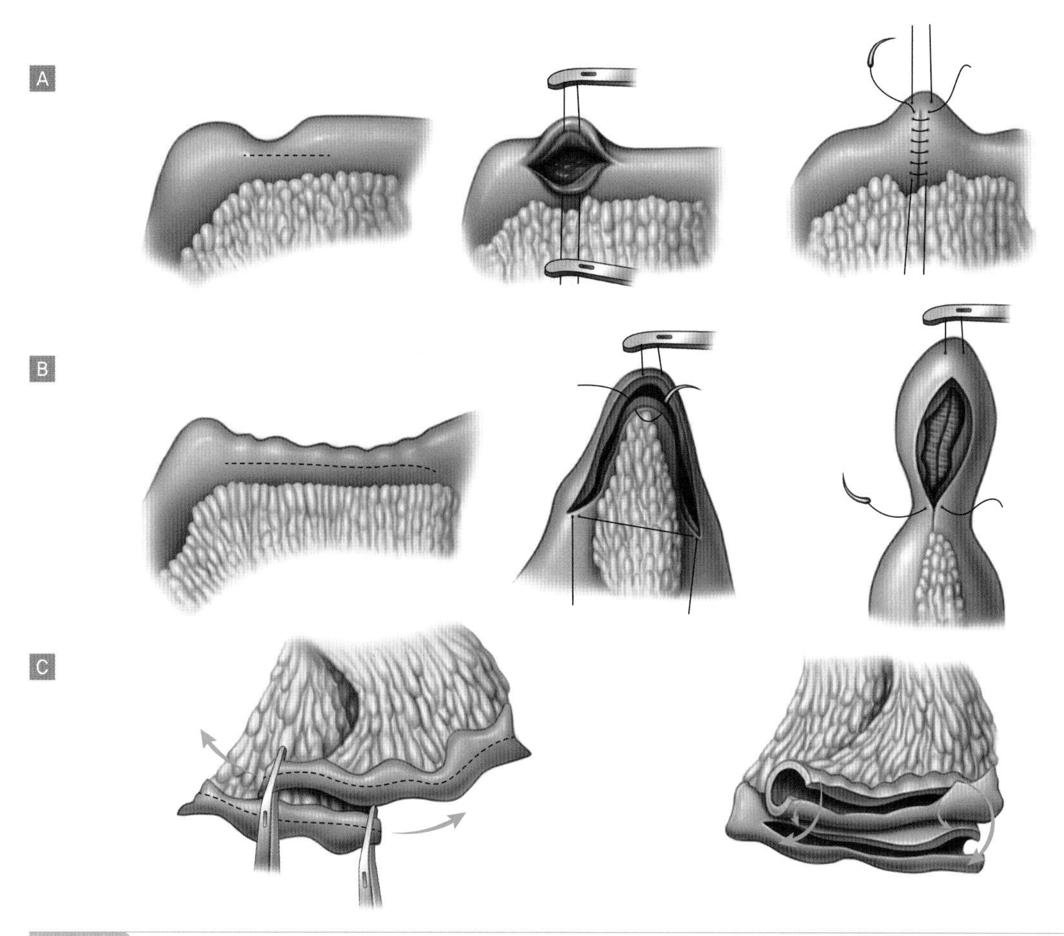

그림 62-4 **크론병의 협착성형술.**
A. Heineke-Mikulicz 협착성형술. 정상으로 보이는 양쪽 장 부위까지 세로로 절개한 후 가쪽으로 당기면서 가로로 한 층 또는 두 층으로 단속 봉합한다.
B. Finney 협착성형술. 세로로 길게 장을 절개한 후 장을 구부려 근위부와 원위부를 맞물려 세로로 길게 봉합한다.
C. 측측 동향연동성 협착성형술. 병적인 창자를 둘로 나누어 근위고리를 원위고리의 톱으로 옮긴 후 세로로 길게 절개하고 측측문합한다.

치루는 세톤법(Seton method)과 인플릭시맵으로 치료한다. 암이 발생했을 때는 암이 있는 부위 근처의 국소 림프절도 같이 제거하는 근치수술을 한다. 복강경수술은 술후 합병증, 사망률, 재발률 면에서 개복술과 차이가 없다. 회맹장을 절제한지 10년 내에 52%가 재발하고 35%가 재수술을 필요로 한다.

장절제 후 재발을 줄이기 위해 회결장 문합, 흡연 여성, 관통형 질환, 반복해서 수술받은 경우 등의 고위험군에는 아자티오프린 2.5 mg/day 나 6-메르캅토푸린 1.5 mg/kg/day를 투여하고, 저위험군에는 치료 없이 6개월 후 회결장경이나 소장조영술을 시행한 후 결과에 따라 적절한 치료를 해야 한다.

2. 베체트장염

베체트병(Bechet's disease)은 1937년 터키 의사인 Bechet가 구강 및 생식기 궤양과 안구염증이 반복적으로 나타나는 질환으로 처음 기술하였다. 피부, 심혈관계, 신경계, 소화기관, 간, 비장, 신장 및 폐를 범하는 전신적 만성질환이다. 주된 병리 소견은 혈관염이며 구강

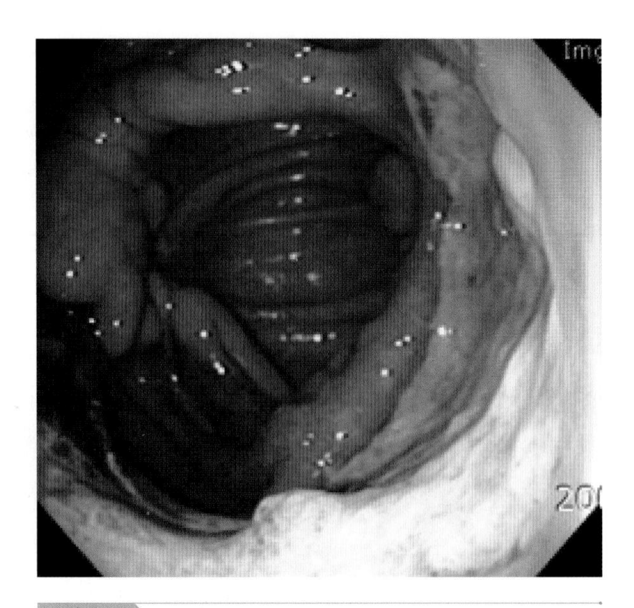

그림 62-5 **베체트장염의 내시경 소견.**

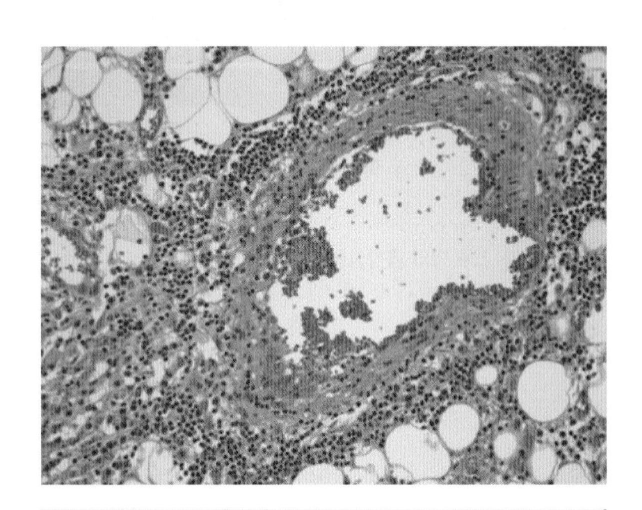

그림 62-6 **베체트장염의 병리 소견.**
림프구를 다수 포함한 염증세포가 혈관 주위와 혈관 내로 침윤한 혈관염

점막과 관련된 자가면역 항체가 환자의 약 반수에서 발견된다. 복통과 설사가 주 증상이며, 비특이적이고 반복하여 재발하는 만성염증성질환이다. 종종 출혈 및 천공을 일으키며 치료에 잘 반응하지 않고 경과가 불량하다.

1) 역학 및 임상소견

일반적인 베체트병과 베체트장염 모두 여자보다 남자에게 많으며 20대에 가장 호발한다. 베트병 환자의 4~20%에서 장 침범 증상이 나타난다. 처음부터 베체트장염으로 시작하기보다는 베체트병의 경과에 장 증상이 병발하는 경우가 많다. 베체트병은 중동에서 극동아시아에 이르는 소위 실크로드 지역에서 발생률이 높은데 특히 우리나라, 일본 등 극동아시아에서 베체트장염의 발생률은 높아 12~35%에 이른다. 베체트장염의 주 증상은 크론병과 유사한데 복통 및 하복부 불쾌감이 주로 나타나며 복부종괴 촉지, 혈변과 설사가 종종 동반된다. 그 외에 발열, 전신쇠약감 등 전신 증상도 흔하다. 크론병과 마찬가지로 누공, 농양, 천공, 장폐쇄 등의 합병증이 발생할 수 있다.

2) 진단

가장 확실한 진단방법은 대장내시경을 통한 육안적 관찰과 조직검사이다. 베체트장염의 궤양은 주로 회맹부를 침범하지만 구강에서 항문까지 어디에나 나타날 수 있다. 궤양이 작을 때는 아프타 궤양에서 시작해 크기가 커짐에 따라 깊은 궤양을 형성하게 되는데 원형 또는 타원형이며 궤양 바닥은 깨끗하고 두꺼운 백태로 덮이고 궤양의 경계는 분명하다(그림 62-5). 궤양의 가장자리 점막은 부종과 결절성 융기를 보인다. 종종 대장암이나 림프종으로 오인되며 크론병, 장결핵, 단순 궤양과 감별해야 한다. 베체트병 진단에 도움이 되는 조직학적 소견은 작은 정맥 또는 세정맥의 혈관염(vasculitis)이다(그림 62-6). 그러나 조직검사에서 혈관염은 관찰되지 않고 비특이 염증만 관찰되는 경우가 많다. 이러한 경우 내시경적으로도 유사한 소견을 보이는 크론병과의 감별이 어렵다. 크론병보다 베체트병에서 더 흔히 관찰되는 소견으로는 원형 또는 타원형의 깊은 궤양, 궤양 주위에 정상점막, 국소침범 형태 및 뚜렷한 반흔 등이 있다. 또한 반복적인 생검을 통해 육아종이 관찰되지 않음을 확인하는 것도 베체트병 진단에 도움이 된다.

아직 베체트장염을 진단하는 기준이 마련되지 않았으며 임상적, 내시경적, 조직학적 소견을 종합하여 진단해야 한다. CT나 소장조영술이 소장침범이나 합병증을 진단하는 데 도움이 된다.

3) 치료

아직까지 베체트장염에 대한 근본적인 치료방법이 정립되지 않았으므로 크론병에 준한 치료가 주종을 이루지만 그 효과는 만족스럽지 못한 실정이다. 경미한 질병일 경우 sulfasalazine을 사용하고 sulfasalazine에 반응이 없거나 심각한 전신 증상 혹은 중증의 질병도를 보이는 경우는 전신 스테로이드 그리고 스테로이드 의존성 혹은 스테로이드 불응성 환자일 경우에는 면역억제제인 아자티오프린, 6-메르캅토푸린를 사용해 볼 수 있다.

최근에는 생물학적 제제인 인플릭시맵, 아달리무밥 투여 후 효과적이었다는 후향적 연구가 보고 되었으며 추후 이 약제가 치료의 한 방법으로 정립되기 위해서는 전향적 연구가 필요하다. 장천공, 장폐쇄 또는 장출혈로 인하여 수술이 필요한 경우도 있지만 수술 이후에 상당수에서 재발하므로 불가피한 경우 외에는 수술적 방법보다 내과적 치료를 우선해야 할 것이다.

3. 장결핵

결핵균에 의한 만성장염인 장결핵(intestinal tuberculosis)은 폐외 결핵 중 상당 부분을 차지하는 질환으로서 원발성 또는 속발성으로 발생한다. 이전에는 장결핵이 염증성 장질환에 비해 상대적으로 월등하게 많았으나, 최근 염증성 장질환의 유병률이 증가하면서 상대적으로 감소한 것처럼 보인다. 그러나 외국처럼 HIV 감염 환자에서 비정형 항산균에 의한 감염이 증가하고 있고, 생활수준의 향상에 따라 고령인구가 많아지면서 발병률이 증가하는 현상에 비추어 볼 때, 서구의 장결핵 발생률 증가현상은 우리나라에서도 나타날 것이다. 과거에는 크론병을 장결핵으로 오인하는 경우가 많았으나 최근에는 염증성 장질환의 발생률이 높아지고 관심도 많아져 오히려 장결핵을 크론병으로 오인하는 경우가 더 많다.

1) 임상소견

장결핵의 임상증상은 대부분 비특이적이고 애매해서 증상만을 가지고 장결핵이라 확진할 수 있는 경우는 많지 않다. 일단 결핵균에 감염되면 체중감소, 발열, 오한 등의 전신 증상이 나타나고, 복통, 설사, 혈변 등의 소화기 관련 증상이 나타난다. 장결핵으로 인한 증상은 보고자마다 조금씩 다르지만 복통과 설사가 주로 나타난다. 호발 부위는 회맹부(73%), 상행결장(55%), 횡행결장(30%) 이지만 소화관 어느 곳에서나 발생할 수 있다. 장결핵이 이들 부위에 호발하는 이유는 림프조직이 매우 풍부하며, 회맹판 때문에 장 내용물이 정체되고 이들 주변에 존재하는 여러 면역세포 등으로 인해 상대적으로 항원 흡수가 용이하기 때문이다. 국내에서 발표된 문헌을 종합해 보면 장결핵 환자의 20~60%가 활동성 폐결핵을 갖고 있으며 폐결핵과 장결핵의 발생빈도는 서로 상관관계가 있는 것으로 알려져 있다. 이는 활동성 결핵 환자의 객담이 소화관 내로 유입되거나 혈행성 전파가 중요함을 시사한다.

2) 진단

크론병, 베체트병, 림프종, 이메바장염 등과 감별해야 하는데 크론병과는 혼동하기 쉬우므로 주의를 요한다. 감별할 때 가장 중요한 소견은 내시경 소견이다. 장결핵의 특징은 궤양이 장축과 수직하며 조약돌 모양이 관찰되지 않는다는 것이다. 장결핵의 경우 협착이 있더라도 크론병에 비하여 협착부의 길이가 짧고 누공이 거의 없다. 항문주위 병변이 결핵의 경우 거의 없다는 점도 두 질환을 감별하는 데 도움이 된다(그림 62-7).

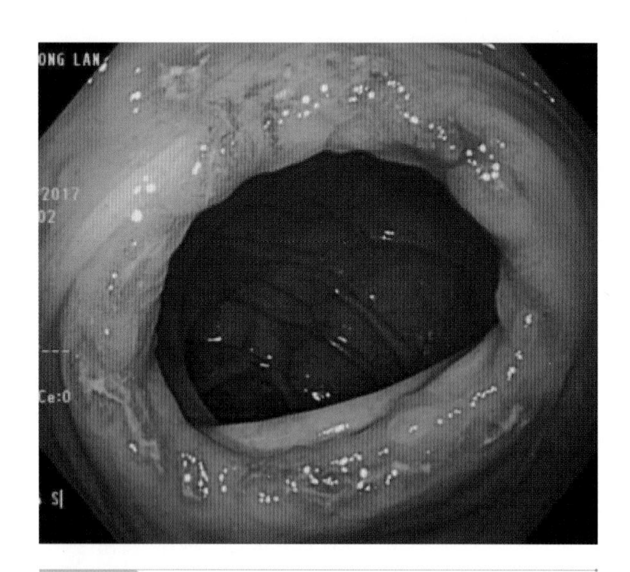

그림 62-7 **장결핵의 내시경 소견.**

결핵의 진단적인 조직학적 소견은 치즈괴사(caseous necrosis)를 동반한 육아종 또는 칠-넬센염색(Ziehl-Neelsen stain)에서 항산막대균(acid fast bacillus)을 관찰하는 것이다. 육아종이 관찰되는 경우 크론병과 감별이 중요한데 치즈괴사 유무가 가장 큰 감별점이다. 그 밖에도 장결핵의 육아종이 크론병의 육아종에 비하여 비교적 크기가 크고 그 수가 많으며 흔히 융합되는 특징을 보인다. 육아종 형성 없이 만성염증, 궤양 또는 괴사만 관찰되는 경우에도 보조적으로 균배양 또는 중합효소연쇄반응(polymerase chain reaction) 검사를 시행하면 진단율이 70%까지 높아진다.

3) 치료

치료 목표는 첫째, 결핵균의 증식을 차단하여 체내에서 균을 없애며, 둘째, 질병의 진행을 중단시켜 최대한 단기치료를 유도하고, 셋째, 전염력을 차단하고, 약제내성균 출현을 예방하는 것이다. 통상적인 폐결핵 치료제와 같은 용량과 방법으로 약제를 투여한다. 소장, 대장은 혈류가 많은 장기이므로 장결핵의 경우에도 결핵협회에서 권장하는 표준 6개월 치료만으로 치유할 수 있다. 일단 투약하게 되면 폐결핵의 경우처럼 투여 후 3~4개월 내에 95% 이상에서 균이 음전된다. 대장내시경검사를 통해 추적검사를 해보면 대개 병변이 호전되어 있으므로 불필요하게 오랜 기간 동안 약제를 투여할 필요는 없다. 항결핵제 투여 중에 장폐쇄, 천공, 장루, 농양 등의 합병증이 발생하면 수술치료를 고려한다. 장폐쇄, 천공, 암과의 감별, 출혈에 수술을 하며 보통 장절제 후 문합을 한다.

참고문헌

1. 김신곤, 김영진, 김동의 등. 위, 소장 외과학 광주 전남대 출판부, 2000;131-139.
2. 김원호, 조재희, 김태일. 염증성 장질환에서 Aza thi o p rin e과 6-Merca ptopurine 맞춤 처방. 대한소화기학회지 2003;41:423-437.
3. 김유선, 김영호, 이강문, 김주성, 박영숙. 대한장연구학회 IBD 연구회. 장결핵 진단 가이드라인. 대한소화기학회지 2009;53:177-186.
4. 박종범, 양석균, 명승재 등. 한국인 크론병의 진단시 임상 양상과 경과. 대한소화기학회지 2004;43:8-17.
5. 양석균. 베체트장염. 대한장연구학회지 2005;3:1-10.
6. 예병덕, 장병익, 진윤태, 이강문, 김주성, 양석균. 대한장연구학회 IBD 연구회. 크론병 진단 가이드라인. 대한소화기학회지 2009;53:161-176.
7. 유선경, 김진천, 김해련 등. 장결핵 및 결핵성복막염 최근 5년간(1989년-1994년)의 임상분석. 대한소화기 학회지 1997;29:457-464.
8. 조지호, 정일동. 장티프스에 의한 회장천공의 임상적 고찰 대한외과학회지 1984;26:511-518.
9. 진윤태, 권용대. 한국인의 염증성 장질환 진단의 문제점. 대한장얀구학회지 2006;4:75-78.
10. Bamias G, Cominelli F. Immunopathogenesis of inflammatory bowel disease: current concepts. Curr Opin Gastroenterol 2007;23:365-369.
11. Baumgart DC, Carding SR. Inflammatory bowel disease: cause and immunobiology. Lancet 2007;369:1627-1640.
12. Baumgart DC, Sanclborn Wj. Inflammatory bowel cliseasec: clinical aspects and established and evolving therapies. Lancet 2007;369:1641-1657.
13. Brown SJ, Mayer L. The immune response in inflammatory bowel disease. Am J Gastroenterol 2007;102:2058-2069.
14. Cheon JH, Kim WH. An update on the diagnosis, treatment, and prognosis of intestinal Behçet's disease. Curr Opin Rheumatol 2015;27:24-31.
15. Choi IJ, Kim JS, Cha SD, et al. Long-term clinical course and prognostic factors in intestinal ßehçet's disease. Dis Colon Reclum 2000;43:692-700.
16. Colombel JF1, Sands BE1, Rutgeerts P2, et al. The safety of vedolizumab for ulcerative colitis and Crohn's disease. Gut 2017;66:839-851.
17. Cullen G, O'toole A, Keegan D, et al. Long-term clinical results of ileocecal resection for Crohn's disease. Inflamm Bowel Dis 2007;13:1369-1373.
18. D'Haens GR, Panaccione R, Higgins PD, et al. The London Position Statement of the World Congress of Gastroenterology on Biological Therapy for IBD with the European Crohn's and Colitis Organization: when to start, when to stop, which drug to choose, and how to predict response? Am J Gastroenterol 2011;106:199-212.
19. Geclik E, Girgin S, Taçyilcl iz IH, et al. Risk factors affecling morbicliry in typhoid enteric perforarion. Langenbecks Arch Surg 2008;393:973-977.
20. Hancock L, Winclsor AC, Mortensen NJ. Inflammatory bowel disease: the view of the surgeon. Coloreclal Dis 2006;8:10-14.
21. Kim DH, Cheon JH. Intestinal Behçet's disease: a true inflammatory bowel disease or merely an intestinal complication of systemic vasculitis? Yonsei Med J 2016;57:22-32.
22. Kim SG , Kim JS, Jung JC, et al. Is a 9-month treatment sufficient in tuberculous enterocolitis? A prospective, randomized, single-center study. Aliment Pharmacol Ther 2003;18:85-91.
23. Lee CR, Kim WI-l, Cho YS, et al. Colonoscopic findings in intestinal Behçet' s disease. Inflamm Bowel Dis 2001;7:243-249.
24. Lee JH, Cheon JH, Jeon SW, et al. Efficacy of infliximab in intestinal Behçet's disease: a Korean multicenter retrospective study. Inflamm Bowel Dis 2013;19:1833-1838.
25. Lee Yj , Yang SK, Byeon S, et al. Analysis of colono-

scopic findings in the differential diagnosis between intestinal tuberculosis and Crohn's disease. Endoscopy 2006;38:592-597.

26. Leonor R, Jacobson K, Pinsk V, et al. Surgical intervention in children with Crohn's disease. Int j Colorectal Dis 2007;22:1037-1041.
27. Mahid SS, Minor KS, Soto RE, Hornung CA, Galandiuk S. Smoking and inflammatory bowel disease: a meta-analysis. Mayo Clin Proc 2006;81:1462-1471.
28. Michelassi F, Taschieri A, Tonelli F, et al. An international multicenrer, prospeclive, observational study of the side-to side isoperistaltic strictureplasty in Crohn's disease. Dis Colon Recrum 2007;50:277-284.
29. Rutgeerts P. Review article: recurrence of Crohn's disease aftel surgely-ùle need for treatment of new lesions. Aliment Pharmacol Ther 2006;24:29-32.
30. Scarpa M, Ruffolo C, Bertin E, et al. Sutrgical predictors of recurrence of Crohn's disease after ileocolonic resection. Int J Colorectal Dis 2007;22:1061-1069.
31. Shanahan F. The host-microbe interface within the gut. Best Pract Res Clin Gastroenterol 2002;16:915-931.
32. Siassi M, Weiger A, Hohenberger W, et al. Changes in surgical therapy for Crohn's disease over 33 years: a prospective longitudinal study. Int J Colorectal Dis 2007;22:319-324.
33. Sica GS, laculli E, Benavoli D, et al. Laparoscopic versus open ileo-colonic resection in Crohn's disease: short-and long-term results frol11 a prospective longitudinal study. J Gastrointest Surg 2008;12:1094-1102.
34. Singh S, Garg SK, Pardi DS, Wang Z, Murad MH, Loftus EV Jr. Comparative efficacy of biologic therapy in biologic-naïve patients with Crohn disease: a systematic review and network meta-analysis. Mayo Clin Proc 2014;89:1621-1635.
35. Tâarcoveanu E, Filip V, Molclovanu R, et al. Abdominal tuberculosis-a surgical reality. Chirurgia (Bucur) 2007;102:303-308.
36. Thia KT, Mahadevan U, Feagan BG, et al. Ciprofloxacin or metronidazole for the treatment of perianal fistulas in patients with Crohn's disease: a randomized, double-blind, placebo-controlled pilot study. Inflamm Bowel Dis 2009;15:17-24.
37. Yamamoto T. The current status of strictureplasty for Crohn's disease. Gatroemerology 2007;26:57-65.
38. Yang SK, Lofrus EV Jr, Sanclborn WJ. Epiclemiology of inflammatory bowel c1isease in Asia. Inflamm Bowel Dis 2001;7:260-270.
39. Yang SK, Yun S, Kim JH, et al. Epidemiology of inflammatory bowel disease in the Songpa-Kangdong district, Seoul, Korea, 1986-2005: a KASID study. Inflamm Bowel Dis 2008;14:542-549.

CHAPTER 63

소장의 종양

1. 소장 종양의 역학

십이지장(duodenum), 공장(jejunum) 및 회장(ileum)을 포함하는 소장에 발생하는 양성 혹은 악성종양은 매우 드물게 진단된다. 소장은 전 위장관 점막 표면의 90%를 차지하는 기관이지만 소장 종양으로 진단받는 환자는 전체의 위장관 종양 환자의 약 3%에 불과하다. 악성종양인 소장암의 경우, 2017년에 발표된 중앙암등록본부 자료에 따르면 2015년에 발생한 우리나라 전체 암 환자 중에서 차지하는 비중이 0.4%로 인구 10만 명당 1.7건이 발생하는 것으로 조사되었다. 소장암의 75%가 주로 50대 이상에서 발생하며, 남자에서 발생 비율이 1.4~1.7배 정도로 약간 높은 편이다. 이렇게 소장 종양의 진단이 드문 이유는 정기건강검진으로 많은 무증상 환자가 진단되는 위암이나 대장암과는 달리 소장암의 경우 내시경으로 물리적 접근이 어렵고 주로 다른 질환이나 비특이적인 복부 증상 때문에 시행하는 복부 컴퓨터단층촬영(computed tomography, CT)이나 초음파검사에서 우연히 발견되기 때문이다. 다른 원인은 종양 발생률 차제가 낮기 때문이며 소장이 이렇게 낮은 종양 발생률을 나타내는 이유로는 위에 비하여 위산이 중화된 유동 성분의 음식물이 빠른 속도로 이동하면서 소장 점막에 일으키는 화학적 또는 물리적 손상이 덜하고 대장에 비하여 정상 세포의 암화에 관여하는 혐기성 세균의 숫자가 적으며 다른 위장관보다 림프 조직이 풍부하여 면역감시 기능이 높다는 점 등이 가설로 제시되고 있다.

국내에서 종양별로 발견되는 빈도를 보면 양성종양은 선종(adenoma), 평활근종(leiomyoma), 및 지방종(lipoma) 등이 흔하며 악성종양은 간엽성 종양(mesenchymal tumor), 림프종(lymphoma), 및 선암(adenocarcinoma) 등이 흔한 것으로 보고되어 왔다(표 63-1). 하지만 평활근종, 간엽성 종양의 경우 2000년대 초반 면역조직화학검사에 의한 진단개념이 재정립된 위장관 간질종양(gastrointestinal stromal tumor, GIST)이었을 가능성을 고려해야 한다. 따라서 최근엔 위장관 간질종양의 진단 빈도가 점점 높아지고 있다.

위치별로는 십이지장, 공장 및 회장에서 전체적인 악성종양 발생 건수엔 큰 차이는 없으나 선암의 경우 주로 십이지장에서 발생 비율이 높은 반면, 공장 및 회장에서는 위장관 기질종양 등의 간엽성 종양이나 림프종의 빈도가 높았다. 하지만 이는 외과적으로 절제가 가능했던 소장 종양에 국한되어 있음을 고려해야 한다. 미국의 대규모 전국 데이터 베이스(미국 SEER 데이터

표 63-1. **국내에서 수술 절제 후 진단된 소장 위치별 종양의 종류**

	Duodenum	Jejunum	Ileum	Total (%)
Benign				
Adenoma	4	0	0	4 (26)
Leiomyoma	2	5	1	8 (54)
Lipoma	0	1	2	3 (20)
Total (%)	6 (40)	6 (40)	3 (20)	15 (100)
Malignancy				
Adenocarcinoma	8	2	2	12 (27)
Leiomyosarcoma	7	13	3	23 (51)
Lymphoma	1	2	7	10 (22)
Total (%)	16 (35)	17 (38)	12 (27)	45 (100)

베이스)를 이용한 연구는 신경내분비종양이 가장 흔하고 선종, 림프종 그리고 간엽성 종양의 순서로 발생빈도가 높다고 보고하였다.

2. 소장에 발생하는 양성 종양

1) 선종

소장에서 발생하는 선종은 대장에서 발생하는 선종에 비해 매우 드물고 대장에서와 마찬가지로 선종-선암의 발생과정을 따른다. 병리학적으로 선종은 관상선종(tubular adenoma), 관상융모선종(tubulovillous adenoma), 융모선종(villous adenoma)으로 분류하며 또한 저등급(low grade)과 고등급(high grade)으로 구분한다. 크기가 큰 선종, 융모선종, 고등급의 선종이 선암과 높은 연관성으로 가진다. 십이지장에서 발생하는 선종은 가족성선종용종증, MUTYH용종증, Lynch증후군 등의 유전성용종증후군과 연관이 있다. 특히 40세 이하의 젊은 환자에서 다발성 십이지장 선종이 관찰될 때 유전성용종증후군의 가능성이 높기 때문에, 대장내시경검사를 시행하여 대장종양의 여부를 확인하여야 한다. 십이지장에서 발생하는 선종은 내시경검사를 시행하여 비교적 쉽게 진단할 수 있지만 공장과 회장에서 발생하는 선종의 경우에는 통상적인 내시경검사를 통한 진단이 쉽지가 않아서 그 결과 대부분 선암으로 진행한 이후에 발견된다.

2) 브루너선과오종(Brunner gland hamartoma)

브루너선의 증식에 의하여 십이지장 내강으로 돌출한 용종으로 주로 십이지장구(duodenal bulb)에서 발생한다. 현미경소견에서 브루너선의 선세포의 증식뿐 아니라, 평활근, 지방조직, 림프구 등이 혼재되어 관찰되기 때문에 브루너과오종이라 불리지만 브루너선종으로 잘못 불리기도 한다. 대부분 내시경으로 진단이 가능하고 악성변화가 없기 때문에 광범위절제는 필요 없다.

3) 포이츠 에거스용종(Peutz-Jeghers polyp)

포이츠 에거스증후군의 일환으로 발생하며 점막피부 멜라닌 색소침착(mucocutaneous melanotic pigmentation)과 함께 위장관 용종증으로 발현한다. 용종은 조직학적으로 과오종(hamartoma)으로 정상 소장을 구성하는 상피세포, 평활근세포, 지방세포 등이 비정상으로 증식하는 양성 종양이다. 주로 소장에서 발생하지만 위장관 어디에서나 발생할 수 있다. 소장에서는 공장, 회장, 십이지장의 순서로 발생빈도가 높다. 환자의 절반이 증상을 보이며 20대 초의 연령에서 가장 많이 발생한다. 크기가 크고 둥근 포도모양의 엽상구조를 보이고 대부분 유경성(pedunculated) 용종이다. 현미경소견상 소장점막의 이형성이 없는 상피세포 사이로 증식된 평활근이 나뭇가지 모양의 분지를 하고 있는 것이 특징적 소견이다(그림 63-1). 장중첩증 때문에 발생하는 복통이 가장 흔한 증상이며 장폐색, 용종의 자가절단에 의한 출혈 등의 증상을 보인다. 포이츠 예거스 용종은 조직학적으로 과오종으로 양성 종양이지만 이중 일부에서 상피의 이형성을 보이고 선종으로 변화하며 그 일부가 악성화하여 선암으로 진행한다.

4) 지방종

점막하 지방층에서 유래한 지방세포증식에 의하여 발생하는 양성종양으로 회장에서 주로 관찰된다. 대부분 증상이 없지만 크기가 큰 지방종은 간헐적인 장폐색과 출혈을 일으킨다.

5) 혈관종

점막하층의 혈관증식으로 인한 기형종의 일종으로

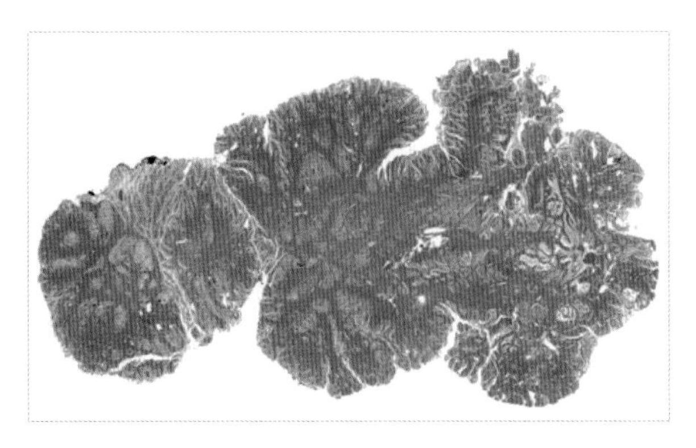

그림 63-1 **포이츠 예거스 용종의 현미경 저배율 소견.**
용종은 포도알 모양의 엽상구조를 보이며 증식된 상피세포 사이로 나누어져 있는 평활근이 관찰된다.

공장에서 흔히 발생하며 60%는 다발성이다. 랑뒤-오슬러-베버병(Rendu-Osler-Weber disease)과 터너증후군(Tunner syndrome)과 연관되어 발생할 수 있고 출혈이 주된 증상이다.

6) 평활근종

대부분이 고유근층에서 관찰되는 드문 종양으로 주변과의 경계가 좋은 양성종양이다. 면역조직화학검사에서 smooth muscle actin과 desmin에 양성이고 KIT (CD 117)에 음성이어서, 위장관 간질종양과 감별한다.

3. 소장에 발생하는 악성종양

1) 선암

소장 선암은 전체 소장 악성종양의 50% 정도를 차지하며 대부분 십이지장과 근위부 공장에 발생하지만 크론병과 같은 염증성 장질환과 관련된 선암은 회장에 많이 발생한다. 크게 산발적으로(sporadic) 발생하는 선암과 생식세포 돌연변이(germ-line mutation)에 의한 유전적 소인이나 염증성 장질환과 관련하여 나타나는 다양한 증후군의 한 형태로 나타나는 경우로 나눌 수 있다. 산발적으로 발생하는 소장 선암 발병과정에서 병태 생리학적 변화는 대장암과 유사하여 양성 선종에서 유전적 돌연변이에 따른 암화 과정을 거쳐 선암에 이르는 것으로 알려져 있으나 대장암과 비교해서 APC 유전자 돌연변이 비율이 낮고 불일치복구유전자(mismatch repair gene, MMR)의 결손 비율이 다소 높은 등의 차이를 보이는 결과도 있어 다른 분자생물학적 변화를 보일 가능성도 있다.

소장 선암의 높은 발병률과 관련 깊은 증후군은 표 63-2와 같다. APC 유전자의 생식세포 돌연변이에 의해서 발생하는 가족성선종용종증은 대장에 발생하는 선종이 주된 표현형이지만 50~90%의 환자에서 십이지장 선종이 함께 나타나며 이중 약 5%에서 선암이 발생

표 63-2. **소장 선암 발병의 위험을 증가시키는 유전적 증후군 및 전신 질환**

Inherited syndrome
• Familial adenomatous polyposis
• Peutz-Jeghers syndrome
• Lynch syndrome
• Juvenile polyposis syndrome
• Cowden's syndrome
Crohn's disease
Celiac disease

한다. 포이츠 에거스 증후군은 STK11 종양 억제 유전자의 돌연변이에 의해 발생하며 위장관 전체에 과오종의 형태로 나타난다. 위장관 이외에도 췌장, 유방, 난소, 음낭 종양 및 손과 발, 입 주변 점막의 색소 침착이 나타나며 소장 선암의 위험도가 520배 증가한다. Lynch 증후군은 DNA 염기 불일치복구유전자들 중 하나에 돌연변이가 발생할 때 나타나는 증후군이다. Lynch 증후군은 대장암, 자궁내막암, 난소암 및 폐암 등과 관련 깊지만, 전체 환자의 약 4%에서 소장 선암이 발생할 수 있다. 이 밖에도 만성염증성장질환인 크론병(Crohn's disease) 환자에서 소장암의 빈도가 20~30배 증가하며 셀리악병(Celiac disease)를 갖고 있는 환자에서도 60%-80배 소장 선암 발생률이 높아진다.

2) 간엽성 종양

간엽성 종양(mesenchymal tumor)은 소장 상피세포가 아닌 소장벽의 간엽성 세포에서 유래하는 종양으로 위장관 간질종양이 전체 소장 간염성 종양의 85% 정도로 가장 흔하며 이외 근육육종, 지방육종 그리고 섬유육종 등이 발생할 수 있다. 위장관 간질종양의 경우 30% 정도가 소장에서 발생한다. 위장관 간질종양은 근육육종과 육안 및 현미경적으로 매우 비슷한 특징을 나타내지만, 다른 부위에 발생한 위장관 간질종양과 마찬가지로 면역조직화학검사에서 KIT (CD117)발현 양성으로 진단될 수 있다. 근육육종은 위장관벽 내 평활근세포에서 유래하지만 위장관 간질종양의 경우 카할간질세포(interstitial Cell of cajal)에서 알려져 있다.

3) 림프종

위장관은 림프절 이외에서 발생하는 림프종의 가장 흔한 기관이며 소장은 위에 이어 두 번째로 위장관 림프절이 흔히 발생하는 곳이다. 소장 림프종은 점막연관림프조직 림프종(mucosa-asscoiated lymphoid tissue lymphoma, MALToma), 미만성거대B세포(diffuse large B cell) 림프종, 버킷(Burkitt) 림프종 그리고 외투세포(mantle) 림프종 등의 아형이 발생할 수 있으며 치료는 다른 부위에 발생한 림프종에 대한 치료방법과 다르지 않아 대부분 항암화학요법이 필요하지만 소장 림프종의 경우 항암치료 중 종양 출혈 및 천공 등에 유의해야 한다.

4) 신경내분비종양

신경내분비종양(neuroendocrine tumor, NET)은 신경내분비세포로 분화한 위장관 상피세포 기원이며 synaptophysin이나 chromogranin A의 면역조직화학검사를 이용하여 진단한다. 카르시노이드 종양과 혼용하여 사용하던 용어를 2010년 세계보건기구(World Health Organization, WHO) 분류에서 모든 장기에 발생하는 신경내분비세포 기원의 종양을 신경내분비종양이라고 총칭하기로 하였다. 2017년 WHO 분류에 의하여 신경내분비종양의 악성도는 종양세포의 분화도(differentiation)가 좋은 고분화의 신경내분비종양과 분화도가 나쁜 저분화의 신경내분비암(neuroendocrine carcinomas, NEC)으로 분류하며 이 중 신경내분비종양은 유사분열(mitosis), 세포증식능 Ki-67 색인에 의하여 그 등급(1~3 등급)이 결정된다(표 63-3). 소장에서 발생하는 신경내분비종양은 다른 장기로의 전이 가능성이 있으며 림프절, 간, 뼈 등으로

표 63-3. **2017년 WHO 신경내분비종양의 분류**

Grade	Differentiation	Ki67 index	Mitotic index
Neuroendocrine tumor (NET) G1	Well differentiated	<3%	<2/10 HPF
Neuroendocrine tumor (NET) G2	Well differentiated	3~20%	2~20/10 HPF
Neuroendocrine tumor (NET) G3	Well differentiated	>20%	>20/10 HPF
Neuroendocrine carcinoma (NEC) G3	Poorly differentiated	>20%	>20/10 HPF

전이가 가능하다. 국내에서 보고된 바에 따르면 소화관 발생하는 신경내분비종양 중 48%가 직장에서 발생하는 것으로 보고되어 가장 흔하며 소장에서 발행하는 신경내분비종양은 7.7%로 드문 편이다.

5) 전이성 소장 종양

소장에 발생한 악성종양은 원발성 종양보다 전이성 악성종양이 더 흔하며 대부분 위나 난소 등 복강내 다른 장기에서 발생한 악성종양이 복막에 파종되어 소장에 종양을 형성하는 경우가 흔하지만 유방암이나 폐암, 악성 흑색종 등 복강외 악성종양도 소장으로 전이될 수 있다.

4. 소장 종양의 임상양상 및 진단

소장 종양의 임상양상은 대부분 비특이적이고 조기 진단을 위한 방법도 정립되어 있지 않지만 증상이 발생한 경우 선암은 장폐색 증상이 흔하며 위장관 간질 종양은 출혈 증상 그리고 림프종의 경우 장 천공에 의한 갑작스런 복통 증상을 보이는 경우가 많다. 진단은 주로 다른 목적으로 행해지는 복부 CT나 초음파검사에서 우연히 발견되는 경우가 많다. CT는 80% 이상의 민감도를 보이는 가장 예민한 검사 중 하나이지만 소장 조영술과 같이 시행되는 경우 더 좋은 결과를 보일 수 있다(그림 63-2).

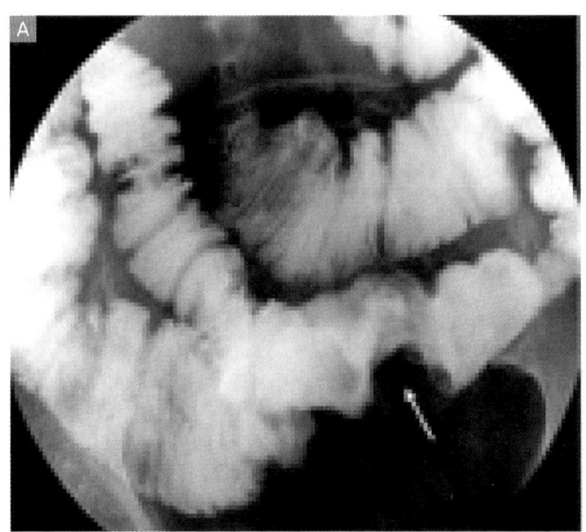

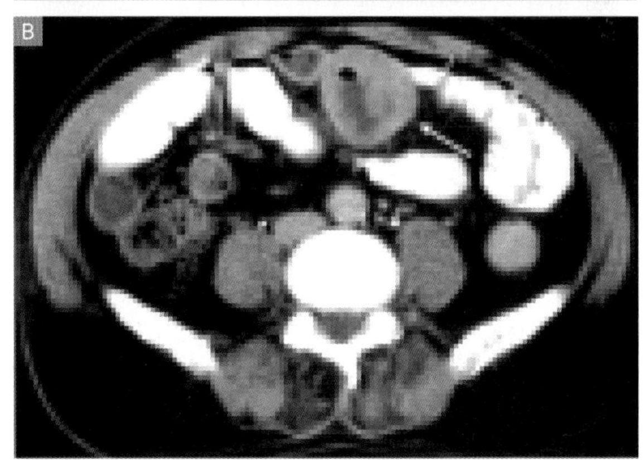

그림 63-2 **소장종양의 수술 전 영상진단.**
A. 선암의 소장 조영술 영상. 선암으로 인한 조영 결손이 보인다(화살표).
B. 선암의 CT 영상. 선암으로 인해 소장벽이 두꺼워졌다(화살표).

F-deoxyglucose 양전자방출단층촬영(positron emission tomography- computed tomography, PET-CT)는 선암과 근육종과 같은 악성종양의 진단과 전이 여부에 도움이 될 수 있으나 신경내분비종양의 경우 FDG의 암세포 내로의 흡수율이 낮아 진단 가치가 다소 떨어질 수 있다. 대신 OcteroScan과 같은 소마토스타틴 수용체 섬광조영술(scintigraphy)이 전이성 신경내분비종양을 진단하는데 유용하게 사용될 수 있다.

2000년대 초반에 개발된 이중풍선 소장내시(double balloon enteroscopy)과 캡슐내시경(capsule endoscopy) 등의 기구가 발달하면서 기존 내시경으로는 불가능하였던 공장 및 회장에 위치한 종양 진단 가능성도 점점 높아지고 있다(그림 63-3). 캡슐내시경은 약 2 cm 크기의 소형 캡슐에 카메라와 플래시, 전송장치 등을 장착하여 환자들의 불편감을 최소하며 소장 연동운동에 따라 하부로 이동하면서 1초에 2장씩의 사진을 찍어 전송하는 방식으로 검사를 진행하며 기존 위내시경에서 진단하지 못했던 공장 근위부보다 먼 쪽에 위치한 종양의 진단율을 높일 수가 있다. 이중풍선소장내시경은 캡슐내시경에 비하여 경구 또는 경항문으로도 삽입이 가능하여 환자들에게 불편감을 유발할 수 있지만 소장의 대부분을 직접적인 내시경 조작에 의해서 관찰할 수 있다는 장점이 있다. 국내에서 시행된 캡슐내시경과 이중풍선내시경 간의 비교 연구에서는 진단율의 큰 차이는 없었지만 시술 직후 수술을 결정하는데 이중풍선내시경이 더 유용한 것으로 보고 된 바 있다.

5. 치료 및 예후

양성종양이 의심되는 경우 증상이 없으면 추적관찰이 가능하지만 악성종양과 감별이 필요하거나 크기가 큰 선종과 같이 악성으로 진행할 가능성이 있는 경우 그리고 출혈, 장폐색 등의 증상을 유발하는 경우엔 수술적 절제가 필요하다.

소장 및 주변 림프절에 국한된 선암의 경우 종양과 장간막 림프절을 포함한 광범위 소장 분절절제술을 통한 근치적 절제술이 주요 치료방법이다(그림 63-4). 선암이 원위부 회장에 위치할 경우 우측 대장 절제술까지 필요할 수 있으며 십이지장에 위치한 선암에 대해서는 췌십이지장절제술까지 필요할 수 있다. 소장 선암의 예후는 원격전이 여부와 종양의 소장벽 침윤과 주변 림프절 전이 여부에 따라 결정되며(표 63-4), 1기 소장 선암의 경우 50~60%의 5년 생존율을 나타내지만 2~3기의 경우 10~50%로 낮아지며 4기 소장 선암의 경우 5% 미만의 5년 생존율을 나타낸다. 또한 외과적 절제술을 받은 소장 선암환자의 면역조직화학검사에서 E-cadherin의

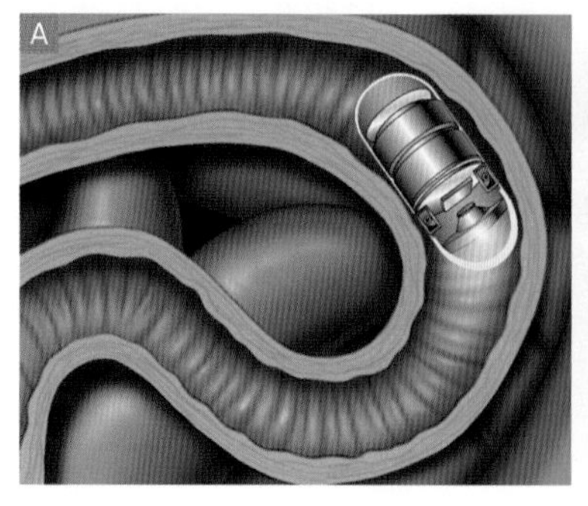

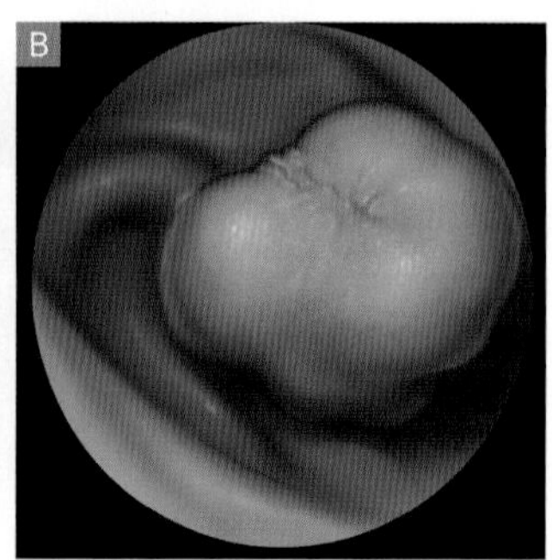

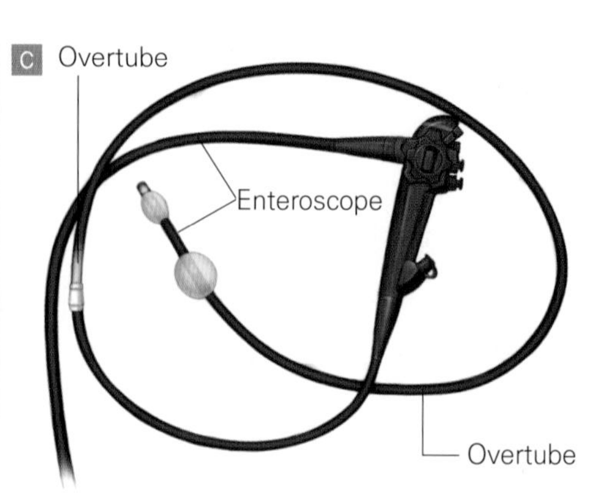

그림 63-3 A. 캡슐내시경 모식도 B. 캡슐내시경으로 발견한 소장 종양 C. 이중풍선 소장내시경

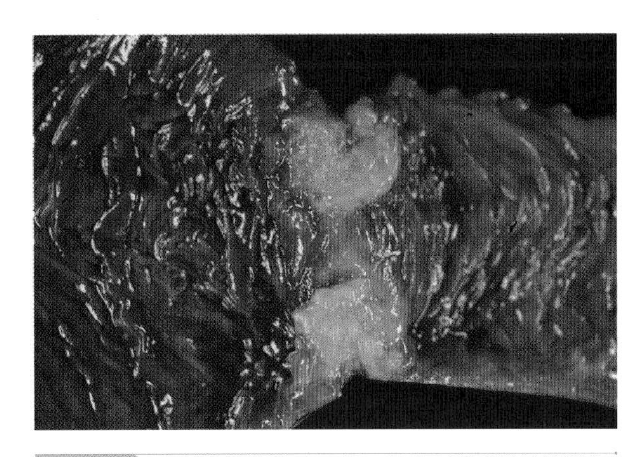

그림 63-4 소장암 절제 후 육안적 소견.

발현 소실, β-catenin의 이상발현, vimentin의 발현, S100A의 과발현을 보이면 나쁜 예후와 연관이 있는 반면, 장표현형(CDX2양성, MUC1음성)을 보이는 소장암 환자의 예후는 좋다는 보고가 있다.

소장 선암에서 수술 전 항암치료나 수술 후 보조항암요법의 효과에 대해서는 아직 입증된 바 없고 현재 관련된 임상연구가 진행 중에 있다. 수술 절제가 불가능한 소장 선암은 고식적으로 5-플루오로우라실(5-fluorouracil)과 옥살리플라틴(oxaliplatin)을 위주로 한 전신적 항암치료가 시행될 수 있으며 종양으로 인해 출

표 63-4. **소장 선암의 TNM 병기(The american joint committee on cancer, cancer staging manual 8th ed)**

T - primary tumor			
TX	Primary tumor cannot be assessed		
T0	No evidence of primary tumor		
Tis	Carcinoma in situ		
T1	Tumor invades lamina propria, muscularis mucosa or submucosa		
T1a	Tumor invades muscularis propria		
T1b	Tumor invades submucosa		
T2	Tumor invades muscularis propria		
T3	Tumor invades subserosa or non peritonealized perimuscular tissues (mesentry or retroperitoneum) without perforation of the serosa		
T4	Tumor perforates visceral peritoneum or directly invades other oragns or structures (includes other loops of small intestine, mesentry, or retroperitoneum and abdominal wall by way of serosa; for duodenum only, invasion of pancreas)		
N-regional lymph node			
NX	Regional lymph nodes cannot be assessed		
N0	No regional lymph node metastasis		
N1	Metastasis in 1 to 2 regional lymph nodes		
N2	Metastasis in 3 or more regional lymph nodes		
M-distant metastasis			
M0	No distant metastasis		
M1	Distant metastasis		
Stage			
Stage 0	Tis	N0	M0
Stage I	T1, T2	N0	M0
Stage IIA	T3	N0	M0
Stage IIB	T4	N0	M0
Stage IIIA	Any T	N1	M0
Stage IIIB	Any T	N2	M0
Stage V	Any T	Any N	M1

혈, 장폐쇄 및 천공이 있을 경우 고식적인 장 절제술이 나 우회술 및 장루소성술 등이 시행될 수 있다.

소장에 국한된 신경내분비종양 역시 절제술이 필요하며 1 cm 이외의 작은 신경내분비종양의 경우 림프절 전이의 가능성이 낮으므로 분절절제술로 충분하지만, 이보다 큰 경우 장간막림프절 동반절제가 필요하다. 십이지장 신경내분비종양의 경우에도 크기가 작은 경우 종양만을 절제하는 것으로 충분하지만 크기가 큰 경우 췌십이지장절제술이 요구된다. 전이가 있는 신경내분비종양의 경우 용적감량수술(cytoreductive surgery)이 환자들의 생존율 향상에 도움이 될 수 있으나 수술 전후 카르시노이드 위기(carcinoid crisis)에 유의하여야 하며 50~100 mg의 옥트레오라이드(octreotide) 정맥 투여가 증상완화에 도움이 될 수 있다. 신경내분비종양이 가장 흔한 원격전이 부위는 간이며 절제가 가능한 전이된 간병변에 대하여 수술적 절제가 도움이 될 수 있다. 절제 불가능한 다발성 간전이에 대하여 소각술(ablation), 경동맥 색전술(transarterial embolization), 항암제색전술(chemoembolizatin)과 간이식 등이 고려될 수 있으나 그 효과는 명확하지 않다. 소장 신경내분비종양의 예후는 유사분열과 세포증식능, 분화도에 따라 결정되며 국내에서 보고된 신경내분비종양의 10년 생존율은 각각 신경내분비종양 1등급에서 92.9%, 2등급에서 85.7% 그리고 신경내분비암에서 34.6%인 것으로 보고된 바 있다.

전이가 없는 위장관 간질종양 등 간엽성 종양이 의심되는 경우 외과적 절제가 우선적으로 고려되어야 하며 간엽성 종양의 림프절 전이 가능성은 낮으므로 림프절 전이가 의심되지 않는 경우 장간막을 포함한 광범위 절제는 필요 없으며 소장 쐐기절제술 혹은 분절절제술을 통한 근치적 절제가 시행되어야 한다. 절제가 불가능하거나 전이가 있는 위장관 간질종양의 경우 c-kit 타이로신 수용체에 선택적 억제제인 이매티닙(imatinib) 효과적인 치료제로 사용된다. 근치적으로 절제된 위장관 간질종양의 예후는 크기와 유사분열 활동 지수에 의한 위험도로 결정되며 소장에 발생한 위장관 간질종양의 경우 위에 발생한 위장관 간질종양에 비하여 예후가 더 나빠서 같은 크기와 유사분열 활동 지수라도 위험도가 더 높다(표 63-5). 근치적 절제술 후 고위험군 위장관 간질종양로 진단된 경우 수술 후 보조항암요법으로 3년간의 이매티닙 치료가 시행되면 5년 무병생존율이 약 65%까지 향상된다.

표 63-5. **위장관 GIST의 위험도 분류**

Mitotic index	Tumor size (cm)	Stomach progression risk	Small intestine progression risk
<5 per 50 HPF	<2	Very low	Very low
	>2 and <5	Very low	Very low
	>5 and <10	Low	Medium
>5 per 50 HPF	<2	Very low	Medium
	>2 and <5	Medium	High
	>5 and <10	High	High
	>10	High	High

참고문헌

1. 길기선, 배진선 등. 원발성 소장암의 임상적 고찰. 대한암학회지 1997;29:899-905.
2. 성기영 등. 소장 종양의 임상적 고찰. 대한외과학회지 2002;63:312-316.
3. 장내성 등. 원발성 소장 종양의 임상적 고찰. 대한외과학회지 2003;65:228-233.
4. 장현주, 박철희, 한승용 등. 소장질환이 의심되는 환자에서 이중풍선 소장내시경검사와 캡슐내시경검사의 비교. 대한소화기내시경학회지 2007;35:379-384.
5. Aparicio T, et al. Small bowel adenocarcinoma: epidemiology, risk factors, diagnosis and treatment. Dig Liver Dis 2014;46:97-104.
6. Ashley SW and SA Wells Jr. Tumors of the small intestine. Semin Oncol 1988;15:116-128.
7. Beaugerie L and Itzkowitz SH. Cancers complicating inflammatory bowel disease. N Engl J Med 2015; 372: 1441-1452.
8. Bilimoria KY, et al. Small bowel cancer in the United States: changes in epidemiology, treatment, and survival over the last 20 years. Ann Surg 2009;249:63-71.
9. Blanchard DK et al. Tumors of the small intestine. World J Surg 2000;24:421-429.
10. Brosens LA, et al. Prevention and management of duodenal polyps in familial adenomatous polyposis. Gut 2005;54:1034-1043.
11. Burke AP, et al. Carcinoid tumors of the duodenum. A clinicopathologic study of 99 cases. Arch Pathol Lab Med 1990;114:700-704.
12. Chang HK, Yu E, Kim J, et al. Adenocarcinoma of the small intestine: a multi-institutional study of 197 surgically resected cases. Hum Pathol 2010;41:1087-1096.
13. Dabaja BS, Suki D, Pro B, Bonnen M, Ajani J. Adenocarcinoma of the small bowel: presentation, prognostic factors, and outcome of 217 patients. Cancer 2004; 101:518-526.
14. Gastrointestinal Pathology Study Group of Korean Society of P, et al. Current Trends of the Incidence and Pathological Diagnosis of Gastroenteropancreatic Neuroendocrine Tumors (GEP-NETs) in Korea 2000-2009: Multicenter Study. Cancer Res Treat 2012;44: 157-165.
15. Genta RM, Feagins LA. Advanced precancerous lesions in the small bowel mucosa. Best Pract Res Clin Gastroenterol 2013;27:225-233.
16. Giardiello FM, Welsh SB, Hamilton SR, et al. Increased risk of cancer in the Peutz-Jeghers syndrome. N Engl J Med 1987;316:1511-1514.
17. Gill SS, Heuman DM, Mihas AA. Small intestinal neoplasms. J Clin Gastroenterol 2001;33:267-282.
18. Helpap B and Kollermann J. Immunohistochemical analysis of the proliferative activity of neuroendocrine tumors from various organs. Are there indications for a neuroendocrine tumor-carcinoma sequence? Virchows Arch 2001;438:86-91.
19. Joensuu H, Roberts PJ, Sarlomo-Rikala M, et al. Effect of the tyrosine kinase inhibitor STI571 in a patient with a metastatic gastrointestinal stromal tumor. N Engl J Med 2001;344:1052-1056.
20. Joensuu H, Eriksson M, Sundby Hall K, et al. One vs three years of adjuvant imatinib for operable gastrointestinal stromal tumor: a randomized trial. JAMA 2012;307:1265-1272.
21. Joensuu H, Hohenberger P, Corless CL. Corless, Gastrointestinal stromal tumour. Lancet 2013;382:973-983.
22. Jun SY, Lee EJ, Kim MJ, et al. Lynch syndrome-related small intestinal adenocarcinomas. Oncotarget, 2017;8:21483-21500.
23. Jun SY, Eom DW, Park H, et al. Prognostic significance of CDX2 and mucin expression in small intestinal adenocarcinoma. Mod Pathol, 2014;27:1364-1374.
24. Kim A, Bae YK, Gu MJ, et al. Epithelial-mesenchymal transition phenotype is associated with patient survival in small intestinal adenocarcinoma. Pathology

2013;45:567-573.
25. Kim K, Jang SJ, Song HJ, Yu E. Clinicopathologic characteristics and mucin expression in Brunner's gland proliferating lesions. Dig Dis Sci 2013;58:194-201.
26. Koch P, del Valle F, Berdel WE, Willich NA, et al. Primary gastrointestinal non-Hodgkin's lymphoma: I. Anatomic and histologic distribution, clinical features, and survival data of 371 patients registered in the German Multicenter Study GIT NHL 01/92. J Clin Oncol 2001;19:3861-3873.
27. Koornstra J. Small bowel endoscopy in familial adenomatous polyposis and Lynch syndrome. Best Pract Res Clin Gastroenterol 2012;26:359-368.
28. Kunz PL, Reidy-Lagunes D, Anthony LB, et al. Consensus guidelines for the management and treatment of neuroendocrine tumors. Pancreas 2013;42:557-577.
29. Kusumoto H, Takahashi I, Yoshida M, et al. Primary malignant tumors of the small intestine: analysis of 40 Japanese patients. J Surg Oncol 1992;50:139-143.
30. Laurent F, Raynaud M, Biset JM, et al. Diagnosis and categorization of small bowel neoplasms: role of computed tomography. Gastrointest Radiol 1991;16:115-119.
31. Lee HJ, Lee OJ, Jang KT, et al. Combined loss of E-cadherin and aberrant beta-catenin protein expression correlates with a poor prognosis for small intestinal adenocarcinomas. Am J Clin Pathol 2013;139:167-176.
32. Lewis BS, Eisen GM, Friedman S. A pooled analysis to evaluate results of capsule endoscopy trials. Endoscopy 2005;37:960-965.
33. Maguire A, Sheahan K. Primary small bowel adenomas and adenocarcinomas-recent advances. Virchows Arch 2018;473:265-273.
34. Michelassi F, Testa G, Pomidor WJ, Lashner BA, et al. Adenocarcinoma complicating Crohn's disease. Dis Colon Rectum 1993;3:654-661.
35. Miettinen M, Lasota J. Gastrointestinal stromal tumors: review on morphology, molecular pathology, prognosis, and differential diagnosis. Arch Pathol Lab Med 2006;130:1466-1478.
36. Miettinen M, Lasota J. Gastrointestinal stromal tumors-definition, clinical, histological, immunohistochemical, and molecular genetic features and differential diagnosis. Virchows Arch 2001;438:1-12.
37. Miettinen M, Kopczynski J, Makhlouf HR, Sarlomo-Rikala M, et al. Gastrointestinal stromal tumors, intramural leiomyomas, and leiomyosarcomas in the duodenum: a clinicopathologic, immunohistochemical, and molecular genetic study of 167 cases. Am J Surg Pathol 2003;27:625-641.
38. Miettinen M, Sobin LH, Lasota J. True smooth muscle tumors of the small intestine: a clinicopathologic, immunhistochemical, and molecular genetic study of 25 cases. Am J Surg Pathol 2009;33:430-436.
39. Neugut AI, Jacobson JS, Suh S, Mukherjee R, et al. The epidemiology of cancer of the small bowel. Cancer Epidemiol Biomarkers Prev 1998;7:243-251.
40. Nijeboer P, Malamut G, Mulder CJ, et al. Enteropathy-associated T-cell lymphoma: improving treatment strategies. Dig Dis 2015;33:231-235.
41. Overman MJ, Hu CY, Kopetz S, Abbruzzese JL, et al. A population-based comparison of adenocarcinoma of the large and small intestine: insights into a rare disease. Ann Surg Oncol 2012;19:1439-1445.
42. Overman, MJ. Recent advances in the management of adenocarcinoma of the small intestine. Gastrointest Cancer Res 2009;3:90-96.
43. Pappalardo G, Gualdi G, Nunziale A, et al. Impact of magnetic resonance in the preoperative staging and the surgical planning for treating small bowel neoplasms. Surg Today 2013;43:613-619.
44. Pourmand K, Itzkowitz SH. Small Bowel Neoplasms and Polyps. Curr Gastroenterol Rep 2016;18:23.
45. Raghav K, Overman MJ. Small bowel adenocarcinomas--existing evidence and evolving paradigms. Nat Rev Clin Oncol 2013;10:534-544.

46. Rindi G, Klimstra DS, Abedi-Ardekani B, Asa SL, et al. A common classification framework for neuroendocrine neoplasms: an International Agency for Research on Cancer (IARC) and World Health Organization (WHO) expert consensus proposal. Mod Pathol 2018;31:1770-1786.
47. Roh J, Knight S, Chung JY, et al. S100A4 expression is a prognostic indicator in small intestine adenocarcinoma. J Clin Pathol 2014;67:216-221.
48. Rosty C. The Role of the Surgical Pathologist in the Diagnosis of Gastrointestinal Polyposis Syndromes. Adv Anat Pathol 2018;25:1-13.
49. Schuchter LM, Green R, Fraker D. Primary and metastatic diseases in malignant melanoma of the gastrointestinal tract. Curr Opin Oncol 2000;12:181-185.
50. Siegel RL, Miller KD, Jemal A. statistics, 2018. CA Cancer J Clin 2018;68:7-30.
51. Strosberg J. Neuroendocrine tumours of the small intestine. Best Pract Res Clin Gastroenterol 2012;26:755-773.
52. Swinson CM, Slavin G, Coles EC, Booth CC. Coeliac disease and malignancy. Lancet 1983;1:111-115.
53. Talamonti MS, Goetz LH, Rao S, Joehl RJ. Primary cancers of the small bowel: analysis of prognostic factors and results of surgical management. Arch Surg 2002;137:564-570.
54. Warth A, Kloor M, Schirmacher P, Bläker H. Genetics and epigenetics of small bowel adenocarcinoma: the interactions of CIN, MSI, and CIMP. Mod Pathol 2011;24:564-570.
55. Win AK, Macinnis RJ, Hopper JL, Jenkins MA. Risk prediction models for colorectal cancer: a review. Cancer Epidemiol Biomarkers Prev 2012;21:398-410.
56. Yamamoto H. Double-balloon endoscopy. Clin Gastroenterol Hepatol 2005;3:27-29.

CHAPTER 4

소장의 게실병 및 기타 질환

1. 소장의 게실 병

소장의 게실 병(diverticular disease)은 비교적 흔한 질환으로 소장의 어디서나 발생할 수 있다. 진성 혹은 가성 게실(true or false diverticulum)로 나눌 수 있는데 진성 게실은 장벽의 모든 층이 탈출되어 게실이 형성되는 것으로 주로 선천적으로 발생하며 가성 게실은 점막과 점막하층이 근육층 사이로 탈출하여 게실이 형성되는 것으로 주로 후천적으로 발생한다. 소장의 게실 중 가성 게실로는 십이지장 게실(duodenal diverticulum)이 가장 흔하고 진성 게실로는 메켈게실(Meckel diverticulum)이 가장 흔하다.

1) 십이지장 게실

(1) 발생과 병인

십이지장 게실은 1710년에 프랑스 병리학자인 Chomel이 처음으로 기술하였다. 비교적 흔히 발견되는 질환으로 십이지장은 위장관에서 대장 다음으로 게실이 많이 발생하는 곳이다. 십이지장 게실의 발생률은 0.16%에서 27%까지 다양하게 보고되는데 환자의 나이와 진단 방법 및 조사자의 노력에 따라 차이가 나므로 정확한 유병률을 알기는 어렵다. 여성이 남성보다 두 배 정도 많이 발생하고 주로 50~70대에 발생하나 40세 이하에서는 드물다. 장관 내(intraluminal) 게실과 장관 외(extraluminal) 게실, 선천성 게실과 후천성 게실, 진성 게실과 가성 게실 등으로 분류된다. 대부분의 십이지장 게실은 십이지장에 제2부(second portion)의 안쪽 벽에서 발견된다. 특히 십이지장 게실의 70~75%가 팽대부 주위(팽대부 지름의 2~3 cm 내)에서 발견되는데 게실 내에 유두가 포함된 경우를 게실 내 유두형(intradiverticular papilla)이라 하고 게실 내에 유두가 포함되지 않은 경우를 유두주위형 게실(juxtapapillary diverticulaol)이라 한다. 유두주위형 게실이 상대적으로 많은 것으로 알려져 있는데 국내 보고에서는 십이지장 팽대부 주위 게실의 유병률이 15.1%이고 이 중 유두주위형 게실이 65.2%, 게실 내 유두형이 34.8%였다. 십이지장 팽대부 주위 게실의 발생에 관한 병태생리는 아직 명확하게 정립되지 않았지만 선천적으로 근육층의 일부가 국소적으로 결손되고 나이가 들면서 근육층이 차츰 약해지고 십이지장 내의 압력이 증가하여 발생한다고 한다.

(2) 증상

대다수의 십이지장 게실은 증상이 없고 상부위장관 검사 중에 우연히 발견된다. 팽대부 주위 십이지장 게실은 내시경 역행담췌관조영술 시 검사상의 판독을 어렵게 만들 수 있으므로 항상 염두에 둔다. 십이지장 게실의 10% 정도에서 합병증에 의한 증상이 나타나고 1~5% 정도만이 수술치료가 필요하다. 주요 증상으로는 담관이나 췌장관의 폐색으로 인한 담관염이나 췌장염, 출혈, 천공 등으로 인한 급성 증상과 저류로 인한 지방변이나 난치성 복부 통증과 같은 만성 증상을 보일 수 있다. 뚜렷한 다른 질환이 없는 상태에서 불명확한 심아부의 불편함을 호소하는 등의 비특이적 증상을 보이기도 하며 대부분 보존적 치료로 좋아진다. 팽대부 주위 십이지장 게실의 경우 총담관의 색소성 결석의 발병기전에 관여하고 십이지장 게실이 있는 경우가 게실이 없는 경우에 비하여 원발성과 재발성 총담관결석이 많이 발생하는 것으로 보고되나 그 기전은 명확하지 않다. 팽대부 주위 십이지장 게실과 췌장염과 관계는 명확하지 않으나 고령의 환자에서 특발성 췌장염 발생 원인 중 하나로 생각된다.

십이지장 게실은 출혈을 거의 일으키지 않으나 출혈이 있는 경우 진단이 늦어져 위험할 수 있다. 여러 가지 원인에 의해서 출혈이 일어날 수 있는데 게실 내의 궤양 질환, 위석으로 인한 외상성 자극, 주요 혈관부 주변에 염증으로 인한 미란, 혈관형성이상(angiodysplasia) 등이 보고되어 있다. 천공은 보고된 바가 있으나 매우 드물다. 이 외에 팽창된 게실 내에 장 내용물이 정체되면 세균의 과증식과 흡수 장애, 지방변성, 거대적혈모구빈혈(megaloblastic anemia) 등의 맹관증후군을 유발할 수 있다.

(3) 치료

대부분의 십이지장 게실은 증상이 없고 양성이므로 우연히 발견된 경우에는 치료가 필요 없다. 다만 증상이 있는 경우 내시경 또는 수술적 방법으로 게실을 제거하는 치료가 필요하다. 모든 십이지장 내 게실의 경우 증상의 재발이 확실하기 때문에 치료를 필요로 한다. 근치적 치료는 수술을 통한 십이지장 절개 또는 내시경을 이용한 십이지장 내 게실의 제거이다. 십이지장 외 게실의 경우 증상이 있거나 천공이나 출혈 같은 응급수술을 요하는 경우 제거되어야 한다.

담관 질환과 관련된 십이지장 게실의 치료방법으로 게실성형술, 게실절제술(diverticulectomy)과 괄약근성형술, 루와이 십이지장공장문합술, 담관공장문합술 등 여러 방법이 사용되어 왔으나 십이지장 게실이 있는 담관 질환에 십이지장 게실에 대한 수술이 효과가 있는지는 아직 명확하지 않다. 따라서 담관 질환의 원인이 명확히 십이지장 게실인 경우에 한하여 게실절제술을 고려하는 것이좋다. 출혈이 있는 경우 가장 효과적인 치료방법은 게실절제술로 수술 전에 내시경이나 혈관촬영술, 적혈구 스캔 등을 통하여 출혈 부위를 정확히 확인하는 것이 중요하다. 이 외에 부분 절제 후 봉합법이나 게실을 내번 시킨 후 출혈 부위를 봉합할 수 있다. 천공된 게실은 게실 절제 후 단순봉합을 하여 치료한다. 그러나 염증 정도와 조직의 손상 정도에 따라 공장을 이용한 장막 패치가 필요하거나 위공장문합술이나 십이지장공장문합술로 장내 흐름을 천공 부위로부터 전환해야 할 수도 있다. 게실이 십이지장 제2부에 위치한 경우에는 게실과 유두, 총담관의 관계를 정확하게 파악하여 총담관이나 췌장관을 손상하지 않도록 주의한다. 십이지장절개술 혹은 담낭절제술 후 카테터를 통과시켜 손상 여부를 확인할 수 있다. 십이지장 게실의 수술 후 사망률은 3~31% 정도로 상당히 높은 편이므로 주의를 요하며 복강경을 사용한 십이지장 게실절제술도 보고되고 있다.

2) 공장과 회장의 게실

(1) 발생과 병인

공장과 회장 게실은 1794년 Sommering과 Baille가 처음 기술한 질환으로 발생빈도는 십이지장 게실에 비하여 매우 낮아 부검 시 발견율이 0.1~1.4%로 보고되지만 임상적 중요성이 적고 장간막의 지방에 묻혀 있어 모르고 지나가는 경우가 많아 실제 발생빈도를 알기는 어렵다. 대부분의 게실은 60대 이후의 고령에서 많이 발견되는 가성 게실로 장간막의 경계면에 발생하고 주로 다발성이다. 공장 게실이 회장 게실보다 5~8배 많이 발생하고 공장의 근위부로 갈수록 크기가 크고 숫자가 많다. 다른 부위의 게실을 잘 동반하는데 대장이 20~70%, 십이지장이 10~40%, 식도와 위가 2%를 차지하며 방광의 발생 빈도도 12% 정도이다. 평활근 혹은 장근 신경총의 운동 장애로 인하여 소장이 무질서하게 수축해 장내 압력이 상승하고 장의 약한 부분(즉 장간막 경계부분, 혈관이 장벽으로 들어가는 부분)으로 점막과 점막하층이 탈출되어 발생하는 것으로 생각된다(그림 64-1).

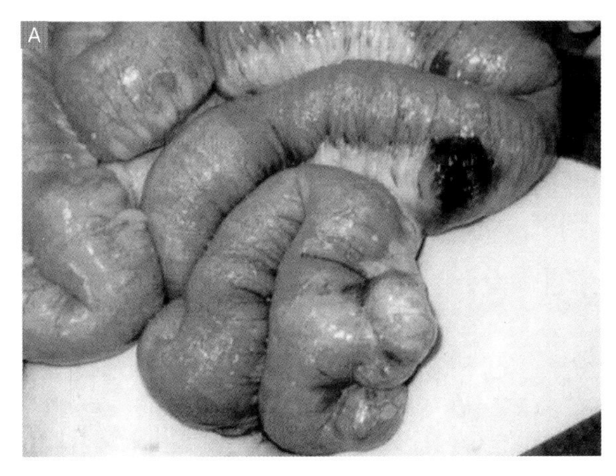

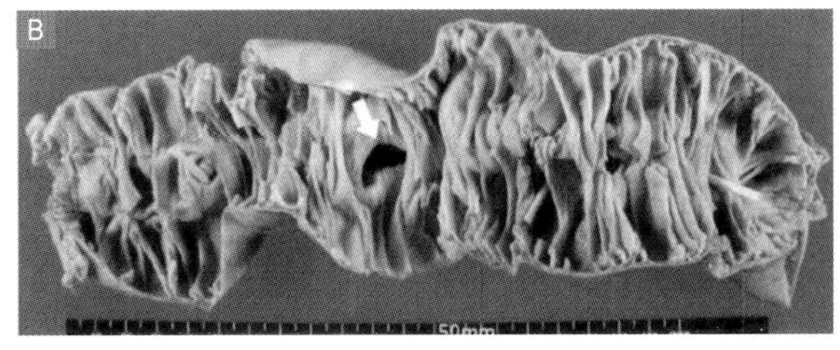

그림 64-1 A. 다발성 공장 게실 출혈을 동반한 다발성 게실이 장간막 부위에서 관찰된다.
B. 공장 게실 표본의 육안적 단면 소견 공장의 내강과 연결된 게실을 볼 수 있다(화살표).
(임덕호 , 김용훈 , 황용희 등. 출혈이 동반된 다발성 공장 게실 대한외과학회지 2006;70:402-405)

(2) 증상

공장과 회장의 게실은 대부분 개복술이나 상부위장관검사에서 우연히 발견되며 대개 증상이 없다. 식후에 발생하는 더부룩함이나 상복부 통증, 복부 불편감 등의 비특이적인 증상을 보일 수 있다. 10% 내외에서 급성 합병증으로 인한 증상이 나타나는데 흔한 합병증으로는 게실염이나 장폐쇄, 출혈, 천공 등이 있다. 만성 복통이나 흡수 장애, 기능성 가성폐색, 만성적인 위장관 출혈 등의 만성 증상을 유발할 수 있으며 소장의 운동기능 저하와 장내 흐름의 정체로 맹관증후군이 발생할 수 있다. 합병증이 발생하더라도 술전에 진단하기가 어렵고 대부분 진단적 복강경이나 개복술을 통하여 진단된다.

(3) 치료

우연히 발견된 무증상의 게실은 치료가 필요 없다. 장폐쇄와 출혈, 천공 등의 급성 합병증이 동반된 경우 게실을 포함한 소장을 부분 절제하고 소장문합술을 시행한다. 게실의 단순봉합이나 단순 절제, 내번 등은 오히려 사망률과 합병증을 증가시킬 수 있다. 맹관증후군과 박테리아 과증식에 의한 흡수장애 환자들은 항생제 등의 보존적인 방법으로 치료할 수 있으나 치료에 반응하지 않는다면 수술을 고려한다.

공장 게실 내에서 발생한 장내 결석이 장관을 막아 이로 인하여 원위부의 장이 막혀 장폐쇄를 유발할 수 있는데 이 경우 장절개술로 결석을 제거하거나 맹장으로 결석을 밀어낸다. 장내 결석이 게실 부위의 장폐쇄를 유발한 경우에는 장을 절제한다. 복강경 장절제 및 문합술은 오염의 정도가 경한 경우 선택 가능하다. 범발성 복막염이 동반된 것과 같은 극단적인 경우 장문합이 위험하다고 판단되면 장루가 필요할 수도 있다.

3) 메켈게실

(1) 발생과 병인

Hilanus가 1598년에 소장의 게실을 처음으로 보고한 후 1809년에 Johann Meckel이 그의 이름을 딴 메켈게실(Meckel diverticulum)의 발생학적 기원과 해부 병리학적 모습을 자세히 기술하였다. 메켈게실은 난황관(omphalomesentenc duct, vitelline duct)이 완전히 막히지 않아서 생기는 선천적 이상이다. 위장관계의 선천적 이상 중에서 가장 흔해 전체 인구의 약 2%에서 발생한다. 해부학적으로 회장 장간막 반대쪽에 생기는데 75% 정도가 회 맹장 판막의 75 cm 이내에 위치한다. 메켈게실은 장의 전층이 존재하는 진성 게실로 길이가 평균 페가 약 3 cm이다. 메켈게실은 다양한 형태로 존재할 수 있는데 쉽게 놓칠 수 있는 작은 돌출, 배꼽과 긴 섬유성 줄(omphalomesenteric fibrous cord)로 연결된 것과 드물게는 열린 누공(omphalomesenteric fistula)이 있을 수 있다. 난황관을 이루는 세포는 다능성을 띠므로 게실 내에서 이소성 조직을 흔히 찾아볼 수 있다. 이 중 위점막세포가 50% 정도를 차지하고 췌장 점막이 5% 정도를 차지하며 대장 점막은 드물다.

(2) 증상

대부분의 메켈게실은 증상이 없지만 합병증을 동반하는 경우 증상을 유발할 수 있는데 복통, 혈변, 구역 및 구토, 발열 등이 다양하게 나타난다. 합병증으로는 장출혈, 장폐쇄, 게실염, 장천공, 장중첩 등이 있으며 주로 이소성 조직(출혈, 염증)이나 난황관이 섬유성 줄이나 열려 있는 누공 형태로 존재하여 발생한다. 위장관출혈은 소아에서 더 흔하고 심하여 혈변 형태로 주로 나타난다. 대개 출혈은 위점막을 가진 게실 주변의 회장에 위산으로 인한 궤양이 생겨 발생한다. 또 다른 흔한 증상은 장폐쇄증이다. 이것은 복벽과 연결된 섬유성 줄이 소장염전을 일으키거나 게실로 인한 장중첩증, 감돈된 리트레탈장(Littre's hernia), 만성 게실염으로 인한 유착, 게실 내의 결석 등 때문에 발생할 수 있다.

메켈게실염은 충수돌기염과 유사한 우하복부 통증을 유발하므로 반드시 감별해야 한다. 충수돌기염이 의심되어 개복한 경우 충수돌기가 정상이라면 원위부 회장을 검사하여 메켈게실 여부를 확인한다. 드물지만 게실 내에 종양이 발생하기도 하는데 약 33%에서 카르시노이드종양이 발견되고 이 외에도 이소성 점막에서 선암과 육종 등 다양한 악성 및 양성 종양이 발견되었다.

(3) 진단 검사

메켈게신은 증상을 일으키는 합병증에 대한 검사를 통해 진단하지만 수술 전에 진단되는 경우는 적다. 바륨조영술, 복부 컴퓨터단층촬영(computed tomography, CT), 초음파 등이 제한적이나마 도움이 될 수 있다. 소아에서는 ^{99m}Tc-pertechnetate 섬광조영술(scintigraphy)이 가장 널리 사용되는 검사방법으로 ^{99m}Tc-pertechnetate가 게실의 점액분비성 위점막과 이소성 위점막에 침착된다. 소아에서는 민감도가 85~90%이나 성인에서는 정확도가 떨어져 60% 정도이다. 펜타스트린과 글루카곤을 사용하거나 시메러딘 같은 H_2 수용체 길항제를 사용하여 민감도와 특이도를 높힐 수 있다. 급성 출혈이 있을 때는 혈관촬영술이 필요할 수도 있다.

(4) 치료

증상을 유발한 합병증을 동반한 메켈게실은 즉시 수술치료가 필요하여 게실을 절제하거나 게실을 포함한 소장을 절제해야 한다. 출혈이 원인인 경우 출혈 부위가 게실에 근접한 회장이기 때문에 게실을 포함한 소장 절제술이 필요하다. 비출혈성 게실의 경우 수술 후 협착의 위험성을 줄이기 위하여 게실의 밑부분을 사선 혹은 횡단으로 절제할 수 있다. 복강경을 이용한 메켈 게실 치료의 유용성과 안전성이 증명되어 endo-loop를 이용하여 결찰하거나 자동 문합기를 이용하는 전 복강경 술식부터 게실과 회장을 외양화(exteriorization)하여 수술하는 방법까지 다양하게 보고되고 있다(그림 64-2).

소아에서 수술 중 발견된 무증상 게실의 경우에는 대개 절제하는 것이 추천되고 있다. 그러나 성인에서 증상을 유발하는 메켈게실의 적절한 치료방법에 대해서는 아직 논란이 많다. 성인에서 무증상 메켈게실이 증상을 나타낼 가능성이 2% 이하이고 우연히 발견된 게실의 제거로 인한 수술 후 합병증 발생률이 12%이기 때문에 우연히 발견된 게실을 절제할 필요가 없다고 하였다. 하지만 인구 모집단을 대상으로 한 역학조사를 통하여 메켈게실이 합병증을 일으킬 확률이 6.4%이고 합병증이 소아기에 집중되는 것이 아니라 전 연령에 걸쳐 비슷하게 발생하므로 80세까지는 우연히 발견된 무증상의 게실을 절제해야 한다고 하였다. 특히, 최근에 보고된 연구에 의하면 메켈게실 내의 종양의 발생 빈도가 다른 회장 부위보다 적어도 70배가 높아 우연히 발견된 메켈게실은 절제되어야 한다고 추천하고 있다.

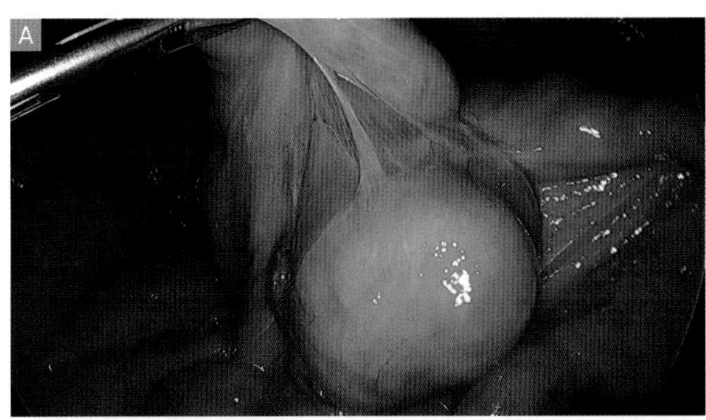

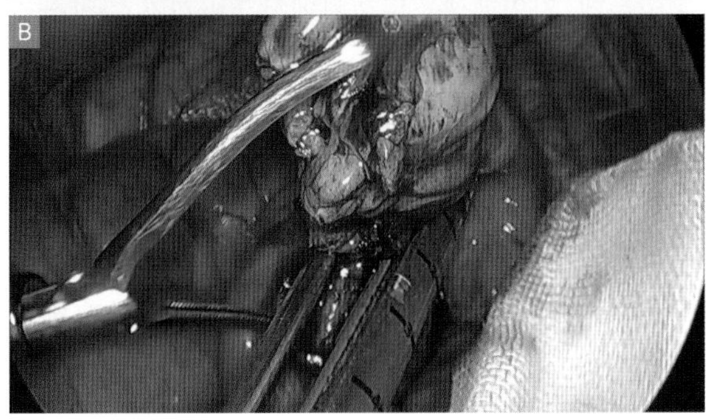

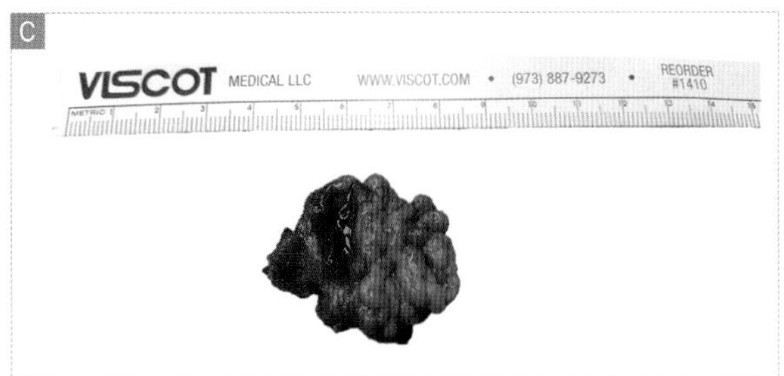

그림 64-2 A. 반복적 출혈을 일으키는 메켈게실을 복강경을 통하여 정확환 위치를 확인한다.
B. 복강경용 선형 자동봉합기로 절제하는 모습.
C. 절제 후 게실의 모습.

2. 기타 질환

1) 소장 누공

(1) 분류와 원인

소장 누공은 해부학적 위치와 생리학적 양상, 발생 원인에 따라 분류한다. 해부학적으로는 내누공(internal fistula)과 외누공(external fistula)이라고 불리는 장피부누공(enterocutaneous fistula) 그리고 혼합형으로 나뉜다. 장피부누공 중 누공을 통한 배액량이 하루에 500 mL가 넘는 것을 고박출 누공(high-output fistula), 500 mL 이하~200 mL 이상인 것을 중등도 누공(moderate fistula), 200 mL 미만인 것을 저박출 누공(low-output fistula)이라 한다. 원인에 따라서는 수술 후에 발생한 경우와 저절로 발생한 경우로 나누는데 대부분 수술 후에 문합부가 누출되거나 수술 중 장 또는 혈류가 손상되어 발생한 의인성이 많고 인조그물망 등으로 인한 장 손상이나 외상 때문에도 발생한다.

환자의 15~25%에서 염증성 장질환이나 악성종양, 게실질환, 급성 충수염, 궤양성질환의 천공, 허혈성 질환 등으로 인하여 소장 누공이 자연적으로 발생할 수 있다.

(2) 증상

내부 누공은 내개 자연적으로 발생하는데 진단하기가 어렵고 증상이 없어 오랫동안 발견되지 않을 수도 있다. 장방광누공은 재발성 요로감염이나 간혹 공기뇨(pneumaturia), 대변뇨(fecaluria) 등을 나타낼 수 있다.

장피부누공의 전형적인 임상양상은 수술 후에 발열이 있는 환자에서 수술 창상의 발적이 나타나면서 피부봉합을 제거하면 농성 혹은 혈성 분비물이 나오고 즉시 혹은 1~2일 뒤에 장 내용물이 나오는 것이다. 진단이 의심된다면 구강으로 숯이나 콩고레드 등의 비흡수성 표지자를 섭취시키거나 누공에 수용성 조영제를 주입하여 확인한다. 소장 누공, 특히 장피부누공의 주요 합병증은 패혈증, 전해질과 체액 소실, 영양실조, 배출구의 피부 괴사, 농양 등이다. 최근 보고된 장피부누공의 사망률은 10% 정도로 이전보다 낮아졌으나 여전히 높은 수준이며 패혈증이 주요 사망 원인이다.

(3) 치료

소장 누공 치료의 목표는 합병증과 사망률을 최소화하면서 누공을 폐쇄하는 것이다. 소장 사이에 발생한 내누공은 대부분 증상이 없다. 그러나 누관이 소장의 근위부와 원위부 사이에 있거나 소장과 다른 장기와 연결된 경우에는 심한 증상을 유발할 수 있으며 수술치료가 필요하다. 이와 달리 장피부누공은 증상을 유발하므로 적극적인 치료가 필요하다.

누공을 치료할 때는 누공의 인식(recognition), 환자의 안정화(stabilization), 조사(investigation), 결정(decision)과 수술치료(definitive treatment) 등을 순차적 혹은 동시에 진행해야 한다. 누공이 확인되면 체액의 소실과 전해질 불균형을 교정하고 필요한 경우 수혈을 한다. 동시에 패혈증이 있는 경우 경험적 광범위 항생제 처방과 함께 CT을 하거나 누공을 통해 수용성 조영제를 주입하여 패혈증의 원인을 찾아야 한다. 농양이 있는 경우 경피적 혹은 수술적 배액을 하고 필요하다면 누공 근위부의 전환술(diversion)을 시행한다.

패혈증이 조절되면 적극적으로 영양을 공급한다. 소장을 쉬게 하고 총정맥영양법(total parenteral nutrition)이 필요한 경우도 있지만 소장을 쉬게 하는 것이 누공의 자연 폐쇄율을 증가시킨다는 증거는 없다. 가능하다면 경구로 영양을 공급하고 고박출 누공의 경우 비경구영양요법을 같이 시행해주는 것이 좋다. 배액량을 줄이기 위하여 H_2 수용체 길항제나 양성자펌프억제제(proton pump inhibitor), 소마토스타틴 유사체 등을 사용할 수 있다. 누공 주위의 피부를 적절히 보호하여 피부 괴사를 막아야 한다.

환자가 안정되면 보존적 치료를 유지하면서 누공조영술을 시행하여 누공의 위치와 누관의 길이, 원위부 장폐쇄 유무 등을 정확히 파악해야 한다. 적절한 보존적 치료를 유지하면 4~6주 내에 누공이 저절로 폐쇄될 수 있는데, 자연폐쇄율은 20%에서 70%까지 다양하게 보고되고 있다. 이런 다양한 결과는 누공의 특징에 따라 자연 폐쇄의 가능성이 달라짐을 의미한다. 자연 폐쇄를 방해하는 인자들에 대해서는 비교적 잘 알려져 있는데 하루 500 mL 이상의 고박출 누공이거나 원위부 소장이 폐쇄된 경우, 농양 같은 패혈증의 원인이 해결되지 않은 경우, 누관의 길이가 2 cm 미만이거나 상피화된 경우, 장누공의 크기가 1 cm 이상인 경우, 원인 질환이 악성종양, 염증성 장질환, 방사선장염 등인 경우 그리고 트랜스페린(transferrin)이 200 mg/dL 미만인 경우 등이다. 4~6주 후에도 자연 폐쇄가 안 되면 수술치료를 고려한다. 환자의 영양상태나 누공의 상태 등을 신중히 고려하여 몇 주 내지 길게는 몇 개월 후에 수술한다. 누관의 단순봉합은 재발률이 높으므로 가능하다면 누관을 포함한 소장의 부분 절제를 시행한다.

2) 짧은창자증후군

(1) 병인과 분류

짧은창자증후군(short bowel syndrome)은 소장을 대량으로 절제해 발생하는 흡수장애 상태로 대개 남은 소장의 길이가 200 cm 미만일 때 발생한다. 그러나 소장의 광범위절제로 발생하는 합병증은 소장의 길이뿐만 아니라 절제 부위, 회맹판과 대장의 존재 유무, 남은 소장의 적응력, 원인 질환의 합병증 등에 따라 복합적으로 결정된다. 원인 질환으로는 성인에서는 상장간막동맥 혹은 정맥의 폐쇄로 인한 소장의 괴사가 가장 많고 염증성 장질환, 방사선장염 등이 있다. 소아에서는 괴사성 장염과 선천성 장폐쇄증이 가장 흔하다. 주로 회장을 절제하고 공장과 대장 문합을 시행한 경우(공장-대장형), 공장의 일부와 회장, 대장을 절제하고 공장누공을 시행한 경우(공장누공형), 주로 공장을 절제하고 적어도 10 cm 이상이 회장 말단과 대장이 보존된 경우(공장-회장형)의 세 가지 유형으로 나눌 수 있으며 공장-회장형은 드물고 대개 영양공급이 필요 없다. 공장-대장형은 수술 직후에는 설사나 지방변증만 보이다가 점차적으로 체중감소와 영양결핍 증상을 보이게 된다. 공장누공형은 수술 직후부터 다량의 수액과 전해질 소실의 증상을 보이게 된다.

짧은창자증후군은 대개 소장을 광범위하게 절제한 후에 발생하므로 진단 자체는 어렵지 않다. 대신 수술 시 혹은 수술 후에 곡선계(opisometer)를 이용하여 남은 장의 길이를 확인해야 한다. 남은 장의 기능적 길이는 소장의 장세포에서 주로 합성되는 시트룰린(citrulline)을 측정하여 알 수 있다.

(2) 치료

짧은창자증후군의 치료 초기에는 수액과 전해질 공급, 경정맥영양요법 그리고 설사의 조절이 필요하다. 정맥주사를 통하여 수액과 전해질을 공급하면서 경구로는 저장성 수액의 섭취를 제한하고 포도당-식염수(WHO 콜레라 수액)를 섭취하도록 권장한다. 설사를 줄이기 위하여 로페라마이드(loperamide)나 코데인(codeine) 등을 사용하여 장의 운동능력을 떨어뜨리고 H_2 수용체 길항제나 양성자펌프억제제와 소마토스타틴 유사제 등을 사용하여 장 분비물을 감소시킬 수 있다. 공장누공형은 마그네슘이 부족한 경우가 많으므로 마그네슘을 적절히 공급해준다. 100 cm 이상이 회장을 절제한 경우에는 담즙산의 재흡수 이상이 설사의 한 원인이므로 콜레스티라민(cholestyramine) 투여가 도움이 될 수 있다.

초기 치료 이후에는 점차적으로 경구영양을 늘려간다. 경구영양으로 충분하지 않은 경우에는 비위관이나 위조루술(gastrostomy) 등을 통하여 장내 영양공급을 추가한다. 경구영양 초기에는 고단백, 고탄수화물 식이를 시작하여 장의 적응 상태에 따라 농도를 줄여나가고 이후 지방, 비타민, 칼슘, 마그네슘, 아연 등을 공급한다. 공장-대장형의 경우 25%에서 칼슘 옥살레이트(calcium oxalate) 신장결석이 발생하므로 옥살레이트가 많이 함유된 음식은 피한다. 전체 환자 중 45%에서 담석이 발생할 수 있는데 일부에서는 예방적 담낭절제술을 권유하기도 한다. 지속적으로 경정맥 영양요법이 필요한 환자에서 장내 점막의 성장을 촉진하기 위하여 글루카곤 유사 펩타이드(glucagons-like peptide 2)를 비롯한 여러 가지 호르몬과 성장 인자들을 사용할 수 있다.

외과적으로는 장내 통과시간을 지연시키는 방법과 장내 영양소의 점막 접촉면을 늘리는 방법, 소장 이식 등이 방법이 있다. 장내 통과시간을 지연시키기 위해 여러 방법들이 사용되었으나 그 효과는 제한적이다. 장내 접촉면을 늘리기 위해 Bianchi 술식과 serial transverse enteroplasty (STEP) 술식 등이 임상에서 사용된다(그림 64-3).

소장이식은 1980년대에 성공한 이후 1990년대에 tacrolimus가 개발되면서 성공률이 점점 높아져 현재 전

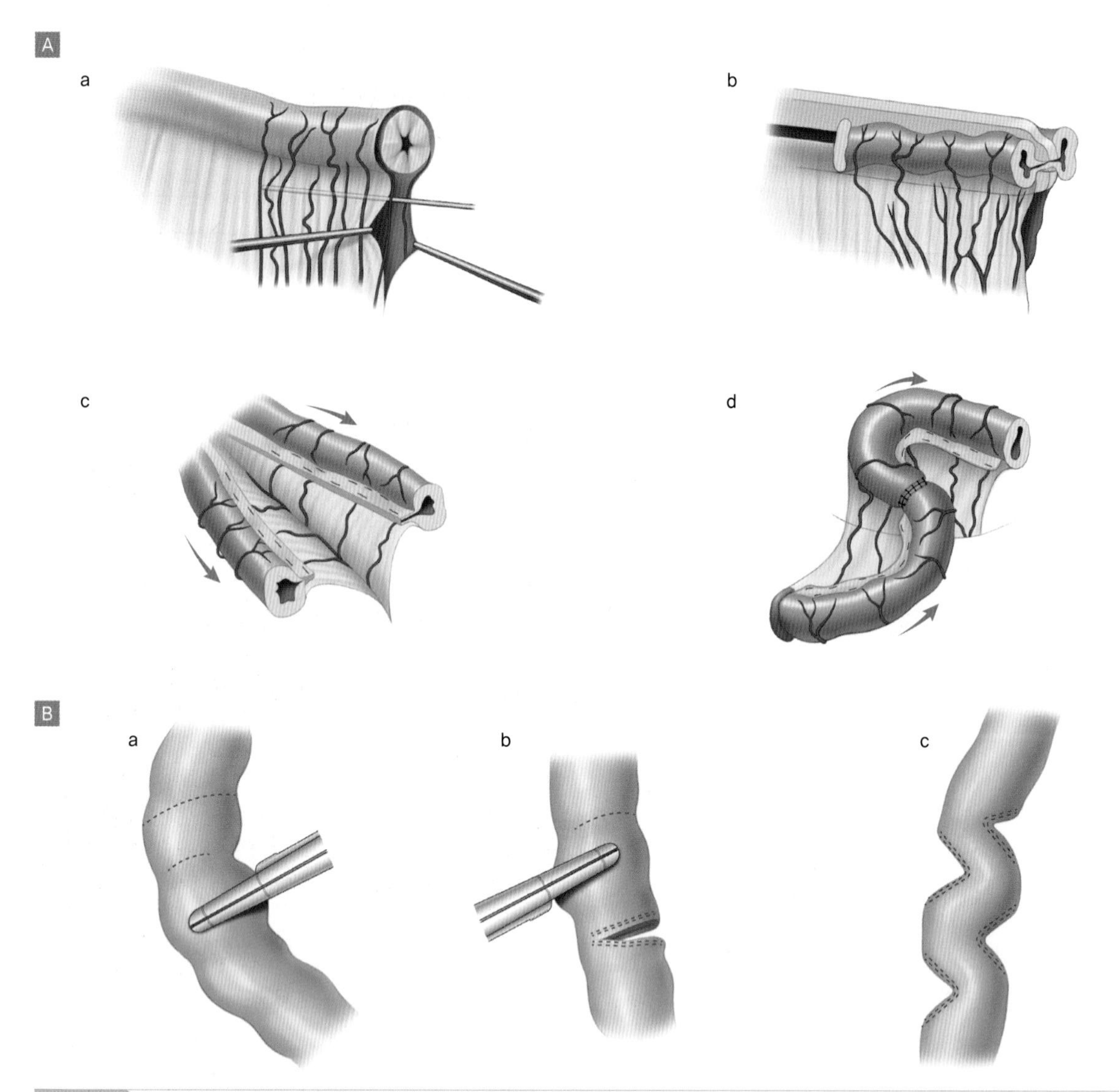

그림 64-3 A. Bianchi 술식 a. 장간막과 장간막 안의 혈관을 양쪽으로 분리한다. b. 선형 자동봉합기를 사용하여 장을 길이 방향으로 양분한다. c, d, 양분한 장의 반대편이 연결되도록 에스자 형태로 문합하여 장의 길이를 연장한다.
B. Serial transverse enteroplasty (STEP) 술식 a. 선형 자동봉합기를 사용하여 정상 장의 내관을 직경 1~2cm 정도 남기고 가로로 장의 일부를 절제한다. b. 남은 장의 내관 직경과 같은 길이(1~2cm) 정도의 간격으로 원위부 혹은 근위부에 이전과 180도 방향에 똑같은 방법으로 장을 가로로 절제한다. c. 같은 방식으로 지그재그 형태가 되게 진행한다.

세계적으로 1,300 예 정도가 시행되었다. 1년과 5년 생존율은 각각 80%, 50% 정도로 보고되고 있다. 국내에서도 2004년에 처음으로 성인에서 소장 이식이 시행되었다. 적응증은 중심정맥관의 폐쇄나 반복되는 중심정맥도관 관련 패혈증, 진행성 간기능부전이며 최근 들어 이식 성적이 향상되고 있고 이식 후 삶의 질 향상이 확인됨에 따라 적응증의 폭이 점점 넓어지고 있다.

3) 소장내 이물

소장내 이물 섭취는 정신병력이 있는 환자나 수감자, 소아 등에서 볼 수 있다. 대부분의 경우 장내 이물이 통과되기를 기다리면서 보존적 치료를 한다. 1% 미만에서 천공 폐쇄, 소장 누공 등의 합병증이 발생한다. 대부분의 합병증은 이전 수술 때문에 좁아진 부위나 회맹판 부위에서 나타난다. 합병증이 나타나면 수술치료를 시행한다.

4) 십이지장 혈관 압박

십이지장 혈관 압박(vascular compression of duodenum)은 상장간막동맥증후군 혹은 윌키증후군(wilkie syndrome)으로도 불리는 드문 질환이다. 십이지장 제3부(3rd portion)가 앞으로 지나가는 상장간막동맥에 눌려서 발생한다. 젊고 마른 여자운동선수에서 흔히 볼 수 있다. 원인 인자로는 급격한 체중감소를 일으킬 수 있는 악성종양, 화상, 흡수장애, 거식증, 두부 손상 및 척추 질환 등으로 인한 마비 등이 보고되고 있다. 임상 증상은 구역 및 구토, 복부 팽만, 식후 상복부 불쾌감 및 체중감소 등이다. 급성인 경우 슬흉위(knee-chest position) 혹은 좌측 측와위, 엎드린 자세를 취하면 증상이 완화될 수 있다.

상부위장관 조영술이나 저긴장성 십이지장 조영술(hypotonic duodenography)에서 십이지장에서 공장으로 조영제가 갑자기 통과되지 않는 소견이 보이면 진단할 수 있으며 CT가 진단에 큰 도움이 될 수도 있다(그림 64-4). 원인 질환에 대한 치료와 함께 적절한 영양공급으로 체중증가를 유도한다. 보존적 치료에 실패할 경우 십이지장공장문합술을 시행한다. 이 외에 위공장문합술이나 트라이츠 인대로부터 장을 박리하는 등의 방법을 사용할 수 있다.

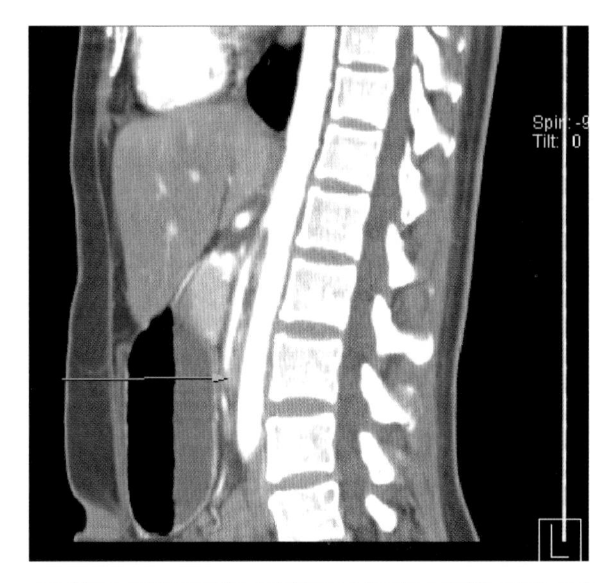

그림 64-4 CT 시상영상에서 복대동맥창자간막사이 각이 10° 이내로 측정되면서 허탈된 십이지장을 확인할 수 있다.

참고문헌

1. 강동범, 김재만, 김한선. 위장관수술 후 발생한 장피누공의 치료 대한외과학회지 2000;58:816-823.
2. 김영균, 최호중, 박정현 등. 멕켈씨 게실에 의한 장폐쇄증의 복강경적 치료. 대한외과학회지 2006;71:379-382.
3. 김태현, 최경현. 메켈게실의 빈도. 대한외과학회지 2001;60:636-639.
4. 류병윤, 조지웅, 김흉기 등. 상장간막 동맥 증후군 3예. 대한외과학회지 1999;57:764-769.
5. 윤대선, 김강성, 김곤홍. 담관 결석의 재발에 있어서 십이지장 팽대부 주위 게실의 임상적 의의. 대한외과학회지 2006;70:457-461.
6. 이두석, 류진우, 목영재 등. 장피누공의 치료. 대한외과학회지 1995;49:360.
7. 이윤석, 이인규, 김진조 등. 괴사성 멕켈 게실의 복강경수술. 대한외과학회지 2006;70:475-477.
8. Ackerman W. Diverticula and variation of the duodenum. Ann Surg 1943;117:403-413.
9. Akhrass R, Yaffe MB, Fischer C, et al. Small-bowel diverticulosis: perceptions and reality. J Am Coll Surg 1997;184:383-388.
10. Balkissoon J. ßalkissoon B, Leffall LD, et al. Massive upper gastrointestinal bleeding in a patient with a duodenal diverticulum; a case report and review of the literature. J Nat Med Assoc 1992;84:365-367.
11. Baskin RH Jr, Mayo CW. Jejunal diverticulosis: a clinical study of 87 cases. Surg Clin North Am 1952;95:1185-1196.
12. Berman EJ, Schnider A, Potts WJ. Importance of gastric mucosa in Meckel's diverticulum. JAMA 1954;156:6-7.
13. Berry SM, Fischer JE. Classification and pathophysiology of enterocutaneous fistulars. Surg Clin North Am 1999;76:1009-1018.
14. Berry SM, Fischer JE. Enterocutaneous fistulars. In: Wells SA Jr, ed. Current Problem in Surgery. Vol. 31. St. Louis: Mosby 1994:469-576.
15. Bianchi A. Longitudinal intestinal lengthening and tailoring: results in 20 children. J R Soc Med 1997;90:429-432.
16. Buchman AL. Scolapio J, Fryer J. AGA technical review on short bowel syndrome and intestinal transplantation. Gastroenterology 2003;124:1111-1134.
17. Burgess CM, Ball J. Complication of surgery on duodenal diverticula. Surg Clin North Am 1970;50:351-355.
18. Callely MP, Aliperti G, Soper NJ. Laparoscopic duodenal diverticulectomy following hemorrhage. Surg Laparosc Endosc 1994;4:134-138.
19. Campos AC, Andrade DF, Campos GM. A multivariate model to determine prognostic factors in gastrointestinal fistulas. J Am Coll Surg 1999;188:483-490.
20. Chomel JBL. Diverse observations anatomiques. In Histore de L' Academie Royale cles Sciences' Paris: Institute de France 1710:37-39.
21. Chow DC, ßabaian M, Taubin HL. Jejunoileal diverticula. Gastroenterologist 1997;5:78-84.
22. cle ßree E, Grammatikakis J, Chritolodoulak is M, et al. The clinical significance of acquired jejunoileal diverticula. Am J Gastroenterol 1998;93:2523-2528.
23. Crenn P, Coudray-Louca C, Thuillier F, et al. Postabsorptive plasma citrulline concentration is a marker for small intestinal enterocyte mass and intestinal failure in humans. Gastroenterology 2000;119:1496-1505.
24. Cullen JJ, Kelly KA, Moir CR, et al. Surgical management of Meckel's diverticulum: An epidemiologic, population- based slucly. Ann Surg 1994;220:564-569.
25. Draus MJ Jr, Huss SA, Harty NJ, et al. Enterocutaneous fistula: are treatments improving? Surgery 2006;140:570-576.
26. Duarte B, Nagy KK, Cintron J. Perforated duodenal diverticulum. Br J Surg 1992;79:877-881.
27. Eggert A, Teichman W, Witmann DH. The pathological implication of duodenal dliverticula. Surg Gyne-

cology Obstet 1982;154:62-64.
28. Engluncl R, Jensen M. Acquired diverticulosis of the small intestine: case reports and literature review. Aust N Z J Surg 1986;56:51-54.
29. Gonzalez-Pinto 1, Gonzalez EM. Optimising the treatment of upper gastrointestinal fistulae. Gut 2001;49: 22-31.
30. Groebli Y, Bertin D, Morel P. Meckel' s diverticulum in adults: Retrospective analysis of 119 cases and historical review review. Eur J Surg 2001;167:518-524.
31. Herrington JL, Tenn N. Massive hemorrhage resulting from benign ulceration in a primary duodenal diverticulum. Surgery 1958;43:340-344.
32. Hollington P, Mawdsley J, Lim W, et al. An 11-year experience of enterocutaneous fistula. Br J Surg 2004; 91:1646-1651.
33. Jones TW, Merendino KA. The perplexing duodenal diverticulum. Surgery 1960;48:1068-1084.
34. Kaufman SS, Atkinson JB, Bianchi A, et al. Indications for pediatric intestinal transplantation: a position paper of the American Society of Transplantation. Pediatr Transplant 2001;5:80-87.
35. Kell ie LM, Davicl RF. Operative lllanagemel1l of symptomatic duodenal diverticula. Am J Surg 2007; 193:305-309.
36. Kim HB, Fauza D, Garza J, et al. Serial transverse enteroplasty (STEP): a novel bowel lengthening procedure J Pediatric Surg 2003;38:425-429.
37. Lee CH, Sun WK, Yong HP, et al. Symptomatic duodenal diverticulum. World J Surg 1995;19:729-733.
38. Leivonen MK, Halttunen JAA, Kivilaakso EO. Duodenal diverticulum at endoscopic retrograde cholangiopancreticography: analysis of 123 patients. Hepatogastroenterology 1996;43:961-966.
39. Leow CK, Lau WY Treatment of small bowel obstruction by jejunal enterolith. Surgery 1997;122:977-978.
40. Lioyd DA Jr, Gabe SM, Winsor AC Jr. Nutrition and management of enterocuta neous fislU la. Br J Surg 2006;93:1045-1055.
41. Lobo DN, Balour TW, Iftikhar SY, et al. Periampullary diverticula and pancreaticobiliary disease. Br J Surg 1999;86:588-597.
42. Longo WE, Vernava AM 3rcl. Clinical implications of jejunoileal diverticular disease. Dis Colon Rectum 1992;35:381-388.
43. Lopez PV, Welch JP. Enterocoloth intestinal obstruction owing to acquired and congenital diverticulosis. Reports of two cases and review of the literature. Dis Colon Rectum 1991;34:941-944.
44. Lotveit T, Osnes M, Larsen S. Recurrent biliary caliculi: duodenal diverticular as a predisposing factor. Ann Surg 1982;196:30-32.
45. Lynch AC, Delaney CP, Senagore AJ, et al. Clinical outcome and factors predictive of recurrence after enteocutaneous fistula surgery Ann Surg 2004;240:825-831.
46. Mackenzie ME, Davies WT, Farnell MB, et al. Risk of recurrent biliary tract disease after cholecystectomy in patients with duodenal diverticular. Arch Surg 1996;131:1083-1085.
47. Meckel JF. Ueber die Divertikel am Damkanal. Arch Physiol 1809;9:421-453.
48. Mosimann F, Bronnimann B. The duodenal diverticulum: An exceptional site of massive bleeding. Hepatogastroenterology 1998;45:603-605.
49. Neill SA, Thompson NW. The complication of duodenal diverticular and their managemet. Surg Gynecol Obstet 1965;120:1251-1258.
50. Nightingale JMD. Management of patients with a short bowel. World .J Gastroenterol 2002;7:741-751.
51. Obri SK, Hutron KAR, Walsh R, et al. Foreign body perforation of the ileum. Br J Clin Pract 1990;44:647.
52. Palder SB, Frey CB. Jejunal diverticulosis. Arch Surg 1988;123:889-894 .
53. Park JJ, Wolff BG, Tollefson M K, et al. Meckel's diverticulum: the Mayo Clinic experience with 1476 patients (1950-2002). Ann Surg 2005;241:529-533.
54. Pinero A, Martinez-Barba E, Canteras M, et al. Surgi-

cal management and complication of Meckel's diverticulum in 90 patients. Eur J Surg 2002;168:8-12.

55. Poulsen KA , Qvist N. Sodium pertechnetate scintigraphy in detection of Meckel's diverticulum: is it usable? Eur J Pediatr Surg 2000;10:228-231.

56. Ross CB, Richarcls WO, 5harp KW, et al. Diverticular disease of the jejunum and its complications. Am Surg 1990;56:319-324.

57. Ryan ME, Hamilton JW, Morrissey JF. Gastrointestinal hemorrhage from a duodenal diverticulum. Gastrointest Endosc 1984;30:84-87.

58. Sandstad O, Osnes T, Skar V, et al. Common bile duct stones are mainly brown and associated with duodenal diverticula. Gut 1994;35:1464-1467.

59. Saunders LE. Laparoscopic treatment of Meckel's diverticulum: Obstruction and bleeding managed with minimal morbidity. Surg Endosc 1995;9:724-727.

60. Sawin RS, Appendix and Meckel's diverticulum. In: Oldham KT, Colombani PM, Foglia RP, eds. Principles and Practice of Pediatric Surgery. Philadelphia: Lippincott Williams and Wilkins 2005:1269-1282.

61. Soltero MJ, Bill AH. The natural history of Meckel' s diverticulum and its relation to incidental removal: A study of 202 cases of disease Meckel's diverticulum found in King County, Washington, over a fifteen-year period. Am J Surg 1976;132:168-173.

62. Suda K, Mizuguchi K, Matsumoto M. A histopathological study on the etiology of duodenal divertuculum related to the fusion of the pancreatic analage. Am J Gastroenterol 1983;78:335-338.

63. Thirunavukarasu P, Sathaiah M, Sukumar S, et al. Meckel's diverticulum-a high-risk region for malignancy in the ileum. Insights from a population-based epidemiological study and implications in surgical management. Ann Surg 2011;253:223-230.

64. Uomo G, Manes G, Ragozzino A, et al. Periampullary extraluminal duodenal diverticular and acute pancreatitis: an underestimated etiologic association. Am J Gastroente rol 1996;91:1186-1188.

65. Wilcox RD, Shatney CH. Surgical significance of acquired ileal diverticulosis. Am Surg 1990;56:222-225.

66. Williams RS. Management of Meckel's diverticulum. BrJ Surg 1981;68:477-480.

67. Yahchouchy EK, Marano AF, Etienne JC, et al. Meckel's diverticulum. Am Coll Surg 2001;192:658-662.

68. Yamaguchi M, Takeuchi S, Awazu S. Meckel's diverticulum investigation of 600 patients in the Japanese literature. Am J Surg 1978;136:247-249.

69. Yin WY, Chen HT, Huang SM. Clinical analysis and literature review of massive duodenal diverticular bleeding. World J Surg 2001;25:848-855.

PART 13

위장관의 기타질환

THE KOREAN GASTRIC CANCER ASSOCIATION

CHAPTER 65

장폐색

장폐색은 외과의사들이 접하는 가장 흔한 질환 중의 하나로 장폐색에 대한 언급은 히포크라테스 시대부터 기술되었다. 조기에 진단하여 적절한 치료를 할 경우 장폐색으로 인한 비가역적인 장괴사를 줄일 수 있다. 이 장에서는 장폐색의 분류, 원인, 병태생리 및 임상양상, 치료 등에 대해 언급하고자 한다.

1. 용어 및 분류

장폐색의 분류는 관점에 따라 여러 가지가 있다. 첫 번째로, 발생기전에 따라 기계적 장폐색(mechanical intestinal obstruction)과 기능적 장폐색(functional intestinal obstruction)으로 나눌 수 있다. 기계적 장폐색은 장관 내강이 물리적으로 막혀 장 내용물의 흐름이 차단된 경우를 말한다. 가성폐쇄(pseudo-obstruction) 또는 장폐쇄증(ileus)이라고도 부르는 기능적 장폐색은 장운동의 이상으로 인해 장 내용물의 흐름이 원활하지 못한 경우를 말한다.

두 번째로, 폐색의 위치에 따라 근위부 폐색, 중간 폐색, 원위부 폐색으로 분류할 수 있다. 일반적으로 위유문에서 근위 공장까지 폐색을 근위부 폐색, 중간 공장에서 중간 회장까지 폐색을 중간 폐색, 원위 회장 이하 부위를 원위부 폐색이라 한다.

세 번째로, 장벽 혈액공급의 정도에 따라 단순 장폐색(simple intestinal obstruction)과 교액성 장폐색(strangulated intestinal obstruction)으로 나눌 수 있다. 단순 장폐색은 장벽으로 혈액이 공급되는 상태로 폐색 정도에 따라 부분 폐색과 완전 폐색으로 구분할 수 있다. 교액성 장폐색은 막힌 장분절로의 혈액공급 장애로 인해 조직괴사, 괴저가 임박한 생태로 대부분이 완전 폐색에서 발생한다. 교액성 장폐색의 경우 특징적인 소견은 지속적인 복통, 빈맥, 발열, 백혈구증가증 등이지만, 모든 환자에게서 나타나는 것은 아니다.

네 번째로, 장고리 분절의 상하 양쪽의 폐쇄가 모두 존재하는 경우를 닫힌창자막힘(closed loop obstruction), 그렇지 않은 경우를 열린창자막힘(open loop obstruction)이라고 한다. 닫힌창자막힘의 예로는 탈장낭으로의 감돈(incarceration), 맹장이나 에스결장의 염전, 회맹장판막의 기능이 유지된 상태에서의 결장암으로 인한 폐색 등을 들 수 있다.

다섯 번째로, 진행 정도에 따라 24시간 내에 진행되는 급성 폐색, 수일에서 수주 내에 진행되는 아급성 폐색, 수주일 이상 진행되는 만성 폐색으로 분류할 수 있다.

2. 원인

장폐색의 원인으로 유착과 탈장 같은 장의 외인성 병변으로 인한 폐색이 전체의 약 70~75%로 가장 흔하다. 이중 수술 후에 발생하는 유착이 소장폐색의 원인 중 69%를 차지하며, 개복술 후 약 5%의 환자는 살아가는 동안 유착으로 인한 장폐색증을 경험하는 것으로 알려져 있다. 소장 폐색으로 수술을 받은 경우 10~20%에서는 재발성 장폐색이 발생한다. 20세기 초에 기계적 장폐색의 원인 중 절반 정도를 차지했던 탈장은 선택적 탈장복원술이 보편화되면서 그 비중이 점차 감소하여 현재는 약 10%까지 감소하였다. 탈장이 원인인 경우 대부분 서혜부탈장, 복벽탈장, 내탈장이지만(그림 65-1), 드물게는 폐쇄구멍탈장이나, 대퇴탈장, 허리탈장 등도 장폐색의 원인이 된다. 유착으로 인한 결장폐색은 아주 드물다. 결장폐색의 90%가 암, 에스자결장게실염, 장염전(volvulus) 등으로 인해 발생한다.

전체 소장폐색의 약 20%는 악성종양이 원인이다. 대부분은 위, 췌장 등의 원발성 복강내 종양으로 인한 복막전이 암종증으로 인한 이차적인 폐색이다. 이 외에 유방, 폐 등의 악성종양의 혈행성 전이로 인한 암종증이나 거대종양으로 인한 소장벽의 압박 등도 원인이 될 수 있다. 드물게는 선암, 카르시노이드 등 원발성 소장암으로 인한 폐색도 발생할 수 있다.

크론병으로 인한 소장폐색이 전체의 약 5%를 차지한다. 급성 염증이나 부종으로 인한 경우는 보존적 치료로 회복될 수 있으나, 만성 협착으로 인한 경우에는 수술치료를 고려할 수 있다. 기타 원인으로는 복강내 농양, 장중첩증(intussusception), 위석이나 담석으로 인한 소장 내강의 폐색, 방사선치료 후 발생한 장염, 장결핵증, 충수돌기염 등이 있다. 경우에 따라 이러한 드문 원인들을 감별진단해야 한다.

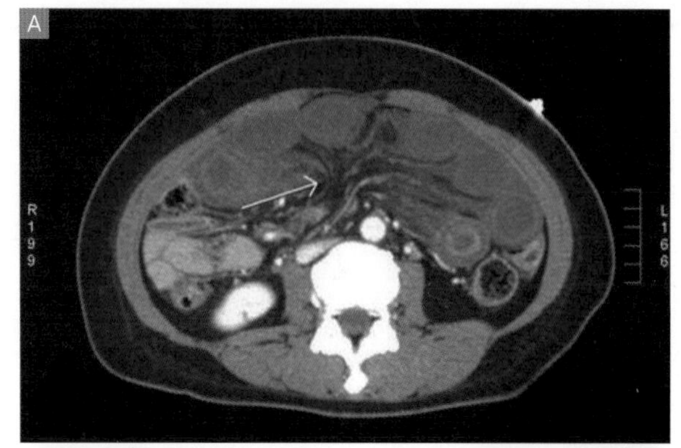

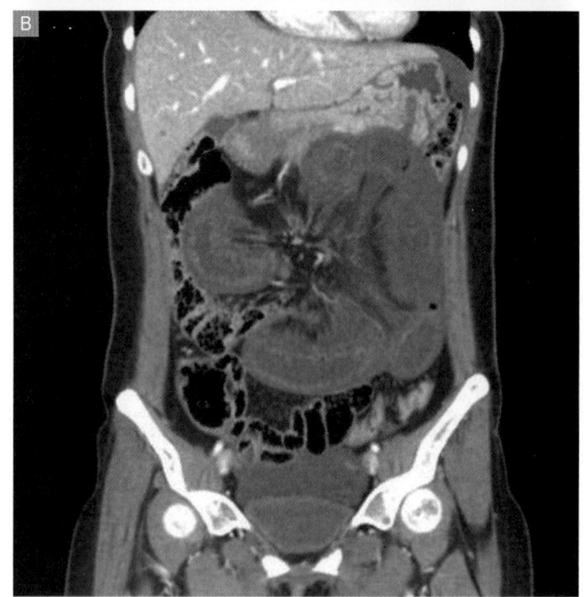

그림 65-1 **횡행결장 장간막을 통한 내탈장에 의한 소장폐색.**
A. 미만성 복통을 주소로 내원한 45세 여자 환자의 CT 영상. 횡행결장 장간막을 통한 소장의 내탈장이 관찰된다(화살표).
B. 같은 환자의 CT 영상. 내탈장을 인한 소장 부종 및 울혈, 복수 소견 관찰된다.

3. 병태생리 및 임상양상

소장폐색의 초기에는 소장 수축의 빈도 및 강도가 증가해 장 내용물을 폐쇄부위 아래로 내보내려 하므로 설사가 있을 수 있다. 완전 장폐색의 경우에는 역행성 수축운동 때문에 환자가 구토를 호소할 수 있다. 시간이 지남에 따라 수축운동의 빈도와 강도는 감소하고 폐쇄근위부의 장관이 확장된다. 장의 팽창으로 전해질이 풍부한 수분이 장 내강과 장벽에 축적되며 악화되면 탈수가 발생한다. 특히 근위 폐색의 경우는 구토가 동반되어 저칼륨혈증, 저염소혈증, 대사성알칼리혈증 등이 올 수 있고, 탈수가 심하면 빈맥, 핍뇨, 저혈량성 쇼크 등으로 진행할 수 있다.

장관내 압력과 점막 혈류는 반비례 관계로 소장내 압력이 20 mmHg 이상이 되면 장벽 혈류의 방향이 점막에서 바깥쪽으로 역류하게 된다. 이러한 소장 점막의 혈류 감소로 인해 상대적인 저산소증과 허혈이 발생하고 심한 경우 동맥폐쇄로 인한 장천공과 복막염, 패혈증으로 이어질 수 있다.

폐색이 없는 정상적인 소장과 근위부 결장은 일반적으로 무균 상태를 유지한다. 또한 정상적인 장점막은 점막장벽으로 인해 장 내강의 세균이 전신 순환으로 진입하는 것을 막아준다. 그러나 장이 폐색되면 장내 세균이 증가하게 되고 면역학적인 점막벽이 붕괴해 세균이 장간막 림프절이나 심지어 전신 장기로 퍼져가게 된다. 일례로 계획한 개복수술의 경우 장간막 림프절에서 세균이 배양되는 경우는 4% 정도이지만, 단순 소장폐색증의 경우에는 59% 정도에서 세균이 배양된다는 보고도 있다. 가장 흔한 균주는 대장균(*Escherichia coli*)이다. 따라서 소장폐색증의 경우 예방적 항생제의 사용이 필수적이고, 수술 시 장 내용물이 복강내로 흘러들어가지 않도록 세심한 주의를 기울여야 한다.

4. 임상양상 및 진단

자세한 병력청취와 이학적 검사는 진단과 향후 치료에서 무엇보다 중요하다. 대부분의 경우 이학적 검사와 단순복부방사선촬영만으로도 진단과 치료방침을 결정할 수 있다. 교액성 장폐색을 조기에 발견하고 수술적 처치 여부를 결정하려면 한 번의 검사뿐만 아니라 연속적인 진찰, 혈액검사 및 영상검사를 시행해야 한다. 감별할 때 중요한 점은 기계적 폐색과 기능적 폐색의 구분, 폐색의 원인 감별, 단순 폐색과 교액성 장폐색의 감별, 부분 폐색과 완전 폐색의 감별 등이다.

1) 임상양상

급성 소장폐색증의 네 가지 중요한 증상은 구역과 구토, 산통성 복통, 된변비(obstipation), 복부팽만이다. 이러한 증상들은 기간과 폐쇄 부위의 해부학적 위치에 따라 환자마다 다르게 나타날 수 있다. 폐쇄 위치가 근위부에 가까울수록 증세가 더 빠르고 특징적인 경향이 있다. 산통성 복통이 특징적인 증상이지만 위출구폐쇄나 십이지장 폐쇄와 같은 고위 장폐색증일 때는 없을 수도 있다. 이러한 환자들의 경우 구역이나 심한 구토가 주 증상일 수 있다. 전형적인 산통성 복통은 복부 전반에 걸쳐 미만성으로 30~60초 정도 지속되며, 경련성 통증 사이에는 통증이 수반되지 않는다. 통증발작이 있을 때 환자가 창자가스소리(borborygmus)를 듣는 경우도 있다. 감돈이 동반된 닫힌창자막힘의 경우에는 지속적인 내장통이 생길 수 있다.

구토는 초기에는 음식물과 담즙이 주된 성분이지만 완전 장폐색이 진행되어 세균의 과증식이 일어나면 구토물에서 대변냄새가 나게 된다. 위 유문동 폐쇄의 경우는 담즙성 구토가 없는 것이 특징이다. 폐색이 점점 더 진행되면 복부 팽만이 진행되고 폐쇄 근위부 장 내에 액체저류가 일어나고 탈수와 쇼크가 유발될 수도 있다. 장폐색 초기에는 장운동이 증가해 설사가 있을 수 있으나, 완전 장폐색이 되면 가스와 대변이 전혀 배출되지 않는 악성변비가 유발된다.

2) 이학적 검사

심한 탈수나 교액성 장폐색이 동반된 경우 빈맥과 저혈압을 보일 수 있다. 교액성 장폐색의 경우 발열이 동반될 수 있다. 복부 검사에서 복부가 팽만해 있는지, 수술 흉터가 있는지, 탈장이 있는지 등을 확인해야 한다. 청진하면 강한 연동운동에 수반된 창자가스소리와 항진된 장음을 들을 수 있다. 폐색이 진행된 경우 장음이 감소할 수도 있다. 촉진상 전반적으로 약한 압통이 특징적이나 국소적 압통, 반발 압통, 강직 등의 복막자극 증세가 있다면 교액성 장폐색을 반드시 생각해야 한다. 분변막힘, 암종증, 덩이 유무, 혈변 등을 알기 위해 직장수지검사를 필수적으로 시행한다.

3) 검사실 검사

일반적인 검사실 검사로 장폐색을 진단할 수는 없지만 탈수 정도를 알기 위해서 혈청 전해질, 크레아티닌, 적혈구용적률 등을 검사할 필요는 있다. 또한 검사실 검사상 15,000/mm^3 이상의 백혈구증가증, 대사성산증, 혈청 인산염상승, 혈중 크레아티닌인산효수(creatinine kinase)의 동종효소(isoenzyme) 중 MM band 증가 등의 소견이 있으면 교액성 장폐색을 시사하는 소견이라 할 수 있다.

4) 영상진단 검사

(1) 단순복부방사선촬영술

단순복부방사선촬영술(plain abdominal radiography)은 단순한 기법의 손쉽고 비용이 저렴한 검사로서 장폐색 진단의 초기 선별검사로 사용된다. 전체 소장폐색의 약 50~60% 정도에서만 진단적 의미를 지니지만, 고도의 폐쇄가 있는 경우에 높은 민감도를 지닌다. 장폐색의 정도를 평가하는 데 있어서 중요한 것은 소장 내경의 증가인데 단순복부방사선촬영술에서 확장된 장관의 최대 지름이 36 mm를 넘거나, 결장 최대 직경의 50%를 넘는 경우, 그리고 정상과 비교했을 때 확장된 장관의 고리의 직경이 2.5배를 넘는지 여부를 본다. 단순촬영상에서 두 개 이상의 2.5 cm 이상의 너비를 가지는 공기-액체층(air-fluid level)이 있거나 한개의 소장관에서 공기-액체층 간 차이가 5 mm 이상인 경우 장폐색을 진단할 수 있다(그림 65-2). 장폐색이 진단이 된

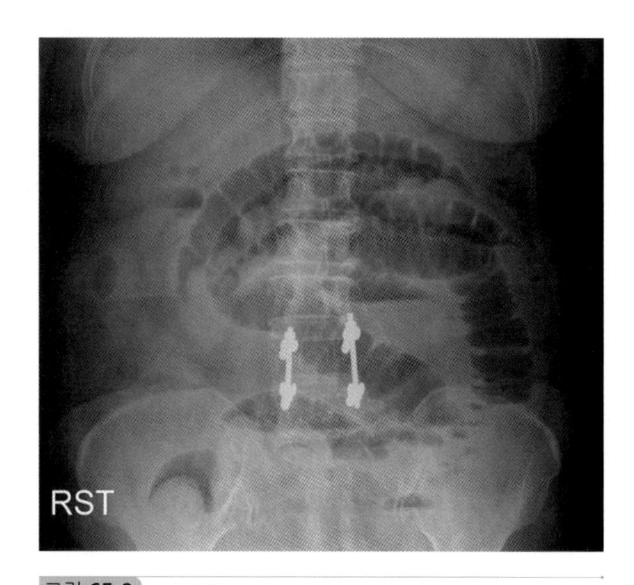

그림 65-2 **소장폐색.**
단순복부방사선촬영술상 확장된 소장과 여러 공기-액체층(air-fluid level)을 확인할 수 있다.

경우, 폐색 부위의 위치와 원인, 교액성 장폐색을 진단하기 위해 다음 단계의 검사를 시행해야 한다.

(2) 컴퓨터단층촬영술

컴퓨터단층촬영술(computed tomography, CT)의 경우 장관 내강에 저류된 수분이 조영제 역할을 하여 경구조영제를 사용하지 않아도 장벽의 관찰이 용이하고, 빠르고 비침습적이다. 다평면재구성을 이용한 관상(coronal) 혹은 시상(sagittal) 영상은 폐색 부위 확인에 도움이 되며, 얇은 절편영상을 얻는 것이 좋다. CT 소견상 확장된 근위부 장관이 정상 혹은 허탈된 원위부 장관으로 이행하는 부위(transitional point)를 확인하여 소장폐색을 진단할 수 있다. 이행부는 점차 좁아지는 모양이 새의 부리처럼 보일 수 있는데 이를 새부리징후(beak sign)라고 한다(그림 65-3). 소장폐색의 다른 징후로는 확장된 근위부 장관에 내려가지 못한 분변이 쌓여 보이는 소장분변징후(small bowel feces sign)가 있다(그림 65-4).

교액성 장폐색의 CT소견으로는 장벽의 비후, 장벽

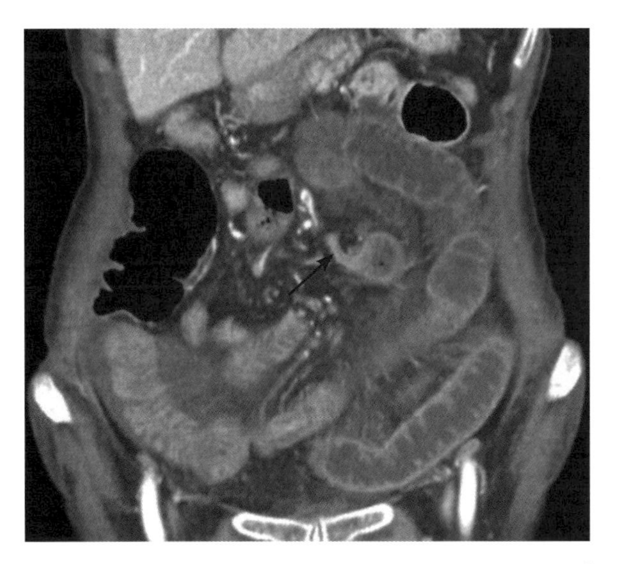

그림 65-3 **새부리징후(beak sign).**
CT상 확장된 근위부 장관이 허탈된 원위부 장관으로 연결되는 이행대가 마치 새의 부리처럼 보이는 것을 확인할 수 있다(화살표). 심한 장간막 울혈소견이 동반되어 있다.

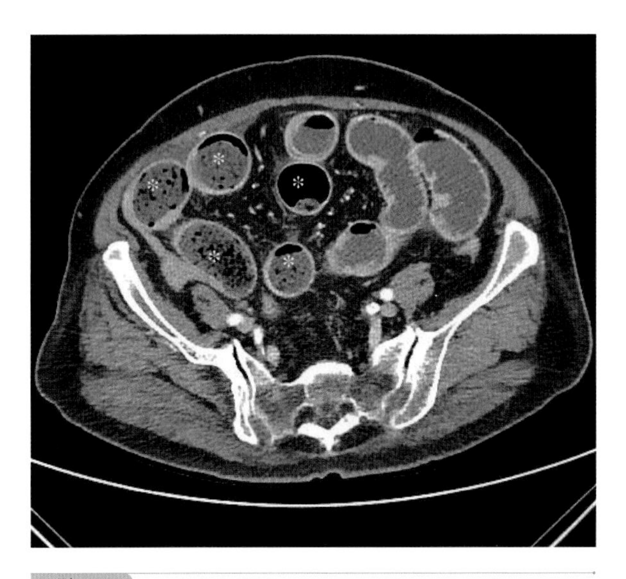

그림 65-4 **소장분변징후(small bowel feces sign).**
확장된 근위부 장관에 폐색에 의해 원위부로 내려가지 못하고 쌓여있는 소장분변징후가 있다. 정상적으로 분변은 대장 안에서만 보여야 한다.

의 조영증강 감소, 복수, 장간막의 울혈, 장벽 내 공기(pneumatosis intestinalis), 문맥 내 공기, 그리고 부적절한 장간막 혈관의 주행 등을 들 수 있다(그림 65-5). 이

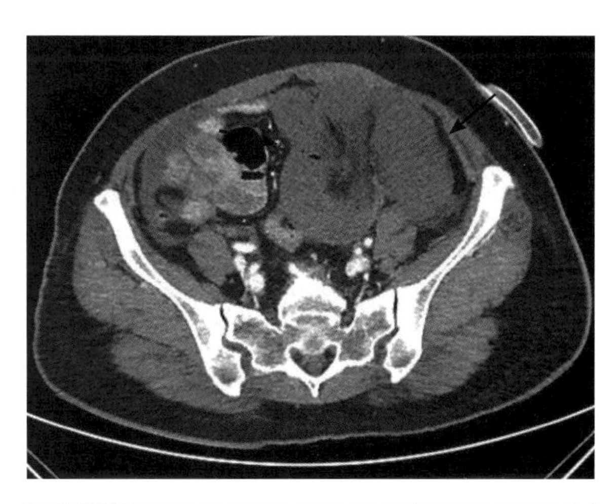

그림 65-5 **교액성 장폐색.**
좌측에 위치한 소장관(화살표)의 확장, 장벽의 비후, 장벽의 조영증강 감소, 복수, 장간막의 울혈이 확인된다.

전 연구에 의하면 장폐색의 위치와 원인을 확인하는 데 있어 CT는 높은 민감도(94~100%)와 정확도(90~95%)를 지니는 것으로 알려져 있다.

(3) 기타검사

상부위장관조영술, 초음파검사, 자기공명영상(magnetic resonance imaging, MRI)도 장폐색의 진단에 사용될 수는 있으나, 흔히 이용되는 검사는 아니다. 특히 바륨을 이용한 상부위장관조영술은 장폐색이 있는 환자에서는 내강에 저류된 수분에 의하여 바륨이 희석되어 검사의 제한이 있고, 내려가지 못한 바륨이 굳으면서 장폐색을 더욱 악화시킬 수 있어 주의를 요한다.

5. 소장폐색의 치료

소장폐색의 치료는 수액공급과 항생제 사용, 비위관 삽관을 통한 감압술 등의 비수술적 처치와 수술적 치치로 나뉜다.

1) 비수술적 처치

금식, 수액요법, 비위관 삽관을 통한 감압술, 예방적 광범위 항생제의 사용 등이 여기에 해당하는 처치방법이다(표 65-1). 장폐색 환자는 앞에서 기술한 바와 같이 탈수 및 전해질 불균형이 쉽게 일어날 수 있으므로 혈청 내 전해질 농도를 검사하면서 등장성 수액의 적절한 공급이 필수적이다. 특히 환자가 고령일 때는 중심정맥관 삽입과 도뇨관을 통한 적극적인 처치를 반드시 고려한다. 수술적 처치를 고려할 경우 주로 그람 음성균에 대하여 예방적 광범위 항생제를 사용해 수술 후 감염으로 인한 합병증을 감소시킬 수 있으나, 수술을 고려하지 않는 상황에서의 항생제 사용은 논란의 여지가 있다. 장폐색이 발생한 경우 폐색 부위의 근위부에 가스와 액체가 저류되어 장이 팽창한다. 장내 가스의 대부분은 질소이며 삼킨 공기에서 대부분 유래하므로 지속적인 위흡인으로 공기를 제거하여 장팽창을 감소시킬 수 있다. 비위관을 통한 위감압술이 가장 많이 사용되며 흡인 폐렴의 빈도를 줄일 수 있다. 더욱 효과적으로 소장을 감압하기 위해 긴 장튜브를 이용하기도 한다.

최근의 장폐색 치료 가이드라인에 따르면, 비수술적 처치에도 불구하고 장폐색이 해소되지 않는 경우, 임상적 환자 상태가 악화되지 않더라도 3~5일을 넘기지 않는 것을 권유하고 있다. 최초 입원 당시의 상태와 비교하여 복막염이나 장허혈의 징후가 관찰되거나, 백혈구 수치가 18,000/mm^{3}을 넘어서는 경우, 젖산 산증이 생기는 경우, 혈중 크레아티닌 수치가 처음보다 2배 이상 높아지는 경우에는 수술적 치료를 고려해야 한다. 다음과 같은 경우에는 즉각 수술하기보다는 우선적으로 비수술적 처치를 고려한다.

표 65-1. 장폐색의 비수술적 처치

1. 장휴식(Bowel rest, 금식)
2. 비위관 삽입을 통한 감압(2시간 마다 흡인)
3. 수액요법 및 전해질 균형 유지
4. 연속적인 복부 이학적 검진(매 4~6시간 마다)
5. 연속적인 혈액검사(온혈구계산,기본 대사 패널, 젖산 포함 매 6시간 마다)
6. 광범위 항생제 사용(controversial)
7. 수용성 조영술을 통한 장폐색 해소(controversial)
8. 이학적 검진이 악화되고, 복막염, 장허혈 의심 시 수술적 치료 고려

(1) 수술 후 장폐색증

수술 후 즉각적으로 발생한 장폐색증은 기계적 장폐색보다는 일시적인 장폐색이 대부분이며 비수술적 처치가 원칙이다. 수술 후 10일~4주 내에 발생한 장폐색은 복강내 혈관 발달이 풍부하며 강하고 두껍게 유착된 경우가 많아 개복에 신중해야 한다. 그러나 3~4일 이상 완전 기계적 장폐색을 의심할 수 있는 증세가 지속되면 개복수술을 신중히 고려해야 한다.

(2) 부분 장폐색

부분 장폐색의 약 70~80%는 비위관 삽입 등의 비수술적 처치를 시행하면 24~48시간 내에 증상이 호전된다. 또한 단순 기계적 장폐색의 경우 사망률은 1%에 불과하다. 치료 후 48시간이 지나도 증상이 호전되지 않거나 교액성 장폐색이 의심되는 경우에는 수술을 고려한다.

(3) 장중첩증

소아 장중첩증(intussusception)의 경우 공기 등을 이용한 정복술이 일차적인 처치이다. 그러나 대부분의 성인 장중첩증은 양성 혹은 악성종양 등 근본적인 병리적 원인으로 인한 경우가 대부분이며, 이때는 소아의 경우와는 다르게 수술을 반드시 고려한다.

(4) 에스결장 염전

에스결정 염전(sigmoid volvulus)은 에스결장경이나 대장내시경을 통한 감압술을 우선적으로 시도한다.

(5) 크론병

크론병(Crohn disease)의 급성기에는 스테로이드나 기타 항염증 약제로 장폐색이 소실되는 경우가 있으므로 우선적으로 비수술적 처치를 고려한다.

(6) 암종증

환자 및 보호자와 충분히 상의한 후 수술적 처치 여부를 신중히 결정한다.

2) 수술적 처치

수술적 처치는 장폐색의 기간, 탈수나 산염기 장애의 정도, 활력징후를 신중히 고려한 후에 시행한다. 장폐색증으로 진단된 후 수술의 적응증은 ① 급격히 진행되는 지속적이고 비산통성 통증이 발생한 경우, ② 발열, 핍뇨, 백혈구증가증, 산혈증과 같은 복막염 증세가 발생한 경우, ③ 12~24시간 내에 호전되지 않은 완전 장폐색증, ④ 대장 폐색증 등이다. 수술을 결정하면 원인에 따라 어떤 절개를 가할 것인가를 고려하고 개복 시 얇고 늘어난 염증성 장벽이 손상되지 않도록 세심한 주의가 필요하다. 수술 시 교액성 폐색 분절의 생존성을 판단하기 까다로운 경우가 많다. 이때는 따뜻한 생리식염수를 적신 스펀지로 15~20분간 싸두었다가 다시 검사하여 연동운동이 돌아오거나 색깔이 정상으로 돌아오면 장을 보전할 수 있다. 애매한 경우 소장 부분절제술을 시행하거나 수술한 지 12~24시간 후 이차검사개복술(second-look procedure)을 시행할 수 있다. 수술실에서 도플러 초음파를 이용하거나 프루오레신형광법, 전기수축기 등을 이용하는 방법이 도움이 되는 경우도 있다.

최근에는 외과수술 분야에서 복강경수술이 확대됨에 따라 장폐색수술에도 적용한 보고가 늘어나고 있다. 개복 유착박리술에 비교할 때, 복강경 유착박리술의 빈도가 2006년 17.6%에서 2013년 28.7%로 매년 1.6%씩 증가하고 있다. 하지만 일부 외과의사들은 아직까지 복강경 유착박리술 중 의인성 장손상의 가능성과 수술 시야의 제한으로 그 적용에 의문을 제기하기도 한다. 장폐색의 복강경수술은 특히 유착밴드, 단순한 장축전위(angulation), 이물질 및 양성종양에서 적용하기가 쉽고 안전하지만, 딱딱하고 엉겨 붙은(dense and matted) 유착에는 적용하기가 어렵다. 그리고 급성복증으로 혈역학적으로 불안정한 환자에서는 시행해서는 안된다. 복강경수술 과정 중 개복술로 전환하게 되는 원인에는 수술 시야 불량, 심한 유착, 수술 중 발생하는 의인성 장 손상, 원발병소의 확인 실패, 4 cm 이상의 장 팽창, 원위부 장의 완전폐색 등이다. 복강경수술을 개복술로 전환하는 것은 결코 수술의 실패를 의미하지 않으며, 환자의 수술 후 예후를 호전시키기 위한 중대한 결정이므로 주저해서는 안 된다.

복강경 유착박리술의 기술적인 조언으로는 늘어난 장을 복강경 감자로 가능한 잡지 않고, 장간막이나 덜 늘어나 있는 장을 잡을 것을 추천하고, 최대한 조심스럽게 장력이 과하게 가해지지 않도록 조금씩 장을 추적할 것을 권유한다. 그리고 소장을 탐색할 경우 원위부 맹장에서부터 근위부로 천천히 탐색하면서 이행 부위를 찾아야 한다. 이는 내탈장의 정복에도 쉽게 적용할 수 있다.

3) 유착 방지용 장벽의 임상적 유용성

수술 후 복강내의 유착 수술 시 섬세한 지혈, 과도한 조직 파괴 방지, 장허혈 시 조기 수술, 유착방지제 사용 등으로 예방될 수 있다.

최근 들어 물리적인 유착방지 장벽(barrier)제품을 장폐색 예방에 이용하는 사례가 보고되고 있으며, 여러 가지 수용성 고분자의 유착방지효과에 대한 연구들이 시행되었다. 현재까지 미국에서 임상적용이 허용되고 있는 제품은 히알루론산(hyaluronan)과 카르복시메틸셀로스룰(carboxymethylcellulose)를 복합하여 만든 세포라필름(seprafilm®), 신화재생셀룰로스(oxidized regenerated cellulose)로 구성된 인터시드(interceed®), 폴리메틸렌 글리콜(polyethylene glycol)과 아이코덱스트린린(icodextrin, Adept®) 4가지가 있다. 현재까지 가장 널리 사용되며 유용하다고 알려진 것은 세프라필름이다. 이 제품은 용액형과 필름형이 있으며 손상된 복막 등의 중피세포가 재생성되는 동안 유착이 생기지 못하도록 장벽 역할을 하며 장절제 수술에서 장유착이 적다고 발표된 임상연구가 있다. 그러나 아직까지는 유착이 걱정되는 환자에서 장기적인 효과에 대한 임상연구 필요한 실정이다. 인터시드는 여러 부인과 수술 후 유착방지에 효과가 있음이 보고되었으나 수술 후 혈액 성분이 있는 곳에서는 효과가 감소한다고 알려져 있다. 최근 아이코덱스트린를 이용하여 300명의 환자들 등재한 무작위전향적 연구가 있었으나, 수술합병증 감소를 증명하지는 못하였다.

6. 재발성 장폐색

수차례에 걸친 재발성 개복술로 '덩어리' 복강을 가진 환자를 어떻게 치료해야 되는지는 외과의사들에게 숙제로 남아 있다. 이같은 반복적인 재발성 장폐색의 일차 치료로 비수술적 접근이 일반적으로 권장된다. 그러나 보존적 치료에 실패하게 되면 재수술을 고려할 수밖에 없는데, 이 경우 대부분 수술과정은 아주 길고 힘들어지며 의인성 장손상을 피하기 위해 신중하게 진행되어야 한다. 한 다기관 전향적 연구에 따르면 41개월간의 추적기간 동안 15.9%의 환자에서 유착성소장폐색으로 수술 받은 후 재발이 있었고, 이 중 5.8%에서 다시 수술적 처치가 필요했다고 보고되고 있다. 장폐색 수술 후 재발하는 빈도는 40세 이하의 젊은 환자, 심한 유착이 있었던 환자, 일차 수술 후 합병증이 있었던 환자에게서 높으므로 이런 환자에게는 유착 방지제 등의 치료를 수술 마무리 단계에 고려해야 한다.

참고문헌

1. 대한복부영상의학회. 복부영상의학. 3판. 서울: 일조각, 2013:208-218.
2. Abbas SM, Bisset JP, Perry BR. Meta-analysis of oral water-soluble contrast agent in the management of adhesive small bowel obstruction. Br J Surg 2007;94:404-411.
3. Attarcl JA, MacLean AR. Adhesive small bowel obstruction epidemiology, biology and prevention. Can J Surg 2007;50:291-300.
4. Balthazar EJ, Birnbaum BA, Megibow AJ, Gordon RB, Whelan CA, Hulnick DH. Closed-loop and strangulating intestinal obstruction: CT signs. Radiology 1992;185:769-775.
5. Di Saverio S, Coccolini F, Galati M, Smerieri N, Biffl WL, Ansaloni L, et al. Bologna guidelines for diagnosis and management of adhesive small bowel obstruction (ASBO): 2013 update of the evidence-based guidelines from the world society of emergency surgery ASBO working group. World J Emerg Surg 2013;8:42.
6. Duron JJ, Silva NJ, du Montcel ST, et al. Adhesive postoperative small bowel obstruction: incidence and risk factors of recurrence after surgical treatment. Ann Surg 2006;244:750-757.
7. Fazio VW, Cohen Z, Fleshman JW, van Goor H, Bauer JJ, Wolff BG, et al. Reduction in adhesive small-bowel obstruction by Seprafilm® adhesion barrier after intestinal resection. Dis Colon Rectum 2006;49:1-11.
8. Ghosheh B, Salameh JR. Laparoscopic approach to

acute small bowel obstruction: review of 1061 cases. Surg Endosc 2007;21:1945-1949.

9. Ha HK, Kim JS, Lee MS, Lee HJ, Jeong YK, Kim PN, et al. Differentiation of simple and strangulated small-bowel obstructions: usefulness of known CT criteria. Radiology 1997;204:507-512.
10. Jennifer WH, B. Mark E. Small intestine. In: Townsend C, Beauchamp D, Evers M, eds. Sabiston Textbook of Surgery. 20th ed. Philadelphia: Elsevier, 2017:1247-1254.
11. Lappas JC, Reyes BL, Maglinte DD. Abdominal radiography findings in small-bowel obstruction: relevance to triage for additional diagnostic imaging. AJR Am J Roentgenol 2001;176:167-174.
12. Maglinte DD, Gage SN, Harmon BH, Kelvin FM, Hage JP, Chua GT, et al. Obstruction of the small intestine: accuracy and role of CT in diagnosis. Radiology 1993;188:61-64.
13. Maung AA, Johnson DC, Piper GL, Barbosa RR, Rowell SE, Bokhari F, et al. Evaluation and management of small-bowel obstruction. J Trauma Acute Care Surg 2012;73:362-369.
14. Meier RP, de Saussure WO, Orci LA, Gutzwiller EM, Morel P, Ris F, Schwenter F. Clinical outcome in acute small bowel obstruction after surgical or conservative management. World J Surg 2014;38:3082-3088.
15. Nicolaou S, Kai B, Ho S, Su J, Ahamed K. Imaging of acute small-bowel obstruction. AJR Am J Roentgenol 2005;185:1036-1044.
16. Pei KY, Asuzu D, Davis KA. Will laparoscopic lysis of adhesions become the standard of care? Evaluating trends and outcomes in laparoscopic management of small-bowel obstruction using the American College of Surgeons National Surgical Quality Improvement Project Database. Surg Endosc 2017;30:2180-2186.
17. Sakari T, Sjödahl R, Påhlman L, Karlbom U. Role of icodextrin in the prevention of small bowel obstruction. Safety randomized patients control of the first 300 in the ADEPT trial. Colorectal Dis 2016;18:295-300.
18. Schnüriger B, Barmparas G, Branco BC, Lustenberger T, Inaba K, Demetriades D. Prevention of postoperative peritoneal adhesions: a review of the literature. Am J Surg 2011;201:111-121.
19. Silva AC, Pimenta M, Guimaraes LS. Small bowel obstruction: what to look for. Radiographics 2009;29:423-439.
20. Srinivas RR, Mitchell SC. A systemic review of the clinical presentation, diagnosis, and treatment of small bowel obstruction. Curr Gastroenterol Rep 2017;19: 28.
21. Ten Broek RPG, Strik C, Issa Y, Bleichrodt RP, van Goor H. Adhesiolysis-related morbidity in abdominal surgery. Ann Surg 2013;258:98-106.
22. Yao S, Tanaka E, Ikeda A, Murakami T, Okumoto T, Harada T. Outcomes of laparoscopic management of acute small bowel obstruction: a 7-year experience of 110 consecutive cases with various etiologies. Surg Today 2017;47:432-939.

CHAPTER 66

위장관내 이물질과 위석

1. 위장관내 이물질

위장관내 이물질은 비교적 흔하며, 주로 사고에 의해 발생한다. 연령에 상관없이 발생하며, 치명적인 경우는 드물다. 위장관내 이물질 환자는 무언가를 삼킨 후 발생한 목 이물감이나 삼킴곤란 등 갑작스런 증상으로 인하여 주로 응급실을 통하여 방문하게 되며 이비인후과, 내과/소아청소년과, 외과 등 여러 진료과의 협의를 통하여 치료에 임하게 된다. 목 이물감이 주증상이라면 이비인후과에서 우선적으로 진료하게 되지만, 대부분의 경우에는 내시경검사가 진단과 치료에 중요하다. 이물질 섭취 환자를 진료할 경우 환자 및 보호자(유아/소아 및 정신질환자)와의 자세한 면담을 통하여 이물질의 성질을 파악하는 것이 중요하다.

1) 이물질의 종류와 진단

정확한 진단과 치료를 위해서는 정밀한 문진이 가장 중요하다. 대부분의 경우에는 본인이 잘 설명할 수 있으나, 소아나 정신병력이 있는 경우에는 문진만으로 확인하기 어려운 경우가 많다. 또한, 교도소 재소자나 정신병력이 있는 환자의 경우 매우 특이한 이물질이 많으므로, 환자의 주변 상황에 맞추어서 섭취 가능한 이물질에 대하여 파악해 두는 것이 진단에 도움이 된다.

(1) 이물질의 종류

통상적으로 가장 흔한 이물질은 음식물과 함께 삼켜진 생선가시, 뼈 및 고깃덩어리 등이다. 평소 식도에 협착막(web), 독성물질에 의한 협착(corrosive stricture) 등이나 특정 질환(호산구성 식도염, 식도이완불능증, 식도운동질환, 식도암 등)이 있는 경우에는 덩어리진 음식물도 이물질로 작용할 수 있다. 우연히 삼켜서 문제가 되는 경우는 유아/소아와 성인에서 다른 양상이다. 유아/소아의 경우에는 장난감, 동전, 구슬, 작은 배터리 등 가지고 놀던 물건들이 원인일 확률이 높으며, 성인의 경우에는 식사나 기호식품과 관련될 가능성이 많다. 특수한 경우에는 2차 이득(secondary gain)을 위하여 의도적으로 삼킨 이물질들을 내시경으로 제거하는 경우가 종종 있다. 칫솔, 숟가락, 칼, 송곳 등이 그것들이다.

(2) 이물질의 진단

가장 기본적이고 유용한 진단적 검사는 단순 목, 흉부 및 복부촬영이다(그림 66-1). 금속성 이물질의 경우에는 그 특성이 매우 잘 관찰된다. 뼈나 유리 등의 비금

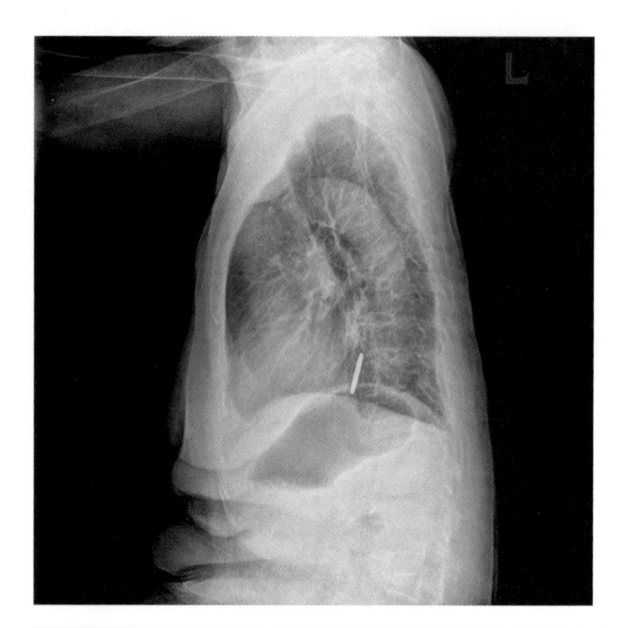

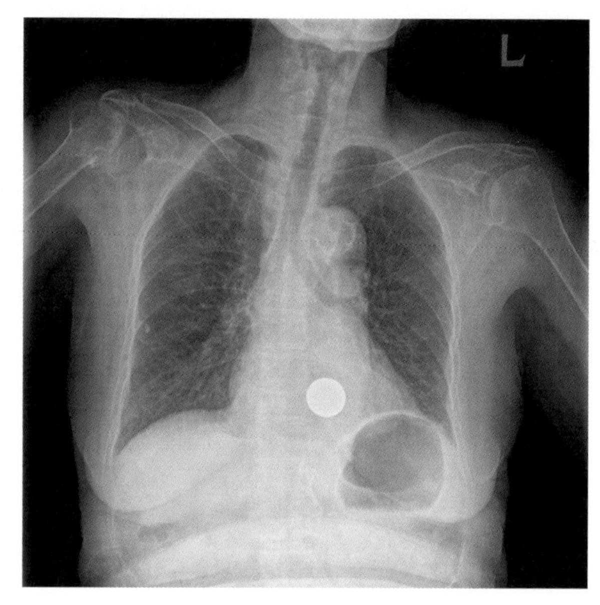

그림 66-1 **이물질을 삼킨 환자의 흉부 단순촬영 소견. 중부식도에 동전이 관찰된다.**

속성 이물질의 경우에는 단순방사선촬영으로 발견하기 쉽지 않으나, 천공 등 합병증의 유무를 파악하기 위하여 기본적으로 촬영을 해야한다. 이물질 섭취가 확실하고 단순방사선검사에서 보이지 않는 경우, 조영제를 사용한 위장관내 검사는 합병증의 가능성이 높으므로 피하는 것이 좋다. 이 경우 가장 유용한 진단과 치료의 방법은 내시경검사이다. 소아의 경우 진정내시경으로 접근하기 힘든 경우, 기도 확보에 문제가 있을 수 있는 경우, 적극적인 진단과 치료가 필요하다고 판단될 때는 전신마취하에 내시경검사를 시행한다. 내시경검사상 크고 날카로운 생선가시(복어, 도미 등)가 식도에 박혀 있을 때에는 무조건 그 자리에서 바로 제거하지 말고, 흉부 CT 촬영을 추가로 해야 할 수도 있다. 이물질과 주변 장기와의 정확한 위치를 파악하고, 이물질로 인한 천공, 종격동염 등 여부를 확인하기 위해서이다.

2) 성인의 치료

이물 섭취 후 이물질의 크기, 모양, 경도 등의 특성 및 환자의 기존 위장관질환의 유무에 따라 다르겠지만 대부분의 환자들에서 내시경 등의 특별한 조치 없이 이물질이 배설된다. 하지만 인두부 이하로 내려간 경우 및 증상이 뚜렷한 경우, 생리적 협착 부위에서 잘 통과 되지 않는 것으로 판단되는 경우에는 후두경, 내시경 등을 시행하여 제거를 시도해야 한다. 직경이 2.5 cm 이상인 이물의 경우는 위 유문부를 통과하기 어려운 것으로 보고되고 있다. 대부분의 날카롭지 않은 이물들은 섭취 후 4~6일 이내에 배출된다. 성인의 이물 섭취의 가장 흔한 형태는 서양에서는 음식물 덩어리 특히 고깃덩어리에 의한 막힘이다. 하지만 국내에서는 생선 가시와 닭 뼈가 가장 흔하게 보고되고 있다. 수술을 요하는 경우는 매우 드물어서 약 1% 가량 된다. 응급수술의 적응증은 이물의 직경이 크거나 길이가 긴 경우 및 날카로운 경우, 천공 및 완전 폐색이 있는 경우 호흡곤란 등의 증상이 있는 경우이다. 장관을 이동하는 이물이 2~3일 연속 더 이상의 진행이 없는 경우에도 외과적인 제거를 고려해야 한다.

음식물 덩어리로 막힘이 발생하면 환자는 급격히 연하곤란 및 불편감을 느끼며, 흉통이 동반되고 침을 삼키기도 어려워진다. 음식물 덩어리는 식도의 가장 좁은 부위에 걸리게 된다. 역류성식도염이나 소화성 식도염으로 인한 협착이 있을 때, 식도암이 있을 때에는 병변 부위에 막힘이 발생할 수 있다. 증상이 자연적으로 소실되지 않으면 내시경검사를 시행하는 것이 바람직하다. 수면내시경을 시행하며, 기도 확보에 유의하고, 이물을 반복해서 제거할 때는 오버튜브가 유용하다. 음식물 덩어리를 위장 쪽으로 밀어 넣을 수도 있으나 가능하면 제거하는 것이 안전하다. 음식물 제거 시 alligator 겸자, 용종 제거용 올가미, 회수용 망 올가미, 용종 절제용 겸자, 바스켓, 식도정맥류 결찰용 흡인기 등이 유용하다. 음식물 덩어리를 성공적으로 제거하고 나면 막힘유발병변이 있는지 자세히 관찰한다. 암이 의심되면 조직검사를 시행하고 양성 협착이 있을 때는 풍선확장술을 시행한다.

3) 소아의 치료

소아 이물질 섭취는 흔한 응급실 방문 원인 중 하나로, 미국의 National Poison Data System에 의하면 2012년 한 해 동안 110,170건의 이물질 섭취가 발생하였고, 이중 72.4%가 6세 이하의 소아에서 발생하였다. 많은 연구에서 동전이 가장 흔한 이물질로 보고하고 있으나 생선 섭취가 많은 나라에서는 생선 가시가 가장 흔한 경우인 곳도 있다. 소아에서 50% 이상의 위장관내 이물질은 상부 식도에서 발견되고 약 10%가 위에서 발견된다.

병력, 증상 및 단순방사선검사나 초음파로 대개 진단이 되며 초음파를 이용할 경우 Bowing position (앉아서 몸을 앞으로 약간 숙이는 자세)이 좋다는 보고가 있다. 동전과 버튼형 전지는 double halo sign으로 단순방사선검사상으로 감별 할 수 있으나 애매한 경우 추가적인 검사를 시행할 수 있다. 소아 위장관내 이물질의 80~90%는 4~6일 이내에 저절로 배출이 되며, 10~20%에서 내시경적 제거가 필요하며 수술까지 필요한 경우는 1% 정도로 알려져 있으나 이물질의 크기, 모양, 종류에 따라 상세 치료방법은 다르다.

버튼형 전지는 병원내원시점에서 증상이 없더라도 이미 합병증이 생긴 경우가 많기 때문에 증상과 관계없이 빨리 제거하여야 한다. 무증상의 동전은 2~4주 정도 지켜볼 수 있으나 직경이 25 mm보다 큰 경우는 유문부를 잘 통과하지 않아 내시경적 제거가 필요할 수 있다. 한 개의 자석만 섭취한 경우 경과 관찰할 수 있으나 확실하지 않은 경우 추가적인 검사를 통해 내시경적 제거나 수술이 필요할 수 있다. 뾰족하거나 길이가 긴 이물질이나(영유아의 경우 >4~5 cm, 소아기 환자의 경우 >6~10 cm), 크고 넓은 이물질은(직경기준, 영유아 >2 cm, 소아 >2.5 cm) 내시경적 제거가 필요하다. 생선가시가 식도 이하에서 발견되는 경우는 흔하지 않으나 발견되면 점막 궤양이나 누공 등의 위험이 있으므로 제거해야 한다. 이물질 섭취로 입원하여 경과관찰 및 내시경 제거, 수술치료받은 환자를 분석한 연구에 따르면 총 112명 중 20명에서 수술적 제거를 시행 받았으며 이중 11명에서 위의 이물질로 위절개술을 받았다. 안전핀이 7건으로 가장 흔한 위의 이물질이었고, 동전, 펜뚜껑, 손톱깎이, 머리핀이 각각 1건씩 있었다. 수술 적응증으로 오랜 경과관찰에도 위를 통과하지 못한 경우, 내시경 제거가 실패한 경우였다.

2. 위석

위석(bezoar)은 1779년 Baudament가 처음으로 보고한 질환이다. 위장관내에서 여러 이물질이 혼합되어 뭉쳐서 단단해진 것으로 여러 종류가 있다. Bezoar라는 단어는 서기 933년부터 Pharmacopoeia에 기록되었으며, 아라비아어인 'Badzehr'와 페르시아어인 'Padzhar', 히브리어인 'eluzar'에서 유래하였다. 원래 의미는 '독에 대한 방어'로서, 동물의 위 내에서 발견된 모괴를 해독제로 사용한 데에서 나온 말이다. 1938년 Debakey와

Ochsner가 위석 환자 311명을 보고하였다. Debakey와 Ochsner에 의하면 위석 환자의 80% 이상이 30세 이하이고, 90% 이상이 여자였다.

1) 위석의 종류

위석은 구성성분에 따라 동물성 위석(Trichobezoar), 식물성 위석(Phytobezoar), 혼합형 위석(Trichophytobezoar), 화학약물성 결석(Concretion), 분유 위석(Lactobezoar) 등으로 분류된다. 식물성 위석은 감이나 파인애플 등에 포함된 소화되지 않는 셀룰로오스(cellulose), 타닌(tannin), 리그닌(lignin) 등이 뭉쳐져 형성된다. 그 외에 구성 성분에 따라 솜위석, 종이 위석, 의약품 위석, 합성 접착제 위석, 철 위석 등이 보고된 바 있다.

동물성 위석은 표면이 뮤신으로 덮여 있으며 양모, 실, 동물의 털 등 다양한 성분이 뭉쳐져서 형성된다. 화학약물성 결석은 알코올 중독자 또는 직업상 가구광택제를 취급하면서 섭취하게 되어 레신(resin)이 몸에 침착한 페인트공, 비스무스(bismuth), 중탄산염나트륨(sodium bicarbonate), 마그네슘(magnesium), 방사선 조영제 바륨(barium)을 섭취한 사람에게서 발생한다.

2) 원인과 증상

Debakey와 Ochsner는 위석의 임상증상으로 모발위석에서는 복부 종물 촉지가 87.7%, 상복부 동통이 70.2%, 구역과 구토가 64.9%에서 있었고, 식물위석의 경우는 상기 증상이 각각 57.4%, 85.1%, 74.4%에서 있었다고 보고하였다.

위절제술이나 미주신경절단술을 받은 궤양 환자에서 식물성 위석이 잘 생기며, 위장관 폐색증상이 나타날 수 있다. 위수술 후 위석이 발견되기까지 기간은 9개월에서 30년까지 다양하다. 위장관 운동변화, 위산 분비능 감소가 위석 형성에 관여하며, 위절제술을 받은 환자의 20%에서 위석이 발생한다는 보고도 있다.

치아문제나 음식저작습관의 영향으로 다량의 음식물을 한꺼번에 섭취하여 위석이 형성되었다는 보고도 있다. 위석의 특징적 임상증상은 없으나 상복부 동통, 구토, 복부 팽만감, 복부종괴, 위장관출혈, 위장관 천공 등의 다양한 증상이 있을 수 있다.

위석은 비교적 드물지만 만성복통의 원인 중 하나이며, 진단하지 못할 경우 위궤양, 출혈, 천공, 장중첩증, 장폐색 등의 심각한 합병증을 일으킬 수 있다. 소장 폐색은 수술을 요하는 가장 흔한 합병증이다. 소장 위석은 보통 위에서 발생해 소장으로 내려오지만 드물게는 소장 협착, 소장암, 게실, 및 장의 회전 이상(malrotation)으로 인해 소장에서 발생하는 경우도 있다. 발모벽(trichotillomania)은 이식증(pica)의 한 종류로서 불안장애나 감정장애에 잘 동반된다. 소아에서는 식모증(Trichophagia)을 종종 볼 수 있고, 식모증 환자의 가장 좋지 않은 합병증이 모발위석이다. 서구와 달리 우리나라에서는 모발위석은 드물고 대부분 식물성 위석이다. 특히 감 섭취로 인한 위석(Persimmon bezoar, Diospyrobezoar)이 많이 보고된다. 1986년 Krausz 등은 식물성 위석환자 113명 중 91.2%가 감 섭취 기왕력을 갖고 있다고 보고한 바 있다.

3) 성인의 치료

위석이 크거나 내시경을 통한 제거가 불가능한 경우 수술적 치료가 필요하다. 모발위석의 경우 크기가 크고 단단한 경우가 많아 수술로 제거하는 경우가 더 많은 것으로 알려져 있다. 위석이 위내강 안에 위치한 경우에는 위절개술(gastrotomy)을 통해 위석을 제거할 수 있다. 복강경을 이용하여 최소한의 절개로 위석을 제거 가능한데 복강내 위석으로 인해 오염(contamination)이 생기지 않도록 주의하여야 한다. 위강내(intragastric or intraluminal) 수술로도 위석의 제거가 가능한데 배꼽 또는 주변 절개를 통해 위의 일부를 꺼낸 후 위절개술을 시행하고 위강이 걸쳐지도록 상처견인기(wound retractor)를 위치시킴으로써 위강내로 접근이 가능하다. 위석이 시야에서 잘 관찰되는 경우 직접 제거도 가능하며 어려운 경우 복강경 하에서 일회용 endobag을 이용하여 제거 가능하다(그림 66-2).

장천공, 장폐색 등의 합병증이 생긴 경우에도 수술적 치료가 필요한데 기계적 장폐색을 수술 할 때에는 장폐색 부위 외에 다른 위장관에 위석이 없는지 확인하는 것이 중요하다. 복강경 등으로 장폐색이 된 위치를 확인한 후 복벽에 필요한 만큼의 절개를 가한 후 해당부분을 체외로 이동시켜 장절개술(enterotomy)를 가하면 최소한의 절개로 수술을 시행할 수 있다(그림 66-3).

4) 소아의 치료

소아에서는 젖당 위석(lactobezoar), 모발 위석이 흔하다. 젖당 위석은 신생아에서 발생하며, 미숙아, 탈수, 분유, 제산제 사용과 관련 있다고 알려져 있다. 젖당 위석의 85%는 금식, 정맥 영양 등 보존적 치료로 호전된다. 모발 위석은 주로 여자에서 발생하며 위내시경을 시행 받은 환자의 0.3% 정도 관찰된다고 알려져 있으며 그 외 위 운동 저하, 해부학적 구조 이상, 정신질환 및 정신지체에서 발생한다. 남자에서는 면(cotton)에 의한 위석의 형태와 여동생이 있는 남자에서 발생한 경우도 보고된 바 있다. 위석 중 심한 형태인 라푼젤 증후군(Rapunzel syndrome)은 위석이 위뿐만 아니라 소장까

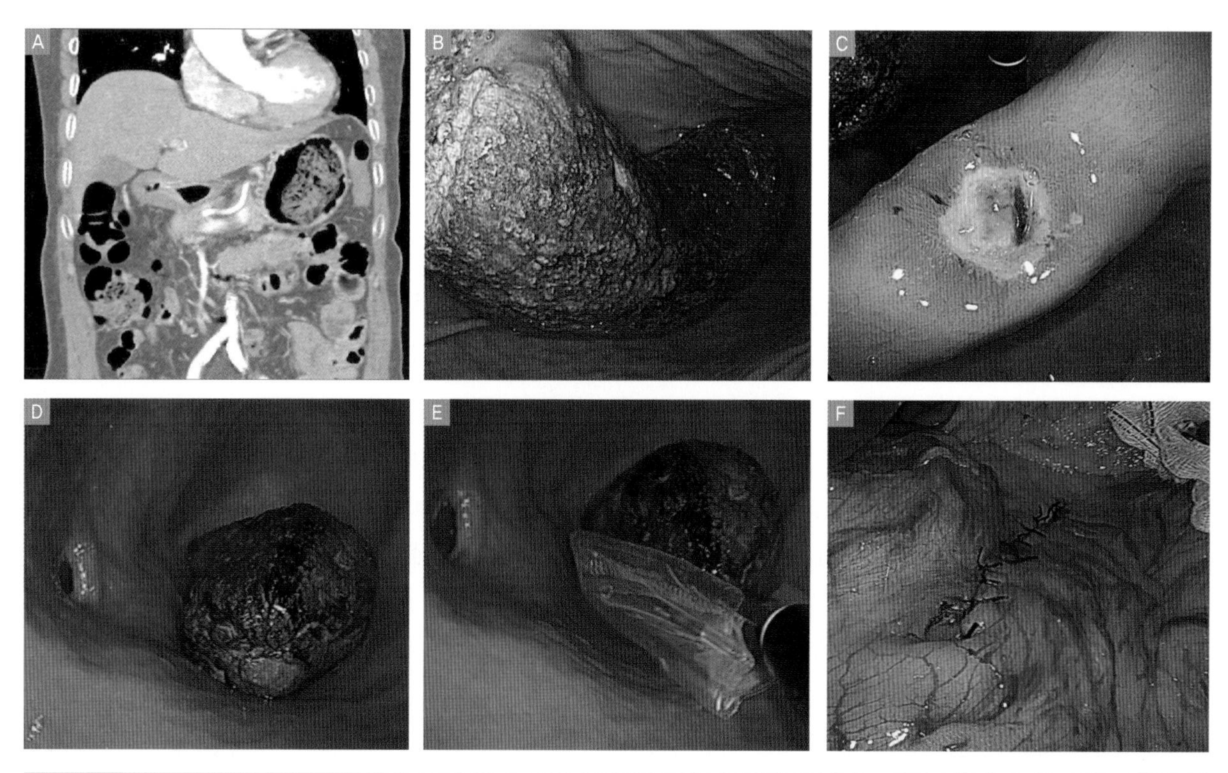

그림 66-2 **위강내 수술을 통한 위석 제거.**
A. 복부전산화 단층 촬영상 위석이 관찰되며 내시경적 치료로 제거가 되지 않았다.
B. 내시경으로 위석을 관찰한 모습이다.
C. 위석으로 인한 궤양이 발생한 모습이다.
D. 복강경 하에서 위강내(intragastric)로 접근하여 위석을 관찰할 모습이다. 위-식도 접합부 및 위저부의 위석이 관찰된다.
E. 일회용 endobag을 이용하여 위석을 담는다.
F. 위절개는 체외에서 봉합가능하다. 수술 종료 후 복강내를 확인하였다.

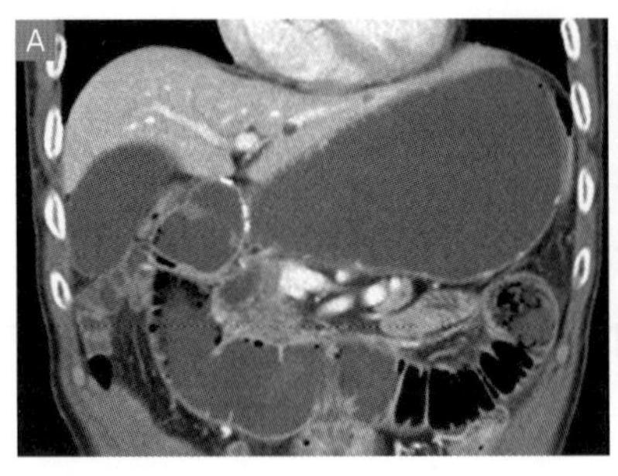

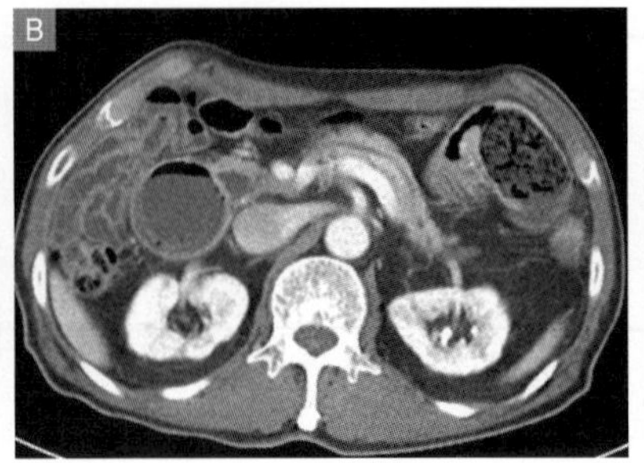

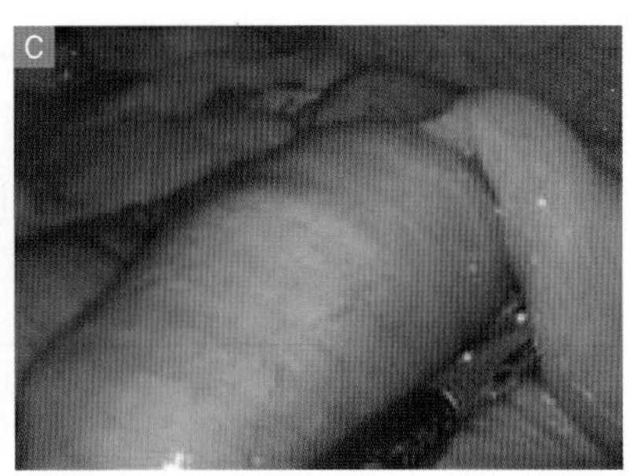

그림 66-3 **복강경 보조 소장 위석 제거.**
A. 근위부 소장에 장폐색이 관찰되며 위, 십이지장의 확장 소견이 관찰된다.
B. 장폐색의 이행부(transition point)가 관찰되며 위석이 관찰된다.
C. 복강경으로 확인하였을 때 근위부 소장에 위석 및 이행부가 관찰되었다. 위석은 검사 당시보다 원위부로 이동하였다.

지 침범한 경우로 대부분 13세에서 20세 사이에 발생하나 2009년 5세 여아에서 발생한 경우도 보고되었다.

소아 위석의 치료는 보존적 치료, 내시경적 제거 및 수술적 제거로 나누어볼 수 있다. 보존적 치료는 위석이 작을 경우 적용할 수 있으며 위세척, 효소(cellulase), 비위관을 통한 코카콜라 연속 주입 등의 방법이 있다. 소아에서도 내시경적 위석 제거를 고려할 수 있으며 10 cm가 넘는 위석을 내시경적으로 제거하거나 내시경을 이용해 위석을 조각 낸 후 코카콜라주입술을 이용한 경우도 보고되었다. 그러나 위석을 조각내는 과정에서 위, 식도천공이 발생할 수 있으며 꺼내는 과정에서 원위부 식도가 막히거나 천공되는 합병증이 발생할 수 있다. 수술적 제거술은 보존적 치료 및 내시경적 제거술이 실패하거나 그 과정에서 소화기 폐쇄나 천공 등의 합병증이 발생했을 때 시행된다. 수술적 제거는 개복술로 위를 절개하여 위석을 제거하며, 위석이 큰 경우 위루관을 설치하여 위 감압을 시행하기도 한다. 라푼젤 증후군에서도 보존적 치료나 내시경적 치료보다는 수술적 제거가 필요하며, 위석이 소장까지 분포해 있으므로 위 절개부위에서 꺼낼 때 부서질 경우 위석 조각이 소장 폐쇄를 일으킬 수 있으므로 매우 조심스럽게 제거하여야 한다. 1998년 소아에서 복강경하 위석 제거술이 성공적으로 시행된 예가 소개된 바 있으나 위석이 큰 경우 위액의 유출 위험성이 크고 실패할 가능성도 있다. 2013년에 소아에서 일시적인 위피부고정술 (gastrocutaneopexy)을 이용하여 위액 유출의 위험성 없이 복강경하 수술하는 방법이 소개되기도 하였다.

모발위석은 불안장애나 우울증, 털뽑기장애(Trichotillomania)의 결과로 나타날 수 있다. 위석제거치료뿐만 아니라 이러한 정신질환에 대한 평가와 치료가 중요하다. 털뽑기장애에 대해서 현재는 약물치료보다 행동 치료가 우선 시도하는 방법으로 반응 억제력 향상을 위한 훈련이 효과적이었다는 보고가 있었다. 아직 안정성 및 유효성이 확실하게 검증된 약물은 없으나 아세틸시스테인(N-acetyl cysteine), 클로미프라민(clomipramine), 올란자핀(olanzapine)이 효과적이었다는 보고가 있다.

참고문헌

1. 김광하. 성인에서 이물제거 – 상부 위장관 이물을 중심으로 –. 대한소화기내시경학회지 2007;34:95-101.
2. Alsafwah S, Alzein M. Small bowel obstruction due to trichobezoar: role of upper endoscopy in diagnosis. Gastrointest Endosc 2000;52:784-786.
3. Andrus CH, Ponsky JL. Bezoars: classification, pathophysiology, and treatment. Am J Gastroenterol 1988;83:476-478.
4. Blam ME, Lichtenstein GR. A new endoscopic technique for the removal of gastric phytobezoars. Gastrointest Endosc 2000;52:404-408.
5. Bustamante Sarabia J, Rodriguez Lizarraga L, Juarez Rabadan S, Tripp Gomez A. Gastric bezoar produced by synthetic glue. Rev Gastroenterol Mex 1985;50:147-149.
6. Castle SL, Zmora O, Papillon S, Levin D, Stein JE. Management of complicated gastric bezoars in children and adolescents. Isr Med Assoc J 2015;17:541-544.
7. Castro L, Berenguer A, Pilar C, Goncalves R, Nunes JL. Recurrent gastric lactobezoar in an infant. Oxf Med Case Reports 2014;2014:80-82.
8. Dereci S, Koca T, Serdaroglu F, Akcam M. Foreign body ingestion in children. Turk Pediatri Ars 2015;50:234-240.
9. Devanesan J, Pisani A, Sharma P, Kazarian KK, Mersheimer WL. Metallic foreign bodies in the stomach. Arch Surg 1977;112:664-665.
10. Eng K, Kay M. Gastrointestinal bezoars: history and current treatment paradigms. Gastroenterol Hepatol (N Y) 2012;8:776-778.
11. Erzurumlu K, Malazgirt Z, Bektas A, Dervisoglu A, Polat C, Senyurek G, et al. Gastrointestinal bezoars: a retrospective analysis of 34 cases. World J Gastroenterol 2005;11:1813-1817.
12. Fraser JD, Leys CM, St Peter SD. Laparoscopic removal of a gastric trichobezoar in a pediatric patient. J Laparoendosc Adv Surg Tech A 2009;19:835-837.
13. Frazzini VI, Jr., English WJ, Bashist B, Moore E. Case report. Small bowel obstruction due to phytobezoar formation within Meckel diverticulum: CT findings. J Comput Assist Tomogr 1996;20:390-392.
14. Gaya J, Barranco L, Llompart A, Reyes J, Obrador A. Persimmon bezoars: a successful combined therapy. Gastrointest Endosc 2002;55:581-583.
15. Gelfand DW. Complications of gastrointestinal radiologic procedures: I. Complications of routine fluoroscopic studies. Gastrointest Radiol 1980;5:293-315.
16. Ginsberg GG. Management of ingested foreign objects and food bolus impactions. Gastrointest Endosc 1995;41:33-38.
17. Gong EJ, Jung HY, Kim DH, Lim H, Song KB. Intraoperative endoscopic removal of a duodenal bezoar in a patient with intestinal malrotation. Gastrointest Endosc 2014;80:346.
18. Gonuguntla V, Joshi DD. Rapunzel syndrome: a comprehensive review of an unusual case of trichobezoar. Clin Med Res 2009;7:99-102.
19. Gurses N, Gurses N, Ozkan K, Ozkan A. Bezoars--analysis of seven cases. Z Kinderchir 1987;42:291-292.
20. Herbetko J, Brunton FJ. Enteroliths of small bowel diverticula. Clin Radiol 1991;43:311-313.
21. Hong KH, Kim YJ, Kim JH, Chun SW, Kim HM, Cho JH. Risk factors for complications associated with upper gastrointestinal foreign bodies. World J Gastroenterol 2015;21:8125-8131.
22. Jayachandra S, Eslick GD. A systematic review of paediatric foreign body ingestion: presentation, complications, and management. Int J Pediatr Otorhinolaryngol 2013;77:311-317.
23. Kennedy RS, Starker RA, Feldman KA, Tashiro J, Perez EA, Mendoza FG, et al. Cost varies with procedure type in pediatric GI foreign bodies. J Pediatr Surg

2017;52:410-413.
24. Krausz MM, Moriel EZ, Ayalon A, Pode D, Durst AL. Surgical aspects of gastrointestinal persimmon phytobezoar treatment. Am J Surg 1986;152:526-530.
25. Landsman I, Bricker JT, Reid BS, Bloss RS. Emergency gastrotomy: treatment of choice for iron bezoar. J Pediatr Surg 1987;22:184-185.
26. Lee HJ, Espil FM, Bauer CC, Siwiec SG, Woods DW. Computerized response inhibition training for children with trichotillomania. Psychiatry Res 2018;262:20-27.
27. Lee J. Bezoars and foreign bodies of the stomach. Gastrointest Endosc Clin N Am 1996;6:605-619.
28. Lee JH, Lee JH, Shim JO, Lee JH, Eun BL, Yoo KH. Foreign body ingestion in children: should button batteries in the stomach be urgently removed? Pediatr Gastroenterol Hepatol Nutr 2016;19:20-28.
29. Lee JH. Foreign body ingestion in children. Clin Endosc 2018;51:129-136.
30. Litovitz TL. Battery ingestions: product accessibility and clinical course. Pediatrics 1985;75:469-476.
31. Lorimer JW, Allen MW, Tao H, Burns B. Small-bowel carcinoid presenting in association with a phytobezoar. Can J Surg 1991;34:331-333.
32. Majeski JA. Paper bezoar in the stomach. South Med J 1985;78:1520.
33. Minami A. Gastric bezoars after gastrectomy. Am J Surg 1973;126:421-424.
34. Naramore S, Virojanapa A, Bell M, Jhaveri PN. Bezoar in a Pediatric Oncology Patient Treated with Coca-Cola. Case Rep Gastroenterol 2015;9:227-232.
35. Niezabitowski LM, Nguyen BN, Gums JG. Extended-release nifedipine bezoar identified one year after discontinuation. Ann Pharmacother 2000;34:862-864.
36. Nirasawa Y, Mori T, Ito Y, Tanaka H, Seki N, Atomi Y. Laparoscopic removal of a large gastric trichobezoar. J Pediatr Surg 1998;33:663-665.
37. Oshima T SI, Horie T, Ogata T, Fujimoto M, Ozaki Y, Yamamoto K, et al. A case of penetration of the large intestinal eall by a yoothpick. DIg Endosc 1999;11:350-352.
38. Robles R, Parrilla P, Escamilla C, Lujan JA, Torralba JA, Liron R, et al. Gastrointestinal bezoars. Br J Surg 1994;81:1000-1001.
39. Rodriguez Rodriguez ML, Cadaval Garcia F, Hernandez Orgaz A, Lopez Barrio AM. Gastric bezoar of cotton swabs. An Esp Pediatr 1999;51:402-404.
40. Rogers BH, Kot C, Meiri S, Epstein M. An overtube for the flexible fiberoptic esophagogastroduodenoscope. Gastrointest Endosc 1982;28:256-257.
41. Rothbart R, Amos T, Siegfried N, Ipser JC, Fineberg N, Chamberlain SR, et al. Pharmacotherapy for trichotillomania. Cochrane Database Syst Rev 2013:007662.
42. Saeed ZA, Rabassa AA, Anand BS. An endoscopic method for removal of duodenal phytobezoars. Gastrointest Endosc 1995;41:74-76.
43. Shim MB PJ, Park HI, Bae JK, Je SM, Chung TN, Kim EC, et al. Observation of emergency department adult patient presenting primary symptoms of upper digestive tract oreign body ingestion. J Korean Soc Emerg Med 2015;26:379-386.
44. Sinha AK VM, Kumar B, Kumar P. Pediatric gastric trichobezoars with acute life threatening and undifferentiated elective bipolar clinical presentations. J Pediat Surg Case R 2017;16:5-7.
45. Son T, Inaba K, Woo Y, Pak KH, Hyung WJ, Noh SH. New surgical approach for gastric bezoar: "hybrid access surgery" combined intragastric and single port surgery. J Gastric Cancer 2011;11:230-233.
46. Song KY, Choi BJ, Kim SN, Park CH. Laparoscopic removal of gastric bezoar. Surg Laparosc Endosc Percutan Tech 2007;17:42-44.
47. Buchholz RR, Haisten AS. Phytobezoars following gastric surgery for duodenal ulcer. Surg Clin North Am 1972;52:341-352.
48. Stack PE, Thomas E. Pharmacobezoar: an evolving new entity. Dig Dis 1995;13:356-364.

49. Stanten A, Peters HE Jr. Enzymatic dissolution of phytobezoars. Am J Surg 1975;130:259-261.
50. Tudor EC, Clark MC. Laparoscopic-assisted removal of gastric trichobezoar; a novel technique to reduce operative complications and time. J Pediatr Surg 2013;48:13-15.
51. Wang YG, Seitz U, Li ZL, Soehendra N, Qiao XA. Endoscopic management of huge bezoars. Endoscopy 1998;30:371-374.
52. Webb WA. Management of foreign bodies of the upper gastrointestinal tract: update. Gastrointest Endosc 1995;41:39-51.
53. Williams RS. The fascinating history of bezoars. Med J Aust 1986;145:613-614.
54. Yalcin S, Karnak I, Ciftci AO, Senocak ME, Tanyel FC, Buyukpamukcu N. Foreign body ingestion in children: an analysis of pediatric surgical practice. Pediatr Surg Int 2007;23:755-761.
55. Yamamoto M, Koyama T, Agata M, Ouchi K, Kotoku T, Mizuno Y. Diagnosis of ingested foreign body in the stomach by point-of-care ultrasound in the upright and slightly forward tilting position (bowing position). Pediatr Emerg Care 2017;33:365-366.
56. Yang JE, Ahn JY, Kim GA, Kim GH, Yoon DL, Jeon SJ, et al. A large-sized phytobezoar located on the rare site of the gastrointestinal tract. Clin Endosc 2013;46:399-402.
57. Yao CC, Wong HH, Chen CC, Wang CC, Yang CC, Lin CS. Laparosopic removal of large gastric phytobezoars. Surg Laparosc Endosc Percutan Tech 2000;10:243-245.

CHAPTER 67

위장관의 외상성 손상

국가응급진료정보망(National Emergency Department Information System, NEDIS) 자료에 따르면 2011년부터 2014년까지 국내에서 발생한 전체 외상 환자 중 복부 외상은 3.6%를 차지하였다. 이 중 무딘손상(blunt injury)에 의한 위의 손상은 약 0.02~1.7%의 발생률을 보이는 것으로 보고되고 있다. 위장관의 손상은 무딘손상보다는 관통손상(penetrating injury)에서 더 흔하게 발생하는데, 외국문헌에서는 총상의 경우 약 80% 이상, 찔림의 경우 약 30% 이상에서 위장관의 손상이 발생한다고 보고된다. 그러나 국내에서는 총상의 빈도가 매우 낮기 때문에 대부분 찔림에 의해 손상이 발생하고 있다. 십이지장 손상은 진단이 어렵고, 췌장 등의 주변 장기가 동반 손상되는 경우가 많으며, 소화효소의 작용으로 합병증 발생 빈도가 높아 치료가 어려운 손상에 속한다.

1. 해부와 생리학적 특징

좌상복부에 위치한 위는 자세의 영향을 크게 받는 장기로서 바로 누워 있는 상태에서는 위의 일부가 간의 좌측 분절에 덮여 있으며 가슴벽에 의해 보호를 받으나 서있는 상태에서 음식물에 의해 위가 팽창되면 하복부까지도 내려와 위치할 수 있다. 췌장의 두부(head)를 감싸는 형태를 띠고 있는 십이지장은 복부 대동맥과 척추의 바로 앞쪽에 위치하며 자세 변동에 따른 위치 변화가 거의 없지만 십이지장 3부(the transverse or third portion of the duodenum)는 12 cm 정도를 주행하는 중에 같은 쪽 요관(ureter), 대동맥과 하대정맥(inferior vena cava) 앞을 지나면서 3번 요추까지 다다르게 되므로 하복부 손상으로 인하여 위 및 십이지장이 손상될 수 있음을 염두해야 한다.

정상적으로 위는 강한 산도를 유지하며 비교적 적은 양의 *Lactobacilli*나 *Streptococci* 계열 세균 이외에 다른 세균은 거의 존재하지 않는 장기이다. 그러나 식후에 음식물을 통하여 세균이 유입되고 위산이 희석되어 강한 산도로 인한 살균효과가 일시적으로 줄어들게 되는데, 이때 위가 파열되면 감염 위험이 매우 높다. 히스타민 H_2수용체 길항체나 양성자펌프억제제를 복용 중인 환자의 경우 위천공 시 감염 위험이 증가하게 된다.

십이지장은 근위부를 제외한 70% 이상이 후복막강(retroperitoneum)에 위치하여 진단이 어렵고, 췌장이나 대장의 손상, 접근이 어려운 혈관이나 대혈관 손상(major vascular injury)과 연관되어 나타날 수 있다. 위에 비하여 상대적으로 혈류 공급이 적은 십이지장은 수술 후 봉합부위 결손(dehiscence)이 일어날 가능성이 높으며, 담즙과 췌장액이 만나는 십이지장의 해부학적 특성으로 인하여 십이지장 누공(fistula), 감염, 거짓동맥류(pseudoaneurysm) 등의 합병증 발생 빈도가 매우 높다.

2. 손상의 기전

손상의 기전은 크게 무딘손상과 관통손상으로 나눌 수 있다. 외상이 일어난 기전에 따라 손상 장기와 손상 정도를 예측해 볼 수 있으므로 초기 처치 시 손상기전을 파악하는 것이 필요하다. 예를 들어 안전띠 반흔(seat belt sign)(그림 67-1)이나, 자동차 운전대에 충격을 받은 흔적이 있는지, 그리고 오토바이 사고 시 어느 방향으로 넘어졌는지 등을 알면 이에 따른 손상을 예측하여 의심되는 부위를 좀 더 주의 깊게 살필 수 있게 된다. 좌상복부에 관통상이 있다면 위와 횡격막(diaphragm) 그리고 비장(spleen)의 손상을 의심해 볼 수 있다.

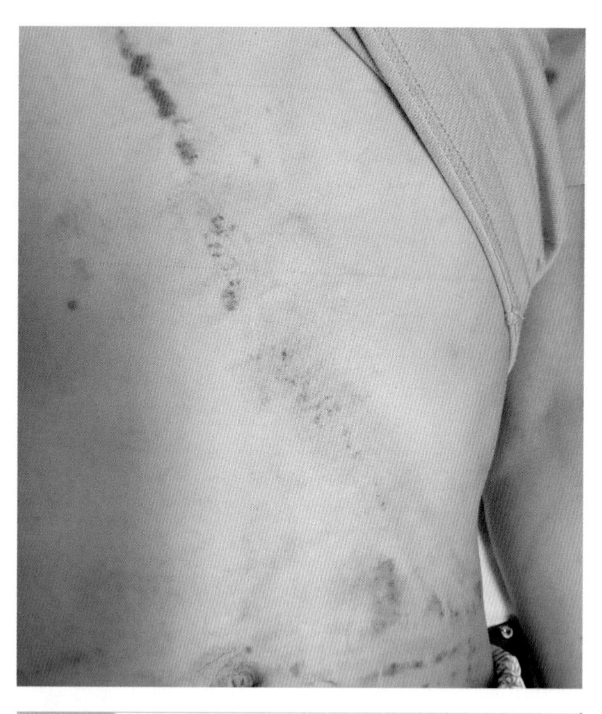

그림 67-1 안전띠 반흔의 예.

1) 무딘손상

무딘손상에 의해 위에 발생할 수 있는 손상으로는 장벽내 혈종(intramural hematoma), 열상(laceration), 천공(perforation) 등이 있는데, 복벽을 밀고 들어오는 큰 압력에 의하여 장관이 다른 복벽이나 척추와 같은 비교적 단단한 신체 구조물 사이에 끼어서 발생하는 압궤손상(crushing injury)과 위장관내의 내용물이 저류된 상황에서 압착으로 인해 장관내 압력이 증가함에 따라 폭발하듯이 터져버리는 파열(blowout)로 유발된다. 또한 급속한 감속은 위장에 고정된 부위와 고정되어 있지 않은 부위 사이에 전단(shearing)을 유발하여 사이 조직이 찢어지는 손상을 일으킨다.

해부학적 구조상 위는 잘 발달된 여러 층의 근육층으로 이루어진 매우 신축성이 좋고 튼튼한 기관으로서 위천공이 발생하기 위해서는 강력한 힘이 필요하기 때문에 위의 단독손상은 드물고 간, 비장, 췌장 등 주변에 위치한 장기들의 동반 손상이 관찰되는 경우가 많다.

대량의 음식물을 섭취해 위가 팽만된 상태에서는 위의 위치 변화 때문에 손상 위험이 커지게 되고, 라플라스법칙(P=T/R; P: pressure, T: wall tension, R: radius)에 따라 공복 시에 비해 적은 충격에도 위가 쉽게 파열될 수 있다(그림 67-2). 천공은 직경이 큰 위의 전벽(anterior wall)과 대만곡(greater curvature) 부위에 호발하며, 위 내용물의 유출로 인하여 복강내 전체가 감염되어 매우 심각한 상황을 초래할 수 있다.

위의 천공을 일으키는 또 다른 원인은 관통손상으로(그림 67-3), 상처의 개수, 위치, 경로가 중요하며 상처 반대편도 관통 상처가 있는지 살펴봐야 한다. 복부 관통손상에 의하여 손상받는 장기의 빈도는 문헌에 따라 다양한데, 위의 손상은 그 중 16.0~16.9% 정도를 차지하는 것으로 보고되고 있다.

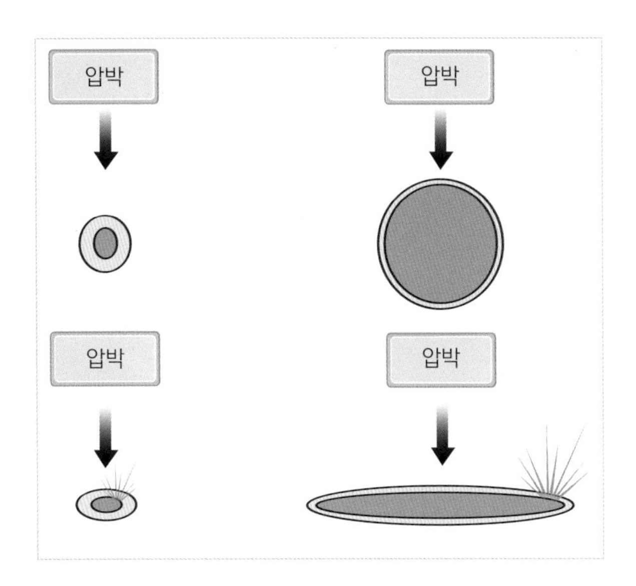

그림 67-2 **팽만해진 장관이 쉽게 파열되는 기전.**
내경이 커질수록 단위면적에 작용하는 압력이 증가하여 장관이 쉽게 파열된다.

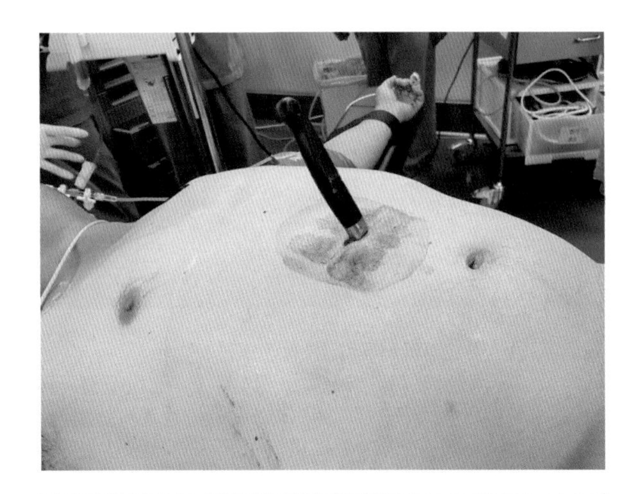

그림 67-3 **상복부 관통손상의 모습.**
흉기가 혈관 등을 누르고 있을 수 있으므로 개복할 준비를 마친 후 흉기를 제거한다.

십이지장은 뒤편에 위치한 척추로 인하여 복부 전면에서 압력을 받으면 복벽과 척추 사이에 끼이는 상태가 되므로 압궤로 인한 천공이나 파열이 발생하기가 쉽다. 또 후복막강 주위 장기에 의해 고정되어 있기 때문에 날카로운 흉기로 인한 자상을 입었을 때 주위로 미끄러지지 않고 고정된 위치에서 그대로 관통되는 해부학적인 특성이 있다. 소아 환자에서 발견되는 십이지장의 혈종은 복부 둔상이 원인이며, 어린이 학대(child abuse)와 밀접한 연관이 있다는 보고도 있다.

3. 진단

1) 초기 검사와 처치

발생한 사고의 종류, 환자에게 가해진 충격의 정도 및 방향 등과 같은 정보는 진단에 중요한 기초자료이다. 외상 환자의 손상과 관련된 주위 환경을 파악하면 위장관 손상의 가능성에 대한 정보를 얻을 수 있다. 부상자가 움직이지 않는 물체에 충돌했거나 폭발에 의한 힘이 복부 내 장기로 전달되어 장기가 파열될 가능성이 있는지, 자동차사고 시 부상자의 안전띠 착용 여부 등은 복부장기의 손상을 추측할 수 있는 정보이다. 관통손상의 경우에는 대부분 이학적 검사상 흉기로 인한 외부 상처만 확인이 가능할 뿐 신체 내에서 깊이와 방향을 확인하기는 불가능하다.

복부 무딘손상의 경우 항상 위장관 손상의 가능성을 염두해야 한다. 의식이 명료한 경우에는 복부 통증의 여부를 물어보고 복부에 상처가 있는지 확인해야 한다. 그리고 복부 신체검진을 시행하여 압통과 반발통, 그리고 근긴장(muscle guarding) 유무를 체크한다. 그러나 머리 손상, 약물이나 알코올중독 등으로 의식이 명료하지 않은 환자나 척수 손상이 있는 환자 등에서는 복부 신체검진이 제한적일 수밖에 없으며, 이러한 환자에서는 영상의학적 검사에 의존할 수밖에 없다. 위장에 천공이 있는 경우에는 강산성을 띤 위 내용물의 유출로 손상 직후부터 뚜렷한 복막자극징후(peritoneal irritation sign)가 관찰된다. 혈액학적 검사결과는 단독적으로는 유용하지는 않으나 위장관 손상이 의심스러운 환자에서 경과관찰을 하고 있을 때 빈맥, 저혈압, 발열, 백혈구증가증, 혈청 아밀라아제 증가, 대사성 산증 등은 손상을 강력히 의심할 수 있는 증거가 된다.

비위관을 통해 혈액이 관찰되거나 복부 개방창이 없는 환자에서 유리공기가 관찰된다면 이는 장천공을 강하게 시사하는 소견이 되며 응급 개복술의 적응증이 된다. 그러나 이러한 소견이 없다고 하여 천공이 되지 않았다고 할 수 없으며, 십이지장 천공의 경우에는 임상증상이 더욱 비특이적이어서 환자가 경미한 요통만 호소하거나 거의 통증이 없는 경우도 있다.

2) 위 손상의 진단

(1) 외상초음파

표적외상초음파(focused assessment with ultrasound for trauma, FAST)는 혈복강(hemoperitonem)에 대해 각각 83.7%, 99.7%의 민감도와 특이도를 보이기 때문에 외상 환자에서 초기에 기본적으로 시행하는 검사로서, 환자가 혈역학적으로 불안정하고 표적외상초음파 검사에서 양성의 소견을 보인다면 이는 개복술의 적응증이 된다. 그러나 위장관 손상에 대한 진단적 가치는 떨어진다.

(2) 복부 컴퓨터단층촬영

복부 컴퓨터단층촬영은 혈역학적으로 안정적인 복부 손상환자에서 가장 널리 사용되는 진단방법이다. 위천공 시 관찰되는 복부 컴퓨터단층촬영의 특징적인 소견은 기복증(pneumoperitoneum), 장벽에 가깝게 있는 유리공기(free air), 장벽 연속성의 단절, 장벽의 비후(>4~5 mm), 장벽의 혈종, 고형장기 손상이 없는 복강 내 체액 저류(fluid collection) 등이 있다(그림 67-4A). 또한 조영제의 누출이 관찰되면 이는 활동성 출혈을 의미하는 소견이다(그림 67-4B). 손상 직후 촬영하는 복부 컴퓨터단층촬영에서는 기복증이 관찰되지 않는 경우도 있으므로 신체검사상 천공이 의심되는 환자에서는 반복적인 촬영이나 다른 진단검사를 고려해야 한다.

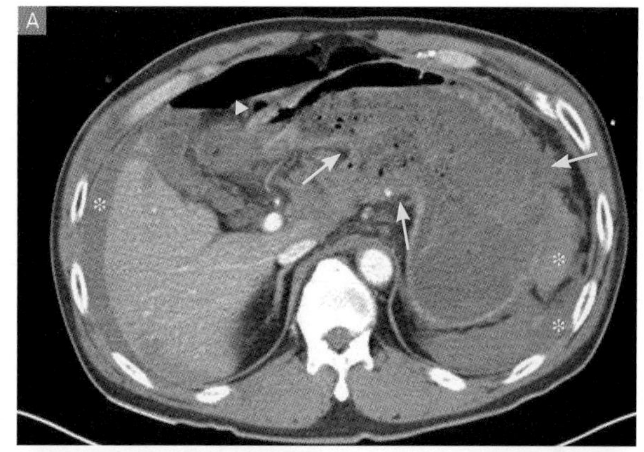

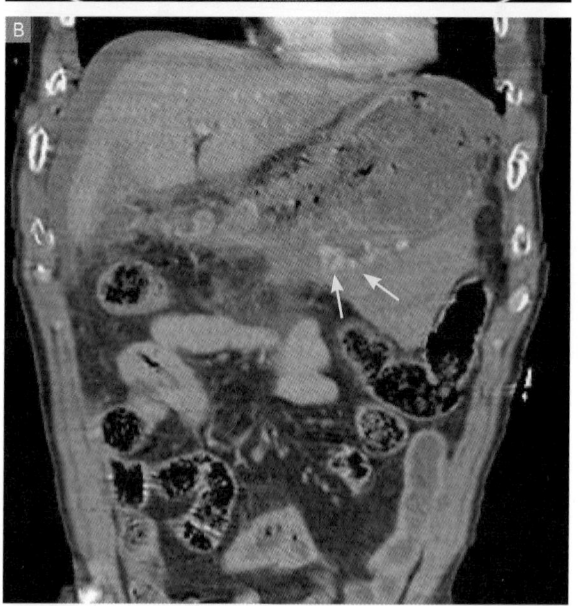

그림 67-4 위 손상의 컴퓨터단층촬영 소견.
A. 위의 여러 부위에서 장벽의 연속성이 단절되고(화살표), 유리공기(화살촉)가 관찰되어 위천공을 의심해볼 수 있으며, 주변의 체액 저류와 혈액복강(별표)를 보이고 있다.
B. 대만곡을 따라 활동성 출혈이 관찰된다(화살표).

(3) 진단적복강세척술

진단적복강세척술(diagnostic peritoneal lavage)은 최근 초음파와 컴퓨터단층촬영 등의 보급과 발달로 시행하는 경우가 매우 감소하고 있다. 진단적복강세척술은 위천공을 진단할 때 도움이 될 수는 있으나 위천공의 경우에는 손상 초기부터 비교적 저명한 복막자극 증상을 보이거나 영상검사 소견만으로도 진단이 용이하여 진단적복강세척술이 필요하지 않은 경우가 많다.

이미 복부수술이 결정된 경우에는 진단적복강세척술을 시행할 필요가 없다. 또한 복부수술을 받았던 과거력이 있거나 간경화증(liver cirrhosis) 환자, 항응고제를 복용하고 있는 환자, 말기의 임산부 등에서는 진단적복강세척술은 추천되지 않는다.

(4) 진단적복강경

진단적복강경은 관통상을 입은 혈역학적으로 안정적인 환자에서 때때로 개복수술을 피할 수 있는 하나의 진단 방법으로 고려될 수 있다. 최근 복부 무딘손상의 경우에도 혈역학적으로 안정적이면서 진단이 애매한 환자들을 대상으로 복강경을 이용하여 성공적으로 장천공을 발견하고 치료하였다는 보고들이 발표되고 있다. 진단적복강경은 선별적으로 선택된 환자에서 유용한 진단 방법이 될 수 있으며, 또한 동시에 치료도 가능한 것이 장점이다. 다만 장천공을 발견하지 못할 가능성을 항상 염두해야 한다.

3) 십이지장 손상의 진단

혈역학적으로 안정된 환자의 경우 컴퓨터단층촬영이 표준검사에 해당하나, 손상 직후 컴퓨터단층촬영에서는 손상으로 인한 변화가 나타나지 않을 수 있어 발견이 늦어지는 경우가 있다. 특히 중독, 쇼크, 뇌손상, 심각한 다발성 손상 등이 동반된 경우에는 증상이 애매하여 십이지장의 손상을 놓치기 더욱 쉽다. 고위험 손상 기전과 백혈구증가증, 설명되지 않는 대사성 산증, 발열 등이 있을 때 십이지장의 손상을 의심할 필요가 있다. 단순 X선 촬영은 진단에 거의 도움이 되지 않고, 표적외상초음파 또한 혈복강을 진단하는 것에는 도움이 되지만 후복막강의 손상 진단에는 도움이 되지 않는다.

진단적복강세척술은 십이지장의 70% 이상이 후복막강 내에 위치하므로 진단에 도움이 되지 못하며 위음성(false negative) 소견을 보여 오히려 진단에 혼란을 초래할 수도 있다. 진단적복강경은 수술자의 복강경 숙련도에 따라 후복막강 손상의 확인이 어려울 수 있어 십이지장 손상을 진단하는 데에는 한계를 지닌다.

십이지장 손상의 진단 시, 상부위장관조영술에서 샘창자 벽의 부종 및 혈종이 관찰되는 경우 치료결정에 도움이 된다. 컴퓨터단층촬영에서 십이지장 벽의 부종이나 혈종, 후복막강의 fat stranding, 후복막강이나 십이지장 주변의 유리공기, 벽내가스(intramural gas) 등이 있으면 십이지장의 손상을 의심해볼 수 있다(그림 67-5). 십이지장 천공이 의심되면 진단적 개복을 즉시 하는 것이 중요한데, 진단 및 치료가 늦어지면 치명적인 결과를 초래할 수 있다. 혈역학적으로 불안정한 복부 손상 환자의 십이지장 손상은 응급 진단적개복술(explorative laparotomy)을 시행할 때 발견된다. 따라서 수술 중 십이지장을 살펴보는 것이 매우 중요한데, 후복막강 혈종, 조직의 담즙색 침착, 지방괴사, 결장간막(mesocolon) 상부의 부종 등이 있으면 십이지장의 손상을 의심해 볼 수 있다. 이러한 경우 코커 수기(Kocher maneuver)를 시행하고 십이지장을 후복막으로부터 박리하여 십이지장의 2~4부를 살펴보아야 한다(그림 67-6).

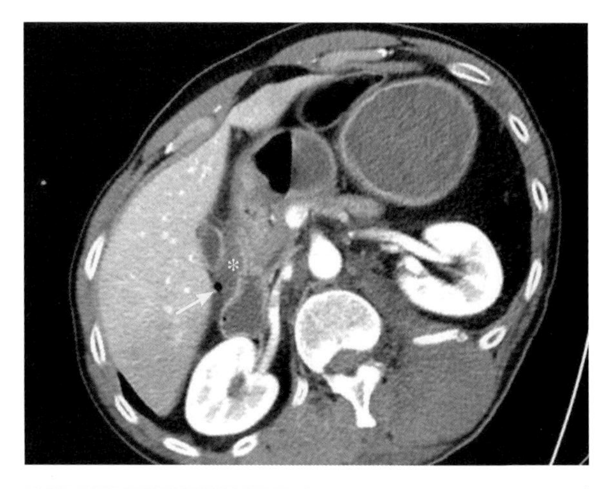

그림 67-5 **십이지장 손상의 컴퓨터단층촬영 소견.**
척추손상이 동반된 환자로 십이지장 주변으로 유리공기(화살표)와 체액 저류(별표), 십이지장벽의 비후가 관찰된다.

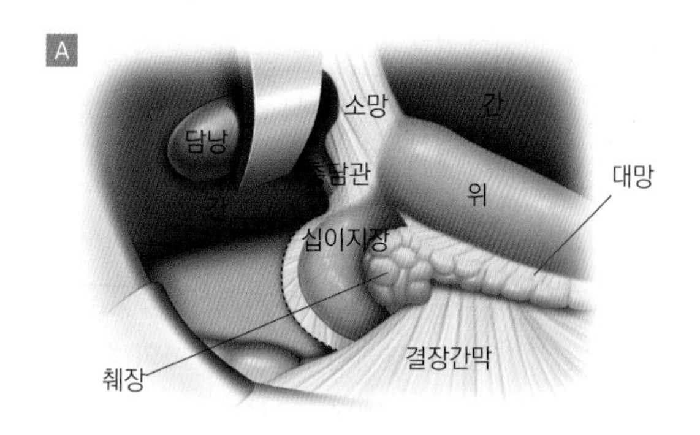

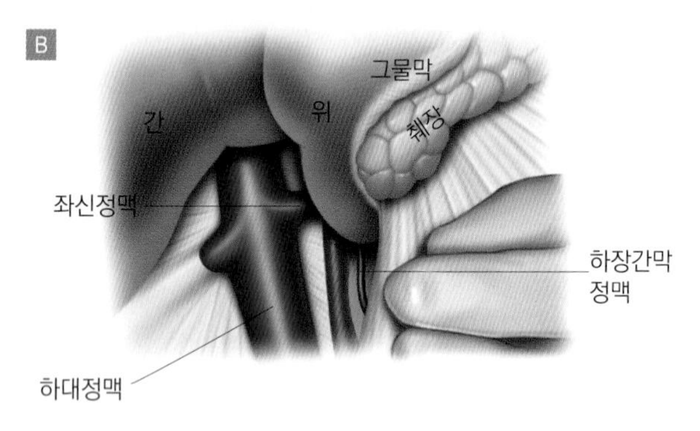

그림 67-6 십이지장 탐색 술식.
A. 코커 수기. 결정간막을 아래쪽으로 분리하고 십이지장을 좌측으로 당기면서 후복막으로부터 분리하면 우측 신장, 하대정맥, 좌신정맥(renal vein)까지 노출된다. 이 술식 중 위결장정맥(gastrocolic trunk)가 찢어져 출혈이 되지 않도록 주의해야 한다.
B. 좌측으로 더 박리하면 하장간막정맥(inferior mesenteric vein)이 관찰되며, 트라이츠 인대(Treitz ligament)와 후복막을 분리해놓는 것이 십이지장 4부를 확인하기 쉽다.

4. 치료

1) 위장 손상의 치료

(1) 비수술적 처치

혈역학적으로 안정적이며 천공의 소견이 없고 신체검사상 복막자극징후가 뚜렷하지 않은 복부 무딘손상의 경우 외상초음파를 비롯하여 신체검사, 복부 컴퓨터단층촬영을 반복 시행하여 진단 및 수술 시행 여부를 결정한다. 천공 없이 혈종만 있는 경우에는 위장관에 비위관을 삽입해 감압하고 보존적 치료만 해도 증상이 호전될 수 있으나 지연성 파열의 가능성을 염두해야 한다.

관통손상의 경우 기존의 개념에서는 복막의 관통 여부가 개복술을 결정하는 판단 기준이었으므로 혈역학적으로 안정적이라도 복부 관통손상의 경우는 의무적 개복술(mandatory exploration)의 적응증으로 인식되었다. 그러나 여러 문헌에서 높은 음성 개복률과 수술 후 합병증의 발생, 그리고 재원기간의 증가 등을 보고하고 있어 혈역학적으로 안정되어 있고 복막자극징후가 뚜렷하지 않은 관통손상 중에서 선별적으로 외상초음파와 복부 컴퓨터단층촬영을 반복 시행하면서 경과관찰을 시도해볼 수 있다. 이를 위해서는 환자를 집중관찰할 수 있는 환경이 필수적이며, 보존적 치료로 수술이 늦어지면 심각한 상황을 초래할 수도 있다는 점을 항상 숙지해야 한다.

(2) 수술적 처치

위를 주위 조직으로부터 박리해야 좋은 시야를 확보하고 용이하게 수술할 수 있다. 특히 식도위경계부, 위저부(gastric fundus), 소만곡(lesser curvature), 위의 후벽(posterior wall)에 발생한 손상은 접근하기 어려운 경우가 많다. 소만곡 쪽이 손상된 환자를 수술할 때는 박리 시 미주신경(vagus nerve) 및 주요 혈관을 다치지 않게 주의해야 한다. 위저부나 식도위경계부가 손상된 경우 단위동맥(short gastric artery)들을 결찰하고 박리해주어야 접근할 수 있는데 이때 비장이 손상되지 않도록 주의한다. 위의 후벽은 위결장인대(gastrocolic ligament)를 박리하면 볼 수 있는데 이 때 중결장동맥(middle colic artery)이 손상되지 않게 주의해야 한다. 천공 손상이 의심스럽지만 정확하게 확인하기 힘들다면 복강 안에 물을 채우고 유문부를 수술기구로 폐쇄한 후 비위관을 통해 공기를 불어넣으면 천공 부위를 통해 공기방울이 새어 나오는 것을 확인할 수 있다. 위에서 천공을 발견했을 경우라도 동반된 손상이 있을 수 있으므로 반드시 타 장기의 손상 여부도 수술 중에 살펴보아야 한다. 관통손상으로 인해서 위전벽이 천공되었을 때는 후벽도 반드시 확인해야 하며 십이지장 및 췌장 손상도 동시에 확인해야 한다.

American Association for the Surgery of Trauma (AAST)에서 제시한 위 손상의 등급 표 67-1에 따라 수술방법을 선택할 수 있는데, Grade I-II의 경우 혈종이 작고 더 커지지 않는다면 경과관찰을 할 수 있다. 혈종의 크기가 크거나 점차 팽창한다면 혈종을 개방하여 제거하고 지혈을 한 후 장막(serosa)과 근육층을 포함한 봉합을 시행하고, 그 위로 보강봉합(interrupted seromuscular sutures)을 시행한다. 천공이 있는 경우에는 흡수되는 실을 이용하여 전층 연속봉합(running locked absorbable suture)을 시행하고, 그 위로 보강봉합을 한다. Grade III의 경우도 위와 같은 방법으로 봉합하거나 기구(GIA stapler)를 이용할 수도 있다. 위는 혈류를 충분히 공급받아 상처치유가 매우 좋은 장기 중 하나이나 식도위경계부나 유문부가 손상된 경우에는 수술 후 협착을 주의해야 하며, 특히 유문부가 손상되었을 때에는 봉합 시 유문성형술(pyloroplasty)을 해주는 것이 좋다. Grade IV 이상은 위의 절제의 필요할 정도의 손상을 의미하며 십이지장 손상 여부에 따라 Billroth I 혹은 Billroth II 연결을 시행한다. Grade V의 경우 드물지만 위전절제술(total gastrectomy)과 루와이 식도공장문합술 Roux-en-Y (esophagojejunostomy)이 필요할 수 있다.

2) 십이지장 손상의 치료

AAST의 십이지장 손상 등급 분류 표 67-2에 따른 치료는 다음과 같다.

(1) Grade I–II

Grade I-II 혈종은 개복수술의 다른 적응증이 없으면

표 67-1. 위 손상 등급

등급	정의
I	타박상이나 혈종 부분적 위벽 열상
II	위식도 경계부 또는 유문부에 위치하는 <2 cm 열상 위의 기시부 1/3 부위에 위치하는 <5 cm 열상 위의 원위부 2/3 부위에 위치하는 <10 cm 열상
III	위식도 경계부 또는 유문부에 위치하는 >2 cm 열상 위의 기시부 1/3 부위에 위치하는 >5 cm 열상 위의 원위부 2/3 부위에 위치하는 >10 cm 열상
IV	위의 <2/3 조직 유실 또는 혈관차단 (devascularization)
V	위의 >2/3 조직 유실 또는 혈관차단 (devascularization)

표 67-2. 십이지장 손상 등급

등급	손상 분류	정의
I	혈종 열상	십이지장 한 부에 국한 부분 층 열상, 천공 없음
II	혈종 열상	십이지장 두 부 이상 십이지장 둘레 <50%
III	열상	십이지장 2부 둘레의 50~75% 십이지장 1,3,4부 둘레의 50~100%
IV	열상	십이지장 2부 둘레 >75% 팽대부 또는 원위부 담관 손상 동반
V	열상 혈관손상	췌십이지장 부위의 광범위한 파열 십이지장 혈관차단(devascularization)

보존 치료를 하는 것이 성공적인 경우가 많으며 비위관 삽입 및 배액, 정맥영양을 시행한다. 대부분은 2~3주 안에 보존적인 치료로 호전된다. 완전히 막혔다고 판단이 되면 약 10~14일 만에 컴퓨터단층촬영을 다시 시행하여 평가하는 것이 좋으며, 수술도 고려할 수 있다. 수술적인 치료는 개복 혹은 복강경 아래에 혈종을 제거하고 장관영양(enteral feeding)을 위한 급식공장조루술(feeding jejunostomy)을 시행하여 장관영양을 시행할 수도 있다.

Grade II 열상은 손상 초기이면서 손상 부위의 가장자리가 깨끗하고 주변의 오염이 적다면 단순(simple), 횡행(transverse) 봉합으로 충분한 경우가 많다. 단, 무장력 술식(tension free technique)으로 내강이 좁아지지 않도록 봉합하는 것이 중요하다. 이러한 방법의 성공률은 55~85% 정도로 보고되고 있다.

(2) Grade III

일부에서는 일차봉합술(primary closure)이 가능할 수 있지만 조직 손상이 광범위한 경우에는 다른 수술적 치료를 고려해야 한다. 십이지장 2부는 췌장과 십이지장의 밀접한 해부학적 관계 때문에 박리하기가 쉽지 않아 단단십이지장연결술(end-to-end duodenoduodenostomy)은 시행하기 어려우므로 루와이 십이지장공장연결술(Roux-en-Y duodenojejunostomy)를 고려한다(그림 67-7). 또한 바터팽대부(ampulla of Vater)를 잘 확인하는 것이 중요하며, 췌장 손상이 동반되었을 경우에는 위유문부배제술 및 위공장연결술(pyloric exclusion with gastrojejunostomy)을 고려할 수 있다(그림 67-8). 위유문부배제술은 약 6~16주가 지나면 대개 다시 재개통된다. 2부를 제외한 십이지장의 Grade III 손상은 손상된 부분을 제거 후 연결부에 장력이 걸리지 않도록 단단십이지장연결술을 시행하거나 루와이 십이지장공장연결술을 시행할 수 있다. Berne's procedure로 불리던 십이지장 게실화(duodenal diverticularization)는 복합적인 십이지장 손상 시 시행되었으나 술식이 복잡하고 생리학적인 측면에서 좋지 않아 최근에는 시행되지 않는다. 수술 시 급식공장조루술을 함께

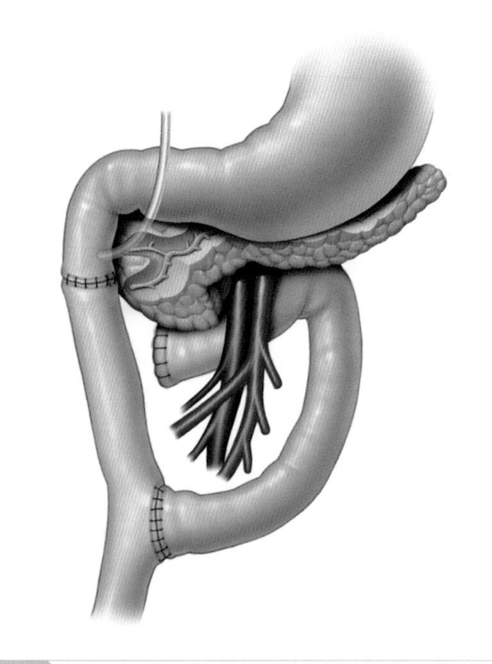

그림 67-7 루와이 십이지장공장연결술. (Roux-en-Y duodenojejunostomy)

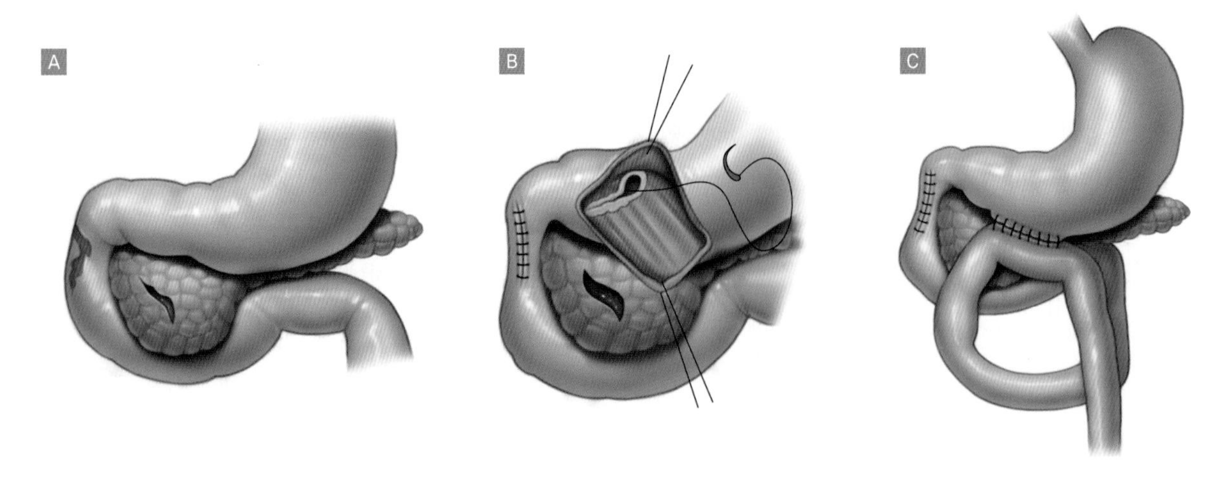

그림 67-8 위유문부배제술 및 위공장연결술. (Pyloric exclusion with gastrojejunostomy)

시행하면 조기 장관영양을 시행할 수 있어 치료 결과 향상에 도움이 된다.

(3) Grade Ⅳ–Ⅴ

십이지장이 복원이 불가능하도록 손상되고, 췌두(pancreas head) 손상도 동반된 경우 췌십이지장절제술(pancreaticoduodenectomy)이 필요할 수 있다. 그러나 심각한 출혈로 인한 쇼크, 혈액응고장애(coagulopathy), 대사성 산증, 저체온증에 빠지는 경우가 많으며, 이러한 상태가 지속되면 장시간의 수술을 견디기 어렵고 감염과 장기부전의 위험이 매우 커지므로, 지혈과 오염 통제(contamination control)를 목적으로 제한된 손상통제수술(damage control surgery)을 우선적으로 고려해야 한다(그림 67-9). 가능한 짧은 시간 안에 거즈를 이용한 압박(gauze packing), 혈관 결찰, 천공부위 임시봉합 또는 가로절단(transection), 배액(periduodenal drain) 등을 시행한 후 임시복벽봉합(temporary abdominal closure)을 한다. 해부학적 구조를 복원(reconstruction)하는 완결 수술(definitive surgery)은 환자의 상태가 호전된 이후에 시도해 볼 수 있으나 사망률은 매우 높다.

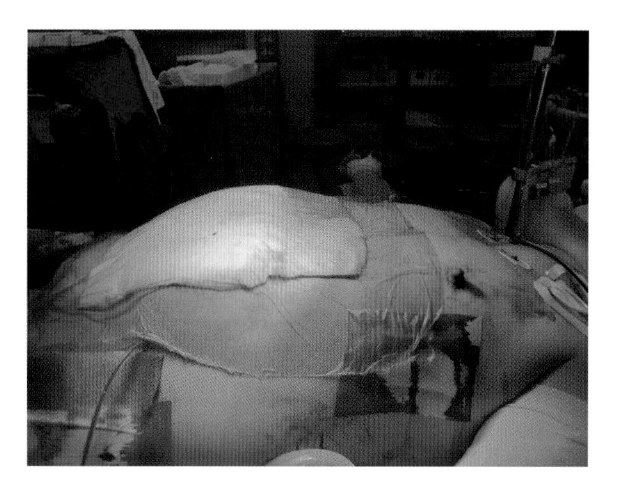

그림 67-9 **손상통제수술(damage control surgery).** 출혈 및 장내용물 유출만 막은 후 복벽을 임시로 덮은 후 중환자실로 이송한다.

참고문헌

1. 대한외상학회. 외상의학. 제1판. 서울: 범문에듀케이션. 2018:425-450.
2. Carrillo EH, Richardson JD, Miller FB. Evolution in the management of duodenal injuries. J Trauma 1996;40:1037-1045.
3. Chio YB, Lim KS. Therapeutic laparoscopy for abdominal trauma. Surg Endosc 2003;17:421-427.
4. Cogbil T, Moore E, Feliciano D, et al. Conservative management of duodenal trauma: a multicenter perspective, J Trauma 1990;30:1469-1475.
5. Elliott D, Rodriguez A, Moncure M, et al. The accuracy of diagnostic laparoscopy in trauma patients: a proscpetive, controlled study. Int Surg 1998;83:294-298.
6. Guth A, Pachter H. Laparoscopy for penetrating thoracoabdominal trauma: pitfalls and promises. SLS 1998;2:123-127.
7. Han JW, Kim BC, Kang KH, et al. A clinical analysis of abdominal stab injuries. J Korean Soc Traumatol 2006;19:143-149.
8. Kawahara NT, Alster C, Birolini D, et al. Standard examination system for laparoscopy in penetrating abdominal trauma. J Trauma 2009;67:589-95.
9. Malhotra A, Biffl WL, Moore EE, et al. Western Trauma Association critical decisions in trauma: diagnosis and management of duodenal injuries. J Trauma Acute Care Surg 2015;79:1096-1101.
10. McClave SA, Taylor BE, Martindale RG, et al. Guidelines for the provision and assessment of nutrition support therapy in the adult critically Ill patient: Society

of Critical Care Medicine (SCCM) and American Society for Parenteral and Enteral Nutrition (A.S.P.E.N.). JPEN J Parenter Enteral Nutr 2016;40:159-211.

11. Miller PR, Croce MA, Bee TK, et al. Associated injuries in blunt solid organ trauma. J Trauma 2002;53: 238-242.
12. Moore EE, Feliciano EV, Mattox KL. Trauma. 8th ed. United States: McGraw-Hill, 2017:597-638.
13. Natarajan B, Gupta PK, Cemaj S, et al. FAST scan: is it worth doing in hemodynamically stable blunt trauma patients? Surg 2010;148:695-700.
14. Neal MD, Peitzman AB, Forsythe RM, et al. Over reliance on computed tomography imaging in patients with severe abdominal injury: is the delay worth the risk? J Trauma 2011;70:278-284.
15. Park J, Chung M, Park S, et al. A clinical analysis of abdominal stab wounds. J Korean Soc Traumatol 2010;23:134-141.
16. Rotondo MF, Schwab CW, McGonigal MD, et al. "Damage Control": an approach for improved survival in exsanguinating penetrating abdominal injury. J trauma 1993;35:375-382.
17. Rozycki GS, Ochsner MG, Schmidt JA, et al. A prospective study of surgeon-performed ultrasound as the primary adjuvant modality for injured patient assessment. J Trauma 1995;39:492-498.
18. Song IG, Lee JS, Jung SW, et al. Analysis of abdominal trauma patients using national emergency department information system. J Trauma and Injury 2016; 29:116-123.
19. Thompson CM, Shalhub S, DeBoard ZM, et al. Revisiting the pancreanticoduodenectomy for trauma: a single institution's experience. J Trauma Acute Care Surg 2013;75:225-228.

CHAPTER 68 위장관의 방사선 손상

전리방사선(ionizing radiation)은 많은 암 환자의 치료에 이용되고 있다. 그러나 방사선의 치료효과가 입증되고, 방사선치료 기술의 발달로 정밀한 방사선치료를 시행한다 하더라도 많은 환자들이 방사선치료의 부작용으로 고통을 받을 수 있다. 또한, 암 환자의 생존율이 증가하면서 방사선치료로 인한 부작용 가능성도 증가하고 있다. 위암의 치료에 있어서 방사선치료의 활용도가 다른 암종에 비해 떨어지는 것이 현실이지만, 여전히 적지 않은 위암 환자에게 방사선치료가 이용되고 있기에 방사선치료로 인한 위장관의 방사선 손상에 대한 이해가 중요하다.

위암 환자에 대한 방사선치료는 수술 전 방사선치료, 수술 후 방사선치료, 그리고 고식적 목적의 방사선치료로 구분하며, 치료목적에 따라 방사선선량이 정해진다. 방사선에 의한 위장관 손상은 방사선선량에 따른 위장관 점막의 병리적 변화에 따라 진행되기 때문에 방사선치료 환자에 조사되는 방사선선량과 그에 따라 증상이 어떻게 발생하는 지를 미리 예측하고 준비하는 것이 필요하다. 일반적으로 수술 전 혹은 수술 후 방사선치료는 방사선 단독치료보다는 항암화학요법과 병용하여 시행하고, 이 때 권고되는 방사선치료 선량은 총 44~45 Gy로 치료기간은 4~5주이다. 반면에 고식적 목적의 방사선치료 선량은 그보다는 낮아 일반적으로 2주 이내의 치료기간 동안 30 Gy 이하의 선량을 조사한다. 한편 드물지 않게 위장에 발생하는 말트림프종(gastric maltoma)에 대한 방사선치료 시 방사선선량은 24~30 Gy로 수술 전 혹은 수술 후 방사선치료의 선량보다는 적은 량을 조사한다. 위암 환자의 방사선 조사 범위는 위암병변과 함께 위 전체를 포함하기도 하고, 위 주위의 림프절과 혈관 주위 영역 림프절이 된다. 이 때, 간, 신장, 십이지장 그리고 횡행 결장 및 소장의 일부가 방사선을 받게 되며, 조사되는 방사선선량에 따라 위장관의 방사선 손상이 발생한다.

방사선치료로 인한 위장관 손상은 손상의 발생 시기에 따라 급성 반응과 만성 반응으로 구분할 수 있다. 급성 반응은 환자가 방사선치료를 받는 기간 중 발생하며, 이러한 증상은 방사선치료 종료 후 수 주간 지속될 수 있으며, 만성 반응은 방사선치료 종료 후 수개월에서 수 년 혹은 수십 년 후에 발생한다. 급성 반응은 방사선치료 종료 수주 후에 대부분 자연적으로 소실되는 반면에, 만성 반응은 비가역적인 현상으로 방사선치료 종료 후 환자의 삶의 질에 심각한 영향을 끼치게 된다. 따라서 이 장에서는 위암의 방사선치료 시 상복부 방사선 조사 범위에 포함되어 발생하는 위장관의 방사선 손상에 대해서 손상의 기전, 관련 요인들, 주요 증상 및 치료와 예방에 대하여 살펴보기로 한다.

1. 위장관의 방사선 손상기전

방사선은 위장관 조직의 특징적인 변화를 유발하는데 초기 반응은 염증성 변화로 방사선에 민감한 장점막 세포의 손상과 이로 인한 염증성 사이토카인 분비, 고유판(lamina propria) 내 염증세포의 침착과 혈관누출, 그리고 혈관 내피세포의 부종 등에 기인한다. 이러한 현상은 방사선조사 후 몇 시간 내에 시작되며, 이어서 방사선에 민감한 세포들이 소실되고, 그 결과 장점막염 등의 염증병변이 몇 주간 지속된다. 방사선으로 인한 장 점막의 염증성 변화는 대부분 자연적으로 회복이 되지만, 다량의 방사선이 조사되면 만성 반응으로 진행되기도 한다.

만성 반응은 초기의 혈관 손상과 실질 세포의 감소에 의한 것으로 점막하층(submucosa)에서는 사이토카인이 지속적으로 분비되며 혈관 내피세포는 염증을 동반한 결체 조직의 섬유화가 진행됨으로써 조직의 허혈을 초래하고 결국에는 점막 괴사, 진행성 섬유화를 유발하여 장의 활동에 장애를 초래한다. 과거에는 세포 내 DNA 손상으로부터 출발하여 장기 전체가 손상되는 것으로 이해했지만, 최근에는 다양한 세포계의 상호작용으로 인한 일련의 과정으로 설명하고 있다. 그림 68-1은 방사선으로 인하여 위장관이 손상되는 과정을 상피세포와 혈관세포의 손상으로 인한 상호관계를 통해 잘 표현하고 있다.

2. 위장관의 방사선 손상과 관련된 요인들

방사선으로 인한 위장관 손상은 표 68-1과 같은 요인들에 의해 영향을 받는 것으로 알려져 있다. 이 중에서 가장 중요한 요인은 방사선선량이다.

동물실험 혹은 사람을 대상으로 한 장기별 방사선 손상에 대한 관찰연구에 의하면, 위장에 20~25 Gy의 방사선을 조사하면 위점막의 부종, 모세혈관의 확장, 혈관 내피세포의 부종 등이 발생한다. 방사선선량을 50 Gy까지 조사하면 점막의 미란(erosion), 모세혈관의 혈전 등이 보이게 된다. 방사선치료 종료 후 방사선 손상은 대부분 치유되지만 간혹 점막 미란이 지속되어 위염 또는 위궤양으로 발전하기도 한다.

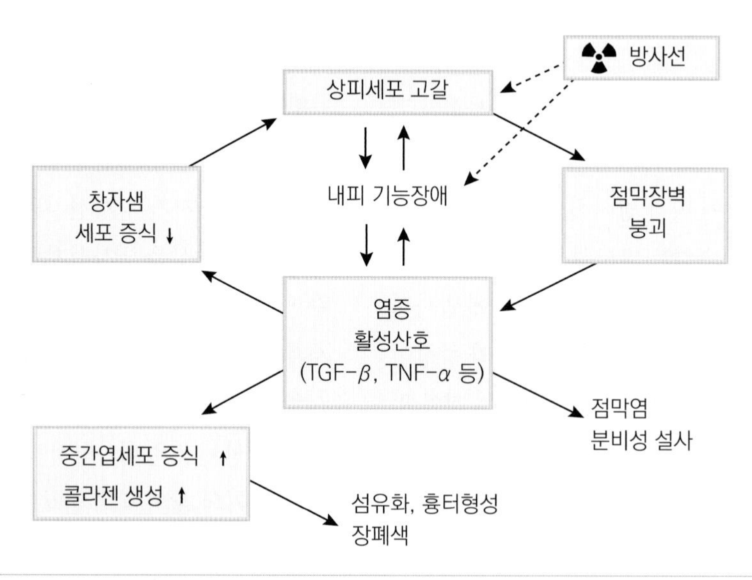

그림 68-1 **방사선 장염의 발생 및 만성화 기전.**

표 68-1. **위장관 방사선 손상과 관련된 요인들**

- 방사선선량과 방사선치료 기간
- 방사선치료 범위
- 동시 항암화학요법 시행 여부
- 위 수술 여부
- 고혈압
- 당뇨
- 영양 결핍

장기별 방사선견딤선량(tolerable dose, TD)은 방사선치료 후 5년 내에 5%의 환자에서 유의미한 만성 증상이 발생하는 방사선선량으로 정의하며, 이는 TD5/5로 표기한다. 위장의 TD5/5는 45 Gy이며, 60~65 Gy 이상 조사할 경우 5년 내 부작용 발생률은 50%(이를 TD50/5 정의한다)로 예상하였다. 그리고 위궤양 발생률은 50 Gy 이하 혹은 50 Gy 이상의 선량에 따라 각각 4%, 16%이었고, Emami 등에 의하면 이러한 만성 부작용은 방사선이 조사된 위의 용적과 관련이 있어 위궤양이나 천공을 유발할 수 있는 방사선견딤선량 TD5/5는 위 전체에 방사선이 조사될 경우에는 50 Gy, 전체 위의 2/3 용적에 조사될 경우에는 55 Gy 그리고 1/3 용적에만 조사될 경우에는 60 Gy로 발표하여 방사선선량과 함께 치료 장기의 방사선 범위의 중요성을 강조하였다. 한편, 전체 소장의 1/3 정도에 방사선이 조사될 경우 TD5/5는 50 Gy이며, 전체 소장에 방사선이 조사될 경우 TD5/5와 TD50/5는 각각 40 Gy와 55 Gy이다.

소장의 만성 부작용으로는 궤양, 출혈, 장폐색, 또는 장유착으로 국내 연구진의 발표에 의하면, 위암의 근치적 수술 후 45 Gy의 방사선치료와 항암화학요법 병행치료를 시행한 결과, 수술이 필요한 장유착 발생률이 1.8%로 수술 단독군에 비해 차이가 없음을 보고하였다. 또한 위암의 근치적 수술 후 보조요법으로 항암화학요법을 시행한 군과 방사선-항암화학 병행요법을 시행한 군을 비교한 무작위 3상 임상 연구결과, 방사선치료 시행 군에서 장유착과 같은 수술 후 부작용 증가가 없음을 보고하였다.

3. 위장관 방사선 손상의 증상과 손상 정도 분류

위장에 대한 방사선 손상은 위점막 염증으로 인한 소화불량이 주 증상으로 이는 방사선치료 시작 후 1~2주부터 발생한다. 그 밖에 피로, 식욕저하, 구역질, 구토 등의 경미한 증상이 발생할 수 있다. 위장의 방사선 만성 증상으로는 장기간의 소화불량 및 궤양의 발생이며 심할 경우에는 생명을 위협할 정도의 출혈까지 가능하다.

방사선으로 인한 소장의 손상은 위장과 마찬가지로 장염 증상이 주 증상으로 복통 및 설사와 이로 인한 체중감소가 올 수 있다. 이런 증상은 특히 항암화학요법과 병용할 경우 더 심하다. 국내 보고에 의하면 수술 전후 방사선치료를 항암화학요법과 병용 치료 시 10% 혹은 15% 이상의 체중감소율이 각각 8.8%, 12%이었다. 또한 소장은 방사선치료 후 수개월에서 수 년 후에 장폐색이 올 수 있는데 이는 장벽의 섬유화로 인한 장유착으로 장운동을 저해하게 된다. 그 밖에 궤양, 누공(fistula), 장천공과 장출혈이 발생될 수 있다.

방사선으로 인한 위장관 부작용을 평가하는 방법으로는 손상정도 분류시스템이 여러 곳에서 발표되고 있다. 그 중에서 방사선치료 후 급성 및 만성 손상의 정도 평가에 가장 흔하게 사용되는 것은 미국과 유럽의 방사선치료 그룹(Radiation Therapy Oncology Group, RTOG; European Oncology Radiation Therapy Group, EORTG)에서 제안한 시스템이다. RTOG 분류는 90일 이내에 발생하는 급성 손상을 평가하고, RTOG/EORTC 분류는 방사선의 만성 손상을 평가한다. 만성 손상을 평가하는 또 다른 분류는 LENT SOMA (Late Effects on Normal Tissues, LENT; Subjective, Objective, Management and Analytic, SOMA) 분류이다. 한편 암 치료와 연관된 부작용에 대한 국제적인 평가기준으로 미국의 NCI (National Cancer Institute)에서는

CTCAE (Common Terminology Criteria for Adverse Events)를 개발하고 있어 최근에 버전 5.0을 발표하였다.

4. 위장관의 방사선 손상 예방 및 치료

방사선치료로 인한 위장관 손상을 줄이는 방법은 다음과 같다.

1) 첨단 방사선치료 기법 활용

세기조절방사선치료(intensity modulated radiation therapy, IMRT)는 정상 장기를 보호하는 목적으로 최적화된 방사선치료 기법으로 기존의 방사선치료에 비해 월등하게 소장을 방사선으로부터 보호할 수 있다. 이는 기존의 방사선치료가 적은 수의 방사선 빔을 이용하여 치료하는 반면에 세기조절방사선치료는 다수의 방사선 빔을 이용하며, 방사선치료 범위 내의 선량을 조절함으로써 정상 장기의 보존이 가능하며, 일부 연구에 의하면 골반부 방사선치료 시에 세기조절방사선치료 기법을 이용할 경우, 기존의 방사선치료기법에 비해 소장에 조사되는 방사선선량을 40%까지 줄일 수 있다. 또한, 영상유도방사선치료(Image-guided radiotherapy, IGRT)를 이용하면 정밀한 방사선치료가 가능하여 주변의 정상 조직으로 조사되는 방사선선량을 크게 줄일 수 있다. 이러한 첨단 방사선치료기법을 활용하여 장에 조사되는 방사선선량을 줄이는 것이 적은 방사선 손상과 환자의 증상과 연관이 있다는 연구도 발표되었다.

2) 약물치료

방사선치료로 인한 위장관 손상은 혈압을 낮추거나 콜레스테롤 수치를 낮추는 약물, 특히 앤지오 텐신 전환 효소억제제(ACE inhibitors)와 스타틴류(statins)를 복용하는 환자에서 낮아진다고 알려져 있다. 또한, in vitro 연구에 의하면 방사선이 조사된 인체세포에서 스타틴 계열 약물은 항염증성, 항섬유성 및 항혈전성의 가능성을 확인하였으며, 저용량의 로바스타틴(lovastatin)은 사람의 내피세포를 방사선으로부터 보호하는 역할을 한다는 연구도 있다.

3) 생물학 주기(Circadian rhythm)를 활용한 방사선치료시간 조절

동물실험에 의하면, 방사선이 조사되는 시간에 따라 창자샘 세포(intestinal crypt)의 세포 사멸(apoptosis)에 명확한 차이가 있다. 이는 생물학 주기(circadian rhythm)가 세포 분열 싸이클에 영향을 주며, 세포분열 능력이 큰 세포일수록 방사선 감수성이 클 것으로 여겨진다. 229명의 자궁경부암 환자를 대상으로 시행한 전향적 연구에 의하면 방사선치료를 아침에 시행한 환자가 저녁에 시행한 환자에 비해 설사 정도와 빈도수가 더 많은 것을 보고하였다.

4) 기타 대증 요법

구역 및 구토 증상은 위장을 포함한 상복부에 방사선치료를 하는 경우 환자들이 가장 많이 호소하는 증상으로 5-HT_3 억제제는 구역, 구토 증상을 예방하거나 효과적으로 완화해 방사선치료에 대한 환자의 순응도를 높일 수 있다. 방사선치료 중에 환자들이 호소하는 식욕저하에는 초산 메게스트졸(Megestrol acetate)이 효과적이다. 위약 대조군을 사용한 비교연구들을 메타분석한 결과에서도 초산 메게스트롤의 효과를 재확인하였으며 하루 사용량은 400~800 mg이다. 1~2도의 경증 방사선 장염은 펜톡시필린(pentoxifylline)과 비타민 E의 병용치료로 임상증상이 호전될 수 있다. 한편, 수크랄페이트(sucralfate)는 장의 내피세포의 손상회복을 자극하고 손상된 점막 표면의 보호막 역할을 하는 것으로 알려져 위장관의 방사선치료로 인한 점막염 증상에 많이 사용된다.

참고문헌

1. 김종훈, 최은경, 조정길 등. 불완전 절제된 위암의 방사선치료. 대한방사선종양학회지 1998;16:17-25.
2. 이영자, 전하정, 김인순 등. 국소적으로 진행 된 위암의 수술 후 방사선치료 성적. 대한방사선종양학회지 1997;15:113-120.
3. Coia LR, Myerson RJ, Tepper JE. Late effects of radiation therapy on the gastrointestinal tract. Int J Radiat Oncol Biol Phys 1995;31:1213-1236.
4. Cox JD, Stetz J, Pajak TF. Toxicity criteria of the Radiation Therapy Oncology Group (RTOG) and the European Organization for Research and Treatment of Cancer (EORTC). Int J Radiat Oncol Biol Phys 1995;31:1341-1346.
5. Emami B, Lyman J, Brown A, et al. Tolerance of normal tissue to therapeutic irradiation. Int J Radiat Oncol Biol Phys 1991;21:109-122.
6. Fajardo LF BM, Anderson RE. Radiation Pathology. New York: Oxford University Press, 2001:221-238.
7. Gaugler MH, Vereycken-Holler V, Squiban C, et al. Pravastatin limits endothelial activation after irradiation and decreases the resulting inflammatory and thrombotic responses. Radiat Res 2005;163:479-487.
8. Guerrero Urbano MT, Henrys AJ, Adams EJ, et al. Intensity-modulated radiotherapy in patients with locally advanced rectal cancer reduces volume of bowel treated to high dose levels. Int J Radiat Oncol Biol Phys 2006;65:907-916.
9. Haydont V, Bourgier C, Pocard M, et al. Pravastatin Inhibits the Rho/CCN2/extracellular matrix cascade in human fibrosis explants and improves radiation-induced intestinal fibrosis in rats. Clin Cancer Res 2007;13:5331-5340.
10. Hendry JH, Jeremic B, Zubizarreta EH. Normal tissue complications after radiation therapy. Rev Panam Salud Publica 2006;20:151-160.
11. Hille A, Christiansen H, Pradier O, et al. Effect of pentoxifylline and tocopherol on radiation proctitis/enteritis. Strahlenther Onkol 2005;181:606-614.
12. Horiot JC, Aapro M. Treatment implications for radiation-induced nausea and vomiting in specific patient groups. Eur J Cancer 2004;40:979-987.
13. Ijiri K, Potten CS. Circadian rhythms in the incidence of apoptotic cells and number of clonogenic cells in intestinal crypts after radiation using normal and reversed light conditions. Int J Radiat Biol Relat Stud Phys Chem Med 1988;53:717-727.
14. Kavanagh BD, Pan CC, Dawson LA, et al. Radiation dose-volume effects in the stomach and small bowel. Int J Radiat Oncol Biol Phys 2010;76:101-107.
15. Kim S, Lim DH, Lee J, et al. An observational study suggesting clinical benefit for adjuvant postoperative chemoradiation in a population of over 500 cases after gastric resection with D2 nodal dissection for adenocarcinoma of the stomach. Int J Radiat Oncol Biol Phys 2005;63:1279-1285.
16. Lee J, Lim DH, Kim S, et al. Phase III trial comparing capecitabine plus cisplatin versus capecitabine plus cisplatin with concurrent capecitabine radiotherapy in completely resected gastric cancer with D2 lymph node dissection: the ARTIST trial. J Clin Oncol 2012;30:268-273.
17. LENT SOMA tables. Radiother Oncol 1995;35:17-60.
18. Nutting CM, Convery DJ, Cosgrove VP, et al. Reduction of small and large bowel irradiation using an optimized intensity-modulated pelvic radiotherapy technique in patients with prostate cancer. Int J Radiat Oncol Biol Phys 2000;48:649-656.
19. Ostrau C, Hulsenbeck J, Herzog M, et al. Lovastatin attenuates ionizing radiation-induced normal tissue damage in vivo. Radiother Oncol 2009;92:492-499.
20. Pascual Lopez A, Roque i Figuls M, Urrutia Cuchi G, et al. Systematic review of megestrol acetate in the treatment of anorexia-cachexia syndrome. J Pain Symptom Manage 2004;27:360-369.

21. Portelance L, Chao KS, Grigsby PW, et al. Intensity-modulated radiation therapy (IMRT) reduces small bowel, rectum, and bladder doses in patients with cervical cancer receiving pelvic and para-aortic irradiation. Int J Radiat Oncol Biol Phys 2001;51:261-266.
22. Shukla P, Gupta D, Bisht SS, et al. Circadian variation in radiation-induced intestinal mucositis in patients with cervical carcinoma. Cancer 2010;116:2031-2035.
23. Stacey R, Green JT. Radiation-induced small bowel disease: latest developments and clinical guidance. Ther Adv Chronic Dis 2014;5:15-29.
24. Theis VS, Sripadam R, Ramani V, et al. Chronic radiation enteritis. Clin Oncol (R Coll Radiol) 2010;22:70-83.
25. Wang J, Boerma M, Fu Q, et al. Significance of endothelial dysfunction in the pathogenesis of early and delayed radiation enteropathy. World J Gastroenterol 2007;13:3047-3055.

PART 14

비만과 대사질환

THE KOREAN GASTRIC CANCER ASSOCIATION

CHAPTER 69

비만

비만은 에너지 섭취가 에너지 소비를 능가할 경우 잉여 에너지가 지방조직으로 저장되어 나타난다. 최근 문명의 발달로 신체활동이 과거에 비해 현저하게 줄어든 반면, 쉽게 고칼로리 음식을 구할 수 있게 되어 만성적인 에너지 과잉 상태에 노출된 사람이 많다. 특히 에너지 과잉 섭취를 쉽게 조절하지 못하는 경우가 많은데 이는 식욕의 조절기전이 에너지 과잉을 방지하기보다는 에너지 부족을 방지하기 위해 진화해 온 결과의 산물로 생각된다. 일반적으로 과거에는 비만이 개인의 식탐, 의지 박약, 노력 부족 등에 의해 초래된다는 믿음이 있었으나, 렙틴(leptin)을 비롯하여 식욕 조절 및 에너지 대사와 관련된 물질들이 발견되면서 생물학적 요인이 강하게 작용함이 알려지게 되고 이를 타겟으로 한 치료제가 속속 개발되고 있다.

1. 역학

전세계적으로 비만 유병률은 증가 일변도에 있다. 이와 함께 비만과 흔히 동반되는 당뇨병, 고혈압, 이상지혈증 및 심혈관질환뿐만 아니라 암의 발생도 증가하고 있어서 보건사회경제적으로 큰 부담이 되고 있다. 우리나라에서도 국민건강보험공단 자료를 분석한 결과를 보면 체질량지수 25 kg/m^2을 기준으로 하였을 때의 비만율이 2009년도에 29.7%에서 2015년도에 32.4%로 증가하고 있다. 체질량지수 30 kg/m^2 이상되는 인구도 2005년 3.5%에서 2015년 5.3%로 증가하고 있는데 특히 이는 소아청소년 비만의 증가에 따라 20~30대에서 증가세가 뚜렷하다. 체질량지수 증가에 따라 제2형 당뇨병, 고혈압, 이상지혈증, 심근경색, 허혈성 뇌경색의 발생도 증가하였다.

정부 보고서에 의하면 비만으로 인한 사회경제적 손실은 2015년 기준 9.2조원으로 최근 10년간 2배 증가하였고, 이러한 추세는 앞으로 가속화할 전망이다. 2018년 7월 정부는 관계부처 합동으로 '국가비만관리 종합대책(2018~2022)'을 발표하여 우리나라 비만현황과 특성을 파악하고 중장기 목표 및 추진전략을 수립한 바 있다. 특히 분야별 추진과제로, ① 올바른 식습관교육 강화 및 건강한 식품소비 유도, ② 신체활동 활성화 및 건강친화적 환경조성, ③ 고도비만자 적극 치료 및 비만관리지원 강화, ④ 비만에 대한 대국민 인식 개선 및 과학적 기반 구축을 천명하였다. 이러한 정부의 적극적인 활동이 비만 유병률 및 합병증 감소로 이어지길 기대해 본다. 실제 약 5~10%의 경도의 체중감소를 일으키더라도 고혈당, 고혈압, 고지혈증 등이 개선되는 등의 많은 이점이 있으므로 가능한 모든 방법을 동원하여 노력해 볼 가치가 있고, 이 정도의 체중 감량은 충분히 실현 가능한 일이라는 것을 환자에게 인식시키는 것이 매우 중요하다.

2. 비만의 평가

비만은 체지방량이 증가한 상태를 말한다. 따라서 비만을 정확히 진단하려면 체지방량을 측정해야 하지만 정확한 측정이 어렵고 비용이 많이 들기 때문에, 임상에서는 흔히 간단한 신체 계측을 통해 비만을 진단한다.

1) 체질량지수

체질량지수(body mass index)는 체중(kg)을 키(m)의 제곱으로 나눈 것이다. 일반적으로 이 수치가 18.5~25 kg/m^{2}인 경우 정상, 25~29.9 kg/m^{2}인 경우 과체중, 30 kg/m^2 이상인 경우를 비만으로 정의한다. 그러나 근육량이 많은 경우에는 체지방률을 반영하지 못하는 경우가 많으며, 동양인에서는 비만 관련 질병위험도 면에서 서양인과는 큰 차이를 보인다. 따라서 동양인의 경우 18.5~23 kg/m^{2}인 경우 정상, 23~24.9 kg/m^{2}인 경우 과체중, 25 kg/m^2 이상인 경우 비만으로 정의한다.

서양인과 동양인의 기준차가 크기 때문에 육안으로 보기에 동양인은 서양인에 비해 뚱뚱해 보이지 않아도 비만으로 진단되는 딜레마가 있다. 또 한 가지 유의해서 봐야하는 것은 동양을 포함해서 대부분의 지역에서 체질량지수 20~25 kg/m^2 사이에서 사망률이 가장 낮다는 점이다. 한국인에서도 이와 유사한 경향을 보인다. 따라서 비만을 체지방량으로 정의할 것인가 아니면 관련 질병위험도로 정의할 것인가 혹은 사망률의 관점에서 정의할 것인가는 논란거리이다.

2) 허리 둘레

허리 둘레는 복부 지방, 특히 내장 지방과 좋은 상관관계를 보인다. 따라서 흔히 허리 둘레를 측정하여 내장 비만(visceral obesity)을 평가한다. 허리둘레는 피부를 노출시킨 상태에서 똑바로 서서 배에 힘을 빼고 숨을 자연스럽게 내쉰 상태로 측정한다. 줄자는 신축성이 없어야 하고, 너무 세게 누르거나 너무 느슨하게 해서는 안된다. 액와중간선(mid-axillary line)이 늑골의 최하단을 지나는 점과 장골능선(iliac crest)을 지나는 점을 잇는 선분의 중점을 지나는 수평면의 둘레가 허리둘레로 정의된다(mid-abdominal circumference). 이렇게 측정해 보면 대개 배꼽을 지나는 둘레가 된다. 또한 간편한 방법으로는 장골능선의 가장 높은 지점 바로 위를 지나는 수평면의 둘레로 정의하기도 한다. 서양인의 경우 102 cm (남), 88 cm (여)가 복부 비만의 기준이며, 동양인의 경우 국가마다 기준 차이가 있으나 우리나라에서는 90 cm (남), 80 혹은 85 cm (여)를 기준으로 삼는다.

3) 체지방률 측정

체지방률을 직접 측정하는 방법으로는 컴퓨터단층촬영(CT), 자기공명영상(MRI) 등을 이용할 수 있다. 특정 부위의 지방량을 정확하게 측정하는데 이용되지만, 방사능 노출이나 비용 등이 문제가 된다. 특히 복부비만을 평가할 때 내장 지방량과 피하 지방량을 분리하여 측정할 수 있다는 장점이 있다. 이중에너지방사선흡수법(dual energy X-ray absorptiometry, DEXA)을 통해 골밀도를 측정하는 원리와 유사하게 체지방량을 평가할 수도 있는데 전신 및 부위별 평가 또한 가능하다. DEXA는 방사선 노출이 적고, 정확도가 높고, 재현성이 좋은 장점이 있고, 골밀도뿐만 아니라 근육량 평가에도 유용하여 근감소성비만(sarcopenic obesity) 연구에 많이 이용된다. 또 생체전기저항분석법(bioelectric impedance analysis)을 통해 체지방량을 평가할 수도 있는데 이 방법은 직접 측정이 아니고 생체전기저항을 측정하여 계산식에 따라 추정해내는 방법으로는 정확한 측정에는 한계가 있다.

3. 비만의 임상적 접근

1) 원인 파악

일반적으로 비만은 많이 먹고 적게 움직이는 탓에 생기는 것으로 알려져 있어서 모든 책임을 개인의 의지 문제 및 잘못된 습관 문제로 돌리는 경향이 있다. 그러나 쌍생아 연구나 입양 연구를 통해 체질량지수를 결정하는 데에는 유전적 요인이 40~70% 정도 관여하는 것으로 밝혀진 바 있다. 멘델유전법칙을 따르는 드문 단일유전자 돌연변이에 의한 비만이 다수 알려져 있어서 비만 발생의 병태생리 이해에 크게 기여하였다. 이 경우 대부분은 렙틴-멜라노코르틴(leptin-melanocortin) 시스템의 유전자 돌연변이가 이에 해당되었다. 최근 대규모의 전장유전체연관분석(genome-wide association study)을 통해 비만과 연관된 흔한 유전자 변이들이 많이 밝혀졌다. 대표적인 것은 fat mass and obesity-associated gene (FTO)으로서 이는 2-oxoglutarate-dependent nucleic acid demethylase를 코딩하고 시상하부에서 가장 많이 발현한다. FTO의 다양한 유전자 변이가 보고되어 있으며 해당 변이를 가질 경우 비만을 가질 위험이 약 1.3~1.5배로 소폭 증가한다.

단일 유전자 이상(monogenic disorder)에 의한 비만은 melanocortin-4 receptor, 렙틴 및 렙틴 수용체, proopiomelanocortin (POMC) 등의 중추성 식욕 조절과 관련된 유전자의 돌연변이의 결과로 나타난다. 증후군(syndrome) 형태로 비만이 나타나는 경우로 대표적인 것은 Prader-Willi 증후군, Bardet-Biedl 증후군, Cohen 증후군, Alström 증후군, Froehlich 증후군 등이 있다. 신경학적 원인에 의한 비만은 뇌손상, 뇌종양, 뇌방사선조사, 시상하부 이상 등에 의해 나타난다. 내분비 이상에 의한 비만도 잘 알려져 있는데 쿠싱 증후군, 성장호르몬 결핍, 거짓부갑상샘저하증(pseudohypoparathyroidism) 등이 있다. 섭식장애(eating disorder)에 의해 비만이 발생할 수 있으며, 우울증이 있는 경우 폭식 등이 수반되는 경우가 있어서 비만이 나타날 수 있다. 다양한 약제가 체중증가 혹은 비만과 연결될 수 있는데, 대표적인 약제로는 글루코코르티코이드 및 항정신병약제 등이 있으며 당뇨병 약제로 사용되는 thiazolidinedione도 체중증가를 흔히 일으킨다.

2) 동반질환 평가

비만은 다양한 합병증을 유발하는데 한 보고에 의하면 그 기여도가 고혈압의 75%, 암의 33%, 당뇨병의 44%, 허혈성심질환의 23% 수준이라고 한다. 이외에도 비만에 다양한 질환이 병발하는 경우가 흔하며, 비만을 치료함으로써 예방 혹은 호전시킬 가능성이 있다. 왜 비만이 다양한 질환을 일으키는지에 대해서 아직 정확한 기전은 모르지만, 지방 조직의 기능 이상이 중요한 역할을 하는 것으로 보인다. 과거 지방조직은 단순히 잉여 에너지를 저장하는 창고로만 여겨졌다. 그러나 지금까지 알려진 많은 연구결과를 통해 지방조직은 아디포카인(adipokine)이라고 하는 다양한 호르몬을 분비하는 내분비기관으로 자리매김하게 되었다. 아디포넥틴(adiponectin)과 같이 에너지 대사에 이롭게 작용하는 호르몬도 있지만, 지방 조직의 염증성 변화와 수반되어 tumor necrosis factor-α (TNF-α), interleukin 6 (IL-6), monocyte-chemoattractant protein-1 (MCP-1), plasminogen-activated inhibitor (PAI-1) 등이 지방조직에서 분비되어 전신의 염증반응과 인슐린 저항성을 일으키는데 기여한다. 다음은 비만과 동반되는 대표적인 질환으로 비만 환자를 평가할 때 고려해야 한다.

(1) 제2형 당뇨병

비만은 잘 알려진 제2형 당뇨병의 위험인자이다. 특히 내장 지방이 증가한 상태가 제2형 당뇨병의 위험을 증가시킨다. 내장 지방은 쉽게 지방분해(lipolysis)되어 유리지방산(free fatty acid)을 방출하고 이 유리지방산은 문맥을 통해 간으로 유입되는 등이 그 이유가 된다. 지방조직에 과도한 에너지가 축적되면 앞서 설명한 바와 같이 염증반응이 유발되고 이를 통해 전신에 인슐린 저항성이 발생한다. 혈중 유리지방산이 증가한 경우 역시 인슐린에 의한 포도당 섭취가 감소하게 되는 인슐린 저항성이 나타난다. 지방조직에 저장되지 못한 잉여 지방은 정상적으로는 지방을 비축하는 기관이 아닌 간, 근육, 베타세포 등에 축적되는데 이를 이소성지방(ectopic fat)이라고 하며 각 기관의 기능장애를 유발하여 인슐린 저항성과 인슐린 분비장애를 일으킨다. 인슐린 저항성이 있더라도 췌장 베타세포에서 충분한 양의 인슐린을 분비하면 정상 혈당을 유지할 수 있으나, 일부에서는 이러한 보상기전이 충분치 못한 상대적 인슐린 결핍 상태가 발생하고 고혈당 및 당뇨병으로 이어진다.

(2) 이상지혈증

비만과 인슐린 저항성으로 인해 혈중 중성지방은 증가하고 HDL 콜레스테롤은 감소한다. LDL 콜레스테롤 농도 자체는 변화가 없지만 질적으로 작고 치밀하게 변하여 죽종(atheroma) 형성에 용이한 형태가 된다. 이 모든 것이 심혈관질환의 위험을 높인다.

(3) 고혈압

비만한 사람의 약 40%가 고혈압을 동반하며 체중증가는 혈압 상승을 수반한다. 비만이 고혈압을 유발하는 기전은 잘 알지 못하지만, 지방조직에서 생성되는 안지오텐시노겐(angiotensinogen)의 증가, 내피세포 기능장애, 고인슐린혈증에 따른 교감신경계의 활성화 및 신장에서 소디움 재흡수의 증가 등에 의한 것으로 이해된다.

(4) 대사증후군

비만과 함께 고혈당, 고혈압, 이상지혈증 등 각종 대사이상이 한 개인에게 동시에 나타나는 일이 흔한데, 이러한 현상을 일컬어 대사증후군(metabolic syndrome)이라고 한다. 이와 같이 여러 대사이상이 동시에 나타나는 정확한 기전은 알지 못하지만 인슐린 저항성이 근저에 있는 경우가 많다. 대사증후군이 있는 경우 심혈관질환 발생의 위험이 높다.

(5) 호흡기 질환

비만에 가장 흔히 동반되는 호흡기 이상은 제한성 폐기능장애인데 비만에 따라 흉곽에 압력이 가해져서 발생한다. 비만 특히 고도비만은 폐포저환기(alveolar hypoventilation)를 일으킬 수 있으며 이산화탄소 분압의 증가 및 산소 분압의 감소가 동반될 수 있다. 또한 비만은 폐쇄성 수면무호흡증(obstructive sleep apnea)을 흔히 동반한다. 또한 폐쇄성 수면무호흡증이 있으면 대사증후군이 동반되는 경우가 흔한데 특히 고혈압이 이와 관련 깊다.

(6) 위장관 질환

비만 환자의 약 50~85%에서 비알코올성 지방간(nonalcoholic fatty liver disease)이 발견된다. 특히 나이가 많고, 내장비만이 있고, 죽상경화성 이상지혈증(atherogenic dyslipidemia) 및 고혈압이 있는 경우 흔히 동반된다. 이외에도 위식도역류 및 열공탈장(hiatal hernia)이 비만에 흔히 동반된다.

(7) 성기능 이상

비만은 남성, 여성 모두에서 불임의 원인이 될 수 있다. 특히 여성에서는 다낭성난소증후군이 비만에 의한 불임의 주된 원인이다. 다낭성난소증후군이 있는 여성은 배란장애와 고안드로겐혈증(hyperandrogenemia)이 관찰된다. 비만한 남성은 정자 수와 정자 운동이 감소해 있으며 발기부전이 흔하고 혈중 테스토스테론 농도가 낮은 경우가 있다.

(8) 관절 질환

비만한 경우 고요산혈증 및 통풍의 위험이 증가한다. 체중증가에 따라 관절에 가해지는 부하가 증가하고 특히 무릎 관절의 골관절염(osteoarthritis)이 흔히 발생할 수 있다. 골관절염은 남성보다 여성에서 더욱 흔히 발생한다.

(9) 암

비만할 경우 유방암, 자궁내막암, 대장암, 전립선암, 신장암 등의 위험이 증가한다. 유방암과 자궁내막암이 증가하는 기전의 하나로 호르몬 이상이 있는데, 이는 혈중 에스트로겐 농도가 높고 난소에서 생산되는 안드로겐(androgen) 증가에 따라 혈중 테스토스테론이 상승하고 황체호르몬의 농도가 낮아지는 것과 관련이 있다. 비만과 동반된 인슐린 저항성으로 인해 고인슐린혈증이 생기고 인슐린이 인슐린양성장인자-I (IGF-I) 수용체에 작용하여 종양의 성장을 촉진시킬 가능성이 있다. 또한 렙틴이 높고 아디포넥틴이 낮음이 비만에서 흔히 관찰되는데, in vitro에서 렙틴은 암세포 증식을 촉진시키고 아디포넥틴은 암세포 증식을 감소시킴이 알려진 바 있지만 그 역할에 대해서는 추가적인 연구가 필요하다. 역학연구에서 고혈당도 암 발생과 연관이 알려진 바 있어서 비만과 동반된 고혈당도 암 발생 증가에 기여할 수 있다.

4. 비만의 치료

최근 비만의 발병기전에 대해 수많은 사실이 알려져 있으나, 공통적으로 가장 기본이 되는 점은 "비만은 만성적인 에너지 과잉에 의한 결과"라고 할 수 있다. 따라서 에너지 소비에 비해 에너지 섭취가 많을 경우 잉여 에너지가 오랜 세월을 거쳐서 우리 몸에 지방이라는 형태로 "퇴적"되는 것이다. 한 연구에 의하면 하루 섭취 에너지의 약 5%에 해당하는 125 kcal를 초과로 섭취할 경우 1년 후에 약 6 kg의 체중증가가 관찰된 바 있다. 그렇다면 에너지 소모량보다 적은 양의 에너지를 섭취하는 것 또는 에너지 섭취량보다 많은 양의 에너지를 소모하는 것이야말로 체중 감량을 위해 필수불가결한 요소라고 할 수 있다. 하지만 문제는 간단치 않아서 식이요법, 운동요법을 근간으로 하는 생활습관 교정으로부터 시작해서 약물요법, 그리고 수술 요법 등 다양한 치료법을 환자의 특성에 맞추어 잘 선택해야 한다.

1) 식이요법

효과적인 식이요법을 위해 기존의 식습관에 대한 철저한 병력 청취가 필요하고, 가능하다면 전문 영양사와 상담을 하게 하여 평소의 식습관에 대한 이해가 필요하다. 지방조직 1 kg은 약 7,700 kcal에 해당하므로, 신체 활동도의 변화가 없는 상황에서 약 500 kcal/day 에너지 섭취 감소는 1주일에 약 0.45 kg의 체중 감량을 일으킨다. 따라서 음의 에너지 균형(negative energy balance)을 유도하기 위해 섭취하는 열량을 제한하는 것이 체중 감량을 위해 중요하다. 대개 체중 조절을 위해 남성의 경우 하루 1500~1800 kcal, 여성의 경우 하루 1200~1500 kcal의 열량 섭취가 권장된다. 그러나 환자의 평소 섭취 열량 등을 고려해서 지속 가능한 하루 섭취량을 권고해야 할 것이다.

비만 치료를 위한 식이요법은 열량 제한 정도에 따라 초저열량식(very low calorie diet: <800 kcal/day), 저열량식(low calorie diet: 800~1500 kcal/day), 균형 열량 제한식(balanced deficit diet: 1500~1800 kcal/day), 중등도 열량 제한(moderate calorie restriction, 평소 섭취량보다 약 500 kcal/day 감량)으로 구분할 수 있다. 초저열량식은 매우 빠른 체중 감량을 필요로 할 때 이용해 볼 수 있으며, 철저한 의학적 모니터링을 필요로 한다. 그러나 임상에서 이렇게 빠른 속도로 체중을 줄일 필요성은 거의 없으며, 장기적으로 볼 때 체중 감량에 있어서 다른 접근법에 비해서 더 나은 점은 없는 것으로 밝

혀져 있으므로 그 사용은 극히 제한적이다.

지금까지 시중에 다양한 다이어트 방법이 소개된 바 있고, 이 중 탄수화물, 지방, 단백질 등 3대 영양소의 조성을 달리하거나 또는 3대 영양소 조성은 유지하면서 열량을 제한하는 방법들이 있다. 이러한 연구를 통해 밝혀진 흥미로운 사실은, 앞서 설명한 열량 제한 자체만으로 설명할 수 없는 3대 영양소 조성 차이에 따른 체중 감량 효과의 차이가 있다는 것이다. 3대 영양소의 조성에 초점을 둔 최근의 연구결과를 요약 설명하면 다음과 같다.

(1) 저지방 식이

저지방 식이(low fat diet)는 역학연구에서는 지방 섭취량이 비만도와 역비례 관계가 있음이 밝혀져 있으나, 실제로 비만 환자에게 적용했을 때 그 실효성에 대해서는 논란이 있다. 전통적으로 지방으로 얻는 열량은 전체 열량 섭취의 30% 이하로 제한하고 있다. 초저지방식(very low fat diet)은 지방으로부터 얻는 열량을 15% 이하, 단백질로부터 15%, 탄수화물로부터 70%를 섭취하는 식이요법이다. Lifestyle Heart Trial에 의하면 지방으로부터 얻는 열량을 전체 열량의 7% 이하로 줄였을 때 1년간 약 11 kg의 체중감소가 있었고, 5년 후 관상동맥 질환의 진행을 유의하게 낮춤이 증명된 바 있다. 그러나 이러한 초저지방 식이는 장기간 유지하는데 매우 어려움이 따른다는 문제점이 있다.

(2) 저탄수화물 식이

저탄수화물 식이(low carbohydrate diet)는 하루 탄수화물 섭취가 60~130 g 정도인 것을 말하며, 이보다 더 낮은 탄수화물을 섭취하는 것은 초저탄수화물 식이(very low-carbohydrate diet)라고 한다. 초저탄수화물 식이는 Atkins diet 등의 이름으로 알려져 있고 우리나라에서는 황제다이어트라는 이름으로 소개된 바 있다. 저탄수화물 식이를 하려면 단백질 및 지방으로부터 열량 섭취를 하게 되는데, 국내에서는 저탄고지(저탄수화물, 고지방 다이어트)라는 이름으로 유행한 바 있다. 이러한 식이요법의 이론적 배경은 탄수화물을 제한함으로써 인슐린 분비를 줄이고, 케톤 생산을 위한 지방분해(lipolysis) 효과가 있으며, 케톤 생산과 고단백 섭취가 식욕 억제 효과가 있다는 점에 있다. 특히, 이러한 방식의 식이요법 자체가 식욕 억제 작용이 있으므로 특별히 열량 섭취의 제한을 두지 않아도 과도한 열량 섭취는 일어나지 않는 것이 대부분이다. 1년 및 2년까지 진행된 임상연구에서는 약간의 논란은 있으나 저탄수화물 식이는 기존에 식이요법의 표준이 되어온 저지방 식이에 비해 체중감소 효과가 더 큰 것으로 보고되고 있다.

이러한 저탄수화물 식이의 경우 필연적으로 지방 섭취가 증가하므로 여러 가지 대사적 부작용이 예측되었으나, 치료 초기에만 약간의 LDL 콜레스테롤 상승이 관찰된 것 이외에 오히려 혈당, 중성지방 등은 감소하고 HDL 콜레스테롤은 증가하는 등의 좋은 효과가 보고되고 있다. 그러나 이 또한 장기간 유지하는 데는 어려움이 따르고, 특히 한국인의 식사가 기본적으로 탄수화물 함량이 높다는 점에서 문화적 요소를 감안할 때 국내 비만 환자에게 일반적으로 적용하기에는 상당한 무리가 따른다.

(3) 지중해 식이

지중해 식이(Mediterranean diet)는 지중해 연안에 사는 사람들이 주로 섭취하는 식이로, 단쇄불포화지방산(monounsaturated fatty acid)을 많이 함유하며, 적당한 알코올(주로 와인)을 곁들이며, 채소, 과일, 콩, 곡류 함량이 높고, 우유 및 낙농 제품(주로 치즈)을 적당량 포함하며, 육류는 상대적으로 덜 포함하고 대신 가금류나 생선을 포함한다. 심혈관 고위험군을 대상으로 진행된 PREDIMED 연구에서 올리브 오일과 견과류를 가미한 지중해 식이는 저지방 식이에 비해 주요 심혈관 사건의 위험을 줄이는 것으로 보고된 바 있다. 그러나 이 연구는 애초 2013년에 New England Journal of Medicine (NEJM)에 출판되었다가 통계적 오류 등이 지적되면서 2018년 전격적으로 철회되는 동시에 재분석된 결과가 바로 NEJM에 출판되는 소동이 있었다. 따라서 본 연구결과에 대한 신뢰도에 대해 의구심을 갖는 학자들의 시선이 있음을 참고해야 한다.

(4) 각 식이요법에 따른 체중 감량 효과 비교

상용화된 다이어트 방법의 효과를 직접 비교한 임상연구결과가 수행된 바 있다. 이들 연구에서는 Atkins diet (저탄수화물 식이), Zone diet (40% 탄수화물, 30% 지방, 30% 단백), Ornish diet (저지방 식이) 및 열량 제한 식이(Weight Watchers or LEARN diet)의 효과가 비교 대상이 되었다. 한 연구에서는 네 가지 다이어트 모두 약 5 kg 정도 체중 감량이 있었고 그룹간에 특별한 차이는 나타나지 않았으며 얼마나 식이요법에 잘 따르냐가 체중 감량에 결정적 요소였다. 또한 연구에서는 Atkins diet가 Zone diet에 비해서는 체중 감량이 많았으나 전체적으로는 그룹 간의 뚜렷한 차이가 없음을 보고 하였다. 이러한 연구에서 체중감소는 혈압 강하, 총콜레스테롤/HDL 콜레스테롤 비 저하, C-반응 단백 감소, 혈당 감소, 혈중 인슐린 농도 감소 등이 일관되게 관찰되었다. 혈중 중성지방의 경우 Atkins diet에서 Zone diet에 비해 더욱 많이 감소함이 관찰되었다. 이스라엘에서 이루어진 2년 추적연구에 의하면 저지방 식이에 비해서 지중해식 식이 및 저탄수화물 식이(Atkins diet)가 체중감소가 유의하게 컸고 연구기간 동안 잘 유지되는 것이 밝혀진 바 있다. 48개의 연구를 종합한 메타분석에 의하면 12개월간 시행했을 때 저탄수화물 식이(평균 7.25 kg 감소)가 저지방 식이(평균 7.27 kg 감소)와 유사한 체중감소 효과를 보인 바 있다. 이상 살펴본 바처럼 이와 같은 식이 조성에 변화를 준 다이어트 간의 체중감소 효과 차이는 크지 않았다. 따라서 이러한 식이요법을 선택하는데 있어서 개개인의 취향, 선호도 및 문화적인 특성이 반드시 고려되어야 할 것이다.

2) 운동요법

열량 제한을 하지 않고 운동만으로 체중 감량을 일으키기는 쉽지 않다. 그러할 경우 일반적으로 아주 약간의 체중감소가 나타날 뿐이다. 열량 제한을 하지 않은 채 일주일에 20마일(32.2 km)에 해당하는 조깅을 하도록 한 연구에서는 8개월 후 고작 2.9 kg의 체중감소가 관찰되었다. 따라서 열량 제한을 하지 않은 상태에서 운동만으로 체중을 감량하기 위해서는 더욱 많은 양의 운동이 필요하다. 그러나 이러한 경우에도 복부(내장) 지방의 감소 및 인슐린 저항성 개선이 관찰되었다는 점은 주목할 만하다. 운동과 동시에 식이요법을 통해 섭취 열량 제한을 할 경우에는 각각을 따로 시행한 것과 비교할 때 체중감소 정도가 더욱 크고 신체구성 성분의 개선이 일어남도 보고된 바 있다.

일반적으로 다이어트를 하면서 체중 감량기에는 1주일에 150분 이상 빨리 걷기 등의 유산소 운동이 추천되며, 감소된 체중 유지기에는 1주일에 200~300분 가량의 유산소 운동이 추천된다. 근력운동도 주 2~3회 정도 하는 것이 도움이 된다. 그러나 비만 환자들은 정말 다양한 이유로 운동을 못한다고 한다. 특히 힘들거나 시간이 없어서 운동을 하지 못한다는 환자들이 많이 있는데, 하루에 40분을 연속으로 운동하는 것과 10분씩 나누어 4번에 걸쳐 운동을 하는 것이 체중감소 에 큰 차이가 없다는 것이 알려져 있으므로, 개인의 운동 능력 및 처한 상황에 맞추어 개별화된 전략을 택하는 것이 중요하다. 또한, 생활 속에서 활동량을 증가시키는 것이 운동을 하는 것과 견줄 정도로 체중감소에 도움이 되며, 이와 일맥상통하는 것으로 비운동열생산(non-exercise activity thermogenesis, NEAT)을 통한 에너지 소비 역시 체중 조절에 도움이 된다. NEAT의 경우 열량 섭취가 비슷한 상황에서 똑같이 운동을 하지는 않지만 어떤 사람은 비만하고 어떤 사람은 비만하지 않은 사실을 설명해 준다. 운동량을 모니터하고 생활 속에서 신체활동 특히 걷기를 증가시키기 위한 방법으로 보행계수기(pedometer)를 유용하게 이용할 수 있다. 보행계수기는 수직 상하 운동의 빈도를 측정하는 것으로써 가속도계(accelerometer)에 비해서 신체 운동량을 정확히 반영하지 못하지만, 편리하게 이용할 수 있고 가격이 저렴하다는 장점이 있다. 한 메타분석에 의하면 보행계수기를 착용할 경우 걸음 수가 증가하고 체질량지수가 감소하며 혈압이 감소함이 보고되었다. 단, 만보계로 효과를 보기 위해서는 목표 걸음수를 정하는 것이 중요하며, 매일 다이어리에 기록을 하여 모니터하는 것이 필요하다.

3) 행동 요법

먹고 움직이는 행동을 교정하는 방법은 비용이 적게 들고 부작용이 적은 장점 때문에 체중 감량의 첫번째 수단으로 추천된다. 그러나 식이요법과 운동요법을 이용한 소위 생활습관개선을 통한 체중 감량을 외래에서 많은 의사들이 특별한 전략 없이 환자에게 지시하고 있기 때문에, 실제로 효과를 보는 경우는 드물다. 이를 위해 행동수정요법을 이용한 접근법이 필요하며, 일부에서는 인지행동치료를 비만 환자를 대상으로 시행하고 있다. 표준행동수정프로그램은 목표 설정, 자기 모니터링, 자극 조절, 인지 재구조화, 재발 방지 등을 포함한다. 효과적인 생활습관개선과 이를 통한 체중 감량에 있어서 가장 중요한 것은 자기 모니터링인데, 이와 관련해서는 자기 모니터링을 잘 할수록 유의한 체중 감량을 일으킨다는 증거가 제시된 바 있다. 자기 모니터링은 식사 및 운동과 관련된 일에 대해 매일 상세한 기록을 하도록 하며 정기적으로 체중을 측정하도록 한다. 이렇게 모니터링함으로써 식이 및 운동요법에 대한 순응도를 높일 수 있고, 치료 제공자 입장에서는 비만으로 연결되는 다양한 행동 사슬(behavioral chain)을 분석 파악할 수 있다는 장점이 있다. 최근에는 다양한 스마트 디바이스를 통해 자가 모니터링을 할 수 있다.

여러 방법을 통해 발견된 비만 관련 생활습관의 문제점에 대해서는 체계적인 방법으로 분석하고 구체적으로 교정계획을 제시하게 된다. 특히, 열량 과다 섭취로 이어지는 여러 상황에 대해서 통제할 수 있는 기술을 구체적으로 알려주어야 하는데 이러한 것을 자극 조절(stimulus control)이라고 칭한다. 예컨대, 눈에 띄는 곳에 음식을 두면 생각 없이 계속 먹어대는 경우 음식은 반드시 눈에 잘 띄지 않는 곳에 보관을 하도록 한다는 등의 방법이다. 환자가 처해 있는 각종 스트레스 상황에 대해서도 상담이 필요하다. 효과적인 비만 치료를 위해서는 가족 및 주위 사람의 협조가 매우 중요하기 때문에 필요에 따라 치료에 동참하도록 한다. 인지재구조화(cognitive restructuring)도 매우 중요한 역할을 하는데, 이를 통해 현실적인 체중 감량의 목표를 세우고 체중 감량과 관련된 여러 상황에 대한 부정적인 반응을 긍정적 반응으로 전환시키도록 한다. 또한, 체중 감량 목표에 도달한 후에 다시 체중 증가가 일어나는 상황에 대한 대처 교육도 매우 중요하다.

의사 및 환자 측면에서 공히 느끼고 있는 비만 치료에 있어서 가장 어려운 점은 체중 감량 자체보다 오히려 감량한 체중을 유지하는 것이다. 이에 대해서는 감량 후 유지요법을 시행하지 않은 군과 유지요법을 시행한 군 사이에 체중 재증가 여부가 확연히 차이가 난다는 연구결과가 뒷받침하고 있다. 환자와 장기적으로 접촉을 유지하면서 앞서 언급한 치료를 지속할 수 있도록 해야 한다. 표준행동수정프로그램은 약 6개월 간 매주 개인 및 소그룹 교육 세션을 통해서 이루어지고, 이 기간 동안 약 8~10%의 체중 감량을 가져 온다. 인지행동치료의 경우에는 체중 조절의 장애물, 신체활동 증가, 신체상(body image), 체중 감량의 일차 목표, 목표 체중, 건강한 식습관, 감량된 체중 유지 등에 대해 다루게 된다. 최근 가이드라인에서는 6개월 간 14회 이상의 방문을 통해 고강도 행동 상담(high-intensity behavioral counseling)을 추천한다. 행동교정프로그램을 중단하면 대개 다시 체중이 증가한다. 따라서 지속적인 지지가 필요하다. 그러나 더 이상 추가 감량이 일어나지 않는 시점이 되면 대개의 환자들은 더 이상 이와 같은 프로그램 참여를 원치 않게 되는 것이 현실이다.

4) 약물치료

현재 사용 가능한 항비만약물의 종류와 특징에 대해서는 표 69-1에 요약하였다.

(1) Phentermine

Phentermine은 교감신경 자극제로서 뇌의 특정 부위에서 norepinephrine의 분비를 증가시킴으로써 식욕을 억제한다. 이 약제의 효과 및 안전성에 대한 데이터는 충분치 않은 실정이다. 무작위 배정 연구에서 이 약제는 위약 대비 약 3~4%의 체중감소 효과를 보였다. 전고혈압(prehypertension) 단계이거나, 고혈압으로 치료를 받고 있는 환자의 경우 혈압을 철저히 모니터해야 한다. 일부 연구에서는 이들 약물이 10년간의 효과가 보고된 바 있으나, 미국 식품의약국에 의해서 단기간 사용 가능한 약물로 승인되어 있다. 그러나 최근 topiramate와 복합제로 장기투여 시 효과를 보여주고 있다.

(2) Sibutramine

Sibutramine은 음식물 섭취를 억제하고 에너지 소비를 증가시키는 작용을 하는 serotonin 및 norepinephrine 흡수억제제(serotonin noradrenaline reuptake inhibitor, SNRI)이다. 여러 무작위 배정 연구에서 sibutramine은 위약 대비 약 5%의 추가 체중감소가 증명된 바 있다. 생활습관교정을 같이 시행할 경우 12개월에 12.1 kg의 체중감소가 나타났으며, 이는 sibutramine 단독투여군의 5.0 kg 감소 및 생활습관교정 단독군의 6.7 kg 감소에 비해 유의하게 많았다. 체중감소 후 성공적인 유지가 되는 환자들의 특성을 관찰한 연구에서 sibutra-

표 69-1. **항비만약물의 종류 및 특징**

약물	기전	일일 용량/용법	대표적 부작용
Phentermine	교감신경항진제	8~37.5 mg 1회	혈압 및 맥박 증가, 신경질, 불면증, 두통, 입마름 *장기간 안전성 자료 부재로 단기간 (약 3개월) 사용 권고
Orlistat	지방흡수억제제	120 mg 3회	지방변, 변실금, 잦은 배변, 지용성 비타민 결핍
Lorcaserin	세로토닌 수용체($5HT_{2c}$) 선택적 작용제	10 mg 2회	두통, 어지러움, 오심
Phentermine/topiramate	Topiramate는 GABA 수용체 등에 작용하여 식욕 억제	서서히 증량하여 7.5 mg (P)/ 46 mg (T) 1회 또는 15 mg (P)/ 92 mg (T) 1회	저림, 어지러움, 입맛 변화, 불면증, 변비, 입마름
Naltrexone/bupropion	Naltrexone은 POMC 세포의 피드백 억제, Bupropion은 dopamine 및 norepinephrine의 재흡수 억제	8 mg (N)/ 90 mg (B) 1정 1회 투여로 시작하여 2정 2회까지 투여	오심, 변비, 어지러움, 입마름
Liraglutide.	GLP-1 수용체 작용제	서서히 증량하여 3.0 mg 1회 피하주사	오심, 구토, 설사

mine을 먹거나, 초기 체중감소가 현저하면서 신체활동이 왕성한 경우임이 보고된 바 있다. 흔한 부작용으로는 고혈압과 빈맥이 있으며, 이는 교감신경 활성화에 기인한다. 심혈관질환 기왕력이 있거나 제2형 당뇨병 혹은 두 가지 모두를 가진 10,744명의 비만 혹은 과체중인 환자를 대상으로 평균 3.4년 관찰한 Sibutramine Cardiovascular Outcomes Trial (SCOUT)의 연구결과, 비치명적 심근경색 및 비치명적 뇌졸중의 위험이 유의하게 증가한 반면 심혈관질환에 의한 사망 및 모든 원인에 의한 사망은 유의한 증가를 보이지 않았다. 이에 2010년 1월 European Medicines Agency (EMA)에서는 유럽에서의 sibutramine 판매 중단을 결정하였다. 곧이어 미국에서도 판매사가 자진하여 시판 중지를 결정하였다.

(3) Orlistat

Orlistat은 위장관 지방분해효소(lipase) 억제제로서 섭취된 지방의 흡수를 약 30% 감소시킨다. 환자들은 일반적으로 이 약을 복용하면 섭취한 지방을 거의 100% 변으로 내보내는 것으로 착각을 하고 있어서 이 점에 대해서 주의를 주는 것이 필요하다. Orlistat은 위장관 지방분해효소에 특이적으로 장시간 작용하는 강력한 가역적 억제제로서, 위장과 소장의 내강에서 위와 췌장의 지방분해효소의 활성 부위인 세린(serine)과 공유결합을 형성하여 그 치료활성을 나타낸다. 즉, 불활성화된 지방분해효소는 트리글리세리드 형태의 식이성 지방을 흡수가 가능한 모노글리세리드와 유리지방산으로 가수분해할 수 없게 되고, 이 분해되지 않은 트리글리세리드는 체내로 흡수되지 않고 변으로 배출되기 때문에 결과적으로 열량 섭취 감소를 초래하게 되어 체중 조절을 가능하게 한다. Orlistat을 복용하는 환자에게 저지방 식이를 권장하고 있긴 하나, 이 약의 약효는 지방 섭취량에 의존적으로 나타난다. 주된 부작용은 지방변, 방귀와 함께 지방변의 분출, 긴박한 변의 등 주로 위장관 부작용이 나타난다. 이러한 부작용은 대개 일시적이며(절반에서 1주 이내에 소실되며 대부분 1개월 이내에 소실되나 일부 환자는 6개월 이상 부작용을 보이기도 하고 고지방식을 하는 경우 부작용이 증가한다), 생활습관교정과 함께 orlistat을 투여하면 생활습관교정 단독군에 비해 약 3%의 추가 체중감소가 나타난다.

Orlistat을 이용한 당뇨병예방연구(XENDOS, Xenical in the Prevention of Diabetes in Obese Subjects)에서 4년간 orlistat을 투여한 경우 생활습관교정만 시행한 군에 비해 유의하게 당뇨병 발생률을 감소시켰다. 현재 국내에는 120 mg 캡슐이 판매되고 있으며 하루 3회 식사와 함께 복용하거나 식후 1시간 이내에 복용한다. Orlistat은 비처방약물(OTC)로도 외국에서 판매되고 있으며, 이 경우 용량은 60 mg tid로 되어 있다. 이 제형의 경우 4~24개월간 진행된 연구에서 이 용량에서는 약 2%의 체중감소가 관찰되었다.

(4) Lorcaserin

Lorcaserin은 세로토닌 수용체 5-HT_{2C}의 선택적 작용제이다. 5-HT_{2C} 수용체는 중추신경계에 분포하며, 시상하부에 위치한 5-HT_{2C} 수용체가 활성화되면 POMC 신경을 흥분시켜 포만 중추를 자극하여 체중감소를 일으킨다. 5-HT_{2a} 수용체는 대뇌피질과 해마(hippocampus)에 분포하며 심장 혈관이나 판막에서도 발견되고, 5-HT_{2b}는 심장 섬유모세포와 심장판막에서 발견되는데, 따라서 카르시노이드(carcinoid)나 심근병증, 심장판막의 심내막섬유증 등을 초래할 수 있다. 실제로 fenflumarine (5-HT_{2b} 수용체 작용제)은 이와 같은 부작용으로 시장에서 퇴출된 바 있었다. Locarserin은 5-HT_{2b} 수용체와 비교하여 5-HT_{2C} 수용체에 100배의 선택성을 가지며, 5-HT_{2a} 수용체에 비하여 17배의 선택성을 지닌다. 대표적 제3상 임상연구는 BLOOM (Behavioral modification and Lorcaserin for Overweight and Obesity Management), BLOSSOM, BLOOM-DM이 있다.

BLOOM 연구는 3,182명의 비만 혹은 과체중 환자를 대상으로 locarserin 10 mg 또는 위약을 1일 2회, 총 52주간 투여한 후 lorcaserin군을 다시 무작위 배정하여 위약 및 lorcaserin을 1년간 더 지속 투여하도록 했다. 이 연구에서, 1년 후 lorcaserin군에서 평균 5.8 kg의 체중감소가 일어났으며(위약군에서는 평균 2.2 kg의 체중감소가 일어났다), 2년째 lorcaserin을 지속한 군이 위약으로 변경된 군에 비해 감소된 체중이 더욱 잘 유지되었다. 이 연구기간 동안 심장판막에 이상 소견은 나타나지 않았다.

제2형 당뇨병을 지닌 비만 환자 604명을 대상으로 1년간 진행된 이중맹검 위약 대조군 연구인 BLOOM-DM 에서 lorcaserin 10 mg 1일 2회 복용군에서 체중이 5% 이상 감량된 경우가 37.5%였으며(위약군은 16.1%), 당화혈색소와 공복혈당도 lorcaserin군에서 유의하게 감소된 결과를 보였다. 제3상 임상연구에서 lorcaserin의 흔한 부작용은 두통(18%)으로 위약군(11%)보다 많았으며, 그 외에는 위약군과 뚜렷한 차이가 없었다. Lorcaserin은 이론적으로 세로토닌 증후군을 유발할 수 있는 다른 세로토닌 관련 약물(예: selective serotonin reuptake inhibitors, selective serotonin-norepinephrine reuptake inhibitors, bupropion, tricyclic antidepressants 및 monoamine oxidase inhibitors)과의 병용은 금한다. 추천되는 용량은 하루 10 mg bid로 식사와 무관하게 투약한다. 12주간 투여해서 5% 이상 체중이 빠지지 않으면 효과가 없는 것으로 보고 중단한다. 12,000명의 심혈관질환의 기왕력 혹은 다수의 심혈관질환 위험인자를 가진 과체중 혹은 비만인 사람을 대상으로 한 심혈관 안전성 연구에서 lorcaserin은 평균 3.3년의 관찰기간 동안 위약 대비 심혈관질환 발생 위험을 증가시키지도 감소시키지도 않음을 밝힘으로써 심혈관 안전성을 입증하였다. 그러나 비교적 경한 체중감소(1년째 위약 대비 2.8 kg 감소, 40개월째 위약 대비 1.9 kg 감소)만 보이고 심혈관질환 발생을 줄이지 못한 점은 실망스러운 부분이다. 한편 이 연구에서 당뇨병 전단계인 환자에서는 당뇨병 발생이 19% 유의하게 감소하였고 비당뇨인 환자에서는 당뇨병 발생이 23% 유의하게 감소하였으며, 심장판막 이상도 나타나지 않았다. 한편 연구 시작 시점에 당뇨병이 있던 환자에서는 당화혈색소가 1년째에 약 0.33% 감소하였으나 저혈당의 위험이 증가하는 추세를 보였다.

(5) Phentermine/topiramate

단기간의 비만 치료에 사용되어 오던 phentermine 속방형 제제와 간질 및 편두통 등의 치료제로 사용되던 topiramate의 방출조절(controlled release) 제제의 복합제(각각 7.5/46 mg or 15/92 mg의 함량을 갖는 제형)로서 2012년 미국 식품의약국의 승인을 받았다. 제형의 특성상 phentermine은 급속 작용하고 topiramate는 장시간 작용하게 된다. 두 약품의 용량은 모두 통상적으로 쓰는 용량보다는 상당히 낮게 책정되어 있다. Topiramate는 간질 치료 및 편두통의 예방에 사용되는 약제로서 비만 치료에는 승인되지는 않았으나 여러 임상연구에서 체중감소 효과가 증명된 바 있었다. 그러나 topiramate는 용량 의존적인 부작용(감각 이상, 어지러움, 졸림, 우울증, 기억력 장애 등)으로 인하여 단일제제로는 사용되기에는 어렵다는 문제가 있었다. Phentermine/topiramate는 두 가지 약제의 시너지 효과 및 각각의 용량 감량을 통해 부작용 감소를 노린 복합제이다. 제3상 임상시험 및 그 연장 임상시험에서, 1년 후 phentermine/topiramate군은 용량에 따라 8.1~10.2 kg의 체중감소가 있었고(위약군은 1.4 kg 감소), 2년까지 연장해서 관찰한 결과 투약군은 9.3~10.5 kg의 체중감소가 있었다(위약군은 1.8 kg 감소). 주된 부작용은 입마름, 변비, 감각이상(손, 발, 얼굴에 나타남) 등이었다. 임신 제1기 동안에 topiramate에 노출됐던 태아의 경우 구순열 발생 위험성이 증가하는 것으로 나타났기 때문에 임산부의 경우 복용을 삼가야 하며, 가임기 여성에서는 임신 및 피임 여부를 확인하여야 한다.

Phentermine/topiramate 복합제는 3.75/23 mg qd로 14일간 투여한 후 두 배로 증량하고 이후 7.5/46 mg qd로 증량하여 투여한다. 만일 12주 후에 기저치 대비 3% 이상 체중 감량이 되지 않으면 11.25/69 mg qd로 14일간 투여한 후 최고용량인 15/92 mg qd로 다시 증량한다. 만일 최고용량을 12주간 투여하여 기저치 대비 5% 이상 체중 감량이 없다면 약을 서서히 감량하여 중단한다. 제형이 다양하여 복잡한데, 14일간 투여하는 제형(3.75/23 mg 및 11.25/69 mg)은 용량 적정(titration) 목적으로 만들어진 것이다.

(6) Naltrexone/bupropion

본 제제는 알코올과 아편계 의존성 치료에 사용되는 naltrexone과 우울증 및 금연 치료제로 승인된 bupropion의 서방형 복합제로서 2014년 미국식품의약국의 승인을 받았다. 기전이 완전히 밝혀진 것은 아니지만, naltrexone은 POMC 신경이 되먹이기(feedback) 기전에 의해 억제되는 것은 차단하여 POMC 신경이 더욱 활성화되도록 하고 bupropion은 도파민활성수송체(dopamine active transporter)를 억제하여 중추신경계의 도파민 농도를 증가시켜 식욕을 억제하는 것으로 여겨진다.

본 제제는 COR (CONTRAVE Obesity Research)라고 불리는 제3상 임상시험을 통해 유효성 및 안전성이 밝혀졌다. COR-I은 단순 비만 및 합병증을 동반한 과체중 혹은 비만 환자 1,742명을 대상으로 3주간에 걸친 약물 증량 후 56주까지 관찰한 바, 위약군에서 평균 1.3% 체중 감량이 있었음에 비해 약물 용량에 따라 평균 5.0~6.1%의 체중 감량 효과를 보였다. 가장 흔한 부작용은 오심으로 거의 30%의 환자에서 나타났다(위약군은 5.3%에서 발현). 본 연구에서 약물 투여 초기에 일시적으로 수축기 및 이완기 혈압이 1.5 mmHg 상승하였다가 이후 기저치에 비해 1 mmHg 감소하였는데, 특이하게도 위약군에서 혈압 감소 및 맥박수 감소가 더 컸다. 이는 아마도 bupropion과 관련된 것으로 보인다.

본 제제의 심혈관 안전성을 확인하기 위해 시행된 LIGHT 연구에서 심혈관 사건이 목표치 대비 25% 발생한 시점의 분석에서 위약 대비 0.59의 위험비(hazard ratio)를 보였으나(95% 신뢰구간 0.39~0.90), 심혈관 사건이 목표치 대비 50% 발생 시점에서 재분석 결과 위약 대비 위험도는 0.88 (99% 신뢰구간 0.57~1.34)로 나타났다. 중간분석결과가 회사 측에 의해 대중에 공개된 후 연구 참여자가 대거 이탈하는 바람에 본 연구는 중도에 중단되었다. 따라서 현재로서는 본 제제의 심혈관 안전성 혹은 심혈관질환 예방 효과에 대해서는 알 도리가 없게 되었다.

흔한 부작용으로는 오심, 구토, 두통, 변비 등이 있다. 오심 및 구토를 피하기 위해서는 소량부터 시작해서 1주 간격으로 서서히 증량해야 한다(예: naltrexone 8 mg/bupropion 90 mg 복합제형을 첫 주에 아침 1정, 둘째 주에 아침 저녁 각각 1정, 셋째 주에 아침 2정 저녁 1정, 넷째 주에 아침 저녁 각각 2정 복용한다). 12주간 투여해서 5% 이상 체중이 빠지지 않으면 효과가 없는 것으로 보고 중단한다. Bupropion이 금연보조제로 처방되고 있는 점을 고려할 때, 금연과 체중감소를 동시에 원하는 사람 또는 금연에 수반되는 체중증가에 대해 효과가 있을 가능성이 있으나, 향후 따로 연구가 필요하다.

(7) GLP-1 receptor agonist

GLP-1은 베타세포에서 인슐린 분비 증가 및 알파세포에서 글루카곤 분비를 감소시켜 혈당을 조절하며, 특히 속효성 GLP-1 유사체의 경우에는 위배출시간(gastric emptying time)을 지연시켜 현저한 식후 혈당 감소를 일으킨다. 또한 GLP-1은 식욕 억제, 포만감 증대 등을 통해 체중감소를 일으킨다. 대개 제2형 당뇨병 치료제로 이용되지만, liraglutide 3.0 mg qd 제형은(제2형 당뇨병 치료 목적으로는 1.8 mg qd까지 허가되어있다)

비만 치료제로 승인을 받았다. Liraglutide 3.0 mg qd 제형은 SCALE이라고 불리는 임상시험 프로그램을 통해 다양한 환자군에서 그 유효성과 안전성이 입증된 바 있다. 특히 3,731명의 제2형 당뇨병이 없는 비만인(평균 체질량지수, 38.4 kg/m^2; 평균 체중 106.2 kg)을 대상으로 56주간 투여하였을 때 위약군에서 평균 2.8 kg 감량된 것에 비해 liraglutide군은 평균 8.4 kg의 감량을 보였다.

Liraglutide는 사람 GLP-1에 지방산 사슬을 붙여 알부민에 부착되도록 하여 혈중 반감기를 증가시킨 약물이다. 반감기가 약 13~15시간이므로 하루 1회 주사에 적당하다. 사람 GLP-1의 아미노산 서열 일부를 변경하고 다양한 지방산 사슬을 붙여서 알부민과 더욱 잘 부착하도록 개선한 여러 유도체 중 semaglutide는 인체에서 165시간의 반감기를 보여, 주 1회 주사에 적합한 특성을 가진다. Semaglutide는 liraglutide에 비해 GLP-1 수용체에 대한 친화도가 1/3으로 감소하였으나 알부민 친화도가 크게 증가하였다. 제2형 당뇨병 치료를 위해서 semaglutide는 주 1회 투여하며, 심혈관질환 위험이 높은 환자에서 심혈관질환 발생을 위약 대비 26% 유의하게 줄였다. 당뇨병이 없는 체질량지수 30 kg/m^2 이상의 성인을 대상으로 한 제2상 임상시험에서 semaglutide를 주 1회가 아닌 매일 주사하여 52주에 체중 감량 효과를 알아 본 결과, semaglutide (0.05 mg, 0.1 mg, 0.2 mg, 0.3 mg, or 0.4 mg qd로 투여)가 모두 위약에 비해 더 큰 체중감소를 보였고(위약은 약 2.3%의 체중감소), 0.2 mg qd 이상의 용량에서는 liraglutide (3.0 mg qd)보다 더 큰 체중감소를 보였다(semaglutide는 11.2~13.8%의 체중감소, liraglutide는 7.8%의 체중감소). 특히 10% 이상 체중 감량을 보인 환자가 semaglutide 용량 0.1 mg qd 이상에서 용량에 따라 37~65%나 된 점은 매우 고무적이다. Semaglutide 모든 용량은 좋은 내약성을 나타내었다.

GLP-1과 더불어 glucose-dependent insulinotropic polypeptide (GIP) 및 glucagon은 비슷한 수용체(glucagon receptor family로 불린다)를 가지기 때문에 하나의 펩티드 분자로 두 개 혹은 세 개의 수용체를 자극할 수 있다. 현재 GLP-1/GIP 이중 작용제(dual agonist), GLP-1/glucagon 이중 작용제, GLP-1/GIP/glucagon 삼중 작용제(triple agonist)가 개발 중에 있다. 특히 이 중에서 GLP-1/GIP 이중 작용제인 LY3298176는 GIP의 아미노산 서열을 바탕으로 한 39개의 아미노산으로 이루어져 있고 C20 fatty di-acid가 붙어서 혈중 반감기를 연장한 것이다. 전임상실험에서 LY3298176는 GLP-1보다는 GIP 수용체에 친화력이 높았다. 제2상 임상시험에서 제2형 당뇨병 환자를 대상으로 기존의 GLP-1 제제인 dulaglutide와 비교했을 때 LY3298176는 더욱 뛰어난 혈당 강하능과 체중감소를 보였다. 26주째 LY3298176는 용량에 따라 평균 최대 11.3 kg의 체중감소를 보였으며(0.9~11.3 kg), 위약은 0.4 kg, dulaglutide는 2.7 kg의 체중감소를 보였다. 10% 이상 체중이 감소한 사람도 용량에 따라 6~39%까지 달했다(dulaglutide는 9%, 위약은 0%). 부작용은 GLP-1 제제와 마찬가지로 오심 구토 등 위장관계 부작용이 주로 나타났으며, 용량 증가에 따라 증가하였다. 향후 이와 같은 이중 혹은 삼중 작용제의 경우 효과를 극대화하고 내약성이 우수한 용량으로 혈당 조절뿐만 아니라 비만치료제로도 유용하게 사용될 수 있을 것으로 보인다.

5) 수술치료

비만 수술은 배리아트릭 수술(bariatric surgery)이라고 부르는데 어원을 따져보면 baros (체중, 무게)와 iatrike (치료)의 합성어이다. 최근 10여년 사이에 탁월한 체중 감량 효과와 비만의 합병증에 대한 좋은 치료효과가 알려졌고 또한 수술의 안전성도 확보되면서, 수술 건수가 기하급수적으로 증가하여, 미국에서는 2015년 한 해 동안 196,000예의 수술이 이루어진 바 있다. 여러 가지 수술방법이 있으나 최근 가장 흔히 시행되고 있는 것은 위소매절제술(sleeve gastrectomy)과 루와이 위우회술(Roux-en Y gastric bypass)이다. 기저치 대비 20~30%의 체중 감량 효과를 보이며, 제2형 당뇨병을 동반한 비만 환자의 경우에는 상당수에서 약물치료 없이 정상 혈당을 유지하는 소위 당뇨병 관해가 나타난다. 놀라운 대사 효과로 인해 최근에는 대사수술(metabolic surgery) 혹은 당뇨수술(diabetes surgery)로 불리기도 한다. 비만수술은 체중감소뿐만 아니라 비만과 연관된 합병증인 당뇨병, 고혈압, 이상지혈증, 지방간, 수면무호흡증, 위식도역류, 관절통 등의 호전을 보이며, 삶의 질을 개선하고 나아가 사망률을 감소시킨다. 4,776명의 비만수술을 받은 환자를 대상으로 한 연구에서(이 중 3,412명이 위우회술을 받았다), 수술 후 30일 이내 사망률이 0.3%였으며, 전체의 4.3%에서 사망, 심부정맥혈전증, 재수술, 장기 입원 등의 문제를 하나 이상 경험하였다. 이러한 수치는 환자들의 비만도나 동반된 합병증에 비해서 높지 않은 것으로 평가되며, 특히 수술 전에 심부정맥혈전증, 폐색전증, 수면무호흡증을 가지고 있었거나 기능적 상태가 좋지 않은 경우에 위험이 증가하였다. 장기적으로는 영양소 흡수 장애로 철, 칼슘, thiamine, 비타민 B12 등이 결핍될 수 있어서 보충 및 추적관찰이 필수적이다.

통상적으로 비만 치료 가이드라인에서는 체질량지수 40 kg/m^2 이상이거나 35 kg/m^2 이상이면서 비만 관련 합병증이 있는 경우 비만수술을 권하였는데, 최근 가이드라인에서는 대사 효과를 고려하여 비만한 제2형 당뇨병 환자의 경우 체질량지수 40 kg/m^2 이상이거나 35~39.9 kg/m^{2}이면서 혈당 조절이 불량한 경우 비만수술을 권고하고, 35~39.9 kg/m^{2}이면서 혈당 조절이 양호하거나 30~34.9 kg/m^{2}이면서 혈당 조절이 불량한 경우는 비만수술을 고려하도록 하고 있다. 이 경우 동양인에서는 체질량지수의 기준을 2.5 kg/m^{2}씩 낮추어 적용할 것을 권하고 있다. 비만수술에 대해서는 본 교과서에서 따로 자세히 다루고 있으니 참고하시길 바란다.

참고문헌

1. American College of Cardiology/American Heart Association Task Force on Practice Guidelines, Obesity. Expert Panel Report: Guidelines (2013) for the management of overweight and obesity in adults. Obesity (Silver Spring) 2014;22:41-410.
2. Baker RC, Kirschenbaum DS. Self-monitoring may be necessary for successful weight control. Behavior Therapy 1993;24:377-394.
3. Bjorvell H, Rossner S. A ten-year follow-up of weight change in severely obese subjects treated in a combined behavioural modification programme. Int J Obes Relat Metab Disord 1992;16:623-625.
4. Bohula EA, Scirica BM, Inzucchi SE, et al. Effect of lorcaserin on prevention and remission of type 2 diabetes in overweight and obese patients (CAMELLIA-TIMI 61): a randomised, placebo-controlled trial. Lancet 2018;392:2269-2279.
5. Bohula EA, Wiviott SD, McGuire DK, et al. Cardiovascular safety of lorcaserin in overweight or obese patients. N Engl J Med 2018;379:1107-1117.
6. Bravata DM, Smith-Spangler C, Sundaram V, et al. Using pedometers to increase physical activity and improve health: a systematic review. JAMA 2007;298:2296-2304.
7. Cefalu WT, Bray GA, Home PD, et al. Advances in the science, treatment, and prevention of the disease of obesity: reflections from a diabetes care editor's expert forum. diabetes Care 2015;38:1567-1582.
8. Cho YM, Fujita Y, Kieffer TJ. Glucagon-like peptide-1: glucose homeostasis and beyond. Annu Rev

Physiol 2014;76:535-559.

9. Dansinger ML, Gleason JA, Griffith JL, et al. Comparison of the Atkins, Ornish, Weight Watchers, and Zone diets for weight loss and heart disease risk reduction: a randomized trial. JAMA 2005;293:43-53.
10. Estruch R, Ros E, Salas-Salvado J, et al. Retraction and republication: primary prevention of cardiovascular disease with a mediterranean diet. N Engl J Med 2013;368:1279-90. N Engl J Med 2018;378:2441-2442.
11. Flum DR, Belle SH, King WC, et al. Perioperative safety in the longitudinal assessment of bariatric surgery. N Engl J Med 2009;361:445-454.
12. Freedman MR, King J, Kennedy E. Popular diets: a scientific review. Obes Res 2001;9:1-40.
13. Frias JP, Nauck MA, Van J, et al. Efficacy and safety of LY3298176, a novel dual GIP and GLP-1 receptor agonist, in patients with type 2 diabetes: a randomised, placebo-controlled and active comparator-controlled phase 2 trial. Lancet 2018;392:2180-2193.
14. Gadde KM, Allison DB, Ryan DH, et al. Effects of low-dose, controlled-release, phentermine plus topiramate combination on weight and associated comorbidities in overweight and obese adults (CONQUER): a randomised, placebo-controlled, phase 3 trial. Lancet 2011;377:1341-1352.
15. Gardner CD, Kiazand A, Alhassan S, et al. Comparison of the Atkins, Zone, Ornish, and LEARN diets for change in weight and related risk factors among overweight premenopausal women: the A TO Z weight loss study: a randomized trial. JAMA 2007;297:969-977.
16. Garvey WT, Mechanick JI, Brett EM, et al. American association of clinical endocrinologists and american college of endocrinology comprehensive clinical practice guidelines for medical care of patients with obesity. Endocr Pract 2016;22:1-203.
17. Garvey WT, Ryan DH, Look M, et al. Two-year sustained weight loss and metabolic benefits with controlled-release phentermine/topiramate in obese and overweight adults (SEQUEL): a randomized, placebo-controlled, phase 3 extension study. Am J Clin Nutr 2012;95:297-308.
18. Global BMI Mortality Collaboration, Di Angelantonio E, Bhupathiraju Sh N, et al. Body-mass index and all-cause mortality: individual-participant-data meta-analysis of 239 prospective studies in four continents. Lancet 2016;388:776-786.
19. Greenway FL, Fujioka K, Plodkowski RA, et al. Effect of naltrexone plus bupropion on weight loss in overweight and obese adults (COR-I): a multicentre, randomised, double-blind, placebo-controlled, phase 3 trial. Lancet 2010;376:595-605.
20. Hainer V, Toplak H, Mitrakou A. Treatment modalities of obesity: what fits whom? Diabetes Care 2008; 31:269-277.
21. Heymsfield SB, Wadden TA. Mechanisms, pathophysiology, and management of obesity. N Engl J Med 2017;376:254-266.
22. Jakicic JM, Wing RR, Butler BA, et al. Prescribing exercise in multiple short bouts versus one continuous bout: effects on adherence, cardiorespiratory fitness, and weight loss in overweight women. Int J Obes Relat Metab Disord 1995;19:893-901.
23. James WP, Caterson ID, Coutinho W, et al. Effect of sibutramine on cardiovascular outcomes in overweight and obese subjects. N Engl J Med 2010;363:905-917.
24. Jee SH, Sull JW, Park J, et al. Body-mass index and mortality in Korean men and women. N Engl J Med 2006;355:779-787.
25. Johnston BC, Kanters S, Bandayrel K, et al. Comparison of weight loss among named diet programs in overweight and obese adults: a meta-analysis. JAMA 2014;312:923-933.
26. Lau J, Bloch P, Schäffer L, et al. Discovery of the once-weekly Glucagon-Like Peptide-1 (GLP-1) analogue semaglutide. Journal of Medicinal Chemistry 2015;58:7370-7380.
27. Levine JA, Lanningham-Foster LM, McCrady SK, et

al. Interindividual variation in posture allocation: possible role in human obesity. Science 2005;307:584-586.
28. Marso SP, Bain SC, Consoli A, et al. Semaglutide and cardiovascular outcomes in Patients with Type 2 diabetes. N Engl J Med 2016;375:1834-1844.
29. Miller WC, Koceja DM, Hamilton EJ. A meta-analysis of the past 25 years of weight loss research using diet, exercise or diet plus exercise intervention. Int J Obes Relat Metab Disord 1997;21:941-947.
30. Nissen SE, Wolski KE, Prcela L, et al. Effect of naltrexone-bupropion on major adverse cardiovascular events in overweight and obese patients with cardiovascular risk factors: a randomized clinical trial. JAMA 2016;315:990-1004.
31. O'Neil PM, Birkenfeld AL, McGowan B, et al. Efficacy and safety of semaglutide compared with liraglutide and placebo for weight loss in patients with obesity: a randomised, double-blind, placebo and active controlled, dose-ranging, phase 2 trial. Lancet 2018;392:637-649.
32. O'Neil PM, Smith SR, Weissman NJ, et al. Randomized placebo-controlled clinical trial of lorcaserin for weight loss in type 2 diabetes mellitus: the BLOOM-DM study. Obesity (Silver Spring) 2012;20:1426-1436.
33. Ornish D, Brown SE, Scherwitz LW, et al. Can lifestyle changes reverse coronary heart disease? The Lifestyle heart trial. Lancet 1990;336:129-133.
34. Perri MG, McAllister DA, Gange JJ, et al. Effects of four maintenance programs on the long-term management of obesity. J Consult Clin Psychol 1988;56:529-534.
35. Pi-Sunyer X, Astrup A, Fujioka K, et al. A randomized, controlled Trial of 3.0 mg of liraglutide in weight management. N Engl J Med 2015;373:11-22.
36. Rosenbaum M, Leibel RL, Hirsch J. Obesity. N Engl J Med 1997;337:396-407.
37. Rubino F, Nathan DM, Eckel RH, et al. Metabolic surgery in the treatment algorithm for type 2 diabetes: a Joint statement by international diabetes organizations. Diabetes Care 2016;39:861-877.
38. Seo MH, Kim YH, Han K, et al. Prevalence of obesity and incidence of obesity-related comorbidities in Koreans Based on National Health Insurance Service Health Checkup Data 2006-2015. J Obes Metab Syndr 2018;27:46-52.
39. Shai I, Schwarzfuchs D, Henkin Y, et al. Weight loss with a low-carbohydrate, Mediterranean, or low-fat diet. N Engl J Med 2008;359:229-241.
40. Sjostrom L, Narbro K, Sjostrom CD, et al. Effects of bariatric surgery on mortality in Swedish obese subjects. N Engl J Med 2007;357:741-752.
41. Slentz CA, Duscha BD, Johnson JL, et al. Effects of the amount of exercise on body weight, body composition, and measures of central obesity: STRRIDE--a randomized controlled study. Arch Intern Med 2004;164:31-39.
42. Smith SR, Weissman NJ, Anderson CM, et al. Multicenter, placebo-controlled trial of lorcaserin for weight management. N Engl J Med 2010;363:245-256.
43. Torgerson JS, Hauptman J, Boldrin MN, et al. XENical in the prevention of diabetes in obese subjects (XENDOS) study: a randomized study of orlistat as an adjunct to lifestyle changes for the prevention of type 2 diabetes in obese patients. Diabetes Care 2004;27:155-161.
44. Wadden TA, Van Itallie TB, Blackburn GL. Responsible and irresponsible use of very-low-calorie diets in the treatment of obesity. JAMA 1990;263:83-85.
45. Willett WC. Dietary fat plays a major role in obesity: no. Obes Rev 2002;3:59-68.

CHAPTER 70

비만수술

1. 서론

비만의 치료에는 여러 가지 방법이 있으나 고도비만의 유일한 치료법은 수술이다. 비만수술(체중감소수술 또는 베리아트릭수술)의 목적은 수술로 위장관의 구조 변화를 일으켜 충분하고 장기적인 체중감소를 유도하고, 이를 통해 비만과 관련된 동반 질환을 치유 또는 개선하여 환자의 삶의 질을 향상시키고 의료비를 절감하며 궁극적으로 비만으로 인한 생명의 단축을 예방하고자 함이다. 최근 10여 년간 체중 감량, 동반 질환의 치유, 삶의 질 향상, 생명의 연장 등에 대한 수술과 비수술적 치료법들의 과학적 비교연구결과들이 무수히 발표되면서 고도비만 환자에 대한 수술의 유용성과 우수성에 대한 이견은 거의 없다. 2012년 우리나라 비만수술의 비용효과 분석 결과를 보면, 비만수술은 장기적으로 환자들의 의료비를 획기적으로 줄이고, 1 QALI (1년간 완전히 건강하게 사는 것)의 비용이 170만원 정도로 비용 효과가 매우 큰 치료법이라 결론 내고 있다.

세계적으로 1990년대 후반부터 비만수술 빈도는 급격히 증가하였는데 미국에서는 이를 "Bariatric revolution"이라 일컫고 있다. 이는 고도비만 환자의 급격한 증가와 더불어 복강경수술 등 수술 기법의 진화, 의료보험의 적용, 대중매체나 인터넷 등을 통한 대중에 대한 홍보와 계몽 그리고 이와 연관된 의료진의 노력의 결과라 해석하고 있다. 우리나라의 경우 2003년에 처음으로 비만수술이 시행되었으며 점차 수술적 치료를 하는 빈도가 증가하고는 있지만, 비만수술에 대한 사회 전반적인 인식의 부족과 일반 의사와 환자들에 대한 홍보의 부족, 일부 비만수술에 대한 잘못된 오해, 건강보험의 적용을 받지 못하여 발생하는 비싼 수술비, 그리고 비만수술에 대한 전문성을 가진 의료진의 부족 등으로 인하여 아직 보편화되지는 못하고 있는 실정이다.

우리나라 국민건강보험공단이 2015년 발표한 고도비만 실태분석 결과 체질량지수 30 kg/m^2 이상의 class II 비만 환자가 2002~2003년 2.63%에서 2012~2013년 4.19%로 10년간 1.59배 증가하였고 체질량지수 35 kg/m^2 이상 class III 비만 환자 비율 또한 0.18%에서 0.47%로 2.64배 가파르게 증가하였다. 특히 소아청소년과 20~30대 젊은층의 증가율, 그리고 저소득층의 증가율이 더욱 가파르고 이로 인한 사회경제적 비용 또한 급격하게 증가한다는 통계 자료는 미래에 대한 우리의 대비가 절실하다는 결론에 이른다. 이에 국민의 건강을 책임져야 할 국가와 의료계는 그 심각성과 필요성을 인지하여 2014~2018 건강보험 중기보장성 강화 계획을 발표하면서 비만수술의 급여화를 명시하였으며 마침내 2019년 1월부터 급여화가 시행되었다. 이는 우리 사회가 비만 특히 고도비만을 심각한 질병으로 인식하고 사회적 비용을 지불할 용의가 있으며 이를 위한 준비가 되었다는 의미이기도 하다.

2. 비만수술의 역사

구강에 철사를 감아 입을 못 벌리게 하여 음식물 섭취를 제한하는 Jaw wiring, 상당량의 소장을 절제하여 단장증후군(short bowel syndrome)을 유도하는 소장 절제술이 시도된 보고가 있으나 효율성과 안전성에서 큰 호응을 얻지 못하고 사라졌으며, 1953년 Kremen 등이 시행한 공장회장우회술(jejunoileal bypass)이 일반적으로 비만수술의 효시로 인정되고 있다. 이 수술은 음식물이 공장 상부에서 말단부 회장으로 직접 통과하게 함으로써 전체 소장의 90% 이상을 우회하게 하여 흡수장애를 유발시키는 순수 흡수제한 술식이다. 체중감소 효과 면에서는 탁월하였으나 영양 불균형 및 전해질 이상, 지속적 설사, 골다공증, 신장 결석증, 야맹증 등의 심각한 후유증을 일으키고, 우회된 긴 맹관(blind loop)에 과도하게 증식된 세균의 독성에 의해 간부전이 발생하여 사망에 이르는 예가 다수 보고되면서 1980년대 이후로는 더 이상 시행되지 않는 술식이 되었다.

1966년 Mason 등은 식이제한과 흡수제한의 혼합형인 루프형식의 위우회술(gastric bypass)을 개발하였다. 위주머니의 크기, 위공장문합의 위치 등의 변형이 이어졌으며 1977년 Griffen 등은 루프식의 위공장문합을 루와이(Roux-en-Y) 형태로 변형하면서 담즙역류, 문합부 긴장 등의 문제를 해결하였다. 그 후 여러 차례 기술적 변화를 거쳐 오늘에 이르렀지만 안전한 문합 방법, 루각(roux limb)과 담췌각(biliopancreatic limb)의 길이에 대한 논의는 아직도 진행 중이다. 1973년에 Printen 등은 좀 더 안전한 수술을 위한 수직밴드위성형술(vertical banded gastroplasty)을 개발하였다. 이 수술은 1980년대에 가장 많이 시행되었으나, 장기적인 체중감량 효과가 떨어지고 협착, 위벽침식, 위천공 등 밴드와 관련된 장기적인 합병증이 문제가 되어 현재는 거의 시행되지 않고 있으나 섭취 제한에 대한 개념은 후일 위밴드술을 개발하는데 밑거름이 되었다. 1976년 Wilkinson은 위상부에 밴드를 삽입하여 섭취를 제한하는 위밴드술을 제안하였다. 그 후 Szinicz, Kuzmak 등은 밴드의 직경을 조절할 수 있는 조절형 밴드를 각각 고안하여 고정된 밴드로 인한 문제를 해결하여 한 때 전 세계적으로 가장 많이 시행하는 비만수술의 하나가 되었다. 1976년 Scopinaro 등은 대표적인 흡수제한술식인 담췌전환술(biliopancreatic diversion)을 제안한다.

이 술식은 위의 하부 절반을 절제하고 루와이식의 위공장 문합을 하는 방식인데, 1987년 DeMeester 등은 위공장 역류와 덤핑증후군을 해결하기 위해 위소매절제술의 시행 후 유문을 보전하고 루와이 형태로 십이지장-공장 문합을 하는 십이지장전환술을 개발하였다. 1998년 Hess 등은 Scopinaro 수술과 DeMeester 수술을 혼합하여 담췌십이지장전환술(biliopancreatic divsersion with duodenal switch)을 개발하였다.

이 수술은 미국에서도 보편화되지는 못하였으나 체중이 극도로 많이 나가는 일부의 환자에게 현재도 시행하는 수술이다. 초기에 이 수술은 수술술기가 복잡하고 합병증의 발생 가능성이 높아 2단계의 수술로 진행이 되었다. 즉, 비만도가 매우 높은 환자에게 일차적으로 위의 대만을 따라서 위의 80% 정도를 절제해내는 위소매절제술을 시행한 후 환자의 체중이 어느 정도 줄게 되면 2차로 나머지 시술을 하는 방법으로 고안되었다. 그러나 1차 수술만으로도 환자의 수술 결과가 좋아서 추가적인 2차 수술이 필요 없는 경우가 많이 보고되면서 1차 수술이 위소매절제술이라는 단독 수술로서 자리를 잡게 되었다.

3. 비만수술의 현황

비만수술은 약 60년이 넘게 다양한 수술방법이 개발되어왔으며 현재까지도 최적의 수술방법을 개발하기 위해 많은 연구가 이루어지고 있다. 비만수술의 세계적 현황은 국제비만대사외과연맹의 주도 하에 주기적으로 보고되고 있으며, 2016년까지의 현황이 2018년 보고되었다(그림 70-1).

세계적으로 비만수술의 빈도는 지속적으로 증가하여, 2016년 685,874건이 시행되었다. 수술 별로 보면 일차 비만수술이 92.6%, 재수술(revisional surgery)이 7.4%로 재수술의 비율이 점진적으로 증가하고 있으며, 일차 수술로는 위소매절제술이 2008년 이후 급격한 성장세를 보여 2016년 53.6%로 가장 많이 시행되었으며 루와이 위우회술 30.1%, 단일문합 위우회술 4.8% 순이었다. 2008년 42.3%로 두 번째로 많이 시행되었던 위밴드술은 그 후 급격히 감소하여 2016년 3%에 그쳤다. 흥미로운 것은 비만수술의 두 축을 이루고 있는 미대륙과 유럽 및 호주에서 시행된 수술에 대한 선호도와 빈도의 변화가 매우 상이하다는 것인데, 이는 60년 이상의 전통을 가진 두 대륙에서조차 어떤 수술이 가장 적합한 수술인지에 대한 명쾌한 해답을 아직도 제시할 수 없다는 것을 단적으로 보여주고 있는 결과라 하겠다. 그러나 최근 10년간의 각 대륙의 공통적인 변화의 추이는 위밴드술의 급락과 위소매절제술의 약진이다.

또한 개복수술에 비해 복강경수술의 장점들은 널리 공감하고 있다. 1990년대 후반부터 보편화된 복강경수술은 비만수술의 급속한 증가에 큰 역할을 하였으며 현재 대부분의 비만수술은 복강경으로 시행되고 있다. 복강경을 이용한 최소침습수술의 도입은 수술 후 합병증과 사망률이 적어 환자의 안전성을 확보하는데 가장 크게 기여하였고 개복술에 비해 회복이 빠르고 통증이 적고 미용적이라는 일반적인 장점을 가지고 있는데, 특히 복벽이 두껍고 복강내압이 높고 다양한 비만과 관련된 질환을 이미 가지고 있는 고도비만 환자에게 이러한 장점은 더욱 배가된다.

우리나라는 위소매절제술을 시작으로 2003년 139예를 기록하였으며 2008년까지 연간 100예에 미치지 못하다가, 고도비만 환자의 증가와 더불어 대한비만대사외과학회의 창립과 함께 학술 활동이 활발해지고 비만

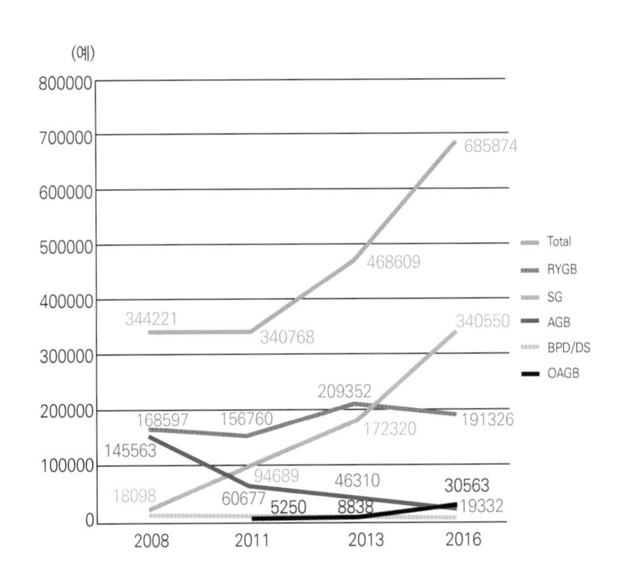

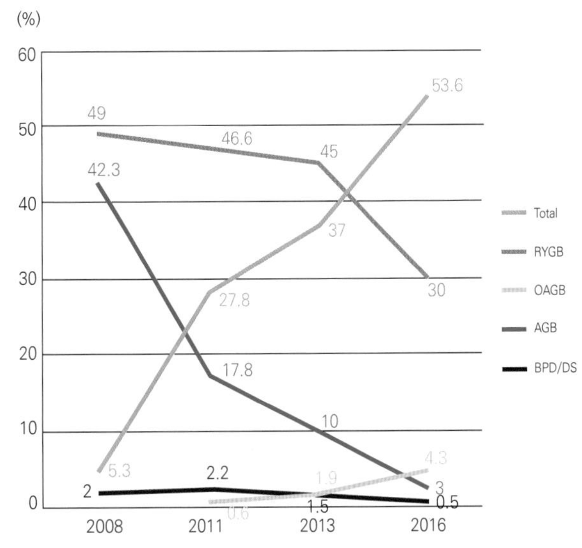

그림 70-1 **비만수술의 현황.**
RYGB: 루와이위우회술, SG: 위소매절제술, AGB: 조절형위밴드술, OAGB: 단일문합위우회술
BPDIDS: 담췌십이지장전환술

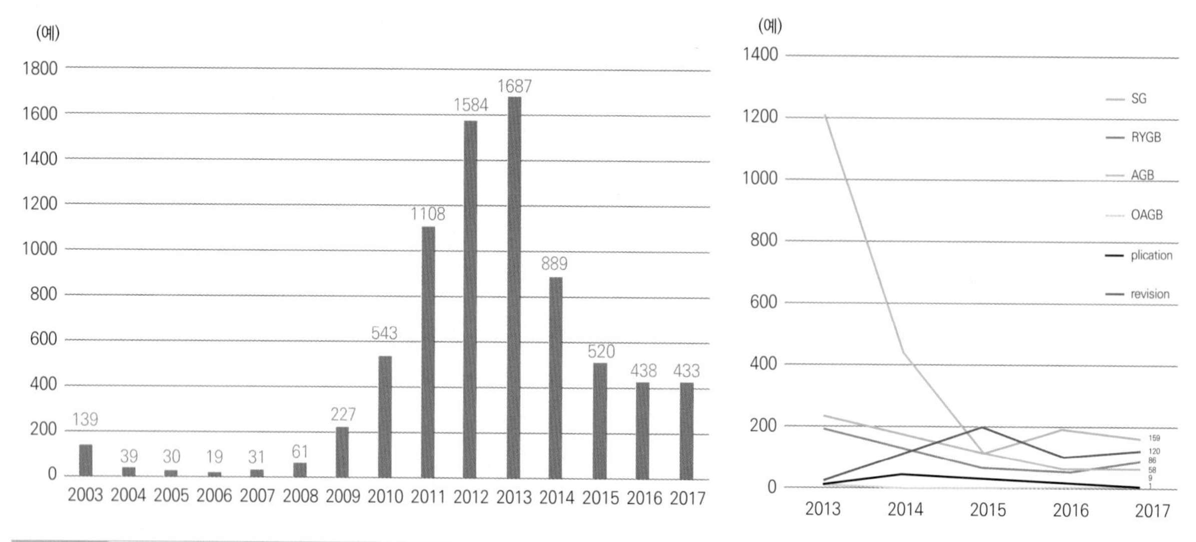

그림 70-2 우리나라의 비만수술 현황(대한비만대사의과학회 전국조사자료).
SG: 위소매절제술, RYGB: 루와이위우회술, AGB: 조절형위밴드술, OAGB: 단일문합위우회술
plication: 위주름형성술, revision: 교정수술

수술 전문병원의 역할이 두드러지면서 2009년 이후 매년 급격한 증가세를 보여 2013년에는 1,600예가 넘는 비만수술이 이루어졌다. 그러나 2014년 비만수술의 안전성에 대한 문제가 사회 전반에 제기되면서 전체 비만수술 건수가 급격히 감소하였고 아직도 회복하지 못하고 있는 실정이다. 대한비만대사외과학회의 통계에 의하면 2017년 433예의 비만수술이 시행되었으며, 수술별로 보면 위소매절제술, 밴드제거술 등의 재수술, 루와이 위우회술, 위밴드술의 순이었다.

4. 비만수술의 적응증

고도비만 치료의 기본적인 요건은 효율성, 안전성, 지속성이다. 1991년 미국 국립보건원의 consensus 모임에서 현재 이를 충족시킬 수 있는 유일한 치료방법은 수술뿐이라고 선언하고 그 적응증을 다음과 같이 정의하였다. 첫째, 체질량지수(BMI)가 40 kg/m^2 이상, 둘째, 체질량지수가 35 kg/m^2 이상이면서 비만 관련 질환을 동반하는 경우, 셋째, 수술 이외의 치료에 실패한 경험이 있을 것, 그 외에 통상적으로 다음의 사항이 추가적으로 적용된다. 넷째, 알코올이나 약물 중독이 없고 심각한 정신과적 병력이 없을 것, 다섯째, 체중감량의 의지가 있고 수술의 방법과 기전에 대해 잘 이해할 것, 여섯째, 수술을 시행할 수 없을 정도의 심각한 내과적 질환이 없을 것으로 정의하였다.

체질량지수가 완벽하게 체지방량을 산출해 내지는 못하며, 체지방의 분포를 반영하지는 못한다. 같은 체질량지수에서도 아시아인은 서양인에 비해 체지방이 더 많고 비만 관련 질환의 위험률이 더욱 높은 복부비만 환자의 비율이 서양인에 비해 높다. 이로 인하여 아시아인들은 서양인에 비해 더 낮은 체질량지수에서부터 생명을 위협하는 질환의 유병률이 증가하기 시작한다. 이에 2000년 세계보건기구는 아시아인을 위한 비만의 기준을 다음과 같이 다르게 정의하였다. 체질량지수 18.5~22.9: 정상, 23~24.9: 위험체중(과체중), 25~29.9: 1단계 비만, 30 이상: 2단계 비만(고도비만)으로 정의하였다. 2004년 서울에서 개최된 아시아-태평양 비만수술연구회(Asia-Pacific Bariatric Surgery Group)의 발표

에 따르면 수술의 적응증으로 미국의 적응증에 체질량지수 40 kg/m^{2}을 37 kg/m^{2}로, 35 kg/m^{2}를 32 kg/m^{2}로 낮출 것을 권장하였다. 그러나 여러 다른 아시아 센터에서는 WHO의 아시아태평양 권고안에 따라 체질량지수 35 kg/m^{2}와 30 kg/m^{2}을 적응증으로 사용하고 있으며 2011년 국제비만대사외과연맹 아시아 태평양 지부(International Federation for the Surgery of Obesity and Metabolic Disorders – Asia Pacific Chapter, IFSO-APC) 합의 성명서에서도 역시 체질량지수가 35 kg/m^2 이상이거나, 혹은 체질량지수가 30 kg/m^2 이상이면서 조절되지 않는 제2형 당뇨병이나 대사증후군이 동반된 경우를 기준으로 제시하였다.

2019년 시행되고 있는 우리나라의 비만수술의 급여화 기준도 이 기준을 따르고 있으며 외과적, 내과적, 정신적 및 영양의 전문 지식을 갖춘 다학제팀에 의해 평가되고 관리되어야 한다고 명시하고 있다. 동반질환으로는 제2형 당뇨병, 고혈압, 심혈관질환, 심근병(cardiomyopathy), 이상지혈증, 비알코올성 지방간, 천식, 저환기증(hypoventilation), 폐쇄성 수면무호흡증, 관절질환, 위식도역류질환, 가뇌종양(pseudotumor cerebri)을 명시하고 있다. 환자의 나이에 대한 적응증은 아직 유동적이다. 통상적으로 18~60세가 적용이 되어 왔으나 청소년 비만 환자가 급증하고 심각성이 더욱 부각되면서 청소년 연령 제한에 대한 논의가 진행 중이고, 생물학적 연령과 기대 여명에 따라 연령 상한을 16~65세로 넓히자는 움직임도 있다. 비만수술의 금기사항으로는 일반적인 전신마취 금기사항(심각한 심폐질환, 혈액응고장애 등)을 지니고 있는 환자, 심각한 정신과적 질환(조현병, 심한 우울증, 악성 과식증), 문맥압 항진증이나 동반된 간질환, 내분비질환에 의한 비만, 전이성 또는 수술 불가능한 악성종양 환자 등이며, 임신 중이거나 또는 12개월 이내에 임신 계획이 있는 환자는 수술을 연기해야 한다.

5. 비만수술의 종류

이상적인 비만수술이란 효율성과 안전성을 고루 만족시켜야 한다. 목표한 정도의 체중감소의 효과가 장기간 유지되고 비만과 연관된 질환들의 치유 효과가 빠르게 지속적으로 나타나며 삶의 질이 향상되고 결국 비만으로 인한 생명의 단축을 예방할 수 있어야 한다. 또한 최소침습적이고 수술이 간단하고 쉬우며 수술의 합병증과 사망률이 적고 환자의 특성에 적합하며 수술 후 장기적으로 대사 영양학적 문제가 최소화 되어야 한다.

비만수술은 크게 음식물의 섭취를 제한하는 제한술식(restrictive procedure; 조절형 위밴드술, 수직밴드 위성형술, 위소매절제술)과 영양분의 흡수를 억제하는 흡수억제술식(malabsorptive procedure; 담췌십이지장전환술, 공장회장우회술), 그리고 혼합형술식(combined procedure; 루와이 위우회술, 단일문합 위우회술)으로 분류될 수 있다. 현재 전 세계적으로 표준술식으로 인정되는 방법은 조절형 위밴드술, 루와이 위우회술, 담췌십이지장전환술 그리고 위소매절제술이다. 각 수술마다 장단점을 가지고 있어 특정 환자에게 어떤 수술이 다른 수술에 비해 우월하다고 단정할 수는 없는 실정이다.

1) 조절형 위밴드술(adjustable gastric banding)

위식도경계부 하방 2~3 cm에 조절형 밴드를 설치하여 15~20 cc의 위낭(gastric pouch)을 만들어 식욕을 억제하고 작은 식사량에도 쉽게 포만감을 느끼게 하는 대표적인 제한술식이다(그림 70-3). 먹은 음식은 밴드에 의해 형성된 작은 구멍을 통과하여 서서히 내려가고 그 뒤로는 정상인과 같은 이동 경로를 통해 소화된다. 밴드 안쪽에 풍선이 장착되고 액체를 주입할 수 있는 포트가 피하에 위치하게 되는데 이곳을 통해 밴드의 내경을 조절함으로써 음식물이 통과하는 구멍의 크기를 조절할 수 있다. 보통 수술 후 18개월에서 3년에 최고의

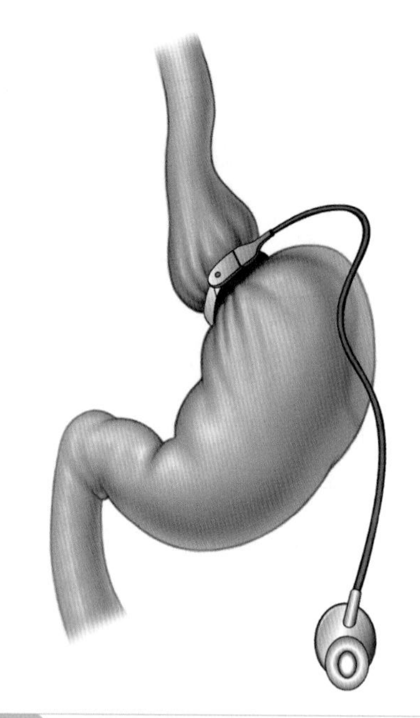

그림 70-3 **조절형 위밴드술.**

체중 감량 효과가 있다고 알려져 있다. 비교적 나이가 젊고(<40), 체질량지수 <50 kg/m^2이며 수술에 대해 잘 이해하고 수술 후 식생활 습관을 변화시킬 의지가 확고한 환자에게 효과가 좋다는 보고가 있다.

이 수술의 장점은 장의 절제나 문합 등이 필요 없어 시술이 가장 간단하여 수술 유병률 및 사망률이 가장 적으며 밴드의 크기를 조절할 수 있고 문제가 발생하거나 필요가 없어지면 밴드를 제거하여 정상적인 해부학적 구조를 회복할 수 있다는 것이다. 그러나 체내에 이물질을 지녀야하고, 밴드의 크기 조절을 위하여 자주 병원을 방문하여야 하고, 체중 감량과 동반질환의 개선효과가 다른 수술에 비해 비교적 적고 속도가 느리며, 또한 10년 이상 추적 조사한 결과 밴드로 인한 장기적인 합병증의 발생으로 인한 재수술을 해야 하는 경우가 의외로 많다는 단점이 함께 있다. 반면 O'Brien 등은 위 주위의 박리 없이 소망부(pars flaccid)를 열고 소낭 배부의 횡격막 전면을 따라서 밴드를 삽입함으로써 위의 후면부가 자연스럽게 고정되는 pars flaccida법으로 기존의 수술법에서 가장 큰 문제점으로 지적되어 온 밴드 미끄러짐과 미란을 획기적으로 줄일 수 있다고 보고하였다.

2) 루와이 위우회술(Roux-en-Y gastric bypass)

장기적 체중감량과 동반질환 개선 효과와 대사 질환의 탁월한 효과를 보여주고 있는, 오랜 세월 동안 그 유효성이 증명된 수술법으로 통상적으로 “gold standard”로 인정되어 왔던 수술이다. 위식도경계부 하방에서 위를 절단하여 소만쪽으로 15~20 cc 정도 용량의 작은 위낭(gastric pouch)이 만들어지고 비교적 짧은 소장 우회가 Y자 모양으로 이루어져 나머지 하부 위, 십이지장, 근위 공장이 우회되게 된다(그림 70-4). 결국 환자는 식욕의 변화가 오고 적게 먹으며, 먹은 음식은 덜 흡수된다. 위공장문합은 복강경 원형 자동문합기(circular stapler), 선형 자동문합기(linear stapler), 또는 수기로 꿰매는(hand-sewn) 방법으로 시행할 수 있다. Roux-limb과 biliopancreatic limb 길이에 따라 흡수장애의 차이가 있어 환자의 비만도에 따라 이 길이를 조절하기도 한다.

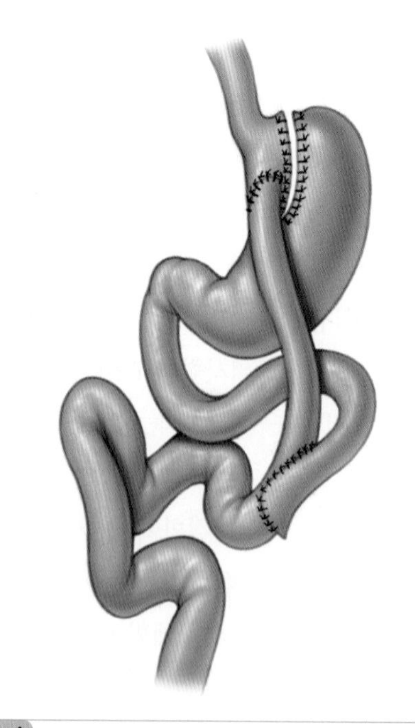

그림 70-4 **루와이 위우회술.**

환자가 음식을 먹으면 복통, 설사, 저혈당 증상 등을 일으키는 덤핑 증후군을 일으킬 수 있는데 오히려 'sweet eater'에게 체중 감량에 더 유용하다는 보고도 있다. 장내 호르몬 분비의 변화를 초래하여 제2형 당뇨병 등 대사 증후군의 치료에 단순한 제한적 수술보다 더욱 유용하다고 보고된다. 단점으로는 제한술식에 비해 누출, 협착, 출혈, 변연궤양, 장폐색, 내탈장 등 수술 합병증의 빈도가 높으며, 철, Vit B12, 엽산, 칼슘 등의 대사 이상이 생길 수 있어 수술 후 평생 영양분 보충이 필요하다. 또한 위 우회로 인해 원위 잔여 위, 십이지장, ampulla of Vater 등으로 접근이 어려워져, 위 내시경이나 ERCP 등의 시술을 어렵게 한다. 우리나라처럼 위암 빈도가 높은 지역에서는 심도 있게 고려하고 해결책을 제시해야 할 과제이다.

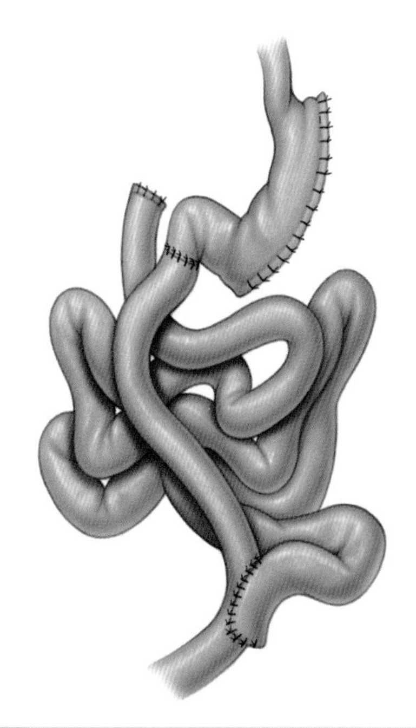

그림 70-5 담췌십이지장전환술.

3) 담췌십이지장전환술(biliopancratic diversion with/duodenal switch)

담췌전환술(Biliopancreatic diversion, BPD)은 대표적인 흡수제한 수술로서, 위를 절제하여 250~500 cc의 gastric pouch를 만들고 250 cm의 Roux-limb과 50 cm의 흡수를 위한 common channel을 만든다(그림 70-5). 이 수술의 변연 궤양(marginal ulcer)과 덤핑증후군의 빈도를 줄이기 위해 위를 소매절제하고 유문부를 보존하여 변형시킨 수술이 담췌십이지장전환술(biliopancratic diversion with duodenal switch, BPD/DS)이다. Gagner 등은 최초로 복강경 BPD/DS를 시행하였고 이때 60 Fr의 부지를 기준으로 위절제술을 시행하고 소화각은 250 cm, 공통관은 50~100 cm로 유지하였다. 어떤 수술방법보다 체중 감량과 동반질환의 치유에 가장 좋은 결과를 보이며 특히 체질량지수 50 kg/m^2 이상의 초고도비만 환자에서 탁월한 효과를 보인다. 그러나 수술이 복잡하여 수술의 합병증과 사망률이 가장 높으며, 장기적으로 볼 때, 치명적인 단백질과 비타민, 각종 미네랄의 흡수에 장애가 생기며, 대사성 골질환, 신장 결석의 가능성이 높다. 미국에서도 일부의 기관, 일부의 의사에 의해서만 시행되고 있다.

4) 위소매절제술(sleeve gastrectomy)

처음에는 고위험군의 초고도비만 환자에게 담췌십이지장전환술 또는 위우회술을 위한 1차 수술로 시행되다가 점차 그 자체로의 효과가 보고되었고, 2010년 International Consensus Summit for Sleeve Gastrectomy에서 비만치료의 일차수술(stand-alone operation) 중 하나로 인정받았다. 그 후 시행 빈도가 계속 증가하여 2016년 세계적으로 가장 많이 시행되는 수술이 되었고, 미국비만대사외과학회의 발표에 의하면 2013년 이래 미국에서 가장 많이 시행되는 수술로서 2017년 현재 미국에서 시행되는 비만수술의 약 60%를 차지한다.

32~60F의 Bougie를 삽입 후 위저부와 대만부를 절제하여 80~100 cc 정도의 위 소만부를 튜브 모양으로 남기게 된다(그림 70-6). 제한술식의 하나로 분류되지만 ghrelin, GLP-1, PYY 등의 장내 호르몬의 변화를 유

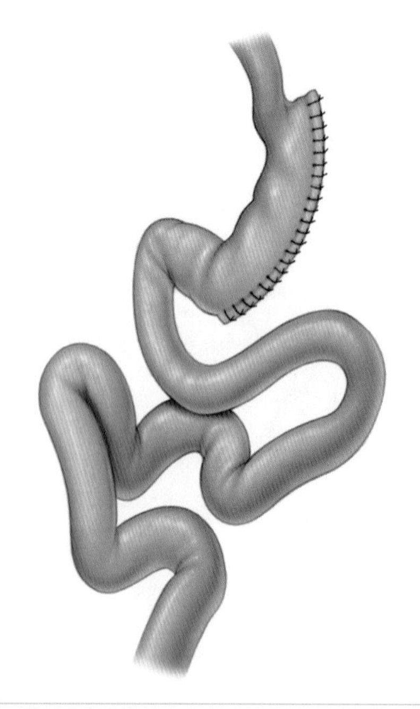

그림 70-6 **위소매절제술.**

도하며 음식물의 위 소장 배출 시간을 단축시켜 당뇨 등의 대사 질환에 대한 효과도 기대된다. 미국외과학회 네트워크 자료에 의하면 복강경 위소매절제술이 합병증과 체중감소 효과 면에서 복강경 조절형 위밴드술과 복강경 루와이 위우회술 사이에 위치한다. 2012년 위소매절제술 정상회의에서 1년 이상 위소매절제술의 경험을 가진 130명의 외과의사에서 시행된 46,133명의 설문조사 결과에 의하면 초과체중감소율(%EWL)은 1년 59.3%, 2년 59.0%, 3년 54.7%, 4년 52.3% 그리고 5년 50.6%이었다. 무작위 비교와 연구와 장기추적결과가 미흡하여 아직 그 결과에 대한 결론을 내기는 어렵다. 이 수술은 위외회술이나 담췌십이지장전환술에 비해 수술이 비교적 간단하고 수술 합병증, 대사성 합병증이 적고, 효과가 미흡할 경우 다른 수술로 변환이 쉽고, 위밴드술에 비해 체중감소 효과가 좋고, 이물질의 삽입이 불필요한 장점이 있다. 또한 소화기관의 해부학적 변형이 없어 우리나라처럼 위암의 발생률이 높은 지역에서 중요한 잔여 위나 십이지장에 대한 내시경검사를 어렵게 하는 문제가 없다.

위절제 길이가 길어 문합 부위 누출, 출혈, 협착, 꼬임, 위식도역류 등의 합병증이 발생할 수 있다. 수술의 효과와 안전성을 위한 부지의 크기, 첫 스태플링의 위치(유문에서의 거리), 마지막 스태플링의 위치(위식도 경계부로부터의 거리), 봉합 부위의 강화방법, 누출 유무에 대한 수술 중 검사 등에 대한 수술의 표준화가 이루어져야 하며, 위식도역류와 관계에 대한 논의도 심도 있게 다루어져야 한다.

6. 비만수술의 결과

성공한 비만수술에 대한 일치된 정의는 아직 없다. 수술 후 체중 감량의 정도, 동반질환의 치유 또는 개선, 삶의 질 향상 등이 쉽고 정확하게 반영될 수 있는 지표가 마련되어야 할 것이다. 현재로서는 체중 감량 정도와 동반질환의 치유 또는 개선되는 정도가 비만치료의 결과를 비교하는데 통상적으로 이용된다. 체중 감량의 정도를 비교하는 가장 통상적인 방법은 percentage of excess weight loss (%EWL)로써 (weight loss/ excess weight) × 100, excess weight = total preoperative weight − ideal weight로 구해진다. 수술 후 통상적으로 환자 초과 체중(이상 체중-현재 체중)의 50~80%의 감량을 유지할 수 있다. 수술방법에 따라 차이는 있지만 대체로 수술 후 6개월 동안 가장 빠른 속도로 체중이 줄고 2년까지 그 속도가 감소하여 2년부터는 그 체중을 유지하거나 약간 증가하는 경향이 있어, 수술 후 생활패턴의 변화를 유지함이 중요하다. 축적된 체내의 지방 특히 복부 지방의 감소는 간과 여러 조직에서 인슐린 감수성의 호전과 더불어 지방산 대사의 변화, adiponection의 증가, interleukin-6, TNF-a 등의 사이토카인의 변화 등의 효과를 가져온다. 복부 지방의 감소는 또한 복압을 감소시켜 고혈압, 요실금, 위식도 역류, 가뇌종양(peudotumor cerebri), 저환기증(hypoventilation)

등을 호전시키며, 체중 감량으로 관절에 부하를 줄여 관절염을 호전시키고 목 주위의 지방조직 감소로 수면무호흡증을 호전시킨다. 비만수술의 방법에 따라 포도당 조절과 식욕조절에 연관된 ghrelin, glucagon-like peptide-1 (GLP-1), peptide YY 등의 장내 호르몬의 생리적 반응을 호전시키는 효과도 있다. 결국 비만수술은 제2형 당뇨병(64~100%), 고혈압(62~79%), 수면무호흡증(80~85%), 고지질혈증(60~100%), 지방간(86~90%), 우울증 등 비만과 관련된 질환의 대부분을 경감 또는 완치시키고 각종 암의 발생을 예방한다.

지금까지 각 수술방법의 효과를 비교한 잘 디자인된 대규모의 무작위 전향적 연구는 없다. 아마도 비만 환자의 특성과 정도가 워낙 다양하고 각 수술방법 또한 매우 다양하며 계속 변화하고 있으며 환자와 의사의 선호도에도 차이가 많기 때문에 이러한 연구를 시도하는데 어려움이 많을 것으로 생각한다. 현재 다양한 비만수술의 결과를 비교한 대규모의 meta-analysis가 다수 있지만 2004년 Buchwald 등이 발표한 논문이 가장 대표적이다. 1990년에서 2003년까지 발표된 136개의 논문에서 위밴드술, 위우회술, 위성형술, 담췌전환술을 시행받은 22,094의 환자(수술 전 평균 BMI는 46.9 kg/m^2)를 대상으로 하였다. 전체 환자의 %EWL는 61.2% (58.1~64.4%)였다. 각 수술 별로 보면 위밴드술 47.5% (40.7~54.2%), 위우회술 61.6% (56.7~66.5%), 위성형술 68.2% (61.5~74.8%), 그리고 담췌전환술 70.1% (66.3~73.9%)이었다. 당뇨는 76.8%에서 치유, 86%에서 개선되었고 고혈압은 61.7%에서 치유, 78.5%에서 개선되었고 고지질혈증은 79.3%에서 수면무호흡증은 85.7%에서 치유되었다. 수술 사망률은 순수제한술식, 위우회술, 담췌전환술이 각각 0.1%, 0.5%, 1.1%이었다.

2005년에 Maggard 등이 147개의 논문으로 시행한 meta-analysis에 의하면 체중감소, 수술 사망률의 결과는 Buchwald의 결과와 거의 비슷하였고 전체 수술 합병증은 약 20%였으며 각 수술방법에 의한 수술 합병증은 위밴드술 7.0%, 위성형술 17.5%, 위우회술 16.9%, 담췌전환술 37.7%였다. Buchwald 등이 361 논문 85,048 환자를 대상으로 시행한 수술 사망률에 대한 meta-analysis에 의하면 전체 환자의 수술사망률은 0.28%였으며 복강경으로 시행된 제한술식, 혼합형, 흡수제한술식의 수술 사망률은 각각 0.07%, 0.16%, 1.1%였다. 남자와 고령, 그리고 체질량지수 50 이상의 초고도비만 환자의 수술 사망률이 의미 있게 높았다.

Franco 등이 최근 가장 많이 시행되고 있는 위우회술, 위밴드술, 위소매절제술을 비교한 논문들 모아 발표한 연구결과에 의하면 세 가지 수술방법 모두 안전하고 효과적인 수술방법이지만 체중 감량은 위우회술과 위소매절제술이 위밴드술에 비해 우월하며, 위밴드술은 다른 두 술식에 비해 단기적 수술합병증은 적은 안전한 수술이지만 장기적인 합병증이 많이 발생할 수 있는 수술법이라고 결론짓고 있다. 최근 위소매절제술이 세계적으로 가장 선호되는 술식으로 자리매김하면서 오랜 기간 gold standard로 군림해온 루와이 위우회술과의 중장기 비교 연구 논문들이 발표되었다. 2017년 14개 논문 중에 5,264 환자를 대상으로 발표된 meta-analysis에 의하면 체중 감량에 대한 3~5년의 추적결과는 두 술식간에 차이가 없었으나 5년 이상의 추적결과는 루와이 우회술이 상대적으로 좋은 결과를 경향을 보인다고 발표하였다. 두 술식 간의 5년 이상 전향적 무작위 논문들도 발표되었는데, STAMPEDE trial, SLEEVE-PASS trial, SM-BOSS trial이 대표적이다. 일치된 결론은 아니지만 수술의 합병증과 수술시간은 위소매절제술, 체중 감량과 대사적 효과는 루와이 위우회술이 우월하다고 결론짓고 있다.

7. 결론

고도비만의 치료에서 현재로서는 비만수술만이 유일한 해결책이라는 견해에는 이견이 없다. 60년의 역사

속에 이제는 비만수술의 유용성을 뒷받침할 충분한 의학적 근거를 갖추었다. 현재 위소매절제술, 루와이 위우회술, 위밴드술, 그리고 담췌십이지장전환술이 가장 널리 시행되고 있는데, 여러 수술이 시행되고 있다는 현실은 어느 수술방법도 완벽하게 어느 다른 수술보다 월등히 우월하다고 단정할 수 없음을 반영할 수도 있다. 향후 고도비만 환자의 특성에 맞는 환자의 욕구를 충족시켜줄 수 있는 적절한 수술방법의 연구 개발은 계속될 것이다.

미국의 경우 2017년 약 22,800예의 비만수술이 행하여진 것으로 보고되고 있으며 이는 미국의 어떤 암수술보다 훨씬 많은 예이다. 그러나 이들은 아직 비만수술의 필요성에 대한 홍보와 의료보험 혜택 등 여러 사회적인 여건의 조성이 미흡하여 실제 비만수술의 적응이 되는 고도비만 환자의 1% 미만이 수술의 혜택을 받을 뿐이라고 보고하고 있다. 이에 비추어 2018년 Asia-Pacific Metabolic and Bariatric Surgery Society (APMBSS)의 발표에 의하면 우리나라는 수술의 적응이 되는 고도비만 환자의 0.1%에도 못 미치는 수준이다. 그러나 최근 들어 비만에 대한 사회적인 관심이 고조되면서 비만을 심각한 질병으로 인식하고 비만의 예방 및 치료에 대해 우리 사회의 많은 분야에서 고민하고 대책을 마련하고자 하는 움직임이 있다는 것은 실로 다행스러운 일이다. 이제 조금씩 자리매김을 하고 있는 우리로서는 고도비만 환자의 특성 및 비만수술에 대한 교육, 계몽과 더불어 한국인에 적용되어야 할 비만수술의 적응증, 수술방법의 평가 및 개발, 수술술기의 표준화, 수술 전후의 환자 관리 등에 대한 체계적인 연구가 필요하리라 생각한다.

참고문헌

1. Angrisani L, Santonicola A, Iovino P, Vitiello A, Higa K, Himpens J, et al. Obes Surg 2018;28:3783-3794.
2. Bertucci W, Yadegar J, Takahashi A, et al. Antecolic laparoscopic Roux-en-Y gastric bypass is not associated with higher complication rates. Am Surg 2005;71:735-737.
3. Brolin RE. Long limb Roux en Y gastric bypass revisited. Surg Clin North Am 2005;85:807-817.
4. Buchwald H, Avidor Y, Braunwald E, et al. Bariatric surgery:a systematic review and meta-analysis. JAMA 2004;292:1724-1737.
5. Buchwald H, Estok R, Fahrbach K, Banel D, Sledge I. Trends in mortality in bariatric surgery: a systematic review and meta-analysis. Surg 2007;142:621-632.
6. Deitel M, Gagner M, Erickson AL, Crosby RD. Third international Summit: current status of sleeve gastrectomy. Surg Obes Relat Dis 2011;7:749-759.
7. DeMeester TR, Fuchs KH, Ball CS, Albertucci M, Smyrk TC, Marcus JN. Experimental and clinical results with proximal end-to-end duodenojejunostomy for pathologic duodenogastric reflux. Ann Surg 1987;206:414-426.
8. Dixon JB, Dixon ME, O'Brien PE. Pre-operative predictors of weight loss at 1-year after Lap-Band surgery. Obes Surg 2001;11:200-207.
9. Franco JV, Ruiz PA, Palermo M, Gagner M. A review of studies comparing three laparoscopic procedures in bariatric surgery: sleeve gastrectomy, Roux-en-Y gastric bypass and adjustable gastric banding. Obes Surg 2011;21:1458-1468.
10. Gagner M, Deitel M, Erickson AL, et al. Survey on laparoscopic sleeve gastrectomy (LSG) at the Fourth international consensus summit on sleeve gastrectomy. Obes Surg 2013;23:2013-2017.

11. Gastrointestinal surgery for severe obesity. Consens Statement 1991;9:1-20.
12. Griffen WO Jr, Young VL, Stevenson CC. A prospective comparison of gastric and jejunoileal bypass procedures for morbid obesity. Ann Surg 1977;186:500-509.
13. Hess DS, Hess DW. Biliopancreatic diversion with a duodenal switch. Obes Surg 1998;8:267-282.
14. Himpens J, Cadière GB, Bazi M, Vouche M, Cadière B, Dapri G. Long-term outcomes of laparoscopic adjustable gastric banding. Arch Surg 2011;146:802-807.
15. Hutter MM, Schirmer BD, Jones DB, et al. First report from the American College of Surgeons Bariatric Surgery Center Network: laparoscopic sleeve gastrectomy has morbidity and effectiveness positioned between the band and the bypass. Ann Surg 2011;254:410-420.
16. Johnston D, Dachtler J, Sue-Ling HM, King RF, Martin lG. The Magenstrasse and Mill operation for morbid obesity. Obes Surg 2003;13:10-16.
17. Kasama K, Mui W, Lee WJ, et al. IFSO-APC consensus statements 2011. Obes Surg 2012;22:677-684.
18. Kremen AJ, Linner JH, Nelson CH. An experimental evaluation of the nutritional importance of proximal and distal small intestine. Ann Surg 1954;140:439-448.
19. Kuzmak LI. A review of seven years' experience with silicone gastric banding. Obes Surg 1991;1:403-408.
20. Lee WJ, Wang W. Bariatric surgery: Asia-Pacific perspective. Obes Surg 2005;15:751-757.
21. Maggard MA, Shugarman LR, Suttorp M, et al. Meta-analysis: surgical treatment of obesity. Ann Intern Med 2005;142:547-559.
22. Mason EE, Ito C. Gastric bypass in obesity. Surg Clin North Am 1967;47:1345-1351.
23. Nguyen NT, Root J, Zainabadi K, et al. Accelerated growth of bariatric surgery with the introduction of minimally invasive surgery. Arch Surg 2005;140:1198-1202.
24. O'Brien PE, Dixon JB. Weight loss and early and late complications—the international experience. Am J Surg 2002;184:42-45.
25. O'Brien PE, Dixon JB, Brown W, et al. The laparoscopic adjustable gastric band (Lap-Band): a prospective study of medium-term effects on weight, health and quality of life. Obes Surg 2002;12:652-660.
26. O'Brien PE, Sawyer SM, Laurie C, et al. Laparoscopic adjustable gastric banding in severely obese adolescents: a randomized trial. JAMA 2010;303:519-526.
27. Ohta M, Seki Y, Wong SK, et al. Bariatric/Metabolic Surgery in the Asia-Pacific Region: APMBSS 2018 Survey. Obes Surg 2018:10.
28. Peterli R, Wölnerhanssen BK, Peters T et al. Effect of laparoscopic sleeve gastrectomy vs laparoscopic Roux-en-Y gastric bypass on weight loss in patients with morbid obesity: the SM-BOSS randomized clinical trial. JAMA 2018;319:255-265.
29. Podnos YD, Jimenez JC, Wilson SE, Stevens CM, Nguyen NT. Complications after laparoscopic gastric bypass: a review of 3464 cases. Arch Surg 2003;138: 957-961.
30. Printen KJ, Mason EE. Gastric surgery for relief of morbid obesity. Arch Surg 1973;106:428-431.
31. Ren CJ, Patterson E, Gagner M. Early results of laparoscopic biliopancreatic diversion with duodenal switch: A case series of 40 consecutive patients. Obes Surg 2000;10:514-523.
32. Rodgers S, Burnet R, Goss A, et al. Jaw wiring in treatment of obesity. Lancet 1977;1:1221-1222.
33. Salminen P, Helmiö M, Ovaska J, et al. Effect of laparoscopic sleeve gastrectomy vs laparoscopic Roux-en-Y gastric bypass on weight loss at 5 years among patients with morbid obesity: The SLEEVEPASS Randomized Clinical Trial. JAMA 2018;319: 241-254.
34. Schauer PR, Bhatt DL, Kirwan JP, et al. STAMPEDE investigators. Bariatric surgery versus intensive medical therapy for diabetes - 5-year outcomes. N Engl J Med 2017;376:641-651.
35. Scopinaro N, Gianetta E, Pandolfo N, Anfossi A, Ber-

retti B, Bachi V. Bilio-pancreatic bypass: proposal and preliminary experimental study of a new type of operation for the functional surgical treatment of obesity. Minerva Chir 1976;31:560-566.
36. Scopinaro N. Biliopancreatic diversion: mechanisms of action and long-term results. Obes Surg 2006;16: 683-689.
37. Shoar S, Saber AA. Long-term and midterm outcomes of laparoscopic sleeve gastrectomy versus Roux-en-Y gastric bypass: a systematic review and meta-analysis of comparative studies. Surg Obes Relat Dis 2017;13: 170-180.
38. Song HJ, Kwon JW, Kim YJ, et al. Bariatric surgery for the treatment of severely obese patients in south korea-is it cost fffective? Obes Surg 2013;23:2058-2067.
39. Szinicz G, Müller L, Erhart W, Roth FX, Pointner R, Glaser K. "Reversible gastric banding" in surgical treatment of morbid obesity: results of animal experiments. Res Exp Med (Berl) 1989;189:55-60.
40. Wilkinson LH. Reduction of gastric reservoir capacity. Am J Clin Nutr 1980;33:515-517.

CHAPTER 1 대사수술

비만과 당뇨병은 최근 20년간 급격히 증가하여 이제는 세계적으로 가장 심각한 질병 중 하나가 되었다. 비만은 당뇨병과 밀접하게 관계가 있지만, 두 질환의 중요한 병인 중 하나는 인슐린저항성의 증가다. 또한 이 인슐린저항성은 대사증후군의 기저병인으로 생각되고 있는데, 인슐린저항성을 낮추는 효과적인 방법으로 비만수술(bariatric Surgery)과 비슷한 수술 즉 대사수술이 최근에 대두되었다. 대사수술은 연구 초기에 주로 당뇨병의 개선과 관해에 초점을 맞추면서 당뇨수술(diabetic Surgery)로도 불렸으나 지금은 대사수술로 통일되어 사용되고, 점차 그 정의의 범위가 넓어지면서 비만수술도 대사수술 중의 하나로 받아들이려는 경향이 생기고 있다.

대사수술은 연구가 진행되면서 그 가치를 인정받게 되어, 2015년 전세계 많은 당뇨병 관련 학회들이 당뇨병의 치료지침에 대사수술을 포함하게 되었고, 우리나라도 그 지침을 받아들여 2019년부터 체질량지수 27.5 kg/m^2을 넘으면서 조절이 잘되지 않은 제2형 당뇨병 환자에서 시행되는 대사수술에 대해 보험급여를 시작하게 되었다. 새로 제안되고 연구를 시작한 치료법이 10여 년 만에 우리나라의 건강보험급여에 등재된 것은 매우 드문 예이며, 이는 대사수술이 그동안 보여준 증거와 그 임팩트의 크기를 가늠해 볼 사건이라 할 것이다.

대사수술은 대사질환 또는 대사증후군의 치료 또는 개선을 목적으로 행해지는 수술을 지칭하는 용어로 현재는 쓰이고 있다. 대사수술이라는 용어가 처음 사용된 것은 1978년 Buchwald와 Varco가 건강을 목적으로 정상장기에 대해 하는 수술이라는 의미로 사용하였으며 동명의 책을 저술하였다. 이런 수술의 예로는 소화성궤양수술, 비만수술, 난소, 정소절제술 등을 포함한다고 하였고 이는 질환을 치료하는데 있어서 외과의 다양한 역할을 의미한다고 기술하였다.

현재의 개념에 가까운 대사수술이라는 용어를 사용하게 된 것은 비교적 최근의 일인데, 이 수술이 효과를 나타내는 기전은 인슐린저항성을 낮추는 것과 관련이 있음이 알려지면서라고 할 수 있다. 인슐린저항성은 많은 대사질환에서 기저원인으로 생각되고 있다. 역사적으로는 이 수술이 제2형 당뇨병 환자에게 우선 적용되었기 때문에 당뇨수술이라고 불렸었지만, 체중감소의 요인을 제외하고도, 인슐린저항성이 낮아진다는 것이 알려지면서 대사수술로 부르기 시작했다. 한편, 비만수술은 그리스어인 Baros에서 유래되었는데 비만수술 후에 체중뿐만 아니라, 이와 관련된 질환들 주로 대사증후군으로 표현되는 질환군과 체중 때문에 발생하는 문제를 해결하게 된다. 2010년대에 들어와서는 많은 연구자들이 비만수술의 목적은 동반질환의 개선이지 체중감소율 자체가 아니라는 의견을 내놓기 시작했고, 체중감소 이외의 기전으로 인슐린저항성이 개선되는 것이 알려지고, 비만과 관련된 대부분의 동반질환이 대사질환이라는 점에서 대사수술은 앞서 언급한 당뇨수술이라는 용어를 대치하게 되었을 뿐 아니라 비만수술도 포함하는 용어로 받아들여지게 되었다. 2019년 현재 아직까지도 비만수술과 대사수술이 조금 다른 의미로 사용되고는 있지만 앞으로는 대사수술이 이런 모든 수술을 지칭하는 대표용어가 될 것으로 예상된다.

1. 대사수술의 역사

위장관수술 후에 당뇨병이 사라지거나 개선되는 효과가 있음을 보고한 것은 오래된 일이다. 1955년, Friedman 등은 소화성궤양 등으로 위아전절제술을 한 후에 당뇨병이 사라지는 것을 보고한 바 있고, 1970년대와 80년대에 흡수제한수술을 받은 비만환자에서 수술 직후에 당뇨병이 사라져 체중감소 전에 혈당조절을 위한 약제를 중단하였다고 보고하였다. 그리고 이와 유사한 보고가 간헐적으로 있었으나 체중감량에 따른 당연하고도, 부수적인 효과로 생각하여 거의 주목을 받지 못했다. 1995년 Pories 등은 당뇨병 또는 내당능 장애가 있는 비만환자, 각각 146명과 152명에서 루와이위우회술 후 14년간 관찰한 결과 수술 당시에 당뇨병인 환자의 83%, 내당능 장애인 환자의 99%가 완전관해를 유지하는 것과 이들 환자에서 당뇨병이 수술 후 1주일 이내에 개선 또는 완전관해되는 것을 보고하면서, 다른 어떤 치료법도 '이와 같이 지속적이면서도 완전하게 당뇨병을 조절할 수 있는 방법은 없다'라는 보고를 하였다.

본격적으로 당뇨수술 또는 대사수술에 대한 관심을 일으키는데 중요한 역할을 한 것은 Rubino의 동물실험이후라 볼 수 있을 것이다. 2004년부터 2006년에 걸쳐 비만하지 않은 제2형 당뇨병 동물모델인 GK rat (Goto-Kakizaki rat)을 이용한 일련의 실험을 하였다. 적용한 수술은 십이지장공장우회술(duodenojejunal bypass)이었는데, 수술 후에 즉시 혈당이 개선 또는 정상화되었다. 그리고 수술 후 혈당이 개선된 GK rat에서 우회되었던 십이지장 및 소장 근위부로 음식이 지나도록 재개통시키면 다시 당뇨병이 생기는 것을 관찰하였다. 이 실험은 당뇨병이 개선되는데 체중감소에 의한 인슐린저항성을 배제하고도 당뇨병이 개선, 관해되는 것을 보여주는 실험이었다.

이 동물실험 후에 Cohen, De Paula 등이 체질량지수 25~30 kg/m^{2}인 2형 당뇨병 환자에게 십이지장공장우회술, 공장치환술 등을 시행한 증례보고를 하였는데, 수술을 시행한 후 바로 제2형 당뇨병이 관해 또는 개선되는 것을 보여주었다. 이런 몇 편의 동물실험과 증례보고 후에 2006년 미국비만외과학회(American Society for Bariatric Surgery, ASBS)가 학회의 공식명칭을 미국비만대사외과학회(American Society for Metabolic and Bariatric Surgery, ASMBS)로 바꾸었고, 2007년에는 로마에서 당뇨수술회담(Diabetes Surgery Summit Meeting)이 열리는 등 일련의 상황이 일어나게 된다. 결정적인 변화는 2011년 국제당뇨병연맹(International Diabetes Federation)이 제2형 당뇨병의 새로운 치료지침을 발표한 것이라 생각된다. 그때까지 제2형 당뇨병의 치료는 내과적, 보존적 치료로 구성되어 있었으나, 비만한 경우에는 수술적 치료를 하는 것을 포함한 내용이었고, 이는 많은 논란을 불러일으켰다.

이후에 많은 연구가 있었지만 STEMPEDE trial의 1년, 3년, 5년 결과가 발표되고 2015년에 런던에서 열린 당뇨수술회담-II에서는 제2형 당뇨병치료의 새로운 가이드라인을 제시하였다(그림 71-1). 새로운 가이드라인이 기존 가이드라인과 가장 큰 차이가 나는 점은, 제2형 당뇨병이 진단되면 우선 비만도를 기준으로 접근을 하

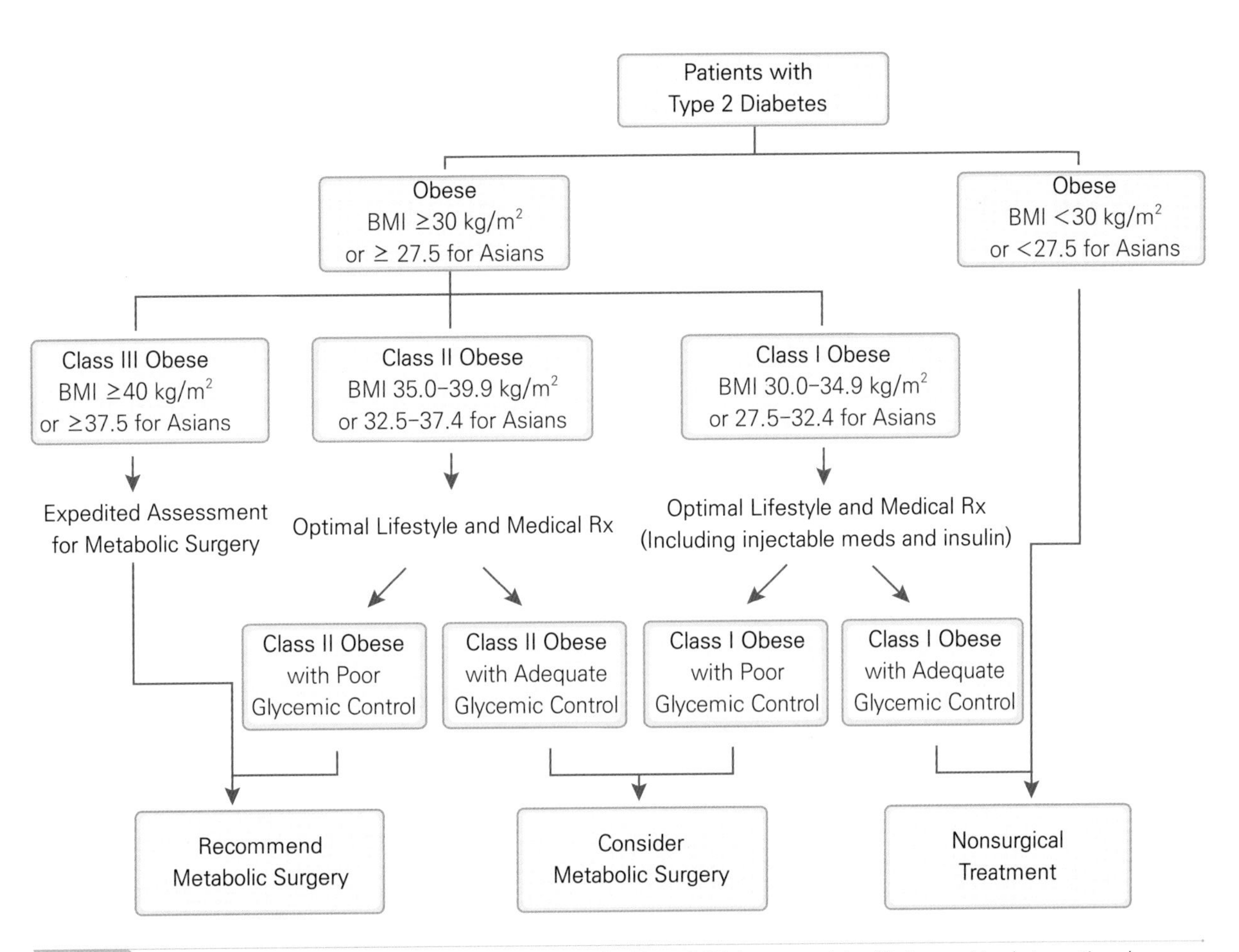

그림 71-1 **Metabolic Surgery in the Treatment Algorithm for Type 2 Diabetes**: a Joint Statement by International Diabetes Organizations.

는 것이다. 과거에는 제2형 당뇨병이 진단되면, 생활습관개선 후 metformin을 사용하는 단계를 거쳤으나 새로운 가이드라인은 비만(체질량지수 30 kg/m² 이상, 아시안은 27.5 kg/m²)인 경우와 아닌 경우로 나누는 것을 먼저 고려하는 것으로 바뀌었다. 두 번째 큰 변화는 비만수술이라는 용어는 없어지고 대사수술이라는 용어로 바뀌었다. 이 가이드라인에 ADA, IDF를 비롯해서 전세계 각 국가를 대표하는 45개의 당뇨병관련 학회(내과적 학술단체 30, 외과적 학술단체 15)가 지지표명(endorsement)하였다.

우리나라는 비교적 빠르게 세계적인 추세를 따라갔다고 할 수 있는데, 2008년부터 대사수술에 대한 연구발표가 있었으며, 국내환자를 대상으로 전향적 관찰연구도 시행되었다. 무엇보다도 우리나라의 대사수술에서 가장 주목할 점은 2019년부터 당뇨수술회담-II에서 제시한 가이드라인에 따라, 제2형 당뇨병 환자에서 체질량지수 27.5 kg/m² 이상이고 혈당조절이 부적절한 경우에 수술적 치료를 하는 것에 대해 국가건강보험을 적용하게 되었다는 것이다. 우리나라에서 아직까지 해당 전문학회가 받아들이지 않은 치료지침을 정부가 먼저 받아들이고 더구나 국민건강보험을 바로 적용하였다는 것은 여러 가지 측면에서 매우 놀라운 일이라 할 것이다. 그만큼 객관적인 증거가 있고, 제2형 당뇨병의 국가적 부담이 크다는 것에 더불어 안전성과 유효성 검증을 통과하였다는 것이며 이런 치료법이 필요성이 중대하다는 뜻으로 해석할 수 있을 것이다. 그리고 우리나라에서는 위암 환자 중 제2형 당뇨병이 있는 환자에게 이른바 장각루와이(long limb Roux en Y) 술식을 적용하여 위암치료에 더해 당뇨개선 또는 관해를 유도하려는 시도를 하고 있으며 몇몇 연구자들의 초기 보고에 의하면 55% 정도의 관해를 보인다고 발표하였고, 이 결과를 토대로 위암 환자 중 제2형 당뇨병이 있는 환자에서 대사수술을 시도하고 있다.

2. 제2형 당뇨병의 개요

제2형 당뇨병의 병태생리를 설명하는 두 가지 기전은 인슐린저항성의 증가와 인슐린분비능의 감소다. 먼저 인슐린저항성이 증가하면서 혈당이 상승하기 시작하고 이에 대한 보상작용으로 인슐린 요구량이 증가하여 인슐린분비능이 증가하지만, 이후에 베타세포의 기능저하를 일으키면서 분비능력이 감소하게 되어 제2형 당뇨병이 발생, 진행한다. 최근 세계보건기구의 통계에 의하면 전 세계 성인의 13%인 6억 여명 이상의 인구가 체질량지수 30 kg/m^2 이상의 비만 환자고 성인인구의 10% 정도가 당뇨병을 앓고 있다. 당뇨병 환자의 80% 이상이 과체중 또는 비만이라는 통계가 보여주듯이 비만은 제2형 당뇨병의 가장 중요한 위험 인자다. 아시아인의 당뇨환자의 상승률은 다른 지역에 비해 가파른데, 이미 세계 당뇨 환자의 60% 이상이 아시아인이고 서양에 비해 비만하지 않은 당뇨 환자의 비율이 높고 발병연령이 젊으며, 베타세포의 기능부전이 조기에 발생한다는 특징이 있다.

우리나라의 경우, 건강보험공단에서 발표한 자료에 따르면 비만한 사람의 당뇨병 빌병 상대위험도가 정상체중인 사람에 비해 4.5~9.0배 높다고 보고하였으며, 2016년 대한당뇨병학회는 우리나라 성인 인구(30세 이상)의 당뇨 유병률이 13.7%에 이른다고 발표하였다. 당뇨병은 수많은 합병증을 유발하여 삶의 질을 떨어뜨리고 생명을 단축시키는 질환으로, 우리나라에서 실명, 하지 절단, 신장투석의 원인 1위이며, 평균 수명단축이 10~20년으로 평가 받고 있다. 치료법에 대한 연구는 의학역사를 통하는 오랜 기간 계속되어 왔으나 근본적인 치료보다는 대증적 치료를 통해 평생 합병증이 오지 않도록 조절하며 관리해야 하는 질병으로 인식되어 왔다. 생활방식 교정과 약물요법이 비만과 제2형 당뇨병 치료의 기본이 되어왔지만, 당뇨가 있는 비만 환자 대부분에서 적절한 혈당조절이 이루어지지 않는다. 현재까지 어떠한 방법도 진행성 질환인 제2형 당뇨병의 완전 관해를 이끌어내지 못하였다. 현재 당뇨병학 교과서에는 당뇨병의 치료목적은 단기적으로 고혈당으로 인한 증상을 감소시키고, 장기적으로는 합병증을 예방하는 것이라고 기술하고 있다. 실제적인 당뇨병의 치료성적을 보면, 당뇨병 환자 중에 당화혈색소를 6.5% 이하로 유지하는 환자는 26.0%, 7.0% 이하로 유지하는 환자는 45.6%이고, 당화혈색소 6.5% 이하로 유지하면서 동시에 혈압과 고지혈증을 정상으로 유지하는 환자는 10.8%, 7.0%인 경우는 19.7%로 보고하고 있다.

3. 당뇨병의 관해, 개선에 대한 정의

2009년 이전까지 당뇨병치료에서 공식적으로 완치(cure) 또는 관해(remission)의 개념은 없었고, 제1형 당뇨병에서 이식을 하는 경우나 비만수술 후에 당뇨병을 관찰하는 경우에 연구자들이 각자의 정의에 따라 이러한 용어를 사용해왔다. 2009년 미국당뇨병학회는 이러한 혼란이나 대사수술이라는 새로운 치료법의 등장에 따라 완치, 관해 등의 용어에 대한 논의를 하였다. 완치라는 용어는 정상 신체로 돌아오는 것을 의미하므로 급성감염성질환 외에는 정의될 수 없음을 전제로 제외되어 관해라는 용어만을 사용하기로 하였고 당화혈색소, 공복혈당 및 유지기간을 기준으로 완전관해, 부분관해를 정의하였는데 이에 따르면 완전관해는 약제의 사용이 없이 공복혈당이 100 mg/dl 이하, 당화혈색소 6% 이하를 1년간 유지한 경우이고 부분관해는 약제의 사용이 없이 공복혈당 126 mg/dl 이하, 당화혈색소 6.5% 이하를 1년간 유지한 경우다.

4. 대사수술의 기전

초기에 대사수술의 기전으로 생각한 것은 인슐린저항성의 감소였다. 인슐린저항성은 주로 체중감량, 식사량감소에 의해 얻어지는 것으로 단순히 생각하였고 초기 대사수술의 효과기전을 설명할 때 가장 중요한 기전은 체중감량이라는 주장이 우세하였다. 하지만 이후의 연구들에서 체중감량과 무관한 인슐린저항성의 감소가 관찰되고, 수술 후에 인슐린분비능이 향상된다는 연구보고가 발표되면서 새로운 전기를 맞게 된다. 그리고 대사수술 후에 체중감량과 무관하게 인슐린저항성이 감소하는 것을 관찰한 연구들이 발표되면서 대사수술이라는 용어가 더욱 힘을 받고 있다. 그리고 장호르몬의 변화가 대사수술의 효과를 설명하는 중요한 기전이라는 것은 대사수술의 태동기, 즉 Rubino의 실험 때부터 제기되어 왔다. 소위 전장가설(foregut hypothesis) 및 후장가설(hindgut hypothesis)과 전장가설을 보완하는 항인크레틴가설(anti-incretin hypothesis)이 있다.

전장가설은 음식이 십이지장과 상부소장을 우회하면 인슐린저항성의 감소가 나타나면서 혈당조절이 된다는 것인데 이런 효과를 나타내는 이유를 정확히 설명하지는 못한다. 항인크레틴가설은 이를 뒷받침하기 위한 것인데, 아직까지 발견되지는 않았으나, 전장에 항인크레틴 인자가 있으며, 정상인에서는 인크레틴 인자와 균형을 이루고 있다는 것이다. 이 균형이 항인크레틴 인자 쪽으로 기울면 제2형 당뇨병을 일으키는데, 항인크레틴 인자가 주로 분포한 부분인 전장을 우회시키면 균형이 다시 돌아와 혈당이 조절된다는 것으로 설명하고 있다. 후장가설은 어떤 과정을 거쳐서든 하부소장에 음식이 조기에 도달하게 되면 글루카곤양 펩타이드-1 (glucagon like peptide-1, GLP-1), 펩타이드 YY 등 인크레틴이 상대적으로 조기에 그리고 많이 분비되어 인슐린의 분비가 조기에 그리고 더 강하게 일어나면서 혈당조절에 유리한 상태가 된다는 것이다.

1) 섭취량 감소 및 체중감량

대사수술 후 혈당이 떨어지거나 정상화되면서도 인슐린 분비량이 감소하는 것은 체중감량으로 체내 지방량이 줄면서 인슐린저항성이 감소하거나 섭취량의 감소로 인슐린 요구량 자체가 감소하는 것으로 이해할 수 있다. 이는 수술적 치료 후에 체중감량이 많이 되었다가 다시 증가한 증례에서 당뇨병도 개선 또는 관해되었다가 다시 재발하는 것으로도 잘 해석된다. 그러므로 대사수술 후 여러 가지 기전으로 초기에 당뇨병이 좋아지지만 지속적으로 유지되는 것은 체중감량이 절대적으로 중요한 것으로 생각하였다. 그리고 수술 전후의 섭취량 감소와 수술의 스트레스가 주로 간의 인슐린저항성을 급격히 떨어뜨리고, 이것이 대사수술 후 1주일 이내에 당뇨병이 개선되는 것과 관련이 있는 것으로 생각하였다. 하지만 루와이위우회술의 경우엔 수술 직후부터 혈당이 조절되어 계속적으로 유지되는 반면에 조절형위밴드술 후에는 체중이 감소하면서 혈당이 조절되어 가는 점을 설명하지는 못한다.

다음으로 루와이위우회술과 조절형위밴드술 후에 같은 정도의 체중감량이 일어난 경우를 비교하면, 루와이위우회술을 받은 환자에서 더 혈당조절이 잘되는데 이 점을 설명할 수 없다. 그리고 대사수술의 시작을 알린 십이지장공장우회술은 약간의 체중감량 또는 체중감량이 거의 없는 경우에도 당뇨병이 개선 또는 관해되고 고지혈증이 개선되는 것을 보여주고 있는데 이 또한 체중감량만으로는 설명하지 못한다.

2) 장호르몬의 변화

루와이위우회술 후에 장호르몬의 변화는 1990년대 초부터 많은 연구가 있었다. 당시 루와이위우회술 후에 장글루카곤(enteroglucagon)이 증가하는데 비해 식이제한 수술을 받은 환자에서는 증가하지 않는다는 것을 보고하였다. 이후 장글루카곤이 글루카곤양 펩타이드-1, 글루카곤양 펩타이드-2, 글루카곤, 글리센틴(glicentin), 옥신토모듈린(oxyntomodulin) 등으로 세분되었다. 루와이위우회술 후 GLP-1이 증가하고, 조절형위밴드술 후에는 별로 증가하지 않는다는 것으로 루와이위우회술 후에 더 많은 포만감을 느끼고, 덤핑증후군을 일으키며, 따라서 체중감소가 더 많이 일어난다는 것을 설명한다. 펩타이드 YY, 옥신토모듈린 등도 글루카곤양 펩타이드-1과 유사한 효과를 일으킨다. 장호르몬이 혈당조절에 관여한다는 것은 소위 인크레틴효과(incretin effect)라는 용어로 잘 알려져 있다. 즉 같은 양의 포도당을 정맥주사 할 때에 비해 경구 투여할 때 훨씬 더 많은 인슐린이 분비되는데, 이는 경구투여로 장호르몬의 분비가 촉진되어 나타나는 현상으로 생각한다.

그리고 당뇨병이 없는 비만 환자에서 비만치료목적으로 루와이위우회술을 하고, 1~9년 후에 췌도모세포증식증(nesidioblastosis)이 발생한 증례들이 있다. 고인슐린혈증으로 인한 저혈당이 수술 직후에 발생하지 않고 장시간이 지난 후에 발생한다는 것은 수술 초기에 생기는 인슐린저항성의 감소와 동반된 현상이 아니라, 장호르몬의 변화가 원인이고 장호르몬 중에 베타세포의 성장인자가 있다는 것을 강력히 시사한다고 하겠다. 실제로 몇몇 보고에서 루와이위우회술, 공회장우회술(jejunoileal bypass) 후 20년이 지난 후에도 글루카곤양 펩타이드-1, GIP가 높다고 한다.

따라서 어떤 기전이 관여하는지에 대해 다양한 의견이 있지만, 루와이위우회술이 인슐린저항성을 초기부터 감소시키는 어떤 기전이 있을 것으로 보이며, 장호르몬의 변화가 초기 및 장기적으로 혈당을 개선하는 데 중요한 역할을 한다고 생각된다. 연관된 장호르몬으로 주로 연구되고 있는 것은 그렐린(ghrelin), GLP-1, 펩타이드 YY, GIP (glucose dependent insulinotropic peptide) 등을 들 수 있다.

GLP-1은 대사수술과 관련하여 비교적 많이 연구가 되었고, 약제도 개발되어 사용 중이며 대사수술 후 당뇨병의 개선, 관해에 중요한 역할을 하는 것으로 생각된다. 음식이 빠르게 후장에 도달하면서 조기에 GLP-1이 분비되어 혈당조절에 기여한다는 것으로 후장가설의 중심이 되는 장호르몬이다. 하지만 위소매절제술 후에 루와이위우회술에 버금갈 만큼 GLP-1의 분비가 증가하는 것은 특이한 현상이다. 이를 설명하는 기전은 위낭이 사라지면서 음식이 빠르게 소장으로 내려가서 수술 후에 인크레틴이 조기에 분비되는 것으로 이해하고 있는데, ghrelin 등 위장의 장호르몬이나 위소매절제로 인한 기타 변화가 관련될 것이라는 의견도 있다.

일부 연구자들은 회장전위술(ileal transposition) 후 제2형 당뇨병 환자에서 혈당이 정상화될 뿐 아니라 심한 저혈당 증상을 겪을 정도로 강력한 효과를 보인다는 것을 근거로 후장가설이 더욱 중요한 역할을 할 것이라는 주장을 하기도 하지만, 혈당조절 효과가 그리 강력하지 않다는 보고도 많다. 한편, 루와이위우회술 후 혈당이 정상화된 경우 GLP-1 receptor antagonist (exendin (9-39))를 주어도 혈당이 다시 오르지 않는 것은 대사수술을 통한 혈당개선의 기전이 단순히 GLP-1의 분비증가 만으로 해석할 수 없는 요인이 있다고 할 수 있다. GIP에 대한 연구는 아직까지 확실한 결과를 보여주지는 못하고 상대적으로 연구도 적지만, 많은 연구자들이 GIP는 인크레틴의 하나로 베타세포에서 인슐린분비를 증가시키는 것뿐만 아니라 다른 여러 인크레틴과 상호작용이 있을 것으로 예상하고 이에 대한 연구를 하고 있으며, GIP가 전장가설에 관련된 중요한 장호르몬으로 생각한다. 하지만 루와이위우회술 후에 GIP의 분비는 감소할 것으로 예측할 수 있는데 증가한다는 보고도 있다. GIP의 역할에 대해서는 많은 연구가 필요하다.

펩타이드 YY는 비만수술과 관련된 연구가 주를 이루고 있는데, 루와이위우회술 및 위소매절제술 후에는 증가하고 조절형위밴드술 후에는 변화가 없다. 이는 예측과 일치하는 것인데 아직까지 이와 관련된 연구는 많지 않지만, neuropeptide Y와 관련되어 작용하므로 식욕과 에너지 균형에 관련된 연구가 주를 이루고 있다.

3) 베타세포의 기능 증강

이것은 대사수술의 효과기전에 중요한 요인으로 인정받고 있지만 베타세포의 기능을 측정하는 공인된 확실하고 간단한 방법은 없다. 하지만 많은 연구에서 대사수술 후에 베타세포의 인슐린분비능이 증가하는데 이는 분비 총량뿐만 아니라 고혈당에 반응하는 분비능도 함께 증가한다. 음식을 섭취한 직후에 바로 인슐린 분비의 증가가 나타나게 되어 당뇨병 환자의 경구당부하검사에서 정상인의 분비 양상과 같게 변화한다. 그리고 많은 연구에서 대사수술 후에 베타세포의 기능이 증가한다는 증거를 보여주고 있고 특히 장기적으로 당뇨병이 개선된 경우에는 베타세포의 기능증강이 중요한 요인인 것으로 보고 있다. 베타세포의 기능증가에 대한 국내의 연구에서 30 kg/m^2 이하의 체질량지수를 가진 제2형 당뇨병 환자에서 루와이위우회술 후에 베타세포의 인슐린 분비량도 증가하고 분비능도 증가하며 이런 변화가 수술 후 당뇨병의 관해 여부를 결정하는 중요한 인자라고 하였다.

4) 간과 기타조직의 인슐린저항성 감소

인슐린저항성은 대사수술 직후부터 감소해서 지속적으로 유지된다. 그리고 간을 제외한 기타조직의 인슐린저항성 감소는 체중감량이 중요한 요인이다. 간의 인슐린저항성은 수술 전후에 금식, 수술로 인한 스트레스 등으로 간 내의 지방이 감소하고 금식과 감소된 식사량은 간에서의 포도당 생성을 감소시킨다. 이것이 수술 초기에 인슐린저항성 감소의 원인으로 생각되었지만 이 효과는 앞서 언급한 바와 같이 조절형위밴드술과 루와이위우회술의 차이에서 보이는 관찰로 논란이 되었다. 만일 이 효과가 단지 간의 인슐린저항성에서 비롯된 것이라면 전장가설이 맞지 않는다는 것을 뒷받침하는 것이라 할 것이다. 하지만 최근 몇몇 연구에서 인슐린저항성은 수술 초기부터 낮아지며 시간이 흘러 체중감량이 더 되더라도 더 이상 낮아지지 않는다는 것을 보여주면서 전장가설이 어느 정도 이런 현상을 설명하는 데 도움이 될 것이라는 것을 보여준다. 즉 대사수술의 효과를 해석하는 데 있어 간과 기타조직의 인슐린저항성 감소가 중심적인 역할을 하는 것은 아닐 것으로 보인다. 초기에 간의 인슐린저항성 감소가 나타나는 것은 확실하고 장기적으로 체중감량이 인슐린저항성 감소와 관련이 있는 것은 맞지만, 초기부터 나타난 인슐린저항성 감소가 지속적으로 유지되는 것은 간과 지방조직의 감소만으로 해석할 수 없다.

5) 담즙산의 변화

루와이위우회술 후에는 담즙의 장-간의 순환이 변화하고, 담즙생성의 변화, 담즙의 접합(conjugation) 및 재흡수의 변화가 발생하게 된다. 이러한 변화는 결국 순환하는 담즙의 양을 증가시키게 되는데, 담즙은 간의 FXR (farnesoil X receptor)와 L-cell의 TGR5 (G-protein coupled bile acid activated receptor)를 통해 인크레틴의 분비를 촉진하는 한편 지질대사도 함께 개선시키게 된다.

장-간 순환이 변경되는 것이 담즙의 양이 증가하는 주된 원인이고, 다른 변화가 이에 일부 기여한다. 그리고 장내세균총의 구성이 변화하는데 이것이 담즙의 성분변화의 주된 원인으로 생각되고 있다. 즉 1차 담즙과 2차 담즙, 12-α-hydroxyated 와 non 12-α-hydroxyated, conjugated와 non-conjugated 담즙의 비율의 변화에 기여한다. 이런 담즙의 변화는 앞서 언급한 두 수용체에 대한 반응에 변화를 일으키고, 이것이 인크레틴과 fibroblast growth factor 19, 콜레스테롤 생성, 포도당신합성, 지질대사의 변화와 골격근 및 갈색지방조직에서 에너지대사의 변화를 일으킨다. 현재 이 변화에 대한 연구가 광범위하게 진행되고 있으며 이 기전을 좀 더 이해하는 것이 대사수술의 술식이나 대사질환의 치료에도 중요한 기여를 하게 될 것이라 기대한다.

6) 장내 세균의 변화

대사수술 후에 장내세균의 변화는 장의 에너지흡수, 대사에 관련된 효소의 조절, 지질다당체에 의한 경도염증의 변화를 일으켜 대사질환의 개선에 기여하는 것으로 이해하고 있다. 장내세균이 비만, 대사질환에 중요한 역할을 할 것이라는 추측은 지속적으로 있었으며, 2004년에 비만한 사람과 정상체중인 사람의 장내세균에 차이가 있다는 연구 이후에 많은 주목을 받았다. 비만과 관련해서는 비만한 경우에 *Firmicutes* 속의 세균이 *Bacteroides* 속의 세균보다 더 많고 또한 루와이위우회술 후 체중이 감소하면 *Bacteroides* 속의 장내 세균이 증가한다. 이는 ① 장에서의 에너지 흡수 변화, ② 에너지 대사에 관여하는 여러 효소 및 요인들의 변화, ③ 비만과 관련이 있는 경도염증 상태의 개선, ④ 장의 투과성의 변화 등이 관련되어 나타나는 것으로 이해하고 있다.

몇몇 질환에서는 유리한 균주를 주입하여 질환을 개선 했다는 보고가 있고, 비만에서도 동물실험에서 비만도가 감소하였다는 보고가 있으나 아직까지 인간에서 비만을 균주접종으로 개선하였다는 보고는 없다. 하지만 이제야 균주를 분리하고 특성을 정의해가는 과정에 있는 분야이기 때문에 앞으로 연구가 진행이 되면 장내세균의 변화가 미치는 영향, 장내세균 변화의 원인이 밝혀지면서 좀 더 대사질환의 이해와 치료에 도움이 될 것으로 기대하고 있다.

위와 같이 여러 기전이 관여하는 것으로 연구되고 있지만, 결과적으로 나타나는 현상은 인슐린저항성의 감소와 인슐린 분비의 증가다. 한편, 아시안의 경우는 제2형 당뇨병 환자의 비만도가 낮은데, 이것은 비만한 제2형 당뇨병 환자가 대다수인 서양인에서 이루어진 연구와는 다른, 또 한 가지를 고려하게 한다. 그림 71-2에서 보이듯이 비만한 제2형 당뇨병 환자는 당뇨병이 개선 또는 관해가 되려면 주로 인슐린감수성이 증가해야 하지만, 비만하지 않은 환자 즉 인슐린감수성이 좋은 제2형 당뇨병 환자의 경우에는 인슐린 분비능의 증가가 당뇨병의 개선, 관해에 중요하다.

체질량지수 30 kg/m^2 이하의 국내 환자를 대상으로 2년간 관찰한 연구에서도 인슐린저항성은 수술 직후에 일어나 계속 같은 정도로 유지되고, 이후에 인슐린분비능의 증가가 일어나는데, 그 정도가 관해에 이르는 가장 중요한 요인이라고 하였다.

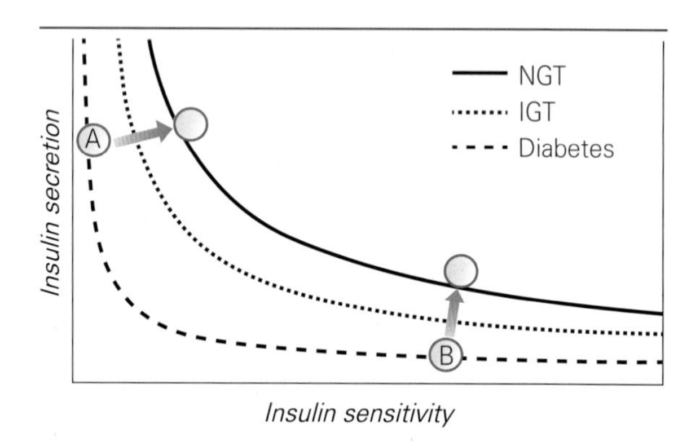

그림 71-2 **What is needed to improve the status of type 2 diabetes.**
In case of A which indicates obese type 2 diabetes, insulin sensitivity have to increase in order to get the improvement or remission. Whereas in case of B which indicates non-obese type 2 diabetes, insulin secretion have to increase in order to get the goal.
NGT: normal glucose tolerance
IGT: impaired glucose tolerance

5. 대사수술의 종류 및 성적

대사수술은 인슐린저항성을 감소시키고, 인슐린분비능을 올리는 기전을 반영한 수술이라고 할 수 있다. 이러한 필요조건을 만족시키는 모든 수술을 대사수술이라 할 수 있는데, 현재까지 제안된 대사수술은 위우회술, 위소매절제술, 담췌우회술 및 십이지장전환술(biliopancreatic diversion with duodenal switch), 회장전위술(ileal transposition), 위소매절제술 및 십이지장공장우회술(sleeve duodenojejunal bypass), 십이지장공장우회술 등이 있지만, 현재 제2형 당뇨병의 치료지침에서 추천되는 대사수술의 술식은 위우회술과 위소매절제술이다.

아시안을 대상으로 이루어진 연구는 많지는 않고, 또한 다양한 결과를 보이고 있다. 평균 체질량지수가 32.5 kg/m^2 이하를 대상으로 시행된 연구에서 위소매절제술의 결과를 보면, 1년 이상의 관찰결과 당화혈색소가 6.0% 이하로 유지한 경우가 6.7~78.6%, 6.5% 이하는 36.7~89.3%였다. 위우회술에 대한 연구는 위소매절제술에 비해 훨씬 많은데, 이들 연구는 위소매절제술에 비해 나이가 많고, 당뇨병이환기간이 더 길며, 평균 체질량지수도 낮았다. 이들 연구에서 당화혈색소가 6.0% 이하를 유지하는 경우는 23.3~85.2%, 6.5% 이하는 30~100%였다.

내과적 치료와 비교하는 무작위대조군 또는 코호트 연구는 1년에서 18개월의 관찰결과들이다. 내과적 치료의 경우에는 대부분 0%의 관해율을 보인 반면 수술적치료는 39~90%의 관해율을 보고하였다. 위우회술과 위소매절제술을 비교한 무작위배정연구에서는 당뇨병 관해율은 두 술식간에 일관된 결과를 보이지 않고, 통계적 차이를 보이지 않는다는 연구가 많아 아직까지 어느 술식이 우월한가에 대해서는 연구가 더 필요하다.

6. 대사수술 후 당뇨병 호전의 예측모델

임상적으로 어떤 환자에게 대사수술을 적용할 때 효과가 좋을 것인가는 매우 중요하고 반드시 필요한 고려사항이라 할 것이다. 따라서 수술 전에 수술적 치료의 효과를 예측하거나 수술법의 선택을 하는데 도움을 줄 수 있는 방법에 대한 연구가 있었으며 몇 가지 예측모델이 있다. 현재까지 제안된 예측모델로는 DiaRem score, ABCD score, Ramos-Levi statistical model, Hayes model, IMS (Individualized metabolic surgery) score 등이 있다. 이들 중에 DiaRem score, ABCD score, IMS score를 소개한다.

DiaRem score는 인슐린 사용여부, 나이, 당화혈색소 농도, 당뇨약의 유형을 기준으로 한 것으로 수술 전에 손쉽게 얻을 수 있는 정보를 가지고 스코어를 만들어 수술 후 관해율을 예측하도록 하였는데 점수가 낮을수록 관해율이 높다. ABCD score는 나이, 체질량지수, C-peptide 수치, 유병기간을 기준으로 스코어를 만들어 점수가 높을수록 관해율은 높다. IMS score는 사용하고 있는 당뇨약제의 숫자, 인슐린사용여부, 당뇨병이환기간, 당화혈색소수치를 사용하므로 DiaRem score와 거의 같은 정보를 사용하여 mild, intermediate, severe 3개군으로 나누는데, mild, severe는 위우회술과 위소매절제술의 결과가 같고, intermediate군에서는 위우회술이 더 효과적이라고 하였다. 하지만 아직까지 유용성, 정확성을 인정받아 널리 사용되는 예측모델은 없으며 인종간의 차이, 예측할 수 있는 새로운 검사 등을 개발하고 이를 반영하고, 좀 더 정확한 예측모델이 필요하다.

7. 대사수술의 효과

대사수술은 초기에 당뇨병의 개선과 관해에 초점이 맞추어져 있었지만, 대사증후군의 기저병인인 인슐린

저항성의 개선을 일으키는 기전이 알려지고 내과적 치료에 반응하지 않는 다양한 대사질환에 대한 효과가 인정되면서 대사수술로 불리게 되었다는 것은 앞서 언급한 바 있다. 대사수술이 효과를 나타내는 기전에 대한 연구에서 아직 확실하게 밝혀진 것은 없지만, 수술 직후부터 인슐린저항성이 개선되어 지속적으로 유지되고, 시간이 지나면서 인슐린분비능이 증가되는 것은 일반적으로 받아들이고 있다. 대사수술은 제2형 당뇨병 외에 고지혈증, 고혈압, 폐쇄성수면무호흡증, 다낭성난소증후군의 개선과 관해도 유도하고 심혈관질환 및 사망률도 개선시키는 효과가 있다. 하지만 이른바 비만수술, 즉 체질량지수 35 kg/m^2 이상인 환자를 대상으로 한 대사질환에 대한 효과에 대한 보고는 많지만 좀 더 낮은 체질량지수의 환자를 대상으로 한 장기관찰 연구는 아직 많지 않다.

고지혈증은 비만수술을 받은 환자의 50% 이상에서 보이는 흔한 동반질환이다. 지질대사에 대한 영향은 흡수제한술식의 경우에는 지방 프로파일의 모든 변수를 개선시키지만, 식이제한술식의 경우엔 주로 HDL 콜레스테롤은 증가시키고 중성지방을 감소시키는 효과가 두드러졌다. 그리고 대부분의 환자들에서 지질을 낮추는 약물복용을 중단하였고, 장기적으로도 효과가 유지되는 것을 보여주었다. 고혈압은 비만과 관련한 가장 흔한 동반질환이며 비만환자에서 40~70%에서 나타나는데, 수술 후 40~80%의 환자에서 혈압이 정상화되었으며, 효과는 체중감소의 정도 및 지속성과 관련이 있는 것으로 보인다. 그리고 술식에 따라서 차이를 보이고하는데, 위밴드술, 루와이위우회술, 담췌우회술의 순으로 고혈압 개선 및 관해 효과가 나타났다. 폐쇄성수면무호흡증은 비만이 가장 중요한 유발인자이며, 비만수술을 받는 환자의 45~75%에서 동반되는 것으로 알려져 있다. 대사수술 후에 보고에 따라 차이가 크지만, 30~70%의 환자에서 해소되거나 감소하여 지속성 양압호흡치료를 중단하였다.

다낭성난소증후군은 비만, 인슐린저항성이 원인으로 발생하는 대사질환이며 여성에서 다모증, 탈모, 무배란 월경주기 및 불임을 일으키는데, 비만여성의 13~30%의 환자에서 나타난다. 이에 대한 연구는 비교적 적지만, 모든 연구에서 거의 모든 환자에서 개선을 보이고, 내분비적 요소도 개선되었다. 심혈관질환 및 사망률에 대한 연구는 장기간 대규모 연구가 여럿 보고되었다. 이들 중 SOS (Swedish Obese Subject) 연구는 2,010명의 비만수술을 받은 환자와 2,037명의 대조군을 20년간 99%의 환자를 추적관찰하였는데, 모든 사망률을 감소시키고 심혈관질환 관련 사망률도 크게 감소시켰다. 이외에도 비알코올성 지방간의 개선, 암 발생률의 감소, 관절질환의 개선 등에 대한 보고도 이어지고 있다.

8. 위암 수술과 대사수술

위암 수술 후에 체중감소가 따르고, 몇몇 술식은 십이지장 및 소장 일부가 우회되는 점에서 대사수술과 비슷한 점이 있다. 우리나라는 위암발생률이 가장 높은 국가 중 하나이며, 대사질환의 유병률이 증가하면서 위암과 대사질환을 동시에 가지고 있는 환자가 많아지고 있다. 2000년대 중반에 대사수술이 소개되었을 때 국내의 연구자들은 위암으로 위절제술을 받은 환자들에서 당뇨병, 고혈압 등의 대사질환이 개선되는 것에 대한 연구를 하였는데, 일반적으로 10% 내외의 환자들에서 고혈압, 당뇨병 약제를 끊었다는 보고를 하였으나 연구자마다 기준이 달라 비교가 어렵다. 하지만, 위전절제술이 위아전절제술보다 우수하고, 빌로스 II 술식이 빌로스 I 보다 더 우수한 효과를 보인다는 점에서는 대체로 일치하고 있다. 이는 십이지장, 소장 일부가 우회되는 경우에 더 효과가 있다는 가설을 뒷받침하고 있지만 뚜렷하지는 않았다.

최근에는, 아직까지 공식용어로 인정받지는 못하고 있는 용어기는 하지만, Oncometabolic Surgery라는 개념의 수술을 시도하고 연구 중이다. 이는 당뇨병을 가진 위암 환자에서 근치적 위절제를 한 후에 재건을 할 때 십이지장, 소장을 길게 우회하도록 해서 대사수술의 효과를 기대하도록 한 수술이다. 루와이 술식을 적용하고 루각(Roux Limb)과 담췌각(biliopancratic Limb)의 길이를 약 80 cm 이상이 되도록 하여 장각루와이재건술(Long Limb Roux en Y reconstruction)이라고도 부른다. 이는 예상하다시피 일반적인 위암 수술 후에 보이는 대사질환 개선율을 높이기 위해 우회되는 소장의 길이를 좀 더 길게 만드는 것이다. 아직까지 장기관찰 경과는 없으나 현재까지 보고되는 제2형 당뇨병의 관해율은 30~80%로 비만 또는 과체중인 환자에서 보이는 성적에 필적한다.

이들 환자는 현재까지 대사수술 연구의 환자들에 비해 대체로 체질량지수가 낮고, 고령이며, 당뇨병 이환기간이 길다는 차이가 있기는 하지만, 앞으로 좀 더 많은 연구가 진행되고 장기관찰결과가 나온다면, 대사수술의 효과를 평가하고, 특히 제2형 당뇨병을 가진 환자에서 어떤 술식을 적용해야 하는 것이 좋은가에 대한 새로운 기준이 나올 수도 있을 것으로 기대한다. 더불어 우회시키는 장의 길이, 영양결핍의 정도, 새로운 대사수술 술식의 개발 및 시도, 좀 더 낮은 체질량지수를 가진 환자들에서 대사수술의 적용 가능성 등 대사수술을 둘러싼 많은 의문에 대해 좀 더 적극적인 연구를 할 수 있는 방법으로 생각된다.

9. 요약

대사수술은 비만수술 후 동반질환, 특히 제2형 당뇨병이 개선되는 양상을 관찰하면서 그 개념이 시작되었다고 볼 수 있다. 대사수술 후에는 체중감소만으로는 설명할 수 없는 다른 기전으로 인슐린저항성이 감소하고 인슐린분비능도 증가하는데, 이것은 제2형 당뇨병을 개선, 관해시키는 중요한 요인이어서 한때 당뇨수술로도 불렸다. 그리고 인슐린저항성의 증가가 많은 대사질환, 대사증후군의 중요한 병인인데, 이들 대사질환에도 효과가 있으며, 비만수술의 목적도 대사질환의 개선이므로 대사수술이 기존의 비만수술이라는 용어를 대체할 용어로 떠오르고 있다. 그리고 서양인에서 체질량지수가 30 kg/m^2 이상, 아시안에서는 27.5 kg/m^2 이상인 당뇨병 환자에서 중요한 치료법으로 인정받아 치료지침에도 포함되었다.

우리나라에서는 정부가 학계보다 먼저 이런 치료지침을 받아들여 2019년부터 지침의 기준에 따라 국가건강보험급여를 시작한 것은 대사수술에 대한 평가와 기대, 보건적 측면에서 필요성이 반영되었다고 하겠다. 그리고 우리나라는 소위 Oncometabolic Surgery를 적용할 수 있는 최적의 국가로 제2형 당뇨병을 동반한 위암 환자의 수술에서 장각루와이재건술을 적용하는 연구도 진행하고 있다. 그리고 다른 대사질환에서도 효과가 있다는 연구가 진행되고 있으며 이는 당뇨병 외에 심혈관질환, 지방간 등에서도 대사수술이 치료법의 하나로 인정받을 수도 있을 것으로 기대하고 있다. 그런데 서양인에 비해 아시안에서는 낮은 체질량지수에서 대사질환이 나타나는데, 이는 대사수술이 아시안에서 더욱 필요한 수술이라는 생각을 갖게 한다.

대사수술이 효과를 나타내는 기전은 무엇인가, 어떤 환자에서 효과가 좋을 것인가, 어떤 술식이 더 효과가 좋을 것인가, 각 술식에서 어떤 변화를 주는 것이 도움이 될 것인가 등 대사수술과 관련된 연구는 이제 시작 단계에 있다고 생각되며, 대사질환의 인구학적 특성을 볼 때 우리나라를 비롯한 아시안의 연구의 필요성이 더욱 많다고 할 것이다.

참고문헌

1. Aminian A, Brethauer SA, Andalib A, et al. Individualized metabolic surgery score: procedure selection based on diabetes severity. Ann Surg 2017;266:650-657.
2. Buse JB, Caprio S, Cefalu WT. How do we define cure of diabetes?. Diabetes Care 2009;32:2133-1235.
3. Chan JCN, Malik V, Jia WP, et al. Diabetes in Asia: epidemiology, risk factors, and pathophysiology. JAMA 2009;301:2129-2140.
4. Cohen RV, Schiavon CA, Pinheiro JS, et al. Duodenal-jejunal bypass for the treatment of type 2 diabetes in patients with body mass index of 22-34 kg/m2: a report of 2 cases. Surg Obes Relat Dis 2007;3:195-197.
5. DePaula AL, Macedo AL, Rassi N, et al. Laparoscopic treatment of metabolic syndrome in patients with type 2 diabetes mellitus. Surg Endosc 2008;22:2670-2678.
6. Geoffrey J. Service, M.D., Geoffrey B. et al. Hyperinsulinemic hypoglycemia with nesidioblastosis after gastric- bypass Surgery. N Engl J Med 2005;353:249-254
7. Ha KH, Kim DJ. Current status of managing diabetes mellitus in Korea. Korean J Intern Med 2016;31:845-850.
8. Hayes MT, Hunt LA, Foo J, et al. A model for predicting the resolution of type 2 diabetes in severely obese subjects following Roux-en Y gastric bypass surgery. Obes Surg 2011;21:910-916.
9. Kim WS, Kim JW, Ahn CW, et al. Resolution of type 2 diabetes after gastrectomy for gastric cancer with long limb Roux-en Y reconstruction: a prospective pilot study. J Korean Surg Soc 2013;84:88-93.
10. Kwon O, Lee YJ, Yu JH, et al. The recovery of beta-cell function is critical for antidiabetic outcomes of gastric bypass in Asian subjects with type 2 diabetes and a body mass index below 30. Obes Surg 2017;27:541-544.
11. Lee WJ, Aung L. Metabolic surgery for type 2 diabetes mellitus: experience from asia. diabetes betab J. 2016;40:433-443.
12. Lee WJ, Hur KY, Lakadawala M, et al. Predicting success of metabolic surgery: age, body mass index, C-peptide, and duration score. Surg Obes Relat Dis 2013;9:379-384.
13. Näslund E, Backman L, Holst JJ, et al. Importance of small bowel peptides for the improved glucose metabolism 20 years after jejunoileal bypass for obesity. Obes Surg 1998;8:253-260.
14. Pories WJ, Swanson MS, MacDonald KG, et al. Who would have thought it? An operation proves to be the most effective therapy for adult-onset diabetes mellitus. Ann Surg 1995;222:339-350.
15. Ramos-Levi AM, Matia P, Cabrerizo L, et al. Statistical models to predict type 2 diabetes remission after bariatric surgery. J Diabetes 2014;6:472-477.
16. Rubino F, Marescaux J. Effect of duodenal-jejunal exclusion in a non-obese animal model of type 2 diabetes: a new perspective for an old disease. Ann Surg 2004;239:1-11.
17. Rubino F, Nathan DM, Eckel RH, et al. Metabolic surgery in the treatment algorithm for Type 2 diabetes: a joint statement by international diabetes organizations. Diabetes Care 2016;39:861-877.
18. Schauer PR, Kashyap SR, Wolski K, et al. Bariatric surgery versus intensive medical therapy in obese patients with diabetes. N Engl J Med 2012;366:1567-1576.
19. Schauer PR, Bhatt DL, Kashyap SR. Bariatric surgery versus intensive medical therapy for diabetes. N Engl J Med 2014;371:682.
20. Sjöström L, Lindroos AK, Peltonen M, et al. Lifestyle, diabetes, and cardiovascular risk factors 10 years a_er bariatric surgery. N Engl J Med 2004;351:2683-2693.
21. Still CD, Wood GC, Benotti P, et al. Preoperative

prediction of type 2 diabetes remission after Roux-en-Y gastric bypass surgery: a retrospective cohort study. Lancet Diabetes Endocrinol 2014;2:38-45.
22. World Health Organization (2016). Obesity and Overweight. Fact Sheet No. 311. http://www.who.int/mediacentre/factsheets/fs311/en/ [accessed 2017 January 31].
23. Zimmet P, Alberti KG, Rubino F, et al. IDF's view of bariatric surgery in type 2 diabetes. Lancet 2011;378:108-110.

CHAPTER 72

비만, 대사수술 후 합병증

복강경의 전반적 도입, 기구의 발전 및 수술술기의 발달로 인해 다른 분과와 마찬가지로 비만대사수술 역시 합병증의 빈도가 뚜렷이 감소하고 있다. 그러나 수술 직후 발생하는 합병증의 경우, 비만 환자 자체의 특성으로 인해 조기 진단이 어렵고 적절한 치료가 일반 환자에 비해 많은 제한이 있다. 또한 수술의 구조 자체로 발생하는 장기 합병증에 대한 이해 역시 환자관리에 있어 중요한 부분이다. 이에 본 장에서는 비만대사수술의 주요 초기 합병증과 구조 자체와 관련해 발생 가능한 장기 합병증에 대해 정리하였다.

1. 초기 합병증

1) 위장관 누출

(1) 서론

가장 치명적인 합병증 중 하나로 위우회술 후 약 1.4% (0~4.3%), 위절제술 후 약 2.2% 정도의 발생 빈도를 보이고 있다. 비만 환자의 특성 상 임상 진단이 어렵기에 의심되는 경우, 적극적인 진단 및 치료를 진행하는 것이 중요하다. 치료의 목표는 만성화를 예방하거나 최소화하는데 우선을 두어야 한다.

(2) 원인

원인은 보편적인 위장관수술과 마찬가지로, 기술적인 원인(술기 관련, 연결부위 긴장 정도, 절단면 출혈 및 허혈 등)과 환자 요인(영양상태가 불량한 경우, 흡연, 간경화나 신부전이 동반된 경우 등)으로 구분 지을 수 있다. 문헌 상 알려진 위험 인자로는 50세 이상, 남자, 심부전 및 만성폐질환 등이 동반된 경우다. 위우회술 후 발생 부위로는 위-소장 연결부위, 남은 위의 절단면, 공장–공장 연결부위 순이다. 위절제술의 경우는 대부분 내강의 압력으로 인해 히스각에 발생한다.

(3) 임상 양상 및 진단

일반적인 위장관수술과 마찬가지의 임상 양상을 보이며, 진단 과정 역시 별반 다르지 않다. 빈맥은 가장 중요한 활력 징후며, 복통 혹은 고열을 호소하기도 한다. 영상을 이용한 진단의 경우, 위장조영술, 정맥 혹은 경구 조영제를 이용한 복부 CT 등이 활용될 수 있다. 그러나 위와 같은 영상 진단의 경우 민감도가 떨어지는 부분이 있어, 의심스러운 경우 적극적 복강경을 이용한 확인이 가장 적절한 진단 방법으로 추천된다(그림 72-1).

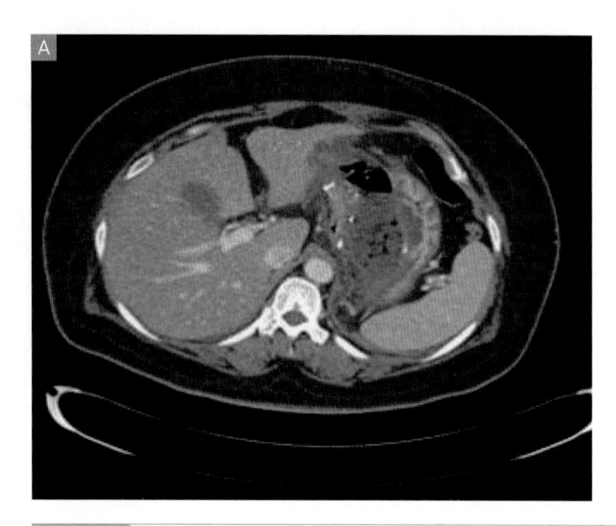

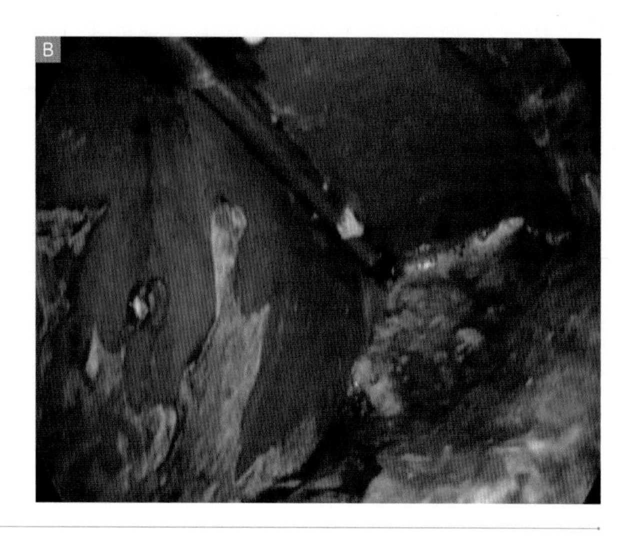

그림 72-1 수술 후 누출에 따른 복부 CT 및 복강경수술 소견.
A. 루와이형 위우회술 후 발생한 누출의 복부 CT 사진으로 위주머니(gastric pouch)와 남은 위(excluded stomach) 사이에 공기 음영을 동반한 농양을 확인할 수 있다.
B. 루와이형 위우회술 후 누출에 이은 복막염 환자의 복강경 소견으로 간 견인 후 다량의 삼출물을 확인할 수 있다.

(4) 치료

환자 상태, 즉 누출 정도에 따른 복막염 정도, 누출 위치 및 임상 발현 시기에 따라 다양한 치료 접근이 이루어져야 한다. 누출 양상은 시기에 따라 급성(7일 이내), 초기(1~6주), 후기(6~12주), 및 만성(12주 이후)으로 분류되며, 주로 이에 따라 치료 방향이 결정된다.

① 보존 치료

복막염의 증상이 없고, 환자가 안정적인 경우로 금식, 경정맥 영양공급, 광범위 항생제 등의 일반적인 보존치료를 시행해 볼 수 있다. 동시에 복강내 농양이 있는 경우 경피 배농이 시행되어야 한다. 최근 다양한 형태의 스텐트가 개발되고 임상에 적용되어 좋은 결과를 보고하고 있어 보존 치료의 한 방법으로 시도될 수 있다.

② 수술 및 배액

수술의 일차 목표는 배액에 있으며 누출의 근본 치료에 있지 않음을 명심해야 한다. 드물게 급성 상태에서 환자가 비교적 안정적인 경우 일차 봉합을 시도할 수 있지만, 이 시기를 지나 수술이 이루어지게 되는 경우 조직 상태가 불량하기에 봉합이 거의 불가능하다. 다만 공장 연결부위나 남은 위의 누출의 경우는 비교적 일차 봉합이 효과적이다. 즉 수술은 환자를 안정화시키는 방향의 세척과 적절한 배액으로 이루어져야 한다.

③ 스텐트

식도 수술 시 연결부위 누출 치료에 스텐트가 이용된 경험을 바탕으로 비만대사수술에 적용되기 시작했다(그림 72-2). 2000년 후반부터 증례 시리즈이기는 하나 광범위한 사용이 이루어지고 있고 적게는 50%에서 때론 100%까지 다양한 성공률을 보고하고 있다. 아직 표준치료로 적용될 수는 없으나 최근 비만수술 구조에 적합한 스텐트들이 개발되고 임상에 적용되어 좋은 결과를 보고하고 있어 향후 누출 보존치료의 중요한 방법으로 기대되고 있다.

④ 만성 누출

만성 누출의 경우 복강내에 공동을 형성하거나, 장피

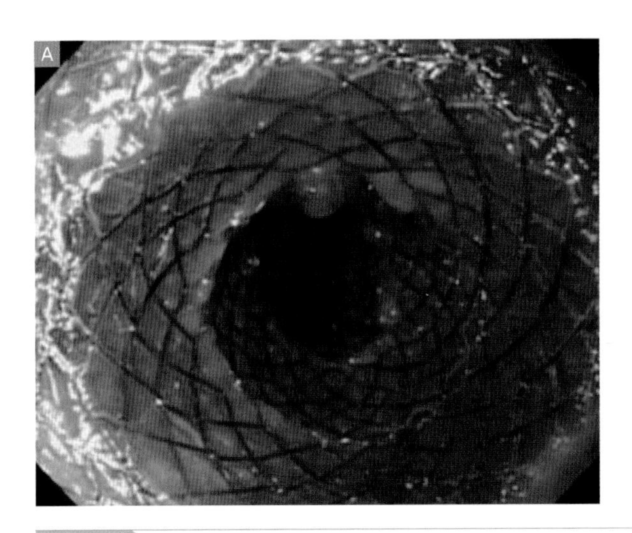

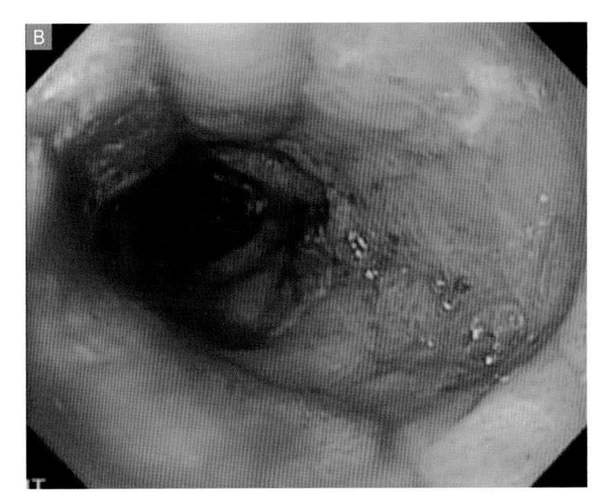

그림 72-2 **스텐트를 이용한 위장관 누출의 치료.**
A. 스텐트로 누출 부위를 포함시킨 내시경 사진으로 누출 부위가 잘 커버된 상황을 보여준다.
B. 스텐트 제거 후 누출 부위가 잘 봉합된 상황을 보여준다.

누공, 혹은 인접 장기와 연결된 경우 등으로 발현된다. 일차적으로 내시경을 이용하여 스텐트, 클립, 인체용 풀(fibrin glue injection), 격막 제거(septotomy), 혹은 배액관 거치(drain insertion) 등을 고려할 수 있다. 이와 같은 보존치료에 실패한 경우 수술로는 누출 부위를 제거하는 상부 위절제 혹은 누출 부위를 소장과 연결하는 누공-소장연결(fistulo-jejeunostomy)이 필요하다.

(5) 결론

비만대사수술 후 누출은 가장 치명적인 합병증 중의 하나로 초기 진단이 가장 중요하기에 적극적인 의심과 필요 시 복강경을 이용한 진단에 주저하지 말아야 한다. 치료의 주된 원칙은 패혈증을 조절하고 배액에 있음을 잘 주지하여야 하며, 내시경을 이용한 치료 역시 필요한 환자에서 재수술을 피하고 추가 합병증을 예방하는 데 도움이 될 수 있음을 이해하여야 한다.

2) 수술 후 출혈

비만대사수술 후 출혈의 빈도는 0~4.4% 정도로 보고되고 있으며, 그 진단과 치료는 일반 위장관수술과 크게 다르지 않다. 출혈은 크게 복강내 출혈과 장관내 출혈로 구분되며, 장관내 출혈의 경우 대부분 경과 관찰로 호전된다. 복강내 출혈의 경우 진단 및 치료 방향 결정에 있어 가장 중요한 것은 임상의사의 판단에 따르게 되며, 활력징후의 안정 여부에 따라 치료계획을 세워야 한다(그림 72-3).

2. 후기 합병증

1) 조절형 위밴드 후 후기 합병증

(1) 밴드 미끄러짐

밴드 미란과 함께 가장 흔한 장기 합병증 중의 하나로 %내외의 빈도로 보고되고 있다. 2000년 초반 위 소만측 지방을 포함하는 위밴드 기법(pars flaccida technique)의 도입으로 인해 주로 위 저부가 상부로 빠지면서 확장되는 소견(anterior slippage)을 보인다. 환자는 갑작스런 복통과 구토로 내원하게 되며, 단순 복부 사

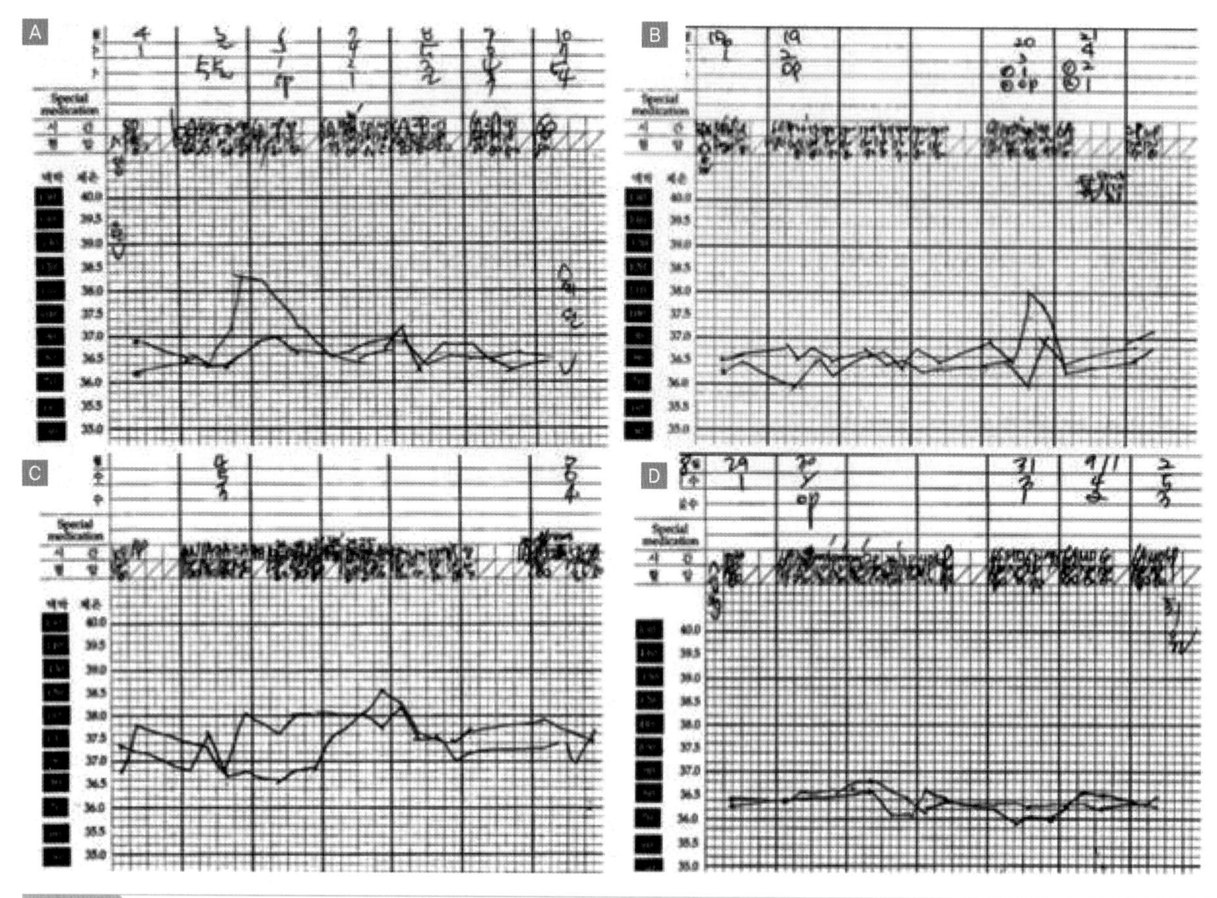

그림 72-3 **비만대사수술 후 출혈 환자들의 활력 징후.**
A. 루와이형 위우회술 후 장 절단면 출혈이 확인된 환자로 수술 직 후 급격한 빈맥 소견을 보여준다.
B. 위소매절제술 후 투관침 부위 출혈로 확인된 환자로, 수술 다음 날 빈맥 소견을 보여 준다.
C. 루와이형 위우회술 후 혈변을 보인 환자로 수혈이 필요했으며, 그에 따른 불안정한 활력징후를 보여준다.
D. 루와이형 위우회술 후 혈변을 보인 환자로 경과 관찰이 가능했으며, 안정적인 활력징후를 보여주고 있다.

진을 통해 비교적 쉽게 진단할 수 있다(그림 72-4). 일차적으로 밴드의 식염수를 완전히 제거함으로써 증상 완화를 유도하고 정상적인 위치로 돌아오기를 기다릴 수 있다. 그러나 대부분 수술이 필요하게 되며, 방법으로는 단순히 밴드를 제거하거나 다른 위치에 위밴드술을 시도할 수 있다.

(2) 밴드 미란

1% 내외로 드물기는 하지만 가장 치명적인 합병증 중 하나다. 무증상으로 우연히 발견되는 경우부터 복막염에 이르기까지 다양한 임상증상을 보이며, 위내시경을 이용해 대부분 진단이 가능하다(그림 72-5). 치료는 환자의 임상 양상 및 밴드 위치에 따라 다양하게 적용될 수 있다. 무증상이며 밴드 결합부위가 위 내강에 위치한 경우 내시경을 이용한 제거가 일차적으로 추천된다. 그러나 밴드 결합부위가 위 내강 바깥에 위치한 경우는 복강경을 이용한 수술이 필요하게 되며, 이때 수술의 기본 원칙은 밴드를 유동시킬 수 있을 정도로 박리를 최소화해서 밴드를 제거하는 것이며, 천공부위는 밴드 주변 상처조직과 함께 단단한 일차 봉합(hermetic seal closure)을 시행하는 것이다(그림 72-6).

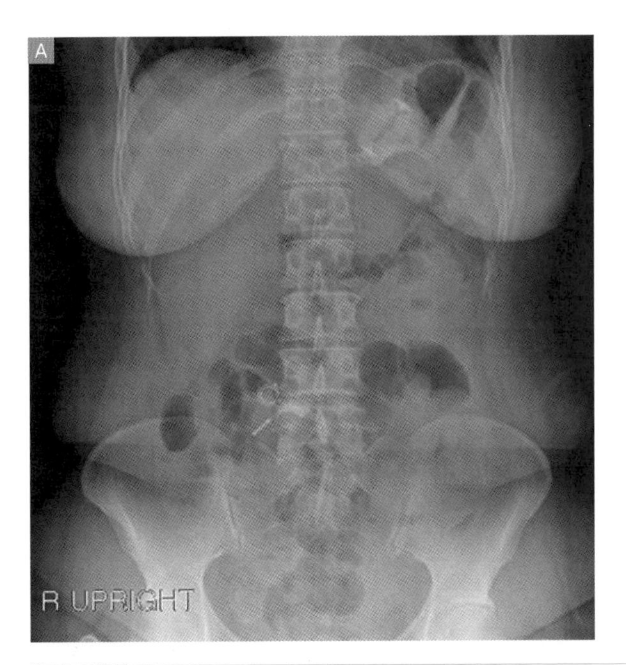

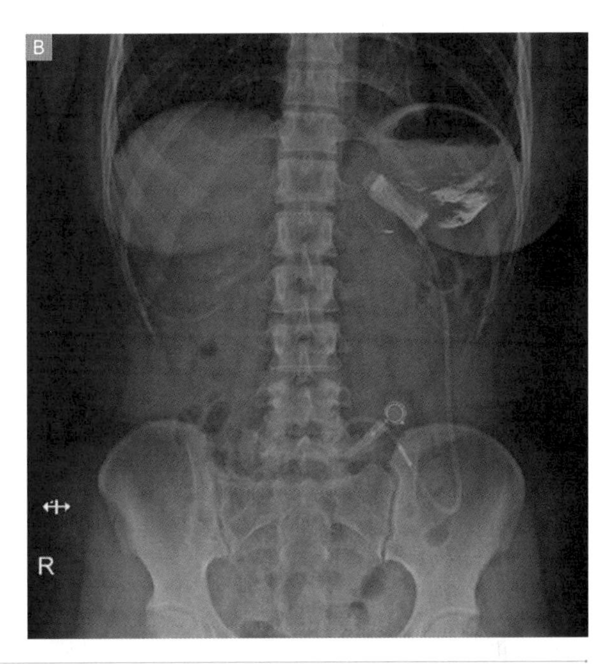

그림 72-4 **조절형위밴드술 환자의 정상 위밴드 및 위밴드 이탈의 단순 복부 사진.**
A. 위밴드가 식도-위 경계 부위에 정상적으로 45°를 유지하고 있는 소견을 보여준다.
B. 위밴드 이탈의 가장 흔한 형태로 위밴드가 아래쪽으로 미끄러진 소견을 보여준다.

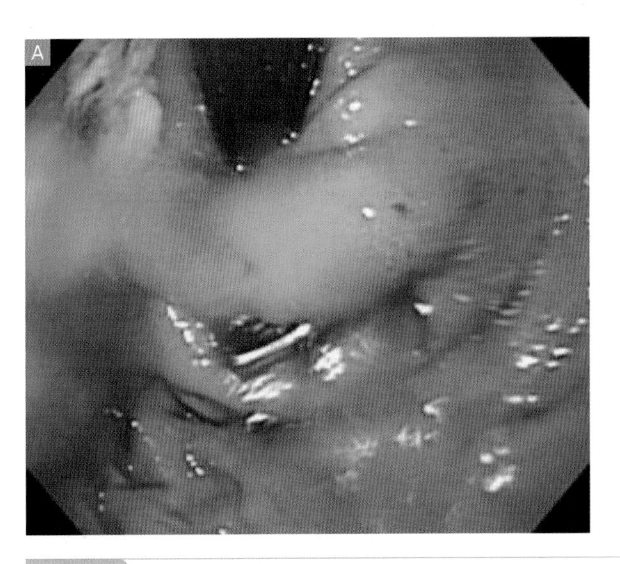

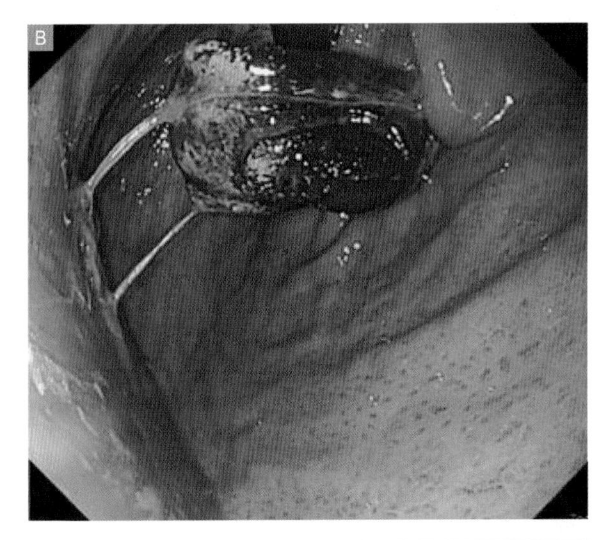

그림 72-5 **위밴드 미란의 위내시경 소견.**
A. 중앙 부위에 위밴드의 일부가 위 내강으로 튀어나와 있는 것을 확인할 수 있다.
B. 위밴드의 대부분이 위 내강으로 들어와 있는 것을 확인할 수 있다.

2) 위소매절제술 후 후기 합병증

(1) 협착

누출의 원인이 되기도 하는 합병증 중 하나로 빈도는 1% 미만으로 보고되고 있다. 식이 진행이 어렵고 잦은 구토 등의 임상증상을 보이며, 위장조영술과 위내시경으로 비교적 쉽게 진단할 수 있다. 내시경하 풍선확장술이 우선적으로 시도될 수 있으나, 실패 시 수술

치료가 고려되어야 한다. 수술방법으로 위절개술(longitudinal lateral gastrotomy+transverse hand-sewn closure), 전방 장막근육절개술(seromyotomy), 또는 루와이형 위우회술로 전환을 고려할 수 있다.

(2) 역류성식도염

기존 역류성식도염 악화와 새롭게 발생하는 경우를 모두 포함하면 30%까지 보고되고 있어 가장 흔한 합병증이다(그림 72-7). 임상적인 위험인자로는 수술 전 역류성식도염 존재 여부와 흡연으로 알려져 있으나, 스크리닝을 위한 객관적인 검사는 아직 검증되지 않았다. 양성자펌프억제제(proton pump inhibitor)에 비교적 잘 조절되지만, 약물치료에 실패한 경우 루와이형 위우회술로 전환을 고려하여야 한다.

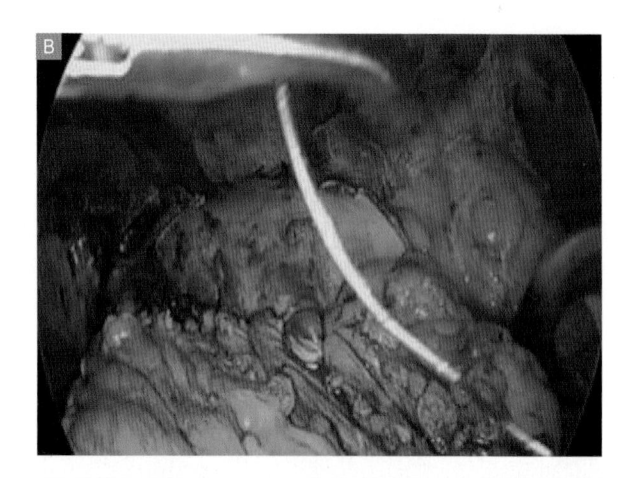

그림 72-6 **위밴드 미란 환자에서 복강경을 이용한 수술 소견.**
A. 위밴드 제거 후 천공 부위가 중앙에 보이며, 전체가 육아조직으로 변화된 소견을 볼 수 있다.
B. 천공 부위를 봉합한 사진이며, 밴드 케이블이 놓인 위치까지 연속 봉합(hermetic seal closure)한 소견을 보여준다.

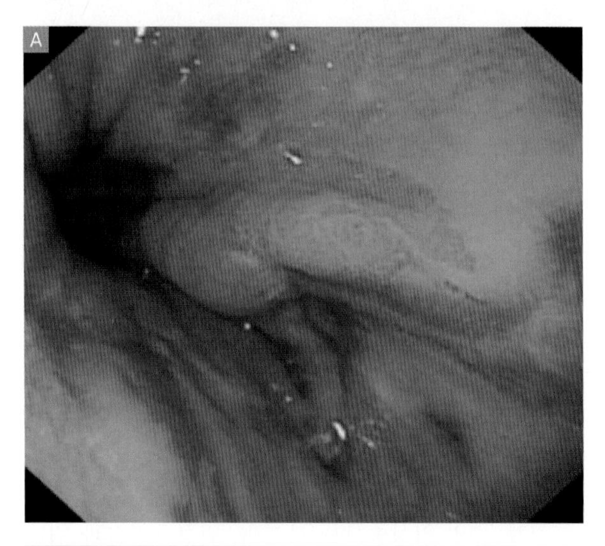
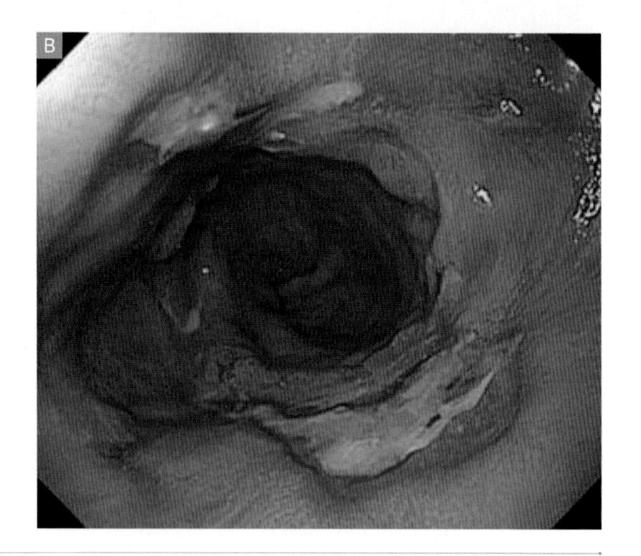

그림 72-7 **위소매절제술 후 역류성식도염 환자의 위내시경 소견.**
A. LA classification C에 해당하는 역류성식도염 소견을 확인할 수 있다.
B. LA classification D에 해당하는 역류성식도염 소견을 확인할 수 있다.

3) 루와이 위우회술 후 장기 합병증

(1) 연결부위 궤양

발생 빈도는 0.6~16%로 다양하게 보고되고 있으며, 스크리닝을 통한 발생 빈도는 대개 7% 내외로 알려져 있다. 대부분 위-소장 연결부위에 발생하며, 때로는 연결부위 아래의 소장, 그리고 위-위 누공과 합병되기도 한다(그림 72-8). 대표적인 임상 위험인자는 흡연과 비스테로이드성 진통제(NSAIDs)다. 주된 임상증상은 다양한 양상의 복부 통증이며, 드물기는 하나 출혈, 반복되는 구토를 동반한 협착 그리고 천공에 이은 복막염으로 발현되는 경우도 있다. 위내시경을 이용해 쉽게 진단되며, 양성자펌프억제제(proton pump inhibitor)에 의해 95% 이상 잘 치료된다. 그러나 약물치료에 반응하지 않는 경우, 혹은 협착, 반복되는 출혈, 천공 등의 경우에는 수술적 치료가 필요하게 된다. 수술방법은 동반

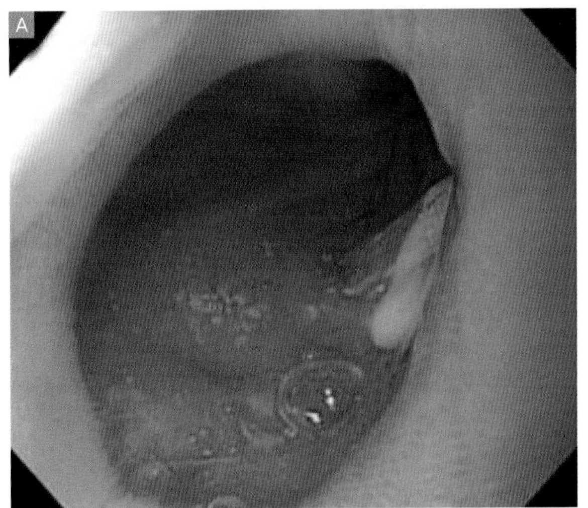

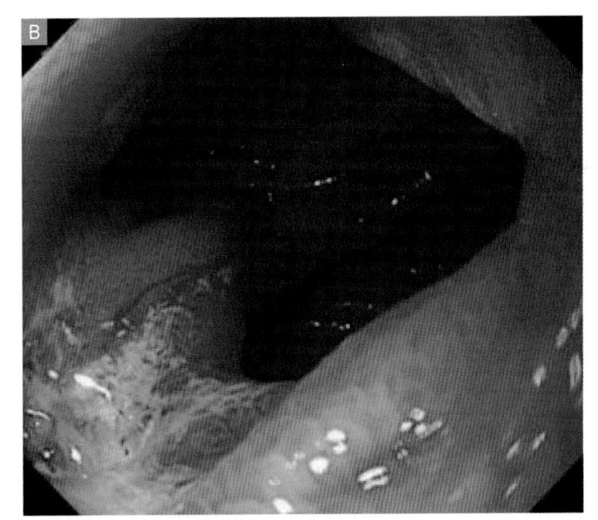

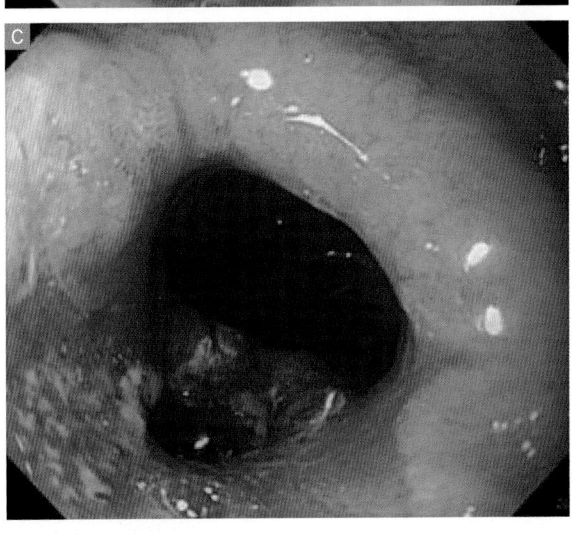

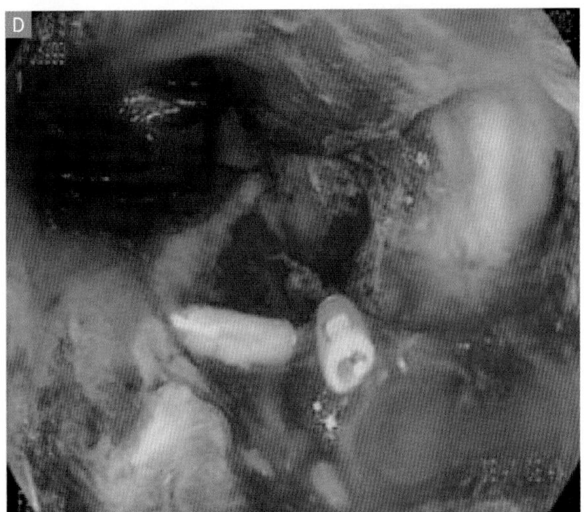

그림 72-8 **루와이형 위우회술 환자에서 연결부위 궤양의 다양한 위내시경 소견.**
A. 위-소장 연결부위 바로 아래 소장 부위의 작은 궤양을 볼 수 있다.
B. 위-소장 연결부위에 아물지 않은 작은 궤양을 보여 준다.
C. 위-소장 연결부위에 아물지 않은 깊은 궤양을 보여 준다.
D. 위-소장 연결부위 출혈로 내시경용 금속 클립을 이용해 지혈한 소견을 보여 준다.

된 위험인자를 잘 고려하여, 위-공장 연결부위절제 혹은 원래 구조로 복원을 선택할 수 있다.

(2) 내탈장

발생 빈도는 1~6%로 알려져 있으며, 일차 수술 시 장간막 결손부위를 봉합함으로써 위험을 줄일 수 있다. 발생 가능한 부위는 앞쪽 장간막 결손 부위(the space between Roux-limb and biliopancreatic limb)와 피터슨 공간(the space between the mesentery of the Roux limb and mesocolin)이다(그림 72-9). 대부분 장폐색에 따른 증상으로 내원하게 되며, 피터슨 공간으로 소장 탈장이 일어난 경우 소장 허혈이 동반되기도 한다(그림 72-10). 진찰 상 뚜렷한 소견이 없는 특징으로 진단이 늦어지는 경우, 치명적인 합병증 혹은 사망으로 이어지

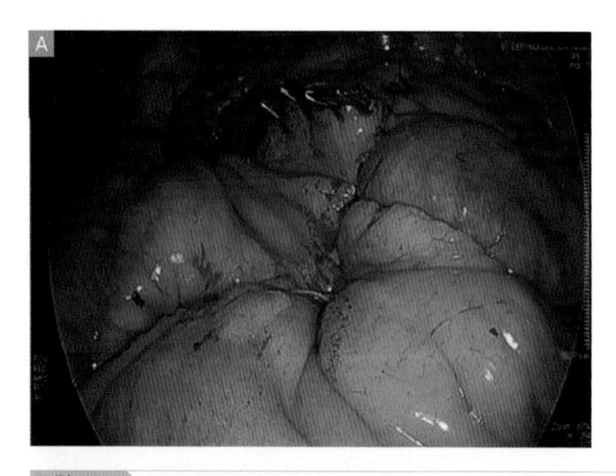
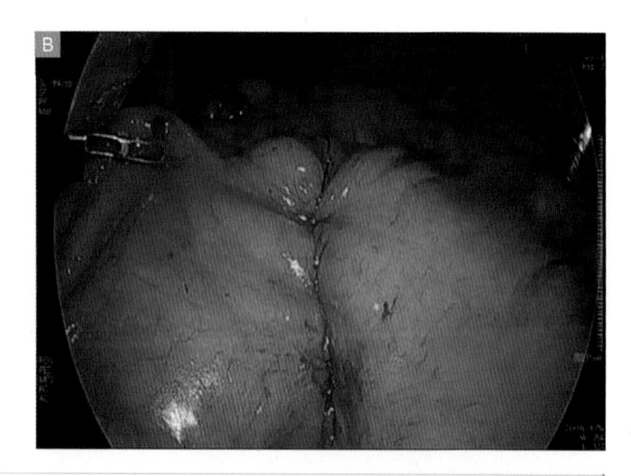

그림 72-9 **루와이형 위우회술 후 장간막 결손 부위 봉합 소견.**
A. 앞쪽 장간막 결손 부위(the space between Roux-limb and biliopancreatic limb)가 비흡수 봉합사를 이용해 연속 봉합된 소견을 보여준다.
B. 피터슨 공간(the space between the mesentery of the Roux limb and mesocolin)이 비흡수 봉합사를 이용해 연속 봉합된 소견을 보여준다.

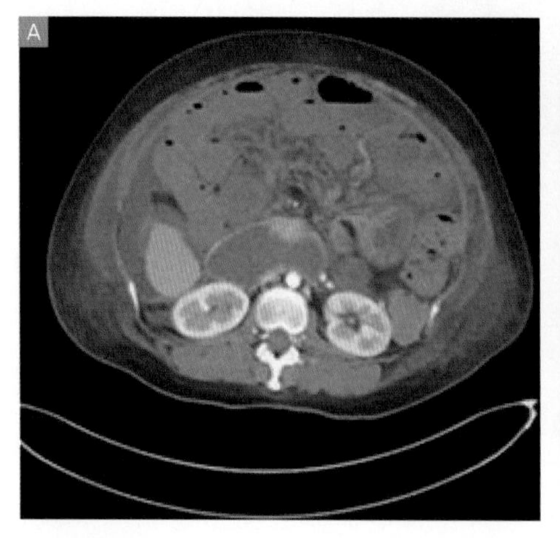
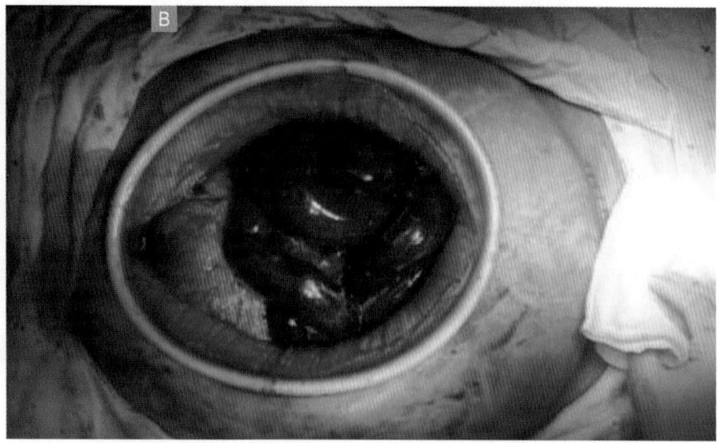

그림 72-10 **루와이형 위우회술 후 피터슨 탈장의 복부 CT 소견 및 개복 소견.**
A. 복부 CT상 대부분의 소장벽 음영이 떨어진 소견과 확장 소견을 볼 수 있다.
B. 개복 소견 상 소장 대부분이 괴사된 소견을 보여주고 있다.

기도 한다. 이런 이유로 적극적인 의심이 중요하며, 동시에 진단적 복강경 접근에 주저하지 말아야 한다. 수술 접근 시 소장 괴사 소견이 없어 복원 시도 시 반드시 회장 말단부부터 거꾸로 시행하여야 한다.

(3) 고인슐린 혈증에 따른 저혈당

흔히 후기 덤핑으로 잘 알려져 있으며, 병리학적으로 전반적인 도세포증식증(nesidioblastois)으로도 알려져 있다. 발생 빈도는 측정방법에 따라 0.2%에서 72%까지 다양하게 보고되고 있다. 임상적으로 전형적인 저혈당 증상 및 쥬스 등으로 저혈당이 개선되는 양상으로 발현되며, 진단은 혈액검사상 저혈당(<50 mg/dL)및 고인슐린 혈증(>3 mUI/L)으로 확인된다(그림 72-11). 일차적인 치료는 식이 교육이며, 대부분 이를 통해 치료가 가능하지만, 지속되는 경우 약물치료 혹은 수술치료가 고려될 수 있다. 최근에 식욕 억제제로 개발된 GLP-1 수용체가 저혈당 증상 개선에도 효과가 있다는 보고가 이어지면서 기존 치료의 대안으로 대두되고 있다.

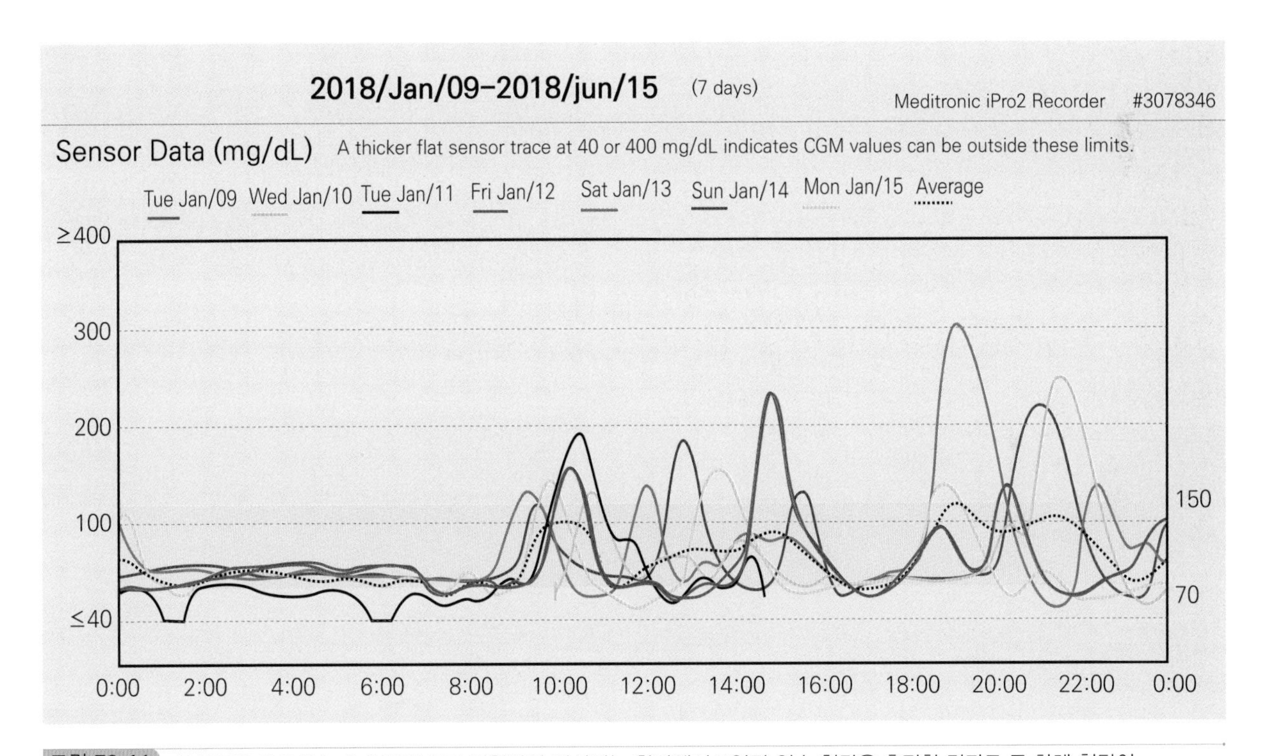

그림 72-11 루와이형 위우회술 후 임상적으로 저혈당이 의심되는 환자에서 7일간 연속 혈당을 측정한 결과로 두 차례 혈당이 40 mg/dL까지 떨어지는 소견을 보여준다.

참고문헌

1. Hur YS, Lee HJ, eds. Textbook of Bariatric and Metabolic Surgery. 1st ed. Seoul: Koonja, 2018.
2. Ninh T. Nguyen, Robin P. Blackstone, John M. Morton, Jaime Ponce, Raul J. Rosenthal, eds. The ASMBS Textbook of Bariatric Surgery.

PART 15

위장관 질환과 영양

THE KOREAN GASTRIC CANCER ASSOCIATION

CHAPTER 3

위장관 질환과 영양

I. 수술 전후의 영양평가 및 영양계획 수립

병원에 입원하는 외과 환자는 여러 가지 검사 과정에서 금식과 채혈, 외상, 감염으로 인한 염증, 암 등의 질환으로 인해 음식에 대한 맛의 감각이 변화되기 때문에 영양공급 부족에 더욱 쉽게 빠질 수 있다. 특히 의료진의 인지 부재로 인해 이루어지는 수술 전 환자 처치와 각종 검사에 따르는 금식기간의 반복, 수술 후 상당 기간 지속되는 침상 안정과 수술 환자의 무조건적인 중환자실 입실, 수술 후 방귀가 나오기 전까지 금식을 유지하는 등 여러 세대에 걸쳐 도제식으로 교육된, 검증되지 않은 외과적 원칙이 환자의 회복에 있어 큰 장애물인 것이다. 따라서 수술 환자에 대한 영양치료는 의료진들의 문제점 인식을 통해 환자를 위한 더 나은 조치를 취할 수 있다.

수술 환자의 영양치료는 무엇보다도 영양실조의 결과로서 나타날 수 있는 창상치유의 지연, 감염에 대한 취약성, 위장관내 병원성 세균의 증식, 면역력 감소 등의 현상들을 예방하여 수술의 결과를 향상시키고 합병증을 감소시킬 수 있다는 점에서, 매우 중요한 치료과정의 하나라고 할 수 있다. 외과환자에서 영양지원의 목표는 질병이나 수상에 따르는 이화작용을 예방하거나 반전시키는 것이다. 따라서 영양문제가 있는 환자에서는 먼저 영양선별검사(nutritional screening) 및 영양평가(nutritional assessment)를 통하여 영양실조 환자를 찾아낸 다음 영양지원을 결정하고, 영양요구량을 산정한 후, 해당 환자에게 필요한 영양소를 찾아낸 뒤, 어떤 경로로 지원할 것인지에 대한 영양계획을 수립하고 지원된 영양소들이 체내에서 잘 이용되는지 또, 합병증 발생이 있는지 모니터하는 것이 환자의 치료결과 향상을 위해 매우 중요한 것이다. 환자 각자의 영양상태를 평가할 확실한 단독 검사법은 없지만 생화학검사, 인체계측법 등을 이용한 객관적인 평가방법과 병력 및 신체검사를 이용한 임상적인 평가방법이 이용되고 있다.

1. 영양선별검사와 영양평가

환자의 영양결핍 또는 영양과다를 결정하거나 영양요구량을 예측하기 위해서 일차적으로 영양선별검사를 시행하여 영양문제가 있는 환자를 찾아낸 다음 이들 환자를 대상으로 종합적인 영양평가가 시행되어야 한다. 따라서 영양평가는 영양치료과정의 첫 단계라고 할 수 있다.

1) 영양선별검사

영양선별검사(nutritional screening)는 영양관리를 효율적으로 하기 위하여, 영양불량 환자를 개별적으로 영양학적으로 판정하기 전에 영양적 관리가 필요한 대상을 선별하기 위한 방법들이다. 체중이나 입맛의 변화 같은 비교적 간단한 항목의 설문을 통해 분석이 가능한 도구부터(Malnutrition Screening Tool, Short Nutrition Assessment Questionnaire), 많은 시간을 들여 키, 체중, 체질량지수, 체중감소비율, 질병의 중증도 등을 반영하는 도구들(Malnutrition Universal Screening Tool, Nutrition Risk Screening 2002, Mini Nutritional Assessment Short Form) 혹은 좀 더 포괄적이고 더 많은 시간을 들여야 가능한 도구들(The Subjective Global Assessment, The Mini Nutrition Assessment)까지 대표적인 도구들로 소개되어 있다.

(1) 주관적 영양상태평가

주관적 영양상태평가(subjective global assessment, SGA)는 표준화된 질문 양식을 사용하여 환자의 영양상태를 결정하기 위하여 개발된 선별검사 방법이다. 최근의 체중감소, 평상시 식사 섭취 변화, 위장 증상, 신체 기능력, 신체검사 시의 증상, 질병상태 등을 점수로 표시하여 작성된 자료로 영양상태를 평가하며, 주관적인 변수가 있는 임상적 방법이다. 영양불량상태의 정도를 건강(well nourished 또는 SGA A), 중등도 불량(moderately malnourished 또는 SGA B), 심한 불량(severely malnourished 또는 SGA C)으로 나눈다. 중등도 이상의 영양불량을 영양관리대상으로 한다. 검사실 수치가 필요 없으므로 간편하지만 주관적 판단이 반영되는 것이 단점이다.

(2) 영양위험점수

영양위험점수(nutrition risk scoring-2002, NRS 2002)는 유럽정맥경장영양학회(European Society of Parenteral and Enteral Nutrition, ESPEN)에 의해 도입되어 입원환자들을 대상으로 하는 선별검사 방법이다. 영양불량이거나 영양불량의 위험이 있는 입원환자를 선별하여 영양상태의 개선으로 환자에게 도움이 되기 위한 목적으로 제안되었다. 영양지수, 질병지수, 나이에 대한 가중치로 구성되며 그 합계로 판정하며 영양상태를 무위험군(no risk), 저위험군(low risk), 중등도 위험군(medium risk), 고위험군(high risk)으로 나눈다. 중등도 위험군 이상의 영양불량을 영양관리대상으로 한다.

(3) 영양위험지수

영양위험지수(nutritional risk index, NRI) 흉부 또는 복부 수술환자들의 수술 전후에 경정맥영양공급의 효율성을 평가하기 위하여 사용된 방법으로 최근의 체중감소와 혈청 내 알부민 수치를 공식에 대입하여 간단하게 계산하는 선별방법으로 영양상태를 영양상태 양호(not malnourished), 경도(mild), 중등도(moderate), 고도(severe malnourishment)의 영양불량으로 분류한다. 중등도 이상의 영양불량상태를 영양관리대상으로 한다.

(4) 생체전기장애분석

생체전기장애분석(Bioelectrical impedence analysis, BIA)은 기계적 장치를 이용하여 체내 수분과 지방을 제외한 체질량, 근골격근육량 등을 측정하는 방법이다. 간단하고 빠르며 비침습적인 방법이 특징이다.

2) 영양평가

환자의 영양상태를 진단하는 것으로 영양소 섭취 상황이나 영양소의 체내 이용에 의하여 영향을 받게 되는 일련의 건강과 관련된 요소를 중심으로, 환자의 임상진단, 식사 섭취량, 소변이나 혈액의 생화학적 분석 및 신체 계측을 통한 자료 등 다양한 정보를 서로 연관 지어 현재 환자의 영양 및 건강 상태에 대하여 진단을 내리고 문제점을 분석, 해석하는 일련의 과정이다. 임상적으로 주관적 및 객관적 지표를 통하여 환자의 영양상태를 평가하게 된다. 주관적인 지표에는 의학적 및 영양학적 병력이 포함되며, 객관적 지표에는 신체검사, 인체계측(anthropometric measure), 체성분검사 및 생화학적 검사(소변 및 혈액검사) 등이 포함된다.

(1) 신체계측지표

신체 각 부위의 체조직 구성상태를 측정하고 이를 비교하여 영양상태를 판정하는 방법으로 비교적 장기간의 영양상태 판정에 유용하게 이용된다. 표준화된 방법으로 측정 자료가 면밀, 정확하며 간편하고 재현성이 좋으며 비용이 적게 들고 단기간의 훈련을 통하여 수행될 수 있으므로 개인이나 집단의 영양평가 방법 중 가장 널리 쓰이는 방법이다.

① 체중

체중측정 및 변화는 간단하면서도 가장 좋은 영양평가 방법 중 하나이다. 최근의 체중감소 정도는 영양결핍의 정도를 잘 반영한다. 체중에는 현재 체중(actual body weight), 평소 체중(usual body weight), 이상 체중(ideal body weight) 등이 있으며, 그 정도에 따라 영양실조 정도를 진단한다.

② 체질량지수

체질량지수(body mass index, BMI)는 신장과 체중을 이용하여 계산한 평가지표로 원래는 비만도 측정에 이용되었으나 영양평가에도 이용된다.

체질량지수 = 체중(Kg)/신장(m^2)

③ 피부주름두께

피부주름두께(skinfold thickness)는 체지방량을 산정하는 방법 중 가장 많이 쓰이는 방법으로, 그 이론적 근거는 체지방의 약 50% 정도는 피하에 분포되므로 피하지방 두께를 측정하여 체지방량을 간접적으로 평가하는 방법이다. 여러 부위에서 측정할 수 있으나 상완삼두근 피부주름두께(triceps skinfold thickness, TSF) 측정이 가장 많이 사용된다. 상완삼두근 피하지방두께는 환자의 오른팔을, 복부를 가로 질러 직각으로 구부린 후 견봉 돌기와 주두 돌기 중간 부위의 지방조직과 피부를 잡고 피부주름 캘리퍼를 사용하여 3회 반복 측정한다. 단기간에 급격하게 변화하는 중환자의 영양상태는 적절하게 반영하지 못하며 한 환자에 대해 장기간에 걸쳐 연속적으로 측정 비교하는 것이 의의가 있다.

④ 상완 둘레

상완 둘레(midarm circumference, MAC)는 근육질량을 추정하는데 사용되며, 근육질량의 크기는 근육단백저장량 즉 lean body mass를 측정하는 것이며, 환자의 체단백질 결핍 판정 시 사용된다.

상완근육둘레 midarm muscle circumference
(MAMC) = MAC (cm) − π × TSF (cm)
MAC = midarm circumference,
TSF = triceps skinfold thickness

(2) 생화학적 측정

① 내장단백

혈청단백 중간에서 합성되는 단백을 측정하는 것으로, 내장단백질의 표지자인 알부민, 트랜스 페린(transferrin)과 프리알부민(prealbumin)으로, 전통적으로 영양실조의 지표로 사용되어 왔다.

영양불량의 표지자로서 알부민 혈청 농도는 3.5 g/dL 이하를 기준로 하며 특히 향후 질환의 예후를 반영한다. 트랜스페린은 반감기가 9일이며, 철분, 신증후군, 만성감염 등에 의하여 영향을 받는다. 프리알부민은 thyroxine binding protein으로도 불리며, 반감기가 48시간이어서 반감기가 3주 정도인 알부민에 비하여 영양불량상태의 변화를 반영하는 데 유리하다. 프리알부민은 간질환이나 심한 스트레스로 혈청 농도가 떨어지며, 스테로이드 투여 시 올라간다.

② 크레아티닌-신장 지수(creatinine-height index)

크레아티닌은 식이와 근육의 단백 크레아티닌의 최종 대사물질로 비교적 일정하게 소변으로 배설되므로 근육대사의 정도를 추정할 수 있는, 체단백 측정에 사용되나 검사가 복잡하여 실제 임상에서는 잘 이용되지 않는다.

③ 면역능 검사

영양실조는 면역억제와 관련이 있으므로 영양실조 시 면역능을 검사하여야 하며 총 림프구 수와 지연성 과민반응 검사가 있다.

2. 영양지원의 목표와 영양 요구량

1) 영양지원의 목표

영양지원의 궁극적인 목표는 임상결과를 향상시키는데 있으며, 이를 달성하기 위해서 두 가지의 다른 이론적 근거를 기초로 한다. 하나는 기아에 의한 합병증(감염, 사망 등)을 예방하기 위한 것이며, 다른 하나는 특별한 질환의 과정에서 이 질환과 관련된 영양적 혹은 대사적 결핍을 교정해 줌으로써 임상결과를 좋게 하는 것이다. 그러므로 영양지원은 대사 과다 환자에서는 체중감소와 체단백 분해 정도를 줄이고, 먹지 못하는 환자에서는 체중과 지방을 뺀 체중(lean body mass)을 유지하며, 영양실조 환자에서는 체중증가와 동화작용을 달성하는 것이다.

2) 영양지원의 시기

2002년 미국정맥경장영양학회(America Society for Parenteral and Enteral Nutrition, ASPEN)에서 제시한 수술 전후의 영양지원에 대한 guidelin은 다음과 같다. 첫째, 수술 전 영양지원은 주요 복부 수술을 위해 입원한 환자 중 중등도 또는 중증의 영양결핍이 있어 수술 전 7~14일 정도의 영양지원기간 동안 수술이 지연되어도 해가 없는 환자에게 시행되어야 한다. 둘째, TPN이 수술 직후 관례적으로 시행되어서는 안된다. 셋째, 수술 후 영양지원은 수술 후7~10일의 기간 동안 경구식이로의 회복이 어려울 것으로 예상되는 환자들에게 시행되어야 한다.

3) 영양 요구량

인체는 매일 다량영양소(macronutrient; 탄수화물, 단백 및 지방)와 미량영양소 (micronutrient; 비타민 및 미량원소)를 수분과 함께 지원받아야 하며, 다량영양소는 인체에 필요한 에너지, 구조 및 기능을 담당하며 미량영양소는 세포, 대사 및 구조성분의 조절에 필수적이다. 영양 요구량은 나이, 성별 및 키에 따라 달라지며 그 외 질병상태에 따라 달라진다.

(1) 에너지와 단백지원의 중요성

수술 등의 스트레스 환자에서 에너지 소비량을 외부에서 충족시켜 주는 궁극적인 목적은 체내의 구조 단백이나 기능성 단백이 연료로 사용되는 것을 최소화하는 데 있다. 즉 영양지원에 있어서 적절한 칼로리의 지원 없이 아미노산을 투여하면 아미노산이 단백질 합성에 이용되지 못하고 칼로리원으로 소모되므로 이를 예방하는 데 있다. 일반적으로 비단백 칼로리 대 질소 비율을 100~150:1 정도의 비율로 지원해야 열량원은 칼로리로 쓰이며 단백은 단백합성으로 이용되는데, 이는 질소 1g (단백질로는 6.25 g)을 투여할 때 100~150 Kcal를 포도당이나 지방으로 지원한다는 뜻이고 간부전(200:1), 신부전(300~400:1) 및 패혈증(80~100:1) 등 상황에 따라서 다른 비율로 적용되어야 한다.

(2) 에너지 요구량 구성요소

인체가 소모하는 에너지는 칼로리로 측정되며 여러 가지 구성요소로 이루어져 있다. 기초대사율(basal metabolic rate, BMR)은 인체가 12시간 이상 금식 및 휴식 시에 정상적인 기능을 수행하는 데 필요한 에너지를 말하며, 이는 휴식은 하되 금식하지 않는 안정대사율(resting energy expenditure, REE)과 혼용되나 엄격하게 말하면 다르며 REE가 BMR보다 약 10% 높다. 식품의 열효율(thermal effect of food)은 영양소의 소화, 흡수 및 저장에 필요한 에너지를 말하며 전체 에너지의 약 10%를 차지한다. 그 외에도 소변과 대변으로 소실되는 에너지, 인체의 활동에 필요한 에너지, 새로운 조직 생성에 소모되는 에너지(일반적으로 체중 1 kg 당 5 Kcal), 비정상적 혹은 스트레스 상태에서 이를 극복하기 위해 사용되는 에너지 등이 인체가 소모하는 에너지이며, 이상의 모든 구성요소를 합쳐 총 에너지 요구량(total energy expenditure, TEE)이라 한다.

(3) 에너지 요구량을 구하는 방법

① 간접열량측정기를 이용하는 방법

간접열량측정기(indirect calorimetry)는 호흡가스교환에서 소비되는 산소량과 생성되는 이산화탄소량을 측정함으로써 비교적 정확한 에너지 소비량을 구할 수 있으며, 특히 중환자에서 유용하게 사용되나, 이 측정법은 안정대사율 측정이므로 총 에너지 요구량 측정을 위해서는 적절한 활동 인자를 적용하여야 하며 값비싼 장비 및 인력 등이 필요하므로 우리나라 실정에는 비효율적이라 할 수 있다.

② 헤리스-베네딕트(Harris-Benedict) 공식

사람의 에너지 요구량은 체중, 키 및 나이에 따라 다르며 이것을 공식화하여 보고한 이 후 현재까지 임상에서 유용하게 이용되고 있다. 이 공식은 건강한 성인을 대상으로 한 것이며 기초대사량(basal energy expenditure, BEE) 측정이므로 총 에너지 요구량을 계산하기 위해서는 활동 인자와 스트레스 인자를 보정해 주어야 한다. 남자와 여자에서 각각 구하는 공식은 다음과 같다.

BEE(남자)
= 66.47 + 13.75(W) + 5.0(H) - 6.76(A) 칼로리/일
BEE(여자)
= 655.1 + 9.56(W) + 1.85(H) - 4.68(A) 칼로리/일
W = 체중(Kg), H = 키(cm), A = 나이(년)

외상이나 패혈증 후에는 에너지 요구가 증가되어 계산된 에너지 소모보다 훨씬 더 큰 비단백 칼로리를 필요로 하는데, 보통 수상 정도에 따라 계산된 칼로리보다 1.2~2.0배의 비단백 칼로리를 부가적으로 지원하여야 하며, 그 이상 지원하는 것은 적절하지 않다.

③ 기타

그 외 Ireton-Jones 공식 등이 임상에서 이용되고 있으며, 통상적으로 단순하게 스트레스의 정도에 따라 하루 체중 1 kg 당 25~30 Kcal를 공급하는 방법도 많이 이용되고 있다.

3. 수술 환자 영양지원의 방법

수술 전후 외과환자의 영양치료를 언급함에 있어서 수술 후 조기회복(Enhanced recovery after surgery, ERAS) 혹은 fast- track surgery의 개념을 이해해야 한다. 전통적인 수술 전후 환자의 치료과정에서는 수술에 따르는 스트레스가 대사에 미치는 영향을 피할 수 없다는 전제 하에 소극적 대증요법으로 대처할 뿐이었지만, ERAS 프로그램에서는 적극적으로 수술 전후 환자의 스트레스를 감소시키기 위한 개입을 통해 영양학적 측면의 관리와 수술에 따르는 합병증의 예방, 건강회복에 걸리는 기간을 단축하여 병원 재원 일수를 줄이고 전체적으로 의료비를 절감하는 효과를 가져올 수 있다. ERAS 프로그램의 각 항목 가운데 수술 전후 영양치료의 면에서 특히 중요한 항목을 살펴보면 다음과 같다.

1) 수술 전 영양섭취

첫째, 수술 전의 경구영양섭취는 수술 후 회복기간 동안 protein balance, lean body mass의 보존, 근력(muscle strength) 유지, 재원 일의 감소에 영향을 미치게 된다. 수술 전 탄수화물의 섭취는 인슐린 저항성을 감소시켜 고혈당으로 인한 합병증을 줄이는 효과를 나타내므로 대부분의 환자에게 자정부터 금식은 불필요하다. ERAS프로그램에서는 수술 전 6시간의 고형 음식의 금식을 요하고, 수술 시작 약 2시간 전 탄수화물이 포함된 맑은 음료(clear fluid)의 섭취를 권장한다. 수술 전 환자의 심리적 불안을 해소하고 수술 후 겪을 수 있는 인슐린 저항성 등의 대사적 저해 요인에 대한 전 처치로 사용될 수 있으며 전체적으로 환자의 재원기간 단축의 효과가 있다. 여러 무작위 전향적 연구가 있으며 마취 시 발생할 수 있는 흡인성 호흡기합병증이나 수술에 따르는 합병증에서 문제점은 없어서 안전성이 확보되었으나 인슐린 저항성을 낮추거나 재원기간을 줄이는 면에 대한 입증에서는 대체로 긍정적 효과를 보이고 있지만 재원기간이 짧을수 밖에 없는 작은 수술환자가 포함되었거나 당뇨 등의 다른 문제가 있는 환자가 포함되는 등 연구 디자인상의 문제로 아직은 확실한 근거의 마련이 어려운 상태이다.

둘째, 수술 전 금식 및 장 준비를 잘해야 한다. 전신마취를 하기에 다른 위험요인이 없는 어린이 혹은 성인이라면 수술 전 건더기가 있는 음식을 제외한 액상의 음료는 두 시간 전까지 섭취할 수 있으며 합병증을 유발할 위험보다는 오히려 갈증 해소와 허기짐 감소, 위 내용물의 감소 효과를 볼 수 있다. 수술 전 하제를 이용한 기계적 장 준비는 수술의 결과에 아무런 이득이 없으며, 하제로 사용되는 인산나트륨의 신장손상 가능성에 대한 식품의약품안전처의 의약품 안전성 서한이 2013년 3월 배포되기도 하였다. 수술 전 금식기간은 최소화하는 것이 좋고 기계적 장 준비는 대장내시경검사 외에는 계획된 수술을 위해 시행할 필요는 없다.

2) 수술 후 영양섭취

수술 후 조기경구섭취를 고려한다. 조기경구섭취는 수술 후 영양관리의 중요한 요소 중에 하나이며, 조기경구섭취는 문합부 누출과 창상 감염, 폐렴, 복강내 농양 형성 등의 모든 종류의 감염과 수술 후 사망 등에 있어서 이점이 있다. 그러나 수술 후 금식을 유지하게 되는 원인은 장운동이 회복되지 않은 상태에서 폐흡인의 위험성, 위장관수술로 새롭게 만들어진 문합 부위의 손상이나 누출의 가능성, 재수술을 하게 될 가능성 등이 우려되기 때문일 것이다. 하지만 대장을 제외한 위와 소장의 운동은 수술 후 24시간 이내에 회복되기 때문에 장운동에 대한 우려는 거의 없으며, 수술기법의 발전과 자동 문합기의 사용으로 문합 부위의 손상이나 누출의 위험이 거의 없기 때문에 환자가 목 삼킴의 문제나 의식의 저하 등이 없다면 모든 종류의 수술에서 수술 후 24~48시간 이내에 칼로리를 섭취하는 것이 환자의 회복을 촉진하며 감염합병증을 낮추고 재원기간 단축을 꾀할 수 있다.

II. 위장관수술환자의 영양지원

1. 병원내 영양실조 및 영양공급

병원에 입원하는 환자의 영양실조는 최근에도 약 17~50%정도로 높은 빈도를 보인다. 병원에 입원하는 환자의 경우 외상, 감염, 암 등 각종 질환을 가지고 있는 경우가 많고, 이러한 상황들은 영양상태의 악화를 가져올 수 있기 때문이다. 노인이나 암환자, 특히 소화기관의 암환자의 경우 다른 일반적인 환자보다 더 높은 영양실조의 유병률을 보인다. 영양결핍은 면역력이나 상처치유 등과 관련이 있고 결국 수술 후 합병증 발생을 증가시키는 요인으로 알려져 있다. 외과 수술환자에서 적절한 영양공급의 목표는 질병이나 수상에 따르는 이화작용이 최소화될 수 있게 하는 것이다. 수술 후 적절한 영양공급은 영양결핍으로 인한 문제를 최소화하고 수술 관련 합병증을 줄일 수 있다. 위장관외과의 정규수술을 받는 환자의 경우에는 일반적인 복부 수술을 받는 환자들과 영양상태평가나 영양지원에 특이하게 달라질 것은 없다. 다만, 위암 환자의 경우 악액질(cachexia), 위출구 또는 위식도경계부 폐쇄에 의한 식이섭취불량 등에 대한 고려가 필요할 것이다.

영양문제가 있는 환자에서는 먼저 영양선별검사 및 영양평가를 통하여 적극적인 영양공급이 필요한 환자를 찾아낸 다음, 영양지원 방법, 영양요구량 산정 등에 대한 결정이 필요하다. 또한 영양을 공급하는 중에는 영양소 공급은 제대로 되고 있는지, 영양공급과 관련된 합병증 발생은 없는지에 대한 모니터 과정이 필요하다.

2. 위절제술 후의 변화

위절제술을 받게 되면 음식물의 저장 및 기계적 소화, 위산분비, 호르몬 분비 등의 기본적인 기능들이 감소하게 된다. 위의 저장량은 위절제범위에 따라 달라지기도 하지만 동일한 수술 후에도 개인마다 격차가 크다. 위의 저장량 감소로 한 번에 섭취할 수 있는 식이량이 제한된다.

수술로 인하여 유문이나 하부식도괄약근이 소실되는 것 또한 문제를 유발할 수 있다. 최근 유문보존 위절제술이 적용되기도 하지만 대부분의 술식에서 유문이 절제가 된다. 유문 기능의 소실은 담즙의 역류를 야기하며, 증상 발생 시 치료가 쉽지않다. 위산에 의한 자극증상은 약제를 통해 중화가 가능하지만, 담즙의 식도편평상피에 대한 자극효과를 중화할 만한 약제가 없기 때문이다. 덤핑증후군 또한 유문의 상실에 의해 발생할 수 있다. 일부의 환자에게 있어서는 오히려 위배출시간 지연 또는 위저류가 발생하기도 한다. 하부식도괄약근을 절제하게 되면 음식물과 소화액의 역류를 막아주는 기전이 상실됨에 따라 일부 환자에서 역류가 관찰된다. 하부식도괄약근의 절제가 없는 원위부 위절제술에 있어서도 식도열공과 하부식도의 박리에 의해 위식도역류기전이 망가짐에 따라 역류 증상이 나타나기도 한다. 이러한 여러 가지 구조적인 변화에 따른 이유로 식이섭취가 곤란해질 수 있다.

위의 산성환경은 음식물로부터 비타민 B12의 방출을 돕는다. 위절제로 인한 위의 벽세포가 제거됨에 따라 내인자 분비가 없어지고, 결국 비타민 B12의 흡수장애를 유발한다. 구조적인 변화로 인하여 철 결핍 또한 발생할 수 있다는 점 등 위절제를 받은 환자의 경우 영양학적으로 고려해야 할 부분이 많다.

3. 위장관수술 전후의 영양지원

1) 영양공급의 종류와 경로 선택

경구 영양섭취 외에 영양공급 경로는 크게 경장영양(enteral nutrition)과 정맥영양(parenteral nutrition)이 있다. 경장영양의 경로로는 비위관, 비소장관, 위루, 공장루 등이 해당되며 급식관을 통해 장에 유동식이를 제공하는 방법에 해당하며, 정맥영양은 말초혈관, 중심정맥관, 케모포트 등을 통해 장을 사용하지 않고 영양수액을 직접 주입하는 것을 의미한다.

영양공급의 선택에 있어서 가장 기본적으로 위장관을 사용할 수 있으면 장을 사용한 영양공급을 하는 것이 좋다. 경장영양은 정맥영양에 비교하여 보다 생리적인 영양공급 방법이다. 또한 경장영양은 위장관 점막의 위축을 적게하고, 소화관 관련 면역을 유지시키며, 세균전이를 감소시키는 등의 다양한 장점을 가진다. 우선 위장관을 통한 공급이 가능한지 판단하여 가능하다면 경구식이를 시작하고, 경구식이가 불가능한 상황에서는 적절한 관을 삽입 후 경장영양을 하도록 한다. 경장영양을 시작하기로 결정한 경우, 포도당 용액이나 묽게 희석한 경관 유동식으로 시작할 필요 없이 바로 경관 유동식 원액을 사용하면 된다. 다만, 처음에는 10~20 ml/시간 정도의 속도로 시작을 하고 단계적으로 증량을 하면 된다. 경장영양을 통한 공급이 에너지 요구량의 60%를 미치지 못할 경우에는 정맥영양을 추가하여 적절한 영양공급을 해야 한다. 위장관을 사용할 수 없는 경우에는 정맥영양을 선택하게 된다. 경구식이나 경장영양이 1~2주 이내에 재개될 수 있는 상황이라면 말초혈관을 이용해 말초혈관용 영양수액을 사용하지만, 장기간 식이가 어려울 것으로 판단되면 중심정맥관을 통해 총경정맥영양을 시행하는 것이 필요하다.

2) 수술 전 영양공급

일반적인 환자에게 있어서 수술 전 인위적인 영양공급은 권장되지 않으며, 이는 수술을 앞 둔 위암 환자에서도 마찬가지이다. 하지만, 영양상태가 불량한 환자에 있어서는 어떠한 방법으로든지 충분한 영양공급을 하는 것이 필요하다. 영양상태가 불량한 환자의 경우 수술 전 1~2주간 충분한 영양공급을 시행한 뒤 수술을 하는 것이 합병증 발생을 줄일 수 있다. 위장관의 기능을 유지하기 위해서 가급적 경구식이 또는 경장영양을 하는 것이 좋다. 하지만, 위유문부나 분문부의 폐쇄로 경구식이가 어려운 진행성 위암 환자의 경우에는 대부분 비위관을 통해 식이 하는 것 또한 어려운 경우가 많기 때문에 주로 경정맥영양을 시행하게 된다. 위유문부나 분문부의 완전한 폐쇄가 없지만 위기능의 상실 또는 구조의 변형 등으로 식이를 제대로 못하는 경우를 접하게 되는데, 이럴 때에는 소량의 유동식과 정맥영양을 병용함으로써 위장관 기능을 유지시키면서 충분한 에너지를 공급할 수 있겠다.

최근 면역영양의 효과가 대두되면서 위장관 질환에서 수술 전후 면역영양의 공급에 따른 장점이 보고되기도 하였으나, 위절제 환자에서 수술 전 면역영양을 공급하는 것이 도움이 된다는 근거는 부족하다. 위절제 환자를 대상으로 한 연구는 많지 않을 뿐만 아니라 연구마다 면역영양의 성분도 제 각각이어서 위절제 전에 면역영양을 사용하는 것은 아직까지 장점이 있다고 결론 짓기 어려운 상황이기 때문에 수술 전 면역영양을 사용할 필요는 없다.

미국마취과학회의 권고에 의하면 기름진 음식을 포함하는 일반적인 음식은 수술 전 8시간, 가벼운 식사는 6시간, 맑은 유동식에 대해서는 2시간까지 식이를 허용한다. 최근 ERAS 그룹은 수술전 금식시간을 최소한으로 하고, 탄수화물 강화 음료를 마취 2시간 전까지 섭취하는 것을 권장한다. 탄수화물 강화 음료를 섭취하는 경우 수술 후 이화작용과 인슐린 저항성을 낮출 수 있다는 사실에 근거하고 있다.

3) 수술 후 영양공급

영양지표로 사용될 수 있는 알부민, 프리알부민, 트랜스페린의 수치는 수술 후 스트레스 대사작용에 의한 이화작용으로 변화가 크기 때문에 수술 직후에는 영양상태의 지표로 사용될 수 없다. 대부분의 위절제 환자는 수술 후 수일 내로 경구식이가 가능하기 때문에 경장영양이나 정맥영양은 필요하지 않다. 수술 후 일주일 이상 금식이 지속될 상황이라면 정맥영양이 적용되어야 하며, 아예 수술 중에 수술 후 장기간 식이를 시작하지 못할 것으로 예상될 때에는 공장루를 형성하여 조기에 경장영양을 제공하는 것이 도움이 되겠다. 일반적인 위장관계 수술에 있어서 비위관의 삽입은 환자의 불편을 일으키는 것 외에도 식이 진행을 늦어지게 하는 요소로 작용하기 때문에 통상적 사용은 금해야 하겠다.

실제로 문합부 누출 등에 대한 걱정으로 수일간 금식을 하고나서 식이를 진행하는 경우가 많았다. ERAS 그룹은 수술 후 1일째 식사를 제공하는 것을 권장하고 있다. 최근 연구결과들에 의하면 조기 경구식이를 한다고 해서 문합부 누출이 증가하지 않고, 장운동의 회복을 저해하지 않는다. 오히려 조기 경장영양은 수술 후 합병증, 재원기간, 사망률에서 더 좋은 결과를 보여준다. 위장관계 수술 환자의 금식에서 물, 유동식, 연식의 순서로 식사를 올리는 것이 대부분이지만, 연구결과에 의하면 유동식을 공급할 필요는 없다. 최근의 연구들을 종합해 볼 때 조기에 식이를 시작하고 고형식으로의 빠른 전환은 장운동 회복에 도움을 주며, 합병증이나 사망률에 악영향 없이 재원기간을 단축시킬 수 있다. 하지만, 무리한 식이 진행은 환자에게 불편감을 줄 수 있고, 구토 등에 의해 흡인성 폐렴 등을 드물게 일으킬 수 있기에 환자의 상태를 면밀히 관찰하면서 식이를 진행하는 것이 필요하겠다.

일반적으로 안정적인 건강상태의 경우 0.8~1.0 g/kg/일 정도의 단백질이 요구되지만, 수술 후에는 단백질 요구량이 증가하게 되어 1.5 g/kg/일 정도의 단백질 공급이 필요하며, 수술이나 염증 정도 등에 따라 그 이상의 단백질이 필요할 수 있다. 1 L의 배액량 당 15~30 g의 추가적인 단백질 공급이 필요할 수 있다. 영양공급의 방법과 상관없이 고려되어야 할 사항이다. 정맥영양을 시행할 때, 최근에는 상업적인 제품을 사용하는 경우가 많은데, 대부분의 시제품들은 하루에 1.5 L 영양수액을 공급해도 단백질 필요량에 못미치는 경우가 많고, 특히 말초정맥용 제품의 경우 더욱 부족할 수 있다는 것과 단백질을 추가로 공급해야 될 수 있음을 인지해야 한다.

외과계 중환자에게 경장영양을 통해 영양공급을 시행할 경우 아르기닌, 생선유를 포함하는 면역영양이 감염 관련 합병증이나 문합부 누출을 줄이고 재원기간을 단축시킨다는 여러 연구결과들이 보고되었다. 수술 후 환자에서 경장영양을 시행하는 경우에 면역영양을 공급하는 것이 도움이 될 수 있겠다.

4) 영양재개증후군

영양재개증후군(refeeding syndrome)은 장기간 영양공급을 받지 못하던 환자가 갑작스럽게 영양공급을 받을 때 나타날 수 있다. 영양부족으로 인해 골격근이나 내부장기의 기능이 저하된 상태에서 다량의 영양공급을 개시하면 생리적 부담이 되어 심혈관계와 호흡기에 부하가 걸리게 되며, 이화호르몬들이 방출되면서 전해질 불균형 및 미량원소 부족이 발생한다. 따라서 장기간 영양공급을 받지 못한 환자의 경우 다시 영양을 공급할 때에는 단계적으로 서서히 증량하여야 한다.

영양공급이 중지되면 글리코겐은 24시간 이내에 고갈이 되고 단백질을 분해하여 에너지원으로 사용한다. 2일 정도 후부터는 지방의 분해 산물인 케톤체를 에너지원으로 사용한다. 탄수화물의 섭취가 감소함에 따라 인슐린 분비 또한 감소한다. 영양결핍 환자의 경우 혈장에서는 전해질 농도가 어느 정도 유지되지만 세포내의 전해질 저장량 감소로 전체적으로 전해질이 부족해지게 된다. 영양공급이 재개될 때 탄수화물을 급속하게 보충하게 되면 주 에너지원이 지방에서 탄수화물로 바뀌면서 그에 따라 인슐린 분비가 증가한다. 인슐린 분비의 증가는 포도당뿐만 아니라 전해질의 세포 내 이동을 유발해 수분부족, 저인산혈증, 저칼륨혈증, 저마그네슘혈증 등의 복합적인 전해질 이상이 나타날 수 있다. 영양재개증후군은 영양을 재개하고 대부분 4일 안에 발생하고, 경장이나 경정맥으로 보충한 모든 경우에서 발생할 수 있다. 아데노신 3인산(adenosine triphosphate, ATP)을 생산하는데 필수인 인산의 혈중 레벨 감소는 영양재개증후군의 대표적인 소견이다. 영양재개증후군은 횡문근융해증, 백혈구기능저하, 호흡부전, 심기능부전, 저혈압, 부정맥, 경련, 혼수, 사망으로 이어질 수 있다. 영양재개증후군의 초기 임상증상은 비특이적이고 의사들에게도 질환에 대한 이해가 부족한 경우가 많아 질병의 발생을 인지하지 못할 수 있다. 영양재개증후군의 위험성이 있는 경우에 영양을 재개한 뒤에는 혈청 인산, 마그네슘, 칼륨, 포도당의 면밀한 감시가 필수적이다. 전해질과 수분상태가 안정화되면 에너지 섭취를 증량해 볼 수 있다.

4. 수술 후 발생할 수 있는 특수 상황에서 영양지원

1) 문합부 누출

문합부 누출이 있을 때 치료는 항생제 사용 및 단순금식, 문합부 주변의 배액, 내시경적 시술 또는 스텐트 삽입, 재수술에 이르기까지 누출의 정도나 환자의 상태에 따라 다양한 치료가 적용될 수 있다.

누출의 정도가 심하지 않고 활력징후가 안정적이라면 단순 금식과 보존적 치료로 누출의 폐쇄를 기대할 수 있다. 이러한 경우에는 말초혈관보다는 중심정맥관을 확보한 뒤 총정맥영양법(total parenteral nutrition, TPN)을 통해 충분한 영양공급을 하는 것이 상처회복에 유리할 것이다. 최근 영상의학적 중재와 내시경적 시술 발전함에 따라 문합부 누출이 발생한 경우에도 재수술을 시행하는 빈도는 높지 않다. 최근에는 내시경적 시술 중 내시경을 통한 피막형 자가팽창성 금속스텐트를 삽입하는 경우가 많다. 스텐트 삽입 후 스텐트가 완전히 팽창될 때까지의 24~48시간 후에는 경구식이가 가능하다. 경구식이를 시작하기 전에 조영제를 사용한 영상학적 검사로 스텐트의 위치를 확인하고 누출이 없는지 확인하는 것이 필요하다. 우선은 물이나 유동식으로 시작하여 괜찮으면 연식으로 식이를 올릴 수 있다. 스텐트의 경우 비교적 조기에 경구식이가 가능하기 때문에 빠른 누출의 폐쇄를 유도하는 데 도움이 된다. 하지만 스텐트 삽입 후 경구식이로 인한 통증이 조절되지 않거나 지속적인 누출이 확인된 경우에는 경구식이를 진행하기 어렵다. 이럴 땐 누출이 있는 부분보다 원위부에 비위관의 말단부를 위치시키고 비위관을 통해 경관식이를 시작할 수 있다.

2) 유미성 복수

유미성 복수(chylous ascites)는 림프관의 폐쇄나 손상에 의해 발생하게 되며, 복강내 각종 장기, 식도 및 두경부 수술에서 드물지 않게 보고 된다. 수술 후 배액관을 가지고 있는 경우에는 지방 성분을 포함한 식사 후에 배액의 양상이 크림색 또는 우윳빛으로 바뀌는 것으로 쉽게 알 수 있다. 배액된 체액에서 트리글리세리드를 측정하여 100 mg/dL 또는 혈청 수치보다 높게 나오면 진단할 수 있다.

유미성 복수가 발생하면 단백질과 전해질을 포함한 체액의 손실이 동반되기 때문에 탈수와 영양상태에 대한 관찰이 필요하다. 발생 초기에는 수분상태 및 전해질에 대해서 매일 검사가 필요할 수 있으며, 알부민에 대해서는 매주 검사를 하는 것이 도움이 된다. 유미성 복수의 치료로 우선은 비수술적인 방법을 선택하게 되며, 그 중에서 식이조절이 가장 중요하다. 유미성 복수가 의심되면 우선적으로 무지방식, 저지방식 또는 중간사슬지방산(medium chain fatty acid)식으로 전환해야 한다. 짧은사슬지방산(short chain fatty acid)과 중간사슬지방산의 경우 대체로 수용성이기 때문에 장에서 흡수되면 위장관 림프관을 통과하지 않고 바로 문맥순환을 통해 이동하게 된다. 그 결과 유미 누출이 있는 부분에서의 유미 흐름을 감소시키게 되고, 손상된 림프관의 치유를 도울 수 있다. 식이조절만으로도 많은 경우에서 유미성 복수는 해결되지만, 양이 많거나 장기간 지속될 경우 식이조절 외의 추가적인 치료가 필요할 수 있다.

금식을 유지하는 것이 식이를 하는 것보다는 유미성 복수의 해결에 유리할 수 있다. 하지만, 혈액량감소나 영양결핍 등 좋지 않은 영향을 미칠 수 있기 때문에 배액량이 적고 단기간에 완전히 좋아질 수 있을 것으로 예상되는 상황이 아니라면 금식을 권하지는 않는다. 유미성 복수가 지속적으로 해결되지 않거나 다량의 누출이 있는 경우에는 TPN이 필요할 수 있다. TPN은 림프시스템을 완전히 우회하기 때문에 식이를 진행하는 것보다 유미 생산 감소에 보다 효과적이다. 하지만, 중심정맥관의 삽입과 감염에 따른 위험성, 대사적 합병증 등을 고려할 때 우선적으로 고려해야 할 치료방법은 아니다. 올리스타트(orlistat)는 췌장리파제 억제제로서 십이지장에서 지질 대사를 방해하고 지질 흡수를 막아주는 효과를 가지기 때문에 유미의 생산을 감소시킬 수 있다. 소마토스타틴(somatostatin)은 신경내분비 호르몬으로 소화기관과 림프계에 다양한 효과를 가진다. 소마토스타틴은 위, 췌장 및 소장의 분비를 억제함으로써 유미 생산을 감소시킨다. 또한 내장 및 림프혈관의 평활근을 수축시키는 효과가 있어 림프의 생산과 림프의 흐름을 감소시킬 수 있다. 소마토스타틴의 경우 반감기가 짧기 때문에 지속적인 혈관 내 주입이 필요하다는 문제를 가지고 있지만, 옥트레오타이드(octreotide)는 소마토스타틴의 지속성 유사체로서 피하주사가 가능하기 때문에 유미 누출이 있는 환자에 있어서 사용이 용이하다.

유미 누출의 치료는 단순 식이섭취조절만으로 해결될 수도 있으나, 여러 약제를 사용하거나 TPN을 사용해도 해결이 되지 않는 경우에는 림프관조영술과 같은 중재시술 또는 수술적인 치료까지도 필요할 수 있다.

3) 수술후 췌루

췌장절제술뿐만 아니라 단순 위절제술 및 림프절절제 후에도 수술후 췌루(postoperative pancreatic fistula, POPF)는 발생할 수 있다. 췌장절제를 동반한 위절제술을 흔히 시행하던 과거에 비하여 수술후 췌루의 발생은 줄어들었으나 아직까지도 위절제를 시행받는 환자의 1% 이상에서 발생하는 것으로 보고되고 있으며, 복강경수술이 개복수술에 비하여 발생률이 다소 높은 경향을 보인다.

발열, 구역, 복부팽만, 지연위배출, 장마비, 배액 양상의 변화, 상처 감염 및 벌어짐, 복통 등의 다양한 증상으로 나타날 수 있다. 췌장주변의 췌장액 저류로 인하여 위나 소장의 운동기능이 떨어짐으로써 식이섭취곤란을 야기할 수 있다. 배약 양상의 변화나 영상의학적으로 췌장주변의 체액 저류를 통해 수술후 췌루를 의심할 수 있으며, 배액을 통한 아밀라아제 검사가 진단에 결정적인 역할을 한다.

수술후 췌루가 발생하면 대부분의 환자는 이화작용이 활발해지고 기초 에너지 소비가 증가하게 된다. 또한, 배액량이 많은 경우 수분손실, 전해질 불균형, 영양결핍을 유발하기 쉽다. 췌루를 해결하기 위해 지속적인 금식을 하게 되면 오히려 영양결핍으로 인한 악영향으로 인해 환자의 상태를 악화시킬 수 있다. 적절한 영양공급은 비수술적인 치료에 있어서 가장 중요한 요소이다. TPN은 음식에 의한 췌장액 분비 자극을 막아줄 수 있지만, 장기간 사용할 경우 감염, 장 기능 저하, 장 점막 위축, 췌장 위축, 대사성 합병증 등의 문제를 야기할 수 있다. 반면에 경관영양의 경우, 특히 급식관이 십이지장보다 원위부에 위치하는 경우 췌장의 자극을 피할 수 있을 뿐만 아니라 췌장분비를 막아주는 역할을 하는 장분비 호르몬을 분비를 자극할 수 있다. 수술후 췌루가 발생한 환자를 대상으로 한 무작위배정연구결과에 의하면 경관영양을 시행한 군이 TPN을 시행한 군보다 췌루의 치료효과가 더 좋았고, 췌루가 해결될 때까지 시간도 의미있게 짧았다. 경구식이 또한 수술후 췌루의 악화요인으로 작용하지 않으며, 오히려 경관식이보다도 재원기간을 단축시킬 수 있다는 보고도 있다. 수술후 췌루가 발생했을 때 위배출 지연이나 장마비 등이 동반되어 식이섭취가 제한된 상황이 아니라면 경구식이를 진행하는 것이 바람직하겠다.

소마토스타틴을 사용한다고 해서 췌루의 발생 자체를 막아주지는 못하지만, 췌장액 누출이 발생했을 때 누출액의 양을 감소시키는 데에는 효과적으로 보인다. 췌루가 발생한 경우 소마토스타틴의 사용은 췌장액 누출량 감소로 빠른 회복을 기대하고 임상적으로 많이 적용되고 있으나, 아직까지 제대로 된 무작위대조시험이 없고 결과가 일관성을 보이고 있지 않아 표준치료라고 할 수는 없겠다.

4) 수술 후 장폐색

수술 후 장폐색(postoperative ileus)은 주로 복강내 소화관의 수술 그 자체가 원인이 되어 발생하게 된다. 외과적 손상에 의한 대식세포의 활성화에 따라 염증유발 사이토카인은 분비하고 손상된 부위로 염증세포들을 모여들게 한다. 연동운동을 저해하는 사이토카인의 분비로 인해서 전반적인 위장관계의 염증이 유발된다. 소화관의 수술 외에도 다양한 요소가 수술 후 장폐색의 원인으로 작용할 수 있다. 복강내 장기의 수술뿐만 아니라 후복막 장기의 수술도 영향을 미칠 수 있으며, 마약성 진통제나 신경 이완제 등의 약물이 영향을 미칠 수 있다. 저칼륨혈증이나 당뇨와 같은 대사적인 요소나 소화관으로 관류저하도 영향을 미친다. 일반적으로 수술 후 장폐색은 기계적 장폐색과는 다르지만 문합부의 부종에 의해 기계적 장폐쇄의 양상을 보이기도 한다.

수술 후 장폐색은 수술 후 3~4일째 오심, 구토, 복부팽만 등의 증상으로 나타나는 경우가 많다. 수술 후 장폐색은 대부분은 일시적이고 비교적 흔하기 때문에 가벼운 문제로 생각하기 쉽다. 하지만, 수술 후 초기에도 기계적 장폐쇄가 발생할 수 있으며, 복강내 농양 또는 복막염 등에 의한 장 마비가 발생할 수 있다는 점을 항상 염두에 두어야 한다.

일반적으로 수술 후 장폐색을 예방하기 위해서 외과적 손상을 줄이기 위한 최소침습수술의 적용, 교감신경 차단 효과 및 마약성 진통제 사용을 줄일 수 있는 경막외 도관을 통한 마취제 또는 진통제의 사용, 미주신경을 자극하여 연동운동을 증진시키고 염증반응을 억제하는 효과를 가지는 껌씹기가 도움이 되는 것으로 알려져 있다. 하지만, 껌씹기의 경우 아직까지 위절제술에 있어서 수술 후 장폐색을 예방한다는 근거가 없다.

단순 수술 후 장폐색의 경우 2~4일이면 대부분 호전되기 때문에 조심스럽게 식이를 진행할 수 있다. 식사를 진행할 때에는 복부 X-ray와 환자의 증상을 면밀히 관찰해야 한다. 증상이 심하거나 시간이 지날수록 진행하는 양상을 보일 때에는 단순 수술 후 장폐색이 아닌 다른 원인이 있는지 확인하기 위해 CT 촬영하는 것이 도움이 된다. 또한, 수용성의 고장성 조영제를 비위관으로 주입 또는 경구로 복용 후 X선 촬영을 통해 완전한 장폐색이 있는지 확인하는 것이 도움이 될 수 있다. 조영제가 대장까지 막힘없이 내려가고, 대변으로 배출이 되는 것이 확인이 된다면 적어도 유동식 정도의 섭취는 문제가 없을 것이다.

III. 위장관수술 환자에서 유의해야 할 미량영양소 및 면역영양

위의 주요 기능은 입을 통해 섭취한 음식물을 저장하고, 위벽 근육의 수축과 이완을 이용한 연동운동으로 음식물을 분쇄하고, 위산과 소화효소의 분비를 통해 소독 및 소화하는 기능이 있다. 유문은 분쇄 및 소화 작용을 통해 처리된 음식물이 적당한 양과 속도로 십이지장으로 넘어가도록 조절하는 괄약근 기능을 가지는 출구이다. 그 외에 위점막에서는 펩신, 위산, 점액 등을 분비하기도 하며, 내분비 기능으로서 가스트린(gastrin), 소마토스타틴(somatostatin), 그렐린(ghrelin) 등의 분비와 함께 미량영양소에 영향을 줄 수 있는 인자로서 철분의 흡수와 관련된 위의 산도, 비타민 B12의 회장 흡수와 관련된 벽세포(parietal cell)에서 분비되는 내인자(intrinsic factor)라는 당단백(glycoprotein)이 있다. 위를 거친 음식은 십이지장에서 탄수화물을 비롯한 영양분의 많은 부분이 흡수되고 공장과 회장에서도 영양분 흡수 과정을 거치게 된다.

위장관수술 환자에게 영양불량은 위장관수술의 성적에 직간접적 영향을 미치는데, 특히 미량영양소의 결핍은 탄수화물, 단백질, 지질의 3대 영양소와 달리 정맥영양과정에서 더 쉽게 간과되어 발생하기 쉽다. 위장관수술의 특성상 장의 절제 및 문합으로 인해 일정 기간 정맥영양을 피할 수 없기 때문이다. 또한 수술 이후 합병증으로서 심각한 감염과 이에 따른 패혈증이 발생하는 경우 많은 미량 영양소의 소모 및 결핍증이 나타날 수 있으나 이러한 미량영양소 결핍에 대한 진단이 쉽지 않고 혈액학적 검사를 통해서도 검사과정에 시간이 걸리거나 검사결과가 정확한 혈중 농도를 나타내지 않는 등 미량영양소 결핍의 문제는 인지되지 않거나 간과되기 쉽다.

미량영양소는 체내 대사 및 조직 기능의 유지에 핵심적인 역할을 담당한다. 따라서 적절한 섭취가 매우 중요하며, 필요 이상의 과량 공급이나 섭취는 해로울 수 있다. 단일 미량 영양소의 결핍은 비교적 진단하기 쉽지만, 여러 미량영양소의 무증상 잠복성 미량영양소의 결핍은 급성기 염증반응 등의 영향을 받아 혈액학적 진단조차 용이하지 않다. 몇 가지 주요 미량영양소 결핍에 대한 보충에 관한 다양한 전향적 임상실험이 이뤄지고 있으나 아직까지 감염이나 각종 합병증 감소에 기여한다는 명백한 증거는 보고되고 있지 않다. 그럼에도 불구하고 중증 질환을 앓고 있는 환자나 영양결핍이 있는 개발도상국 어린이들의 경우 결핍이 있는 미량영양소의 보충으로 여러 가지 혜택이 있다는 점은 명백하다.

표 73-1은 미량영양소의 결핍이 야기할 수 있는 상황들을 결핍의 정도에 따라 열거한 것이다.

1. 미량영양소의 정의와 종류

일반적으로 3대 영양소로 불리는 탄수화물, 단백질, 지방에 대비하여 미량영양소라 함은 체내 대사과정에 꼭 필요한 미네랄과 비타민을 포함하여 일컫는다. 미량영양소는 생리적 기능과 건강 유지를 위한 대사과정에서 소량의 요구량을 갖는 필수영양소라고 정의할 수 있다. 미량영양소는 일반적으로 하루에 100 mg 미만의 요구량을 지니는 경우가 대부분이다. 소디움(Na^+), 포타슘(K^+) 등의 전해질도 미네랄에 해당하지만 체내 요구량이 적지 않아 주요 미네랄(Macro-minerals) 또는 혈중 전해질로 분류된다. 주요 미네랄에 해당하는 것들로 Ca, P, Mg, Cl, S 등이 있다.

무기질인 미네랄의 대부분은 체내에서 자체적 생산이 되지 않아 섭취하는 음식에서 얻는다. 이렇게 외부에서 공급되어야 사용이 가능한 영양소를 필수 영양소(essential nutrient)라고 한다. 비타민의 경우에는 미네랄과 달리 유기질로서 식물이나 동물의 체내 생산이 가능하지만 사람의 경우 진화의 과정에서 비타민 생산에

표 73-1. **미량영양소 결핍의 효과**

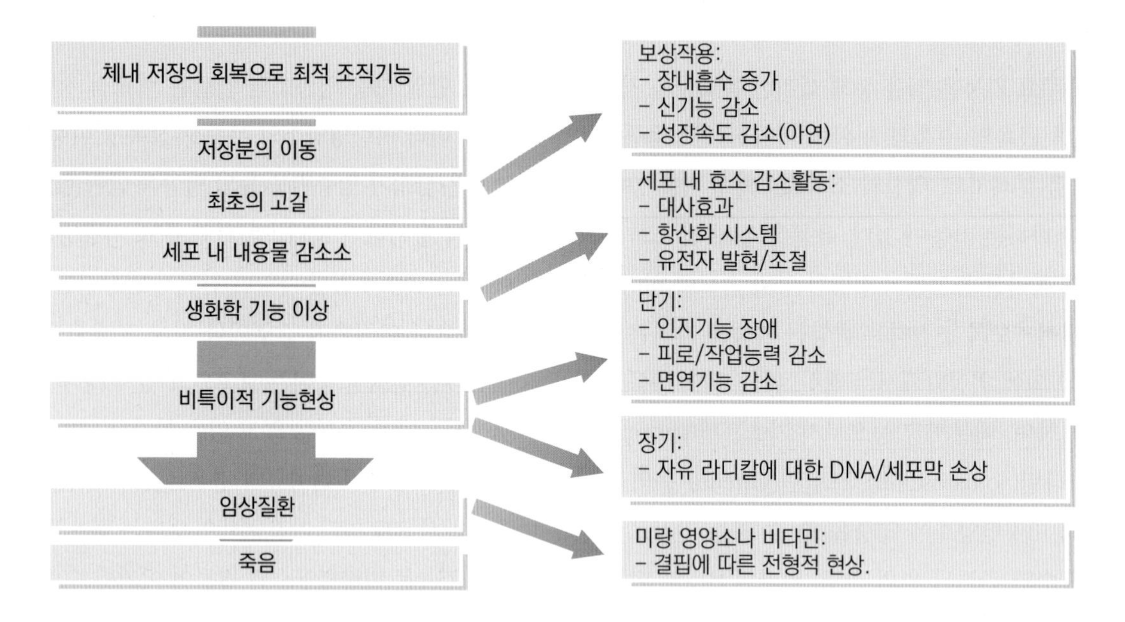

관련된 유전자의 기능을 상실하여 대부분의 비타민을 외부에서 섭취해야만 한다.

1) 미네랄의 종류

(1) 구리

구리(Copper)는 사이토크롬 C (Cytochrome C) 등 산화효소의 촉매역할을 한다. 세룰로플라스민(ceruloplasmin)에 의해 혈장으로 운송된다. 결핍 시 소혈구성 저색소성 빈혈, 백혈구 감소증, 골밀도 감소증 등이 발생한다.

(2) 아연

아연(Zinc)은 약 100여 가지 효소의 촉매 역할과 단백질, 핵산 합성에 중요한 역할을 한다. 주로 장에서 주 영양소의 소화 흡수가 이뤄진 후 흡수되며 철이나 구리, 섬유소 등의 양에 뚜렷한 영향을 받아 흡수양이 조절된다. 결핍 시 설사, 탈모, 피부 발진 등의 초기 증상과 창상회복 지연, 면역 저하 등의 결과를 초래한다.

(3) 철

철(Iron)은 산소 운반의 역할을 담당하며, 위산과 장점막세포의 조절에 의해 흡수량이 조절된다. 트란스페린(transferrin)에 의해 조직으로 운반되고 간과 골수에 페리틴(ferritin)의 형태로 저장된다. 결핍 시 소혈구성 저색소성 빈혈이 발생한다.

(4) 셀레늄

셀레늄(Selenium)은 식물성 셀레노메티오닌(selenomethionine), 동물성 셀레노시스테인(selenocysteine)의 형태로 섭취하며, 셀레노단백 P에 의해 운반된다. 결핍 시 산화손상, 갑상선 대사손상, 심근손상 등이 발생한다.

(5) 크롬

크롬(Chromium)은 3가지 양이온의 형태로 흡수되어 인슐린의 활동성을 증가시키는 역할을 하여 환자의 포도당 내성을 향상시킨다. 따라서 결핍 시 포도당 불내성을 야기할 수 있다.

(6) 몰리브덴

몰리브덴(Molybdenum)은 황화 산화효소의 보조인자로 작용하여 결핍 시 빈맥과 두통이 발생할 수 있다.

(7) 망간

망간(Manganese)은 탄수화물, 지질, 단백의 대사에 고루 관여하며, 골 형성에 필수적인 프로테오글리칸(proteoglycan) 합성에 필요하다. 트란스페린이나 알부민에 결합하여 운반되고, 결핍이 되어도 일부 피부 발진 이외에 특별한 징후나 증상은 없다.

2) 비타민의 종류

(1) 수용성 비타민

① 티아민

티아민(Thiamine; Vitamin B1)은 Thiamine pyrophosphate의 형태로 주로 존재하며, 탄수화물이나 BCAA 대사에 관여한다. 결핍증으로 각기병, 베르니케 코르사코프 증후군(Wernicke-Korsakoff syndrome) 등이 있다.

② 리보플라빈

리보플라빈(Riboflavin; Vitamin B2)은 핵산 대사에 필수적인 물질로서 알부민과 면역글로불린에 결합되어 운반된다. 결핍 시 구순구각염, 설염, 지루성 피부염 등이 나타난다.

③ 나이아신

나이아신(Niacin; Nicotinic acid, Vitamin B3)은 조효소 NAD 또는 NADP의 한 부분으로 혹은 산화환원반응의 중심적 역할을 하며, 탄수화물 및 지질 대사에 관여한다. 결핍 시 3D's (dermatitis, diarrhea, dementia)로 알려진 펠라그라(Pellagra) 병이 발생하며, 검사법이 복잡하여 정확한 검사 수치에 의존하기 보다는 에너지 요구량이 많아지는 경우 나이아신 결핍이 생기기 쉽다고 보고 보충을 하는 것이 좋다.

④ 피리독신

피리독신(Pyridoxine; Vitamin B6)은 피리독신과 피리독살 인산염으로 구성되며, 아미노산 대사와 관련된 효소의 조효소로 작용하며, 결핍 시 지루성 피부염, 헤모글로빈 합성 감소로 인한 소구성 빈혈이 발생한다. 따라서 중증 질환이 발생하면 단백질 형성 및 회전율 감소가 생기고 피리독신 요구량이 증가하게 된다.

⑤ 비오틴

비오틴(Biotin; Vitamin B7)은 카르복실라제(carboxylase) 효소의 보조인자로 주로 미토콘드리아에 존재한다. 결핍 시 피부염, 결막염, 탈모증 및 중추신경계 장애를 유발할 수 있다.

⑥ 엽산

엽산(Folate; Vitamin B9)은 호모시스테인에서 메티오닌으로 재생되는 경로에 관여하고, DNA, RNA 합성에 참여한다. 따라서 결핍 시 관상동맥질환 지표로 사용되는 호모시스테인의 농축과 거대적아구성 빈혈이 발생한다.

⑦ 코발라민

코발라민(Cobalamin; Vitamin B12)은 메틸코발라민(methylcobalamin)이나 아노실 코발라민데(adenosyl cobalamin)의 형태로 활성화되어 DNA 합성, 지방산이나 아미노산 대사의 보조인자로 작용한다. 트랜스코발라민에 의해 운반되며, 결핍 시 대구성 빈혈, 백혈구 감소, 혈소판 감소 등의 현상과 신경학적 감각장애, 보행장애, 기억감퇴 등의 증상이 발생한다. 혈액학적 농도 측정이 가능하다.

⑧ **비타민** C

아스코르브산(ascorbic acid)과 탈수소아스코르브산(dehydroascorbic acid)으로 구성되며 환원제 혹은 항산화제로서 작용과 금속효소의 보조인자로서의 작용이 있다. 알파 토코페롤이나 글루타치온 같은 다른 항산화제를 재생산하는 데에도 기여한다. 비타민 C의 결핍은 점상출혈, 멍, 창상치유지연 등 다양한 임상증상을 동반한 괴혈병(scurvy)을 유발한다. 흡연은 혈장 비타민 C의 감소를 유발하며, 수술 후 혹은 감염질환이 있는 경우 조직의 필요량 증가로 혈장 농도 감소가 발생할 수 있다.

(2) 지용성 비타민

① **비타민** A

레티놀(retinol), 레티날(retinal), 레티노산(retinoic acid)으로 구성되어 있고, 베타카로틴(beta carotene)을 포함하는 프로비타민 A 카르테노이드(provitamin A cartenoid)를 포함하여 총칭한다. 빛을 신경신호로 변환, 각막 구조 유지 등의 역할이 있으며, 암죽미립(chylomicron)을 흡수하는 과정에서 레티놀(retinol)의 형태로 흡수된다. 결핍 시 야맹증, 결막건조증, 각막궤양 등의 증상이 발생한다. 비타민 A 평가는 암순응 여부가 가장 좋은 지표이며, 급성 염증반응과 단백질, 아연 상태에 따른 레티놀 결합단백의 변화에 따라 농도의 변화가 일어난다.

② **비타민** D

콜레칼시페롤(Cholecalciferol; Vitamin D3)과 에르고칼시페롤(Ergocalciferol; Vitamin D2)의 두 가지 형태로 존재하며, 전자는 자외선에 의해 피부에서 생성되고, 후자는 식이를 통해 섭취된다. 간에서 25-OH 유도체가 되고 콩팥에서 1, 25 (OH)2 유도체로 변환되어야 활성화되어 소장에서 칼슘 흡수, 신장에서 인 배설, 뼈에서 칼슘 방출을 통해 혈중 칼슘 농도를 조절하는 기능을 갖는다. 비타민 D의 결핍은 골 무기질 장애, 뼈통증, 우울증 및 골연화증을 유발할 수 있고, 혈중 25-OH 비타민 D의 농도를 측정하여 진단이 가능하다. 심한 설사를 동반한 위장관 질환에서 마그네슘(Mg) 소실이 발생하고, 이로 인해 부갑상선 호르몬 분비가 줄고, 1, 25-(OH)2 비타민 D 생성이 감소되어 혈중 칼슘이 감소할 수 있다.

③ **비타민** E

8가지 형태 가운데 알파 형태가 인체에서 유효하다. 비특이적 항산화제로 기능하여 막지질 및 혈중 지질단백의 고도불포화 지방산을 보호한다. 사람에 있어서 비타민 E 결핍은 드물지만 말초 신경병증, 운동실조, 근골격질환 등이 발생할 수 있다. 단장증후군이나 소장 흡수장애 발생 시 지방흡수에 문제가 있다면 발생 가능하다.

④ **비타민** K

혈액 응고인자 글루타믹산의 감마 카르복실화(g-carboxylation) 과정에 필요한 역할이 있고, 뼈에서 오스테오칼신과 기질 단백질의 감마 카르복실화에도 기여한다. 비타민 K의 부족은 저프로트롬빈혈증(hypoprothrombinemia)으로 프로트롬빈 시간(prothrombin time)을 증가시켜 출혈 경향을 유발한다.

2. 미량영양소의 기능과 역할

미량영양소는 비록 그 요구량은 매우 미미하지만 체내 신진대사에서 역할과 기능은 핵심적이라고 해도 과언이 아니다. 각종 효소, 호르몬과 성장인자에서 핵심요소로 작용한다. 요오드, 비타민A, 철분 등의 경우 저개발 국가에서 결핍이 국가적 보건의료의 문제점으로 작용할 정도로 중요한 미량영양소인데, 이는 질병에 처한 환자와 비만대사수술로 급격한 체중감소를 겪는 환자들에게도 마찬가지로 매우 중요한 영양소라고 할 수 있다.

철분은 헤모글로빈 산소 운반에 핵심 역할이 있고, 근육 마이오글로빈 대사에서도 중요 역할이 있다. 아연은 단백질과 핵산 합성에 중요한 역할을 하는데 유전자 전사의 조절과 효소의 활동을 촉진한다. 구리는 산화효소의 촉매로 작용하며, 셀레늄은 글루타치온의 보조인자(cofactor), 갑상선 호르몬 대사에 관여한다. 크롬의 경우 인슐린의 활동성을 증가시켜 혈당 조절에 기여한다. 비타민은 무기물질인 미네랄과 달리 유기화합물이지만 체내 자체 생산이 되지 않아 식물이나 동물을 섭취해야만 공급이 되며, 칼로리 생산에는 기여하지 않고 여러 가지 효소의 보조인자, 보조효소(coenzyme)로 역할한다. 특히 위장관 절제로 결핍되기 쉬운 영양소로 철분, 비타민 B1, 비타민 B12, 비타민 B6, 엽산, 비타민 D, 비타민 C, 아연 등의 보고가 많아 수술 후 이들 미량 영양소에 대한 추적검사는 물론이고 검사로 확인이 되기 전이라도 징후나 증상만으로도 결핍 가능성을 의심할 수 있어야 한다. 외과적 수술을 포함하는 각종 질환과 증가된 신진대사는 회전율 증가로 보조인자, 보조효소로 활동하는 미네랄과 비타민의 요구량을 증가시키고, 특히 산화적 대사 증가가 두드러지기 쉬워 항산화 활동이 두드러진 비타민과 미네랄은 따로 검사 수치를 확인하지 않아도 감소되어 있다고 판단하는 것이 좋다. 게다가 투석을 하거나 각종 배액관으로 체액 소실과 영양소 소실이 동반된 경우에는 감소의 폭이 더욱 크다고 볼 수 있다.

3. 미량영양소가 부족하기 쉬운 위장관 질환과 수술

위절제 증후군(Postgastrectomy syndrome)이라 함은 위를 절제함으로 인해 발생하는 징후 및 증상들을 의미하며, 물리적인 현상, 생리적인 현상, 대사적인 현상으로 나눌 수 있다. 물리적인 현상으로 저장 공간의 축소로 인해 나타나는 증상과 남는 위의 운동 장애, 초기 덤핑 증상 등이 있으며, 생리적 현상으로 미주신경 절단에 의해서 나타나는 현상, 담즙 저류, 후기 덤핑 증상이 있다. 대사적인 면에서는 영양결핍의 현상들인데, 특히 철분의 흡수 장애, 위전절제술에 따른 비타민 B12의 흡수 장애 및 결핍이 발생할 수 있다. 최근 늘어나고 있는 비만대사수술 가운데 우회수술법은 십이지장을 우회하는 경우가 많아 이로 인하여 담즙산, 철분, 지용성 비타민, 필수 지방산 및 비타민 B군의 흡수 장애가 발생하기 쉽다. 비만과 대사질환으로 우회수술을 받고 2년 이상 경과하여 체중이 안정화되고 혈중 칼슘과 비타민 D 레벨이 정상화되어도 5~10% 정도 골밀도가 감소하는 추세를 보여, 이는 칼슘이 위산에 용해되어야 흡수가 쉽게 이뤄지지만 위산의 감소로 칼슘 흡수에 지장이 초래된 것으로 추정된다.

철분의 흡수 장애도 흔하게 발생하는데, 위장의 산성 환경, 비타민 C, 기타 단백질의 복합 작용으로 이뤄지는 철분의 흡수가 차단당하기 때문이다(그림 73-1). 따라서 비만대사수술 가운데 위소매절제술보다는 우회수술에서 더 흔히 철분 결핍이 발생할 수 있고, 여성에서 더 흔히 발생하는 것으로 보고된다.

비타민 B12의 경우 특이한 흡수 과정으로 인해 결핍이 발생하기 쉽다(그림 73-2). 위벽의 벽세표(parietal cell)에서 분비되는 분자량 45,000 당단백(glycoprotein)인 내인자(intrinsic factor)와 결합된 비타민 B12와 결합체를 형성하여 회장 말단부에서 흡수된다. 흡수된 비타민 B12는 운반 단백체인 트란스코발라민(trancobalamin)에 의해 간으로 운반된다. 세 종류의 트란스코발라민 가운데 2형이 비타민 B12와 1:1로 결합하여 운반한다. 위전절제술의 경우 3년 경과 후 77.3%에서 비타민 B12 결핍증이 발생하지만 위아전절제술의 경우에는 3년 경과 후 13.2% 정도에서 발생하는 것으로 보고된다.

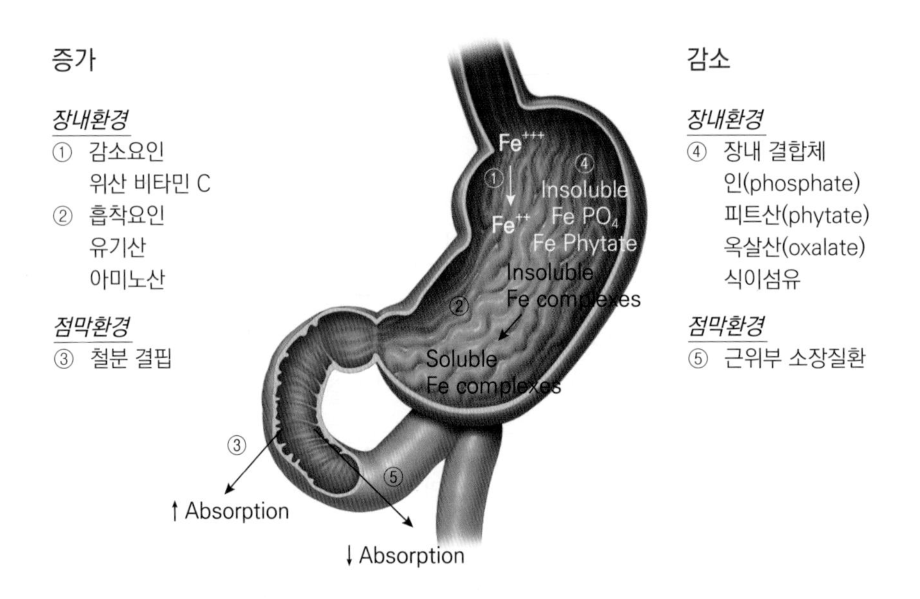

그림 73-1 위장관에서 철분의 흡수에 영향을 주는 인자들.

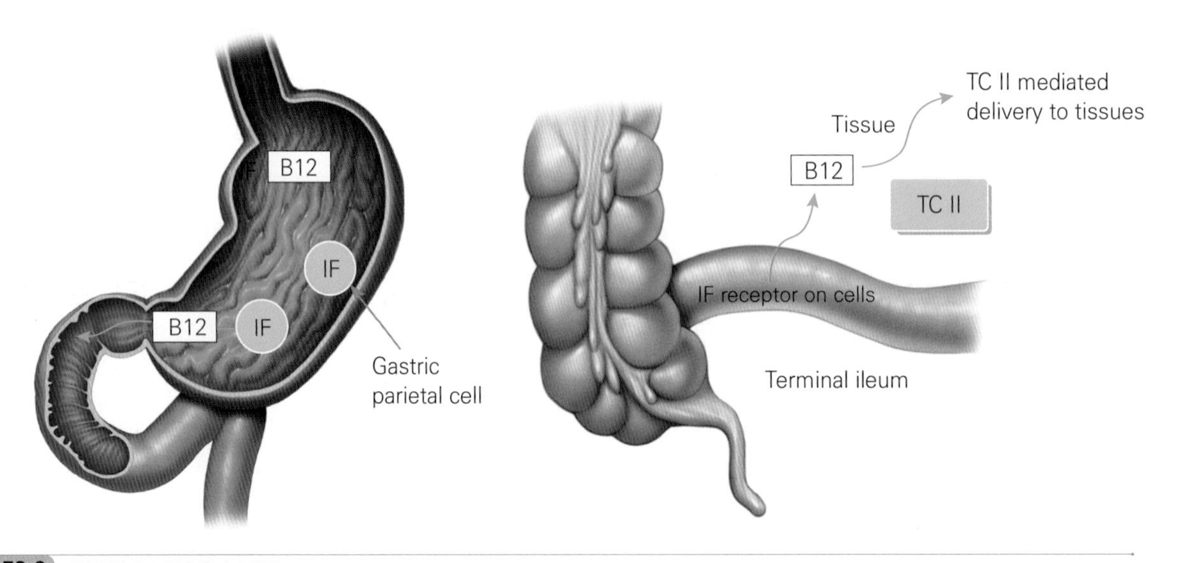

그림 73-2 비타민 B12의 흡수 과정.

4. 미량영양소 결핍의 치료방법

미네랄 결핍의 경우 단일제제로 생산 판매되는 것은 철분, 셀레늄, 아연 정도이고, 대개 복합제제로 출시된 제품들이 많다. 복합제에는 철분, 구리, 아연, 셀레늄, 마그네슘, 크롬, 망간, 불소, 요오드 등과 함께 저용량으로 함유되어 정맥주사용으로 사용할 수 있다. 경구식이가 가능하거나 경장영양(enteral nutrition)을 하는 경우에는 미네랄의 결핍이 드물지만 금식이 1주일 이상 오랜 기간 지속되거나 정맥영양만 1주일 이상 지속되는 경우에는 복합제제를 이용한 보충이 꼭 필요하다고 할 수 있다.

철분제제는 경구제제도 있지만 위장관 절제에 의한 결핍의 경우 먹어도 흡수가 잘 안되어 효용성이 떨어질 수 있어서 최근에는 보다 안전성이 강화된 3세대 정맥주사용 철분제제의 사용이 가능하다. 아연이나 셀레늄 등의 제제도 단일 정맥주사용 제제가 사용될 수 있다.

비타민 B12의 경우에도 거의 모든 음식에서 섭취가 가능하지만 위전절제 환자의 경우 음식을 잘 섭취해도 부족에 빠지기 쉬워 근육주사용 제제를 이용하여 보충이 가능하다.

5. 면역영양의 정의와 종류

다른 외과적 수술과 마찬가지로 위장관수술에 있어서도 감염 합병증이 가장 흔하고 무서운 합병증의 하나이다. 수술술기의 발전, 수술용 기구의 개발과 청결개념의 확립, 새로운 항생제의 개발 등으로 수술 후 감염 합병증은 많이 감소하였지만 각종 질병 요인, 환자 요인에 따른 감염 합병증은 여전히 흔한 합병증이라고 할 수 있다. 따라서 환자의 면역력을 증강시켜 감염 합병증을 낮추고자 하는 노력은 오랫동안 중요한 연구대상이었으나 이렇다할 성과가 없다는 것이 일반적인 견해이다.

면역영양요법은 크게 경장영양을 이용한 방법과 정맥영양을 이용한 방법의 두 가지로 나눌 수 있다. 미국정맥경장영양학회(American Society for Parenteral and Enteral Nutrition, ASPEN), 유럽정맥경장영양학회(European Society for Parenteral and Enteral Nutrition, ESPEN) 등의 가이드라인에서 경장영양용 면역영양요법에 대해서는 대개 긍정적인 견해를 보이고 있으나 정맥영양용 면역영양요법에 관하여 영양치료의 초기 단계에서 주의 혹은 연기를 권하고 있다. 즉 3대 영양소의 우선적인 공급이 필수이고 그 이후 생체징후가 안정적인 상태에서 면역영양치료를 신중하게 고려할 수 있다고 보는 것이다. 현재 활용 가능한 주요 면역영양소의 종류와 주요 기능은 표 73-1과 같다.

6. 면역영양의 연구 성과와 현재 상태

1) 글루타민

글루타민(Glutamine)은 체내에서 가장 풍부한 비필수 아미노산이나 큰 수술이나 중증 질환으로 인한 이화상태에서는 근육에서 생산량보다 소모량이 더 커져 외부에서 공급을 해야만 한다는 의미로, 한 때 조건부 필수 아미노산(conditionally essential amino acid)으로 분류되기도 하였다. 대개 경장영양에서의 보충으로 감염 합병증 감소, 재원기간 감소, 사망률 저하의 효과가 보고되었으나 2012년 이후 발표된 수 개의 대규모 임상시험 결과 사망률이 더 높거나 감염 합병증에 더 우월한 결과를 보이지 않았고, 간부전이나 신부전이 있는 환자에게 사용이 신중할 것이 권고되었다. 하지만 보다 최근의 연구에서는 글루타민의 혈중 농도를 분석하고 중증 화상이나 3시간 이상의 대수술 이후 장기부전이 없는 환자라면 단기간 글루타민의 보충이 도움이 될 수 있다는 보고도 있다.

표 73-1. 현재 활용 가능한 주요 면역영양소의 종류와 주요 기능

영양소	주요 기능
글루타민	• 면역세포 및 장점막 세포의 에너지원 • 위장관 장벽 기능의 유지와 개선
아르기닌	• Nitric oxide 전구 물질 • T 림프구의 기능 자극 • 성장호르몬 생성 촉진
오메가-3 지방산	• 염증성 사이토카인의 생성을 억제하여 항염 작용 • 면역 조절
핵산	• RNA, DNA의 전구 물질 • T 림프구의 기능 개선
셀레늄	• 글루타치온 기능 향상으로 항산화효과 • 심근 손상 방지 • 갑상선 호르몬 대사 증진
항산화 비타민	• 산화 스트레스 방지 • 지질 과산화 방지

2) 아르기닌

아르기닌(Arginine)은 글루타민과 마찬가지로 이화 상태에서 요구량 증가로 조건부 필수 아미노산으로 분류되지만 중증 패혈증 환자에서는 혈중 농도가 오히려 상승되어 나타나는 등, 단순히 면역영양소로서 역할에 부정적인 견해도 많이 있다. Nitric oxide, ornithine, creatine, polyamines의 전구체로서 후천적 면역 증강에 관여하는 것으로 알려져 있지만 중증 패혈증의 경우 아르기닌 보충은 nitric oxide, peroxynitrite 등의 강력한 산화물질의 증가를 유도하여 미토콘드리아 손상, 장벽의 투과성 증가, 장기 부전 촉진 등의 부작용이 보고되고 있다. 다만 중증 패혈증이 아닌 대수술 이후 경장 혹은 정맥 보충은 후천적 면역을 보강하고 상처치유에 도움이 될 수 있다고 보고된다.

3) 오메가-3 지방산

지방산 탄소 사슬의 세 번째에 탄소 이중결합을 가진 필수 불포화 지방산이다. 대두유 원료에서 나오는 오메가-6 지방산이 과도한 염증반응을 유발하는 사이토카인의 전구물질인데 반하여 오메가-3 지방산 계열의 에이코사펜타노산(eicosapentaenoic acid, EPA)는 염증반응을 가라앉히고 혈관을 확장시키며, 항혈전작용을 나타낸다고 알려져 있다. 따라서 어유(fish oil)에서 생산되는 오메가-3 지방산과 각종 항산화 영양소를 포함하는 복합 정맥영양수액을 기계환기치료를 받는 환자에게 투여하여 긍정적인 효과를 보인 전향적 무작위 임상시험들이 발표되기도 하였다. 하지만 오메가-3 지방산의 단독사용은 바람직하지 않고, 다른 지방산과의 적정한 비율 유지와 전체영양소에서 지질 영양소가 차지하는 비율, 필수 지방산의 공급이 지질 영양치료의 핵심 사항이라고 할 수 있다.

4) 항산화 미량영양소

미네랄과 비타민이 포함된 임상연구에서 사망률의 감소 효과는 유의성이 있었으나 감염 합병증 예방에는 효과를 보이지 않았다. 셀레늄을 하루 500 μg 이상 투여할 경우 사망률 감소의 경향이 있는 것으로 보고되고 있으나 반대의 결과를 보고하는 경우도 있어 아직 입증된 효과를 검증하기 어려운 상태로 보인다.

7. 요약

외과 환자에서 영양상태의 평가 및 적절한 영양공급은 필수적이다. 특히 3대 영양소를 포함하는 미네랄과 비타민의 공급은 환자의 수술적 치료의 예후를 가늠하는 중요한 매개가 될 수 있다. 수술 전, 중, 후의 3시기 모두 환자의 상태를 면밀히 점검하고 부족하기 쉬운 미네랄과 비타민의 보충 공급을 꼭 고려해야 한다.

참고문헌

1. 한호성, 류승완. 임상대사영양학. 가본의학, 2016.
2. Aalami OO, Allen DB, Organ CH. Chylous ascites: a collective review. Surg 2000;128:761-778.
3. Abunnaja S, Cuviello A, Sanchez JA. Enteral and parenteral nutrition in the perioperative period: state of art. Nutr 2013;5:608-6239.
4. Arabi YM, Tamim HM, Dhar GS, et al. Permissive underfeeding and intensive insulin therapy in critically ill patients: a randomized controlled trial. Am J Clin Nutr 2011;93:569-577.
5. ASPEN Board of Directions and the Clinical Guideline Task Force. Guidelines for the use of parenteral and enteral nutrition in adult and pediatric patients. JPEN 2002;26:1-138.
6. Bae JM. Nutritional consequences and management after gastrectomy. Hanyang medical reviews 2011;31: 254-260.
7. Bankhead R, Boullata J, Brantley S, et al. Enteral nutrition practice recommendations. JPEN 2009;33:122-167.
8. Belloso A, Saravanan K, de Carpentier J. The community management of chylous fistula using a pancreatic lipase inhibitor (orlistat). The Laryngoscope 2006;116: 1934-1935.
9. Berger MM. Antioxidant micronutrients in major trauma and burns: evidence and practice. Nutr Clin Pract 2006;21:438-449.
10. Berger MM. Chiolero R. Relations between copper, zinc and selenium intakes and malondialdehyde excretion after major burns. Burns 1995;21:507-512.
11. Bistrian BR, Blackburn GL, Vitale J, et al. Prevalence of malnutrition in general medical hospital. JAMA 1976;235:1567-1570.
12. Bozzetti F, Gianotti L, Braga M, Di Carlo V, Mariani L. Postoperative complications in gastrointestinal cancer patients: the joint role of the nutritional status and the nutritional support. Clinical nutrition 2007;26:698-709.
13. Brooks AD, Hochwald SN, Heslin MJ, et al. Intestinal permeability after early postoperative enteral nutrition in patients with upper gastrointestinal malignamcy. JPEN 1999;23:75-79.
14. Browse NL, Wilson NM, Russo F, al Hassan H, Allen DR. Aetiology and treatment of chylous ascites. British Journal of Surg 1992;79:1145-1150.
15. Btaiche IF. Branched-chain amino acids inpatient with hepatic encephalopathy. Nutr Clin Pract 2003;18:97-100.
16. Buettiker V, Hug MI, Burger R, Baenziger O. Somatostatin: a new therapeutic option for the treatment of chylothorax. Intensive Care Med 2001;27:1083-1086.
17. Byrne TA, Morrissey TB, Nattakom TV, et al. Growth hormone, glutamine, and a modified diet enhance nutrient absorption in patients with severe short bowel syndrome. JPEN J Parenter Enteral Nutr 1995;19:296-302.
18. Canadian Clinical Practice Guideline. Enteral Feeding Guideline. 2013. Available at: http://www.criticalcare-nutrition.com.
19. Chernoff R. normal aging, nutrition assessment, and clinical practice. Nutr Clin Pract 2003;18:12-20.
20. de Leede EM, van Leersum NJ, Kroon HM, van Weel V, van der Sijp JRM, Bonsing BA. Multicentre randomized clinical trial of the effect of chewing gum after abdominal surgery. British Journal of Surg 2018; 105:820-828.
21. Dhaliwal R, Cahill N, Lemieux M, Heyland DK. The Canadian critical care nutrition guidelines in 2013: an update on current recommendations and implementation strategies. Nutr Clin Pract 2014;29:29-43.
22. DiSario JA, Baskin WN, Brown RD, et al. Endoscopic approaches to enteral nutritional support. Gastrointest Endosc 2002;55:901-908.
23. Doerr CH, Allen MS, Nichols FC, Ryu JH. Etiology of chylothorax in 203 patients. Mayo Clinic proceedings

2005;80:867-870.
24. Emory RE, Ilstrup D, Grant CS. Somatostatin in the management of gastrointestinal fistulas. Archives of Surg 1992;127:1365-1365.
25. Exner R, Tamandi D, Goetzinger P, et al. Perioperative GLY-GLN infusion diminishes the surgery-induced period of immunosuppression: accelerated restoration of the lipopolysaccharide-stimulated tumor necrosis factor-alpha response. Ann Surg 2006;237:110-115.
26. Fong YM, Marano MA, Barber A, He W, Moldawer LL, Bushman ED, et al. Total parenteral nutrition and bowel rest modify the metabolic response to endotoxin in humans. Annals of Surg 1989;210:449-456.
27. Fujii T, Nakao A, Murotani K, Okamura Y, Ishigure K, Hatsuno T, et al. Influence of food intake on the healing process of postoperative pancreatic fistula after pancreatoduodenectomy: a multi-institutional randomized controlled trial. Annals of Surgical Oncology 2015;22:3905-3912.
28. Ge B, Zhao H, Lin R, Wang J, Chen Q, Liu L, et al. Influence of gum-chewing on postoperative bowel activity after laparoscopic surgery for gastric cancer: a randomized controlled trial. Med 2017;96:6501-6501.
29. Guerra F, Giuliani G, Iacobone M, Bianchi PP, Coratti A. Pancreas-related complications following gastrectomy: systematic review and meta-analysis of open versus minimally invasive surgery. Surgical Endoscopy 2017;96:6501.
30. Heslin MJ, Brennan MF. Advances in perioperative nutrition: cancer. World J Surg 2000;24:1477-1485.
31. Heslin MJ, Latkany L, Leung D, et al. A prospective, randomized trial of early enteral feeding after resection of upper gastrointestinal malignancy. Ann Surg 1997;226:567-577.
32. Heyland DK, Dhaliwal R, Suchner U, Berger MM. Antioxidant nutrients: a systematic review of trace elements and vitamins in the critically ill patient. Intensive Care Med 2005;31:327-337.
33. Heyland DK, Drover JW, Dhaliwal R, et al. Optimizing the benefits and minimizing the risks of enteral nutrition in the critically ill: role of small bowel feeding. JPEN 2002;26:51-55.
34. Heyland DK, Elke G, Cook D, Berger MM, Wischmeyer PE, Albert M, et al. Glutamine and antioxidants in the critically ill patient: a post hoc analysis of a large-scale randomized trial. JPEN J Parenter Enteral Nutr 2015;39:401-409.
35. Hiki N, Honda M, Etoh T, Yoshida K, Kodera Y, Kakeji Y, et al. Higher incidence of pancreatic fistula in laparoscopic gastrectomy. Real-world evidence from a nationwide prospective cohort study. Gastric Cancer 2018;21:162-170.
36. Ilhan E, Demir U, Alemdar A, Ureyen O, Eryavuz Y, Mihmanli M. Management of high-output chylous ascites after D2-lymphadenectomy in patients with gastric cancer: a multi-center study. Journal of Gastrointestinal Oncology 2016;7:420-425.
37. Jeejeebhoy KN, Chu RC, Marliss EB. Chromium deficiency, glucose intolerance, and neuropathy reversed by chromium supplementation, in a patient receiving long-term total parenteral nutrition. Am J Clin Nutr 1977;30:531-538.
38. Jun JH, Yoo JE, Lee JA, Kim YS, Sunwoo S, Kim BS, et al. Anemia after gastrectomy in long-term survivors of gastric cancer: a retrospective cohort study. Int J Surg 2016;28:162-168.
39. Jung GM, Lee SH, Myung DS, Lee WS, Joo YE, Jung MR, et al. Novel endoscopic stent for anastomotic leaks after total gastrectomy using an anchoring thread and fully covering thick membrane: prevention of embedding and migration. Journal of Gastric Cancer 2018;18:37-47.
40. Khalid I, Doshi P, DiGiovine B. Early enteral nutrition and outcomes of critically ill patients treated with vasopressors and mechanical ventilation. American Journal of Critical Care 2010;19:261-268.
41. Kim J, Won JH. Percutaneous treatment of chylous ascites. Techniques in vascular and interventional radi-

ology 2016;19:291-298.
42. Klek S, Sierzega M, Turczynowski L, Szybinski P, Szczepanek K, Kulig J. Enteral and parenteral nutrition in the conservative treatment of pancreatic fistula: a randomized clinical trial. Gastroenterology (New York, N.Y. 1943) 2011;141:157-163.
43. Lee H, Choi H, Son E, Lyu E. Analysis of the prevalence and risk factors of malnutrition among hospitalized patients in Busan. Preventive nutrition and food science 2013;18:117-123.
44. Lim CH, Kim SW, Kim WC, Kim JS, Cho YK, Park JM, et al. Anemia after gastrectomy for early gastric cancer: long-term follow-up observational study. World J Gastroenterol 2012;18:6114-6119.
45. Luiking YC, Ten Have GA, Wolfe RR, et al. Arginine de novo and nitric oxide production in disease state. Am J Physiol Endocrinol Metab 2012;303:1177-1189.
46. Maecken T, Grau T. Ultrasound imaging in vascular access. Crit Care Med 2007;35:178-185.
47. Malleo G, Pulvirenti A, Marchegiani G, Butturini G, Salvia R, Bassi C. Diagnosis and management of postoperative pancreatic fistula. Langenbeck's Archives of Surg 2014;399:801-810.
48. Marik PE, Flemmer M. Immunonutrition in the surgical patient. Minerva Anestesiol 2012;78:336-342.
49. Martin IC, Marinho LH, Brown AE, McRobbie D. Medium chain triglycerides in the management of chylous fistulae following neck dissection. British journal of oral & maxillofacial surg 1993;31:236-238.
50. McClave SA, Taylor BE, Martindale RG, Warren MM, Johnson DR, Braunschweig C, et al. Guidelines for the provision and assessment of nutrition support therapy in the adult critically Ill patient: Society of Critical Care Medicine (SCCM) and American Society for Parenteral and Enteral Nutrition (A.S.P.E.N.). JPEN J Parenter Enteral Nutr 2016;40:159-211.
51. Mermel LA, Allon M, Bouza E, et al. Clinical practice guidelines for the diagnosis and management of intravascular catheter-related infection: 2009 update by the infectious diseases society of America. Clin Infect Dis 2009;49:1-45.
52. Mortensen K, Nilsson M, Slim K, Schäfer M, Mariette C, Braga M, et al. Consensus guidelines for enhanced recovery after gastrectomy: Enhanced Recovery After Surgery (ERAS®) society recommendations. British journal of surg 2014;101:1209-1229.
53. Oh CA, Kim DH, Oh SJ, Choi MG, Noh JH, Sohn TS, et al. Nutritional risk index as a predictor of postoperative wound complications after gastrectomy. World J Gastroenterol 2012;18:673-678.
54. O'Keefe SJ. Physiological response of the human pancreas to enteral and parenteral feeding. Current Opinion in Clinical Nutrition & Metabolic Care 2006;9: 622-628.
55. Patton KM, Aranda-Michel J. Nutritional aspects in liver disease and liver transplantation. Nutr Clin Pract 2002;17:332-340.
56. Polistena A, Monacelli M, Lucchini R, Triola R, Conti C, Avenia S, et al. Surgical morbidity of cervical lymphadenectomy for thyroid cancer: A retrospective cohort study over 25 years. Int J Surg 2015;21:128-134.
57. Pontes-Arruda A, Martins LF, de Lima SM, et al. Enteral nutrition with eicosapentaenoic acid, gamma-linolenic acid and antioxidants in the early treatment of sepsis: results from a multicenter, prospective, randomized, double-blinded, controlled study: the INTERSEPT study. Crit Care 2011;15:144.
58. Rimensberger PC, Müller Schenker B, Kalangos A, Beghetti M. Treatment of a persistent postoperative chylothorax with somatostatin. The annals of thoracic surg 1998;66:253-254.
59. Rosenthal MD, Vanzant EL, Martindale RG, Moore-FA. Evolving paradigms in the nutritional support of critically ill surgical patients. Curr Probl Surg 2015;52: 147-182.
60. Scolapio JS. Methods for decreasing risk of aspiration pneumonia in critically ill patients. JPEN 2002;26:58-61.

61. Shankar P, Boylan M, Sriram K. Micronutrient deficiencies after bariatric surgery. Nutrition 2010;26: 1031-1037.
62. Shehab H. Enteral stents in the management of post-bariatric surgery leaks. Surgery for obesity and related diseases 2018;14:393-403.
63. Shenkin A. Payne-James J, Grimble G, Silk D. Adult micronutrient requirements. Artificial nutrition support in clinical practice. London: GMM 2001:193-212.
64. Shenkin A. Trace elements and inflammatory response: implications for nutritional support. Nutrition 1995;11:100-105.
65. Shin DW. Preoperative nutritional therapy for surgical patients. J Korean Med Assoc 2014;57:500-507.
66. Short V, Herbert G, Perry R, Atkinson C, Ness AR, Penfold C, et al. Chewing gum for postoperative recovery of gastrointestinal function. Cochrane Database Syst Rev 2015:006506.
67. Singer P, Theilla M, Fisher H, Gibstein L, Grozovski E, Cohen J. Benefit of an enteral diet enriched with eicosapentaenoic acid and gamma-linolenic acid in ventilated patients with acute lung injury. Crit Care Med 2006;34:1033-1038.
68. Son MW, Lee MS. Association of preoperative nutritional factors with prognosis in gastric cancer patients. Surgical Metabolism and Nutrition 2013;4:14-17.
69. Teitelbaum EN, Hungness ES, Mahvi DM. Chapter 48 Stomach, Sabiston Textbook of Surgery: The Biological Basis of Modern Surgical Practice. 20th ed. Elsevier, 2016:1188-1236.
70. Vanek VW. Ins and outs of enteral access: Part 2 - long-term access: esophagostomy and gastrostomy. Nutr Clin Pract 2003;18:50-74.
71. Vilz TO, Stoffels B, Strassburg C, Schild H, Kalff JC. Ileus in Adults. Deutsches Ärzteblatt international 2017;114:508-518.
72. Weimann A, Breitenstein S, Breuer JP, Gabor SE, Holland-Cunz S, Kemen M, et al. Clinical nutrition in surgery. Guidelines of the German Society for Nutritional Medicine. Chirurg 2014;85:320-326.
73. Wie G, Cho Y, Kim S, Bae J, Joung H. Prevalence and risk factors of malnutrition among cancer patients according to tumor location and stage in the national cancer center in Korea. Nutrition (Burbank, Los Angeles County, Calif.) 2010;26:263-268.
74. Wischmeyer PE, Dhaliwal R, McCall M, Ziegler TR, Heyland DK. Parenteral glutamine supplementation in critical illness: a systematic review. Crit Care 2014; 18:76.
75. Wu JM, Kuo TC, Chen HA, Lai SR, Yang CY, Hsu SY, et al. Randomized trial of oral versus enteral feeding for patients with postoperative pancreatic fistula after pancreatoduodenectomy. British Journal of Surg 2019;106:190-198.
76. Yoon HM, Kim YW, Nam BH, Reim D, Eom BW, Park JY, et al. Intravenous iron supplementation may be superior to observation in acute isovolemic anemia after gastrectomy for cancer. World J Gastroenterol 2014;20:1852-1857.
77. Yu EW, Bouxsein ML, Putman MS, Monis EL, Roy AE, Pratt JS, et al. Two-year changes in bone density after Roux-en-Y gastric bypass surgery. J Clin Endocrinol Metab 2015;100:1452-1459.

INDEX

찾아보기

THE KOREAN GASTRIC CANCER ASSOCIATION

ㄱ

ㄴ

ㄷ

ㄹ

ㅁ

ㅂ

ㅅ

ㅇ

ㅈ

ㅊ

ㅋ

ㅌ

ㅍ

A

B

C

D

E

F

G

H

I

J

K

L

M

N

O

P

R

S

T

U

V

W

X

APPENDIX

부록: 한국 위암 치료 가이드라인 2018: 근거 중심 다학제 접근법

THE KOREAN GASTRIC CANCER ASSOCIATION

J Gastric Cancer. 2019 Mar;19(1):1-48
https://doi.org/10.5230/jgc.2019.19.e8
pISSN 2093-582X·eISSN 2093-5641

기획 논문

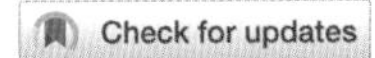

한국 위암 치료 가이드라인 2018: 근거 중심 다학제 접근법

대한위암학회(KGCA) 가이드라인위원회, 개발 실무 그룹 & 검토 패널

Received: Dec 17, 2018
Revised: Feb 12, 2019
Accepted: Feb 14, 2019

연락처
서울 종로구 새문안로 92 광화문 오피시아 빌딩 1616호 우편번호 03186
E-mail: kgca@kgca-i.or.kr

자금지원
이 지침서는 대한위암학회(KGCA)의 지원 하에 완성되었다. KGCA는 지침서의 내용에 영향을 주지 않았다.

이해 상충
본 연구와 관련된 이해 상충 가능성은 보고된 바가 없다.

서론

배경

위암은 우리나라에서 가장 흔한 암이며 암 사망 원인 중 네 번째로 흔하다[1]. 매년 새로 진단받고 치료받는 국내 위암 환자들은 매우 많지만, 국내 의료상황에 적합한 진료 가이드라인은 없는 실정이다. 그 동안 국내 위암 가이드라인은 2004년과 2014년 다학제 논의를 통해 발표되었으나[2,3] 널리 사용되지 않았다. 이에, 국내 의료 현실을 반영한 위암 치료의 표준을 제시하고자 본 임상 진료 가이드라인을 제정하였다.

범위

본 임상 진료 가이드라인은 임상의들이 위암 환자를 치료하는데 도움을 주는 것을 일차적 목적으로 하며, 위암의 치료와 병리학적 평가에 대한 구체적이고 포괄적인 내용을 다루고 있다. 그러나 예방, 검진, 진단 및 수술 후 추적관찰과 관련된 내용은 제외하였다. 본 가이드라인은 소화기내과전문의, 외과전문의, 종양내과전문의, 방사선종양학과전문의, 병리과전문의 등에게 진료 지침을 제시하고자 하며, 2차 및 3차 의료기관에서 수련의의 교육에도 일조를 하고자 제작되었다. 또한, 국내 환자에게 적절한 의료 정보를 제공하여 최적의 치료를 받을 수 있도록 고안되었다. 최종적으로 본 가이드라인을 통하여 위암 치료의 표준이 널리 채택되어 환자 삶의 질 향상 및 국민의 건강 관리 개선에 도움이 되었으면 한다.

경과

본 지침은 위암 치료 가이드라인 필요성에 대한 국내 여러 학회의 공감대를 바탕으로 대한위암학회(Korean Gastric Cancer Association, KGCA)의 발의로 시작되었다. 본 지침은 KGCA, 대한종양내과학회(Korean Society of Medical Oncology, KSMO), 대한소화기학회(Korean Society of Gastroenterology, KSG), 대한방사선종양학회(Korean Society for Radiation Oncology, KOSRO) 및 대한병리학회(Korean Society of Pathologist, KSP)의 다학제간 접근과 가이드라인 개발 방법론 전문가(한국보건의료연구원, NECA)의 참여로 종합적이고 포괄적인 방법으로 제정되었다. 본 가이드라인을 위하여 KGCA의 진료지침 위원회에서 개발 실무그룹과 리뷰 패널을 설립하였고, 위원들은 각 학회 및 참가 단체에서 추천하였다. 본 가이드라인은 위암 환자들의 치료 결과에 영향을 줄 수 있는 새로운 의학적 근거가 있는 경우 3~5년마다 개정될 것이다.

방법

근거 문헌 검색을 위하여 MEDLINE, EMBASE 및 Cochrane Library를 포함한 데이터베이스를 이용하여 2018년 1월까지 출판된 문헌을 체계적으로 검색하였다. 결과를 보완하기 위해 수동 검색도 실시하였고, 관련 연구의 선정은 2명의 임상 전문가로 구성된 패널이 시행하였다. 선정 및 제외 기준은 사전에 규정하였으며 핵심 질문에 맞게 조정하였다. 논문은 제목과 초록으로 선별하고 이후 선정을 위해 본문을 검색하였다. 각 단계는 2명의 전문가가 독립적으로 수행하였고 최종 논문은 합의를 통해 선정하였다.

선정된 연구의 질은 편향 위험 도구(risk-of-bias tool)를 사용하여 평가하였다. 무작위배정 연구(randomized controlled trial, RCT)의 경우 Cochrane Risk of Bias(ROB)를 사용했으며, 비무작위배정 연구는 비무작위배정 연구용 ROB, 진단 연구의 경우 Diagnostic Accuracy Studies-2, 그리고 체계적 검토/메타 분석의 경우 Measurement Tool to Assess Systematic Reviews를 사용하였다[4-7]. 질 평가 과정 또한 2명의 전문가가 독립적으로 시행하였고, 이견이 있다면 토론과 제3자 위원의 의견을 통해 해결하였다. 또한 사전에 규정된 형식을 이용하여 데이터를 추출하고 종합하였으며, 핵심 질문 각각의 근거 표를 작성하였다.

근거 수준과 권고안의 등급 평가는 스코틀랜드 임상진료지침 개발기구(Scottish Intercollegiate Guideline Network) 및 GRADE(Grading of Recommendations, Assessment, Development and Evaluation) 방법에 대한 검토를 토대로 수정하였다[8,9].

근거는 4가지 수준으로 분류하였다. 주요 인자는 연구 설계와 질이었고(**표 1**), 결과의 일관성도 고려하였다. 권고안은 수정된 GRADE 방법론에 따라 강한 권고(strong for), 약한 권고(weak for), 약한 금기(weak against), 강한 금기(strong against), 권고 없음(inconclusive)의 5단계로 등급화하었다(**표 2**).

권고 인자로 근거 수준, 임상적 적용 가능성, 이득, 위험성이 고려되었다. 개발 실무그룹은 초안을 모두 한 자리에 모여 검토하였고, 최종 근거 수준과 권고 등급 도출을 위한 토론 과정을 거쳤다.

표 1. 근거 수준

분류	설명
높음	연구의 질에 관한 우려가 없는 1건 이상의 RCT 또는 SR/메타분석
중등도	연구의 질에 관한 사소한 우려가 있는 1건 이상의 RCT 또는 SR/메타분석. 연구의 질에 관한 우려가 없는 1건 이상의 코호트/환자 대조군/진단 검사 설계 연구
낮음	연구의 질에 관한 사소한 우려가 있는 1건 이상의 코호트/환자 대조군/진단 검사 연구. 연구의 질에 관한 우려가 없는 1건 이상의 단일군 전후 연구, 교차 단면 연구
매우 낮음	연구의 질에 관한 중대한 우려가 있는 1건 이상의 코호트/환자 대조군/진단 검사 설계 연구. 사소한/심각한 우려가 있는 1건 이상의 단일군 전후 연구, 교차 단면 연구

표 2. 권고 등급

등급 분류	설명
강한 권고(Strong for)	유익성이 위해성보다 큼. 높은 또는 중등도 근거 수준. 대부분의 임상 진료에서 해당 중재를 강하게 권고할 수 있음.
약한 권고(Weak for)	중재의 유익성 및 위해성이 임상 상황 또는 환자/사회적 가치에 따라 다양할 수 있음. 해당 중재는 임상 상황에 따라 조건부로 권고됨.
약한 금기(Weak against)	중재의 유익성 및 위해성이 임상 상황 또는 환자/사회적 가치에 따라 다양할 수 있음. 임상 진료 시 해당 중재가 권고되지 않을 수 있음.
강한 금기(Strong against)	중재의 위해성이 유익보다 큼. 높은 또는 중등도 근거 수준. 임상 진료 시 해당 중재를 권고하지 않아야 함.
권고 없음(Inconclusive)	근거 부족 또는 결과의 불일치로 인해 권고 방향을 결정할 수 없음. 따라서 추가 근거가 필요함.

https://doi.org/10.5230/jgc.2019.19.e8

검토 및 승인 과정

검토 패널은 초안의 최종 버전을 검토하였고, 검토 패널의 의견을 반영하여 개정이 이루어졌다. 이어 2018년 11월 30일 열린 한국 위암 가이드라인 발표 심포지엄에서 KSMO, KSP, KSG, KOSRO, KGCA의 승인을 받았다.

전반적 치료 알고리즘

본 가이드라인의 모든 권고안은 **표 3**에 요약되어 있다. 종양에 대한 기술은 위선암에 국한되었으며, 종양 병기(TNM 및 단계)는 AJCC (American Joint Committee on Cancer)와 UICC (Union for International Cancer Control) 8판에 기반한다[10].

위선암은 원격 전이 상태에 따라 국소(비전이성[M0]) 및 전이성 (M1) 위암으로 분류된다 (**그림 1**).

표 3. 권고안 요약

번호	권고	근거 수준	권고 등급
권고안 1	내시경 절제술은 다음의 내시경적 소견을 충족하는 고분화 또는 중분화 관모양 또는 유두모양 조기 위암에서 권고된다: 내시경 소견에서 종양 크기 ≤2 cm, 점막암 및 궤양 없음	중등도	강한 권고
권고안 2	내시경 절제술은 다음의 내시경적 소견을 충족하는 고분화 또는 중분화 관모양 조기 위암 또는 유두모양 조기 위암에 대해 수행될 수 있다: 내시경 소견에서 종양 크기 >2 cm, 점막암 및 궤양 없음, 또는 내시경 소견에서 종양 크기 ≤3 cm, 점막암 및 궤양 있음	중등도	약한 권고
권고안 3	저분화 관모양 또는 저응집(반지세포 포함) 조기 위암이 다음의 내시경적 소견을 충족한다면 내시경 절제를 고려할 수 있다: 내시경 소견에서 종양 크기 ≤2 cm, 점막암 및 궤양 없음	낮음	약한 권고
권고안 4	내시경 절제 후, 병리학적 결과가 근치적 내시경 절제술의 기준을 벗어나거나 림프혈관 또는 수직 절제면 침범이 있는 경우 근치적 수술을 권고한다.	중등도	강한 권고
권고안 5	위전절제술뿐 아니라 근위부 위절제술도 생존율, 영양, 삶의 질 측면에서 상부 조기 위암에 대해 시행될 수 있는 수술방법이다. 근위부 위절제술 후 식도위문합술은 협착증, 역류 등 문합 관련 합병증을 더 빈번히 유발할 수 있으므로, 재건 방법 선택 시 주의가 필요하다.	중등도	약한 권고
권고안 6	유문 보존 위절제술 및 원위부 위절제술은 수술 후 장기 생존율, 영양 및 삶의 질을 고려하여 위중부 조기 위암 환자에게 시행할 수 있다.	중등도	약한 권고
권고안 7	중하부의 위암에서 원위부 위절제술 후 위십이지장문합술 및 위공장문합술(Roux-en-Y 및 루프)가 권고된다. 여러 유형의 재건술간 장기 생존율, 기능 및 영양 측면에서 차이가 없다.	높음	강한 권고
권고안 8	D1+ 림프절 절제술은 장기 생존 측면에서 조기 위암(cT1N0) 수술에 권고된다.	낮음	강한 권고
권고안 9	비장문 림프절 절제를 위한 예방적 비장절제술은 위상부 진행 위암의 근치적 절제 시 권고되지 않는다.	높음	강한 금기
권고안 10	식도위접합부 선암에서 종격동 하부 림프절 절제는 수술 후 합병증을 증가시키지 않으면서 종양학적 결과를 개선하기 위해 수행할 수 있다.	낮음	약한 권고
권고안 11	조기 위암의 경우, 수술 후 회복, 합병증, 삶의 질 및 장기 생존 측면에서 복강경 수술이 권고된다.	높음	강한 권고
권고안 12	진행성 위암의 경우, 단기 수술 결과와 장기 예후 측면에서 복강경 위절제술을 시행할 수 있다.	중등도	약한 권고
권고안 13	D2 림프절 절제술을 포함한 근치적 수술 후 병리학적 II기 또는 III기 위암 환자에 대해 보조 항암화학요법(S-1 또는 capecitabine + oxaliplantin)이 권고된다.	높음	강한 권고
권고안 14	D2 림프절 절제술로 완전 절제를 한 위암 환자에서 재발을 줄이고 생존율을 향상시키기 위하여 수술 후 보조 항암화학방사선요법을 추가할 수 있다.	높음	약한 권고
권고안 15	D2 림프절 절제가 고려되는 경우, 잠재적으로 절제 가능한 위암의 선행 항암화학요법에 대한 유효성의 근거는 결정적이지 않다.	높음	권고없음
권고안 16	D2 림프절 절제가 고려되는 경우, 국소 진행성 위암의 선행 항암화학방사선요법에 대한 유효성의 근거는 결정적이지 않다.	높음	권고없음
권고안 17	전이성 위암에서 위 절제술은 출혈, 천공, 폐색등과 같은 긴급 증상 완화를 위한 목적으로만 시행되어야 한다.	높음	강한 금기
권고안 18-1	환자의 전신 수행상태 및 주요 장기 기능이 보존된 경우, 국소적으로 진행된 절제 불가능 또는 전이성 위암 환자에게 완화적 1차 platinum + fluoropyrimidine 병용요법이 권고된다.	높음	강한 권고
권고안 18-2	인간 표피성장인자수용체 2(HER2) 면역조직화학염색(IHC) 3+ 또는 IHC 2+ 및 제자리부합법(ISH) 양성의 국소적으로 진행된 절제 불가능 또는 전이성 위암환자에게 완화적 1차 trastuzumab + capecitabine 또는 fluorouracil + cisplatin의 병용요법이 권고된다.	높음	강한 권고
권고안 19	환자의 전신 수행상태 및 주요 장기 기능이 보존된 경우, 국소적으로 진행된 절제 불가능 또는 전이성 위암 환자에게 완화적 2차 전신항암요법이 권고된다. Ramucirumab + paclitaxel 이 우선적으로 권고되며 irinotecan, docetaxel, paclitaxel, 또는 ramucirumab의 단독요법 역시 고려할 수 있다.	높음	강한 권고
권고안 20	환자의 전신 수행상태 및 주요 장기 기능이 보존된 경우, 국소적으로 진행된 절제 불가능 또는 전이성 위암 환자에게 완화적 3차 전신항암요법이 권고된다.	높음	강한 권고
권고안 21	재발 또는 전이성 위암에서 증상 완화 또는 생존율 개선을 위해 완화적 방사선요법을 시행할 수 있다.	중등도	약한 권고
권고안 22	병기 결정을 위해 복막세척액 세포검사가 권고된다. 진행성 위암 환자의 복막세척액 세포검사에서 암세포 양성 결과는 재발 위험 증가 및 불량한 예후와 관련이 있다.	중등도	강한 권고

jgc Journal of Gastric Cancer

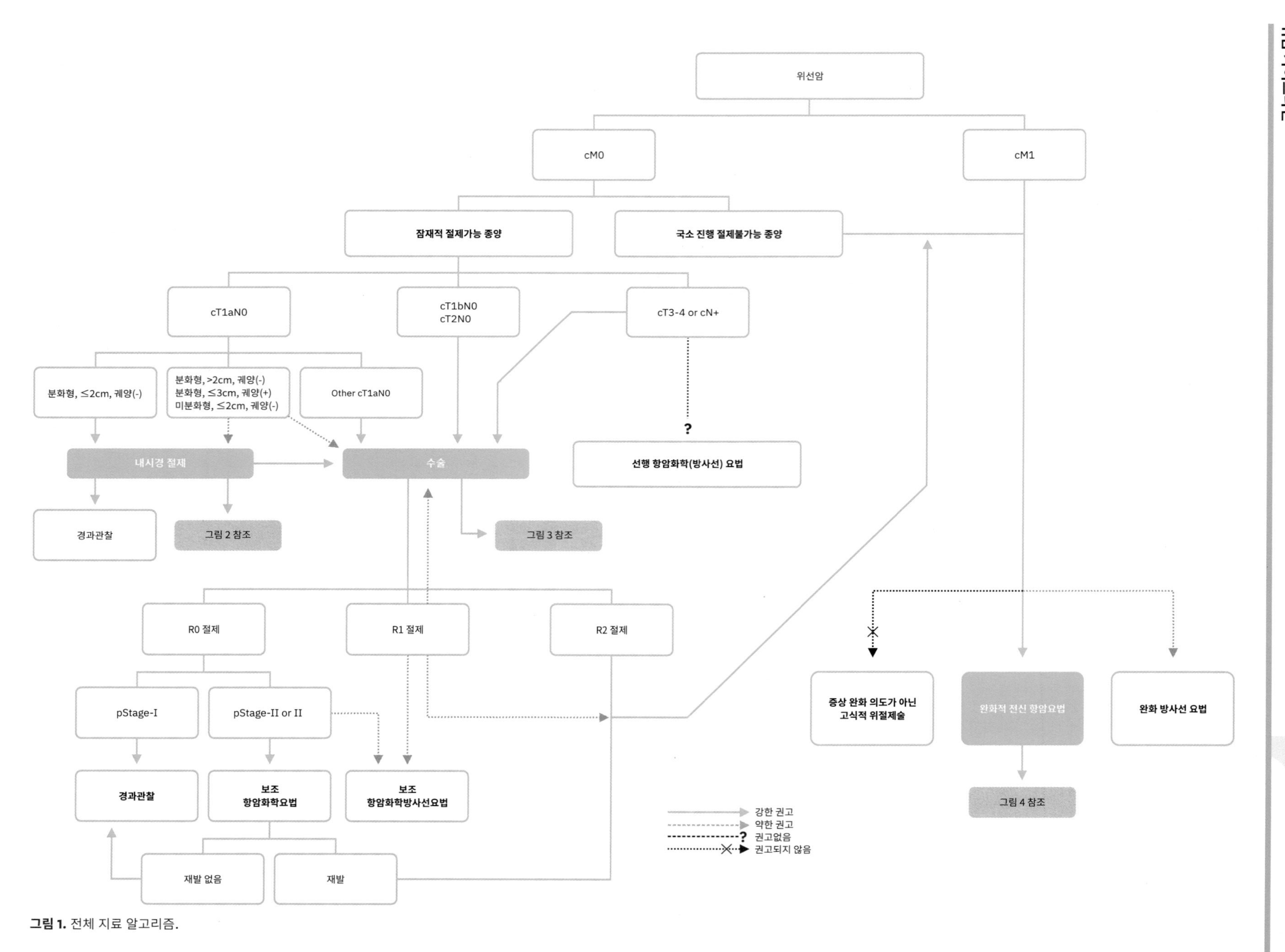

그림 1. 전체 치료 알고리즘.

M0 위암의 경우, 임상(c) T 및 N 병기는 수술 전 식도위십이지장내시경검사 또는 내시경 초음파 검사 결과와 전산화단층촬영에 기초하여 결정할 수 있다. 내시경 절제술은 림프절(lymph node) 전이 위험이 최소인 cT1aN0 위암에 대해 선별적으로 적용할 수 있다 (권고안 1-3). 내시경절제술후 추가적인 위절제술 여부는 내시경 절제된 검체의 병리학적 소견에 따라 결정된다 (권고안 4).

위암의 임상병기가 cT1a 및 ≥cT1b 또는 cN+이어서 내시경 절제술의 적응증을 벗어나면 외과적 절제술이 권고된다. 수술 술기를 결정하기 위해서는 위절제술(권고안 5와 6) 및 림프절절제술(권고안 8-10)의 범위, 문합 방법(권고안 7) 및 복강 접근 방법(권고안 11 및 12)을 고려해야 한다.

보조 항암화학요법은 D2 림프절 절제를 포함한 근치적 R0 절제를 시행받은 병리학적 II기 또는 III기 위암 환자에게 권고된다(권고안 13). R1 절제 또는 불충분한 림프절 절제를 시행한 불완전 절제 환자, 그리고 D2 림프절 절제를 포함한 근치적 절제를 받은 환자 중 특히 림프절 전이가 있는 환자의 경우, 보조 항암화학방사선요법을 고려할 수 있다(권고안 14). 1차 위절제술의 결과가 R1 절제인 경우, 현미경검사상 잔여 종양의 위치에 따라 재절제, 보조 항암화학방사선요법 또는 완화요법을 임상 상황에 따라 고려할 수 있다.

선행 항암화학(방사선)요법의 근거 수준이 높기는 하지만, 선행 요법에 대한 거의 모든 임상시험의 배경이 현재 아시아의 위암 치료현실과 일치하지 않으므로, 이를 국내 환자에게 권고할지 여부에 대한 결론은 내리지 못했다(권고안 15 및 16).

완화적 전신요법은 국소적으로 진행된 절제 불가능한 환자 또는 비근치적절제술 이후 또는 전이성 질환(M1) 환자에서 고려해야 할 1차 치료이다(권고안 18~20). 완화적 방사선요법(radiotherapy, RT)은 종양 관련 증상의 완화 또는 생존율 향상을 위해 고려할 수 있다(권고안 21). 전이성 위암 환자의 경우, 종양 관련 증상 또는 합병증(즉, 폐색, 출혈, 천공 등) 완화의 목적이 아닌 전체 생존율(overall survival, OS) 개선 목적으로 비근치적 위절제술은 권고되지 않는다(권고안 17).

내시경 절제

> 권고안 1. 내시경 절제술은 다음의 내시경적 소견을 충족하는 고분화 또는 중분화 관모양 또는 유두모양 조기 위암에서 권고된다: 내시경 소견에서 종양 크기 ≤2 cm, 점막암 및 궤양 없음 (근거: 중등도, 권고: 강한 권고).

내시경점막하박리술(ESD, Endoscopic submucosal dissection)은 2000년대 초부터 한국에서 조기 위암의 최소 침습 치료 방법으로 사용되어 왔다[11,12]. 2014년에는 총 7,734명의 조기 위암 환자가 ESD를 받았으며, 매년 증가 추세에 있다[12]. 종양의 크기가 2 cm 이하이고, 궤양이 없고, 고분화도 또는 중등도 분화도 또는 유두모양의 선암종에서 침윤깊이가 점막층에 국한된 조기 위암은 림프절 전이 위험이 매우 낮고, ESD로 완치율이 높으며 수술보다 부작용이

https://doi.org/10.5230/jgc.2019.19.e8

jgc Journal of Gastric Cancer

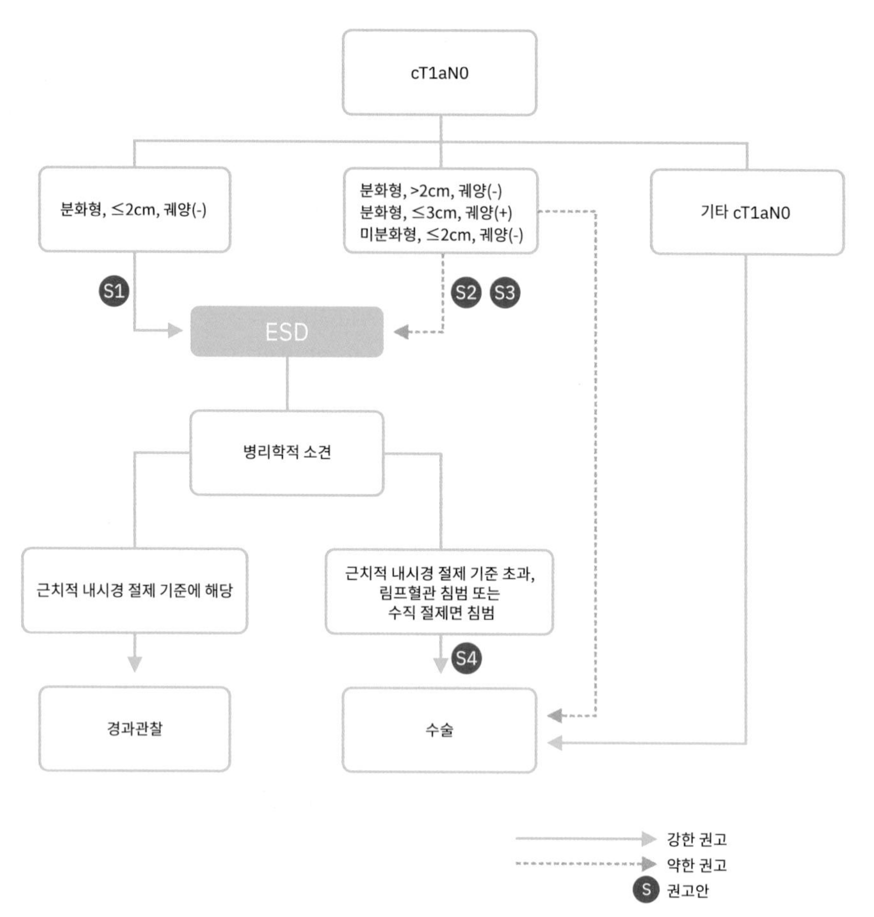

그림 2. 내시경 절제술 치료 알고리즘.
ESD = 내시경 점막하 절제술.

적기 때문에 1차 치료 방법으로 ESD를 우선 고려해야 한다[11,13-18]. 이 기준은 위암 치료에 있어서 ESD의 절대적응증으로 인정받고 있다 (**그림 2**).

우리나라의 대규모 후향적 코호트 연구 결과에 따르면, 위의 조건을 만족하는 위암 환자에서 내시경 절제술(93.6%~96.4%)과 수술(94.2%~97.2%) 후 5년 전체 생존율은 유의한 차이가 없었다[16-18]. 또한, 10년 전체 생존율도 내시경 절제술(81.9%)과 수술(84.9%) 간에 차이가 없었다(P=0.14)[17]. 그러나, 5년 누적 이시성 재발율은 내시경 절제술(5.8%~10.9%)이 수술(0.9%~1.1%)보다 유의하게 높기 때문에[16-18], ESD 이후에 이시성 재발을 감시하는 정기적인 검사가 반드시 필요하다.

위를 보존하는 내시경 치료는, 이시성 암 재발의 우려를 불러일으킬 수 있음에도 불구하고, 수술에 비해 치료 관련 합병증 발생률이 낮고[17,18], 입원 기간이 짧으며, 비용도 저렴하여[16] 환자에게 더 나은 삶의 질을 제공할 수 있는 장점이 있다[19,20],

권고안 2. 내시경 절제술은 다음의 내시경적 소견을 충족하는 고분화 또는 중분화 관모양 조기 위암 또는 유두모양 조기 위암에 대해 수행될 수 있다: 내시경 소견에서 종양 크기 >2 cm, 점막암 및 궤양 없음, 또는 내시경 소견에서 종양 크기 ≤3 cm, 점막암 및 궤양 있음 (근거: 중등도, 권고: 약한 권고).

https://doi.org/10.5230/jgc.2019.19.e8

조기 위암에 대한 내시경 절제는 시술 중 림프절절제를 수행할 수 없다는 점에서 제한된다. 따라서 근치적 절제를 달성하고 내시경 절제로 수술과 유사한 생존율을 얻기 위해선, 림프절 전이가 매우 낮은 조기 위암을 신중하게 선택해야 한다. 임상적으로 허용되는 림프절 전이율은 근치적 위 절제술과 관련된 수술 전후 사망률의 맥락에서 결정될 수 있다[21-23]. 또한 시술 후 잔여 종양이나 국소 재발을 방지하기 위해 내시경 절제를 통한 일괄절제가 기술적으로 가능해야 한다. 아래의 기준 1 또는 2를 충족할 때, 내시경 절제술 후 위 외 재발(림프절 또는 원거리 전이) 비율은 0-0.21%로, 근치적 위절제술과 관련된 수술 전후 사망률과 유사하다[24-27].

수술 전 평가에서 종양의 점막하 침범(T1b)이 의심될 경우 림프절 절제를 동반한 표준 위절제술이 권장되지만, ESD의 병리학적 표본이 기준 3을 충족했을 때 대규모 후향적 코호트 연구에서 ESD 이후의 위 이외 재발률은 0.9%에서 1.5%까지 다양했다[24-26]. ESD 전 종양의 미세한 점막하 침범(≤500μm 이하)의 진단은 매우 어렵기 때문에 기준 3은 ESD 후 병리학적 검체에 적용된다.

기준 1, 2, 또는 3이 충족되었을 때, 전체 생존율은 내시경 절제술을 받은 환자와 근치적 수술로 치료받은 환자들 간에 유사했다[18,28-38].

기준 1, 2, 3: 고분화 또는 중분화 관모양 선암종 또는 유두모양 선암종, 일괄절제, 측부 절제연 침윤 음성, 수직 절제연 음성, 림프혈관 침윤 없음(LVI), 및 1) 종양 크기 >2 cm, 점막암, 종양 내 궤양 없음, 또는 2) 종양 크기 ≤3 cm, 점막암, 종양 내 궤양, 또는 3) 종양크기 ≤3 cm, 근점막층으로부터 점막하 침윤 깊이 ≤500μm.

이러한 기준의 많은 부분들(일괄절제, 절제면, 림프혈관 침범, 미세 점막하 침범)이 ESD후에 확인될 수 있기 때문에, 조기 위암이 다음의 내시경적 소견을 충족한다면 ESD를 고려할 수 있다.

내시경 소견: 1) 겸자 생검에서 고분화 또는 중분화된 관모양 선암 또는 유두모양 선암, 내시경 소견에서 종양 크기 >2 cm, 점막암 및 궤양 없음, 또는 2) 겸자 생검에서 고분화 또는 중분화된 관모양 선암 또는 유두모양 선암, 내시경 소견에서 종양 크기 ≤3 cm, 점막암 및 궤양 있음 (**그림 2**).

지금까지 위 기준에 대한 표준 치료법은 위절제술 및 림프절 절제술이었다. 많은 후향적 코호트 연구가 이러한 기준을 뒷받침하지만, 이 기준에 기초한 내시경 절제술 및 표준 수술의 결과들을 비교한 전향적 연구는 없다. 또한 ESD 전 검사에서 위 기준을 만족했다 하더라도, 많은 수에서 ESD 후 절제조직 병리검사에 따르면 위 기준을 벗어난 것으로 확인되었다[39-43]. 따라서 이러한 기준을 충족하는 경우 표준 치료(위절제술 및 림프절 절제술)도 고려할 수 있다.

> 권고안 3. 저분화 관모양 또는 저응집(반지세포 포함) 조기 위암이 다음의 내시경적 소견을 충족한다면 내시경 절제를 고려할 수 있다: 내시경 소견에서 종양 크기 ≤2 cm, 점막암 및 궤양 없음 (근거: 낮음, 권고: 약한 권고).

https://doi.org/10.5230/jgc.2019.19.e8

저분화 및 저응집(반지세포(signet-ring cell) 포함) 조기 위암은 고분화 및 중분화 관모양 조기위암보다 림프절 전이의 위험이 더 높다. 따라서 내시경 절제는 엄격한 기준 내에서 매우 신중하게 고려될 수 있다. 아래 기준이 충족되었을 때 몇몇 후향적 코호트 연구에서 내시경 절제술 후 위 외(extragastric) 재발이 보고되었지만[24,26,44-49], 내시경 절제술을 받고 있는 환자와 근치적 위절제술로 치료받은 환자 간에 유사한 전체 생존율이 보고되었다[18,29,35,36,49].

기준: 저분화 관모양 선암 또는 저응집암(반지세포 포함), 일괄(en bloc) 절제, 외측 절제면 음성, 수직 절제면 음성, 림프혈관침범 없음, 종양 크기 ≤2 cm, 점막암, 종양 내 궤양 없음.

하지만 이러한 기준의 많은 부분들(일괄절제, 절제면, 림프혈관침범)이 ESD후에 확인될 수 있기 때문에, 저분화 관모양 및 저응집(반지세포 포함) 조기 위암이 다음의 내시경적 소견을 충족한다면 ESD를 고려할 수 있다(**그림 2**).

내시경 소견: 겸자 생검 표본 상 저분화 관모양 선암 또는 저응집암(반지세포 포함), 종양 크기≤2 cm, 점막암 및 궤양 없음.

지금까지 위 기준에 대한 표준 치료법은 위절제술 및 림프절 절제술이었다. 몇몇 후향적 코호트 연구 결과는 위 기준에서의 ESD 시행을 뒷받침하고 있으나, 전향적 연구의 결과가 부족하다(근거 수준은 낮으며, 권고 수준 역시 약함). 또한 ESD 전 검사에서 위 기준을 만족했다 하더라도, 많은 수에서 ESD 후 절제조직 병리검사에 따르면 위 기준을 벗어난 것으로 확인되었다[39-43]. 따라서 이러한 기준을 충족하는 경우 표준 치료(위절제술 및 림프절 절제술)를 고려할 수 있다.

> 권고안 4. 내시경 절제 후, 병리학적 결과가 근치적 내시경 절제술의 기준을 벗어나거나 림프혈관 또는 수직 절제면 침범이 있는 경우 근치적 수술을 권고한다 (근거: 중등도, 권고: 강한 권고).

내시경 절제를 받은 조기 위암 환자들은 병리학적 검체평가에 의해 내시경 절제의 기준을 벗어난 것으로 확인될 수 있다. 아래 기준을 벗어나는 절제된 종양의 특성을 가진 경우 비근치적 절제로 고려된다: 1) 궤양(활동성 또는 흉터)이 없으며 긴 지름이 >2 cm로 측정되는 분화형(고분화 또는 중분화 관모양 또는 유두모양) 점막내 암종, 2) 궤양(활동성 또는 흉터)이 있으면서 ≤3 cm으로 측정되는 분화형 점막암, 3) 궤양(활동성 또는 흉터)이 없으며 ≤2 cm로 측정되는 미분화(저분화 관모양 또는 저응집력) 점막암, 4) 미세한 점막하 침범(≤500μm)이 있으며 ≤3 cm으로 측정되는 분화 점막암.

내시경 절제 후 확인되는 림프혈관 침범 및 수직 절제면 양성은 추가 수술 권고의 중요한 원인이다(**그림 2**).

다수 연구를 통해 조기 위암에 대한 내시경 절제술의 치료 기준을 충족하지 못한 환자들을 대상으로 추가 수술 여부에 따른 장기적 결과를 조사했다[39-42,50-57]. 모든 연구는 후향적 코호트 설계였으며 관측 연구에서 잠재적 선택편향(selection bias)을 최소화하고 무작위화를 모방하는데 사용되는 성향점수(propensity score) 매칭 분석을 사용한 연구는 2개뿐이었

https://doi.org/10.5230/jgc.2019.19.e8

다[39,50]. 비록 몇몇 소규모 연구에서는 추가수술과 경과 관찰의 전체 생존율에서 아무런 차이를 보이지 않았지만[51-53], 성향 점수 매칭을 사용한 2개의 연구를 포함한 대부분의 연구는 경과관찰과 비교하여 추가 근치적 수술의 상당한 생존 이득(전체 생존율 또는 질병 특이적 생존율(disease specific survival))을 보여주었다[40,54,55,57].

성향 점수 매칭 분석을 사용한 일본 다기관 후향적 코호트 연구는 추가 근치적 수술 그룹에서 ESD 후 5년 질병 특이적 생존율 99.0%, 추가 근치적 수술을 하지 않은 그룹에서 96.8%(P=0.013)를 보고했다. 5년 전체 생존(overall survival) 비율은 각각 91.0%와 75.5%(P<0.001)이었다[50]. 성향 점수 매칭 분석을 이용한 국내 단일 센터 후향적 코호트 연구에서, 추가 근치적 수술을 하지 않은 그룹에서 5년 총 사망률(26.0%; 95% 신뢰 구간(confidence interval, CI), 13.5%~49.9%)은 매칭된 표준 수술 환자보다 높았다(14.5%; 95% CI, 6.3%~33.6%; P=0.04). 추가 수술을 받은 그룹과 표준 수술 그룹간에 총 사망률은 차이가 없었다.

따라서, 조기 위암에 대해 비근치적 내시경 절제술을 받고 있는 환자(내시경 절제 기준을 벗어나는)에서 추가 근치적 수술은 강력히 권고된다.

고령 환자(>75세)에 대한 추가 치료 수술의 생존 이익은 논란의 여지가 있다. 두 연구에서 의미있는 생존 이익이 나타난 바 있지만 또 다른 연구에서는 장기적인 결과에서 아무런 차이를 보이지 않았다[42,54,56]. 후향적 코호트 설계에서는 선택 편향이 불가피하다. 예를 들어, 성향 점수 매칭 후 두 그룹간의 연령 차이가 사라지기는 하였지만, 모든 연구에서 추가 근치적 수술 그룹이 경과관찰 그룹보다 연령이 젊은 것으로 나타났다. 또한 내시경 절제술의 치료 기준을 충족하지 못하였지만 추가적인 치료 수술을 받지 않은 환자들에게서 동반 질환 유병율이 더 높은 경향이 있었다[41,42]. 비록, 12개 연구 중 2개가 성향 점수 매칭 분석을 사용했지만, 선택과 측정 편향의 가능성이 여전히 남아있다. 일부 환자들은 고령, 잘 통제되지 않는 기저질환, 또는 열악한 건강 상태로 인해 추가 치료 수술이 가능하지 않을 수 있다. 이러한 환자들의 경우, 재발 위험에 대한 설명을 제공한 다음 가능성 있는 선택지로 경과 관찰을 고려할 수 있다.

외과적 치료

내시경 절제술의 적응증을 벗어난 cT1a와 ≥cT1b 또는 cN+ 및 M0 위암의 경우 표준 수술을 권고한다(**그림 3A**).

표준 수술은 D2 림프절 절제술 및 위전절제술 또는 위부분절제술로 정의된다. 위전절제술 군에 비해 위부분절제술 군에서 장기간 종양학적 결과가 비슷하고 이환율과 사망률이 낮다는 2개의 무작위배정연구 결과를 바탕으로 원위부 위암의 위부분절제술은 표준 수술로 인정되었다[58-60]. 림프절 절제의 표준범위는 동서양 국가들 사이에서 수십 년 동안 논의의 대상이었지만 국제적으로 D2 림프절 절제술을 표준 수술로 받아들이는 추세이며[2, 61-63], 이는 전향적 시험과 메타 분석의 결과에 의해 뒷받침된다[64-66]. 각 위절제술에서 림프절 절제의 범위는 일본 가이드라인에 따라 정의되었다[63].

완화 전신 요법은 국소적으로 진행된 절제 불가능 위암 또는 cM1 위암의 경우에 1차 치료법이 된다(**그림 1**). 그러나 완화 전신 요법 후 완전 절제가 가능하다면 전환 수술(conversion surgery)도 고려할 수 있으며 현재 이에 대한 연구가 진행 중이다. 또한 수술 전 평가에서는 발견되지 않았지만 수술 중 우연히 원격 전이가 확인된 경우와 국소 진행 절제 불가능한 위암의 경우, 완전 절제가 가능하다면 이를 고려할 수 있다. 하지만 이에 대한 근거는 향후 연구에 의해 뒷받침되어야 한다. 복강내 항암요법(가열 복강내 항암요법 또는 가압 복강내 에어로졸 항암요법)은 임상 시험 상황에서 복막 전이가 있는 환자에게 적용될 수 있으나 추가적인 근거가 필요하다.

위절제 및 재건

> 권고안 5. 위전절제술뿐 아니라 근위부 위절제술도 생존율, 영양, 삶의 질 측면에서 상부 조기 위암에 대해 시행될 수 있는 수술방법이다. 근위부 위절제술 후 식도위문합술은 협착증, 역류 등 문합 관련 합병증을 더 빈번히 유발할 수 있으므로, 재건 방법 선택 시 주의가 필요하다(근거: 중등도, 권고: 약한 권고).

조기위암에서 근위부 위절제술과 위전절제술을 충분한 대상수와 검정력을 가지고 생존율을 일차평가변수 (endpoint)로 삼아 비교한 전향적 무작위배정연구는 수행된 바가 없다.

그러나 여러 후향적 연구에서 근위부 위 절제술 후 장기 생존율은 위전절제술에 비해 낮지 않다고 보고했다[67-74]. 대부분의 연구에서 근위부 위절제술 후 조기 수술 후 합병증의 발생률은 위전절제술 후 합병증의 발생률과 유사하였으나[68,70,71,73,75-77], 그 발생률이 더 높다는 연구[72]와 빈도가 더 낮다는[69] 보고도 있었다.

단기 또는 장기간의 합병증을 줄이기 위해 근위부 위 절제술 후 다양한 재건이 시도되었지만, 여전히 최선의 재건법이 무엇인지는 논쟁이 있다. 근위부 위절제술 후의 식도위문합술은 가장 간단한 시술이지만, 역류성 식도염(16.2%~42.0% vs 0.5%~3.7%), 역류 증상[67,69,72,74,766,77] 및 문합 부위에서의 협착증(3.1%~38.2% vs 0%~8.1%)[67,69,71,72,74,76,77]이 더 빈번하게 나타났다. An 등[69]과 Ahn 등 [70]은 근위부 위 절제술과 식도위문합술은 문합 관련 합병증이나 수술 후 합병증 발생률이 의미있게 높고 영양상의 이득이 없기 때문에 위전절제술보다 열등한 수술 방법이라고 보고하였다. 그러나 다른 연구들은 근위부 위절제술 및 식도위문합술이 혈청 알부민 레벨[71,72,77], 체중 유지[74,76-78], 빈혈 예방[72,74,77], 혈청 비타민 B12 레벨[72]의 관점에서 위전절제술에 비해 여전히 유익할 수 있다고 보고했다.

근위부 위절제술 후 공장 삽입술(jejunal interposition)은 영양학적인 지표들과 빈혈에 있어 위전절제술에 비해 유리하다는 결과들이 보고되었다[71,74-76]. 덤핑 증후군을 포함한 위절제 후 증후군은 위전절제술을 받은 환자에 비해 근위부 위절제술 및 공장삽입술을 받은 환자들에게서 더 적게 나타났다[75,76]. 식도위문합술을 받은 115건과 공장 삽입술을 받은 78건을 포함한 연구에서도, 근위부 위절제술에서 위전절제술에 비해 설사와 덤핑 증후군의 빈도가 낮은 것으로 나타났다(7점 척도 기준 2.0점 vs 2.3점) [78].

최근에는 근위부 위절제술 후 이중 통로 문합(double-tract reconstruction)이 합병증이나 역류 발생률을 높이지 않고 체중, 빈혈, 혈청 비타민 B12 수치 등의 측면에서 위전절제술보다 우월

https://doi.org/10.5230/jgc.2019.19.e8

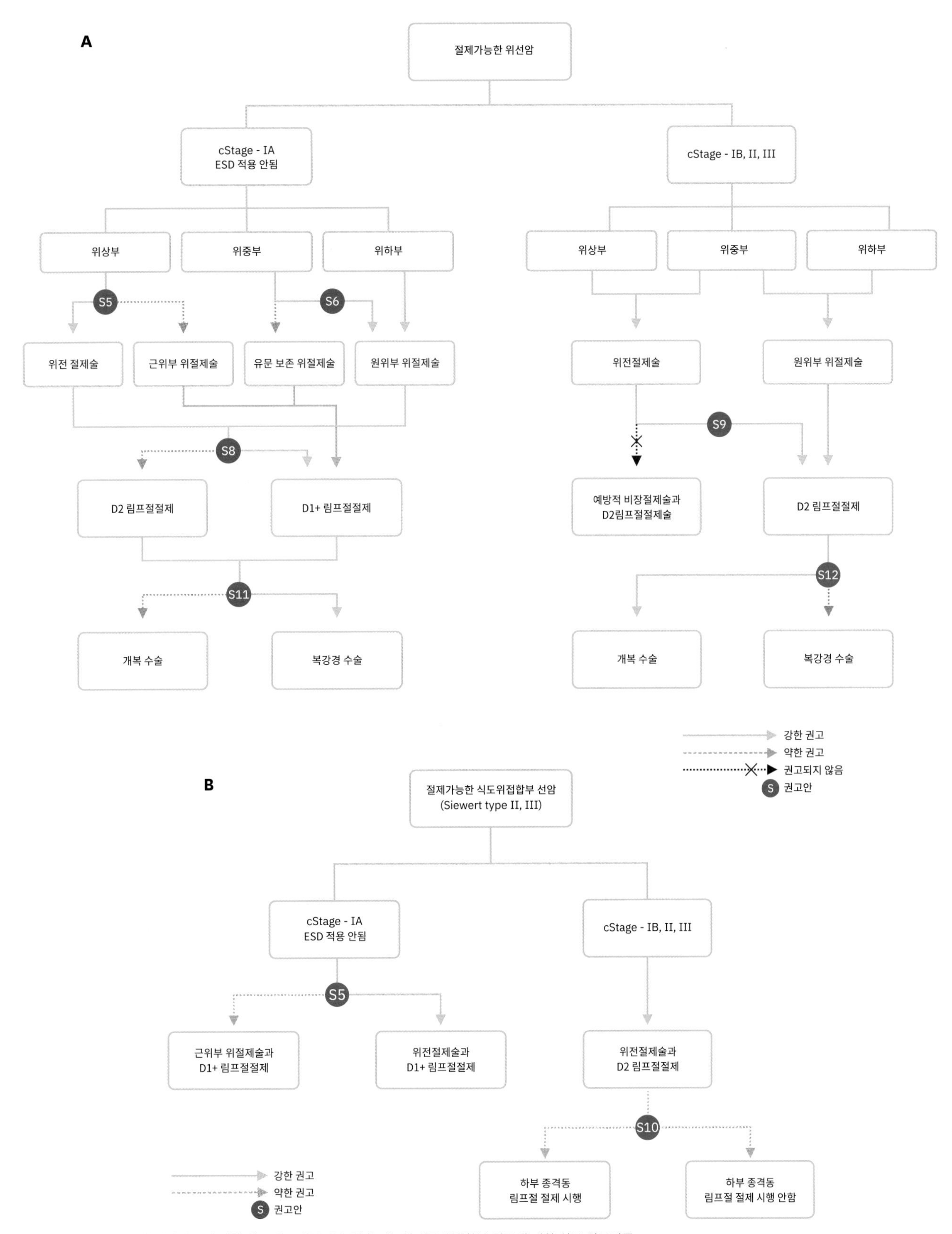

그림 3. (A) 절제 가능한 위선암종에 대한 치료 알고리즘. (B) 절제 가능한 식도위접합부 선종에 대한 치료 알고리즘.
ESD = 내시경 점막하 절제술 LND = 림프절절제.

https://doi.org/10.5230/jgc.2019.19.e8

성을 보인 수술법으로 제안되고 있다[73]. 이 결과를 바탕으로 2016년 한국에서 다기관 전향적 무작위배정 임상연구가 개시되었다(NCT02892643).

근위부 위절제술 후 잔위에서 이시성 암 발생률은 Huh 등[72]와 Ohashi 등[76]의 연구에서 각각 3.1%(6/192), 6.2%(4/65)로 나타났다.

요약하자면, 근위부 위절제술은 수술 시간 단축, 혈액 손실 감소, 수술 후 영양의 유지 개선, 빈혈 발생률 감소, 비타민 B12 수치 유지 개선, 위절제 후 증후군 발생률 감소 등의 측면에서 이점을 제공할 가능성이 있는 수술 방법이다(**그림 3A**). 그러나 근위부 위절제술 후 식도위문합술은 식도 역류 발생률을 현저히 증가시키기 때문에 재건술을 선택할 때 주의가 필요하다.

권고안 6. 유문 보존 위절제술 및 원위부 위절제술은 수술 후 장기 생존율, 영양 및 삶의 질을 고려하여 위중부 조기 위암 환자에게 시행할 수 있다(근거: 중등도, 권고: 약한 권고).

기존의 원위부 위절제술(distal gastrectomy, DG) 및 유문 보존 위절제술(pylorus preserving gastrectomy, PPG)은 위중부 조기 위암에서 시행될 수 있다.

유문 보존 위절제술은 음식물이 십이지장으로 빠르게 이동하는 것을 막고, 십이지장 내용물의 역류를 막기 위해 유문 앞 전정부와 유문을 보존한다. 결과적으로 수술 후 덤핑증후군과 역류성 위염 발생률이 감소하고 영양학적 이득을 기대할 수 있다.

유문 보존 위절제술에 관한 문헌은 대부분 후향적 연구이다. 장기 생존율을 평가한 모든 연구에서 기존 원위부 위절제술과 유문 보존 위절제술 사이의 장기 생존율은 차이가 없었다 (5년 생존율: PPG의 경우 95% vs DG의 경우 87%, P=0.087[79]; 3년 생존율: PPG의 경우 98.2% 대 DG의 경우 98.8%, P=0.702[80]; PPG의 오즈비(odds ratio, OR), 0.83, 95% CI, 0.10–6.66, P=0.86[81]; PPG에서 재발에 대한 누적 위험 함수비율(hazard ratio, HR), 0.393, 95% CI, 0.116–1.331, P=0.12[82]). 또한, 한 건의 문헌을 제외하고[79] 대부분의 연구에서는 수술 후 합병증 발생률에 차이가 없다고 보고하였다[80,81]. 예상대로 유문 보존 위절제술 이후 환자는 수술 후 덤핑 증후군과 역류의 발생률이 상당히 낮았다(역류: PPG의 경우 4% vs DG의 경우 40%), 역류성 위염: PPG의 경우 8% 대 vs DG의 경우 68%[83]; 덤핑 증후군: OR, 0.02, 95% CI, 0.10–0.41, P<0.001; 담즙 역류: OR, 0.16, 95% CI, 0.06–0.45, P<0.01; 잔류 위염: OR, 0.2, 95% CI, 0.08–0.50, P<0.001; 역류성 식도염: OR, 0.78, 95% CI, 0.43–1.40, P=0.41[81]). 몇몇 연구는 유문 보존 위절제술 이후 담석 발생이 현저하게 감소한다고 보고하였다[80,81]. 그러나 유문 보존 위절제술(PPG) 후 위 배출이 지연된 환자는 유의하게 더 많았다(수술 후 1년에 나타난 위 배출 지연 증상: PPG의 경우 15.8% vs. DG의 경우 0%; PPG의 경우 7.8% vs. DG의 경우 1.7%[80]; 위 배출 지연에 대한 OR, 2.12, 95% CI, 1.43-3.15, P<0.001[81]).

요약하자면, 위의 중간 부위에 위차한 조기 위암에서 유문 보존 위절제술을 시행하였을 때 수술 합병증과 장기 생존율은 원위부 위절제술과 비교적 유사하다(**그림 3A**). 후향적 연구 결과에 의하면, 유문 보존 위절제술이 덤핑 증후군, 역류, 담석 형성과 같은 위절제 후 증후군의 발생률을 감소시킨다고 보고되고 있으며, 수술 후 위 배출 지연은 드물지 않다. 현재 국내에서 시행한 대규모의 전향적 무작위배정 임상연구의 결과를 기다리고 있는 중이다. 따라서 유

https://doi.org/10.5230/jgc.2019.19.e8

문 보존 위절제술은 위중부 조기위암 환자에서 의사의 재량에 따라 수행될 수 있다.

권고안 7. 중하부의 위암에서 원위부 위절제술 후 위십이지장문합술 및 위공장문합술(Roux-en-Y 및 루프)가 권고된다. 여러 유형의 재건술간 장기 생존율, 기능 및 영양 측면에서 차이가 없다 (근거: 높음, 권고: 강한 권고).

중하부 위암에서 원위부 위절제술 후 Billroth I 위십이지장문합술, Billroth II 위공장문합술 및 Roux-en-Y 위공장문합술 등 다양한 재건술이 시행되고 있지만, 표준 재건술에 대해서는 여전히 합의가 이루어지지 않고 있다. 역류성 위염과 식도염, 덤핑 증후군, 위 배출 지연 등 위 부분절제술 후의 합병증은 재건 방법에 따라 달라질 수 있다[84]. 최근에 발표된 메타분석 결과에 따르면 위의 세가지 재건 방법에 따른 기능적 측면에서 덤핑 증후군의 발생률은 차이가 없었으나 내시경 소견에서는 일부 차이를 보였다. Roux-en-Y 재건술은 담즙 역류 방지(OR, 0.095; 95% CI, 0.010–0.63 및 OR, 0.064; 95% CI, 0.0037–0.84, 각각) 및 잔여 위염(OR, 0.33; 95% CI, 0.16–0.58 및 OR, 0.40; 95% CI, 0.17–0.92, 각각) 측면에서 Billroth I 및 Billroth II 재건술보다 우수하였으나 Roux-en-Y 문합술은 Billroth I 문합술에 비해서 배출 지연 빈도가 더 높았다(OR, 3.4; 95% CI, 1.1–13)[85]. 그러나 삶의 질이나 영양학적 측면에서 각 재건술간 차이는 없었다. 즉, 내시경과 위 배출 검사등과 같은 검사 결과에서는 차이가 있으나 실제 환자가 경험하는 증상에는 큰 차이가 없는 것으로 보인다[86,87]. 비록 전향적 연구를 통해 재건술에 따른 잔위암 발생률을 평가한 연구는 없지만 일본의 전국 조사에서 결과에 따르면 각 문합법간의 잔위암 발생에는 차이가 없는 것으로 보인다[88].

결론적으로, 각 재건 방법의 기능적, 영양적, 장기 예후에는 유의한 차이가 없다.

림프절 절제술

권고안 8. D1+ 림프절 절제술은 장기 생존 측면에서 조기 위암(cT1N0) 수술에 권고된다(근거: 낮음, 권고: 강한 권고).

원발병소의 절제와 함께 적절한 범위의 림프절 절제는 근치적 위암의 수술에 있어서 필수적이다. 일본위암학회 위암 치료 지침에 따르면 조기 위암 환자에서 임상적으로 림프절 전이가 의심되지 않는 경우에는 변형 D2 림프절 절제술인 D1 혹은 D1+ 림프절 절제술을 시행하는 것을 권장하고 있다. 림프절 전이가 의심되는 조기 위암의 경우에는 표준 D2 림프절 절제술을 시행하도록 권장되고 있다. 그러나 실제 변형 D2와 표준 D2 림프절 절제술을 시행받은 환자를 대상으로 한 전향적 임상연구 결과는 없는 실정이다.

이탈리아에서 발표된 후향적 연구 결과는 림프절 전이가 조기 위암 환자에서 불량한 예후 인자임을 보여주었고, 이를 바탕으로 조기 위암에도 표준 D2 림프절 절제술을 수행해야 한다고 주장하였다[89]. 그러나 다른 이탈리아 연구자들은 조기 위암 환자에서 표준 D2와 D1 림프절 절제술 이후 각각 10년 생존율을 95%와 87.5%로 보고했고, 그룹 간 통계적으로 유의한 차이는 없었다(P=0.80) [90]. 일본의 보고에 따르면 5년, 10년 생존율은 표준 D2 림프절 절제술 후 각각 97%, 91%, 그리고 변형 D2(D1+) 림프절 절제술 후 각각 98%, 91%로 나타났다. 또한 cT1N0 또는 cT1N1 질환 환자에서 2단계(second-tier) 림프절 전이 사례는 없었다[91].

https://doi.org/10.5230/jgc.2019.19.e8

이상의 결과를 종합하여, T1N0 위암 환자의 치료에는 D1+ 림프절 절제술을 권고하며, 종양학적 안전성은 D2 림프절 절제술과 비교하여 비슷하다고 할 수 있다(**그림 3A**).

> 권고안 9. 비장문 림프절 절제를 위한 예방적 비장절제술은 위상부 진행 위암의 근치적 절제 시 권고되지 않는다 (근거: 높음, 권고: 강한 금기).

위상부 위암에 대한 표준 수술은 적절한 위절제 및 림프절 절제술이다. 이 때 종양이 비장을 직접 침범하거나 비장 주변의 림프절 전이가 의심되면 근치적 비장절제술이 필요하다. 그러나 위상부 위암에서 비장절제술의 절대적인 적응증에 해당하지 않는 경우 위전절제술시 비장을 보존해야 하는지 절제해야 하는지에 대한 논란이 있다.

이를 확인하기 위한 3개의 전향적 무작위 3상 임상시험이 시행되었으나[92-94], 어떤 연구에서도 위상부 위암에서 비장문 주위의 육안상 음성인 림프절을 절제하기 위한 예방적 비장절제술이 환자들의 생존률을 향상시키지 않았다. 한국 환자들에 대한 연구만이 비장절제술 그룹에서 5년 전체 생존율이 조금 더 나은 것을 보여주었지만, 그 차이는 통계적으로 유의하지 않았다(P=0.50) [93]. 최근의 대규모 연구는 수술 후 합병증이 비장 보존보다 비장절제술에서 더 흔하지만, (16.7%와 30.3%와 P<0.010), 비장절제술을 받은 환자들의 생존률의 향상은 없었다.[94]. 그러나 종양이 Borrmann type IV 또는 대만곡에 위치한 환자에 대한 예방적 비장절제술은 가장 대규모의 무작위 제어 임상 실험의 등록 기준에 포함되지 않은 관계로 결론이 나지 않은 상태이다[94].

위상부 위암에 대한 비장절제술의 체계적 문헌 고찰에서 비장을 보존하는 위전절제술은 전체 생존율에 부정적인 영향을 미치지 않고 수술 후 합병증을 감소시킨다는 결론을 내렸다[95]. 또한 메타 분석 결과 비장절제술은 비장 보존과 비교하여 생존율을 향상시키지 못했다[96].

따라서 비장 주변의 육안적 림프절 전이가 없거나 비장 또는 췌장 원위부에 대한 직접 침범이 없는 위상부 위암의 근치적 절제에서는 림프절 절제에 대한 예방적 비장절제술이 권고되지 않는다(**그림 3A**). 이 조항은 예방적 비장절제술에 대한 내용이지, 비장문 주변의 #10 림프절에 대한 예방적 절제술에 대한 내용은 추후 연구를 통해 다뤄져야 한다.

> 권고안 10. 식도위접합부 선암에서 종격동 하부 림프절 절제는 수술 후 합병증을 증가시키지 않으면서 종양학적 결과를 개선하기 위해 수행할 수 있다 (근거: 낮음, 권고: 약한 권고).

Siewert 분류 중 type II 또는 III 식도위접합부 선암의 수술 시, 하부 종격동 림프절 절제가 반드시 필요한지는 논란의 여지가 있다. 하부 종격동 림프절 절제에 대한 양질의 의학적 근거가 부족하기 때문이다. 하부 종격동 림프절의 림프절 전이는 Siewert type II 또는 III 식도위접합부 암에서 자주 발견되지만, 대개 불량한 예후의 지표이다. 한국에서 실시한 후향적 분석에서 Siewert type II와 III 암의 5년 무병 생존율(disease free survival)은 각각 62.6%, 82.5%로 나타났다[97]. 이 연구에서 종양이 조기 위암이었을 때 두 군에서의 생존율은 양호했고 서로 유사했다(Siewert type II, III, 및 위상부(upper-third) 위암에서 각각 93.2% vs. 96.7% vs. 98.7%, P=0.158). 그러나 진행성 암의 경우 Siewert type III 암의 경우보다 Siewert type II 암의 생존율이 더 낮았다(Siewert type II, III, 및 위상부(upper-third) 위암에서 47.9% vs 75.4% vs. 71.8%, P<0.001).

https://doi.org/10.5230/jgc.2019.19.e8

이 문제에 대한 대부분의 무작위배정 임상연구에서는 복벽경유 접근법과 흉강경유 접근법의 수술 결과를 주로 비교하였다[98-101]. 그러나 Siewert type II 및 III 식도위접합부 암에서, 하부 종격동 림프절의 완전 절제 및 절제연 음성을 추구한 흉강경유 접근법이 복벽 경유 접근방식보다 생존율을 향상시킨다는 것을 입증한 연구는 없다. 식도위접합부 암에 대한 좌측 흉복부 접근법과 열공경유(transhiatal) 접근법의 결과를 비교한 일본의 무작위배정 임상연구에서 5년 전체 생존율은 각각 37.9%, 52.3%이었다. 좌측 흉복부 접근법의 사망에 대한 HR은 열공경유 접근법과 비교하여 1.36(95% CI 0.89-2.08, P=0.92)이었다.

영국에서도 2개 기관의 데이터를 사용하여 Siewert type I 및 II 식도위접합부 암에 대한 코호트 연구가 수행되었다[102]. 이 연구에서 병원 내 사망률은 각각 1.1%와 3.2%(P=0.110)였으며, 열공경유 접근법 및 흉강경유 접근법 사이에 전체 생존율 (HR 1.07, 95% CI 0.84-1.36) 또는 종양 재발까지의 시간 (HR 0.99, 95% CI 0.76-1.29)에는 차이가 없었다. 메타 분석에서는 복벽경유 접근법과 비교하여 흉강경유 접근법은 호흡기 및 심혈관 질환 등의 전신 합병증, 장기간의 입원 기간, 조기 수술 후 사망률의 발생률이 높은 것으로 보고되었으며[103], 생존율은 두 접근법간 차이가 없었다.

이러한 연구의 결과에 따라, 더 많은 림프절을 획득하고 수술 절제면 종양 음성을 달성하기 위해 흉강경유 접근법의 방식으로 식도위접합부 선암에 대한 하부 종격동 림프절 절제를 하는 것은 권고되지 않는다(**그림 3B**).

수술적 접근

> 권고안 11. 조기 위암의 경우, 수술 후 회복, 합병증, 삶의 질 및 장기 생존 측면에서 복강경 수술이 권고된다(근거: 높음, 권고: 강한 권고).

복강경 위 절제술은 현재 조기 위암 치료에 광범위하게 시행되고 있다. 2000년대 초 조기 위암의 복강경 수술과 개복수술을 비교한 첫 임상시험이 [104] 보고된 이후 여러 임상연구는 복강경 위 절제술의 종양학적 안전성과 우수성을 입증했다[23,105-111].

조기 위암에서 복강경 위 절제술과 개복 위 절제술의 5년 생존율을 비교한 무작위전향적 임상시험이 한국의 한 기관에서 시행되었는데 이 임상시험은 많은 연구 대상자를 확보하여 진행되었다. 연구 결과 복강경 위 절제술의 5년 생존률은 개복 위 절제술과 크게 다르지 않았다 (무병생존률, 98.8% vs 97.6% ; P=0.514 및 전체 생존, 97.6% vs 96.3%; P=0.721)[107]. 또한 복강경 수술의 합병증 발생률은 개복 수술(23.2% vs 41.5% P=0.012)에 비해 낮은 결과를 보였다 최근 한국에서 시행된 다기관 무작위전향적연구(KLASS-01)는 복강경 위 절제술의 단기 결과가 개복 위 절제술보다 더 우수하다는 것을 보여주었다. 본 연구에서 복강경 위 절제술의 전체 합병증 비율은 개복 위 절제술(13.0% vs 19.9% P=0.001)보다 매우 낮았으며, 사망률은 양 그룹(0.6% vs 0.3% P=0.687)[23]에서 차이가 없었다.

종합하건데, 조기 위암환자에서 적절한 림프절 절제를 동반한 복강경 위 절제술은 개복 수술에 비해 대부분의 종양학적 측면에서 더 유익한 효과를 보여주었다. 조기 위암의 수술적 치료에서는 복강경적 접근법이 기준이 되어야 한다(**그림. 3A**).

https://doi.org/10.5230/jgc.2019.19.e8

권고안 12. 진행성 위암의 경우, 단기 수술 결과와 장기 예후 측면에서 복강경 위절제술을 시행할 수 있다(근거: 중등도, 권고: 약한 권고).

국소 진행성 위암에서 복강경 위절제술의 수술 성적을 분석한 대부분의 연구들은 소규모의 후향적 연구들이다. 여러 후향적 연구들에서 복강경 위절제술은 개복 수술에 비하여 수술 시간은 더 길지만, 수술 중 출혈이 적고, 수술 후 장 회복 속도와 퇴원이 빠른 장점을 보여주었다 [112-118]. 수술 후 합병증 및 사망률에 있어서도 복강경 위절제술은 개복 수술에 비해 조금 낮거나 비슷한 결과를 보여주었다. 복강경 수술을 통한 D2 림프절 절제술의 적절성 면에서도 여러 연구에서 복강경 수술이 개복수술에 비하여 수술 후 림프절 획득 개수가 크게 다르지 않음이 보고되었다. 일부 연구들에서 진행성 위암의 복강경 위절제술 후 장기 생존을 분석하였고 이러한 연구들은 대부분 복강경 수술과 개복 수술간의 전체 생존율과 무병 생존율의 유의한 차이가 없음을 보고하였다. 그러나 이러한 결과들은 대부분 후향적 분석에 의한 선택 비틀림의 영향을 배제할 수 없고 따라서 진행성 위암에 대한 복강경 위절제술의 장기 수술 성적은 대규모 전향적 연구에서 더욱 밝혀질 필요가 있다.

현재까지 진행성 위암에서 복강경 위절제술과 개복 수술 간의 생존율을 포함한 장기 수술 성적을 비교한 전향적 연구는 매우 드물다. Park 등은[119]은 진행성 위암(cT2-4/cN0-2)에서 복강경 위 원위부 절제술과 개복 위 원위부 절제술 간의 D2 림프절 절제술의 적절성, 단기 수술 성적, 3년 무병 생존율을 비교하는 무작위배정 2상 연구를 시행하였다. 그들의 연구에서 복강경 위 원위부 절제술과 개복 위 원위부 절제술 간에 수술 후 합병증(복강경 수술 17% vs 개복 수술 18.8%, P=0.749)과 입원 기간(복강경 수술 9.8일 vs 개복 수술 9.1일, P=0.495)에 유의한 차이가 없었다. 림프절 절제술의 기술적 적절성에 있어서도 수술 후 1개 이상의 림프절 구역에서 림프절이 획득되지 않은 환자의 비율(비순응도)이 복강경 수술이 47.0%, 개복 수술이 43.2% (p=0.648)로 두 수술군 간에 유의한 차이를 보이지 않았다. 장기 생존 분석에서 3년 무병 생존율이 복강경 수술 80.1%, 개복 수술 81.9%로 이 역시 두 수술군 간에 유의한 차이를 보이지 않았다 (P=0.648). 이 외에도 서구에서 시행된 소규모의 무작위 비교 연구들에서 진행성 위암에서 복강경 위 절제술과 개복 수술이 재발과 전체 생존율에서 유의한 차이가 없음이 보고되었다[120,121]. 그러나 현재까지의 연구들이 작은 표본 크기와 다소 부적절한 연구 설계로 진행성 위암에서 복강경 위절제술의 장기 생존결과에 대해 명확한 결론을 내기에는 제한이 있다. 따라서 진행성 위암에 대한 복강경 위 절제술의 장기 생존 효과에 대해서는 현재 진행 중인 한국 (KLASS-02)과 중국 (CLASS-01)의 대규모 다기관 무작위배정 임상연구의 최종 결과를 기다려야 한다[122,123].

국소 진행성 위암에 대해 복강경 위 절제술의 단기 수술 성적은 대규모 임상시험에서 비교적 잘 입증되었다. 진행성 위암을 대상으로한 중국의 대규모 다기관 3상 비교 연구(CLASS-01)의 중간 보고에 따르면 복강경 위절제술과 개복위절재술 간에 수술 후 합병증(복강경 15.2% vs 개복 12.9%, P=0.285)에 유의한 차이가 없었다[123]. 또한 복강경 위절제술을 시행 받은 환자들은 개복 수술에 비하여 수술 후 재원일수가 유의하게 감소하였다 (복강경 10.8일 vs 개복 11.3일, P<0.001). 또 다른 소규모 3상 비교연구에서도 개복 수술과 복강경 수술 간에 림프절 획득 개수와 수술 후 합병증의 유의한 차이를 보이지 않았다[124]. 최근 발표된 일본의 다기관 연구(JLSSG 0901)에서 D2 림프절제술이 시행된 복강경 위절제술의 수술 후 문합부 누출 또는 췌장루 발생률이 4.7%로 기존의 개복 수술과 비교하여 높지 않음을 확인하였고 이

https://doi.org/10.5230/jgc.2019.19.e8

를 바탕으로 진행성 위암에서 복강경 수술과 개복 수술의 장기 생존효과를 비교하는 연구가 진행 중이다[125].

결론적으로, 진행성 위암에 대한 복강경 위절제술의 수술 후 합병증 및 재원기간 등과 같은 단기 수술 성적과 D2 림프절 절제술의 기술적 적절성에 대해서는 여러 후향적 연구와 전향적 비교 연구들에서 잘 입증되었다. 그러나 진행성 위암에 대한 복강경 위 절제술의 장기 생존 결과는 아직 후향적 연구들의 결과가 대부분이며 따라서 현재 진행중인 대규모 무작위배정 임상연구들의 결과를 기다려야 한다 (**그림 3A**).

로봇 위 절제술

현재의 로봇 수술 시스템은 외과의사들이 기존의 복강경 수술에 비해 더 정확하고 철저한 수술을 할 수 있도록 3차원적 시야, 손목의 자유로운 움직임을 지니는 기구, 떨림 보정과 같은 장점을 제공한다[126-129]. 로봇 위 절제술의 장점이 비용보다 더 중요한지는 불분명하지만 위암 치료를 위한 로봇 수술의 첫 임상적 적용 이후 로봇 위 절제술의 사용이 점차 확대되었다[126,129]. 로봇 위절제술은 기존의 복강경 위절제술보다 출혈 감소 및 더 많은 획득 림프절 수를 포함한 여러 가지 임상적 이점을 보여주었다 [126,130-132]. 그러나 이러한 이점들이 환자의 단기 결과를 크게 개선하지는 않는 것으로 보였다[126,129,130]. 이러한 결과는 로봇 위절제술의 비교적 초기 경험 결과와 이미 잘 확립된 복강경 수술 결과를 비교하는 비무작위 임상시험인 한국의 전향적 다기관 연구에서도 재확인되었다[129]. 몇 가지 후향적 분석에 의해 보고된 로봇 위 절제술의 장기 종양학적 결과는 복강경 수술의 결과와 유사하지만, 근거는 여전히 부족하다[126,131,132]. 전반적으로 로봇 위절제술은 기술적으로 가능하고 안전하며 초보자가 배우기 쉬운 장점이 있으나, 복강경 위절제술을 뛰어넘는 장점은 뚜렷하지 않다.

보조 요법

> 권고안 13. D2 림프절 절제술을 포함한 근치적 수술 후 병리학적 II기 또는 III기 위암 환자에 대해 보조 항암화학요법(S-1 또는 capecitabine + oxaliplantin)이 권고된다(근거: 높음, 권고: 강한 권고).

D2 림프절 절제를 포함한 수술적 절제는 위암의 표준치료이다. 그러나 진행성 위암의 경우 근치적 절제 후에도 국소 및 원위 재발의 빈도가 높으며, 그 예후도 대체로 매우 저조하다[133].

유럽의 제3상 연구에서 보조 항암화학요법을 포함한 수술 전후 항암화학요법은 절제가능한 위 식도암 환자에 대해 수술만 단독으로 시행하는 것보다 생존율에 있어서 우월한 것으로 입증되었다 [134,135]. 이러한 유럽의 연구들에서는 D2 림프절 절제가 포함되는 경우가 30% ~ 50%에 불과하기 때문에, D2 림프절 절제가 표준적으로 이루어지는 동아시아에서 수술 전후 항암화학요법은 표준적인 치료로 받아들여지지 않았다. 최근 아시아 환자들을 대상으로 수행된 2개의 대규모 무작위배정 3상 임상연구에서 절제가능한 위암 환자에서 D2 림프절 절제를 포함한 근치적 수술 후 관찰 대비 보조 항암화학요법의 유의한 생존율의 개선이 확인되었다 [136,137]. 일본의 TS-1 보조 항암화학요법 임상연구(ACTS-GC)에서, 2기(T1 제외) 또는 3기 위암(by Japanese classifcation, 2nd English edition [138]) 환자 1.059명에게 D2 위절제술 후 경

과관찰만을 실시하거나 수술 후 1년 동안 S-1을 투여하였다[136]. 3년 시점의 무재발 생존율은 S-1군에서 72.2%, 수술 단독군에서 59.6%였으며(HR, 0.62; 95% CI, 0.50–0.77; P<0.001), 3년 전체 생존율은 각각 80.1%와 70.1%였다 (HR, 0.68; 95% CI, 0.52–0.87; P=0.003). 아시아 환자들을 대상으로 한 보조 항암화학요법에 대한 또 다른 3상 임상연구는 한국, 중국 및 대만에서 수행된 capecitabine과 oxaliplantin 보조 항암화학요법 연구(CLASSIC)로서, 수술후 II-IIIB기 위암(AJCC 6판[139] 기준) 환자 1.035명이 D2 위절제술 후 6개월 동안 경과관찰만을 시행받거나 capecitabine과 oxaliplantin을 투여받았다 [137]. 3년 무병생존율은 보조 항암화학요법군에서 74%였으며 수술 단독군에서는 59%였다(HR, 0.56; 95% CI, 0.44–0.72; P<0.001). 이들 두 연구의 5년 추적관찰 데이터로 보조 항암화학요법의 생존율 개선에 대한 결과가 다시 한 번 확인되었다 [140,141].

이 연구들의 결과에 기초하여, 두 항암화학요법 모두(S-1 또는 capecitabine + oxaliplantin) 현재 동아시아에서 D2 위절제술 이후 병리학적 II 또는 III기 위암의 표준 치료로 받아들여지고 있다 (**그림 1**).

권고안 14. D2 림프절 절제술로 완전 절제를 한 위암 환자에서 재발을 줄이고 생존율을 향상시키기 위하여 수술 후 보조 항암화학방사선요법을 추가할 수 있다(근거: 높음, 권고: 약한 권고).

국소 진행된 위암은 전 절제 후에도 높은 국소 및 지역 재발률이 보고된다[142]. 보조적 방사선요법를 화학요법과 병행하여 재발을 최소화하고 치료 결과를 개선하려는 시도가 있었으며, 몇몇 전향적 또는 후향적 연구는 국소 지역 재발률을 줄여 생존율 향상이라는 유망한 결과를 보여주었다[143-145]. 이러한 맥락에서, 병리학적 IB기에서 IV(M0)기까지의 위암(AJCC 6판[139]에 의한)에서 수술 후 보조 항암화학방사선요법 대 단독 수술을 비교하는 무작위배정 3상 임상시험이 수행되었다(South Western Oncology Group-Directed Intergroup Study) [INT-0116]) [146,147]. 보조 항암화학방사선요법을 추가할 때, 생존의 상당한 연장과 재발의 감소 같은 분명한 이점이 있었다. 그러나 INT-0116 연구의 긍정적인 결과에도 불구하고 몇 가지 제한점이 있었다. 첫째, 이 연구에서 국소 진행 위암에서 표준 수술 절차로 권장되는 D2 림프절절제술은 등록한 환자의 10%에서만 시행되었다[65]. 둘째, 이 연구는 주로 서양의 위암 환자들을 대상으로 실시되었으며, 한국인을 포함한 동양인의 위암 특성은 다르다는 점이다[148]. 이러한 한계 때문에 완전히 절제된 위암에서 보조 방사선요법의 필요성은 여전히 논란이 되고 있다.

한편, Dutch Gastric Cancer Group에서 실시한 후향적 통합 분석 결과 보조 항암화학방사선요법은 D1 림프절 절제술 후 국소 재발을 억제할 뿐만 아니라 생존율을 향상시켰지만 D2 림프절 절제술을 시행한 군에서는 그렇지 않았다고 보고하였다.[149].

이후, 보조 항암화학요법 단독의 무작위배정 3상 임상시험에서 수술에 비해 생존율 향상을 보여주면서 표준 치료로 자리잡았다[136,137,140,141]. 따라서, 항암화학요법에 추가되는 방사선요법 자체의 역할에 대한 의문은 더욱 커졌다. 몇몇 무작위배정 임상연구는 D2 림프절절제술로 완전한 절제된 위암에서 보조 항암화학방사선요법과 항암화학요법을 비교했다 [150-154]. 이 중 국내 단일 기관(Lee 등, [153] Adjuvant Chemoradiation Therapy in Stomach Cancer [ARTIST] trial)에서 진행한 한 임상시험은 사전 계획된 환자 모집을 완료하였지만, 이를 제외한 3개의 임상시험(한국 2건 및 그리스 1건)은 계획된 등록을 완료하지 못하고 조기

https://doi.org/10.5230/jgc.2019.19.e8

종료되었다[150-152]. 나머지 1건의 중국 다기관 임상시험에서는 계획된 환자 수나 등록 완료에 대한 언급이 없었다[154].

전술한 임상시험들에 대한 메타분석에서는 방사선요법을 병행한 경우가 항암화학요법에 비해 국소무병 생존율 뿐만 아니라 무병 생존율도 개선할 수 있는 것으로 나타났다[155-160]. 그러나, 보조 항암화학방사선요법을 통한 전체 생존율 개선은 입증되지 않았다. 또한, ARTIST 시험은 국소무병 생존율 측면에서 상당한 이점을 나타냈지만, 모든 환자에 대한 장기 경과관찰 후에도 전체 생존율뿐 아니라 무병 생존율 측면에서 단일 항암화학요법에 대비 보조 항암화학방사선요법의 우월성을 확인하는 데 실패했다[153,161,162]. 보조 항암화학방사선요법의 무병 생존율 측면의 개선 효과는 림프절 전이가 동반된 환자로 국한되었다. 상기 연구는 국내에서 실시·완료된 잘 설계된 전향적 연구로 한국 환자에 대한 위암 보조 방사선요법의 가장 신뢰할 수 있는 연구로 평가된다.

이러한 연구 결과에 기초하여, 보조 항암화학방사선요법은 불완전 절제 또는 D2 림프절 절제술 이하의 위암 환자에서 고려될 수 있다(**그림 1**). 또한 D2 림프절 절제술로 완전한 절제를 한 후 위암 환자, 특히 림프절 전이가 있는 환자에 대해서는 보조 항암화학방사선요법을 고려할 수 있다.

선행 요법

> 권고안 15. D2 림프절 절제가 고려되는 경우, 잠재적으로 절제 가능한 위암의 선행 항암화학요법에 대한 유효성의 근거는 결정적이지 않다(근거: 높음, 권고: 권고없음).

유럽의 제3상 연구에서 선행 항암화학요법을 포함한 수술 전후 항암화학요법은 잠재적으로 절제가 가능한 위암에서 수술 단독 대비 그 생존율이 우월한 것으로 입증되었다. MAGIC 임상연구에서 수술로만 치료받은 환자의 생존율을 수술 전후 epirubicin, cisplatin 및 주입용 5-fluorouracil (5-FU)이 투여된 환자와 비교하였으며, FNCLCC/FFCD 임상연구에서는 수술 전후 cisplatin 및 주입용 5-FU이 투여된 환자의 생존율을 비교하였다[135,163]. 이들 연구에서, 수술 전후 항암화학요법은 전체생존율와 무진행 생존기간(progression-free survival, PFS) 또는 무병생존율을 유의하게 연장시켰다. FLOT-4 연구에서는 5-FU, leucovorin, oxaliplatin 및 docetaxel로 이루어진 수술 전후 항암화학요법이 수술 전후 epirubicin, cisplatin 및 5-FU 또는 capecitabine 보다 우월한 생존율을 보였다[134]. 그러나 이들 유럽 연구들에서는 환자의 30%~50%에서만 D2 림프절 절제가 실시되었으므로, D2 림프절 절제가 표준 치료인 우리나라의 환자에게는 이러한 수술 전후 항암화학요법이 적용되지 못할 수 있다. 최근, 일본의 3상 JCOG 0501 연구에서 진행된 국소진행성 위암 환자를 대상으로 수술전 S1과 cisplatin병용요법을 2주기 투여 후 D2 수술과 수술후 S-1을 투여한 수술 전후 항암화학요법을 D2 수술 후 보조 S-1 요법과 비교하였다. 이 임상연구의 두 군간 전체생존율과 무진행생존기간에서 통계적으로 유의한 차이는 관찰되지 않았다 [164].

따라서 잠재적으로 절제가능한 위암에서 선행 항암화학요법은 현재 우리나라에서는 그 유효성에 대한 근거가 결정적이지 않다(**그림 1**).

https://doi.org/10.5230/jgc.2019.19.e8

권고안 16. D2 림프절 절제가 고려되는 경우, 국소 진행성 위암의 선행 항암화학방사선요법에 대한 유효성의 근거는 결정적이지 않다. (근거: 높음, 권고: 권고 없음).

선행 항암화학방사선요법은 주로 식도, 식도위 경계 및 위 분문의 암에 대해 연구되었는데, 이 위치들은 완전한 R0 절제를 하기가 어려우며 따라서 국소 지역 재발의 확률이 더 높다. 식도위 경계 부위 또는 위의 절제 가능한 암에 대해서 선행 항암화학방사선요법 대 선행 항암화학요법의 효과를 비교하기 위한 두 개의 무작위배정 임상연구가 수행되었고 한 개의 시험이 진행 중이다[165-168].

POET(Preoperative Therapy in Esophagogastric Adenocarcinoma Trial) 연구에서는 수술 전 요법으로 선행 항암화학방사선요법 이후 병리학적 완전 관해(15.6% 대 2.0%)와 병리학적 N0(64.4% 대 37.7%)가 선행 항암화학요법만 사용한 것에 비해 높은 비율로 나타났다[168]. 또한, 통계적 유의성(P=0.07)에 도달하지 못했지만, 선행 항암화학방사선요법(3년차, 47.4% 대 27.7%) 이후 개선된 전체 생존율도 눈에 띄었다. 개선된 전체 생존율은 국소 무병 생존율(P=0.01; HR, 0.37)의 유의미한 개선과 함께 장기 분석(5년차, 39.5% 대 24.4%, P=0.06)에서도 유지되었다[167]. 또한 스웨덴과 노르웨이에서 진행된 다른 무작위배정 임상연구에서도 선행 항암화학방사선요법의 유사한 개선 효과가 보고되었다[165]. 이 연구에서 선행 항암화학방사선요법은 병리학적 완전 관해(28% 대 9%, P=0.002), 병리학적 N0(62% 대 35%, P=0.001), R0 절제율(87% 대 74%, P=0.04)의 확률이 더 높았다. 최종 결과가 발표되지 않은 TOPGEAR(Trial of Preoperative Therapy for Gastric and Esophagogastric Junction Adenocarcinoma) 연구에서도 치료 관련 독성이나 외과적 병적 상태의 유의미한 증가 없이 환자의 대다수(85%)에게 선행 항암화학방사선요법이 안전하게 전달될 수 있음을 입증했다[166]. 이러한 결과는 무작위 시험에 대한 여러 메타 분석에서 확인되었다[159,169-171].

이 연구들은 그 결과가 유의미하지만, 주로 병변이 식도 또는 식도위접합부에 위치한 환자들을 대상으로 수행되었다. 식도위접합부 암은 서구 국가에서 흔히 볼 수 있으며[148] 위암 중 주로 식도위접합부 암에 대한 선행 항암화학방사선요법의 효능을 평가하는 대부분의 연구도 서양인 환자를 대상으로 수행되었다. 따라서 위암이 주로 전정부와 체부에서 발생하는 한국인을 포함한 동양인 환자에서 이러한 결과를 단순히 적용하는 것은 부적절할 수 있다[148](**그림 1**). 위암에 대한 선행 항암화학방사선요법의 영향을 평가하기 위해서는, 식도위접합부 이외의 위치에 위암이 있는 동양인 환자를 대상으로 한 추가적인 전향적 연구가 필수적이다[148].

완화 요법

국소적으로 진행된 절제불가능 또는 전이성 위암의 예후는 매우 불량하다. 이러한 환자들의 중앙생존기간은 6~13개월로, 이들의 치료 목표는 질병과 관련한 증상을 완화하고 생존 기간을 연장하는 것이다. 완화적 전신항암요법은 또한 최선의 지지치료보다 더 우수한 삶의 질을 제공한다. 따라서 전신항암요법은 국소적으로 진행된 절제불가능(절제불가능한 T4b 또는 광범위한 국소림프절 전이) 또는 전이성 질환 또는 비근치적 절제 후의 환자에 대해 고려

https://doi.org/10.5230/jgc.2019.19.e8

해야 할 일차 치료이다. 이러한 완화적 전신항암요법은 환자의 전신수행 상태, 의학적 동반 질환 및 장기 기능 등을 고려하여 결정해야 한다. 또한 전신항암요법은 다양한 환자 또는 위암 관련 상태를 고려하여 임상의가 각 환자에 대해 개별화 할 수 있으며, 임상연구의 참여 또한 적극적으로 고려해야 한다. 최근 독일에서 수행된 연구에서 환자의 선호도가 항암화학요법에 대한 낮은 독성, 자가관리 능력 및 추가적인 생존 이득을 포함한 특정 반응에 영향을 준 것으로 보고되었다[172]. 따라서 완화요법에 관한 의사결정을 할 때에는 환자의 선호도 역시 고려해야 한다.

수술

> 권고안 17. 전이성 위암에서 위 절제술은 출혈, 천공, 폐색등과 같은 긴급 증상 완화를 위한 목적으로만 시행되어야 한다. (근거: 높음, 권고: 강한 금기).

전이성 위암에서 위절제술은 일반적으로 출혈, 천공, 폐색과 같은 환자의 긴급한 증상을 해결하기 위해 시행되었다. 그러나 전이성 위암에서 위절제술의 장기 생존 효과에 대해서는 오랫동안 논란이 되어 왔다. 일부 연구들은 전이가 있더라도 위절제술이 시행된 경우 항암화학요법 단독에 비하여 생존율이 현저하게 개선된다고 보고하였다[173-179]. 특히 다른 전이가 없고 간 전이만 존재하는 경우 위절제술과 간절제술을 함께 시행함으로써 환자의 생존율을 증가시킬 수 있다고 보고하였다[180-183]. 반대로 다른 연구들에서는 전이성 위암에서 위절제술은 환자의 생존율을 증가시키지 않을 뿐 아니라 삶의 질 향상 효과 역시 없다고 보고하고 있다[184-191]. 한편, 전이성 위암에서 위절제술의 생존효과를 분석한 14개 후향적 연구의 메타분석에 따르면 위절제술은 항암화학요법 단독에 비하여 환자의 생존율을 향상시킬 수 있는 것으로 나타났다[192]. 다른 메타분석에서도 위 절제술은 전이성 위암에서 환자의 생존율을 (OR, 2.6; 95% CI, 1.7–4.3; $P<0.001$)을 향상시킬 수 있다고 보고하였다[193]. 그러나 이러한 연구들 대부분은 후향적 분석에 따른 선택 비툴림의 영향이 있기 때문에 전이성 위암에 대한 위절제술의 생존효과에 대한 결과를 그대로 받아들이기에는 제한이 있다.

현재까지 전이성 위암에 대한 위절제술의 생존효과를 분석한 대규모 무작위배정 3상 임상연구는 한국, 일본, 싱가포르에서 시행된 다국적 연구(REGATTA trial)가 유일하다[194]. 이 연구에서 간, 복막, 원격 림프절 등에 단독 전이를 가진 전이성 위암 환자 175명에 대하여 위절제술과 항암화학요법 단독으로 무작위 배정하였다. 이 연구의 중간 분석 결과, 위절제술은 항암화학요법 단독에 비하여 전체 생존율(HR, 1.08; 95% CI, 0.74–1.58; P=0.66)과 무진행 생존율(HR, 1.01; 95% CI, 0.74–1.37; P=0.96)에 유의한 차이가 없었다. 이 결과를 바탕으로 2013년 이 시험은 조기 중단이 결정되었으며, 전이성 위암환자에서 위절제술은 항암화학요법 단독에 비하여 생존율 향상을 보여주지 못했다는 결론을 내렸다.

결론적으로, 비록 몇몇 후향적 연구들이 전이성 위암에 대한 위절제술의 잠재적인 생존율 향상을 보고했지만, 대규모 다기관 무작위배정 임상연구에서 위 절제술은 전이성 위암에서 환자의 생존을 향상시키지 못한다는 것이 증명되었다. 따라서 전이성 위암에서 위절제술은 출혈, 천공, 패색와 같은 환자의 긴급 증상을 완화시키기 위한 목적으로만 시행되어야 한다(**그림 1**).

https://doi.org/10.5230/jgc.2019.19.e8

일차 전신항암요법

권고안 18-1. 환자의 전신 수행상태 및 주요 장기 기능이 보존된 경우, 국소적으로 진행된 절제 불가능 또는 전이성 위암 환자에게 완화적 1차 platinum+fluoropyrimidine 병용요법이 권고된다 (근거: 높음, 권고: 강한 권고).

진행성 위암에 효과적인 세포독성 항암제에는 주입용 5-FU, 경구용 fluoropyrimidine, platinum 제제, taxane계, irinotecan 및 anthracycline계 약제들이 포함된다. 무작위 배정 연구들에서 국소적으로 진행된 절제불가능 또는 전이성 위암의 치료를 위한 다양한 5-FU 기반의 요법들이 평가되었다[195-197]. 이러한 연구들을 종합한 메타분석에서, 최선의 지지치료 대비 항암화학요법으로 유의한 생존기간의 증가를 보였으며, 그 기간은 약 6개월 증가한 것으로 나타났다. 또한, 병용요법은 단일 약제 대비 통계적으로 유의한 생존기간의 증가를 보였다 [198](**그림 4**).

주입용 5-FU가 진행성 위암에 가장 일반적으로 사용되는 세포독성 항암제 중 하나이지만, 연속 정맥 내 주입 투여는 입원 기간을 연장하고 혈전증 및 감염을 유발할 수 있다. 무작위 배정 3상 연구들에서 경구용 fluoropyrimidine 약제인 capecitabine [199-201]과 S-1[202, 203]이 주입용 5-FU에 비해 열등하지 않음이 입증되었다. 따라서 경구용 fluoropyrimidine (capecitabine 또는 S-1)은 진행성 위암 환자에서 platinum화학물과의 병용요법으로 5-FU를 편리하게 대체할 수 있는 약제이다. 여러 해 동안, cisplatin은 진행성 위암 환자들의 치료에 가장 많이 사용되는 세포독성 항암제였다. 그러나 cisplatin의 구역, 구토, 신독성 및 이독성과 같은 관련 일부 부작용을 피하기 위해, 다른 platinum 제제들이 연구되었다. REAL-2 연구 결과, oxaliplatin 기반 병용요법은 전체생존율 측면에서 cisplatin 기반 병용요법 대비 열등하지 않은 것으로 보고되었다[199]. 독일에서 수행된 무작위 배정 임상연구에서 나이가 많은 환자에서 oxaliplatin은 cisplatin보다 우수한 유효성을 보였으며, 전체적인 독성의 발생빈도는 더 낮은 것으로 나타났다[204]. 일본에서의 G-SOX 연구와 한국에서의 SOPP 연구에서는 S-1과 oxaliplatin 이 진행성 위암 치료에 대해 S-1과 cisplatin만큼 효과적이며, 안전성면에서는 보다 우수한 것으로 보고되었다[205,206]. 따라서 oxaliplatin은 생존 기간 연장에 있어서 적어도 cisplatin 만큼 효과적이며 대체로 내약성은 더 우수하다고 하겠다.

세포독성 항암제의 병용요법과 관련하여, 2제보다 3제 병용요법이 더 이점이 있는지 여부는 여전히 확실하지 않다. 3상 V325 연구에서 docetaxel, cisplatin, 5-FU (DCF)의 병용요법이 cisplatin+5FU의 경우보다 전체 반응률, 무진행 생존기간 및 전체 생존율을 증가시키는 것으로 나타났다[207]. 그러나 V325 연구는 비교적 젊은 환자군을 대상으로 하였고(연령 중앙값 55세), 그 생존의 득이 크지않았던 반면(9.2 [DCF] vs. 8.6개월[CF]), 혈액 및 위장관 독성을 현저하게 증가시키기 때문에 실제 진료현장에서 DCF 3제 병용요법을 치료하는 데는 어려움이 있다. 다양한 임상연구들에서, 용량이나 일정을 조정한 수정된 DCF 요법으로 진행성 위암 환자의 안전성 프로파일 향상과 함께 유효성이 입증되었다. 따라서, 일부 위암 환자들은 docetaxel을 포함한 3제 병용요법이 이로울 수 있지만, 이에 따른 부작용 증가를 반드시 고려해야 한다(높음, 약하게 권고됨).

https://doi.org/10.5230/jgc.2019.19.e8

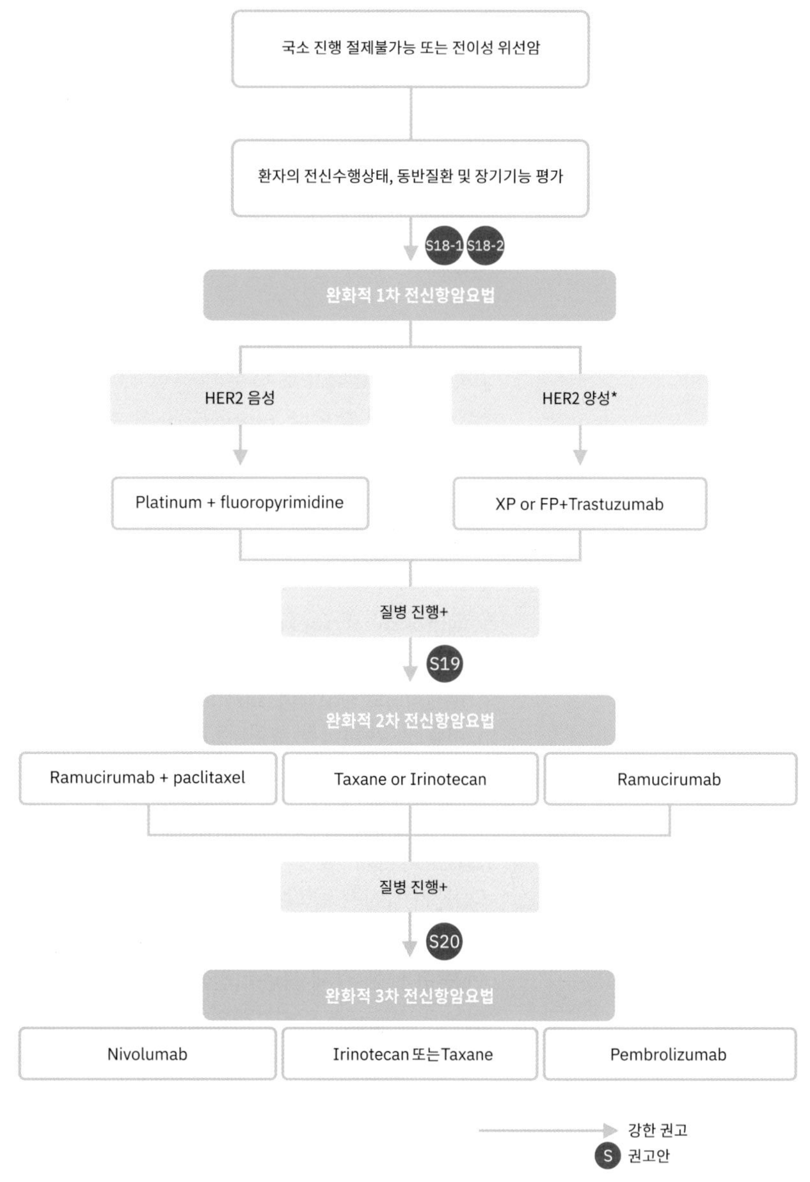

그림 4. 완화적 전신항암요법을 위한 치료 알고리즘.
HER2 = human epidermal growth factor receptor 2(인간표피성장인자수용체 2); XP = capecitabine and cisplatin(카페시타빈과 시스플라틴); FP = fluorouracil and cisplatin(플루오로우라실과 시스플라틴); IHC = immunohistochemistry(면역조직화학염색).
*HER2 IHC 3+ 또는 IHC 2+ 및 제자리 부합법 양성; †환자의 전신 수행상태, 동반질환 및 장기 기능 평가.

> 권고안 18-2. 인간 표피성장인자수용체 2(HER2) 면역조직화학염색(IHC) 3+ 또는 IHC 2+ 및 제자리부합법(ISH) 양성의 국소적으로 진행된 절제 불가능 또는 전이성 위암환자에게 완화적 1차 trastuzumab + capecitabine 또는 fluorouracil + cisplatin의 병용요법이 권고된다 (근거: 높음, 권고: 강한 권고).

Trastuzumab은 인간화 항HER2 면역글로불린 G1 (IgG1) 단클론 항체로 진행성 위암의 1차 완화적 전신항암요법으로 효능이 입증된 최초의 생물학적 제제이다(**그림 4**). ToGA (Trastuzum-

ab for Gastric Cancer) 임상연구에서 cisplatin+fluoropyrimidine 2제 병용요법에 trastuzumab을 추가하였을 때, 전체 생존기간이 통계적으로 유의하게 증가됨이 입증되었다(13.8 vs. 11.1개월; HR, 0.74; 95% CI, 0.60–0.91; P<0.01) [208]. 사후 하위군 분석에서 trastuzumab 병용요법의 효과는 IHC 3+또는 ICH 2+ 및 ISH-양성 위암 환자에서 전체 생존기간이 더욱더 유의하게 증가함이 밝혀졌다(16.0 vs. 11.8개월; HR, 0.65; 95% CI, 0.51–0.83). 따라서 HER2 양성 위암 환자에게 trastuzumab 포함한 전신항암요법이 권고되며, ToGA 연구에 근거하여 trastuzumab, cisplatin 및 capecitabine 또는 주입용 5-FU의 병용요법이 권고된다.

표피성장인자 수용체(EGFR), 간세포 성장인자 수용체(HGFR) 및 혈관 내피 성장인자 수용체(VEGFR)를 표적으로 하는 다양한 약제들이 진행성 위암을 위한 완화적 1차 전신항암요법으로 시도되어 왔으나, trastuzumab을 제외하고는 이들 약제 중 3상 임상연구에서 유의한 생존율의 증가를 입증한 약제는 없었다.

이차 전신항암요법

권고안 19. 환자의 전신 수행상태 및 주요 장기 기능이 보존된 경우, 국소적으로 진행된 절제 불가능 또는 전이성 위암 환자에게 완화적 2차 전신항암요법이 권고된다. Ramucirumab + paclitaxel 이 우선적으로 권고되며 irinotecan, docetaxel, paclitaxel, 또는 ramucirumab의 단독요법 역시 고려할 수 있다 (근거: 높음, 권고: 강한 권고).

무작위배정 임상연구 및 메타분석에서 완화적 2차 항암화학요법(irinotecan 또는 taxane 병합)은 최선의 지지치료 단독과 비교하여 국소적으로 진행된 절제불가능 또는 전이성 위암 환자에게서 유의한 생존율의 증가를 입증하였다(HR, 0.64; 95% CI, 0.52–0.79; P<0.001) [209-212](**그림 4**). 약제별로 보면 3상 임상연구들에서 주 1회 paclitaxel 투여와 irinotecan 투여는 유사한 전체 생존기간을 보였다[213,214]. 또한 VEGFR-2를 표적으로 하는 단클론 항체인 ramucirumab 역시 2개의 3상 이중 눈가림 위약 대조 임상연구들에서 유의한 생존율의 향상을 보였다. REGARD 연구에서 ramucirumab을 투여받은 환자는 위약을 투여받은 환자군과 비교하여 전체생존율와 무진행생존율 모두의 개선을 보였다[215]. 이와 유사하게, RAINBOW 연구에서 주1회 paclitaxel요법에 비하여 ramucirumab+paclitaxel 병용요법은 전체 생존기간을 유의하게 연장시켰다(9.6 vs. 7.4개월; HR, 0.807; 95% CI, 0.678–0.962; P=0.017) [216].

완화적 2차 전신항암요법에 관련된 임상연구들의 결과에 근거하여, paclitaxel+ ramucirumab 병용요법은 가장 선호되는 2차 전신항암요법으로 권고된다. Irinotecan, docetaxel, paclitaxel, ramucirumab 또한 환자가 완화적 1차 전신항암요법으로 이 약제들을 투여받지 않았었다면, 단일 약제로 고려될 수 있다.

최근 anti-programmed cell death (PD-1) 항체인 pembrolizumab이 초기 완화적 전신항암요법 후 질병이 진행된 현미부수체 불안정성(microsatellite instability-high, MSI-H) 또는 불일치 복구 결함(deficient mismatch repair, MMR) 고형암의 치료에 대해 미국 식품의약국(Food and Drug Administration, FDA)의 승인을 받았다. 따라서, pembrolizumab은 MSI-H 혹은 dMMR 위암 환자에게 완화적 2차 또는 그 이후의 전신항암요법으로 고려해볼 수 있다[217].

https://doi.org/10.5230/jgc.2019.19.e8

삼차 전신항암요법

권고안 20. 환자의 전신 수행상태 및 주요 장기 기능이 보존된 경우, 국소적으로 진행된 절제 불가능 또는 전이성 위암 환자에게 완화적 3차 전신항암요법이 권고된다(근거수준: 높음, 권고: 강한 권고).

위암에서 완화적 3차 항암화학요법에 대한 명확한 근거가 부족함에도 불구하고, 몇몇 2상 및 후향적 연구 결과에서 완화적 3차 taxane- 또는 irinotecan 기반 항암화학요법으로 15%~20%의 반응률이 보고되고 있다[218-220](**그림 4**). 우리나라에서 수행된 무작위배정 3상 임상연구에서, 2차 또는 3차 완화적 항암화학요법은 최선의 지지 치료 대비 생존기간을 유의하게 연장시켰다[210]. 따라서 완화적 2차 항암화학요법으로 사용되지 않았던 세포독성 약제(예: irinotecan, paclitaxel, or docetaxel)을 이용한 완화적 3차 항암화학요법이 권고될 수 있다(근거: 중등도, 권고: 강력히 권고됨). 최근 표준요법에 불응성인 전이성 위암 환자에 대한 3상 연구에서 TAS-102 (trifluridine/tipiracil)가 최선의 지지치료에 비해 생존기간이 유의하게 증가됨이 확인되었다[221]. TAS-102가 위암에서의 사용이 승인된다면, 완화적 3차 항암화학요법으로 TAS-102를 고려할 수 있겠다(근거: 높음, 권고: 약하게 권고됨).

VEGFR-2의 tyrosine kinase 억제제인 apatinib mesylate는 2차 이상의 완화적 전신항암요법 후 질병이 진행된 환자의 생존기간을 유의하게 연장시켰다 [222]. 그러나 완화적 2차 전신항암요법으로 ramucirumab을 포함한 요법이 2차 전신항암요법의 표준치료가 되면서, apatinib mesylate의 ramucirumab에 대한 내성 극복 면에서의 효과는 분명하지 않다. 또한 apatinib mesylate에 대한 3상 연구 결과는 중국 환자들에서 보고된 결과가 유일하므로, 이러한 결과를 확고히 하기 위한 추가 연구들이 필요하다(근거: 높음, 권고: 약하게 권고됨).

최근 면역관문 억제제들이 PD-1 수용체의 억제를 통해 항종양 T-세포 활성을 증가시키는 것으로 나타난 바 있다. Nivolumab은 인간화 IgG4 항 PD-1 단클론 항체이다. 완화적 3차 또는 그 이후 전신항암요법으로 nivolumab을 위약과 비교한 3상 임상연구에서 유효성 및 안전성을 입증하였다(중앙생존기간, 5.26 vs. 4.14개월; HR, 0.63; 95% CI, 0.51–0.78; $P<0.001$) [223]. 또 다른 항 PD-1 항체인 pembrolizumab 역시 1b상 임상연구(KEYNOTE-012) 및 2상 임상연구(KEYNOTE-059; 코호트 1)에서 완화적 2차 이상의 전신항암요법을 받았던 진행성 위암 환자들에 대해 그 효과 및 안전성을 입증하였다. 그리고 pembrolizumab에 대한 반응률은 PD-L1 양성 종양에서 PD-L1 음성 종양 대비 더 높은 경향을 보였다 [224,225]. 이에, nivolumab은 아시아 위암 환자에서 PD-L1 상태와 상관없이 완화적 3차 전신항암요법으로 한국, 일본 및 대만에서 허가를 받았다(근거: 높음, 권고: 강력히 권고됨). Pembrolizumab은 PD-L1 양성 환자에 대해 완화적 3차 전신항암요법으로 미국 FDA의 승인을 받았다(근거: 중등도, 권고: 약하게 권고됨).

방사선 요법(RT)

권고안 21. 재발 또는 전이성 위암에서 증상 완화 또는 생존율 개선을 위해 완화적 방사선요법을 시행할 수 있다. (근거수준: 중등도, 권고: 약한 권고).

전신 항암화학요법은 재발성 위암이나 전이성 위암의 관리를 위한 주된 치료법이다[50].

https://doi.org/10.5230/jgc.2019.19.e8

단, 방사선요법을 포함한 국소 치료의 추가는 특정 상황에서 항암화학요법만 시행하는 것보다 환자에게 도움을 줄 수 있다[226-231].

하지만 아쉽게도 재발성 위암이나 전이성 위암에서 방사선치료를 추가하는 데 따른 효능을 평가한 전향적 무작위배정 3상 연구는 없다. 그러나, 여러 가지 전향적 및 후향적 분석에서 증상이 있는 진행성 위암에 방사선치료를 추가하여 성공적인 증상 완화[228-230] 및 생존 연장이 보고되었다[226-228,231]. Tey 등 [230]의 연구에서는 방사선치료 이후 종양 출혈(83/103, 80.6%), 폐색(9/17, 52.9%), 통증(5/11, 45.5%) 등의 증상 개선을 보고하였으며, 치료로 인한 3급 위장 독성도 드물었다(2.6%)[230]. Sun 등[228]은 복부 림프절 전이가 있는 21명의 재발성 위암 환자 중 19명(90.5%)에서 방사선치료로 임상 증상이 완화되었다고 보고하였다. Hingorani 등[227]은 3개월의 항암화학요법으로 반응이 있거나, 질병이 안정적인 전이성 식도위접합부 암 환자들에서 화학요법과 화학요법 후 일차 종양에 대한 방사선 치료 추가의 효과를 후향적 분석하였다. 방사선 치료가 추가된 환자에서 전체 생존 기간과 국소 진행까지의 기간이 각각 23.3개월 대 14.0개월(P<0.001), 17.3개월 대 8.3개월(P=0.006)로 크게 개선되었다.

재발성 위암이나 전이성 위암에서 방사선 치료의 효능에 대한 무작위배정 3상 임상연구의 근거는 부족하지만, 국소화된 원발 및 전이 병변으로 인한 증상의 완화에 방사선치료가 효과적이며, 항암화학요법에 반응하거나 진행하지 않는 환자에서 국소 제어를 극대화하여 생존을 향상시킬 수 있다(**그림 1**). 재발성 위암이나 전이성 위암에서 방사선치료의 효능과 필요성은 보다 대규모 연구를 통해 평가되어야겠다.

병리학

본 가이드라인에서는 위암 치료에 있어서 중요한 몇 가지 병리학 주제만 세부적으로 기술한다. 여기 기재되지 않은 주제에 대해서는 기존 가이드라인을 참조하기 바란다[2,232].

조직학적 분류

위선암에 대한 병리학적 분류는 세계보건기구(World Health Organization, WHO)의 분류를 사용한다 [233]. ESD 검체를 비롯하여 절제 검체의 경우에는 Lauren 분류를 추가한다 [234].

WHO 분류

1) 유두모양선암(papillary adenocarcinoma)

2010년 WHO Blue Book에서는 유두모양선암의 진단 기준이 명확히 규정되어 있지 않지만, 많은 논문에서는 유두모양선암을 종양의 50% 이상이 유두모양으로 존재하는 암으로 정의하고 있다[235]. 유두모양선암은 고분화, 중분화, 저분화로 등급을 분류한다[233]. 대부분의 유두모양 선암들은 고분화이다. 그러나 핵의 비정형성이 심하면 예후가 좋지 않으므로[236] 이런 경우는 저분화로 분류해야 한다.

2) 관모양선암(tubular adenocarcinoma)

가장 흔한 조직학적 형태인 관모양선암은 고분화, 중분화, 저분화로 등급을 분류한다. 고분

https://doi.org/10.5230/jgc.2019.19.e8

화 관모양선암은 잘 형성된 관 구조로 이루어져 있다. 저분화 관모양선암은 내강이 뚜렷하지 않고 불규칙한 형태를 보인다. 중분화 관모양선암은 고분화와 저분화 사이의 중간 소견을 보인다[233].

3) 점액선암(mucinous adenocarcinoma)

이 종양은 종양 세포 유형, 반지세포 여부와 관계없이 종양 병변의 50% 이상이 세포밖 점액질로 구성되어 있는 것으로 정의된다[233].

4) 저응집암(poorly cohesive carcinoma)

이 종양은 고립되거나 작은 세포군을 형성하는 응집력이 떨어지는 종양 세포로 구성되어 있다[233]. 이 유형에는 반지세포 및 저응집성을 나타내는 기타 세포 아형이 포함된다[233]. 그러나 보통 반지세포 성분이 50%를 초과하는 경우에는 저응집암으로 진단하는 대신 반지세포암으로 별도로 진단한다.

5) 혼합암(mixed carcinoma)

이 유형은 선모양(관모양 또는 유두모양)과 반지세포/저응집성 성분이 혼합되어 있다[233]. 후자의 성분은 나쁜 예후와 관련이 있다[233].

추가 사항: 일본에서 위암은 특히 내시경 절제술의 적응증과 관련하여 분화형 및 미분화형 2가지 주요 범주로 구분된다[237,238]. WHO 분류가 이 분류와 완전히 일치하지는 않지만, 분화형에는 보통 고분화 및 중분화 관모양선암과 유두모양선암이 포함되며, 미분화형에는 저분화 관모양선암과 저응집암이 포함된다. 점액선암은 종양세포의 종류에 따라 분화형(관모양) 또는 미분화형(반지세포)로 분류되며, 때로는 모두 미분화형으로도 분류되기도 한다.

Lauren 분류

Lauren 분류는 종양을 장형, 미만형 및 혼합형으로 나눈다[234]. 장형 위암은 분화도가 다양한 선 구조를 형성하며 장상피화생 및 다양한 정도의 위축성 위염과 연관되어 있다. 미만형 위암은 저응집성 세포로 이루어지며 선 구조를 거의 또는 전혀 형성하지 않는다. 장형 및 미만형 성분을 동등한 양으로 포함하는 종양을 "혼합형"이라고 한다.

혼합된 조직성분에 대한 병리학적 진단

조기 위암에서 조직학적 유형과 등급은 치료 방법을 결정하는 데 중요하다. 종양의 불균질성과 관찰자간 및 관찰자 내 불일치가 있으면 ESD 전후의 조직학적 유형 차이가 발생할 수 있다[239-241]. 종양의 불균질성이 있는 점막하 암 및 점막내 암은 불균질성이 없는 분화된 암에 비해 림프절 전이율이 높은 것으로 최근 보고되었다 [242,243]. 따라서 생검 및 ESD 검체의 경우 미분화 조직의 소량 성분도 보고해야 한다는 견해가 있다. 그러나 이는 임상 및 병리학 부서와의 더 많은 논의와 합의를 필요로 한다

생체표지자

HER2

HER2 평가를 위해서는 면역조직화학검사를 먼저 수행한다. 면역조직화학검사 결과는 0, 1+, 2+ 또는 3+로 점수를 매긴다(**표 4**). 면역조직화학검사 3+는 HER2 과발현 양성으로 간주되며,

https://doi.org/10.5230/jgc.2019.19.e8

표 4. HER2 면역조직화학염색 결과의 해석 [244,245]

HER2 값	양성도	면역조직화학염색 소견
음성	0	종양세포의 10%*미만에서 반응성
음성	1+	종양세포의 10% 이상에서 희미한 세포막† 반응성; 해당 세포막의 일부분에서만 반응성
모호	2+	종양세포의 10% 이상에서 세포막 전체 또는 기저외측부위에 약한~중등도의 반응성
양성	3+	종양세포의 10% 이상에서 세포막 전체 또는 기저외측부위에 강한 반응성

HER2 = human epidermal growth factor receptor 2(인간 표피성장인자 수용체 2).
*생검 검체의 경우, 종양 세포의 비율과 상관없이 염색된 종양세포 군집(≥5개 세포)이 존재할 때 점수를 측정한다; †세포막 염색만 실제 반응성으로 간주해야 한다.

면역조직화학검사 0-1+는 음성으로 간주된다. 면역조직화학검사 2+는 모호한 결과로 간주되며 제자리부합검사를 추가로 실시해야 한다. 가장 강한 면역조직화학검사 강도를 갖는 부위를 선택하여 HER2 및 chromosome enumeration probe(CEP) 17에 대해 염색한다. HER2 증폭 기준은 HER2:CEP17 비≥2이다. CEP17 다염색체성이 존재하고 HER2:CEP17 비가 <2인 경우에는 HER2신호평균값이 6보다 클 때를 양성 결과로 해석한다. 면역조직화학검사 3+ 또는 면역조직화학검사 2+이면서 제자리부합검사 양성을 HER2 양성으로 간주한다[244,245]. HER 양성은 완화요법상황에서 항HER2 표적요법에 대한 적응증이다 [208].

현미부수체 불안정성(Microsatellite instability, MSI)

MSI는 중합효소 연쇄반응(polymerase chain reaction, PCR) 기반 검사로 평가하며 4개의 불일치복구(mismatch repair, MMR) 단백질에 대한 면역조직화학검사로 대체할 수 있다(MMR 결핍[dMMR]) [246,247]. 불안정성은 현미부수체의 대표적인 패널에 대한 PCR로 검사한다. 불안정성의 등급은 불안정한 현미부수체의 수를 기준으로 다음과 같이 나눈다: MSI-high(MSI-H), MSI-low (MSI-L), 또는 microsatellite stable(MSS,현미부수체안정) [248,249]. MSI-H를 MSI 양성으로 간주한다. 면역조직화학검사에서는 MLH1, MSH2, PMS2, MSH6의 4가지 MMR 단백질에 대해 검사를 시행한다. MMR단백질 중 어느 하나라도 발현이 소실되는 경우, 해당 경우를 dMMR 로 간주한다. MSI 양성은 MSI유형 위암에 대한 진단기준이다. MSI 양성 위암은 위암의 분자학적 분류에서 별도의 유형으로 분류되며, 높은 돌연변이율과 고유한 양상의 과메틸화를 보인다[250,251]. 이 유형은 원위부 위치, 장형 조직유형의 높은 빈도, 낮은 병기 및 우수한 예후 등의 고유한 임상적 특성을 갖는다[252]. 완화요법상황에서, MSI 양성은 면역관문 억제제 요법(pembrolizumab)에 대한 적응증이다 [253].

엡스타인-바 바이러스(Epstein-Barr virus, EBV)

EBV 유전체의 존재는 여러 가지 방법으로 검사할 수 있다. 조직 절편에서 가장 널리 사용되는 방법은 EBV-encoded RNA (EBER)에 대한 제자리부합검사이다 [254]. 종양세포의 핵에서 신호가 관찰되면, 해당 증례를 EBV 양성으로 간주하며 이것은 EBV 양성 위암에 대한 기준이다. EBV 양성 위암은 위암의 분자학적 분류에서 별도의 유형으로 분류되며, MSI 유형과는 또 다른 양상의 과메틸화를 보인다[250]. 이 유형은 근위부에 위치하며, 저분화 조직유형과 관련이 있고, 병기가 낮으며 예후가 우수하다 [255,256].

PD-L1

PD-L1의 면역조직화학검사 해석에 여러 시스템을 사용할 수 있다. Combined positive score(CPS) [224]는 PD-L1이 염색된 살아있는 종양 세포, 림프구 및 대식세포의 수를 살아있는 종양 세포의 수로 나누고 100을 곱한 것이다. 림프구 또는 대식세포는 인접해 있을 때, 즉 종양세포 영역내 또는 종양세포영역에 가까이 있을 때(20x 시야 이내) 점수 계산에 포함된다 [257]. Tumor propor-

https://doi.org/10.5230/jgc.2019.19.e8

tion score (TPS)는 어떤 염색강도이든 상관없이 부분 또는 완전한 세포막 염색을 보이는 살아있는 종양 세포의 백분율이다[258]. PD-L1 양성 기준은 치료제에 따라 다르다. 펨브롤리주맙(Pembrolizumab)의 경우 PD-L1 양성은 CPS ≥1로 정의된다. 259명의 환자가 등록된 임상 시험에서 CPS ≥1 환자군과 CPS<1 환자군의 반응률은 각각 15.5%, 6.4%이었다[225]. 니볼루맙(nivolumab)의 경우 PD-L1 발현수준에 대한 절단값은 확립되지 않았다. 한 임상 시험에서 탐색적 하위군 분석을 TPS >1% 과 ≤1%로 비교하여 실시했으나 생존 중앙값은 PD-L1 수준과 상관없이 증가했다 [223].

복막세척액 세포검사

> 권고안 22. 병기 결정을 위해 복막세척액 세포검사가 권고된다. 진행성 위암 환자의 복막세척액 세포검사에서 암세포 양성 결과는 재발 위험 증가 및 불량한 예후와 관련이 있다(근거: 중등도, 권고: 강한 권고).

진행성 위암 환자의 복막세척액 세포검사 결과와 예후 간 연관성은 전향적 연구 [259,260]와 후향적 연구[261-264]에서 보고된 바 있지만, 무작위 환자-대조군 연구 결과로는 보고된 것이 없다. 이들 연구에서 복막세척액 세포검사 양성인 진행성 위암 환자의 정확한 예후는 등록된 환자군, 복막 세척 방법 및 치료법 등의 다양성으로 인해 판단하기 어렵다. 최근 체계적 문헌 고찰과 메타 분석을 통해 복막세척액 세포검사가 진행성 위암 환자의 예후를 결정하는 데 유용한 것으로 밝혀졌다[265-268].

일부 연구에서는 복막세척액 세포검사 결과가 예후와 관련이 없다고 보고되었으나, 대부분의 연구와 메타 분석에서는 세척액 세포검사 양성인 진행성 위암 환자에게서 높은 재발률과 짧은 생존 시간이 관찰되었다. 2개의 메타 분석에서 세포검사 음성 환자에 비해 세포검사 양성 환자의 생존에 대한 위험도(hazard ratio)는 각각 3.27(95% CI, 2.82–3.78)[267]과 3.46(95% CI, 2.77–4.31)으로 유의하게 높았다. 암 재발에 대한 위험도도 역시 세포검사 양성 환자에서 더 높았다(hazard ratio 4.15; 95% CI, 3.10–5.57) [267].

복막세척액 세포검사의 양성 비율은 7%에서 58%까지 다양하다[259-261,263 265,267] 이는 조기 위암 환자가 포함되는 등 연구집단의 차이 때문일 수 있다. 양성 암세포의 다양한 병리학적 기준 또한 양성률의 넓은 범위를 초래했을 것이다. 대부분의 연구들이 복막세척액 세포검사에서의 '양성' 암세포에 대한 병리학적 기준을 다루지는 않았지만, 향후 진행성 위암 환자들에게 복막세척액 세포검사를 임상적으로 적용하기 위해서는 이러한 병리학적 기준을 확립하기 위한 추가 연구가 필요하다.

결론적으로 여러 가지 논란의 여지는 남아있으나 진행성 위암의 정확한 병기결정 및 예후 평가를 위해 복막세척액 세포검사가 권장된다.

다학제 진료

암의 치료에서 다학제 진료의 효과는 강력한 근거가 없고, 상당한 시간과 자원을 필요로 하기 때문에 논란이 되어 왔다 [269,270]. 그러나 암의 치료는 치료 방법이 다양하고 복잡하며

https://doi.org/10.5230/jgc.2019.19.e8

전문화되어 있으므로 다학제 진료가 중요성을 갖게 된다. 다학제 진료의 이점은 정확한 진단, 더 우수한 치료계획으로의 변경, 그리고 생존 유익성을 포함한다. 이러한 이유로 몇몇 국가의 보건 서비스는 다학제 진료를 암 치료를 위한 우선적인 시스템으로 인용한 가이드라인을 제시해 왔다[271].

위장관 암에서는 여러 연구들이 다학제 진료의 이점을 제시한 바 있다. 다학제 회의 후, 평가된 환자의 18.4%~26.9%에서 진단이 변경되었으며 [272,273], 23.0~76.8%의 환자에서 치료 계획이 변경되었다 [273-275]. 또한 National Comprehensive Cancer Network 가이드라인에서는 다학제 진료에 대한 권고를 강조하며, European Society for Medical Oncology와 European Cancer Organization의 지침에서는 암 치료를 결정하기 전 다학제 진료가 필수임을 명시하고 있다 [61,62,276].

다학제 진료 유형에는 환자가 참석하지 않는 회의, 환자와 직접 대면하는 회의 및 원격의료가 포함된다. Kunkler 등[277]이 원격의료와 대면 의료 사이에 아무런 차이가 없다고 보고했지만, 어떤 유형이 더 우수한지에 대한 양질의 근거는 없다. 또한 Allum 등[61]은 다학제 진료는 치료 결정에 대해 환자와 논의해야 한다고 권고했다. 위암 치료를 위한 다학제 진료 구성원으로는 외과의, 소화기전문의, 종양내과 전문의 및 방사선종양 전문의, 영상의학 전문의 및 병리전문의와 영양서비스, 사회복지사, 간호사 및 완화치료 전문가 등이 포함되는 것이 바람직하다 [62,276,278,279].

결론적으로, 다학제 진료는 환자의 만족, 보다 정확한 진단, 보다 우수한 치료 계획으로의 변경과 관련하여 위암 환자의 진료 방법으로 권장된다.

감사의 글

지침 위원회 멤버

개발 작업 그룹

대한위암학회: 류근원(국립암센터), 박영석(분당서울대학교병원), 권오경(칠곡경북대학교병원), 정오(화순전남대학교병원), 이한홍(서울성모병원), 공성호(서울대학교병원), 손태일(세브란스 병원), 허훈(아주대학교병원), 지예섭(단국대학교병원), 윤홍만(국립암센터); **대한소화기학회:** 김찬규(국립암센터), 민병훈(삼성서울병원), 송호준(서울아산병원), 신운건(강동성심병원), 이상길(세브란스병원), 장재영(경희대학교병원), 정혜경(이화여자대학교 목동병원); **대한종양내과학회:** 류민희(서울아산병원), 심선진(길병원), 오상철(고려대학교 구로병원), 심병용(성빈센트 병원), 장대영(한림대학교 성심병원), 한혜숙(충북대학교병원), 구동회(강북삼성병원), 김형수(한림대학교 성심병원), 맹치훈(경희대학교병원), 황인규(중앙대학교병원); **대한방사선종양학회:** 유정일(삼성서울병원), 지의규(서울대학교병원); **대한병리학회:** 김준미(인하대학교병원), 김백희(고려대학교 구로병원), 국명철(국립암센터), 이혜승(분당서울대학교병원); **한국보건의료연구원:** 최미영

리뷰 패널

대한위암학회: 김찬영(전북대학교병원), 진성호(한국원자력병원); **대한소화기학회:** 박재명(서울성모병원), 신철민(분당서울대학교병원); **대한종양내과학회:** 오도연(서울대학교병원), 이근욱(분당서울대학교병원); **대한방사선종양학회:** 김태현(국립암센터); **대한병리학회:** 김경미(삼성서울병원).

REFERENCES

1. Jung KW, Won YJ, Kong HJ, Lee ES; Community of Population-Based Regional Cancer Registries. Cancer statistics in Korea: incidence, mortality, survival, and prevalence in 2015. Cancer Res Treat 2018;50:303-316.
PUBMED | CROSSREF

2. Lee JH, Kim JG, Jung HK, Kim JH, Jeong WK, Jeon TJ, et al. Clinical practice guidelines for gastric cancer in Korea: an evidence-based approach. J Gastric Cancer 2014;14:87-104.
PUBMED | CROSSREF

3. The Korean Gastric Cancer Association. Korean guideline for gastric cancer. J Korean Gastric Cancer Assoc 2004;4:286-293.

4. Higgins JP, Altman DG, Gøtzsche PC, Jüni P, Moher D, Oxman AD, et al. The Cochrane Collaboration's tool for assessing risk of bias in randomised trials. BMJ 2011;343:d5928.
PUBMED | CROSSREF

5. Kim SY, Park JE, Lee YJ, Seo HJ, Sheen SS, Hahn S, et al. Testing a tool for assessing the risk of bias for nonrandomized studies showed moderate reliability and promising validity. J Clin Epidemiol 2013;66:408-414.
PUBMED | CROSSREF

6. Shea BJ, Hamel C, Wells GA, Bouter LM, Kristjansson E, Grimshaw J, et al. AMSTAR is a reliable and valid measurement tool to assess the methodological quality of systematic reviews. J Clin Epidemiol 2009;62:1013-1020.
PUBMED | CROSSREF

7. Whiting PF, Rutjes AW, Westwood ME, Mallett S, Deeks JJ, Reitsma JB, et al. QUADAS-2: a revised tool for the quality assessment of diagnostic accuracy studies. Ann Intern Med 2011;155:529-536.
PUBMED | CROSSREF

8. Scottish Intercollegiate Guidelines Network. SIGN 50: a guideline developer's handbook [Internet]. Edinburgh: Scottish Intercollegiate Guidelines Network; 2015 [cited 2018 Sep 23]. Available from: http://www.sign.ac.uk.

9. Schünemann H, Brożek J, Guyatt G, Oxman A, eds. GRADE Handbook: Handbook for Grading the Quality of Evidence and the Strength of Recommendations Using the GRADE Approach. [place unknown]: The GRADE Working Group, 2013.

10. Amin MB, Edge S, Greene F, Byrd DR, Brookland RK, Washington MK, Gershenwald JE, Compton CC, Hess KR, Sullivan DC, Jessup JM, Brierley JD, Gaspar LE, Schilsky RL, Balch CM, Winchester DP, Asare EA, Madera M, Gress DM, Meyer LR, eds. AJCC Cancer Staging Manual. 8th ed. New York (NY): Springer International Publishing, 2017.

11. Chung IK, Lee JH, Lee SH, Kim SJ, Cho JY, Cho WY, et al. Therapeutic outcomes in 1000 cases of endoscopic submucosal dissection for early gastric neoplasms: Korean ESD study group multicenter study. Gastrointest Endosc 2009;69:1228-1235.
PUBMED | CROSSREF

12. Kim SG, Lyu DH, Park CM, Lee NR, Kim J, Cha Y, et al. Current status of endoscopic submucosal dissection for early gastric cancer in Korea: role and benefits. Korean J Intern Med 2018. doi: 10.3904/kjim.2017.374 [In press].
PUBMED

13. Gotoda T, Yanagisawa A, Sasako M, Ono H, Nakanishi Y, Shimoda T, et al. Incidence of lymph node metastasis from early gastric cancer: estimation with a large number of cases at two large centers. Gastric Cancer 2000;3:219-225.
PUBMED | CROSSREF

14. Nishizawa T, Yahagi N. Long-term outcomes of using endoscopic submucosal dissection to treat early gastric cancer. Gut Liver 2018;12:119-124.
PUBMED | CROSSREF

15. Kim SG, Park CM, Lee NR, Kim J, Lyu DH, Park SH, et al. Long-term clinical outcomes of endoscopic submucosal dissection in patients with early gastric cancer: a prospective multicenter cohort study. Gut Liver 2018;12:402-410.
PUBMED | CROSSREF

16. Choi IJ, Lee JH, Kim YI, Kim CG, Cho SJ, Lee JY, et al. Long-term outcome comparison of endoscopic resection and surgery in early gastric cancer meeting the absolute indication for endoscopic resection. Gastrointest Endosc 2015;81:333-341.e1.
PUBMED | CROSSREF

 https://doi.org/10.5230/jgc.2019.19.e8

17. Choi KS, Jung HY, Choi KD, Lee GH, Song HJ, Kim DH, et al. EMR versus gastrectomy for intramucosal gastric cancer: comparison of long-term outcomes. Gastrointest Endosc 2011;73:942-948.
PUBMED | CROSSREF
18. Hahn KY, Park CH, Lee YK, Chung H, Park JC, Shin SK, et al. Comparative study between endoscopic submucosal dissection and surgery in patients with early gastric cancer. Surg Endosc 2018;32:73-86.
PUBMED | CROSSREF
19. Song M, Choi JY, Yang JJ, Sung H, Lee Y, Lee HW, et al. Obesity at adolescence and gastric cancer risk. Cancer Causes Control 2015;26:247-256.
PUBMED | CROSSREF
20. Kim YI, Kim YA, Kim CG, Ryu KW, Kim YW, Sim JA, et al. Serial intermediate-term quality of life comparison after endoscopic submucosal dissection versus surgery in early gastric cancer patients. Surg Endosc 2018;32:2114-2122.
PUBMED | CROSSREF
21. Honda M, Hiki N, Kinoshita T, Yabusaki H, Abe T, Nunobe S, et al. Long-term outcomes of laparoscopic versus open surgery for clinical stage I gastric cancer: the LOC-1 study. Ann Surg 2016;264:214-222.
PUBMED | CROSSREF
22. Kim HH, Han SU, Kim MC, Hyung WJ, Kim W, Lee HJ, et al. Long-term results of laparoscopic gastrectomy for gastric cancer: a large-scale case-control and case-matched Korean multicenter study. J Clin Oncol 2014;32:627-633.
PUBMED | CROSSREF
23. Kim W, Kim HH, Han SU, Kim MC, Hyung WJ, Ryu SW, et al. Decreased morbidity of laparoscopic distal gastrectomy compared with open distal gastrectomy for stage I gastric cancer: short-term outcomes from a multicenter randomized controlled trial (KLASS-01). Ann Surg 2016;263:28-35.
PUBMED | CROSSREF
24. Lee S, Choi KD, Hong SM, Park SH, Gong EJ, Na HK, et al. Pattern of extragastric recurrence and the role of abdominal computed tomography in surveillance after endoscopic resection of early gastric cancer: Korean experiences. Gastric Cancer 2017;20:843-852.
PUBMED | CROSSREF
25. Min BH, Kim ER, Kim KM, Park CK, Lee JH, Rhee PL, et al. Surveillance strategy based on the incidence and patterns of recurrence after curative endoscopic submucosal dissection for early gastric cancer. Endoscopy 2015;47:784-793.
PUBMED | CROSSREF
26. Oda I, Oyama T, Abe S, Ohnita K, Kosaka T, Hirasawa K, et al. Preliminary results of multicenter questionnaire study on long-term outcomes of curative endoscopic submucosal dissection for early gastric cancer. Dig Endosc 2014;26:214-219.
PUBMED | CROSSREF
27. Kim TS, Min BH, Kim KM, Lee JH, Rhee PL, Kim JJ. Endoscopic submucosal dissection for papillary adenocarcinoma of the stomach: low curative resection rate but favorable long-term outcomes after curative resection. Gastric Cancer 2019;22:363-368.
PUBMED | CROSSREF
28. Chang JY, Shim KN, Tae CH, Lee KE, Lee J, Lee KH, et al. Comparison of clinical outcomes after endoscopic submucosal dissection and surgery in the treatment of early gastric cancer: a single-institute study. Medicine (Baltimore) 2017;96:e7210.
PUBMED | CROSSREF
29. Chiu PW, Teoh AY, To KF, Wong SK, Liu SY, Lam CC, et al. Endoscopic submucosal dissection (ESD) compared with gastrectomy for treatment of early gastric neoplasia: a retrospective cohort study. Surg Endosc 2012;26:3584-3591.
PUBMED | CROSSREF
30. Cho JH, Cha SW, Kim HG, Lee TH, Cho JY, Ko WJ, et al. Long-term outcomes of endoscopic submucosal dissection for early gastric cancer: a comparison study to surgery using propensity score-matched analysis. Surg Endosc 2016;30:3762-3773.
PUBMED | CROSSREF
31. Feng F, Sun L, Xu G, Cai L, Hong L, Yang J, et al. Is it reasonable to treat early gastric cancer with mucosal infiltration and well differentiation by endoscopic submucosal resection? J Gastrointest Surg 2015;19:2111-2119.
PUBMED | CROSSREF
32. Fukunaga S, Nagami Y, Shiba M, Ominami M, Tanigawa T, Yamagami H, et al. Long-term prognosis of expanded-indication differentiated-type early gastric cancer treated with endoscopic submucosal dissection or surgery using propensity score analysis. Gastrointest Endosc 2017;85:143-152.
PUBMED | CROSSREF

https://doi.org/10.5230/jgc.2019.19.e8

33. Gong EJ, Kim DH, Ahn JY, Jung KW, Lee JH, Choi KD, et al. Comparison of long-term outcomes of endoscopic submucosal dissection and surgery for esophagogastric junction adenocarcinoma. Gastric Cancer 2017;20:84-91.
PUBMED | CROSSREF
34. Kim YI, Kim YW, Choi IJ, Kim CG, Lee JY, Cho SJ, et al. Long-term survival after endoscopic resection versus surgery in early gastric cancers. Endoscopy 2015;47:293-301.
PUBMED | CROSSREF
35. Lee S, Choi KD, Han M, Na HK, Ahn JY, Jung KW, et al. Long-term outcomes of endoscopic submucosal dissection versus surgery in early gastric cancer meeting expanded indication including undifferentiated-type tumors: a criteria-based analysis. Gastric Cancer 2018;21:490-499.
PUBMED | CROSSREF
36. Park CH, Lee H, Kim DW, Chung H, Park JC, Shin SK, et al. Clinical safety of endoscopic submucosal dissection compared with surgery in elderly patients with early gastric cancer: a propensity-matched analysis. Gastrointest Endosc 2014;80:599-609.
PUBMED | CROSSREF
37. Pyo JH, Lee H, Min BH, Lee JH, Choi MG, Lee JH, et al. Long-term outcome of endoscopic resection vs. surgery for early gastric cancer: a non-inferiority-matched cohort study. Am J Gastroenterol 2016;111:240-249.
PUBMED | CROSSREF
38. Shin DW, Hwang HY, Jeon SW. Comparison of endoscopic submucosal dissection and surgery for differentiated type early gastric cancer within the expanded criteria. Clin Endosc 2017;50:170-178.
PUBMED | CROSSREF
39. Eom BW, Kim YI, Kim KH, Yoon HM, Cho SJ, Lee JY, et al. Survival benefit of additional surgery after noncurative endoscopic resection in patients with early gastric cancer. Gastrointest Endosc 2017;85:155-163.e3.
PUBMED | CROSSREF
40. Hatta W, Gotoda T, Oyama T, Kawata N, Takahashi A, Yoshifuku Y, et al. Is radical surgery necessary in all patients who do not meet the curative criteria for endoscopic submucosal dissection in early gastric cancer? A multi-center retrospective study in Japan. J Gastroenterol 2017;52:175-184.
PUBMED | CROSSREF
41. Kim ER, Lee H, Min BH, Lee JH, Rhee PL, Kim JJ, et al. Effect of rescue surgery after non-curative endoscopic resection of early gastric cancer. Br J Surg 2015;102:1394-1401.
PUBMED | CROSSREF
42. Kusano C, Iwasaki M, Kaltenbach T, Conlin A, Oda I, Gotoda T. Should elderly patients undergo additional surgery after non-curative endoscopic resection for early gastric cancer? Long-term comparative outcomes. Am J Gastroenterol 2011;106:1064-1069.
PUBMED | CROSSREF
43. Kim YI, Kim HS, Kook MC, Cho SJ, Lee JY, Kim CG, et al. Discrepancy between clinical and final pathological evaluation findings in early gastric cancer patients treated with endoscopic submucosal dissection. J Gastric Cancer 2016;16:34-42.
PUBMED | CROSSREF
44. Abe S, Oda I, Suzuki H, Nonaka S, Yoshinaga S, Odagaki T, et al. Short- and long-term outcomes of endoscopic submucosal dissection for undifferentiated early gastric cancer. Endoscopy 2013;45:703-707.
PUBMED | CROSSREF
45. Ahn JY, Park HJ, Park YS, Lee JH, Choi KS, Jeong KW, et al. Endoscopic resection for undifferentiated-type early gastric cancer: immediate endoscopic outcomes and long-term survivals. Dig Dis Sci 2016;61:1158-1164.
PUBMED | CROSSREF
46. Kim JH, Kim YH, Jung DH, Jeon HH, Lee YC, Lee H, et al. Follow-up outcomes of endoscopic resection for early gastric cancer with undifferentiated histology. Surg Endosc 2014;28:2627-2633.
PUBMED | CROSSREF
47. Oka S, Tanaka S, Higashiyama M, Numata N, Sanomura Y, Yoshida S, et al. Clinical validity of the expanded criteria for endoscopic resection of undifferentiated-type early gastric cancer based on long-term outcomes. Surg Endosc 2014;28:639-647.
PUBMED | CROSSREF
48. Okada K, Fujisaki J, Yoshida T, Ishikawa H, Suganuma T, Kasuga A, et al. Long-term outcomes of endoscopic submucosal dissection for undifferentiated-type early gastric cancer. Endoscopy 2012;44:122-127.
PUBMED | CROSSREF
49. Park JC, Lee YK, Kim SY, Roh Y, Hahn KY, Shin SK, et al. Long-term outcomes of endoscopic submucosal dissection in comparison to surgery in undifferentiated-type intramucosal gastric cancer using propensity score analysis. Surg Endosc 2018;32:2046-2057.
PUBMED | CROSSREF

50. Suzuki S, Gotoda T, Hatta W, Oyama T, Kawata N, Takahashi A, et al. Survival benefit of additional surgery after non-curative endoscopic submucosal dissection for early gastric cancer: a propensity score matching analysis. Ann Surg Oncol 2017;24:3353-3360.
PUBMED | CROSSREF
51. Noh GY, Ku HR, Kim YJ, Park SC, Kim J, Han CJ, et al. Clinical outcomes of early gastric cancer with lymphovascular invasion or positive vertical resection margin after endoscopic submucosal dissection. Surg Endosc 2015;29:2583-2589.
PUBMED | CROSSREF
52. Choi JY, Jeon SW, Cho KB, Park KS, Kim ES, Park CK, et al. Non-curative endoscopic resection does not always lead to grave outcomes in submucosal invasive early gastric cancer. Surg Endosc 2015;29:1842-1849.
PUBMED | CROSSREF
53. Toya Y, Endo M, Nakamura S, Akasaka R, Kosaka T, Yanai S, et al. Clinical outcomes of non-curative endoscopic submucosal dissection with negative resected margins for gastric cancer. Gastrointest Endosc 2017;85:1218-1224.
PUBMED | CROSSREF
54. Jung DH, Lee YC, Kim JH, Lee SK, Shin SK, Park JC, et al. Additive treatment improves survival in elderly patients after non-curative endoscopic resection for early gastric cancer. Surg Endosc 2017;31:1376-1382.
PUBMED | CROSSREF
55. Kawata N, Kakushima N, Takizawa K, Tanaka M, Makuuchi R, Tokunaga M, et al. Risk factors for lymph node metastasis and long-term outcomes of patients with early gastric cancer after non-curative endoscopic submucosal dissection. Surg Endosc 2017;31:1607-1616.
PUBMED | CROSSREF
56. Yano T, Ishido K, Tanabe S, Wada T, Azuma M, Kawanishi N, et al. Long-term outcomes of patients with early gastric cancer found to have lesions for which endoscopic treatment is not indicated on histopathological evaluation after endoscopic submucosal dissection. Surg Endosc 2018;32:1314-1323.
PUBMED | CROSSREF
57. Suzuki H, Oda I, Abe S, Sekiguchi M, Nonaka S, Yoshinaga S, et al. Clinical outcomes of early gastric cancer patients after noncurative endoscopic submucosal dissection in a large consecutive patient series. Gastric Cancer 2017;20:679-689.
PUBMED | CROSSREF
58. Bozzetti F, Marubini E, Bonfanti G, Miceli R, Piano C, Crose N, et al. Total versus subtotal gastrectomy: surgical morbidity and mortality rates in a multicenter Italian randomized trial. The Italian Gastrointestinal Tumor Study Group. Ann Surg 1997;226:613-620.
PUBMED | CROSSREF
59. Bozzetti F, Marubini E, Bonfanti G, Miceli R, Piano C, Gennari L. Subtotal versus total gastrectomy for gastric cancer: five-year survival rates in a multicenter randomized Italian trial. Italian Gastrointestinal Tumor Study Group. Ann Surg 1999;230:170-178.
PUBMED | CROSSREF
60. Gouzi JL, Huguier M, Fagniez PL, Launois B, Flamant Y, Lacaine F, et al. Total versus subtotal gastrectomy for adenocarcinoma of the gastric antrum. A French prospective controlled study. Ann Surg 1989;209:162-166.
PUBMED | CROSSREF
61. Allum WH, Blazeby JM, Griffin SM, Cunningham D, Jankowski JA, Wong R, et al. Guidelines for the management of oesophageal and gastric cancer. Gut 2011;60:1449-1472.
PUBMED | CROSSREF
62. Waddell T, Verheij M, Allum W, Cunningham D, Cervantes A, Arnold D, et al. Gastric cancer: ESMO-ESSO-ESTRO clinical practice guidelines for diagnosis, treatment and follow-up. Ann Oncol 2013;24 Suppl 6:vi57-vi63.
PUBMED | CROSSREF
63. Japanese Gastric Cancer Association. Japanese gastric cancer treatment guidelines 2014 (ver. 4). Gastric Cancer 2017;20:1-19.
PUBMED
64. Seevaratnam R, Bocicariu A, Cardoso R, Mahar A, Kiss A, Helyer L, et al. A meta-analysis of D1 versus D2 lymph node dissection. Gastric Cancer 2012;15 Suppl 1:S60-S69.
PUBMED | CROSSREF
65. Songun I, Putter H, Kranenbarg EM, Sasako M, van de Velde CJ. Surgical treatment of gastric cancer: 15-year follow-up results of the randomised nationwide Dutch D1D2 trial. Lancet Oncol 2010;11:439-449.
PUBMED | CROSSREF
66. Wu CW, Hsiung CA, Lo SS, Hsieh MC, Chen JH, Li AF, et al. Nodal dissection for patients with gastric cancer: a randomised controlled trial. Lancet Oncol 2006;7:309-315.
PUBMED | CROSSREF

67. Kitamura K, Yamaguchi T, Nishida S, Yamamoto K, Ichikawa D, Okamoto K, et al. The operative indications for proximal gastrectomy in patients with gastric cancer in the upper third of the stomach. Surg Today 1997;27:993-998.
PUBMED | CROSSREF

68. Yoo CH, Sohn BH, Han WK, Pae WK. Long-term results of proximal and total gastrectomy for adenocarcinoma of the upper third of the stomach. Cancer Res Treat 2004;36:50-55.
PUBMED | CROSSREF

69. An JY, Youn HG, Choi MG, Noh JH, Sohn TS, Kim S. The difficult choice between total and proximal gastrectomy in proximal early gastric cancer. Am J Surg 2008;196:587-591.
PUBMED | CROSSREF

70. Ahn SH, Lee JH, Park DJ, Kim HH. Comparative study of clinical outcomes between laparoscopy-assisted proximal gastrectomy (LAPG) and laparoscopy-assisted total gastrectomy (LATG) for proximal gastric cancer. Gastric Cancer 2013;16:282-289.
PUBMED | CROSSREF

71. Masuzawa T, Takiguchi S, Hirao M, Imamura H, Kimura Y, Fujita J, et al. Comparison of perioperative and long-term outcomes of total and proximal gastrectomy for early gastric cancer: a multi-institutional retrospective study. World J Surg 2014;38:1100-1106.
PUBMED | CROSSREF

72. Huh YJ, Lee HJ, Oh SY, Lee KG, Yang JY, Ahn HS, et al. Clinical outcome of modified laparoscopy-assisted proximal gastrectomy compared to conventional proximal gastrectomy or total gastrectomy for upper-third early gastric cancer with special references to postoperative reflux esophagitis. J Gastric Cancer 2015;15:191-200.
PUBMED | CROSSREF

73. Jung DH, Lee Y, Kim DW, Park YS, Ahn SH, Park DJ, et al. Laparoscopic proximal gastrectomy with double tract reconstruction is superior to laparoscopic total gastrectomy for proximal early gastric cancer. Surg Endosc 2017;31:3961-3969.
PUBMED | CROSSREF

74. Toyomasu Y, Ogata K, Suzuki M, Yanoma T, Kimura A, Kogure N, et al. Restoration of gastrointestinal motility ameliorates nutritional deficiencies and body weight loss of patients who undergo laparoscopy-assisted proximal gastrectomy. Surg Endosc 2017;31:1393-1401.
PUBMED | CROSSREF

75. Yoo CH, Sohn BH, Han WK, Pae WK. Proximal gastrectomy reconstructed by jejunal pouch interposition for upper third gastric cancer: prospective randomized study. World J Surg 2005;29:1592-1599.
PUBMED | CROSSREF

76. Ohashi M, Morita S, Fukagawa T, Oda I, Kushima R, Katai H. Functional advantages of proximal gastrectomy with jejunal interposition over total gastrectomy with Roux-en-Y esophagojejunostomy for early gastric cancer. World J Surg 2015;39:2726-2733.
PUBMED | CROSSREF

77. Ushimaru Y, Fujiwara Y, Shishido Y, Yanagimoto Y, Moon JH, Sugimura K, et al. Clinical outcomes of gastric cancer patients who underwent proximal or total gastrectomy: a propensity score-matched analysis. World J Surg 2018;42:1477-1484.
PUBMED | CROSSREF

78. Takiguchi N, Takahashi M, Ikeda M, Inagawa S, Ueda S, Nobuoka T, et al. Long-term quality-of-life comparison of total gastrectomy and proximal gastrectomy by postgastrectomy syndrome assessment scale (PGSAS-45): a nationwide multi-institutional study. Gastric Cancer 2015;18:407-416.
PUBMED | CROSSREF

79. Ikeguchi M, Hatada T, Yamamoto M, Miyake T, Matsunaga T, Fukuda K, et al. Evaluation of a pylorus-preserving gastrectomy for patients preoperatively diagnosed with early gastric cancer located in the middle third of the stomach. Surg Today 2010;40:228-233.
PUBMED | CROSSREF

80. Suh YS, Han DS, Kong SH, Kwon S, Shin CI, Kim WH, et al. Laparoscopy-assisted pylorus-preserving gastrectomy is better than laparoscopy-assisted distal gastrectomy for middle-third early gastric cancer. Ann Surg 2014;259:485-493.
PUBMED | CROSSREF

81. Xiao XM, Gaol C, Yin W, Yu WH, Qi F, Liu T. Pylorus-preserving versus distal subtotal gastrectomy for surgical treatment of early gastric cancer: a meta-analysis. Hepatogastroenterology 2014;61:870-879.
PUBMED

82. Aizawa M, Honda M, Hiki N, Kinoshita T, Yabusaki H, Nunobe S, et al. Oncological outcomes of function-preserving gastrectomy for early gastric cancer: a multicenter propensity score matched cohort analysis comparing pylorus-preserving gastrectomy versus conventional distal gastrectomy. Gastric Cancer 2017;20:709-717.
PUBMED | CROSSREF

83. Nakane Y, Akehira K, Inoue K, Iiyama H, Sato M, Masuya Y, et al. Postoperative evaluation of pylorus-preserving gastrectomy for early gastric cancer. Hepatogastroenterology 2000;47:590-595.
PUBMED

84. Smith JW, Brennan MF. Surgical treatment of gastric cancer. Proximal, mid, and distal stomach. Surg Clin North Am 1992;72:381-399.
PUBMED | CROSSREF

85. Cai Z, Zhou Y, Wang C, Yin Y, Yin Y, Shen C, et al. Optimal reconstruction methods after distal gastrectomy for gastric cancer: a systematic review and network meta-analysis. Medicine (Baltimore) 2018;97:e10823.
PUBMED | CROSSREF

86. Lee MS, Ahn SH, Lee JH, Park DJ, Lee HJ, Kim HH, et al. What is the best reconstruction method after distal gastrectomy for gastric cancer? Surg Endosc 2012;26:1539-1547.
PUBMED | CROSSREF

87. Inokuchi M, Kojima K, Yamada H, Kato K, Hayashi M, Motoyama K, et al. Long-term outcomes of Roux-en-Y and Billroth-I reconstruction after laparoscopic distal gastrectomy. Gastric Cancer 2013;16:67-73.
PUBMED | CROSSREF

88. Tanigawa N, Nomura E, Lee SW, Kaminishi M, Sugiyama M, Aikou T, et al. Current state of gastric stump carcinoma in Japan: based on the results of a nationwide survey. World J Surg 2010;34:1540-1547.
PUBMED | CROSSREF

89. Folli S, Morgagni P, Roviello F, De Manzoni G, Marrelli D, Saragoni L, et al. Risk factors for lymph node metastases and their prognostic significance in early gastric cancer (EGC) for the Italian Research Group for Gastric Cancer (IRGGC). Jpn J Clin Oncol 2001;31:495-499.
PUBMED | CROSSREF

90. Degiuli M, Calvo F. Survival of early gastric cancer in a specialized European center. Which lymphadenectomy is necessary? World J Surg 2006;30:2193-2203.
PUBMED | CROSSREF

91. Shimoyama S, Yasuda H, Mafune K, Kaminishi M. Indications of a minimized scope of lymphadenectomy for submucosal gastric cancer. Ann Surg Oncol 2002;9:625-631.
PUBMED | CROSSREF

92. Csendes A, Burdiles P, Rojas J, Braghetto I, Diaz JC, Maluenda F. A prospective randomized study comparing D2 total gastrectomy versus D2 total gastrectomy plus splenectomy in 187 patients with gastric carcinoma. Surgery 2002;131:401-407.
PUBMED | CROSSREF

93. Yu W, Choi GS, Chung HY. Randomized clinical trial of splenectomy versus splenic preservation in patients with proximal gastric cancer. Br J Surg 2006;93:559-563.
PUBMED | CROSSREF

94. Sano T, Sasako M, Mizusawa J, Yamamoto S, Katai H, Yoshikawa T, et al. Randomized controlled trial to evaluate splenectomy in total gastrectomy for proximal gastric carcinoma. Ann Surg 2017;265:277-283.
PUBMED | CROSSREF

95. Brar SS, Seevaratnam R, Cardoso R, Law C, Helyer L, Coburn N. A systematic review of spleen and pancreas preservation in extended lymphadenectomy for gastric cancer. Gastric Cancer 2012;15 Suppl 1:S89-S99.
PUBMED | CROSSREF

96. Yang K, Chen XZ, Hu JK, Zhang B, Chen ZX, Chen JP. Effectiveness and safety of splenectomy for gastric carcinoma: a meta-analysis. World J Gastroenterol 2009;15:5352-5359.
PUBMED | CROSSREF

97. Lee IS, Ahn JY, Yook JH, Kim BS. Mediastinal lymph node dissection and distal esophagectomy is not essential in early esophagogastric junction adenocarcinoma. World J Surg Oncol 2017;15:28.
PUBMED | CROSSREF

98. Hulscher JB, van Sandick JW, de Boer AG, Wijnhoven BP, Tijssen JG, Fockens P, et al. Extended transthoracic resection compared with limited transhiatal resection for adenocarcinoma of the esophagus. N Engl J Med 2002;347:1662-1669.
PUBMED | CROSSREF

99. Sasako M, Sano T, Yamamoto S, Sairenji M, Arai K, Kinoshita T, et al. Left thoracoabdominal approach versus abdominal-transhiatal approach for gastric cancer of the cardia or subcardia: a randomised controlled trial. Lancet Oncol 2006;7:644-651.
PUBMED | CROSSREF

100. Omloo JM, Lagarde SM, Hulscher JB, Reitsma JB, Fockens P, van Dekken H, et al. Extended transthoracic resection compared with limited transhiatal resection for adenocarcinoma of the mid/distal esophagus: five-year survival of a randomized clinical trial. Ann Surg 2007;246:992-1000.
PUBMED | CROSSREF

101. Kurokawa Y, Sasako M, Sano T, Yoshikawa T, Iwasaki Y, Nashimoto A, et al. Ten-year follow-up results of a randomized clinical trial comparing left thoracoabdominal and abdominal transhiatal approaches to total gastrectomy for adenocarcinoma of the oesophagogastric junction or gastric cardia. Br J Surg 2015;102:341-348.
PUBMED | CROSSREF

102. Davies AR, Sandhu H, Pillai A, Sinha P, Mattsson F, Forshaw MJ, et al. Surgical resection strategy and the influence of radicality on outcomes in oesophageal cancer. Br J Surg 2014;101:511-517.
PUBMED | CROSSREF

103. Zheng Z, Cai J, Yin J, Zhang J, Zhang ZT, Wang KL. Transthoracic versus abdominal-transhiatal resection for treating Siewert type II/III adenocarcinoma of the esophagogastric junction: a meta-analysis. Int J Clin Exp Med 2015;8:17167-17182.
PUBMED

104. Kitano S, Shiraishi N, Fujii K, Yasuda K, Inomata M, Adachi Y. A randomized controlled trial comparing open vs laparoscopy-assisted distal gastrectomy for the treatment of early gastric cancer: an interim report. Surgery 2002;131:S306-S311.
PUBMED | CROSSREF

105. Hayashi H, Ochiai T, Shimada H, Gunji Y. Prospective randomized study of open versus laparoscopy-assisted distal gastrectomy with extraperigastric lymph node dissection for early gastric cancer. Surg Endosc 2005;19:1172-1176.
PUBMED | CROSSREF

106. Kim YW, Baik YH, Yun YH, Nam BH, Kim DH, Choi IJ, et al. Improved quality of life outcomes after laparoscopy-assisted distal gastrectomy for early gastric cancer: results of a prospective randomized clinical trial. Ann Surg 2008;248:721-727.
PUBMED | CROSSREF

107. Kim YW, Yoon HM, Yun YH, Nam BH, Eom BW, Baik YH, et al. Long-term outcomes of laparoscopy-assisted distal gastrectomy for early gastric cancer: result of a randomized controlled trial (COACT 0301). Surg Endosc 2013;27:4267-4276.
PUBMED | CROSSREF

108. Lee JH, Han HS, Lee JH. A prospective randomized study comparing open vs laparoscopy-assisted distal gastrectomy in early gastric cancer: early results. Surg Endosc 2005;19:168-173.
PUBMED | CROSSREF

109. Sakuramoto S, Yamashita K, Kikuchi S, Futawatari N, Katada N, Watanabe M, et al. Laparoscopy versus open distal gastrectomy by expert surgeons for early gastric cancer in Japanese patients: short-term clinical outcomes of a randomized clinical trial. Surg Endosc 2013;27:1695-1705.
PUBMED | CROSSREF

110. Takiguchi S, Fujiwara Y, Yamasaki M, Miyata H, Nakajima K, Sekimoto M, et al. Laparoscopy-assisted distal gastrectomy versus open distal gastrectomy. A prospective randomized single-blind study. World J Surg 2013;37:2379-2386.
PUBMED | CROSSREF

111. Yamashita K, Sakuramoto S, Kikuchi S, Futawatari N, Katada N, Hosoda K, et al. Laparoscopic versus open distal gastrectomy for early gastric cancer in Japan: long-term clinical outcomes of a randomized clinical trial. Surg Today 2016;46:741-749.
PUBMED | CROSSREF

112. Lu C, Zhou S, Peng Z, Chen L. Quality of D2 lymphadenectomy for advanced gastric cancer: is laparoscopic-assisted distal gastrectomy as effective as open distal gastrectomy? Surg Endosc 2015;29:1537-1544.
PUBMED | CROSSREF

113. Zou ZH, Zhao LY, Mou TY, Hu YF, Yu J, Liu H, et al. Laparoscopic vs open D2 gastrectomy for locally advanced gastric cancer: a meta-analysis. World J Gastroenterol 2014;20:16750-16764.
PUBMED | CROSSREF

114. Choi YY, Bae JM, An JY, Hyung WJ, Noh SH. Laparoscopic gastrectomy for advanced gastric cancer: are the long-term results comparable with conventional open gastrectomy? A systematic review and meta-analysis. J Surg Oncol 2013;108:550-556.
PUBMED | CROSSREF

115. Chen K, Xu XW, Mou YP, Pan Y, Zhou YC, Zhang RC, et al. Systematic review and meta-analysis of laparoscopic and open gastrectomy for advanced gastric cancer. World J Surg Oncol 2013;11:182.
PUBMED | CROSSREF

116. Martínez-Ramos D, Miralles-Tena JM, Cuesta MA, Escrig-Sos J, Van der Peet D, Hoashi JS, et al. Laparoscopy versus open surgery for advanced and resectable gastric cancer: a meta-analysis. Rev Esp Enferm Dig 2011;103:133-141.
PUBMED | CROSSREF

117. Wang W, Li Z, Tang J, Wang M, Wang B, Xu Z. Laparoscopic versus open total gastrectomy with D2 dissection for gastric cancer: a meta-analysis. J Cancer Res Clin Oncol 2013;139:1721-1734.
PUBMED | CROSSREF

118. Ding J, Liao GQ, Liu HL, Liu S, Tang J. Meta-analysis of laparoscopy-assisted distal gastrectomy with D2 lymph node dissection for gastric cancer. J Surg Oncol 2012;105:297-303.
PUBMED | CROSSREF

119. Park YK, Yoon HM, Kim YW, Park JY, Ryu KW, Lee YJ, et al. Laparoscopy-assisted versus open D2 distal gastrectomy for advanced gastric cancer: results from a randomized phase II multicenter clinical trial (COACT 1001). Ann Surg 2018;267:638-645.
PUBMED | CROSSREF

120. Huscher CG, Mingoli A, Sgarzini G, Sansonetti A, Di Paola M, Recher A, et al. Laparoscopic versus open subtotal gastrectomy for distal gastric cancer: five-year results of a randomized prospective trial. Ann Surg 2005;241:232-237.
PUBMED | CROSSREF

121. Cai J, Wei D, Gao CF, Zhang CS, Zhang H, Zhao T. A prospective randomized study comparing open versus laparoscopy-assisted D2 radical gastrectomy in advanced gastric cancer. Dig Surg 2011;28:331-337.
PUBMED | CROSSREF

122. Hur H, Lee HY, Lee HJ, Kim MC, Hyung WJ, Park YK, et al. Efficacy of laparoscopic subtotal gastrectomy with D2 lymphadenectomy for locally advanced gastric cancer: the protocol of the KLASS-02 multicenter randomized controlled clinical trial. BMC Cancer 2015;15:355.
PUBMED | CROSSREF

123. Hu Y, Huang C, Sun Y, Su X, Cao H, Hu J, et al. Morbidity and mortality of laparoscopic versus open D2 distal gastrectomy for advanced gastric cancer: a randomized controlled trial. J Clin Oncol 2016;34:1350-1357.
PUBMED | CROSSREF

124. Cui M, Li Z, Xing J, Yao Z, Liu M, Chen L, et al. A prospective randomized clinical trial comparing D2 dissection in laparoscopic and open gastrectomy for gastric cancer. Med Oncol 2015;32:241.
PUBMED | CROSSREF

125. Inaki N, Etoh T, Ohyama T, Uchiyama K, Katada N, Koeda K, et al. A multi-institutional, prospective, phase II feasibility study of laparoscopy-assisted distal gastrectomy with D2 lymph node dissection for locally advanced gastric cancer (JLSSG0901). World J Surg 2015;39:2734-2741.
PUBMED | CROSSREF

126. Suda K, Man-I M, Ishida Y, Kawamura Y, Satoh S, Uyama I. Potential advantages of robotic radical gastrectomy for gastric adenocarcinoma in comparison with conventional laparoscopic approach: a single institutional retrospective comparative cohort study. Surg Endosc 2015;29:673-685.
PUBMED | CROSSREF

127. Yang SY, Roh KH, Kim YN, Cho M, Lim SH, Son T, et al. Surgical outcomes after open, laparoscopic, and robotic gastrectomy for gastric cancer. Ann Surg Oncol 2017;24:1770-1777.
PUBMED | CROSSREF

128. Song J, Oh SJ, Kang WH, Hyung WJ, Choi SH, Noh SH. Robot-assisted gastrectomy with lymph node dissection for gastric cancer: lessons learned from an initial 100 consecutive procedures. Ann Surg 2009;249:927-932.
PUBMED | CROSSREF

129. Kim HI, Han SU, Yang HK, Kim YW, Lee HJ, Ryu KW, et al. Multicenter prospective comparative study of robotic versus laparoscopic gastrectomy for gastric adenocarcinoma. Ann Surg 2016;263(1):103-109.
PUBMED | CROSSREF

130. Noshiro H, Ikeda O, Urata M. Robotically-enhanced surgical anatomy enables surgeons to perform distal gastrectomy for gastric cancer using electric cautery devices alone. Surg Endosc 2014;28:1180-1187.
PUBMED | CROSSREF

131. Son T, Lee JH, Kim YM, Kim HI, Noh SH, Hyung WJ. Robotic spleen-preserving total gastrectomy for gastric cancer: comparison with conventional laparoscopic procedure. Surg Endosc 2014;28:2606-2615.
PUBMED | CROSSREF

132. Junfeng Z, Yan S, Bo T, Yingxue H, Dongzhu Z, Yongliang Z, et al. Robotic gastrectomy versus laparoscopic gastrectomy for gastric cancer: comparison of surgical performance and short-term outcomes. Surg Endosc 2014;28:1779-1787.
PUBMED | CROSSREF

133. Lim DH, Kim DY, Kang MK, Kim YI, Kang WK, Park CK, et al. Patterns of failure in gastric carcinoma after D2 gastrectomy and chemoradiotherapy: a radiation oncologist's view. Br J Cancer 2004;91:11-17.
PUBMED | CROSSREF

134. Al-Batran SE, Homann N, Schmalenberg H, Kopp HG, Haag GM, Luley KB, et al. Perioperative chemotherapy with docetaxel, oxaliplatin, and fluorouracil/leucovorin (FLOT) versus epirubicin, cisplatin, and fluorouracil or capecitabine (ECF/ECX) for resectable gastric or gastroesophageal junction (GEJ) adenocarcinoma (FLOT4-AIO): a multicenter, randomized phase 3 trial. J Clin Oncol 2017;35 15_suppl:4004.
CROSSREF

135. Cunningham D, Allum WH, Stenning SP, Thompson JN, Van de Velde CJ, Nicolson M, et al. Perioperative chemotherapy versus surgery alone for resectable gastroesophageal cancer. N Engl J Med 2006;355:11-20.
PUBMED | CROSSREF

136. Sakuramoto S, Sasako M, Yamaguchi T, Kinoshita T, Fujii M, Nashimoto A, et al. Adjuvant chemotherapy for gastric cancer with S-1, an oral fluoropyrimidine. N Engl J Med 2007;357:1810-1820.
PUBMED | CROSSREF

137. Bang YJ, Kim YW, Yang HK, Chung HC, Park YK, Lee KH, et al. Adjuvant capecitabine and oxaliplatin for gastric cancer after D2 gastrectomy (CLASSIC): a phase 3 open-label, randomised controlled trial. Lancet 2012;379:315-321.
PUBMED | CROSSREF

138. Japanese Gastric Cancer Association. Japanese classification of gastric carcinoma - 2nd English edition -. Gastric Cancer 1998;1:10-24.
PUBMED | CROSSREF

139. Greene FL, Page DL, Fleming ID, Fritz AG, Balch CM, Haller DG, Morrow M, eds. AJCC Cancer Staging Manual. 6th ed. Chicago (IL): Springer, 2002.

140. Sasako M, Sakuramoto S, Katai H, Kinoshita T, Furukawa H, Yamaguchi T, et al. Five-year outcomes of a randomized phase III trial comparing adjuvant chemotherapy with S-1 versus surgery alone in stage II or III gastric cancer. J Clin Oncol 2011;29:4387-4393.
PUBMED | CROSSREF

141. Noh SH, Park SR, Yang HK, Chung HC, Chung IJ, Kim SW, et al. Adjuvant capecitabine plus oxaliplatin for gastric cancer after D2 gastrectomy (CLASSIC): 5-year follow-up of an open-label, randomised phase 3 trial. Lancet Oncol 2014;15:1389-1396.
PUBMED | CROSSREF

142. Chang JS, Lim JS, Noh SH, Hyung WJ, An JY, Lee YC, et al. Patterns of regional recurrence after curative D2 resection for stage III (N3) gastric cancer: implications for postoperative radiotherapy. Radiother Oncol 2012;104:367-373.
PUBMED | CROSSREF

143. Gunderson LL, Sosin H. Adenocarcinoma of the stomach: areas of failure in a re-operation series (second or symptomatic look) clinicopathologic correlation and implications for adjuvant therapy. Int J Radiat Oncol Biol Phys 1982;8:1-11.
PUBMED | CROSSREF

144. Moertel CG, Childs DS, O'Fallon JR, Holbrook MA, Schutt AJ, Reitemeier RJ. Combined 5-fluorouracil and radiation therapy as a surgical adjuvant for poor prognosis gastric carcinoma. J Clin Oncol 1984;2:1249-1254.
PUBMED | CROSSREF

145. Landry J, Tepper JE, Wood WC, Moulton EO, Koerner F, Sullinger J. Patterns of failure following curative resection of gastric carcinoma. Int J Radiat Oncol Biol Phys 1990;19:1357-1362.
PUBMED | CROSSREF

146. Macdonald JS, Smalley SR, Benedetti J, Hundahl SA, Estes NC, Stemmermann GN, et al. Chemoradiotherapy after surgery compared with surgery alone for adenocarcinoma of the stomach or gastroesophageal junction. N Engl J Med 2001;345:725-730.
PUBMED | CROSSREF

147. Smalley SR, Benedetti JK, Haller DG, Hundahl SA, Estes NC, Ajani JA, et al. Updated analysis of SWOG-directed intergroup study 0116: a phase III trial of adjuvant radiochemotherapy versus observation after curative gastric cancer resection. J Clin Oncol 2012;30:2327-2333.
PUBMED | CROSSREF

148. Shim JH, Song KY, Jeon HM, Park CH, Jacks LM, Gonen M, et al. Is gastric cancer different in Korea and the United States? Impact of tumor location on prognosis. Ann Surg Oncol 2014;21:2332-2339.
PUBMED | CROSSREF

149. Dikken JL, Jansen EP, Cats A, Bakker B, Hartgrink HH, Kranenbarg EM, et al. Impact of the extent of surgery and postoperative chemoradiotherapy on recurrence patterns in gastric cancer. J Clin Oncol 2010;28:2430-2436.
PUBMED | CROSSREF

150. Bamias A, Karina M, Papakostas P, Kostopoulos I, Bobos M, Vourli G, et al. A randomized phase III study of adjuvant platinum/docetaxel chemotherapy with or without radiation therapy in patients with gastric cancer. Cancer Chemother Pharmacol 2010;65:1009-1021.
PUBMED | CROSSREF

151. Kim TH, Park SR, Ryu KW, Kim YW, Bae JM, Lee JH, et al. Phase 3 trial of postoperative chemotherapy alone versus chemoradiation therapy in stage III-IV gastric cancer treated with R0 gastrectomy and D2 lymph node dissection. Int J Radiat Oncol Biol Phys 2012;84:e585-e592.
PUBMED | CROSSREF

152. Kwon HC, Kim MC, Kim KH, Jang JS, Oh SY, Kim SH, et al. Adjuvant chemoradiation versus chemotherapy in completely resected advanced gastric cancer with D2 nodal dissection. Asia Pac J Clin Oncol 2010;6:278-285.
PUBMED | CROSSREF

153. Lee J, Lim DH, Kim S, Park SH, Park JO, Park YS, et al. Phase III trial comparing capecitabine plus cisplatin versus capecitabine plus cisplatin with concurrent capecitabine radiotherapy in completely resected gastric cancer with D2 lymph node dissection: the ARTIST trial. J Clin Oncol 2012;30:268-273.
PUBMED | CROSSREF

154. Zhu WG, Xua DF, Pu J, Zong CD, Li T, Tao GZ, et al. A randomized, controlled, multicenter study comparing intensity-modulated radiotherapy plus concurrent chemotherapy with chemotherapy alone in gastric cancer patients with D2 resection. Radiother Oncol 2012;104:361-366.
PUBMED | CROSSREF

155. Dai Q, Jiang L, Lin RJ, Wei KK, Gan LL, Deng CH, et al. Adjuvant chemoradiotherapy versus chemotherapy for gastric cancer: a meta-analysis of randomized controlled trials. J Surg Oncol 2015;111:277-284.
PUBMED | CROSSREF

155. Huang YY, Yang Q, Zhou SW, Wei Y, Chen YX, Xie DR, et al. Postoperative chemoradiotherapy versus postoperative chemotherapy for completely resected gastric cancer with D2 Lymphadenectomy: a meta-analysis. PLoS One 2013;8:e68939.
PUBMED | CROSSREF

157. Min C, Bangalore S, Jhawar S, Guo Y, Nicholson J, Formenti SC, et al. Chemoradiation therapy versus chemotherapy alone for gastric cancer after R0 surgical resection: a meta-analysis of randomized trials. Oncology 2014;86:79-85.
PUBMED | CROSSREF

158. Soon YY, Leong CN, Tey JC, Tham IW, Lu JJ. Postoperative chemo-radiotherapy versus chemotherapy for resected gastric cancer: a systematic review and meta-analysis. J Med Imaging Radiat Oncol 2014;58:483-496.
PUBMED

159. Valentini V, Cellini F, Minsky BD, Mattiucci GC, Balducci M, D'Agostino G, et al. Survival after radiotherapy in gastric cancer: systematic review and meta-analysis. Radiother Oncol 2009;92:176-183.
PUBMED | CROSSREF

160. Zhou ML, Kang M, Li GC, Guo XM, Zhang Z. Postoperative chemoradiotherapy versus chemotherapy for R0 resected gastric cancer with D2 lymph node dissection: an up-to-date meta-analysis. World J Surg Oncol 2016;14:209.
PUBMED | CROSSREF

161. Park SH, Sohn TS, Lee J, Lim DH, Hong ME, Kim KM, et al. Phase III trial to compare adjuvant chemotherapy with capecitabine and cisplatin versus concurrent chemoradiotherapy in gastric cancer: final report of the adjuvant chemoradiotherapy in stomach tumors trial, including survival and subset analyses. J Clin Oncol 2015;33:3130-3136.
PUBMED | CROSSREF

162. Yu JI, Lim DH, Ahn YC, Lee J, Kang WK, Park SH, et al. Effects of adjuvant radiotherapy on completely resected gastric cancer: a radiation oncologist's view of the ARTIST randomized phase III trial. Radiother Oncol 2015;117:171-177.
PUBMED | CROSSREF

163. Ychou M, Boige V, Pignon JP, Conroy T, Bouché O, Lebreton G, et al. Perioperative chemotherapy compared with surgery alone for resectable gastroesophageal adenocarcinoma: an FNCLCC and FFCD multicenter phase III trial. J Clin Oncol 2011;29:1715-1721.
PUBMED | CROSSREF

164. Iwasaki Y, Terashima M, Mizusawa J, Katayama H, Nakamura K, Katai H, et al. Randomized phase III trial of gastrectomy with or without neoadjuvant S-1 plus cisplatin for type 4 or large type 3 gastric cancer: Japan Clinical Oncology Group study (JCOG0501). J Clin Oncol 2018;36 15_suppl:4046.
CROSSREF

165. Klevebro F, Alexandersson von Döbeln G, Wang N, Johnsen G, Jacobsen AB, Friesland S, et al. A randomized clinical trial of neoadjuvant chemotherapy versus neoadjuvant chemoradiotherapy for cancer of the oesophagus or gastro-oesophageal junction. Ann Oncol 2016;27:660-667.
PUBMED | CROSSREF
166. Leong T, Smithers BM, Haustermans K, Michael M, Gebski V, Miller D, et al. TOPGEAR: a randomized, phase III trial of perioperative ECF chemotherapy with or without preoperative chemoradiation for resectable gastric cancer: interim results from an international, intergroup trial of the AGITG, TROG, EORTC and CCTG. Ann Surg Oncol 2017;24:2252-2258.
PUBMED | CROSSREF
167. Stahl M, Walz MK, Riera-Knorrenschild J, Stuschke M, Sandermann A, Bitzer M, et al. Preoperative chemotherapy versus chemoradiotherapy in locally advanced adenocarcinomas of the oesophagogastric junction (POET): long-term results of a controlled randomised trial. Eur J Cancer 2017;81:183-190.
PUBMED | CROSSREF
168. Stahl M, Walz MK, Stuschke M, Lehmann N, Meyer HJ, Riera-Knorrenschild J, et al. Phase III comparison of preoperative chemotherapy compared with chemoradiotherapy in patients with locally advanced adenocarcinoma of the esophagogastric junction. J Clin Oncol 2009;27:851-856.
PUBMED | CROSSREF
169. Fu T, Bu ZD, Li ZY, Zhang LH, Wu XJ, Wu AW, et al. Neoadjuvant chemoradiation therapy for resectable esophago-gastric adenocarcinoma: a meta-analysis of randomized clinical trials. BMC Cancer 2015;15:322.
PUBMED | CROSSREF
170. Kumagai K, Rouvelas I, Tsai JA, Mariosa D, Lind PA, Lindblad M, et al. Survival benefit and additional value of preoperative chemoradiotherapy in resectable gastric and gastro-oesophageal junction cancer: a direct and adjusted indirect comparison meta-analysis. Eur J Surg Oncol 2015;41:282-294.
PUBMED | CROSSREF
171. Ronellenfitsch U, Schwarzbach M, Hofheinz R, Kienle P, Kieser M, Slanger TE, et al. Preoperative chemo(radio)therapy versus primary surgery for gastroesophageal adenocarcinoma: systematic review with meta-analysis combining individual patient and aggregate data. Eur J Cancer 2013;49:3149-3158.
PUBMED | CROSSREF
172. Hofheinz R, Clouth J, Borchardt-Wagner J, Wagner U, Weidling E, Jen MH, et al. Patient preferences for palliative treatment of locally advanced or metastatic gastric cancer and adenocarcinoma of the gastroesophageal junction: a choice-based conjoint analysis study from Germany. BMC Cancer 2016;16:937.
PUBMED | CROSSREF
173. Hsu JT, Liao JA, Chuang HC, Chen TD, Chen TH, Kuo CJ, et al. Palliative gastrectomy is beneficial in selected cases of metastatic gastric cancer. BMC Palliat Care 2017;16:19.
PUBMED | CROSSREF
174. Dong Y, Ma S, Yang S, Luo F, Wang Z, Guo F. Non-curative surgery for patients with gastric cancer with local peritoneal metastasis: a retrospective cohort study. Medicine (Baltimore) 2016;95:e5607.
PUBMED | CROSSREF
175. Yang K, Liu K, Zhang WH, Lu ZH, Chen XZ, Chen XL, et al. The value of palliative gastrectomy for gastric cancer patients with intraoperatively proven peritoneal seeding. Medicine (Baltimore) 2015;94:e1051.
PUBMED | CROSSREF
176. Naka T, Iwahashi M, Nakamori M, Nakamura M, Ojima T, Iida T, et al. The evaluation of surgical treatment for gastric cancer patients with noncurative resection. Langenbecks Arch Surg 2012;397:959-966.
PUBMED | CROSSREF
177. Sougioultzis S, Syrios J, Xynos ID, Bovaretos N, Kosmas C, Sarantonis J, et al. Palliative gastrectomy and other factors affecting overall survival in stage IV gastric adenocarcinoma patients receiving chemotherapy: a retrospective analysis. Eur J Surg Oncol 2011;37:312-318.
PUBMED | CROSSREF
178. Zhu G, Zhang M, Zhang H, Gao H, Xue Y. Survival predictors of patients with gastric cancer with peritoneal metastasis. Hepatogastroenterology 2010;57:997-1000.
PUBMED
179. Kim KH, Lee KW, Baek SK, Chang HJ, Kim YJ, Park DJ, et al. Survival benefit of gastrectomy ± metastasectomy in patients with metastatic gastric cancer receiving chemotherapy. Gastric Cancer 2011;14:130-138.
PUBMED | CROSSREF
180. Li SC, Lee CH, Hung CL, Wu JC, Chen JH. Surgical resection of metachronous hepatic metastases from gastric cancer improves long-term survival: a population-based study. PLoS One 2017;12:e0182255.
PUBMED | CROSSREF

181. Markar SR, Mackenzie H, Mikhail S, Mughal M, Preston SR, Maynard ND, et al. Surgical resection of hepatic metastases from gastric cancer: outcomes from national series in England. Gastric Cancer 2017;20:379-386.
PUBMED | CROSSREF

182. Saito A, Korenaga D, Sakaguchi Y, Ohno S, Ichiyoshi Y, Sugimachi K. Surgical treatment for gastric carcinomas with concomitant hepatic metastasis. Hepatogastroenterology 1996;43:560-564.
PUBMED

183. Cheon SH, Rha SY, Jeung HC, Im CK, Kim SH, Kim HR, et al. Survival benefit of combined curative resection of the stomach (D2 resection) and liver in gastric cancer patients with liver metastases. Ann Oncol 2008;19:1146-1153.
PUBMED | CROSSREF

184. Okumura Y, Yamashita H, Aikou S, Yagi K, Yamagata Y, Nishida M, et al. Palliative distal gastrectomy offers no survival benefit over gastrojejunostomy for gastric cancer with outlet obstruction: retrospective analysis of an 11-year experience. World J Surg Oncol 2014;12:364.
PUBMED | CROSSREF

185. Tokunaga M, Terashima M, Tanizawa Y, Bando E, Kawamura T, Yasui H, et al. Survival benefit of palliative gastrectomy in gastric cancer patients with peritoneal metastasis. World J Surg 2012;36:2637-2643.
PUBMED | CROSSREF

186. Park SH, Kim JH, Park JM, Park SS, Kim SJ, Kim CS, et al. Value of nonpalliative resection as a therapeutic and pre-emptive operation for metastatic gastric cancer. World J Surg 2009;33:303-311.
PUBMED | CROSSREF

187. Kokkola A, Louhimo J, Puolakkainen P. Does non-curative gastrectomy improve survival in patients with metastatic gastric cancer? J Surg Oncol 2012;106:193-196.
PUBMED | CROSSREF

188. Lupaşcu C, Andronic D, Ursulescu C, Vasiluţă C, Raileanu G, Georgescu St, et al. Palliative gastrectomy in patients with stage IV gastric cancer--our recent experience. Chirurgia (Bucur) 2010;105:473-476.
PUBMED

189. Yoshikawa T, Kanari M, Tsuburaya A, Kobayashi O, Sairenji M, Motohashi H, et al. Should gastric cancer with peritoneal metastasis be treated surgically? Hepatogastroenterology 2003;50:1712-1715.
PUBMED

190. Rafique M, Adachi W, Kajikawa S, Kobayashi M, Koike S, Kuroda T. Management of gastric cancer patients with synchronous hepatic metastasis: a retrospective study. Hepatogastroenterology 1995;42:666-671.
PUBMED

191. He MM, Zhang DS, Wang F, Wang ZQ, Luo HY, Jin Y, et al. The role of non-curative surgery in incurable, asymptomatic advanced gastric cancer. PLoS One 2013;8:e83921.
PUBMED | CROSSREF

192. Sun J, Song Y, Wang Z, Chen X, Gao P, Xu Y, et al. Clinical significance of palliative gastrectomy on the survival of patients with incurable advanced gastric cancer: a systematic review and meta-analysis. BMC Cancer 2013;13:577.
PUBMED | CROSSREF

193. Lasithiotakis K, Antoniou SA, Antoniou GA, Kaklamanos I, Zoras O. Gastrectomy for stage IV gastric cancer. a systematic review and meta-analysis. Anticancer Res 2014;34:2079-2085.
PUBMED

194. Fujitani K, Yang HK, Mizusawa J, Kim YW, Terashima M, Han SU, et al. Gastrectomy plus chemotherapy versus chemotherapy alone for advanced gastric cancer with a single non-curable factor (REGATTA): a phase 3, randomised controlled trial. Lancet Oncol 2016;17:309-318.
PUBMED | CROSSREF

195. Murad AM, Santiago FF, Petroianu A, Rocha PR, Rodrigues MA, Rausch M. Modified therapy with 5-fluorouracil, doxorubicin, and methotrexate in advanced gastric cancer. Cancer 1993;72:37-41.
PUBMED | CROSSREF

196. Pyrhönen S, Kuitunen T, Nyandoto P, Kouri M. Randomised comparison of fluorouracil, epidoxorubicin and methotrexate (FEMTX) plus supportive care with supportive care alone in patients with non-resectable gastric cancer. Br J Cancer 1995;71:587-591.
PUBMED | CROSSREF

197. Glimelius B, Ekström K, Hoffman K, Graf W, Sjödén PO, Haglund U, et al. Randomized comparison between chemotherapy plus best supportive care with best supportive care in advanced gastric cancer. Ann Oncol 1997;8:163-168.
PUBMED | CROSSREF

https://doi.org/10.5230/jgc.2019.19.e8

198. Wagner AD, Grothe W, Haerting J, Kleber G, Grothey A, Fleig WE. Chemotherapy in advanced gastric cancer: a systematic review and meta-analysis based on aggregate data. J Clin Oncol 2006;24:2903-2909.
PUBMED | CROSSREF
199. Cunningham D, Starling N, Rao S, Iveson T, Nicolson M, Coxon F, et al. Capecitabine and oxaliplatin for advanced esophagogastric cancer. N Engl J Med 2008;358:36-46.
PUBMED | CROSSREF
200. Kang YK, Kang WK, Shin DB, Chen J, Xiong J, Wang J, et al. Capecitabine/cisplatin versus 5-fluorouracil/cisplatin as first-line therapy in patients with advanced gastric cancer: a randomised phase III noninferiority trial. Ann Oncol 2009;20:666-673.
PUBMED | CROSSREF
201. Okines AF, Norman AR, McCloud P, Kang YK, Cunningham D. Meta-analysis of the REAL-2 and ML17032 trials: evaluating capecitabine-based combination chemotherapy and infused 5-fluorouracil-based combination chemotherapy for the treatment of advanced oesophago-gastric cancer. Ann Oncol 2009;20:1529-1534.
PUBMED | CROSSREF
202. Boku N, Yamamoto S, Fukuda H, Shirao K, Doi T, Sawaki A, et al. Fluorouracil versus combination of irinotecan plus cisplatin versus S-1 in metastatic gastric cancer: a randomised phase 3 study. Lancet Oncol 2009;10:1063-1069.
PUBMED | CROSSREF
203. Ajani JA, Rodriguez W, Bodoky G, Moiseyenko V, Lichinitser M, Gorbunova V, et al. Multicenter phase III comparison of cisplatin/S-1 with cisplatin/infusional fluorouracil in advanced gastric or gastroesophageal adenocarcinoma study: the FLAGS trial. J Clin Oncol 2010;28:1547-1553.
PUBMED | CROSSREF
204. Al-Batran SE, Hartmann JT, Probst S, Schmalenberg H, Hollerbach S, Hofheinz R, et al. Phase III trial in metastatic gastroesophageal adenocarcinoma with fluorouracil, leucovorin plus either oxaliplatin or cisplatin: a study of the Arbeitsgemeinschaft Internistische Onkologie. J Clin Oncol 2008;26:1435-1442.
PUBMED | CROSSREF
205. Yamada Y, Higuchi K, Nishikawa K, Gotoh M, Fuse N, Sugimoto N, et al. Phase III study comparing oxaliplatin plus S-1 with cisplatin plus S-1 in chemotherapy-naïve patients with advanced gastric cancer. Ann Oncol 2015;26:141-148.
PUBMED | CROSSREF
206. Ryu MH, Park YI, Chung IJ, Lee KW, Oh HS, Lee KH, et al. Phase III trial of s-1 plus oxaliplatin (SOX) vs s-1 plus cisplatin (SP) combination chemotherapy for first-line treatment of advanced gastric cancer (AGC): SOPP study. J Clin Oncol 2016;34 15_suppl:4015.
CROSSREF
207. Van Cutsem E, Moiseyenko VM, Tjulandin S, Majlis A, Constenla M, Boni C, et al. Phase III study of docetaxel and cisplatin plus fluorouracil compared with cisplatin and fluorouracil as first-line therapy for advanced gastric cancer: a report of the V325 study group. J Clin Oncol 2006;24:4991-4997.
PUBMED | CROSSREF
208. Bang YJ, Van Cutsem E, Feyereislova A, Chung HC, Shen L, Sawaki A, et al. Trastuzumab in combination with chemotherapy versus chemotherapy alone for treatment of HER2-positive advanced gastric or gastro-oesophageal junction cancer (ToGA): a phase 3, open-label, randomised controlled trial. Lancet 2010;376:687-697.
PUBMED | CROSSREF
209. Thuss-Patience PC, Kretzschmar A, Bichev D, Deist T, Hinke A, Breithaupt K, et al. Survival advantage for irinotecan versus best supportive care as second-line chemotherapy in gastric cancer--a randomised phase III study of the Arbeitsgemeinschaft Internistische Onkologie (AIO). Eur J Cancer 2011;47:2306-2314.
PUBMED | CROSSREF
210. Kang JH, Lee SI, Lim DH, Park KW, Oh SY, Kwon HC, et al. Salvage chemotherapy for pretreated gastric cancer: a randomized phase III trial comparing chemotherapy plus best supportive care with best supportive care alone. J Clin Oncol 2012;30:1513-1518.
PUBMED | CROSSREF
211. Ford HE, Marshall A, Bridgewater JA, Janowitz T, Coxon FY, Wadsley J, et al. Docetaxel versus active symptom control for refractory oesophagogastric adenocarcinoma (COUGAR-02): an open-label, phase 3 randomised controlled trial. Lancet Oncol 2014;15:78-86.
PUBMED | CROSSREF
212. Kim HS, Kim HJ, Kim SY, Kim TY, Lee KW, Baek SK, et al. Second-line chemotherapy versus supportive cancer treatment in advanced gastric cancer: a meta-analysis. Ann Oncol 2013;24:2850-2854.
PUBMED | CROSSREF

213. Hironaka S, Ueda S, Yasui H, Nishina T, Tsuda M, Tsumura T, et al. Randomized, open-label, phase III study comparing irinotecan with paclitaxel in patients with advanced gastric cancer without severe peritoneal metastasis after failure of prior combination chemotherapy using fluoropyrimidine plus platinum: WJOG 4007 trial. J Clin Oncol 2013;31:4438-4444.
PUBMED | CROSSREF

214. Lee KW, Maeng CH, Kim TY, Zang DY, Kim YH, Hwang IG, et al. A phase III study to compare the efficacy and safety of paclitaxel versus irinotecan in patients with metastatic or recurrent gastric cancer who failed in first-line therapy (KCSG ST10-01). Oncologist 2019;24:18-e24.
PUBMED

215. Fuchs CS, Tomasek J, Yong CJ, Dumitru F, Passalacqua R, Goswami C, et al. Ramucirumab monotherapy for previously treated advanced gastric or gastro-oesophageal junction adenocarcinoma (REGARD): an international, randomised, multicentre, placebo-controlled, phase 3 trial. Lancet 2014;383:31-39.
PUBMED | CROSSREF

216. Wilke H, Muro K, Van Cutsem E, Oh SC, Bodoky G, Shimada Y, et al. Ramucirumab plus paclitaxel versus placebo plus paclitaxel in patients with previously treated advanced gastric or gastro-oesophageal junction adenocarcinoma (RAINBOW): a double-blind, randomised phase 3 trial. Lancet Oncol 2014;15:1224-1235.
PUBMED | CROSSREF

217. Le DT, Durham JN, Smith KN, Wang H, Bartlett BR, Aulakh LK, et al. Mismatch repair deficiency predicts response of solid tumors to PD-1 blockade. Science 2017;357:409-413.
PUBMED | CROSSREF

218. Lee MJ, Hwang IG, Jang JS, Choi JH, Park BB, Chang MH, et al. Outcomes of third-line docetaxel-based chemotherapy in advanced gastric cancer who failed previous oxaliplatin-based and irinotecan-based chemotherapies. Cancer Res Treat 2012;44:235-241.
PUBMED | CROSSREF

219. Fanotto V, Uccello M, Pecora I, Rimassa L, Leone F, Rosati G, et al. Outcomes of advanced gastric cancer patients treated with at least three lines of systemic chemotherapy. Oncologist 2017;22:1463-1469.
PUBMED | CROSSREF

220. Choi IS, Choi M, Lee JH, Kim JH, Suh KJ, Lee JY, et al. Treatment patterns and outcomes in patients with metastatic gastric cancer receiving third-line chemotherapy: a population-based outcomes study. PLoS One 2018;13:e0198544.
PUBMED | CROSSREF

221. Tabernero J, Shitara K, Dvorkin M, Mansoor W, Arkenau HT, Prokharau A, et al. LBA-002 Overall survival results from a phase III trial of trifluridine/tipitacil vs. placebo in patients with metastatic gastric cancer refractory to standard therapies (TAGS). Ann Oncol 2018;29:mdy208.001.
CROSSREF

222. Li J, Qin S, Xu J, Xiong J, Wu C, Bai Y, et al. Randomized, double-blind, placebo-controlled phase III trial of apatinib in patients with chemotherapy-refractory advanced or metastatic adenocarcinoma of the stomach or gastroesophageal junction. J Clin Oncol 2016;34:1448-1454.
PUBMED | CROSSREF

223. Kang YK, Boku N, Satoh T, Ryu MH, Chao Y, Kato K, et al. Nivolumab in patients with advanced gastric or gastro-oesophageal junction cancer refractory to, or intolerant of, at least two previous chemotherapy regimens (ONO-4538-12, ATTRACTION-2): a randomised, double-blind, placebo-controlled, phase 3 trial. Lancet 2017;390:2461-2471.
PUBMED | CROSSREF

224. Muro K, Chung HC, Shankaran V, Geva R, Catenacci D, Gupta S, et al. Pembrolizumab for patients with PD-L1-positive advanced gastric cancer (KEYNOTE-012): a multicentre, open-label, phase 1b trial. Lancet Oncol 2016;17:717-726.
PUBMED | CROSSREF

225. Fuchs CS, Doi T, Jang RW, Muro K, Satoh T, Machado M, et al. Safety and efficacy of pembrolizumab monotherapy in patients with previously treated advanced gastric and gastroesophageal junction cancer: phase 2 clinical KEYNOTE-059 trial. JAMA Oncol 2018;4:e180013.
PUBMED | CROSSREF

226. Depypere L, Lerut T, Moons J, Coosemans W, Decker G, Van Veer H, et al. Isolated local recurrence or solitary solid organ metastasis after esophagectomy for cancer is not the end of the road. Dis Esophagus 2017;30:1-8.
PUBMED

227. Hingorani M, Dixit S, Johnson M, Plested V, Alty K, Colley P, et al. Palliative radiotherapy in the presence of well-controlled metastatic disease after initial chemotherapy may prolong survival in patients with metastatic esophageal and gastric cancer. Cancer Res Treat 2015;47:706-717.
PUBMED | CROSSREF

https://doi.org/10.5230/jgc.2019.19.e8

228. Sun J, Sun YH, Zeng ZC, Qin XY, Zeng MS, Chen B, et al. Consideration of the role of radiotherapy for abdominal lymph node metastases in patients with recurrent gastric cancer. Int J Radiat Oncol Biol Phys 2010;77:384-391.
PUBMED | CROSSREF

229. Tey J, Back MF, Shakespeare TP, Mukherjee RK, Lu JJ, Lee KM, et al. The role of palliative radiation therapy in symptomatic locally advanced gastric cancer. Int J Radiat Oncol Biol Phys 2007;67:385-388.
PUBMED | CROSSREF

230. Tey J, Choo BA, Leong CN, Loy EY, Wong LC, Lim K, et al. Clinical outcome of palliative radiotherapy for locally advanced symptomatic gastric cancer in the modern era. Medicine (Baltimore) 2014;93:e118.
PUBMED | CROSSREF

231. Yoshikawa T, Tsuburaya A, Hirabayashi N, Yoshida K, Nagata N, Kodera Y, et al. A phase I study of palliative chemoradiation therapy with paclitaxel and cisplatin for local symptoms due to an unresectable primary advanced or locally recurrent gastric adenocarcinoma. Cancer Chemother Pharmacol 2009;64:1071-1077.
PUBMED | CROSSREF

232. Kim WH, Park CK, Kim YB, Kim YW, Kim HG, Bae HI, et al. A standardized pathology report for gastric cancer. Korean J Pathol 2005;39:106-113.

233. Bosman FT, Carneiro F, Hruban RH, Theise ND, eds. WHO Classification of Tumours of the Digestive System. 4th ed. Lyon: IARC Press, 2010.

234. Lauren P. The two histological main types of gastric carcinoma: diffuse and so-called intestinal-type carcinoma. an attempt at a histo-clinical classification. Acta Pathol Microbiol Scand 1965;64:31-49.
PUBMED | CROSSREF

235. Iacobuzio-Donahue CA, Montgomery EA. Gastrointestinal and Liver Pathology E-Book: a Volume in the Series: Foundations in Diagnostic Pathology: Elsevier Health Sciences. 2nd ed. Philadelphia (PA): Elsevier, 2012.

236. Nakashima Y, Yao T, Hirahashi M, Aishima S, Kakeji Y, Maehara Y, et al. Nuclear atypia grading score is a useful prognostic factor in papillary gastric adenocarcinoma. Histopathology 2011;59:841-849.
PUBMED | CROSSREF

237. Nakamura K, Sugano H, Takagi K. Carcinoma of the stomach in incipient phase: its histogenesis and histological appearances. Gan 1968;59:251-258.
PUBMED

238. Sugano H, Nakamura K, Kato Y. Pathological studies of human gastric cancer. Acta Pathol Jpn 1982;32 Suppl 2:329-347.
PUBMED

239. Kim JM, Sohn JH, Cho MY, Kim WH, Chang HK, Jung ES, et al. Pre- and post-ESD discrepancies in clinicopathologic criteria in early gastric cancer: the NECA-Korea ESD for early gastric cancer prospective study (N-Keep). Gastric Cancer 2016;19:1104-1113.
PUBMED | CROSSREF

240. Shibata A, Longacre TA, Puligandla B, Parsonnet J, Habel LA. Histological classification of gastric adenocarcinoma for epidemiological research: concordance between pathologists. Cancer Epidemiol Biomarkers Prev 2001;10:75-78.
PUBMED

241. Flucke U, Mönig SP, Baldus SE, Zirbes TK, Bollschweiler E, Thiele J, et al. Differences between biopsy- or specimen-related Laurén and World Health Organization classification in gastric cancer. World J Surg 2002;26:137-140.
PUBMED | CROSSREF

242. Mita T, Shimoda T. Risk factors for lymph node metastasis of submucosal invasive differentiated type gastric carcinoma: clinical significance of histological heterogeneity. J Gastroenterol 2001;36:661-668.
PUBMED | CROSSREF

243. Takizawa K, Ono H, Kakushima N, Tanaka M, Hasuike N, Matsubayashi H, et al. Risk of lymph node metastases from intramucosal gastric cancer in relation to histological types: how to manage the mixed histological type for endoscopic submucosal dissection. Gastric Cancer 2013;16:531-536.
PUBMED | CROSSREF

244. Bartley AN, Washington MK, Ventura CB, Ismaila N, Colasacco C, Benson AB 3rd, et al. HER2 testing and clinical decision making in gastroesophageal adenocarcinoma: guideline from the College of American Pathologists, American Society for Clinical Pathology, and American Society of Clinical Oncology. Arch Pathol Lab Med 2016;140:1345-1363.
PUBMED | CROSSREF

https://doi.org/10.5230/jgc.2019.19.e8

245. Hofmann M, Stoss O, Shi D, Büttner R, van de Vijver M, Kim W, et al. Assessment of a HER2 scoring system for gastric cancer: results from a validation study. Histopathology 2008;52:797-805.
PUBMED | CROSSREF

246. Provenzale D, Gupta S, Ahnen DJ, Blanco AM, Bray TH. NCCN cinical practice guidelines in oncology. Genetic/familial high-risk assessment: colorectal. Version 1. 2018 [Internet]. Plymouth Meeting (PA): National Comprehensive Cancer Network; 2018 [cited 2018 Jul 14]. Available from: https://www.nccn.org/professionals/physician_gls/pdf/genetics_colon.pdf.

247. Funkhouser WK Jr, Lubin IM, Monzon FA, Zehnbauer BA, Evans JP, Ogino S, et al. Relevance, pathogenesis, and testing algorithm for mismatch repair-defective colorectal carcinomas: a report of the association for molecular pathology. J Mol Diagn 2012;14:91-103.
PUBMED | CROSSREF

248. Serrano M, Lage P, Belga S, Filipe B, Francisco I, Rodrigues P, et al. Bethesda criteria for microsatellite instability testing: impact on the detection of new cases of Lynch syndrome. Fam Cancer 2012;11:571-578.
PUBMED | CROSSREF

249. Buhard O, Suraweera N, Lectard A, Duval A, Hamelin R. Quasimonomorphic mononucleotide repeats for high-level microsatellite instability analysis. Dis Markers 2004;20:251-257.
PUBMED | CROSSREF

250. Cancer Genome Atlas Research Network. Comprehensive molecular characterization of gastric adenocarcinoma. Nature 2014;513:202-209.
PUBMED | CROSSREF

251. Cristescu R, Lee J, Nebozhyn M, Kim KM, Ting JC, Wong SS, et al. Molecular analysis of gastric cancer identifies subtypes associated with distinct clinical outcomes. Nat Med 2015;21:449-456.
PUBMED | CROSSREF

252. Polom K, Marano L, Marrelli D, De Luca R, Roviello G, Savelli V, et al. Meta-analysis of microsatellite instability in relation to clinicopathological characteristics and overall survival in gastric cancer. Br J Surg 2018;105:159-167.
PUBMED | CROSSREF

253. Ajani JA, D'Amico TA, Baggstrom M, Bentrem DJ, Chao J. NCCN clinical practice guidelines in oncology (NCCN guidelines). Gastric cancer, version 2. 2018 [Internet]. Plymouth Meeting (PA): National Comprehensive Cancer Network; 2018 [cited 2018 Jul 13]. Available from: https://www.nccn.org.

254. Weiss LM, Chen YY. EBER in situ hybridization for Epstein-Barr virus. Methods Mol Biol 2013;999:223-230.
PUBMED | CROSSREF

255. Murphy G, Pfeiffer R, Camargo MC, Rabkin CS. Meta-analysis shows that prevalence of Epstein-Barr virus-positive gastric cancer differs based on sex and anatomic location. Gastroenterology 2009;137:824-833.
PUBMED | CROSSREF

256. Camargo MC, Kim WH, Chiaravalli AM, Kim KM, Corvalan AH, Matsuo K, et al. Improved survival of gastric cancer with tumour Epstein-Barr virus positivity: an international pooled analysis. Gut 2014;63:236-243.
PUBMED | CROSSREF

257. Dako Agilent Pathology Solutions. PD-L1 IHC 22C3 pharmDx is FDA-Approved. Santa Clara (CA): Dako Agilent Pathology Solutions, 2018.

258. Herbst RS, Baas P, Kim DW, Felip E, Pérez-Gracia JL, Han JY, et al. Pembrolizumab versus docetaxel for previously treated, PD-L1-positive, advanced non-small-cell lung cancer (KEYNOTE-010): a randomised controlled trial. Lancet 2016;387:1540-50.
PUBMED | CROSSREF

259. Kang KK, Hur H, Byun CS, Kim YB, Han SU, Cho YK. Conventional cytology is not beneficial for predicting peritoneal recurrence after curative surgery for gastric cancer: results of a prospective clinical study. J Gastric Cancer 2014;14:23-31.
PUBMED | CROSSREF

260. Cotte E, Peyrat P, Piaton E, Chapuis F, Rivoire M, Glehen O, et al. Lack of prognostic significance of conventional peritoneal cytology in colorectal and gastric cancers: results of EVOCAPE 2 multicentre prospective study. Eur J Surg Oncol 2013;39:707-714.
PUBMED | CROSSREF

261. Lee SD, Ryu KW, Eom BW, Lee JH, Kook MC, Kim YW. Prognostic significance of peritoneal washing cytology in patients with gastric cancer. Br J Surg 2012;99:397-403.
PUBMED | CROSSREF

262. Shimizu H, Imamura H, Ohta K, Miyazaki Y, Kishimoto T, Fukunaga M, et al. Usefulness of staging laparoscopy for advanced gastric cancer. Surg Today 2010;40:119-124.
PUBMED | CROSSREF

263. Mezhir JJ, Shah MA, Jacks LM, Brennan MF, Coit DG, Strong VE. Positive peritoneal cytology in patients with gastric cancer: natural history and outcome of 291 patients. Ann Surg Oncol 2010;17:3173-3180.
PUBMED | CROSSREF

264. La Torre M, Ferri M, Giovagnoli MR, Sforza N, Cosenza G, Giarnieri E, et al. Peritoneal wash cytology in gastric carcinoma. Prognostic significance and therapeutic consequences. Eur J Surg Oncol 2010;36:982-986.
PUBMED | CROSSREF

265. Jamel S, Markar SR, Malietzis G, Acharya A, Athanasiou T, Hanna GB. Prognostic significance of peritoneal lavage cytology in staging gastric cancer: systematic review and meta-analysis. Gastric Cancer 2018;21:10-18.
PUBMED | CROSSREF

266. Tustumi F, Bernardo WM, Dias AR, Ramos MF, Cecconello I, Zilberstein B, et al. Detection value of free cancer cells in peritoneal washing in gastric cancer: a systematic review and meta-analysis. Clinics (Sao Paulo) 2016;71:733-745.
PUBMED | CROSSREF

267. Pecqueux M, Fritzmann J, Adamu M, Thorlund K, Kahlert C, Reißfelder C, et al. Free intraperitoneal tumor cells and outcome in gastric cancer patients: a systematic review and meta-analysis. Oncotarget 2015;6:35564-35578.
PUBMED | CROSSREF

268. Leake PA, Cardoso R, Seevaratnam R, Lourenco L, Helyer L, Mahar A, et al. A systematic review of the accuracy and utility of peritoneal cytology in patients with gastric cancer. Gastric Cancer 2012;15 Suppl 1:S27-S37.
PUBMED | CROSSREF

269. Fleissig A, Jenkins V, Catt S, Fallowfield L. Multidisciplinary teams in cancer care: are they effective in the UK? Lancet Oncol 2006;7:935-943.
PUBMED | CROSSREF

270. Taylor C, Munro AJ, Glynne-Jones R, Griffith C, Trevatt P, Richards M, et al. Multidisciplinary team working in cancer: what is the evidence? BMJ 2010;340:c951.
PUBMED | CROSSREF

271. Lamb B, Green JS, Vincent C, Sevdalis N. Decision making in surgical oncology. Surg Oncol 2011;20:163-168.
PUBMED | CROSSREF

272. Basta YL, Baur OL, van Dieren S, Klinkenbijl JH, Fockens P, Tytgat KM. Is there a benefit of multidisciplinary cancer team meetings for patients with gastrointestinal malignancies? Ann Surg Oncol 2016;23:2430-2437.
PUBMED | CROSSREF

273. Basta YL, Bolle S, Fockens P, Tytgat KM. The value of multidisciplinary team meetings for patients with gastrointestinal malignancies: a systematic review. Ann Surg Oncol 2017;24:2669-2678.
PUBMED | CROSSREF

274. Du CZ, Li J, Cai Y, Sun YS, Xue WC, Gu J. Effect of multidisciplinary team treatment on outcomes of patients with gastrointestinal malignancy. World J Gastroenterol 2011;17:2013-2018.
PUBMED | CROSSREF

275. Oxenberg J, Papenfuss W, Esemuede I, Attwood K, Simunovic M, Kuvshinoff B, et al. Multidisciplinary cancer conferences for gastrointestinal malignancies result in measureable treatment changes: a prospective study of 149 consecutive patients. Ann Surg Oncol 2015;22:1533-1539.
PUBMED | CROSSREF

276. Smyth EC, Verheij M, Allum W, Cunningham D, Cervantes A, Arnold D, et al. Gastric cancer: ESMO clinical practice guidelines for diagnosis, treatment and follow-up. Ann Oncol 2016;27:v38-v49.
PUBMED | CROSSREF

277. Kunkler IH, Prescott RJ, Lee RJ, Brebner JA, Cairns JA, Fielding RG, et al. TELEMAM: a cluster randomised trial to assess the use of telemedicine in multi-disciplinary breast cancer decision making. Eur J Cancer 2007;43:2506-2514.
PUBMED | CROSSREF

278. Brar SS, Mahar AL, Helyer LK, Swallow C, Law C, Paszat L, et al. Processes of care in the multidisciplinary treatment of gastric cancer: results of a RAND/UCLA expert panel. JAMA Surg 2014;149:18-25.
PUBMED | CROSSREF

279. Van Cutsem E, Sagaert X, Topal B, Haustermans K, Prenen H. Gastric cancer. Lancet 2016;388:2654-2664.
PUBMED | CROSSREF